A E S T H E T I C   P L A S T I C   S U R G E R Y

미용 성형외과학 3

Aesthetic Plastic Surgery

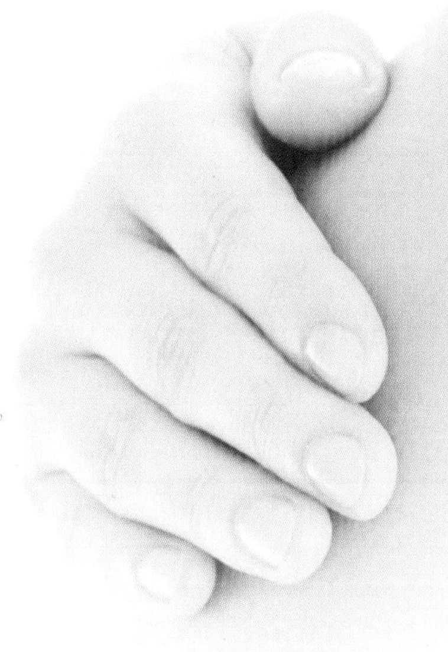

Breast

Lipoplasty

Hair Transplantation

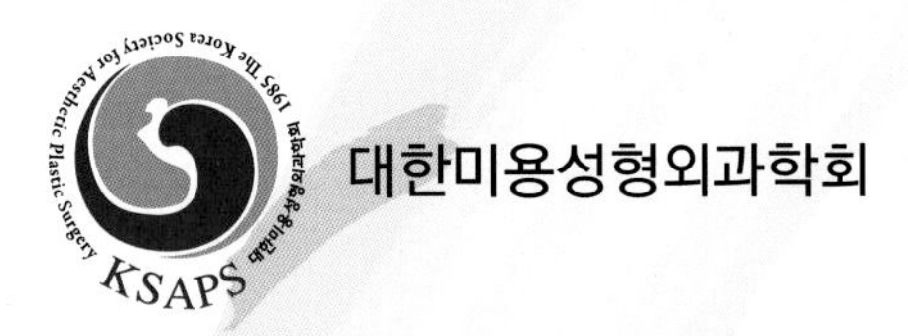

미용성형외과학 3

Aesthetic Plastic Surgery Vol.3

첫째판 1쇄 인쇄 | 2018년 1월 3일
첫째판 1쇄 발행 | 2018년 1월 10일

지 은 이 대한미용성형외과학회
발 행 인 장주연
출판기획 조은희
편집디자인 조원배
표지디자인 김재욱
일러스트 김경열, 이호현
발 행 처 군자출판사
등록 제4-139호(1991. 6. 24)
본사 (10881) **파주출판단지** 경기도 파주시 회동길 338(서패동 474-1)
전화 (031) 943-1888 팩스 (031) 955-9545
홈페이지 | www.koonja.co.kr

* 파본은 교환하여 드립니다.
* 검인은 저자와의 합의 하에 생략합니다.

ISBN 979-11-5955-248-9

정가 250,000원

머리말

· Aesthetic Plastic Surgery ·

1985년 창립된 대한미용성형외과학회는 지난 33년 동안 원로회원님들을 비롯한 전회원님들의 헌신적인 노력과 뛰어난 역량 그리고 우리학회에 대한 끊임없는 애정으로 아시아는 물론 세계의 미용성형 분야를 이끌어 가는 중심 학회 중의 하나가 되었습니다. 특히 Aesthetic Plastic Surgery 학술대회는 이미 브랜드화되어 세계최고의 국제 미용성형학술대회로 인정받고 있습니다. 많은 국제학회나 해외학회로부터 초청연자를 추천해 달라는 요청이 해마다 증가하고 있습니다. 또한 대한미용성형외과학회가 세계의 미용성형학계를 선도하는 중심이라는 입지를 굳히지 위해 최근 진행중인 해외 미용성형외과학회들과의 MOU 사업도 순조롭게 진행되어 현재까지 미국, 캐나다, 일본, 대만, 태국 등과 MOU를 맺었습니다. 그 동안 학회 발전을 위하여 큰 관심과 협조, 성원을 보내주셨던 대한미용성형외과학회 회원님들께 다시 한 번 감사의 말씀 드립니다.

'미용성형외과학' 교과서 집필은 대한미용성형외과학회의 창립 30주년 기념사업으로 시작되었습니다. 우리 학회의 자산인 미용성형 각 분야에서 세계최고 수준의 실력을 인정받고 있는 회원들의 임상경험과 지식을 후배들에게 열린 마음으로 전해주려는 취지로 총 3권으로 계획 됐습니다. 제1권과 제2권이 이미 성공적으로 출판되었고, 이번 제3권은 유방성형, 지방성형, 모발이식 등을 주제로 집필 되었습니다. 이번에 제3권이 발간됨으로써 일단 계획된 교과서 발간사업은 결실을 맺게 되었습니다. 그러나 대한미용성형외과학회에서는 여기에 만족하지 않고 앞서 발간되었던 교과서들도 계속 수정 보완하여 최고의 미용성형외과학 교과서가 될 수 있도록 개정판을 준비할 예정입니다. 본 교과서가 미용성형을 전공하는 모든 선생님들께 필수적인 지침서가 되고, 우리나라 미용 성형의 위상을 더욱 높일 수 있는 기회가 되기를 바랍니다.

그 동안 3권의 '미용성형외과학' 발간을 위해 노고를 아끼지 않으신 나영천 편찬위원장을 비롯한 모든 집필진들께, 학회를 대표하여 감사의 말씀 드립니다.

대한미용성형외과학회
이사장 한 승 규

집필진

편찬 위원장

나영천 원광대학교병원 성형외과

편찬 위원

김광석 전남대학교병원 성형외과
노태석 연세대학교 강남세브란스병원 성형외과
모재성 모재성 성형외과
박재우 박재우 성형외과
박재현 다나 성형외과
양호직 을지대학교병원 성형외과
엄진섭 울산대학교 서울아산병원 성형외과
윤을식 고려대학교 안암병원 성형외과
이정재 이정재 성형외과
정재헌 연세헤어 성형외과

간사

손경민 조선대학교 성형외과

집필진 (가나다 순)

강상규 순천향대학교 성형외과
김기태 태 성형외과
김대용 압구정 연세 의원
김성기 김성기 성형외과
김성민 아이미김성민 성형외과
김영진 가톨릭대학교 부천성모병원 성형외과
김잉곤 압구정필 성형외과
김진영 아름다운나라 성형외과
김진오 뉴헤어 의원
남수봉 양산부산대학교병원 성형외과
노태석 연세대학교 강남세브란스병원 성형외과
류희중 메가그라프트 성형외과
문구현 성균관대학교 삼성서울병원 성형외과
민경원 봉봉성형외과(서울대학교병원 성형외과)
민병두 파란 성형외과
박봉권 더블유 성형외과

박재우 박재우 성형외과
박재현 다나 성형외과
박재희 모티브 성형외과
박진석 박진석 성형외과
백인구 지움 성형외과
서성익 미미 성형외과
선상훈 압구정서울 성형외과
설정현 W병원 성형외과
설철환 JW정원 성형외과
손대구 계명대학교 동산의료원 성형외과
신종인 조앤신 성형외과
심형보 순천향대학교병원 성형외과
안상태 가톨릭대학교 서울성모병원 성형외과
안희창 한양대학교병원 성형외과
양정덕 칠곡경북대학교병원 성형외과
양현진 바로일 성형외과
엄진섭 울산대학교 서울아산병원 성형외과
옥재진 더 성형외과
유대현 연세대학교 세브란스병원 성형외과
윤상엽 실루엣 성형외과
윤원준 미고 성형외과
윤을식 고려대학교 안암병원 성형외과
이동원 연세대학교 세브란스병원 성형외과
이백권 압구정에비뉴 성형외과
이안나 옵티마 성형외과
이영대 물방울 성형외과
이영우 리뷰 성형외과
이정우 칠곡경북대학교병원 성형외과
이재우 양산부산대학교병원 성형외과
이재희 휴먼영상의학센터
이준호 영남대학교병원 성형외과
이홍기 이미지 성형외과
이희영 바로일 성형외과
임중혁 티엘 성형외과
전병준 성균관대학교 삼성서울병원 성형외과
정재헌 연세헤어 성형외과
정재호 오블리제 성형외과
정재훈 서울대학교 분당병원 성형외과
조수영 조수영 성형외과
최종필 JP 성형외과
한상훈 압구정드림 성형외과
허찬영 서울대학교 분당병원 성형외과
홍성철 홍성철 성형외과
황정욱 모제림 성형외과

목 차

· Aesthetic Plastic Surgery ·

PART 01 유방 (Breast)

목 차

PART 02 체형교정 및 지방이식 (Body correction and fat graft)

줄기세포

체형교정술

PART 03 모발이식 (Hair transplantation)

모발이식의 이론

목차

미용 성형외과학3

Aesthetic Plastic Surgery

PART 01

유방

Breast

Aesthetic breast reconstruction

Chapter 01

응용 해부학

Applied Anatomy

| 이동원 |

성형외과 영역에서의 유방수술을 성공적으로 완성하기 위해서 유방과 그 주변 구조에 대한 해부학적 지식을 충분하게 숙지할 필요가 있다. Augmentation mammoplasty, reduction mammoplasty, mastopexy, breast reconstruction 모두 유방의 해부학적인 이해가 바탕이 되어야 하며, 그렇지 못할 경우 치명적인 합병증으로 이어질 수 있다. 예를 들면, augmentation-mastopexy를 재수술로 시행하는데 있어서 유방의 혈행에 대한 해부학적 지식이 부족하다면 nipple-areolar complex의 괴사를 초래하게 된다. 뿐만 아니라 미용적인 모양의 개선을 위해 유방과 주변 구조를 수술적으로 조작함에 있어서 해부학적인 이해는 필수적이다. 유방의 해부학적인 지식을 단순히 이해하는 것도 중요하지만, 성형외과 의사에게는 임상적으로 의미 있는 해부학적인 구조를 우선적으로 숙지하는 것이 중요하다. 최근 주로 시행하고 있는 유방에서의 미용수술과 재건수술에서 임상적으로 중요한 해부학적 구조를 중심으로 살펴보도록 하겠다.

1. 유방실질(Breast Parenchyma)

유선조직(glandular tissue)으로 이루어진 유방실질은 지방과 함께 유방전체의 부피를 결정한다. 지방조직은 유방 전체부피의 50~70% 정도를 차지하며 나이, 체중, 호르몬의 변화, 유전 등의 인자에 영향을 받게 된다. 나이가 들고 폐경기를 지나면서 유선조직은 감퇴하게 되고 지방이 차지하는 비중이 높아지면서, 유방이 부드럽게 변한다. 유방실질의 비중이 높을수록 단단하기 때문에 유방의 모양을 조작하기가 어려워진다.

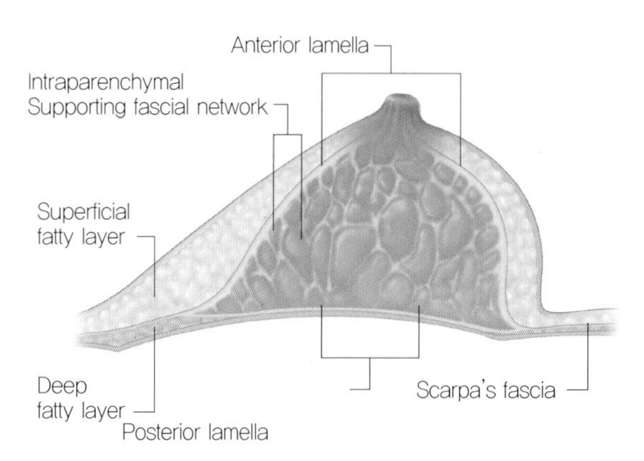

그림 1 **유방실질을 둘러싸고 있는 근막.** 복부의 얕은 근막층(Scarpa's fascia)이 얕은 층과 깊은 층으로 나뉘면서 유방실질을 감싸고 있다.

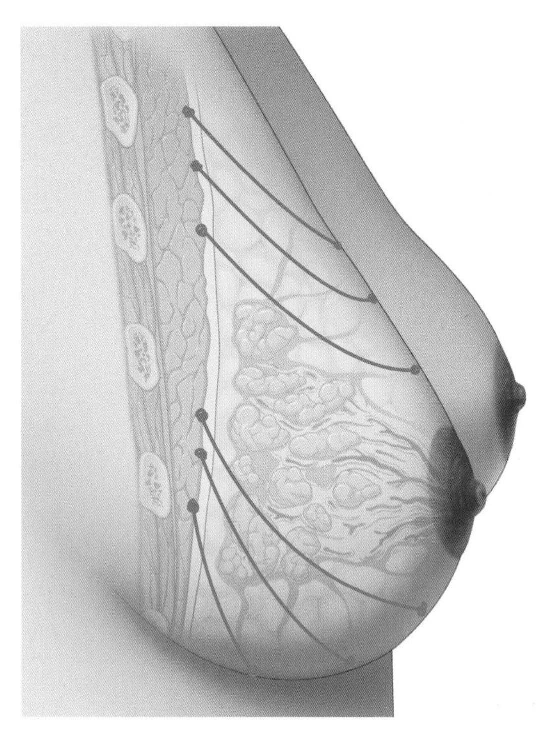

그림 2 Cooper's ligament. Cooper's ligament가 pectoralis major의 aponeurosis에서 기원하여 유방실질을 지나 진피까지 연결되어 있다.

복부의 fascia superficialis (Scarpa's fascia)는 흉부쪽에서 superficial layer와 deep layer의 두 층으로 나뉘며 유방실질을 감싸고, 유방의 상부 경계에서 다시 fascia superficialis로 합쳐진다(**그림 1**). 합쳐진 근막은 유방상부에서 cervicofascial superficial musculo-aponeurotic system (SMAS)까지 연결된다. 유방실질의 앞쪽을 둘러싸고 있는 superficial layer는 명확하지 않은 경우도 있지만, 뒷벽을 이루는 deep layer는 비교적 쉽게 찾을 수 있다. 유방조직 위의 피부피판을 거상할 때는 깊은 피하근막의 바로 아래쪽 층을 따라 박리하게 된다. 올바른 층으로 피부피판을 거상하면 근막 위에 존재하는 동정맥을 보존할 수 있고, 실질조직에 혈액공급이 차단되는 것을 최소화 할 수 있다. Cooper's ligament는 가슴 근육의 aponeurosis에서 기원하여 유방실질을 지나 진피까지 연결되어 있는 섬유중격(fibrous septa)을 말한다(**그림 2**). Cooper's ligament는 유방을 자유롭게 움직일 수 있도록 해주지만, 갑작스런 체중 변화 또는 임신과 수유로 인해 유방의 크기에 변화가 있을 경우 Cooper's ligament가 늘어지고 피부의 긴장도가 떨어질 수 있다.

2. 액와부(Axilla)

액와부는 pectoralis major, pectoralis minor, latissimus dorsi의 근육들로 이루어져 있다. Pectoralis major는 삼각형 모양으로 흉곽 앞쪽에서 가장 명확히 보이는 근육이며, 두 개의 기원이 존재한다. 하나는 clavicular origin으로 쇄골의 내측 1/3에서 기원하며, 다른 하나는 sternocostal origin으로 1~7번째 costal cartilage의 표면, sternum의 외측 경계, rectus abdomins muscle의 상부에서 기원한다. 기원한 pectoralis majord의 근섬유들은 humerus의 intertubercular groove에 닿게 된다. Pectoralis major의 혈액 공급은 thoracoacromial artery와 함께 internal mammary artery로부터 나오는 intercostal perforator에 의해 이루어지며, 신경은 lateral thoracic nerve와 medial thoracic nerve의 지배를 받는다. Pectoralis minor는 pectoralis major 보다 깊이 위치하고 마찬가지로 삼각형 모양이지만 크기가 더 작다. Pectoralis minor는 3,4,5번째 갈비뼈의 외측 표면에서 기시하며, scapula의 coracoid process에 닿는다. Pectoralis minor 또한 lateral thoracic nerve와 medial thoracic nerve의 지배를 받고, pectoralis major와 함께 anterior axillary fold를 형성한다. Latissimus dorsi muscle은 몸통의 뒤쪽에 넓게 분포하고 있다. T7~L5의 spinous process, iliac crest, fascia thoracolumbalis로부터 기시하고, humerus의 intertubercular groove에 닿는다. Thoracodorsal nerve의 지배를 받으며, teres major muscle과 함께 posterior axillary fold를 형성하게 된다(**그림 3**).

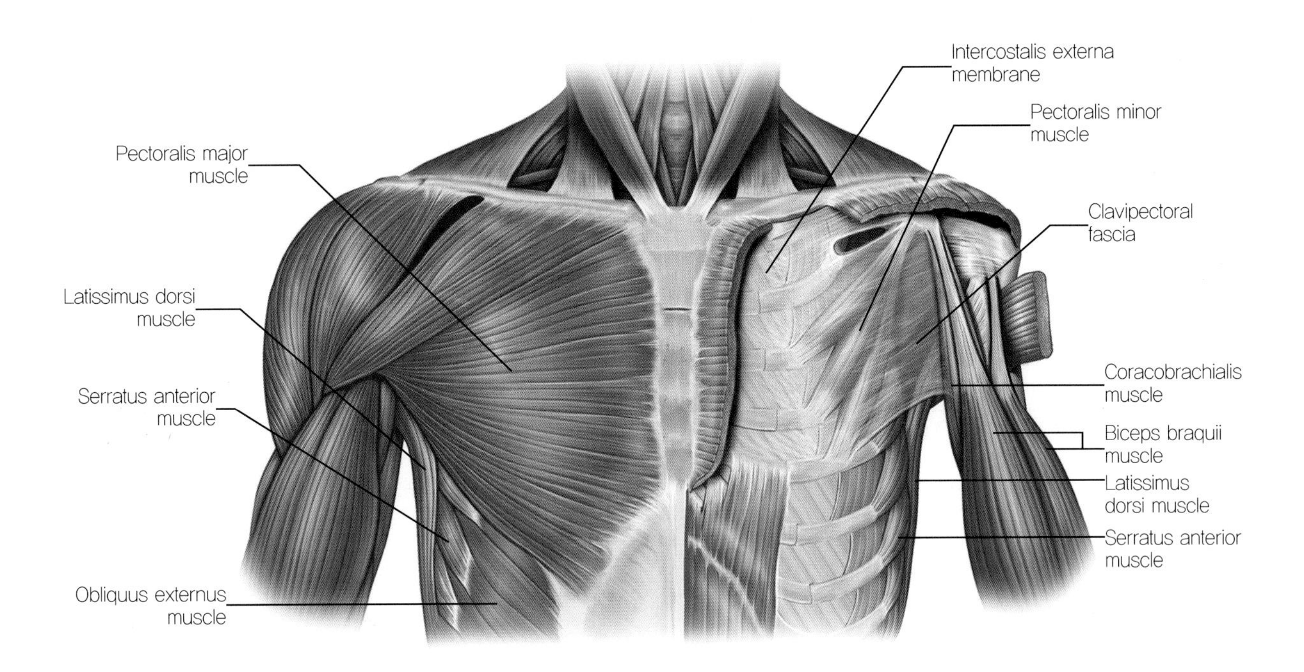

그림 3 가슴과 주변을 이루는 근육.

Pectoralis fascia는 pectoralis major의 상부에서는 매우 얇지만, axilla에 가까운 부분인 latissimus dorsi와 pectoralis 사이에서 두꺼워지며 axillary fascia를 형성한다. 흉곽 아래쪽에서는 깊은 근막이 잘 발달되어 있고, rectus abdominis의 fibrous sheath와 연결된다. Clavipectoral fascia는 pectoralis major 후면에서 clavicle 부위 아래에 위치하면서 pectoralis minor와 subclavius를 덮고, 겨드랑이의 혈관과 신경을 보호하는 역할을 한다. Clavipectoral fascia는 위쪽으로 올라가며 두 층으로 나뉘어 subclavius를 감싸며 clavicle에 붙는다. 깊은 층은 deep cervical fascia와 axillary vessel의 sheath와 합쳐진다. 내측으로는 첫 번째와 두 번째 intercostal space를 덮고 있으며, 첫 번째 갈비뼈와 subclavius의 기시부에도 붙어있다. 외측에서는 매우 두꺼워지며 coracoid process에 붙는다. 아래쪽으로는 매우 얇아지고 pectoralis minor 위쪽에서 둘로 나뉘면서 근육을 감싸고 있다. Clavipectoral fascia를 뚫고 cephalic vein, thoracoacromial artery와 vein, lymphatics, lateral pectoral nerve가 나온다. Clavipectoral fascia는 pectoralis minor 위에서 costocoracoid membrane을 형성하고, pectoralis minor 아래에서 axilla의 suspensory ligament를 형성한다. Suspensory ligament는 팔을 올릴 때 axillary fascia를 위로 끌어올려서 겨드랑이의 고랑을 형성한다. Axillary fascia는 피부와 함께 axilla의 바닥을 이루고 clavipectoral fascia로 이어져 있다. Axilla의 바닥은 anterior axillary fold를 이루는 pectoralis major의 아래쪽 경계와 posterior axillary fold를 이루는 latissimus dorsi 사이를 말한다(**그림 4, 5**).

Axillar artery는 subclavian artery에서 나오며, 첫 번째 갈비뼈의 외측 경계에서 시작하여 teres major muscle의 아래쪽 경계에서 끝난다. Axillary atery에서는 superior thoracic artery, thoracoacromial artery, lateral tho-

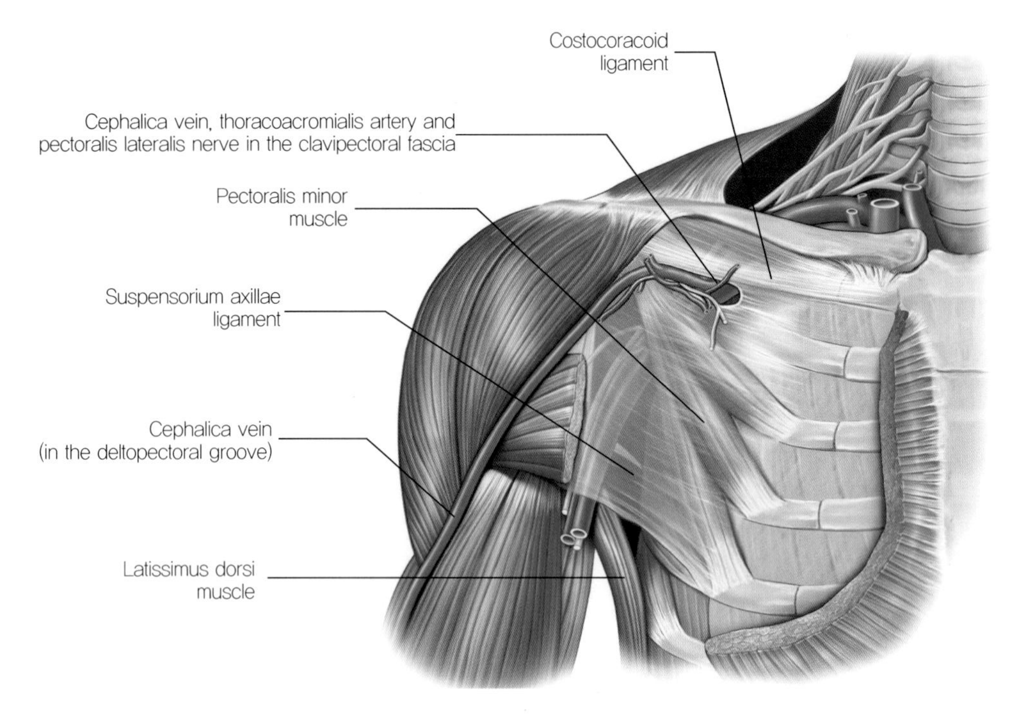

그림 4 Clavipectoral fascia와 주변 구조와의 관계.

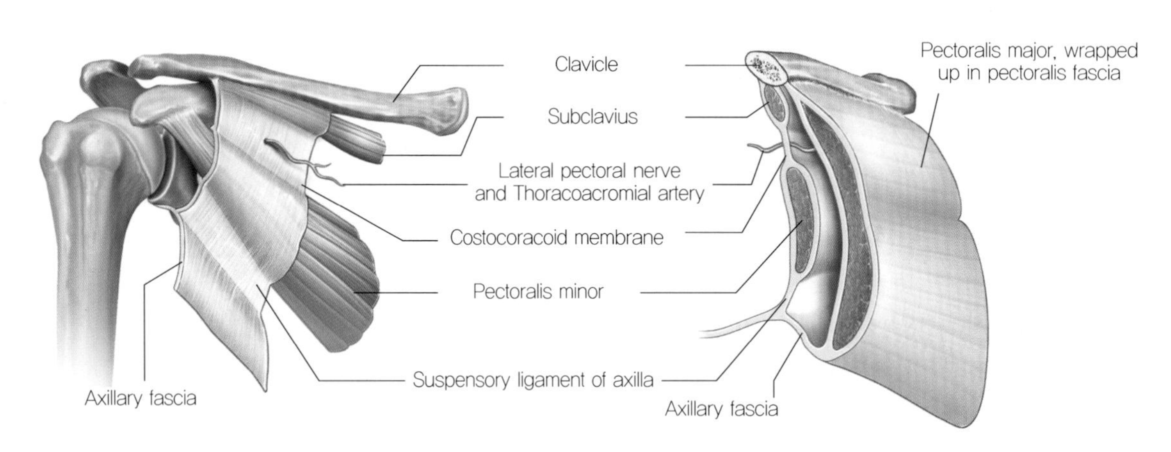

그림 5 **Clavipectoral fascia와 axillary fascia와의 관계.** Clavipectoral fascia와 axillary fascia는 suspensory ligament로 연결되어 있으며, axillary fascia는 axilla의 바닥을 이루게 된다.

racic artery, subscapularis artery, anterior and posterior circumflexhumeral artery가 분지된다. Thoracoacromial artery는 pectoralis minor에 의해 덮여있는 짧은 분지이다. Thoracoacromial artery는 pectoralis minor의 상연을 따라 주행하며, clavipectoral fascia를 뚫고, pectoral, acromial, deltoid branch를 분지한다. Lateral thoracic artery는 pectoralis minor의 하연을 따라 주행하고 pectoralis major, serratus anterior, subscapularis, axilla의 림프절에 혈액을 공급한다. Lateral thoracic artery에서 lateral mammary branch들이 분지되고 pectoralis major

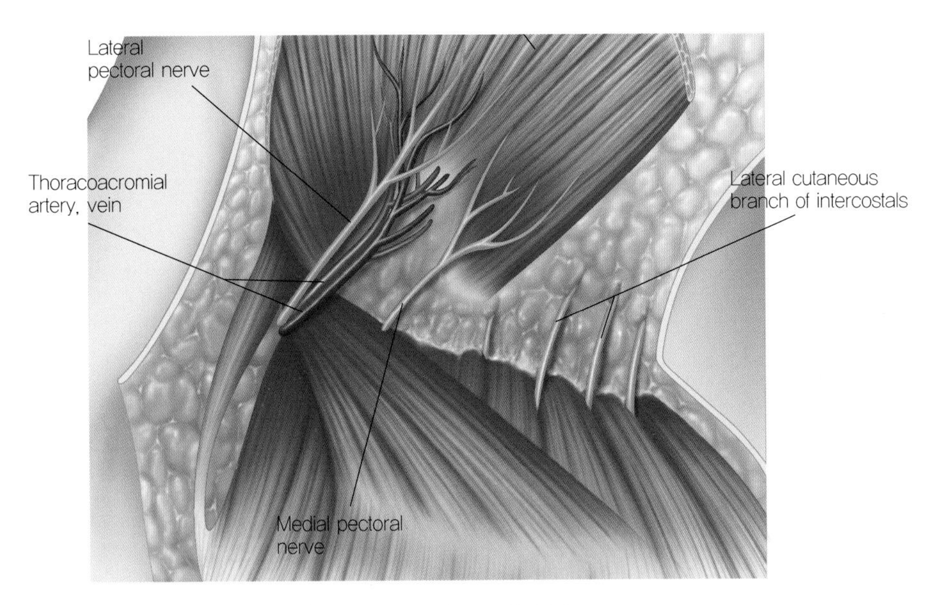

그림 6 좌측 axilla에서의 medial pectoral nerve와 lateral pectoral nerve의 분지.

의 외측 경계를 돌면서 유방실질로 주행한다. Subscapular artery는 axillar artery에서 가장 큰 분지이며, latissimus dorsi의 신경지배를 담당하는 thoracodorsal nerve와 함께 주행한다. Subscapular artery는 기시부에서 약 4 cm 정도 지나서 circumflex scapular artery를 분지하고, 그 지점 이후부터는 thoracodorsal artery라고 불리게 된다.

Medial pectoral nerve는 pectoralis minor의 외측 경계를 지나거나 pectoralis minor를 관통하면서 pectoral major에 분지한다. 대부분의 경우 보형물 삽입을 위한 subpectoral pocket을 박리할 때 이 신경을 보존할 수 있으나, 간혹 pectoralis minor를 관통하여 아래쪽에서 분지하는 경우 보형물을 위한 pocket을 만드는데 제한이 될 수 있다. 이러한 경우 medial pectoral nerve를 절단하여도 대부분의 환자에서 pectoralis major가 크게 약화되지는 않는다. Lateral pectoral nerve는 thoracoacromial artery, cephalic vein과 함께 clavipectoral fascia를 관통하여 pectoralis major에 분지한다. Lateral pectoral nerve는 medial pectoral nerve와 서로 교통을 이루며 pectoralis major의 신경지배를 담당한다(**그림 6**).

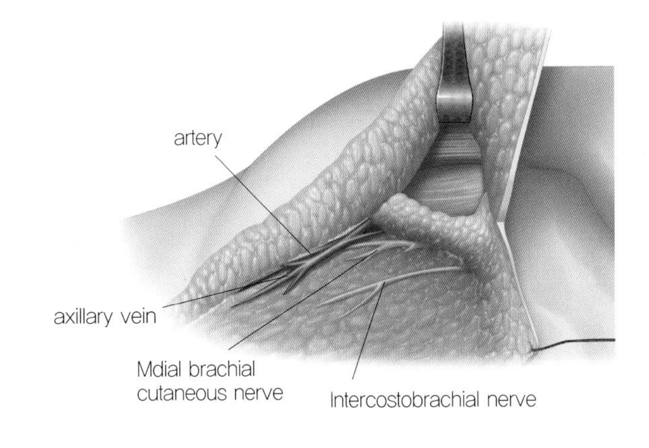

그림 7 우측 axilla에서의 medial brachial cutaneous nerve와 intercostobrachial nerve의 분지.

Medial brachial cutaneous nerve는 상지의 안쪽과 forearm의 위쪽, 안쪽의 감각을 담당하는 가는 신경이다. Intercostobrachial nerve와 medial brachial cutaneous nerve는 axillary fat pad의 앞쪽에 위치하며, 수술자가 axilla를 통해 submammary 또는 subpectoral plane으로 접근할 때는 axillary fat pad와 이 신경들의 앞쪽을 박

리하면서 접근해야 한다. Intercostobrachial nerve는 두 번째 intercostal nerve의 lateral cutaneous branch에 해당하며, 두 번째 intercostal space에서 상지 방향으로 비스듬하게 주행하고 medial brachial cutaneous nerve와 교통을 이룬다(**그림 7**). 간혹 second intercostobrachial nerve가 세 번째 intercostal space에서 나오기도 한다.

3. 유방의 외측부

Serratus anterior는 1~9번째 갈비뼈의 표면에서 기원하며, 외측 흉곽의 대부분을 감싼다. 근섬유들은 후방에서 모여 scapula의 내측 경계부로 모이며, 이는 axilla의 내측벽 형성에 기여한다. 아래쪽에서는 external abdominal oblique muscle과 서로 교차해 붙어있다. Serratus anterior는 scapula를 흉곽 쪽으로 끌어당기거나, glenoid cavity를 들어올림으로써 scapula를 안정화시킨다. Long thoracic nerve가 이 근육에 분포한다. External abdominal oblique muscle은 복부 및 흉부 전방의 측면에 분포한다. 이 근육은 5~12번째 갈비뼈의 하연 바깥쪽에서 기원하고, 각각의 기시된 근육 가지들은 전하방으로 주행하며 비스듬하게 배열한다(**그림 3**).

유방의 ligamentous suspension을 구성하는 lateral vertical ligament는 pectoralis minor의 외측 경계를 따라 붙어 있으며, 한편 medial vertical ligament는 sternum 근처에서 2~5번째 갈비뼈를 따라 분포한다(**그림 8**). 위쪽에서는 vertical ligament가 두 번째 갈비뼈를 따라 superficial fascia와 연결되어 있으며, 전체적으로 원형을 이루는 섬유성 부착을 형성한다. 하방에서는 이

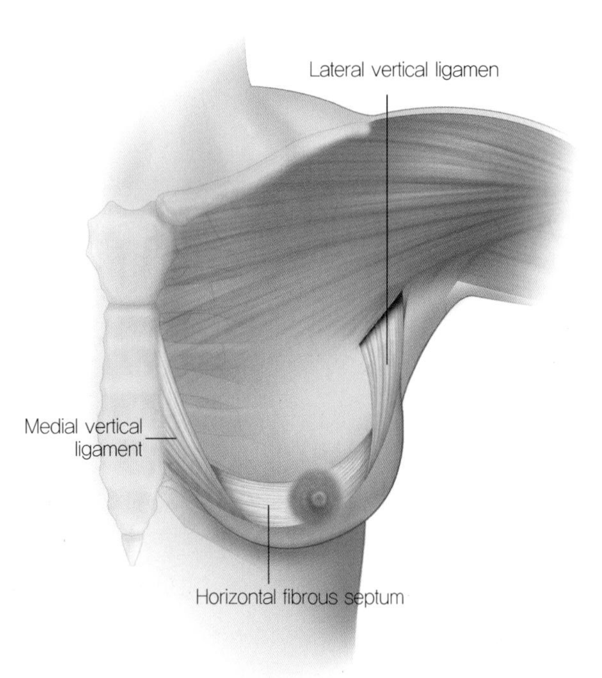

그림 8 **Lateral vertical ligament와 medial vertical ligament.** Lateral vertical ligament와 medial vertical ligament는 상방에서 superficial fascia와 부착하여 유방의 원형을 이루며, horizontal fibrous septum과 서로 연결된 구조를 형성한다.

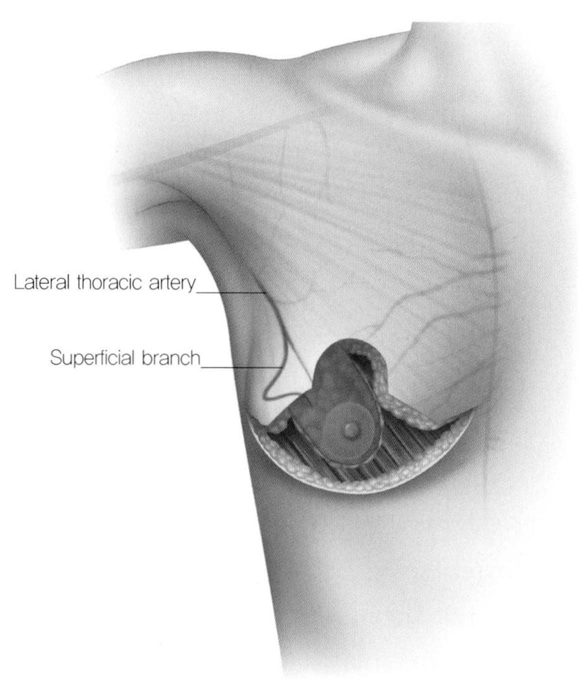

그림 9 **Lateral thoracic artery와 superficial branch.** Superficial branch는 pectoralis major의 외측 경계를 감싸면서 유두를 향해 주행하며, 유방의 lateral pedicle 역할을 한다.

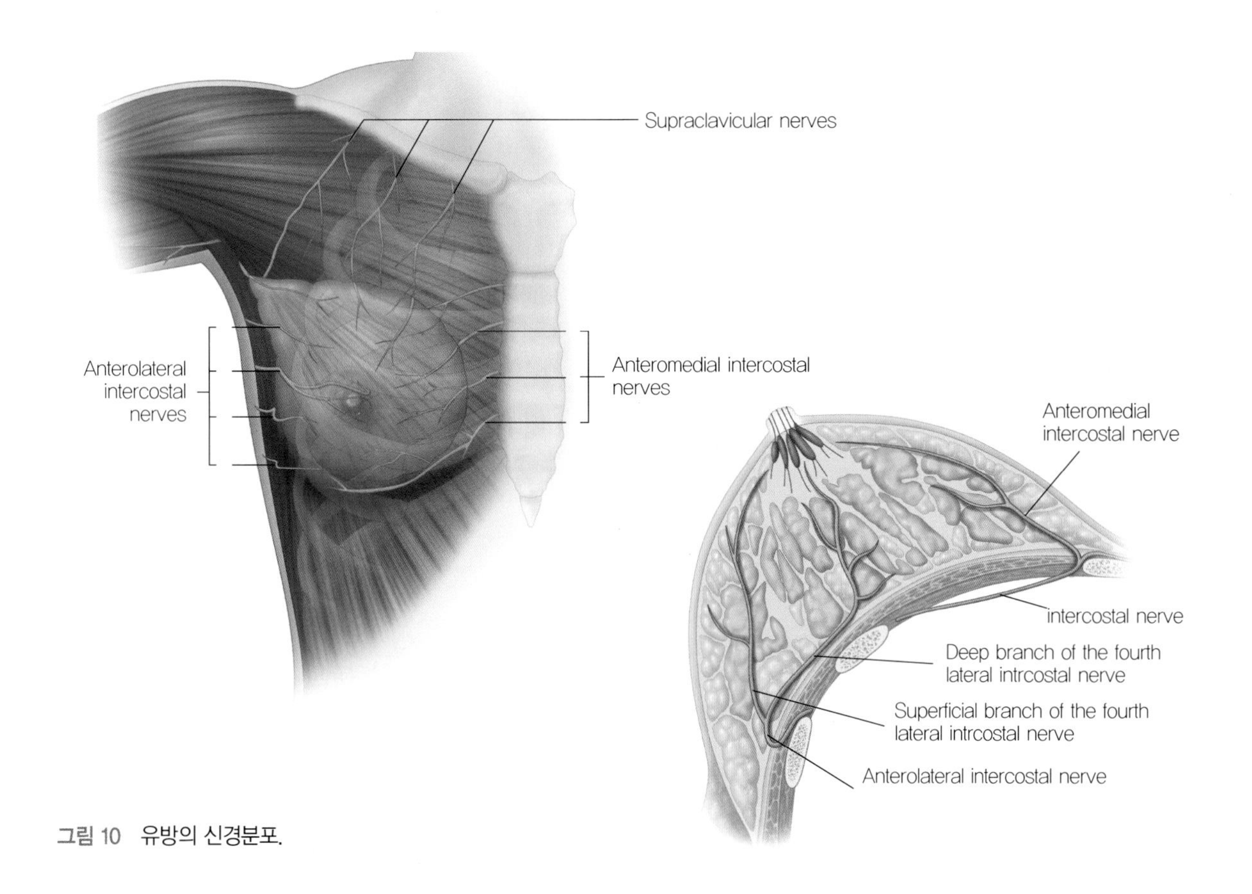

그림 10 유방의 신경분포.

원형의 섬유성 부착이 pectoralis major muscle의 기시부를 따라 존재하게 된다. 전방에서는 vertical ligament는 Cooper's ligament와 같은 유방의 섬유성 구조물과 연결되어 있다. 이러한 vertical ligament는 유선조직의 근막을 따라 피하층에서 periareolar network를 형성하고, 주된 혈관의 길잡이 역할을 한다. 유방의 외측부에서 주된 혈관은 lateral thoracic artery의 superficial branch들로서 lateral vertical ligament를 따라 있는 2~4번째 intercostal space에서 유래한다. 이 혈관들은 superficial fascia와 합쳐지는 섬유성 인대를 통해 보호되며 피하층으로 주행한다.

Lateral thoracic artery는 pectoralis major 외측 경계의 아래로 주행한다. 이 혈관에는 deep branch와 superficial branch가 있으며, superficial branch는 유방의 lateral pedicle 역할을 한다(**그림 9**). Superficial branch는 pectoralis major의 외측 경계를 감싸면서 유방의 외측 경계를 따라 nipple-areolar complex를 향해 주행하며, 유방축소술시에 피하 조직에서 절단될 수 있다. 주 혈관과 신경들은 ligamentous suspension을 따라서 주행한다. 2~4번째 intercostal nerve의 lateral cutaneous branch는 lateral ligament를 따라 존재하게 된다. Lateral cutaneous branch는 deep branch와 superficial branch가 있으며, inferior pedicle과 medial pedicle에 기반을 둔 유방축소술시 superficial branch가 절단되어도 pectoralis muscle을 덮고 있는 조직을 보존한다면 deep branch를 보존할 수 있다 (**그림 10**).

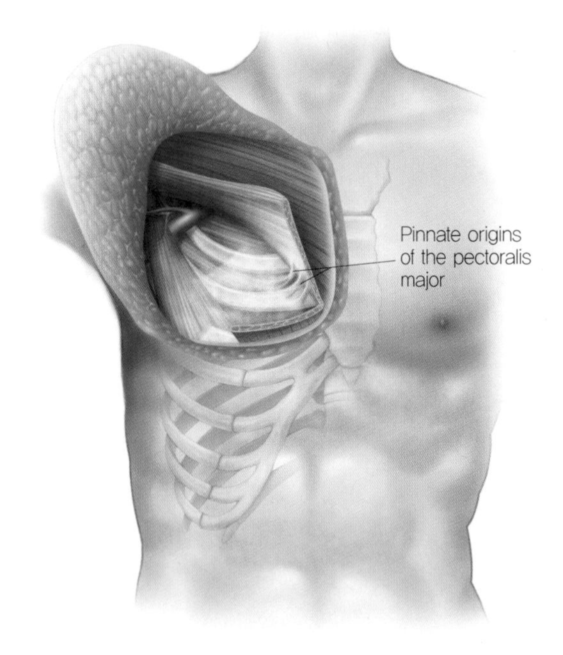

그림 11 **Pectoralis major의 pinnate origin.** 유방확대술시 보형물을 삽입할 때 pinnate origin을 분리해야 medial pocket의 경계를 부드럽게 할 수 있다.

4. 유방의 내측부

Pectoralis major의 내측부위는 sternum의 외측 경계에서 기원하게 된다. 주된 sternum의 기원으로부터 외측에 pinnate origin이 존재한다. 이러한 pinnate origin은 갈비뼈에 하얀 인대처럼 붙어있는데, subpectoral pocket에 보형물을 삽입할 때 이 구조를 분리해야 medial pocket의 경계를 부드럽게 할 수 있다(**그림 11**). 유방확대술시 sternum으로부터 pectoralis muscle의 medial origin을 지나치게 분리하면, 보형물의 내측 부위를 충분한 두께의 연부조직으로 덮을 수 없기 때문에 주의해야 한다. Sternal origin과 inframammary fold가 만나는 지점에서 위쪽으로 1~2 cm 정도만 pectoral origin을 분리해주어도 pectoralis muscle은 충분히 상방으로 이동하게 된다.

Medial vertical ligament는 sternum에서부터 2~5번째 갈비뼈를 따라서 붙어있다(**그림 8**). Medial vertical ligament는 2~4번째 intercostal space에서 나오는 internal mammary artery의 perforator들이 주행하는 경로가 된다. 한편, 유방조직은 nipple, inframammary fold, sternum border에서 피부와 단단하게 붙어 있는데, 이 구조를 zone of adherence라고 한다. 유방의 내측 경계는 유방이 sternum 부위의 피부에 붙는 부분이다. 이 부분은 inframammary fold보다는 상대적으로 약하게 결합되어 있다.

Internal mammary vessel로부터 분지되는 perforator들은 intercostal space의 sternum 외측 경계에서 나오며, sternum의 중심선에서 외측으로 1.5 cm의 거리가 된다. 보형물 삽입 시에 유방 사이 거리를 3 cm 이상으로 디자인 했다면, sternum의 중심에서 각각 1.5 cm 이상으로 떨어진 부위가 medial pocket 박리의 한계선이 되어, 내측의 perforator를 만나는 일은 거의 없을 것이다. Internal mammary system의 두 번째 intercostal space로부터 나오는 분지는 가장 큰 직경을 가지고 있으며, 유방의 외측까지 뻗어있어 deltopectoral flap의 혈액 공급을 가능하게 한다. 또한 이 분지의 유방 쪽을 향해 내려가는 descending branch는 유방의 혈액 공급에 매우 중요한 역할을 한다. 이 descending branch는 nipple을 향해 유방실질 위에서 피하층을 따라 주행하며, breast meridian line (mid-clavicular line)의 내측 피하 1cm 깊이에서 nipple-areolar complex에 혈행을 공급한다. 이 혈관은 superior pedicle 기반의 유방축소술에서 주된 pedicle 역할을 한다. Internal mammary system의 다른 분지들도 sternum 주변에서 분지되어 유방의 피하층을 따라 주행한다. 세 번째 intercostal space에서 나오는 분지는 medial pedicle 역할을 하며, subglandular augmentation 시 희생 될 수 있으므로, 이 수술의 과거력이 있는 환자에게 medial pedicle을 이용하는 mastopexy를 시행하는 것은 바람직하지 않다 (**그림 12**). Intercostal artery의 분지들은 여섯 번째 갈비뼈

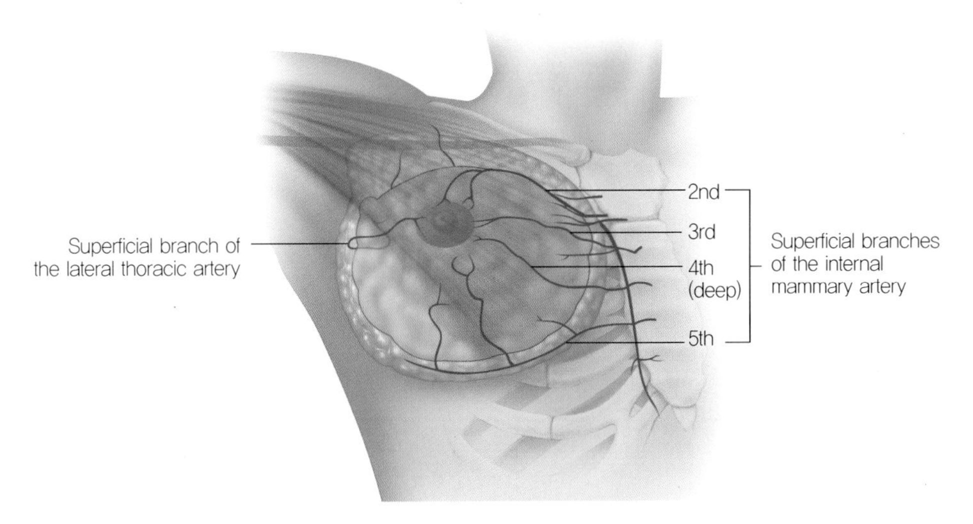

그림 12 Internal mammary system에서 분지하는 perforators.

높이에 위치한 inframammry fold 근처의 유방조직에 혈류를 공급한다. 다섯 번째 intercostal space로부터 나오는 분지들도 종종 inframammary fold까지 뻗어 유방의 inferior pole의 피하조직을 뚫고 분포해 있다. Intercostal nerve의 anterior cutaneous branch는 deep branch와 superficial branch로 나뉘며, 2~4번째 intercostal nerve의 superficial anterior cutaneous branch는 medial ligament를 따라 분지하게 된다(**그림 10**).

5. 유방하공간(Subglandualr space) 및 흉근하 공간(Subpectoral space)

갈비뼈 사이의 공간들은 intercostal muscle로 채워져 있으며, external intercostal muscle, internal intercostal muscle과 innermost intercostal muscle로 구성되어 있다. External intercostal muscle은 costal tubercle부터 costochondral articulation까지 존재한다. 이 지점에서 sternum까지의 공간은 external intercostal membrane에

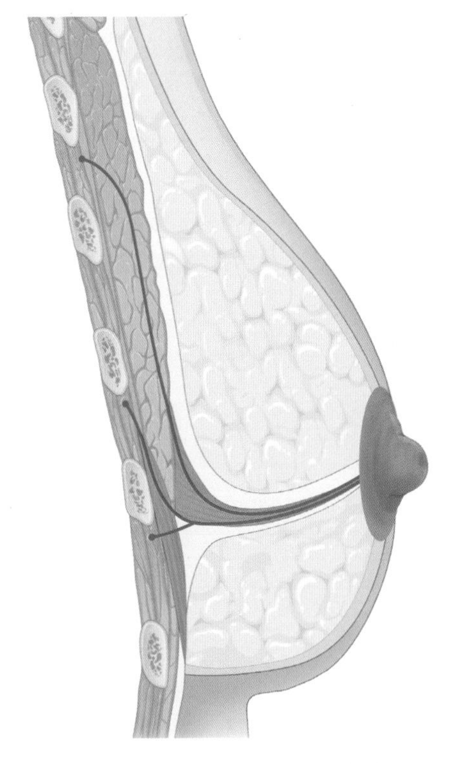

그림 13 **Horizontal fibrous septum.** 다섯 번째 갈비뼈 위치에서 유두 방향으로 존재하는 ligamentous suspension으로 유방의 주요 혈관 및 신경이 주행한다.

의해 덮여있다. 가장 아래쪽 intercostal space의 external intercostal muscle은 복부의 external oblique muscle과 교차하면서 존재한다.

다섯 번째 갈비뼈 높이의 pectoralis fascia로부터 nipple 방향으로 horizontal fibrous septum이라고 불리는 ligamentous suspension이 존재한다(**그림 13**). 이 septum의 내측과 외측에서는 vertical ligament와 만나게 된다. 유방을 흉벽에 붙이는 ligamentous suspension 내로 유방의 주요 혈관 및 신경이 주행하며, nipple-areolar complex와 일정한 위치 관계를 유지한다. 이 구조는 얇고 유연한 구조를 가진다는 점과 기능적인 면에서 장의 mesentery와 유사하다. Horizontal fibrous septum은 nipple 방향으로 주행하는 두 개의 주혈관에 의해 위와 아래로 싸여 있다. Cranial layer는 네 번째 intercostal space 높이의 pectoralis major에서 유래하는 thoracoacromial artery와 lateral thoracic artery의 분지들로 구성된다. Caudal layer은 네 번째 intercostal space로부터 나와 breast meridian line의 바로 내측에 위치하는 internal mammry system의 깊은 분지가 존재한다. 다른 심부혈관과 유사하게 venae comitantes를 동행하며, 유방의 inferior 및 central pedicle 역할을 한다. 이 혈관과 함께 4~5번째, 드물게 여섯 번째 intercostal artery에서 나오는 cutaneous perforating branch도 존재하며 위쪽 방향으로 주행하면서 horizontal septum과 합쳐진다. Nipple의 감각을 담당하는 주된 신경인 네 번째 intercostal nerve의 lateral cutaneous branch의 deep branch도 horizontal septum을 따라 주행한다. 이외에도 anterior cutaneous intercostal nerve와 supclavicular nerve, thoracoacromial nerve의 분지도 같이 포함이 된다. 유방축소술시 inferior pedicle을 보존하는 것이 가장 감각이 좋다고 알려져 있지만, 상기 신경들을 잘 보존한다면 superior, lateral 및 medial pedicle을 이용할 때도 술후 감각이 잘 유지할 수 있다.

유방실질을 둘러싸고 있는 fascia superficialis의 deep layer와 pectoral fascia 사이에는 loose connective tissue와 작은 fat lobule로 차있는 Chassaignac's space라는 가상의 공간이 있다. 출산력이 없는 여성들에서는 이 공간의 아래 부분에 딱딱하면서 상대적으로 분리하기 어려운 fibrous adhesion이 존재한다. 반면에 출산력이 있는 여성, 특히 수유를 했던 여성들은 이 공간의 아래 부위가 훨씬 쉽게 분리되지만, 유방이 아래로 쳐지는 것을 저지하는 구조가 없기 때문에 유방하수가 올 수 있다.

6. 유방밑주름(Inframammary fold)

Inframammary fold의 횡적 위치관계를 살펴보면, 내측으로는 5번째 갈비뼈의 periosteum으로부터 나와 외측으로는 5번째 intercostal space까지 뻗어있으며, pectoralis major의 inferior origin의 아래쪽에 위치한다. Inframammary ligament는 5번째 갈비뼈에서 일어나 진피층의 깊은쪽으로 가서 붙는다. Inframammry fold에서 superficial fascia는 진피층과 연결되어 있고 deep fascia는 superficial fascia 및 진피층과 합쳐지게 된다. 조직학적으로 gluteal fold에서와 유사한 multiple crisscrossing fiber가 피부를 고정시키는 역할을 한다. Horizontal septum의 caudal layer는 Cooper's ligaments가 두꺼워지며 생긴 구조로도 볼 수 있는데, 다섯 번째 갈비뼈 높이부터 inframammary crease까지 뻗쳐있는다. 하지만 inframammary fold의 해부학적 구조는 개인마다 많은 차이가 보이며, 정확한 조직학적인 구조에 대해서는 논란이 있다.

참·고·문·헌

1. Botti G. Aesthetic mammaplasties. See Firenze;2008.
2. Bayati S, Seckel BR. Inframammary crease ligament. Plas-

tReconstr Surg. 1995;95(3):501-8.
3. Hall-Findlay EJ. Aesthetic breast surgery.Quality medical publishing, Inc; 2011.
4. Hwang K, Kim DJ. Anatomy of pectoral fascia in relation to subfascial mammary augmentation. Ann Plast Surg. 2005;55(6):576-9.
5. Macéa JR, Fregnani TG. Anatomy of the thoracic wall, axilla and breast.Int J Morphol. 2006;24(4):691-704.
6. Muntan CD, Sundine MJ, Rink RD, Acland RD. Inframammary fold: a histologic reappraisal. PlastReconstr Surg. 2000;105(2):549-56.
7. Nanigian BR, Wong GB, Khatri VP. Inframammary crease: positional relationship to the pectoralis major muscle origin. AesthetSurg J. 2007;27(5):509-12.
8. Tebbetts JB. Augmentation mammaplasty.Mosby Elsevier; 2010.
9. Würinger E. Refinement of the central pedicle breast reduction by application of the ligamentous suspension. Plast Reconstr Surg. 1999;103(5):1400-10.
10. Würinger E. Surgical anatomy: In oncoplastic breast surgery. Springer-Verlag/Wien; 2010.
11. Yartsev A. Muscles, innervation and the compartments of the upper limb. http://unpopularmedicine.com/Anatomy/anatomy.html

심미적 유방수술에서 기본원칙

Basic principle in aesthetic breast surgery

| 윤을식 |

유방은 모성의 상징으로, 수유라는 신성한 기능을 담당하는 기관이다. 또한 정신적인 측면에서 여성성의 중요한 부분으로 인식되기도 한다. 성적인 매력뿐만 아니라 자비로운 어머니의 실체로 여성에게 있어 가장 중요한 부분 중의 하나이기도 하다.

유방에 대한 관념과 미적 기준에서의 관점은 지역에 따라, 그리고 시대에 따라 변화하여 왔다. 고대 이집트나 그리스 로마 시대의 여성들은 유방을 여성성의 상징으로 여겨 비교적 노출하며 생활하였으나, 기독교 중심의 중세시대에는 유방을 감추고 코르셋 등으로 가슴을 꽉 조여 놓는 의상이 유행하였다. 르네상스에 이르러서는 다시 앞가슴이 깊이 패인 옷이 유행하였으며, 현대에는 브래지어 등이 출현하여 가슴을 가리게 되었고, 최근에는 여성미를 드러내기 위한 다양한 패션이 유행하며 주목 받고 있다.

미의 여신인 비너스의 가슴처럼 아름다운 가슴은 모든 여성들의 희망이었으며 남성들의 관심이었다. 따라서 이러한 유방이 체형에 비해 너무 작거나 큰 경우 자신감이나 자가신체상 등에 문제가 생길 수 있다. 그리고 사고나 질병, 특히 유방암 등에 의하여 유방이 변형되거나 없어졌을 때에 이것은 하나의 신체적 문제나 질병에 국한되는 것이 아니라 여성으로서 매력, 어머니로서 신성함을 잃었다는 정신적인 고통이 문제가 될 수 있다. 따라서 성형외과에 있어서 미용유방 수술은 중요한 분야이며, 환자의 여성성을 찾아주는 성형수술의 꽃인 분야이다.

1. 아름다운 유방

아름다운 유방을 말하는 것은 여러가지 복합적 요소가 충족되어야 한다. 먼저 탄력성이 있어야 한다. 건강하고 젊은 유방은 탄력적이어서 부드럽고 또한 처지지 않아야 한다. 자세에 따라 너무 변동이 심하여도 안된다. 앞가슴에서 원뿔 모양으로 나와있어야 하며 바로 누운 자세에서는 유방이 약간 좌측으로 기울여져 있는 것이 이상적이다. 다음으로는 유방이 자리잡고 있는 위치나 높이, 크기, 모양이 주변의 어깨 너비와 상체의 크기 및 모양과 조화로워야 한다. 양쪽이 대칭을 이루어야 함은 물론이다. 유두와 유륜은 유방의 가운데에 위치하고 조화로운 크기여야 하며, 방향이 한쪽으로 치우치지 않아야 한다. 그 외에 눈에 띄는 흉터나 피부병변 등이 없이 깨끗해야 한다.

유방의 위치에 관하여는 표준화하여 만든 기준치

가 있다. 정상적인 한국여성에 있어 유두는 쇄골 중간 지점 또는 흉골절흔(sternal notch)에서 18~19 cm, 검상돌기(xyphoid process)로 부터 10 cm, 유방 밑 주름(inframammary fold) 으로 부터 5 cm 거리에 있어야 한다. 유륜의 직경은 3.5~4.5 cm 정도여야 하며 유두 높이는 유방피부 표면에서 5~7 mm이다. 이를 위해서는 환자를 반드시 일으켜 세워서 정확한 도안을 해야 한다. 일어선 자세에서 유두가 유방밑주름보다 상방에 있으며 유방크기가 체격에 비례하도록 설계해야 하고 원하는 유륜 예정지의 상한점을 도안해 놓아야 한다.

2. 유방미용수술 시 고려해야 할 부분

유방미용수술이 매력적인 분야로 효과가 탁월함에도 불구하고 단점으로 꼽을 수 있는 것은 높은 재수술률이다. 미국의 경우 가장 흔한 유방미용수술 인 유방확대술 후 재수술율이 20%에 이른다고 알려져 있으며, 우리나라도 정확한 통계는 나와있지는 않으나 이와 비슷할 것으로 추정된다. 최근에는 이러한 재수술율을 줄이기 위한 여러 노력들, 즉 수술법, 재료개선 및 장기간 임상연구 등이 이루어지고 있으나 무엇보다도 중요한 것은 적절한 수술 전 검사 및 계획이라고 할 수 있다. 수술 전 환자의 체형뿐만 아니라 몸의 여러 건강상태, 환자의 요구 등을 정확히 판단 하기 위해서는 환자에 대한 철저한 진찰과 상담이 필요하다.

일단 환자의 성별, 나이, 키, 체중 등 기본사항 외에도 체형, 임신여부, 체중변화 여부 등을 파악하여야 한다. 또한 흡연 여부나 과거력, 여러 기저질환의 유무, 면역질환, 호르몬 이상 등도 포함 되어야 하며, 생리 주기, 복용중인 약 등을 세세히 살펴야 한다. 최근 들어 서양의 추세에 맞춰 국내 환자들에게도 유방암이 증가하고 있어 환자들에게 유방암의 위험도, 가족력, 이전 검진 결과 등을 확인하고 수술 전 후 관리와 검진 계획에 대해 알려주어야 한다.

환자의 요구나 기대에 부응 할 수 있는 결과를 보이기 위해서는 수술 전 충분하고 적절한 상담이 필요하다. 수술 전 불충분한 상담이 이루어질 경우 같은 수술 결과에도 환자가 만족하지 않을 수 있고, 나아가 수술 전 후로 합병증이 더 많이 발생할 것은 자명한 일이다. 따라서 수술 후 원하는 유방의 모양에 따른 수술법, 보형물 등에 대한 충분한 설명이 필요하고, 보형물 및 다른 이식 조직, 수술 재료 등에 의하여 생길 수 있는 합병증, 그리고 수술 후 생길 수 있는 수술 부위 반흔 등에 대해 충분히 이해할 수 있도록 설명하고 동의를 받아야 한다. 특히 마르고 유방을 둘러싼 피부 및 연부 조직이 얇은 사람들에 대해서는 만져질 수 있고, 보형물 특성상 일반 유방보다 딱딱해 질 수 있으며, 수술 후 장기간 경과하면 처짐 등의 변화가 있을 수 있다는 설명이 필요하다.

이와 같이 수술 전 후로 현실적인 기대치를 갖도록 함으로써 수술 후 만족도를 높일 수 있다. 하지만 더 중요한 것은 환자에 대한 철저한 문제파악과 수술 계획의 수립으로 이상적인 유방을 만들어 주는 것이다. 성공적인 유방미용수술을 위해서는 각 환자의 신체조건과 기대감을 반영하여 최적의 수술방법을 계획하는 것이 중요하다. 수술법에 따라 필요한 환자를 진찰하고 수술 전 유방 상태에 대한 계측 및 검사를 통해 정확한 크기와 높이 및 돌출 정도를 파악해 조직, 보형물 등에 대한 세부사항을 조절해야 한다.

3. 유방의 계측 및 평가

신체 검사에서는 먼저 골격과 근육에 대한 구조적 검사가 선행되어야 한다. 흉곽의 넓이와 모양 등에 대한 평가가 이루어져야 하며, 특히 폴란드 신드롬이나 오목가슴 등과 같이 흉곽의 구조적 이상을 동반할 경

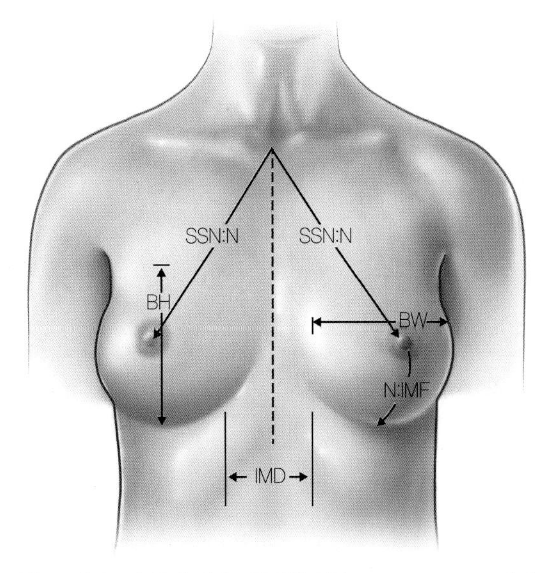

그림 1 수술 전 유방 계측. 흉골상절흔(suprasternal notch)과 유두중심과의 거리(SSN:N), 유두중심과 유방하 주름(IMF, inframmary fold)까지의 거리(N:IMF), 유방너비(BW, breast width), 유방높이(BH, breast height), 유방간 거리(IMD, intermammary distance)를 측정한다.

우 일반적인 경우와 다른 수술 계획이 요구되는 경우가 있다. 다음으로는 양쪽 유방의 비대칭 정도에 대한 평가가 필요하다. 대다수의 여성은 정상적으로 어느 정도의 비대칭을 가지고 있으며, 특히 유두-유륜 비대칭에 대한 평가 또한 필요하다. 세부적인 수치 측정은 다음과 같다(**그림 1**).

그 다음으로는 유방의 겉 연부조직에 대한 유순도(compliance)가 평가 되어야 한다. 피부 튼살이 있거나 얇고 유연하지 않은 진피 같이 유순도가 떨어지는 경우 나타날 수 있는 임상양상 등을 잘 살펴봐야 한다. 이 경우 연부조직 핀치 검사(pinch-test)가 유용할 수 있는데 유방의 윗부분을 엄지와 검지로 잡아 측정하게 된다. 이것이 2 cm 이상이 될 때 유방확대술시 유선하 포켓으로 보형물을 넣을 수 있는 정도가 된다. 2 cm 미만이라면 흉근밑 포켓으로 수술을 시행하여야 한다. 피부가 충분한지(redundancy) 여부 또한 고려해야 한다. 나이든 환자나 급격한 체중변화가 있는 환자에서는 여러가지 거짓처짐(pseudoptosis)이나 처짐(ptosis)이 존재 할 수 있어 이러한 경우에는 유방고정술(mastopexy)이 동시에 필요할 수도 있다.

유방실질조직에 대한 평가는 그 다음 순서로 시행한다. 유방실질조직의 양, 특성, 분포양상에 따라 수술 방법을 다르게 할 수 있다. 이상적 유방의 모양을 위해서는 유방실질조직의 재분배, 조정, 변형 등이 필요한 경우가 있다.

4. 유방미용수술의 심리적, 정신적 측면

유방 미용 수술의 동기에 있어서 가장 중요해 보이는 것은 사회적 문화적 배경이다. 또한 가족, 친구, 동료, 사회 구성원 등으로 둘러싼 인간관계 안에서 생기기도 한다. 하지만 수술을 받기로 결정하는 여성의 동기는 단순하지 않고 마치 수수께끼와 같다. 여기에는 여러 가지 내적인 부분이 관여하는 것처럼 보이고, 이는 성적 매력을 증대 시키려는 단순한 목적뿐만 아니라 환자의 의식적·무의식적인 느낌, 환상, 상징에 대해 다양한 의미를 내포, 반영하고 있다. 이러한 것들은 일시적으로 형성되는 것이 아니고 대체로 긴 시간을 필요로 한다. 즉 일생의 경험과 가족, 친구, 사회적인 배경 안에서 형성이 된다. 보통 청소년기 때부터 사춘기에 일어나는 신체 발육에 의하여 정서적으로 영향을 받게 되는데 이는 유방에 관해서도 마찬가지다. 성장 과정에서의 유방에 대한 인식이 자의식과 여성정체성에 반영되게 된다.

유방수술 후에 발생하는 심리적인 반응에 대해서 여러 연구가 있어왔다. 특히 유방암으로 인하여 유방 전절제술을 시행한 환자들을 대상으로 한 연구가 그 중심에 있었다. 유방절제술 후 환자들은 절제로 인한 정서적 상실감을 호소하였고, 이전에는 느끼지 못했던 유방의 의미에 대해 주목하였다. 유방은 모성, 성적매력, 여성성, 양육과 연결되어 있다. 환경적, 사회적, 상업적으로 형성된 이미지로서의 유방이 유방미용수술을 받는 여성에 있어서 영향을 미치는 부분이 있지만, 이런 심리적 측면이 단순히 그것만으로는 설명되지 않는다.

유방미용수술 후에 환자들은 자기 신체 이미지가 변화하게 된다. 때로는 왜곡된 이미지가 환자에게 고통을 주기도 한다. 이는 실제의 신체적 변화와 같을 수도 있고 다른 수도 있다. 이러한 신체이미지 변화는 수술 후 환자의 여러 다양한 증상으로 연결되기도 한다. 이러한 증상이 생기는 시기 또한 각 환자마다 다양하다. 수술 후 통증이 큰 이유 없이 오래 지속 되거나, 죄의식이나 불안 증세가 생기거나 성욕 등이 감퇴 되기도 한다. 이렇듯 유방이 여성에게 단순한 의미의 신체 부위가 아니고, 심리적, 정신적으로 영향을 미치는 면이 있기 때문에 수술 전 후 환자 의사관계가 중요하다. 친밀한 공감과 상담, 이해와 재확인 등의 노력이, 후에 발생 할 수 있는 이러한 문제들을 예방하고 해결하는 것에 많은 도움이 된다.

여러 유방미용수술의 다양한 부작용은 의사의 무능력한 의사소통이나 부적절한 환자-의사 관계에 영향을 받는다. 환자를 감정적으로 지지하며 환자의 말에 귀 기울여 이해하는 태도를 보이고, 수술 전 환자와 의사의 수술목적이나 결과에 대한 지향점을 같이 맞춰 나갈 필요가 있다. 그렇지 않다면 수술 후 결과에 대한 환자들의 만족도가 떨어지며, 만족스럽지 않을 경우 환자들의 불만이 커져, 심지어는 의료 소송에 연루될 가능성이 높다.

5. 유방 확대 수술의 원칙

유방 확대 수술이 일부 외과의들한테는 간단하게 보일 수 있지만, 많은 잠재적인 합병증을 갖고 있다. 그렇기 때문에 외과의는 환자들에게 절개 부위, 보형물 종류, 보형물 크기, 유방 및 근육과 관련된 보형물 위치를 선택할 수 있게 도와야 한다.

1) 원칙

수술을 시행하는데 특정 원칙을 따르는 것은 미래에 발생할 수 있는 문제들을 피할 수 있게 도와주며 가이드라인이 될 수 있다.

① 보형물 크기는 환자의 키와 몸무게에 따라 환자의 몸에 맞게 선택해야 한다.
  a. 그러나 환자는 자신이 원하는 크기를 선택할 권리가 있다.
  b. 식염수 백이나 다른 물질(pear, bean)을 대본다거나 젤 보형물을 브래지어 속에 넣어서 대보는 방법들을 사용하여 크기를 결정한다. 이러한 방법은 외과의들에게 환자들을 만족시킬 수 있는 보형물 크기를 가늠할 수 있게 한다.
  c. 이렇게 결정된 보형물 크기가 배우자나 남자 친구에 의해 영향 받지 않도록 한다. 수술은 환자를 만족시키기 위함이지 다른 사람을 위함이 아니다.
  d. 집도의는 매우 큰 유방 보형물을(500 ml 이상) 갖기를 원하는 환자의 결정에 질문을 던져야 한다.
  e. 집도의가 수술한 대부분의 환자들이 평균적으로 500 ml나 그 이상의 보형물 크기를 갖고 있다면, 미심쩍게 생각해 봐야 한다. 대개 이것은 외과의가 보형물이 클수록 더 아름답다는 고정관념에 박혀 있기 때문이다.

② 금연을 하지 않은 장기 흡연자들은 피해야 한다. 흡연으로 인한 혈류저하로 괴사가 일어날 수 있기 때문이다.

③ 새로운 유방하 주름이 보형물 포켓(pocket, 보형물이 들어가는 공간) 안에서 잘 발달해야 한다.

유방하 주름은 많이 낮은 편이 차라리 너무 높은 것 보다는 좋은데, 이는 낮은 주름의 경우 잘 맞는 브래지어로 새로 형성된 유방하 주름의 흉부 주변을 브래지어 아랫 부분이 감싸게 함으로써 쉽게 교정할 수 있기 때문이다. 만약 유방하 주름이 많이 높다면, 수술만이 교정할 수 있는 유일한 방법이다.

④ 보형물은 유방 가운데에 위치해야 한다.
  a. 유두-유륜 복합체(nipple-areola complex)의 수술 전 위치가 외측에 있을 경우, 수술 후 커다란 가슴골이 형성될 수 있다는 점이 환자에게 설명되어야 한다.
  b. 유방을 받쳐 올려주는 브래지어를 착용하는 편이 유두 방향이 외측을 향하면서 보형물이 안쪽에 위치하는 것보다 미용적으로 결과가 좋다.

⑤ 흉근밑 보형물에서 갈비뼈와 흉골로의 근육 부착은 보형물이 잘 맞도록 완전히 절개하거나 박리해야 한다. 이렇게 함으로써 적당한 포켓 크기를 만들 수 있다.

⑥ 포켓 내에서의 출혈은 조심스럽게 지혈해야 한다. 출혈은 구형 구축의 잘 알려진 원인 중 하나이다.

⑦ 수술 후에는, 브래지어와 보정속옷 등으로 보형물을 적절한 위치에 며칠 동안 고정시키는 것이 좋다.
  a. 브래지어는 몸에 꼭 맞는 밴드가 있는 것을 사용해야 하고, 유방하 주름을 잘 유지할수 있도록 꽉 조인 상태를 잘 유지할 수 있도록 해야 한다.
  b. 압박 탄력붕대(e.g. Ace wrap)나 다른 기구들로 유방 상부 절반 가량을 며칠 동안 붕대로 감아야 한다.
  c. 이렇게 함으로써 보형물이 아래쪽으로 밀리면서 유방하 주름이 적당한 위치에 형성될 수 있다.

⑧ 환자가 젖이 나오는 중이면(임신 중이거나 수유) 유방 확대술은 시행하지 말아야 한다.
유즙 분비가 끝난 후 최소 3~6개월 이상 수술을 연기해야 한다.

⑨ 폐쇄성 압박 피막절개술(closed compression capsulotomy)은 절대 시행해선 안 된다. 혈종과 보형물 파열의 위험이 너무 크기 때문이다.

⑩ 만약 가능하다면, 유방 확대수술에 대한 교정술은 수술 후 최소 6개월 이상 연기해야 한다.
  a. 이는 반흔(scar)을 성숙하게 하고 변형이 완료된 상태에서 교정술로 모든 변형을 교정할 수 있게 한다.
  b. 예외적으로 심각한 통증과 함께 4등급의 구형 구축이 있을 때는 그 전에 교정해야 한다.

⑪ 교정술을 어느 정도 선에서 멈춰야 되는지 판단해야 한다.
  a. 변형이나 구형 구축을 교정하기 위한 많은 횟수의 수술은(3~4회 초과) 합병증과 더 큰 변형의 위험을 유의하게 높이는데, 이는 과다한 반흔이 발생하기 때문이다.
  b. 최소한의 교정을 원하는 환자들을 주의해야 한다. "완벽은 좋음의 적이다(perfection is the enemy of good)."

⑫ 항생제 용액으로 보형물 뿐만 아니라 가능하면 포켓까지 씻어 내는 것과 같은 무균적 방법들은 필수다.

2) 특정 방법들의 논란

수술의는 유방 고정술(mastopexy)을 시행하는데 여러가지 다른 방법들과 의견들이 존재한다는 사실을 알고 있어야 한다. 논란이 있을 수 있지만, 이것이 어느 한 쪽이 틀리고 다른 한쪽이 맞다는 것을 의미하지는 않는다.

(1) 내시경을 사용한 박리

포켓을 직접 눈으로 보면서 박리하는 것은 내시경을 통해 가능하다. 하지만 이는 비싼 기구가 필요하고 수술 시간도 길어지게 되며, 만약 유방하주름 또는 유륜 주위 절개 방법을 사용한다면, 내시경은 대개 불필요하다. 반면 겨드랑 접근법, 배꼽 접근법을 사용하거나 근막하 포켓 형성(subfascial pocket formation)을 의도한다면, 또는 맹목박리(blind dissection)를 시행한 후에 보형물 포켓의 위치를 확인하기 위해(근육 아래 또는 위) 내시경을 사용할 수 있다. 이런 내시경은 유방확대술을 시행해 보지 못한 외과의들의 수련을 위해 사용될 수 있지만, 경험이 증가할수록 대개 내시경 없이 맹목박리가 선호된다.

맹목박리는 더 빠르면서도 수술 후 출혈이나 피막구축 발생률이 높지 않다. 또한 다양한 다른 기구들을 사용할 수 있다는 장점이 있다. 하지만 어떠한 방법을 사용할지는 먼저 치료기준을 수립한 이후 선택해야 한다.

(2) 전기소작법

갈비뼈와 흉근으로의 대흉근 부착의 절개는 전기소작 기구로 시행할 수 있다. 이 때 수술 후에 근육의 두꺼운 가장자리가 만져질 수 있다. 전기 소작된 부위 주변의 조직은 열로 상처를 받아 반흔을 증가시키고 장액종 형성을 유발할 수 있다.

대개 에피네프린 섞은 식염수(1 mg/1,000 ml)와 리도카인(250~500 mg/1,000 ml)과 같은 튜메슨트 용액(tumescent solution)을 침투시키는 방법은 손가락이나 기구를 사용한 비절개박리(blunt dissection)를 더 쉽게 하고 출혈 가능성을 낮춘다. 또한 대흉근섬유가 갈비뼈와 흉골로부터 찢어지는 일이 임의로 발생하여 만져질 정도로 튀어나오거나 두꺼운 부분이 발생하지 않도록 한다.

(3) 수술 도중 팔의 위치

만약 환자의 팔이 수술 도중 몸 쪽에 붙어 있으면, 대흉근에 적은 장력이 걸리고 근육 아래 공간(subpectoral pocket)으로 더 쉬운 박리가 가능하다. 또한 상완신경총(brachial plexsus)이 늘어나 발생할 수 있는 신경학적 손상을 예방할 수 있다.

만약 팔이 몸으로부터 떨어져 있어야 한다면, 80~85도가 좋은데, 이는 겨드랑이 접근법을 제외하고는 이 정도 범위에서 신경학적 손상이 올 가능성이 적기 때문이다. 90도나 그 이상에서는, 특히 머리가 돌아간다면 상완신경총이 늘어날 가능성이 있다.

(4) 수술 후 보형물 다루기

포켓 크기를 유지하기 위해 수술 후 보형물을 조작하거나 마사지 하는 것은 과거에 근거없이 비난 받아왔다. 하지만 구형 구축의 발생률을 줄이기 위해서 수술 4일 후부터 보형물을 조작하는 것은 위험하지 않다. 보형물을 다루는 것이 구형 구축의 발생률에 어떠한 영향을 미치는 지는 아직 충분한 연구가 되어 있지 않다.

(5) 결론

앞에서 언급한 유방 확대술의 원칙은 수술을 시행해 오면서 제안된 일종의 안전 장치라 할 수 있다. 더 많은 연구와 새로운 방법들이 개발될수록 많은 변화와 발전이 있을 것으로 기대된다.

참·고·문·헌

1. Bouman FG: Volumetric measurement of the human breast and breast tissue before and during mammoplasty. Br J Plast Surg 1970;23(3):263-264
2. Melvin AS: Principles of Breast Augmentation Surgery, In: Melvin AS (eds): Breast augmentation, Springer, p209-210, 2009
3. Snyder GB: Planning on augmentation mammoplasty. Plast Reconstr Surg 1974;54(2):312-341

Augmentation mammoplasty »

유방확대술의 최적화

Optimizing Results in Breast Augmentation

| 노태석 |

최적의 유방확대술을 위한 원칙 및 술기에 대해 몇몇 저자들이 기술하고 있다. 이러한 방법들은 시술자들마다의 노하우에 해당하는 것일 수도 있고 누구에게나 적용되어야 하는 기본적인 사항일 수도 있을 것이다. 본 장에서는 독자들이 참고할 수 있도록 그 동안 발표되었던 유방확대술의 최적화 관련 내용들을 간단히 소개하고자 한다.

1. 아름다운 가슴

아름다운 가슴에 대한 정의는 시대나 환자와 의사가 속하는 지역, 문화적 배경, 인종 등에 따라 다를 수 있다. 그럼에도 불구하고 일반적으로 누구나 수긍할 수 있는 아름다운 가슴이란 유방 하수가 없는 적절한 부피의 완벽한 대칭성을 가진 가슴이라 할 수 있을 것이다. 사실 보편적으로 인정되는 아름다운 가슴에 대한 과학적 분석에 대한 연구는 드문데, 그 이유는 아마도 가슴이 얼굴과 같이 직접 외부로 노출되는 부위가 아니고, 랜드마크로 삼을 구조가 적고, 자세에 따라 모양이 변하기 때문일 것이다.

그럼에도 불구하고 그 동안 이루어진 몇몇 연구들의 내용을 살펴보면 우선 upper pole과 lower pole의 부피비에 있어서 45:55의 비율이 가장 아름다우며 이는 지역, 인종, 남녀를 불문하고 동일하였다는 보고가 있었다 **(그림 1)**.

가슴의 폭(width), 높이(height), 돌출 정도(projection)의 비율에 대해서 분석한 논문도 있었는데, 이에 따르면 height/projection과 height/width의 이상적인 수치는 각각 >=2과 0.7~1.3이라고 하였다. 실제로 현재 생산되고 있는 보형물들도 이러한 비율과 유사하게 제작되고 있다.

또 다른 연구에서는 의사와 환자, 그리고 일반인 간

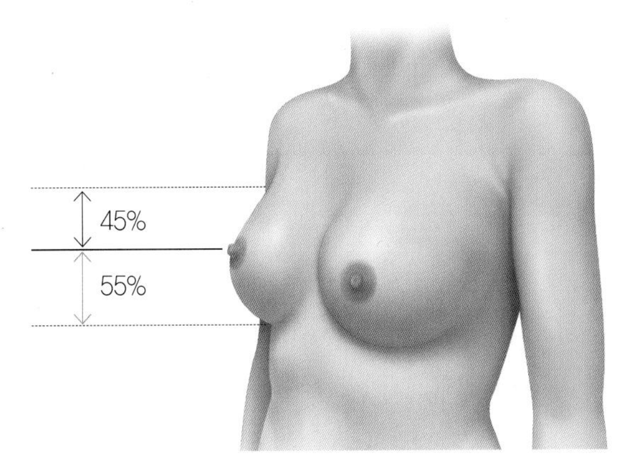

그림 1 아름다운 가슴

에 가슴 upper pole fullness에 대한 선호도를 조사하였다. 흥미롭게도 의사와 일반인들은 upper pole이 돌출되지 않은 가슴을 선호한 반면 환자들은 upper pole이 돌출되어 인공적인 느낌이 드는 가슴을 선호하는 비율이 가장 높았다. 이러한 사항들을 참고한다면 유방확대술시 환자의 만족도를 극대화할 수 있을 것이다.

2. 유방확대술을 최적화하기 위한 방법들

1) 최적의 유방확대술을 위한 4단계

Adams는 이상적인 유방확대술을 위해 필요한 4단계를 제시하였다. 구체적으로는 환자 교육 및 사전동의(patient education and informed consent), 환자의 상태에 따른 수술 계획(tissue-based clinical analysis and planning), 탁월한 수술 술기(refined surgical technique), 체계적인 수술 후 관리(structured postoperative instructions, management, and follow-up)이다. 저자들은 아래에 소개한 방법을 이용하여 300여명의 환자들에게 성공적으로 유방확대술을 시행할 수 있었음을 보고하였으며, 유방확대술이 단순히 포켓을 만들고 보형물만 삽입하면 되는 간단한 시술이 결코 아님을 강조하였다.

(1) 환자 교육 및 사전동의

예외없이 모든 환자들에게 필요한 것으로서 최초에는 구두 또는 인터넷을 통해 유방확대술에 대해 소개한다. 이를 이해하고 면담을 원하는 경우 유방확대술에 대한 교육 및 사전동의서가 포함된 문서를 작성하도록 하고 실제 면담 시에는 환자들에게 유방확대술의 모든 개념과 한계점에 대해 명확히 고지하고 최종 결정에 대한 책임이 환자 본인에게 있음을 알린다.

(2) 환자의 상태에 따른 수술 계획

본 단계에는 두 가지 목표가 있는데 한가지는 환자의 유방을 객관적으로 평가하는 것과 다른 한가지는 이전에 면담 시 결정한 환자의 목표치가 본인 유방의 계측치와 조직 상태를 고려했을 때 적절하다는 것을 확인하는 것이다. 이를 위해서는 Tebbets 등이 발표한 'high five' 방법이 유용한데 'high five'란, 1) 어디에 포켓을 만들 것인가(pocket plane)? 2) 보형물의 크기(implant size) 3) 보형물의 종류(implant type) 4) 유방밑 주름의 위치(inframammary fold position) 5) 절개선의 위치(incision)이다.

보형물의 크기는 두 가지 중요한 요소에 의해 결정되는데 한 가지는 유방의 폭(width)이고 다른 한 가지는 유방의 형태(유방 피부의 순응도와 수술 전 충만한 정도(skin envelope compliance and preoperative fill)이다.

특히 이 단계에서 환자와 함께 유방촬영사진을 확인하게 되는데 이 때 별도의 문서를 이용하여 수술 후 모습에 대해 실현 가능한 것과 불가능한 것, 어떤 모습의 유방으로 바뀔 지에 대해 설명하고 서명 받는다. 구체적으로는 현재 유방의 크기나 모양의 비대칭이 있다면 이를 알려주고 이러한 비대칭이 수술 후 교정되지 않는다는 점, 가슴골의 형태가 현재 상태를 고려하여 어느 정도가 될지, 어디에 포켓을 만드는 것이 좋을지, 보형물이 촉지될 가능성(특히 아래측과 바깥쪽 부위) 등에 대해 분명하게 설명해야 한다.

(3) 정교한 수술 술기

이 저자들은 모든 수술을 전신마취하에 근육이완을 단기간 완전히 시킨 상태로 시행하였으며, 수술 전 COX-2 inhibitor(진통소염제)를 복용시켰다. 유방밑 절개선을 이용하였으며, 포켓을 직접 육안으로 보면서 조직에 최소한의 손상을 줄 수 있도록 정확히 박리하였다. 이러한 수술 방법은 보형물의 종류와 무관하게

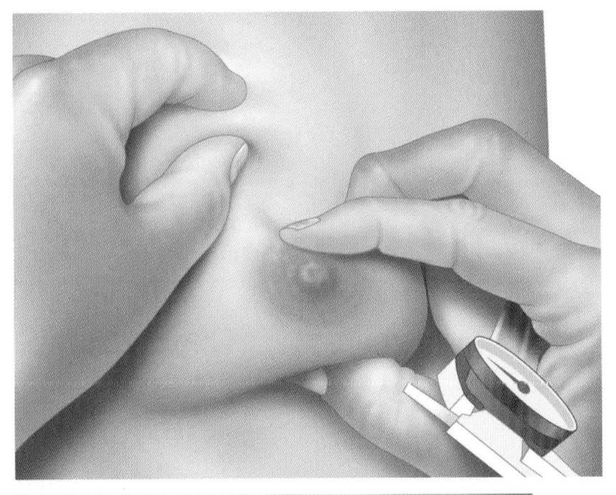
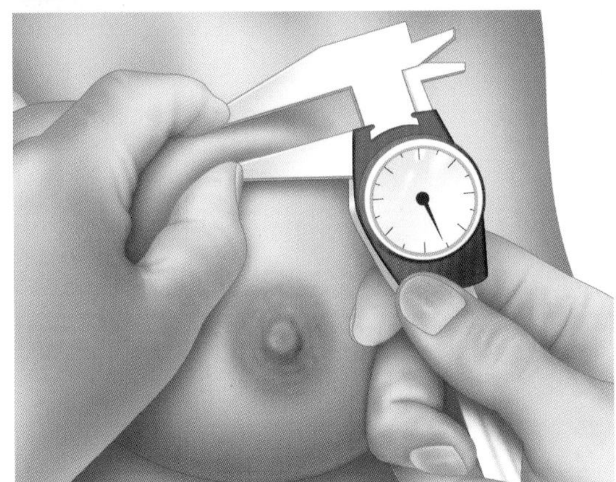
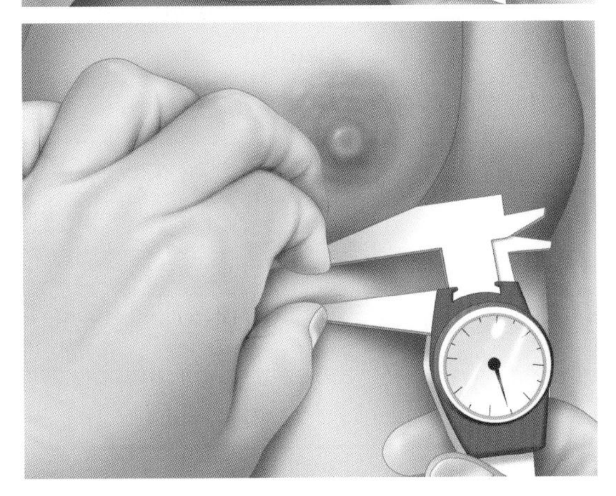

그림 2 Pinch test. 유방상부의 피부 및 피하 조직과 유방실질을 분리하여 엄지와 검지 손가락으로 잡고 측정한다. 유방밑선에서의 피부 및 피하조직도 같은 요령으로 두께를 측정한다.

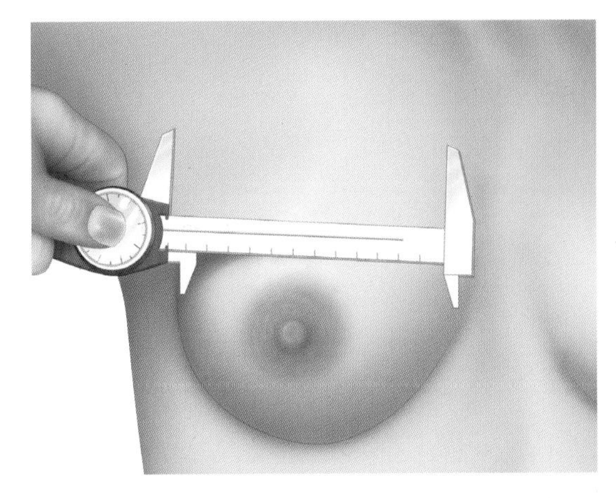

그림 3 유방 폭 측정. 곡면으로 재어서는 안되며 직선상 거리를 재야 한다.

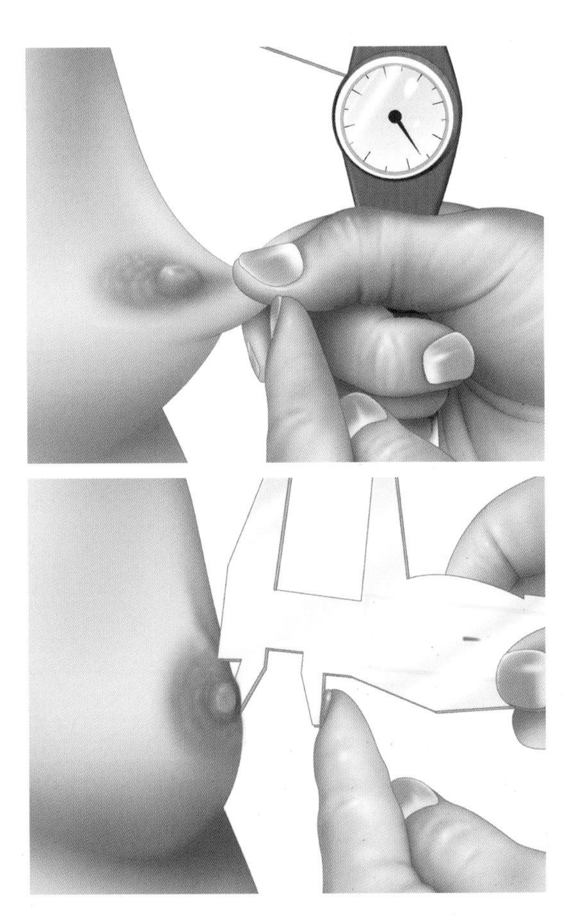

그림 4 피부 신축성 측정. 유륜의 내측 부위를 잡아당기기 전과 잡아당긴 후의 길이 차를 측정한다.

동일하였다. 삽입 전 포켓을 감염을 최소화하기 위해 세가지 항생제를 혼합한 용액으로 세척하였고, 피부를 닦고 수술 장갑도 교체하였다. 저자들에 의하면 보형물의 종류는 수술일 이전에 결정되어 수술방에서 사이저를 이용하는 경우는 거의 없었다(99 %).

(4) 체계적인 수술 후 관리

상처는 밴드를 이용하여 관리하되 첫 3주간은 그대로 놔두고 그 이후에는 3-4개월간 매주 교체하였다. 특별한 브래지어는 착용하지 않았으나 가슴을 밀어 올리는 브래지어는 6주간 착용을 금지시켰다. 가급적 일찍 일상생활로 복귀하도록 하였으며, 특히 수술 후 5일째까지 매시간 5회 정도 팔을 올리는 운동을 시켰다. 유산소 운동은 수술 후 2주 후부터, 근력운동(가슴 부위는 제외)은 4주 후부터, 가슴 운동 및 윗몸 일으키기 등은 수술 후 6주 후부터 가능함을 설명하였다.

2) The high five process

이전 단락에 잠시 소개 되었듯이 유방확대술을 시행함에 있어 아래와 같은 5가지 중요한 요소를 결정해야 한다.

1. 포켓의 위치(Pocket plane)
2. 보형물의 크기(Implant size)
3. 보형물의 종류(Implant type)
4. 유방밑 주름의 위치(Inframammary fold position)
5. 절개선의 위치(Incision)

이러한 사항들을 결정하기 위한 4가지 기본적인 계측치가 있는데, 유방 상부와 하부(upper pole과 lower pole) pinch thichkness, 유방의 폭(breast base width), 피부 신축성(stretch), 피부를 늘린 상태에서 유두에서 유방 밑 주름까지의 거리이다.

이러한 계측치를 이용하여 5가지 'high five'요소에 대한 결정을 할 수 있다. 우선 포켓의 위치를 결정하는데 있어 유방 상부의 pinch test에서 2 cm 이하가 나오는 경우 대흉근하(subpectoral) 또는 dual plane이 적절하다. 2 cm 이상이 나오는 경우, 특히 3 cm 이상인 경우에는 실질하(subglandular)를 고려할 수 있다. 하지만 dual plane의 경우 pich test의 결과에 따라 실질과 대흉근의 박리 정도를 조절함으로써 거의 모든 유방에 적용할 수도 있다(**그림 2,3,4**).

보형물의 부피는 유방의 폭이 결정될 경우 정해지게 된다. 이 부피에서 환자의 실질 두께, 피부 신축성 및 환자가 원하는 유방의 크기를 고려하여 가감을 한다(**표 1**).

보형물의 종류는 환자가 결정한 원형 또는 해부학적 보형물 중에서 부피가 결정되어 있으므로 이에 맞추어 제조회사에서 제공하는 표를 보고 결정하게 된다.

유방밑 주름의 위치는 보형물의 폭과 유두로부터 유방 밑 주름간의 거리의 일반화시킬 수 있는 관계에 의해 정해진 것으로서 표를 참고하여 결정한다(**표 1**).

절개선은 환자의 요구나 의사의 선호도 등에 의해 결정할 수 있다.

이러한 간단한 과정을 통해 수술 후 예측 가능한 결과를 얻을 수 있으므로 유용하다.

3) 3D 영상 기술을 이용한 수술 계획

한편 최근 급속도로 발전하고 있는 영상기술의 발달을 바탕으로 3차원 이미지를 이용하여 수술 후 예측된 결과를 보여줌으로써 환자와 최초의 상담 및 결과에 있어 만족도를 최대한 높일 수 있다는 보고도 있었다.

4) 항생제 사용

수술 중 포켓 세척(pocket irrigation)에 삼중 항생제(bacitracin, cephazolin, gentamicin)를 사용하면 구형구축의 발생 빈도가 줄어든다는 보고가 있었다. 또한 수술 전 정맥 내로 단회 항생제를 투여하는 것이 감염 및

표 1 High Five Tissue Analysis and Operative Planning (STPTUP: soft-tissue pinch thickness of the upper pole, STPTME: soft-tissue pinch thickness at the inframammary fold, RM: retromammary, APSS: anterior pull skin stretch, N:IMF: nipple-to-inframammary fold distance, Maxst:Maximal stretch, PCSEF: parenchyma to stretched envelope fill)

Patient Name:	Date:	
1. COVERAGE-Selecting Pocket Location to Optimize Soft Tissue Coverage Short-and Long-Term		
STPTUP	If < 2.0 cm, consider dual plane (DP) or partial retropectoral (PRP), pectoralis origins intact across IMF	DP PRP RM
STPTIME	If STPTIME < 0.5 cm, consider subpectoral pocket and leave pectoralis origins intact along IMF	
POCKET LOCATION SELECTED BASED ON THICKNESS OF TISSUE COVERAGE		

2. IMPLANT VOLUME-Selecting an Estimated Implant Volume for Optimal Envelope Fill												
	Estimating Desired Breast Implant Volume Based on Breast Measurements and Tissue Characteristics											
Base Width	B.W. Parenchyma (cm)	10.5	11.0	11.5	12.0	12.5	13.0	13.5	14.0	14.5	15.0	cc
	Initial Volume (cc)	200	250	275	300	300	325	350	375	375	400	
APSS	If APSS < 2.0, – 30cc; If APSS > 3.0, + 30cc; If APSS > 4.0, +60cc Place appropriate number in blank at right											cc
N:IMF	If N:IMF > 9.5, + 30cc Place appropriate number in blank at right											cc
PCSEF %	If PCSEF < 20%, + 30cc; If PCSEF > 80%, – 30cc Place appropriate number in blank at right											cc
Pt. request												cc
NET ESTIMATED VOLUME TO FILL ENVELOPE BASED ON PATIENT TISSUE CHARACTERISTICS												

3. IMPLANT DIMENSIONS, TYPE, MANUFACTURER-Selecting specific implant characteristics					
Implant Manufacturer	Implant Style/Shape/Shell/Filler Material	Implant Vol (cc)	*Implant Base Width	Breast Base Width	Implant Projection
		cc	cm	cm	cm
*For optimal long-term coverage, implant baase width should not exceed base width of patient's existing parenchyma, even if wider IMD results					

4. INFRAMAMMARY FOLD LOCATION-Estimating desired postoperative inframammary fold position									
(circle Volume closest to net estimated implant volume calculated above, and circle suggested N:IMF in the cell beneath that volume)									
	Volume closest to calculated "total estimated implant volume" above	200	250	275	300	325	350	375	400
	Recommended new N:IMF distance (cm) under maximal stretch ▶	7.0	7.0	7.5	8	8	8.5	9.0	9.5

Planning Level of New Inframammary Fold*	Transfer the patient's N:IMF Maxst measurement from above to corresponding cell at right. Then transfer the High Five recommended new N:IMF to the corresponding cell at right. If the patient's preop N:IMF is shorter than the High Five recommended new N:IMF, consider lowering the fold. If the patient's preop N:IMF is equal to or greater than the High Five recommended new N:IMF, no change in IMF position is indicated.	Patient's Preoperative N:IMF Maxst	High Five Recommended N:IMF Maxst	Change In Fold Position	Lower Fold
		cm	cm	Yes/ No	cm
*Other factors may affect optimal IMF level and require surgeons to modify the High Five System recommendations for N:IMF F.					

5. INCISION LOCATION-Selecting desired incision location			
Inframammary	Axillary	Periareolar	Umbilical

도움이 된다는 보고도 있었다. 세균에 의해 발생하는 바이오 필름이 구형구축의 한 원인이라는 것은 잘 알려진 사실이므로 수술 중 및 수술 전후에 이러한 오염이 발생하지 않도록 적절한 예방을 하는 것은 매우 중요한 일이다.

3. 수술 후 감각 변화

유방 확대술 후 유두의 감각이 향상된다는 결과가 보고된 바 있다. 이 연구에 의하면 약 1/4의 환자에서 유방 확대술 후 유두 감각의 향상이 있었다. 유두에 감각에 저하(numbness)가 온 경우는 2.3%만 보고되었다. 참고로 다른 시술에서 보고된 감각 저하의 비율은 유방 고정술(mastopexy)의 경우 9.5%, 유방확대술과 유방고정술을 같이 시행한 경우 4.9% 그리고 유방축소술(reduction)의 경우 21.5%였다.

이러한 감각의 변화를 예방하기 위해서는 수술 시 4번째 늑간신경(4th intercostal nerve)의 가측 피부 가지(lateral cutaneous branch)를 보존하는 것이 특히 중요하다.

참·고·문·헌

1. Adams WP, Jr., Rios JL, Smith SJ. Enhancing patient outcomes in aesthetic and reconstructive breast surgery using triple antibiotic breast irrigation: six-year prospective clinical study. Plast Reconstr Surg. 2006;117:30-36.
2. Adams WP, Jr. The process of breast augmentation: four sequential steps for optimizing outcomes for patients. Plast Reconstr Surg. 2008;122:1892-1900.
3. Araco A, Araco F, Sorge R, Gravante G. Sensitivity of the nipple-areola complex and areolar pain following aesthetic breast augmentation in a retrospective series of 1200 patients: periareolar versus submammary incision. Plast Reconstr Surg. 2011;128:984-989.
4. Berry MG, Cucchiara V, Davies DM. Breast augmentation: Part III--preoperative considerations and planning. Journal of plastic, reconstructive & aesthetic surgery. 2011;64:1401-1409.
5. Brody GS. The perfect breast: is it attainable? Does it exist? Plastic and reconstructive surgery. 2004;113:1500-1503.
6. Donfrancesco A, Montemurro P, Heden P. Three-dimensional simulated images in breast augmentation surgery: an investigation of patients' satisfaction and the correlation between prediction and actual outcome. Plast Reconstr Surg. 2013;132:810-822.
7. Hsia HC, Thomson JG. Differences in breast shape preferences between plastic surgeons and patients seeking breast augmentation. Plastic and reconstructive surgery. 2003;112:312-320; discussion 321.
8. Khan UD. Breast augmentation, antibiotic prophylaxis, and infection: comparative analysis of 1,628 primary augmentation mammoplasties assessing the role and efficacy of antibiotics prophylaxis duration. Aesthetic Plast Surg. 2010;34:42-47.
9. Mallucci P, Branford OA. Population analysis of the perfect breast: a morphometric analysis. Plastic and reconstructive surgery. 2014;134:436-447.
10. Moufarrege R. [Anatomical and artistic breast considerations]. Annales de chirurgie plastique et esthetique. 2005;50:365-370.
11. Pittet B, Montandon D, Pittet D. Infection in breast implants. Lancet Infect Dis. 2005;5:94-106.
12. Swanson E. Prospective outcome study of 225 cases of breast augmentation. Plast Reconstr Surg. 2013;131:1158-1166.

13. Tebbetts JB, Adams WP. Five critical decisions in breast augmentation using five measurements in 5 minutes: the high five decision support process. Plast Reconstr Surg. 2005;116:2005-2016.
14. Tebbetts JB. Dual plane breast augmentation: optimizing implant-soft-tissue relationships in a wide range of breast types. Plast Reconstr Surg. 2001;107:1255-1272.
15. Tebbetts JB, Tebbetts TB. An approach that integrates patient education and informed consent in breast augmentation. Plast Reconstr Surg. 2002;110:971-978; discussion 979-981.

Chapter 04

Augmentation mammoplasty »

유방보형물의 발전, 과거와 현재

Implant basics the prosthesis; evolution, past and presentpresent

| 이영대 |

1. 유방보형물(Breast implant)

1) 식염수보형물의 발전

유방 확대를 위한 생리식염수 보형물은 1965년 프랑스에서 처음 사용되었다. 식염수 보형물은 비교적 작은 절개를 통해 보형물의 외피를 삽입한 후 보형물에 식염수를 주입하는 방식이었다. 식염수 보형물의 피막구축 발생율은 초기의 실리콘 보형물과 비교하여 낮았지만 초기에 누출율은 매우 높았는데, 프랑스 Simiplast사 에서 제작한 최초의 식염수 보형물은 3년간 75%의 누출율을 보였고 이후 시장에서 퇴출되었다. 1965년에 Arion이 부풀릴 수 있는 유방 보형물(inflatable breast prosthesis)를 소개하였는데 초기에는 인기가 있었으나 갑작스럽게 생리식염수가 빠져버리는 경우가 종종있어서 점차 인기가 떨어졌다. 초기의 식염수 보형물은 백금으로 처리된 얇은외피와 리플릿 형태의 밸브가 두 가지 특징 이었는데, 이것이 높은 누출율의 원인이었다. 이러한 보형물 자체의 결함은 대부분이 미국의 Heyer Schulte사 제품이었다. 이 회사의 style 1800 보형물은 조기에 생리식염수가 누출되는 비율이 20%에 달했다. 이 문제점을 개선하기 위해 식염수백의 실리콘 외피를 보다 두껍게 만들고 새로운 상온 경화 공정(room temperature vulcanization, RTV)을 도입하였는데, 이 방법은 Allergan 사 및 Mentor 사 에서 현재 사용되고 있는 방법이다.

식염수 보형물은 정해진 충진양의 범위가 있어 가벼운 비대칭은 보형물을 넣을 때 충전 양을 조절하면서 교정할 수있는 장점이 있지만 정해진 양보다 식염수가 덜 충진될 경우 외피가 접히거나 서로 마찰되어 누출률이 증가될 수 있고 특정 체위에서 리플링 현상을 초래할 수도 있다. 식염수 보형물은 약간 과 충전 되었을 때와 연부조직이 두꺼운 경우에 좋은 결과를 보여주었다. 하지만 과도하게 충전 되었을 때 더욱 구형에 가까운 모양이 되고 가장자리를 따라 주름이 만져지고 부자연스럽게 단단한 촉감이 생기게 된다. 또한 촉감이 자연가슴의 느낌과는 다르게 물풍선 같다는 것이 큰 단점으로 지적되어 현재는 잘 사용되지 않는다.

2) 실리콘 유방보형물의 변천

실리콘 젤이 충진된 1세대 보형물은 Cronin과 Gerow가 개발한 보형물로서 Dow-Corning 사에 의해 1962년에 처음으로 소개되었다. 1세대 보형물의 외피는 두껍고 매끈한(smooth) 실리콘 탄성중합체(elastomer)로 만들어졌는데 가장자리에 이음매가 있는 두 겹의 외피로 이루어졌다. 외피는 중등도의 점도를 가지는 실리콘 젤로 충진 되었다. 보형물은 물방울 모양(tear drop shape)이었고 정확한 위치고정을 위해 뒷면에는 다크론(Dacron) 패치가 부착되어 있었다. 불행히도 초기의 보형물들은 비교적 높은 구축율을 보여 제조사들은 2세대 실리콘 젤 보형물을 개발하게 되었다. 1970년대에 구축율을 줄이기 위해 다크론 패치를 없애고, 더 얇고 이음매가 없는 외피로 개발되었다. 이 보형물 들은 둥근 형이고 점성이 적은 실리콘 젤로 충진하여 보다 자연스러운 느낌을 주고자 했다. 그러나 2세대 보형물은 얇고, 투과성이 있는 외피와 저 점도 실리콘젤 때문에 보형물 주위 캡슐 내 공간에 작은 실리콘 분자들이 새어 나오는 현상이(gel bleed) 문제가 되었다. 새어 나온 실리콘은 오래된 실리콘 보형물을 빼는 과정에 캡슐 내에서 보형물 주위를 둘러 싸고있는 기름같이 찐득한 잔류물로 발견되었다. 실리콘 누출 현상은 심각한 전신적 또는 부분적인 문제를 일으키지는 않았다. 1980년대에 3세대 실리콘젤 보형물은 외피의 강도와 integrity를 향상시켜 실리콘의 누출을 줄이고, 보형물의 파손과 이에 따른 젤의 이동을 줄이는데 초점을 맞추어 개발되었다. Mentor 와 Allergan 두 회사는 여러 겹의 실리콘 탄성중합체(elastomer)로 이루어진 보형물 외피를 개발하였다. 이 3세대 보형물은 실리콘 누출을 측정 불가능한 수준까지 줄였고 보형물 외피의 손상율도 매우 낮았다. 1992년 미국 식품의약청(FDA) 이 실리콘 젤 보형물에서 실리콘 젤이 스며 나온다고 해서 이것의 사용을 금지함에 따라 3세대 실리콘 젤 보형물은 미국시장에서 모두 수거 되었으며 이후4세대 및 5세대 젤 보형물이 미국시장에 다시 소개되었다. 이 실리콘 유방 보형물은 외피의 두께와 실리콘 젤에 대해 더 엄격한 기준이 적용되었다. 더우기 이들 4세대 보형물은 향상된 품질관리, 다양한 표면과 모양으로 생산되었다. 동시에 해부학적인 모양(anatomical shape)을 가지는 5세대 실리콘 젤 보형물이 개발되었는데 이 보형물(스타일410)은 사이즈 별로 low, moderate, full height 와 low, moderate, full & extra projection을 조합한 12가지의 종류가 있다**(그림 1)**.

Mentor사에서 디자인된 CPG 보형물은 좀 둥글고

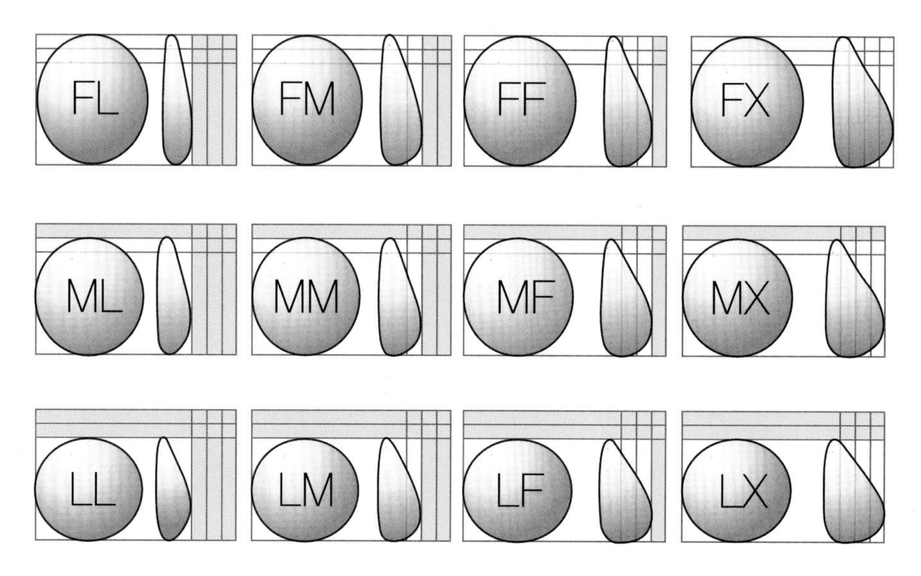

그림 1 Matrix of Allergan 410 implants

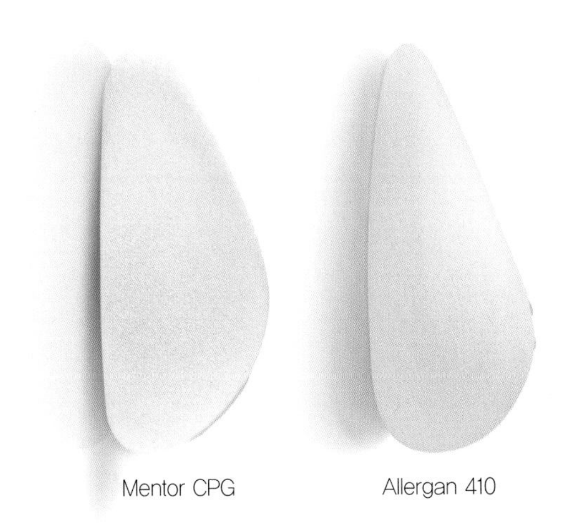

그림 2 Mentor CPG 보형물과 Allergan 410 의 형태 비교

아랬 쪽이 더 돌출 되어 있고 윗부분의 기울기가 좀 더 강조되어있어 가슴확대와 재건에 있어 좀더 자연스러운 모습을 만들어준다(**그림 2**). 2016년 5월 현재 미국 내에서는 3회사(Allergan, Mentor, Sientra)에서 생산된 보형물이 FDA허가를 받아 사용되고 있으며 국내에서는 Allergan, Mentor, Silimed, Sebbin, Poly-tech 및 Eurosilicon 등 총 6개 회사의 제품이 KFDA의 허가를 받아 사용되고 있다. 실리콘 유방 보형물의 발전을 심도 있게 이해하려면 보형물의 특징을 알아야 하는데, 최종적인 유방의 모양은 는 유방을 덮고 있는 연부조직과 유방실질조직 뿐 아니라 보형물의 표면, 충진물, 외피 그리고 보형물의 모양에도 영향을 받기 때문이다.

3) 표면

보형물의 표면은 변화를 거듭해 왔고 제조회사들은 캡슐형성을 줄이거나 중단 시킬수 잇는 texture 를 사용하는 방법들을 공히 연구해 왔다. 오돌도톨한 보형물(textured implant)의 발전은 낮은 구형 구축율을 보인 폴리우레탄이 코팅된 보형물로 시작되었다.

1970년에 Ashley가 실리콘 젤 보형물을 폴리우레탄으로 얇게 덮어씌운 “Natural Y” 보형물을 소개 함으로서 폴리우레탄에 대해 다시 관심을 갖게 되었다. 2년후에 Ashley가 200명의 환자에서 만족스런 결과를 얻었다고 보고하였고 곧 이어서 여러 저자들이 폴리유레탄이 코팅된 보형물을 사용했을 때 감염과 피막구축의 발생율이 3%이하로매우 낮았다고 보고하였다. 이런 유방 보형물에 코팅된 폴리유레탄은 수주 내지는 수개월이상 걸려서 실리콘 백에서 떨어져 작은 조각들로 부서지게 되고 이것들이 이물거대세포(foreign body giant cell)염증 반응을 일으켜 보형물 주위에 무수한 미세피막(microcapsule)들이 생기게 되므로 이들의 수축력이 분산되어 피막 구축력이 무력화 되고 만다. (Bran, 1984) 1991년 초에 폴리유레탄 코팅된 보형물을 제조한 회사는 폴리유레탄 부스러기가 독성이 있을 가능성 때문에 시장에서 모두 수거하였다. 폴리유레탄은 인체 내에서 에스테르분해효소(esterase)에 의해 가수분해되어 toluene di-isocyanate (TDI) 와 설치류에 발암성인 toluene diamine (TDA)이 된다. 1991년 미국 식약청은 이러한 위험성을 파악하고 이를 1994년 미국성형외과학회에 통보하였다. 1998년 미국 생체 적합물질 학회는 마침내 폴리유레탄은 독성과 발암성 관점에서 부적절하다고 결론지었다. 1980년대부터 제조사들의 관심은 폴리유레탄으로 덮인 외피에서 textured silicone 외피로 바뀌었다. 각 회사마다 textured surface 제조법 에 대해 각기 다른 특허를 가지고 있다. texture의 발전에있어 중요한 점은 가슴 포켓 내에서 보형물을 안정화 시킬 수 있는 방법을 찾는 것이다. 각 연구에서 textured 표면의 미세한 공동(pore)의 크기가 조직이 보형물에 들러붙게 하는 효과와 보형물 안정화에 중요하다고 하였다. 그러나 공동의 사이즈가 피막구축의 감소와 연관이 있는 지는 불학실하나 보형물의 안정화와는 연관이 있다고 생각된다. Danino 등이 공동의 직경이 600-800micron, 깊이가

그림 3 **회사별 제품의 현미경 소견.** Mentor사 Siltex(왼쪽) Silimed사의 TRUE textuing(가운데), Allergan사의 Biocell(오른쪽) (출처; Calobrace MB.et el. Evolving practices in augmentation operative technique with Sientra HSC round implants. Plast Reconstr Surg 2014; 134 57s–67s)

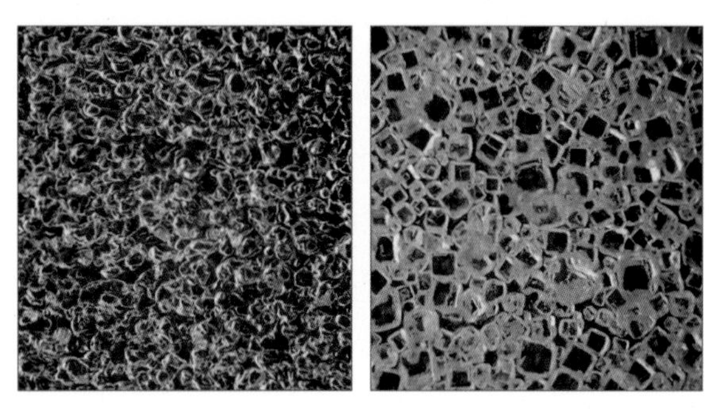

그림 4 Mentor Siltex(왼쪽)와 Allergan Biocell(오른쪽)의 전자현미경 사진 (출처; Mentor Worldwide LLC 2013)

150-200micron 인 BIOCELL texture와 직경 70-150 micron 인 Siltex를 비교하였는데 Siltex의 공동은 접착효과가 없었다. textured 표면을 가진 보형물을 제작하는 공정은 매끈한 표면을 가진 보형물에 비해 추가적인 과정이 필요하다. Silimed 사의 textured 보형물은 염화나트륨, 설탕, 담금/세정, 프레스 등을 사용하지 않는 TRUE texture라고 부른다. 이는 작은 공동(pore)들이 입자형성을 줄여주는 작고 얇은 cell webbing으로 형성되어있다. Allergan사의 BIOCELL texture는 염소실법 (loss-salt technique)으로 만들어진다. Mentor사의 Siltex 표면은 폴리유레탄 폼을 이용하여 실리콘 표면에 압력을 가하여 찍어내는 방법인 imprint stamping 기법이 사용된다**(그림 3,4)**.

2. FILLER (충진물질)

1) 실리콘 화학

실리콘은 폴리디메틸실록산[(CH3)2-SiO]단량체(monomer)의 다양한 길이 체인으로 이루어진 복합 분자의 혼합물이다. 실리콘의 물리적 특성은 중합체(polymer) 체인의 길이와 교차결합의 정도에 따라 매우 다양하다. 액체 실리콘은 교차결합이 매우 적고 비교적 짧은 길이 의 중합체로 이루어져 있다. 기름과 같은 특성이 있어 약품과 의료기에서 윤활제로 흔히 쓰인다. 실리콘 젤은 교차결합의 정도나 폴리머 체인의 길이를 점차적으로 늘려 다양한 점도를 가질 수 있다. 실리콘 젤의 촉감은 교차결합의 정도와 중합체 체인의 길이에 따라 부드럽고 점도가 있는 액체 같은 것부터 단단하고 응집력이 있어 모양을 유지하는 고체에 가까운 것 가지 매우 다양하다. 흥미롭게도 실리콘이 포함된 화합물들은 일상에 항상 존재한다. 일반인들은 헤어스프레이 선탠로션 그리고 수분 크림등 의 소비재를 지난 50년동안 사용해 왔다.

실리콘은 혐수성질 때문에 생체에 이식 되었을 때 효소의 작용에 매우 강한 저항성이 있어 안정성이 매우 뛰어난 것이다. 실리콘은 생체적합도 비교에 있어 다른 모든 제품의 기준으로써 소비자 안전시험에 종종 사용되기도 한다. 실리콘원소나 실리콘 입자들이 보형물 주위 조직 에서 발견된다 해도 이것들의 생물학적 의미는 정해져 있지 않다. 한 연구에서 실리콘 조직 확장기를 가진 환자와 비교그룹에서 항실리콘 항체의 레벨차이는 거의 없는 것으로 보고되었다. 몇몇 임상연구에서는 유방절제술 후 실리콘보형물을 이용한 재건술을 받은 환자군과 자가조직을 이용한 환자군에서 자가면역질환의 발생율 차이도 없는 것으로 밝혀졌다.

87000명이 넘는 여성의 메타어낼리시스 연구에서도 실리콘 유방보형물과 결체 조직 잘환과는 관련이 없음이 밝혀졌다. 세계적으로 실리콘젤 보형물은 유방확대에 널리 사용 되고 있다.

실리콘젤 유방보형물의 중요한 요소인 응집력(Cohesiveness)은 분자 사이 에 작용하여 고체나 액체 등의 물체를 이루게 하는 인력을 말한다. 물도 수소와 산소분자로 이루어져 있고 산소분자가 두 개의 수소 분자와 이루는 응집력 때문에 물방울을 이루게 된다. 따라서 식염수 보형물도 cohesive implant라고 할 수 있다. 따라서 cohesive implant에서 중요한 점은 "보형물의 내용물이 무엇이냐"라는 것 보다는 "보형물이 얼마나 Form-Stable 한가"라는 것이다. 중합체의 체인이 길수록 젤의 점도와 안정성은 높아지게 된다. 일반적으로, cohesive gel implant는 교차결합된 실리콘 젤(cross linked silicone gel)을 의미한다. 실리콘 젤의 촉감은 부드럽고 자연스럽지만 형태는 자세나 주변 압력에 따라 쉽게 변한다. 이에 반해 'Highly' cohesive gel implant는 일반적인 cohesive gel implant에 비해 더 긴 교차결합체인(cross- linked chain)을 가졌다. 이는 좀더 단단하며 어떤 조건에서도 외형이 변형되지 않고 유지되 는 특징이 있다. 이런 특징 때문에 'Form stable'한 보형물이라고 부르는 것이다. 사실 어떠한 젤 보형물도 완전히 "form stable" 할 수는 없기 때문이 이 용어를 사용하는데 있어 논란이 있는 것도 사실이다. 따라서 보형물에 있어서 " from stable"이라고 하는 것은 보형물이 형태를 유지하는 능력으로 생각 하는 것이 좀 더 적합하다. 최근 Allergan과 Mentor 사의 둥근형과 해부학적 보형물들의 젤의 경도(stiffness)를 측정한 연구에서 Montor 사의 CPG보형물에 비해 Allergan 사의 410 보형물이 가장 단단하고, 가장 응집력이 높다는 결과가 나왔다. 또다른 연구에서 Silimed사의 from stable 보형물이 이 410과 CPG에 비해 가장 응집력이 작았다. 응집력(cohesivity)이 유일한 보형물의 특징이므로 보형물을 전체적으로 분석하기위해서는 이를 고려해야한다. 위와 같은 연구에서 Allergan의 둥근형 보형물(round implant)가 Mentor의 둥근형 보형물에 비해 가장 응집력이 작았고(least cohesive) Silimed의 보형물이 Allergan과 Mentor의 둥근형 보형물에 비해 가장 응집력이 컷다. 과거의 연구에서 보형물을 채우는 물질이 피막구축에 영향은 주는 것으로 밝혀졌으나 이들 연구는 대개 3세대보형물과 식염수 보형물을 비교하는 것이었다. 그러므로 앞으로는 4세대, 5세대 보형물들에 대한 안전성과 장기결과에 대한 연구가 진행되어야 할 것이다.

2) SHELL (외피, 껍질)

실리콘젤 폴리머의 강한 화학적 교차결합은 고체 실리콘을 형성하는데 접을수 있는 고무와 같은 재질의 탄성중합체(elastomer)로 만들 수 있다. 실리콘 탄성중합체는 안면보형물, 조직확장기 그리고 유방보형물의 외피로 쓰인다.젤을 보호하기 위해 외피에 장벽층을 만들거나 3중 외피 탄성중합체와 같은 변형을 주는 방법들이 개발되었다. 탄성중합체외피의 특징은 최종적인 외형 의 안정성을 결정하는 각 외피의 두께 와 내부의 젤이 외피에 얼마나 잘 붙는냐의 정도에 따라 결정되었다.

3) 보형물의 형태

외피 안에서 젤의 분포를 유지 하는 것은 from stability를 보존하는데 도움을 준다. 응집력이 큰 보형물 일수록 gel/shell fill ration가 높고 젤이 외피에 더 잘 붙기 때문에 형태의 유지가 더 잘 된다. 제조사들마다

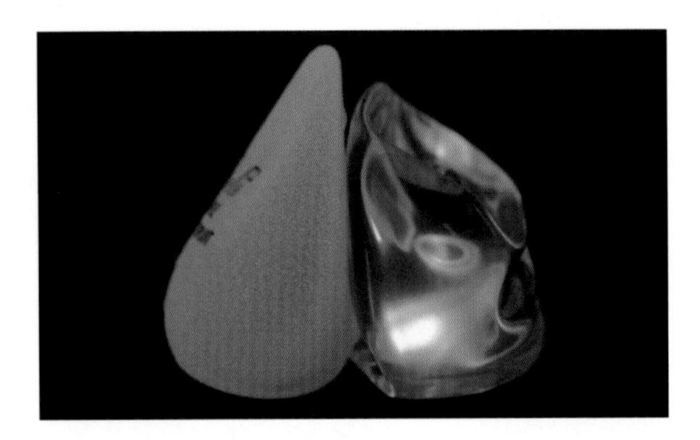

그림 5 Allergan Style410(좌측) 과 Style 40(우측)의 비교

그림 6 Anatomical 보형물을 반으로 잘랐을때(좌측)와 외피를 모두 벗겨낸 모습

gel/shell fill ratio는 가기 다르고 적합한 환자에게 사용되지 않을 경우 유방 윗부분이 꺼져 보이거나 리플링 현상을 초래하기도 한다.

MRI를 사용한 연구에서 prone position에서는 most cohesive form stable implant 에서도 외피의 rippling이 관찰되었다. 체위에 따라 형태가 변하는 것은 대개 임상적으로 크게 중요하지 않으나 일부 환자에서는 문제가 되기도 한다.

Highly cohesive gel (Form Stable)과 cohesive gel (Non-Form Stable)의 차이점두 보형물의 가장 큰 차이는 유방조직(또는 대흉근)아래 삽입되었을때 외형이 유지되는가 아닌가 하는 점이다. 두 보형물을 맞대어 세워놓으면 non form stable gel은 collapse되어 윗부분이 평평해지고 외피가 접히는 현상이 나타나는 등 외형이 변형되는 것을 볼 수 있다. 반면 form stable implant는 외형의 변화가 거의 없이 유지된다**(그림 5)**.

또한 form stable implant의 일부를 잘랐을 때도 각각의 조각이 그대로 모양이 유지 되는 것을 볼 수 있다. 외피를 모두 벗겨 내었을 때도 마찬가지로 그대로 유지된다**(그림 6)**. 작은 조각을 잡고 눌러보면 bulging 되지만 힘을 빼면 다시 원래의 모양으로 되돌아 온다 **(그림 7)**.

둥근보형물 보다 해부학적 보형물이 더 좋다고 생각되는 경우는 유방조직이 거의 없어 유방의 형태가 뚜렷하지 않을 때, 유방하부 수축(constricted lower pole) 환자, 가성유방하수(glandular ptosis)가 있는 경우 및 흉곽이나 유방의 비대칭이 있는 경우 등이다. 또한 form stable implant의 장점 으로는 가슴모양을 잘 유지해준 보형물의 rippling이나 folding 현상이 적으며 구형 구축 시에도 유방의 형태 변형이 적다는 점과 연부조직을 확장시켜주는 능력이 크다는 점 등이 있고 단점 으로는 촉감이 기존 non-form stable implant에 비해 좀 더 단단하고 비용이 상대적으로 고가이며 수술 시 조금 더 긴 절개(4-5 cm)가 필요하다는 점과 보형물의 회전이 일어나면 유방의 모양에 변형이 온다는 점이 지적되고 있다. 보형물을 이용한 유방 확대술에 있

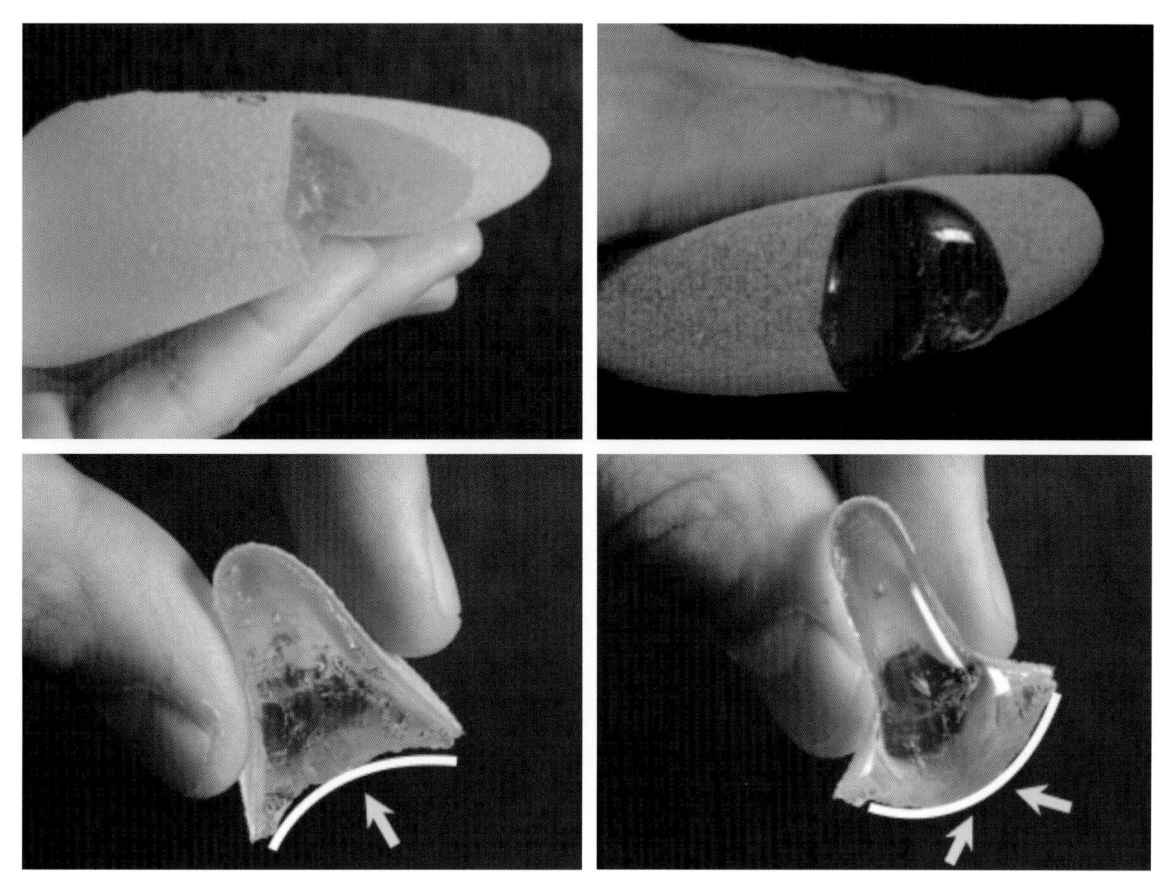

그림 7 Anatomical 보형물의 일부를 잘라낸 모습(위) 과 잘라낸 조각에 압력을 가했을 때의 모습

어 각 보형물의 특성을 잘 이해하고 환자의 신체적인 특징에 적합한 보형물을 잘 선택하여 사용한다면 더욱 만족스러운 결과를 얻을 수 있을 것 이라 생각된다.

참·고·문·헌

1. Adams WP, Potter JK. Breast implants: materials and manu- facturing past, present, and future. In: Spear SL, ed. Surgery of the Breast: Principles and Art. Vol. 1, 2nd ed. Baltimore, Md.: Lippincott Williams & Wilkins; 2006:424–436.
2. Calobrace MB.et el. Evolving practices in augmentation operative technique with Sientra HSC round implants. Plast Reconstr Surg 2014, 134 57s-67s.
3. Calobrace MB, The Design and Engineering of the MemoryShape Breast Implant Plast Recosntr Surg, 2014, 134(3s) 10s-15s.
4. Cronin TD, Gerow FJ. Augmentation mammaplasty: A new "natural feel" prosthesis. In: Transactions of the Third International Congress of Plastic Surgery; October 13–18, 1963; Washington, DC. Amsterdam, The Netherlands: Excerpta Medica Foundation; 1963:41–49.
5. Gabriel A Maxwell GP, MDThe Evolution of Breast Implants Clin Plastic Surg 42, 2015, 399–404.
6. Heden P, Bone B, Murphy D, Sliction A Walker PS ; Style 410 cohesive silicone breast implants; Safety and

effectiveness at 5 to 9 years after implantation. Plast Recosntr Surg, 2006, 18;1281.

7. Hidalgo DA. Breast augmentation: Choosing the optimal incision, implant, and pocket plane. Plast Reconstr Surg. 2000;105:2202–2216; discussion 2217. Hammond DC; Atlas of aesthetic Breast surgery, Elsevier Inc 2009 p19-38.
8. Maxwell GP, Hammond DC Breast implants; smooth versus textured. Advances in Plastic and Reconstructive Surgery 2009, 1993;9.
9. Tebbetts JB. Dimensional Augmentation Mammaplasty: Using the Biodimensional System. Santa Barbara, Calif.: McGhan Medical Corporation; 1994.

Augmentation mammoplasty »

확대성형수술 받은 유방의 영상진단

Imaging diagnosis of the augmented breast

| 이재희 |

유방확대성형수술은 유방의 크기를 증가시키고 모양을 변화시키는 수술로, 작은 유방이나 처진 유방 등으로 열등감을 느끼는 여성들의 관심을 받으며 증가추세에 있다.

유방확대성형수술은 다양한 방법으로 시행되고 있어서 각각의 방법, 부작용 등을 이해하고 영상검사방법과 소견을 숙지하여 정확한 영상 진단을 하고 불필요한 조직검사나 재수술을 피하도록 하는 것이 중요하다.

유방확대성형수술은 크게 1) 보형물 삽입, 2) 자가지방이식, 3) 필러를 포함한 이물질 주사로 나뉜다.

1. 보형물 삽입으로 유방확대성형수술 받은 여성의 유방 영상검사

미국 FDA는 2000년 5월, 18세 이상의 여성에서 식염수 보형물을 사용하여 유방확대 수술을 하는 것을 허용하였고, 2006년 11월에는 22세 이상의 여성에서의 실리콘젤 보형물을 사용이 허용되었다. 실리콘젤 보형물은 파열이 되어도 환자가 증상을 느끼지 못하는 경우가 흔하여 수술 후 3년 후부터 2년에 한번씩 보형물 MRI를 촬영하도록 권장하고 있다. 실리콘젤 보형물은 2007년 7월 19일에 우리나라 식약청의 승인을 받아 국내사용도 합법화 되었다. 우리나라에서도 유방 MRI 검사의 권장 사항이 미국과 같아서, 유방 보형물 MRI 검사에 대한 관심이 높아지게 되었다.

유방보형물은 silicone elastomer shell (envelope, 막) 안에 내용물을 담고 있다. 유방보형물은 내용물에 따라 식염수 보형물, 실리콘 보형물, 하이드로젤 보형물로 나뉜다. 또 silicone elastomer shell의 표면 처리에 따라 표면이 매끈한 smooth type 과 표면이 거친 textured type로 나뉜다. 내강의 수에 따라 단일(single), 이중(double), 삼중(triple) 내강이 있지만 대부분 단일 내강 보형물이다. 유방 보형물을 삽입하는 절개(incision)는 액와부, 유두/유륜 주변, inframammary fold 등이 있다. 유방 보형물은 대흉근의 뒤쪽(submuscular, 근육하), 대흉근과 유선 사이(subglandular type, 유선하)에 주로 삽입하며, 그 외 dual plane 방법, subfacial type으로도 삽입할 수 있다. 수술방법 종류에 대해서 알고 있는 것이 정확한 영상검사에 도움이 된다.

1) 유방촬영술

교과서나 여러 연구에서 유방촬영술이 보형물의

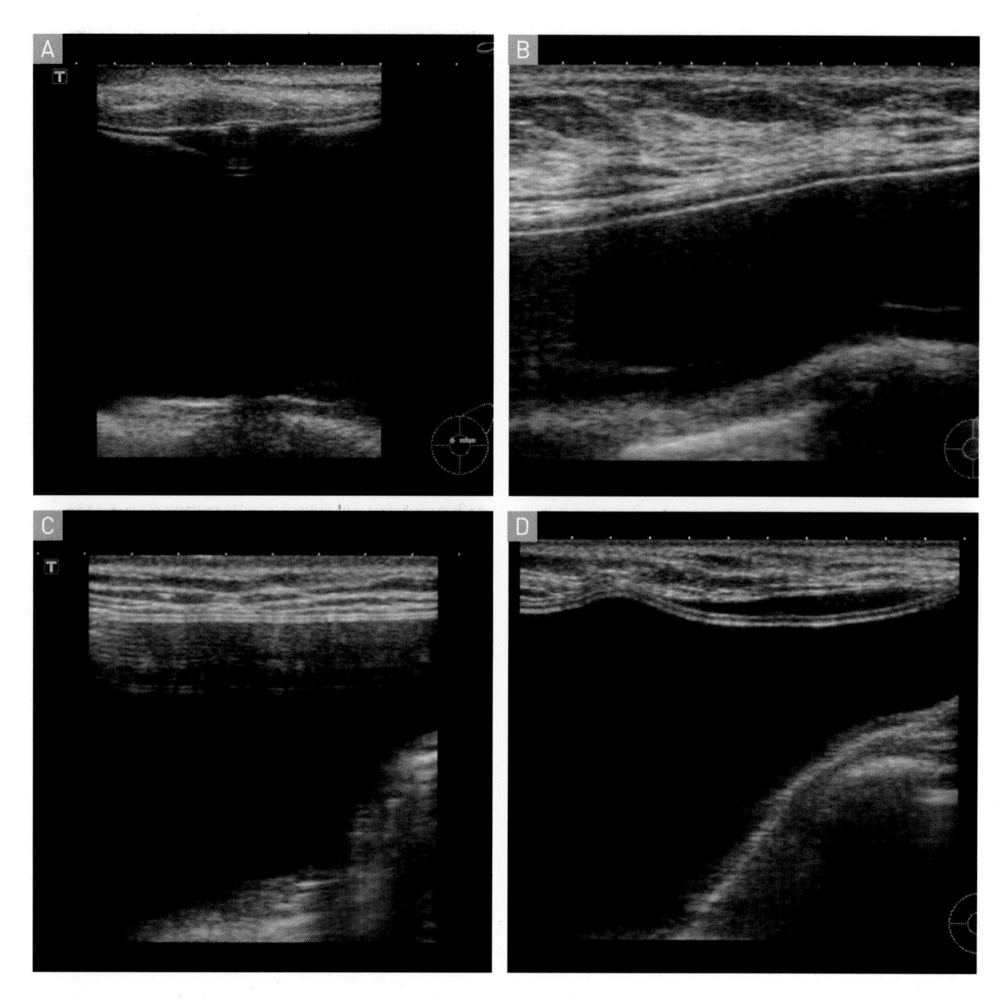

그림 1 **식염수 보형물, 하이드로젤 보형물, 코히시브젤 보형물 초음파 소견**
식염수 보형물(A), 하이드로젤 보형물(B), 코히시브젤 보형물(C, D) 내용물 모두 초음파 검사에서 무에코, 검게 보인다. 식염수 보형물(A)은 밸브가 있는 것이 특징이다. 모든 보형물의 앞쪽 shell 의 후방에 reverberation artifact(반향인공물) 가 보일 수 있다 (C참조). textured 코히시브젤 보형물의 경우 shell과 capsule(피막) 사이에 소량의 액체저류가 보일 수 있다(D).

상태를 평가하는데 정확도가 떨어지는 것으로 알려져 있다. 그러나 보형물 삽입을 한 여성에서의 유방촬영술을 하는 주 목적은 유방암 검진이다. 유방촬영술은 석회화 병변 진단에 탁월하고, 조기 유방암이 석회만으로 나타날 수 있기 때문에 40세 이상 여성에서 유방암 검진을 위해 꼭 필요한 검사이다.

유방 보형물을 삽입한 여성의 유방촬영은 보형물을 포함하여 4매, 보형물을 후방으로 밀어 넣고 implant-displaced view (Eklund technique) 4매를 찍는 것이 원칙이다. 보형물의 위치가 대흉근 후방에 위치한 경우가 보형물이 후방으로 잘 밀려서 유방촬영술에 더 유리하다. 만약 구형구축이 있어 보형물 제거술을 고려하고 있는 여성이라면 보형물을 포함한 유방촬영술을 시행하여 피막에 석회화 유무를 확인해 주는 것이 좋다. 유방보형물을 제거할 때 석회화되었거나 두꺼워진 피막은 피막절제술(capsulectomy)을 고려할 수 있기 때문이다.

유방촬영술에서 유방 보형물의 정상 소견은 타원

형으로 근육하 혹은 유선하에 위치하는데, 실리콘 보형물이 식염수 보형물보다 더 진한음영으로 보인다. 식염수 보형물은 shell과 valve가 물보다 진하게 보인다. 피막외 파열로 유리실리콘(free silicone)이 있을 경우 유방촬영술에서 고음영으로 잘 보인다.

2) 초음파 검사

초음파 검사는 방사선 피폭이 없고, 검사 받기가 용이하며, MRI 보다 비용이 저렴한 장점이 있다. 그러나 operator dependent 한 검사이어서 검사자에 따라 차이가 있고, MRI 보다 정확도는 떨어진다. 초음파 검사는 보형물의 위치와 상태를 알 수 있을 뿐 아니라 유방 검진도 동시에 가능하여 보형물로 유방확대성형수술을 받은 여성에서 1차 검사로 적합하다. 보형물 삽입한 여성의 초음파 검사를 할 때에는 보형물의 종류, 삽입시기, 삽입방법, 이전 보형물 실패 여부, 그 외 수술 과거력을 파악하고, 어떤 증상이 있는지 확인하고 시작하는 것이 바람직하다. 유방초음파 검사에 사용되는 탐촉자는 표재 장기용 선형 탐촉자로 중심주파수는 최소 10 MHz 이상으로 하는 것이 좋다. 그러나 유방의 크기에 따라 주파수나 탐촉자를 변경할 수 있다. 일반적으로 관심 부위의 깊이를 적절히 투과할 수 있는 가장 높은 주파수의 탐촉자가 이용되어야 하며 전자촛점영역을 잘 조정하여 최상의 영상을 얻어야 한다. 초음파 검사로 보형물과 보형물 주변부의 상태, 유방 병변 유무 등을 확인 한다. 초음파 검사에서 유방 보형물의 shell 은 고에코 선으로 보이고 식염수, 실리콘, 하이드로젤 모두에서 내용물은 무에코로 검게 보인다. 식염수 보형물의 경우 밸브가 보이는 것이 특징적이다. 보형물 앞쪽에 reverberation artifact가 보일 수 있고, textured 보형물의 경우 보형물 주변에 소량의 액체저류가 관찰될 수 있다(**그림 1**).

3) MRI 검사

MRI 검사는 보형물의 피막상태를 점검 하고 파열 유무를 확인하기 위한 가장 좋은 영상 검사이다. 식염수 보형물은 염증이나 종괴 동반된 경우 아니면 MRI 검사가 불필요 하나, 실리콘 보형물은 파열 유무를 확인하기 위해 MRI 검사가 gold standard 이다.

보형물 MRI 검사는 유방전용코일을 사용하여야 하고, 검사 받는 여성은 엎드려서 코일 내에 유방을 잘 위치한 후 검사 받는다. 검사 프로토콜은 병원마다 약간의 차이가 있으나 T1강조영상, Fast T2 강조영상, Fast STIR with water saturation 가 일반적으로 포함되는 sequence 들이다. STIR (short-tau inversion recovery) 영상을 얻으면 지방 신호가 감쇠되고 여기에 chemical suppression technique 으로 물의 신호를 감쇠시키면 실리콘만 고신호 강도로 보이게 되어 실리콘 강조 영상(silicone selective sequence)을 얻을 수 있게 되는 것이다. 이 실리콘 강조 영상은 피막 내 파열 진단에도 좋지만 피막 외 파열진단에 매우 우수하다.

보형물 MRI에서는 일반적으로 조영증강 검사를 하지 않으나 염증이 의심되거나 유방암검진을 함께 원하는 경우에는 조영 증강 검사를 추가할 수 있다.

보형물의 shell과 섬유화된 피막(brous capsule)은 모든 sequence 에서 저신호강도 선으로 보이는데, 파열이나 보형물 주변 액체가 없는 한 두 선이 구분되지는 않는다. 내용물은 식염수의 경우 T1 강조영상에서 저신호강도, T2 강조영상에서 고신호 강도, 실리콘 강조영상에서 실리콘의 경우 T1 강조영상에서 저신호강도(식염수보다는 약간 높음), T2 강조영상에서 고신호강도(식염수보다는 약간 낮음), 실리콘 강조영상에서 매우 높은 신호강도이다.

(1) 구형구축

구형구축은 보형물을 이용한 성형수술 관련하여

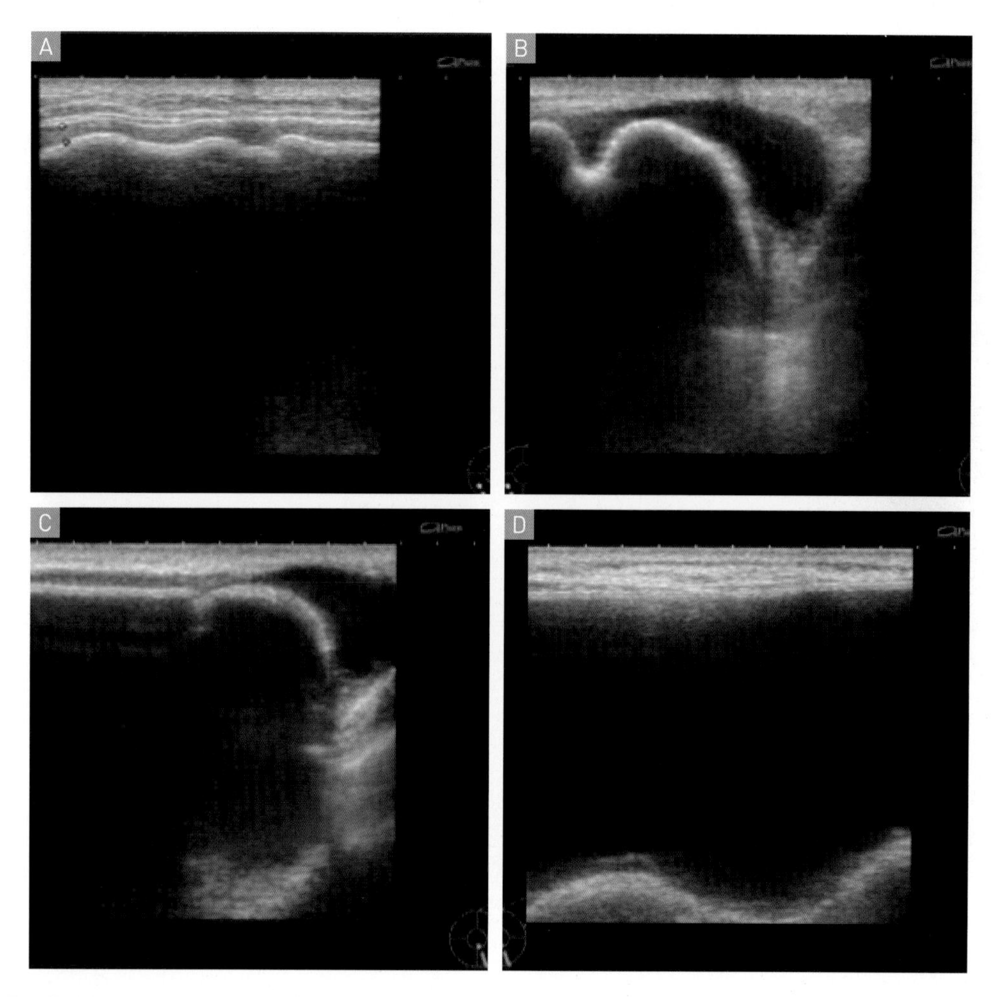

그림 2 **구형구축 초음파 소견.**
유방확대수술 후 10개월 된 30세 여성, 왼쪽 유방이 단단하고 하외측이 불룩하여 시행한 초음파검사에서 왼쪽 보형물을 싸고 있는 피막이 1.7mm 로 두꺼워져 있고(A), 보형물의 하외측에 약 10.7 x 26.6 mm 의 무에코 액체가 있었고 장액종으로 판단되었다(B,C). 이 부위가 불룩하게 보인 부위다. 오른쪽 보형물(D) 는 정상 소견을 보였다.

생기는 가장 흔한 부작용이다. 보형물이 몸 안에 들어오면 섬유화된 피막이 형성되는데 이것이 단단해져서 성형외과 의사에 의하여 피막이 만져지거나, 보형물 수술 받은 여성이 유방이 단단해졌다고 느낄 때 임상적으로 구형구축을 진단할 수 있다. 초음파 검사에서는 피막이 두꺼워져 있는지, 피막에 석회화가 동반되었는지를 검사한다. 구형구축이 있어도 초음파나 MRI 검사에서 이상이 없는 경우도 있지만 구형구축이 심해지면 보형물의 모양이 구형으로 변하고, 탐촉자로 누를 때 보형물이 잘 눌러지지 않으며, 보형물 shell이 folding 되기도 한다(**그림 2**). MRI 검사는 구형구축 자체를 확인을 위해 필요한 검사는 아니다. 그러나 초음파검사에서 방사상 주름(radial fold)와 보형물 파열을 감별하기 어려운 경우, 구형구축으로 인해 통증이나 불편감을 느끼는 경우 정밀검사를 위해 MRI를 할 수 있다. MRI 에서도 간혹 radial fold가 보형물 파열로 오인될 수 있으나 인접한 여러 영상들을 연속해서 보면 겹쳤던 부위가 펴짐을 확인 할 수 있다.

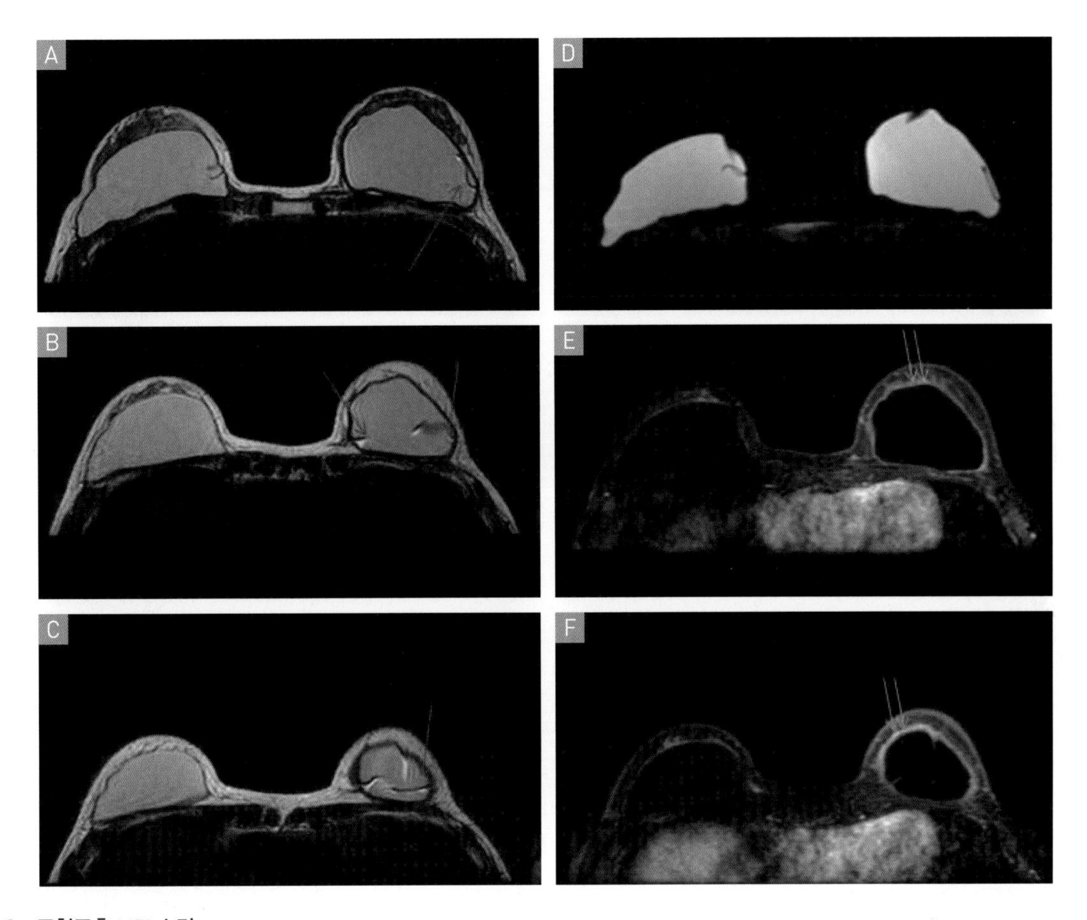

그림 3 **구형구축 MRI 소견.**
4년 전 유륜절개로 유방확대수술을 받았고, 당시 왼쪽에서 피가 많이 났었고 구형구축으로 재수술 한적 있다고 했던 32세 여성. 그 이후에도 계속 왼쪽 유방이 단단하였다고 했다.
양쪽 보형물은 유선후방에 위치하였고 오른쪽 보형물은 transverse diameter 가 89.6 mm, AP diameter 가 40.9 mm 로 transverse diameter: AP diameter 가 2:1 이었으나 왼쪽 보형물은 transverse diameter 가 78.6 mm, AP diameter 가 55.8 mm 로 transverse diameter: AP diameter 가 1.4:1 로 globular(구형) 하게 보인다. 왼쪽 보형물은 capsule 이 균일하게 두꺼워져 있고, 조영제 주입 후 조영증강 소견을 보였다 (E,F). 양쪽 보형물에 radial fold (방사선주름) 가 있으나 파열 의심소견 보이지 않았다.

MRI 에서도 구형구축이 심한 보형물은 구형으로 보인다(**그림 3**). 구형구축은 실리콘보다는 식염수 보형물에서 덜 생기고, retromammary 보다는 subpectoral에서 덜 생기며, smooth type 보다는 textured type에서 덜 생긴다는 보고가 있다. 구형구축의 원인은 명확히 밝혀진 바는 없으나 염증이나 출혈과 연관이 있어 보이고, 임신 출산 후 구형구축이 오는 경우도 있다고 한다.

(2) 보형물 파열

보형물 파열은 보형물 교체의 가장 흔한 이유이다. 그러므로 영상검사의 가장 중요한 역할은 파열유무를 확인 하는 것이다.

식염수 보형물은 파열이 되면 크기가 급격히 감소하여 임상적으로 쉽게 알 수 있다. 이 때 초음파 검사를 하는 목적은 보형물의 위치를 파악하고 유방암검진을 하는 것이라 할 수 있다(**그림 4**).

하이드로젤 보형물은 2000-2001년 즈음 우리나라

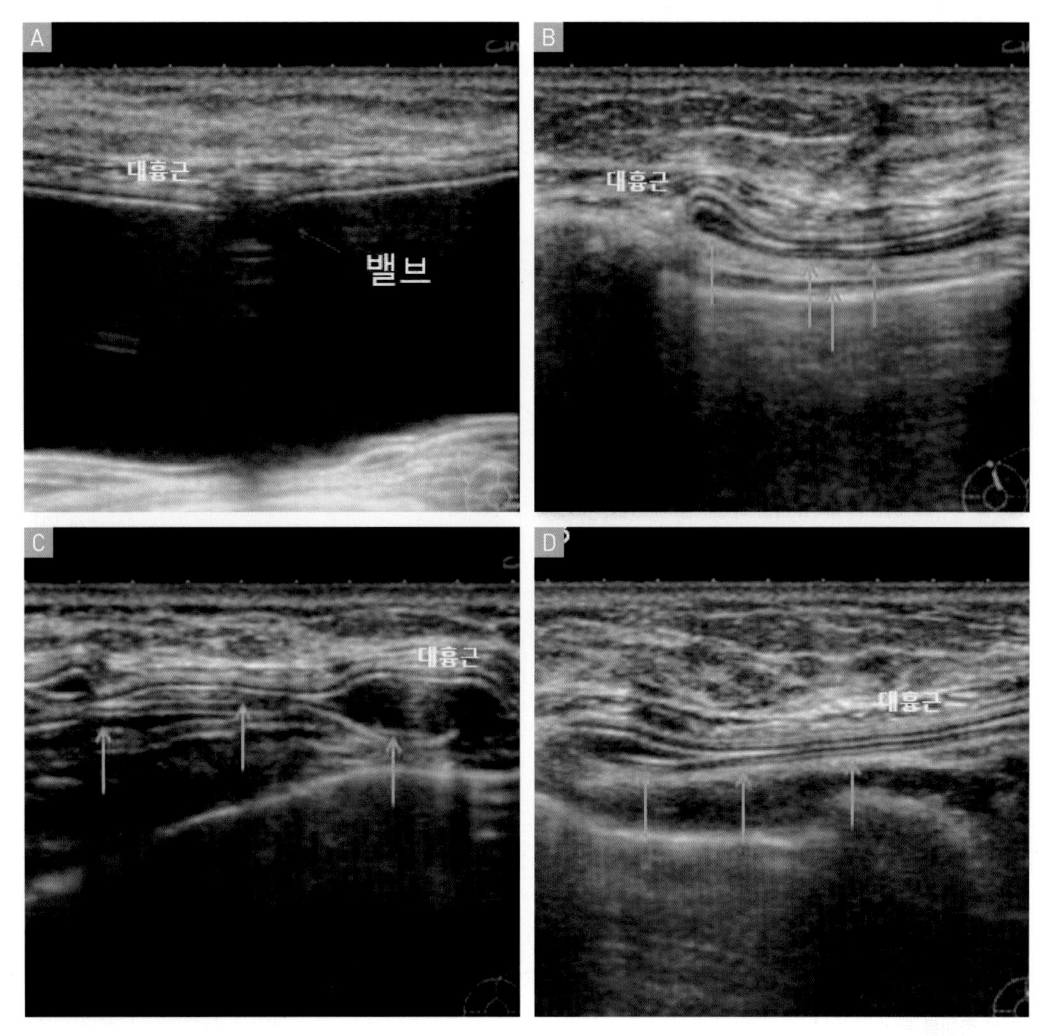

그림 4 **식염수 보형물 파열 초음파 소견.**
9년 전 식염수 보형물로 유방성형수술 받은 37세 여성, 4일전부터 왼쪽 유방의 크기가 현저히 작아져서 임상적으로 파열을 진단하고, 교체수술 전에 유방검진 위해 내원하여 초음파 검사 시행. 양쪽 식염수 보형물은 대흉근 후방에 위치, 오른쪽은 정상(A), 왼쪽은 식염수는 거의 다 빠지고 shell만 남아있는 상태이다(B-D 하늘색 화살표).

에서 일시적으로 사용되었던 보형물이다. 하이드로젤 보형물이 파열되면 유방의 크기에 변화가 없거나 작아질 수도 있으나 오히려 커지기도 한다. 초음파 검사에서 보형물의 collapse가 없이 보형물 주변에 내부 content 와 같은 무에코 액체 저류가 있는 것이 하이드로젤 보형물 파열이 다른 보형물 파열과와 구분되는 소견이다. 피막 외 파열이 동반된 경우 주변 조직에 염증반응을 유발 할 수도 있다. MRI 검사에서도 피막 내 파열의 경우 보형물 shell 저신호강도 라인의 끊김이 없이 내부와 외부 물과 같은 신호강도이고, 피막 외 파열이 동반되었을 경우 염증을 유발하고 간혹 염증성 종괴를 형성하기도 한다(**그림 5**).

실리콘 보형물은 액상실리콘과 코히시브젤 실리콘 보형물로 나뉜다. 액상 실리콘 보형물의 파열은 피막 내 보형물 파열의 경우, 초음파 검사에서 여러 개의 고에코 줄(step ladder sign) 혹은 내부에 고에코(echogenic

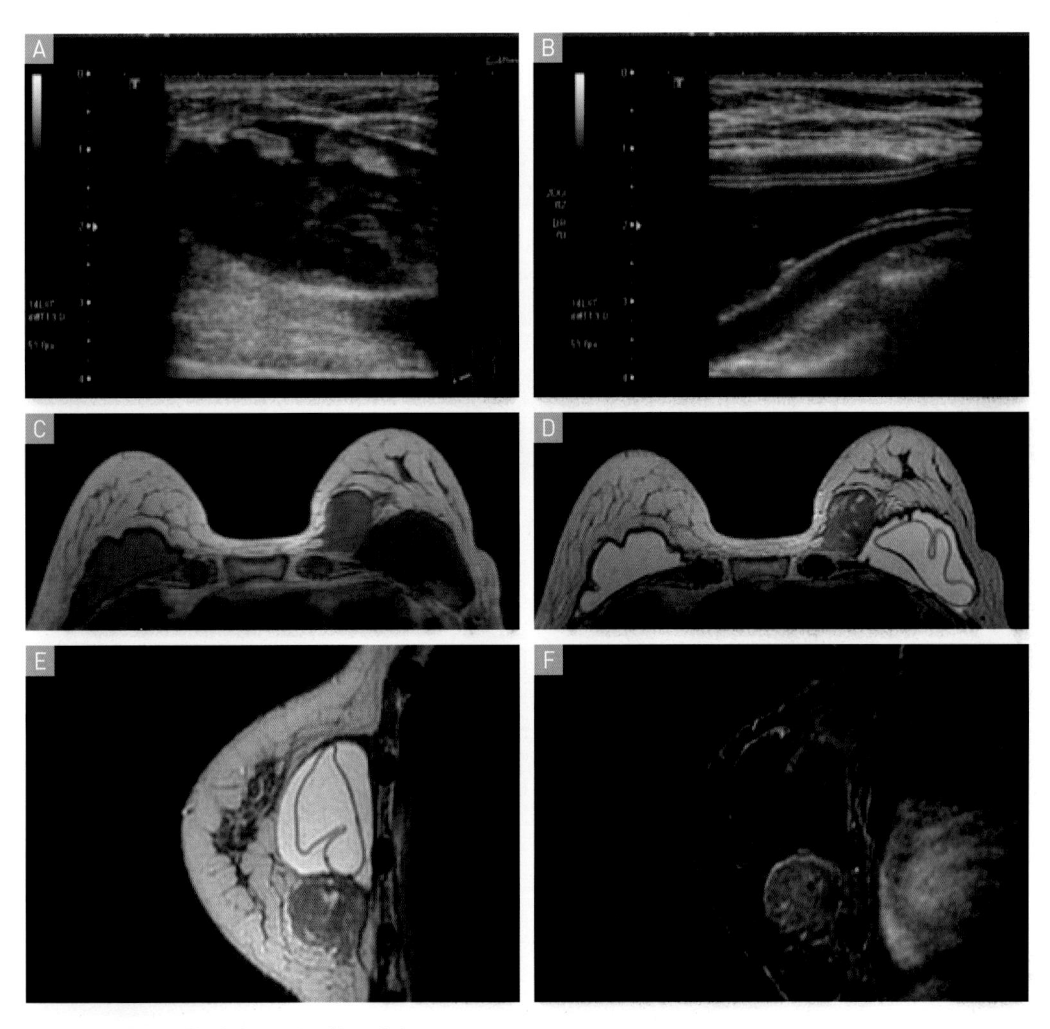

그림 5 **염증성 종괴를 동반한 하이드로젤 보형물 파열**
10년 전 다당류 보형물로 유방성형수술 받은 60세 여성. 왼쪽 유방 내측에 만져지는 멍울을 주소로 내원. 초음파 검사에서 왼쪽 유방 내측에 불균일한 저에코 종괴가 보였고(A), 보형물의 막의 끊김이 없이 보형물 내부와 같은 무에코가 보형물과 피막사이에 보였다(B). 보형물 내부는 T1 강조영상(C) 에서 저에코, T2 강조영상(D) 에서 고신호강도를 보였고, 종괴는 양쪽 모두에서 중등도 신호강도를 보였다. T2 강조 시상영상(E)에서 종괴는 피막아래에 위치하고 피막에 넓게 붙어있었다. 조영제 주입 후(F) 조영 증강이 되는 종괴였다. 조직검사로 inflammatory mass (염증성 종괴) 로 진단되었다.

aggregates) 들이 보인다. 피막 외 파열이 동반된 경우 무에코 혹은 고에코 실리콘 내용물이 피막 밖에 보이면서 이로 인하여 뒤쪽 음향 감쇄가 동반된다. 초음파 검사의 positive predictive value 58%, negative predictive value 91%, sensitivity 50%, specificity 55% 로 보고 되었다. 액상 실리콘 보형물 파열 진단에 있어서 MRI 검사가 유방촬영술이나 초음파 검사와 비교하여 정확하여 MRI 검사가 보형물 파열 진단에 있어 가장 믿을만한 검사방법으로 보고되고 있다. MRI 에서는 subcapsular line, linguine sign 이 가장 확실한 피막 내 파열 소견이고 보형물 내부의 신호강도 변화, tear drop 소견은 파열을 의심할 수 있는 소견에 해당한다. 이와 같은 기준으로 보형물 파열을 진단할 때 MRI 검사의 sensitivity 는 89%, specificity 97%, positive predictive

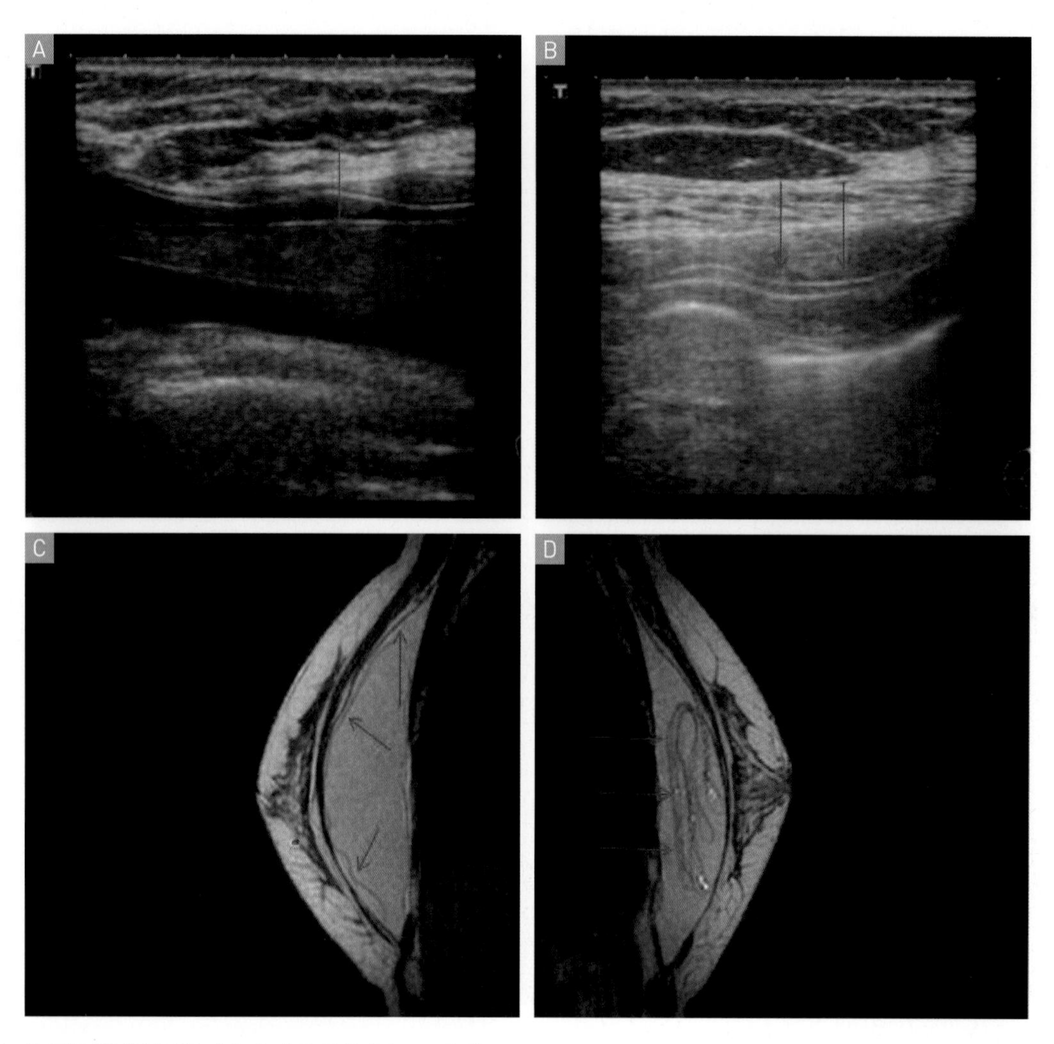

그림 6 **액상실리콘 보형물의 피막 내 파열: 초음파와 MRI 소견.**
액상 실리콘 보형물로 유방성형수술 받은 지 27년 된 45세 여성(A–D). Symmastia를 이유로 재수술 받기 전 검진목적으로 초음파 검사를 받았다. 초음파 검사 (A,B) 에서 step ladder sign 과 고에코 보였고, MRI 검사 오른쪽 유방 T2 강조 시상영상 (C) 에서는 subcapsular line, 왼쪽 유방 T2 강조 시상영상 (D) 에서는 linguine sign이 보여 피막 내 파열을 진단하였다.

value 99%, negative predictive value 79%로 실리콘 보형물 파열 진단에 있어 MRI 검사가 매우 정확하였다는 보고가 있었다(**그림 6, 7**). radial folds 가 normal, not-ruptured implant 에서 흔하다고 알려져 있으며 임상에서 흔히 접할 수 있는 소견이다. Radial folds, 특히 complex radial folds 가 있을 때 파열로 오인하면 안된다(**그림 8**). Radial folds 는 shell 의 two layer 가 안으로 말려들어간 것으로 연속된 영상을 보면 그 끝이 surface shell 과 연결됨을 확인할 수 있다.

파열 의심 소견이 있는 경우, 피막 내 파열만 있는지, 피막 외 파열이 동반되었는지, free implant material(유리실리콘)의 migration 이 있는지도 확인해야 한다(**그림 7**).

2007년부터 우리나라에서 합법적으로 시행된 코히시브젤 실리콘 보형물의 경우에도 위의 액상 실리콘 보형물 파열과 유사한 초음파, MRI 소견을 보인다.

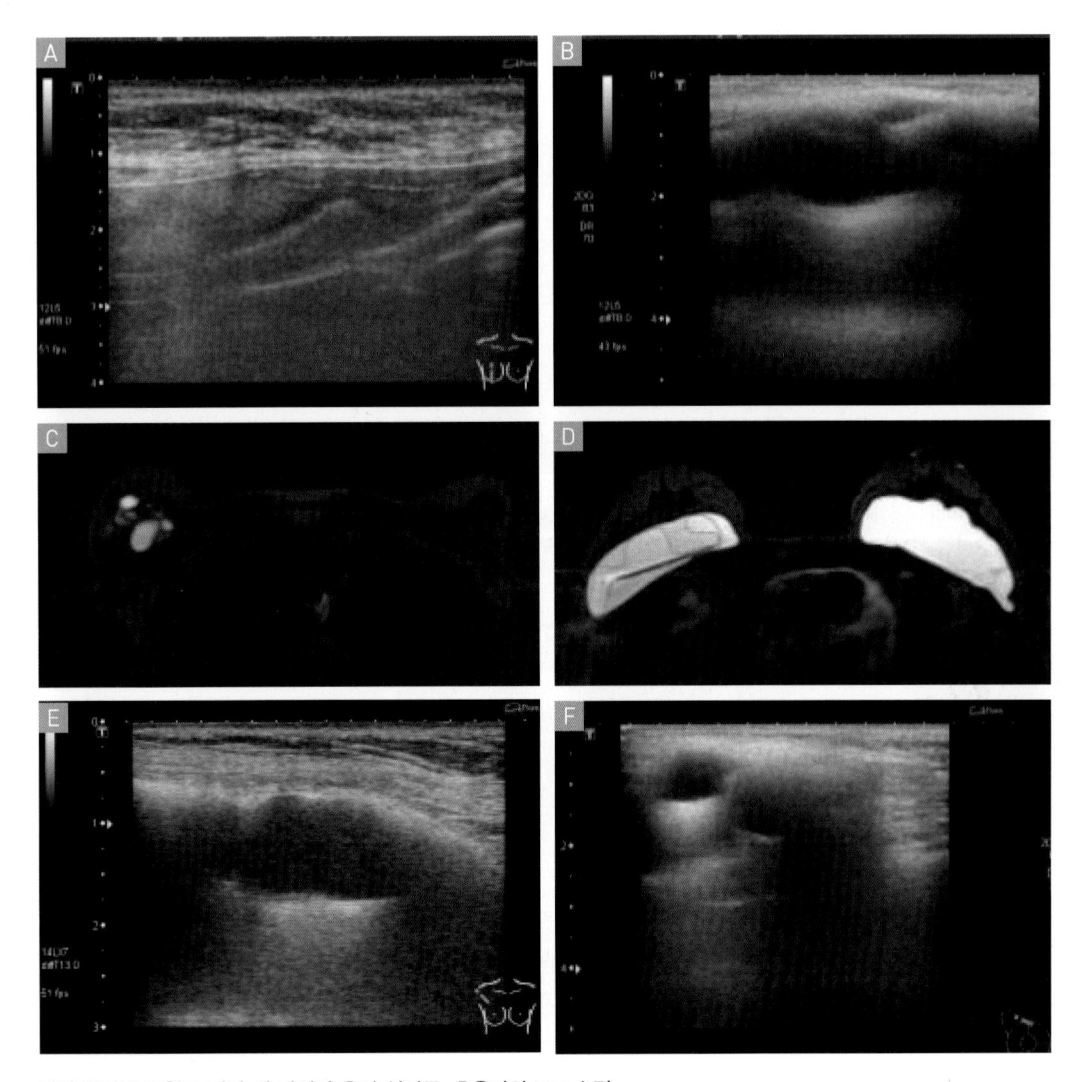

그림 7 **액상 실리콘 보형물 피막 외 파열과 유리 실리콘: 초음파와 MRI 소견**
7년 전 액상실리콘 보형물로 유방성형수술 받은 60세 여성. 내원 2주 전부터 오른쪽 액와부에 종괴가 만져졌다. 초음파 검사 (A,B)에서 오른쪽 보형물의 에코가 전반적으로 증가되어있었고 줄이 여러 개 있는 step ladder sign 이 보였으며 액와부와 쇄골 하부 에 유리 실리콘(free silicone)이 보였고 뒤쪽에 음향감쇠가 보였다. MRI 실리콘 영상 (C,D) 에서 오른쪽 보형물의 피막 내, 피막 외 파열소견이 보였고 윗쪽으로 이동한 실리콘들이 고에코로 보였다. 5년 후 추적 초음파 검사 (E,F) 에서 보형물은 코히시브 보형물로 교체 되었으나 액와부에 있었던 유리 실리콘들은 남아 있었다.

미국에서나 우리나라에서나 코히시브젤 보형물의 권고사항에 MRI 검사가 포함되어 있으나 코히시브젤 보형물 파열에 대한 초음파 소견에 대한 연구는 아직 활발하지 않다. 최근 발표된 연구에 의하면 high resolution US 가 4세대, 5세대 실리콘 보형물의 shell 상태를 파악하는데 in vitro, in vivo 모두에서 우수하다고 발표 하였다. 코히시브젤 보형물이 제 4세대, 5세대 보형물에 해당하는 것인데, 이 보형물의 피막 내 파열 소견으로는 shell의 linear echo가 disruption되어 보이는 것, anechoic 한 내부에 hyperechoic portion들이 있다 **(그림 9)**. Extracapsular rupture가 된 경우에는 free gel component가 anechoic하게 혹은 heterogeneous mixed

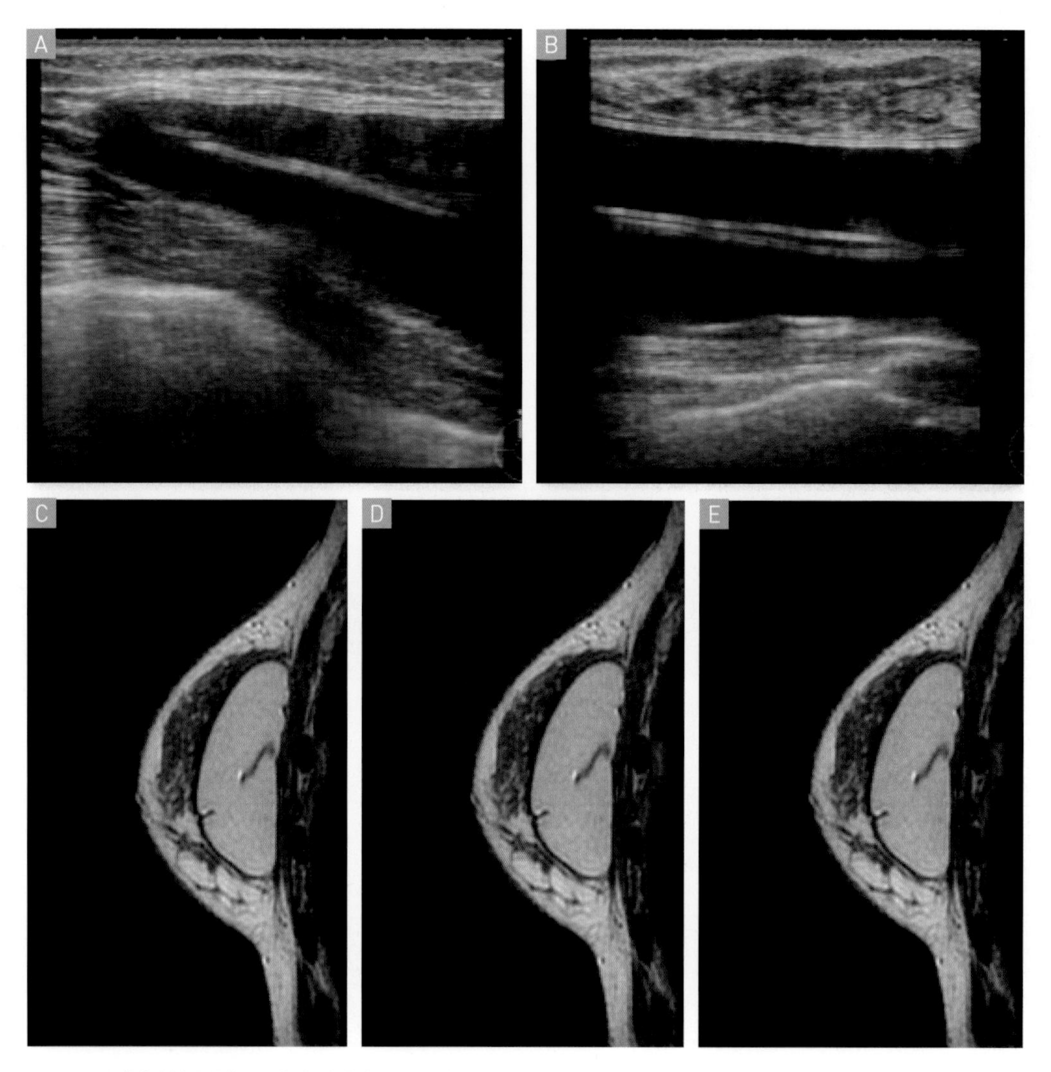

그림 8 Radial folds(방사상 주름) : 초음파 검사와 MRI 소견
1년 전 코히시브젤 보형물로 유방성형수술 받은 49세 여성 초음파 검사 (A,B) 에서 보형물 내부에 선이 보여 MRI 검사 시행. 당시에 보형물 파열 소견으로 오판하고 수술을 하였으나 실제는 파열이 없었다. MRI 검사 (C–F)에서 shell 저에코가 만나는 것을 확인할 수 있어서 판독을 잘못한 경우이고 초음파 검사에서도 보형물 파열로 오인될 수 있는 소견이 radial fold 이니 유의 해야 한다.

echoic 하게 보이고 뒤쪽 음영감쇄가 없는 것이 액상 실리콘과 영상적인 차이점으로 생각되었으나 어떤경우는 고에코로 보이고 뒷쪽 음영감쇄가 보이기도 하여 파열되어 free gel component가 시간이 경과되면서 변화하는 것으로 추정된다(**그림 10**). Capsule 에서 나간 젤 성분이 액상 실리콘 과는 달리 주변으로 멀리 쉽게 퍼져 나가지 않아 보형물 제거술(explantation) 시 완전 제거가 상대적으로 용이하다. MRI 검사에서 코히시브젤 보형물 파열 소견은 액상 실리콘 보형물 파열 소견과 유사하게 subcapsular line이 보일 수 있고 shell 의 disruption 소견이 보인다. 링귀니 싸인, 끊어진 피막이 말려들어간 소견도 있을 수 있고, 상부로 extension돼 피막 외로 퍼져나간 코히시브젤을 확인 할 수 있었다(**그림 11**). 코히시브젤 보형물 파열을 진단 받은 여성들

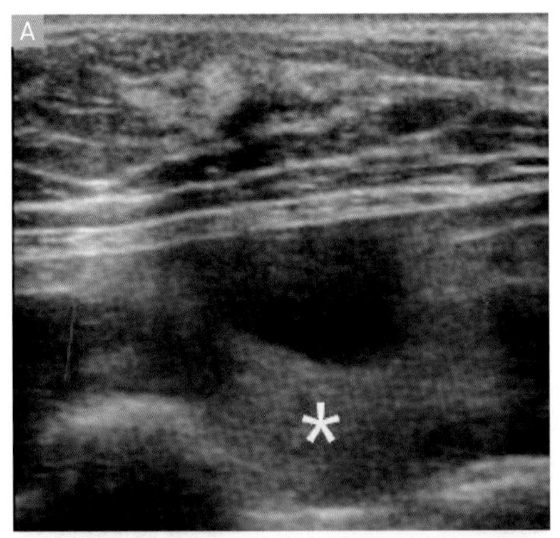

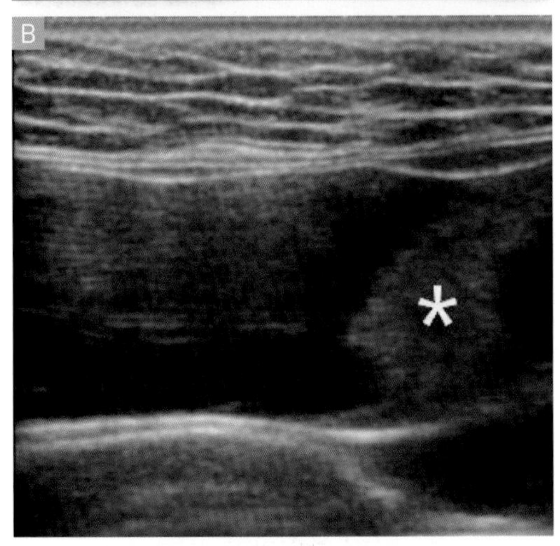

그림 9 **코히시브젤 보형물 피막 내 파열 초음파 소견**
보형물 shell 의 고에코 선이 끊어진 것이 직접적으로 보이기도 하고 (화살표) 보형물 내부에 고에코 선들이 보이기도 하고 hyper-echoic aggregate (*) 들이 보인다.

의 가장 흔한 증상은 촉감의 변화였고, 일부는 전혀 느끼지 못하는 경우도 있었다. 수술 후 1-2년 이내에 코히시브젤 보형물 파열이 진단된 경우도 있어서, 수술 후 3년 이내이어도 촉감의 변화가 있거나 멍울이 만져지는 경우에는 초음파 검사가 필요할 것으로 생각된다. 초음파 검사로 파열 의심이 되어 MRI 검사를 시행받은 여성들 중에 파열이 안된 경우도 있었다. 아직 코히시브젤 보형물의 평가에 대한 초음파 검사의 효과가 명확히 검증되지는 않았으나 고비용의 MRI 검사의 차선책으로 초음파 검사를 먼저 시행하고, 초음파 검사에서 이상이 없다면 정기 초음파 검사를 받고, 초음파 검사에서 파열이 의심되는 경우, 혹은 초음파 검사에서는 이상이 보이지 않더라도 임상적으로 이상이 의심되는 경우는 보형물 MRI검사를 받게 함으로써 검사 비용에 대한 부담을 줄이면 어떨지 조심스럽게 제안한다.

(3) 보형물 주변 액체저류

보형물의 주변에 소량의 액체저류(fluid collection)는 정상적으로 보일 수 있다. 특히 textured type 보형물에서 흔히 보인다. 보형물 내부에 이상소견이 없이 보형물 주변에 소량의 액체저류가 있을 때 파열소견이라 판정하지 않도록 한다. 피막 주변 혈관이 터져서 혈종이나 장액종이 생기는 경우도 흔하고, 염증관련 액체저류가 생기기도 한다. 액체 저류의 양이 많을 때나 유방이 점점 커지는데 초음파 검사에서 뚜렷한 이상이 없을 때 조영증강 유방 MRI 검사를 하는 것이 도움이 된다. 간혹 보형물의 후방에 액체저류가 있을 경우 초음파 검사 중 인지 하지 못하는 경우가 있기 때문이다. 최근 지연성 장액종에 대한 보고가 발표되고 있는데, 주로 textured type 에서 발생되었고, 치료방법은 우선은 액체를 빼주는 방법을 하지만 수술로 피막절제술과 함께 보형물 제거 혹은 교체를 시행했다고 하고 그 후 재발은 없었다고 했다(**그림 12**). 우리나라에서는 아직 발표된 바가 없으나 보형물 주변 장액종과 연관된 anaplastic T-cell lymphoma 에 대한 연구가 있었다. 따라서 지연성 장액종의 경우 액체와 피막에서 세포병리학검사가 필요하다.

2. 자가지방이식을 이용한 유방확대수술

자가지방이식(autologous fat grafting)은 본인 신체

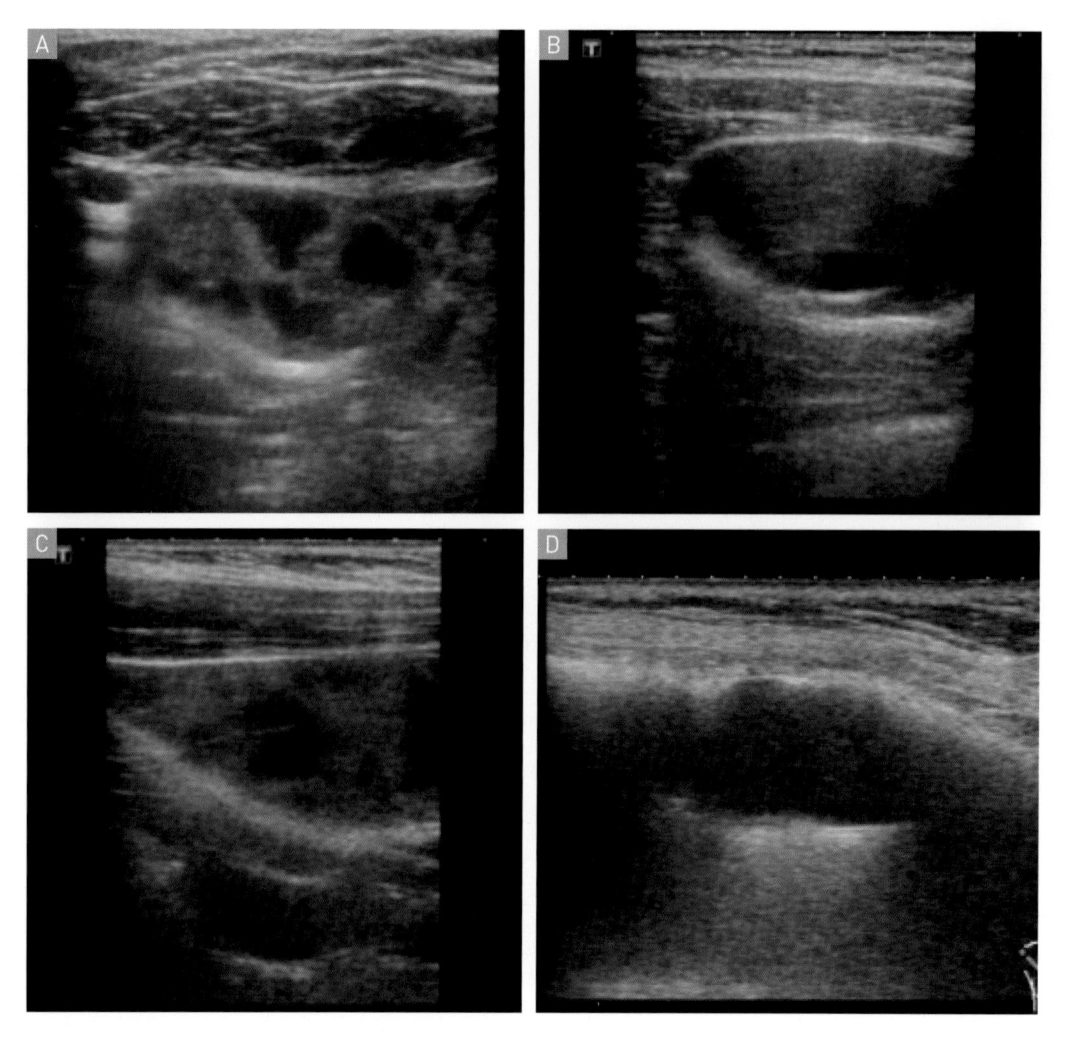

그림 10 **유리 실리콘 초음파 소견: 코히시브젤과 액상실리콘**
코히시브젤 보형물이 피막 외 파열되어 free silicone형태로 있을 때 (A–C) 저에코와 고에코가 섞여있는 양상으로 보이거나 저에코로 보이며 후방감쇄가 없어서 이 부위의 뒤쪽도 초음파 검사로 확인 가능하다. 액상실리콘(D) 의 경우는 인접부가 고에코로 보이고 실리콘 자체는 저에코로 보이기도 하나 후방감쇄가 심해서 그 뒤쪽 검사가 불가하다.

부위에서 불필요한 여분의 지방을 빼서 유방에 주입하여 자연스럽게 유방 크기를 키울 수 있는 유방확대성형수술이다. 외국의 여러 문헌을 통해 자가지방이식술로 유방성형이 성공적으로 이루어졌음에 대한 연구가 많이 나와 있고, 우리나라에서도 자가지방이식을 이용한 유방확대수술이 많이 행해지고 있다. 성공적으로 지방 생착이 잘된 경우도 있으나 자가지방이식만으로는 만족도가 떨어지거나 부작용이 있는 경우도 드물지 않다.

자가지방이식으로 유방성형수술을 받은 여성들은 유방촬영술과 초음파검사로 유방 검사가 가능하다. 자가지방이식을 받은 유방의 영상 소견은 지방괴사 관련 소견들이 대부분이니 그에 관한 영상소견을 숙지하여야 한다. 유방촬영술에서는 기름낭종, 다양한 모양의 양성 석회들이 보일 수 있다. 석회들은 작은 원형 석회들이 흩어져 있거나, 모여 있을 수 있고, 기름 낭종의

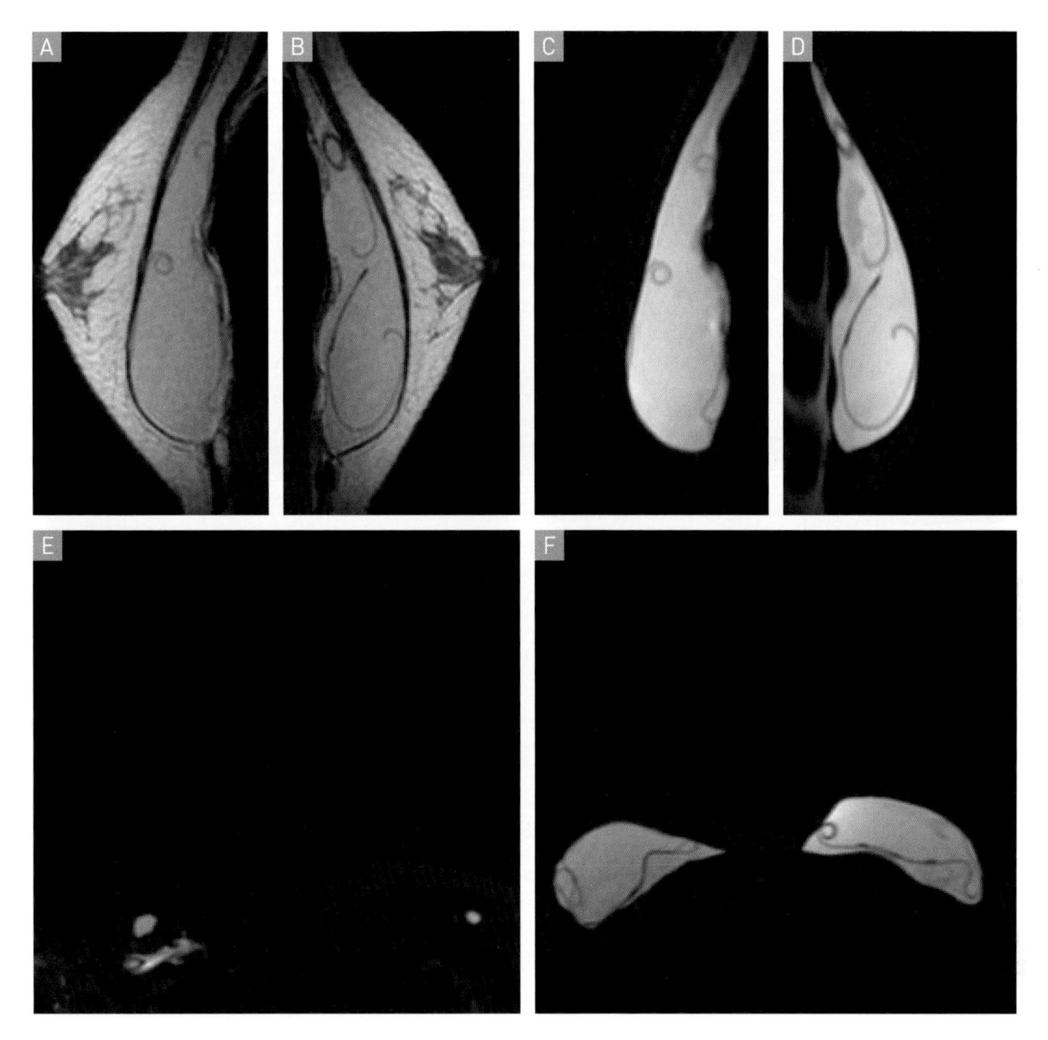

그림 11 **코히시브젤 보형물 피막 내, 피막 외 파열: MRI 소견**
7년 전에 코히시브젤 보형물로 유방확대성형수술을 받은 27세 여성이 특별한 증상 없이 검진 위해 내원 하여 찍은 MRI 검사 T2 강조 시상 영상 (A, B), 실리콘 강조 시상 영상(C,D) 와 축상 영상(E,F)
양쪽 보형물의 내부에 subcapsular line 과 shell 의 저신호 선이 끊겨져 보이고 일부는 말려들어간 모습이 보였다. 양쪽 모두에서 보형물의 내용물이 윗쪽으로 extend 되어 있었다.

벽을 따라 형성될 수 있다(**그림 13**). 초음파 검사에서도 기름낭종들이 보일 수 있는데 그 내부 에코는 무에코, 복합성에코, 고에코, 다양하다(**그림 14**). 초음파 검사만 시행했을 경우에는 지방과 고형 종괴가 감별이 어려운 경우가 있으므로 유방촬영술 소견과 연관지어 판독하여야 한다. 초음파 소견만 보고 불필요한 조직검사를 시행하지 않도록 하여야 한다. 초음파 검사에서 기름낭종의 크기가 크고 무에코로 보일 경우 초음파 유도하 세침 흡인술로 크기를 줄일 수 있다(**그림 15**). 임상적으로 염증을 확인 하고 싶을 때 혹은 초음파 검사만으로는 내부가 충분히 잘 보이지 않을 때 조영 증강 유방 MRI 검사를 하기도 한다(**그림 16**).

자가지방이식 후 생착 되지 못한 지방에 괴사가 일어났을 때 위와 같이 석회화, 기름낭종, 염증 섬유화

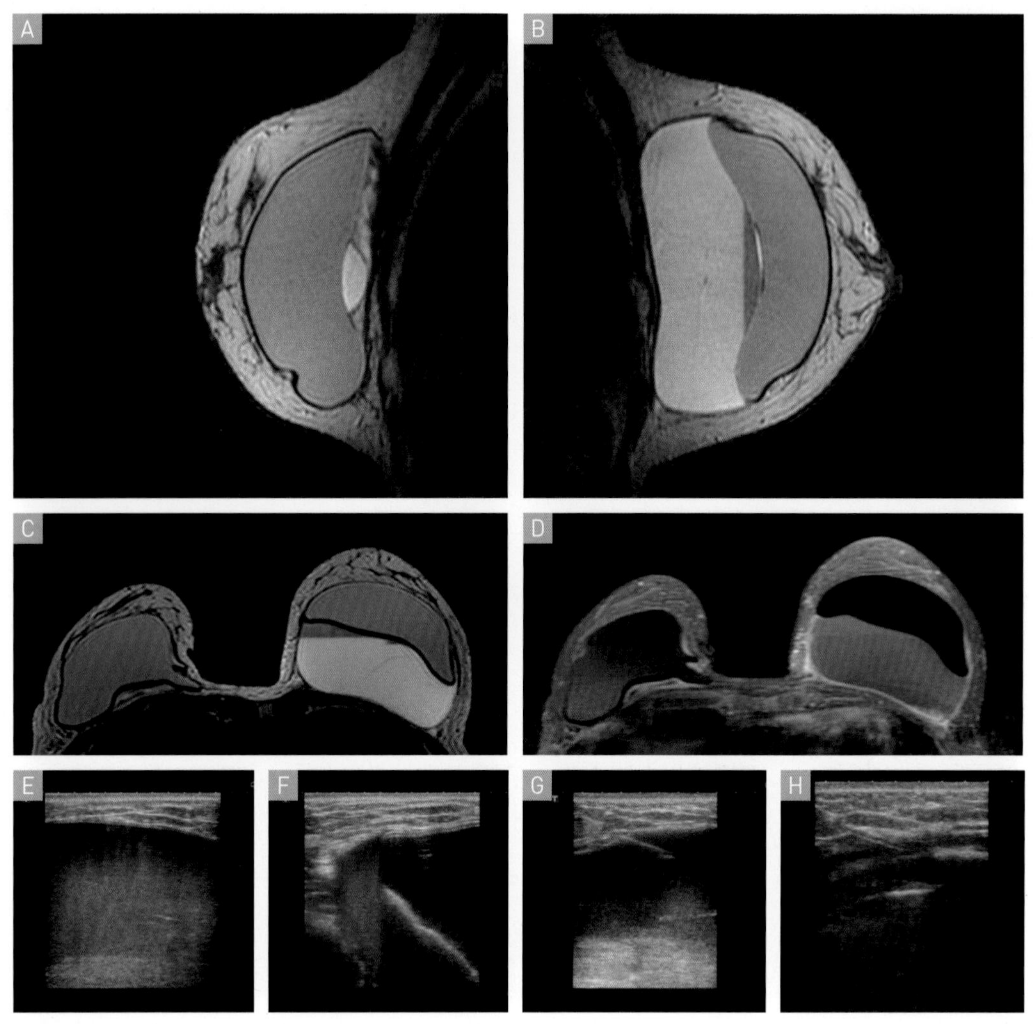

그림 12 **지연성 혈종 : MRI, 초음파 유도하 흡인술**
2년 전 textured type 코히시브젤 보형물로 유방확대수술을 받은 29세 여성. 1달 전부터 왼쪽 가슴이 커져서 불편하였고 열감이 느껴져서 내원. MRI 검사 T2 강조영상 (A–C) 에서 왼쪽 보형물 주변에 다량의 혈성 액체저류가 있었고, 오른쪽 보형물 후방에 후방에 소량의 액체 저류가 관찰되었다. 지방억제 조영증강 T1 강조 영상(D)에서 왼쪽 피막이 조영증강 되었다.
왼쪽 혈종 부위를 초음파 유도 하에 340 cc bloody fluid aspiration 하였다 (E–H). 이후 2차례 더 흡인술 하였으나 혈종이 반복되어 수술적 보형물 제거수술을 권유했다. 수술상 double capsule 이 관찰되었고, seroma 와 capsule 의 병리검사에서 악성은 배제 되었다.

등이 생길 수 있지만 유방암과 구분이 어려운 것은 아니다. 다만 이런 부작용들로 인하여 유방내부가 복잡해 지면 작은 그룹의 석회화로 나타나는 유방암을 쉽게 발견하지 못할 수 있고, 군집성 미세석회화가 생겼을 때 악성 석회와 감별이 어려운 경우가 있다. 섬유화가 심한 경우 유방이 매우 단단해 지는 경우도 있을 수 있다. 자가지방이식을 이용한 유방확대수술의 경우 객관적으로 주입된 지방의 생존율을 예측하기 어렵고, 생존율을 높이는 방법이 명확히 규정되어 있지 않으며 체중이 감소되었을 때 다시 유방의 크기가 작아지는 등 원하는 만큼의 유방크기 증가를 얻지 못하는 경우가 있다. 자가지방이식 수술 최적의 방법 표준화가 이루어지고 우리나라에서도 다기관의 체계적인 연구가 나오길 기대해 본다.

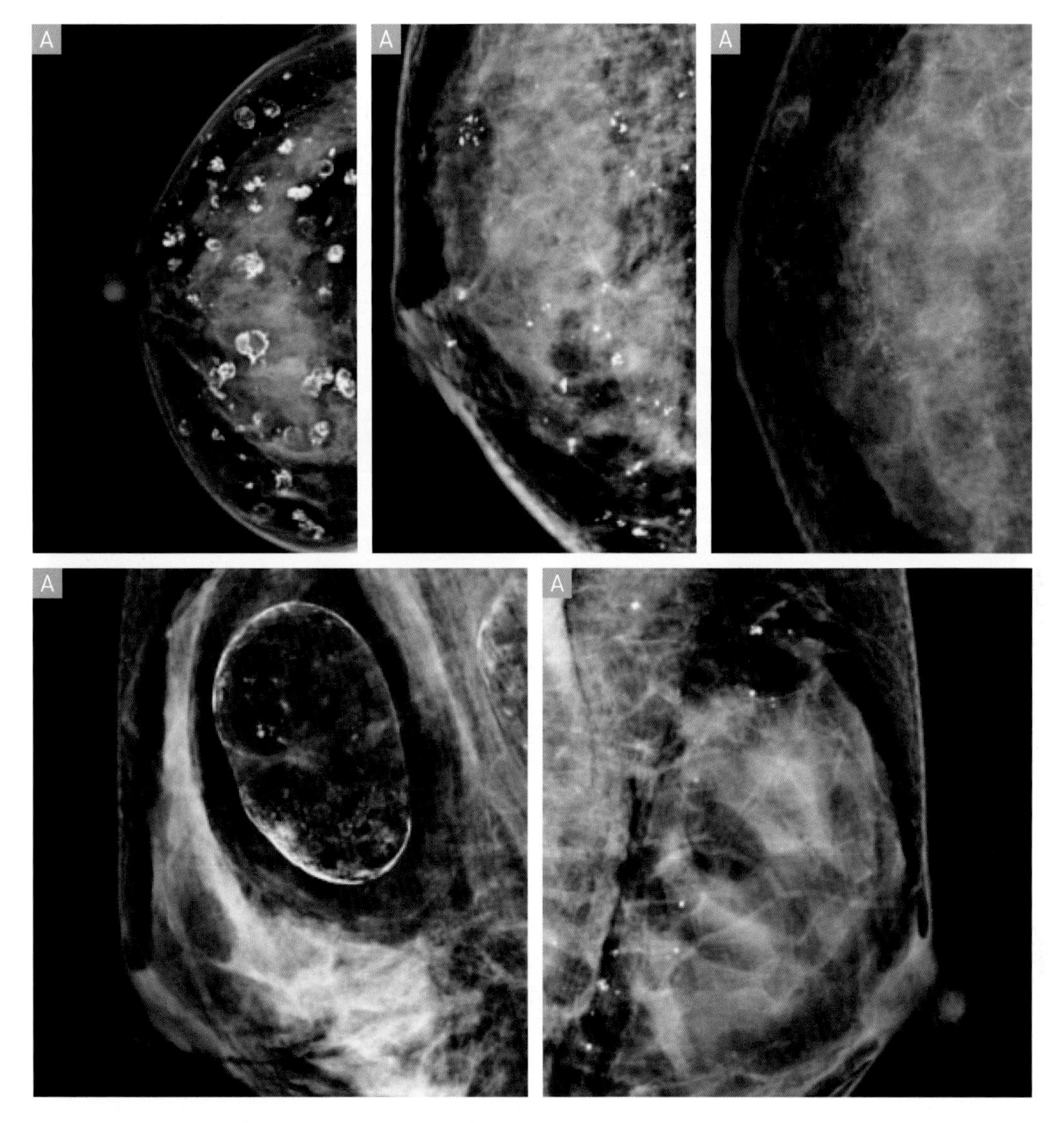

그림 13 **자가지방이식 후 생긴 석회화 병변들: 다양한 유방촬영술 소견**
지방괴사에 따른 석회화 병변들 모양이 다양하다. 팝콘형 (A), 원형 석회들이 모여있는 경우 (B), 부정형 (amorphous) (C), 큰 기름 낭종의 벽을 따라 생긴 석회(D), 원형 석회들이 흩어져 있는 경우(E) 등이다. 대흉근 내부에 지방 음영 (저음영) 선들과 석회가 보이기도 한다.

3. 이물질 주사로 유방확대술 (Interstitial Mammoplasty)

1900년대 초반에는 이물질을 유방에 직접 주사하는 시술을 하였는데 그 대표적인 물질이 파라핀이었다. 그러나 파라핀주입과 관련되어 육아종형성과 염증반응, 폐 색전증 등 부작용이 심하고 유방촬영술로 유방암검사를 할 수 없다는 이유로 사용이 중단되었다. 그 이후에 액상 실리콘도 파라핀과 같은 문제로 사용이 중단되었다.

우리나라에서도 최근까지 불법 시술자에 의해 콜라겐 주사라는 미명하에 불법 액상 실리콘 주사가 시

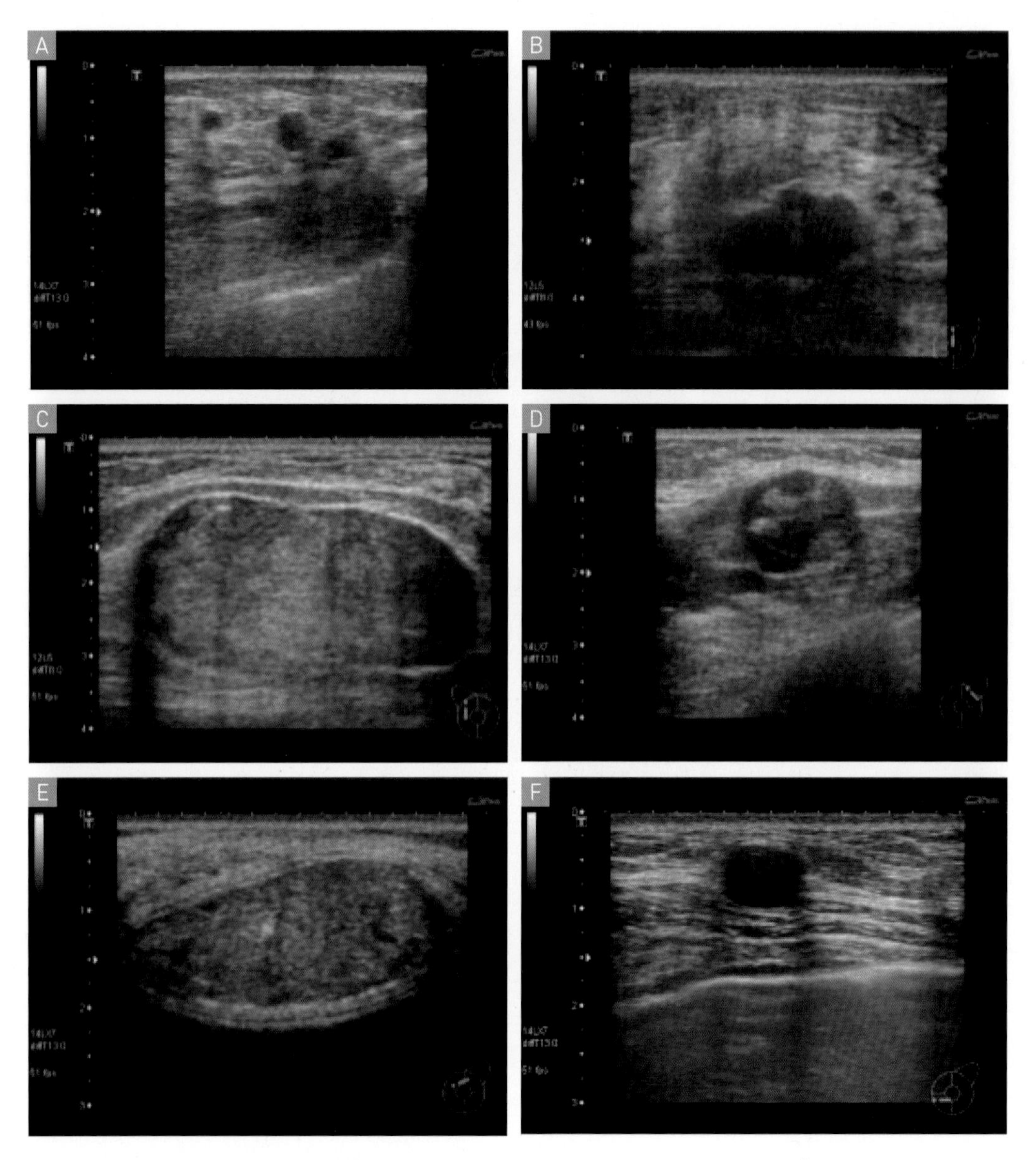

그림 14 **자가지방이식 후 생긴 기름낭종들: 다양한 초음파 소견**
A. 피하지방층에 생긴 작은 무에코 기름 낭종들 B. 유방실질 후방 지방층에 생긴 저에코 기름낭종 C. 대흉근층에 생긴 큰 등에코 기름 낭종 D. 유방실질 후방 지방층에 생긴 복합성에코 기름낭종 E 유방실질과 보형물 사이에 있는 등에코 기름낭종 F. 유방실질 후방 지방층에 생긴 무에코 기름낭종

행되고 있다. 실리콘 주사로 유방확대술을 받은 경우는 유방촬영술과 유방초음파 검사로 유방암검진이 불가능 하고 역동적 조영증강 유방 MRI 검사만으로 가능하다. 유방 MRI 검사 시 STIR with WS 검사를 추가하면 이물질의 분포를 한눈에 알아볼 수가 있다. 이물질 육아종 외에도 그 주변 지방조직도 비정상 신호강도를 보이는데, 아마도 만성염증, 섬유화로 인한 변성, 변화로 생각된다.

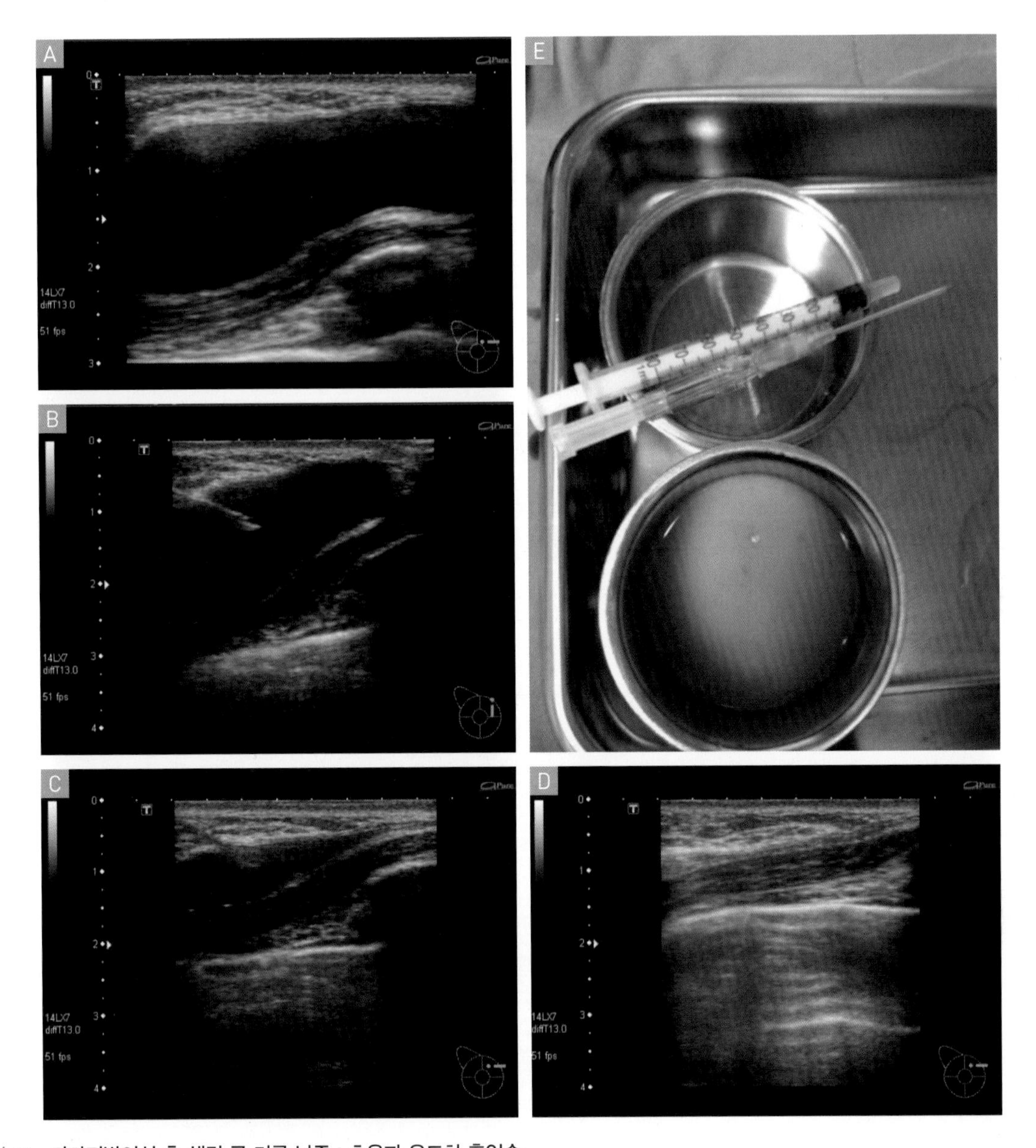

그림 15 **자가지방이식 후 생긴 큰 기름 낭종 : 초음파 유도하 흡인술**
5년전 자가지방이식으로 유방확대수술을 받은 30세 여성이 오른쪽 유방 상내측에 만져지는 멍울을 주소로 내원하였다. 초음파 검사에서 오른쪽 유방 상내측에 약 5cm 크기의 무에코 기름 낭종이 보였다 (A). 18게이지 Angio needle 을 삽입하고 (B) metallic needle 을 빼고 aspiration 하였다 (C). 완전히 소실된 것을 확인 하였고 (D), 총 10cc 의 노란 액상 기름이 나왔다 (E).

이물질 주사를 맞은 여성들은 검진을 꺼려하는 경우가 많은데, 역동적 조영증강MRI 검사로 검진을 받으면 된다. 일반적으로 이물질 주사를 받은 여성에서 발견된 유방암은 대부분 크기가 큰 진행성 유방암이었다는 보고는 있지만, MRI 로 정기 검진을 받는다면 조기에 유방암을 발견할 수 있다. MRI 소견만으로는 양성과 악성을 감별하기 어려운 경우가 있을 수 있으나, 최근 우리나라에도 MRI 유도하 조직검사가 가능한 대

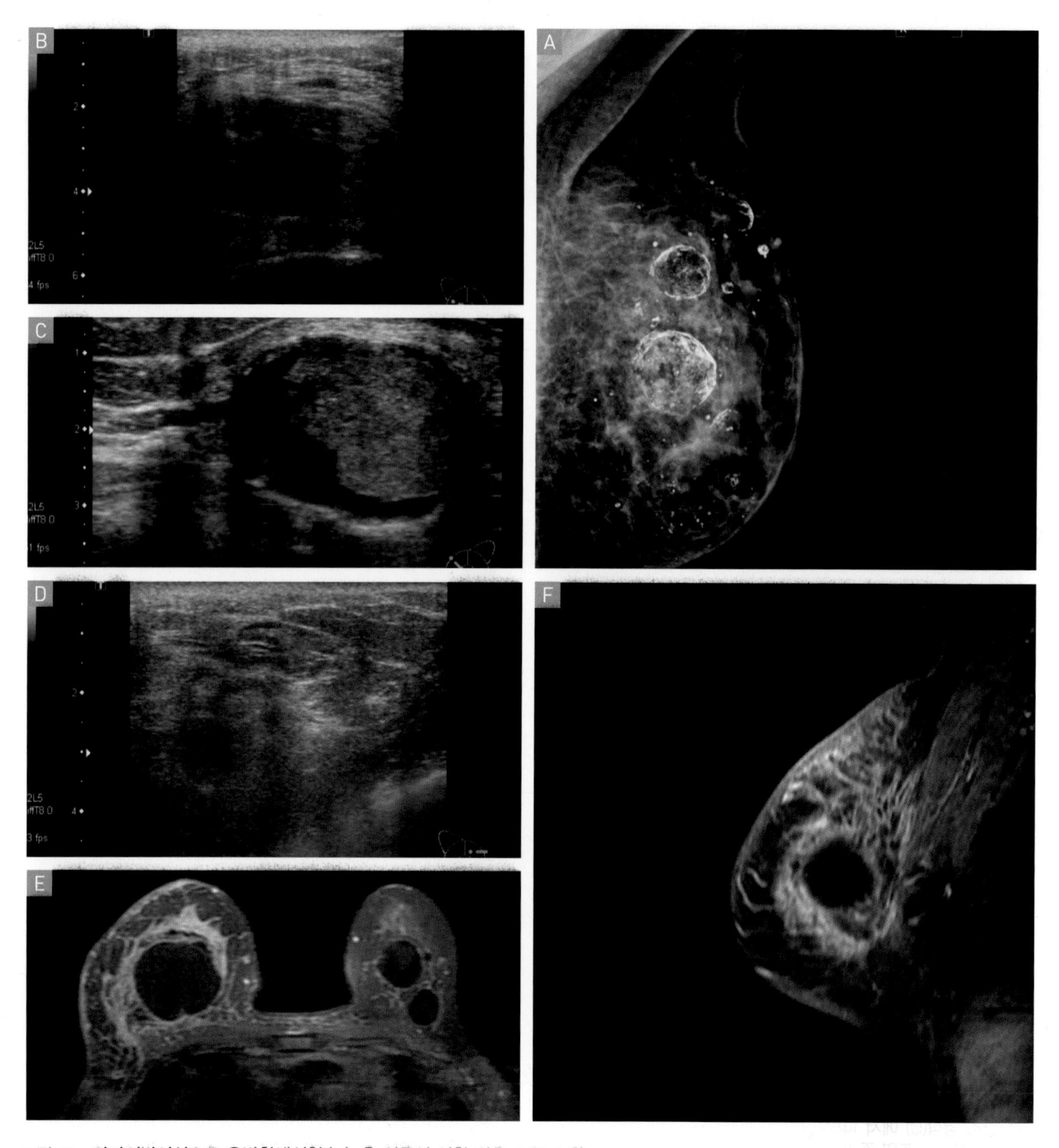

그림 16 **자가지방이식으로 유방확대성형수술 후 염증이 심한 경우: MRI 소견**
7년 전 보형물을 제거하고 자가지방이식 수술을 받았던 47세 여성이 약 10일 전부터 오른쪽 유방이 붓고 통증, 발적이 생겼다. 오른쪽 유방은 단단하고 아파서 유방촬영술 시행 불가하였고 왼쪽 유방촬영술 (A) 에서 석회화된 벽을 갖는 기름 낭종들과 원형 석회들이 보임. 유방초음파 검사에서 왼쪽 유방에 다양한 크기와 모양의 기름 낭종들이 보이고 (B,C) 오른쪽 유방에서는 지방층 에코가 증가되어있고 내부가 잘 보이지 않았다 (D) . 지방 억제 조영증강 T1 강조 MRI 검사 (E, F) 에 큰 기름 낭종 주변과 피부, 피하지방층이 조영 증강되어 보여 염증이 있는 것으로 판단되었다.

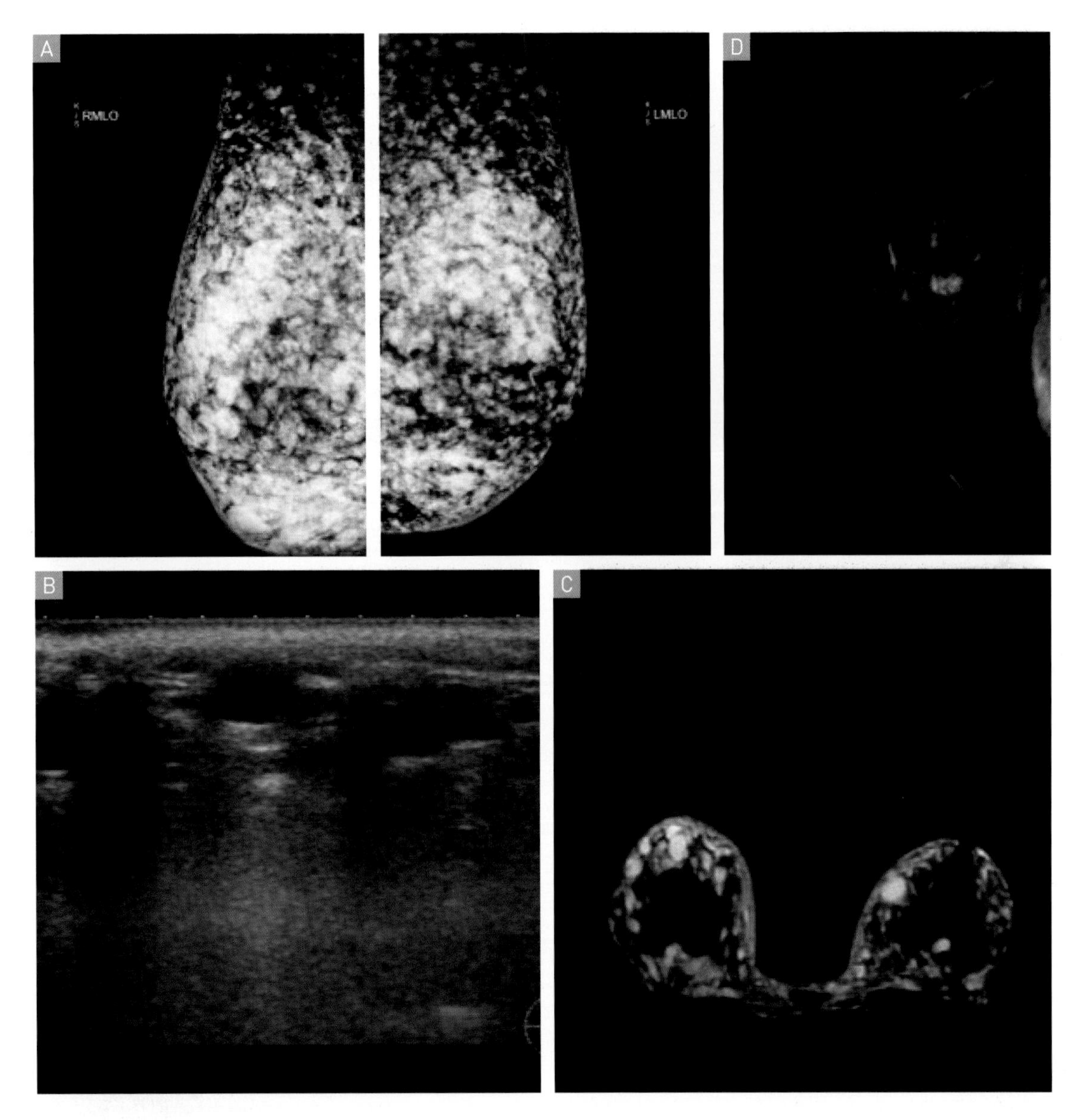

그림 17 **이물질 주사로 유방확대수술 받은 여성에서 역동적 조영증강 유방 MRI 검사로 유방암 조기진단.**
15년 전에 콜라겐이라고 듣고 이물질을 유방에 주사 맞으신 44세 여성. 양쪽 유방 내외사위 (A) 에서 이물질 육아종들이 고음영으로 보여 유방내부가 보이지 않음. 유방초음파(B) 에서도 실리콘으로 생각되는 물질들로 인하여 snowstorm 양상을 보였고, 유방검사가 하였다. MRI 실리콘 강조 영상(C) 에서 피하지방층과 유방실질 후방 지방층에 고신호 강도의 이물질들(아마도 액상실리콘)들이 있고, 역동적 조영 증강 1st phase 영상에서 조영 주입 전 영상을 뺀 subtracted image (D)에서 왼쪽 유방 9-10시 방향 유두에서 약 5cm 떨어진, 유방실질조직의 후방부에 약 8 x 14.4mm 크기의 경계가 불명확한 초기 조영증강 병변이 보였고, 대학병원으로 전원하였다. MRI 유도하 맘모톰 조직검사로 관상피내암으로 진단되었다.

학병원이 여러 곳 있으니, 조직학적 진단이 가능하게 되었다 **(그림 17)**. 이물질을 제거 하고 보형물로 재 성형수술을 받는 여성도 이물질이 남아있어 여전히 유방 MRI 검사로만 유방암검진이 가능하였다**(그림 18)**.

유방확대를 목적으로 주사를 맞는 경우가 있는데, 그 대표적인 물질이 Hyaluronic acid(Restylane) 이다.

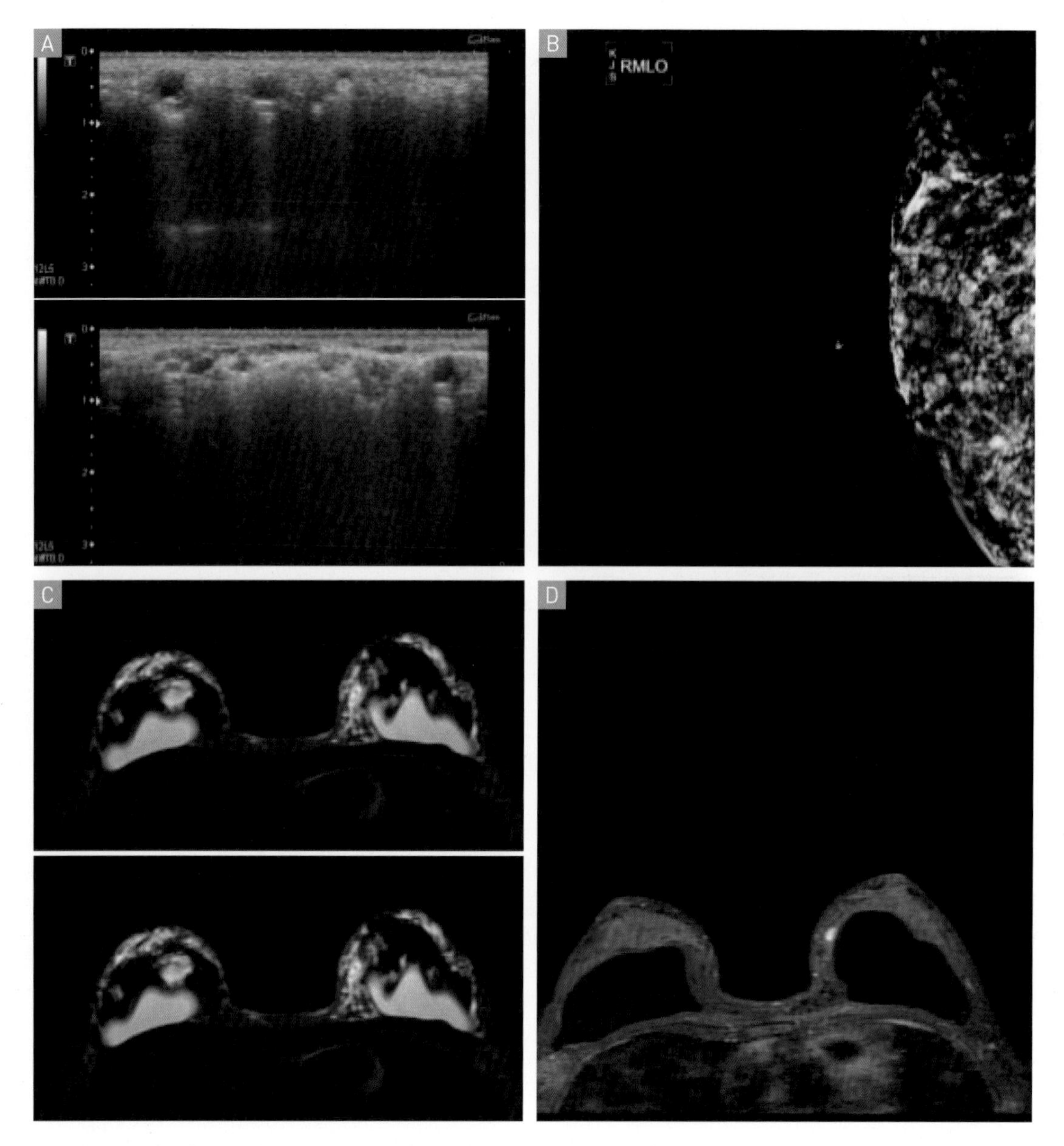

그림 18 **이물질 제거수술을 받았지만 남아있는 이물질들: 유방촬영술, 초음파, MRI 검사**
5년전 이물질 주사를 맞은 후 이물질을 제거 하고 보형물 삽입 수술을 받은 34세 여성으로 왼쪽 유방에 만져지는 멍울과 통증으로 내원. 이물질을 제거 했다지만 유방초음파 검사(A) 유방촬영술 (B) 에서 이물질들이 있어서 검진이 불가능하였고 역동적 조영증강 MRI로 유방검진 시행. 실리콘 강조 영상(C) 에서 이물질과 보형물 확인 하였고, 지방억제 조영증강 T1 강조영상(D)에서 왼쪽 유방 9시 방향에 양성 추정 종괴가 발견 되었었다.

레스틸렌은 시간이 지나면서 흡수가 되는 것으로 알려져 있고, 유방초음파 검사로 유방검사가 가능한 물질이어서 MRI 검사까지 할 필요는 없다. 레스틸렌 주사 후 보형물 수술이나 지방이식을 추가로 받은 여성들이 있는 것을 보면 비용대비 효과가 저조한 것으로 보인다. 레스틸렌 필러로 주사를 맞은 경우 유방촬영술에서는 고음영으로 보이고 유방초음파 검사에서는 무에코로 보인다**(그림 19)**.

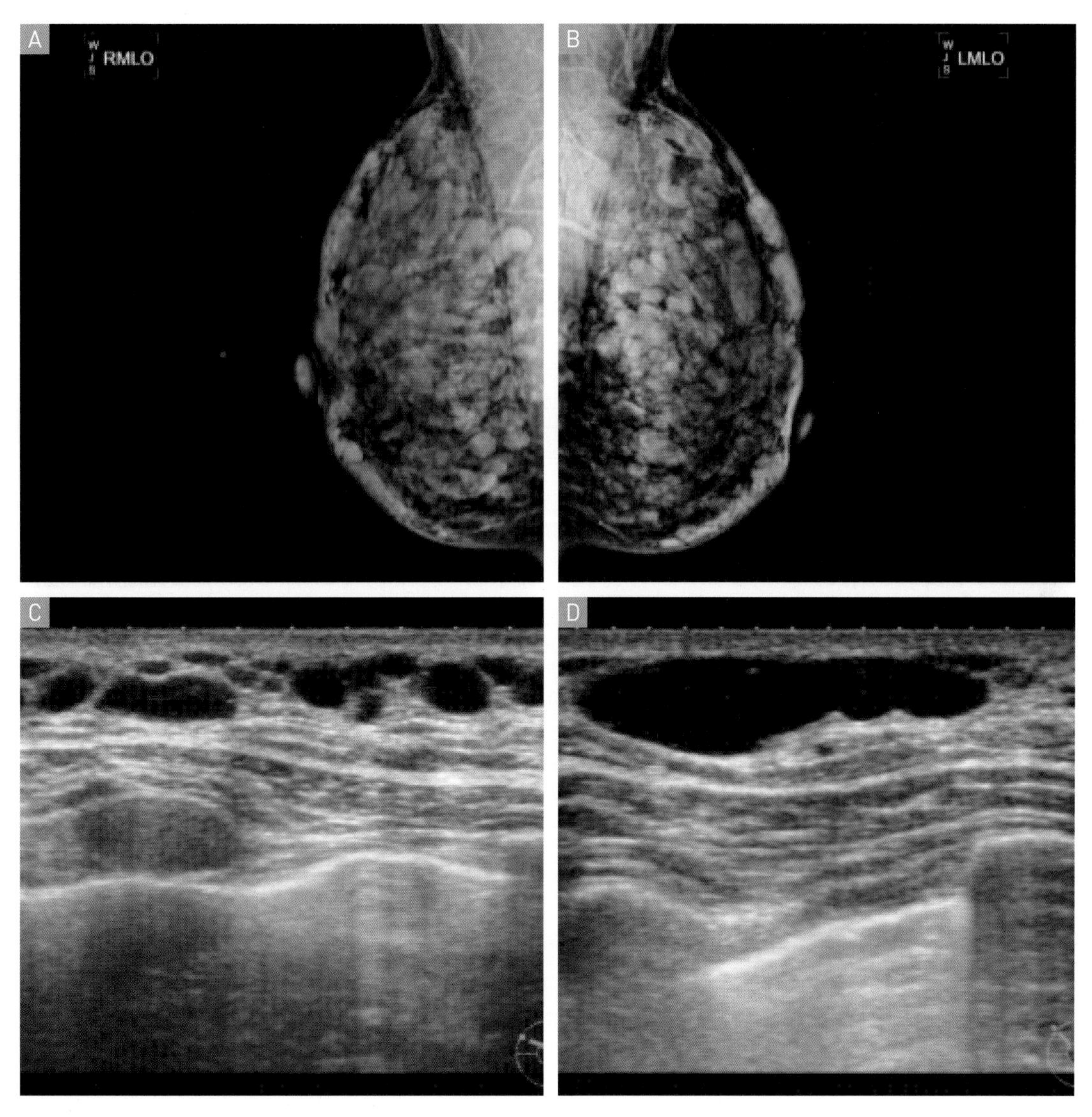

그림 19 **레스틸렌으로 유방확대수술 여성의 유방촬영술과 초음파 소견**
5개월 전 레스틸렌 주사로 유방확대수술 받은 35세 여성이 다시 보형물 삽입 유방확대수술예정. 수술 전 검진 유방촬영술 (A, B)과 유방초음파 검사 (C,D) 시행. 유방촬영술에서는 레스틸렌이 유방실질과 같거나 높은 음영을 보임. 유방초음파 검사에서는 무에코로 보이고 주로 피하지방층에 삽입되어있다. 불법 이물질 주사와 달리 레스틸렌 주사의 경우 유방 초음파 검사로 유방암 검진이 가능하다.

중국에서 유방확대를 목적으로 주사를 맞고 온 경우는 polyacrylamide hydrogel (aquamid)가 흔하다. 유방초음파 검사에서 polyacrylamid hydrogel은 물처럼 anechoic 하거나 복합성에코로 보인다. MRI 검사에서도 물과 같은 signal 을 보이고, 간혹 보형물처럼 보이기도 한다(**그림 20**). 간혹 주사된 이물질이 유방 부위에서 복부 쪽으로 이동하기도 한다(**그림 21**). Polyacrylamide hydrogel 주사로 유방 모양의 변형, 통증이 생겨 수술로 제거하고 보형물 삽입술을 삽입하기도 한다 (FB 3). 최근 우리나라에서도 영상소견이 이와 유사해 보이는 아쿠아젤 이라는 이름의 필러주입이 이루어지고 있다(**그림 22**). 아쿠아젤 필러주사 맞은 여성들의 유

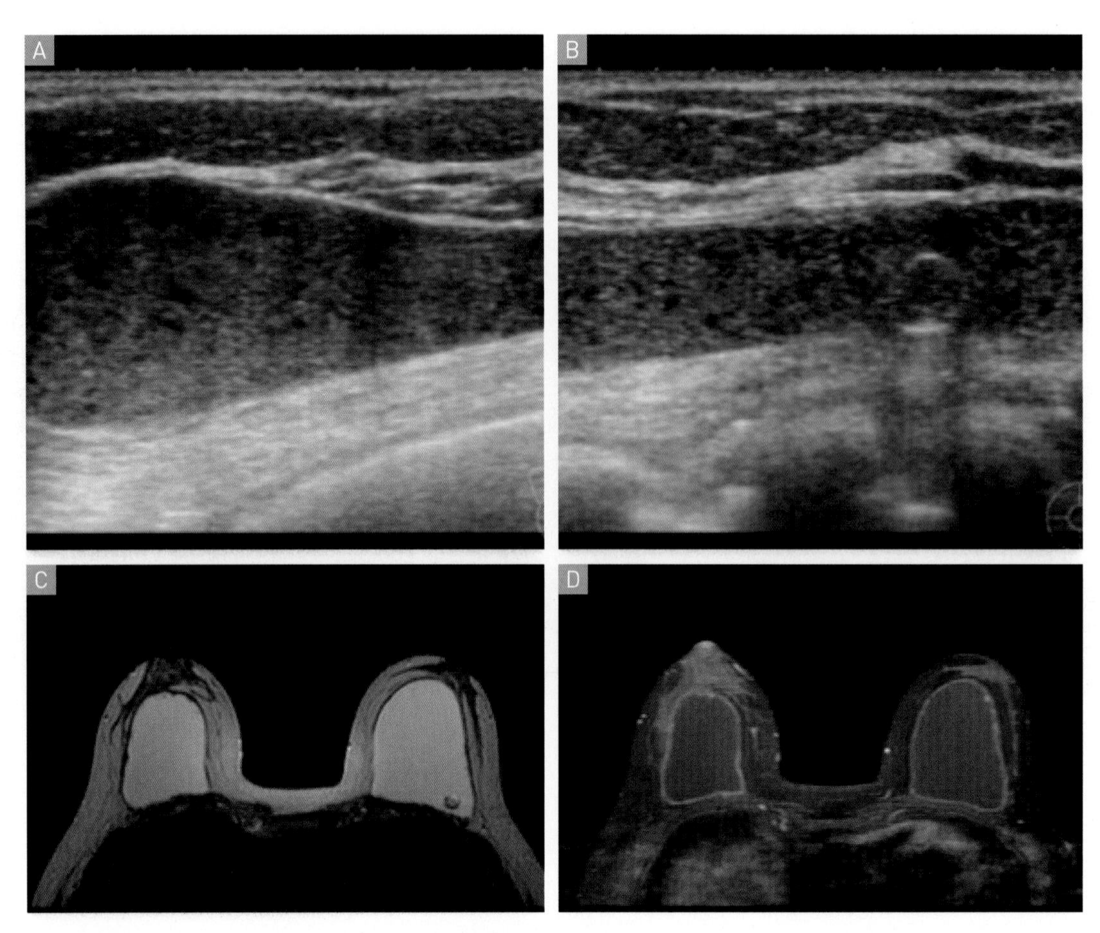

그림 20 **Polyacrylamide hydrogel(Aquamid) 주사로 유방확대성형수술받은 여성의 초음파 소견과 MRI소견**
8년전 중국에서 유방확대 목적으로 주사를 맞은 29세 여성, 이물질 제거하고 보형물 삽입 예정이었다. 초음파 검사 (A,B) 에서 양쪽 유방 유선 후방 층에 불균일한 등에코로 보였고 MRI 검사 (C, D) 에서는 양쪽 유방 retrommary region 에 implant 처럼 보이는 fluid collection 이 보였다. T1 강조 영상에서 low, T2 강조 영상에서 high signal intensity, 실리콘 강조 영상에서 low SI 로 보였고 조영제 주입 후 fluid collection 주변부에 diffuse even wall enhancement 를 보였다.
이물질 주입 주변에 capsule 이 형성되어있고, capsule 밖에 흘러나온 것은 없었다.

방영상 검사를 아직 충분히 경험하지 못하였으나 다양한 형태를 보여주었다. 효율성과 안전성에 대한 충분한 검토가 필요하겠다.

참 · 고 · 문 · 헌

1. Bengtson BP, Eaves FF, 3rd. High-resolution ultrasound in the detection of silicone gel breast implant shell failure: background, in vitro studies, and early clinical results. Aesthet Surg J 2012; 32:157-174 (Imp 6)
2. Bilgen IG, Ustun EE, Memis A. Fat necrosis of the breast: clinical, mammographic and sonographic features. Eur J of Radiology 2001;39:92-99
3. Camps Herrero J. [Breast magnetic resonance imaging: state of the art and clinical applications]. Radiologia 2011; 53:27-38
4. Carvajal J. Patino JH. Mammographic findings after breast augmentation with autologous fat injection. Aes-

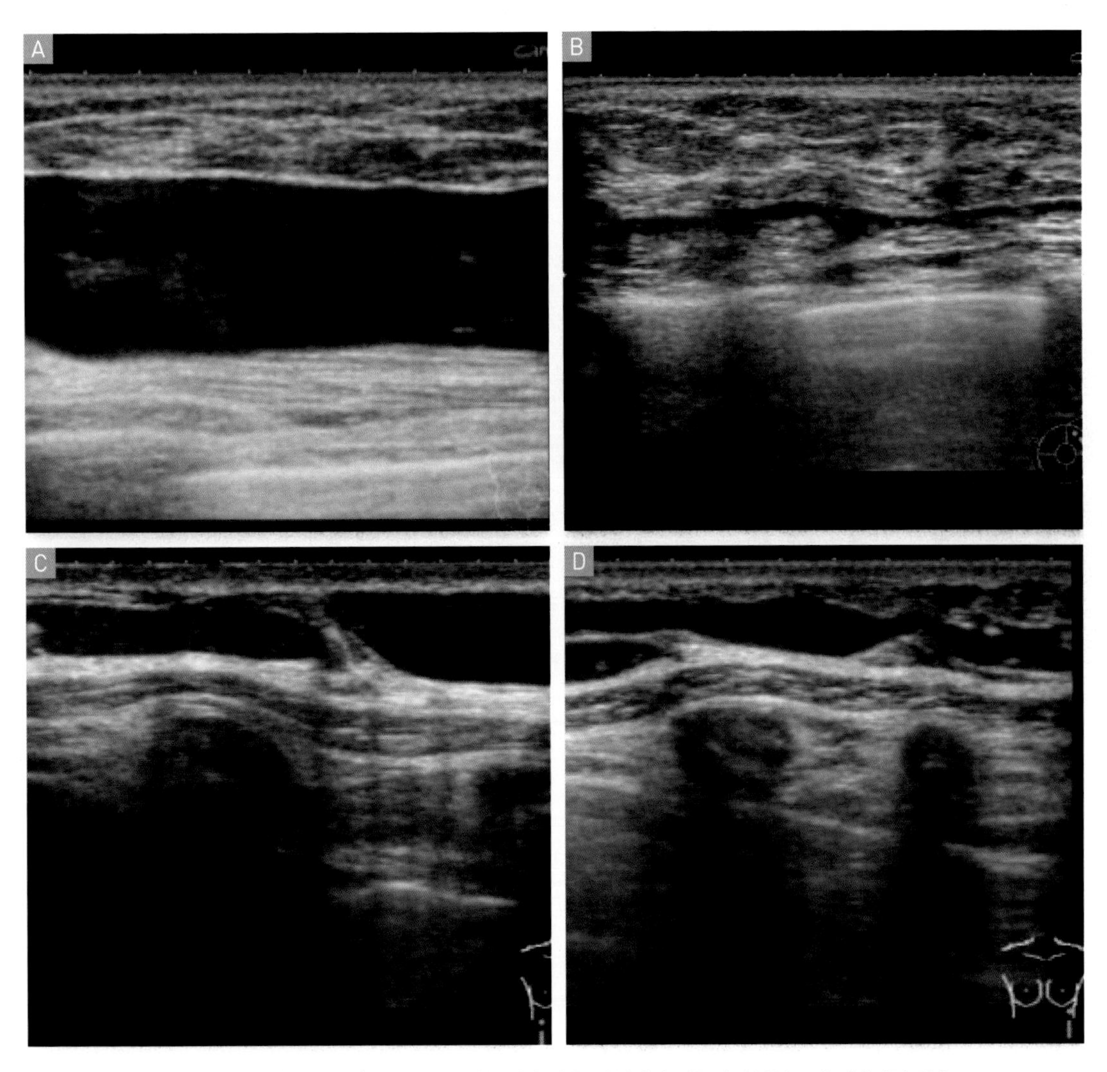

그림 21 **Polyacrylamide hydrogel(Aquamid) 주사로 유방확대수술받은 여성에서 이물질이 복부로 흘러내려간 경우.**
8년전 중국에서 이물질 주사를 맞은 41세 여성. 시간이 지나면서 아래로 흐르는 느낌이 있었고 통증이 있어서 본원에 내원하였다. 초음파 검사에서 양쪽 유방에 무에코 혹은 복합성에코 fluid 의 분포가 비대칭이고 (A 오른쪽 유방, B 왼쪽 유방), 피하지방층을 따라 이물질이 복부로 흘러내려 갔음을 확인 하였다 (C 오른쪽 복부, D 왼쪽 복부).

thetic Surg J 2008;28:153-162

5. Caskey CI, Berg WA, Anderson ND, et al. Breast implant rupture: diagnosis with US. Radiology 1994;190:819-823
6. Chala LF, de Barros N, de Camargo Moraes P, et al. Fat necrosis of the breast: mammographic, sonographic, computed tomography, and magnetic resonance imaging findings. Curr Probl Diagn Radiol 2004; 33:106-126
7. Cher DJ, Conwell JA, Mandel JS. MRI for detecting silicone breast implant rupture: meta-analysis and implications. Ann Plast Surg 2001; 47:367-380 (Imp 9)
8. Choi JJ, Lee JH, Kang BJ, et al. Clinical and imaging characteristics of Polyimplant Prosthesis hydrogel breast implants. J Comput Assist Tomogr 2010; 34:449-455

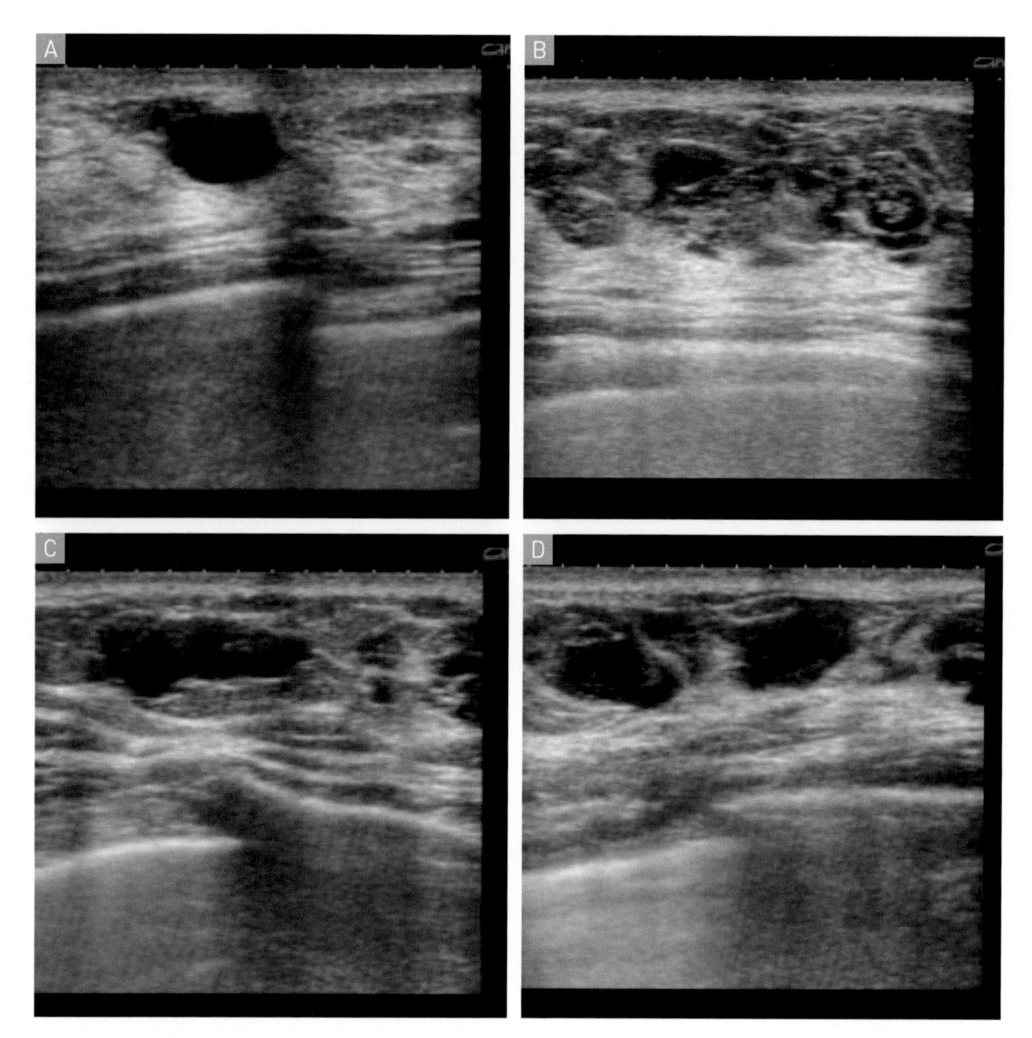

그림 22 **아쿠아젤로 유방확대수술 받은 여성의 유방초음파 소견**
15일 전에 아쿠아젤 주사를 맞았던 50세 여성. 유방이 별로 커지지 않아서 지방이식 예정으로 수술 전 유방초음파 검사 받았다. 양쪽 아쿠아젤 들어간 것이 비대칭적이었고 무에코를 보이는 부위도 있고 불균일한 에코를 보이는 부위도 있었다.

9. Coleman SR, Saboeiro AP. Fat grafting to the breast revisited: safety and efficacy. Plast Reconstr Surg 2007; 119:775-785; discussion 786-777
10. Daly CP, Jaeger B, Sill DS. Variable appearances of fat necrosis on breast MRI. AJR 2008;191:1374-1380
11. Dancey A, Nassimizadeh A, Levick P. Capsular contracture - What are the risk factors? A 14 year series of 1400 consecutive augmentations. J Plast Reconstr Aesthet Surg 2012; 65:213-218
12. Del Vecchio DA, Bucky LP. Breast augmentation using preexpansion and autologous fat transplantation: a clinical radiographic study. Plast Reconstr Surg 2011; 127:2441-2450
13. Di Benedetto G, Cecchini S, Grassetti L, et al. Comparative study of breast implant rupture using mammography, sonography, and magnetic resonance imaging: correlation

with surgical findings. Breast J 2008; 14:532-537 (Imp 4)

14. Embrey M, Adams EE, Cunningham B, Peters W, Young VL, Carlo GL. A review of the literature on the etiology of capsular contracture and a pilot study to determine the outcome of capsular contracture interventions. Aesthetic Plast Surg 1999; 23:197-206
15. Hall-Findlay EJ. Breast implant complication review: double capsules and late seromas. Plast.Reconstr. Surg.2011;127:56-66
16. Hogge JP, Robinson RE, Magnant CM. The mammographic spectrum of fat necrosis of the breast. Radiographics 1995;15:1347-1356
17. Hold PM, Alam S, Pilbrow WJ. How should we investigate breast implant rupture? Breast J.2012;18:253-256
18. Holmich LR, Vejborg I, Conrad C, Sletting S, McLaughlin JK. The diagnosis of breast implant rupture: MRI findings compared with findings at explantation. Eur J Radiol 2005; 53:213-225 (Imp 5)
19. Huch RA, Kunzi W, Debatin JF, Wiesner W, Krestin GP. MR imaging of the augmented breast. Eur Radiol 1998; 8:371-376
20. Hyakusoku H, Ogawa R, Ono S, et al. Complications after autologous fat injection to the breast. Plast. Reconstr. Surg. 2009;123:360-370
21. Jewell M, Spear SL, Largent J, Oefelein MG, Adams WP, Jr. Anaplastic large T-cell lymphoma and breast implants: a review of the literature. Plast Reconstr Surg 2011; 128:651-661
22. Kang BJ, Kim SH, Choi JJ, et al. The clinical and imaging characteristics of breast cancers in patients with interstitial mammoplasty. Arch Gynecol Obstet 2010; 281:1029-1035
23. Khedher NB, David J, Trop I, Drouin S, Peloquin L, Lalonde L. Imaging findings of breast augmentation with injected hydrophilic polyacrylamide gel: patient reports and literature review. Eur J Radiol 2011; 78:104-111
24. Lui CY, Ho CM, Iu PP, et al. Evaluation of MRI findings after polyacrylamide gel injection for breast augmentation. AJR Am J Roentgenol 2008; 191:677-688
25. Luo SK, Chen GP, Sun ZS, et al. Our strategy in complication management of augmentation mammoplasty with polyacrylamide hydrogel injection in 235 patients. J Plast Reconstr Aesthet Surg. 2011; 64:731-737
26. Mazzocchi M, Dessy LA, Corrias F, et al. A clinical study of late seroma in breast implantation surgery. Aesth Plast Surg.2012;36:97-104
27. Mineda K, Kuno S, Kato H, et al. Chronic inflammation and progressive calcification as a result of fat necrosis: the worst outcome in fat grafting. Plast. Reconstr. Surg. 2014;133:1064-1072
28. Roden AC, Macon WR, Keeney GL, Myers JL, Feldman AL, Dogan A. Seroma-associated primary anaplastic large-cell lymphoma adjacent to breast implants: an indolent T-cell lymphoproliferative disorder. Mod Pathol 2008; 21:455-463 (Imp 11)
29. Smith TJ, Ramsaroop R. Breast implant related anaplastic large cell lymphoma presenting as late onset peri-implant effusion. The breast 2012;21:102-104
30. Soo MS, Kornguth PJ, Hertzberg BS. Fat necrosis in the breast: sonographic features. Radiology 1998;206:261-269
31. Spear SL, Rottman SJ, Glicksman C, et al. Late seromas after breast implants: theory and practice. Plast Reconstr Surg. 2012;130:423-435
32. Teo SY, Wang SC. Radiologic features of polyacrylamide gel mammoplasty. AJR Am J Roentgenol 2008; 191:W89-95
33. Venta LA, Salomon CG, Flisak ME, Venta ER, Izquierdo

R, Angelats J. Sonographic signs of breast implant rupture. AJR Am J Roentgenol 1996; 166:1413-1419

34. Verber M, Tourasse C, Toussoun G, et al. Radiographic findings after breast augmentation by autologous fat transfer. Plast. Reconstr. Surg. 2011;127:1289-1299
35. Wang CF, Zhou Z, Yan YJ, et al. Clinical analysis of clustered microcalcifications after autologous fat injection for breast augmentation. Plast. Reconstr. Surg. 2011;127:1669-1673
36. Wang H, Jiang Y, Meng H et al. Sonographic identification of complications of cosmetic augmentation with autologous fat obtained by liposuction. Ann Plast Surg 2010;64:385-389
37. Yoshimura K, Sato K, Aoi N, Kurita M, Hirohi T, Harii K. Cell-assisted lipotransfer for cosmetic breast augmentation: supportive use of adipose-derived stem/stromal cells. Aesthetic Plast Surg 2008; 32:48-55; discussion 56-47
38. Zheng DN, Li QF, Lei H, et al. Autologous fat grafting to the breast for cosmetic enhancement: experience in 66 patients with long-term follow up. J Plast Reconstr Aesthet Surg 2008; 61:792-798

Chapter 06

Augmentation mammoplasty »

유방밑주름 절개를 통한 일차유방확대

Inframammary Approach for Breast Augmentation

| 이홍기 |

아름다운 여성의 가슴은 모든 남성의 로망이자 여성의 선망의 대상이다. 유방확대는 미국에서 가장 많이 시행되는 미용성형 수술중의 하나로 매년 25만 명 이상의 여성들이 수술을 받는다. 우리나라에서도 유방크기에 대한 관심이 점점 많아지면서 유방확대수술을 받고자 하는 여성들의 수가 점점 늘어나고 있다. 이러한 유방확대수술은 단순히 크기만이 아니라 처진 유방의 교정 또는 비대칭의 균형을 맞추기 위해서 시행되기도 한다. 게다가 코히시브겔 보형물의 등장과 수술기구들의 발달로 인해 유방확대수술은 비약적인 발전을 거듭해오고 있다.

유방확대수술을 위해서는 적절한 보형물, 보형물의 삽입 평면과 더불어 절개선의 위치를 선정해야 하고 이는 환자의 피부탄력과 직업, 유방의 크기 및 처진 정도를 종합적으로 고려해서 정하게 된다. 흉터의 노출을 극히 꺼려하는 우리나라에서는 겨드랑이 절개법이 가장 흔히 사용되는 절개법이며 최근 들어 유륜주위 절개법과 유밑주름 절개법도 많이 사용되고 있으며, 생리식염수 보형물만을 사용하던 시기에 사용되던 배꼽절개는 코히시브겔 보형물이 허가된 다음에는 점점 그 사용 빈도가 떨어져가고 있다. 또 다른 접근 방법인 유방밑주름 절개법은 그 절개반흔이 잘 보이고 색소침착이 올 수 있다는 이유로 국내에서는 사용빈도가 낮았던 것이 현실이다. 하지만 유방밑주름절개법은 그 나름의 장점으로 수술시야를 넓게 해주고, 수술시간도 줄일 수 있으며 그리고 회복기간도 단축시킬 수 있는 등 여러 가지 장점이 많은 수술방법의 하나이다.

이번 장에서는 유방밑주름 절개법의 장단점을 고찰해 보고, 임상에서 그 장점을 최대한 살릴 수 있는 원칙과 수술방법에 대하여 알아보고자 한다.

1. 절개방법에 대한 저자의 고찰

1) 겨드랑이 절개법

겨드랑이 절개법은 1973년 Hoehler가 문헌으로 처음 발표한 후 많은 의사들이 시도하였으나 삽입물의 위치변동, 유방밑주름의 비대칭, 지혈과 시야확보의 어려움 등의 문제점이 있어 다른 수술방법이 개발되어 이용됨에 따라 서양에서는 사용 빈도가 감소되었다. 하지만 1993년 Emory대학에서 내시경적 수술을 통한 정교한 박리와 지혈이 가능하게 된 후 수술에 필요한 많은 기구들이 제작되고 발전을 거듭해오며 좋은 결과를 내고 있다.

겨드랑이 절개법은 절개 흉터가 유방에서 멀리 떨어져 있고, 흉터가 겨드랑이에 가려 노출이 잘 되지 않다는 장점이 있다. 또한, 배꼽절개에서는 불가능한 코히시브겔 보형물을 사용할 수 있으며, 내시경을 사용하지 않을 경우 비교적 짧은시간 내에 수술을 끝낼 수 있는 장점이 있다.

Tebbetts은 최근에 28년간의 겨드랑이 절개법을 이용한 유방확대에 대해 논문 발표를 하였는데, 1977년 겨드랑이절개 유방확대수술을 처음 시작한 이후 1992년까지와 1992년 이후 내시경을 사용하면서 수술한 두 기간 동안의 구형구축, 혈종, 감염, 감각이상 등에 대한 통계치를 내놓았다. 이 논문에 의하면 내시경을 사용하여 수술한 기간이 그렇게 하지 않은 기간에 비해 구형구축, 혈종 등의 합병증의 발생이 현저하게 떨어졌다고 한다. 이는 내시경의 사용으로 정확하게 조직을 보고 수술하는 것이 겨드랑이 절개법을 선택할 때 얼마나 중요한 역할을 하는지 보여주는 자료이다. 여기서 Tebbetts은 유방확대수술에 있어 수술 전 계획, 수술 중 조직에 대한 손상의 최소화, 지혈, 박리의 정확성이 좋은 수술결과를 이루기 위한 중요한 요소라고 했다. 즉 만족할 만한 유방확대수술의 결과를 내기 위해서는 내시경 등의 장비를 사용하여 유방내부의 조직을 정확하게 직접 보면서 수술을 해야 한다는 뜻이라고 여겨진다. 이 대목에서 보아도 유방확대수술의 성공을 위하여 정확한 시야의 확보가 얼마나 중요한지 그 가치를 알게 된다.

2) 유륜주위 절개법

유륜주위 절개법은 1970년대에 시작되었다. 유륜주위 절개법은 유방의 중앙에 절개창을 만듦으로써 유방의 중심으로부터 가쪽에 이르기까지 수술 시야를 직접 보면서 시술하므로 정확한 해부학적 박리에 유리한 방법이며, 유방하수 교정수술을 동시에 시행할 수 있다. 하지만 유륜주위 절개법은 유륜주위를 절개하여 절개창을 만든다는 수술법 자체가 가지는 단점에 의해서 절개선을 따라 박리된 유선조직의 일부분에 흉터조직을 만들기 때문에 유방암 선별검사 시 임상적 또는 방사선학적으로 문제를 일으킬 소지가 있으며, 적지 않은 수의 환자에 있어서 유륜주위의 흉터가 두드러지게 눈에 띄는 경우가 있다. 또한 유선조직의 양이 많은 경우 이 절개법으로 박리하기 위해서는 어느 정도의 유선조직을 절단하고 갈라야 하는데 보형물이 절단한 유관에 노출되어 유관속에 존재하는 세균의 감염으로 예상치 못한 부작용이 생기기도 한다. 특히 유륜주위의 흉터와 보형물을 싸고 있는 피막이 박리된 평면을 따라 흉터 조직으로 연결되는 경우가 있는데, 특히 유륜주위 절개법으로 수술 후 발생한 구형구축의 경우에 흔히 보게 된다. 이때는 유륜절개의 반흔이 보형물을 싸고 있는 피막과 흉터로 연결되어 심한 함몰을 초래하는 경우도 있다. 흔히 유방하수가 있거나 유방하부조직의 구축현상이 있을 때 겨드랑이 절개법으로 충분한 조작이 힘든 경우에는 유륜주위 절개법이나 유방밑주름 절개법을 이용하여 이중평면법을 실시하는데 이 경우 위와 같은 부작용이 생길 수 있으므로 특히 재수술시에 유륜주위 절개법을 이용할 때에는 각별한 주의를 요한다.

3) 배꼽주위 절개법

복부를 통한 유방확대 수술은 1976년 Plannas가 처음 시행했다는 보고가 있은 후 부작용이 적고, 안전하며 보형물을 삽입하기에 효과적인 방법으로 알려져 왔다. 이후 내시경의 발달로 인해 많은 의사들이 배꼽을 통해 유방을 확대 했으며 복부의 지방흡입과 동시에 시행하기도 하였다.

Dowden 등은 배꼽주위절개를 통한 유방확대수술

은 부작용이 생길 확률이 낮고, 통증은 적으며 회복이 빠르고, 정확한 박리가 가능하고 양측의 대칭을 맞추는데 어려움이 없다고 하였다. 배꼽주위 절개법을 통한 유방확대수술의 가장 큰 장점은 가슴피부에는 흉터가 없으며 팔을 올렸을 때 겨드랑이에도 전혀 흉터가 없다는 점이다. 또한 보형물 주위에 생길 수 있는 장액 또는 혈종을 예방하기 위해 배액관을 꽂을 필요가 없는데, 이는 박리 터널을 통해 자연적인 배액이 되기 때문이다.

하지만 배꼽주위 절개법으로 유방확대로는 현재 가장 많이 사용되는 코히시브겔 백을 사용할 수 없는 단점이 있어 이 방법은 점차 사용빈도와 중요도가 점점 줄어들고 있다.

2. 유방밑주름에 대한 해부학적 관점

유방밑주름에 대한 조직학적 논란은 있어 왔다. Millard 등은 초승달모양의 인대구조물이 대흉근의 앞에서 피부까지 있다고 하였고 이를 "prepectoral ligament"라고 하였으며, 유방밑주름을 잡고 있다고 하였다. Bayati 등도 마찬가지로 인대구조물이 있다고 하였고 내측으로는 복직근(rectus abdominis muscle), 외측으로는 앞톱니근(serratus anterior muscle)과 외사복근(external oblique abdominis muscle)에서 유래된 것이라고 하였다. 그들은 이를 "유방밑주름 인대(inframammary crease ligament)"라고 명명하였고 진피까지 연결되어 있다고 하였다. Van Straalen 등도 마찬가지로 단단한 섬유성조직이 유방밑주름에 있다고 하였으며 흉골부터 대흉근의 외측면까지 위치한다고 하였다.

하지만 최근에 Mutan 등은 12구의 사체 연구를 통해 유방밑주름에는 특별한 인대 조직은 없다고 하였다. 유방밑주름이 위치하는 부위의 진피(dermis)와 복부의 얕은근막(superficial fascia)사이에는 다양한 형태의 연결결체조직이 있지만 대흉근과 앞톱니근의 근막(deep fascia)과 얕은근막(superficial fascia) 사이에는 지적할 만한 특별한 인대 조직은 없고 단지 대흉근의 깊은근막(deep fascia)과 얕은근막 그리고 진피 사이에 단순한 유합조직(fusion)만 발견된다는 조직학적 소견이 발표되어 이전의 연구와 논문에 발표되었던 특별한 인대 조직이 있다는 소견 대신 얕은 근막에서 진피 방향으로 섬유성 조직으로 연결되어 있거나, 얕은 근막과 깊은 근막이 서로 융합되어 있다고 하였다.

3. 유방밑주름 절개법을 이용한 유방확대수술

유방밑주름 절개법은 여러 가지 장점을 가지고 있다. 피부에서 보형물 삽입 공간까지의 거리가 피부의 두께에 불과하게 짧아 절개 후 쉽게 유방보형물을 삽입하는 공간과 접근이 가능하고, 다른 방법에 비하여 수술시야의 확보가 용이하여 정확한 공간박리가 비교적 쉽고, 혈관과 신경을 직접보고 지혈하거나 보호할 수 있는 제일 큰 장점이 있다. 그리고 절개선의 위치가 유선조직이 없는 밑주름에 위치함으로써 유방실질에 손상을 주지 않으므로 정상 상재균이 존재하는 유관 혹은 유선조직의 손상을 예방할 수 있어 상재균의 감염으로 인한 피막구축의 문제를 최소화할 수 있는 장점이 있고, 보형물 삽입 후에 보형물의 전방에 반흔 조직을 만들지 않으며, 어떤 종류의 보형물도 손상이나 변위 없이 삽입가능하고 겨드랑이 부근의 대흉근을 손상시키지 않아 수술 직후부터 팔을 자유롭게 움직일 수 있어 일상생활로 회복이 다른 방법에 비하여 빠르다. 하지만 새로운 유방아래주름부위에 절개선을 넣어 기존의 유방밑주름을 박리하고 보형물을 삽입하는 수술과정 상의 문제로 인하여 시술과정에 손상되거나 새로 형성될 유방밑주름을 반드시 다시 인위적으로 형성해주어야만 보형물의 하방변위로 생기는 bottoming-

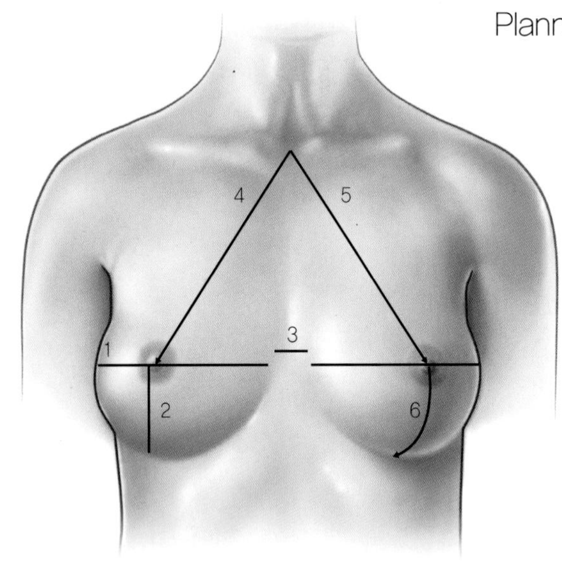

Planning of the implant & new inframammary fold

1. BW (Base Width)
2. N-IMF (Nipple to Inframammary Fold)
3. ID (Intermammary Distance)
4. SN-ND (Sternal Notch to Nipple Distance)
5. PT (soft tissue Pinch Test)
6. MSS (Maximum skin stretch)

BW = 11.0 cm 7.5 cm ± 0.5 cm
BW = 11.5 cm 8.0 cm ± 0.5 cm
BW = 12.0 cm 8.5 cm ± 0.5 cm
BW = 12.5 cm 9.0 cm ± 0.5 cm

−0.5 cm = loose skin +0.5 cm = tight skin
−0.5 cm = subglandular +0.5 cm = 〉3 cm PT
−0.5 cm = upper pole fullness +0.5 cm = lower pole fullness

그림 1 Charles Ranquist 의 유방밑주름 절개선을 정하는 수술 전 계획

out deformity 예방과 절개흉터가 유방위로 올라가는 문제를 예방할 수 있다.

1) 디자인 시 고려되어야 할 사항

수술 후 생길 새로운 유방밑주름을 예측하여 절개선을 디자인할 때 반드시 환자가 서있는 상태에서 실시하여야 한다. 중력에 의한 조직의 처짐 현상과 보형물에 의한 조직의 확장 현상을 디자인에 충분히 고려하여야 하기 때문이다. 유방밑주름 절개법의 디자인을 하는 방법은 저명한 선배의사들이 자기마다의 디자인 법을 개발하여 제시하여 왔다. John Tebbet, Per Heden, Dannis Hammond, Charles Randquist 등이 그들이다. 하지만 여러 선배의사들의 디자인 방법 중에 가장 단순하고 디자인 시간이 짧으며 초심자에게도 널리 쓰이기 쉬운 방법이 제일 나은 것이라는 생각에 저자는 Sweden의 Charles Ranqiust 의 방법을 널리 이용한다. Charles Randqiust의 새로운 유방밑주름을 정하는 원칙은 유방확대에 사용할 보형물의 가로 직경이 커질수록 그로인해 만들어질 유방의 새로운 밑주름은 조금씩 더 밑으로 내려와야 유두가 유방의 제일 아름답고 조화로운 위치에 놓인다는 단순한 이론에서 출발하였던 것이고 Charles Randqiust의 수치는 과학적인 데이터가 아니라 본인의 경험에 따른 보형물의 가로직경과 유두에서 새로운 만들 유방밑주름까지의 상관관계를 숫자로 제시한 것이다**(그림 1)**.

먼저 펜을 이용하여 유방밑주름을 표시하여 하방경계를 잡고 흉골을 중심으로 외측으로 좌우 1.5 cm 지점을 잇는 선을 세로줄로 표시하여 정중골에 부착된 대흉근이 정중골에 기시하는 부위와 감각신경(Ant. cutaneous br. of intercostal n.)과 혈관(Medial mammary a. from internal thoracic a.)이 나오는 곳을 표시하여 내측 경계를 잡아 박리되지 말아야하는 부위인 소위 “No Touch Zone”을 표시하고 외측으로는 전방액와선을 그어 감각신경(Lat. cutaneous br. of intercostal n.)과 혈관(Lat. thoracic a.)을 표시하는 외측경계를 잡는다. 이 내측과 외측의 경계는 아름다운 유방이 위치하는 내측과 외측의 경계이기도 하고 신경과 혈관 그리고 대흉근의 기시부가 위치하는 중요한 해부학적 기준이 되는 곳이므로 항상 표시하고 그 경계를 지키도록 노력하여야 출혈, 신경손상 그리고 대흉근이 기시부에서 박리되어 떨어져서 생기는 유방의 Jerking Breast, animation deformity, 유방접합증 등의 부작용을 예방할 수 있다. 그 다음 양측의 sternal notch에서 유두까지의 거리, 쇄골의 중앙부에서 유두까지의 거리를 측정하여 양측 유두의 위치 비대칭을 기록하고 환자에게 알려준다. 그 다음 환자의 흉곽과 유방조직을 자세히 살펴 양측흉곽의 돌출차이에 의한 비대칭, 유방조직의 과소에 따른 비대칭, 척추측만증에 의한 흉곽의 가로길이 비대칭, 유두의 가로방향 위치 비대칭 등을 발견하고 기록한 뒤 환자에게 설명하여 수술 후 비대칭에 대하여 미리 충분한 설명을 해야 한다. 환자의 어깨의 넓이, 허리의 넓이 그리고 골반의 넓이 등을 고려하여 유방의 외측이 어디까지 형성되어야 하는지 결정하고 유방의 내측 경계인 유방의 골이 얼마나 형성되게 할 것인지와 환자의 조직의 두께가 가지는 한계에 따른 제한점도 함께 충분히 설명해야 한다. 환자의 전체적인 체형을 고려해야만 나머지 신체부위와 조화를 이루는 유방의 크기를 만들 수 있기 때문이다.

유방보형물의 가로길이를 결정하는 요소인 보형물이 삽입된 공간의 횡적요소는 정중선에서 1.5 cm 외측 지점에서 향후 만들어질 유방의 외측지점까지의 거리를 측정해야하는데 흔히 정중선에서 외측으로 1.5 cm 지점부터 1.5 cm지점부터 전방액와선의 전방 연장선상까지의 거리를 측정한다. 이때 흉곽의 곡면을 따라 흉곽표면의 전방액와선까지의 거리를 측정하는 방법과 전방액와선을 전면으로 가상의 선을 연장하고 이곳까지의 거리를 직선으로 측정하는 방법이 있지만 측정자에 따라 항상 일정하게 하면 되는 것이지 어떤 방법만이 옳은 것은 아니니 크게 신경 쓰지 않아도 된다. 일단 정중선 외측 1.5 cm지점에서 전방 액와선까지의 직선거리를 삽입할 보형물의 가로직경을 정하는 기준으로 삼는다. 흉곽의 크기에 따라 삽입할 보형물의 가로직경의 기준이 정해지면 환자에게 홑겹의 브레이지어를 착용시키거나 아주 꽉 죄는 티셔츠를 입힌 후 정해진 가로직경을 가진 보형물 중에 moderate profile에 해당하는 시제품(sample) 보형물을 그 옷 속에 넣어 환자에게 본인이 원하는 사이즈의 유방이 맞는지, 더 크게 혹은 더 작게 원하는 지를 물어보아 보형물의 크기를 결정한다. 환자가 가로방향으로 더 풍만한 가슴을 원할 때는 한 치수 즉 0.5 cm정도 가로직경(width)이 큰 보형물을 선택해 볼 수 있고, 전면으로 더 돌출된 풍만한 가슴을 원할 때는 전면돌출정도(projection)가 한 단계 더 있는 보형물을 선택하게 되고, 유방의 상부가 더 풍만한 느낌을 원할 때는 보형물의 높이(height)가 한 치수 더 큰 보형물을 선택하게 된다. 그런 과정을 통하여 수술 전에 환자는 수술 후 유방의 크기에 대한 충분한 정보와 느낌 등에 대한 확신을 가지게 된다. 그리고 양측의 비대칭에 대하여서도 각각 다른 크기와 dimension의 보형물을 선택하여 가능한 범위에서 대칭을 맞추도록 보형물의 가로직경, 전면돌출정도, 그리고 높이 등을 조절하여 실제로 모형이 되는 보형물을 옷속에 넣어보거나 하여 환자의 의견에 따라 실제 수술시에 사용할 보형물을 조정한다. 환자로부터 보형물에 크기와 종류에 대한 동의를 얻은 후 삽입할 보형물의 가로길이를 확정짓고 환자의 신체적인 조건을 고려하여 그 보형물의 가로직경에 따라 그 다음 새로이 만들 유방밑주름을 표시하게 된다. 이때 이용되는 것이 Randquist's Formula이다.

유방밑주름 절개선은 새로이 만들어지는 유방의 밑주름에 정확히 위치해야 하는 것이 매우 중요하다. 이를 위해서는 보형물의 가로직경에 따른 유두와 새로이 생길 유방밑주름선이 결정되는데 Charls Randquist는 흔히 가로길이 12 cm의 보형물을 이용할 때는 유방피부를 최대한 신연시켰을 때 유두에서 8.5 cm 하방으로 거리를 재어 새로운 유방밑주름으로 정하고 이곳에 절개선을 디자인하였다. 그리고 보형물의 가로직경이 0.5 cm 씩 커짐에 따라 유두에서 새로운 유방밑주름까지의 거리도 0.5 cm 씩 길어지게 디자인할 때 유두가 유방의 가장 아름다운 위치에 놓이게되고 유방의 상부와 하부의 조화가 이루어지는 위치에 유방밑주름이 생성된다고 하였다. 이때 유방피부를 최대한 신연시키는 방법으로는 환자가 서 있는 상태에서 시술자가 유두의 기저부아랫쪽에 줄자의 영점을 대고 상방향으로 유두와 유방실질을 적당한 힘으로 최대한 밀면서 유두의 기저부에서 새로운 절개선까지의 거리를 측정하는 방법과 환자가 양팔을 머리 뒤로 올려 깍지를 끼게 하고 시술자가 환자의 유방상부를 위쪽으로 밀어올려 유방을 전체적으로 신연시켜 유두의 중앙에서 새로운 절개선까지의 거리를 측정하는 방법이 있다. 방법에 대하여서는 구애받을 필요없이 항상 일정한 힘으로 유방조직을 위로 밀거나 당겨서 환자들 마다의 조직의 신연성의 고려하여 일정한 힘으로 일정한 거리를 측정하는 것이 중요하다. 이때 동시에 고려할 요소로는 보형물을 근육아래 삽입할 것인지 혹은 유선조직아래 삽입할 것인지에 따라, 혹은 조직이 아주 유연하지 혹은 팽팽한지에 따라, 흉곽의 상부가 돌출되었는지 꺼졌는지에 따라, 유방의 상부가 더 풍만하기를 원하는지 혹은 유방의 하부가 더 풍만하기를 원하는지에 따라 0.5 cm정도를 가감할 수 있다. 유두에서 새로운 유방밑주름이 될 부위까지의 거리를 측정하여 일정한 포인트에 표시한 후 기준 유방밑주름과 평행하며 내측과 외측의 양쪽 끝에서 자연스럽게 수렴하는 새로운 유방밑주름을 그려서 표시하고 이 선을 내측으로는 정중선 1.5 cm 외측선과 그리고 외측으로는 전방액와선의 연장선과 자연스러운 곡선으로 만나도록 하여 새로이 만들어질 유방의 아래쪽 경계를 확정짓는다. 그리고 보형물의 높이에 맞추어 새로이 만들어질 유방밑주름부터 상부까지의 거리를 측정하여 사용하려는 보형물에 따라 보형물 삽입에 필요한 상부박리범위를 확정지어 그려서

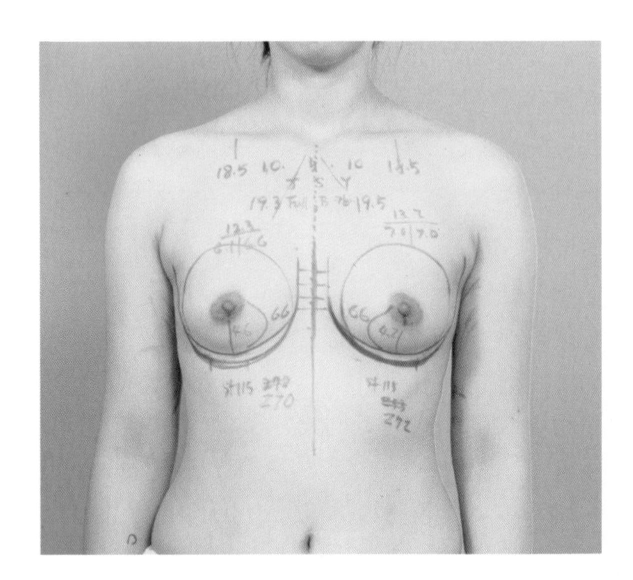

그림 2 수술전 디자인

내측의 정중골외측 1.5 cm 선과 전방액와선과 만나는 선에서 부드러운 원형으로 보형물이 들어갈 공간을 확정한다(**그림 2**).

절개선을 새로운 유방밑주름의 가로방향으로 어느 위치에 정할지는 저자들마다 의견이 다르다. 혹자는 절개선은 유륜 또는 유두의 내측에서 내린 수직선과 수술 후 새롭게 생길 유방밑주름이 만나는 지점에서 바깥측면으로 위치할 때 유방확대 수술 후 발생하는 자연스러운 하수에 의해 가려져서 눈에 띄지 않게 된다고 하지만 본인은 환자의 유방의 모양을 잘 살펴서 유방에 의해 가장 짙은 어두운 그늘이 생기는 곳이 가장 흉터를 잘 가려줄 수 있는 위치라고 생각하여 환자가 서 있는 상태에서 가장 그늘이 많이 생길 위치에 평균 4 cm정도의 절개선을 직선 혹은 반곡선 형태로 정하게 된다.

수술 후 생길 새로운 유방밑주름을 고려하여, 유두와 밑주름까지의 거리가 충분하여 상복부의 피부와 연부조직을 새로운 유방의 아랫부분으로 이동할 필요가 없을 경우 현재의 유방밑주름에 절개선을 작도하는 것

이 좋다. 유방하수나 유두에서 유방밑주름까지의 거리가 짧아 유방확대 후 상복부의 피부 및 연부조직을 유방의 일부분으로 이동해야 하는 경우는 언급한 방법대로 새롭게 생길 유방밑주름에 절개선을 작도해야 하는데, 이때 피부의 탄력 및 유두와 유방조직의 하수정도 등은 이미 유방을 최대한 신연한 상태에서 새로운 유방밑주름을 정하였으므로 이미 고려되었다고 생각하면 된다.

수술 전 유방밑주름은 거의 대부분의 환자에서 비대칭인데, 흔히 유방밑주름이 양측으로 대칭이 되게 보형물을 삽입하여 좌우의 대칭을 맞출 것인지 유두를 중심으로 유두에서 유방밑주름까지의 거리가 양측이 비슷하게 맞출 것인지 중에서 더 중요한 것은 유두를 중심으로 유방의 전체 모양을 양측이 비슷한 모양으로 나오게 맞추는 것이 수술 후 유두방향의 비대칭을 예방하고 자연스러운 유방모양을 만드는데 도움이 된다.

2) 수술에 있어서 중요한 사항

수술은 아래와 같은 단계를 거쳐 이루어지며 모든 시술은 환자의 한쪽편에서 시술한다.

(1) 피부 및 진피절개
(2) 피하조직과 얕은근막의 절개
(3) 대흉근의 발견
(4) 대흉근하 평면으로 박리
(5) 대흉근하 평면으로 보형물이 들어갈 공간을 전체적으로 확보
(6) 세척 및 국소마취제의 투여
(7) 보형물의 삽입
(8) 봉합
(9) 압박붕대의 착용

소독을 위하여 환자의 상체 전체를 베타딘과 클로로헥시딘 용액으로 소독한 후 전체 수술포를 덮은 다음 먼저 환자의 유두와 유륜에서 물기를 제거한 후 유륜을 다 덮을 정도의 크기인 Tegaderm®이나 Opsite®를 이용하여 유두를 완전히 밀폐시킨다. Tegaderm®이나 Opsite®를 이용하여 완전히 밀폐시킨다. 어떠한 소독법으로도 해결할 수 없는 유관에서 유두를 통하여 분비될 수 있는 상피상재균이나 오염원들은 수술시야에서 완전히 격리시키는 것은 매우 중요한 준비과정이다 **(그림 3)**.

(1) 피부 및 진피절개

절개할 부위는 Tegaderm®이나 Opsite®를 이용하여 피부를 덮어준다. 이는 박리를 위해 견인기구를 이용하여 조직을 당길 때 조직의 손상을 방지하고 보형물 삽입 시 상피상재균에 의한 보형물의 오염을 예방시켜주는데 도움이 된다**(그림 4)**. 유방밑주름의 절개 예정선에만 200,000:1로 epinephrine이 포함된 국소 마취제를 적당량 주입해서 혈관 수축이 충분히 된 다음 수술용 칼을 이용하여 진피까지 절개한다. 다른 박리부위나 평면에는 국소마취제나 혈관수축을 위한 epinephrine이 포함된 tumescent 용액을 주사하지 않는 이유는 시술 중에 epinephrine에 의해 지혈되었던 혈관이 지연출혈이 될 수 있으므로 수술장에서 완벽한 지혈이 되면 사후에 지혈이 되는 것을 걱정하지 않기 위함이다.

절개선의 길이는 보통 4 cm 정도를 하게 되는데 절개선의 길이를 줄여서 흉터의 길이를 짧게 하기 보다는 보형물의 크기에 적당한 충분한 길이의 절개를 넣는 것이 박리를 위해 견인기구를 이용하여 조직을 견인하면서 생기는 절개창의 손상이나 보형물을 삽입 시 생기는 피부의 찰과상이나 좌상을 예방함으로써 조직의 손상으로 생기는 수술 후 생기는 비후성 반흔이나 색소침착을 예방하는데 도움이 되고 보형물을 삽입 시 무리한 압력에 의해 보형물의 외부나 내부 겔의 일체성이 깨어져서 보형물의 수명이 짧아지는 부작용을 예방할 수 있다. 특히 유방밑주름 절개법을 이용한 유방

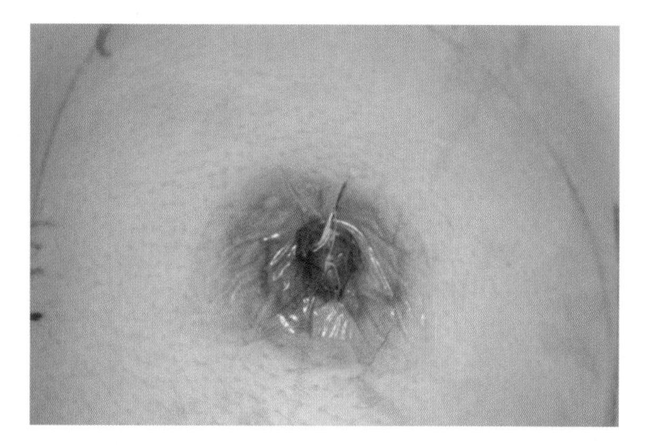

그림 3 유두를 Tegaderm® 으로 덮은 모습

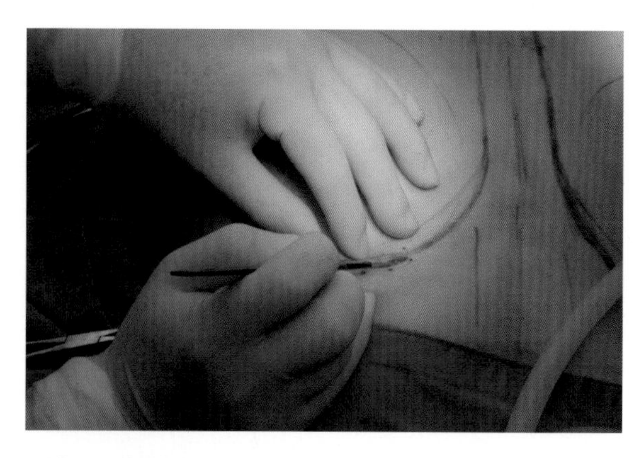

그림 5 피부절개

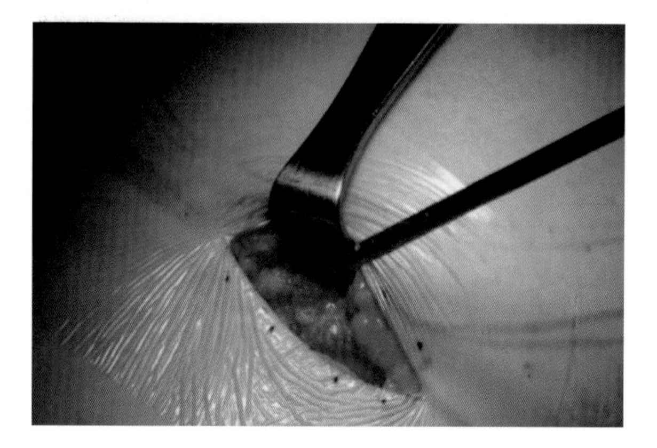

그림 4 절개창을 Tegaderm®을 이용하여 덮은 모습

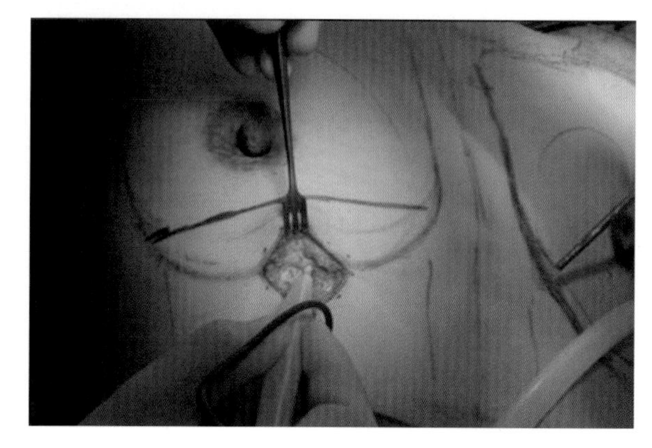

그림 6 바늘모양의 monopolar coagulator를 이용한 피하의 박리

확대수술에서 제일 단점으로 꼽히는 흉터의 비후와 색소침착 등은 수술 시에 절개창의 피부와 진피 등에 손상을 많이 가하여 그에 대한 이차반응으로 비후성반흔이 생기거나 색소침착이 되는 경우가 많으므로 절개창 주변조직의 손상을 최대한 예방할 수 있는 수술방법을 택해야한다.

(2) 피하조직과 얕은근막의 절개

피부와 진피에 수술용 칼을 이용하여 절개를 넣은 후에(**그림 5**) 날카로운 견인기구를 이용하여 당기고 주사바늘 모양의 monopolar coagulator를 이용하여 피하지방에 절개창을 넣고 박리를 하다 보면 피하지방 속에 얕은근막(superficial fascia)이 나타나는데 얕은 근막을 중심으로 그 중 더 얕은 측의 지방조직을 Camper씨 근막, 더 깊은 층의 지방조직을 Scarpa씨 근막이라고 칭한다(**그림 6**). 흉곽의 유선조직은 복부의 Camper씨 근막이라 일컬어지는 부위에 둘러싸여 있고 탄성섬유로 이루어진 층의 아래에 위치하는 Scapa씨 근막은 흉곽에서는 매우 얇아져서 유선의 후면을 싸는 근막 형태로 존재하게 된다. 더 박리하면 깊은 층 근막(deep fascia)이 나타나고 이 모두를 절개해야 근육층이 나타나게 된다. 피하의 박리는 피부에서 흉벽으로 수직으로 내려가면서 피하지방, 얕은 근막(superficial fascia)을 절단하고 대흉근(pectoralis major m.), 앞톱니근(ser-

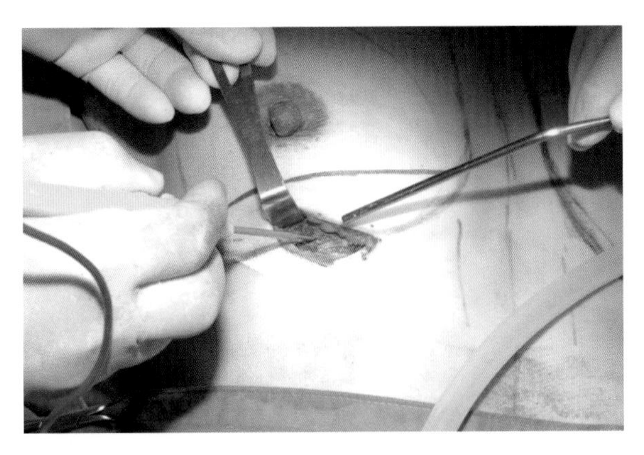

그림 7 바늘모양의 monopolar coagulator 를 이용한 대흉근의 흉골기시부의 박리

ratus anterior m.) 혹은 외복사근(external oblique m.)의 깊은 근막(deep fascia)에 이르게 된다.

(3) 대흉근의 발견

박리의 내측 외측에 따른 순서는 중요하지 않으며 각자가 익숙한 순서에 기하여 하면 되고 저자의 경우는 1) 중앙 2) 외측 3) 내측 4) 상부의 순서로 박리를 실시한다. 피하의 절개를 마치면 절개창의 외측연 근처에 대흉근의 외측연이 놓이는데 절개창의 상부피판을 견인기구를 이용하여 앞쪽으로 당기면 상부의 흉부피판에 붙어서 상부피판과 함께 앞으로 들려올라오는 것은 대흉근이라고 생각이고 상부피판과 함께 들리지 않고 바닥인 흉골에 붙어있는 것은 앞톱니근, 외사근 혹은 늑간근육(intercostal m.)으로 여기면 된다. 피판을 앞쪽 위쪽으로 당기면서 대흉근을 흉골에서 주사바늘모양의 monopolar coagulator를 이용하여 자르게 된다 **(그림 7)**. 이때 가능하면 대흉근이 흉골에서 기시하는 점에서 바짝붙여 자르지 말고 0.5-1.0 cm 정도의 여부분의 근육을 흉골에 남겨두면서 대흉근의 기시부를 자르는 것이 좋은데 그 이유는 대흉근의 기시부에서 흉골과 대흉근을 박리하게 되면 간혹 늑간혈관(intercostal a.)의 천공지(perforator)가 흉골과 흉골사이에서 나와 대흉근으로 들어가는 초입부에서 동맥이 잘리게 되면 동맥벽의 탄성에 의해 혈관이 늑간공간(intercostal space)으로 딸려 들어가서 지혈에 심한 어려움을 겪거나 혹은 지혈하면서 늑간근육을 심하게 손상시켜 기흉을 만드는 경우까지 생길 수 있기 때문이다.

(4) 대흉근하 평면으로 박리

대흉근의 흉골에서의 기시부를 잘라나가면서 견인기구를 이용하여 상부의 피판을 앞으로 들어주면서 외측으로 박리해나가면 다른 대흉근의 근섬유보다 길게 더 복부쪽으로 내려오는 대흉근의 복부부분(abdominal part of pectoralis major m.)이라는 부분을 나오게 된다. 그 부분을 자르고 나가면 외측으로 앞톱니근과 외복사근이 박리된 공간의 외측 바닥에 놓이게 되고 더 외측으로는 7번째, 6번째, 5번째 외측늑간신경과 lateral thoracic a.의 branch들을 만나게 된다. 이 신경과 혈관을 만나면 더 이상 외측으로 박리하는 것을 멈추거나 조심스럽게 해야됨을 알려주게 된다. 간혹 심하게 외측늑간신경이 내측으로 위치하여 보형물이 들어갈 공간의 외측중간에 놓이는 경우 가능하면 확청(skeletalization)방법을 이용하여 신경을 보호하기도 하고 신경이 심하게 신연되어 손상되어 오히려 계속적인 통증이나 자극의 원인이 될 것 같은 경우는 아예 절단하여 철저히 지혈과 소작으로 술 후 반복적인 자극이 오는 것을 예방해야하기도 한다. 절개창의 내측으로 박리해나가면 대흉근이 흉골에서 기시하다가 점점 정중골로 이행되는 소위 박리공간의 4시방향(우측유방), 8시 방향(좌측 유방)을 만나게 된다**(그림 8)**. 절개창에서 4시방향(우측유방), 8시방향(좌측 유방)까지는 대흉근의 전체 두께를 다 자르면서 공간의 아래쪽을 만들게 되지만 4시근처(우측유방)에 가면 서서히 대흉근 전체의 두께를 자르는 양을 줄여서 정중골에 이르는 4시근처의 대흉근이 정중골에 기시하는 부분에는 절대 대흉근이 정중골에서 전체가 다 박리되지 않도록

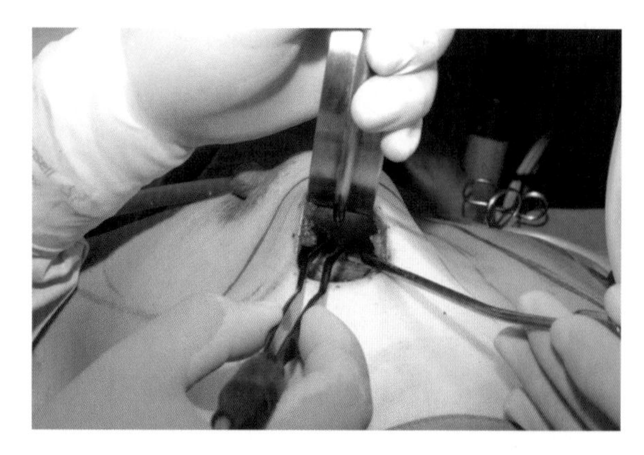

그림 8 대흉근을 견인하면서 정중골근처 4시 방향의 대흉근을 박리하는 모습

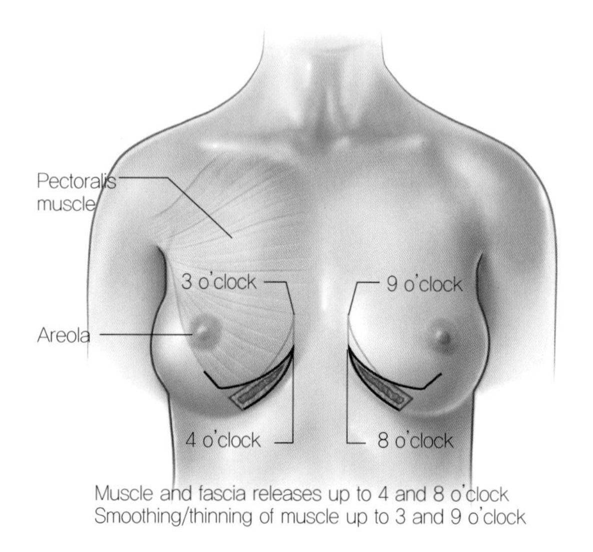

그림 9 대흉근의 절단 및 정중골기시부 근처의 부드러운 절단

하여야 한다. 만약 4시방향을 지나 3시방향으로 가면서 대흉근이 정중골에서 박리되어 탈락되게 되면 정중골에서 떨어진 대흉근이 유선조직의 뒷면 근막에 다시 흉터조직으로 붙게 되어 환자가 대흉근을 수축하면 정중골에 붙어있어야 할 대흉근이 유방조직을 상외측방향으로 끌어당기게 되는 소위 "animation deformity" 혹은 "jerking breast"의 부작용과 유방보형물이 얇은 피하조직밑으로 비쳐보이는 소위 "window shade deformity" 그리고 유방접합증(synmastia)의 부작용을 초래하게 된다.

그러므로 일단 우측유방에서는 4시방향에 박리가 이르게 되면 대흉근을 자르는 두께를 서서히 줄여서 4시에서 3시로 이어지는 부위에서는 자연스럽게 전체의 대흉근이 정중골에 붙어있도록 서서히 박리의 두께를 조절해 나가야 한다(**그림 9**).

(5) 대흉근하 평면으로 보형물이 들어갈 공간을 전체적으로 확보

박리공간의 외측과 내측을 박리하고 나서 상방으로 올라가게 되는데 항상 유두부근에는 늑간혈관(intercostal a.)의 천공가지(perforating branch)가 올라오므로 견인기구를 이용하여 대흉근을 앞쪽으로 당기면서 근육 속에 비치는 혈관을 발견한다. bipolar coagulator나 hand-switched monopolar forcep coagulator를 이용하여 먼저 혈관을 전기소작 지혈하여 출혈이 일어가기 전에 혈관을 발견하고 지혈하는 "coagulation before staining"을 실시하여야 깨끗한 시야에서 완벽한 지혈을 이룰 수 있다. 상방으로 가면서 수술 전에 도안해 두었던 보형물의 높이까지 표시한 부위까지 대흉근밑을 박리하면 충분하다. 유방조직을 재배치한다는 이유로 쓸데없이 상부박리를 많이 하면 출혈가능성도 높아지고 대흉근이 보형물에 압박을 가하여 유방의 하부가 효과적으로 확장되는데 오히려 방해가 되며 보형물이 계획했던 것보다 유방의 상부에 놓이는 되는 부작용이 발생할 수 도 있다.

그리고 특히 유방의 상부를 박리할 때는 유두유륜복합체를 담당하는 제일 중요한 감각신경인 4번째 늑간신경의 외측분지(4th lat. cutaneous br. of intercostal n.) 와 3번째, 4번째 늑간시경의 내측분지(3rd, 4th medial cutaneous br. of intercostal n.)의 손상을 조심하여야 한다. 간혹 상부로 과도하게 박리를 하다가 외측에서는 lat. thoracic a.에서 분지하는 가지를 전기소작 지혈하다가 유두유륜을 지배하는 4번째 늑간신경의 외측분지(4th lat. cutaneous br. of intercostal n.)를 소

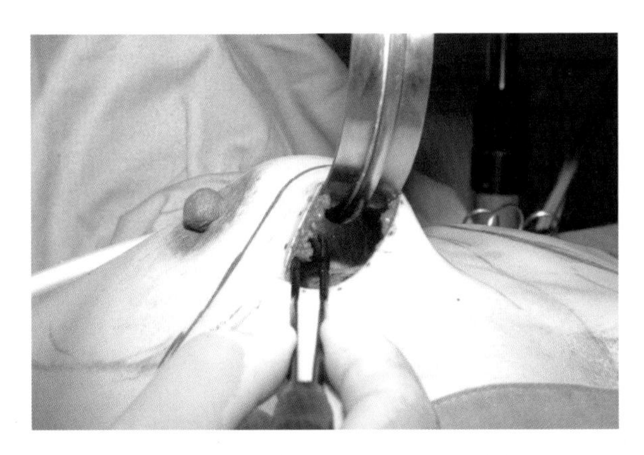

그림 10 대흉근을 견인하면서 유방의 상부를 디자인된 부분까지 박리하는 모습

작하거나, 내측에서는 3번째, 4번째 Medial mammary a. from internal thoracic a.를 지혈하다가 3번째, 4번째 늑간신경의 내측분지(3rd, 4th med. cutaneous br. of intercostal n.)를 전기소작하여 유두유륜복합체의 감각이 소실되거나 손상을 받는 경우가 발생한다. 그러므로 필요이상으로 상부방향으로 많이 박리하는 것은 오히려 부작용을 증가시키는 점을 이해하고 보형물이 들어갈 만큼만 딱 맞게 박리하는 것이 모든 면에서 좋다 **(그림 10)**.

대흉근하 평면으로 보형물이 들어갈 공간을 정확히 박리할 수도 있지만 환자의 유방의 조건에 따라 유선하, 근막하, 대흉근하, 이중평면 등의 각기 다른 평면을 박리할 수 있다. 대흉근하평면에 보형물을 위치시킬 경우 대흉근의 늑골 부착부를 전기소작기로 절개하고, 그렇지 않다면 유선하 평면이나 대흉근의 근막을 절개하고 근막하로 박리하여 근막하 평면을 만들 수 있으며, 유방하수의 정도에 따라 유선 조직과 대흉근 사이를 일정량 박리하여 유방의 상부는 대흉근하평면으로 유방의 하부는 유선하평면으로 만드는 이중평면 박리를 하기도 한다. 대흉근의 잘라진 미측 말단부가 유선조직에 부착된 곳을 확인하고 대흉근의 미측 말단부를 Allis forcep으로 잡고 필요한 만큼만 대흉근과 유선조직 사이를 박리하면 상부의 대흉근하평편, 하부의 유선하평면이 필요에 따라 완성될 수 있다. 이때 기본적으로 대흉근을 흉골의 기시부에서 자르면 John Tebbet의 기술분류에 따른 type I 박리가 완성되고, 대흉근과 유선조직 사이를 조금더 1-2 cm 박리하면 type II 가 완성되고 유선하평면을 유두부근까지 박리하면 회복 후 대흉근이 수축하면서 유방전체의 약 2/3가 유선하평면으로 박리되는 type III 박리가 완성된다**(그림 11)**. 양측에 보형물이 들어갈 공간에 대한 박리를 일차로 마치면 양측의 내측과 외측에 손을 넣어 공간의 박리가 대칭으로 되었는지 혹은 신경이나 혈관이 너무 압박받는 곳은 없는지, 근육의 일부가 잘려지지 않고 남아있는지 등으로 체크하여야 한다. 특히 양측 4시 방향과 8시 방향의 대흉근이 정중골에 기시하는 부위가 완전 잘린 부위에서 서서히 완전히 정중골에 붙어있는 곳까지 자연스럽게 이어지는지를 확인하여야 한다.

(6) 세척 및 국소마취제의 투여

공간박리가 완성되면 완벽한 지혈을 확인한 후 생리식염수를 이용하여 세척(irrigation)한다. 재수술의 경우 베타딘희석액을 사용하여 세척하기도 하지만 일차유방확대수술의 경우 생리식염수를 이용하여 혹시 있을 수 있는 세균의 절대숫자를 낮추는 것만으로도 충분히 감염을 예방하는 의미가 있다. 세척을 마친 후 생리식염수액을 충분히 제거하고 나서 장시간에 걸쳐 작용을 나타내는 ropivacaine(Naropine® 0.75%) 10 cc를 각각 양측 박리된 공간에 뿌려주는데 이는 수술직후에 통증을 줄여주는데 많은 효과가 크다.

(7) 보형물의 삽입

보형물삽입 전에 절개창을 다시 한번 클로로헥시딘용액으로 소독하고 파우더가 없는 수술장갑으로 교체한다. 이는 talcum 파우더에 의한 보형물주변의 이물질반응을 예방하기 위함이다. 보형물을 포장박스에

	I	II	III
Parenchyma–Muscle (PM) Interface Separation	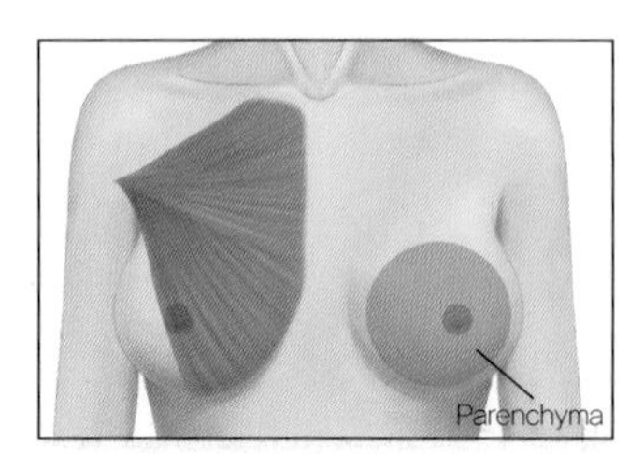	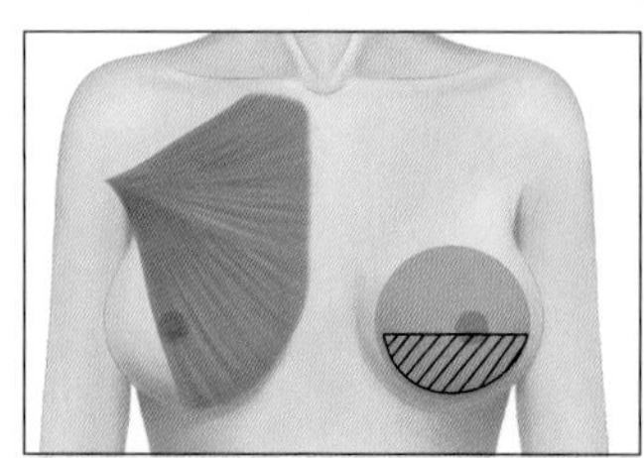	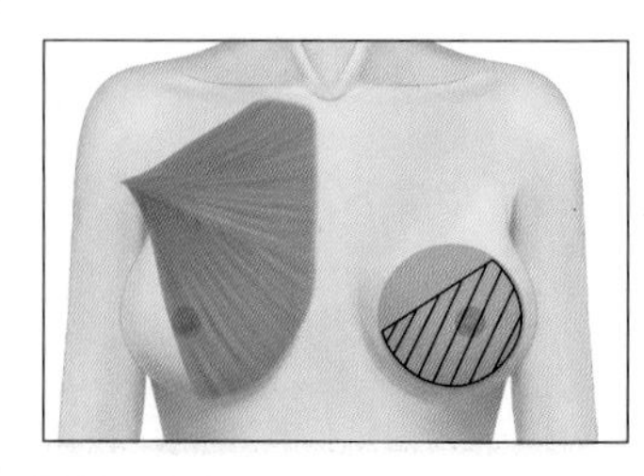
	No PM interface separation	PM interface separation to inferior edges of areola	PM interface separation to superior edge of areola
Pectoralis Muscle Division	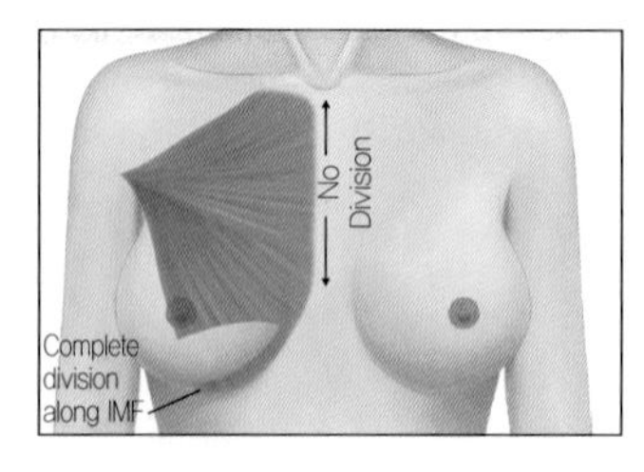	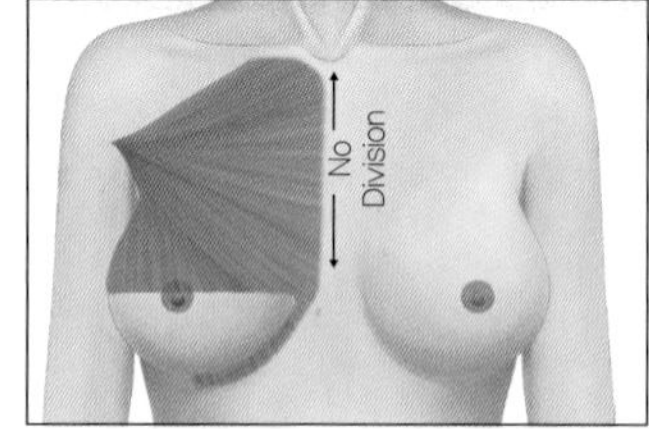	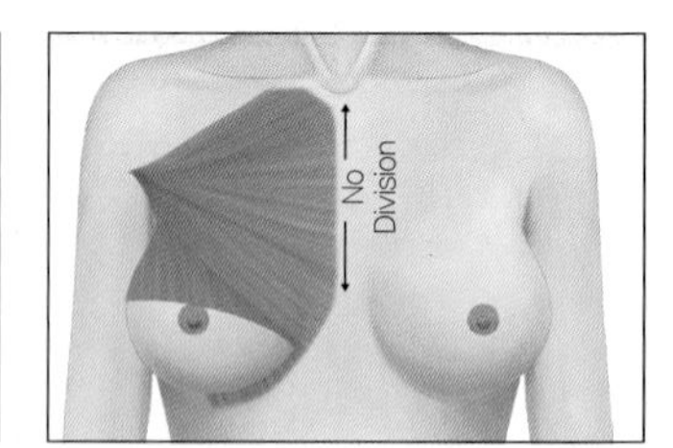
Lateral View Pectoralis Position Related to Anatomic Implant	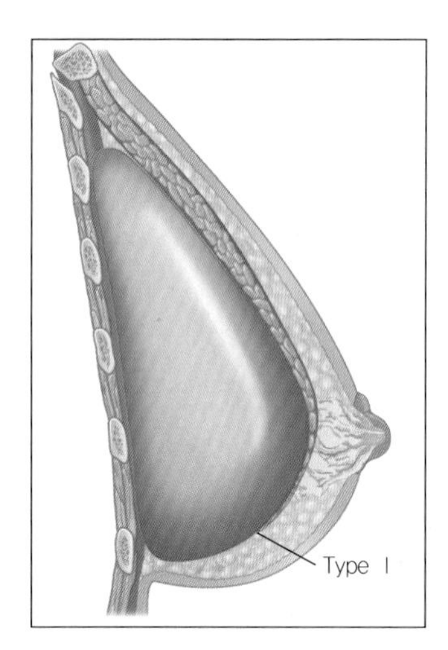	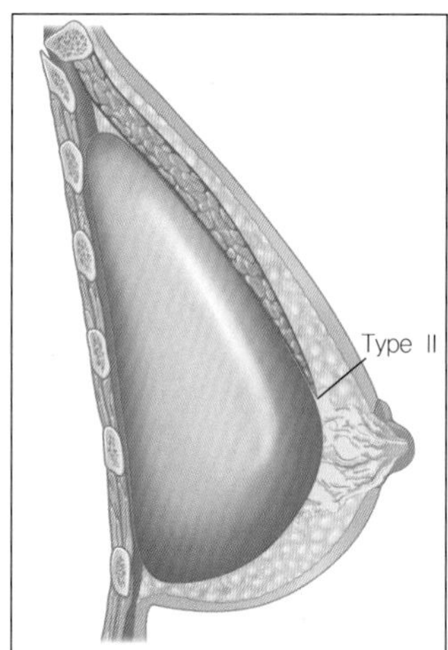	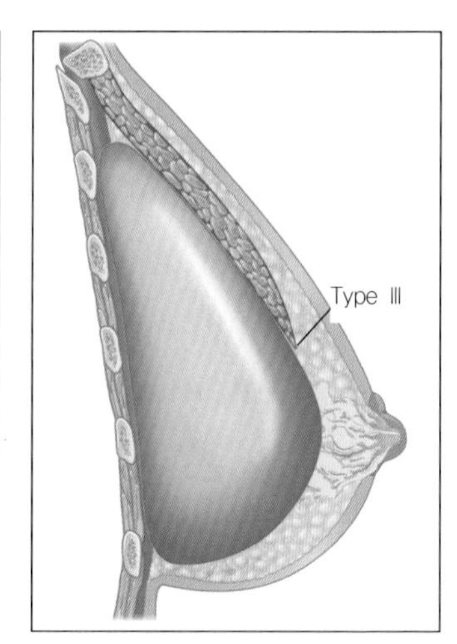

그림 11 John Tebbet 의 가슴모양에 따른 가슴분류와 그에 따른 유방평면수술법

서 개봉한 다음 cefradine 1g을 20 cc 생리식염수에 희석한 항생제용액을 보형물표면에 골고루 도포한 후 이를 마사지하여 항생제 성분이 골고루 표면에 묻도록 하는데 이는 수술직후에 올 수 있는 급성세균감염을 예방하고자 함이다. 그 다음 멸균된 수용성 리도케인젤리(xylocaine 2%)를 10 cc 정도 짜서 보형물표면에 골고루 도포하여 보형물 삽입 시 윤활작용을 하도록 한다. 그 다음 멸균된 Keller funnel®을 개봉하여 입구를 적당한 크기로 가위로 자른 후 생리식염수에 담구어 표면을 미끄럽게 만든 후 리도케인젤리가 도포된 보형

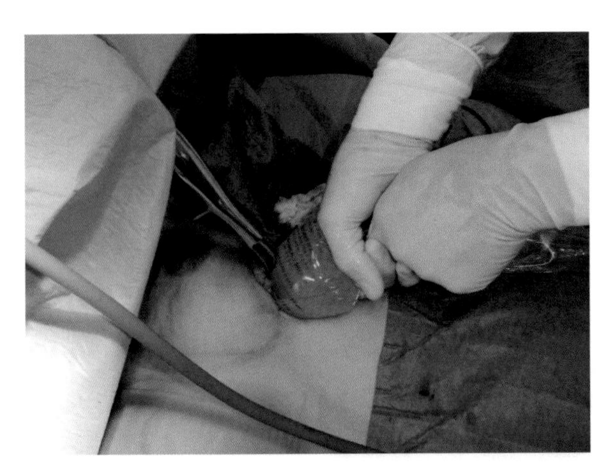

그림 12 Keller Funnel을 이용하여 보형물을 삽입하는 모습

물을 Keller funnel® 내로 삽입하고 이를 이용하여 절개창을 통하여 보형물을 박리된 대흉근하 평면으로 삽입하여 위치시키게 된다. 보형물 삽입 시에 Keller funnel®을 이용하면 보형물이 피부에 접촉함으로써 피부의 정상상재균에 오염됨을 방지하고, 보형물 삽입시 표면이 거친 보형물로 인해 피부에 찰과상의 손상이 발생함을 방지할 수 있고, 과도한 힘으로 보형물을 밀어 넣을 때 생기는 보형물의 외피손상 및 내부 겔의 파손을 방지하며, 짧은 시간 내에 보형물을 삽입할 수 있도록 한다 **(그림 12)**. 보형물 삽입 후 양측의 대칭을 살피고 보형물의 앞면과 뒷면, 내측과 외측에 손을 넣어 혹시 발생할 수 있는 보형물의 접힘현상이 없는 지 반드시 확인한다.

(8) 봉합

그 다음 절개창을 봉합하게 되는데 이때 박리로 인하여 상호 분리된 깊은근막(deep fascia)과 얕은근막(superficial fascia)를 당초 해부학적 구조와 같이 복원해 주어야 보형물의 하방이동을 막아주고 새로운 유방밑주름을 확정할 수 있다. 근육을 싸고 있는 깊은 근막과 얕은 근막은 그 유착정도가 약하기 때문에 보형물을 깊은근막의 표면이나 그 하부에 혹은 대흉근아래에 삽입하면 보형물이 복부의 깊은근막과 얕은근막 사이를 벌리게 되어 그 사이로 보형물이 미끌어져 내려가 정상적인 위치보다 하방으로 위치하는 경우가 발생할 수 있으며 이는 표면이 매끈한 보형물(smooth)에서는 흔히 발생하고 표면이 거친(textured) 보형물의 경우에도 보형물의 무게에 의해 위 두 근막사이가 벌어져서 보형물이 하방으로 내려갈 가능성이 많다. 그러므로 원래부터 해부학적으로 깊은근막과 얕은근막의 유착이 약한 절개선부위의 두 근막사이를 복원해주는 것은 새로운 유방하주름에 절개흉터를 정확히 맞추어야하는 아랫주름절개법에서는 매우 중요하다. 이때 굵은 2-0 혹은 0-0 Vicryl 실을 이용하여 최초 절개선에서 수직으로 들어간 위치의 중앙에서 늑간근육(intercostal m.)을 포함한 깊은근막이나 늑연골의 연골막을 먼저 깊이 가로방향으로 뜨고 난 실을 다시 절개창의 하부피판의 얕은근막을 깊은 곳에서 얕은 방향으로 세로 방향으로 뜨고 다시 이 실을 잡아 절개창의 상부피판의 얕은근막을 다시 깊은 곳에서 얕은 방향으로 세로방향으로 약 1 cm정도의 많은 양의 조직을 물어뜬 다음 이 실의 양끝자락을 mosquito를 이용하여 잡아둔다. 다시 내측 1/3의 중앙에서 똑같은 방식으로 깊은근막, 양측 얕은근막의 순으로 뜬 다음 봉합사를 결찰하고, 외측 1/3의 중앙에서 똑같은 방식으로 봉합한다. 마지막으로 절개창의 중앙부에 mosquisto를 이용하여 물어두었던 실을 결찰하여 깊은근막과 얕은근막의 단단한 유착이 생기도록 하고 이 때 사용된 vicryl의 장력은 약 2달 정도 유지되므로 상처회복에 새로 생긴 collagen tissue에 의한 결합력이 충분히 생기는 동안 Vicryl이 그 힘을 대신해주게 한다. 그리고 Vicyl 실이 조직을 무는 양을 양측에 약 1 cm 정도 하여 근막부위에서 모든 상처가 벌어지려는 긴장력을 거의 다 잡아 주어야 다음에 진피에 걸리는 상처가 벌어지려는 힘을 상쇄시켜 상처회복 시 반흔의 과형성이 예방된다**(그림**

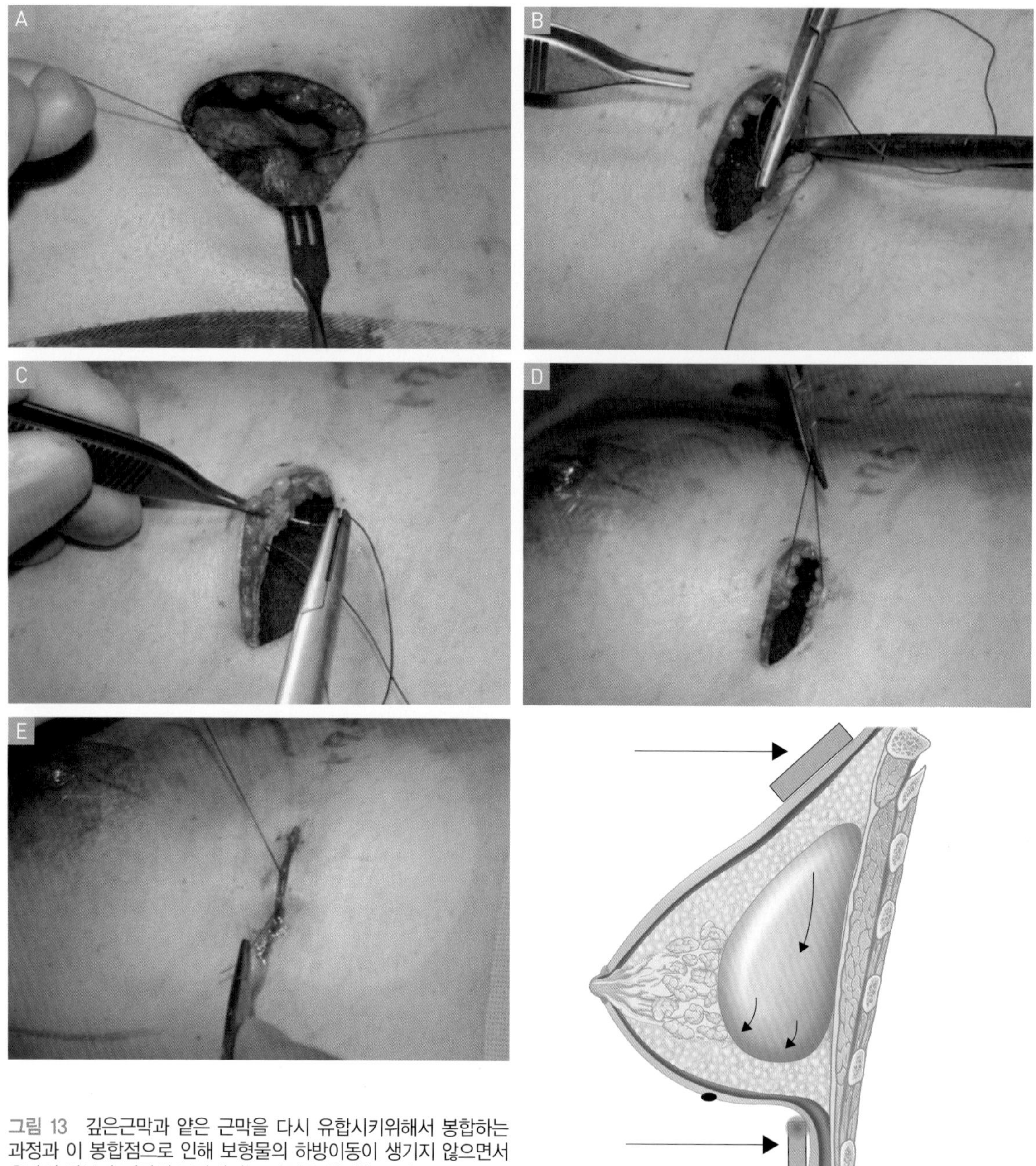

그림 13 깊은근막과 얕은 근막을 다시 유합시키위해서 봉합하는 과정과 이 봉합점으로 인해 보형물의 하방이동이 생기지 않으면서 유방의 하부가 적당히 풍만해지는 이치를 설명한 그림

13). 이때 위아래피판을 무는 2-0, 0-0 Vicryl 실은 절대 진피를 물지 않도록 조심하고 Camper씨 근막을 무는 선에서 깊이를 조절해야 시술후에 봉합실에 의해 진피와 깊은 근막 혹은 연골막이 유착되어 새로 생긴 유방하주름이 깊고 강하게 한 곳에만 고정되는 것을 예방할 수 있다. 근막의 봉합이 다 이루어진 다음 진피의 봉합은 약 5군데 정도에 걸쳐 3-0, 4-0 PDS실을 이용하여 충분히 진피에 걸리는 긴장도를 잡아주면서 피부의

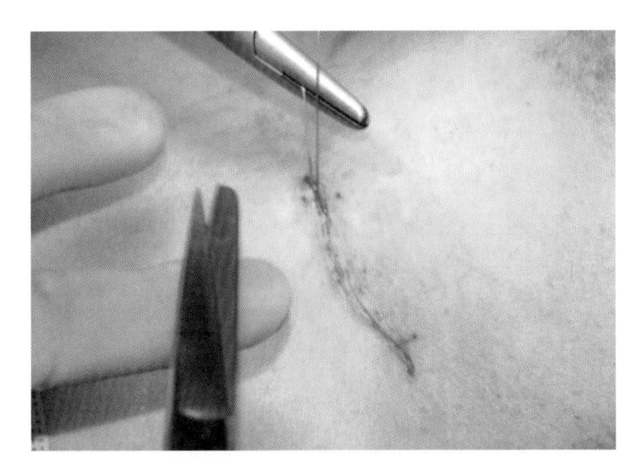

그림 14 진피를 봉합하는 장면

각층을 정확히 맞추어 준다(**그림 14**). 피부는 필요에 따라 연속매몰법을 이용하여 봉합해주거나 혹은 이미 피부의 각층이 충분히 잘 맞으면 이미 양측으로 벌어지려는 힘은 상쇄되었으므로 3M® Steri-strip® 반창고를 이용하여 붙여주면 충분하다. 이렇게 피부에 가해지는 벌어지려는 긴장도를 낮추기위해 근막봉합 시 1 cm 정도의 넓은 보폭으로 봉합하고 진피봉합시도 보폭으로 봉합하면 수술직후는 절개창이 약간 불룩하게 나오고 유방의 아래쪽이 약간 볼륨이 부족한 느낌이 들지만 시간이 지남에 따라 보형물의 무게, 중력, 대흉근의 수축력 그리고 보형물자체의 복원력 등에 의해 수술 후 2-3개월이 지나면서 자연스럽게 가슴의 아래부분이 더 풍만하게 되고 상처는 자연스럽게 평편하게 되면 흉터는 정확하게 수술 전에 예측했던 새로운 유방밑주름의 위치에 생겨서 잘 가려지게 된다.

(9) 드레싱과 추적관찰

봉합 전에 필요에 따라 배액관을 설치하기도 하고

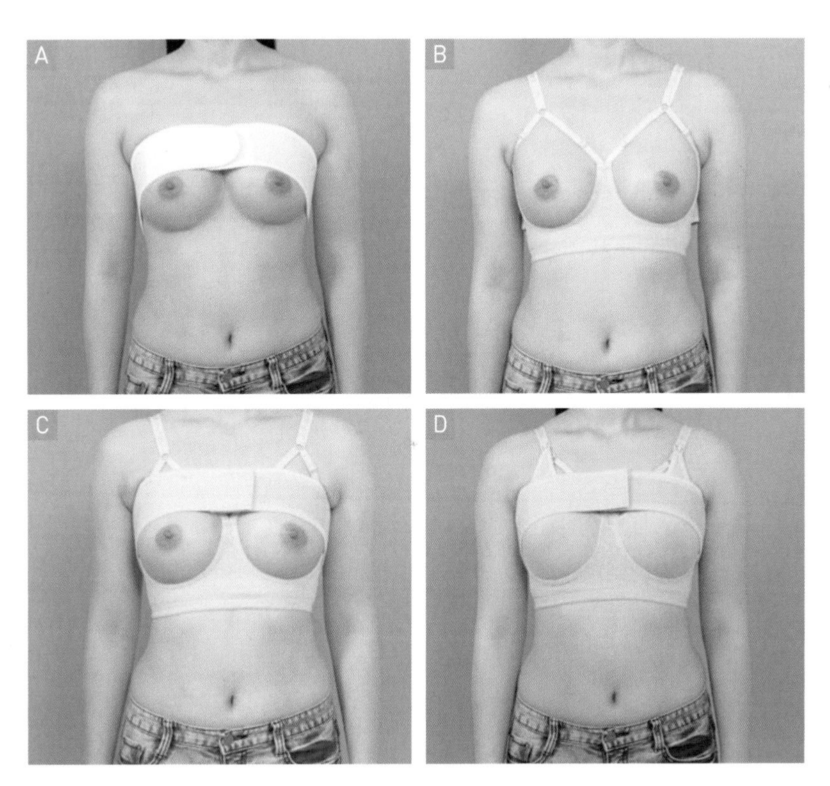

그림 15 다양한 형태의 상부압박밴드와 보정형브래지어

제외하기도 하지만 시술 중에 중요한 혈관의 출혈이 있었거나 지혈이 잘 되지 않는 경우를 제외하고는 대부분의 경우 배액관의 삽입이 필요 없다. 하지만 수술 직후에 미세한 출혈이나 장액종의 예방을 위해서는 유방전체 특히 상부를 압박하는 드레싱을 하고 3개월 정도는 팔을 과도하게 움직이지 않도록 환자에게 교육하여 혈종을 예방한다. 수술 후 대흉근을 많이 움직이면 결국 대흉근과 보형물과의 경계평면에서 잦은 미세한 출혈이나 장액이 생기게 되고 이것이 혈종이나 혹은 구형구축의 원인이 되기도 한다. 술 후 1주일째 추적관찰을 하고 그 다음에는 1달, 3개월, 6개월, 1년, 2년의 술 후 관찰을 통하여 가슴의 모양과 보형물의 위치에 따라 상부압박밴드나 보정브래지어를 착용시켜 더욱 더 정확한 유방밑주름과 가슴의 모양을 잡아줄 수도 있다. 하지만 유방밑주름의 경우 대부분 상부압박밴드만으로 충분한 경우가 대부분이고 환자에 따라 1달 혹은 2달 정도 착용하여 스스로 "유방확대수술을 했으니 팔의 움직임을 조심해야 겠구나." 하는 주의를 환기시키는 것도 상처의 회복 및 구형구축 예방에 도움이 된다(**그림 15**). 유방밑주름절개 부위의 흉터는 대부분의 경우 1년 정도가 지나면 상처의 성숙을 거쳐 점점 색깔은 옅어지고 점점 가느다란 선으로 남는다(**그림 16**). 하지만 개개인의 피부특성에 따라 아무리 술자가 조심해도 상처의 비후가 생기거나 색소침착이 생기는 경우가 있는데 수술 전에 피부, 특히 유두 유륜복합체가 짙거나 상처가 난 뒤 색소침착이 잘되는 경우는 유방밑주름에도 색소침착이 잘 생기므로 임상에서는 유두유륜복합체의 색깔이 짙거나 다른 부위의 상처에 생긴 과색소침착등의 문제가 있는 피부가 짙은 사람에게는 유방밑주름 절개를 피하거나 수술 전에 충분

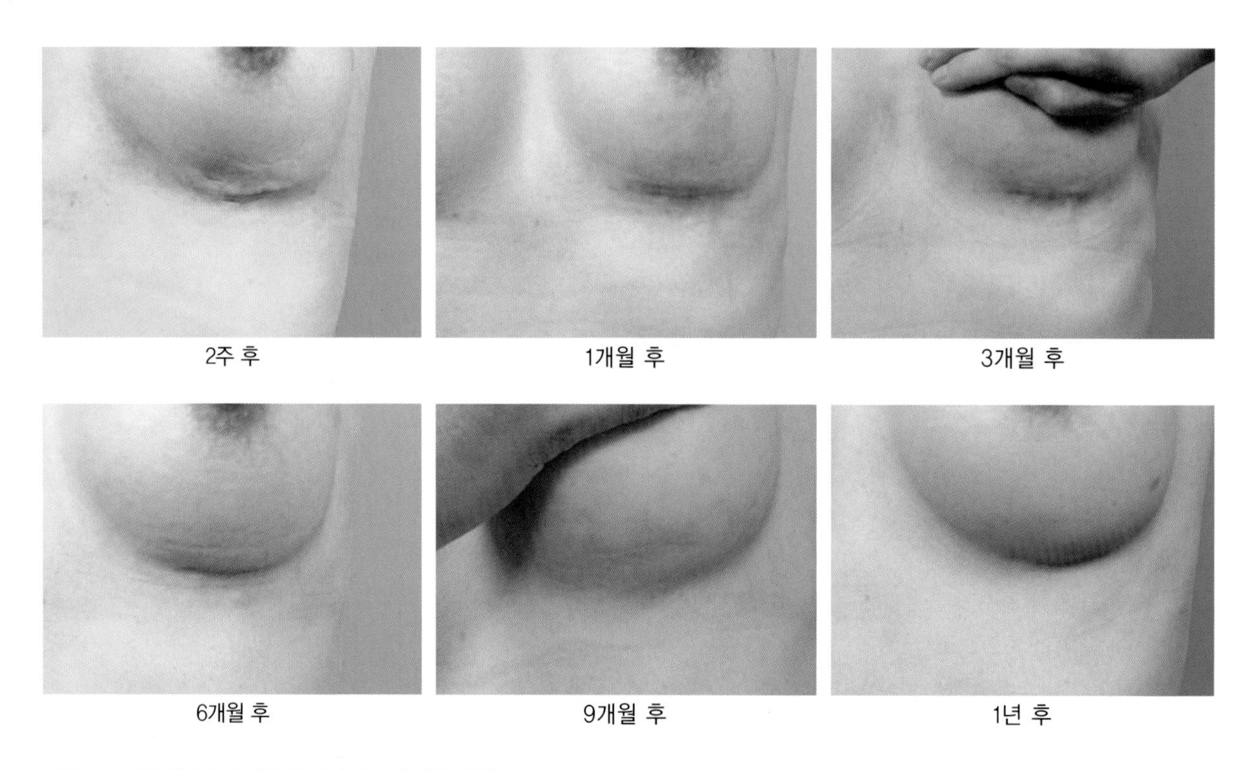

그림 16 유방밑주름 절개법 흉터의 시간에 따른 변화

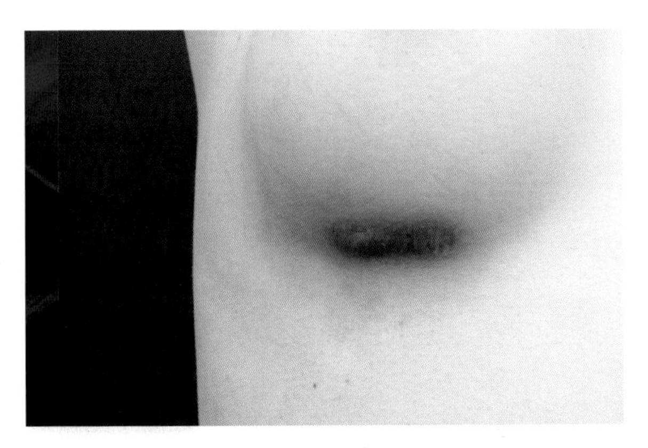

그림 17 유방밑주름 절개창에 수술후 20개월이 지난 시점에 색소침착이 온 경우

한 설명을 하여야 할 것이다(**그림 17**). 특히 가슴이 처지지 않고 피부색깔이 짙은 미혼의 여성에게 유방밑주름 절개법을 권할 때는 반드시 반흔에 대하여 자세히 설명을 하여야 한다. 비후성반흔이 생기는 경우는 흔하지 않으나 생길 염려가 있는 경우는 종이테이프를 이용한 압박요법을 술 후 2개월 정도 실시하고 그 이후 실리콘재질의 테이프를 이용한 압박요법을 1년 정도 실시하여야 한다. 비후성반흔이 발생했을 때는 필요에 따라 국소스테로이드 주사요법을 병용하면 효과가 있지만 오히려 장기관찰 결과 반흔의 함몰변형을 초래할 수 있다. 그러므로 사용 시 주의를 요하고 반드시 수술 직후 보다는 실리콘테이프를 이용한 압박요법을 1년 정도 충분히 실시한 후에 사용할 것을 권한다. 색소침착은 우선 환자의 피부색깔과 과거력 등에 영향을 많이 받지만 이 외에도 수술 시 견인기구에 의한 견인이나 보형물삽입 시에 표면이 거친 보형물과의 과도한 마찰 혹은 봉합 시에 포셉이나 봉합사의 바늘 등이 진피가 아닌 표피를 조심스럽지 않게 물었을 때 등에 의한 피부의 표피과 진피의 경계지점인 기저부(basement membrane)부위의 손상에 의해 melanocyte의 hyperactivity에 의해 melanogenesis가 활발해져서 색소침착이 심해지는 경우가 더 많은 것 같다. 그러므로 색소침착을 예방하기 위해서는 절개창에 미리 Tegaderm® 같은 투명비밀막을 이용하여 견인기에 의해 피부가 짓눌리지 않도록 보호하고 견인 시에도 날이 둥근 견인기구를 사용하고 조심스럽게 견인함으로써 항상 피부에 손상이 생기지 않도록 하여야 하고, 절개창이 보형물에 비하여 너무 좁으면 보형물 삽입 시 심한 마찰에 의해 찰과상이 발생하므로 절개창은 너무 작게 하려 하지 말고 최소한 4 cm 이상으로 하고 보형물의 크기에 따라 적절히 증가시켜야 삽입 시 생기는 피부손상을 최소화할 수 있다. 특히 표면이 거친 보형물 삽입 시는 이러한 손상이 더 많이 발생하므로 윤활 역할을 할 수 있는 젤리성분을 보형물의 표면에 바르거나 혹은 비닐봉지에 보형물을 넣어 보형물에 의한 찰과상을 예방하거나 Keller Funnel® 등의 도움을 받아 절개창을 통과하게 함으로써 피부의 접촉에서 오는 세균오염도 막을 수 있을 뿐만 아니라 삽입 시 발생하는 절개창 주변 특히 절개창의 양쪽 피부 손상을 최소화할 수 있다. 또 피부봉합 시에도 포셉을 이용하여 피부를 잡을 때에는 반드시 표피가 아닌 진피나 피하조직을 잡아 봉합하여야 봉합기구에 의한 표피기저부의 압궤 손상을 막아 색소침착을 효과적으로 예방할 수 있다. 술 후 관찰 기간 동안 색소침착의 우려가 발견되면 지체 없이 표백연고인 4% hydroquinone 제제를 이용하여 적극적으로 색소침착을 치료, 예방하여야 좋을 결과를 얻을 수 있다.

4. 결론

유방확대수술에서 보형물이 들어갈 위치의 선정과 정확한 박리, 적절한 보형물의 선택은 부작용을 줄이는 첫걸음이다. 특히 절개선의 선택은 정확한 박리를 위해 매우 중요한데, 여러 절개선 중 유방밑주름 절개는 이런 면에 있어 많은 장점을 가지고 있다. 하지만 유방조직이 거의 없어 유방밑주름이 뚜렷하지 않은 경우

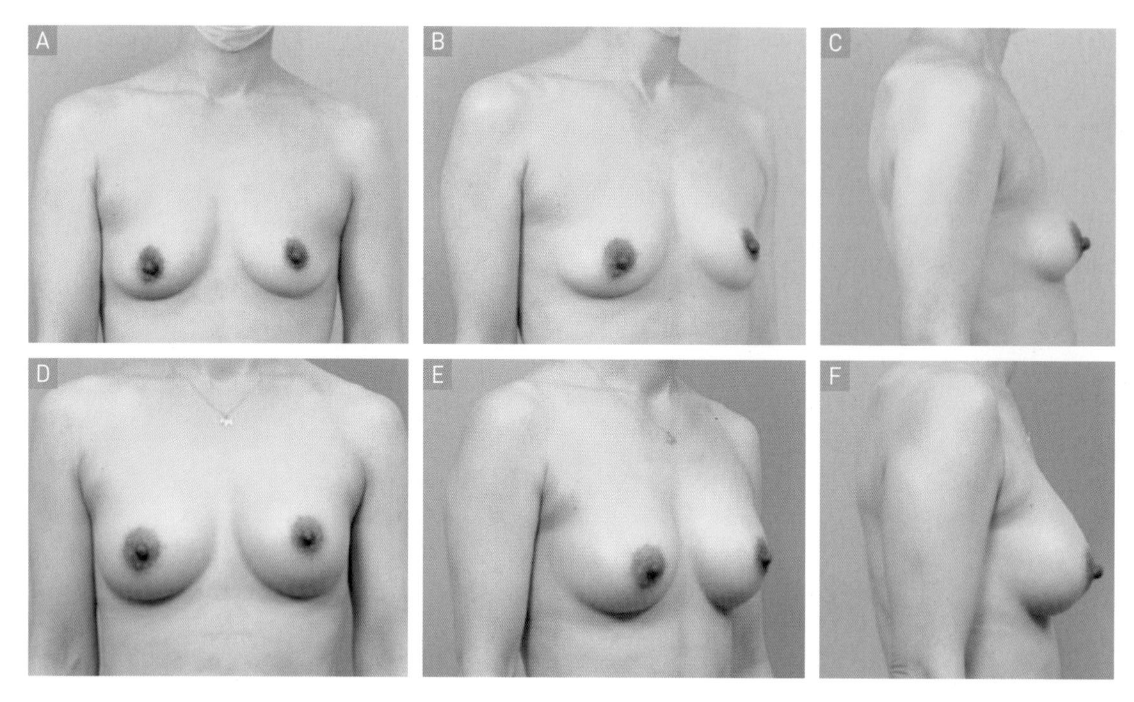

그림 18　A, B, C : 56세 환자의 술전 정면 사면 측면사진 유방밑주름이 분명하고 약간의 유방하수를 동반하고 있다. D, E, F : 유방밑주름 절개 유방확대술 12개월 후

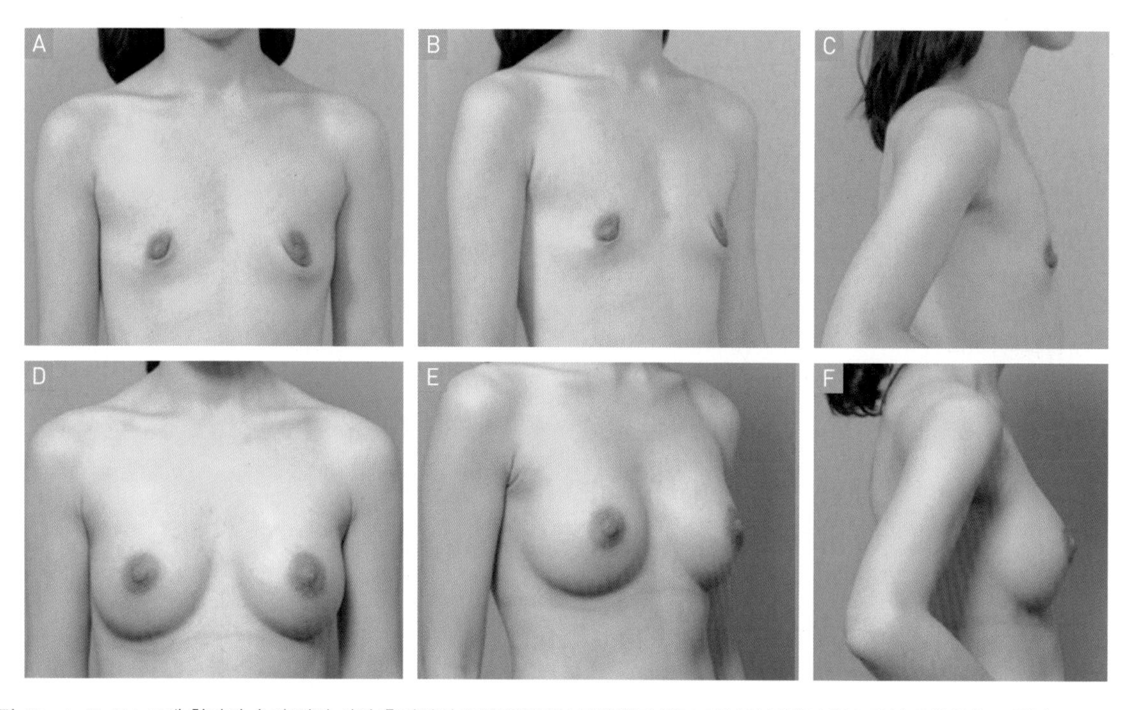

그림 19　A, B, C : 42세 환자의 술전 정면 사면 측면사진 유방밑주름이 분명하지 않고 피부의 탄력이 없으면서 유방하수도 없다.
D, E, F : 유방밑주름 절개 유방확대술 4개월 후

절개선의 흉터가 눈에 띄거나 색소침착이 생기는 경우가 있어 동양인 특히 한국사람에게 널리 이용되지 못하고 있는 형편이다. 또한 유방밑주름 절개 후 박리 시 근막 구조물에 대한 정확한 이해없이 수술한다면 수술 후 원하지 않는 위치에 유방밑주름이 형성될 수 있다.

하지만 유방밑주름 절개법은 절개흉터가 유방밑주름에 정확하게 위치하게 되면, 민소매옷을 입을 때 겨드랑이 흉터가 보이지 않고, 대흉근 아래에 보형물을 위치시켜도 수술 직후 팔의 움직임의 제한이 거의 없고, 회복도 훨씬 빠르며, 내시경 같은 고가의 장비가 없어도 정확한 박리가 가능하다는 장점이 있다. 또한 박리를 위해 유선조직을 전혀 절개하지 않으며 시야확보가 잘 되고, 보형물이 들어갈 공간의 전면에 흉터조직을 만들지 않는다. 그러므로 유방밑주름을 이용한 가슴확대수술은 기존의 가슴에 유방밑주름이 어느 정도 확실하게 있고 피부의 색소침착이 잘 되지 않는 피부의 색깔이 밝은 중년의 기혼자나 수술 후 빠른 일상생활로의 복귀를 원하는 경우에는 가장 적합한 방법이다 **(그림 18)**. 하지만 유방밑주름이 뚜렷하지 않은 경우에도 비후성 반흔이나 색소침착을 예방할 수 있는 여러 가지 술기를 통하여 충분히 좋은 결과를 얻을 수 있다 **(그림 19)**.

유방확대수술을 위한 많은 절개법은 각각 장단점이 있기 때문에, 어느 하나가 가장 좋다고 말할 수 없다. 물론 저자도 어느 하나의 방법을 고집하지 않고 환자 개개인에게 맞는 절개법을 선택하고 있다. 하지만 여러 가지 절개법 중 유방밑주름 절개는 우리나라 여성의 유방확대수술에 있어서도 충분히 사용될 수 있는 훌륭한 방법이라 생각한다.

참·고·문·헌

1. Bayati S, Seckel BR: Inframammary crease ligament. Plast Reconstr Surg 95: 501, 1995
2. Charles Ranqiust, Orjan Gribbe : The aesthetic and reconstructive Surgery of the Breast 339-355 Saunders Elsvier 2010
3. Dannis Hammond: Atlas of Aesthetic Breast Surgery 39-81Saunders Elsvier 2009
4. Dowden RV, Fuller MA: Transumbilical breast augmentation. In Spear SL(ed): Surgery of the breast. 2nd ed, Philadelphia, Lippincott Co., 2006, p 1319
5. Hoehler H: Breast augmentation: The axillary approach. Br J Plast Surg 26: 272, 1973
6. Jenny H: Areolar approach to augmentation mammaplasty. Plast Reconstr Surg 53: 344, 1974
7. John B. Tebbet Augmentation Mammaplasty Mosby Elsvier 2010
8. Jones G: Breast augmentation. In Foad Nahai(ed) The Art of Aesthetic Surgery. 1st ed, St. Louis, QMP Co., 2005, p 1860
9. Luca Lancerotto, Carla Stecc etc. Layers of the abdominal wall: anatomical investigation of subcutaneous tissue and superficial fascia Surg Radiol Anat. 07 Jan 2011
10. Millard GF, Garey LJ: An improved technique for immediate retropectoral reconstruction after subcutaneous mastectomy. Plast Reconstr Surg 80: 396, 1987
11. Muntan, Charles D. B.S.; Sundine, Michael J. M.D.; Rink, Richard D. Ph.D.; Acland, Robert D. M.D.: Inframammary fold: A histologic reappraisal. Plast Reconstr Surg 105: 549, 2000
12. Per Heden The aesthetic and reconstructive Surgery of the Breast 357-386 Saunders Elsvier 2010
13. Planas J: Introduction of breast implants through abdominal route. Plast Reconstr Surg 57: 431, 1976
14. Tebbetts JB: Axillary endoscopic breast augmentation: processes derived from a 28-year experience to optimize outcomes. Plast Reconstr Surg 118: 53S, 2006

15. Tebbetts, John B. MD Dual Plane Breast Augmentation: Optimizing Implant-Soft-Tissue Relationships in a Wide Range of Breast Types Plast Reconstr Surg 118: 84
16. Van Straalen WR, Hage JJ, Bloemena E: The inframammary ligament. Myth and reality? Ann Plast Surg 35: 237, 1995
17. Williams JE: Experiences with a large series of silastic breast implants. Plast Reconstr Surg 49: 253, 1972

Augmentation mammoplasty »

유륜절개 접근법

Periareolar Approach

| 심형보 |

가슴확대수술 시 사용하는 절개선에는 겨드랑, 가슴 밑선, 배꼽 그리고 유륜 절개선이 있다. 여러 가지 절개선을 자유롭게 사용할 있어야 각 환자의 해부학적 특성에 맞추어 최적을 결과를 얻을 수 있을 것이다. 유륜 절개선은 크게 두 가지로 나뉘어 유륜 하부(inferior areolar) 절개선과 유륜 횡단(trans-areolar) 절개선이 있으며, 주로 서양에서는 유륜 하부 절개선을 유륜 절개선이라 통칭한다**(그림 1)**.

여타 절개선들과 마찬가지로 유륜 절개선을 사용하여 보형물의 삽입 위치를 유선 밑, 근육 밑, 근막 밑, 이중평면 등으로 선택할 수 있다. 저자의 경우 유륜절개선을 통해 주로 근막 밑 평면(subfascial plane)과 이중평면(dual plane)을 사용한다**(그림 2,3)**.

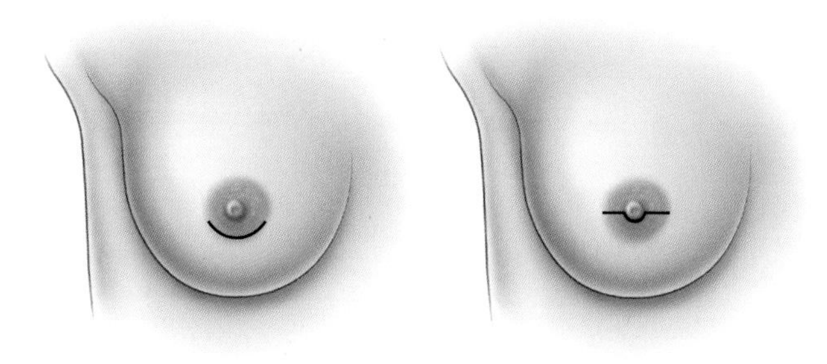

그림 1 유륜하부 절개선과 유륜횡단 절개선

유륜 절개선을 통해 유선조직에 접근하는 방식도 3가지 방식이 있다. 수직강하(perpendicular) 방식, 피하지방층(subcutaneous tunnel) 경유 방식, 그리고 사선형(oblique) 방식이다. 이 중 수직강하 방식은 가장 유선조직과 유관 손상 가능성이 높으며, 이로 인한 감염과 유륜부 함몰 변형의 원인이 될 수 있다. 따라서 가능하다면 피하지방층 경유 방식이나 사선형 방식을 사용하는 것이 현명하다**(그림 4)**.

1. 수술방법 (그림 5)

반드시 유두 가리개(nipple shield)를 사용한다. 기존 유방조직의 직경이 넓을 경우, 술식은 유륜절개선 중 사선형(oblique) 방식에 따른다. 유방조직의 직경이 좁을 경우, 피하지방층(subcutaneous tunnel) 경유 방식이 효과적이다. 유륜 하방 피부 경계면을 3~4 cm 물결치듯(wavy) 절개하여 피하지방층을 노출시켜 하방으로 1~2 cm 전진한 다음, 유방실질 조직을 비스듬히 가르며 대흉근막에 도달한다. 여기에서 다시 수술 방법이 근막하 평면과 이중평면으로 나뉜다. 통상 윗가

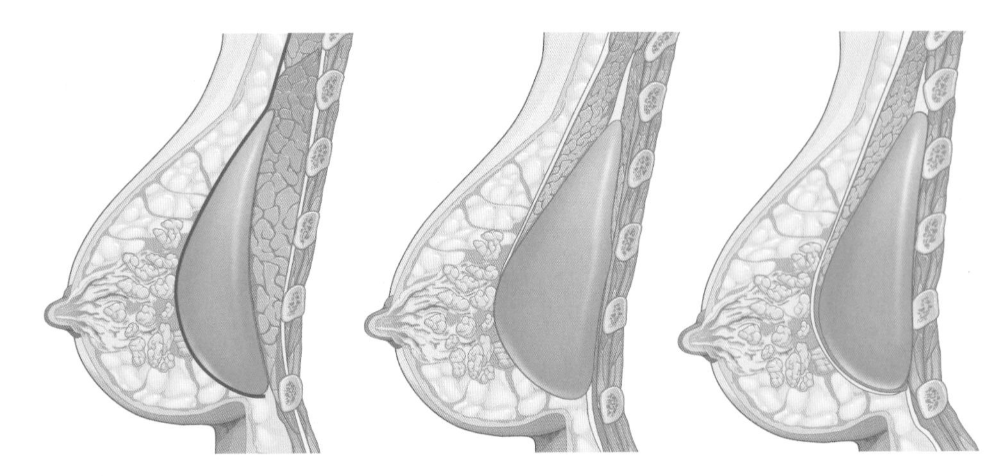

그림 2 근막하 평면, 이중 평면, 근육하 평면

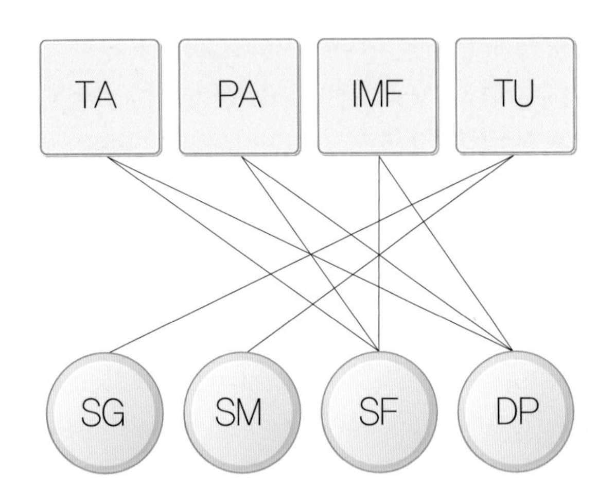

그림 3 저자의 절개선과 연결된 평면

슴 집기(upper pole pinch test)가 3 cm이 넘어야 근막하 평면을 사용할 수 있다.

1) 근막하 평면

대흉근막을 절제한 다음, 먼저 하반부를 예리한 전기소작 박리로 예정된 가슴 밑선까지 박리한다. 경우에 따라 하반부의 박리는 유선하(subglandular) 박리가 필요할 경우도 있다. 대개 유방하부 수축을 동반할 경우들인데, 이럴 경우 보형물의 상부는 근막하에, 보형물의 하부는 유선하에 위치하게 된다. 하부 박리를 마친후, 유방 상부의 근막하 박리를 예정된 상부 박리선까지 다다른다. 상부 근막하 박리의 범위는 가슴의 족적(foot print)을 벗어나지 않는 범위 내에서 시행하여야 보형물의 촉지됨을 최소화할 수 있다. 근막하 평면은 혈관이 적고 박리가 용이하여 짧은 시간에 수술을 마칠 수 있다.

2) 이중평면

대흉근막을 절제한 다음, 먼저 하반부를 예리한 전기소작 박리로 예정된 가슴 밑선까지 박리한다. 경우에 따라 하반부의 박리는 근막하 박리나 유선하 박리가 필요할 경우도 있다. 대흉근의 최하단부를 찾아 견인하고 근육밑 평면을 확인한 다음, 대흉근의 늑골 기시부를 전기소작으로 외측에서 내측을 향하여 유륜의 하연 높이까지 분리시킨다. 환자의 유방하수나 하부수축의 정도에 따라 분리의 범위는 달라질 수 있다. 상부 근육밑 평면을 박리하여 이중평면을 완성하고 지혈한다. 대흉근의 늑골 부착부(costal insertion)에 근육 일부(stump)를 남기고 잘라야 지혈이 용이하며, 흉골 부착

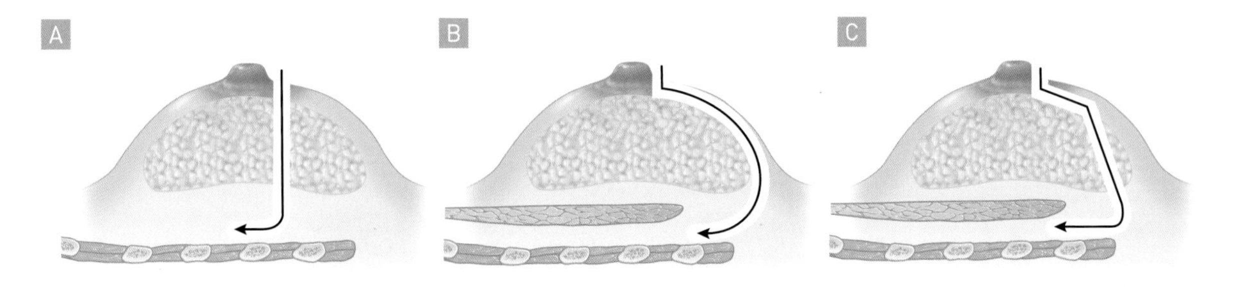

그림 4 수직강하 방식(A), 피하지방층 경유 방식(B), 사선형 방식(C)

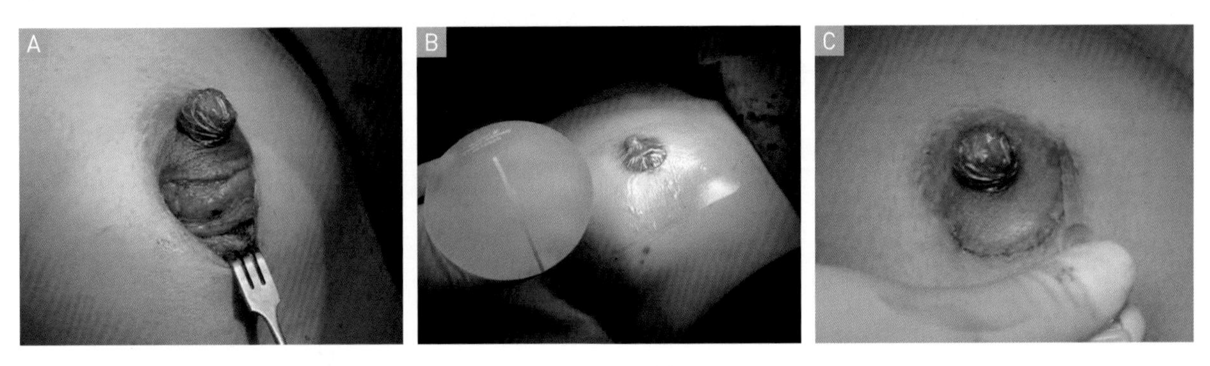

그림 5 피하지방층 경유 방식(A), 물방울형 보형물 삽입(B), 더마본드 봉합(C)

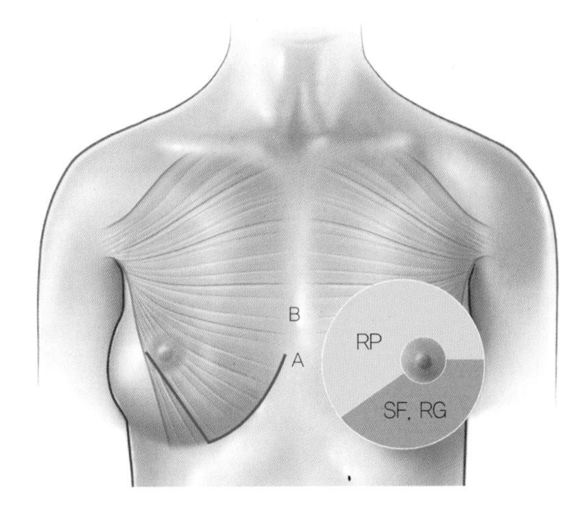

그림 6 이중평면 시 늑골 기시부의 분리 정도. 하수나 수축의 정도가 심할수록 더 높은 위치까지 분리하여야 한다.

부(sternal insertion)는 박리하지 않는다(**그림 6**).

일회용 시험용 보형물(disposable sizer)을 삽입한 후 환자를 앉힌 자세로 하여 보형물의 크기와 위치를 최종 결정한다. 실제 보형물 삽입 시에는 켈러펀넬2(Keller Funnel2)를 사용하여 no-touch 삽입이 되도록 한다. 배액관은 대부분 사용할 필요가 없으며, 유방실질 조직과 피하 지방층 및 피부를 단계적으로 봉합하고 스포츠 브라를 착용시킨다.

보형물의 선택은 수술 전 환자와 충분한 상담 및 설명이 이루어진 다음, 결정하도록 한다. 유륜절개 접근법은 수술 후 마사지를 하지 않아야 하므로, 주로 표면이 거친 textured surface implant를 사용하며, 원반형이나 물방울형 중 적합한 것을 사용한다.

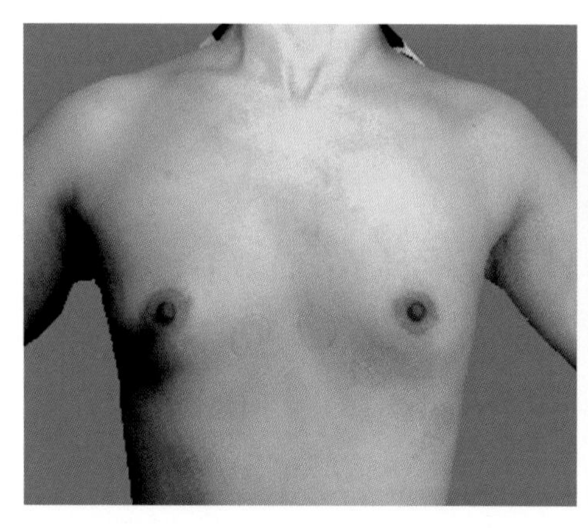
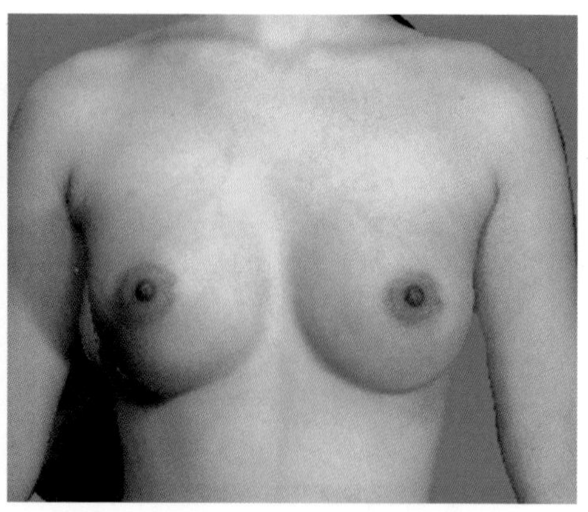

그림 7 28세 여자, 유륜절개 가슴확대술 + 물방울 보형물 Sientra MN 275/275

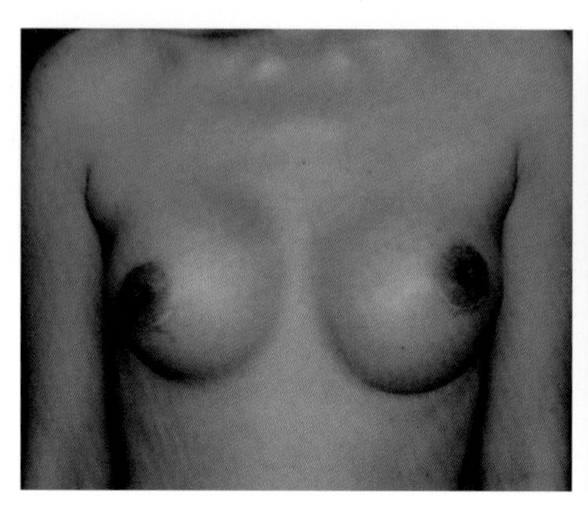
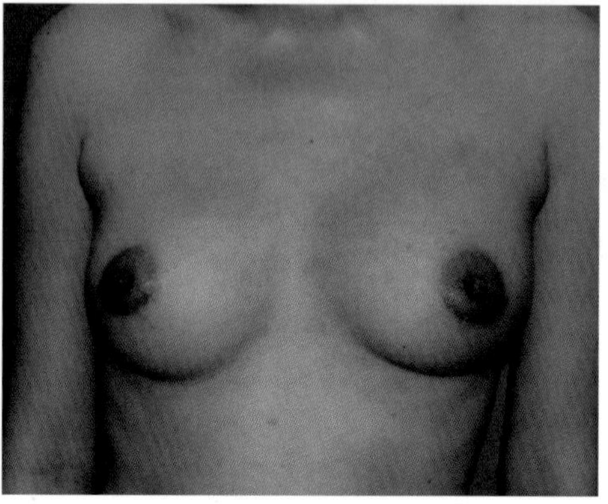

그림 8 35세 여자, 구축으로 인한 유륜절개 재수술 + 원반형 보형물 Mentor RT 225/200

2. 장단점과 적응증 (그림 7,8)

1) 유륜절개 접근법의 장점

- 흉터가 잘 눈에 띄지 않는다.
- 수술 시야가 좋다.
- 밑선절개를 사용하기 어려울 경우에 대안이 될 수 있다.
- 유방하수나 튜브형 변형(tuberous deformity) 수술이 용이하다.
- 유륜주위 피부절제술 등으로 변환이 용이하다 (versatility).

2) 유륜절개 접근법의 단점

- 유관 손상 가능성이 존재한다.
- 유선의 손상이나 잘못된 봉합으로 유륜부 함몰 변형이 생길 수 있다.

3) 적응증

- 환자가 원할 경우
- 일반 가슴확대수술
- 유방 하수 및 유방 하부수축(inferior pole constriction), 튜브형 변형

4) 부적응증

- 유륜 직경 < 30 mm
- 켈 로이드나 비후성 반흔
- 단단하고 두터운 유선조직의 경우(firm nodular thick parenchyma)
- 유두 분비물

3. 특징과 주의점

유륜절개 접근법은 겨드랑이나 밑선 접근법을 거부하는 여성들에게 좋은 대안이 될 수 있다. 그러나 태생적으로 유관의 손상 가능성이 존재하여 유륜 접근법을 꺼리는 의사들도 있다. 유관의 손상은 수술 범위의 불결을 초래하여 구축 발생률을 증가시킬 수 있다. 따라서 가능하면 유두 직하방의 유관 밀집부 박리를 피하여야 하며, 피하지방층 경유 방식이나 사선형 방식을 사용하는 것이 합리적이다. Jacobson (2012), Strutman (2012) 보고에 따르면 밑선절개 접근법에 비하여 구축발생률이 더 높다는 증거는 나타나지 않는다. 하지만 접근 방식을 비롯하여, 보형물 삽입 시 슬리브(sleeve) 사용 등 no-touch maneuver를 반드시 사용해야 하며, 수술 후 마사지를 하지 않는 등 손상된 유관을 자극하는 행동을 피하여야 한다.

그 밖에 주의할 점으로는 특히 유선하 박리나 근막하 박리의 경우, 유방의 족적(foot print)을 초과하는 과도한 크기의 보형물을 사용한다면 유두유륜체의 혈행에 지장을 줄 수 있으므로 주의를 요한다.

참·고·문·헌

1. Fayman MS, Potgieter E, Becker PJ: Outcome study: periareolar mammaplasty patients' perspective. Plast Reconstr Surg 111: 676, 2003.
2. Ferreira MC: Evaluation of results in aesthetic plastic surgery: Preliminary observations on mammaplasty. Plast Reconstr Surg 106: 1630, 2000
3. Ramon Y, Sharony Z, Moscona RA, Ullmann Y, Peled IJ: Evaluation and comparison of aesthetic results and patient satisfaction with bilateral breast reduction using the inferior pedicle and McKissock's vertical bipedicle dermal flap techniques. Plast Reconstr Surg 106: 289, 2000
4. Regnault P: Partially submuscular breast augmentation. Plast Reconstr Surg 59: 72, 1977.
5. Sim HB, Sun SH. Transaxillary Endoscopic Breast Augmentation With Shaped Gel Implants. Aesthet Surg J Vol 35(8) 952–961, 2015
6. Sim HB. Transaxillary endoscopic breast augmentation. Arch Plast Surg. 2014;41(5):458-465.
7. Spear SL, Carter ME, Ganz JC: The correction of capsular contracture by conversion to "dual-plane" positioning: technique and outcomes. Plast Reconstr Surg 112: 456, 2003.
8. Stoff-Khalili MA, Scholze R, Morgan WR, Metcalf JD: Subfascial periareolar augmentation mammaplasty. Plast Reconstr Surg 114: 1280, 2004
9. Tebbetts JB: Dual plane Breast Augmentation: Optimizing implant-soft-tissue relationships in a wide range of breast types. Plast Reconstr Surg 107: 1255, 2001.

Augmentation mammoplasty »

Chapter 08

횡유륜-유두주위(유륜 오메가) 지그재그 절개 유방확대술

Transareolar-Perinipple(Areolar Omega, Ω) Zigzag Incision Breast Augmentation

| 이백권 |

유방확대술의 최종적인 결과에 영향을 미치는 요소로 보형물의 크기나 모양(type), 보형물의 삽입위치 외에도 절개위치가 있다.

절개위치는 절개반흔 뿐 아니라 넓고 접근이 쉬운 시야 확보를 통해 얼마나 포켓을 정확하게 만들 수 있는가, 재수술의 경우에는 얼마나 정확하게 원하는대로 포켓을 변형(modify)시킬 수 있는가 하는 사항들을 종합적으로 고려해 수술받는 환자에게 가장 이상적인 방법을 선택하게 된다. 즉 절개 위치를 결정할 때 적절한 수술 시야 확보(adequate exposure of surgical field), 세밀하고 정확한 수술 시행 가능 여부, 수술 후 합병증 발생률, 수술 흉 등을 고려해야 한다.

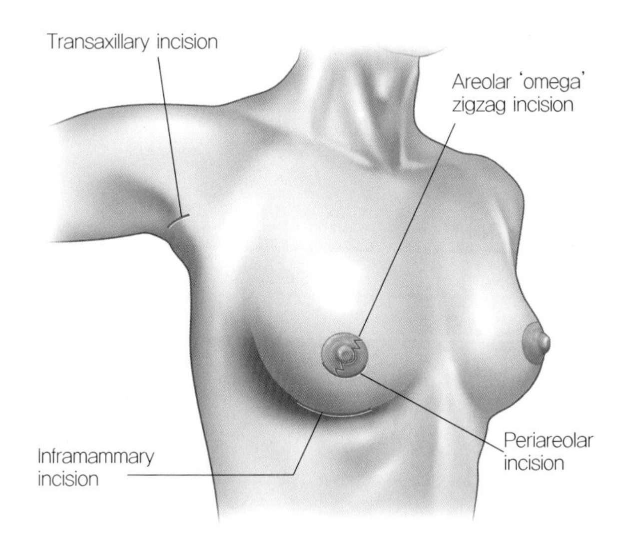

그림 1 유방확대술때 사용되는 절개방법

유방확대술 시 사용되는 절개방법에는 겨드랑이, 유방하 주름, 유륜주위 절개 등이 일반적으로 알려져 있으며 각 절개방법은 각각 장단점이 있다**(그림 1)**.

겨드랑이 절개(transaxillary incision)는 동양권에서 가장 많이 사용하는 절개 방법으로, 겨드랑이에 수술 흉을 숨길 수 있으며 근육하 포켓 형성 시 대흉근 아래로 접근이 쉽다는 장점이 있으나, 팔을 올리거나 소매 없는 옷, 운동복, 수영복을 착용할 때 쉽게 흉이 노출될 가능성이 많다. 절개부위와 surgical field가 멀리 떨어져 있어 부적절한 지혈, 정확한 포켓 형성의 어려움 등의 단점이다. 이에 endoscopy를 이용해 수술 정확도를 높이고 보다 나은 지혈을 할 수 있으나 여전히 제한이 있으며, 고가의 장비, 긴 learning curve 등이 문제점으로 지적이 되고 있다. 유방하 주름 절개(inframammary incision)는 서양에서 가장 많이 사용하는 방법으로, 유방하 주름을 통해 포켓 형성이 쉽고 빠르며, 겨드랑이 절개에 비해 수술 후 합병증 발생 위험이 낮은 장점이 있으나, 절개선과 유방하 주름이 맞지 않는 경우나 흉이 많이 남는 체질, 특히 동양인의 경우 눈에 띄는 흉을 남긴다는 점과 다른 절개에 비해 중력에 의해 지속적으로 보형물에 힘이 가해져 절개부위로의 보형물 노출(implant exposure) 위험도가 높다는 단점이 있다. 유륜주위 절개(periareolar incision)는 서양에서 두 번째로 많이 사용하는 방법으로 수술 흉이 유륜 주위에 남는다는 점과 만들려는 포켓(surgical field)의 중앙에서 접근을 하므로 정확한 포켓 형성이 쉽다는 장점이 있으나 유륜의 지름이 3.5 cm 보다 작은 경우 시행이 어렵다는 점, lactiferous duct 손상으로 인한 모유수유 장애 가능성, 신경 손상으로 인한 유두 감각 문제, 부주의한 유방실질(breast parenchyma) 손상으로 인한 상대적으로 높은 구형구축(capsular contracture) 발생 가능성, 또한 대부분의 경우 hypopigmented or white scar가 semicircular하게 남아 unnatural하게 보이며 특히 유륜 색이 진한 경우 흉이 도드라져 보인다는 단점들이 있다.

위와 같은 기존에 알려진 절개방법 외에 저자가 개발해 2003년부터 시행해 온 절개 방법이 있는데, 초기 5년은 유륜을 가로질러가고 유두를 피하는 classic한 오메가 모양의 '횡유륜-유두주위(유륜 오메가, Ω) 절개'를, 2008년 이후에는 더 넓은 수술시야와 유륜이 작은 환자에서 큰 보형물 삽입이 가능하도록 유륜 부위 양쪽 limb에 z-plasty를 적용한 '횡유륜-유두주위(유륜 오메가, Ω) zigzag 절개'를 시행해 오고 있다. 본 절개는 유방의 내측 절개를 쉽게 하기 위해 비스듬한 방향으로 위치 시키며, 불규칙 하고 색깔이 일정한 유륜 부위에 유두 주위를 돌아 zigzag fashion으로 절개 하는 수술 반흔 면에서 뛰어날 뿐 만 아니라, 수술을 직시(direct vision)하에서 하기 때문에 철저한 지혈 및 정확한 박리가 가능해 수술 후 혈종 형성을 막고, 불필요한 조직 손상을 최소한으로 줄여 수술 후 통증을 현저히 줄일

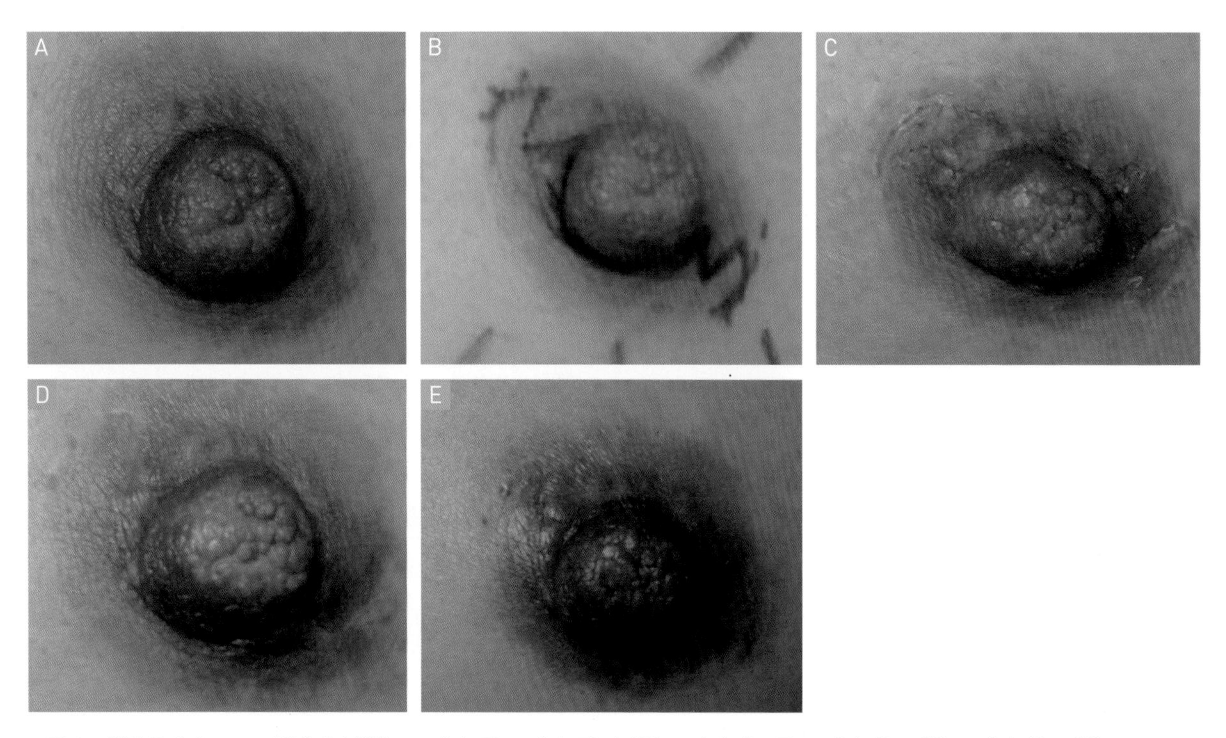

그림 2 **유륜 오메가 zigzag 절개 수술반흔** A. 수술 전, B. 수술 전 디자인, C. 수술 후 3주, D. 수술 후 3개월, E. 수술 후 6개월

수 있으며 수술 후에 구형구축의 발생을 줄이며, 정확한 포켓 형성이 가능해 수술 후 비대칭 유방 등의 수술 후 합병증 발생을 현저히 줄일 수 있으며, zigzag 절개로 인한 wide opening으로 작은 유륜에 비해 상대적으로 큰 보형물 삽입이 가능한 장점이 있다. 즉 3.5 cm이상의 유륜 크기가 필요한 유륜 주위 절개의 한계를 극복 할 수 있다. 또한 색이 일정한 유륜 부위에 zigzag 절개를 해 유륜 주위절개에서 쉽게 생기는 white scar 및 unnatural한 모습을 보이지 않고 수술 흉이 거의 보이지 않는 장점이 있다. 따라서 흉이 문제가 될 수 있는 동양인에게 특히 적합한 절개 방법이다. 그리고 유륜 주위 절개 처럼 surgical field (pocket) 한 가운데서 접근을 하므로 작업 반경이 짧아 수술 정확도가 높으며, 넓은 시야와 짧은 작업 반경으로 재수술의 경우에도 포켓 조작이 쉬우며, 피부가 얇은 환자에서 보형물 만져짐을 예방하는 본 저자의 방법인 subpectoral-subfascial pocket 유방확대술이 가능하는 등의 많은 장점이 있다. 단점이라고는 lactiferous duct 손상, 유두의 감각 신경 손상, 혈종 형성을 막기 위한 술식으로 인해 수술 시간이 상대적으로 많이 걸린다는 점과 어느 정도의 learning curve가 필요하는 점이다.

역사적으로 보면 1978년 Pitanguy가 횡유륜절개(transareolar incision)를 처음 보고하였는데 유륜의 흉터(scar), 유두 감각이상, 보형물 탈출(implant hernia), 유방조직의 감염, 구형구축(capsular contracture)의 높은 발생률 및 수유의 어려움에 대한 보고 등으로 인해 잘 사용되지 않아왔다. 이에 저자는 기존의 Pitanguy술식에서 절개방법 및 박리방법 등에서 발생가능한 합병증을 예방할 수 있게 변형한(modify) 수술방법이다. 이 술식은 기존의 유륜주위절개방법이나 횡유륜절개방법에 비해 수술반흔이 거의 눈에 띄지않고(**그림 2**), 보형물 탈출이나 수유문제에 영향이 없는 방법이다.

수술반흔이 눈에 덜 띄는 이유로는 첫째, 절개반흔이 일직선이 아니고 유두주위를 돌아가는 중간에 끊어진 오메가 모양이며, 유륜 부위도 zigzag fashion이어서 일직선의 반흔보다 훨씬 빨리 훨씬 덜하게 눈에 보인다. 둘째, 피부 절개부위와 보형물을 삽입하는 포켓 절개 입구가 분리되어있어 보형물이나 마사지 등으로 피부에 장력(tension force)이 가해질때 분산되는 효과가 있어 반흔이 덜 생긴다. 셋째, 절개 부위가 매끈한 피부가 아니고, 여러 유륜선(montgomery areolar glands) 입구들(openings)로 인해 불규칙한 유륜의 표면이어서 정확하게 봉합이 될 경우 매끈한 표면보다 눈에 덜 띄게된다. 넷째, 거의 대부분 유륜의 색상이 중앙부는 일률적(monotonous)이나 주변부는 색상이 점차적으로 흐려지면서 불규칙해지는 형상이어서 semicircular한 유륜주위절개 반흔은 unnatural 하면서 눈에 많이 띄는 반면 유륜 오메가절개 반흔은 일률적인 반흔이 남게 된다. 다섯째, 유방확대 후 유두에서부터 멀어 질수록 원심력으로 이해 벌어지는 장력이 커져 유륜 주위 절개 반흔이 wide하게 되는 경향이 있는 반면 유륜 오메가 절개는 중앙에 위치한 이유로 반흔이 wide해 지는 경향이 거의 없다.

1. 유륜 오메가 zigzag 절개 유방확대술

1) 적응증

모든 크기의 유륜에서 수술이 가능하다.

단 사용하는 보형물 종류 및 크기, 환자의 피부 성향(두께 및 늘어나는 정도) 등을 고려해 절개선을 도안해야 한다.

유륜의 지름이 3.0 cm 이상이 가장 이상적이나, 이보다 작을 경우에도 오메가 지그재그 절개 양쪽끝부분에서 유륜 변연부를 따라 아래로 연장하여 절개선을 연장할 수 있다.

식염수 보형물, round cohesive silicone gel 보형물,

속칭 물방울 보형물 등 모든 종류의 보형물을 사용할 수 있다.

2. 수술 시 고려사항 (코히시브 겔 보형물)

첫재, 유륜 오메가 zigzag 절개를 통해 보형물을 삽입하는 포켓은 원하는대로 다 만들 수 있는데, 저자 의 경우 유방의 upper pole의 피부두께(pinch test에서)가 2.5 cm이상인 경우는 근막하(total subfascia) 포켓을, 2.5 cm이하인 경우는 대흉근육하-근막하(subpectoral-subfascial) 포켓을 사용한다. 이는 근육하의 경우 발생하는 보형물의 animation deformity를 피하고, 피부가 얇은 경우 대흉근이 cover하지 못하는 보형물의 아래부분 및 외측 부위를 rectus abdominis, external abdominal oblique, serratus anterior muscle의 근막(fascia)으로 cover하여 보형물의 만져짐(implant palpability) 및 rippling을 예방하기 위함이다.

둘째, 유방보형물의 크기는 유방기저폭(diameter of breast base) 및 피부두께에 근거를 두고 크기를 정하는 것을 원칙으로 한다. 하지만 드물지 않게 유방조직의 폭이 작고 외측 anterior axillary fold (4th intercostals nerve 기시부)까지 여유가 있는 경우가 있는데 이 경우 유방 기저폭 보다 넓은 보형물을 선택 하기도 한다.

셋째, 보형물이 들어가는 포켓의 크기는 round implant의 경우는 유두를 중심으로 유방보형물의 위치를 정하고 smooth implant의 경우 보형물의 크기보다 2-3 cm정도 크게, texture implant의 경우 사이즈를 딱 맞게 만든다. 하지만 소위 물방울 보형물은 재작사에 따라 그 모양이 다양하나 일반적으로 보형물이 가장 돌출되 부위(projected portion)가 보형물 높이의 1/2아래에 위치하므로 물방울 보형물의 경우는 가능하면 물방울 보형물의 크기에 딱 맞게 포켓을 만들되, 유두 아래 부위의 포켓 박리는 라운드 보형물과 달리 물방울 보형물의 높이의 반(half)보다 1-2 cm정도(피부의 탄력도에 따라 잘 늘어나는 피부의 경우 1 cm, 잘 늘어나지 않는 피부는 2 cm) 작게 하는 것이 좋다.

넷째, 많은 경우 수술 전 비대칭 유두나 유방하 주름을 보이는데 이 점이 수술 후 유방의 비대칭의 원인이 되기 때문에 포켓 형성에 주위를 기울여야 한다. 확대 후에도 유두의 위치 차이는 변하지 않으며 유방에서 유두의 위치가 유방의 아름다움을 결정하기 때문이다. 유두의 위치가 유방의 가장 돌출된 부위에 위치해야 가장 이상적이며, 이보다 아래에 위치하는 경우 유방이 쳐져 보이고, 위에 위치하는 경우 유방의 inferior pole이 길어 보이는 결과를 초래한다. 따라서 유두를 중심으로한 포켓 형성을 잘 하는 것이 무엇보다도 중요하다. 따라서 포켓 박리의 원칙을 세우는 것이 중요하다. 유두를 중심으로 포켓을 만드는 경우 유두 위치의 차이만큼 확대된 유방의 비대칭(유방하 주름의 비대칭)을 보이는데 확대된 유방의 비대칭이 수술 전보다 더욱 확연히 비대칭이 심해진다. 이를 피하지 위해 유방하 주름 위치를 맞추는 경우 유두의 위치 차이로 한쪽 유방(유두의 위치가 낮은 쪽)이 쳐져 보이는 결과를 초래한다. 따라서 위의 경우를 피하기 위해서는 유두의 위치가 낮은 쪽에 mastopexy를 시행해야 하는데 이 경우 수술 반흔을 남기는 결과를 초래한다. 이에 본 저자의 경우는 절대적인 기준은 없으나 유두 위치 차이가 2 cm 이내이면 유두를 중심으로 포켓을 만들되 높은 쪽은 약간 내리고 낮은 쪽은 약간 올려(양쪽에서 조금씩 양보해) 유방하 주름의 위치 차이는 그대로 있돼 그 정도를 줄이고 있다. 유두의 위치 차이가 2 cm이상이면 한쪽 mastopexy (nipple-areolar complex 올리기)를 고려해야 한다. 비대칭 유방하 주름은 포켓 박리 위치를 맞춤으로 해결 가능하다. 이때 주위해야 할 것은 새로운 유방하 주름을 낮추는 경우 수술 전 유방하 주름이 뚜렷하고 깊은 경우 기존의 유방하 주름을 완전히 제거해 주어야 수술 후 double bubble deformity

를 피할 수 있다. 유방하 주름이 뚜렷하지 않은 경우는 포켓 박리만 정확하게 하면 큰 문제없이 유방하 주름을 낮출 수 있다. 그리고 비대칭 유두의 경우 확대 후 비대칭이 남는다는 점을, 수술 전보다 심하게 보일 수 있다는 점을 수술 전에 환자에게 반드시 주지시키는 것이 중요하다. 거의 모든 환자들의 경우 수술 전 본인의 유두 위치, 유방하 주름 위치가 비대칭이라는 것을 모르기 때문이다. 비대칭이라는 것을 아는 것은 양쪽 유방의 볼륨 차이(브레지어를 채우는 정도) 정도이다.

다섯째, 수술 전 흉곽의 골격 구조를 잘 파악하여야 한다. 이는 수술 후 비대칭 및 보형물 위치 이상(malposition)의 원인이 될 수 있다. 골격 이상 중 특히 sternum의 이상이 문제가 될 수 있는데, pectus carinatum (pigeon breast, 돌출흉, 새가슴)의 경우는 보형물이 외측으로 displace되는 경향이 있으므로 내측 박리를 조금 더 해 주면서 외측 박리를 줄여 수술 후 보형물이 lateral malposition되는 것을 예방하여야 하며, 반대로 pectus excavatum (funnel chest, 함몰흉, 깔대기가슴)의 경우는 내측 박리를 최소화 하여 보형물이 안쪽으로 몰리는 medial malposition을 예방하여야 한다. 이 외에 rib cage의 대칭성, 모양 등을 수술 전에 정확하게 파악하여 수술 후 보형물의 displace를 유발 할 가능성을 예측하여 포켓 박리 정도를 결정하여야 하며, 늑골의 돌출 정도도 잘 파악하여 수술 후 유방 모양을 예측하여 미리 환자에게 주지를 시키는 것이 중요하다. 양쪽 흉곽이 비대칭인 경우 보형물 선택에 신중을 기해야 한다. 같은 형태의 보형물 을 넣는 경우 수술 후 비대칭을 호소하는 경우가 많다. 이 경우 높이(profile)이 다른 보형물의 사용을 고려해 보아야 한다. 이러한 골격 이상은 여성에서 드물지 않게 볼 수 있다.

여섯째, 수술 전 좌우 유방 크기(볼륨)의 차이이다. 이는 사용하는 좌우 보형물의 볼륨을 결정하는 기준이 된다. 즉 같은 크기의 보형물을 사용할 것인지 아니면 다른 크기의 보형물을 사용할 것 인지를 결정하는 기준이 된다. 유방 크기의 차이는 의사의 객관적인 판단으로도 알 수 있으나, 대부분의 경우 환자 자신이 알고 있는 경우가 많다. 따라서 환자에게 평소 유방의 크기 차이를 물어보고 이를 참고로 객관적 판단을 하는 것이 판단 오류를 줄이는데 도움이 된다. 저자의 경험으로 보면 환자 자신이 양쪽 유방의 볼륨 차이를 느끼는 경우 대부분은 좌우 사용하는 보형물의 크기 차이가 20 cc 이상인 경우가 많다. 보통은 20 cc 정도 크기 차이로 수술 전 유방의 크기 차이가 보정이 되나 심한 경우는 70~80 cc 정도 차이가 나는 경우도 있다. 사용하는 보형물의 선택에 있어 객관적인 영상을 보여주는 기자제가 있으면 좋으나 저자의 경험에 따르면 꽉낀 티셔츠에 여러 종류의 샘플 보형물을 넣어봐서 주관적으로 결정해도 큰 오차 없이 수술 후 대칭적인 유방을 얻을 수 있다. 이 과정은 모든 각도에서 보고 환자와 의사가 같이 결정하기 때문에 수술 후 크기 차이로 인한 불만을 줄일 수도 있는 장점이 있다. 실제로도 거의 오차가 없다. 경미한 유방 볼륨의 차이는 정확하게 맞추기 힘들고 또한 정확하게 맞출 필요도 없다. 수술 전에 환자와 상담시 수술 후에도 약간의 유방 볼륨의 차이가 날 수 있다는 것을 주지 시켜주어야 한다.

3. 디자인

양측 유두의 위치를 위가슴뼈패임(suprasternal notch), 흉부의 중앙, 유방하주름에서 의 거리를 측정하여 대칭성 유무 및 정도를 파악한다. 유방하 주름의 위치 및 대칭성도 미리 파악한다. 유방기저 폭 및 피부 두께를 측정하고, 포켓 종류 및 삽입할 보형물의 크기를 정한다. 유두 주위로 보형물을 삽입할 포켓의 크기 즉 박리(dissection)할 범위를 표시하고, 대흉근의 위치 등을 파악한다.

유륜 오메가 zigzag 절개 디자인은 절개선의 방향

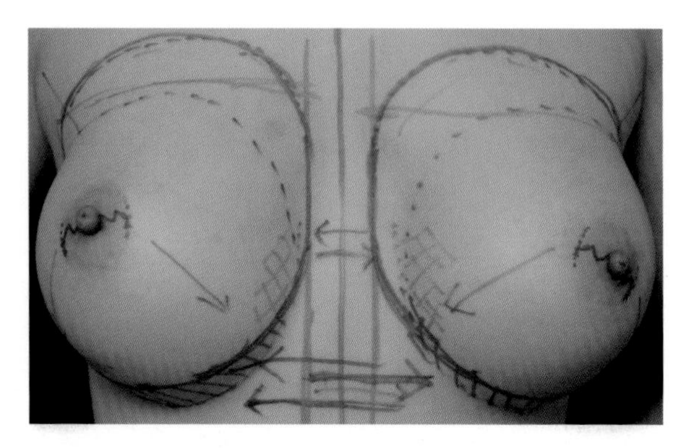

그림 3 유륜 오메가 zigzag 절개선 및 피하 박리방향 등 수술전 디자인

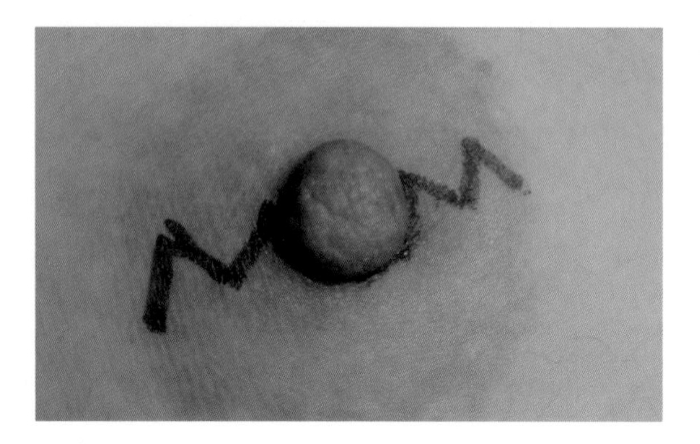

그림 4 유륜 오메가 zigzag 절개선 작도 근접사진.

이 각 유방에서 위에서 아래로 inferolateral direction으로 향하게 디자인 하는데, 환자의 우측은 1시-7시 방향으로, 좌측은 11시-5시 방향 으로 유륜을 가로지르며, 유두의 아래 주위를 돌아가는(semicircular) 절개선을 디자인한다. 이런 inferolaterally directed incision은 내측 포켓 박리를 용이하게 해 준다. 유륜부위의 zigzag incisoin은 유두주위 hemicircle 양 끝에서 5~10 mm(유륜의 크기에 따라 결정) 정도 길이의 arm을 60도 정도의 각으로 만나게 각각 3개 디자인 한다. 이때 만나는 각이 너무 예각이면 triangular flap의 혈액 순환이 나빠져 wound problem이 생길 수 있다**(그림 3, 4)**.

피부 절개 및 피하박리 방향은 유두의 감각을 주로 담당하는 4번째 늑간신경의 외측가지가 손상되지 않도록 계획하였다**(그림 4)**. 참고로 유두유륜복합체의 감각은 79%의 경우 4번 째 늑간신경의 외측가지(4th lateral cutaneous branch)가, 57%의 경우 3번째와 4번째 늑간신경의 전방가지(3rd and 4th anterior cutaneous branch)가 constant하게 신경지배를 한다. 이외 에도 5번째 늑간신경이 관여하기도 한다. 각 늑간신경은 전방가지(anterior cutaneous branch, ACB)와 외측가지(lateral cutaneous branch, LCB)로 나뉘는데, 전방가지는 모든 경우에 피하지방층의 표층(superficial layer)으로 진행하여 유륜의 내측연에 도착하는데, 본 술식

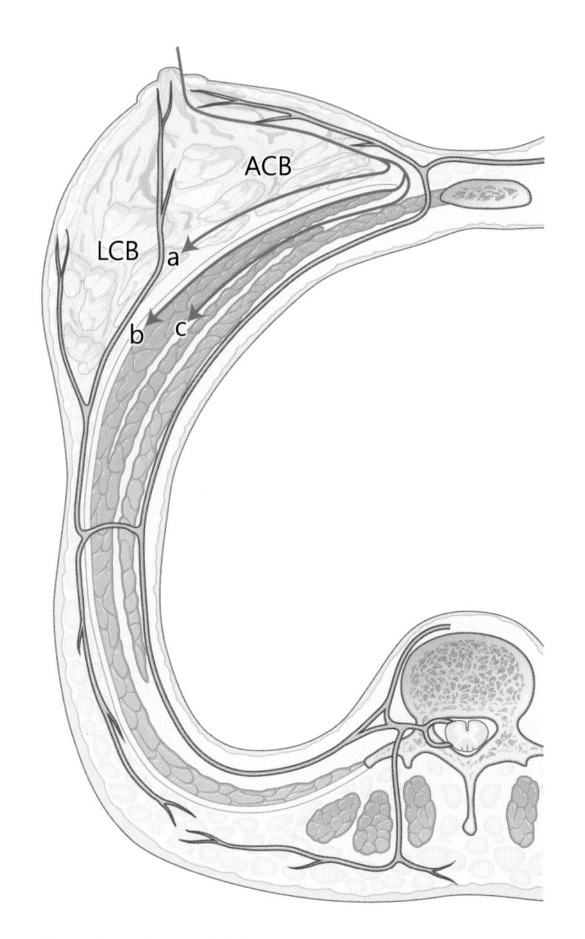

그림 5 유두의 감각신경과 유륜 오메가 zigzag 절개 및 박리 방향. 파란색 선은 박리하는 길을 표시한 것이다. 포켓은 유방조직하(a), 근막하(b) 및 근육하(c) 포켓 등 원하는 대로 만들 수 있다. ACB: anterior cutaneous branch 전방가지, LCB: lateral cutaneous branch 외측 가지.

은 절개가 유륜의 중앙부위이며 방향이 좌측 유방에서 11시-5시, 우측 유방에서 1시-7시 방향으로 비스듬히 위치해 있고 내측으로 박리시 유방조직에 바짝 붙여 하기 때문에 늑간신경의 전방가지(좌측 유방에서 8시-11시사이, 우측 유방에서 1시-4시 사이의 유륜 내측 피하지방층에 아주 superficial하게 terminate)의 손상을 피할 수 있다. 늑간신경의 외측가지는 93%의 경우 심부 경로(deep course)를 취하는데 대흉근 근막을 따라 주행하다 유두의 뒤쪽 심부에서 유두를 향해 올라와 유두에 도착하게 되며, 약 7%의 경우는 전방가지 와 같이 피하지방층을 따라 주행하다 유두의 외측에 도달 하게 된다**(그림 5)**. 따라서 본 술식의 경우 유두 외측은 spare되어 superficial course를 취하는 LCB의 손상을 피하며. deep course를 취하는 LCB도 포켓 박리시 anterior axillary line위치의 늑간 신경 기시부의 손상을 주지않게 주의를 기울이며, 특히 근막하 박리(subfascial dissection) 시 근육에 바짝 붙여 근막에 붙어 주향하는 LCB의 손상을 피할 수 있다.

유두의 감각 문제는 절개 위치가 중요한 것이 아니라 보형물이 들어갈 포켓 형성이 문제 이다. 절개 위치가 어디이든지 보형물을 넣기 위한 포켓을 만들때 포켓이 근육 아래이든 근육 위든 상관없이 외측 포켓 박리시 늑간사이에서 나오는 늑간신경의 외측가지를 부주의하게 manage할 때 유두 감각이 저하되거나 소실하게 된다. 물론 total subfascial 유방확대시 근막에 손상이 가게 박리를 하는 경우나 classic periareolar 유방확대때 유방조직 cutting시 늑간 신경의 손상을 초래할 수도 있다. 또한 상대적으로 큰 보형물을 사용하는 경우에도 늑간신경의 stretching을 초래해 감각의 저하가 나타날 수도 있다. 하지만 가장 중요한 점은 포켓 외측 박리 시 늑간 신경 손상을 줄이는 것이 유두 신경 보존에 가장 중요하다.

참고로 본 술식의 경우 유두 감각 외에도 모유 수유 문제를 우려 할 수 있는데, 이는 유륜 오메가 zigzag 절개 후 피하 박리시 lactiferous duct(육안으로 구분가능) 손상을 주지 않고 유방조직(breast parenchyma) 손상을 주지 않고 유방조직 끝 부분까지 피하 박리를 한 후 원하는 포켓을 형성 함으로써 수술로 인한 모유 수유 문제를 최대한 피할 수 있다.

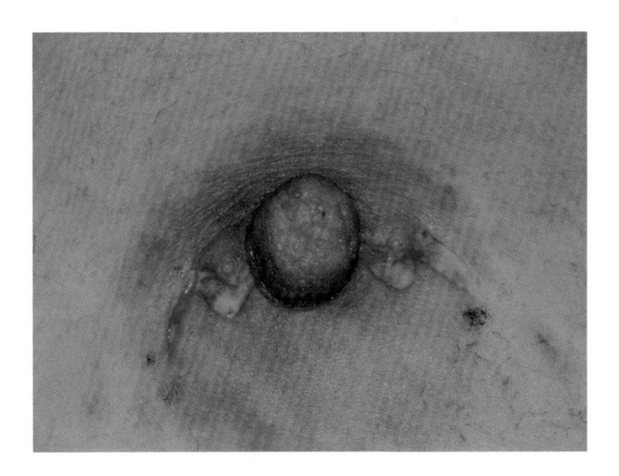

그림 6 디자인 선을 따라 절개한 모습.

4. 수술방법

모든 수술은 전신마취하에서 시행한다.

먼저 예정된 유륜 오메가 zigzag 절개를 시행한 후 **(그림 6)** 하내측 방향으로 유방의 내측연을 향해 피하조직층과 유방조직사이로 박리한다. 이때 유방조직은 약간 흰색의 단단한 조직으로 보이며, 피하조직은 노란색의 부드러운 조직으로 보여 쉽게 구분이 된다**(그림 7, 8)**. 개인간 차이로 인하여 대부분 이 부위 박리가 잘 되지만 드물게 두 조직 사이 구분이 잘 되지 않고 박리도 잘 되지 않는 경우도 있는데 이때 가능한 유방조직 손상을 주지 않도록 주의를 기울여야 한다.

또한 피부 절개 후 피하 박리 시 가능한 피하지방을 최대한 포함하고 피하 지방의 손상을 줄여야 하며, 특히 유두 주위에서 lactiferous duct를 바짝 따라가면서

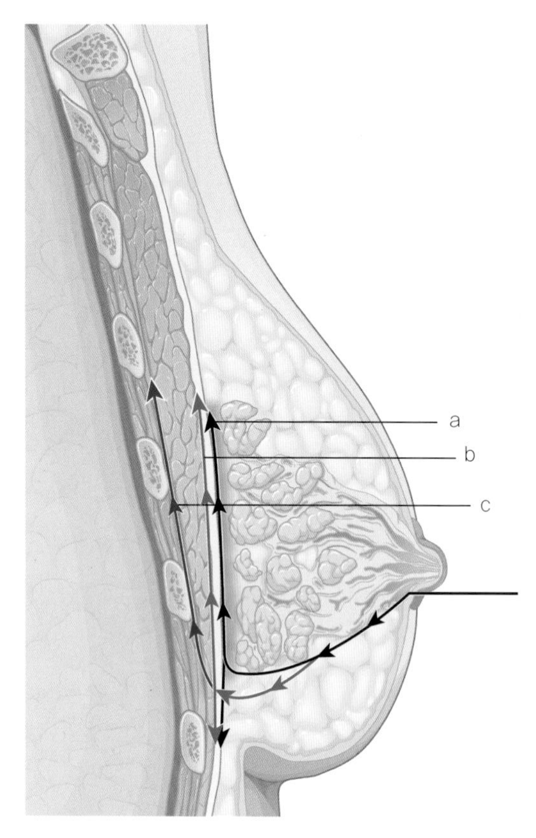

그림 7 유륜 오메가 zigzag 절개 후 피하박리 진행 방향 및 포켓 형성 단면도
a(검은선): 유방조직하 포켓, b(파란선): 근막하 포켓, c(붉은선): 대흉근하 포켓.

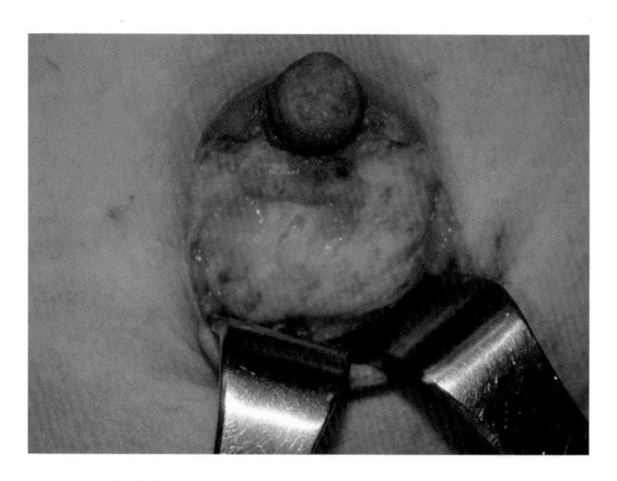

그림 8 절개 후 피하조직과 유방조직 사이로 박리하는 중으로. 아래쪽에 하얀색의 유방조직이 보인다.

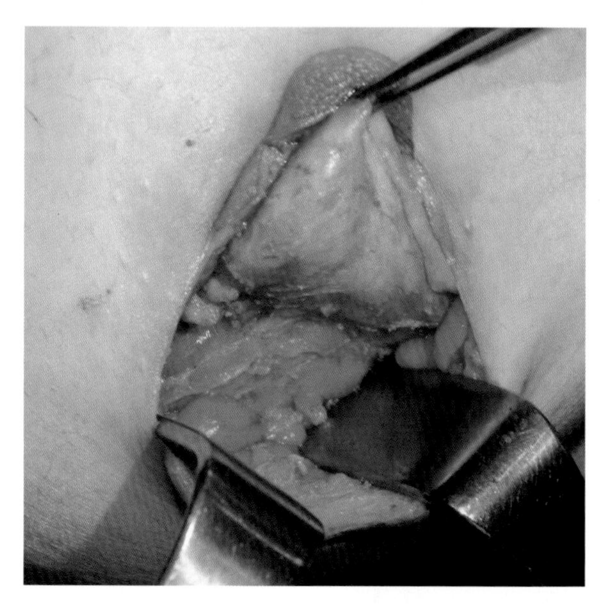

그림 9 박리가 유방조직 끝부분까지 도달한 상태. 유방조직을 위쪽으로 견인한 상태로 이후 원하는 포켓 박리를 하게 된다.

피하지방을 최대한 포함하도록 주의를 기울여야 하는데 이는 수술 후 피하박리 부위의 유륜의 볼륨 감소, 유륜의 contraction으로 인한 유륜 변형 등을 막기 위함이다. 특히 피부의 탄력이 떨어진 경우나 피부가 얇은 경우 유륜이 봉긋한(plump, chubby) 경우 조심을 기울여야 한다.

이후 피하박리를 유방조직 끝부분까지 하며(**그림 9**) 유방의 하내측에서 대흉근 근막을 확인하고, 계획된 포켓을 만든다. 근막하 포켓을 만드는 경우 근막에 절개를 가하고 근막과 근육사이를 박리하여 예정된 크기의 포켓을 만드는 데, 모든 지혈과 박리는 직접 눈으로 보면서 할 수 있다. 이때 대흉근(pectoralis major muscle) 근막을 먼저 찾아 절개 후 진행하는 것이 복직근(rectus abdominis muscle) 및 외복사근(external abdominal oblique muscle) 근막을 먼저 하는 것 보다 근막하 포켓을 만들기 쉽다. 이때 대흉근 근막과 주위 복부 근육들의 근막과의 연결 부위가 서로 overlap되어 불분명하지만 아래에 근육(muscle proper)을 남기는

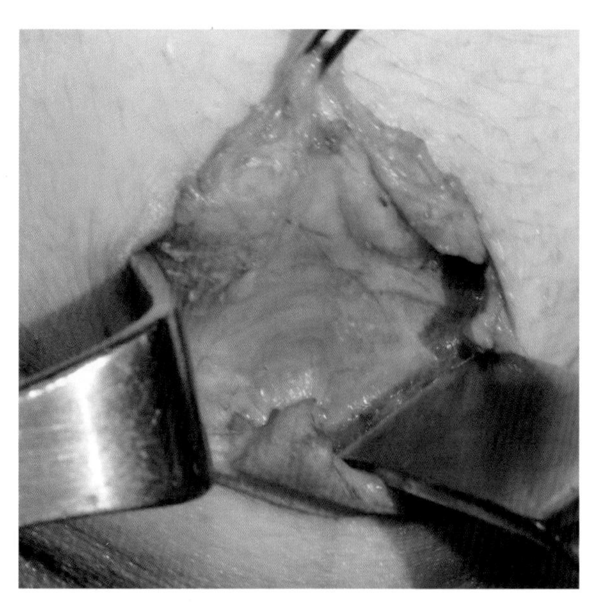

그림 10 근육하–근막하 포켓 유방확대술로써 아래쪽 근막 피판을 거상한 모습.

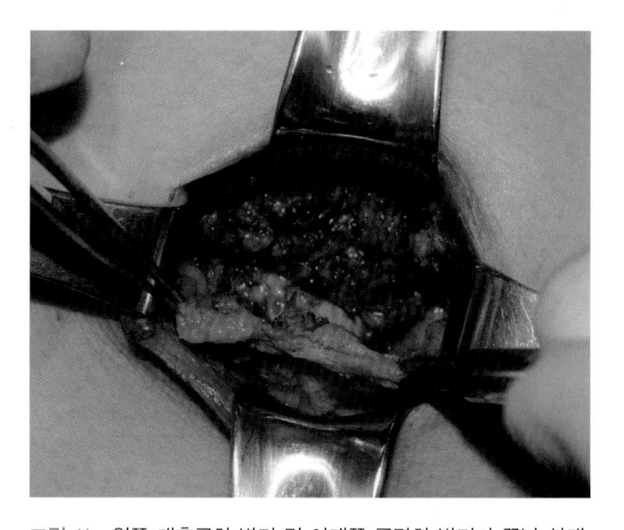

그림 11 위쪽 대흉근하 박리 및 아래쪽 근막하 박리가 끝난 상태. 아래쪽에 거상한 근막 피판을 잡고 있는 모습이며 바닥 위쪽에 박리가 끝난 대흉근의 하부가 보인다. 바닥 가운데 하얀 부위는 연골막이다.

것을 보면서 주의 깊게 박리를 하면 완벽한 근막하 포켓(total subfascial pocket)을 형성할 수 있다. 저자의 경우 근막하 박리 순서는 근막 절개를 한 후 먼저 하내측→아래쪽→하외측 근막하 박리를 하여 정확한 새로운

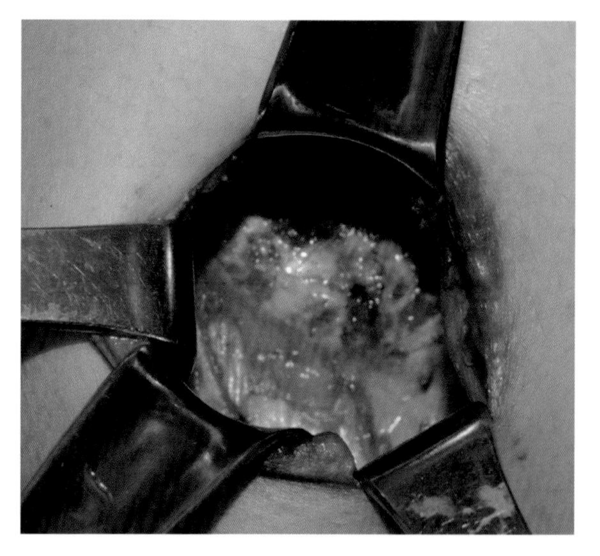

그림 12 근육하–근막하 포켓 형성 후 근육과 근막을 traction한 상태로 바닥에 연골막, 골막 및 intercostal muscle이 보인다.

유방하 주름을 만들고, 이후 상내측→위쪽→상외측 박리를 한다. 근육하-근막하 포켓(subpectoral-subfascial pocket)경우 박리는 근막 절개 후 아래부위 근막 박리를 끝낸 후 pectoralis major muscle의 외측을 확인하고 대흉근의 내측→위쪽→아래쪽 근육하 박리를 하고 이후 대흉근 외측의 근막하 박리를 해서 근육하-근막하 박리를 완성하게 된다(**그림 10,11,12**). 모든 포켓의 외측 박리시 4th(가능한 5th, 3rd) intercostal nerve 손상을 피하도록 주의를 기울여야 한다. 이 외에도 포켓 형성에 크게 방해가 되지 않다면 가능한 모든 종류의 감각 신경을 보존하는 것이 좋은데 이는 수술 후 유두를 비롯한 유방 피부 부위의 감각 저하나 소실을 호소하는 것을 예방 할 수 있다.

참고로 포켓의 크기는 round smooth implant의 경우는 보형물 크기보다 최소 약 2.5 cm (1 fingerbreath) 이상 크게(주로 보형물의 위쪽, 외측 부위) 만들고, round texure implant, anatomic shape or teardrop shape implant의 경우는 가능한 보형물 크기에 딱 맞게 포켓을 만들어 준다. 이는 스무스의 경우는 보형물 보다 포

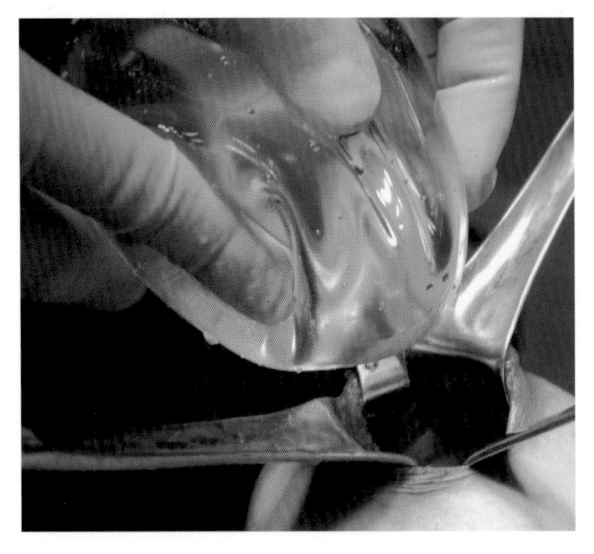

그림 13 유륜 오메가 zigzag 절개를 통해 보형물을 삽입하는 모습.

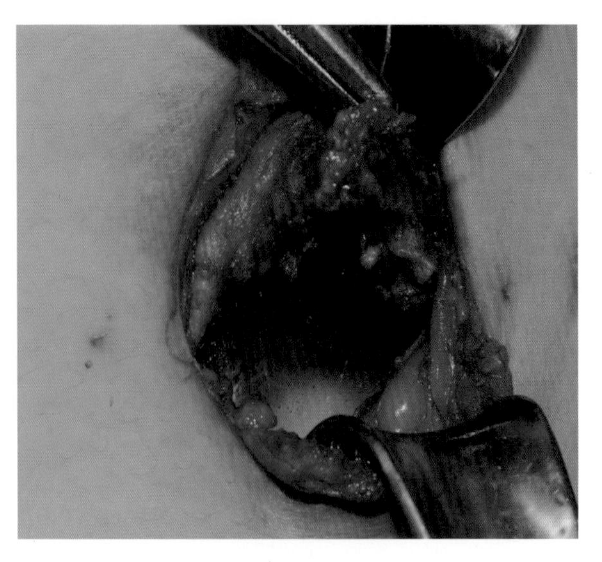

그림 14 보형물 삽입 후 대흉근 을 포함하여 유방조직 하단을 봉합사로 뜬 상태.

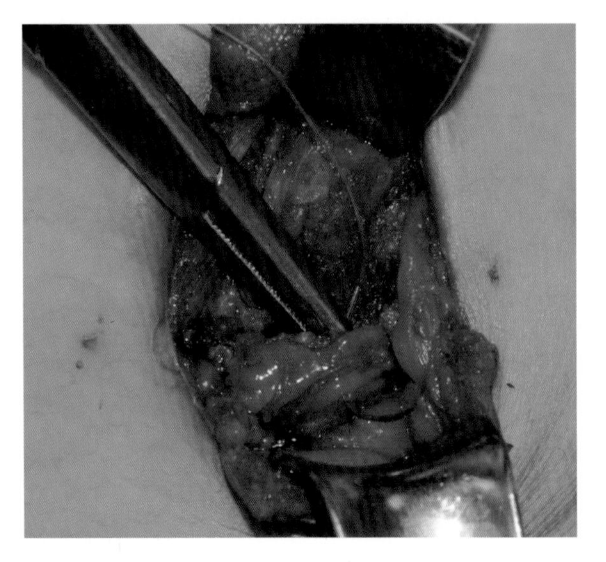

그림 15 이후 하부 근막(정확히 얘기하면 adipofascial flap)을 뜬 상태.

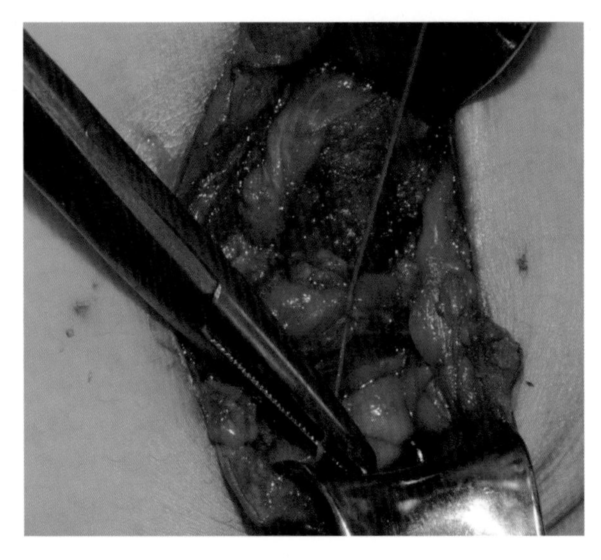

그림 16 유방조직(근육) 하단과 근막을 봉합하는 모습.

켓이 약간 커야 수술 후 환자가 달리기 등의 운동을 할 때 조금 더 자연스럽게 보형물이 위아래로 움직이게 되며, 누웠을 때도 보형물이 약간 외측으로 움직여 자연스러운 유방의 모약을 취하게 하기 위해서이다. 텍스춰 보형물의 경우는 double capsule이나 seroma 형성을 막기위해서 보형물과 조직 사이에 유착(adhesion)이 중요 하므로 포켓을 가능한 정확하게 맞는 크기로 만드는 것이 중요하다.

이후 철저한 지혈(complete hemostasis)과 많은 양의 식염수로 포켓 세척(massive saline irrigation)을 한

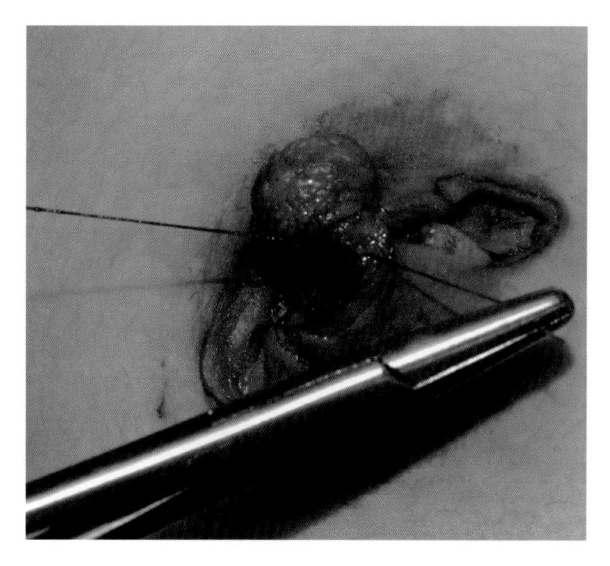

그림 17 흡수사로 피하봉합을 하는 상태.

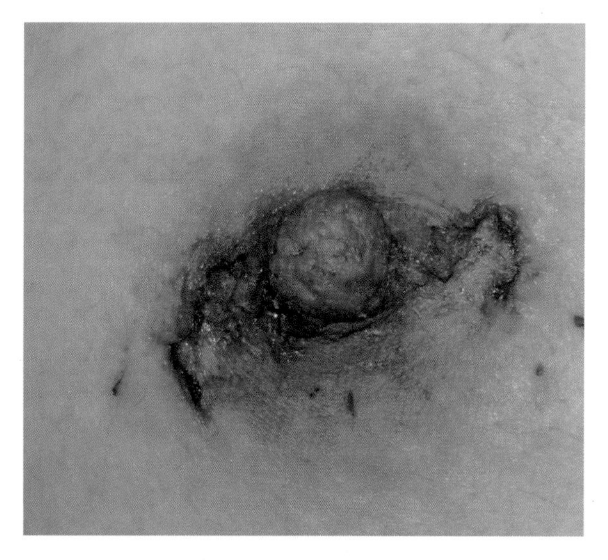

그림 18 피부를 본드 타입으로 봉합한 상태.

후, 유륜 zigzag 절개를 통해 유방 보형물을 삽입한다 **(그림 13)**. 이때 수술 후 감염 예방을 위해 보형물을 항생제 용액(저자의 경우 cefazoline + gentamicin solution)에 담가둔 후 사용하고, 유륜 주위 피부를 포비딘(povidine iodine)으로 잘 소독하고 견인기(retractor)로 잘 견인한 후 가능한 피부가 보형물에 닿지 않도록 하여 보형물을 삽입한다.

보형물 삽입 후 유방의 하내측 부위에서부터 분리된 근막과 근육 또는 유방조직의 하단을 흡수사로 일차봉합해 닫아준다**(그림 14, 15, 16)**. 이 근막봉합은 보형물을 근막으로 cover하고, 보형물과 유방조직을 완전히 분리 시키기 위한 것이며, 보형물이 크고 근막이 tight하면 보형물이 위로 올라가 부자연스러운 유방모양이 될 수 있으므로 이때는 근막을 조절하여 자연스러운 모양을 만드는 것이 중요하다.

유륜부위의 절개부 봉합은 유륜 절개부의 피하지방층 및 피부 봉합을 층별로 해준다**(그림 17)**. 저자의 경험을 통해 피부 봉합의 경우 봉합사를 사용 할 수도 있으나, 피하 지방층의 봉합을 잘 해 준 다음 피부는 본드 타입의 glue제품을 사용해 봉함을 잘 해 주는 것이 수술 후 상처 치료나 치유면에서 유리하다고 생각한다 **(그림 18)**. Accurate appoximation이 이루어 지면 수술 후 흉터면에서 매우 만족스러운 결과를 얻을 수 있다.

5. 증례

그림 19. 그림 20. 그림 21. 그림 22.

6. 장단점

유륜 오메가 zigzag 절개는 수술 정확도가 뛰어나다는 점과 수술 후 반흔이 거의 남지 않는다는 두가지 큰 장점이 있다. 먼저 수술 반흔면에서 보면 반흔이 유륜에 국한되며 확대 후 유륜 주위 절개나 유방하 주름 절개에 비해 절개선 부위에 tension이 적게 걸려 수술 후 양적 질적면에서 반흔이 뛰어나다. 여러가지 조건에 의해 눈에 띄는 반흔이 남았다고 하여도 약 6개월 정도의 wound healing 기간이 지난 후 반흔 부위만 permanent tattoo를 통해 흉이 보이지 않게 될 수 있다.

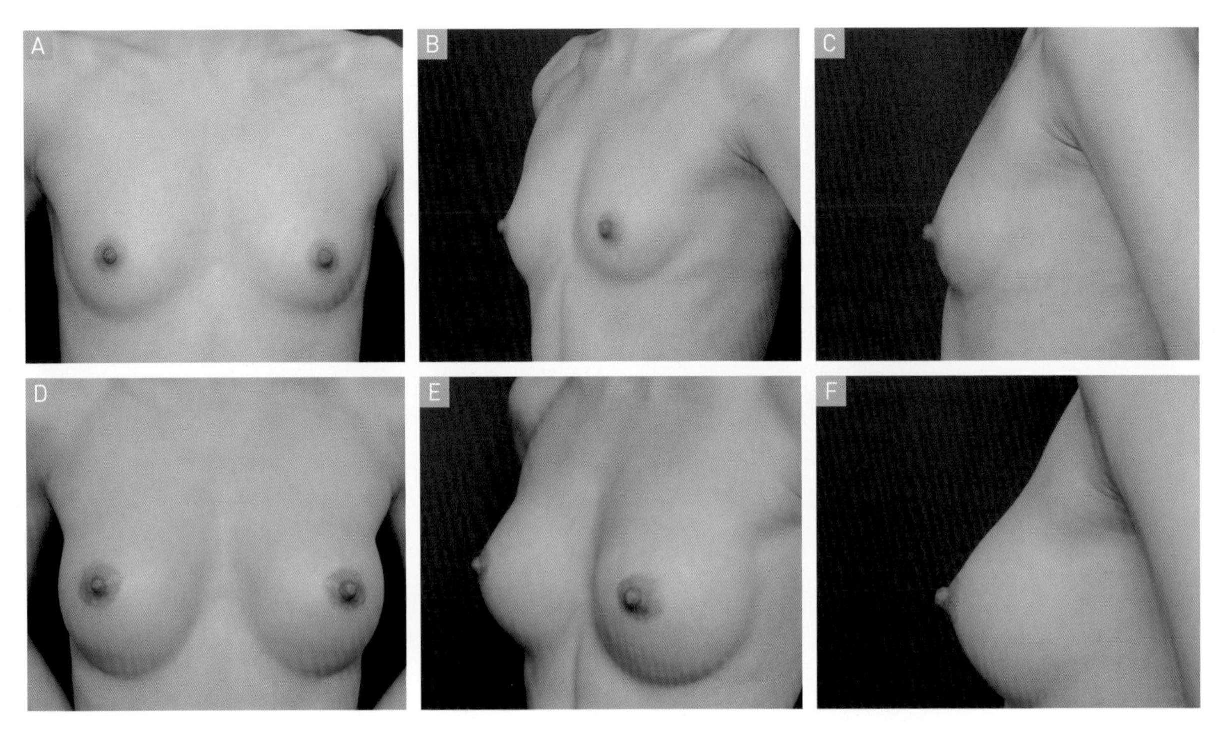

그림 19 유륜 오메가 zigzag 절개, 근육하-근막하 포켓, smooth surface, moderate profile 240cc cohesive gel implant 로 수술 후 3년. A,B,C. 수술 전, D,F,F. 수술 후

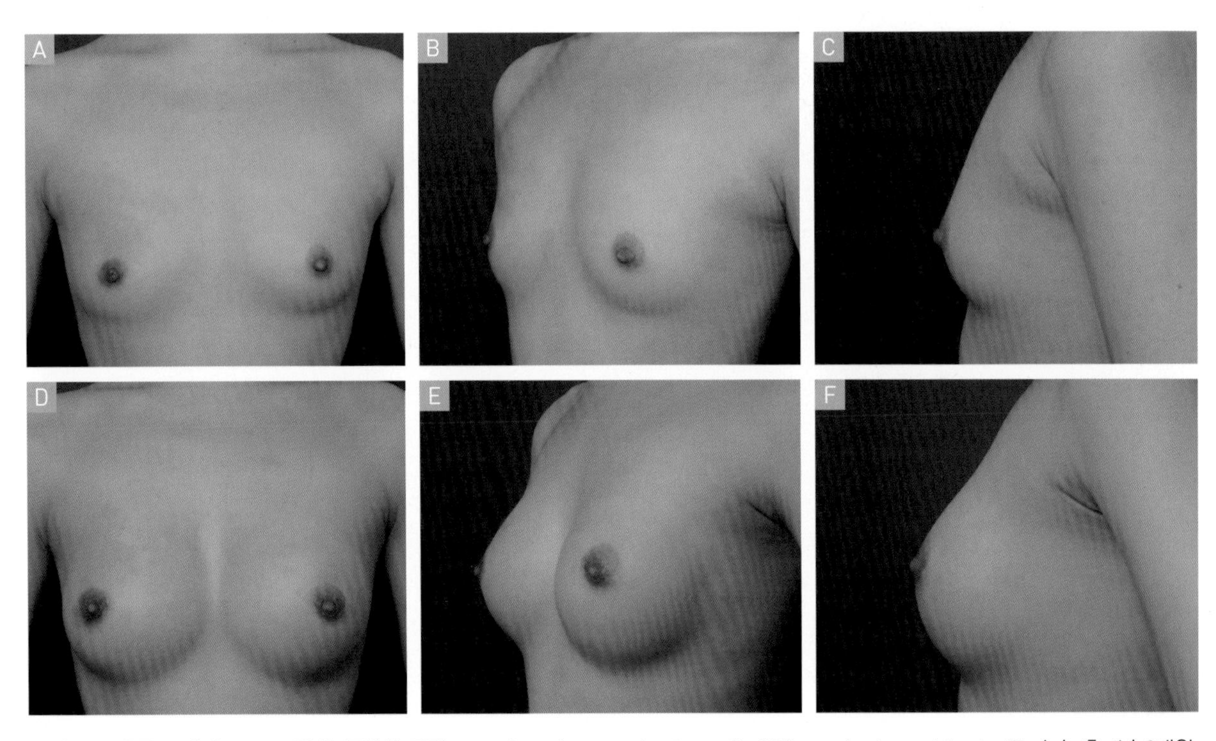

그림 20 유륜 오메가 zigzag 절개, 근막하 포켓, smooth surface, moderate profile 300cc cohesive gel implant로 수술 후 1년 3개월. A,B,C. 수술 전, D,F,F. 수술 후

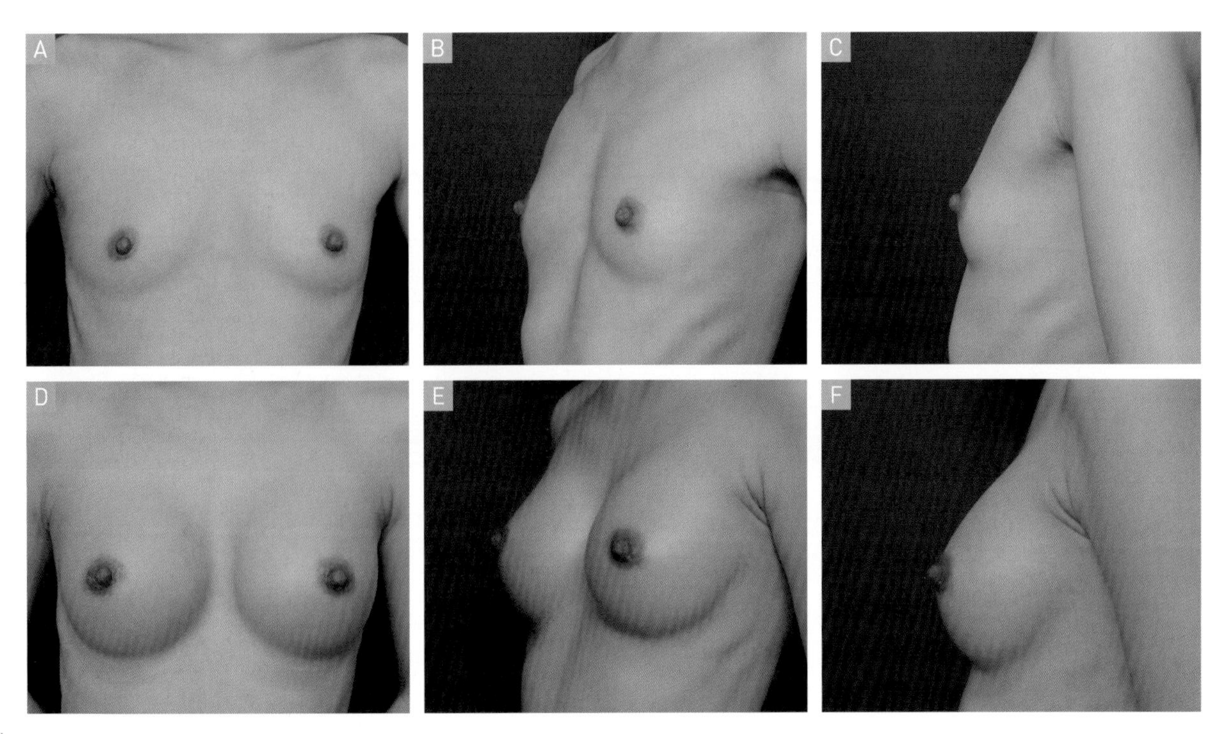

그림 21 유륜 오메가 zigzag 절개, 근육하-근막하 포켓, full height/full projection 255g anatomic implant로 수술 후 11개월. A,B,C. 수술 전, D,E,F. 수술 후

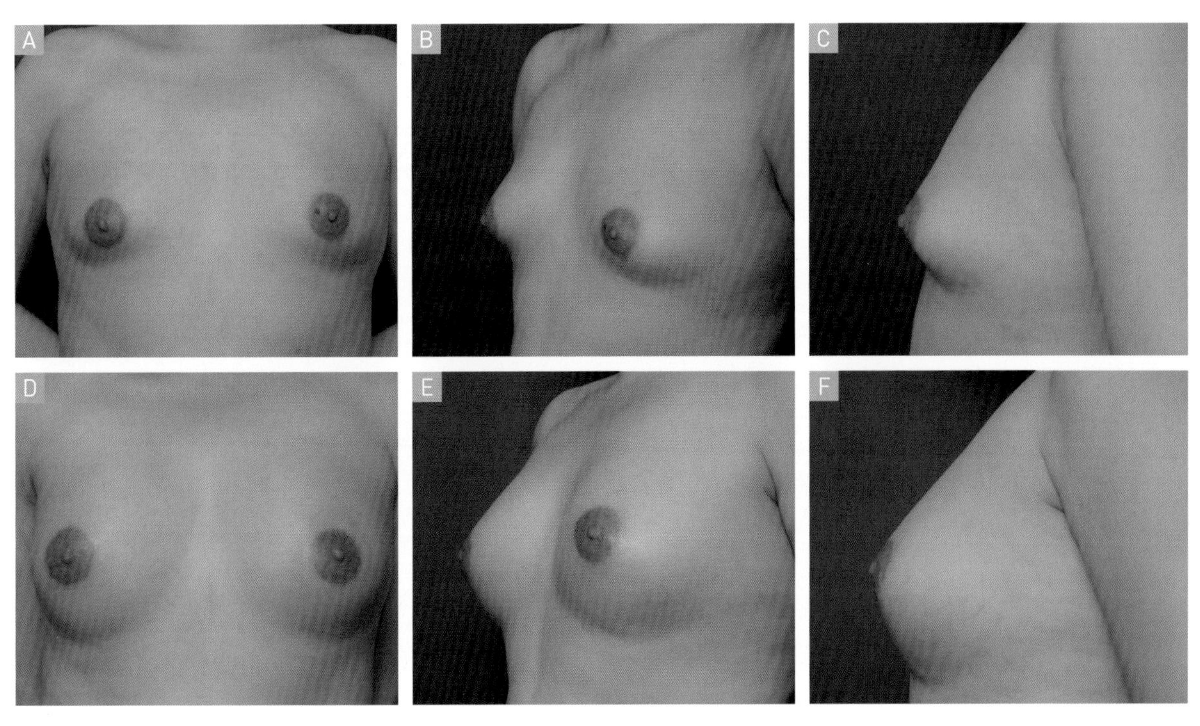

그림 22 유륜 오메가 zigzag 절개, 근육하 포켓, 우측 full height/full projection 375g, 좌측full height/moderate projection 350g anatomic implant로 수술 후 3개월. A,B,C. 수술 전, D,F,F. 수술 후

또한 절개위치가 유방중앙에 위치해 있고 zigzag절개를 통한 wider access로 내시경 등의 특수 장비 없이 직시하에서 정확한 박리, 주위 조직에 less trauma 및 철저한 지혈이 가능해, 정확한 포켓을 만들 수 있고, 혈종 형성을 최소로 해 수술 후 합병증 발생(구형 구축, malposition, hematoma. Infection 등)을 최소화 할 수 있으며, 수술 후 통증이 거의 없어 일상생활로의 조기 복귀가 가능하다. 저자의 경우 모든 환자에서 수술 다음날부터 샤워 및 거의 모든 일상생활 및 심한 육체적 노동을 하지 않는 직장생활로의 복귀가 가능하였다.

본 술식의 단점으로는 다른 수술방법에 비해 수술시간이 다소 많이 걸린다는 점과 수술 후 합병증을 최소화 하는 술기를 습득하는데 다소 긴 learning curve가 필요하다는 점이다.

7. 수술후 처치

수술 직후 유방보형물의 위치를 고정하기 위한 테이핑을 시행하고, 레스톤 스폰지와 탄력붕대 등 으로 가벼운 압박 드레싱을 시행한다. 수술 후 다음 날 드레싱을 제거하고 보정 브레지어를 착용 시킨다. 수술 다음날부터 샤워를 포함한 모든 일상생활이 가능하다. 유륜 절개부 본드 및 고정 tape는 수술 후 3주 경에 제거한다. 유방 고정 케이핑은 round 스무스 및 텍스쳐 보형물은 1주, 소칭 물방울 보형물은 rotation 등의 문제를 피하기 위해 2주경에 제거를 한다.

저자의 경우 라운드 텍스춰 및 물방울 보형물은 6개월까지 seroma형성을 예방하기 위해 마사지를 금지시키고 보형물이 밀리는 정도의 힘이 가하지 않게 조심을 시키며, round smooth implant의 경우는 수술 후 1주경부터 3주까지 보형물의 전위운동(displacement exercise)을 시키고, 수술 후 3주경부터 3개월까지 유방보형물의 마사지를 시킨다. 수술 후 운동은 수술 후 2-3일부터 가슴 부위를 심하게 움직이는 것 외에 모든 가벼운 운동이 가능하며, 가슴 부위를 많이 움직이는 격렬한 운동은 수술 후 1.5개월경부터 시킨다. 이는 특히 텍스춰 계통 보형물의 capsule 형성이 만족스럽게 형성되는 기간을 기다리는 기간이다.

참·고·문·헌

1. Han HH, Kim KK, Lee KH, Park DE, Rhie JW, Ahn ST, Lee PK. Transareolar-Perinipple (Areolar Omega) Zigzag Incision for Augmentation Mammoplasty. Plast Reconstr Surg. 2015;135(3);517e-525e.
2. Lee JH, Lee PK, Oh DY, Rhie JW, Ahn ST. Subpectoral-Subfascial Breast Augmentation for Thin-Skinned Patients. Aesth Plast Surg; 2012;36;115-121.
3. Lee PK, Kim JH, Seo BC, Oh DY, Rhie JW, Ahn ST. Transareolar-Perinipple Dual Pockets Breast Augmentation. J Korean Soc Plast Reconstr Surg 2007;34(1):93-98.
4. Schlenz I, Kuzbari R, Gruber H, Holle J. The sensitivity of the nipple-areola complex: an anatomic study. Plast Reconstr Surg. 2000;105(3):905-909.

Chapter 09

Augmentation mammoplasty »

액와부 내시경 확대 유방 성형 수술

Transaxillary endoscopic augmentation mammoplasty

| 윤원준 |

겨드랑이절개를 이용한 유방확대술은 1973년에 독일의 Hoehler가 처음 발표하였으며 한국에서도 1977년도에 조문제 등이 증례발표를 한 바 있다. 이후 한국에서 보다 많은 발전이 이루어져서 유방확대수술 방법 중 가장 많이 사용되어져 왔다.

유방이 작고 피부가 비교적 단단하며 마른체형이 많은 동양인에서는 유방확대술 시 겨드랑이 절개를 이용하는 방법이 좀 더 적절하다고 생각되어지며, 실제 한국 일본 등 동양권에서는 겨드랑이 절개법이 많이 이용되어지고 있다. 초기부터 사용되던 겨드랑이 절개법은 blind technique로 둔적박리(blunt dissection) 였으나, 이 방법은 혈종발생의 확률이 높고 정확한 공간박리가 어려운 점이 있었다. 그래서 이와 같은 문제점을 보완하기 위한 내시경 겨드랑이 절개 유방확대술이 Ho와 Price 등에 의해 소개되기 시작했다. 우리나라에서도 90년대 말부터 겨드랑이절개 유방확대술에 내시경이 도입 되었으며 2000년대에 들어서 겨드랑이절개 내시경 유방확대술을 적용하는 술자들이 점점 증가하고 있는 추세이다. 내시경 사용으로 정확한 박리가 가능해졌고 meticulous hemostasis로 dry pocket을 만들 수 있게 되어 매우 좋은 결과를 얻고 있다. 저자는 겨드랑이절개 내시경 유방확대술이 수술흉터를 유방에 위치시키지 않고 상기한 많은 장점을 동시에 가지고 있는 매우 적절한 방법이라고 생각한다. 최근 들어 겨드랑이절개 내시경방법으로 dual plane type II and type III의 포켓박리가 가능한 수술방법을 저자 등이 발표한 바 있으며, malposition 또는 double bubble deformity, capsular contracture, symmastia 등 complication의 재수술을 하는 경우에서도 겨드랑이절개 내시경 방법이 유용하게 사용될 수 있어, 겨드랑이절개 내시경 유방확대술이 유방확대수술의 모든 영역에서 유용하게 사용될 수 있는 방법이다.

1. 수술 전 준비

수술 전 상담할 때 환자에게 환자의 건강상태에 대해 자세히 설문을 하여야 하며, 환자가 예전에 앓았거나 현재 앓고 있는 질환이 있는지와 수술 받았던 경험이 있는 지에 대해 충분히 파악하고 수술 전 혈액검사를 통해 환자의 건강상태를 세밀하게 체크하여야 한다. 피임약인 호르몬제나 오메가3와 같은 식품보조제는 수술 전 1주일 전까지는 중단하는 것이 좋으며, 환자가 수술전후에 약물을 복용하고 유지하여야 하는 경

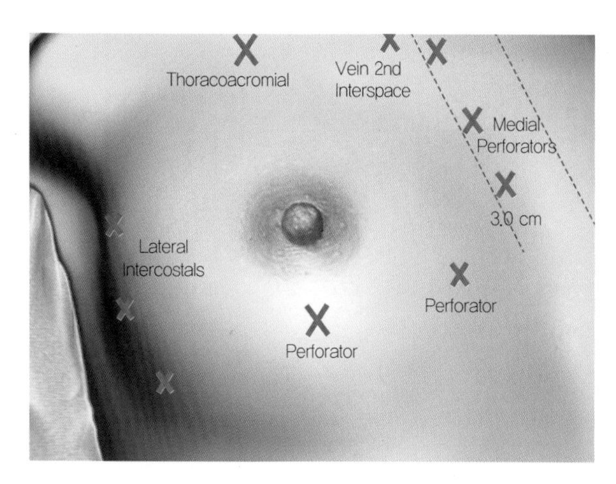

그림 1 Location of the most significant blood vessels encounterd when dissecting a subpectoral pocket

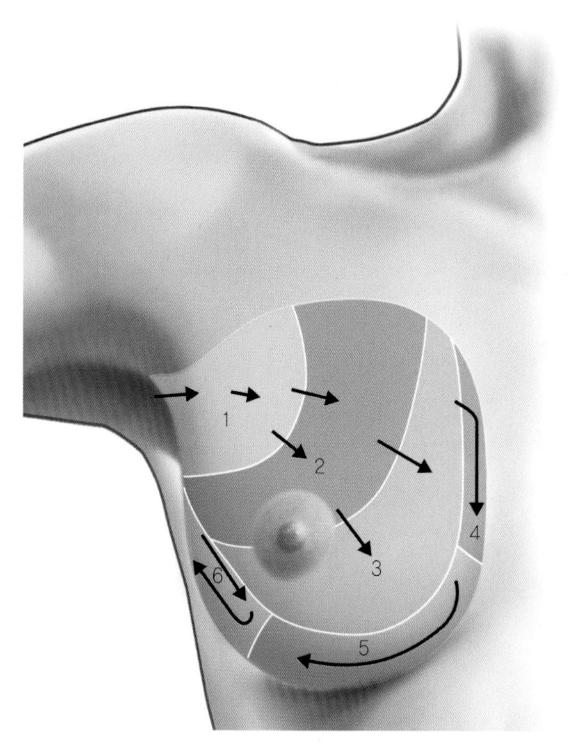

그림 2 Pocket dissection sequence via the axillary approach

우에는 해당 담당의사와 충분히 상의한 후 수술을 결정하고 약물복용 여부를 결정해야 한다.

수술 전 디자인은 스웨덴의 Randquist가 단순화 시켜서 정리한 방법이 많이 사용되고 있으며, 이 방법은 유방하절개법을 기술한 챕터에서 자세히 다루어져 있으므로 자세한 설명을 생략한다. 유방하절개법을 이용한 유방확대에서는 new IMF line을 설정하는 것이 절개선 위치를 결정하는데 매우 중요한 과정이다. 새로운 유방밑선을 정하고 절개를 한 뒤에, 유방밑선의 위치를 수정하는 것이 곤란할 때가 있다. 그러나 겨드랑이 절개법으로 접근하여 유방확대를 할 때는 수정이 가능하므로, 수술 전 디자인 과정에서 유방밑선의 결정은 수술자에게 많은 스트레스를 주지 않는다.

수술은 전시마취하에 진행한다. 전신마취가 시행되면, 환자를 수술침대에 팔을 벌린상태로 위치시키고 목아래부터 양측 팔관절과 배꼽아래까지 충분한 양의 베타딘 용액으로 소독한다. 저자는 Adams solution을 주로 사용하고 수술 중에도 Adams solution을 이용해 수술부위를 자주 닦아 contamination을 최소화 하려고 노력한다. 환자를 소독한 후에 소독된 포를 이용해 드랩을 실시하고 양쪽 어깨관절이 움직여서 위아래로 팔의 위치를 변화시킬 수 있도록 수술침대를 설정한다.

유두에서 분비물이 나와서 오염되는 것을 막기 위해 테가덤 등을 이용해 쉴딩 한다.

수술을 시작하기 전 다시 한 번 디자인을 확인하고, 디자인이 지워진 경우 마킹펜으로 다시 그려준다. 좌우 유방크기의 차이가 있는 경우에는 좌우 차이를 피부에 기록해 둔다. 또한 수술 전에 설정한 겨드랑이 절개위치를 수술침대에 누운 상태에서 다시 한 번 확인하고 절개선을 그린다. 이때 절개선의 길이는 보형물의 크기에 따라 정하게 되는데, 250 cc 정도의 경우에는 4 cm정도 300 cc 경우에는 4.5 cm 정도로 절개선을 정하고 환자의 피부가 단단하고 늘어나지 않는 경우에는 0.5 cm 정도가 더 필요한 경우도 있다.

수술 중 전신마취에 도움을 주며 술후 통증완화에도 도움을 주고자 유방외측에서 intercostal nerve block을 시행하는데 통상적으로 3번째부터 5번째 외측늑간

신경에 block을 시행한다. Hydro-dissection을 목적으로 수술 시 시행할 박리부위에 투메센트용액을 주입하며 일측당 60~80 cc 정도 주입한다. 이것은 hydrodissection의 역할뿐 아니라 통증완화 및 수술 중 출혈방지에도 도움이 된다.

2. 수술과정

대부분의 경우에 근육하로 박리하여 보형물을 삽입하는 겨드랑이절개 근육하 방법을 하게 되며, 드물게는 유선하 방법을 사용하기도 한다.

수술 시 박리할 위치에 투메센트용액을 주입한 후에, 겨드랑이 위치에 미리 디자인한 절개선을 따라 절개하고 바이폴라 electrocautery 포셉을 이용하여 절개선 아래를 지혈한다. metzembaum을 이용하여 절개창에서 대흉근방향으로 박리를 진행하면 겨드랑이부분의 대흉근을 만나게 된다. 절개창에서 대흉근까지는 피하지방 level로 진행해야하며 피부아래 0.5 cm~1 cm 정도의 깊이에서 피부와 평행하게 진행하게 되는데 겨드랑이 심부를 향하여 하방으로 박리하지 않도록 주의해야 한다. 겨드랑이 절개창에서 대흉근을 만나는 박리를 하는 과정에서 thoracoepigastric vein을 만나는 경우가 있으며, 이것은 electrocautery를 이용해 지혈한 후 박리한다.

대흉근을 만나게 되면 metzembaum을 이용해 대흉근을 둘러싸고 있는 대흉근 근막을 절개하고 대흉근 하방으로 박리를 진행한다. 대흉근 하방으로 박리하는 대부분의 경우 소흉근의 외측면이 대흉근의 외측면에서 쉽게 구별되지만, 드물게 소흉근의 외측면이 대흉근의 외측면과 비슷한 위치에서 있고 fascia로 싸여있어 구별하기 어려운 경우도 있다.

따라서 대흉근 아래로 박리를 진행할 때 소흉근 아래로 박리하는 경우가 발생할 수 있다. 그러므로 대흉근 아래로 접근해 들어갈 때 대흉근 아래인지를 정확히 확인하고 들어가야 한다. 박리된 공간에 손가락을 넣어서 대흉근 아래의 소흉근이 촉지 되는지 그 위치를 확인하는 것은 반드시 필요한 과정 중 하나이다.

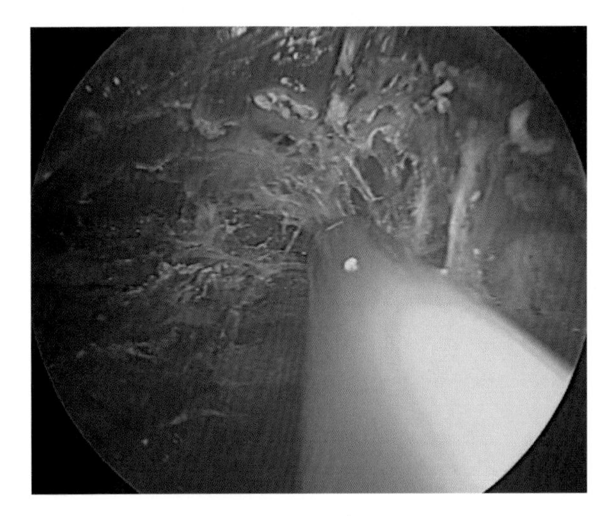

그림 3 Endoscopic submuscular dissection at zone 3.

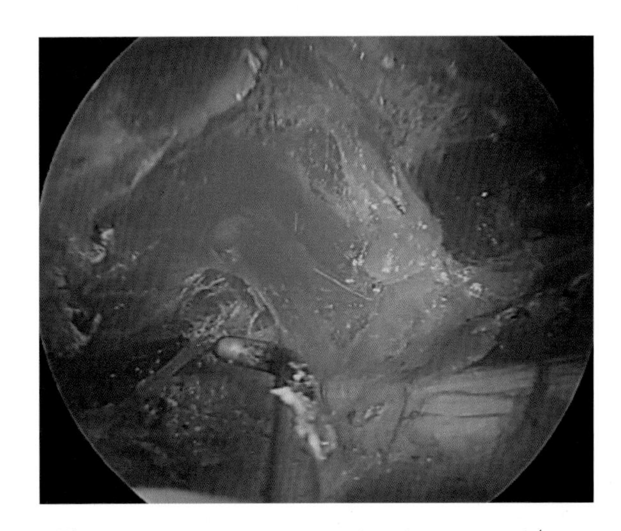

그림 4 Endoscopic submuscular dissection at zone 4 (parasternal area).

대흉근 아래에 입구를 확보한 후에는 내시경을 삽입하고 내시경 박리를 하게 된다. 내시경 박리는 일반적으로 내측에서 외측인 부채꼴 형태로 진행하는 것이 용이하며, 유두상부에서는 박리층 아래에 소흉근

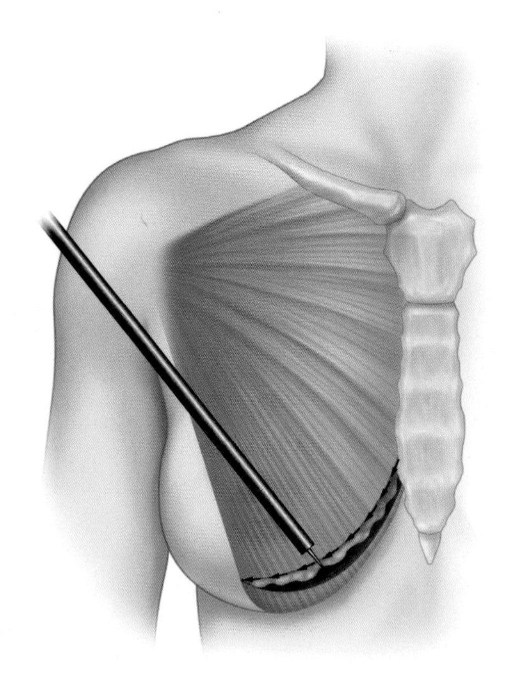

그림 5 electric cautery tip devide the rib origin of pectoralis major at IMF level, from medial side to lateral side.

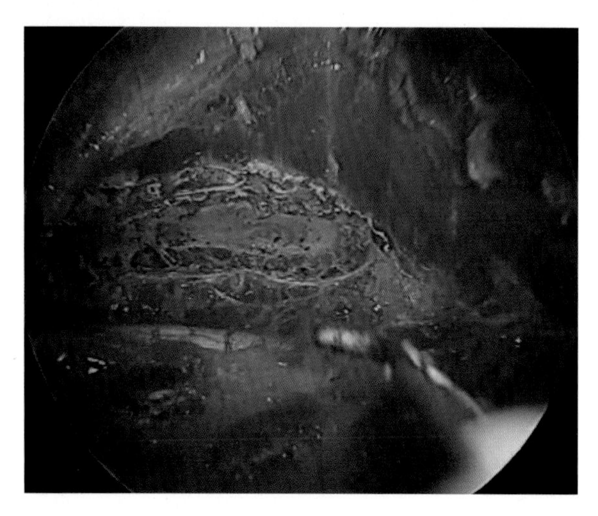

그림 6 Endoscopic submuscular dissection at zone 5, the rib origin of Pectoralis major muscle was divided at IMF level.

(pectoralis minor)이 위치하고 박리층의 위쪽에 대흉근이 위치하게 된다. 내측의 parasternal line과 새로운 유방밑선, 외측의 anterior axilla line근처까지는 비교적

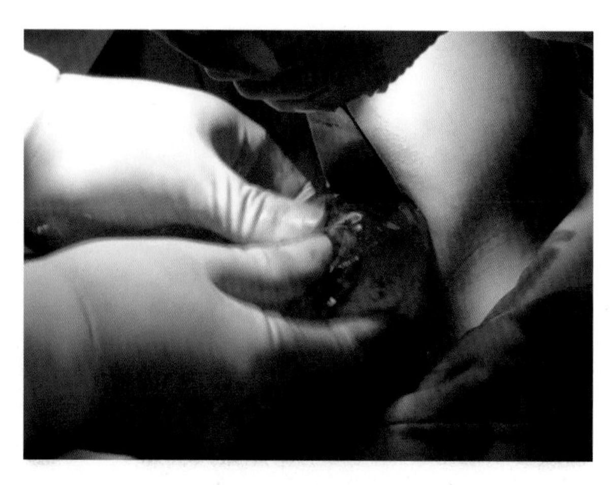

그림 7 the implant insertion with Keller Funnel 2

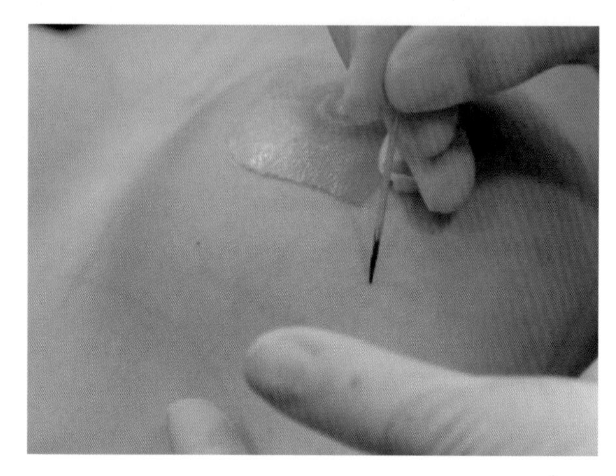

그림 8 Orientation marking for axis control, after implantation of anatomical implant,

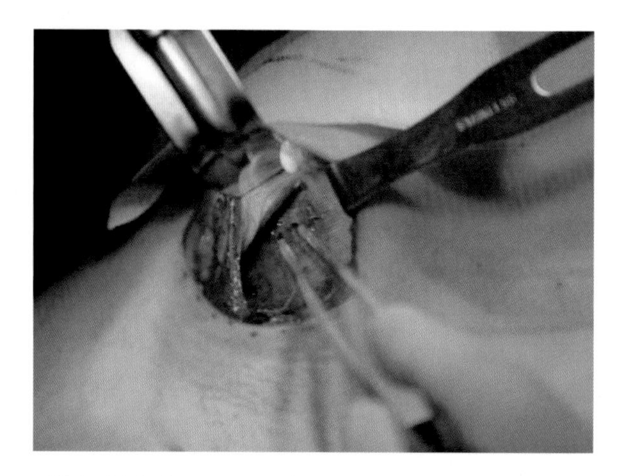

그림 9 Meticulous hemostasis before skin closure

편안한 박리가 가능하다. 다만 유두를 지나서 유두하방의 대흉근의 기시부를 절개하는 위치에서는 비교적 굵은 동맥들이 피부방향으로 올라오므로 충분히 전기소작을 세밀하게 박리해야 한다.

포켓의 내측과 외측 그리고 하방의 정확한 경계를 박리하는 과정은 매우 신중해야하며 내측에서 외측으로 진행한다. 내측의 측흉골선(parasternal line)에서 박리할 때는 상방에서 하방으로 내려가면서 박리를 진행하고 내측 늑간 동맥을 손상시키지 않도록 노력하며 간혹 내상방에서 2번째 늑간정맥이 노출될 수 있으므로 출혈에 주의하며 박리한다. 이때, 대흉근의 pinnate origin들은 절개를 하여도 무방하나 흉골에서 기시하는 대흉근의 main body는 절대 자르지 않도록 주의한다. 새로운 유방밑선위치에서는 대흉근을 기시부에서 완전히 분리시키게 되는데, 내측에서 외측방향으로 분리를 진행한다. 이때 대흉근의 근육기시부만 전기소작으로 절개하여 분리시키고 근육의 표측에 위치하는 대흉근 근막(superficial layer of deep pectoral fascia)은 절개하지 않도록 노력하여야 하며, 이보다 표층에 위치하는 superficial pectoral fascia를 절개하지 않도록 하여야 한다. 포켓의 외측박리에서는 유두의 감각을 주관하는 4번째 외측 늑간신경을 손상시키지 않도록 노력하는 것이 중요하며, 드물게 큰 보형물을 삽입하는 경우에는 불가피 하게 손상이 되는 경우도 있으나 이러한 경우에는 수술 전 환자에게 감각신경의 변화에 대하여 충분한 설명을 하는 것이 중요하다.

보형물이 위치할 공간의 박리가 이루어지고 나면, 출혈이 되는 곳이 없는지 다시 한 번 내시경으로 확인을 한다. 간혹 측흉골선 위치나 새로운 유방밑선위치에서 작은 동맥이 펌핑하는 경우가 있을 수 있으며, 이때는 spatula 주걱형태의 전기소작 디섹터를 이용하면 지혈을 쉽게 할 수 있다. Dingman breast dissector를 이용하여 피부의 디자인과 비교해 박리된 공간이 적절한지 확인한다.

수술 중 아담스용액(Adams solution)을 이용하여 겨드랑이절개선 주위를 수시로 닦아서 소독하여 주고, 알콜솜을 이용하여 손을 자주 닦아서 수술부위에 오염이 되지 않도록 최대한 주의한다.

계획한 보형물의 크기와 유사한 크기의 사이저(Sizer)를 넣어서 예상한 크기만큼 사이저를 부풀려주고 다시 한 번 박리된 공간과 사이저 확대 후 유방의 모양을 확인하다. 삽입한 사이저를 확대시킨 상태로 두고, 반대쪽 유방을 동일한 과정으로 수술한다.

반대쪽 유방도 박리가 끝나면 역시 사이저를 넣어서 박리된 경계선과 확대된 유방의 모양을 확인하고 좌우 유방의 크기와 모양의 대칭정도를 확인한다. 좌우 유방의 크기가 다른 경우에는 사이저의 크기를 가감함으로서 적절한 크기를 측정할 수 있다.

미리 삽입된 사이저를 제거하고, 다시 한 번 아담스용액으로 절개선입구와 유방전체를 소독한 후, 아담스용액으로 박리된 공간을 충분히 세척한다. 보형물 삽입 전에 집도의는 수술 장갑을 교체하거나 추가로 착용한 뒤 보형물을 삽입한다. 보형물 삽입 시에는 왼손으로 보형물을 감싸서 잡고 오른손 검지를 이용하여 시계반대방향으로 보형물이 회전하면서 삽입되는 느낌으로 보형물을 삽입하면 좀 더 쉽게 삽입이 가능하다. 보형물 삽입에 도움을 주는 'Keller Funnel'을 이용하면 좀 더 쉽게 보형물을 넣어줄 수 있으며 보형물의 피부접촉을 최소화 하여 피부에 존재하는 정상균의 감염을 줄이는데 큰 도움이 된다.

보형물 삽입 시 윤활 목적으로 베타딘액, 테라마시신 안연고, low molecular hyaluronic acid 등을 off-label로 사용하기도 한다.

보형물이 삽입되어 계획된 공간에 위치하면 새로운 유방밑선의 위치와 유방의 크기를 확인하고, 유방밑선이 좌우 대칭이 맞지 않는 경우에는 보형물이 들어있는 상태에서 내시경을 넣어서 잘려진 대흉근 기시부와 대흉근 근막 사이로 추가 박리를 하여 좌우 대

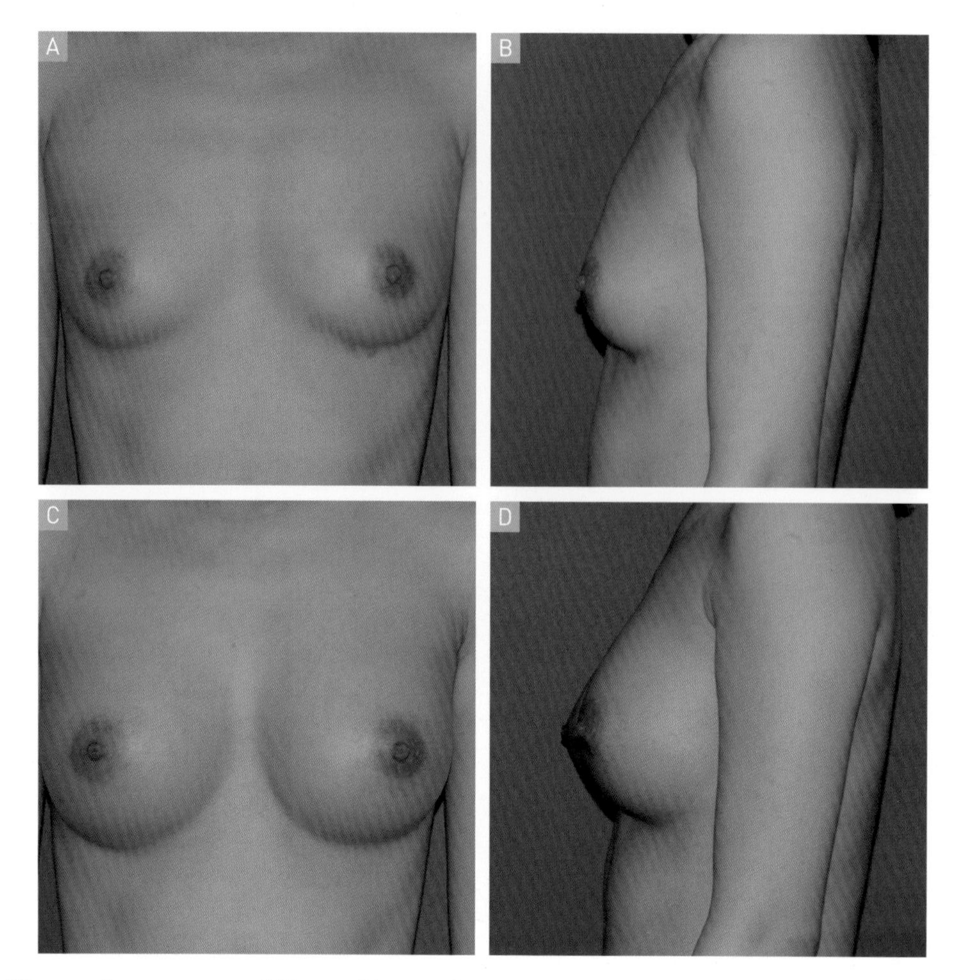

그림 10 (A,B)Preoperative appearance of 27-year old woman in preparation for breast augmentation. Her hight is 161 cm and weight is 45 kg. (C,D) Four month postoperative result after placement of 250 cc moderate-plus profile textured round implants in submuscular plane.

칭을 맞추는 것이 가능하다. 보형물을 삽입한 후에도 수술 중에 유방밑선을 조절할 수 있음은 겨드랑이절개 유방확대술의 장점이라 할 수 있다. 따라서 겨드랑이 절개법은 유방밑선 절개법에 비해 수술 전 디자인을 할 때 좀 더 편안하게 유방밑선 디자인이 가능하다. 물방울 보형물을 사용한 경우에는 보형물의 위치가 계획된 디자인에 맞게 적절한 위치를 확보한 후, 보형물이 물방울 형태의 모양대로 제 위치에 삽입될 수 있도록 보형물의 axis를 control 하여야 한다. round 보형물과는 달리 물방울 보형물에서는 rotation의 가능성이 있으므로 수술 중에 정확한 크기의 공간을 만들어 주는 것과 철저한 지혈로 dry pocket을 만들어 주는 것이 매우 중요하다. 물방울 보형물을 삽입한 후에 보형물의 밑면에 있는 orientation mark를 촉지하여 보형물의 axis를 정확히 파악할 수 있다.

보형물이 삽입된 후 절개선 아래에 출혈이 없는지 자세히 관찰하고 정밀한 지혈을 할 필요가 있다. 지혈을 하고 나서 더이상의 출혈이 없는지 확인하고 봉합한다. 이때 환자가 고령이거나 출혈성향이 있거나 지혈을 충분히 하였는데도 불구하고 미세한 출혈이 지속

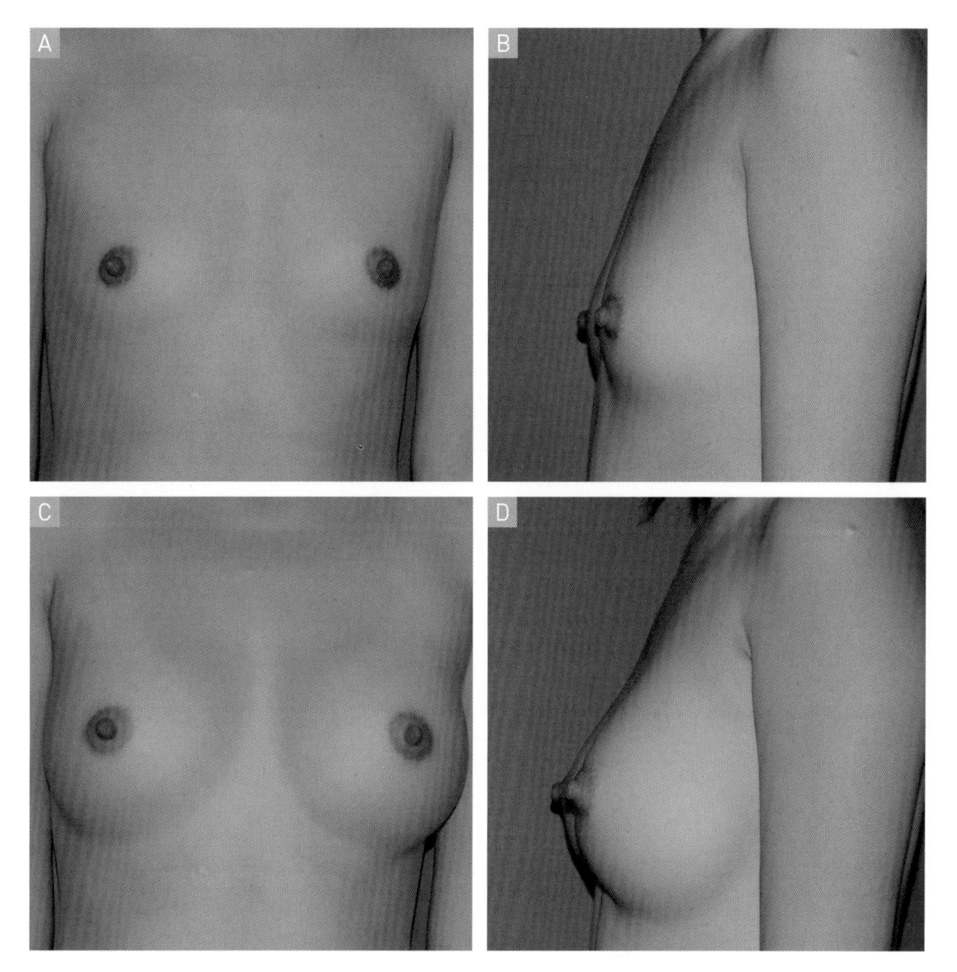

그림 11 (A,B)Preoperative appearance of 25-year old woman in preparation for breast augmentation. Her hight is 163 cm and weight is 47 kg. she have asymmetry in breast volume. (C,D) Six month postoperative result after placement of 250 cc moderate-plus profile textured round implants in submuscular plane.

되는 경우에는 hemobag line을 넣어서 술후 출혈에 대비할 필요가 있으나, 수술 중에 출혈이 없고 충분한 전기소작으로 지혈을 하였다면 hemobag line은 삽입하지 않는다. 피하 봉합은 4-0 PDS를 이용하여 봉합을 하며, 피부봉합은 6-0 nylon을 사용하거나 skin bond 혹은 staristrip을 사용하여 봉합한다.

수술 후 드레싱은 elastoplaster를 이용하여 유방주위와 겨드랑이 절개 근처 입구에 압박을 하게 되며 압박브라와 유방상부에 압박밴드를 하여 전체 수술부위에 가벼운 압박을 하게 한다.

3. post op care

피부봉합을 한 경우에는 술후 4일-5일째에 봉합사를 제거하고 압박된 드레싱을 제거하며, 피부봉합을 하지 않고 staristrip을 사용한 경우에는 술후 7일 정도까지 유지하여 절개흉이 적게 발생하도록 한다. 스무스보형물을 사용한 경우에는 술후 7일째부터 가벼운 마사지를 시행하지만, 텍스쳐 보형물과 물방울 보형물은 절대 마사지를 하지 않는다. 술후 3주째까지는 운동은 제한하는 것이 좋다. Heden은 3주 후에도 보형물

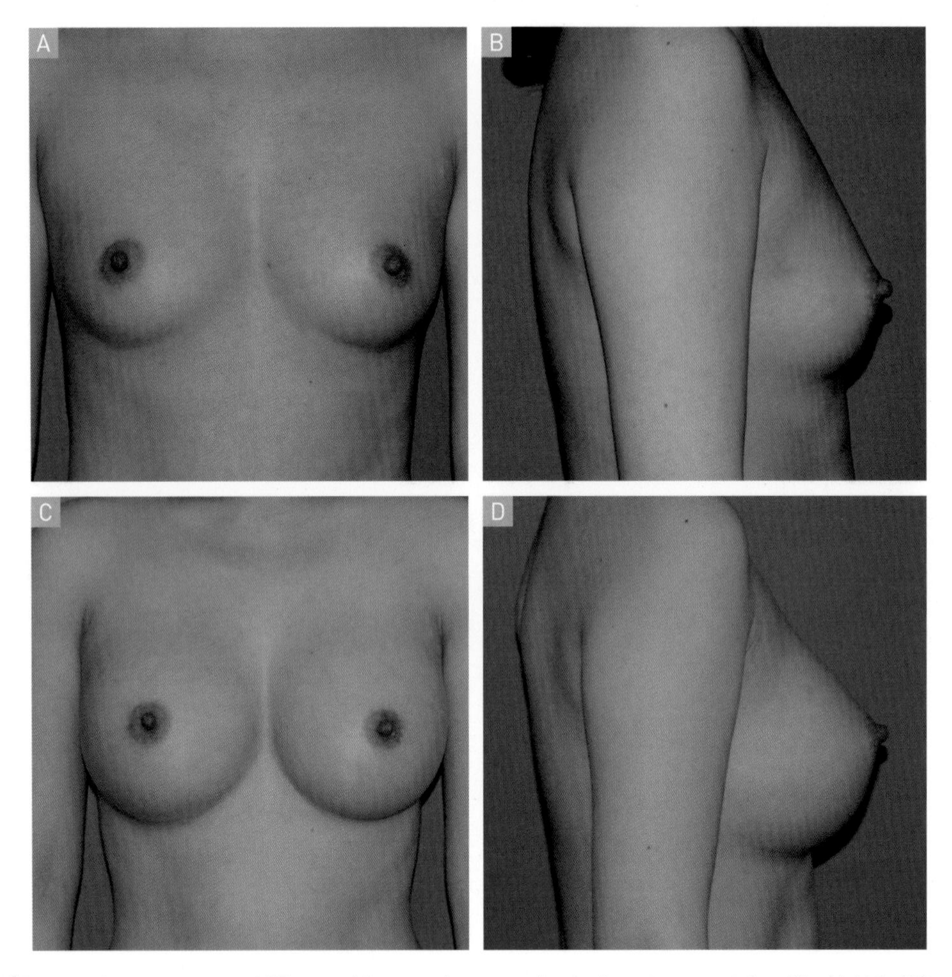

그림 12 (A,B)Preoperative appearance of 27-year old woman in preparation for breast augmentation. Her hight is 160 cm and weight is 50 kg. (C,D) Thirteen month postoperative result after placement of 350 cc high profile smooth round implants in submuscular plane.

의 surface로 tissue ingrowth가 거의 완성되어 보형물이 주위조직과 고정이 이루어지는 술후 3개월까지는 심한 동작은 피할 것을 권하고 있다.

원형 보형물의 경우에는 술후 3주 후까지 유방상부에 압박밴드를 하게하며, 물방울보형물의 경우에는 술후 6주 후까지 유방상부에 압박밴드를 착용한다. 술후 6개월까지는 스포츠 브라를 착용하고 이후 9개월까지는 와이어가 없는 일반적인 브라착용을 하게 한다. 9개월 이후에도 와이어가 있는 브라를 착용하는 것이 보형물을 한쪽방향으로 밀어주는 결과를 보일 수 있으므로, 가급적이면 와이어 브라를 착용하는 것을 자제시킬 필요가 있다. 수술 후 이른 시기에 와이어가 있는 브라를 착용하게 되면 브라가 보형물을 내상방으로 밀어주는 효과를 지속적으로 하게 되기 때문에 보형물의 위치가 내상방으로 변위되는 경우가 발생될 수 있으므로 주의하는 것이 좋다.

대흉근을 수동적으로 stretching하여 물방울 보형물 사용 시 보형물이 돌아가는 것을 예방하는 데 도움을 주고자, Randquist는 수술 후 환자의 팔을 등뒤로 부드럽게 stretching 하는 방법을 설명한 바 있다.

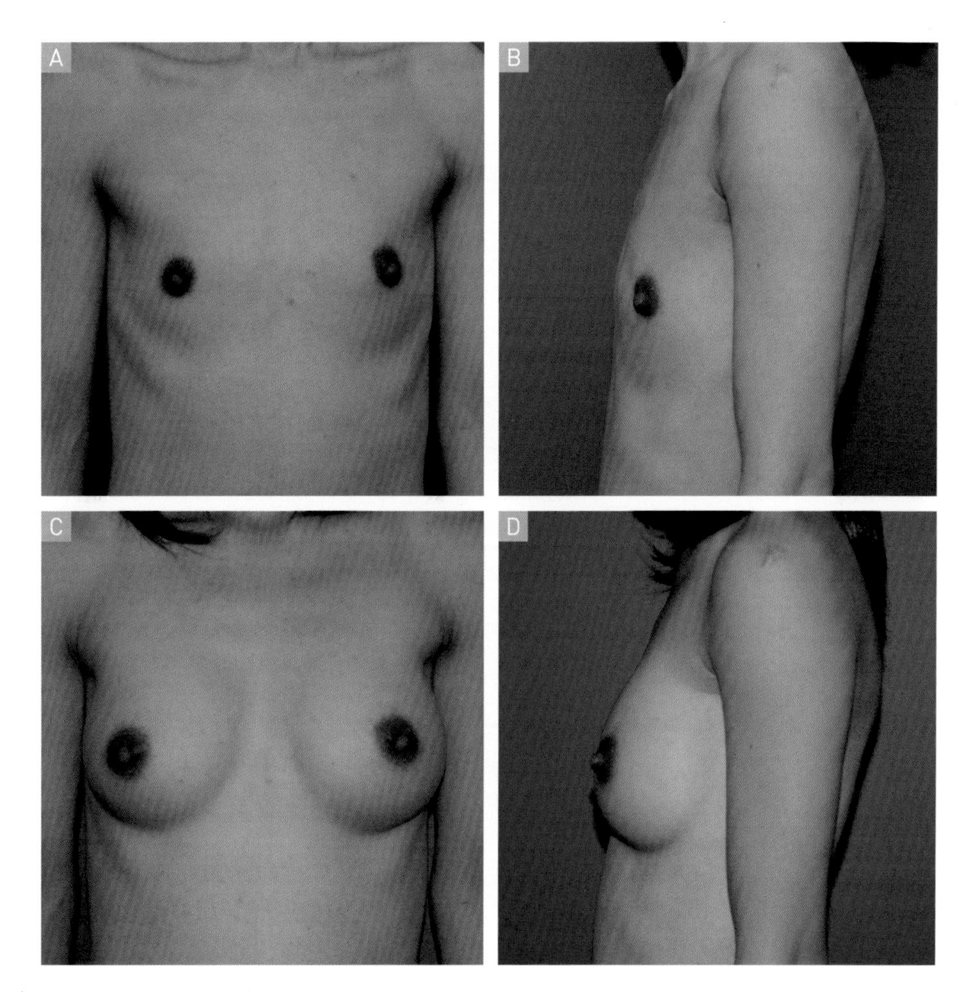

그림 13 (A,B)Preoperative appearance of 38-year old woman in preparation for breast augmentation. Her hight is 159 cm and weight is 38 kg. (C,D) Six month postoperative result after placement of 245 cc moderate profile form-stable anatomical implants (MM245) in submuscular plane.

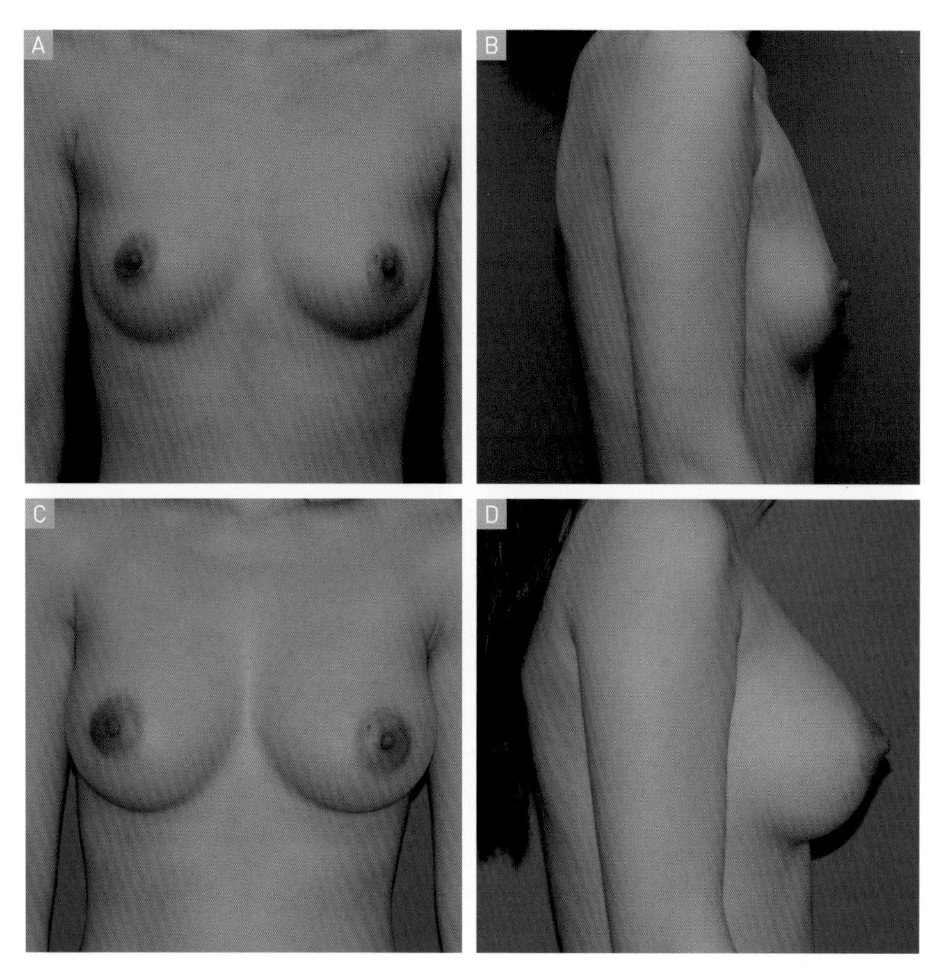

그림 14 (A,B)Preoperative appearance of 27-year old woman in preparation for breast augmentation. Her hight is 162 cm and weight is 47 kg. (C,D) Eight month postoperative result after placement of 295 cc moderate profile form-stable anatomical implants (322-295) in submuscular plane.

참·고·문·헌

1. Adams WP , Rios JL , Smith SJ. Enhancing Patient Outcomes in Aesthetic and Reconstructive Breast Surgery Using Triple Antibiotic Breast Irrigation: Six-Year Prospective Clinical Study. Plast Reconstr Surg 118(7S):46S-52S, 2006.
2. Hammond DC, Migliori MM, Caplin DA, Garcia ME, Phillips CA: Mentor contour profile gel implants: Clinical outcomes at 6 years. Plast Reconstr Surg, 129: 1381, 2012
3. Heden P: Form stable shaped high cohesive gel implants. In HallFindlay EJ and Evans GR: Aesthetic and Reconstructive Surgery of the Breast. Elsevier Limited, 2010, p 357-386
4. hoelher H ; breast augmentation: the axiillary approach. Br J Plasti Surg 26:272-276, 1973
5. Ho LC: Endoscopic assisted transaxillary augmentation mammaplasty. Br J Plast Surg 46: 332, 1993
6. Lee SH, & Yoon WJ, Axillary endoscopic subglandular tunneling approach for types 2 and 3 dual-plane breast

augmentation, Aesthetic Plast Surg. 2014 Jun;38(3):521-7

7. Maxwell GP, Natta BW, Murphy DK, Slicton A, Bengston BP: Natrelle 410 form-stable silicone breast implants: Core study results at 6 years. Aesthetic Surg J 32: 709, 2012
8. Moyer HR, Ghazi B, Losken A: Sterility in breast implant placement: The Keller Funnel and the "no touch" technique. Plast Reconstr Surg, 128(4s): 9, 2011
9. Park J, Primary breast augmentation with anatomical form-stable implant. Arch Aesthetic plast surg 19:7, 2013
10. Park WJ: Endoscopic assisted transaxillary subpectoral augmentation mammaplasty. J Korean Soc Plast Reconstr Surg 24: 133, 1997
11. Price CI, Eaves FF 3rd, Nahai F, Jones G, Bostwick J 3rd: Endoscopic transaxillary subpectoral breast augmentation. Plast Reconstr Surg 94: 612, 1994
12. Randquist C and Gribbe O: Form stable shaped high cohesive gel implants. In Hall-Findlay EJ and Evans GR: Aesthetic and Reconstructive Surgery of the Breast. Elsevier Limited, 2010, p 339-355
13. Sadove R: Cohesive gel naturally shaped implants. Aesthetic Surg J 23: 63, 2003
14. Sim HB, M.D., Wie HG, M.D., Hong YG, M.D. Endostopic transaxllary dual plane breast augmentation. J Korean Soc Plast Reconstr Surg Vol. 35, No. 5, 545 - 552, 2008
15. Tebbetts JB. Dual plane breast augmentation: Optimizing implant-soft-tissue relationships in a wide range of breast types. Plast Reconstr Surg. 2001;107:1255–1272.
16. tebbetts JB : Transaxiilary subpectoral augmentation mammoplasty: long-term follow-up and refinements. Past Reconst Surg 74: 636, 1984
17. 조문제 임풍 함기선 ; 액와부절개를 이용한 유방증대술 J Korean Soc Plast Reconstr 4:7-10, 1977

Chapter 10

Augmentation mammoplasty »

겨드랑이절개 내시경 재수술

Transaxillary Endoscopic Revisional Surgery

| 설철환 |

Augmentation mammoplasty(유방확대술)는 전세계적으로 가장 많이 시행되는 성형수술들 중 하나이다. 다른 수술들과 마찬가지로 augmentation mammoplasty 후에도 다양한 합병증이 발생할 수 있으며 이를 해결하기 위한 재수술이 요구되는 경우들이 있다. 이러한 합병증에는 capsular contracture(피막구축), implant malposition(보형물 변위), symmastia(합유증), asymmetry(비대칭), implant visibility, implant palpability, rippling, double bubble deformity, rupture of implant등이 있다. Breast augmentation 이후 reoperation rates는 3~17%정도 되는 것으로 보고되고 있다. 다른 부위의 재수술과 마찬가지로 scarring과 anatomical distortion 등으로 인해 revision breast augmentation은 매우 까다로운 수술로 알려져 있다.

피부특성상 흉터가 우려되는 동양인들의 breast augmentation에는 흉터를 비교적 잘 숨길 수 있는 axillary incision 많이 사용되며 한국도 마찬가지 상황이다. 이렇게 첫 수술을 겨드랑이절개로 수술 받았는데 재수술이 필요하게 된 대부분의 환자들은 기존 절개를 재활용하여 수술 받기를 희망한다. 그러나 일반적으로 revisional breast augmentation은 periareolar incision이나 inframammary fold incision을 통해서 수술한다. 단순한 보형물 교환은 겨드랑이절개를 통해서도 가능하지만 capsulotomy, capsulectomy, supracapsular dissection, capsulorrhaphy, ADM (Acellular Dermal Matrix) graft 등의 수술은 시야가 확보된 상태에서 확실한 지혈 하에 정확한 층을 찾아 정교하게 수술해야 하기 때문에 겨드랑이절개를 통한 blind, blunt method로는 제대로 시행할 수 없다.

이에 저자는 첫 수술을 겨드랑이절개로 수술 받았고 재수술이 필요한 환자들에게 유륜절개나 유방밑주름절개를 추가적으로 가하지 않고 기존 겨드랑이절개를 통해 수술하기 위해 내시경과 내시경수술기구들 **(그림 1)**을 이용한 다양한 수술법들을 개발하였고 capsulotomy, partial or total capsulectomy, supracapsular dissection, cauterization, capsulorrhaphy, ADM graft등을 성공적으로 시행하였기에 이러한 술기와 경험들을 소개하고자 한다.

먼저 재수술을 필요로 하는 합병증 종류들과 이를 해결하기 위한 procedure들을 언급하고, 겨드랑이절개를 통해 내시경을 활용하여 각 procedure들을 시행하는 구체적인 방법들을 기술한다.

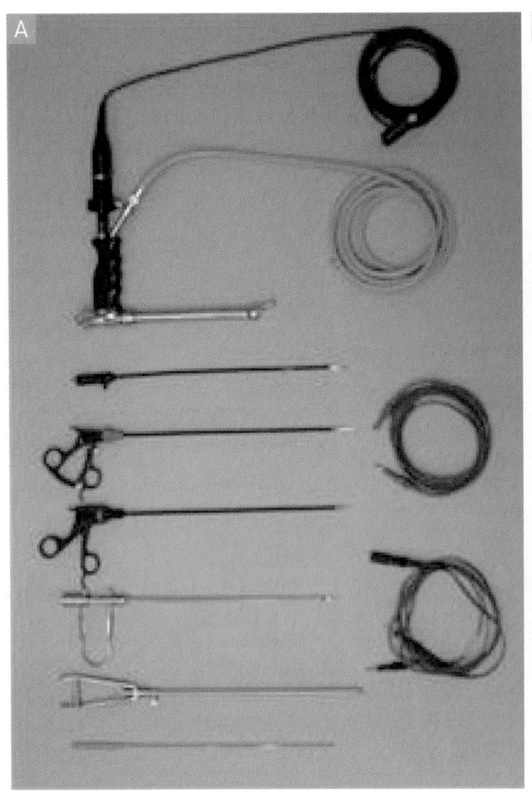

그림 1 **내시경장비**
A. 위로부터 Endoscope, L-hook electrode dissector, forceps, scissors, bipolar coagulator, needle holder, knot pusher
B. 위로부터 monitor, image processing unit, light source, video recorder

1. 재수술을 필요로 하는 유방확대 합병증들 및 필요한 술기

1) Capsular Contracture(피막구축)

보형물 주변에 과도하게 두껍게 형성된 피막이 보형물을 조여서 유방의 촉감과 모양이 부자연스러워지는 현상을 피막구축(capsular contracture)이라고 하며 유방이 공모양으로 변형될 정도로 심한 피막구축을 구형구축(spherical contracture)이라고 한다.

경한 피막구축의 경우 보형물을 조이고 있는 피막을 터준다(capsulotomy). 피막구축이 심한 경우 피막 일부 또는 전체를 제거하거나(partial or total capsulectomy), 보형물 삽입층을 바꾸어준다(plane change).

2) Malposition of Implant(보형물 변위)

보형물이 너무 윗쪽으로 이동했거나(superior malposition), 아랫쪽으로 내려갔거나(inferior malposition), 내측으로 이동해(medial malposition) symmastia(합유증)이 발생했거나, 바깥쪽으로 이동해서(lateral malposition) intermammary span이 너무 먼 경우들이 해당된다.

Pocket이 좁은 곳에는 capsulotomy 또는 capsulectomy를 시행하여 넓히고, 과도하게 넓은 곳에는 electrocauterization이나 capsulorrhaphy를 시행하여 좁힌

다. 또는 아예 새로운 층에 적절한 위치와 크기로 새로운 pocket을 만든다(plane change).

3) Asymmetry(비대칭)

Capsular contracture나 implant malposition으로 인한 비대칭은 전술한 방법들을 활용하여 이러한 문제들을 해결함으로써 비대칭을 교정할 수 있다.

수술 전 유방의 크기, 모양, 처진 정도가 달랐거나 흉곽의 비대칭이 있었는데 이러한 문제들이 유방확대술 후에도 적절히 교정되지 못하여 비대칭이 계속 있는 경우에는 재수술 시에 양측에 다른 보형물을 사용하거나 다른 정도의 mastopexy를 시행하여 해결한다.

4) 조직의 얇아짐 및 리플링(rippling)현상

조직이 얇아져서 보형물의 가장자리가 우글쭈글하게 보이거나 만져지는 현상을 리플링현상이라고 한다.

자가지방이식이나 ADM (Acellular Dermal Matrix) graft를 통해 연부조직두께를 보완하거나, 기존 보형물이 들어 있던 층보다 더 깊은 층에 공간을 새로 만들어 리플링이 적은 새 보형물을 삽입하여 개선한다.

5) 사이즈 불만족

엄밀히 말하여 합병증이라 할 수는 없지만 유방확대술 후 재수술을 시행하게 되는 원인 중 하나이다.

환자가 희망하는 사이즈가 나올 수 있도록 새 보형물을 선택하여 재수술하되 환자의 신체조건에서 벗어나 합병증이 발생하지는 않게 적절한 범위 안에서 선택해야 한다.

6) 보형물 파열

파열된 기존 보형물의 외피와 내용물을 적절한 시야확보 하에 완전하게 제거하고 내구성과 안전성이 입증된 새 보형물을 삽입한다.

이러한 합병증들을 해결하기 위한 prodedure들은 확실한 시야확보 하에 출혈을 최소화하면서 정확하게 시행되어야 하기 때문에 유륜절개나 유방밑선절개가 주로 활용되어 왔는데 저자가 시행하는 내시경수술법을 사용하면 겨드랑이절개로도 시행이 가능하다.

2. 겨드랑이절개 내시경 재수술에 시행되는 술기들

1) Capsulotomy(피막절개술)

경한 정도의 피막구축(Becker Grade 2)의 해결이나 malposition의 해결을 위해 보형물 pocket을 넓힐 때 필요한 술기이다. 기존 겨드랑이 절개를 통해 내시경을 삽입하고 기존 보형물이 있는 층을 확인한 후 기존 보형물 외측(lateral)에 정확한 층으로 확장공간을 만든다. 피막을 열고 기존 보형물을 제거한 후 필요한 방향으로 피막에 절개를 가하되 첫 수술을 시행한 의사가 정확한 층에 공간을 만들지 못했다는 가정하에 재수술 때에는 정확한 층에 확장공간을 만드는 것이 중요하다. 이렇게 해야 다시 유착되고 공간이 줄어드는 확률을 줄일 수 있다(**그림 2**).

2) Capsulectomy(피막절제술)

심한 피막구축(Becker Grade 3-4)의 경우에 적용된다. 가능하면 total capsulectomy를 시행하는데 조직

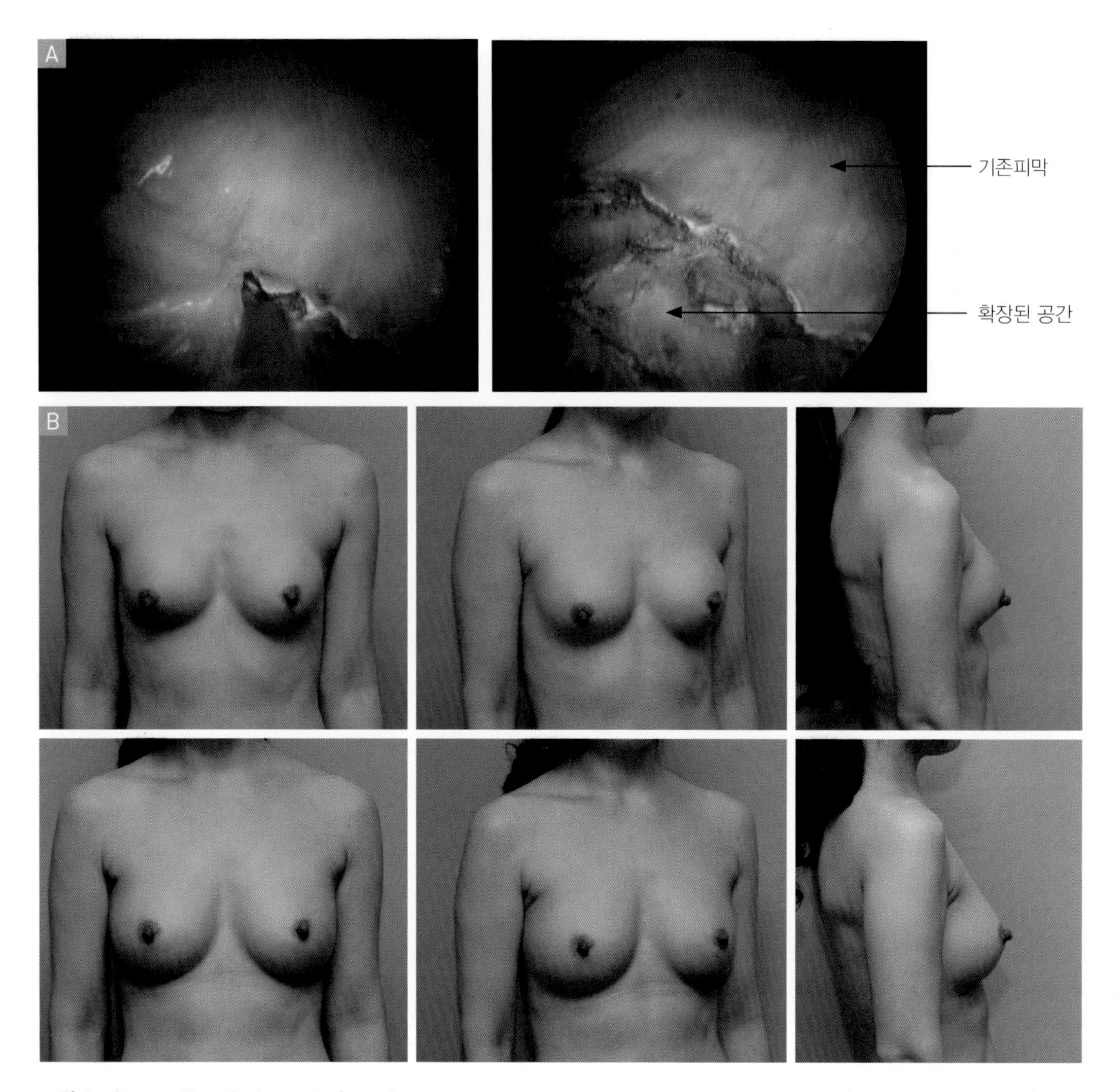

그림 2 **Transaxillary Endoscopic Capsulotomy**
A. Capsulotomy 시의 내시경 화면, B. Capsulotomy 전과 10개월 후
Capsular contracture와 Superior malposition이 교정됨. Allergan style 10 300cc smooth round implant 사용.

이 너무 얇은 부위가 있는 경우 그 부위 피막은 남기고 partial capsulectomy를 시행할 수도 있다.

Total capsulectomy 수술방법을 기술하면, 먼저 기존 겨드랑이절개를 통해 내시경과 기구들을 삽입하고 anterior capsule과 조직사이를 박리한다. 기존 보형물 공간이 subglandular였으면 anterior capsule과 glandular tissue 사이를 박리하게 되고 기존 보형물 공간이 subpectoral이었으면 anterior capsule과 pectoralis major muscle 사이를 박리하게 된다. Anterior capsule의 lateral과 medial쪽까지 충분히 박리한 후 posterior capsule 밑을 박리한다. 기존 보형물 공간이 subglandular였으면 posterior capsule과 pectoralis major muscle 사이를 박리하게 되고 기존 공간이 subpectoral이었으면 posterior capsule과 chest wall 사이를 박리하게 된다.

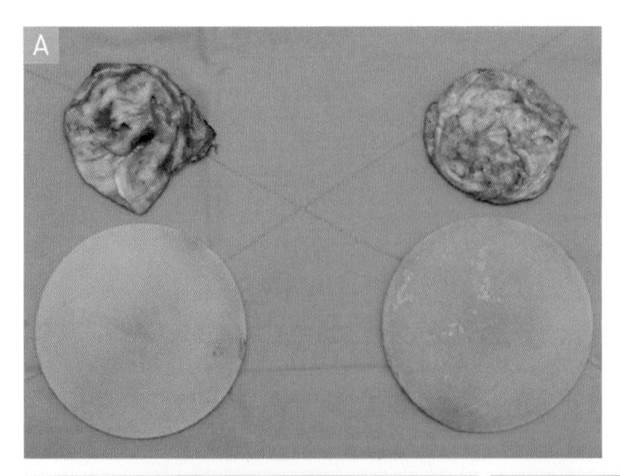

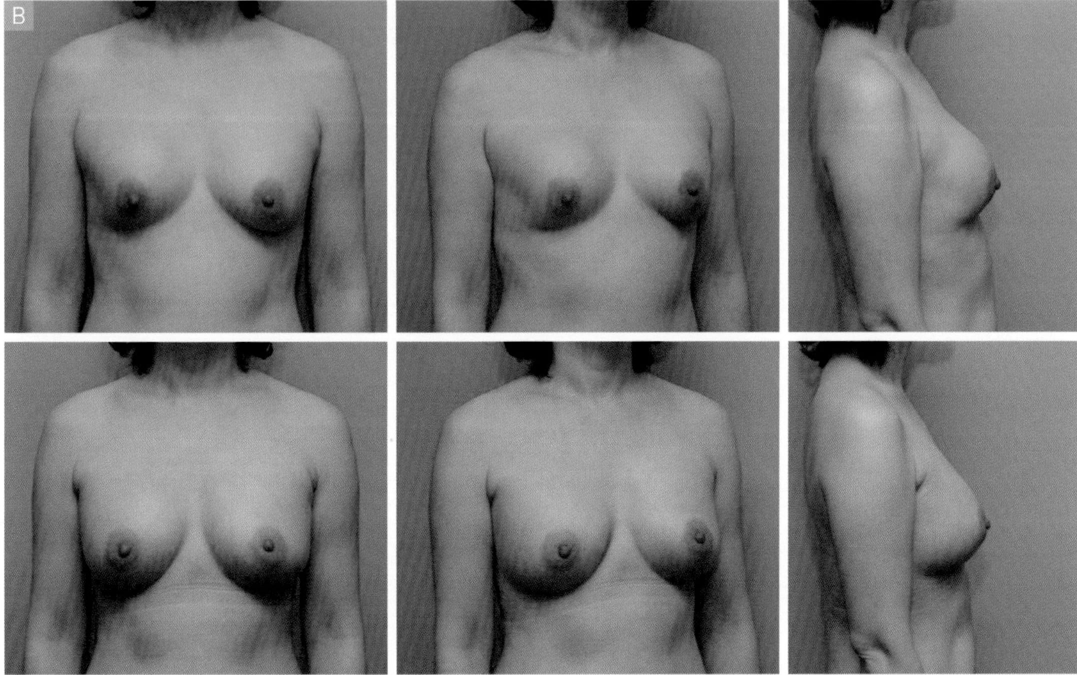

그림 3 **Transaxillary Endoscopic Total Capsulectomy**
A. 완전히 제거된 피막과 보형물, B. Total capsulectomy 전과 6개월 후
Grade 4 Capsular contracture와 Superior malposition이 교정됨.
우측; Allergan style 115 272cc 좌측; style 110 240cc textured round implant 사용.

이 경우 박리가 너무 깊게 되면 늑간근을 뚫게 되어 기흉(pneumothorax)을 만들 수 있으니 각별히 주의하여야 한다.

보형물이 방해되어 더 이상 박리를 진행하기 어려울 때 피막을 열고 기존 보형물을 제거한다. 보형물 제거 후 박리를 더 진행하여 피막을 완전히 분리, 제거한다(**그림 3**). 보형물을 제거하고 나면 피막에 장력이 소실되어 박리가 어렵게 되는데 이런 경우 endoscopic grasper를 이용하여 피막의 free end를 잡고 counter traction하면 박리에 도움이 된다.

3) Plane Change (Implant Pocket Conversion)

Capsular contracture, implant malposition, rippling

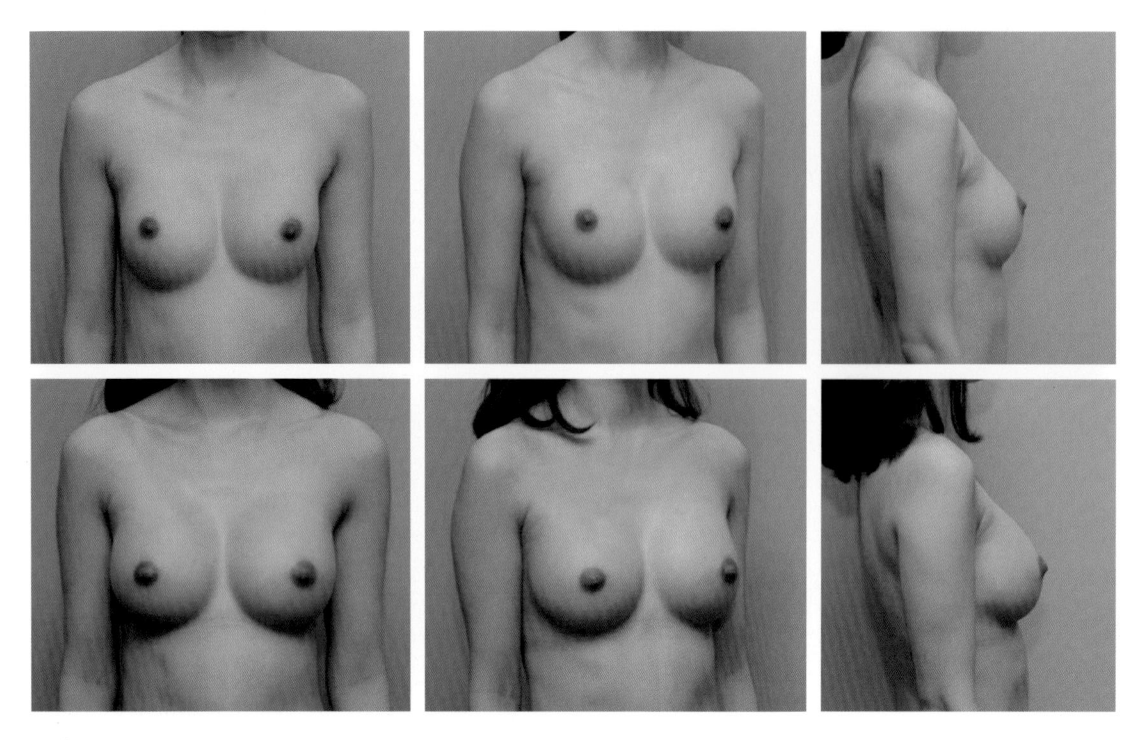

그림 4 **Plane Change ; Subglandular to Dual plane type1**
Subglandular plane에서 Dual plane type1으로 바꾸기 전과 13개월 후.
Inferomedial malposition과 Rippling이 개선됨.
Polytech TMS 280cc anatomic implant 사용.

등의 해결을 위해 적용되는 술기이다. 기존 pocket이 subglandular나 subfascial에 있었던 경우에는 새 pocket을 subpectoral 또는 dual plane으로 만들게 된다(**그림 4**). 기존 pocket이 subpectoral 또는 dual plane이었던 경우 subglandular나 subfascial plane으로 바꾸어 줄 수 있는데 이렇게 했을 때 조직이 너무 얇아져 rippling이 우려되는 경우에는 anterior capsule과 pectoralis major muscle사이를 박리하여 supracapsular neosubpectoral pocket을 만들어 새 보형물을 삽입할 수 있고(**그림 5**) 상황에 따라서 posterior capsule과 chest wall 사이를 박리하여 subposterior capsular pocket을 사용할 수도 있다.

Superficial plane에서 deep plane으로 바꿀 때 기존의 피막이 두껍고 질긴 경우 조직 팽창이 잘 이루어지지 않아 새 공간에 새 보형물을 삽입하고 나서도 유방 모양이 어색한 경우가 발생할 수 있는데 이런 경우 기존 피막에 대한 capsulotomy 또는 capsulectomy가 필요하다.

4) Closure of the Excess Space

Pocket이 과도하게 넓어서 닫아야 할 곳이 있는 경우 그 부위의 피막을 제거하고 봉합하여야 한다.

피막이 매우 얇은 경우에는 Bovie를 이용해서 cauterization하면 피막의 일부가 타면서 수축되어 공간이 작아진다(**그림 6**). 이렇게 피막이 얇고 좁혀야 할 공간이 적다면 cauterization만 시행하고 capsulorrhaphy(피막봉합술)는 시행하지 않을 수도 있는데 이런 경우 taping이나 보정브라 등을 활용하여 공간이 다시 열리는 것을 잘 예방할 필요가 있다(**그림 7**).

피막이 얇지 않거나 좁혀야 할 공간이 넓은 경우에

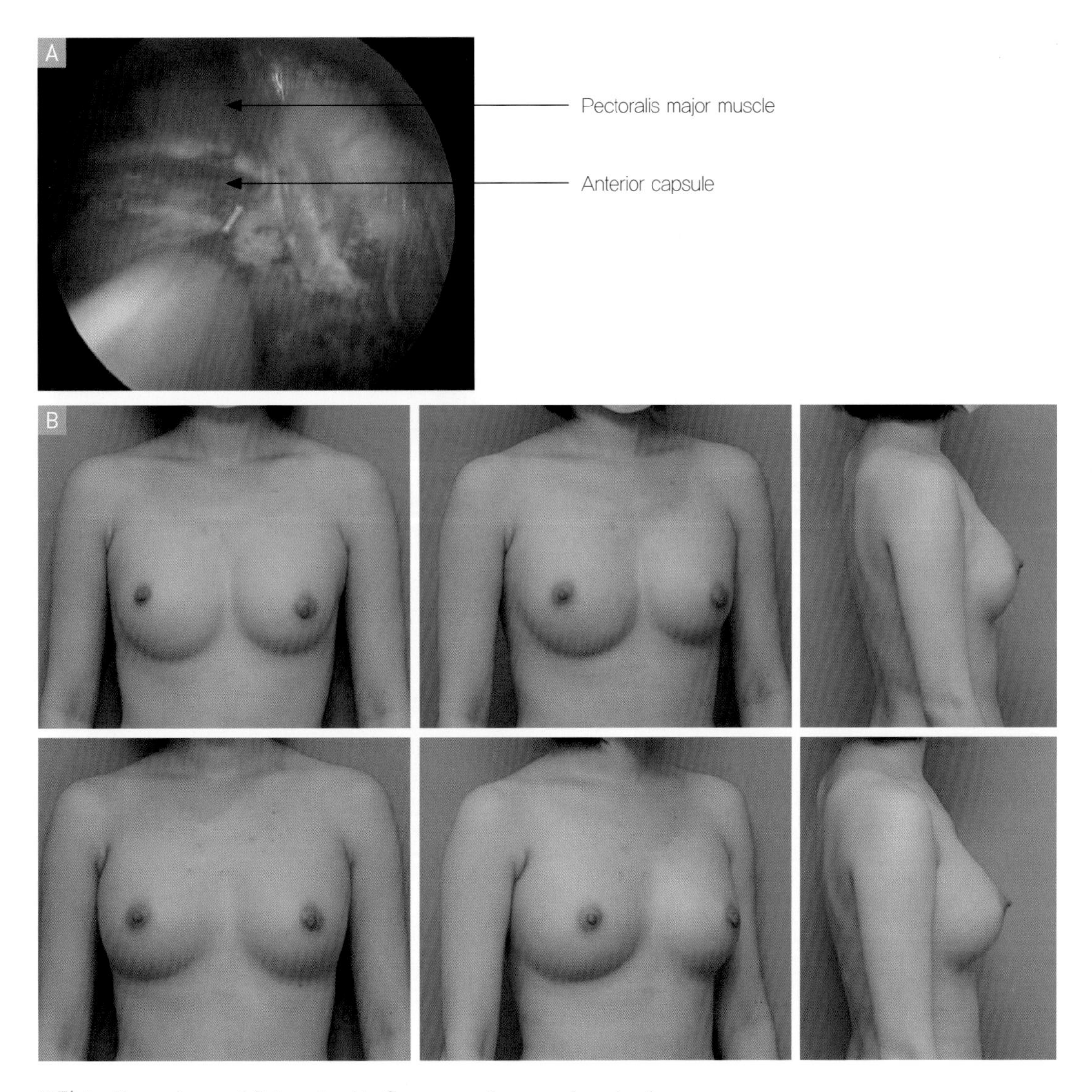

그림 5 **Plane change ; Subpectoral to Supracapsular neosubpectoral**
A. Transaxillary Endoscopic Supracapsular neosubpectoral Dissection
Anterior capsule과 Pectoralis major muscle 사이에 공간을 만듦.
B. Subpectoral plane에서 Supracapsular neosubpectoral plane으로 바꾸기 전과 9개월 후.
Grade 3 Capsular contracture와 implant malposition이 교정됨.
Allergan style 115 272 cc textured round implant 사용

는 cauterization을 시행해도 피막이 잘 수축되지 않고 공간이 다시 열릴 확률이 높기 때문에 capsulorrhaphy를 시행하여 보강을 해줄 필요가 있다. Pocket이 과도하게 넓은 부위의 피막을 띠 모양으로 제거하는 strip capsulectomy를 시행하고 capsulorrhaphy까지 한다면 최선이겠지만 겨드랑이절개를 통해 strip capsulectomy를 시행하는 것이 기술적으로 상당히 어렵기 때문에 저자는 통상적으로 strip capsulectomy는 시행하지 않고 cauterization과 capsulorrhaphy를 병행한다.

과도한 공간을 닫아준 경우 새 보형물은 textured

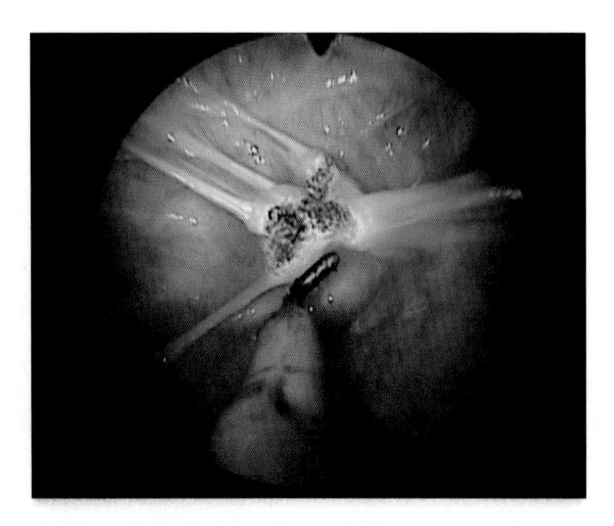

그림 6 Transaxillary Endoscopic Electrocauterization of Capsule
피막이 매우 얇은 경우에는 Bovie를 이용해서 cauterization하면 피막이 수축하면서 공간이 작아짐.

surface의 보형물이 좀 더 추천된다. Smooth 보형물의 경우 표면이 미끄러워서 닫은 공간을 다시 열고 들어갈 가능성이 높은 반면 textured 보형물은 표면에 마찰력이 발생하기 때문에 malposition의 재발 가능성이 상대적으로 적다. 이러한 textured 보형물이 기존 피막과 adhesion이 되어 제 기능을 발휘할 수 있게 하기 위해서 기존 피막 전체(anterior capsule과 posterior capsule)를 cauterization하는 것이 필요할 수도 있다. 이때 posterior capsule은 많이 cauterization해도 상관 없지만 anterior capsule을 너무 과하게 cauterization하면 조직의 수축에 의해 유방모양의 변형이 올 수 있으므로 그 정도를 적절히 조절해야 한다.

과도하게 넓은 공간을 닫기 위해 시행되는 capsulorrhaphy를 겨드랑이절개를 통해서 시행하는 것에 대한 문헌은 저자가 처음 시행할 당시 찾을 수 없었다. 저자가 겨드랑이 절개를 통해 capsulorrahphy를 처음 시도할 때 이 용도를 위한 성형외과용 기구가 따로 있지 않았기 때문에 산부인과 laparoscopic needle holder와 knot pusher를 사용하게 되었고 현재도 이를 사용하고

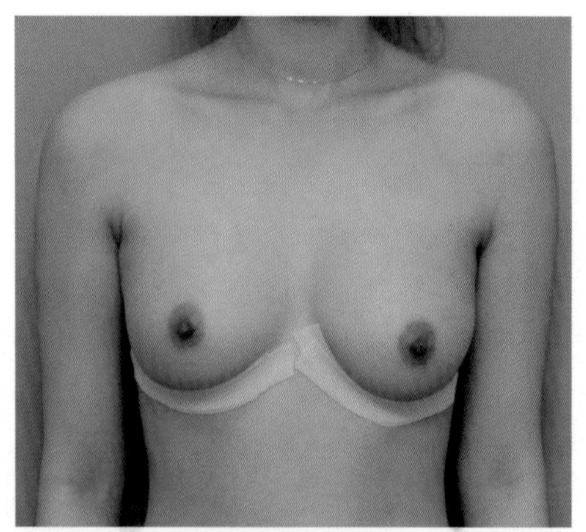

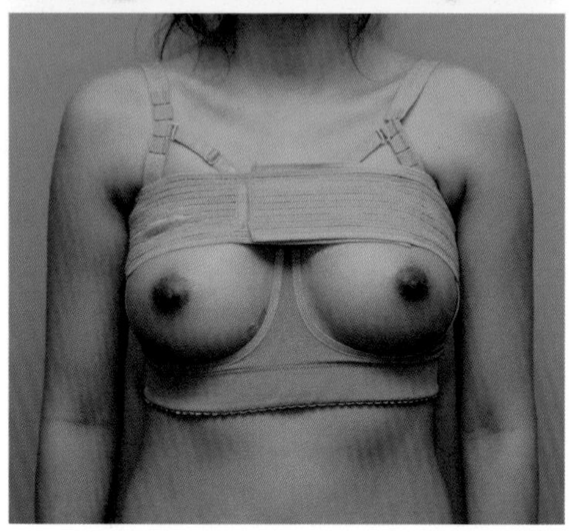

그림 7 Taping과 보정브라를 이용한 implant malposition 재발 예방

있다.

2-0 Vicryl 봉합사의 needle을 needle holder에 물리고 내시경과 needle holder를 겨드랑이절개를 통해 넣은 후 posterior capsule을 뜨고 anterior capsule을 뜬다. Needle을 겨드랑이절개 밖으로 꺼낸 다음 hand tie를 한번 하고 그 knot를 내시경과 knot pusher를 이용하여 밀어 넣는다. 같은 과정을 반복해서 tie를 3-4번 하는데 이때 knot가 너무 느슨해지지 않도록 주의한다. 그 다음 endoscopic scissors를 이용하여 봉합사를 자른다.

닫아야 할 범위에 따라 capsulorrhaphy의 개수가 달라지는데 일반적으로 한쪽 유방에 3-7개 정도를 시행한다(**그림 8, 9**).

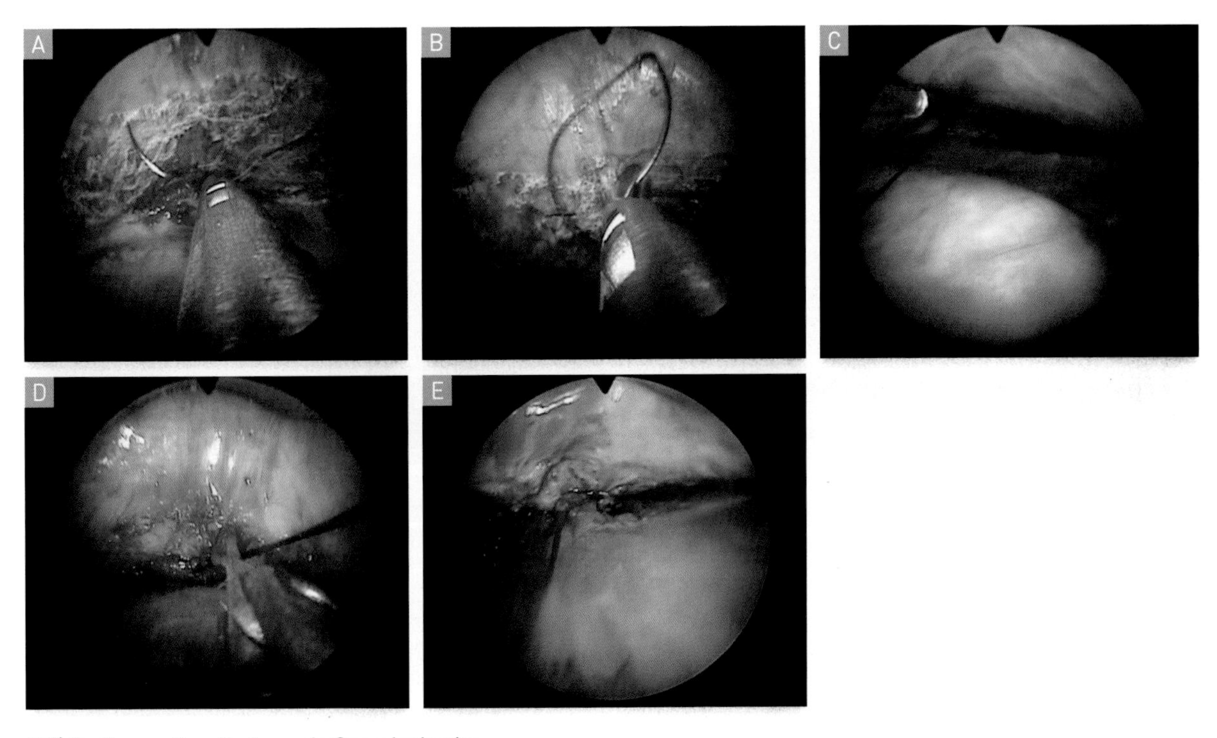

그림 8 **Transaxillary Endoscopic Capsulorrhaphy**
A. 닫아야 할 공간을 cauterization 한 후 Posterior capsule (chest wall)을 2–0 vicryl로 suture, B. Anterior capsule을 suture, C. 겨드랑이절개 밖에서 hand tie한 knot를 knot pusher로 밀어 넣고 tightening, D. Endoscopic scissors로 실을 자름, E. 완료된 capsulorrhaphy

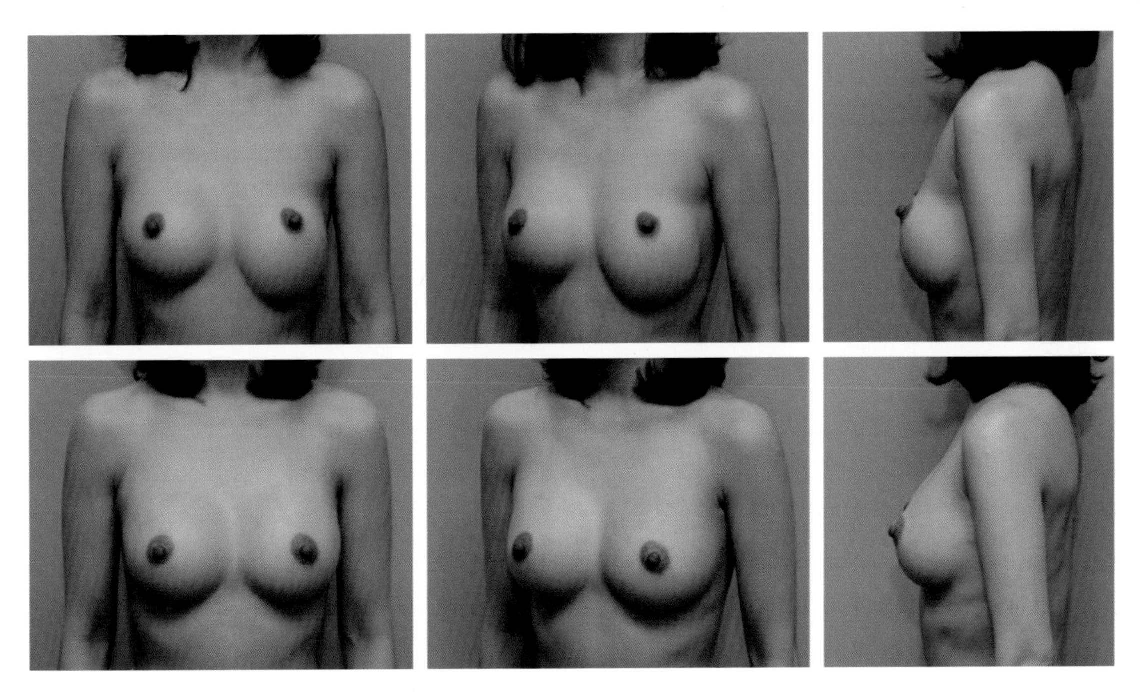

그림 9 **Transaxillary Endoscopic Closure of Excess Space**
Transaxillary Endoscopic Cauterization & Capsulorrhaphy 전과 12개월 후.
Inferior malposition이 교정됨. Allergen style 115 272 cc implant 사용

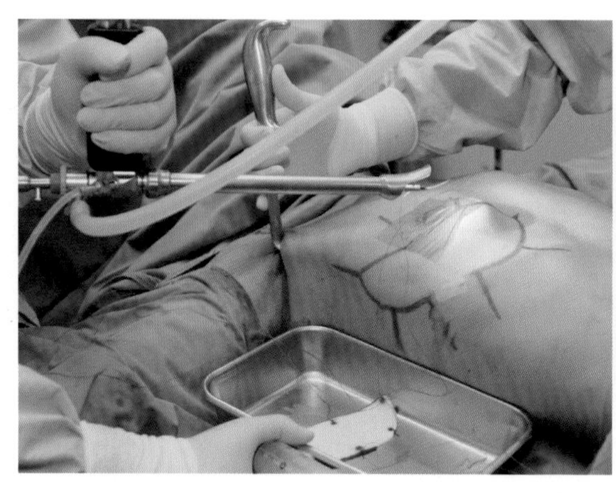

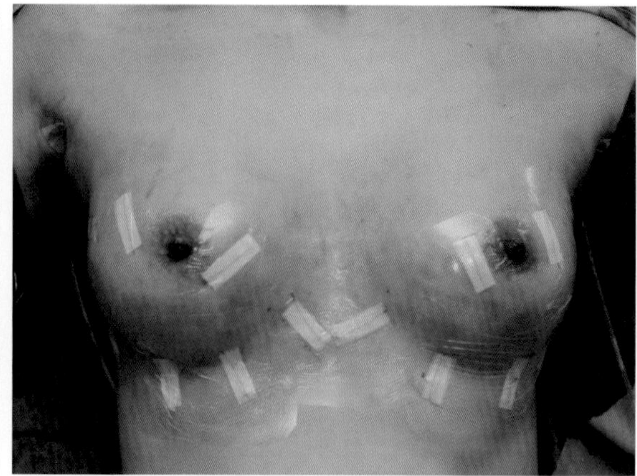

그림 10 **Transaxillary Endoscopic ADM graft**
ADM의 가장자리를 2-0 Vicryl로 8군데 봉합하고 needle의 끝을 피부에 미리 표시해 놓은 지점으로 내시경을 이용하여 뽑아낸다. 실들을 당기면서 ADM을 겨드랑이절개를 통해 밀어 넣고 위치시킨다. 보형물 삽입 후 실을 다시 당긴 다음 Steri strip으로 고정한다. 피부에 붙인 Steri strip을 Tegaderm으로 밀봉한다.

5) ADM (Acellular Dermal Matrix) graft

조직이 너무 얇아 보완이 필요할 때 ADM graft를 고려할 수 있다. ADM graft가 잘 생착되려면 봉합에 의한 고정 및 immobilization이 중요한데 겨드랑이절개를 통해서 이러한 작업을 하는 것이 불가능하다고 여겨져 왔기 때문에 주로 유방밑선절개나 유륜절개 또는 mastectomy incision을 통해 시행되어 왔다. 저자는 이러한 ADM graft도 겨드랑이절개를 통해 가능케 하기 위하여 내시경과 pull-out suture 방법을 사용한다.

ADM을 적절한 크기와 모양으로 자른 후 식염수에 담가 수화시킨다. 수화시킨 ADM의 가장자리를 2-0 Vicryl로 봉합하고 needle이 달린 쪽 실을 길게 늘어뜨린다. ADM의 가장자리 6-8군데에 각각 새 봉합사를 사용하여 이 과정을 반복 시행하는데 ADM의 크기에 따라 그 개수가 달라진다. 2-0 Vicryl의 needle을 곧게 편 다음 endoscopic needle holder에 물리고 겨드랑이절개를 통해 내시경과 함께 넣는다. Needle의 끝을 미리 표시해 놓은 지점으로 통과시켜 피부 밖으로 뽑아낸다. 이 과정들을 실의 개수만큼 반복한다. 피부 밖으로 나온 실들을 당기면서 ADM을 겨드랑이절개를 통해 밀어 넣고 의도했던 부위에 위치시킨다. 보형물 삽입 후 실을 다시 당긴 다음 Steri strip으로 고정한다. ADM의 immobilization을 돕기 위해 보형물은 가급적 textured type을 사용한다. 피부에 붙인 Steri strip을 Tegaderm으로 밀봉한다. 이 실들은 수술 후 10일경에 잘라서 제거한다**(그림 10, 11)**.

대부분의 문헌에서는 유방확대재수술은 유방밑선절개나 유륜절개를 통해서 시행해야 하고 겨드랑이절개로는 불가능하다고 설명하고 있다. 그러나 저자가 소개하는 Transaxillary Endoscopic Revisional Surgery 방법들을 사용하면 거의 모든 종류의 재수술들을 겨드랑이절개로도 시행할 수 있기 때문에 첫수술을 겨드랑이절개를 통해 받은 환자가 재수술을 받는 경우 기존의 겨드랑이절개를 재사용 할 수 있고 유륜이나 유방밑선에 새로운 절개흉터를 만들 필요가 없다. 또한 첫 수술을 유륜절개나 유방밑선절개, 또는 배꼽절개로 수술받았으나 재수술은 겨드랑이절개를 통해 받고 싶은 환자들에게도 이 방법들을 적용할 수 있다.

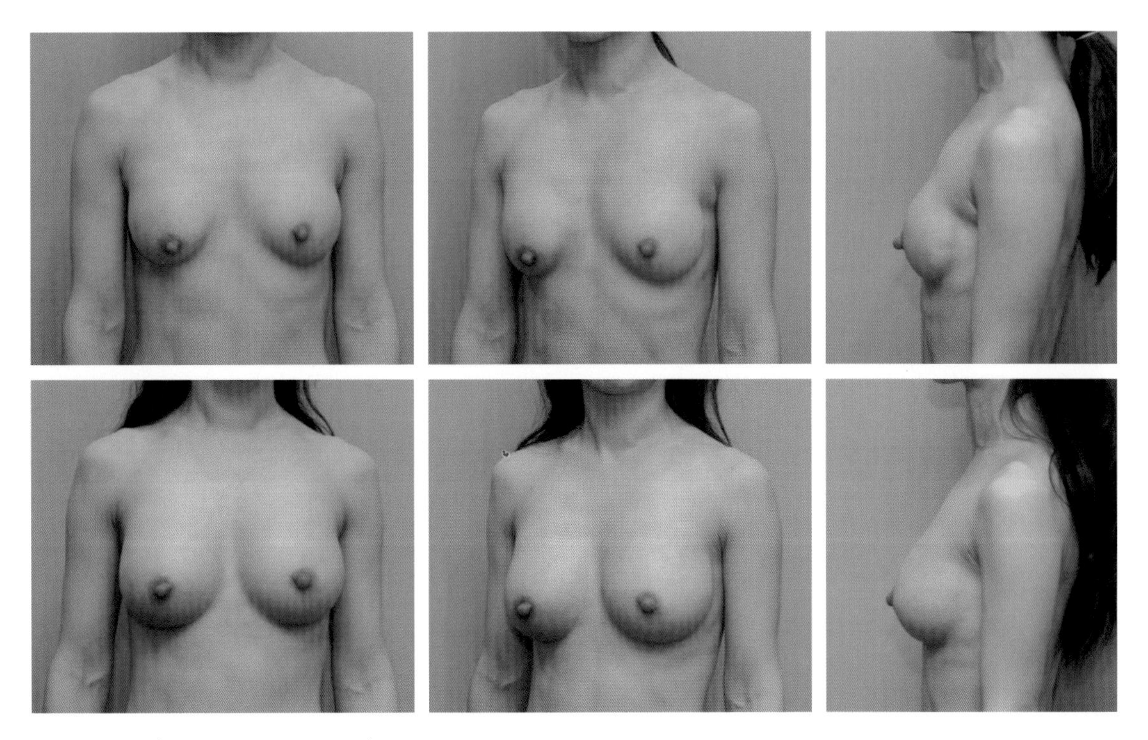

그림 11 **ADM(Acellular Dermal Matrix) graft**
Capsulotomy, Fat injection, ADM graft 전과 6개월 후.
Superolateral malposition, Rippling, Implant palpability가 개선됨.
Silimed 275 MD anatomic implant 사용

다만 이러한 Transaxillary Endoscopic Revisional Surgery 방법들은 고난이도 수술이라서 내시경수술에 경험이 많지 않은 의사들이 시행하기에는 어려움이 있다. 그러나 Transaxillary Endoscopic Breast Augmentation을 많이 시행해가면서 유방의 내시경적 해부학 구조를 익히고 내시경 조작에 익숙해진다면 저자가 소개하는 재수술방법들도 빨리 습득할 수 있을 것이다.

참 · 고 · 문 · 헌

1. Cunningham BL, Lokeh A, Gutowski KA. Saline-filled breast implant safety and efficacy: A multicenter retrospective review. Plast Reconstr Surg. 2000;105:2143–2149
2. Gabriel SE, Woods JE, O'Fallon M, Beard M, Kurland LJ, Melton JM III. Complications leading to surgery after breast implantation. N Engl J Med. 1997;336;677–682.
3. Gutowski KA, Mesna GT, Cunningham BL. Saline-filled breast implants: A Plastic Surgery Educational Foundation multicenter outcomes study. Plast Reconstr Surg. 1997;100:1019–1027.
4. Hammond D, Hidalgo D, Slavin S, Spear S, Tebbets J. Revising the unsatisfactory breast augmentation. Plast Reconstr Surg. 1999;104:277–283.
5. McGhan Medical Corporation. Saline-Filled Breast Implant Surgery: Making an Informed Decision. Santa Barbara, Calif: McGhan Corporation; 2000:10–18.
6. Mentor Corporation. Saline-Filled Breast Implant Surgery: Making an Informed Decision. Santa Barbara, Calif: Mentor Corporation; 2000:11–19.

Augmentation mammoplasty »

겨드랑이 절개를 이용한 근막하 유방증대술

Transaxillary subfascial breast augmentation

| 이영우 |

근래 유방 확대술은 절개부위와 보형물 삽입 위치 등에 따라 다양한 기법을 선택할 수 있게 되었다. 그중 보형물 삽입에 적합한 위치를 선택하는 것은 가슴보형물이 처음 도입된 1960년대부터 중요한 고려의 대상이 되어왔다. 기존에 보편화된 삽입 층으로는 subglandular plane과 submuscular plane으로 대별 되었지만 각각의 장단점을 보완한 새로운 방법으로 subfascial plane이 소개(Graft,2000) 되어 좀 더 자연스러운 유방 확대술을 시행 할 수 있게 소개하고자 한다**(그림 1)**.

Tebetts는 그의 저서에서 cadaver dissection시에

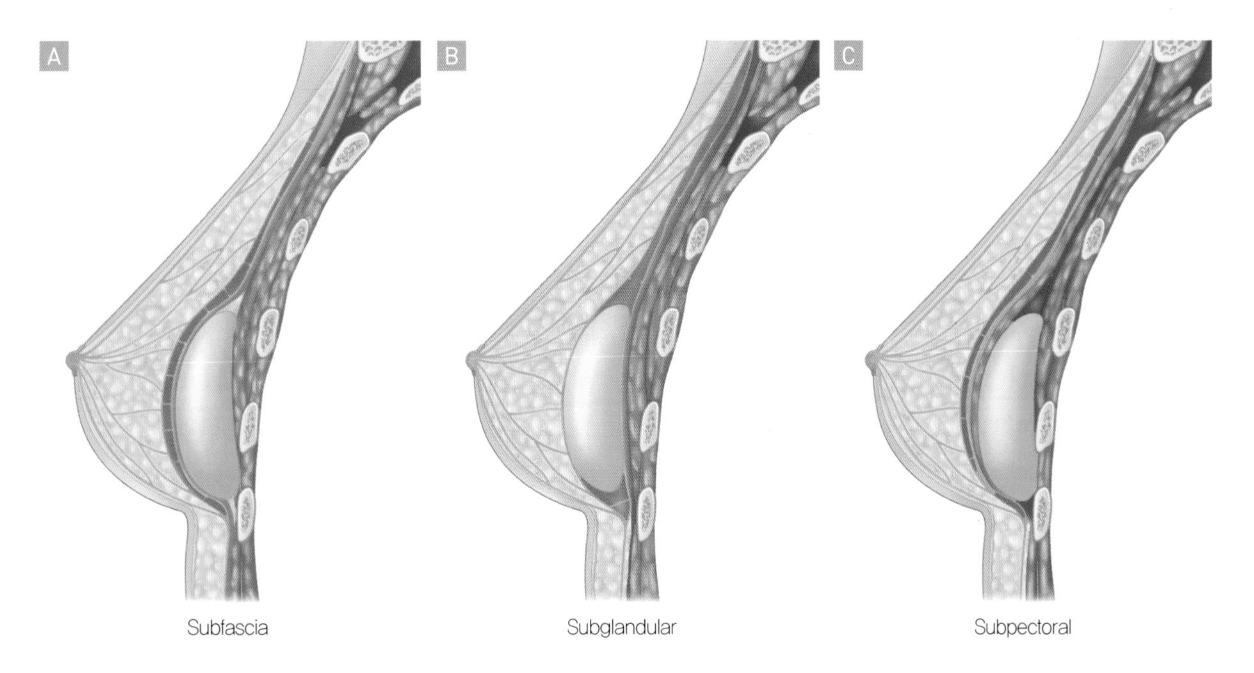

그림 1 **Various implant pocket layer.**
A. Subfascial plane B. Subglandular plane C. Submuscular plane

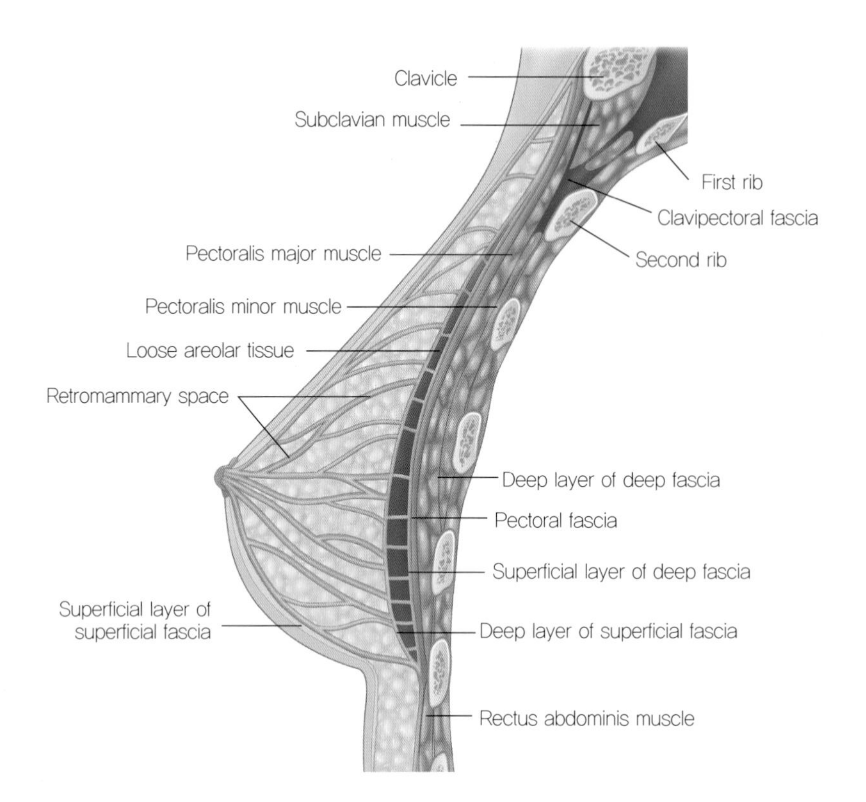

그림 2 Define layer of breast parenchyme cross section

prepectoral fascia는 너무 얇아 breast augmentation 시에 적절한 plane으로써의 가치가 적다고 기술하였지만, Jinde와 Hwang의 임상과 cadaver 연구에 의하면 충분한 가치가 있어 유용한 breast implat의 supporter역할로 충분하다고 언급하고 있다.

1. subfascial plane의 장점

Breast를 이루는 Soft tissue의 두께가 충분하지 않은 경우에 subglandular plane으로 수술할 경우 보형물이 만져지거나 뚜렷한 보형물의 윤곽선이 보일 수 있으며 특히 smooth type의 보형물일 경우 다른 층에 비해 구형구축의 빈도가 좀 더 많이 발생될 수 있다. 이에 비해 subpectoral plane의 방법은 덜 충분한 soft tissue의 cover로 적당하며 뚜렷한 보형물의 윤곽선은 subglandular plane에 비해 덜 나타나고 자연스러운 결과를 얻을 수 있지만 수술 후 통증이 좀 더 수반되며 팔을 많이 쓰는 동작을 할 경우 근육의 움직임에 의해 보형물의 위치 변형을 초래하기도 한다.

이러한 장단점에 비추어 subfascial plane의 경우는 subglandular plane에 비해 보형물의 윤곽이 덜 뚜렷해서 수술한 티가 덜 나고 구형구축의 빈도도 subglandular plane보다 낮다고 보고하고 있다. 좀 더 자연스러운 가슴모양을 만들 수 있고 또한 subpectoral plane에 비해 근육의 움직임에 의한 보형물의 변화가 적으며 수술 후 통증도 덜하다.

2. 해부학적 구조

유방은 흉부의 피부 아래 superficial fascia로 둘러

싸여진 피부 부속기관이다.

이 fascia의 superficial layer는 진피에 붙어 있으며, deep layer는 유방 실질 구조의 posterior layer를 형성한다. superficial fascia의 deep layer와 pectoralis major muscle을 감싸는 fascia 사이는 loose areolar tissue를 형성하며 subglanldular plane으로 시술하는 target plane을 형성한다.

Deep pectoral fascia는 pectoral major, serratus anterior 그리고 rectus abdominis muscle을 감싸고 있으며 상방으로는 clavicle과 연결되어 subfascial plane으로 시행되는 주 박리 층의 역할을 하게 된다(**그림 2**).

3. 수술 전 평가

subfascial plane으로 수술을 하기 전에 유방의 조직과, 흉곽의 모양을 살펴보고 피하지방의 두께와 탄력성을 평가해서 수술여부를 결정하게 된다. 보통 유방의 상하부 pinch test상 2 cm이상의 경우에 수술의 적응증이 되며 이하의 경우는 subpectoral plane으로 시행하기를 권장한다. 유방실질의 처짐이 동반되어 있는 경우 유륜 절개를 통한 유방 거상술도 동시에 시행할 수 있으며, 배후성 반흔이나 켈로이드의 과거력이 있는 경우 axillary incision을 이용한 방법이 도움이 된다.

4. 수술방법

마취는 일반적으로 전신마취 하에 환자의 팔을 90° 벌린 상태에서 수술을 시행한다.

axillary incision을 이용한 방법에서 절개는 pectoralis major muscle의 lateral margin에서 1 cm 후방에서 자연 주름을 따라 4-4.5 cm 정도 시행한다.

피부 견인기를 이용하여 subcutaneous tissue를 pectoralis fascia가 노출되는 깊이로 박리를 한 후 노출된 fascia를 pectoralis major muscle의 lateral border를 따라 충분히 절개해서 내시경 기구가 들어갈 공간을 확보한다(**그림 3**). 확보된 공간을 이용하여 내시경(30°,10 mm 유방 내시경)을 삽입 한 후 electrocautery로 근육에 부착되어 있는 fascia를 조심스럽게 하방으로 박리

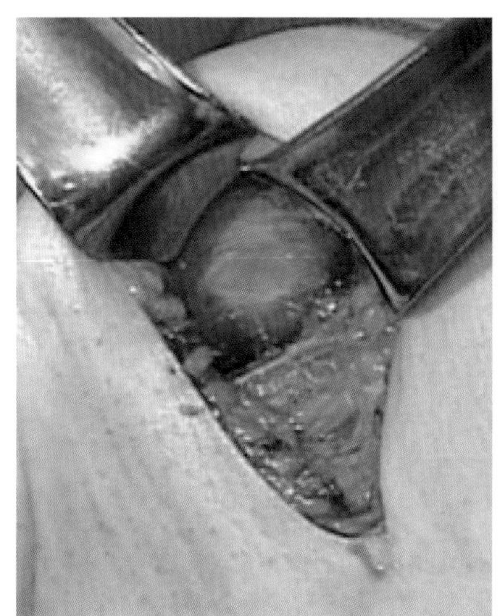
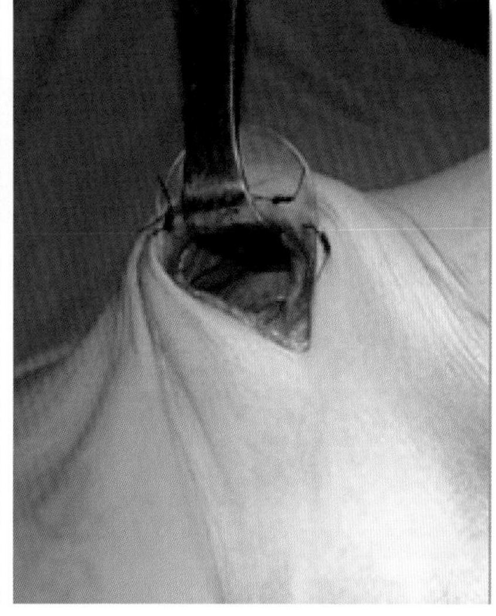

그림 3 pocket dissection of axillary enterance that subfascial plane augmentation mammaplasty.

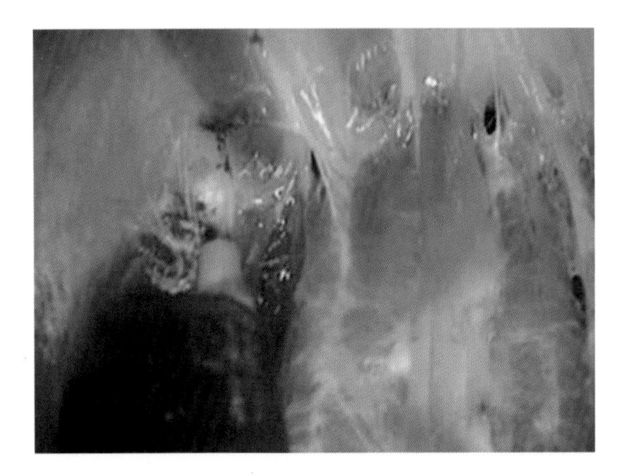

그림 4 Endoscopic finding of upper pectoralis major muscle dissection with electrocautery.

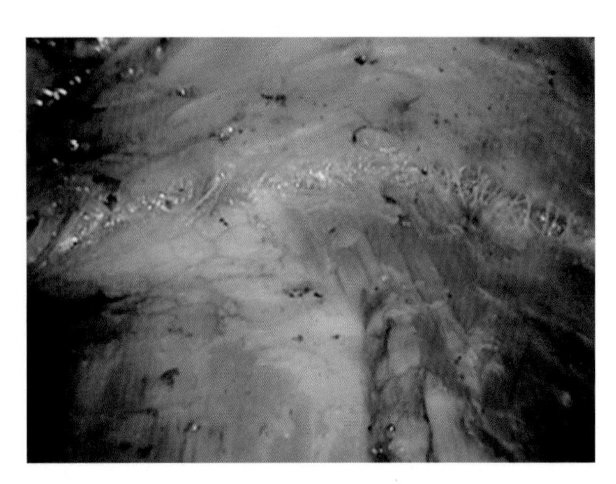

그림 5 Endoscopic finding of lower pectoralis major muscle dissection.

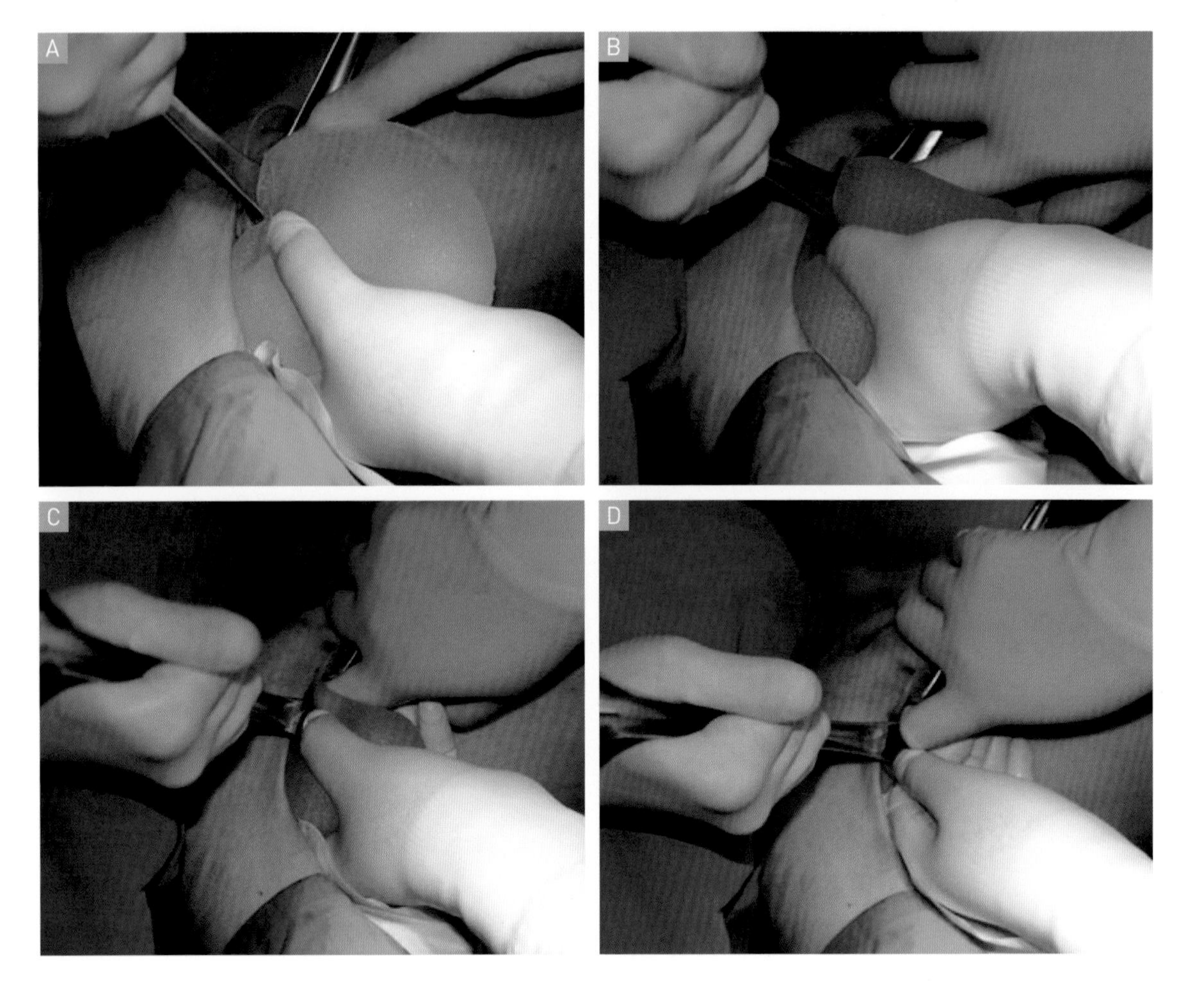

그림 6 implant insertion with gentle maneuver by axillary approach.

해 나간다(**그림 4**). 내측으로는 midsternum의 외측 1 cm정도까지 박리하며 외측으로는 anterior axillary line을 벗어나지 않게 진행하면서 nipple areolar complex까지 비교적 intact하게 fascia가 찢어지지 않게 조심스럽게 박리를 시행 할 수 있다.

다음으로 좀 더 하방으로의 박리는 pectoralis major muscle의 inferior margin까지 진행하고 이후에는 근육을 감싸고 있는 fascia를 아래로 조심스럽게 수술전 design된 inframammary line까지 박리를 진행한다. 경우에 따라서는 시술중 Breast lower pole의 expansion을 더욱 얻기 위해서는 pectoral major muscle을 감싸는 fascia를 6번째 rib 부위에서 횡으로 절개하여 subcutaneous fat층까지 박리를 진행하기도 한다(**그림 5**). 이는 subpectoral plane으로 수술이 진행 될 때와 마찬가지로 pecforalis major muscle의 하방 경계부위에서 rectus abdominis muscle로 이행되어지는 부위의 fascia층으로 박리를 계속 진행 할 경우 생길 수 있는 double bubble 현상을 방지하고 좀 더 팽장된 하부 breast pole을 만들기 위함이다.

이렇게 박리된 pocket은 sizer를 이용할 경우 정확한 박리 범위와 적정한 보형물의 선택에 도움을 얻을 수 있다.

보형물의 삽입 전에는 추가적인 출혈점의 지혈과 Betadin을 이용한 irrigation을 시행한 후 조심스럽게 보형물을 삽입하게 된다(**그림 6**). 시술 중 normal flora의 접촉을 피하기 위해 nipple을 tegaderm으로 shielding하고 Betadin을 이용한 추가적인 액와부 절개부위 소독과 no touch technique을 이용한 globe 교체는 수술 후 발생할 수 있는 구형구축을 방지하는데 도움을 줄 수 있다.

다음으로 절개부위는 4-0 흡수봉합사를 이용해 subcutaneos tissue를 봉합하고 5-0 또는 6-0 nylon으로 외부봉합을 실시하고 dressing을 시행한다.

5. 수술 후 관리

수술 후 적절한 통증관리가 필요하고 1-2주 동안은

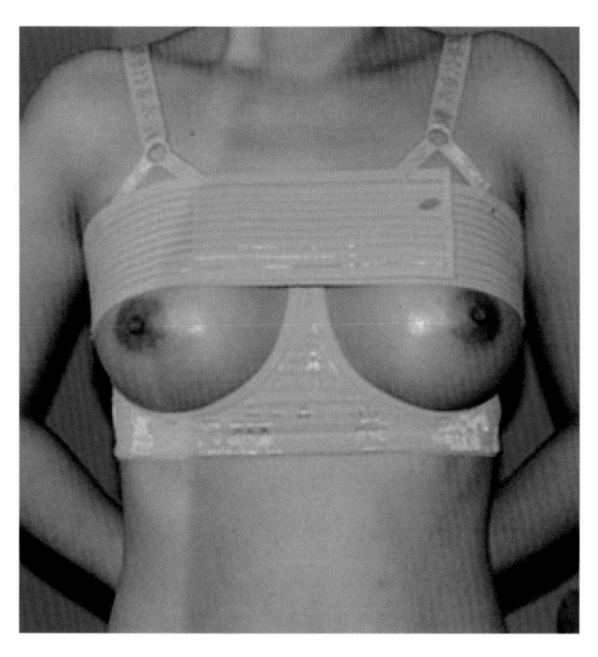

그림 7 supportive brassier designed with natural breast.

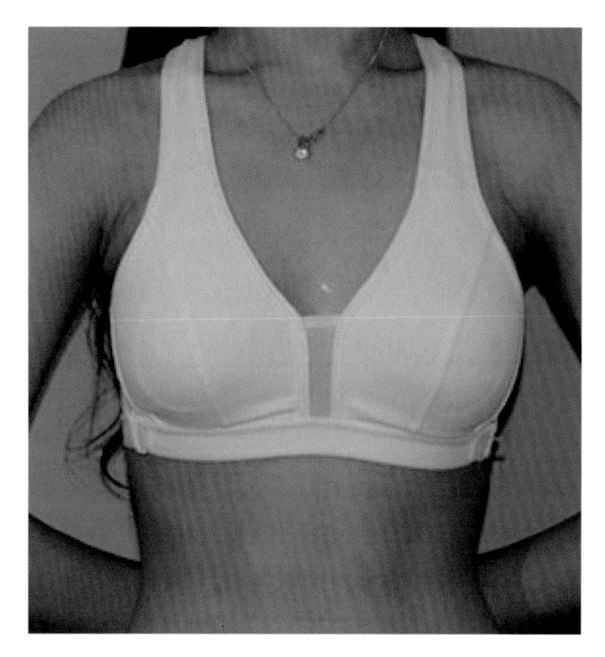

그림 8 wireless sport brassier

심한 physical activity를 삼가하도록 교육한다. 약 6주간은 보정 brassier(**그림 7**)를 착용하고 이후 6개월 동안은 가급적 wire가 있는 brassier 착용을 금지 시켜 보형물의 변위를 방지 하도록 한다(**그림 8**).

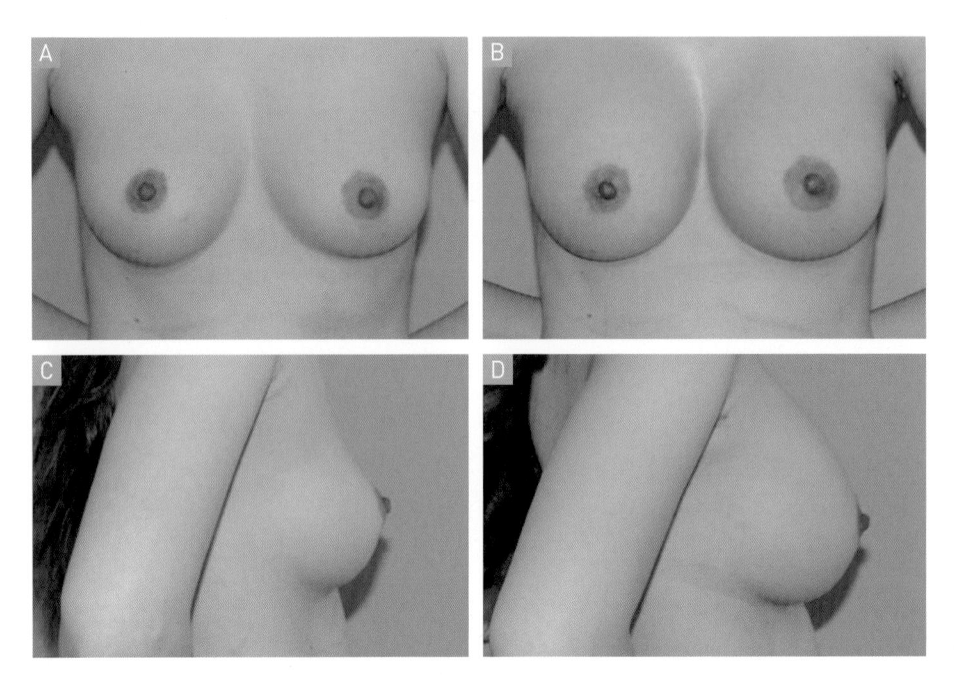

증례 1 F/40 subfascial plane breast augmentation with 350 cc anatomical implant
A. 수술 전 정면, B. 수술 2개월 후 정면, C. 수술 전 측면, D. 수술 2개월 후 측면

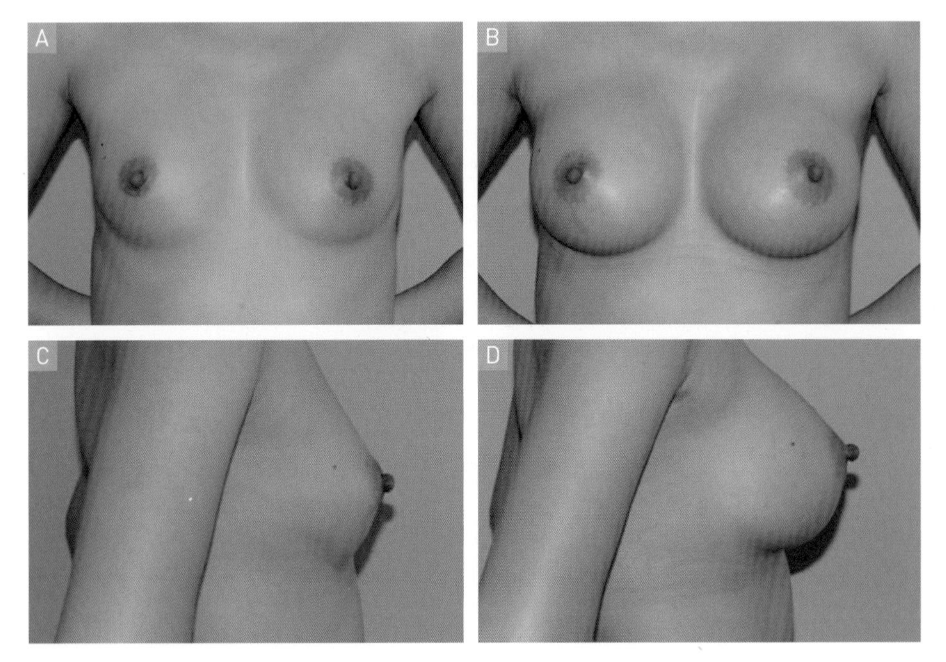

증례 2 F/32 subfascial plane breast augmentation with 315 cc anatomical implant
A. 수술 전 정면, B. 수술 2개월 후 정면, C. 수술 전 측면, D. 수술 2개월 후 측면

피막 구축 방지를 위해 약 두 달 동안 singulair과 Accolate (leukotrien inhibitar) 사용은 도움이 될 수 있으나 부작용(간수치 측정) 발생 시 사용을 중단해야 한다.

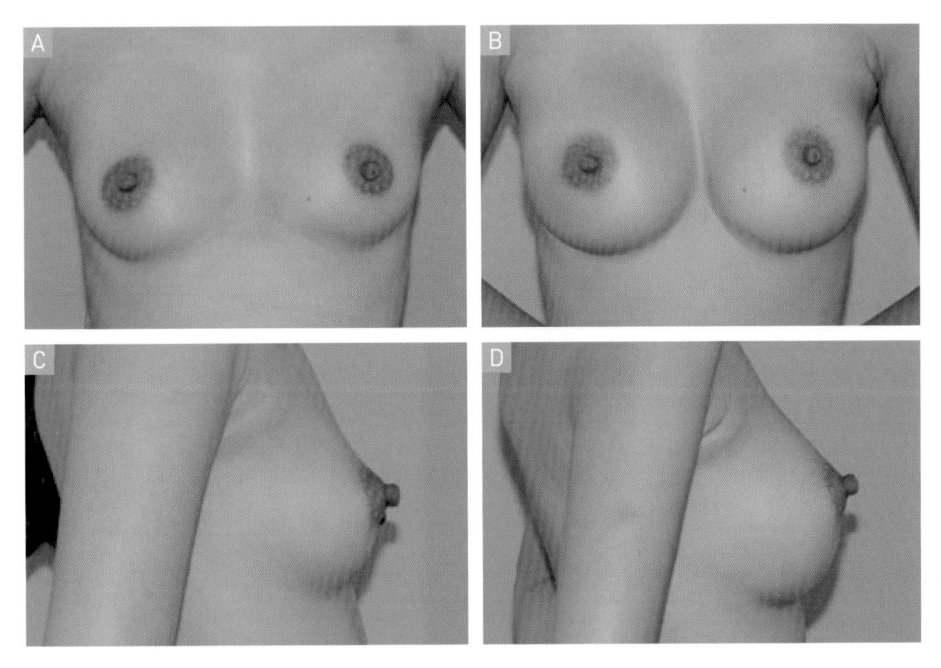

증례 3 subfascial plane breast augmentation with 240 cc Round implant
A. 수술 전 정면, B. 수술 2개월 후 정면, C. 수술 전 측면, D. 수술 2개월 후 측면

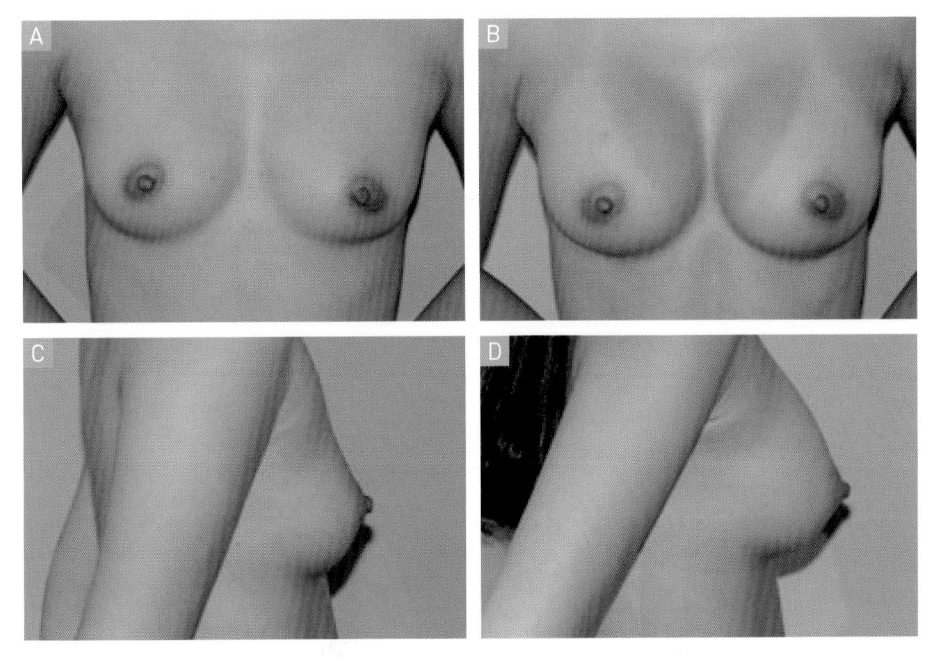

증례 4 subfascial plane breast augmentation with 253 cc. Round implant
A. 수술 전 정면, B. 수술 6주 후 정면, C. 수술 전 측면, D. 수술 6주 후 측면

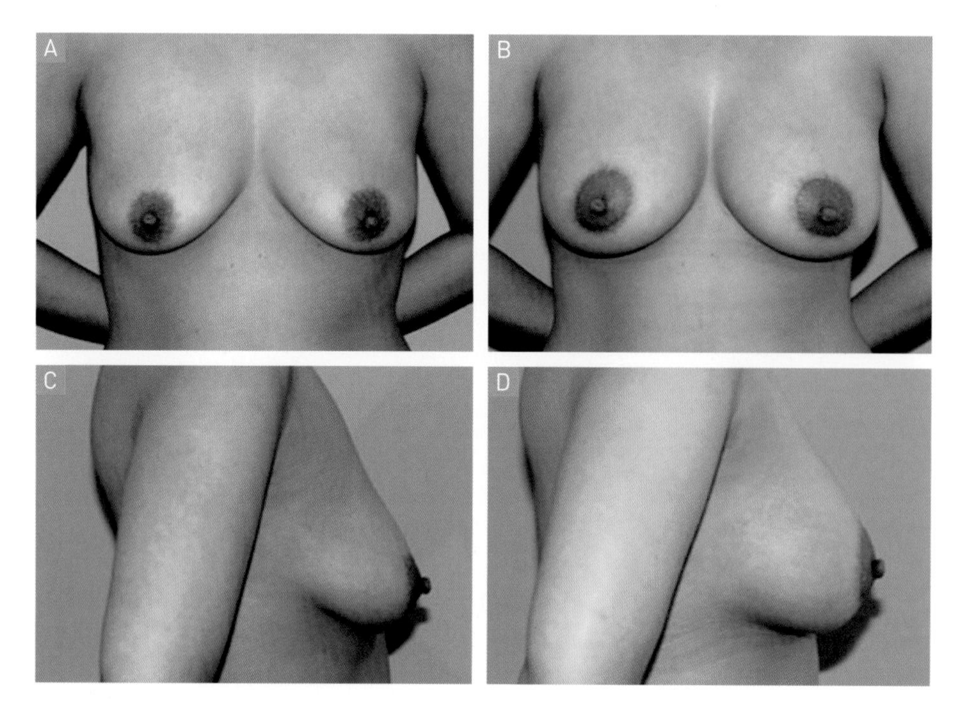

증례 5 **F/36 subfascial plane breast augmentation with mastopexy, 280 cc Round implant**
A. 수술 전 정면, B. 수술 3개월 후 정면, C. 수술 전 측면, D. 수술 3개월 후 측면

참 · 고 · 문 · 헌

1. Graf RM, Bernardes A, Auersvald A, Damasio RC: Subfas-cial endoscopic transaxillary augmentation mammaplasty. Aesthetic plast Surg 2000;24(3):216-220
2. Graf RM, Bernardes A, Rippel R, Araujo LR Damasio RC, Auersvald A: Subfascial breast implant: a new procedure. Plast Reconstr Surg 2003;111(2):904-908
3. Hwang k, Kim DJ: Anatomy of pectoral fascia in relation to subfascial mammary augmentation. Ann plast surg 2005;55(6):576-579
4. Jinde L, Jianliang S, Xiaoping C, Xiaoyon T , Jiaging L, Qun M, Bo L: Anatomy and clinical significance of pectoral fas-cia. Plast Reconstr Surg 2006;118(7):1557-1560
5. Tebbetts JB: Dual plane breast augmentation: optimizing implant-soft-tissue relationships in a wide range of breast types. Plast Recontr Surg 2006;18(7 suppl):81S-98S

Chapter 12

Augmentation mammoplasty »

유방확대거상술

Augmentation Mastopexy

| 옥재진, 임중혁 |

가슴의 크기가 hypoplastic하고 유두유륜복합체(NAC)의 위치가 아래로 처져있는 상태를 마주치게 되는 경우가 많이 있다.

이러한 상태는 주로 출산 후(postpartum)나 급격한 체중감소 후에 발생하는 경우가 많다.

이러한 상황에서는 피부의 탄력이 떨어져서 유방피부표면(skin envelope)의 넓이가 넓어지고 유방실질(breast parenchyma)의 분포가 정상적인 범위를 벗어나 있게 된다.

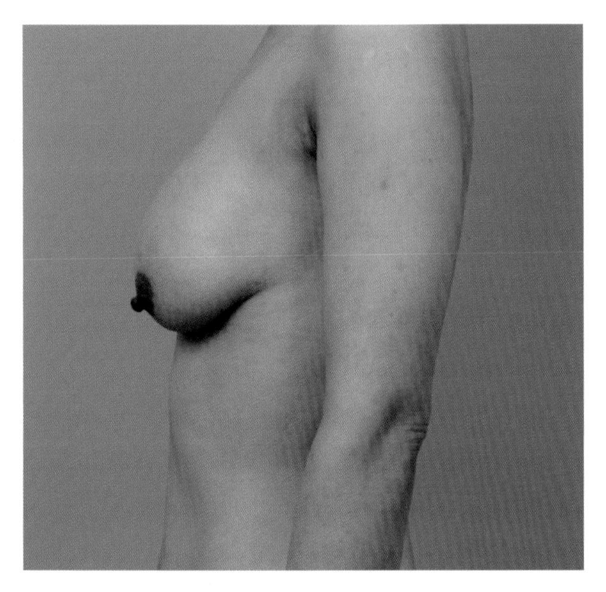

그림 1 Waterfall deformity

이런 상태라면 단순한 유방확대술만으로는 충분한 미적인 결과를 얻을 수 없다. 즉, 윗가슴이 볼록하고 유두가 아래를 보고 있는 소위 waterfall deformity(**그림 1**)라고 하는, 미용적으로 받아들이기 어려운 형태를 보이게 되며, 유두유륜 복합체를 올려주는 유방거상술만 시행한 경우엔 환자가 원하는 충분한 볼륨을 얻을 수 없게 된다. 그러므로 이러한 상황에서는 가슴의 크기를 크게 해주는 유방확대술(augmentation mammoplasty)과 동시에 유두유륜 복합체를 적절한 위치로 올려주는 유방거상술(mastopexy)을 같이 진행해야 한다.

유방확대거상술은 미용유방수술 중에 가장 어려운 수술이라고 할 수 있다. 이유는 아래와 같다.

1. 유방의 위치, 가슴 밑주름의 위치, 유방 피부표면의 면적, 유두유륜복합체(nipple areolar complex, NAC)의 위치 및 가슴의 크기 등 가슴의 모양을 만드는 거의 모든 변수들을 조정해서 반대되는 방향의 두 가지 목표를 달성해야 한다. 즉, 유두유륜 복합체의 거상은 필연적으로 일정부분 피부표면의

절제를 동반하며, 유방확대술은 가슴의 크기를 크게 하며 이에 따라 더 넓은 피부면적이 필요한 것이다. 이러한 상반되는 방향의 수술을 동시에 진행하면서도 되도록이면 제한된 절개선하에 양측의 대칭성을 맞춰야하고 유두유륜복합체로 가는 혈행을 충분히 유지해야하며, 충분히 지속되는 결과를 얻어야하기 때문이다.

2. 기본적으로 미용수술이라는 개념이 강해서 환자들의 기대치가 높으며,
3. 보형물을 사용함으로써 그에 따른 합병증의 발생 가능성이 상존하기 때문이다.

1번과 같은 이유로 유방확대거상술을 한 번에 시술할지, 두 번에 나누어서 시술할지에 대해 많은 보고가 있어왔다.

한 번에 시행하자고 주장하는 측에서는 그 이유로 추가적인 수술을 피함으로써 경제적으로 도움이 되며, 추가 수술에 의한 위험성을 줄이고, 두 수술사이의 미적인 실망감을 없앨 수 있다는 장점을 주장하고 있는 반면에, 두 번에 나눠서 시행하자고 주장하는 측은 한 번에 수술을 시행함으로써 발생하는 합병증의 확률이 상당하며 그 결과를 예측하는 것이 불확실하다는 근거를 들었으며 심지어는 이렇게 하지 말 것을 주장하기도 했다.

하지만, 요즘의 대부분의 환자는 두 번에 나누어서 수술하기 보다는 한 번에 수술을 마치기를 원하며, 전반적인 추세는 이를 한 번에 수술하는 것이다.

그리고 또한 많은 보고들이 한 번에 수술 하는게 만족스러운 결과를 얻었다는 결과를 나타나기도 했다.

이렇게 한 번에 유방확대와 거상을 수술하는 방식은 1960년 Gonzalez-Ulloa와 Regnault에 의해 시작되었다.

가슴의 크기를 크게 하길 원하는 환자군은 상대적으로 많지만 유방거상술(mastopexy)은 되도록 피하고자 하는 사람들이 많다. 왜냐하면 추가적인 흉터에 대한 부담감이 있기 때문이다.

일반적으로 NAC의 위치가 가슴밑주름(IMF) 근방 내지는 그 아래 있다면 어떠한 종류이든 유방거상술이 필요할 가능성이 높다.

NAC가 IMF에 비교하여 그리 낮지 않게 위치한 경우, IMF를 낮추는 방식의 simple augmentation으로 NAC와 가슴조직의 위치가 조화를 이룰 수 있으나, IMF fold release가 충분치 않은 경우 double-bubble deformity가 생길 위험성이 있으며 가슴자체가 상체에서 낮게 위치한 경우 유방확대거상술을 시행한 경우가 더욱 미적으로 조화로운 결과를 얻을수 있다.

NAC가 처진 정도가 심하지 않은 환자군중 흉터에 대한 거부감이 큰 경우, 적절하다고 생각되는 볼륨보다 작은 크기의 보형물을 선택하고 NAC의 위치를 가장 돌출된 부위(most projecting point) 보다 약간 낮은 곳에 위치하는 절충점을 찾는 것도 하나의 방법이 될 수 있다.

유방확대 거상술의 합병증은 크게 가슴 조직과 관련된 것과(tissue-related) 보형물과 관련된(implant-related) 것으로 나눠볼 수 있다.

조직과 관련된 것으로는 흉터가 나쁜 경우(poor scarring), 유방하수가 재발된 경우(recurrent ptosis), 유륜 비대칭(areolar asymmetry), 유방자체가 비대칭인 경우(breast asymmetry), 피부 및 유륜 일부 괴사(partial necrosis), 혈종(hematoma) 등이 있을 수 있으며,

보형물과 관련 된 것으로는 구형구축(capsular contracture), 환자가 크기를 다르게 하고 싶어하는 경우(desire to change size), 보형물의 위치 이상(implant malposition), 혈종(hematoma), 염증(infection), 장액종(seroma), 보형물 노출(implant extrusion) 등이 있을 수 있다.

1. 유륜주위절개 유방확대거상술
(Periareolar Augmentation Mastopexy)

수직절개나, 가슴 밑주름에 절개선이 필요한 Wise pattern의 유방확대 거상술과 달리 유륜주위 유방확대 거상술의 경우 그 정도가 심하지 않은 경우에 유용한 수술방법이다.

이 수술법이 적용될 수 있는 주 대상은 Regnault 분류상 grade I 에 해당하는 mild ptosis로 유두의 위치가 가슴 밑주름 근방에 위치하며, 가슴밑주름 밑으로 피부의 늘어짐(overhanging)이 4 cm 정도를 넘지 않아야 한다. (그러므로 가슴 밑주름에서 유두까지의 거리가 7~8 cm이 넘지 않아야 한다.)

가슴 밑주름밑으로의 피부 늘어짐이 큰 경우(즉, 가슴 밑주름에서 유두까지의 길이가 긴 경우) 유두하부(low pole)가 늘어진 형태가 되어 미용적으로 만족스럽지 못하게 될 가능성이 높아지기 때문이다. 이러한 경우엔 수직절개 유방확대거상술이나 역 T자 반흔 유방확대 거상술의 방법을 이용하여 lower pole의 모양을 적절히 만들어 주는 것이 필요하겠다.

이 수술방법의 장점은 1) 수직절개의 반흔이 없으며, 2) 수직절개나 Wise pattern의 유방확대 거상술에 비해 비교적 간단하게 수술할 수 있으나,

단점으로는 1) 정도가 심한 경우엔 적용할 수 없으며, 2) 수술의 계획이나 시술이 적절치 않을 경우 유륜주위의 반흔이 수직절개나 Wise pattern의 수술법에 비해 오히려 더 안 좋을 수도 있으며, 유륜의 크기가 커지는 경우가 있을 수 있다. 3) 또한 미용적으로 유방과 유륜이 편평한 모양을 보이는 경향이 있다.

수술 디자인은 다른 유방확대 거상술과 마찬가지로 환자가 서 있는 상태에서 진행된다.

1. 일반적인 유방확대 거상술과 마찬가지로 가슴중심선(midline), 가슴밑주름(inframammary fold),

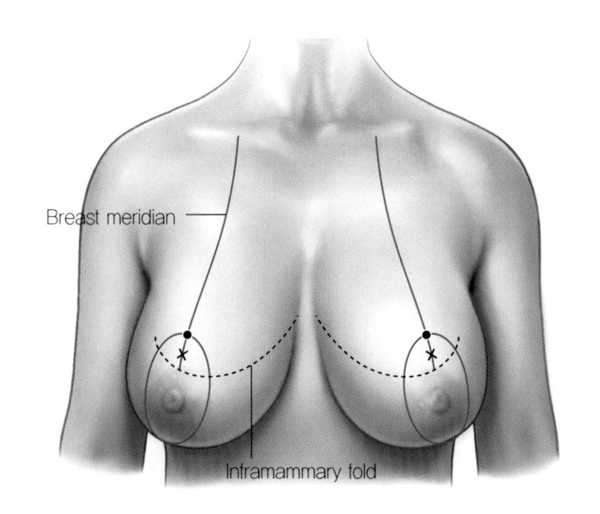

그림 2 가슴밑주름(IMF)과 breast meridian을 도안하고 수술후 유듀가 위치해야할 지점(X)과 이에 따른 유두상방의 위치를 최상점으로 하는 타원형의 절개선을 도안한다.

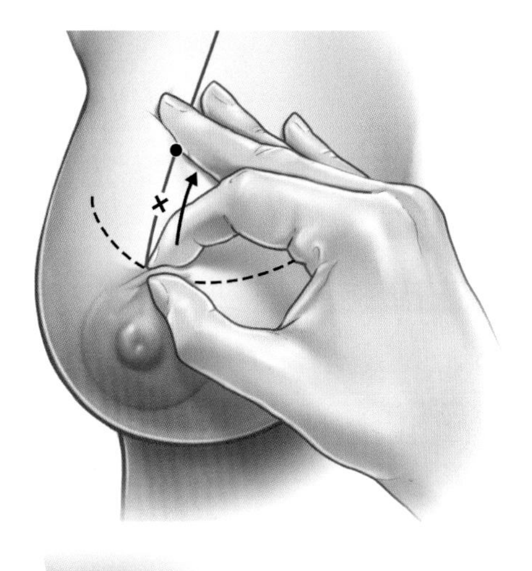

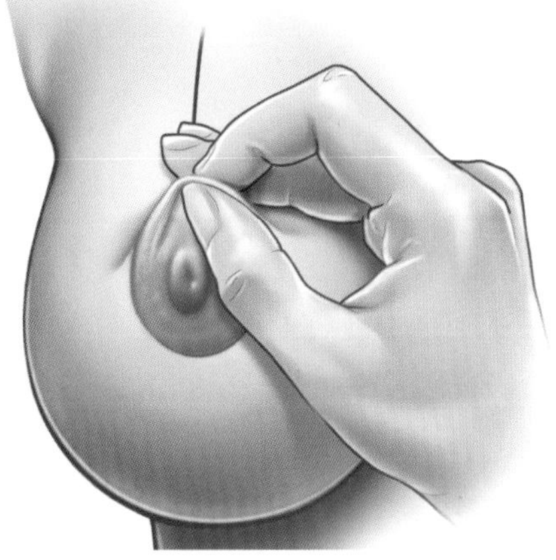

그림 3 유륜상부를 손가락으로 잡아당겨서 수술 후에 위치해야할 곳으로 이동시켜서 그 위치가 적절한지 판단해보고 위치를 정한다.

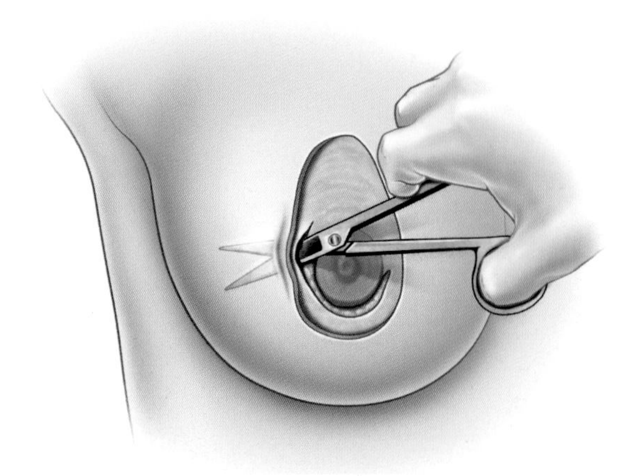

그림 4 바깥 타원형 주위에 4–5 mm의 dermal shelf를 남기고 약 1–2 cm정도의 subcutaneous dissection을 진행한다.

breast meridian을 그린다(**그림 2**).

2. 유륜의 상부를 손가락으로 잡아당겨서 수술후에 위치해야 할 곳으로 이동시켜서 그 곳을 표시한다 (**그림 3**).

   가슴의 크기, 피부의 탄력성 등을 고려해야 하지만 대략 가슴밑주름에서 약 4-6 cm 상방에 유두가 위치하게 하는 것이 적당하다.

3. 이 꼭지점을 통과하고 유륜을 포함 하는 타선형의 절개선을 디자인한다(**그림 2**).
4. 유륜주위로는 대략 4 cm 정도의 절개선을 디자인한다.

수술방법은 전신마취나 sedation 하에 수술대에 누워있는 상태에서 시작된다.

1. 유륜하부쪽에 절개선을 넣고, 유륜절개 유방확대술을 시행하는 방식으로 유선하 내지는 근육하 공간을 박리하여 유방확대술을 시행한다.
2. 유륜의 위치를 디자인했던 위치에 stapler로 이동시켜 잠정 고정해 놓고, 환자를 sitting position으로 앉혀서 수술 후 유륜의 위치가 적절한지, 양측의 대칭성이 잘 맞을지 다시 한 번 확인을 한다.
3. 유륜주위와 바깥쪽의 타원형에 절개선을 넣고 그 사이의 부위는 탈상피화(deepithelization)를 시행한다.
4. 바깥쪽 타원에 약 4-5 mm의 dermal shelf를 남겨두고 절개선을 넣고, 주변부로 두껍지 않게 subcutaneous dissection을 약 1-2 cm 정도 진행한다(**그림 4**).
5. nonabsorbable suture나 Goretex를 이용하여 purse-string suture나 interlocking suture를 진행하여 넓은 원형을 작은 유륜주위로 cinching 한다(**그림 5**)
6. absorbable suture와 nonabsorbable suture로 유륜주위의 봉합을 마무리한다.

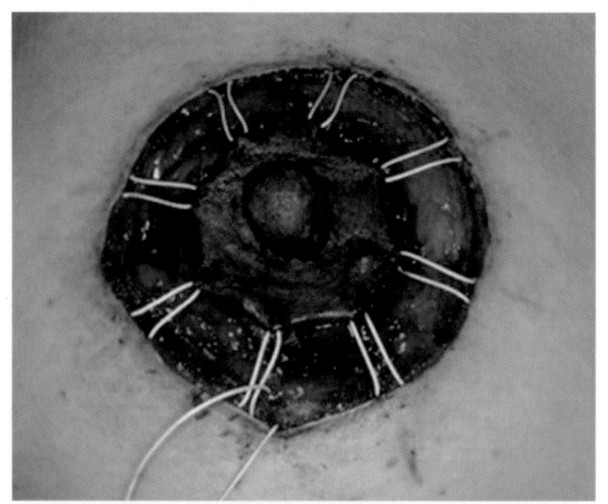

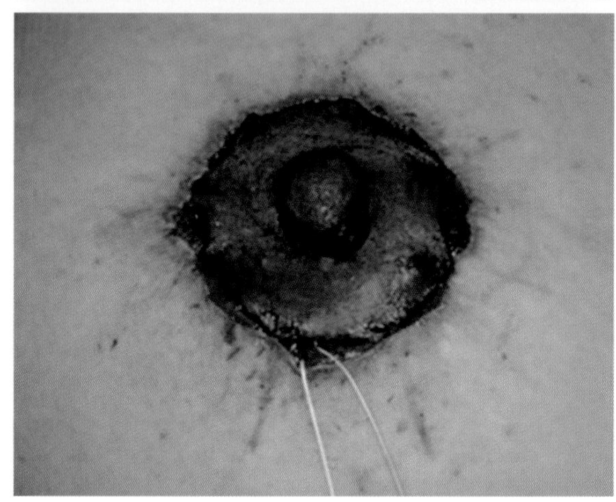

그림 5 Goretex suture를 이용한 Periareolar defect를 cinching

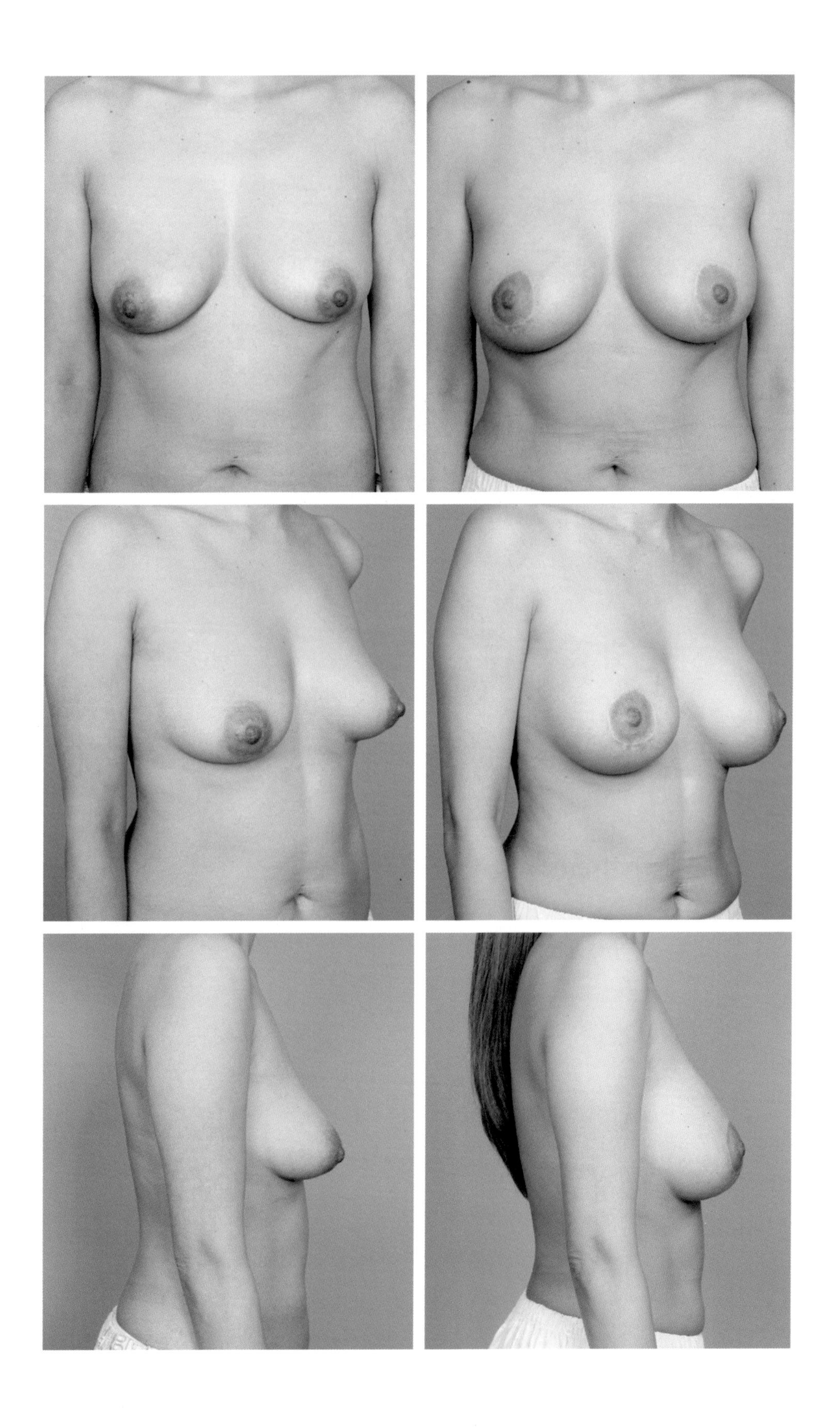

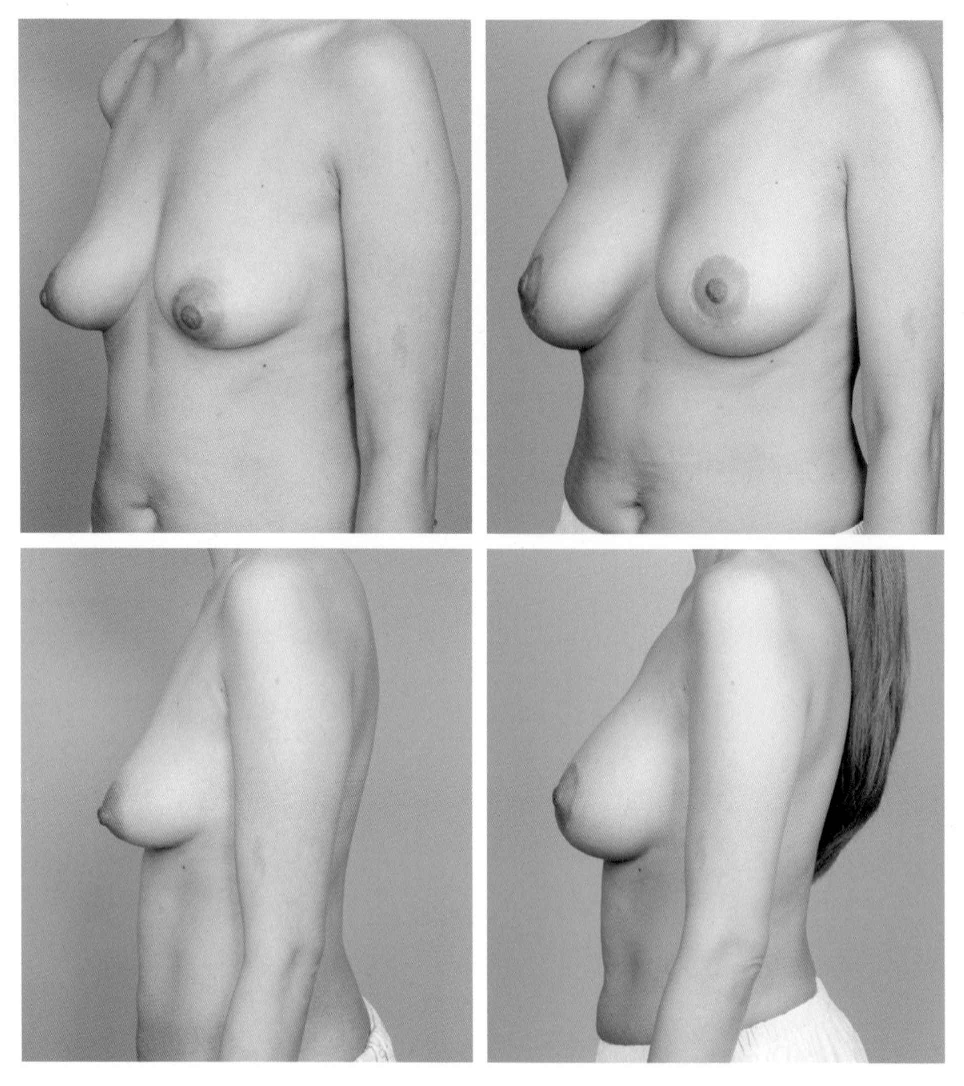

증례 1 **42세된 여성 환자로 현재 유두의 위치는 가슴밑주름 상방 약 1 cm에 위치함.**
수술 후 유두의 위치를 가슴 밑주름 상방 5 cm을 잡고 좌측 3.5 cm, 우측 4 cm 유두가 상승하도록 수술을 진행하였다. 좌우측 각각 원형, textured implant 222 cc와 203 cc의 보형물을 사용하였으며, 수술 후 1년 8개월 후의 사진이다.

일반적으로 바깥쪽 원을 안쪽의 작은 원으로 줄일 수 있는 비율은 2:1에서 크게는 3:1까지 줄일 수 있다고 알려져 있다.

수술 후 유륜의 지름을 4 cm정도로 보면, 4-8 cm 정도까지 줄일 수 있다는 의미이나, 그 차이가 클수록 유륜주위의 wrinkle이 심하게 되고, 이 주름이 심할수록 유륜주위의 흉의 질이 떨어질 수 있으므로 지나치게 큰 범위의 교정 시에는 주의가 필요하겠다(증례 1).

2. 수직반흔 유방확대거상술
(vertical augmentation mastopexy)

유륜부위에는 절개선을 만들지 않고 유방하부에

수직절개선만을 만들어서 유방확대 거상술을 시행하는 방법이다. 유두의 위치는 유방 밑주름(inframammary fold) 상방에 있으나 유방실질의 상당부분이 유방하부로 이동하고 유두유륜은 비교적 정상의 위치에 있는 가성하수의 경우에 주로 이용된다. 유방하부의 피부는 늘어져 있고 유방실질의 하수가 심한 상태이므로 유륜절개 반흔을 이용해서는 과장되고 과한 유방하부의 모양을 교정할 수 없어 사용하는 것이다. 수직 절개창을 통해 보형물을 삽입하고 유방실질은 유륜 하부부터 유방 밑주름 상부까지 모아주어서(plication) 조화로운 유방실질 모양을 만들며 남는 잉여의 피부도 절제 한다. 유방하부의 모양개선이 뚜렷하고 유방실질의 모양과 위치도 용이하게 교정할 수 있으나 수직반흔의 존재가 약점이다.

3. 원주수직반흔 유방확대거상술
(circumvertical Augmentation mastopexy)

유륜주위와 유방하부에 반흔을 만드는 방법으로 유륜주위절개 반흔으로 해결할 수 없는 많은 잉여의 피부와 유방실질의 하수 그리고 유두유륜의 하방이동이 동반되어 있는 경우에 사용한다. 유륜주위 피부절제를 통하여 잉여피부를 많이 절제하면 수술 후 가슴의 모양이 납작해지고 퍼지게 되는데 이를 방지하고 유륜주위뿐 아니라 유방하부에도 잉여피부를 절제할 수 있는 방법이어서 널리 사용되고 있다. 다른 수술들과 마찬가지로 이 수술의 과정은 크게 보형물을 넣는 부분과 하수교정술을 시행하는 부분으로 나눌 수 있다. 그 순서는 어떻게 해도 가능하나 개념에 있어서는

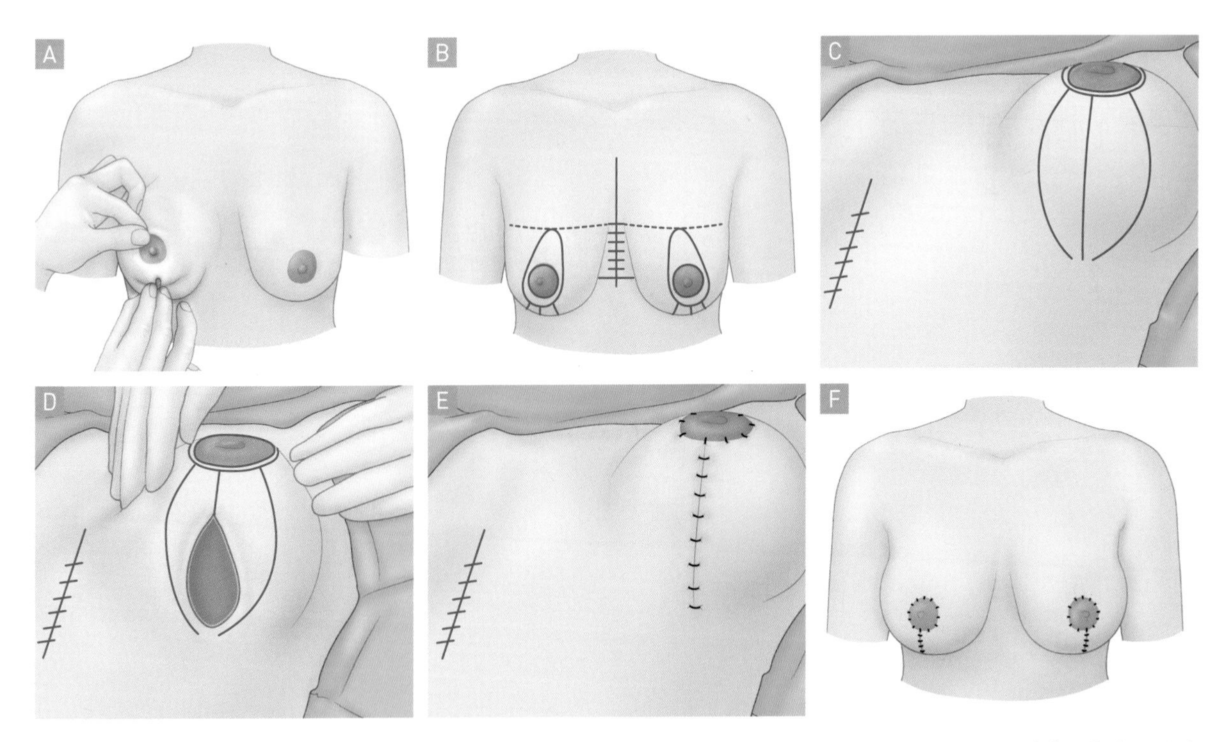

그림 6 A.예상되는 유방하부의 피부 절제량 만큼 손으로 줄인 후 유륜상부를 적절한 위치(가슴밑주름에서 4~6 cm 상방)로 옮김. B. 수술 전 디자인으로 유방하부의 절제할 피부와 옮겨갈 유두유륜복합체의 위치, 탈상피화 할 유륜주위의 범위를 그림. C. 수술 전 디자인을 아래쪽에서 바라본 것으로 유방하부의 잉여피부 절제범위를 유선형으로 하여 유방주름 바깥쪽으로 흉터가 벗어나지 않게 함. D.유방하부의 아래쪽 수직 절개창을 통해 보형물공간을 만들고 보형물을 삽입함. E. 보형물삽입 후 유륜주위와 유방하부의 피부절제범위를 다시 조정. F. 수술 후 봉합이 끝난 모습

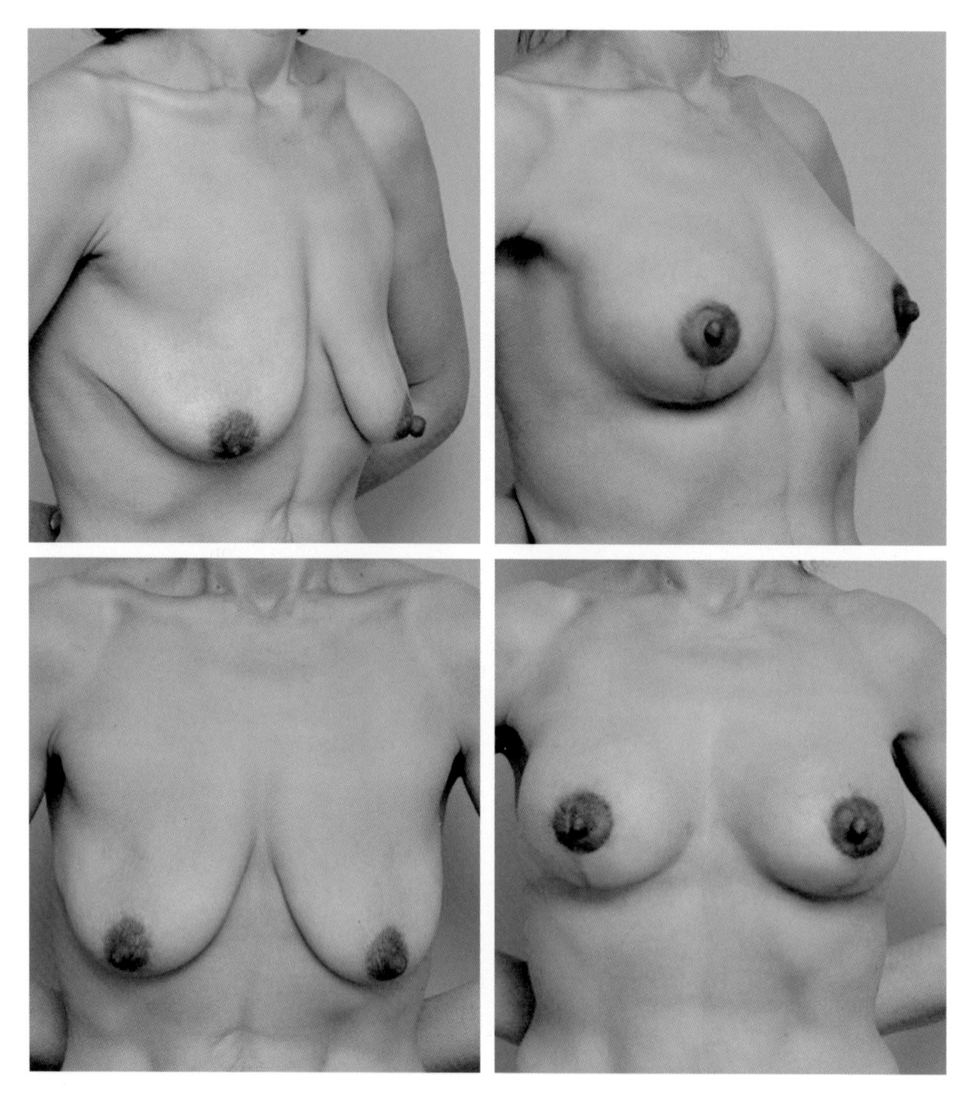

증례 2 **52세 환자로 현재 유두의 위치는 가슴밑주름 하방 약 3 cm에 위치함.**
수술 후 유두의 위치를 가슴 밑주름 상방 4 cm을 잡고 유륜주위와 유방하부의 수직수평부분의 잉여피부를 모두 절제하는 역 T자 반흔 유방확대 거상술 진행하였다. 좌우측 각각 anatomical type의 보형물 255 cc를 사용하였으며 수술 중 좌측유방실질을 일부 절제하였다.(50 g) 수술 후 1년 후의 사진이다.

차이가 있겠다. 하수 교정을 먼저 할 때는 대개 유방의 잉여피부를 과하지 않고 여유 있게 절제하고 유두유륜의 위치를 옮긴 후 보형물의 선택시 비교적 작은 보형물을 넣어서 하수 교정된 유두유륜이나 잉여피부양의 변화가 많지 않도록 하는것이다. 반면 보형물을 삽입하는 수술을 먼저 하는 경우에는 보형물을 좀 더 크게 선택해도 무방하며 보형물 삽입후 변화되는 잉여피부의 양이나 유두유륜의 위치를 반영하여 하수교정술의 디자인을 확정할 수 있다. 따라서 경험이 많지 않은 이들에게 좀 더 쉽게 사용할 수 있는 순서이다.

수술을 위해 유방중심선을 작도하고 유방중심선부를 중심으로 손끝으로 축소할 잉여피부를 모은 후 유두의 옮길 위치를 정한다(**그림 6,A**). 하지만 이런 과정의 디자인은 보형물 삽입 후 변하게 되어 다시 교정할 수 있으므로 아주 정확할 수는 없겠다. 유방하부의 잉여피부중심선의 하부 절개창을 통하여 보형물을 삽입한다(**그림 6, D**). 보형물은 환자의 상태와 선호도에 따라 결정한다. 보형물을 삽입 위치도 어느 곳이나 가능하나 단 보형물이 하방 이동되지 않게 scarpa's fasia등의 지지조직은 잘 보존한다. 수술 전 디자인했던 과정을 다시 반복하여 적절한 유두위치와 수직절개창 주위의 피부절제양을 결정한다(**그림 6, E**). 절제할 피부의 탈 상피화(de-epithelization) 후 필요한 유선조직성형술이 있으면 시행하고 봉합한다(**그림 6, F**). 유륜주위는 유륜과 피부절개창과의 크기차이가 있는 경우 유륜주위절개 유방확대거시상술에서처럼 쌈지봉합한다.

4. 역 T자 반흔 유방확대거상술
(inverted-T augmentation mastopexy)

유륜주위 반흔과 더불어 유방하부에 수직, 수평반흔을 모두 만드는 방법으로 유방피부를 충분히 줄일수 있어 하수의 정도가 심하고 유방피부의 잉여분이 많은 경우에 사용한다. 유방의 잉여피부양은 수직적인 부분과 수평적인 부분으로 나눌 수 있고, 수직적인 부분은 유륜주위 피부절제와 유방하부의 수평방향피부절제를 통해서만 줄일 수 있다. 따라서, 유두유륜 복합체와 유방밑주름 사이에 거리가 사용하는 보형물에 비해서 많이 긴 경우는 효과적인 잉여피부감소를 위하여 이 수술방법을 사용하게 된다. 다만, 수평반흔이 유방밑주름에 정확히 가려지지 않거나 너무 긴 경우는 보기 흉하기 때문에 유방 밑주름에 반흔이 잘 위치 하도록 하여야 하고 내측부는 수평반흔이 길어지지 않도록 특히 주의하여야 한다. 전반적인 수술디자인과 과정은 원주수직반흔 유방확대거상술과 비슷하나 유방의 잉여 피부를 수직적으로 더 줄일 수 있으므로 유두와 유방밑주름 사이에 잉여 피부양이 아주 과도한 경우에 사용한다(증례 2).

참·고·문·헌

1. Adams WP Jr. The process of breast augmentation: Four sequential steps for optimizing outcomes in patients. Plast Rescontr Surg. 2008;122:1892-1900.
2. Ahmad J, Lista F. Vertical scar reduction mammoplasty: the fate of nipple-areola complex position and inferior pole length. Plast Recontr Surg. 2008;121:1084-1091.
3. Aire G. Una nueva tecnica de mastoplastia. Rev Latinoam Cir Plast. 1957;3:23-31.
4. Calobrace BM, Herdt DR, Cothhron KJ. Simultaneous augmentation/mastopexy: A retrospective 5-year review of 332 consecutive cases. Plast Reconstr Surg. 2013;131:145-156.
5. Dennis C. Hammond. Atlas of aesthetic breast surgery. Philadelphia: Elsevier. 2009.
6. Gallent IM, Pons MR, Drever M. Vertical scar mastopexy with an implant. Aesthet Plast Surg. 2003;27:406-410. Gonzalez-Ulloa M. Correction of hypertrophy of the breast by exogenous material. Plast Reconstr Surg Transpla Bull. 1960;25:15-26.
7. Hoffman S. Some thoughts on augmentation/mastopexy and medial malpractice. Plast Reconstr Sugr. 2004;113:1892-1893.
8. Karnes J, Morrison W, Salisbury M, Schaeferle M, Beckham P, Ersek RA. Simultaneous breast augmentation and lift. Aesthet Plast Surg. 2000;24:148-154.
9. Lassus C. A 30-year experience with vertical mammaplasty. Plast Reconstr Surg. 1996;97:373-380.
10. Lee MR, Son BS, Park YR, et al. The relationship be-

tween psychosocial stress and allergic disease among children and adolescents in Gwangyang Bay, Korea. J Prev Med Public Health 2012;45:374-380.

11. Lee MR. Unger JB, Adams WP. Process approach to aug-mentation mastopexy: The tissue-based triad algorithm(Submitted for publication).
12. Nahai F, Fisher J, Maxwell PG, Mills DC II. Augmentation mastopexy: To Stage or not. Aesthetic Surg J. 2007;27:297-305.
13. Persoff MM. Mastopexy with expansion-augmentation. Aesthet Surg J. 2003;23:34-39.
14. Pitanguy Ⅰ. Breast hypertrophy. In : Wallace AB, ed. Plastic Surgeons. Edinburgh: Livingstone; 1960:509.
15. Regnault P. The hypoplastic and ptotic breast: A combined operation with prosthetic augmentation. Plast Reconstr Surg. 1966;37:31-37.
16. Scott L. Spear. Surgery of the breast. Volume II. 3rd ed. Philadelphia: Lippincott Williams & Wilkins. 2011.
17. Spear SL. Augmentation/mastopexy: "Surgen beware." Plast Reconstr Surg. 2003;112:905-906.
18. Spear SL, Boehmler JH, Clemens MW. Augmentation/mastopexy: A 3-year review of a single surgeon's practice. Plast Reconstr Surg. 2006;118:136S-147S; discussion 148S-149S, 150S-151S.
19. Spear SL, Giese SY. Simultaneous breast augmentation and mastopexy. Aesthet Surg J. 2000;10:155-163.
20. Spear SL, Pelletiere DV, Menon N. One-stage augmentation combined with mastopexy: Aesthetic results and patient satisfaction. Aesthet Plast Surg 2004;28:259-267.
21. Stevens WG, Freeman EM, Stoker DA, Quardt SM, Cohen R, Hirsch EM. One-stage mastopexy with breast augmentation: A review of 321 patient. Plast Reconstr Surg. 2007;120:1674-1679.
22. Stevens WG, Stoker DA, Freeman ME, Quardt SM, Hirsch EM, Cohen R. Is one-stage breast augmentation with mastopexy safe and effective? A review of 186 primary cases. Aesthet Surg J. 2006;26:674-681.
23. Strombeck JO. Mammaplasty: Report of a new technique based on the two-pedicle procedure. Br J Plast Surg. 1960;13:79-90.
24. Tebbetts JB. Achieving a predictable 24-hour return to nor-mal activities after breast augmentation. Part Ⅱ. Patient prep-aration, refined surgical techniques and instrumentation. Plast Reconstr Surg. 2002; 109:29-305; discussion 306-307.
25. Tebbetts JB. Achieving a predictable 24-hour return to nor-mal activities after breast augmentation: Part Ⅰ. Refining practices using motion and time study principles. Plast Reconstr Surg. 2002; 109:273-290; discussion 291-292.
26. Tebbetts JB, Adams WP. Five critical decisions in breast high five decision support process. Plast Recontra Surg. 2005;116:2005-2016.
27. Tebbetts JB. A system for breast implant selection based on patient tissue characteristics and implant-soft tissue dynam-ics. Plast Reconstr Surg. 2002;109:1396-1409; discussion 1410-1415.
28. Tessone A, Millet E, Weissman O, et al. Evading a surgical pitfall: Mastopexy-augmentation mad simple. Aesthet Plast Surg. 2011;35:1073-1078.
29. wise.RJ. A preliminary report on a method of planning the mammoplasty. Plast Reconstr Surg(1946) 1956; 17:367-375.
30. Wise RJ, Gannon JP, Hill JR. Further experience with reduc-tion mammaplasty. Plast Reconstr Surg. 1963;32:12-20.

Augmentation mammoplasty »

결절형 유방(수축형 유방)

Tuberous Breast

| 박진석 |

유방의 발육과정에서 유선주변조직이 늘어나지 않아서 발육이 덜 되거나 가장 저항이 적은 유륜쪽으로 밀려나오는 상황을 Tuberous breast 또는 Constricted breast이라고 한다. 늘어나지 않은 부분이나 유방의 발육정도에 따라 모양이나 변형의 정도가 다양하다. 그 상황과 모양에 따라 다양한 이름으로 불리어져 왔는데 constricted breast, tuberous breast, tubular breast, areolar hernia, caprine breast, lower pole hypoplasia, narrow based breast 등이다. 늘어나지 않은 부분이 심한 상태에서 유방의 발육이 적극적으로 발생하면 유륜 밖으로 유선이 심하게 탈출하여 기이한 형태를 보이게 되며 발육기에 외모 콤플렉스의 원인이 되기도 한다. 우리 나라 여성의 경우 서구인에 비해 유방발육이 좋지 않은 경우가 많아 수축이 심해도 작은 유방의 모양으로 이해하고 지내는 경우가 많다. 이런 상태에서 출산을 경험하면서 수축형 유방의 모습이 강화되는 경우도 있다. 임상에서 우리 나라 환자들 중 드믈지 않게 접하는 수축형 유방은 lower pole constriction으로 유선 기저부의 직경이 좁고 유두-밑주름거리가 짧으며 유방 용적에 비해 형태를 갖추고 있는 경우이다(**그림 1**). 임신 경험이 없는 경우는 살이 단단하고 잘 늘어나지 않는 경향이 있다. 임상에서 심한 경우는 흔히 볼 수는 없지만, 유방확대를 위해 병원을 찾는 분들 중에 이렇게 중등도의 수축형 유방을 보이는 경우는 드믈지 않게 접할 수 있는데, 수축형 유방에 대해 고민하지 않고 수술을 하는 경우, 이중주름변형 등 수술후 분쟁의 원인이 될 수 있다. 수축형 유방변형은 12,13세까지는 나타나지 않다가 유방의 2차성징이 나타나면서부터 이상한 모양 때문에 심리적 위축을 경험하기도 한다. 우리 나라에선 유방발육이 잘 되지 않아서 작은 유방이라고만 생각하다가 유방확대술을 위해 내원하여 자신의 변형을 발견하게 되기도 한다. 유방발육이 잘 되는 서구의 경우 Grolleau에 의하면 통계적으로 환자의 89% (73~100%)에서 양측성을 보이며 양측성 환자의 70%에서 100 g 이상의 비대칭을 보인다. 유방의 한개 이상의 사분면에서 발육부전을 보이는 것이 특징이지만 수축형 유방의 27%에서만 크기가 부족한 양상을 보이고 28%에서는 유선비대증을 보이기도 한다고 하였다.

1. 원인

수축형 유방의 원인에 대해서는 잘 알려져 있지 않

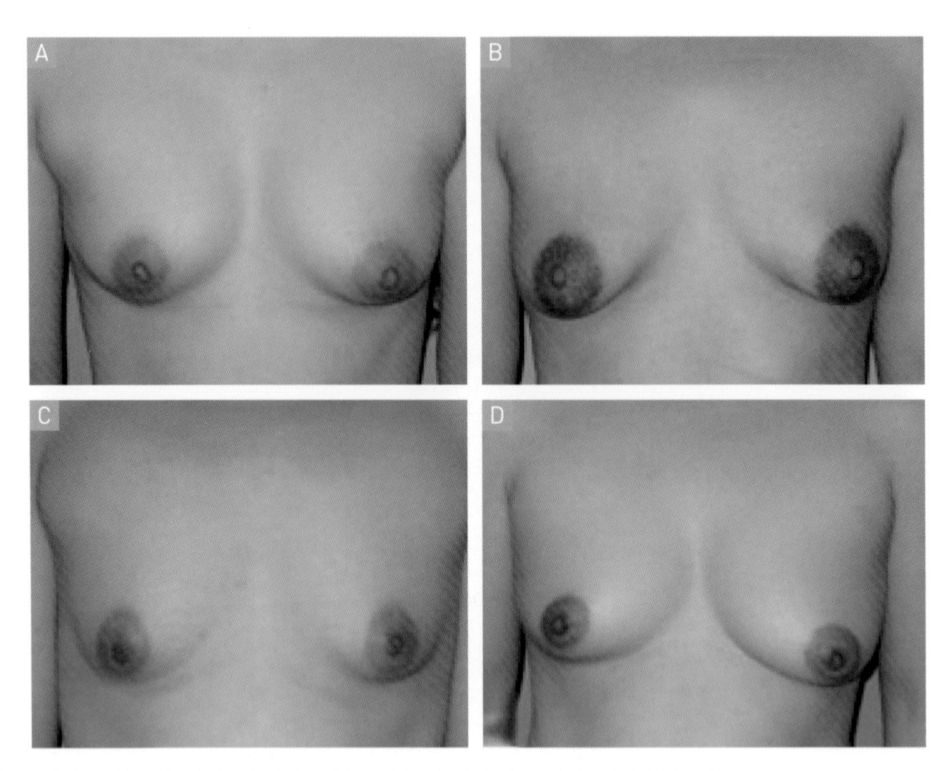

그림 1 우리나라에서 유방확대를 위해 성형외과를 찾는 분들 가운데 유방의 하반구가 수축되어있는 lower pole constriction이 있는데 수축형 유방 분류에는 제2형에 해당하며 밑 주름선을 내리고 수술하는 과정에서 수축된 조직을 잘 이완하지 못하면 double bubble deformity가 생기거나 waterfall deformity의 가능성이 있으므로 주의를 요한다.

으나 태아기에 mammary bud가 형성될 시기에 발생한 문제가 사춘기에 유방이 성장하면서 표현되어지는 현상이다. 외배엽인 mammary bud가 안으로 자라 들어가면서 superficial fascia이 자연스럽게 superficial layer와 deep layer로 분리되고 유선이 superficial fascia에 둘러싸이게 된다. 자라 들어간 유선조직 사이로 앞쪽과 뒤쪽의 superficial fascia이 서로 연결되어 남아있는 섬유조직들이 유방조직을 지지해주는 Cooper 인대이다. 유륜부위는 superficial fascia에 덮여있지 않아서 발육기에 팽창하는 유선이 방사형으로 자라나가야 하는데, tuberous breast에서 처럼 이런 superficial fascia이 늘어나지 않는 경우 유두유륜부위로 압력이 전달되어 유륜이 커지고 밀려나오는 경향을 보인다(**그림 2**).

2. 분류(Classification)와 치료법

수축형 유방의 분류법은 von Heimburg, Grolleau, Meara 등 여러 가지가 제안 되었다. Kolker 등(2015)이 수축형 유방의 문제가 되는 각 요소를 좀 더 섬세히 나누고 치료 방법에 대한 algorithm을 제시하였다(**표 1**). 한편 Hammond는 이런 분류보다는 피부, 밑주름선, 유륜모양과 크기, 유방의 크기와 모양의 비대칭 등 문제에 초점을 맞춰서 접근하는 것을 제시하였다. Tebbetts은 임상적으로 수축이 보이는 유방의 하반구에서 유선이 수축되어진 모양에 따라 radial cut(방사상 유선절개)로 먼저 lower pole constriction(하방수축)을 이완시켜서 부족한 경우 concentric cut(동심형 유선절개)를 제시하였으며 이런 유선절개를 후방에서 진행하면

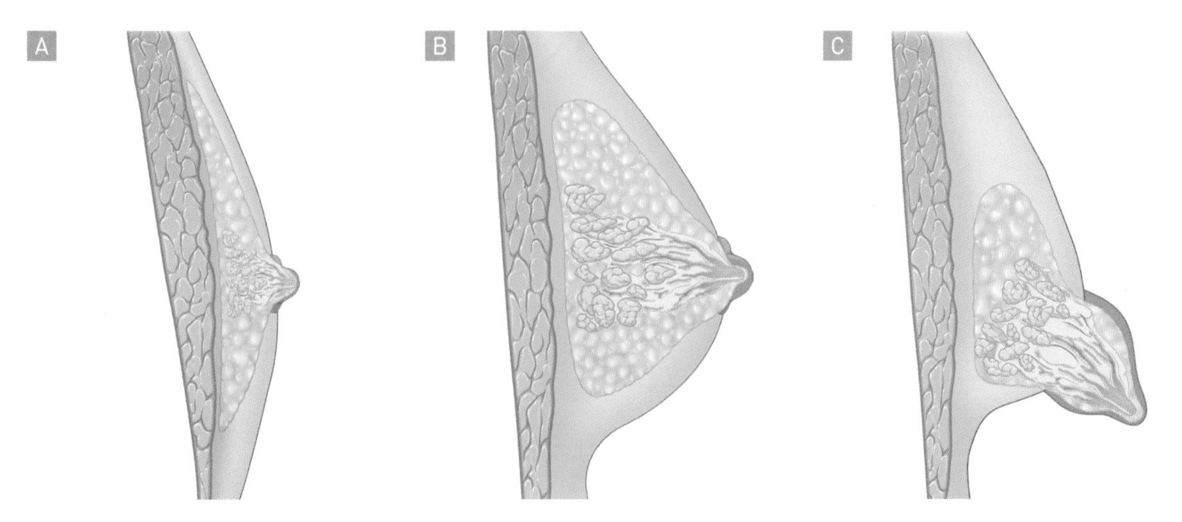

그림 2 A. 유방의 발육전 B. 정상적 발육 시 유방 C. 수축형유방 발육시 유방. 청소년기에 유방이 발육할 때 모든 방향으로 늘어나야 하는데 superficial fascia이나 주변 결체조직이 부분적으로 늘어나지 않는 경우 superficial fascia에 덮여있지 않은 유륜부위를 통해서 볼륨이 팽창하려는 경향을 띄며 그 결과 유륜이 커지거나 유륜을 통한 areolar herniation이 발생하게 된다.

서 저항이 없어지는 정도에 따라 절개의 깊이에 변화를 주었다.

심한 수축형 유방의 경우 glandular flap을 일으켜서 모양이나 coverage를 개선하려는 노력들이 외국 논문에는 많이 거론되고 있다. 대표적인 방법으로 보형물을 이용하는 방법으로 Puckett's technique이 있다. 유두 아래쪽으로 subcutaneous layer를 따라서 박리하여 내려간 후 subglandular layer를 따라서 유두 위치까지 올라가고 유두 위치에서 유선절개를 한 후에 근육뒤에 보형물을 넣는 방법이다. 이렇게 glandular flap을 사

표 1 Kolker 분류: Meara의 분류를 Kolker가 다시 정리함.

type	base	IMF	피부여유	유방용양	처진 정도	유륜
1형	약하게 수축	내측이 약간들림	충분	상관없음	상관없음	약간 커져있음
2형	중간정도 수축	내,외측이 들림	아래쪽 불충분	부족함	없거나 약함	다양함
3형	심하게 수축	전제적으로 들림	전체적으로 불충분	많이 부족함	경증 또는 중등도	심하게 커져있음

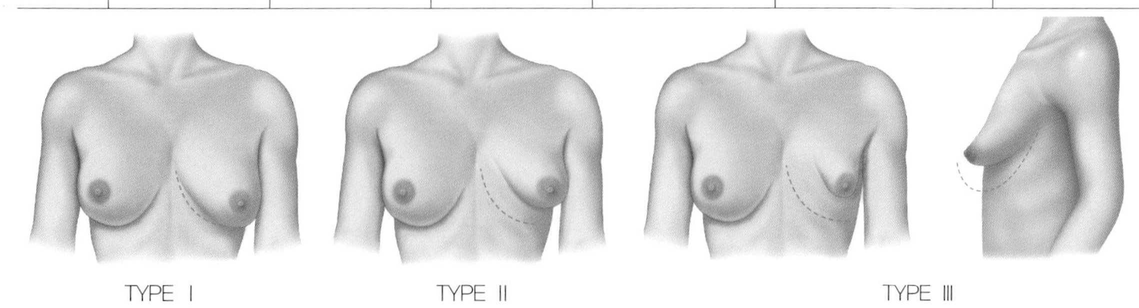

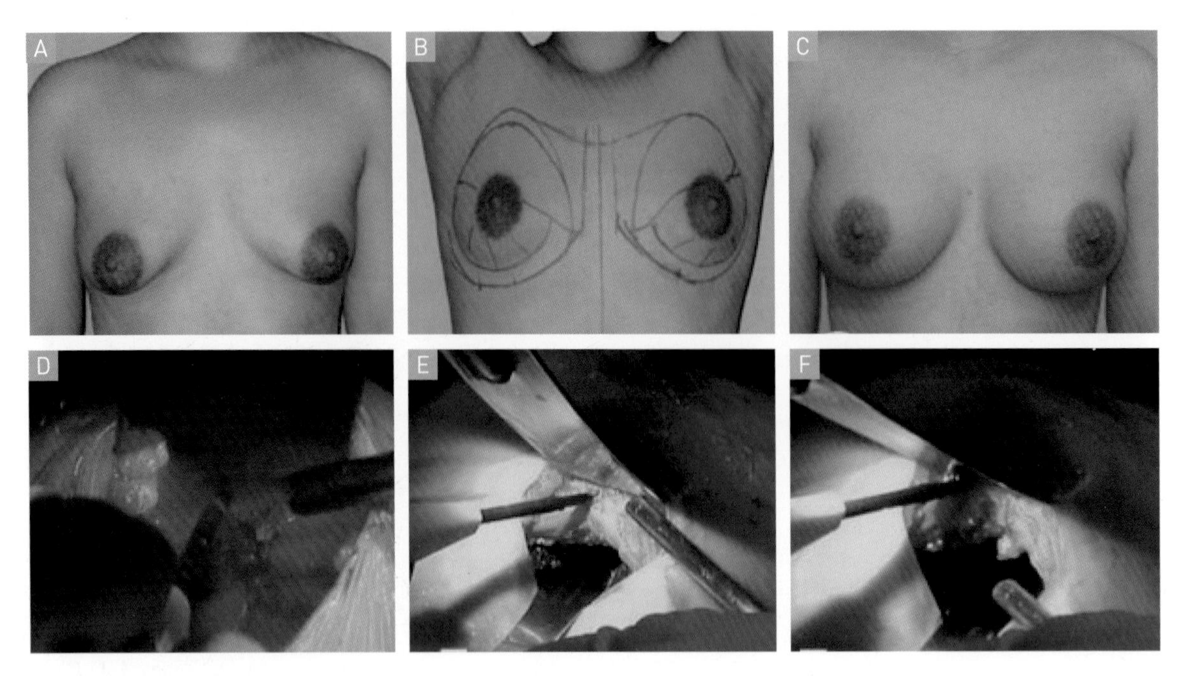

그림 3 A. 2형 tuberous breast으로 유륜이 크고 유두 밑주름선이 짧고 유방의 기저부 직경이 좁은 상태이며 유륜아래 밑주름선 사이에 피부가 정면에서 보이지 않음. B. 제3형 이중평면법과 수직 유선절개를 디자인. C. Allergan 20-400 cc를 넣고 8개월 된 모습. D. 유선 절개 E. old IMF 부위 연부조직 절개전 F. 절개 후 이완된 모습. 저항을 확인하면서 필요한 부분을 이완시키는 것이 중요.

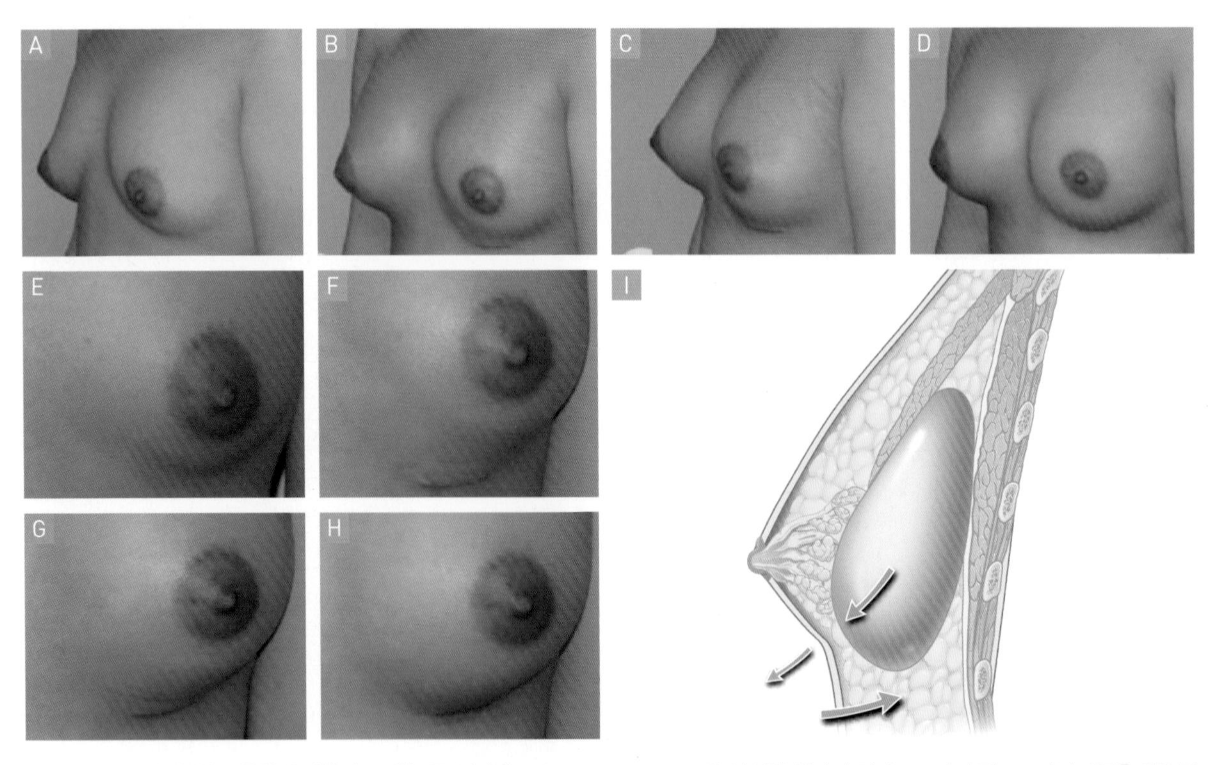

그림 4 27세의 제2형 수축형 유방환자로 3형 2중 평면법으로 Allergan MF335g을 삽입한 환자의 경과. A,E.수술전. B,F.수술 1주후 2중 주름의 증상이 보임. C,G.수술 3주후 2중 주름이 많이 완화되었으나 약간 남아있음. D,H.수술 2개월후 2중주름이 완전히 소실. 보형물의 old IMF를 미는 힘과 절개선의 흉벽고정이 old IMF를 효과적으로 이완시킨 예. I. 모식도

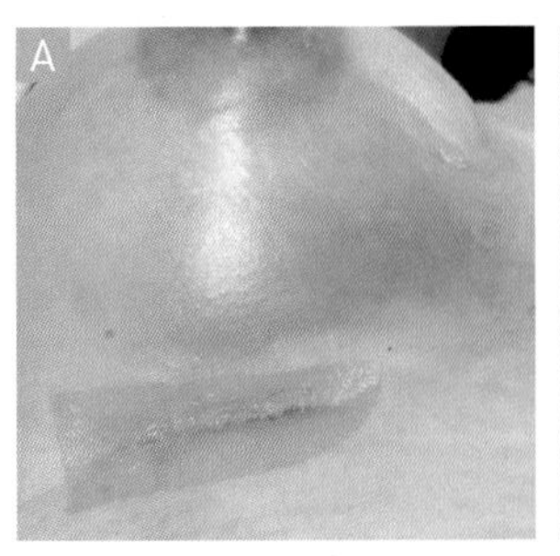

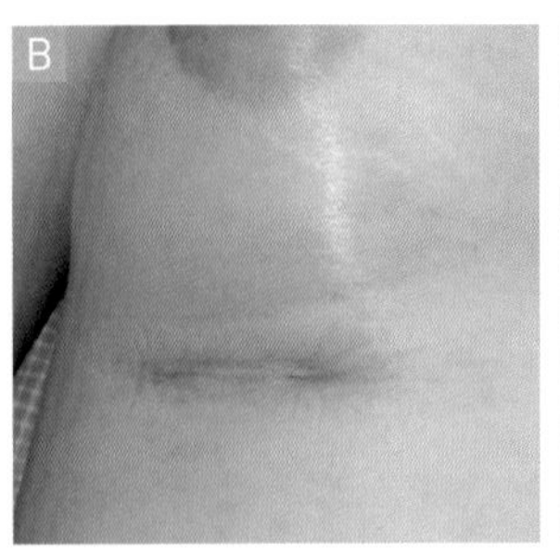

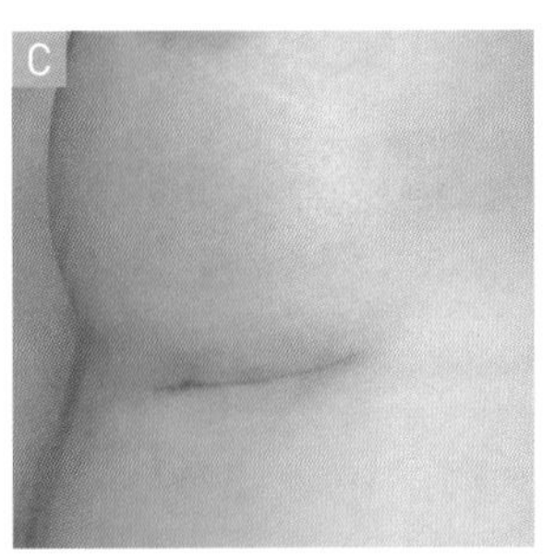

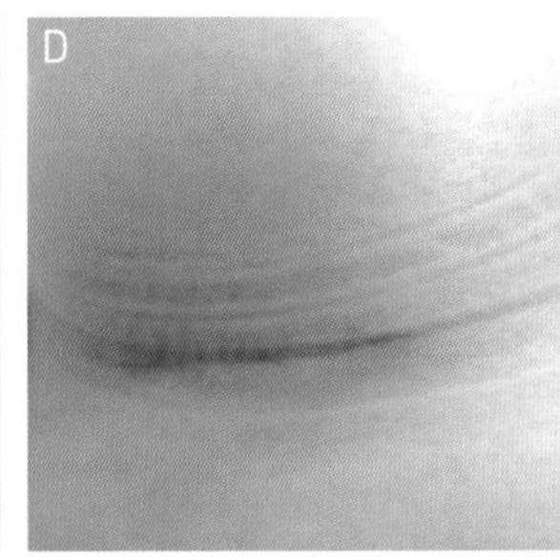

그림 5 유선절개로 lower pole expansion후 초기에 임파순환 장해 의증으로 인해 색깔 변화가 있었으나 시간이 가면서 회복된 증례로 유선절개를 할 때 너무 간격을 좁게 하거나 깊이 하는 경우 주의를 요한다. A. 수술 후 2일째 B. 수술 후 7일째 C. 수술 후 3주째 D. 수술 후 6주째

용하면서 보형물을 넣는 경우 혈행장해에 대한 주의를 요한다. 특히 glandular flap을 일으켜서 접어서 고정해 주는 Muti 방법 등은 혈행장해 가능성이 증가한다.

3. 수술법

상기 분류법처럼 분류하고 수술하기에는 저자가 임상에서 수축형 유방을 접하는 경우 각 증례별로 조건과 상황이 훨씬 다양해서 각 증례마다 해당 문제에 접근하는 방법을 사용하고 있다. 유방 확대술이 필요한 수축형 유방 수술시 기본적인 개념은 첫째 유선 및 주변 조직에서 수축이 일어난 것이므로 보형물을 넣는 경우 유방후면에서 보형물의 미는 힘이 수축된 부분에서 잘 전달되도록 보형물의 subglandular plane(유방후면)에 삽입하거나 type II or III dual plane(이중평면 2-3형의 공간)을 만든다. 둘째 수축이 일어나고 있는 유방조직과 확장된 복부조직이 원래 가지고 있는 밑주름선을 경계로 위아래 조직이 pushing force에 대하여 늘어나는 expansibility(신장도)면에서 큰 차이가 없도록 한다. 이 때 필요하다면 vertical or horizontal scoring(수직 또는 수평 유선절개)으로 아랫부분의 저항을 줄여준다(**그림 3**). 셋째 보형물은 가능하면 형태를 유지하려고 하는 form-stable implant를 사용하며 leveraging effect(지렛대 효과)를 위해서 shaped implant를 사용하면 잇점이 있다. areolar herniation이 있거나 유륜을 줄여야 하는 경우는 유륜 절개를 통해 glandular work을 할 수도 있다. 밑 주름선 절개를 한 경우 흉벽에 견고하게 고정하여서 old Inframammary fold가 펴지도록 지렛대 효과가 증강될 수 있도록 한다. 우리나라 환자의 경우 유방의 발육이 부족하고 본인이 수축형 유방임을 잘 모르는 경우가 많으므로 수술을 결정하기 전에 충분히 환자에게 고지하고 회복기에 일시적으로 이중 주름이 보일 수 있음을 설명할 필요가 있다. 또한 수술 전 디자인을 할 때 세운 계획만으로는 충분하지 않고 수술장에서 이완되지 않은 부분은 없는지 반복적으로 확인할 필요가 있다(**그림 4**). 유선절개를 하거나 glandular flap을 사용하는 경우 혈행장해에 의한 괴사, 염증 등을 고려해야하므로 조직 이완에 필요한 최소한의 조작을 하는 것이 권장된다(**그림 5**).

수술후 보형물에 의해 고르게 압력이 전달되어 처음에는 이중 주름이 없다가도 피막이 생기기 시작하면서 보형물의 미는 힘이 잘 전달되지 않아서 이중 주름이 뒤늦게 나타나는 경우도 있다.

증례 1 28세, 키 167cm, 몸무게 57kg 미혼여성. 좌우 비대칭이 유방, 유륜 크기 및 위치에서 관측되며 흉벽의 돌출도의 심한 비대칭을 보인 증례이다. 좌측 유륜이 크고 돌출되어 있으며 유두-밑주름선 거리가 짧은 상태이다. Kolker 분류로 볼 때 좌측 유방이 제 3형 수축형 유방을 나타내고 있다. 오른쪽은 2형 2중평면법과 유선후방에서 수직 유선절개 및 흉벽함몰에 의한 유방합체증 예방을 위해 근육분할개념8을 사용하여 공간을 만들고 N410 FX360g으로 확대하였으며, 왼쪽은 3형 2중평면법과 유선후방에서 수직 및 수평 유선절개를 시행한 후 N410 ML220g으로 확대하였다.

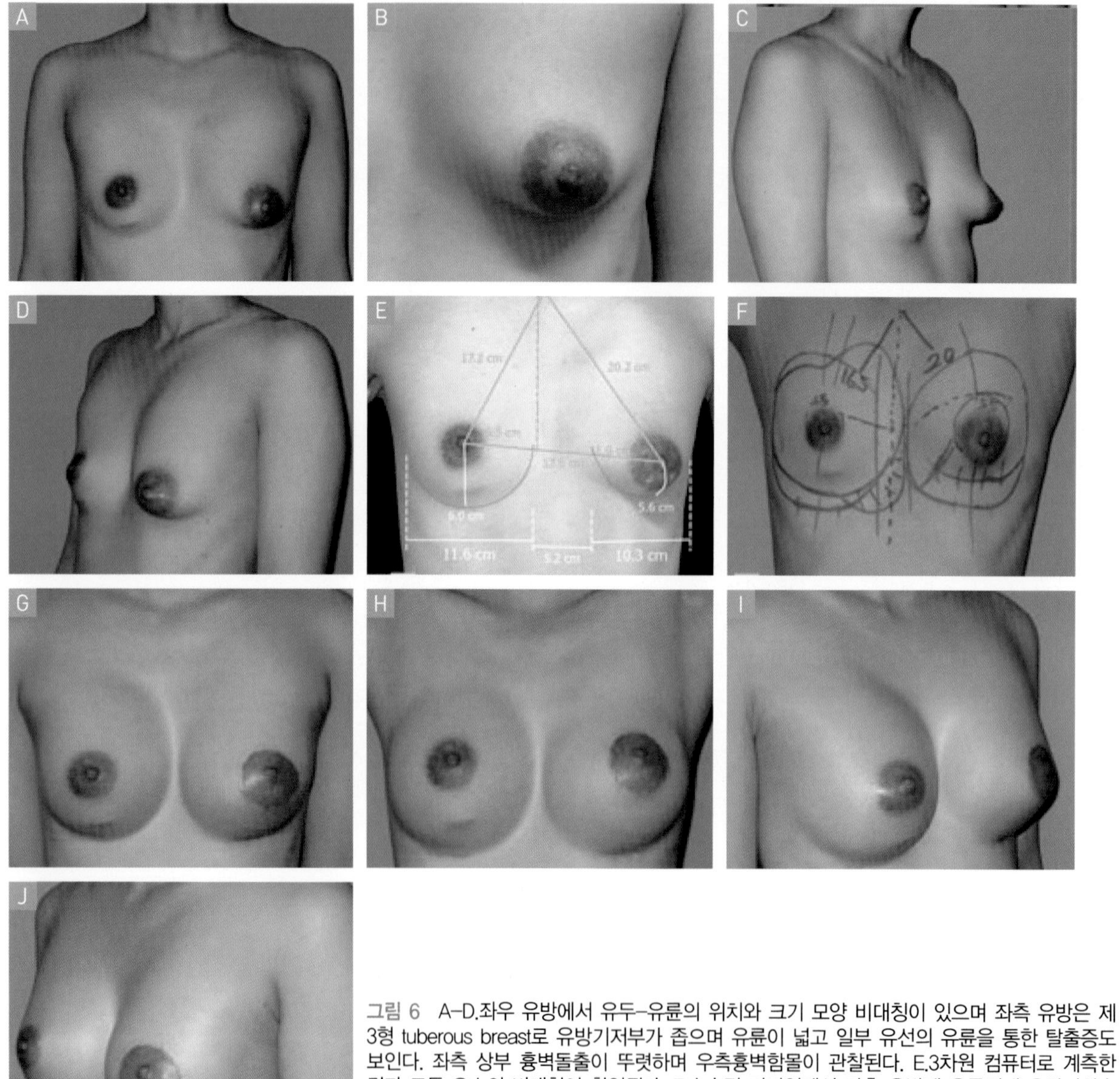

그림 6 A-D.좌우 유방에서 유두-유륜의 위치와 크기 모양 비대칭이 있으며 좌측 유방은 제 3형 tuberous breast로 유방기저부가 좁으며 유륜이 넓고 일부 유선의 유륜을 통한 탈출증도 보인다. 좌측 상부 흉벽돌출이 뚜렷하며 우측흉벽함몰이 관찰된다. E.3차원 컴퓨터로 계측한 결과 모든 요소의 비대칭이 확인된다. F.수술전 디자인에서 좌측 유방에 유륜절개 유방거상술과 3형이중평면법과 유선의 수직절개를 계획하였다. G-J 우측에 FX360g 좌측에 ML220g을 삽입후 3개월 된 모습.

증례 2 36세, 키 162 cm, 몸무게 47 kg 미혼. 제3형 수축형 유방으로 좌우 유선의 base diameter가 좁으며 상대적으로 유륜이 큰 모양을 하고 있다. 수술은 3형 이중평면법으로 공간을 만들고 Allergan FM310 g을 넣었다.

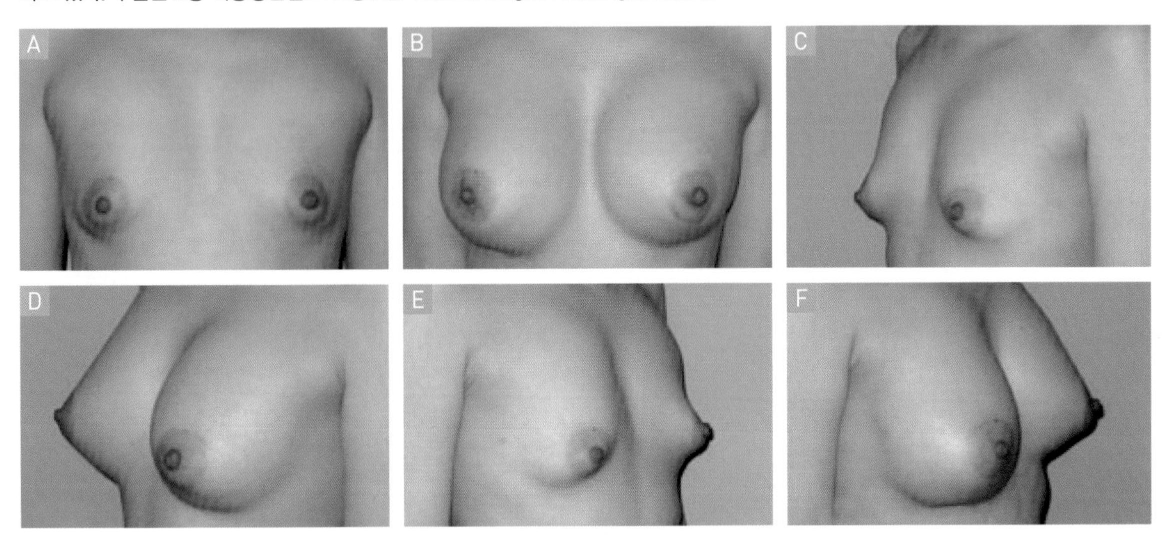

그림 7 A,C,E. 제 3형 tuberous breast으로 유두-밑주름선 거리가 짧고 유방의 base diameter가 좁으며 유륜이 상대적으로 넓은 수술전 모습. B,D,F. 수술후 1년 6개월째 old IMF가 양쪽에서 약간 표시가 나는 상태이다.

증례3 35세 키 164 cm 몸무게 54 kg 자녀수2명. 제3형 수축형 유방의 형태에서 출산 후 유선의 퇴축현상이 일어난 상태이다. base width가 우측 8.6 cm, 좌측 8 cm 정도이며 intermammary distance가 9.7 cm이다. 수술계획은 근육앞쪽을 따라 전체적으로 유선조직을 펴준 후 유선 주변의 살이 너무 얇은 상태라서 envelope의 두께를 먼저 유지하며 수술을 진행해 보기로 하였다. 이를 위해 근육을 끊지 않은 상태에서 근육 뒤 공간을 만들어서(dual plane이 아닌 subpectoral plane) 이중 주름이 생기는 지 여부를 확인하기로 하였다. FM310g을 넣고 old IMF가 완전히 펴지지 않는 경우 pectoralis major muscle의 아래쪽 기시부를 끊어줄 계획이었으나 근육도 얇아서 앞으로 미는 힘이 잘 전달되어 2중주름이 발생하지 않았다.

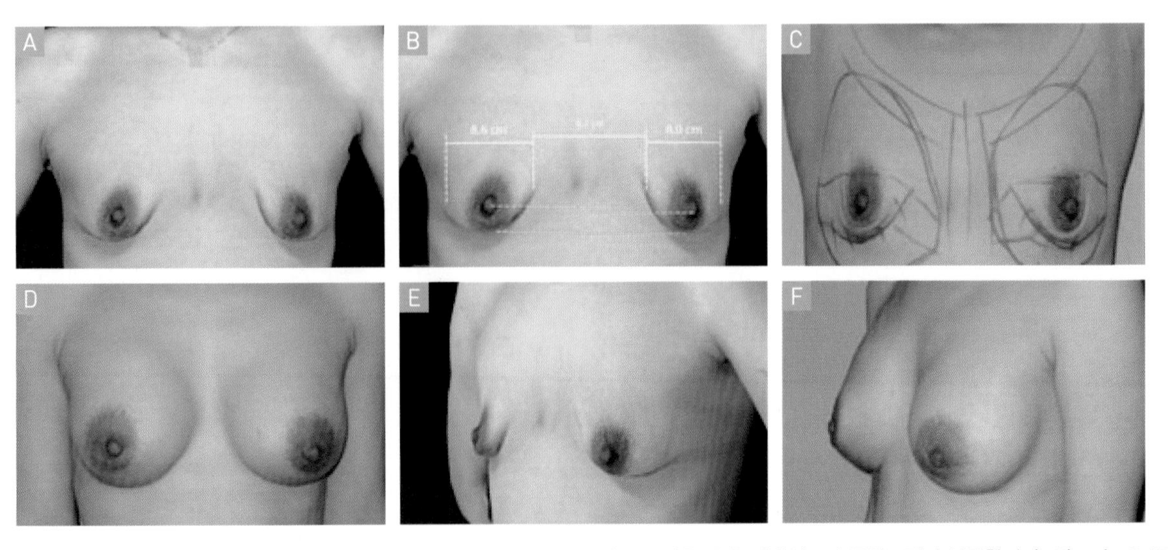

그림 8 A,B. intermammary distance가 9.7 cm로 매우 먼 상태로 유방폭도 매우 좁은 상태였으며 주변조직이 부족한 수술 전 모습. C. 근육앞쪽을 따라 전체적으로 유선조직을 펴준 후 유선 주변의 살이 너무 얇은 상태라서 envelope의 두께를 먼저 유지하며 수술을 진행해 보기로 하였다. 이를 위해 근육을 끊지 않은 상태에서 근육 뒤 공간을 만들어서(dual plane이 아닌 subpectoral plane) 이중 주름이 생기는지 여부를 확인하기로 하였다. FM 310 g을 넣고 old IMF가 완전히 펴지지 않는 경우 pectoralis major muscle의 아래쪽 기시부를 끊어줄 계획이었다. D. 수술 후 7개월째 이중 주름 없이 잘 유지되고 있다. E,F. 수술전후 oblique view.

증례4 33세, 키 160 cm, 몸무게 48 kg. 제 2형 수축형 유방. 수술 전 유방 하반구의 수축에 의해 유두-밑주름선 거리가 짧고 밑주름선의 폭이 좁고 수축되어 있다. 우측 흉벽이 좌측에 비해서 꺼진 느낌이어서 보형물이 들어갈 공간은 좌우 똑같이 제 2형 이중평면방법으로 공간을 만들고 우측에는 Mentor 332-305 좌측에는 321-280을 넣고 1년6개월 된 모습.

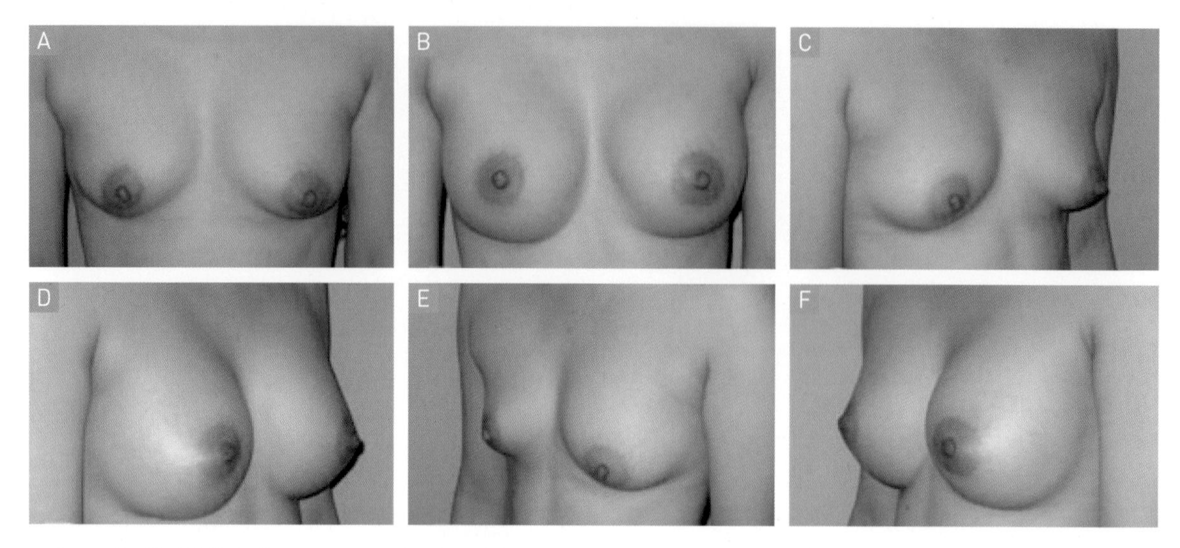

그림 9 제 2형 수축형 유방. A,C,E. 유두-밑주름선 거리가 짧고 밑주름선의 폭이 좁고 수축되어 있다. B,D,F 좌우 흉벽돌출도의 차이가 있어서 제 2형 이중평면방법으로 공간을 만들고 우측에는 Mentor 332-305 좌측에는 321-280을 넣고 1년6개월 된 모습.

참·고·문·헌

1. Grolleau JL, Lanfrey E, Lavigne B, et al. Breast base anomalies: Treatment strategy for tuberous breasts, minor deformities, and asymmetry. Plast Reconstr Surg. 1999;104:2040.
2. Handel N: The double-bubble deformity: cause, prevention, and treatment. Plast. Reconstr. Surg. 2013;132: 1434.
3. Hammond D: Atlas of aesthetic breast surgery. 1st ed. Saunders Elsevier Inc., 2009, p183.
4. Heimburg DV, Kruft ES, Lemperle G: The tuberous breast deformity: classification and treatment. Brit J Plast Surg 1996;49: 339.
5. Kolker AR, Collins MS: Tuberous breast deformity: classification and treatment strategy for improving consistency in aesthetic correction. Plast Reconstr Surg 2015; 135:73.
6. Meara JG, Kolker A, Bartlett G: Tuberous breast deformity: principles and practice. Ann Plast Surg. 2000;45:607.
7. Park JS: Prevention of synmastia in breast augmentation of sunken chest: Muscle splitting concept. 2014;20:26.
8. Tebbetts JB: Augmentation Mammaplasty. Mosby Elsevier Inc., 2010,

Augmentation mammoplasty »

유방 확대술의 합병증 관리

Managing complications of augmentation mammoplasty

박진석, 심형보

1. 구형 구축 (capusular contracture)

박진석

1) 소개

보형물을 이용한 유방확대술의 가장 흔한 재수술의 원인 중 하나가 피막구축이다. 보형물을 삽입하는 수술 후 4-6주 안에 보형물 주변의 흉조직인 피막이 분명해지며, 이런 피막은 일반적인 흉의 성숙과정을 거쳐 90% 정도에서 9-12개월까지 안정화 된다. 피막구축현상은 수술후 이런 정상적인 상처 회복 과정에서, 문제적 자극에 의해 과도한 흉을 만들거나 흉조직의 과도한 수축에 의한다. 구축이 진행되면 보형물의 볼륨이 변화하지 않은 상태에서, 보형물을 둘러싸고 있는 표면적이 줄어들므로 촉감이 단단해지게 된다. 표면적 대비 볼륨이 가장 큰 형태가 구형이므로 구축이 더 진행되면 유방 모양이 공 모양으로 변해가는 경향을 보인다. 또한 보형물의 저항에 흉조직인 피막이 수축할 때 뻐근한 통증을 호소하기도 한다. 피막두께는 다양하여 0.25-4 mm 정도이며 평균 1.3-1.4 mm 이다. 성숙된 피막의 조직소견은 흉조직과 유사한 모습을 보인다.

2) 구축의 분류

Baker(1978)가 발표하고 Spear(1995)가 보완한 Baker classification이 구축을 평가할 때 많이 거론되고 있으나 1, 2단계는 임상적 의미가 적고 3, 4단계의 경우가 구축 유무의 판단의 근거로 사용된다(**표 1**).

표 1 구축의 분류(Baker classification)

단계	설명
1단계	수술하지 않은 유방같은 촉감
2단계	수술하지 않은 유방보다 조금 단단하여서 백이 만져지는 정도
3단계	피막 구축에 의해 유방촉감이 단단하지만 유방 모양의 변형은 심하지 않은 상태
4단계	피막 구축이 심해서 유방 모양의 변형이 분명한 경우

3) 구축의 원인

보형물을 넣기 위해 공간을 만들 때, 정상적으로 일어나는 상처의 회복과정은 공간을 없애려는 경향을 갖고 있다. 이 과정이 문제적 자극에 의해 더 극렬하게 나타나는 현상이 피막구축현상이라 할 수 있다. 특히 이런 상처회복기 중 inflammatory phase의 기간과 정도의 증가를 회복기에서 나타난다. Inflammatory phase의 조직학적 소견은 보형물을 넣자마자는 polymorphonuclear leukocyte가 보이다가 며칠 내에 사라지고 lymphocyte, fibroblast, monocyte가 나타나며, monocyte는 macrophage나 foreign body giant cell로 분화한다. 구축이 있는 피막에서는 fibroblast가 더 많이 증식하며 1형, 3형, 5형 collagen을 많이 생산한다. 임상적으로는 수술 후 처음 몇 주 이내 회복기에 일반적인 경우보다 더 불편함을 겪는 경우가 대부분이다. Induration이 있거나, 붓기가 빨리 가라앉지 않거나, 모호한 통증이 지속되며, 열감이나 부종이 오래가는 경우 등이다. 이런 구축현상을 유발하는 원인으로 어떤 한 가지를 지목하기는 어렵겠으나, 최근 capsular contracture의 원인으로 가장 주목받고 있는 설은 staphylococcus epidermidis등 normal flora에 의한 subclinical infection이 biofilm을 만든다는 설이다. 이렇게 세균 오염이 구축의 원인이라고 주장하는 논문이 많이 있는데 Virden은 구축이 있던 보형물의 56%, 구축이 없던 보형물의 18%, 통증을 통반한 구축의 경우 91%에서 세균배양 양성 결과가 있었다는 보고를 했다. 그밖에 infection pocket contamination, hematoma, seroma, silicone gel bleeding, foreign material in pocket (talc, gauze), implant surface (textured 보다는 smooth에서), 연조직 대비 지나치게 큰 보형물, trauma, failure of postoperative massage, delayed contamination (local, systemic), 공간의 위치(submuscular 보다 subglandular에서), implant type 등에 영향을 받는 것으로 알려져 있다. 결국 이런 문제적 원인이나 변수에 의해서 정상적으로 일어나야 할 회복기의 초기 inflammatory reaction이 강화되고 그 결과 흉조직이 과도하게 형성되거나 흉조직의 수축에 관여하는 myofibroblast가 흉조직 내에 증가하는 것이 피막 구축현상의 중요 기전이다(**그림 1**).

Peters 등은 실리콘의 유출이 있는 경우 만성 염증성 자극으로 인해 시간이 갈수록 구축이 진행된다고 보고하였다.

4) 구축의 예방

수술부위의 충분한 해부학적 이해와 정확한 수술

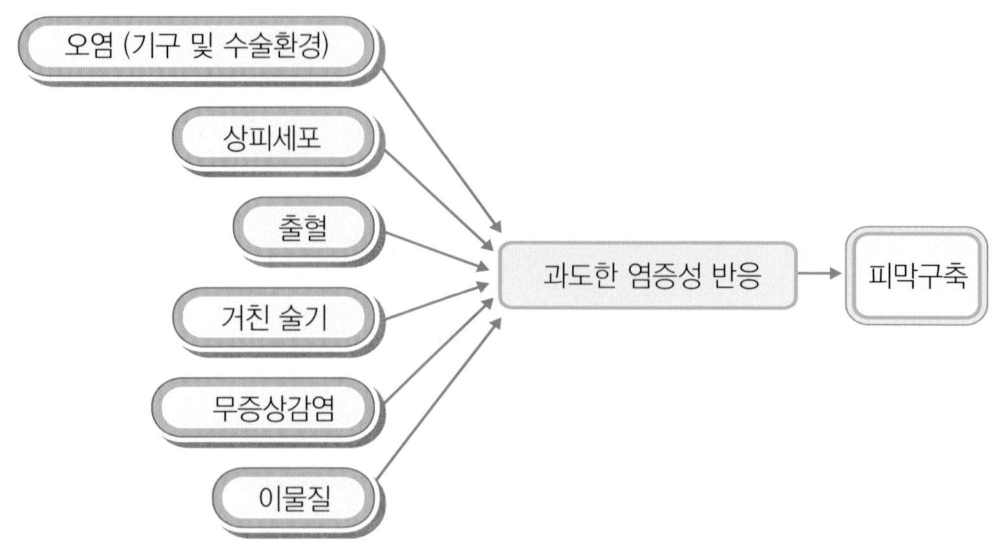

그림 1 구축의 기전

술기를 통해서 철저한 지혈과 최소한의 화상으로 보형물이 위치할 공간을 건강하게 만드는 것이 가장 중요하다(atrumatic precise pocket). 또한 오염되는 환경이 육안적 시야가 아니라 현미경적 시야라는 점을 고려할 때 수술을 집도하는 의사 외에도 수술기구를 세척하고 소독하는 요원을 비롯 수술에 함께 참여하거나 수술을 준비하는 모든 수술팀들의 교육과 직업의식 또한 간과할 수 없는 부분이다.

blunt blind dissection 보다는 안을 들여다보면서 수술하는 것이 구축 예방에 유리하다. Jacoby 등은 동일 수술자의 환자 615명(blunt dissection 300명, electrocautery dissection 315명)에서 검토한 결과 안을 들여다보면서 electrocautery를 이용하여 공간을 만든 경우 2예(0.64%)에서 구축이 발생한 반면 blunt blind dissection을 한 경우 19예(6.4%)에서 구축이 발생하여 10배 이상의 발생빈도를 보였다고 보고한 바 있다. 논란의 여지가 있지만 smooth implant에 비해 textured implant가, 근육 앞 보다는 근육 뒤 공간이 구축을 덜 일으킨다는 의견이 지배적이다.

청결한 오염되지 않은 공간을 유지하기 위해 유두가리개(OpSite, Tegaderm)도 의미가 있으며 보형물을 넣기 전 항생제나 베타딘을 사용하여 공간을 세척하는 것도 강조되고 있다. Adams는 이런 세척을 위해 Cephalosporin 또는 penicillin, Bacitracin, Aminoglycoside를 섞은 triple 항생제 용액을 제안하였다.

또한 보형물을 넣기 전 수술 장갑을 교체하거나 No-touch 기법을 위해 보형물을 넣는 보조기구(Keller Funnel, 또는 sleeve 등)를 이용하는 것도 추천되는 방법이다.

그 밖에 수술 전과 후에 항생제 투여, 적절한 환자와 보형물의 선택, 환자 교육과 수술 후 환자 관리 등 피막 구축을 유발할 수 있는 많은 요소들을 피하도록 노력하는 것이 피막 구축 가능성을 줄이는 방법이다.

수술 후 회복기의 염증성 반응을 줄이기 위해 Leukotriene 수용체 길항제로 알려진 zafirlukast (Accolate), montelukast (Singulair)를 투약하는 것도 추천되고 있는데 효과에 대해 논란이 있고 약제 부작용으로 drowsiness, hepatic toxicity의 위험이 있다.

5) 구축의 치료

구축의 치료의 기본 개념은 오그라드는 흉조직을 제거 또는 이완시키고 보형물을 좀 더 건강한 환경에 놓이도록 하는 것이다. Adams는 2012년 의사보수교육에서 구축을 치료하는 원칙으로 가능하면 피막 전절제술을 시행하고 새로운 보형물로 특히 form stable 보형물로 교체하고 근육 뒤에 보형물을 위치시키며 항생제등으로 공간 세척을 철저히 하고 필요 시 ADM (acellular dermal matrix)의 사용을 제안하였다.

(1) 보형물제거

피막구축 수술 후에도 재발가능성이 있기 때문에 보형물을 제거하기 원하는 분들은 제거하고 보형물을 다시 넣지 않는다. 보형물을 제거하는 경우 피막을 제거할 것인가는 석회화가 있거나 피막이 건강해보이지 않는 경우는 capsulectomy를 원칙으로 한다. 그렇지 않은 경우에도 간혹 피막의 synovial metaplasia으로 물이 차는 경우가 있어서 무조건 제거를 해야만 한다는 주장도 있다. 또한 제거와 동시에 처진 가슴모양을 바로잡기 위해 mastopexy가 필요할 수도 있는데 이때 areola주변 deep dissection은 areola blood supply에 문제를 일으킬 수 있으므로 아주 제한적으로 시행하여야 한다. 또한 보형물에 의해서 lower pole의 조직의 두께가 얇은 경우가 대부분이므로 inferior pedicle을 사용하는 경우 혈행장해를 일으킬 수 있다. 과거 수술 시 mastopexy도 시행한 경우는 혈행장해 위험이 올라가므로 더욱 주의를 요한다.

증례 1 **capsulotomy, partial capsulectomy**
45세, 키 160 cm, 몸무게 40 kg, 타병원에서 15년 전 겨드랑이 절개로 식염수백으로 수술받고 구축이 발생하여 타병원에서 10년 전 밑주름선 절개로 식염수백으로 재수술하였으나 다시 구축이 발생한 병력이 있는 환자. 기존의 밑주름선 절개 흉으로 근육뒤에 있는 150 cc smooth 식염수백을 제거한 후 capsulotomy 및 partial capsulectomy하고 Allergan N410 MM245를 넣은 증례이다.

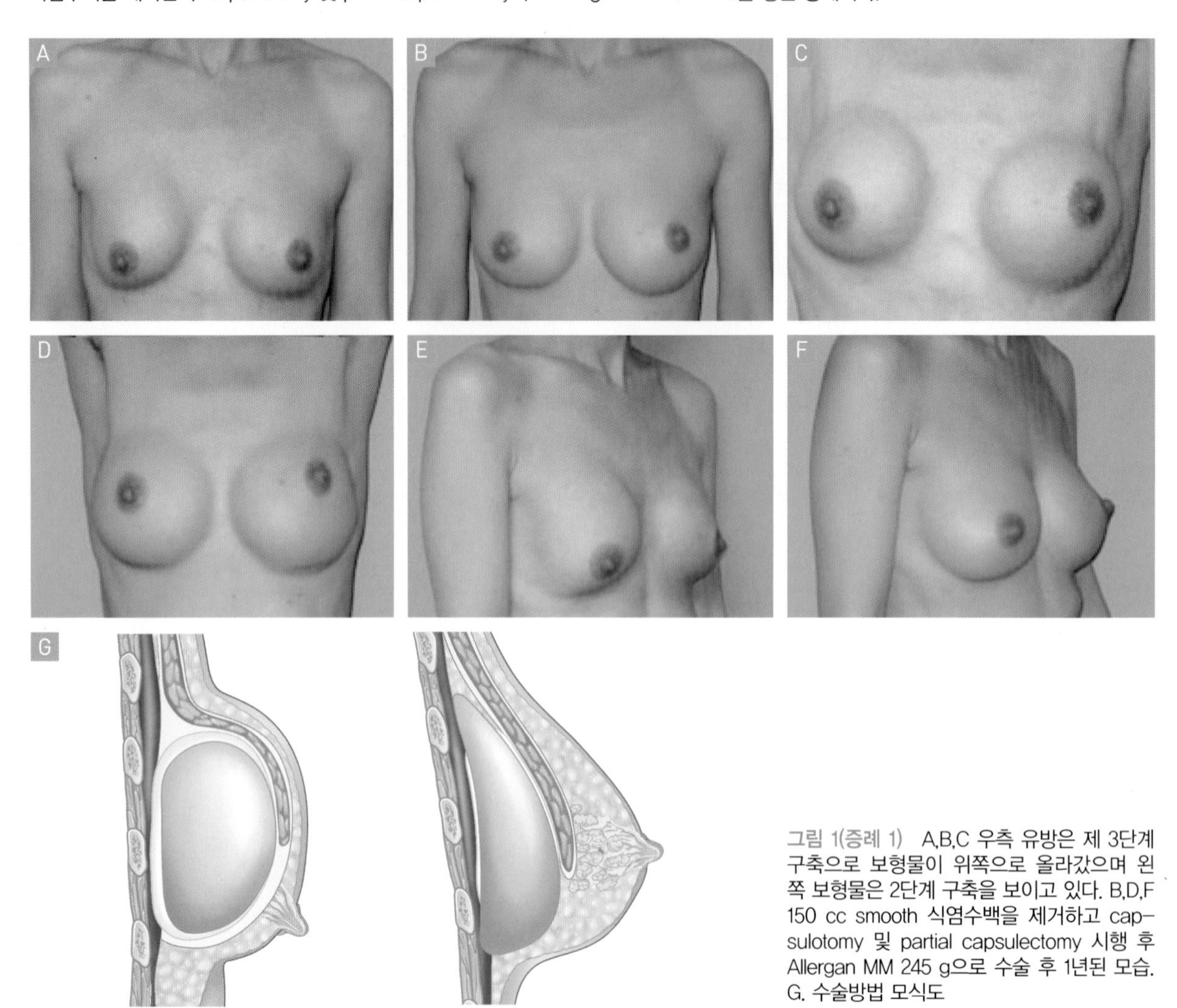

그림 1(증례 1) A,B,C 우측 유방은 제 3단계 구축으로 보형물이 위쪽으로 올라갔으며 왼쪽 보형물은 2단계 구축을 보이고 있다. B,D,F 150 cc smooth 식염수백을 제거하고 capsulotomy 및 partial capsulectomy 시행 후 Allergan MM 245 g으로 수술 후 1년된 모습. G. 수술방법 모식도

(2) Capsulotomy (증례 1)

피막 구축을 일으킨 경우 피막에서 수축하려는 힘의 원인으로 myofibroblast가 중요한 역할을 하고 있는 것으로 알려져 있다. 피막절개술로 효과를 보는 경우는 이런 myofibroblast에 의한 긴장도를 줄이고 apoptosis(세포자멸사)를 일으키는 것으로 해석된다. 그럼에도 피막에 절개를 하는 수술로 보형물이 놓이는 부분적인 환경이 바뀌는 것이 없어서 구축현상의 재발 가능성이 높은 것으로 되어있다. capsulotomy를 시행하는 경우 모든 방향으로 이완될 수 있도록 하며 피막에 의해 overlying breast tissue가 수축되고 있는 정도가 잘 이완되었는지 확인해야한다.

(3) Capsulectomy

증례 2 **근육앞에서 근육뒤로 교체**

40세, 키 160 cm 몸무게 51 kg, 출산1회의 여성. 타병원에서 10년 전 겨드랑이 절개로 식염수백을 넣고, 촉감불만으로 또 다른 병원에서 6년 전 유륜절개로 smooth cohesive silicone gel implant 230 cc를 subglandular space로 넣은 환자. 좌측 유방이 제4단계 구축으로 인해 구형으로 변형되어 있는 상태로 유선후방 보형물 삽입으로 인해 앞쪽 유선조직의 두께가 얇아진 상태로 앞쪽 피막은 부분적으로 capsulotomy(피막절개술)을 시행하고 근육앞쪽의 기존 공간의 posterior capsulectomy(후방피막절제술)을 시행하였으며 근육뒤 공간을 만들어서 Allergan N410 FM270 보형물을 삽입하였다.

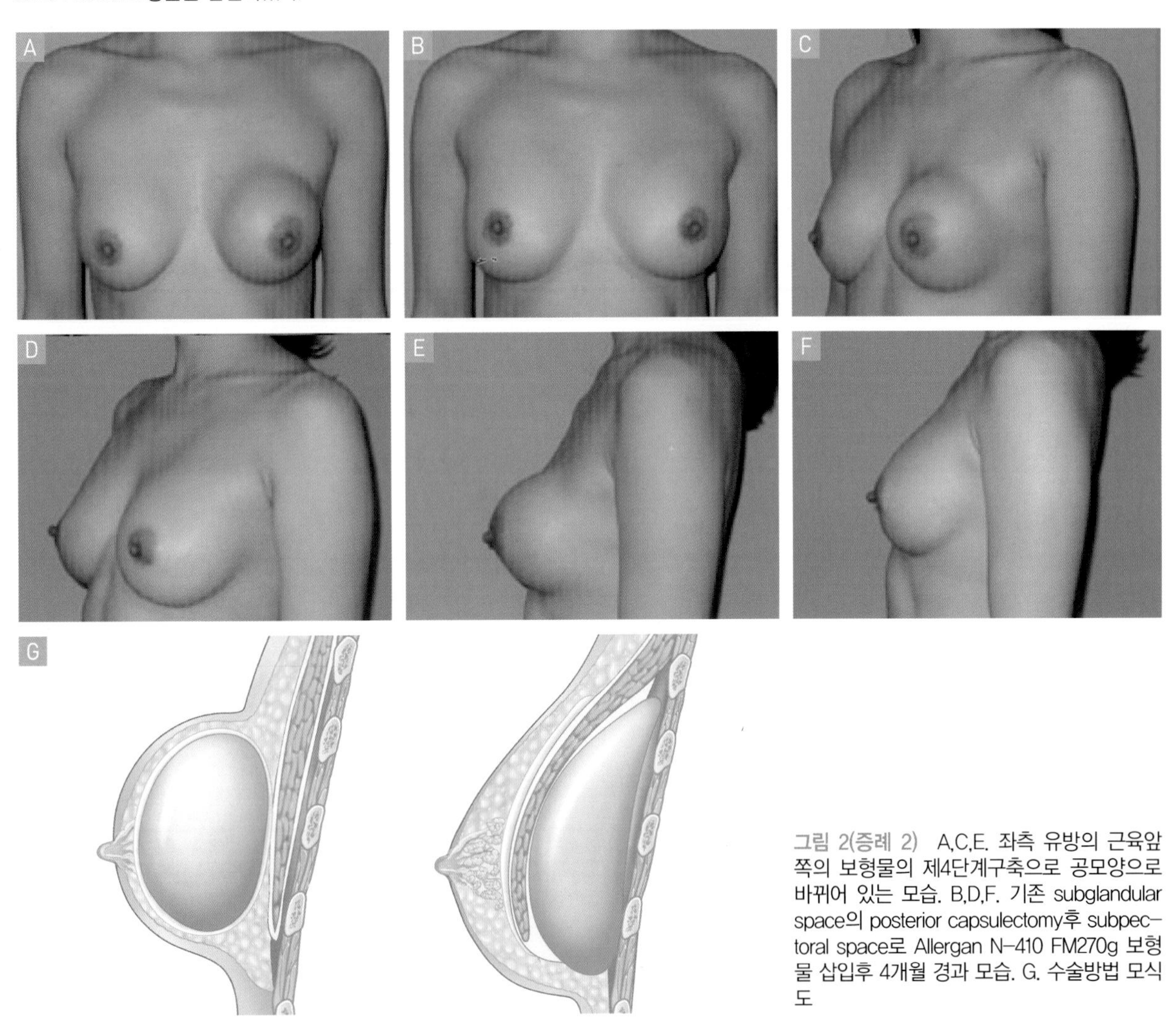

그림 2(증례 2) A,C,E. 좌측 유방의 근육앞쪽의 보형물의 제4단계구축으로 공모양으로 바뀌어 있는 모습. B,D,F. 기존 subglandular space의 posterior capsulectomy후 subpectoral space로 Allergan N-410 FM270g 보형물 삽입후 4개월 경과 모습. G. 수술방법 모식도

가장 효과적인 구축의 치료법 중 하나이다. partial 또는 total capsulectomy를 시행할 수 있는데 가능하다면 total capsulectomy을 시행하는 것이 구축의 재발률을 낮출 수 있다. 피막이 두꺼워져있는 경우, 제거되지 않은 피막이 만져지거나 bacterial colony가 될 수 있다. 그러나 근육 뒤로 수술되어진 경우 피막이 흉벽에 완전히 붙어있다면, 큰 출혈과 pneumothorax를 유발할 가능성이 있으므로 주의를 해야 하며, 석회화가 되어있거나 육안으로 뚜렷한 오염이 없다면 후방 피막은 제거하지 않는 것이 안전하다.

겨드랑이로 들어가는 피막의 경우 제거하지 않는 것이 좋을 수 있고, 근육앞에 보형물이 있는데 근육 뒤

증례 3 **근육뒤에서 근육앞으로 교체**
34세, 키 153 cm 몸무게 44 kg, 출산 1회의 여성. 1년 전 타병원에서 유륜절개로 subpectoral space에 둥근형 smooth cohesive silicone implant 175 cc로 수술 후 제 4단계 구축이 발생하고 그 결과 보형물이 상방으로 변위되어 있었다. 근육앞쪽 조직의 두께가 3 cm 정도여서 둥근형 textured cohesive silicone implant 253 cc를 근육 앞쪽 공간에 넣어주었다.

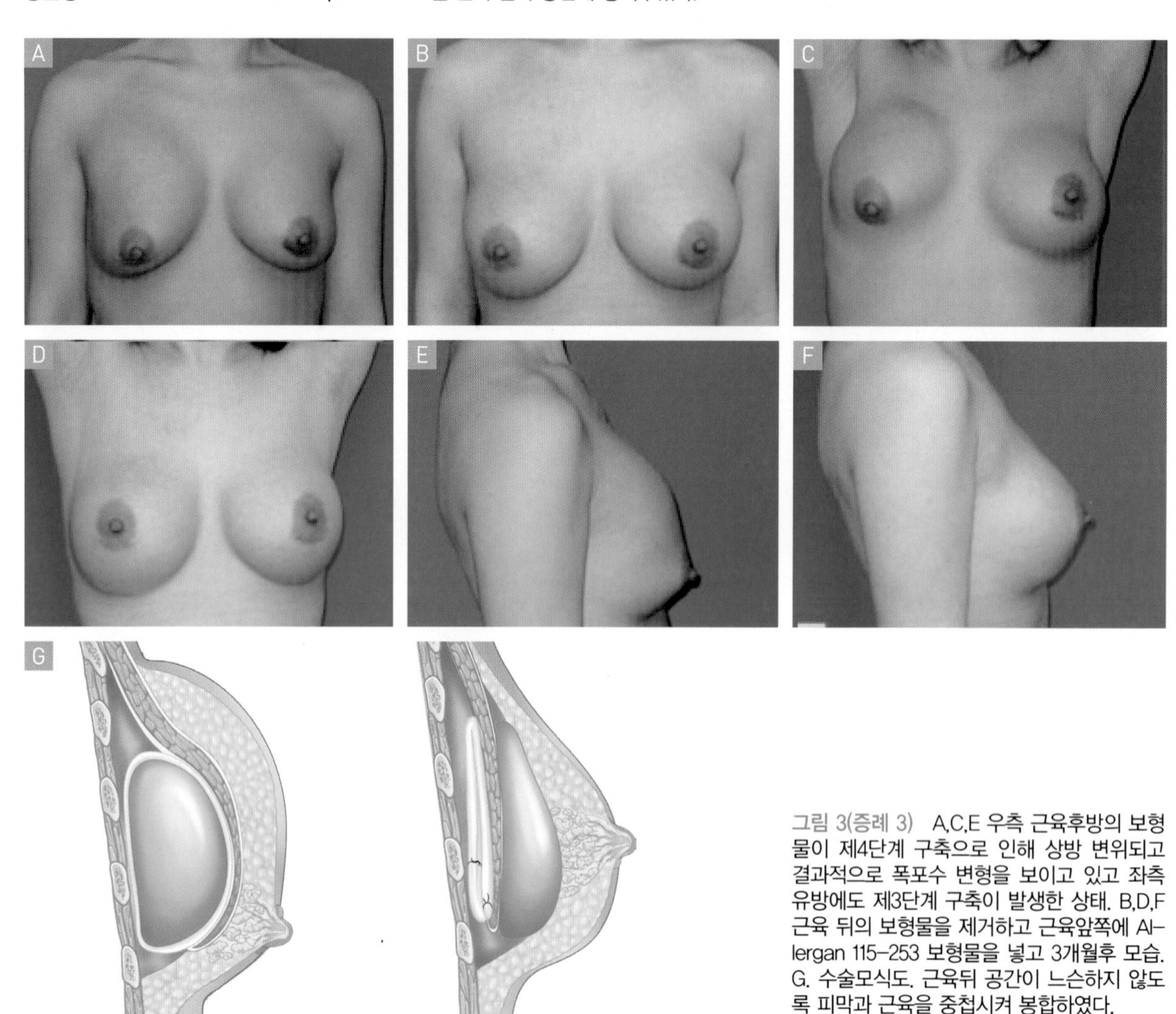

그림 3(증례 3) A,C,E 우측 근육후방의 보형물이 제4단계 구축으로 인해 상방 변위되고 결과적으로 폭포수 변형을 보이고 있고 좌측 유방에도 제3단계 구축이 발생한 상태. B,D,F 근육 뒤의 보형물을 제거하고 근육앞쪽에 Allergan 115-253 보형물을 넣고 3개월후 모습. G. 수술모식도. 근육뒤 공간이 느슨하지 않도록 피막과 근육을 중첩시켜 봉합하였다.

로 공간을 바꾸는 경우, 피막 피판으로 보형물을 지지하기 위해 피막을 남겨놓기도 한다. 그러나 피막에 석회화 소견이나 다른 병변의 소견을 육안으로 보이는 경우 피막을 제거하는 것이 권장된다.

(4) 공간 교체 (증례 2-4)

피막을 제거하건 제거하지 않건, 건강한 새 공간을 만들고 새로운 보형물을 넣는 것이 세균 오염가능성도 최소화하면서 좋은 결과를 얻을 수 있다.

subglandular augmentation 후 발생한 capsular contracture를 치료하기 위해 submuscular pocket으로 공간을 바꾸는 경우 근육의 앞면을 덮고 있는 posterior capsule이 효과적인 expansion을 방해하므로 제거해야 한다(**그림 2G**).

증례 4 **피막 뒤쪽 공간으로 교체**

38세, 키 160 cm, 몸무게 55 kg. 환자는 원래 유방의 볼륨이 어느 정도 있었는데 처져보이는 것을 교정하고자 2년전 타병원에서 유륜절개로 subglandular space에 225 cc smooth cohesive silicone gel 보형물을 넣고 우측 유방에 4단계 구축이 발생한 증례이다. 유방이 더 커지는 것을 원하지 않고 거상술을 원하지 않아서 근육앞쪽의 현재 공간의 후방 피막(posterior capsule)을 일으켜 대흉근과 후방 피막 사이에 Allergan MF255 g 보형물을 넣어주었다. 이 경우 subpectoral space로 비슷한 크기의 보형물을 mastopexy 없이 시행하는 경우 폭포수 변형의 가능성이 예측되었다.

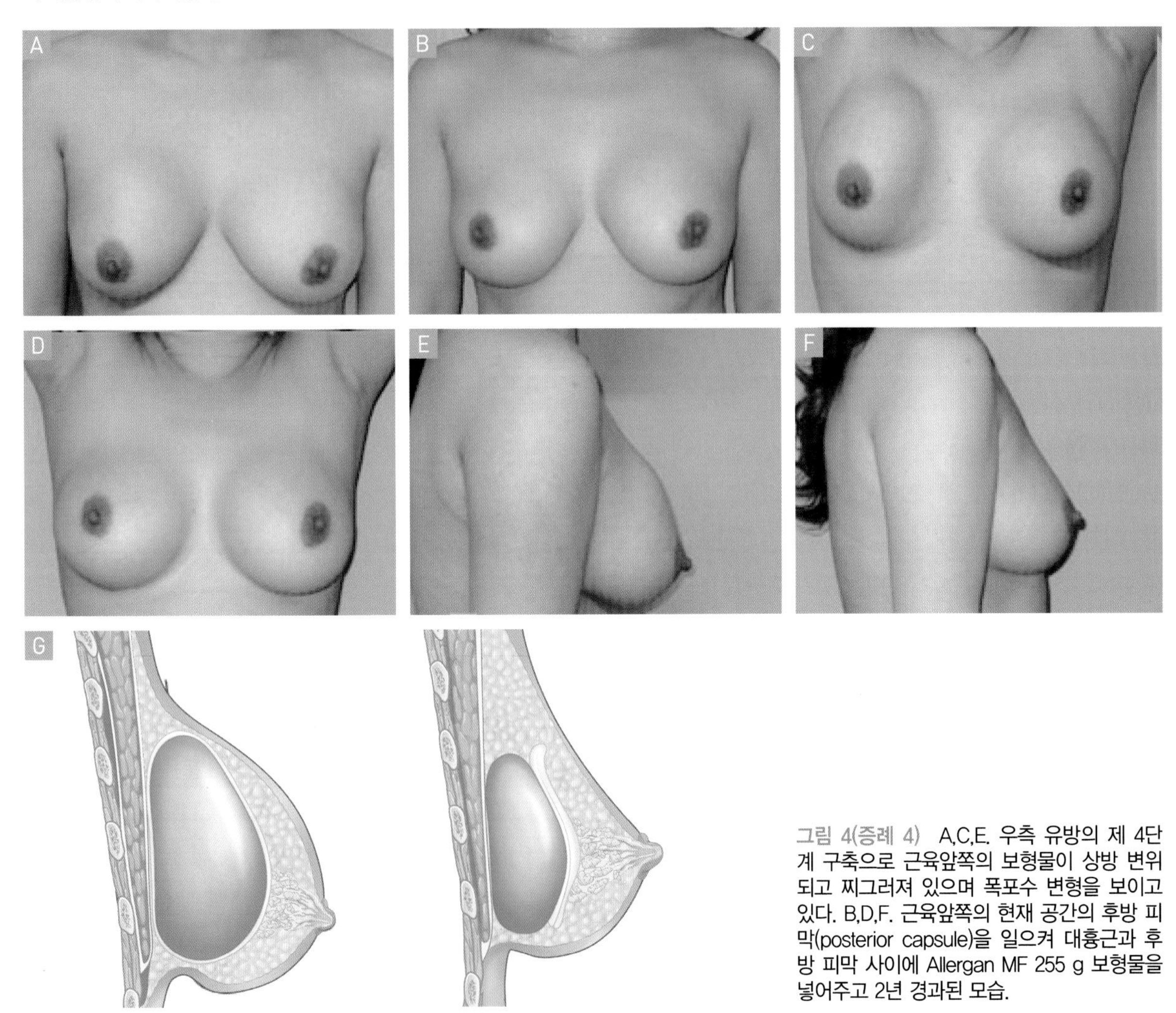

그림 4(증례 4) A,C,E. 우측 유방의 제 4단계 구축으로 근육앞쪽의 보형물이 상방 변위되고 찌그러져 있으며 폭포수 변형을 보이고 있다. B,D,F. 근육앞쪽의 현재 공간의 후방 피막(posterior capsule)을 일으켜 대흉근과 후방 피막 사이에 Allergan MF 255 g 보형물을 넣어주고 2년 경과된 모습.

근육뒤에 있는 보형물을 근육앞으로 바꿀 수도 있지만 근육앞 조직이 부족한 경우는 대흉근과 앞쪽 피막사이에 공간을 만드는 neosubpectoral pocket도 아주 유용하게 사용할 수 있다. subpectoral space를 subglandular space 또는 neosubpectoral space로 공간을 바꾸는 경우 old pocket이 잘 고정되지 않으면 보형물의 inferior displacement가 발생할 수 있으므로 앞뒤 피막을 견고히 tacking sutures(고정봉합)를 해야한다 **(그림 5)**.

(5) ADM (Acellular Dermal Matrix) 사용

보형물을 이용한 유방재건시의 경험을 바탕으로

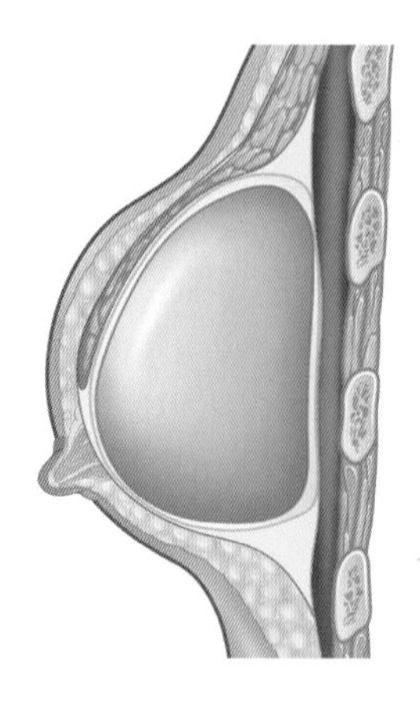
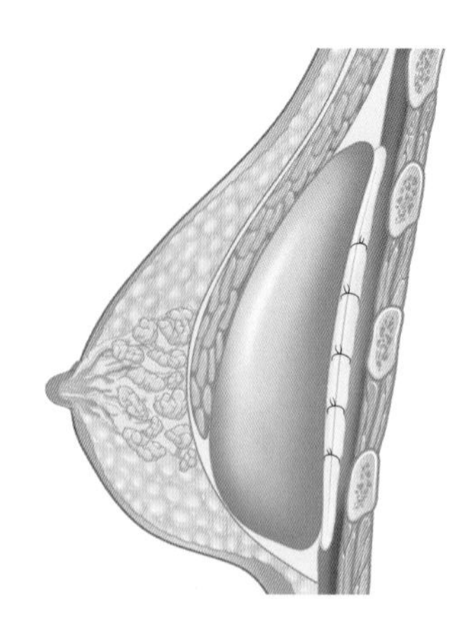

그림 5 Neosubpectoral pocket. 근육뒤에 보형물을 넣고 구축을 일으킨 경우 pectoralis major와 anterior capsule사이에 새로운 공간을 만들어 보형물을 넣어줄 수 있다. 이 때 old pocket이 잘 고정되지 않으면 보형물의 inferior displacement가 발생할 수 있으므로 앞뒤 피막을 견고히 고정봉합을 해야한다.

피막구축의 치료시 피막의 부분절제 또는 전절제후 얇아진 부분에 ADM을 덧대주는 방법이 사용되기도 한다. ADM이 주변조직에 생착되면 피막의 수축하는 힘에도 저항을 하며 구축율을 줄일 수 있다는 보고들이 있다.

2. 위치 이상(Malposition)

| 심형보 |

1) 개요

가슴확대수술 후 재수술의 빈도는 4년 경과시에 15%정도로 추산된다. 재수술 원인 중 피막구축이 절반 이상(55.6%)을 차지하며, 보형물 크기 교체(21.8%)와 위치 이상(8.2%), 리플링, 누수, 감염 등이 그 뒤를 따른다. 실제로는 단독 원인보다는 복수의 합병증이 섞여있는 경우가 더 흔하다. 이를테면, 구축이 발생할 경우 거의 대부분에서 위치 이상을 동반하고 있다.

재수술의 목적은 자연스러운 형태, 대칭, 정상적 촉감을 성취하는 것이므로 위치 이상(malposition)이 기본적으로 교정되어야 한다. 위치 이상을 교정하는 술기는 사실상 가슴을 아름답게 만드는 핵심 기술이라 할 수 있다.

(1) 위치 이상을 초래하는 문제들

- 피막구축
- 이중 주름(double bubble)
- 합유방증
- 보형물 누수 및 파열
- 지연 장액종과 이중 피막
- 보형물의 회전

(2) 재수술의 방법들

- 평면 전환 (change plane)
- 보형물 교체 (change implant)
- Acellular dermal matrix
- 피막 절제술
- 피막 절개술
- 피막 단축술 (capsule shortening procedure) **(그림 1)**
- 자가지방 이식술(Simultaneous Implant Removal &

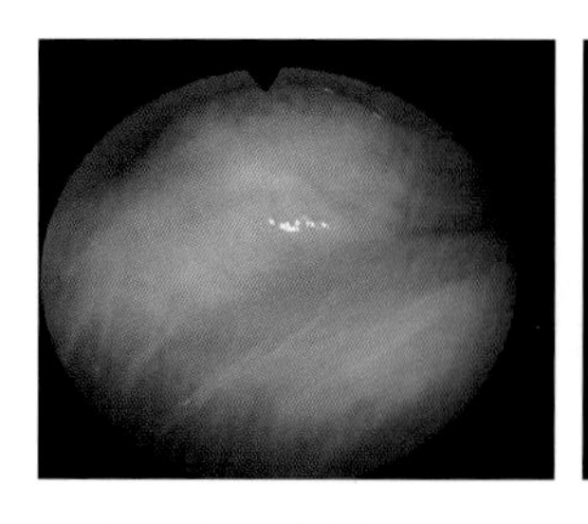
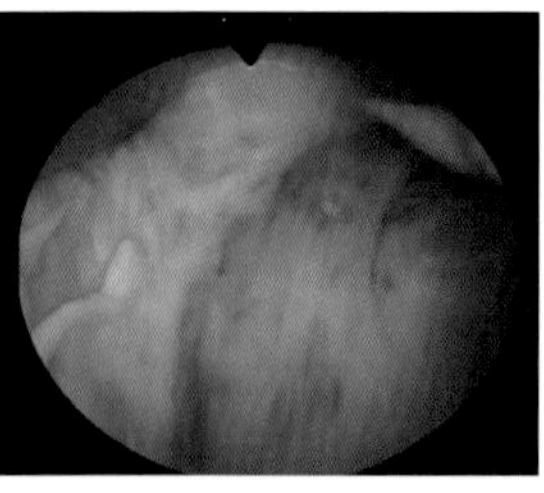

그림 1 피막단축술(Capsule shortening procedure)

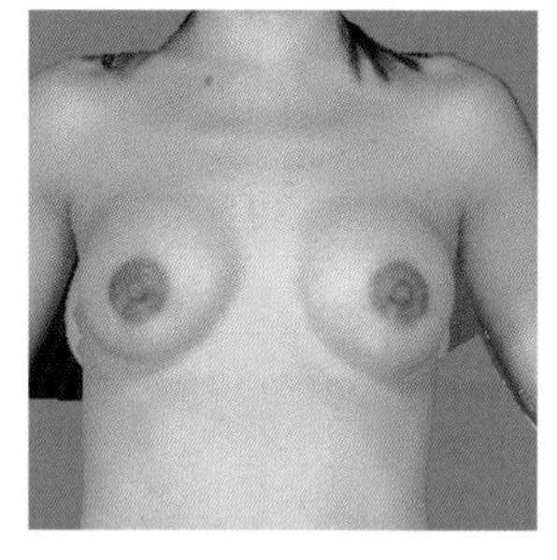
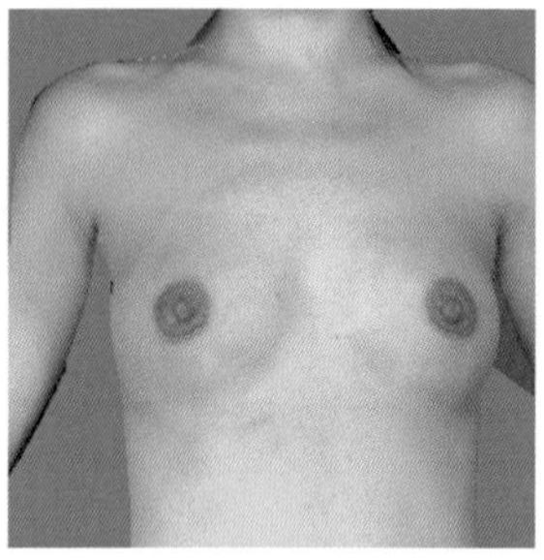

그림 2 보형물 제거 및 동시 자가지방이식술(S.I.R.F)

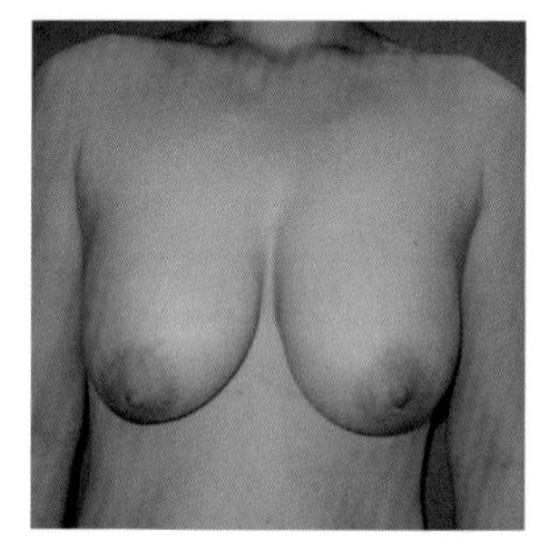
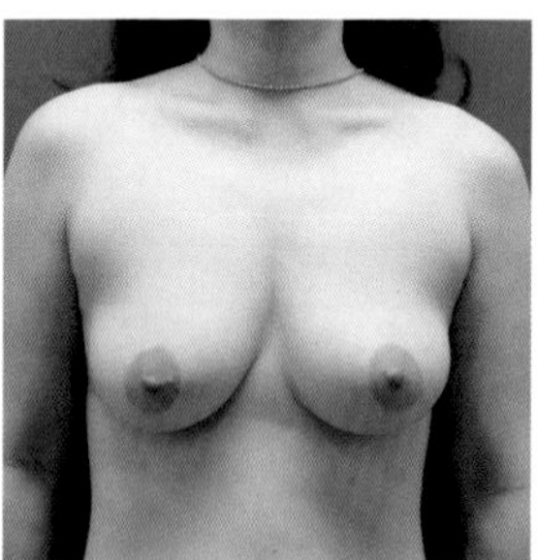

그림 3 보형물 제거 및 하수교정술(Explantation mastopexy)

Fat Transfer: SIRF) **(그림 2)**

- 보형물제거 및 하수교정술 (Explantation Mastopexy)**(그림 3)**

(3) 재수술의 원칙

- 이전 수술 후 최소 6개월이 경과하여야 재수술이 가능하다.
- 되도록 원래 절개선을 사용하도록 노력한다. 성공의 확신이 있을 때 새 절개선을 시도한다.
- 가능하면 새 공간에 새 보형물을 삽입한다.
- 충분한 두께의 건강한 외부 연부조직이 필요하다.
- 가슴밑선을 대칭되는 위치에 고정시킨다.
- 철저히 지혈하고 배액관을 사용한다.
- 교정된 보형물의 위치를 3주 이상 고정시킨다.

(4) 재수술의 패러다임 변화

- 전체 피막절제술(total capsulectomy)은 심한 변형과 두꺼운 피막, 석회화 동반 등의 경우에만 시행한다.
- 피막성형이 가능한 건강하고 변형이 적은 양질의 피막일 경우, 대부분 피막절개술(capsulotomy)로 교정이 가능하다.
- 피막 내 공간을 줄일 때, 피막봉합술(capsulorraphy)보다 피막단축술(capsule shortening procedure)을 더 자주 사용한다.
- 이중피막(double capsule)이나 장액종(seroma)이 있을 경우, 가급적 텍스처 보형물을 사용하지 않는다.
- 텍스처 보형물은 전체피막절제술 시, 특정 위치에 고정시킬 목적으로, 유선하 및 근막하 공간 삽입 시, 그리고 정상적인 부드러운 피막 내부에 사용할 수 있다.
- 물방울(shaped) 보형물은 반드시 새 공간을 만들어 삽입하거나, 기존 공간을 보형물 형태에 맞추어 형성한 다음 삽입하여야 한다.

2) 수술 방법

(1) 평면전환

새로운 공간에 새 보형물을 삽입하는 술식은 현재에도 여전히 효과적이다. 근육하 평면에서 이중평면(SP2DP)이나 근막하 평면(SP2SF)으로도 전환할 수 있으며, 유선하 평면에서 이중평면(SG2DP)으로 전환이 가능하다. 근육과 캡슐 사이를 박리하는 신근육하

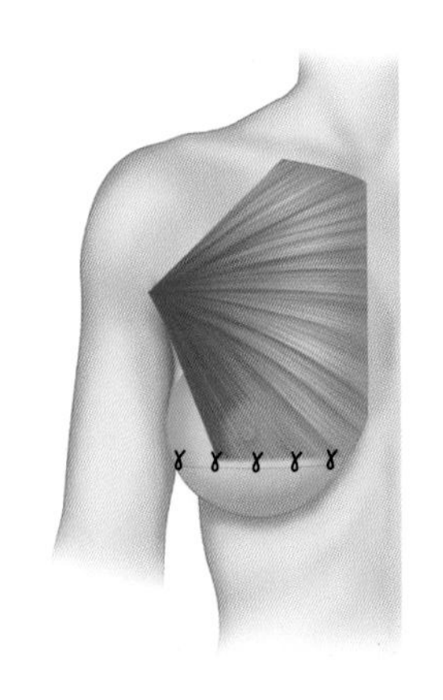
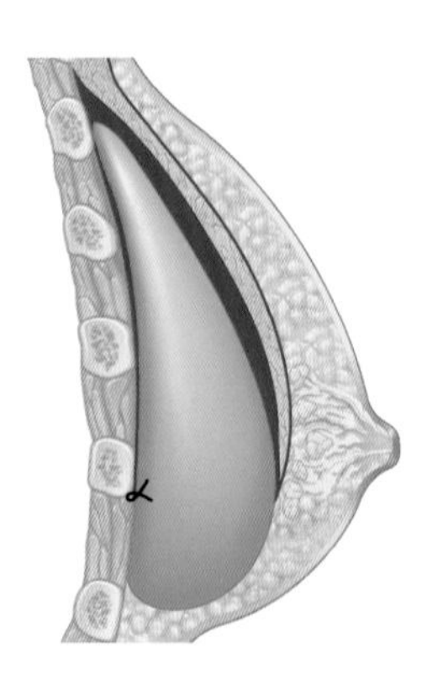
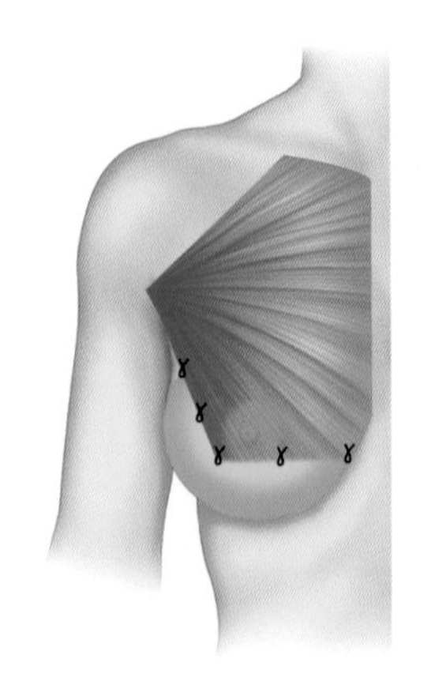
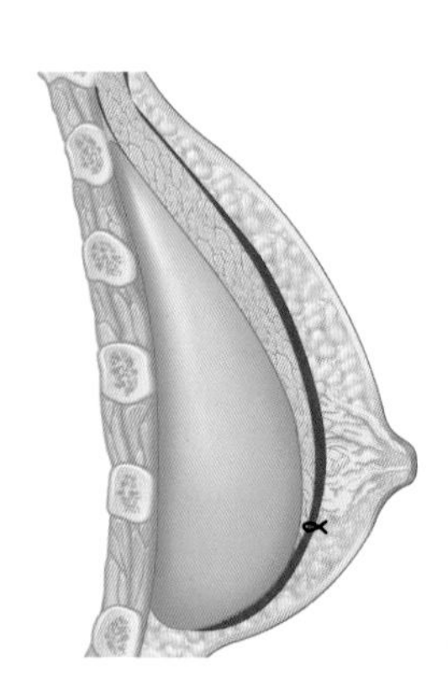

그림 4 근육하에서 이중평면으로 전환(SP2DP), 유선하에서 이중평면으로 전환(SG2DP).

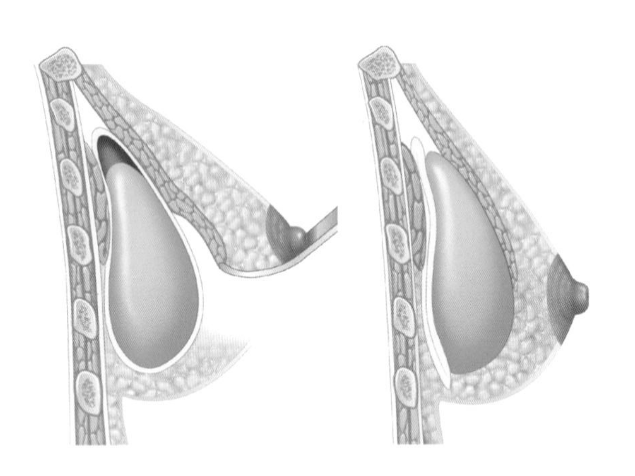

그림 5 신근육하평면 전환술(NSPC)

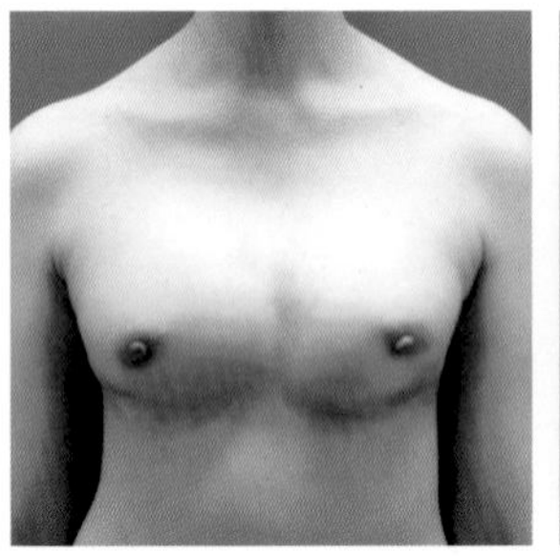
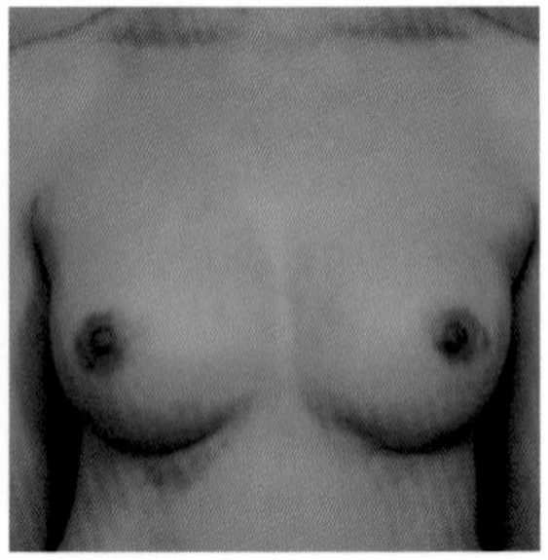

그림 6 보형물 위치이상과 동반된 합유방증(synmastia), 근육하에서 이중평면으로 전환(SM2DP conversion).

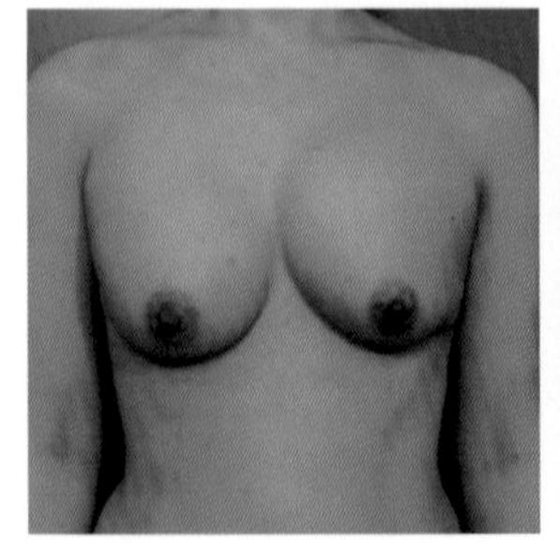
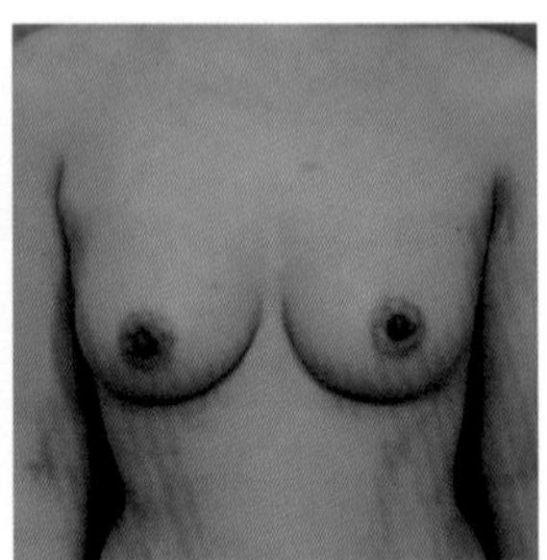

그림 7 보형물 위치이상과 동반된 구형구축, 근육하에서 근막하로 전환(SM2SF conversion).

평면 전환술(neosubpectoral conversion, NSPC)도 있다 **(그림 4–7)**.

(2) 피막 성형술

전체피막절제술은 심한 변형과 두꺼운 피막, 석회화 동반 등의 경우에만 선택적으로 시행하는 추세이며, 대부분의 경우 부분피막절개술과 피막단축술을 혼합하여 사용하여 좋은 결과를 얻을 수 있다. 과거에 많이 사용하던 피막봉합술도 최근 사용 빈도가 줄어들었다**(그림 8, 9)**.

(3)최근 대두되는 합병증들

① 지연장액종과 이중피막(Delayed seroam and double capsule) **(그림 10)**

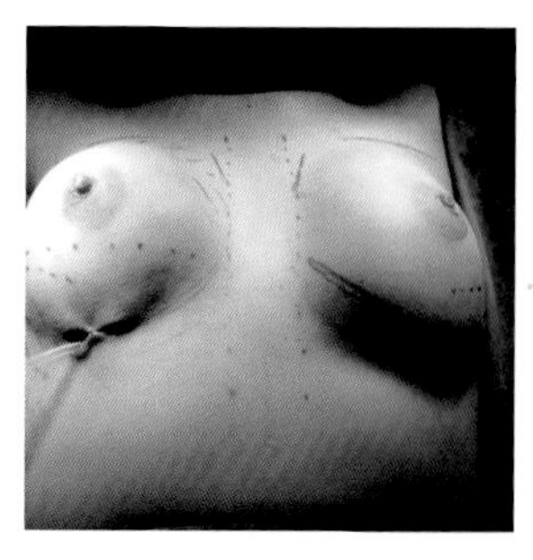
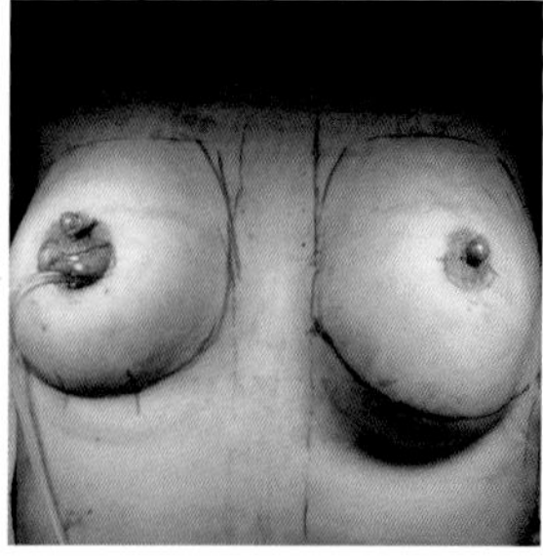

그림 8 부분피막절개술과 피막단축술(Partial capsulotomy and capsule shortening procedure). 밑선절개 접근법과 유륜절개법의 예.

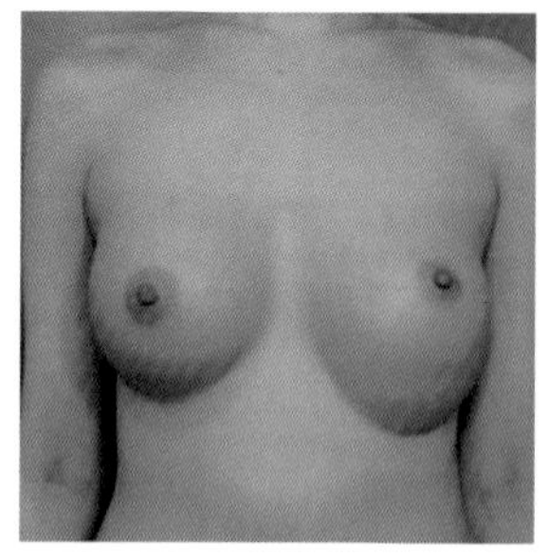
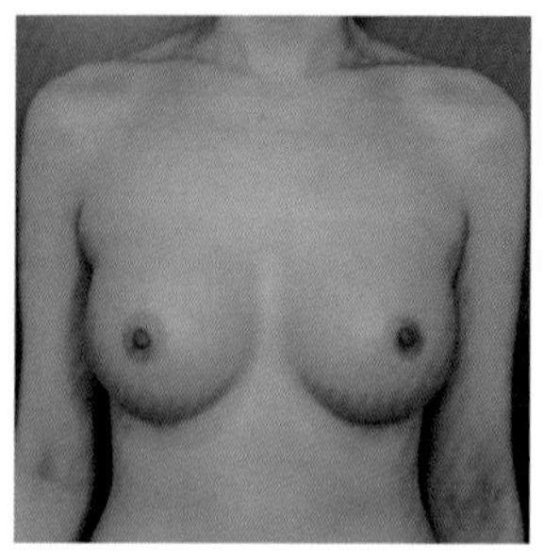

그림 9 보형물 위치이상과 동반된 이중주름(double bubble), 피막단축술, 좌측 유방(Capsule shortening procedure).

- 수술 후 6개월 이상 경과한 다음 발생하는 장액종을 의미하며 초음파 상 20 cc이상의 액체를 확인할 수 있다.
- 초기 검사가 필요하다(CBC, IMAGING, CYTOLOGY, CULTURE).
- 드물지만 ALCL (Anaplastic Large Cell Lymphoma)의 가능성을 염두에 둔다.
- 드물지만 Atypical Pathogen의 가능성도 생각해 본다(Atypical Mycobacteria).
- 발생기전
  i. texture-velcro theory (Hall-Findley)
  ii. chronic immune response theory (Adams)
- 지연장액종은 흔히 이중피막과 피막구축, 그리고 물방울 보형물(shaped implant)의 회전을 조장한다.
- 치료
  i. 보형물 제거 및 스무드 보형물로 교체한다.
  ii. 육아종이 있을 경우 전기소작한다.
  iii.비정상적 피막 종괴가 발견되면 조직검사한다.

② 물방울 보형물의 회전(Rotation of tear shaped implants) (그림 11)

- 물방울 보형물의 회전은 기타 합병증들에 비하여 드문 편이나 여러 가지 이유로 발생할 수 있다. 보형물 삽입 시에도 회전할 수 있으며, 마사지나 장액종, 피막구축에 의해 발생하기도 한다.
- 예방하려면, 보형물 삽입 시에 켈러펀넬(Keller Funnel) 등의 슬리브(sleeve)를 사용하도록 하며, 삽

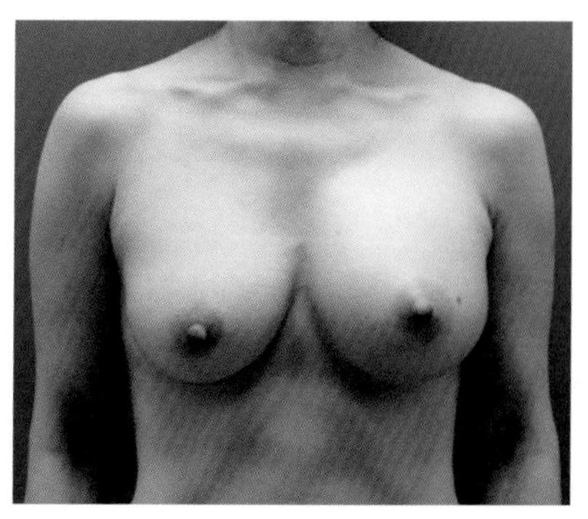
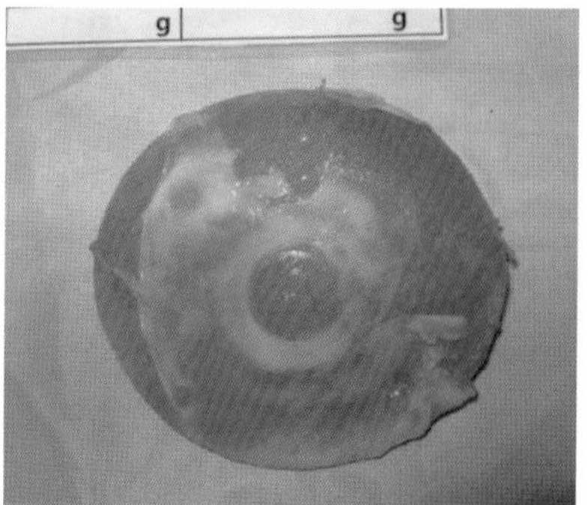
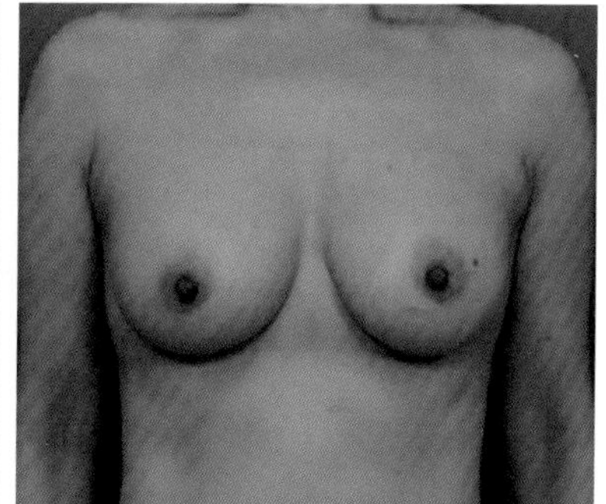

그림 10 지연장액종과 이중피막, 좌측 유방. 좌측의 텍스처 보형물을 제거하고 스무드보형물로 교체함.

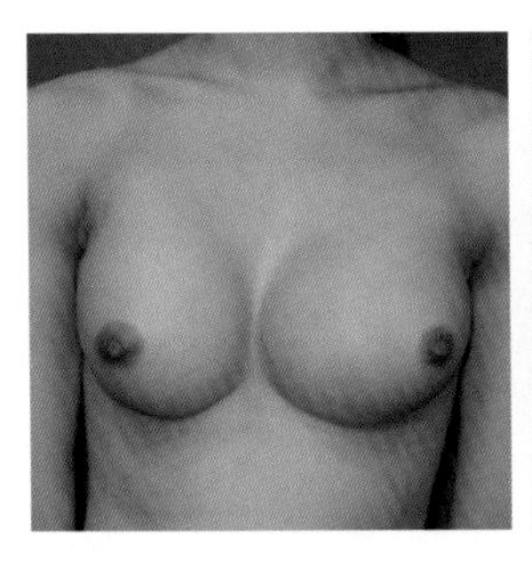
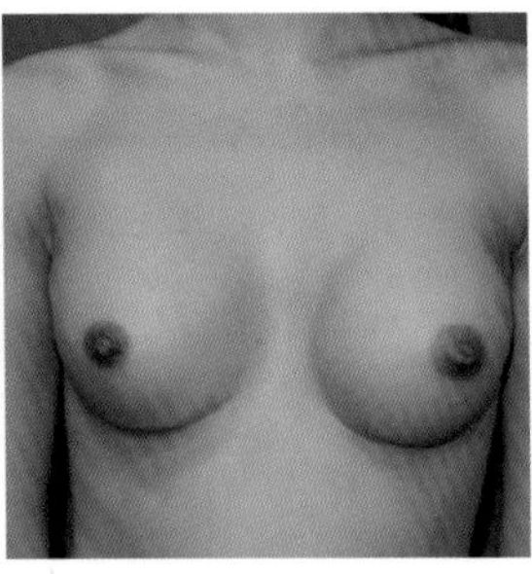

그림 11 물방울 보형물의 회전, 좌측 유방. 좌측 물방울보형물을 제거하고 스무드보형물로 교체함.

입 후 위치를 확인한다. 수술 후 3주간 밴드나 브라로 외부 고정하는 것이 좋다. 마사지를 하지 못하도록 하며 한달 이내에는 운동을 금지하여야 한다.

- 일단 회전이 발생하였을 경우, 대부분 별다른 치료 없이 단기간 내에 제 자리를 찾아 들어가는 것이 보통이다. 장액종을 동반할 경우, 수기로 강제 회전을 시도해 볼 수 있다. 수기 강제 회전이 실패할 경우, 수술적으로 정복하여야 한다.

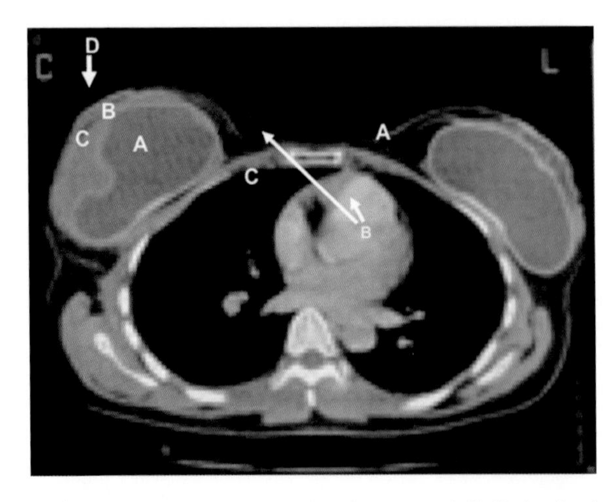

그림 12 Magnetic resonance imaging scan of ALCL involved breast. (A) Implant shell and capsule. (B) Small seroma. (C) Palpable tumor.(Keech, JA, Creech, BJ. Anaplastic T-cell lymphoma in proximity to a salinefilled breast implant. Plast Reconstr Surg. 1997;100;554-55)

③ ALCL (Atypical Large Cell Lymphoma) (그림 12)

- ALCL은 1997년 첫 환자가 발견되었으며 보형물 삽입된 환자의 3만명 중 1명의 확률로 나타날 수 있는 비교적 덜 공격적인 희귀 임파선암이며, 실제 유방암 발생 빈도보다 드문 질환이다.
- 대부분 지연 장액종을 동반하며 피막에 연결된 종괴로 나타나는데, 미용이나 재건수술, 식염수나 실리콘, 스무드나 텍스처 보형물 모두에게서 발견된다.
- Histochemical markers CD-30+, Alk-1-
- 지연 장액종환자의 검진시 주의를 요한다.

참 · 고 · 문 · 헌

1. Adams WP Jr, Mallucci P : Breast augmentation. CME Plast. Reconstr. Surg. 2012;130: 597e.
2. Adams WP Jr, Rios JL, Smith SJ. Enhancing patient outcomes in aesthetic and reconstructive breast surgery using triple antibiotic breast irrigation: Six-year prospective clinical study. Plast Reconstr Surg. 2006;118:46S–52S.
3. Brody GS: Anaplastic Large Cell Lymphoma Occurring in Women with Breast Implants: Analysis of 173 Cases. Plastic & Reconstructive Surgery. 135(3):695-705, March 2015.
4. Brown M: Secondary breast augmentation. Neligan's Plastic syrgery, 3rd ed. Saunders Elsevier. 2013 vol 5:46-52.
5. Collis N, Sharpe DT: Recurrence of subglandular breast implant capsular contracture: anterior versus total capsulectomy. Plast Reconstr Surg 106: 792, 2000
6. Derby BM, Codner MA: Textured silicon breast implant use in primary augmentation: Core data update and review. plast. Reconstr. Surg. 2015;135: 113.
7. Hall-Findlay EJ: Breast Implant Complication Review: Double Capsules and Late Seromas. Plastic & Recon-

structive Surgery. 127(1):56-66, January 2011.

8. Handel N, Cordray T, Gutierrez J, Jensen JA: A long-term study of outcomes, complications, and patient satisfaction with breast implants. Plast Reconstr Surg 117: 757, 2006
9. Hester TR Jr, Ghazi BH, Moyer HR, Nahai FR, Wilton M, Srokes L: Use of dermal matrix to prevent capsular contracture in aesthetic breast surgery. plast. Reconstr. Surg. 2012;130: 126S.
10. Jacoby J, Lille ST : The role of pocket dissection in breast implant contracture: a single surgeon's review. plast. Reconstr. Surg. 2011;127: 155e-156e.
11. Pajkos A, Deva AK, Vickery K, Cope C, Chang L, Cossart YE.: Detection of subclinical infection in significant breast implant capsules. Plast Reconstr Surg. 2003;111:1605–1611.
12. Peters W, Smith D, Fornasier V, et al: An outcome analysis of 100 women after explantation of silicone gel breast implants. Ann Plast Surg 1997;39:9-19
13. Sim HB, Sun SH: Transaxillary Endoscopic Breast Augmentation With Shaped Gel Implants. Aesthet Surg J 35(8) 952–961, 2015
14. Sim HB, Wie HG: The Management of Capsular Contracture: Conversion to "Dual Plane" Positioning through a Periareolar Approach. J Korean Soc Plast Reconstr Surg. 2008 Jan;35(1):77-84.
15. Sim HB, Yoon SY: Periareolar dual plane augmentation mammaplasty. J Korea Soc Plast Reconstr Surg 33: 155, 2006
16. Sim HB, Yoon SY: Periareolar Subfascial Breast Augmentation: Comparison with Submuscular and Dual Plane Breast Augmentation. J Korean Soc Plast Reconstr Surg. 2007 Jan;34(1):99-104.
17. Spear SL, Carter ME, Ganz JC: The correction of capsular contracture by conversion to "Dual-Plane" positioning: technique and outcomes. Plast Reconstr Surg 112: 456, 2003
18. Spear SL, Seruya M, Clemens MW, Teitelbaum S, Nahabedian MY. Acellular dermal matrix for the treatment and prevention of implant-associated breast deformities. Plast Reconstr Surg. 2011;127:1047–1058.
19. Tamboto H, Vickery K, Deva AK: Subclinical (Biofilm) infection causes capsular contracture in a porcine model following augmentation mammaplasty. Plast. Reconstr. Surg. 2010;126: 835.
20. Young L, Watson ME, Atagi TA: Secondary breast augmentation. Mathes' Plastic syrgery, 2nd ed. Saunders Elsevier. 2006 vol 6:321-329.

Augmentation mammoplasty »

자가 지방 이식을 이용한 유방 확대술

Autologous fat transfer to breasts

양현진, 이희영

1. 역사와 배경

기록상 유방에 시도된 최초의 지방이식은 독일의 의사 Czerny(1875)가 유방의 조직 결손을 보충하기 위해 환자 허리에 있던 지방종(lipoma)을 이식한 것이며, 이후로 다양한 시도가 이루어져 왔다. 지방이식의 역사에 비해 미용적 결과나 부작용에 대한 보고가 균일하지 않아 최근까지도 안전성에 대한 많은 논란이 있었으며 아직 성형외과 영역에서 금기된 시술로 알고 있는 경우도 많다. 최근 미국 성형외과 학회에서 유효한 효과들에 대해 논의되고 부작용에 대한 위험성도 높지 않다는 점이 발표되면서 이제는 정식 성형 수술로서 자리를 잡아 나가는 과정 중에 있다.

최근에는 새로운 수술 방식과 장비가 개발되고 부작용에 대한 보고들이 출간되면서 안전성에 대한 신뢰가 더욱 증가하였다. 특히 지방줄기세포의 발견 등 지방이식의 기전에 대한 새로운 이론들은 지방이식을 재조명하게 된 계기가 되면서 지방 줄기세포를 첨가한 지방이식이나 고농축 지방이식이 유방확대의 또 다른 유용한 방법으로 소개되고 있다.

2. 기초

지방이식에서는 성숙한 지방 세포는 물론 다양한 기원의 세포들이 혼재되어 있다는 점이 장기이식과 비슷하고, 장기이식과는 달리 공급 혈관 문합술과 같은 혈류 공급에 대한 배려가 없는 피부이식 또는 composite graft와 유사하므로 각 구성 성분의 반응에 대해 구분하여 바라볼 필요가 있다. 각 성분 별 기능과 상호 관계를 파악하기 위해서는 기초 연구가 많이 필요하고 이에 따른 임상 술기의 변화도 예상되는 분야이다. 기본적인 창상 치유 과정에서는 유사한 부분이 많으나 지방이식에 관한 최근의 이론에서 새로 등장한 기초 연구들의 특징은 성체 줄기세포의 내용이 많다.

1) 부피생존 기전

건강하고 살아있는 상태로 유지되는 부피는 본 시술에서 가장 중요하게 여겨지는 척도가 되며 지방 조직 처리 공정과 해당 의사의 수술적 특징, 환자 개개인 간에 보여질 수 있는 줄기세포 밀도, 흡입된 지방의 양, 압축률 등 다양한 변수가 존재하므로 부피 생존 기전 역시 한 가지로 설명하기는 쉽지 않다.

(1) 부피 유지율(VMR; volume maintenance rate)

부피 유지율은 실제 지방이 일정 단위로 이식된 후 최소 6개월 이후 여러 가지 작용이 합해져 나타나게 되는 최종 부피의 비율을 의미한다. 이 용어는 이식된 총량에 비해 6개월 이후에 남아있는 건강한 이식 조직 부피의 비율을 의미한다. 단순히 생각해 보아도 부피 유지율을 높이려면 이식할 때의 정제율은 아주 중요할 수 밖에 없다. 흡입된 지방에는 피와 삼출액(exudates), 팽만액(tumescent fluids)과 흡입 도중 파괴된 지방세포에서 유리된 유리 지질(free oil), 이미 생물학적 활성이 사라져 이식 직후 파괴될 운명의 비교적 큰 지방 세포 등이 섞여 있어 흡입 총량의 상당 부분을 차지하므로 이를 배제하지 않고서는 동일한 의사의 동일한 환자 조건에서도 결과에서 많은 차이가 나게 된다. 특히 유리 지질은 부작용 중 가장 흔한 지질 낭종의 원인이 되므로 가능한 한 많이 제거하는 것이 유리하다**(그림 1)**.

따라서 부피 유지율을 높이기 위해서는 부피 유지에 필요가 없는 부분을 철저히 제거하는 것이 단순한 방식이다. 성분 별로 부피 유지율을 추정해보면, 통상적으로 조직 내의 재생성 세포(regenerative cells, 줄기세포)가 가장 많은 부피 재생 확률을 보여 자신의 부피의 수 천 배나 되는 지방 세포를 재생할 수 있고 그 다음은 세포외 기질(ECM; extra cellular matrix)로서 70% 이상 볼륨을 유지할 수 있으며, 지질 액적이 포함된 지방 세포(adipocytes)는 작은 세포가 큰 세포보다 부피 유지율이 높다. 즉, 동일한 지방 조직 내에서라도 어린 지방세포가 나이가 많은 지방세포보다 부피 유지율이 높다. 지방 이식은 전신에서 다양하게 사용되지만 부피 유지 기전에 대해 자세히 설명된 단일 서

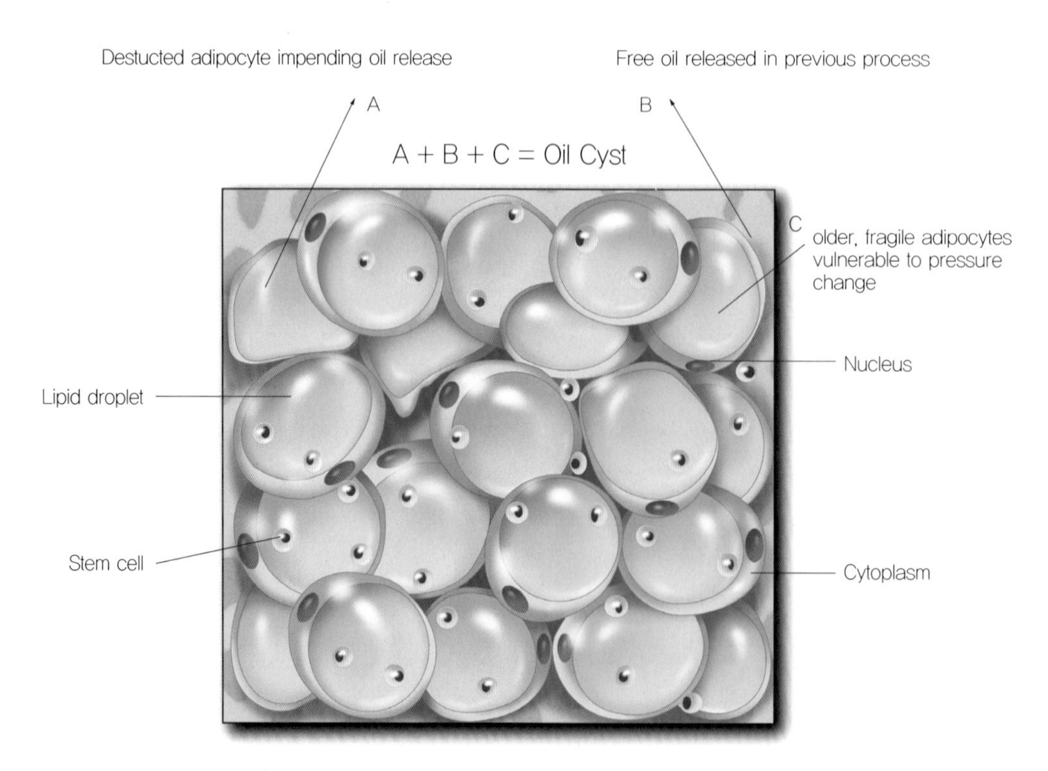

그림 1 지방 이식편 중 부피 감소와 낭종의 원인이 되는 유리 지질의 분포

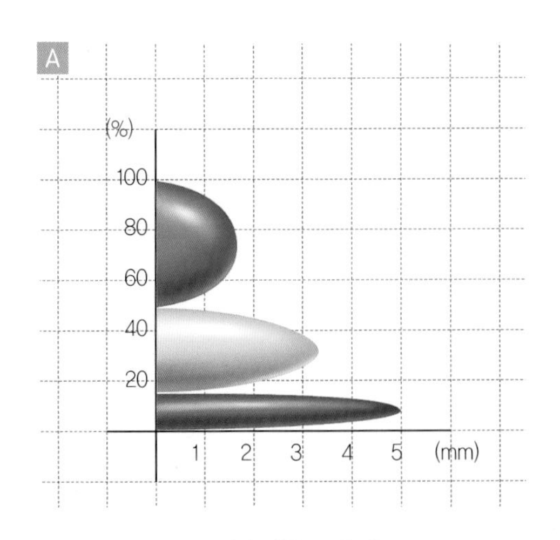

그림 2 **세 가지 기전에 의한 부피 생존**
A.
X축; 수혜부 접촉면으로부터의 최단 거리, Y축; 생존(존속)된 부피 중의 비율
청색 기전; 이식된 지방 세포의 생존. 충분한 대사 물질 교환이 가능한 이식편의 외곽 부 경계에서 주로 일어난다.
노랑 기전; 수혜부 조직에 존재하던 조직 또는 세포의 이동, 증식, 분화 등. 수혜부로부터 일정 거리 범위 이내에서 일어난다.
빨강 기전; 이식편 중의 세포 증식, 분화. 대사 물질 교환이 안되어 심하게 저 산소 상태이며 이식편의 중앙부에서는 주로 빨강 기전만이 일어난다.
세가지 색 즉, 세가지 기전 모두 경계로부터의 거리가 짧을수록 많이 일어나서 경계부에는 각각의 기전에서 모두 유리하다.

B. 이식편의 단면; 각각의 기전을 일으킨 세포를 각 색의 점으로 표시한 경우. 이식편 경계부는 세가지 색(기전)이 모두 존재하고 세포 밀도가 높은 반면, 중앙부는 빨강색만이 존재하며 밀도가 낮다. 이식편이 작을수록 경계로부터의 평균 거리가 짧아져서 세가지 기전이 모두 증가하고 살아남는 세포의 상대적 비율이 증가하므로 이식편의 부피가 작을수록 부피 유지에 유리하다.

적은 흔치 않고 아직도 서로 상반되는 주장이 다양하게 존재하고 있으므로 독자들이 이에 대해 인지하고 있는 것이 필요하다. 기존에는 이식된 지방의 부피 유지율이 성숙한 지방 세포(matured adipocytes)의 생존율과 비슷할 것이라는 전제가 정설이었다. 당시에는 달리 생각할 방도가 없었기 때문이다. 따라서 지방 조직 채취 방식에 있어, 성숙된 지방의 아주 약한 세포막과 혈관 유지 기전을 지킬 수 있는 절제 방식(excisional methods)의 지방 이식이 부피 유지에 유리할 것이라는 논리가 정설이었다. 그러나 최근에는 가는 바늘로 흡입한 지방을 가는 주사 바늘로 세밀하게 퍼뜨려 주사하는 것이 부피 유지율을 높이는 가장 좋은 방법이라는 주장이 일반적이다. 또한 줄기세포의 영향으로 자체 재생되거나 수혜부로부터 세포와 조직이 유도되어 자라 들어오는 재생 방식이 기존의 성숙한 지방 세포가 살아남는 것보다 더 중요하다는 주장도 있다**(그림 2)**.

(2) ECM과 ASCs의 중요성

지방 조직에는 지방 이외에서 천연적 기공 구조(porosity)를 가지는 extracellular matrix (ECM)가 존재하여 이들이 지방 재생을 유도하는 강력한 미세환경(microenvironment of cells, niche)으로 간주되기도 한다. 세포가 전혀 없이도 ECM속에 세포가 자라 들어와 지방을 형성한다는 보고도 있다. 생 지방을 이식하는 임상에서는 둘의 차이를 분석할 필요가 크지 않다. 공교롭게도 줄기세포는 ECM속에 상호 융합되어 존재하기 때문이다. 지방 이식편 중 ECM의 비율을 높이고자 하는 모든 노력이 이식 후 부피 유지율을 높이는 또 다른 방법으로서 보고되기도 하였다**(그림 3)**.

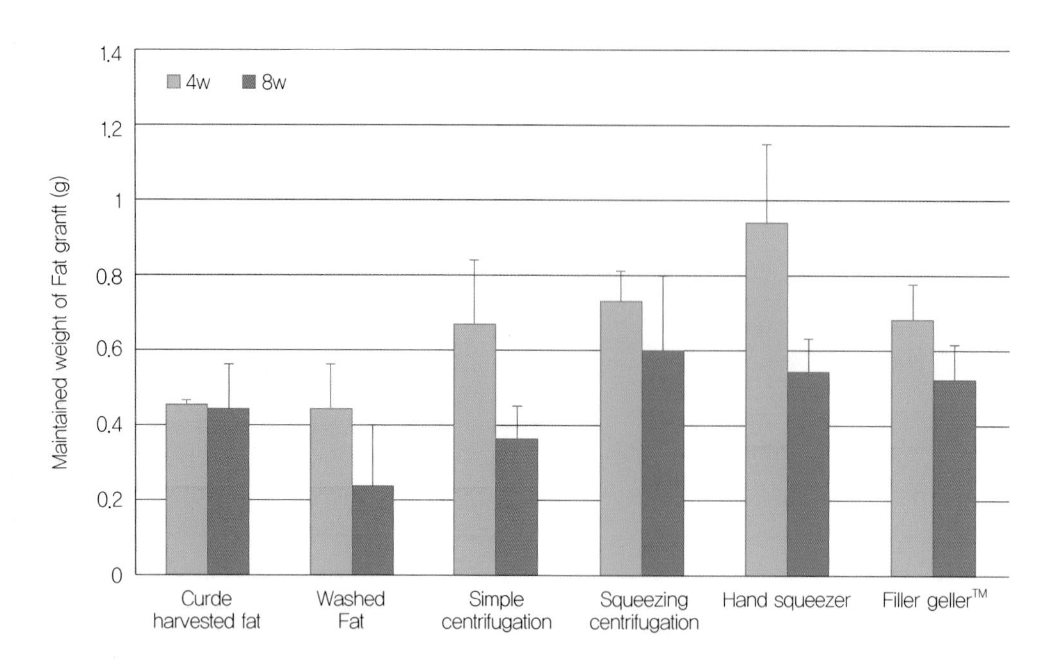

그림 3 신선한 지방 0.5 cc를 nude mice에 주사하고 4주와 8주에 각각 측정한 무게 유지율. 만약 성숙한 지방 세포의 분포가 실험군 간에 차이가 없다면, 실험체로부터 분리된 이식편의 무게 유지율은 부피 유지율과 비례하게 된다.

3. 지방이식 임상상황

지방이식 유방확대는 보형물에 대비 되는 개념으로 알려져 있으나 실상은 부수적 시술로 이해하는 것도 옳을 것이다. 거의 모든 면에서 특성이 반대이니 선택을 고민하기 보다는 융합을 해야 할 당위성을 신중히 고려해야 한다.

1) 적응증

(1) 미용 목적의 단순 유방 증대술
(2) 폴란드 증후군 등 흉부 기형에 단계적(staged) 증대술로 활용
(3) 유방 절제술 이후의 재건
(4) 이미 시행된 유방 확대술에서 형태 보완 목적의 추가 수술
(5) 보형물에 대한 거부감을 보이는 환자에서 대치 수술 등 2차적 시술
(6) 보형물의 크기를 작게 넣어야 할 경우 등 보형물 삽입과 동시에 시술하는 경우
(7) 가슴 피부의 양이 적은 경우 연부조직 확장을 위한 시술로서의 활용
(8) 유방하수, 조직결손 등에서 피하층에 가까운 층의 부피를 선택적으로 증가시키기 위한 방법.

2) 환자의 선별 및 제한점

지방 이식을 선택할 때 유방암 등 유방 질환 전력이 있는 경우, 실제 만져지는 종괴가 있을 경우, 유방암에 대한 걱정이 심한 경우 등 유방암과 관련한 고려를 해야 할 경우에는 지방이식을 선택할 때 신중해야 한다. 단, 유방 종괴에 대한 영상 의학적, 조직 병리학적 검사가 모두 끝나 양성임이 확정된 경우에는 예외일 수 있다.

또한, 몸에 여분의 지방이 적어 지방 채취량이 목적

한 유방 부피 증가량을 충족하지 못할 경우 역시 지방 이식이 적절하지 못한 경우이다. 예를 들어 키 160 cm 정도에 몸무게 45 kg 미만이라면 이식 가능한 지방의 양이 충분치 못한 경우로서 허벅지와 복부 지방의 양을 면밀히 점검해야 한다. 이는 원래의 유방 크기와 모양에도 관련이 있으므로 상대적인 고려가 필요하다. 환자의 기대치를 판단하여 한 번에 많은 양의 부피 증가나 전방돌출을 요구하는 경우 역시 지방이식 유방확대술에는 부적절한 환자일수 있으므로 환자와 충분히 상의하여 보형물 유방 증대술로 대치하거나 인공 이식 소재를 복합한 수술을 권할 수 있다.

3) 지방이식 유방확대의 장단점

(1) 장점

최근 동양 여성들뿐 아니라 서양 여성들도 인공 보형물을 사용하는 유방증대술에서 나타나는 이물감과 안정성에 대한 의문점을 이유로 거부감을 가지면서 자가조직을 활용한 유방 증대를 원하는 환자들에게는 선택할 수 있는 가장 적합한 방법이다.

- 자연스러운 모양과 촉감
- 특정 모양을 구현해 내기가 더 쉽다.
- 주사 방식이므로 기술적으로 단순하다.
- 부작용의 처치가 비교적 쉽다.
- 지방흡입술의 추가 수술로 활용할 수 있다.

(2) 단점

- 마른 환자에게 시행하기 어렵다.
- 한번의 수술로 평균적 보형물 크기인 250 cc 이상의 영구적 효과를 주기 어렵다.
- 보형물에 비해 전방 돌출 양이 작다.
- 지방흡입, 원심분리등의 과정이 필요해서 보형물 유방증대술에 비해 수술이 복잡하고 수술 시간이 길다.
- 환자마다 상황이 다르고 의사마다 수술 술기가 달라 부피 예측성(predictability)이 떨어진다.

4. 수술 전 상담 및 informed consent에 필요한 기본 계획

1) 술 전 상담 원칙

최근 인터넷의 발달로 환자들이 잘못된 정보를 습득하고 오는 경우가 많아 환자가 알고 있는 정보를 질문을 통해 먼저 파악하고 이에 대응한 적절한 교육과 설명이 필요하다. 이러한 상담에 의해 자가 지방 이식에 대한 잘못된 기대나 혹은 정보 부족으로부터 유발되는 환자의 판단 오류를 줄이는 것이 만족도 향상에 가장 중요하다. 따라서, 상담을 체계적으로 진행하기 위해 수술 재료 및 방법에 대한 질문 내용을 서류화 하여 미리 답하도록 하는 것도 좋은 방법 중 하나이다.

지방이식 가슴확대는 모든 유방성형 환자에서 유용하게 사용될 수 있는 방법이지만 환자의 바램이 보형물에 적합하다면 보형물 삽입을 권유하는 것이 좋다. 보형물 삽입을 원하지 않는 경우라 하더라도 보형물과의 자세한 비교 설명이 필요하다. 아직 정확한 부피 예측치를 측정하기 어려운 현재의 상황에서는 지방의 부피 생존에 대한 원리를 알고자 하는 환자에게는 줄기세포의 개념과 조직학적 개념을 인지하고 설명하려는 노력이 필요하다.

2) 초진 상담

초진 문답 알고리즘(algorithm) 도식(**그림 4**)은 환자 기록지의 일부로서 첨부함으로써 환자에 대한 설명 내용과 환자의 의사 결정과정을 표시할 수 있으며 내용은 의사의 상황과 의도에 맞게 수정 제작하여 사용할 수 있다. 상담시간을 줄이기 위해서는 의도한 교육 내

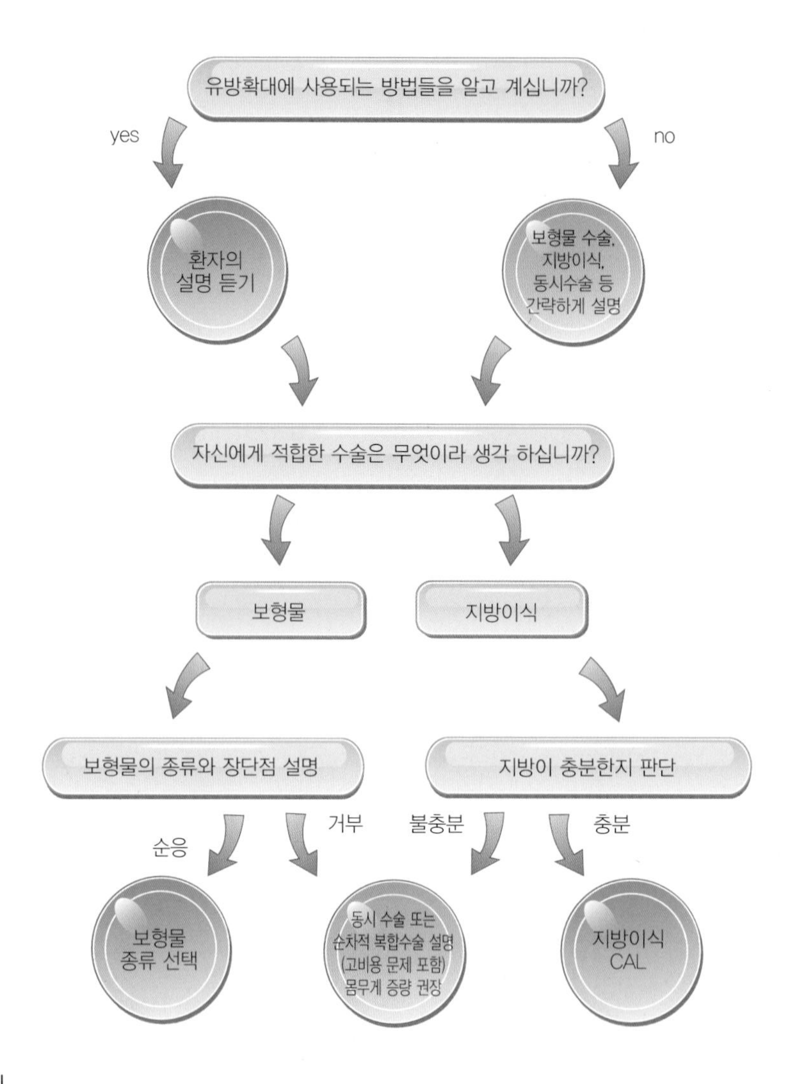

그림 4. 초진 문답 도식

용을 인쇄물을 통해 미리 정보를 읽어보도록 하는 것도 필요하다.

얼굴 등 다른 곳에 대한 이식도 필요한 경우라면 환자에게 그 의향을 물어 다른 부위에 대한 시술을 추가할 수 있으며 이는 지방이식에 대한 정보가 없는 환자에게 도움이 될 수 있다.

3) 수술 당일 술 전 상담

- 효과 기대치 설명
- 수술 전, 후 영상 의학적 검사 시 암의 위 양성(false positive), 위 음성(false negative) -가능성 설명
- 초진 시 설명한 내용을 술 전 수술 동의서에 첨부하여 환자로 하여금 부피 기대치와 장단점에 대한 설명을 상기시킨다. 이는 아직 익숙하지 않고 정보량이 부족한 지방이식 시술에서 법적 분쟁의 소지를 줄여주고 환자가 수술 후에 겪을 수 있는 심리적 문제에서 도움을 줄 수 있으므로 중요한 부분이다.

유방암 조기 발견을 방해할수 있는 가능성의 문제

는 모든 유방 증대술에서 언급되어야 할 문제로, 보형물 유방 증대술과 지방이식 유방증대술에서의 패턴이 달라서, 의사의 설명이 필요하다. 지방이식 유방증대술후에 부작용으로 발생할수 있는 종괴는 오일 낭종이나 뭉침 덩어리 등 위양성의 가능성이 높으므로 이에 따라 발생되는 심리적 문제도 설명해야 하며 모든 설명에 대한 환자의 동의가 필요하다.

보형물 삽입 후 발생하는 암의 진단 오류는 대부분 판독 과정 중 판독자가 암의 소견을 놓치게 되는 위 음성의 문제로서, 보형물에 의해 가려지는 인접 조직과 보형물의 압박에 따른 이미지 패턴 변형이 문제가 될 수 있다.

반면, 지방이식은 괴사 낭종 또는 혈종에 발생하는 미세 석회화가 암으로 오인되어 발생하는 위 양성 오류가 문제가 되고 주로 MRI, 조직검사 등 과다 진료를 유발할 수 있으며 종괴에 대해 등한시 하는 상황이 발생할 수 있으므로 더욱 안전하다 말할 수 있는 것은 아니다. 최근에는 지방이식 유방 증대술의 사례가 증가하면서 이러한 진단 오류들도 많이 사라지고 있는 것으로 보고된다.

4) 술 전 검사 및 디자인

(1) 키, 몸무게, 비만도 등을 기본 검사 외에도 기록해 놓아야 한다.

(2) 방사선 검사 의뢰 지에 검사 목적에 대한 명시가 있을 경우 진단방사선과 의사의 판독에 도움일 될 수 있다. 가끔 수술 전 미세 석회화 등 기존의 이상 소견에 의해 추가 검사가 필요하다고 판단되거나 검사 일정 때문에 수술이 취소되는 사례가 있으므로

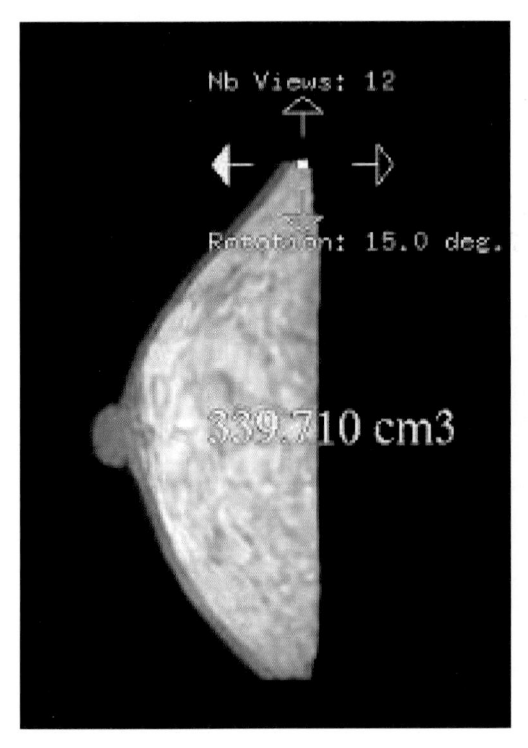

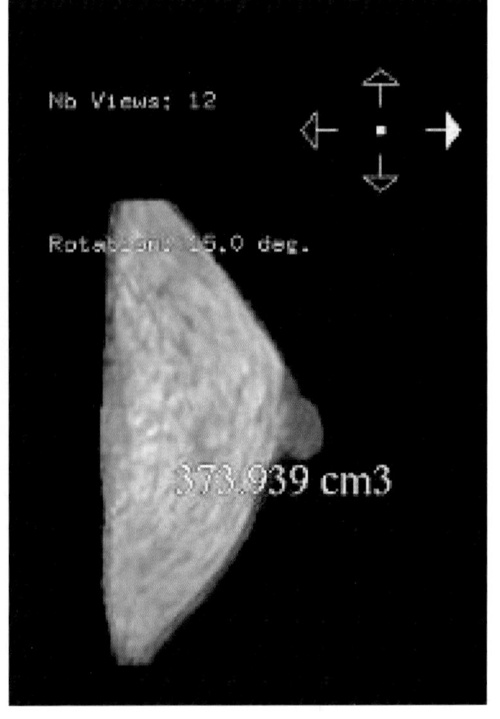

그림 5 MRI에서 유방의 부피를 측정한 경우

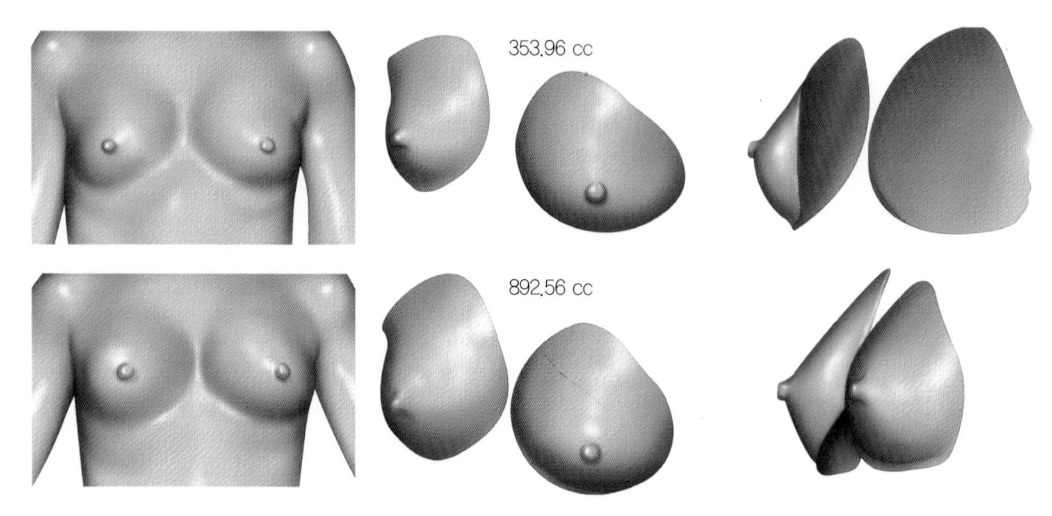

그림 6 레이져 3차원 스캔 및 부피 측정

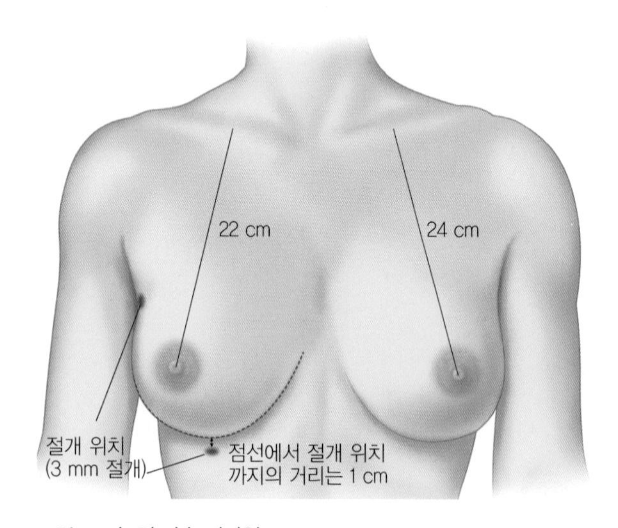

그림 7 술 전 가슴 디자인

환자에게 충분히 고지해야 하고, 해당 영상 의학과에 충분한 정보를 제공해야 한다.

(3) 3차원 측정; MRI(**그림 5**), 레이져 스캐너(**그림 6**), 디지털 유방조영(mammography), 초음파 등을 이용한 3차원 측정으로 입체 영상을 얻고 객관적 부피 측정을 할 수 있다.

(4) 유방의 부피 측정을 위한 시도로서 테이프 몰드, 실리콘 몰드 등 다양한 시도가 이루어져 왔으나 방법의 번거로움, 자료보관 문제 등으로 인해 보편화 되지는 않았으나 경우에 따라서는 선택적으로 사용될 수 있다. 단, 어떤 시도에서나 마찬가지로 유방의 영역을 일관되게 정의하는 과정이 중요하고 이때 그림자의 위치 또는 피부의 이동, 주름의 위치 등 관찰자의 시각에서 구분하기 쉬운 피부의 형상을 활용하는 것이 유용하다.

(5) 술 전 디자인 및 사진 촬영;
직립 자세에서 유방하 주름(inframammary fold) 및 유두, 유륜까지의 거리를 표시하고(**그림 7**) 이식 지방 조직을 채취할 지방 흡입부분을 표시한다(**그림 8**). 보형물에 비해 장기간의 변화를 갖게 되므로 여러 차례의 추적 사진 촬영이 필요하므로 이 때 향후 내원 시기를 상기 시킨다.

5. 세부 수술 과정

1) 마취 및 수술 준비

특별한 경우를 제외하고는 마취과 의사의 관리가

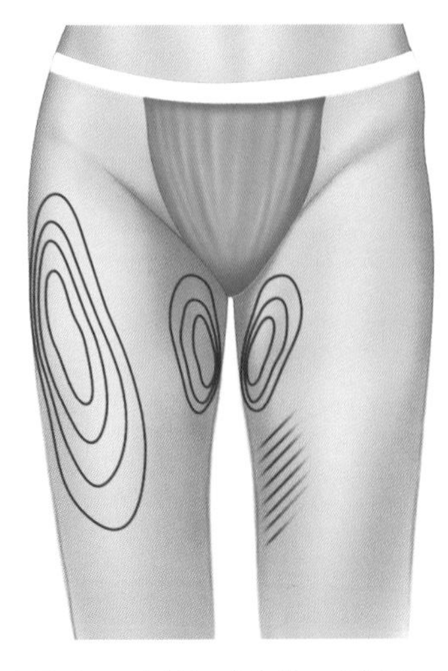

그림 8 술 전 흡입 부 디자인. 허벅지는 가장 좋은 공여부가 된다. 동양인에서 상체의 지방이 많지 않더라도 하체 비만인 경우가 많고 대부분의 경우에서 하체에서 채취 가능한 지방의 양이 더 많다. 특히, 대량 지방 이식의 술 전 계획이 정확히 세워지기 위해서는 허벅지에서 채취 가능한 지방의 양을 가늠하는 것이 중요하다.

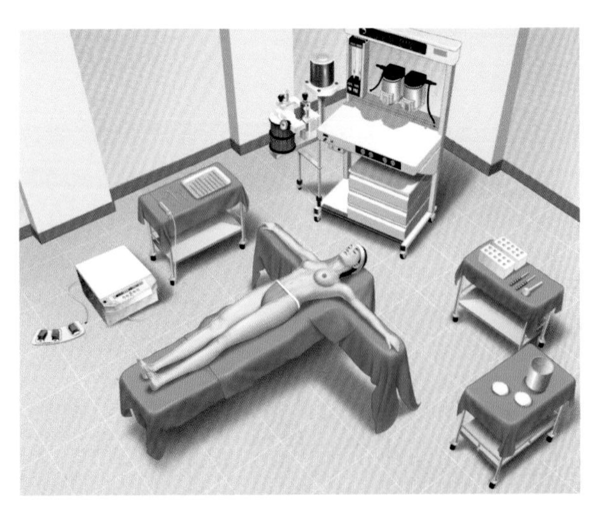

그림 9 수술실 준비 사례; 마취 장비, 지방 흡입 도구, 일반 지방 이식 도구, 줄기 세포 분리 도구 등이 서로 다른 테이블에 배치되고 의료진 이동을 위해 충분히 넓은 공간을 확보해 두는 것이 편리하다.

가능한 전신마취를 권장하며 정맥 마취 또는 국소마취를 선택해야 하는 경우라 해도 적절한 모니터 장비와 요원을 배치해야 하며 원칙적으로는 마취과 전문의의 도움을 필요로 한다. 이는 채취를 위한 지방흡입술의 범위가 비교적 크고, 수술 후반부인 유방에 이식하는 과정에도 환자의 안정된 상태를 유지하는 것이 좋으며 수술 시간이 길다는 특성이 고려된 것이다. 채취 부위와 시술 부위가 서로 다르고 비교적 수술 면적이 넓기 때문에 의료진의 실수를 방지하기 위해서는 잘 정돈된 환경과 가능한 한 넓은 공간을 확보하는 것이 필요하다 (그림 9).

2) 대량 이식을 위한 수술계획

지방이식 유방 증대술에서는 다양한 방법이 제시되고 있으며 사용되는 도구나 장비, 지방을 주입하는 해부학적 위치, 수술 시간, 기술의 난이도, 미용적 목표 등 다양한 판단이 수술의 과정에 차이를 줄 수 있다.

사용하는 장비에 따라 수술 과정은 달라질 수 있으나 기본적으로 지방 흡입, 지방 분리 또는 농축-세척, 지방 주입의 순서를 거치고 모든 단계에서 철저히 무균 조작 원칙을 지킬 수 있도록 다른 의료진과의 협력에도 주의를 기울여야 한다. 특히 지방이식술과 병행하여 보형물 삽입술, 내시경, 줄기세포 첨가수술, 봉합사 견인술 등 추가적 도구를 사용하는 부수적 수술을 하는 경우에는 이식 지방을 다루는 도구와는 분리가 필요하다. 미리 수술의 순서가 결정되었다 하더라도 수술 당시의 상황이나 판단이 영향을 미칠 수 있기 때문이다. 보통은 지방 흡입을 조심스럽게 무균적으로 마치고 이식용 지방을 안전하게 분리한 이 후에 부수적 시술을 수행하는 것이 지방 오염의 확률을 줄일 수 있고 시간 안배에서 유리하다.

지방 이식에 대한 수술 실기는 이론의 편차를 반영하듯 다양하지만 지방 흡입에 사용되는 기본 술기는 비슷하다. 기본적으로 채취 부위에 혈관 수축제가 포함된 팽만 수액(tumescent fluids)을 주사한 후 흡입하며, 음압을 이용한 채취 과정을 거친다. 이 후 이식을 위한 지방은 수액과 약제, 혈액, 유리지질(free oil) 등

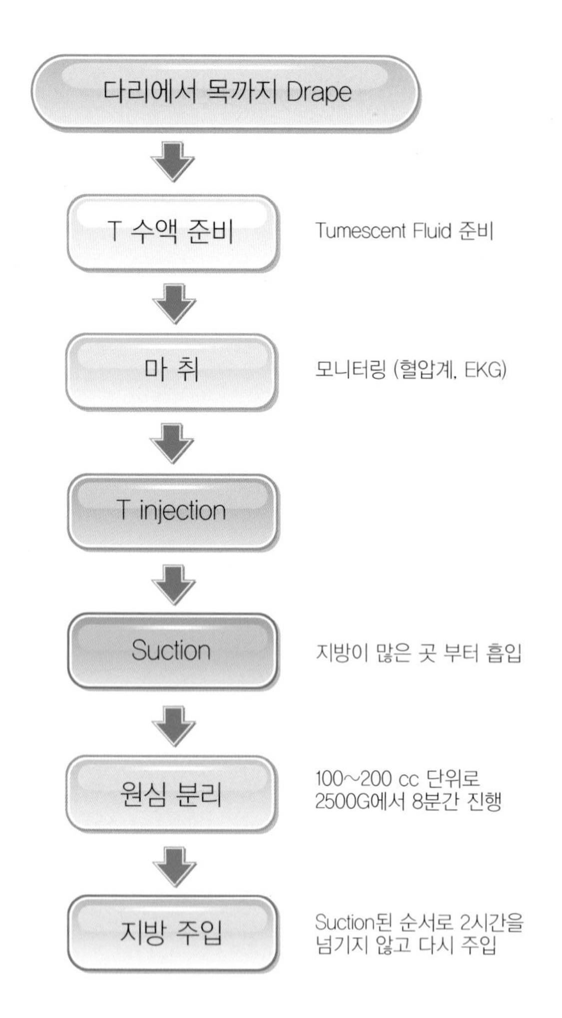

그림 10 수술 과정 요약

불순물을 최대한 제거하기 위한 과정을 거치는데 아무런 조작을 하지 않는 것을 선호하는 경우, 식염수 세척을 하는 방법, 원심분리, 압력을 가한 필터링 등 다양한 방법이 소개되고 있다. 일반적으로 사용하는 한 패턴을 소개하면 다음과 같다(**그림 10**). 세부적 방법은 마취 방식, 의사와 환자의 선호도 등에 의해 따라 다를 수 있으나 과정이 비교적 복잡한 대량 지방이식에서는 특히, 수술 의사뿐 아니라 모든 의료진들이 공유할 수 있는 기본 틀을 가지고 있는 것이 유용하다.

3) 수술 시작 시기

(1) 주입액(tumescent fluid) 준비

① 흡입하고자 하는 지방양과 1:1 비율로 준비한 Hartman's 용액 또는 생리식염수를 PVC 백으로 준비한다.

② 에피네프린(epinephrine)을 1:1,000,000으로 섞는다(1리터에 1앰플, 1 cc).

③ Gentamycin 등 근육주사용 항생제를 섞는다(1리터에 1-2앰플).

④ 국소, 수면 마취시에는 lidocain을 혼합하며 총 주입량이 400 mg (2% 20 cc) 넘지 않도록 혼합한다.

⑤ 주입직전까지 수액을 공기중에 노출시키지 않아야 하므로 모든 약제의 혼합은 수액용기에 직접 주입하여 혼합한다(개방된 용기에 덜어 내어 혼합하지 말 것).

(2) 전신 마취(정맥 마취 포함)

마취과 의사의 조절 및 관찰 하에 시행되는 마취를 의미하며 최근 마취약물의 발달로 정맥 마취만으로 시행되기도 하고 후두마스크(laryngeal mask airway)를 이용하여 기관지 삽관을 하지 않고 시행하기도 한다.

4) 철저한 소독(painting) 및 포 덮기(draping)

(1) 이식 술 이므로 가장 세심한 무균 환경을 갖추도록 한다.

(2) 앙와위(supine)에서 양팔은 90도로 펼치도록 한다.

(3) 다른 유방수술과 마찬가지로 수술중 상반신을 일으킬 수 있도록 수술대를 준비하고 팔 받침대에 팔을 거즈나 끈으로 살짝 묶어 고정한다.

5) 용액 주입

(1) 양쪽에 주입하는 양을 같게 하기 위하여 세분화 된 부위별로 주입량을 계산하여 기록하며 시술한다.

(2) 주입 관이 오염되지 않도록 주의한다.

6) 흡입 및 채취

(1) 지방의 양이 많은 부위부터 흡입을 시작하며 총 흡입 양에서 피와 수액의 양을 제외한 부피로 계산하여 양쪽의 흡입 양을 부위 별로 맞춘다.
(2) 흡입 압력은 최대 진공상태 보다는 약간 약한 압력(-600 mmHg보다 약한 진공도, 절대 압력 160 mmHg(0.2기압, 약 22.3 kilo Pascal) 이상)으로 하는 것이 출혈방지에 유리하다. 수동으로 주사기의 플런져를 당겨 음압을 형성하는 경우, 처음부터 완전히 뒤로 당기지 않거나 공기를 약간 채워 최대 진공에 다다르지 않도록 유의한다.
(3) 흡입 관은 작은 직경을 사용하는 것이 부피 유지율의 증가에 유리하다.

6. 대량 지방 이식에서의 안전 원칙

유방확대와 같은 대량이식에서는 주입되는 지방의 양이 많아 역시 세균의 총 개수가 크게 증가하며 이식 후 체액 등이 고이면 그 농도는 국소적으로 증가할 수 있으므로 임상적 감염 반응의 발생 가능성이 높아진다. 또한 대량이식에서의 감염은 패혈증으로 연결 될 위험이 있으므로 무균 시술의 노력은 지방이식 가슴확대의 전제조건이라 할 수 있다. 또한 채취량이 많고 수술 시간이 길어 대량 지방 흡입에 준하는 수액 투여 원칙이 동일하게 적용되어야 한다.

1) 무균 조작 술식(aseptic protocols)

세균 접촉 총 량은 '공기 접촉 시간 X 공기 접촉 유량 X 공기 접촉 지방 면적'으로 표현 가능하며 이는 단위 흡입 체적당 포함되는 세균의 양 즉, 세균 농도에 비례하는 수치이므로 노출시간, 공기유량, 접촉면적 모두를 고려한 수술이어야 한다. 세균의 종류마다 CFU (colony forming unit) 즉, 연쇄적 분열을 위한 유효군집세균수가 존재하므로 오염을 완벽히 막을 수 없다 하더라도 세균의 숫자를 최소화하기 위한 노력이 중요하다.

2) 술 전 술 후 예방적 항생제의 사용

예방적 항생제 사용에 대해 논란이 많고 정해진 규칙은 없으나 저자들의 경우 1세대 Cefa계열의 항생제를 수술 전 정맥 투여 한다. 수술은 내과적 질환과 달라서 항상 의사의 실수 가능성이 존재하기 때문이다.

3) 이식용 지방의 정제;

- 원심분리, 압축(squeezing), 세척 등의 노력을 의미한다.
- 채취한 지방은 2,500-4,500 rpm (2,000-3,500 g)으로 3-8분 원심분리 후 상층의 오일을 제거하고 혈액, 수액 등 지방조직 하부 층을 제거한다. 원심분리가 세포의 활성을 저해한다는 보고도 존재하지만 유리 지질 등 부작용의 원인이 될 수 있는 이물질 제거는 대량 이식에서 특히 중요하다. 시간이 오래 걸리는 원심분리의 효용성에 대해서는 최근 논란이 많은 영역이므로 각자 상황에 맞는 논리를 취합하는 것이 필요할 것이다.

4) 채취 후 최소 지연(minimal time delay)

지방 흡입 후 이식까지 가능한 한 짧은 시간을 추구해야 하는 이유는 세균 접촉 가능성과 함께 시간에 따른 stem cell viability를 고려해야 한다. 줄기세포의 역할을 기대한다면 채취 후 2시간을 넘기지 않는 것이 좋을 것으로 추정 한다. 유방 증대술의 경우 전체 흡입을 마치고 한꺼번에 지방을조직을 분리 농축하여 이식하는 경우, 도구나 교정량에 따라 길게는 2-4시간 이상의 시간 간격이 발생할 수 있으므로 채취한 시간대 별로 대강의 분류를 하고 수술시간이 지연될 상황에서는 몇 차례로 나누어 이식하는 것도 한 방법이다.

5) 지방 조직 최소 조작(minimal manipulation)

흡입된 지방조직에 적은 자극을 주고 오염을 최소화하기 위해 지방의 용기간 이동을 최소화하고 수술 도구의 접촉 역시 최소화 하는 것이 바람직하다. 저자는 지방흡입-분리 세척-농축-주입까지 시린지와 시린지간의 이동만으로 모든 과정이 완결되는 도구 시스템을 사용하고 있다.

6) 공여부 최소 손상(minimal donor injury)

공여부 즉, 흡입부의 심한 손상은 술후 불균일과 혈종등 부작용의 원인이 되기도 하며, 흡입시 출혈이 많으면 수혜부에서도 적혈구 파괴 물질중 세포 독성을 갖는 물질(Thromboxan A2, bilirubin, hemosiderin 등)의 침착을 더욱 초래하고 이는 생착률을 낮추는 요인으로 추정되므로, 지방흡입수술중에 출혈을 최소한으로 하는 노력이 중요하다.

7. 유방 지방이식에 도움이 되는 보조 시술

보조 시술들은 순수한 유방 지방이식과 구분할 필요가 있지만 저자들은 보통 같이 시행하는 경우가 많은 술기를 요약 소개하고자 한다.

1) 효소 분리된 줄기세포 첨가법(CAL).

여기서 말하는 줄기세포(stem cell)는 pre-adipocytes, endothelial cells, pericytes, fibroblasts, blood originated mono-nuclear cells 등 다양한 형태의 세포 집합군으로서 ADSC, ASCs 등으로 기록되는 세포군을 말

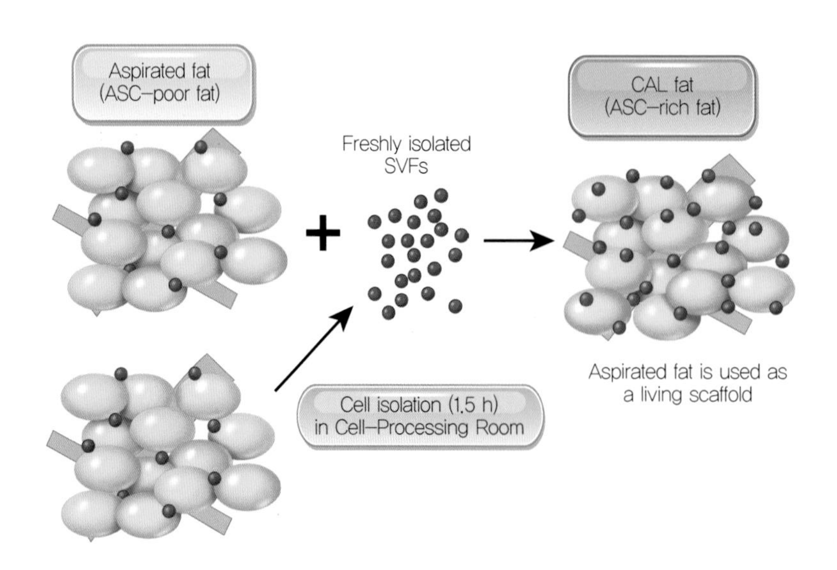

그림 11 CAL의 과정

한다. 대부분의 보고에서는 일부의 혈액 기원 조혈 모세포를 제외하면 대부분은 중배엽성 중간엽(MSCs; mesenchymal stem cells) 기원으로 분석된다. 일부 보고에서는 조혈 모세포의 특징적 표면 항원인 CD34+가 50% 이상에서 발현된다고 하며 일부 보고에서는 조혈모 세포로서의 기능이 거의 없다는 지적도 있다. 최근의 보고들에서 보이는 특징은 줄기세포의 기능이 그 기원에 따라 한정적이지 않고 근본적 특성이 쉽게 전환된다는 보고들이 지목을 받고 있다. 세포의 명칭은 보통 단순히 발견 당시 연구자가 붙인 이름이 그대로 사용되므로 방식도 다양하지만 특성의 차이를 말하는 것이 아니다. 지방조직에서 효소처리로 분리된 세포군을 기질세포(stromal cells)로 표현하기도 한다. 성체의 체세포에서 줄기세포성(stemness)의 수준에 관해서는 다양한 해석이 있을 수 있으므로 단정 짓기 어려운 부분임을 감안해야 한다.

지방조직으로부터 분리된 기질세포를 지방 이식편에 추가로 첨가하여 생존율을 높이는 시도는 2000년대 초반부터 시도되었으며 Kotaro Yoshimura, Marc Hedrick 등 몇몇 그룹에 의해 그 결과가 발표되었다(**그림 11**). 이 시술에서 활용되는 지방 조직의 collagenase 효소 처리는 2008년 한국에서 세계 최초로 공식적으로 합법화되었다. 그 자체만으로는 독성이 있는 효소를 사용하였더라도 충분한 세척을 거치면 무해하므로 최소한의 조작에 해당한다는 당시 식약청의 판단에 의해 약사법에 편입되어 공식적으로 공표되었기 때문이다.

이 수술은 지방이식의 보다 발전된 형태로서 CAL (cell assisted lipotransfer), CEL (cell enriched/enhanced lipotransfer) 등으로 알려지며 사용빈도가 급격히 증가하고 있다. 공통적 개념은 흡입한 지방조직의 50%를 효소(collagenase)용액으로 처리하여 원심분리와 세척 과정을 통해 줄기세포를 분리하여 이를 지방 이식편과 혼합하여 이식하는 방법으로서 분리된 지방 줄기세포

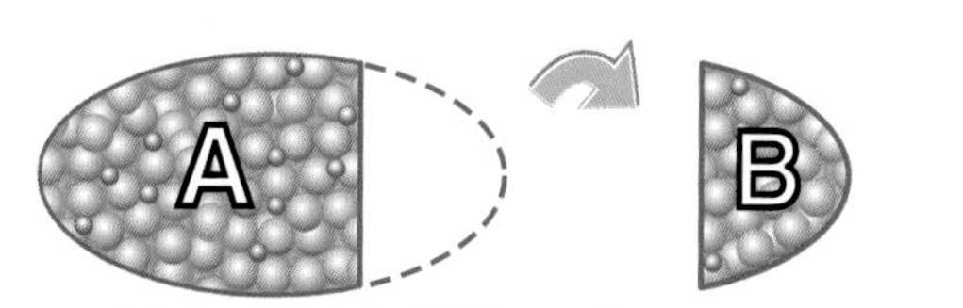

A. 지방세포와 줄기세포(청색) B. 흡입지방 일부(10%~50%)

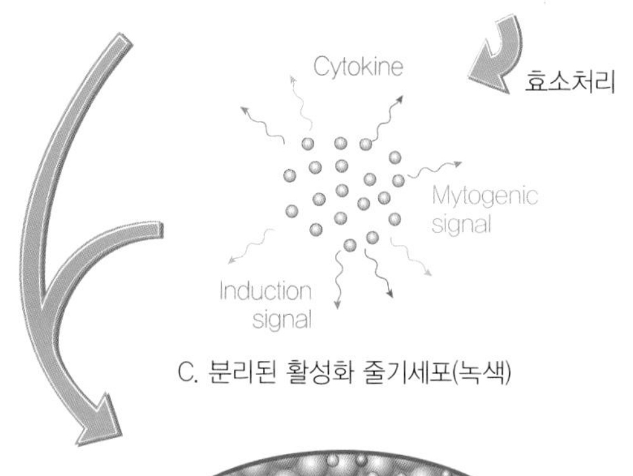

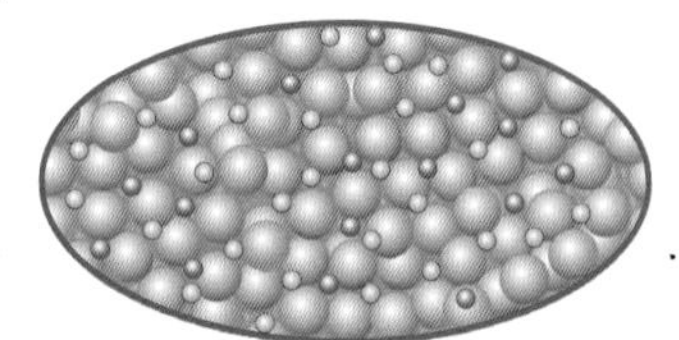

D. 혼합(A+C) ⇒ 활성화 줄기세포의 밀도가 높아짐

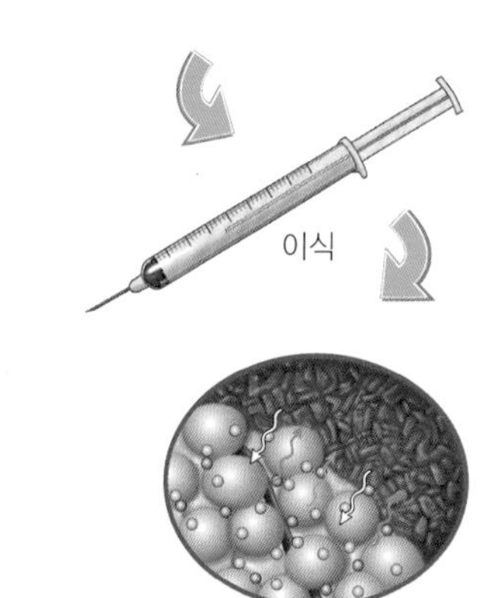

주변조직 유도 및 자가 분화

그림 12 효소처리용 지방 분획의 가변성과 분비효과를 고려한 과정 (지방에서 분리한 유핵 세포들은 분리과정을 통해 자극되어 다양한 증식, 분화 신호와 세포인자(cytokines)를 분비하게 되어 주변의 세포들에게도 활성을 증가시키게 되므로 이식된 유핵 세포의 숫자에 비해 재생되는 조직의 양을 증가시킬 수 있다는 가설.)

(adipose tissue derived stem cells, ASCs)가 추가적인 지방세포 분화를 일으켜 부피 생존율을 증가시킨다는 원리이다. 효소 분리된 세포들이 지방 이식 편에 추가됨

으로써 발생하는 장점은 동일한 숫자의 세포라 하더라도 줄기세포로서의 기능이 효소 분리 과정을 통해 자극되어 향후 지방 재생과 창상 치유 과정에 도움을 준다는 저자들의 가설과 K. Yoshimura 등의 최근 보고를 감안해보면, 이 시술은 이식 후 저 산소 상태에서 생존 확률이 높은 상태의 세포를 가능한 많은 비율로 이식하려는 시도로 간주할 수 있다. 보통 대상 환자들 중에는 흡인된 지방에 비해 수혜부 조직이 충분치 않은 경우가 많으므로 이식되는 기질 세포의 절대적 숫자가 많을수록 유리할 것이라는 예상이 가능하다. 트립신 등 다른 단백질 용해 효소들이 배양 용기에서 증식 속도를 증가시키는 효과와 유사하다고 가정한 것에서 출발하였으며 아직 충분한 입증이 되었다고 할 수 없으나 장 기간의 임상에서 겪은 예상 외의 좋은 결과를 설명할 또 다른 설명이 없다는 점에서 주목할 만하다. 줄기세포의 분비효과(paracrine effects)가 여러 종류의 사이토카인(cytokine)에 의해 창상치유 전반을 조절함을 고려하고(**그림 12**) 환자의 수술 당시 상황에 따라 또 다른 변수들이 존재하므로 채취된 지방 중 어느 정도 분획을 효소 처리하는 것이 가장 좋은지에 대해서는 보다 많은 연구가 필요할 것이고 무엇보다도 의사 각자의 주관적 판단에 의존한다고 할 것이다.

임상적 술기를 요약하면, 일반 지방이식에 비해 추가적인 지방 흡입이 필요하며 줄기세포 첨가를 위한 과정이 추가된다. 다시 말해, '지방 조직 기질 세포의 효소 분리 후 흡인된 정상 지방과의 혼합 주사'시술을 요약하면, [채취 → 0.2-0.3 무게 %의 효소 및 식염수 혼합 → 38-39℃가 유지되는 혼합 정온기(shaking incubator)(**그림 13-1, 2**)에서 세포 외 기질(ECM) 분해 반응 30분 이상 → 원심분리를 통한 세포 층 수거 및 1차 상층 액(supernatant) 분리 → 세척액 혼합 및 세척 1-3회 → 원심분리를 통한 세포층 수거 → 수거된 세포와 효소 처리하지 않은 순수 지방 조직과의 혼합 → 주입(이식)] 등의 과정이다. 만약 추가적인 배양이 필요한 경우에는 오염으로부터 완벽하게 보호되어야 한다. 배양액 속에서는 세균이 세포보다 잘 자라기 때문에 균이 들어가면 거의 100% 배양에 실패하게 된다. 이 때는 가능하면 '주사기 방식 효소처리' 즉, 정식 의료기인 주사기를 효소 처리 용기로서 사용하기를 권장한다(**그림 13-2**).

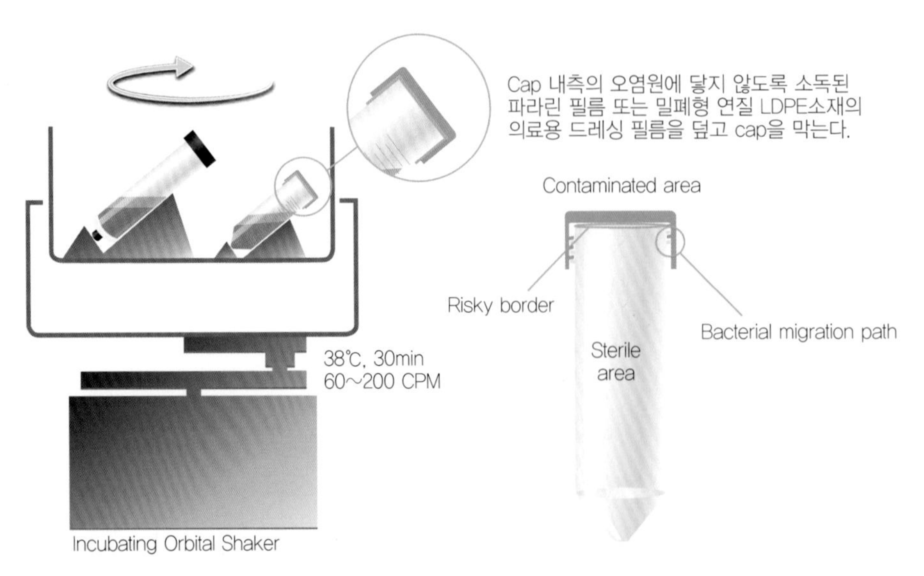

그림 13-1 일반 shaking incubator와 50 mL 코니칼 튜브를 사용할 때 주의할 점

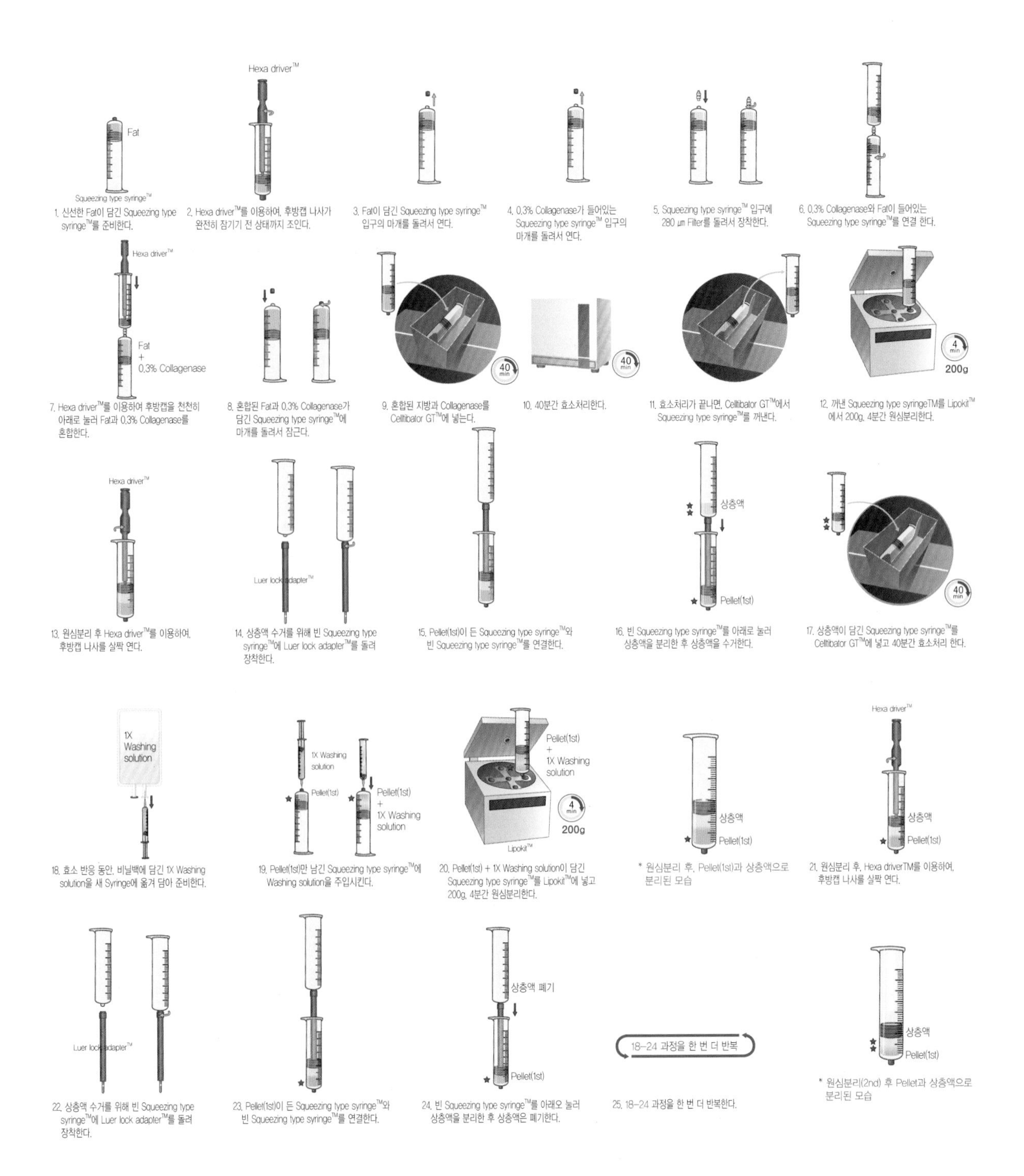

그림 13–2 저자들이 사용하는 의료용 주사기를 이용한 세포 분리 방법; 무균 조작으로서 의료인이 이해하고 다루기 쉽다.

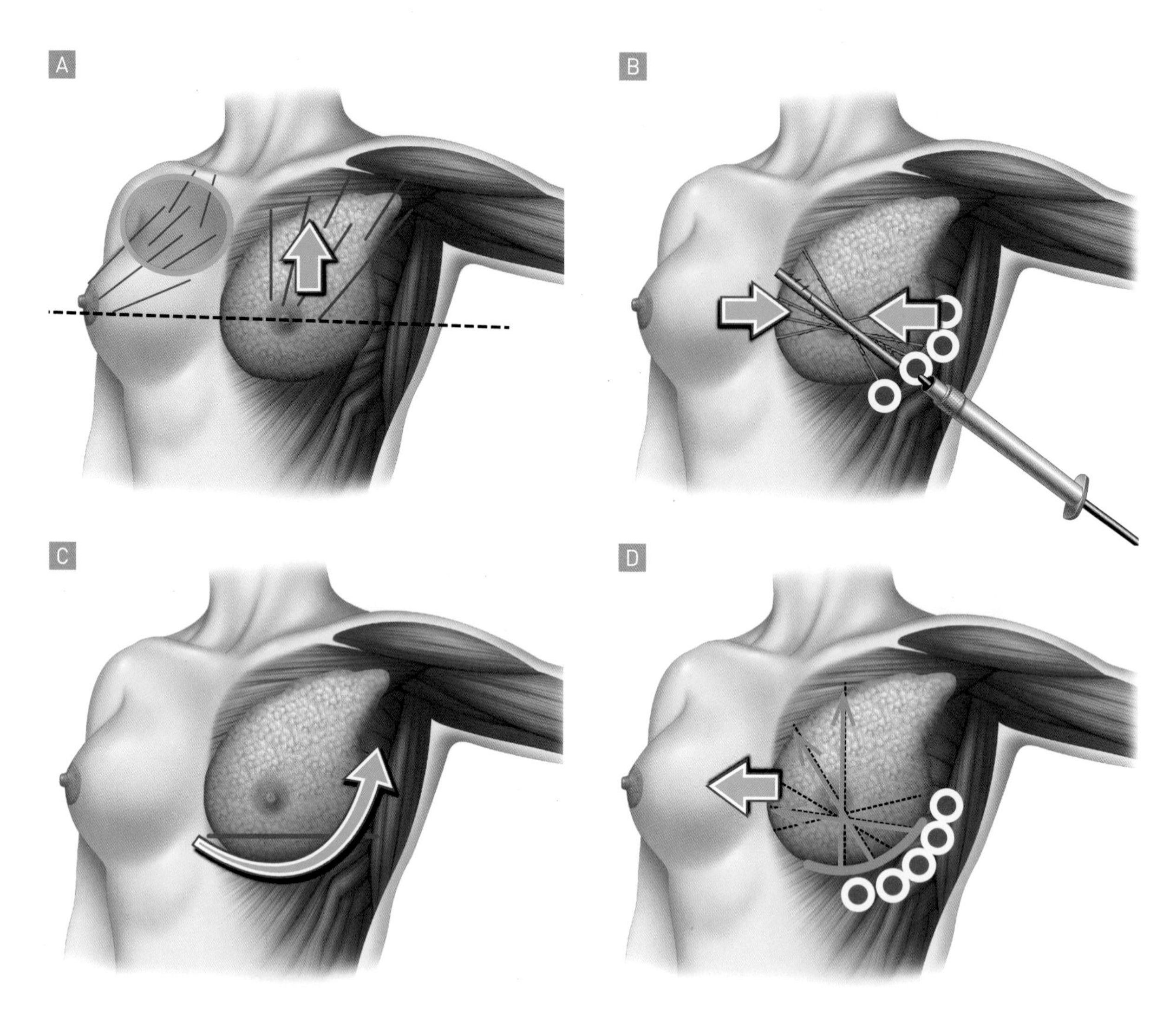

그림 14 **돌기 실을 삽입하는 형태** A: 상방의 장력을 줄여 부피 증가 시 상방이동 성향을 갖게 함. B: 방사상으로 실을 삽입하되 유두를 중심으로 서로 모으도록 구성하여 부피 증가 시 전방 돌출 성향을 갖게 함. C: 의도한 유방하 주름 선을 따라 purse string과 같이 곡선 상의 장력을 형성하여 부피 증가 시 밴드와 같이 장력선이 함몰되는 성향을 갖게 함. D: 좌, 우로 벌어진 가슴에서 주로 외부 쪽부터 sternum 쪽으로 당겨 고정하면 부피 증가 시 상대적으로 가슴이 중앙부로 이동하는 성향을 갖게 함.

- 지방 흡입 수술 중 채취되는 지방 조직은 이미 잘게 잘려진 상태이므로 실험실적 효소처리 단계로 보면 미세절단(chopping) 과정을 거친 상태이므로 비교적 수월하다. 미세절단을 세밀히 할수록 제한된 시간 내의 효수 소화율을 높여주게 되므로 직경이 작은 카뉼라로 흡입한 경우에 줄기세포 추출율(yields)을 높일 수 있다. 임상적 상황에서는 효소 반응 시간에 한 시간 이상 할애하기 어려우므로 작은 카뉼라로 흡입 하거나 의료용 지방 분쇄기를 사용하는 것은 줄기세포 추출 비율을 높이는 유용한 방법이다. 시술 시간이 추가로 소요되는 경우 1차 상층액을 재 반응시켜 상당 수의 기질 세포를 얻게 되는데 이는 초기 소화율이 낮은 경우 필수적일 수도 있다(**그림 13-2**).

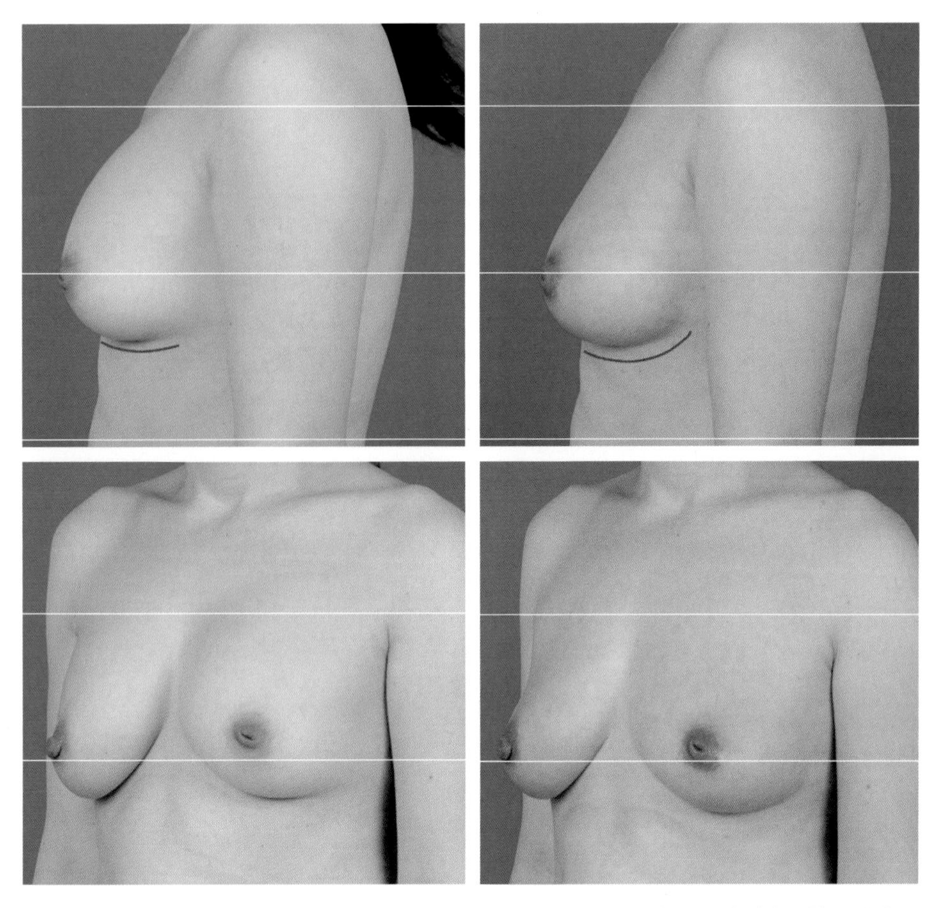

그림 15 **돌기실 보정 후 지방이식을 한 케이스** A: 수술 전; 300 cc 보형물의 상태가 마음에 들지 않아 보형물 제거를 목적으로 내원함. B: 수술 후 6개월; 보형물이 제거되고 즉시 돌기실(MISJu™)로 부피 감소에 따른 유방 하수를 예방하고 측면 유방 하 주름의 경계를 확실하게 보이도록 하였다. 측면에서 보면 유방하 주름이 axilla 쪽으로 길고 깊게 뻗어 있다.

- 효소 분리 프로토콜은 고식적인 실험 용기를 사용해도 무방하지만 수술장 이외의 공간과 인력이 필요하고 무균 조작에서 오류가 자주 발생하므로 쉽지는 않다.
- 수술 중에 일정량의 지방을 분획하여 효소 용액과 섞고 38-39도 정도에서 계속 효소 수용액과 지방 조직을 잘 혼합하고 세척하여 세포를 분리해야 하는 이 과정은 1시간 30분 이상 걸릴 수 있어서 시간 소요의 단점이 있고, 흡입 가능한 지방이 충분하지 않은 경우 세포 추출용 분획을 얻는 과정에서 불가피한 가용 지방 부피의 손실로 인해 시행하기 어려울 수 있다. 물론 지방의 양이 충분하다면 이 부분은 문제되지 않으므로 시술 전 신중한 판단과 설명이 필수적이다.

2) 돌기실 삽입 장력 조절술

지방 이식의 단점으로서 유방 형상을 정확히 경계 짓기 어렵고 프로파일에서의 돌출이 쉽지 않다는 점을 개선하기 위한 시술로서 피부 이동 및 장력 보강을 목적으로 돌기실 성형을 활용할 수 있다. 소재로는 고어텍스 실을 사용한 경우도 있으나 최근에는 돌기가 달려 있는 흡수 또는 비 흡수성 봉합사를 그 대체 소재로 활용한다. 분리한 지방을 유방에 주입하기 전에, 가슴위에 넓게 퍼지고 겨드랑이까지 늘어진 피부들을 우선 각각의 중심에 모아놓을 필요가 있다. 약한 정도의 유두하수 교정 효과도 얻을수 있으므로 중년 이후 늘어진 가슴을 가진 환자의 유방 증대술에서도 지방이식으로 모양을 구현하는데 유리한 상황으로 바꿀 수 있다. 지방 이식만으로는 중심부 돌출을 만들기 어려운 경우라 하더라도 몇 개의 실이 유두 주변의 피부가 장력을 받지 않도록 보조해 준다면 쉽게 돌출이 형성되기도 하므로 지방이식만을 사용하는 시술보다는 장점이 많다. 저자들이 사용하는 봉합사는 양단에 서로 반대 방향의 돌기가 다수 형성되어 있고 19게이지 주사 바늘에 장착하여 사용하도록 구성되어 있는 제품(MISJu™)을 사용하며 유방에서는 보통 길이 10-15 cm 를 사용한다**(그림 14, 15)**.

3) 잉여 지방에서 추출한 ECM 활용

비만도가 높은 경우 지방을 흡입 하고 나면 이식에 필요한 양 이외에도 상당한 양의 지방이 흡입되는 경우가 많다. 가슴 이외의 체형 교정의 목적을 가진 경우나, 비만도가 높은 경우, 예측이 잘못된 경우 모두 폐기해야 할 지방이 쌓이게 되는데 이때 이들을 활용하는 방법을 말한다. 지방에서는 전체 무게의 약 1%에 달하는 ECM을 얻을 수 있는데 건조된 무게 비율이므로 상당한 양이 될 수 있다. 동종 진피 제품 중 판(sheet)형(Alloderm™)의 경우 분말화한 제품(Cymetra™)을 식염수에 섞어 필러처럼 주사하거나 판을 겹치거나 말아 이식하여 부피를 복구하는 경우와 비교해 보면 0.1 g의 건조된 ECM은 약 10 cc정도의 부피 이식에 활용될 수 있는 양이다. 간혹 시술 후 발견되는 함몰이나 유두의 쳐짐 등 냉동 지방으로 처치해 왔던 것 보다는 안전한 방법이 될 수 있다는 점과 자가 조직으로서 아무런 공정이나 규제가 없기 때문에 냉동 지방의 사용과 유사한 방식의 사용이 가능하다. 냉동을 거친 지방 조직에는 살아있는 세포가 거의 없지만 화학적 세척을 하지 않는 자가 ECM에는 수많은 성장인자와 강력한 세포 유도인자를 함유하고 있다는 점에서 모든 지방이식에서 언급되었으면 하는 소재이다. 공정은 단순하여 지질을 최대한 제거하도록 짜내거나 건조하는 방법이다. 동결 건조기는 확실한 건조 효과를 주지만 임상에서 활용하기 쉽지 않을 수 있다. 그러나 균질화 과정(homogenization)을 거친 후 원심분리만으로도 충분히 가능하므로 이를 보관했다가 건조 소독하여 사용하는 방식을 말한다. 지방이 충분히 많은 경우 냉동 지방보다는 안전하고 부피유지에 유효한 방법이다. 단, 폐기해야할 여분의 흡입지방이 많지 않다면 해당되지 않으나 간혹 유방암 조직 생검 후 함몰된 곳의 복원을 위한 목적이라면 소량만 필요하므로 독립적으로도 지방 이식과 병행하거나 또는 단독적으로 시술될수 있는 유효한 방법이다.

5. 지방 주입 방법

1) 주입량

주입량은 보통 한쪽에 300 cc를 넘기지 않으며 평균 250 cc 정도로 시술을 계획한다. 총 흡입량은 불순물이 포함되므로 원심분리 후의 부피로 계산한다. 보통 1,000 cc를 흡입했을 때 농축 된 지방은 400 cc 정도이다. 기존의 유방이 어느 정도 크면 250 cc정도가 적당하고 만약 작으면 200 cc정도가 적당하다.

2) 주입 위치

외부 영역 구분은 수술자가 모양을 완성하고 환자의 욕구를 반영하며 고른 지방 이식 공간의 확보를 위해 환자의 조건에 따라 달리 작도 할 수 있다. 주입의 순서는 이식할 지방의 양과 해부학적 이식 공간**(그림**

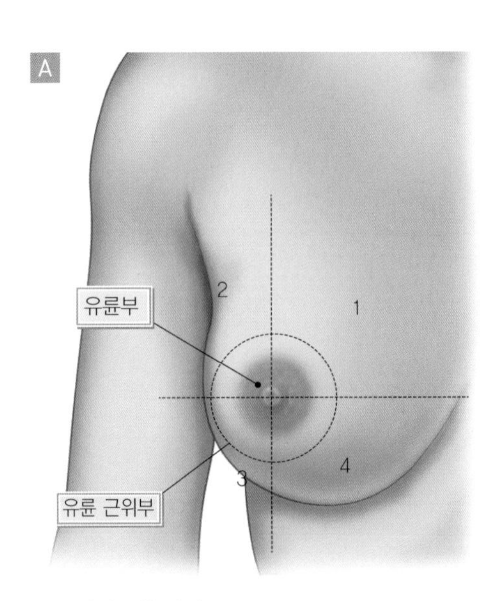

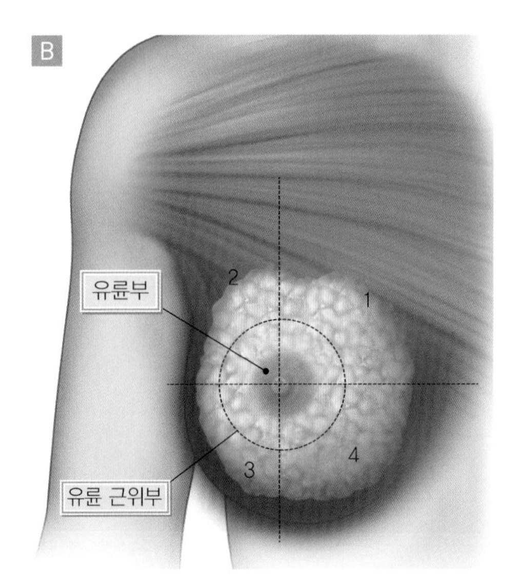

그림 16 **유방의 정면 구획 사례**
A. 정면 외부11는 미용적 구획으로서 유륜, 유륜주변부 및 4 분획(4 quadrant) 1; 상내측, 2; 상외측, 3; 하외측 4; 하내측) 등 임의로 나눌 수 있다.
B. 각 구획 내부의 해부구조는 유선이 분포한 영역, 대, 소 흉근 부 근육 부착 부, 외측 흉벽부 등 별개의 해부 구조를 갖는다.

16)의 크기에 따라 달리 설정 할 수 있으며 주입양 역시 그 비율을 달리 할 수 있다.

3) 지방 주입

4 mm의 두꺼운 주입관으로 주입하는 경우 주입부 절개 위치를 선정한다. 일반적으로 유방하연이나 액와부에 주입구를 표시한다. 수술전 곧게 앉거나 선 자세에서 5 mm 정도의 절개창을 표시한다. 액와부에서 주입 할때는 환자가 서있는 자세에서 골고루 접근 가능한 위치를 택해야 하며 이는 보통 anterior fold 즉 액와의 전면 경계부가 적당하다. 유방하 절개는 유방하연선을 표시하고 유방하연의 1 cm 아래, 유륜 중앙선에서 1-2 cm 외측에 절개창을 표시한다(**그림 17**).

4) 주입 층

지방이식에서 주입위치를 눈으로 확인할 수 없으므로 목표 위치에 정확히 도달하기 위해서는 실제 해부학적 경계뿐 아니라 수술 시 손의 감각으로 느껴야 하는 상상이 필요하다(**그림 17**). 일례로 근육하층만을 구분하기는 어려우나 갈비뼈에 부착되어 있다는 점을 감안한 상상의 층이다. 우선 주입관 끝으로 갈비뼈를 찾는 것이 선행되고 갈비뼈 면을 따라 나오며 주입한다. 유선하층은 근막 상층과 구분이 명확하지 않으므로 근막과 유선 조직 사이를 통합하여 상상한다. 이곳은 주입할 때 저항이 적고 쉽게 구분을 느낄 수 있다.

보통 촉지에서 유리하도록 깊은 층부터 주입하여 채워가면서 상부층으로 이동하여 주입하며, 유방 모양을 마무리하는 단계에서는 수술자의 의도에 따라 다양하게 주입하여 형태를 완성한다.

5) 주입 술기

(1) 절개

술자가 도구를 고려하여 편한 위치에서 선택하되

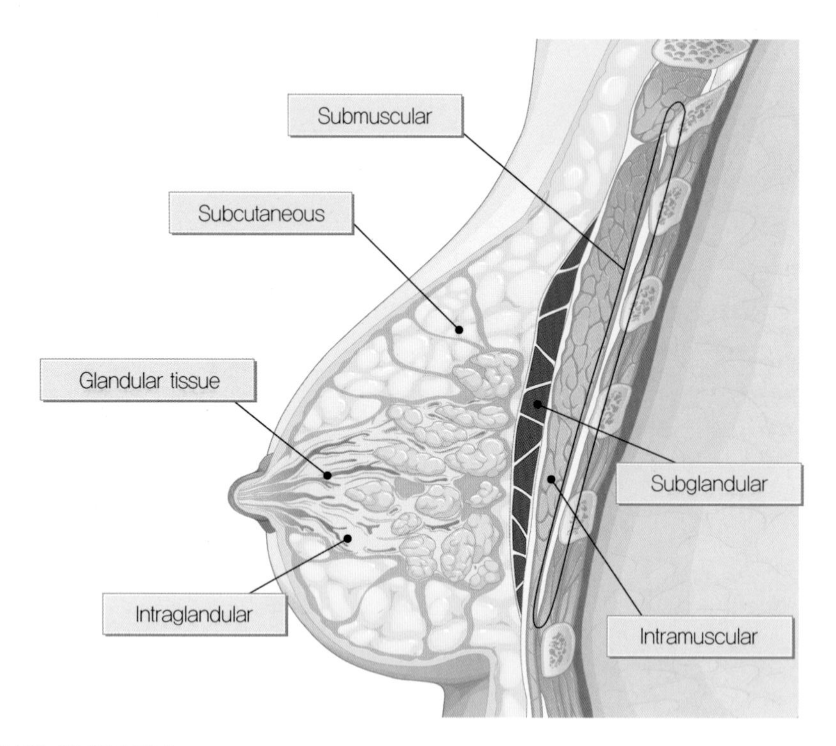

그림 17 상상용 해부학적 단면
1. 늑골과 연접한 근육층 2. 늑골과 떨어진 근육층 3. 근육 상부층(유선 하부층) 4. 유선 엽간 층(interlobular space) 5. 피하 지방층
6. 유선조직
1, 3은 실제로는 존재 하지 않으나 술기의 설명을 돕기 위해 상상의 층(Imaginary anatomical planes)을 표현하였다.

유방 조직의 여유가 많을수록 자유로운 시술이 가능하다(**그림 18**).

(2) 주입관

끝이 뭉툭한 바늘/관(blunt needle/cannula)을 사용하는 경우 유선 조직으로의 침투를 회피 하고자 할 때 유리하다. 유선 조직은 상대적으로 단단하여 뭉툭한 바늘이 들어갈 때 손에 느끼는 저항이 급격히 증가한다. 이를 통해 유선 조직 침범을 알 수 있다. 다른 장점으로는 혈관 손상을 최소화 한다는 점에서 유리하다. 그러나 정확하게 이식부를 분별하여 이식하고자 하는 경우에는 예리한 바늘 보다 불리하다.

주입관의 굵기는 다양하게 사용할 수 있으며 18 G 정도의 굵기에서 4 mm 굵기까지 다양하게 사용되고 있다.

두꺼운 주입관은 전체적인 수술 시간을 줄여 유리한 면이 있으나 정확한 시술과 미분화 이식에 불리하므로 시술자가 이 수술에 충분히 익숙한 상황과 수혜부 조직이 충분한 경우에 사용한다. 전체 시술 시간을 줄이는 것은 생착율의 이득을 주는 요소이므로 익숙해진 수술자에서는 세밀한 후반 마무리 작업 시 더욱 많은 시간을 투입하여 보다 정성스럽게 할 수 있다. 간혹 수술자가 모양을 최종적으로 마무리하는 후반부에 시간에 쫓기게 되면 중요한 실수를 할 수도 있으므로 시간 안배에도 신중해야 한다.

최근 저자들은 송곳의 끝과 같이 둥글면서도 조직 관통력이 높은 바늘을 사용한다. 연필심과 같이 생겼다고 해서 pencil point needle이라고 하며 신경외과 영역에서 출혈 부담을 줄이면서 뇌에 주사를 하기 위한

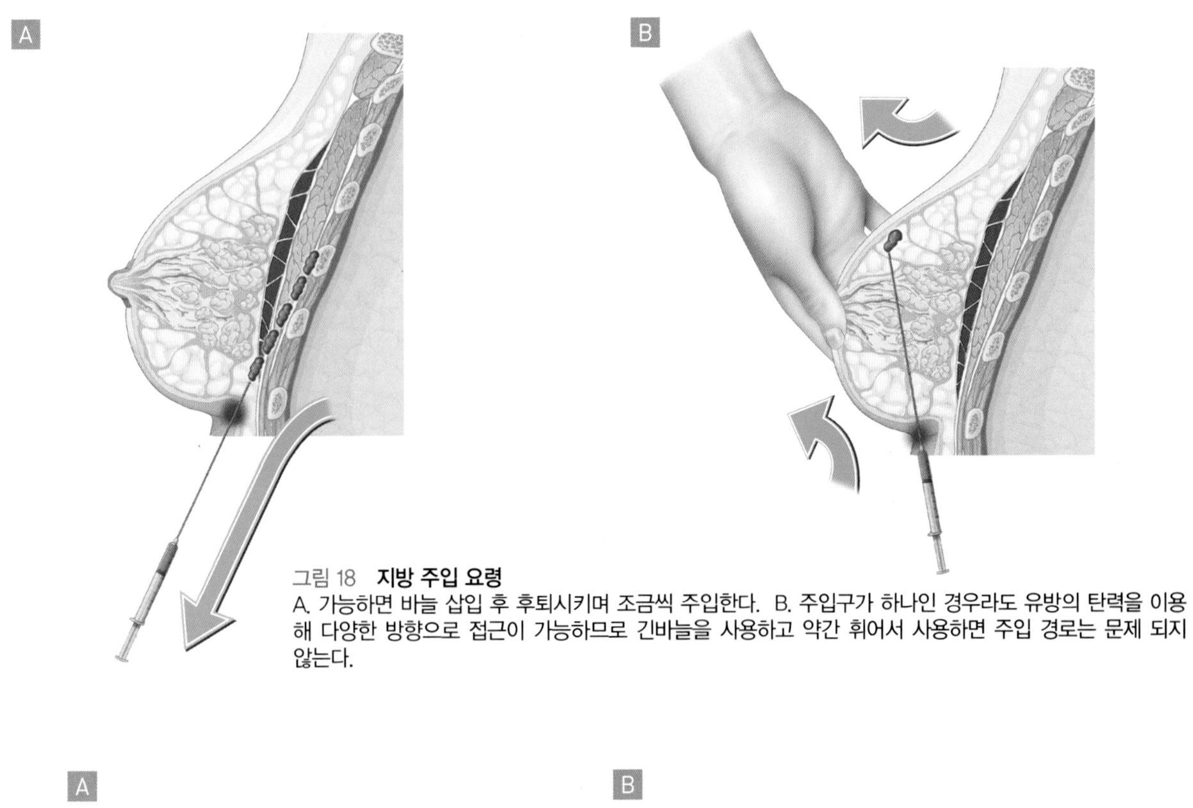

그림 18 **지방 주입 요령**
A. 가능하면 바늘 삽입 후 후퇴시키며 조금씩 주입한다. B. 주입구가 하나인 경우라도 유방의 탄력을 이용해 다양한 방향으로 접근이 가능하므로 긴바늘을 사용하고 약간 휘어서 사용하면 주입 경로는 문제 되지 않는다.

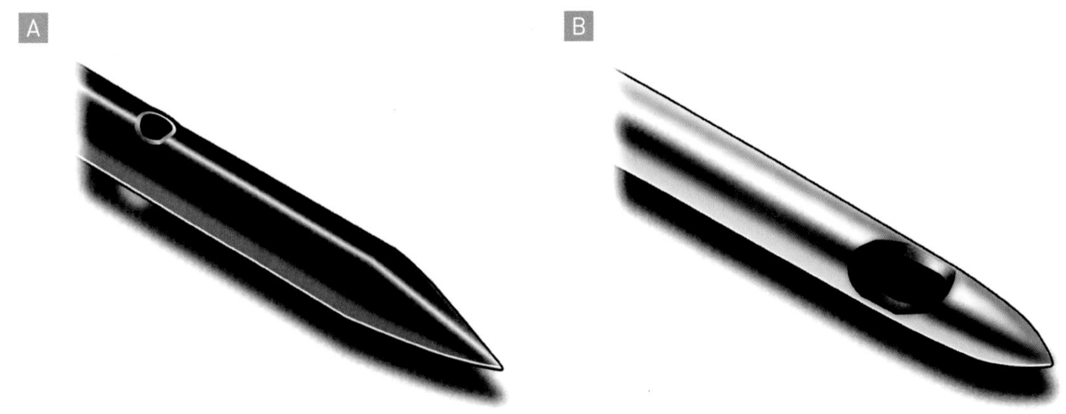

그림 19 **연필심 바늘** A: 송곳형 바늘로서 양 날은 없지만 일반 사단형 바늘에 근접할 정도로 관통력이 우월하고 정확한 시술이 가능하다. 정확히 진행 방향에 직각으로 위치하는 근막이나 혈관을 뚫기 쉬우므로 주의 해야 한다. B: 송곳형의 단점을 보완한 탄환형 바늘.

바늘로 알려져 있다(**그림 19**). 바늘의 선택은 전적으로 의사의 의도에 따라 달라진다. 빠르고 출혈의 걱정을 거의 하지 않을 수 있는 방법은 기존의 둥근 머리형 바늘이 유리하지만 시술의 정확도가 감소하므로 지방을 골고루 퍼뜨려 넣기에 불리하므로 최종 부피 유지율에 악영향을 줄 수도 있고 낭종을 형성할 가능성도 높아진다. 저자들은 지방 주입의 양이 수혜부 조직양에 비해 상대적으로 작은 경우는 다소 빠른 시술을 의도하는 경우 2.5 mm 직경의 둥근 머리 카뉼라를 사용하기도 하였지만 낭종의 확률은 증가한 것으로 파악된다.

6) 쉬운 시술을 위해 고려할 점들

(1) 가능한 한 아래층부터 주입을 시작하는데 몇 가지 이유가 있다.

- 늑간을 침범하지 않도록 바늘 끝으로 늑골을 우선적으로 인지한다.
- 그 이상의 레벨에서는 흉곽과 평행하게 주입바늘을 움직여 시술하는 것이 유리하다.
- 시술자가 모든 층에서 감각을 느끼기 수월하다.
- 피부로부터 멀리 있는 아래층부터 부피를 채워가는 것이 특정부위 피부의 확장에 유리하다.

(2) 뭉툭한 바늘의 경우 손목 움직임의 강약을 적절히 활용하여야 한다. 바늘이 굵을수록, 움직임이 느릴수록 바늘 끝이 뭉툭할수록 새로운 조직 공간에 들어갈 때 이미 주입되어 형성된 공간에 들어가려는 성향을 보이며 이로 인해 낭종을 형성하는 빈도가 증가한다.

(3) 가는 바늘의 경우 바늘 끝에서 전달되는 저항의 차이가 작아 조직이나 혈관을 기피하기에는 불리하지만 아직 주입되지 않은 새로운 작은 공간을 찾기에 유리하다.

(4) 간혹 주입할 지방의 양에 비해 수혜부 조직이 부족할 때를 접하게 되는데 이때 의외로 난감해 하는 경우가 있다. 수술 전 유방의 경계를 디자인하고 얻고자 하는 모양을 정하였으나 예상 외로 수혜부 조직이 적어 추가적으로 주입할 공간을 찾기 어려운 경우 유방의 베이스를 원래 디자인 한 크기보다 약간 크게 감안하여 주변부의 공간을 활용한다. 이는 브래지어 없이 앉은 자세에서의 모양도 중요하지만 브래지어 착용 시는 최종적으로 유지되는 종합적 부피가 더욱 중요하므로 굳이 생착이 어렵다고 판단될 정도로 겹쳐 주입하는 것 보다는 주입하는 영역을 넓혀 주입하는 것이 유리하기 때문이다. 이때 새로운 수혜부 조직을 많이 찾을 수 있는 곳은 환자마다 다를 수 있으나 보통은 유방의 하외측 즉, 느슨한 조직 층이 많이 분포되어 있는 액와의 전방 경계부에 추가적으로 주입하여 부피 효과를 증가시키거나 유방의 내측 상부에 주입하여 유방 사이 주름(crease)을 강조한다.

(5) 유즙관이 모여 있는 유두 직하부는 의외로 많은 양의 지방을 수용하기도 한다. 유즙관의 손상이 문제되는 경우는 거의 없으며 조형 마무리 단계에서 전방 돌출을 위해 반드시 고려되어야 한다. 지방이 계획보다 남는 경우 이 부분에서 좀 더 주입할 수 있는 공간을 찾을 수 있다.

(6) 술 후 부종이나 지방 주입 압력이 일정량 발생하면 구형(sphere)처럼 들어갔다고 생각되는 지방 덩어리는 압력 균형에 따라 조직 사이로 밀려들어가 피동적으로 납작한 형태가 된다는 것을 예상해야 한다. 보통 부작용으로 발생한 낭종들은 구형에 가까운 형태로 발견되는데 이는 괴사 조직을 싸고 있는 캡슐이 두꺼워지면서 수축하여 구형에 가까워지는 반면 정상적으로 생착된 지방은 구형이 아닌 수혜부 조직의 배치 형태를 따라 여러 층을 이루는 자연스러운 해부학적 형태가 된다.

7) 술 후 드레싱 및 처치

이식부를 제외한 나머지 부위에 가벼운 압박 효과를 주는 탄력 반창고를 붙여준다. 유방 특정 부위에 장력이 심하게 가해지지 않도록 한다.

8) 술 후 주의 사항

(1) 유방에 압력이 가해지지 않도록 최소 2-3주 정도 수면 자세를 반듯하게 누운 자세를 유지하도록 주의시키며 팔의 사용도 가능한 제한하도록 한다. 상박은 흉곽에 붙여 팔의 움직임은 제한적이 되도록 주의시킨다.

(2) 이때 적절한 브래지어를 선택해 주어야 하는데 전반적 압박을 가하는 스포츠 브래지어는 유방의 돌출을 감소시키는 쪽으로 압력이 작용하므로 지방이식 후 초기에 착용해서는 안 된다. 술 후 6개월까지는 스스로 모양을 유지하는 와이어 브래지어나 유방확대용 브래지어를 사용하도록 한다.

9) 술 후 검사

기본적으로 수술 후 효과를 관찰하기 위한 일반 사진과 유방 조영 등이 기본적 검사로서 6개월 또는 1년 후 반드시 첫 번째 방사선과 검사를 받도록 하며 이후 기본적인 유방암 검진을 규칙적으로 받도록 강조한다. 이는 지방이식 환자에서 유방암이 발생하는 경우 감별이 쉽도록 하는 목적과 함께 나중에 발견되는 부작용에 대한 환자의 불안감을 감소시키는 목적으로도 중요하다.

보통 소형의 낭종이 발견되면 불필요한 추가 검사를 제안하는 경우가 많으므로 이를 미리 설명하고 방사선과와 상의하여 그 이후의 효율적 검사를 정하도록 한다.

특히 보형물 수술은 x-ray 사진만으로도 수술여부를 알 수 있는 반면 지방이식은 정보를 주지 않으면 확신하기 어려우므로 방사선과에 수술 기록을 정확히 전달하는 것은 필수적인 요소라 할 수 있다.

10) 추적 관찰

지방이식은 통상적으로 6개월까지는 부피가 감소되므로 6개월 이후의 결과를 보고 판단하는 것이 필요하다. 6개월 이후 1년까지도 부피가 증감하는 경우도 있으나 대부분 몸무게 변화와 동시에 발생할 수 있으므로 몸무게를 동시에 기록해 두어야 한다.

6개월 이후 내원하는 환자에서는 일반 사진 촬영과 유방조영술을 시행한다.

1년 이후 새로운 낭종이 형성될 가능성은 낮으므로 늦게 발견되는 새로운 종괴는 반드시 암과 감별하여 진단하여야 한다.

※ 미용 목적의 유방 지방 이식 임상 사례**(그림 20-23)**

6. 부작용

보고자와 시술방법에 따라 편차가 심하며 예상할 수 있는 부작용을 발생 빈도 순서로 나열하면 다음과 같다.

- 괴사 지방 낭종(fat necrotic cyst), 유리 지질 낭종(oil cyst)
- 미세 석회와 및 암 진단 오류
- 심한 부피 흡수
- 지방 흡입부의 부작용
- 감염
- 유리지방 색전증(free oil embolism).
- 기존의 보형물 위에 시술할 때 보형물의 파열
- 기타; 대형 석회화 등 고형 종괴

1) 발생 시기를 고려한 대응

(1) 수술 직 후 - 2일; 색전증

유리지질(free oil), 혈전(venous thrombi) 등에 의한 색전증(embolism)과 유방수술에서의 공통적 부작용, 마취 부작용 등과의 감별 노력이 중요하며 대량 지방 흡입과 마찬가지로 흡입부의 부작용을 관리한다.

(2) 5일 - 4주; 급성 감염 및 낭종 감염 증

피부 색깔(redness), 열감(local heat), 미열(low grade fever) 등 고전적 감염 증상을 점검하며 술 후 2주까지 예방적 항생제 투여가 바람직하다.

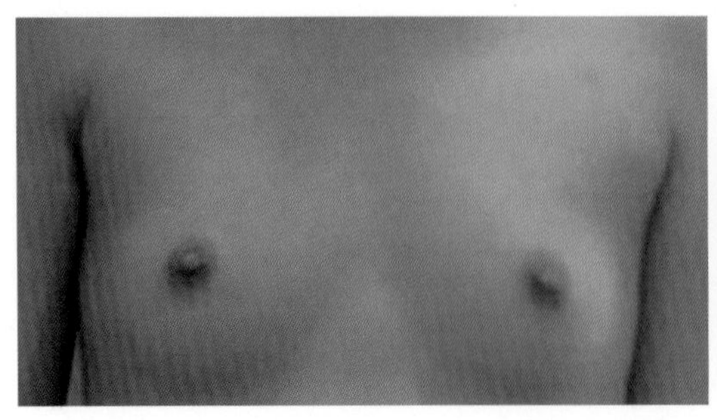
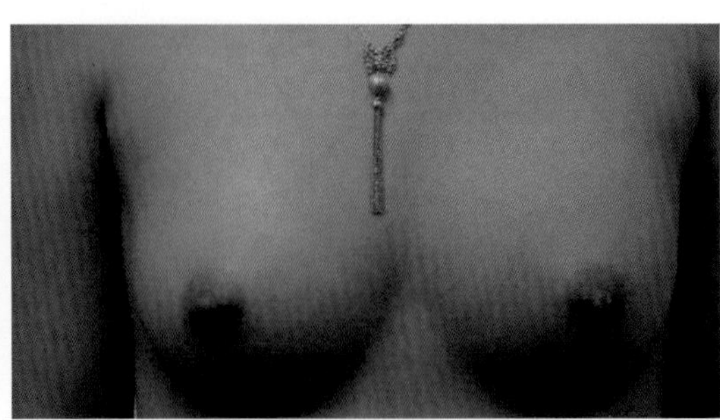

그림 20 (25세/여) A. 술 전, B. 술 후 2년, 비교적 부피 유지율이 높은 경우이다.

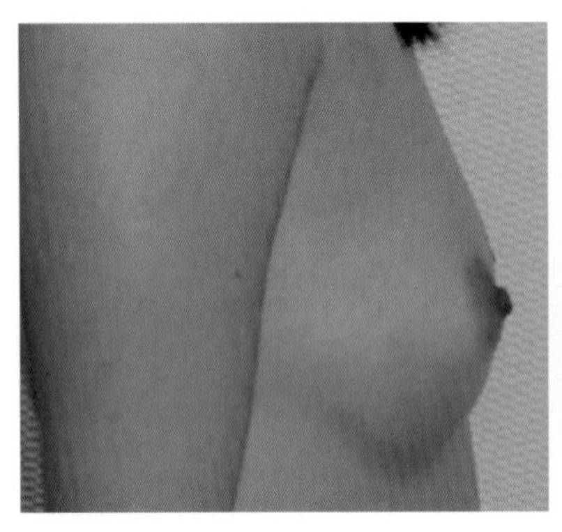
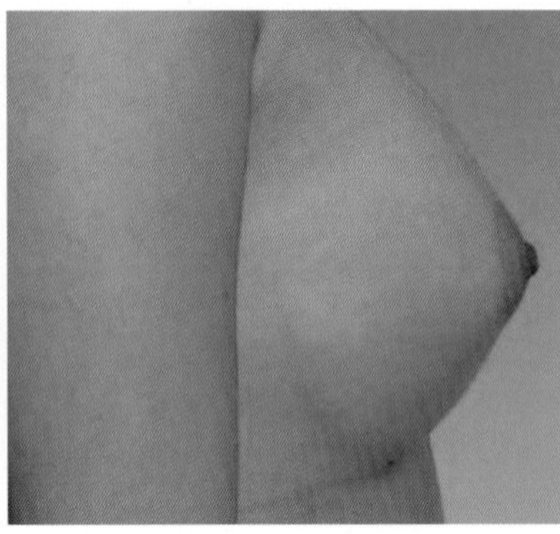
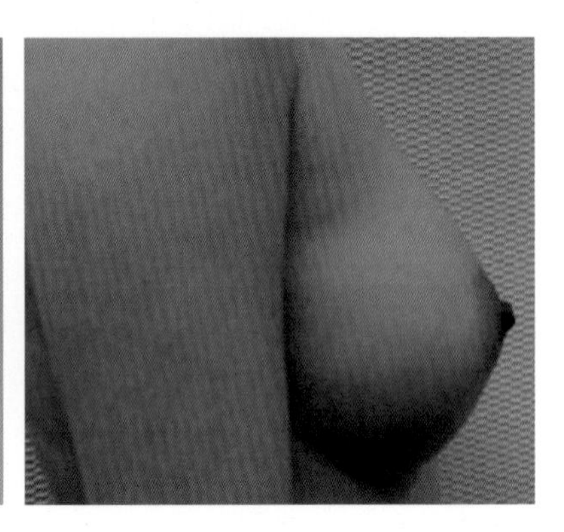

그림 21 (23세/여) A: 술 전, B: 술 후 2개월, C: 8개월, 2개월 째 유방 전반적으로 증대되어 있는 반면 시간이 흐르면서 피부의 장력이 전반적으로 이완되면 서 있는 자세에서는 중력에 의해 자연스런 재배치가 일어나 upper pole의 부피가 감소되어 보인다. 실제 지방이 이동한 것이 아니므로 누운 자세에서는 수술 직후와 비슷해 보일 것이므로 자연스러움에 도움이 된다.

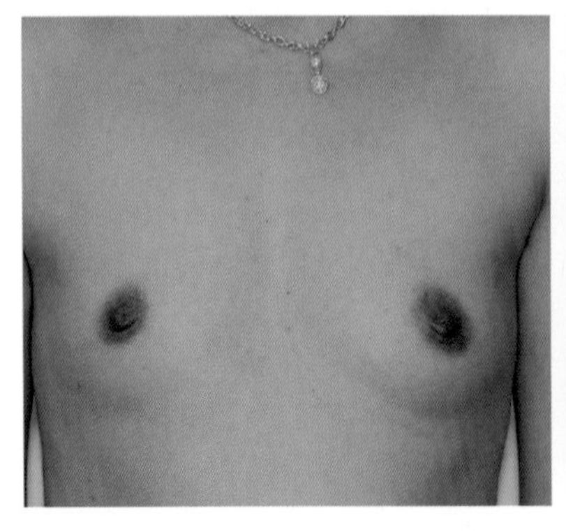
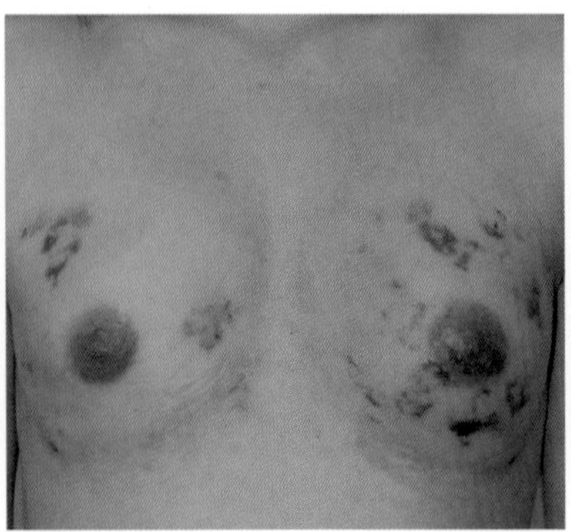
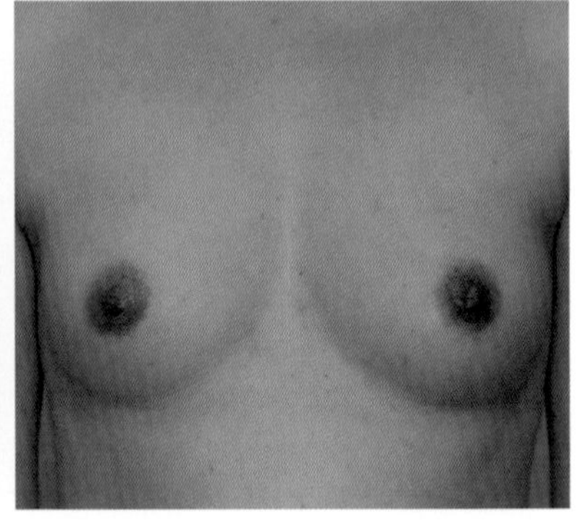

그림 22 (33세/여) A. 술 전, B. 200 cc/180 cc 이식술 후 5일, C. 8개월, 수술 당시 수혜부 조직이 적은 경우로서 수술 직 후에는 퍼져있는 형태로 보이면서 유방하 주름이 거의 보이지 않지만 시간이 지나 전반적인 압력과 장력이 완화되면 서 있는 자세에서는 중력에 의해 upper pole의 피부가 약간 쳐지는 현상이 일어나 유방하 주름이 잘 보이게 된다.

경계가 뚜렷한 급성 염증의 경우에는 즉시 절개 배농해야 한다**(그림 22)**.

염증이 의심되면 우선 미생물 동정 검체를 얻기 위한 최소한의 조작으로서 피부에 가깝고 홍조가 가장 심한 곳에서 끝이 뭉툭한 바늘로 조심스럽게 흡입한다. 이때 바늘 주입부 주변을 철저히 소독하여 인위적

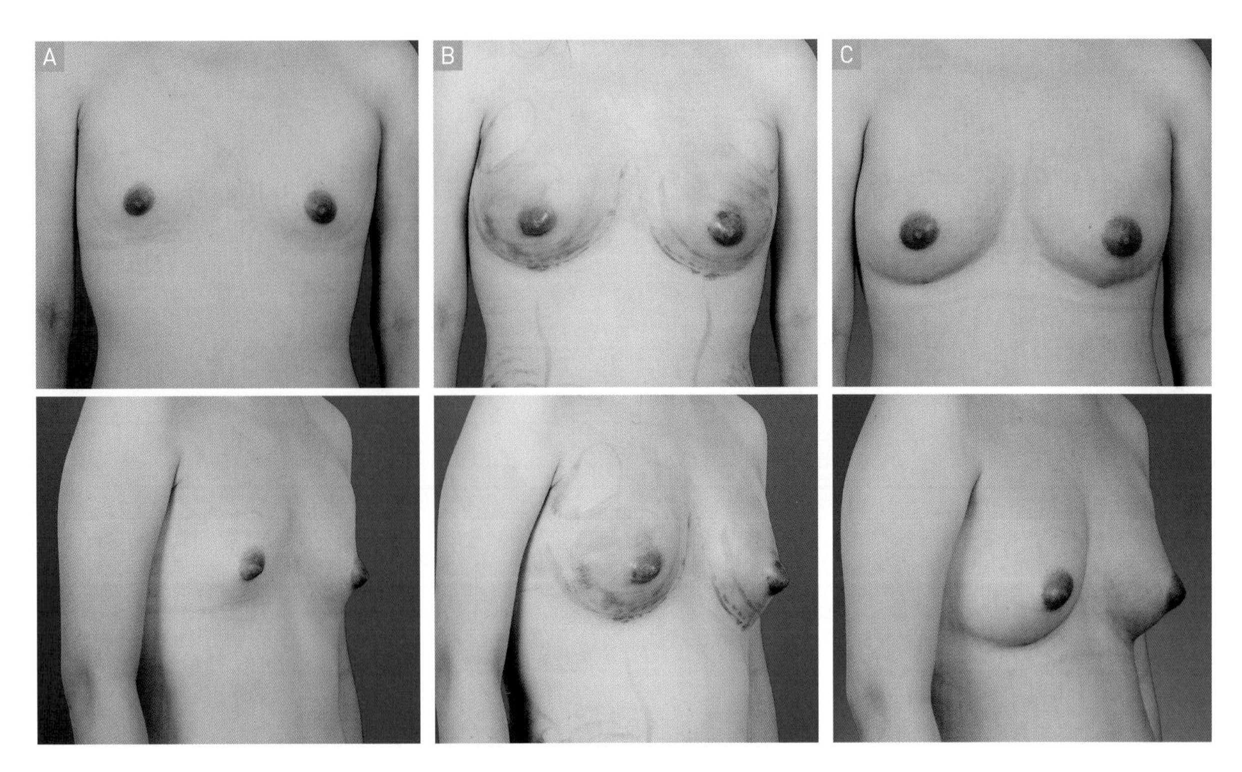

그림 23 (28세/여) A: 술 전, B: 210 cc/190 cc 이식 후 5일, C: 술 후 1년, 실제 이식한 부피보다 더 커진 듯한 모습으로서 전신의 몸무게가 증가했을 가능성이 있다.

오염을 방지해야 한다.

2주 이내에 고름과 같이 불투명한 액체가 흡인된다면 전신적 감영증으로 진행될 가능성에 대비하고 감기, 폐렴과 같은 타 질환의 동반 가능성을 고려하여 혈액 검사 및 배양과 함께 광범위 항생제의 고단위 투여가 필요할 수 있다. 증상이 환부에 넓게 퍼져있고 발열이 심한 경우는 패혈증 초기 단계에 준하여 대응해야 한다.

(3) 4주 이후 부작용

① 낭종

중기 이후의 낭종은 대부분 지방조직 괴사 낭종 혹은 기름 낭종으로서 캡슐에 싸여있고 외부에서 만져지는 느낌은 단단한 고형 종괴로 만져진다. 바늘 흡입 시 내용물은 보통 노란색 또는 무색의 투명한 색으로 보이는 유리지질과 노랗거나 하얀 색의 불투명한 알갱이가 모인 모인 괴사 지방 조직이다. 간혹 알갱이가 없이 불투명하고 균질한 고름이 발견될 수 있는데 임상 증상이 감염증과 일치하지 않았다면 이는 감염증으로 진행되지 않은 비 임상적 감염의 결과로 추정되며, 조직학적 검사에서 박테리아는 보이지 않으나 다수의 백혈구가 발견될 수 있다(**그림 23**).

낭종의 경우는 유방 조영과 초음파(**그림 24**)로 진단할 수 있으나 간혹 거대 낭종의 경우 수년 후 까지도 캡슐이 얇고 부드러워 촉지 되지 않는 경우가 있다 이때 죽은 조직이 파괴되지 않은 경우 MRI 판독 소견으로는 캡슐에 싸인 정상지방으로 판독 될 수도 있다(**그림 25**).

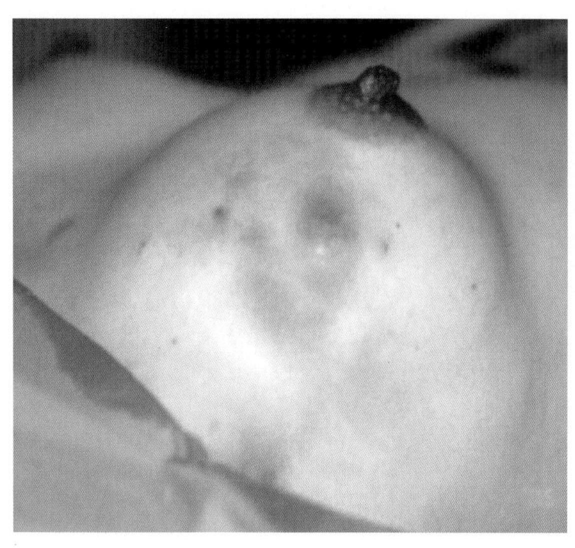

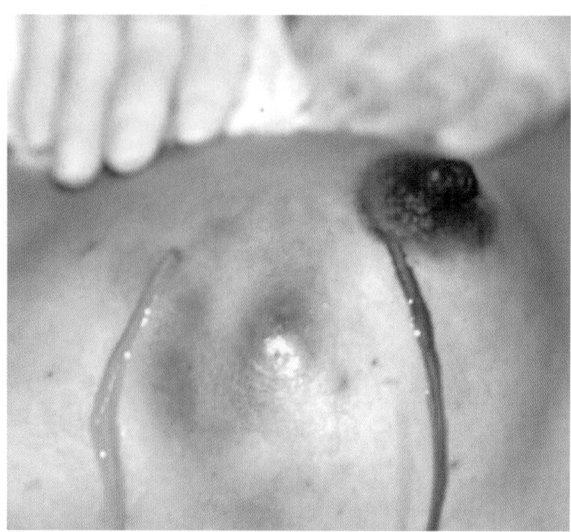

그림 24 염증의 절개 배농; 수술 후 5-6일부터 보이던 홍조가 전반적이지 않고 경계가 보이거나 만졌을 때 피부가 얇아진 느낌이 든다면 지체 하지 않고 확인해야 한다. 대량 지방 이식에서의 감염증은 거대한 농양을 형성하므로 위험할 수 있다.

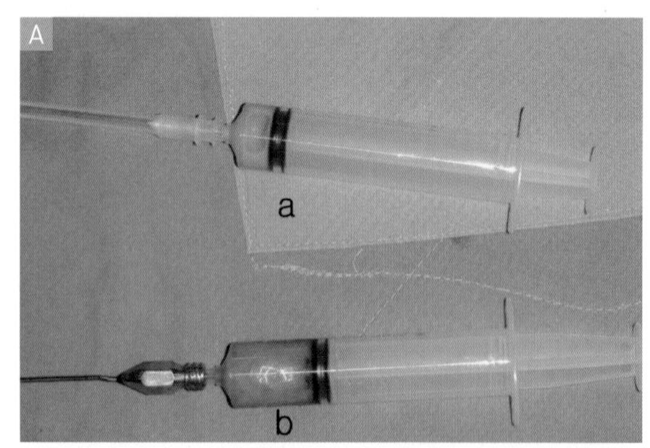

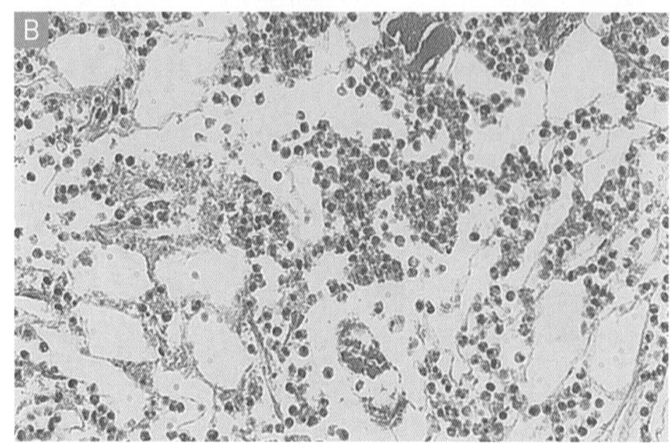

그림 25 A 낭종흡입물. a) 고름현상, b) 괴사지방
B 괴사지방. 지방세포의 핵은 보이지 않는다.

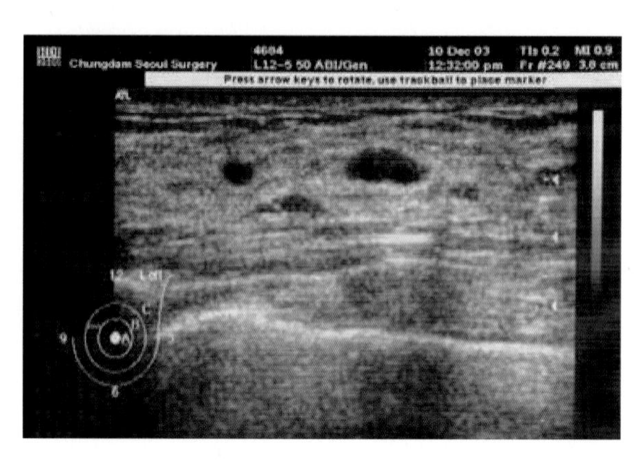

그림 26 낭종의 초음파 소견

낭종의 처치;

방사선과 검사 후 국소 마취로 지방 흡입과 유사하게 주사기로 간단히 처치 할 수 있으나 몇 가지 주의 점이 필요하다.

- 예방적 항생제와 무균 조작.
- 가능한 한 끝이 뭉툭한 바늘 사용하되 낭종의 벽이 심하게 두꺼운 경우는 연필심 바늘(pencil point needle)을 사용한다.

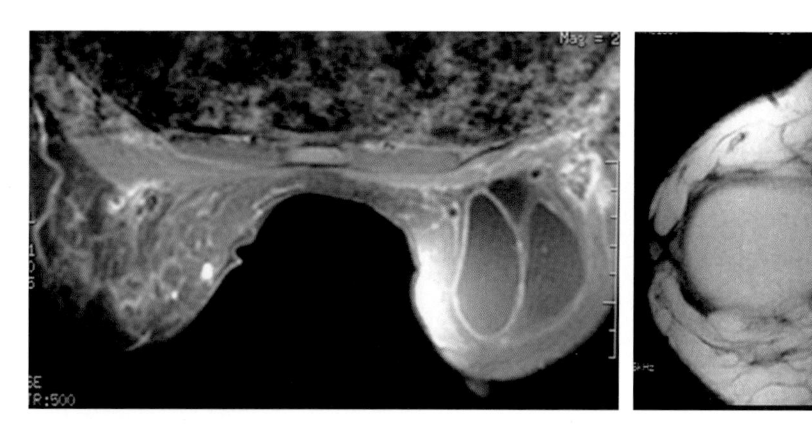

그림 27 거대낭종 MRI T1; a; axial b; sagittal

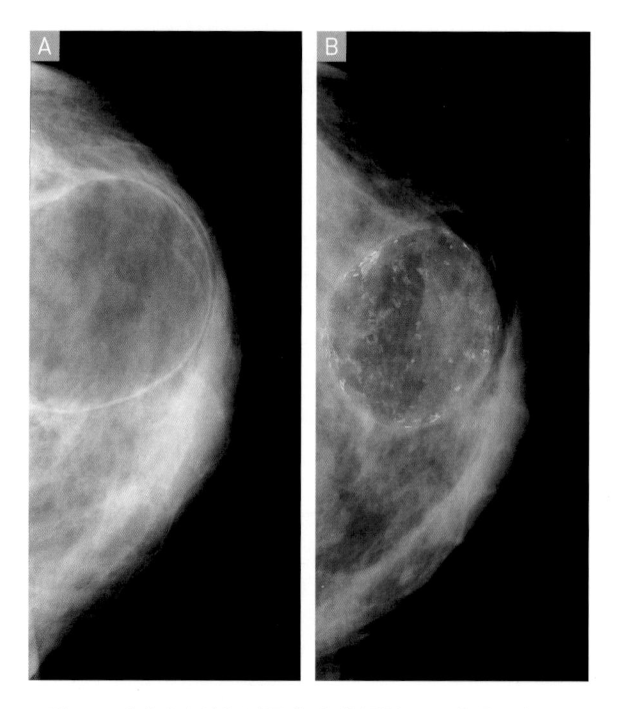

그림 28 **제거되지 않은 낭종의 미세석회화** A. 술 후 1년, B. 술 후 3년

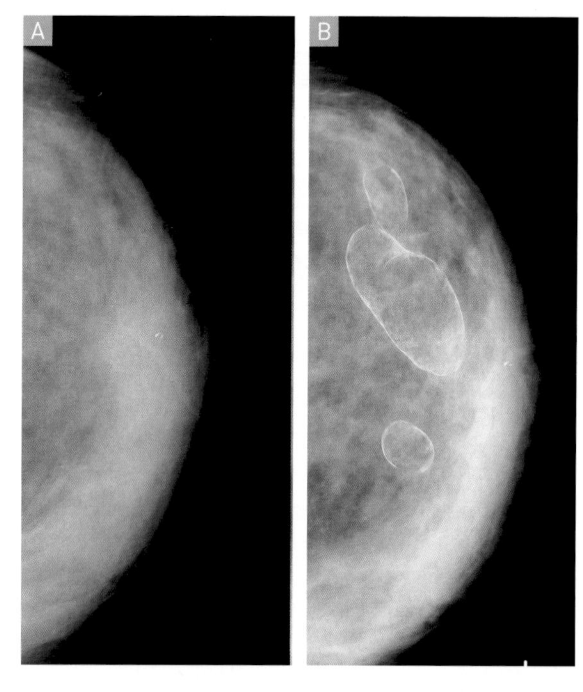

그림 29 **수술 후 낭종의 유방 조영 소견.** A. 수술 전 정상 소견, B. 수술 후 발생한 낭종의 소견두꺼운 캡슐이 잘 보임. 간혹 미세 석회화가 진행될 수 있다.

- 촉지하며 낭종 내 압력이 높아지도록 손가락으로 누르며 바늘 왕복.
- 흡입시 낭종 내 다중벽(multiple septum) 구조의 파괴.
- 낭종에 피가 고이지 않도록 세심한 출혈 처치.

① 미세 석회화

미세 석회화 관찰;

지방이식 후의 미세 석회와는 괴사 지방조직에 의한 다른 수술에서의 낭종과 유사하며 조직생검 후에

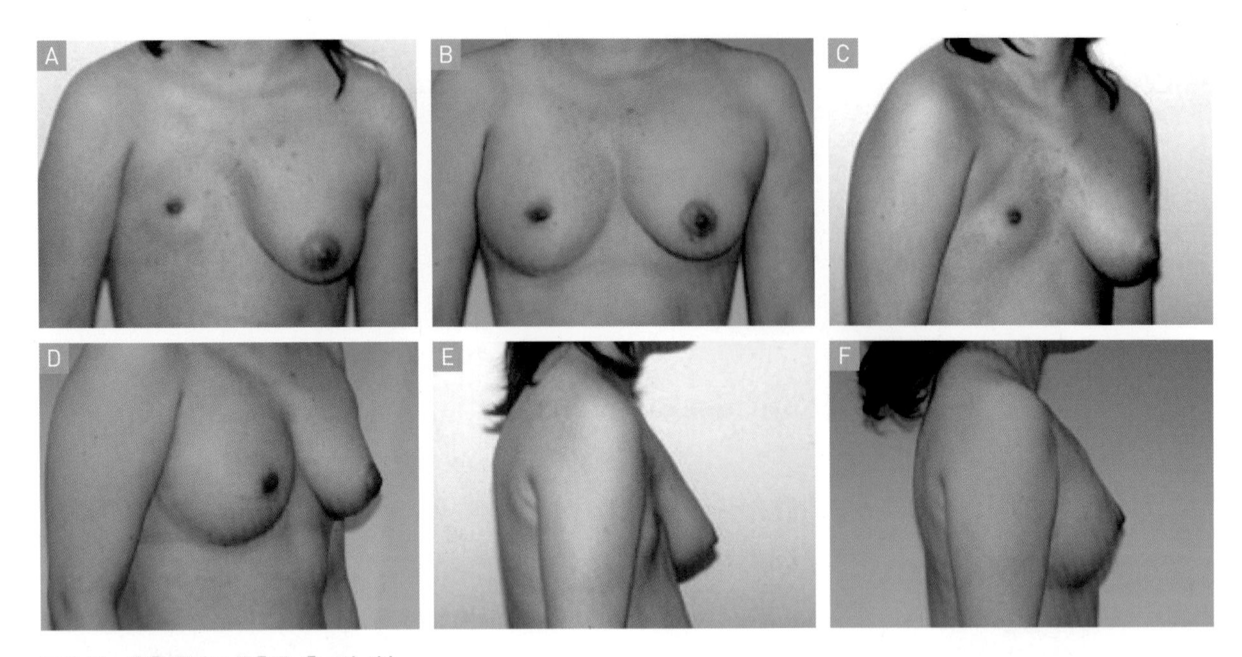

그림 30 **우측 폴란드 증후군; 총 4차 시술,**
A, C, E; 술전, B, D, F; 술후(1차 수술 후 48개월, 4차 수술 후 6개월)
우측 가슴 연부조직이 부족하여 수축된 흉곽이 수술 후 펴짐으로써 근육을 포함한 전반적 개선이 된 것으로 관찰된다.

흔히 나타나는 양상을 보일 수 있다. 주로 혈종, 괴사조직 등 캡슐이 장기간 치유되는 과정에서 발생하는 것으로 추정된다. 처치되지 않은 낭종은 시간이 경과함에 따라 크기가 작아지고 캡슐에 석회화를 동반할 수 있다**(그림 26)**.

낭종은 단순 유방 조영에서도 쉽게 발견된다. 두꺼운 캡슐은 미세 석회화가 없어도 저 투과 음영(고 밀도, hypo-lucent)을 보인다**(그림 27)**. 캡슐에는 미세 석회화가 동반될 확률이 높으므로 더욱 발견이 쉽다.

7. 보완적 수술

1) 다단계(multi stage) 수술 (그림 28)

이식 가능한 지방조직을 수용할 유방 연부조직이 부족하거나 유방 피부의 신장력(extensibility)이 모자라는 경우 한번의 수술로는 유효한 효과를 얻지 못한다. 이때 무리해서 많은 양을 이식하고자 시도하는 경우 확산 교환 능력(diffusion-exchange capacity)가 모자라 부피 유지율이 크게 떨어짐과 동시에 낭종 발생이나 미세 석회화 등의 추가적 문제를 일으킬 수 있으므로 모자라는 양에 대해서는 2차 3차 수술 등 다단계 수술을 계획하는 것이 좋다.

최초 지방이식 후 최소 6-8개월의 기간을 두고 시행하며 이 기간에 대한 정확한 근거는 보고되지 않았으나 흔히 지방이식 후 생착이 이루어지고 과정이 안정되는 시기로 간주하고 있다.

2) 보형물과 복합 수술(동시 또는 단계적) (그림 30, 31)

환자가 지방이식을 선호하여 선택하였으나 지방의 공여부가 너무 적거나 한번에 많은 양의 증대를 원하는 경우 지방이식만으로는 그 요구를 수용하기 어려운

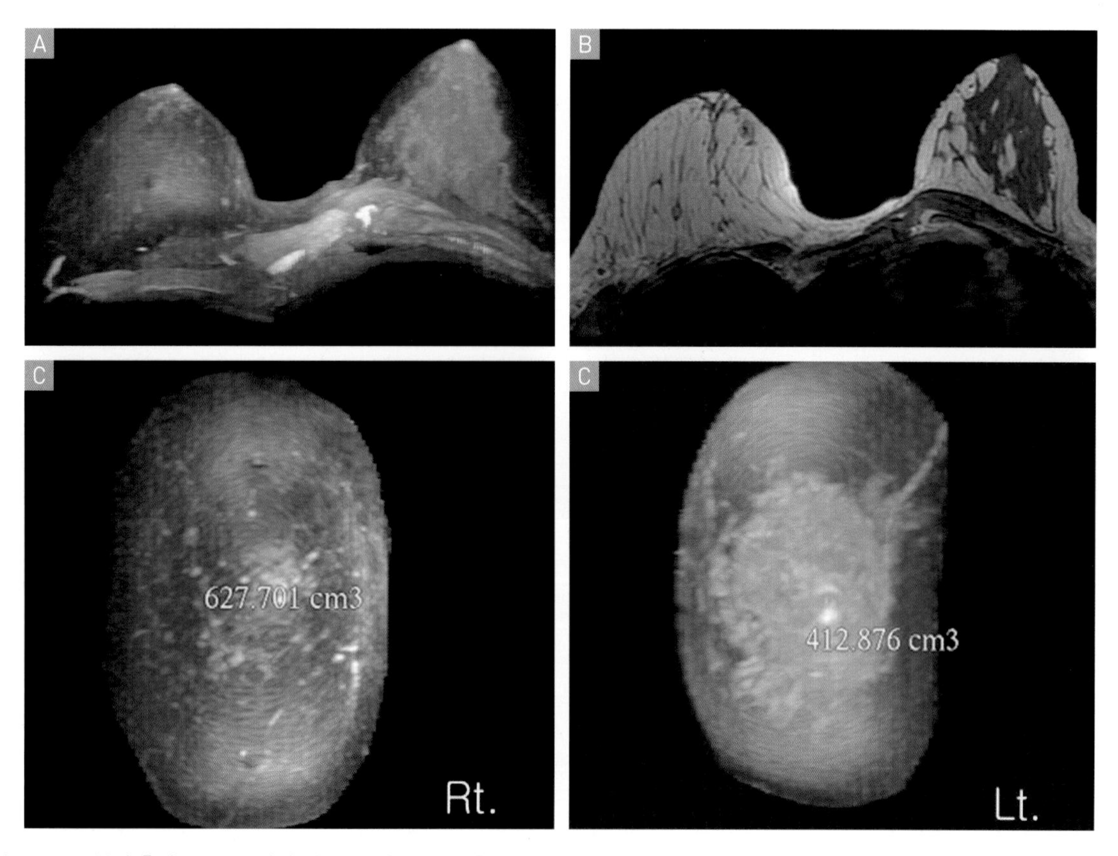

그림 31 **MRI 부피 측정** A, C: 4번의 지방 이식을 거친 우측 유방, B, D: 수술 받지 않은 좌측 유방

경우가 있다. 이와는 반대로 보형물 시술을 원하지만 보형물만을 사용하기에 연부조직이 빈약하여 자연스러운 모양을 만들기 어렵거나 보형물의 형태가 뚜렷하게 보일 가능성이 높은 환자에서는 이런 경우 지방이식과 동시에 비교적 작은 크기의 보형물을 상호 부피 보조(assist volume)를 위해 사용할 수 있다.

이러한 복합 수술은 보형물의 크기를 작게 사용할 수 있어 보형물로 인해 연부조직에 가해지는 상대적 압력을 감소시켜 보형물 경계 노출이 적고 고정되어 보이거나 촉감이 단단한 부자연스런 상태를 완화 할 수 있고 보형물 주변의 압력으로 인한 종양 변형의 가능성이 작아질수 있다. 보형물의 측면에서도 연부조직의 압력이 상대적으로 강하여 나타나는 보형물 표면 주름(fold fllaw)형성으로 인한 파열, 위치변화(migration)등의 보형물 부작용 역시 감소 될 수 있으므로 초기 상담 시 소개할 필요가 있다.

첫 수술에서 동시 복합 수술을 하는 경우는 보형물 삽입을 먼저 시행하고 그에 맞추어 지방이식을 하는 것이 모양을 만들기에 유리한 측면이 있으나 보형물이 크지 않다면 그 순서는 중요하지 않다. 복합수술에서 보형물의 크기는 보형물만 삽입하는 경우에 비해 비교적 작은 80-150 cc 정도를 사용할 수 있다(**그림 32, 33**).

3) 보형물 제거와 동시 시술

이미 보형물로 유방증대술을 받은 이후 보형물 파

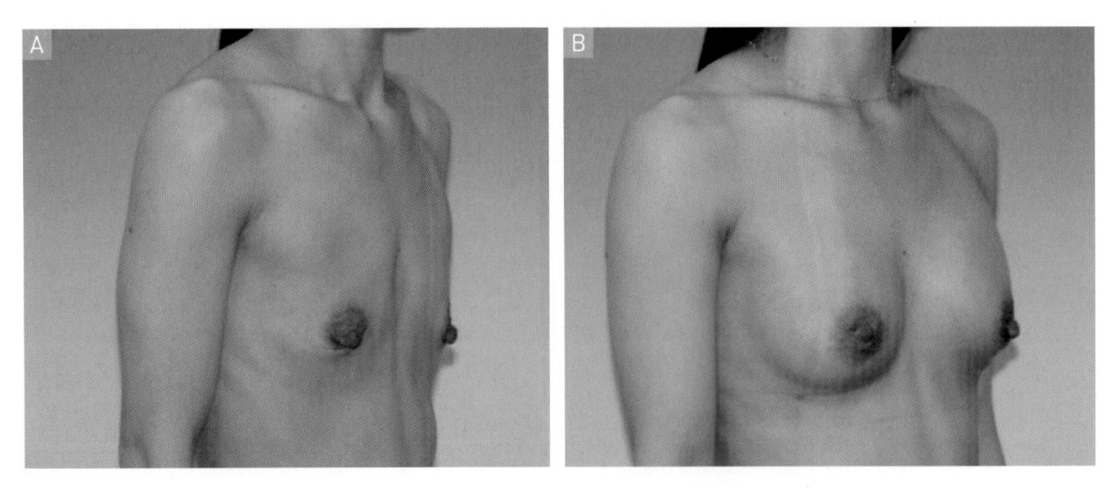

그림 32 **보형물(100 cc/100 cc)과 지방이식(60 cc/60 cc) 동시수술** A. 수술 전, B. 수술 후 6개월

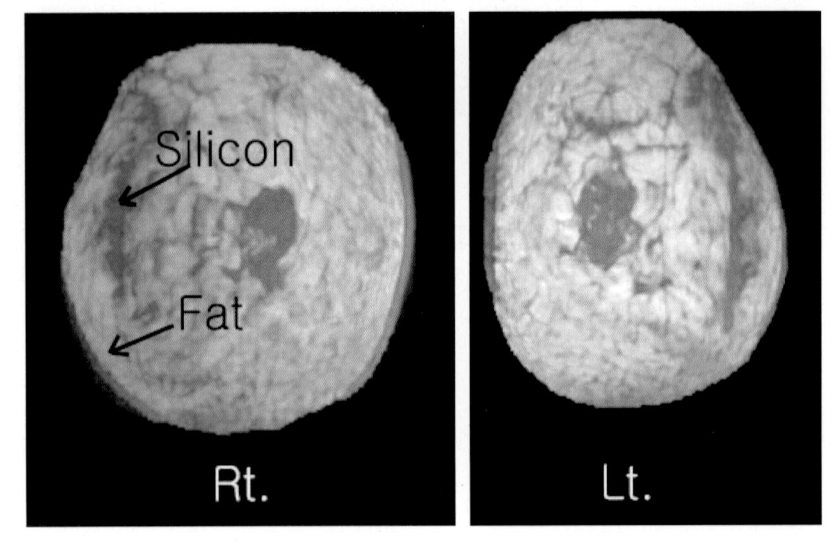

그림 33 그림 30 환자의 3차원 재 조합 MRI 영상, 좌, 우: 보형물 삽입과 동시에 향후 보형물 모양이 노출되기 쉬운 하방 변연부만 얇게 지방이식을 하여 지방 사이 사이로 보형물이 보이는 MRI 모습.

열, 유방 형태의 변형, 구형 구축 등 보형물에 대한 부작용으로 부득이 보형물 제거해야 하는 경우에 어느 정도의 부피 보존과 유방의 모양을 보정하기 위해 지방이식을 활용 할 수 있다. 이때 보형물 제거와 동시 수술로 지방이식을 시술하는 경우 보형물 캡슐 내로 지방조직이 주입되면 괴사하기 쉬우므로 주의해야 한다. 이를 위해 보형물 제거 후 캡슐을 봉합하지 않은 상태에서 지방이식을 하고 봉합 전 씻어내기도 한다. 보형물의 제거는 유륜절개로 시행하는 것이 캡슐의 밀폐봉합을 수월하게 할 수 있어 유리한 점이 있다. 캡슐의 밀폐봉합은 캡슐의 가장 내측면이 서로 외반되어 밀착되도록 continuous suture를 하여 마치 개복수술 시 복막의 밀폐봉합과 비슷한 형태가 되도록 한다(**그림 34**).

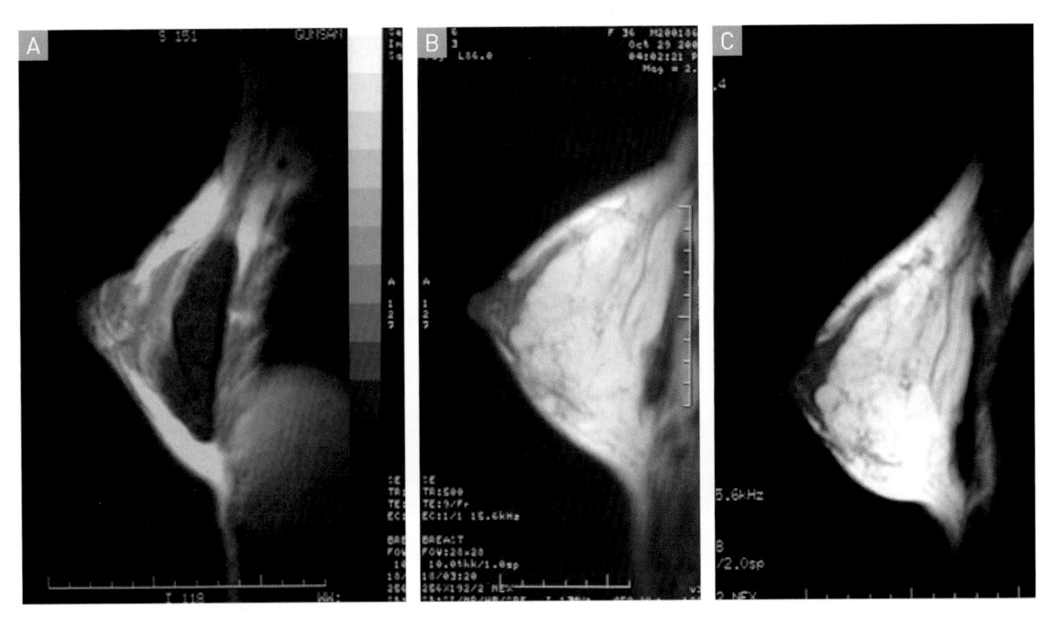

그림 34 **보형물 제거와 동시 지방이식** A. 수술 전; 보형물이 파열되어 되어 경계가 깨끗하지 않다. B. 수술 후 4일; 캡슐 외부에만 지방 이식하였고 기존 캡슐은 눌려보인다. C. 수술 후 4개월; 붓기가 내리고 약간 흡수 되면서 자연스럽게 쳐진 듯하게 모양이 개선된 모습. 캡슐의 변화는 아직 없다.

4) 유방 외 영역의 부수적 지방이식

지방이식의 경우 유방 외에도 얼굴 등 가슴 외 영역에 이식을 동시에 시행하는 것이 효율적이다. 이러한 경우 수술 시간이 지연되기 쉬우므로 흡입된 지방은 50-60 cc 단위로 채취시간을 기록하여 구분하고 먼저 채취한 지방이 먼저 이식될 수 있도록 하는 것이 유리하다.

5) 보형물 시술 상태의 보완

이미 보형물로 시술한 경우에서 두드러진 부작용이 없는 경우에도 자연스러운 유방의 모습을 이루고자 지방이식을 사용 할 수 있다. S. Coleman은 주로 보형물의 경계가 외부로 드러나는 경우 이를 감추기 위하여 사용하거나 모자란 부피를 보충하기 위해 사용되어 왔다고 보고하였다. 이는 앞서 기술된 복합수술의 일종으로서 보형물 수술 당시 미리 계획되지 않았더라도 환자 요구도의 증가에 따라 복합수술과 동일한 목적으로 사용될 수 있다.

6) 유방절제술 후 재건

유방암으로 인해 유방절제술을 받았거나 이와 함께 방사선치료나 재건 성형을 받은 경우에도 가슴에 대한 지방이식은 효과적이고 안전한 방법이다.

최근 유방 절제술 후에도 미용적 목적을 완성하려는 시도가 이루어지고 있고 재발 고위험군이 아닌 경우 피하절제술이 미용적으로 훨씬 수월하면서도 재발 위험을 높이지 않는다는 보고가 되고 있다. 따라서 피부가 어느 정도 유지된 상태에서는 TRAM, LD, Trapezius 등 피판술을 대치하여 활용될 수 있고 피판술의 보조 수단으로서 사용될 수도 있으므로 유방암에서의 재건 계획을 세우는데 있어 grade 3 cancer 이하에서는 우선적으로 지방이식술을 고려하는 것도 생각해 볼 수 있다.

8. 결론

지방이식은 오래된 역사를 가지고 있지만 시술의 발달과정에서 발생된 몇 가지 부작용에 의해 유방확대에 사용되기에는 부적합하다고 평가 받아 왔다. 그러나 지방조직 내의 줄기세포 발견과 조직공학의 발달로 기존의 학설로는 이해할 수 없는 효율성을 보이게 되었다.

원심분리를 이용하여 불순물을 효과적으로 제거하고 농축함으로써 주입 부피당 생존 부피는 크게 늘게 되고 생존 기전에 대한 면밀한 이해를 통해 시술 방법에서의 발달도 이루어졌다. 장비의 발달은 부작용을 줄이고 정확한 감별 진단을 하는데 큰 역할을 하였으며 줄기세포에 관련한 새로운 이론들은 예상보다 높은 생존율에 대한 설명을 제시하였다.

미래에도 줄기세포를 통한 발전의 여지가 남아있고 인공 삽입물의 단점이나 부작용을 대체하는 수술로 효과적으로 적용하면 많은 이득을 얻을수 있다. 앞으로 성공적인 장기 관찰 결과와 부작용들을 다양하게 접하게 되면서 이 지방이식 수술의 적용을 결정하는 것은 의사의 중요한 임무가 될 것이다. 진단 측면에서도 영상 의학 장비의 발달이 점점 빨라지므로 이에 따르는 적절한 검사 항목의 변화도 관심 있게 주목해야 하며 이는 영상의학과만의 문제가 아님을 인식해야 한다.

마지막으로, 대량 지방이식의 부산물인 폐기 지방에서 얻어지는 인체 유래 무 세포 조직은 미래 줄기세포 발전에 필수적인 지지체 소재로서 활용될 수 있고 이를 이용한 부분적 유방 재건에 활용될 수 있으므로 그 활용 방안에 관심을 가져야 할 것이다.

참·고·문·헌

1. Aislinn Vaughan, Jill R. Dietz, Rebecca Aft, William E. Gillanders, Timothy J., Eberlein, Phoebe, Freer, Julie A. Margenthaler Patterns of local breast cancer recurrence after skin-sparing mastectomy and immediate breast reconstruction 2007;438-443
2. Boon C. Heng, Catherine M. Cowan, Shubhayu Basu, Comparison of Enzymatic and Non-Enzymatic Mean of Dissociating Adherent Monolayers of Mesenchymal Stem Cells. Biological Procedures Online, Volume 11, Number 1, 2009, DOI: 10.1007/s12575-009-9001
3. Czerny, V. Plastischer Ersatz der Brustdruse durch ein Lipom. Zentralbl. Chir. 1895;27: 72.
4. Hiroshi Mizuno, M.D., Patricia A. Zuk, Ph.D., Min Zhu, M.D., H. Peter Lorenz, M.D., Chang, James M.D.; Kuang, and Anna A. M.D. Prosper Benhaim, M.D., and Marc H. Hedrick, M.D. Myogenic Differentiation by Human Processed Lipoaspirate Cells by Experimental Plastic & Reconstructive Surgery. 2002;109(1):210-211
5. Hyun-Jin Yang, M.D., Ph.D., Hee-Young Lee, M.D., Ph.D., Stromal Condensation Rates (SCR) on Volume Maintenance Rates(VMR) in the Fresh Fat Graft. Stem cells in Aesthetic surgeries., Stem Cells in Aesthetic Procedures: Shiffman, Melvin A., Di Giuseppe, Alberto, Bassetto, Franco (Editors.), Springer, 2014; 13; 191-201
6. Hyunjin Yang, M.D., Ph.D., Heeyoung Lee, M.D., Ph.D., Successful Use of Squeezed-Fat Grafts to Correct a Breast Affected by Poland Syndrome Aesth Plast Surg June 2011, Volume 35, Issue 3, pp 418-425
7. Ji Suk Choi, Hyun-Jin Yang, Beob Soo Kim, Jae Dong Kim, Jun Young Kim c, Bong young Yoo, Kinam Park, Hee Young Lee, Yong Woo Cho, Human extracellular matrix (ECM) powders for injectable cell delivery and adipose tissue engineering. Journal of Controlled Release

139 (2009) 2–7.

8. Ji Suk Choi, M.S., Hyun-Jin Yang, M.D., Beob Soo Kim, B.S. Jae Dong Kim, B.S., Sang Hoon Lee, Ph.D., Eun Kyu Lee, Ph.D., Kinam Park, Ph.D., Yong Woo Cho, Ph.D., and Hee Young Lee, M.D., Ph.D., Fabrication of Porous Extracellular Matrix Scaffolds from Human Adipose Tissue TISSUE ENGINEERING: Part C Volume 16, Number 3, 2010
9. J. Peter Rubin, M.D. Kacey G. Marra, Ph.D.Clinical Treatment of Radiotherapy Tissue Damage by Lipoaspirate Transplant: A Healing Process Mediated by Adipose-Derived Adult Stem Cells, American Society of Plastic Surgeons 2006
10. Kotaro Yoshimura, M.D., Katsujiro Sato, M.D., Noriyuki Aoi, M.D., Masakazu Kurita, M.D., Toshitsugu Hirohm, M.D., Kiyonori Hariiet, M.D. al Cell-Assisted Lipotransfer for Cosmetic Breast Augmentation: Supportive Use of Adipose-Derived Stem/Stromal Cells, Aesth Plast Surg (2008) 32:48—55
11. Luciano Fernandes Chala, MD, Nestor de Barros, MD, Paula de Camargo Moraes, MD, E ´ rica Endo, MD, Su Jin Kim, MD, Ka ´ tia Maciel Pincerato, MD, Filomena Marino Carvalho, MD, PhD, and Giovanni Guido Cerri, MD, PhD Fat Necrosis of the Breast: Mammographic, Sonographic, Computed Tomography, and Magnetic Resonance Imaging Findings. Curr Probl Diagn Radiol 2004;33:106-26.
12. M.C. Missana a, I. Laurent a, L. Barreau a, C. Balleyguier Autologous fat transfer in reconstructive breast surgery: Indications, technique and results. EJSO 2007;33:685-690
13. Moseley, Timothy A. Ph.D.; Zhu, Min M.D.; Hedrick, Marc H. M.D. Adipose-Derived Stem and Progenitor Cells as Fillers in Plastic and Reconstructive Surgery. Plastic & Reconstructive Surgery. 118(3S) Suppl:121S-128S, September 1, 2006.
14. Sydney R. Coleman, M.D. Alesia P. Saboeiro, M.D. Fat Grafting to the Breast Revisited: Safety and Efficacy. Plast. Reconstr. Surg. 2007;119: 775
15. Sydney R. Coleman, M.D. Fat Injection to Correct Contour Deformities in the Reconstructed Breast Hand rejuvenation with structural fat grafting. Plast. Reconstr. Surg. 2002;110: 1731

Reduction Mammoplasty & Mastopexy »

유방 축소 성형의 최적화

Optimizing results in reduction mammoplasty

| 설정현 |

여성의 유방은 옛부터 풍요와 수확을 상징하며 태어난 아기에게 모유를 공급하여 새 생명을 유지하고 성장하게 하는 여성의 신체기관일 뿐만 아니라, 여성의 성적 특징과 매력을 나타내며, 삶의 질을 증진시키는 신체의 중요한 일부분이다.

현대인은 대체로 적거나 빈약한 유방보다는 다소 풍만한 유방을 선호하는 시대적 경향이 있으나, 지나치게 큰 유방(macromastia)은 일상생활의 불편과 자세의 변화를 초래하고, 어깨통증, 허리통증 및 유방하피부의 마찰로 간찰진(intertrigo)을 유발 할 수 있어 이로 인한 미용적 열등감은 물론 정신적 열등감과 더불어 일상생활에 많은 지장을 초래 할 수 있다.

이러한 큰 유방을 줄여서 상기의 증상을 개선시키는 수술이 유방축소술(reduction mammoplasty)이다. 유방축소술의 궁극적 목표는 유방이 대칭적이며, 원하는 적당한 크기의 만족스러운 모양과 더불어 유방의 기능을 유지하며 최소의 반흔을 남기는 것이다.

1. Macromastia의 원인

a. 사춘기(puberal macromastia): 사춘기 시 80% 이상에서 일시적 내지 영구적으로 나타남
b. 임신(gravid macromastia): 임신 중에 발생하여 출산 후까지 유지되기도 함
c. 비만(fatty macromastia): 체중이 1 kg 증가함에 따라 유방은 약 20 gm 증가함
d. 유전적(hereditary macromastia): 거대유방의 가족력이 있음
e. Hormone (estrogen): 혈중 estrogen농도가 증가하면 유방조직을 자극하여 거대유방초래

2. 수술방법

그러므로 만족한 유방방축소술을 위해 다양한 수술 방법이 연구되고 시행되고 있으나, 현재까지 어느 한 가지의 완벽한 수술법은 없다고 할 수 있으며 각각의 방법에 따른 장단점을 갖고 있으므로 환자의 나이, 발생원인, 유방의 크기 및 하수정도, 신체적 상태, 환자의 요구사항 등을 고려하고, 술자의 경험 및 숙련도에 따라 환자와 상의하여 수술을 결정해야 한다.

수술방법의 분류는 혈류의 중심 피판경(pedicle)의 방

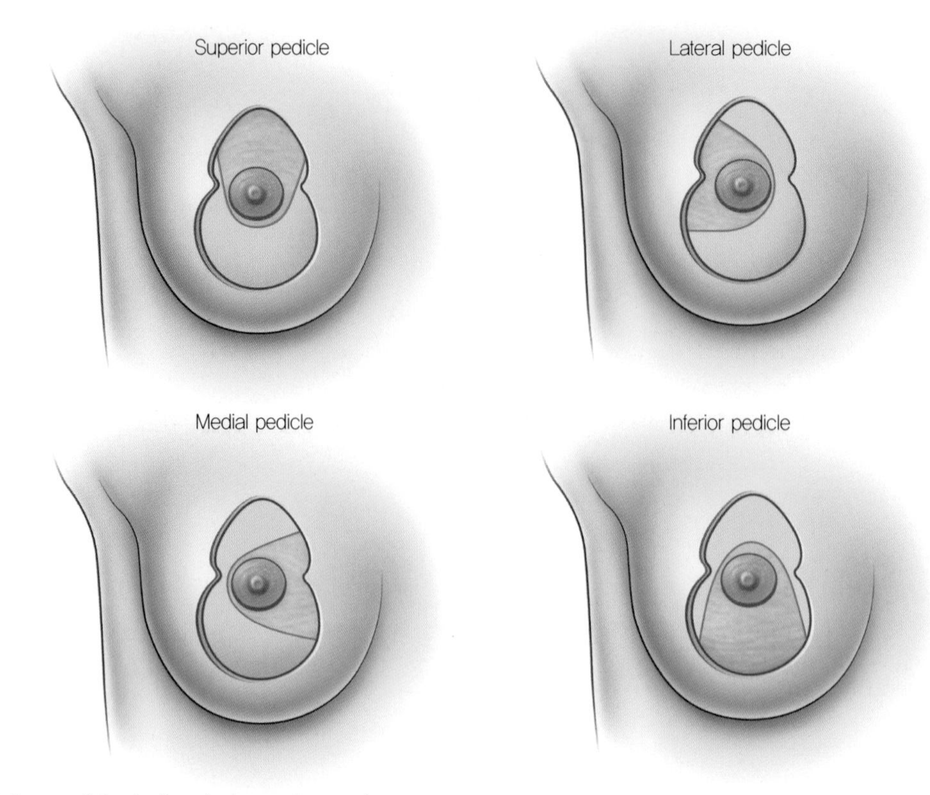

그림 1 Various pedicles for the nipple–areola complex

향과 술후에 남는 반흔의 모양에 따라서 분류 할 수 있다.

1) 피판경의 방향

피판경의 방향은 nipple-areola complex(유두유륜복합체)의 혈류공급 및 신경분포와 관계가 있으므로 피판기저부의 폭과 피판의 두께 및 피판의 길이가 안전하다면 superior, inferior, medial, lateral 및 central의 어느 방향이라도 가능하며 또한 변형으로 oblique한 피판 예컨대 superior-medial flap(상내측 피판) 이나 latero-central pedicle(외중심피판)도 가능하다**(그림 1)**.

2) 술후 반흔의 모양

술후에 남는 반흔은 넓어 지거나 비후성 반흔이 생기는 경향이 있는 동양인에서는 매우 중요한 문제이므로 반흔이 적게 남는 방법을 택하는 것이 좋으나 역시 유방의 상태를 잘 평가하여 결정하여야 한다.

반흔의 모양에 따라 수직반흔법, 역T자반흔법, 유륜주위에만 반흔이 남는 round block법의 3가지로 크게 나눌수 있으나, 반흔을 최소화 하고 길이를 짧게 하기 위해 각각의 방법에서 다소 변형된 방법이 사용되기도 한다.

3. 수직반흔축소술
(Vertical Reduction Mammoplasty)

현재 가장 많이 사용되는 방법이며 moderate macromastia(중등도 거대유방)에서 비교적 쉽게 적용되고, 술후에는 유륜중앙하부에 수직으로 반흔이 남는다.

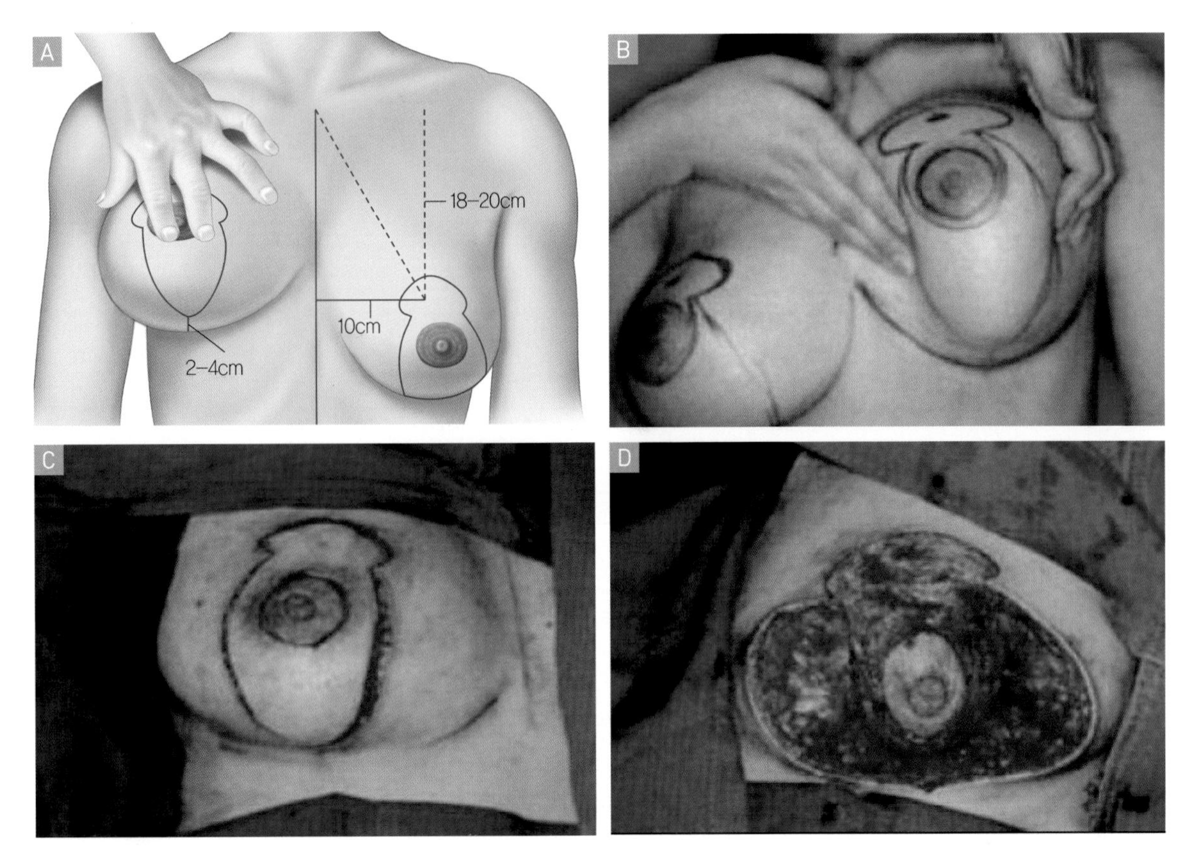

그림 2 A,B. Pre-operative design of the vertical reduction mammoplasty. C. Skin incision and dissection. D. Deepithelization of superior pedicle and surgical excision of breast tissue).

수술 전 도안은 환자를 기립자세로 하여 sternal notch(흉상절흔)에서 xiphoid process(검상돌기)로 향한 정중앙선과 유방하주름선을 먼저 표시하고, 흉골의 정중선에서 약 10 cm 떨어져 있는 유방하주름 선상에서 상하방향으로 수직선을 긋는다.

여기를 기준으로 유방을 안쪽으로 또 바깥쪽으로 밀면서 안쪽과 바깥쪽의 피부절개선을 결정하며, 두 개의 절개선은 유방하주름선의 2-4 cm상방에서 곡선으로 만나게 한다. 유두예정지를 정할 때는 양편 유두 예정지간의 거리와, 유두 예정지와 흉상절흔 간의 거리가 각각 18-20 cm 정도의 정삼각형이 되도록 한다. 이 유두 예정지는 쇄골 중앙선상에 있으며 쇄골중앙점에서 유두예정지 사이의 거리는 18-20 cm 정도로 일반적으로 유방하주름선 상에 있게되며, 흉골정준선에서 약 10 cm 정도 바깥쪽에 있게 한다.

유두유륜 복합체의 직경은 4 cm 정도로 하고, 유륜 주위의 회교사원 지붕(mosque dome)모양의 곡선은 유방의 크기에 따라 달라지는데, 큰 유방일수록 가로로 넓게 도안하여야 안전하고 자연스러운 유두유륜 모양을 갖게 한다**(그림 2)**.

수술의 진행은 deepithelization(부분층 피부제거) 및 skin dissection(피부박리), surgical excision(외과적 절제), 그리고 reshaping(모양조립) 및 liposuction(지방흡입)과 피부봉합 순서로 실시한다.

유방조직의 절제양이 적을 경우는 절개선에서 더

이상의 피부 박리없이 유륜 아래쪽의 유방 하부조직만 수직으로 절제하고, 절제양이 많을 경우는 내외측으로 많이 박리하여 유방 하부조직을 많이 절제한다. 유륜 피판경(areola pedicle)은 2-3 cm 정도로 얇게 박리하여 두고, 유륜하부의 유방조직과 함께 절제한다(**그림 2**).

모양조립은 절제가 끝난 후 중앙의 피판경을 접어서 유두유륜복합체를 새로운 위치에 고정하고, 유륜피판경의 깊은 안쪽부위는 남은 유방조직의 중앙부 정점부위에서 1-0 vicryl로 대흉근막에 고정한다. 양쪽 지주(pillars)는 유륜에서부터 아래로 가면서 유선을 봉합하여 원추모양을 형성하게 되는데, 이때 수술 후 유방이 자연스럽게 아래로 내려오게 하기 위해 양쪽 하부유방조직은 흉벽에 고정하지 않고 유방조직 자체만 봉합한다.

이렇게 새로 만들어진 양쪽유방이 비대칭이 되거나, 국소적으로 불룩하거나 혹은 유방외측이나 액와선 부위가 충분한 조직절제가 되지 않은 경우는 지방흡인술로 교정하나 필요없을 시는 시행하지 않는다. 유방의 모양은 하부의 유방조직을 상부로 당겨 대흉근막에 고정하였으므로 유방상부는 다소 불룩하고, 하부는 비교적 편평하게 되어 유방하부에는 긴장을 줄여 준다.

양쪽 유방에 배액관을 넣고, 피부봉합을 함으로 수술은 끝나고, 술후 수직반흔은 6-8주가 지나면서 유방 아래로 서서히 내려오나, 유방하주름선 이하로는 내려오지 않는다(**그림 3**).

이상의 수술은 Lassus의 방법을 변형한 Lejour의 상진피판을 이용한 수직반흔축소술을 인용하였다.

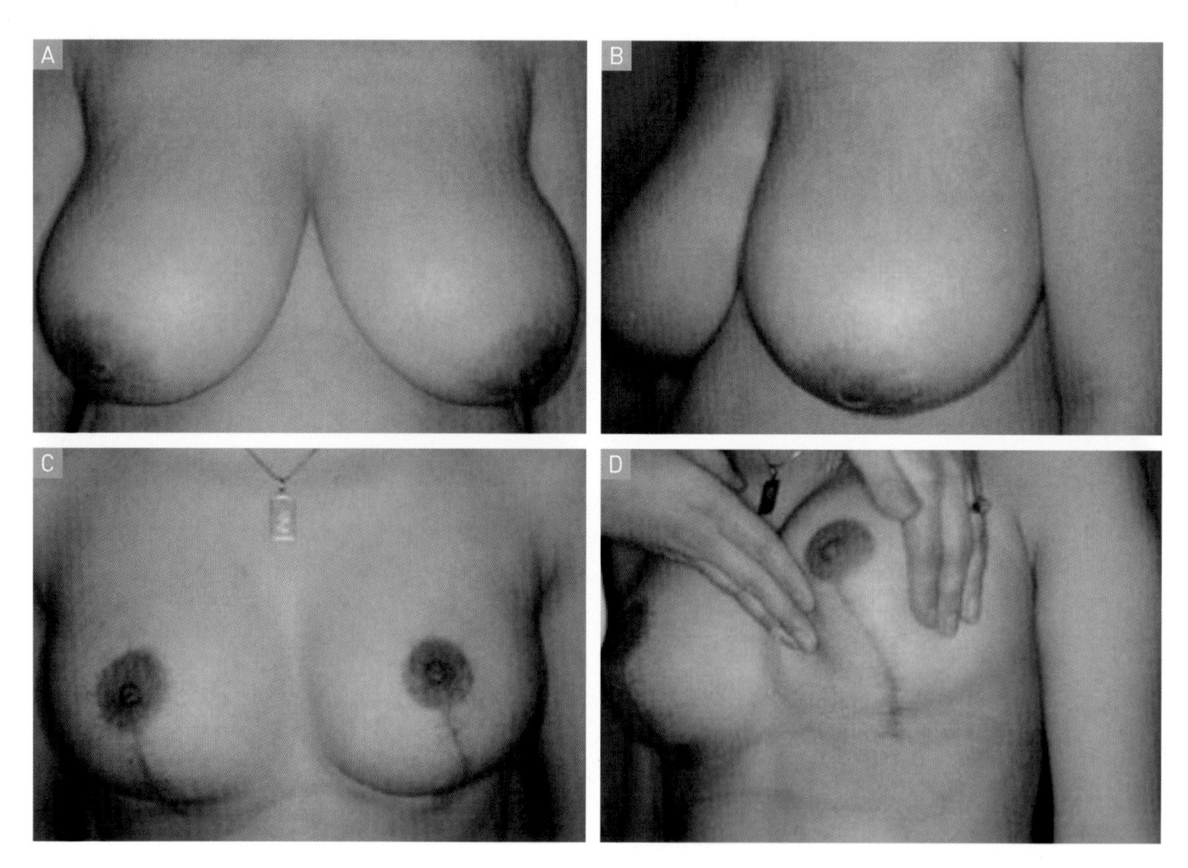

그림 3 A. Pre-operative view of the 30 years old female. B. Post-operative view of the breast with fine vertical scar.

4. 역T자 반흔축소술 (Inverted T-Scar Mammoplasty)

중등도 이상의 거대유방(moderate macromastia)과 유방하수가 비교적 심한 환자에서 적용하며, 수술 전에 새로 옮겨줄 유두유륜복합체 위치를 환자의 체형이나 신체조건을 고려하며 바로선 자세에서 도안한다. 새로운 유두의 위치 결정은 매우 중요한 사항으로 수직반흔축소술시와 거의 동일하다. 유방의 모양과 크기에 따라 내외측 피판의 폭을 정하되 외측피판은 약간 S자형(lasy-S)으로 하는 것이 술후에 보다 자연스러운 모양을 갖게 된다.

다음 원래의 유륜 둘레를 돌아서 하방으로 적당한 폭의 진피판을 유방하주름까지 도안하는데 상부보다 하부의 피판폭을 다소 넓게 하고 피판폭을 최소한 5 cm 이상은 되게 하여야 한다. 그리고 유륜하에서 유방하주름까지의 거리는 4.5-5.5 cm 정도로 하고, 이는 새로 형성된 유륜에서 유방하주름까지의 길이가 된다.

피판의 하부 가장자리에 작은 삼각형의 피부도안은 유방조직 제거 후 피부봉합 시 피부의 긴장을 줄이기 위하여 저자는 흔히 이용하나 반드시 필요한 것은 아니다. 이러한 도안을 용이하게 하기 위해 Wise의 keyhole pattern을 사용하는 것이 편리하다(**그림 4.**).

수술의 진행은 유륜부 상단 1 cm 정도에서 상피를 제거하고, 진피를 두면서 유륜부 주변의 진피를 포함하여 도안을 따라 하부피판부의 상피를 제거한 후 진

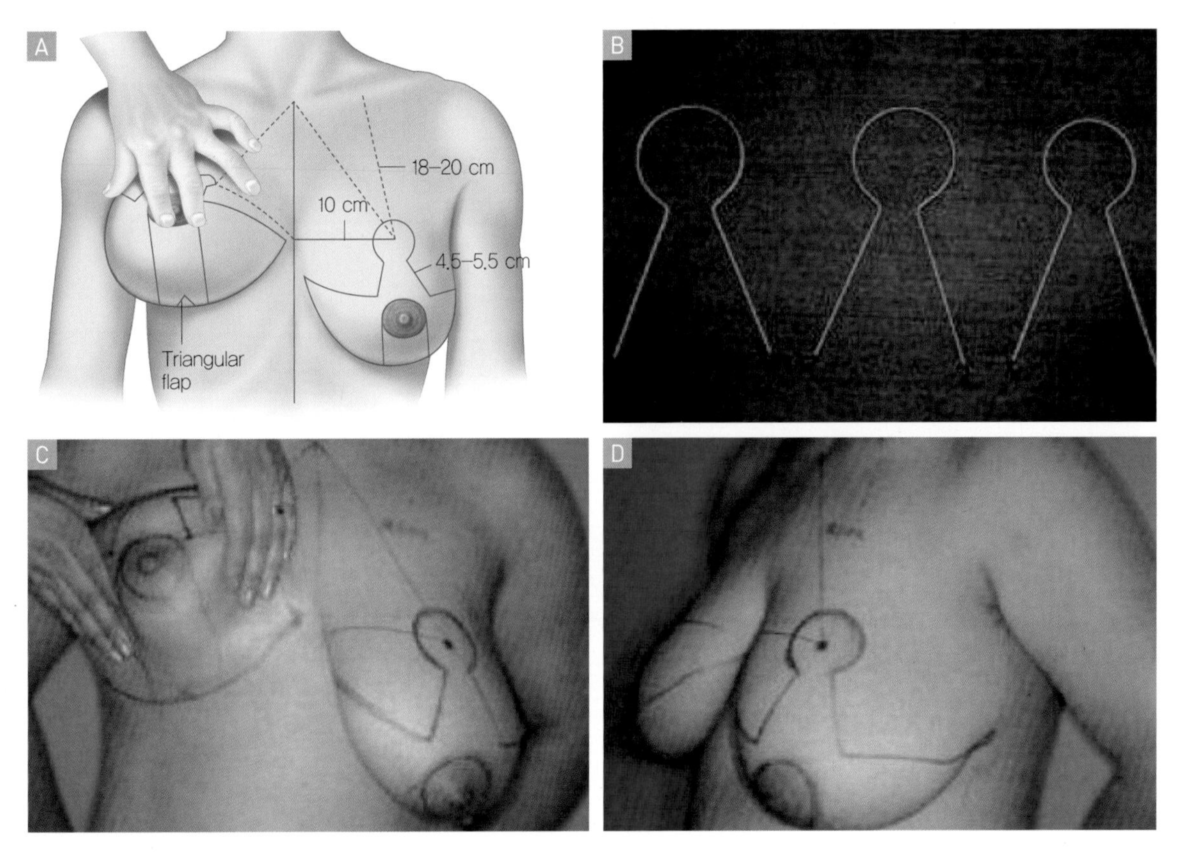

그림 4 A,B,D. Pre-operative design with Wise keyhole pattern of the inverted T-scar method. C. Small triangular design on the central area of inframammary fold.

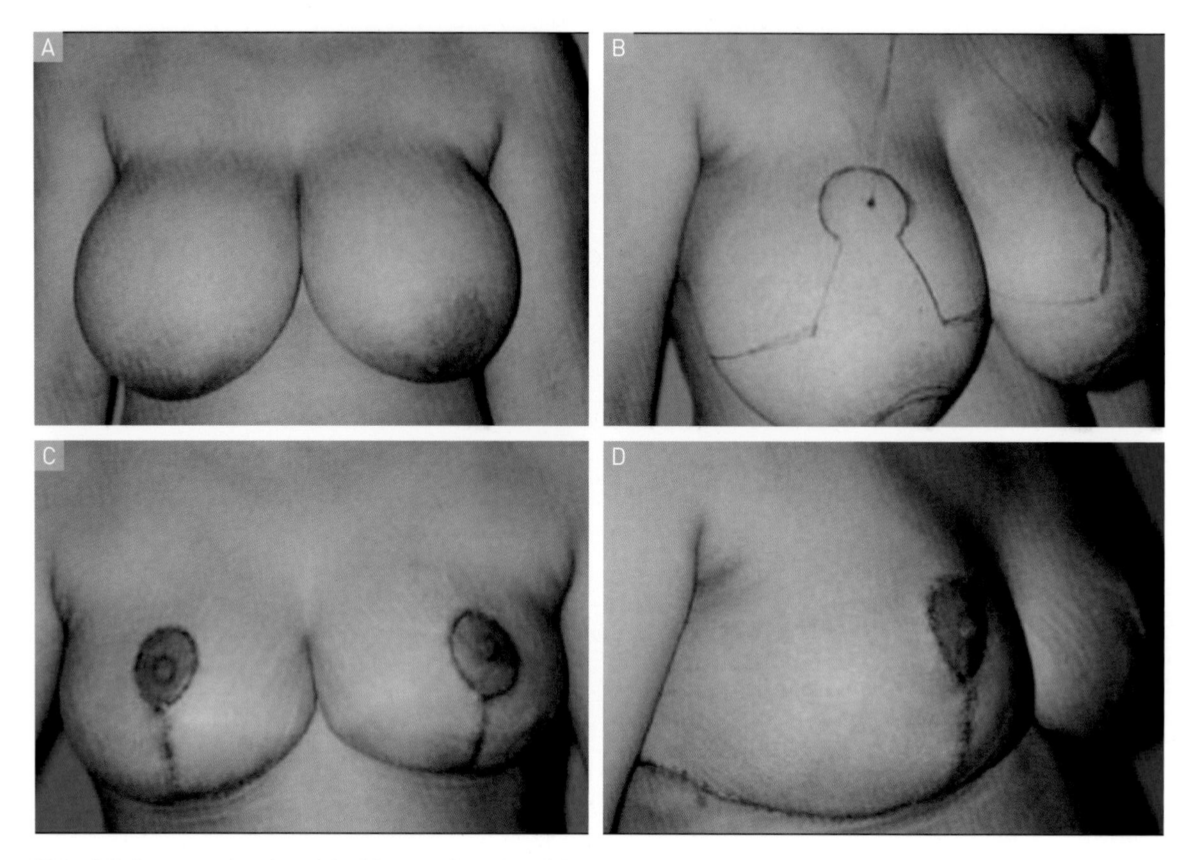

그림 5 A,B. Pre-operative view of the 33 years old patient. C,D. Post-operative view of the inverted T-scar method.

피판을 만든다. 이는 나중에 옮길 유륜부의 혈액공급을 좋게하기 위해서다. 그리고 피판의 기저부의 두께는 최소한 10 cm, 유륜부의 두께는 5 cm정도가 되게 하면서 피라미드형 피판을 만드는 것이 안전하다.

도안을 따라 절제할 조직은 대흉근 전근막에 이르도록 수직으로 절개한 후 유선조직을 제거한다. 이때 유선조직을 수직으로 제거해 주어야 피판으로 공급되는 혈관이나 신경조직이 잘 보존될 수 있다.

불필요한 유선조직을 절제하고 나면 유륜하부의 피판경이 쉽게 움직여져 유두와 유륜의 상방전위가 쉽게 된다. 절제를 마친 후 피판의 진피층과 새위치의 유륜부와 잠정봉합을 한 후 반대쪽 유방축소술을 시행한다. 반대쪽 유방절제가 끝나면 양측유방의 크기, 모양, 진피판의 두께를 비교하여 대칭이 되도록 추가절제를 시행한후, 형성된 피판을 상방으로 올리면서 유두 및 유륜이 정해진 위치에 가도록 봉합하고, 양측의 피부판도 전진시켜 봉합하고 수술을 마친다(**그림 5**).

이상은 Goldwyn의 inferior dermal pedicle을 이용한 단경진피판을 이용한 역T자 반흔축소법이고, McKissock의 vertical bipedicle mammoplasty(수직양경진피판법)도 유두유륜복합체에 충분한 혈류를 공급하며 역T자 반흔을 남기나, 술식이 복잡하고 시간이 많이 소요되는 단점이 있어 잘 사용되지는 않는다.

5. 유륜둘레 유방축소술
(Peri-areola Reduction Mammoplasty)

유륜둘레에만 절개 후 유륜주위에만 반흔을 남기는 방법으로 Benelli법이 대표적이다.

술후 환자의 불만 중 큰 비중을 차지하는 반흔이 넓거나, 길거나 비후된 반흔을 최소화 하기 위해 유륜주위 절개법이 고안 되었으며, 이 수술법으로 유륜주위에만 반흔을 남기고 중앙부의 유선조직을 많이 보존하여 유방의 전방돌출을 유지하고, 동시에 비 흡수성 봉합사로 흉벽에 유방실질조직을 현수(suspension)시켜 전방돌출을 조장하여 유방하수를 예방 할 수 있다.

수술전 도안은 선 자세에서 유방중심선(meridian)을 표시하고 유방하주름선의 연장선상에 새 유두의 위치를 잡은후 2-3 cm 상방에 상측 피부절개 경계선을 정한다. 하측 경계선은 유방하주름에서 5-6 cm 상방에 표시한 후 유방중심선을 중신으로 유방을 좌우로 돌리면서 절제될 과잉피부를 좌우측 경계선으로 삼는다.

수술 술기는 직경 4 cm로 잡은 유륜부의 외측부위에 부분층 피부제거를 시행하고, 상피가 제거된 부분의 중간지점을 따라 다시 원형의 표시를 한다. 메스로 대흉근막이 나올때까지 깊게 절개를 하고 피판의 기저

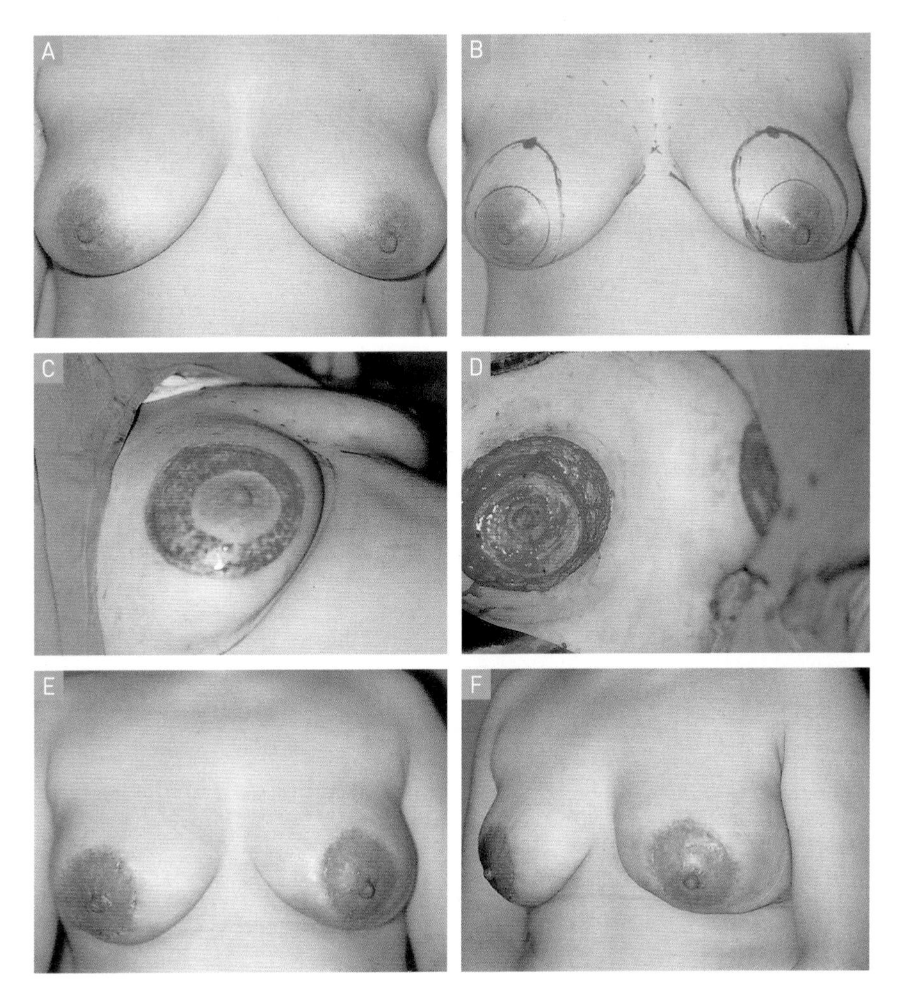

그림 6 A,B. Pre-operative view and design. C,D. Deepithelization on the outside of areola. E,F. Breast tissue resection around central pedicle. (Below) Post-operative frontal view and oblique view.

부는 가능한 넓게 유지하도록 한다. 그리고 술전에 도안한 바깥쪽 피부절개선을 따라 피하지방층까지 절개하고 피부박리를 실시한다. 피판의 두께는 최소한 2-3 cm가 되도록 유지하면서 내측으로는 흉골변연부까지, 외측으로는 전방액와선까지, 아래로는 유방하선까지, 위로는 쇄골아래가지 박리한다(**그림 6: middle**). 박리 후 유방실질이 노출되면 중심피판경의 두께는 기저부가 점차 넓어지도록 유의하면서 유방조직을 절제(round block)해 낸다. 이때 4시와 8시 방향에서는 제4 늑간의 신경이 손상되지 않도록 주의한다.

이후에 유방조직을 모아주기 위하여 유륜둘레에 남은 진피의 외측변연을 3-0 나이론으로 2시, 4시, 8시, 10시 방향에서 대흉근막에 고정시킨다. 피부봉합시 어느 한 부분이라도 피부에 긴장(tension)이 오면 수술후 그 부분이 편평해 지거나, 반흔이 넓어지므로 긴장이 없는 상태에서 continuous subcuticular purse-string suture로 봉합하여, 유륜둘레에만 반흔이 남게한다(**그림 6: below**). 만약에 유륜하부에 피부조직이 남아 과도한 견이(dog ear)가 생기면 이를 절제해 내고 봉합하므로 유륜하부에 짧은 직선의 반흔이 남을 수 있다.

중심피판경외에 변형된 방법으로, 도안은 유륜둘레법으로 하여 유륜주위에만 절개를 하고, 유방의 실

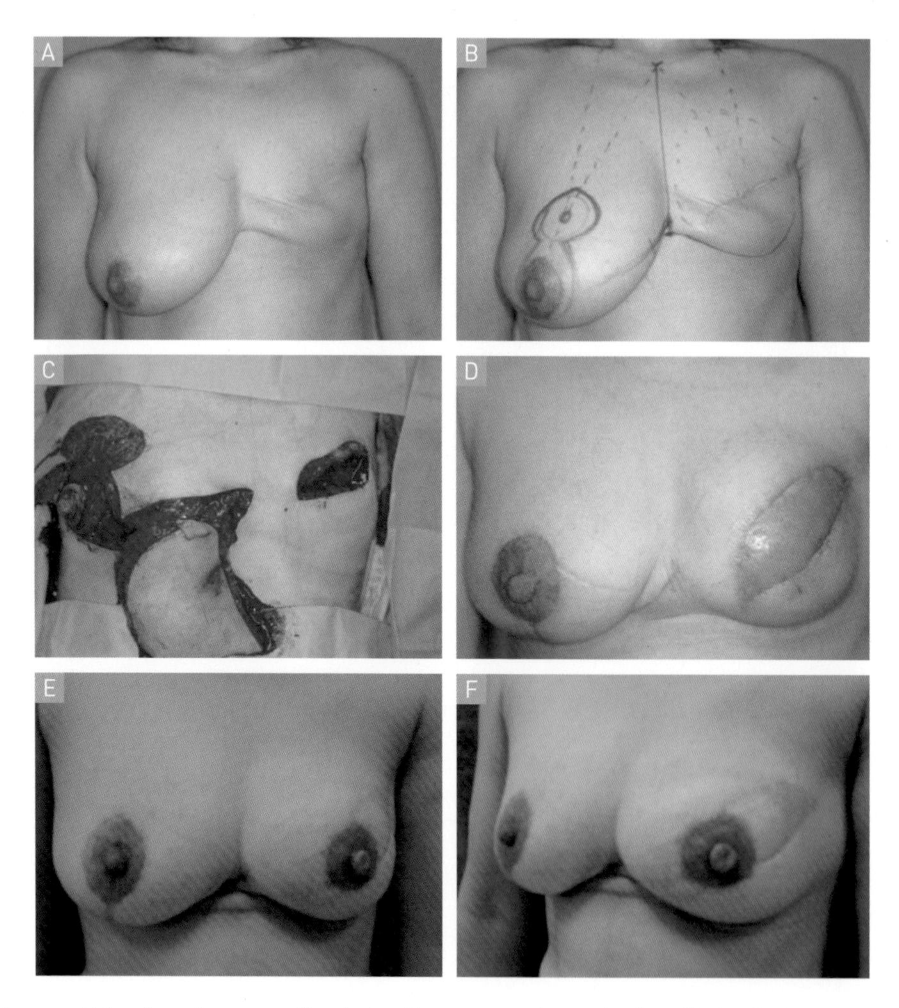

그림 7 A,B. 40 years old female and pre-operative design, 2 years ago, she received modified radical mastectomy because of left breast cancer. C. Intraoperative view of lower breast tissue transferred to the mastectomy site through the subcutaneous tunnel on the chest wall. D. Post-operative view after tissue transfer. E,F. Post-operative 4 months view after creating nipple-areola complex.

질제거는 하방진피판경이나 상방진피판경을 이용하여 수술할 수도 있다.

그리고 유방의 돌출을 보강하거나, 술후에 유방하수를 방지하기 위해 유방실질둘레를 감싸는 ADM (acellular dermal matrix, Alloderm®)이나 SERI® (surgical scaffold)등의 연조직 보강물질도 최근에 소개되는데 사용해 보는 것도 도움이 될 것이다.

이상의 수술후 반흔 모양에 따른 분류외에 초거대유방(giant macromastia)에서 유방을 아전(subtotal)절단후 남아있는 유방조직을 다듬어 젖무덤을 만든 후에, 유두유륜의 유리이식을 병행하는 유두유륜 유리이식술(free nipple-areola graft technique 혹은 Thorek technique)이 과거에 사용되었으나, 유두의 감각소실, 유선의 폐쇄로 수유불능, 유두유륜의 일부 내지 전부의 괴사 등으로 지금은 거의 사용되지 않는다.

특수한 경우로, 유방암 수술 후 한쪽의 유방이 심한 불균형을 이루거나, 혹은 거대유방을 갖고 있는 환자에서 한쪽 유방제거 후 즉시 재건술을 시행하고자 할 때, 반대쪽 거대유방은 상진판을 이용한 유방축소술을 동시에 시행하고 축소술 후에 하부에 남는 조직을 medial 4th&5th intercostal perforator artery flap으로 결손부 유방으로 옮겨 유방재건을 할수 도 있다**(그림 7)**.

현재의 유방성형수술은 유방증대, 유방축소, 유방재건을 일정하게 구분하기 보다 증대, 축소, 재건이 동시에 이루어 질 경우도 있다.

6. 결론

일반적으로 유방축소술은 거대유방으로 인한 환자의 신체적 고통과 미용적 요구가 동시에 해소되므로 수술의 만족도가 높은 것으로 되어 있다. 유방축소술을 받은 어느 중년부인은 '수술 후 날라갈 듯한 가벼운 몸가짐을 갖는다'라고 이야기 하는것은 수술의 결과가 환자의 정신적 측면에도 많은 영향을 준다는 실례인 경우다.

젊었을 때는 거대유방을 가졌으나 그럭저럭 지나다가 중년기에 출산과 수유로 유방의 처짐과 동시에 심한 어깨통증과 허리통증이 있으며, 하절기에는 간찰진(intertrigo)이 생겨 일상생활에 불편감을 호소하는 환자는 유방축소술의 매우 좋은 적용이 된다. 이러한 환자는 상당기간동안 현실적인 불편함을 겪었기 때문에 유방이 아주적거나 거의 없게 수술해 달라고 흔히 요구하므로 술자는 수술 후 생기는 반흔에 큰 구애를 받지 않고, 소신껏 수술을 할 수 있다.

반면 사춘기를 갓 지난 학생이나, 미혼 혹은 젊은 여성 환자는 중년부인과 비슷한 증상과 운동장애의 불편감을 호소하나, 술자는 수술 후의 유방모양이나 남는 반흔, 유두유륜부의 감각, 출산 후 수유 등의 문제에 대해 각별히 고려하여 수술방법을 결정하여야 한다. 특히 학생인 경우 대개 학생의 어머니나 가까운 친척과 같이 내원하여 진찰을 받는데 수술 후를 위해 보호자의 의견과 동시에 환자 본인의 의견도 충분히 고려하여야 한다.

유방축소술에 있어 보다 좋은 결과와 최소의 반흔을 갖는 절대적인 기준은 없으나, 저자는

술식의 선택에 있어 다음과 같은 몇 가지 결론을 얻었다.

첫째, 수직 반흔법은 나이가 젊거나, 중년에서 중등도(moderate) 이내의 거대유방에서 하수가 심하지 않는 환자에서 적당하며, 역T자 반흔법은 중년 내지 노년에서 심한 거대유방 혹은 초거대유방에 하수가 중등도 이상의 심한 환자에서 적당하다. 유륜둘레 축소술은 피부의 성상이나 탄력이 비교적 좋은 경등도 내지 중등도의 젊거나 중년이내의 환자에서 적당하다.

둘째, 술기에서 피판의 방향은 모든 수술방법에서

상하좌우 및 중심피판의 어느 방향이나 가능하고 또한 변형도 가능하나, 유두유륜부의 혈류 및 신경주행을 고려하여야 한다. 수직반흔법에서는 상진피판이, 역T자반흔법에서는 하진피판이 보다 안전하게 피판이동이 가능하다.

셋째, 최소의 반흔을 남기기 위해 요즘은 역T자 반흔법보다 수직반흔법이나 유륜둘레 반흔법을 선호하는 경향이 있으나, 현재까지 유방축소술에 있어서 이상적인 방법이 없기 때문에, 술자의 수술경험과 본인의 숙달되고 안전한 방법을 사용하고, 앞으로보다 발전된 수술법을 위해 계속 연구해야 할 것이다.

참·고·문·헌

1. Benelli L. A new periareola mammaplasty: The "round block" technique. Aesth. Plast. Surg.1990;14:93
2. Courtiss EH, Goldwyn RM. Reduction mammaplasty by the inferior pedicle technique. an alternative to free nipple and areola grafting for severe macromastia or extreme ptosis. Plast. Reconst. Surg.1997;59:500
3. Hamdi M, Hammond DC, Nahai F. Vertical scar mammaplasty. Springer-Verlag Berlin Heidelberg, Springer. 2005, p144
4. Hamdi M, Mohamed ZR. Advances in autologus breast reconstruction with pedicled perforator flaps. Clin. Plast. Surg.2012;39(4):477
5. Lassus C. New refinement in vertical mammaplasty. Chir. Plast.1981;6:81
6. Lejour M. Vertical mammaplasty and liposuction of the breast. Plast. Reconst Surg.1994;94:373
7. Mckissock PK. Reduction mammaplasty with vertical dermal flap. Plast. Reconst. Surg.1972;49:245
8. Olubimpe AA, Ahmed MS lbrahim et al. Acellular dermal matrices in breast surgery: The tips and pearls. Clin. Plast. Surg.2012;39(2):177
9. Zeynep KA, Haldum OK et al. Long term change in nipple-areolar complex position and inferior pole length in superomedial pedicle inverted T-scar reduction mammaplasty. Aesth. Plast. Surg.2015;39;325
10. 설정현. 유방성형외과학. 서울:군자출판사, 2005

Reduction Mammoplasty & Mastopexy »

유륜주위 유방축소술

Periareolar reduction mammaplasty

| 한상훈 |

Periareolar reduction mammaplasty 는 유륜주위의 절개를 통하여 이루어지며 Benelli가 1990년 "round block technique"을 소개한 후 널리 알려졌다.

이 방법의 주된 목적은 유방축소술 후에 생기는 반흔을 최소화 하려는 것이다. 유륜주위로 도넛(원이나 타원) 모양의 피부절제를 하여 쌈지 봉합(purse-string suture)을 함으로써 술 후 상처를 유륜주위로 국한시키는 장점이 있다. 원뿔형태(conical shape)를 유지하기 위해서 medial, lateral breast flap을 교차 시켰으며 연부조직들 간의 고정을 통하여 단단한 round block을 형성해 준다. Benelli는 유방조직의 superior pedicle을 사용하였으며 이후 central pedicle, inferior pedicle 등을 이용한 방법이 발표되었다.

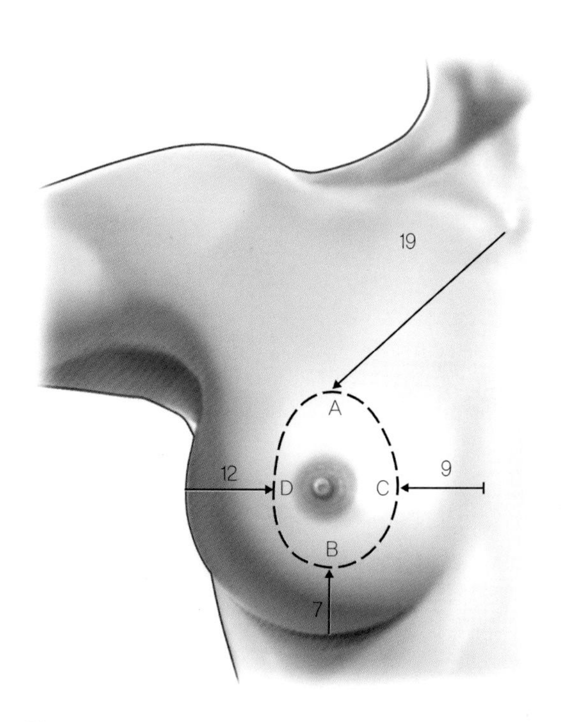

그림 1 Four cardinal points are marked to maintain enough skin for the external lining of the future breast and to determine a circle around the areola that defines the flap for the internal lining (Goes, 2002).

Periareolar reduction mammoplasty는 절개선의 형태를 지칭하는 것이므로 특별한 수술법을 말하는 것은 아니다. 이 절개선은 유방종양이 있을 때 위치에 관계없이 접근이 쉬워 절제가 가능하고, 확대술을 동시에 시행할 때도 유방보형물 삽입이 용이한 장점이 있다.

좋은 적응증으로는 비교적 젊은 여성의 경우, 주로 유방조직의 비대증, 피부 탄력이 유지된 경우이며 반대로 지방조직이 많거나 유방하수가 심한 것은 좋지 않다. tubular breast의 수술에도 유용한 방법이 된다.

쌈지봉합 후 피부주름이 생기므로 유륜주위 피부절제를 너무 많이 하는 것은 좋지 않으며 **(그림 1)** 처음 생긴 주름은 약 3개월 후에 많이 줄어들게 된다.

유륜주위 절개법을 이용한 축소술의 단점을 요약

하면, 첫째 많은 양의 유방 조직을 절제할 수가 없으며 둘째, 유륜 주위의 피부를 절제함으로써 모양이 납작해지기 쉽고 셋째, 유륜 주위 수술 반흔이 눈에 많이 띄거나 비후성 반흔이 되기 쉽다는 것이다.

중등도 이하의 비대증(절제량 300-500 g)이나 유두의 이동이 크지 않은 경우에 (약 7 cm이하) 적응증을 잘 선택하면 매우 훌륭한 방법이 된다. 술 후에 유방 형태가 납작해지는 것을 막고 원뿔형태를 유지하기 위해 유방조직을 mesh로 감싸는 방법도 있다.

참·고·문·헌

1. Benelli L. A new periareolar mammaplasty: The "round block" technique. Aesthetic Plast Surg 14:93-100, 1990.
2. Felicio Y. Periareolar reduction mammaplasty. Plast Reconstr Surg 88:789-98, 1991.
3. Goes JCS. Periarolar mammaplasty: double-skin technique with application of mesh support. Cli Plast Surg. 29:349-364, 2002.
4. Lee TJ: Periareolar reduction mammaplasty utilizing the inferior dermal pedicle. Aesthe Plast Surg 23:331, 1999.

Chapter 18

Reduction Mammoplasty & Mastopexy »

상내측 피판을 이용한 수직절개 가슴축소수술

Vertical breast reduction with superomedial peidcle

| 이안나, 김재우 |

수직절개 가슴축소수술은 1990년대 이후 널리 알려져서 많은 성형외과 의사들이 꾸준히 사용해오고 있는 수술이다. 이때 피판경의 선택도 다양하게 발달되어왔다. 상측 피판, 하측 피판, 내측 피판, 외측피판, 상내측 피판등이 다양하게 사용되어진다. 수직절개 가슴축소수술은 기존의 오자형 절개 가슴축소수술에 비하여 상대적으로 술기를 익히기 어렵고, 많은 경우 수련과정에서 접할 기회가 많지 않아 아직까지는 오자형 절개 가슴축소수술보다 많이 사용되지는 않다.

하지만 상내측 피판경을 이용함으로써 수직절개 가슴축소수술은 많은 장점을 이끌어낼수 있는데, 가슴 밑선을 가로지르는 흉터를 만들지 않는다는 점과 수술 후 가성유방하수(pseudoptosis)나 퍼져보이는 가슴모양(boxy shape) 등의 문제가 생길 가능성을 낮출 수 있다. 예를 들면, 상측 피판(superior pedicle)을 이용할때 피판이 긴경우 피판이 과도하게 접혀지는 문제가 있을수 있고, 외측 피판(lateral pedicle)을 이용시 가슴의 외측부분의 많은 양의 가슴조직을 줄일수 없는 문제가 있을수 있다. 이에 비해 상내측 피판(superomedial pedicle)을 이용한 가슴축소 수술은 비교적 많은 양의 가슴조직을 제거할수 있으면서도 유두유륜 피판이 과도하게 접혀지지 않게 함으로써 유두유륜의 혈류를 보존할수 있다.

1. 상내측 피판의 해부학적 배경

상내측 피판의 혈액 공급은 내유동맥(internal mammary artery)와 가슴봉우리동맥(thoracoacromial artery)이 담당한다. 중요한 것은 이들로부터 분지되는 동맥은 혈관경내에서 깊이 주행하기보다는 피부에 가깝게 주행하기 때문에 혈관경이 어느정도까지 얇아지더라도 혈액공급에 큰 지장을 주지 않는다는 것이다.

상내측 피판의 정맥혈류는 제2, 제3 늑간 레벨의 내측 정맥(medial vein)이 담당하는데, 이 또한 피부 아래쪽에 위치하기 때문에 상대적으로 안전하게 보존될 수 있다.

마지막으로 상내측 피판으로 진행하는 신경은 2번-5번 늑골신경인데 이들의 대부분은 피판에서 깊이 주행하다가 유륜 근처에서는 피부가까이 주행하면서 유륜에 이르게 되므로 피판이 매우 긴 경우나 피판 밑 조직을 과도하게 제거한 경우가 아니라면 대부분 안전하게 보존될 수 있다.

2. 수술 적응증과 금기

상내측 피판을 이용한 수직절개 가슴축소수술은 대부분의 사이즈의 유방에 적용할 수 있다. 보통 한쪽 유방에서 300~1000 g정도 제거하게 되는데 저자는 최대 1900 g까지 제거한 경험이 있다. 중요한 점은 얼마나 많은 양의 조직을 제거할 수 있느냐보다는 남겨지는 유선조직의 양을 결정하고 환자의 피부의 질감을 고려하여 유선(parenchymal molding)과 피부를 재배치(skin redrapping)하는 것이다.

이 방법의 술식은 비교적 안전하게 유선조직을 충분히 제거할수 있다. 왜냐하면 상측이나 내측피판경에 비해 피판경의 폭을 150% 정도 넓힐수 있으므로 이에 따라 혈관공급을 더 안전하게 받을 수 있어 피판의 길이가 길어지더라도 유륜으로 가는 혈행을 높일수 있다. 실제로 피판의 길이가 매우 긴 경우 유두유륜의 혈액공급은 원활치 못할 가능성이 커진다. 특히 피판경의 두께가 2 cm이하인 경우 그 위험성은 더 커지게 된다. 하지만 반대로 피판이 두껍게 되는 경우 피판의 혈관을 최대한 보존하기에는 좋지만, 유선절제량이 충분치 못할 수 있고, 수술 후에도 가성유방하수 등의 미용상 문제가 발생할 수 있다.

3. 수술전 디자인

1) 새로운 유두 위치 결정

(1) 가슴 밑선위치 표시
(2) 유방의 정중선(meridian line) 표시
(3) 새로운 유두 위치 정하기

새로운 유두 위치를 정할 때 반드시 고려해야할 점은 낮은 유두 위치를 조금 높게 교정하는것이 너무 높게 위치한 유두를 낮추는 것보다 훨씬 쉽다는 점이다.

상대적으로 큰 가슴인 경우는 새로운 유두 위치를 좀더 낮게 설정해야 한다. 많은 유선이 제거된후 가벼워진 피부가 상방으로 딸려올라가는 현상(retraction)이 생기기 때문이다.

이상적인 유두 위치를 정하는 방법에 있어서 단 한가지 방법만 고려해서는 안된다. 특히 가슴밑선은 높게 위치한 사람도 있고, 낮게 위치한 사람도 있다. 또한 수술후 가슴 밑선의 위치가 변할수도 있기 때문이다.

또한 유방의 크기가 확연한 비대칭일 경우 크기가 큰 유방쪽의 새로운 유두 위치를 반대쪽에 비해 조금 낮게 위치시켜야한다. 왜냐하면 유방의 크기로 인해 유방의 피부와 조직들이 늘어나있는 상태이기 때문이다. 그리고 "타원 효과(ellipse effect)"로 인해 유두의 위치가 높아질수 있기 때문이다. 여기서 타원효과란 타원형으로 남겨진 유방조직과 피부가 수직으로 봉합이 되면서 유두위치를 상방으로(cephalic) 밀어올리는 효과를 말한다.

2) 피부 절제 디자인

(1) 새로운 유방의 안쪽과 바깥쪽 경계선 표시(medial & lateral border of new breast)

좌우측의 복직근(rectus abdominis muscle)의 외연(lateral border)을 미리 표시한 후 유방을 안쪽으로 밀어 복직근 외연과 맞춰 유방의 바깥쪽 경계선으로 정하여 표시하고, 반대로 유방을 바깥쪽으로 밀면서 복직근 외연과 맞춰 유방의 안쪽 경계선으로 정하여 표시한다. 이렇게 표시한 안쪽과 바깥쪽 경계선을 양손으로 모아 보았을 때(pinching) 피부의 당김이 적절한지를 확인한다. 진피층이 두꺼운 환자는 얇은 사람에 비해 절제후 피부의 당겨짐(retraction) 정도가 심하므로 피부를 넉넉하게 남기는 것이 안전하다.

(2) 새로운 유륜을 위한 디자인

새로운 유륜의 피부절개 디자인은 수술전에 확정해 놓을 수도 있고, 수술 중 조직 절제 상황에 따라(tailor tacking) 결정할 수도 있다. 저자는 수술전에 디자인을 확정하는 방법을 선호하는데 이때 새로운 유륜을 위한 디자인시 둘레의 길이를 신경써야한다. 한국인의 경우 유륜의 직경이 3.5-4 cm정도에 맞춰지도록 하기 위해 유륜 둘레선을 계산하여야 한다. 예를들면 새로운 유륜을 위한 둘레길이가 약 16 cm일때는 5 cm 직경의 유륜이 나오고(5x3.14), 둘레길이가 약 13 cm일때는 4 cm 직경의 유륜(4x3.14=12.56 cm)이 나온다. 일반적으로 16 cm을 넘지 않는 것이 안전하고, 봉합 긴장도를 조정함으로써 유륜의 크기를 맞출 수 있다.

(3) 수직절개부위 디자인

앞서 표시한 안쪽과 바깥쪽의 정중선이 가슴밑선 위쪽에서 자연스럽게 만나도록 디자인한다. 이때 두 선이 만나는 지점은 일반적으로 가슴밑선보다 2-3 cm 정도 위에 위치하도록 하며, 가슴이 큰 경우에는 가슴밑선이 하방이동 되어있으므로 가슴밑선을 높여주는 것이 필요하기 때문이다.

두개의 정중선이 만나는 모양도 V모양이 되도록 하는 것이 U모양보다 안전하다. V모양으로 만나도록 디자인하게 되면 수직절개부분의 아랫부분에 생기게 되는 주름을 줄여줄수 있지만 피부가 많이 남겨질수 있다. 반대로 U모양으로 디자인하게 되면 반대로 피부를 조금 더 많이 절제할수 있지만 과도한 긴장도로 인해 창상치유가 저해될 수 있다.

3) 피판경의 디자인(상내측 피판)

상내측 피판경을 디자인할때는 피판의 폭을 확보하는 것이 중요하다. 이렇게 하면 충분한 혈행과 신경을 보존할 수 있어 피판경이 얇아지더라도 비교적 안전하여 원하는 가슴모양을 만드는데 도움이 된다. 또한 이렇게 하면 상외측부(upper lateral quadrant) 유선실질을 더 많이 효과적으로 제거할 수 있고, 유륜을 새로운 위치에 고정할때 상방이동이 잘 되게 된다. 그러므로 원하는 충분한 양의 유선을 없애면서 동시에 상부 충만도(upper fullness)를 높일 수 있다.

4. 수술 과정 (그림 1)

1) 타투와 투메센트 용액 주입

유륜의 6시 12시방향을 비롯해 유륜 디자인과 수직절개 디자인에 필요한 곳에 타투를 한다. 그리고 난뒤 수술중 박리할 부분에 투메센트 용액을 주입하게 되는데 일반적으로 한쪽 유방에 200-300 cc가량 주입한다. 이때 양쪽에 같은 양을 주사해야 수술후 크기가 대칭이 되도록 하는데 어려움이 없다.

2) 피부 절개(incision)와 피판부위 탈상피화 (deepithelization)

수술용 장갑이나 고무밴드를 이용하여 유방을 고정한뒤 디자인을 따라 절개를 한다. 이때 기존 유륜부분은 미리 만들어놓은 마커를 이용해서 절개부위를 표시할 수도 있고, 유륜이 작은 경우라면 직접 유륜을 따라 디자인한뒤 절개할수 있다.

이어서 피판부위에 해당하는 곳을 탈상피화한다.

3) 가슴밑선 부위 박리(new IMF)

양측 정중선이 만나는 곳을 중심으로 하여 기존 가슴밑선 부분까지 방사형 모양으로 진피아래 레벨(subdermal plane)으로 박리를 하여 피부수축(retraction)을 도모한다.

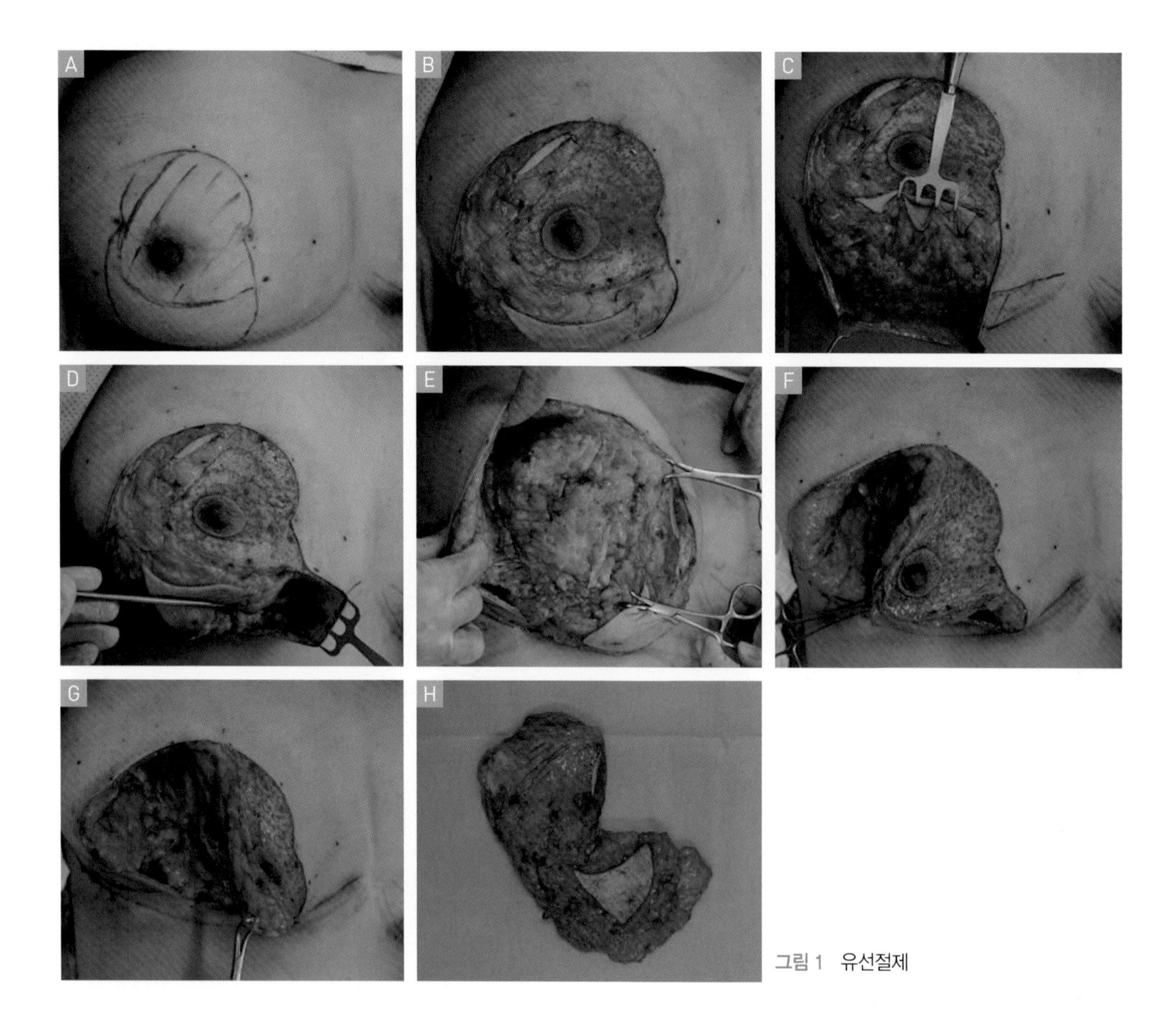

그림 1 유선절제

4) 안쪽 유방 부위 만들기(medial pilar)

안쪽 수직절개 디자인중 위쪽부분을 따라 박리하는데 이때는 흉곽에 수직인 방향으로 진행해야 적절한 양의 볼륨을 남길수 있다. 이때 새로운 유방의 밑선부위가 될 부분은 사선방향으로 박리함으로써 자연스러운 모양이 되도록 한다.

5) 바깥쪽 유방 부위 만들기(lateral pilar)

바깥쪽 수직절개 디자인을 따라 박리하게 되는데 이때 남겨지는 바깥쪽 유방조직의 두께가 중요하다. 남겨지는 유방조직의 양은 수술보조자가 유방조직을 당기는 세기와 방향에 따라 달라지게 되며, 수술자의 박리 방향에 따라서도 달라지게 되므로 주의를 기울여 박리하도록 한다. 수술에 익숙하지 않은 경우 유방조직을 조금 많이 남긴다는 생각으로 박리를 한뒤 나중에 조금씩 더 제거하는 것이 더 안전한 수술이 될 수 있

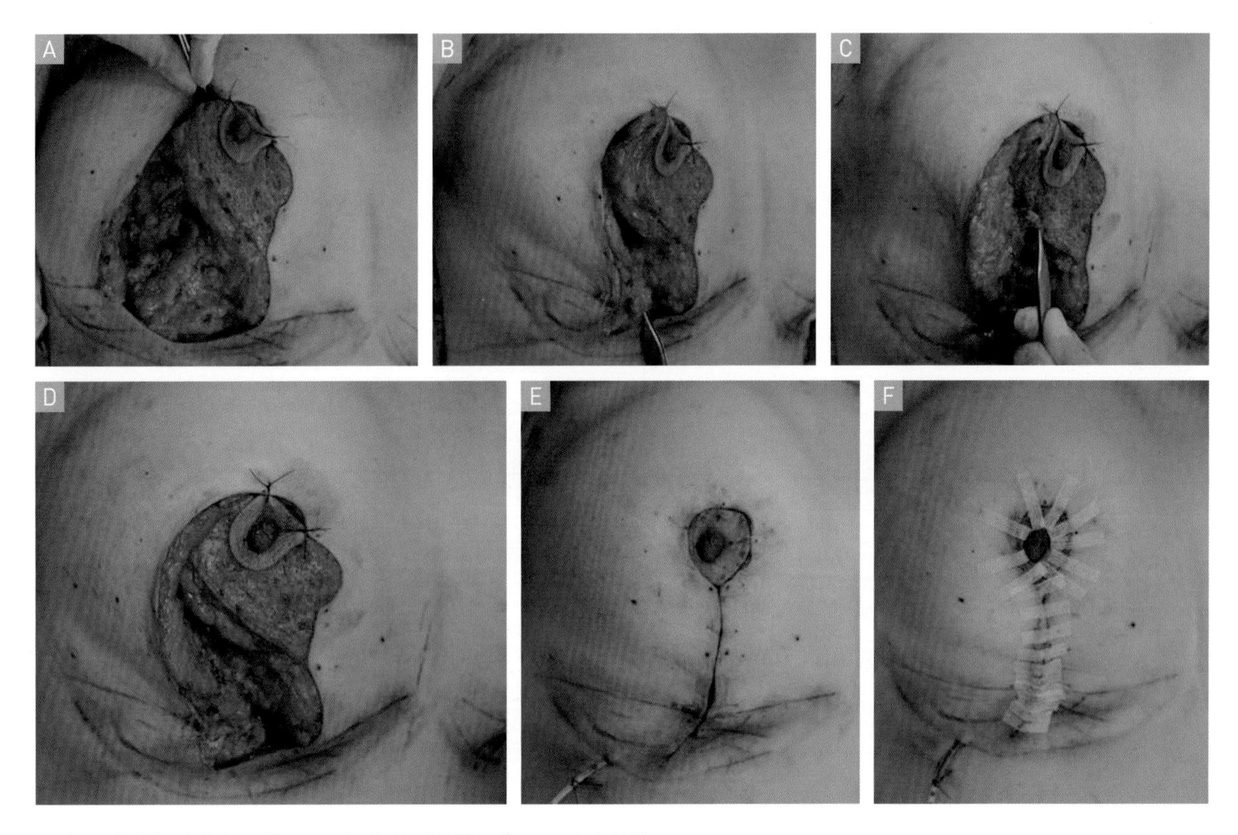

그림 2 상내측 피판의 고정(insetting), 유선모양 만들기(molding)와 봉합

다. 바깥쪽 유방의 박리가 끝난뒤 남겨지는 유방조직의 두께는 약 3 cm정도가 적당하며 필요한 경우 조금 더 많이 남길수 있다.

6) 상내측 피판 만들기

상내측 피판은 조직의 전층이 포함되도록(full-thickness)하는 것이 일반적이지만 유방의 크기가 큰 경우에는 그 두께를 조절할 수 있다. 피판을 만들 때 역시 수술보조자가 피판을 당겨주는 방향과 힘에 따라 그 두께가 달라질수 있고, 수술자의 박리 방향에 따라서도 두께가 달라지게 된다.

7) 유방 조직의 절제

앞에서 박리해 놓은 유방조직을 흉곽에서 절제할 때는 대흉근 근막이 노출되지 않도록 주의해야 한다. 대흉근 근막이 노출되게 되면 신경손상의 위험이 높아지게 되며, 예상치 못한 출혈이 생길수도 있기 때문이다. 특히 새로 생길 가슴밑선과 기존 가슴밑선 사이의 유방조직을 너무 많이 제거하게 되면 수술 후 함몰이 눈에 띨 수 있다.

유방조직을 절제한 모양은 오자형 절개와 비슷한 와이즈 패턴(wise pattern) 모양이 된다. 하지만 이때 피부 절제는 처음 디자인처럼 눈사람 모양이 되어 수직절개의 모양이 된다.

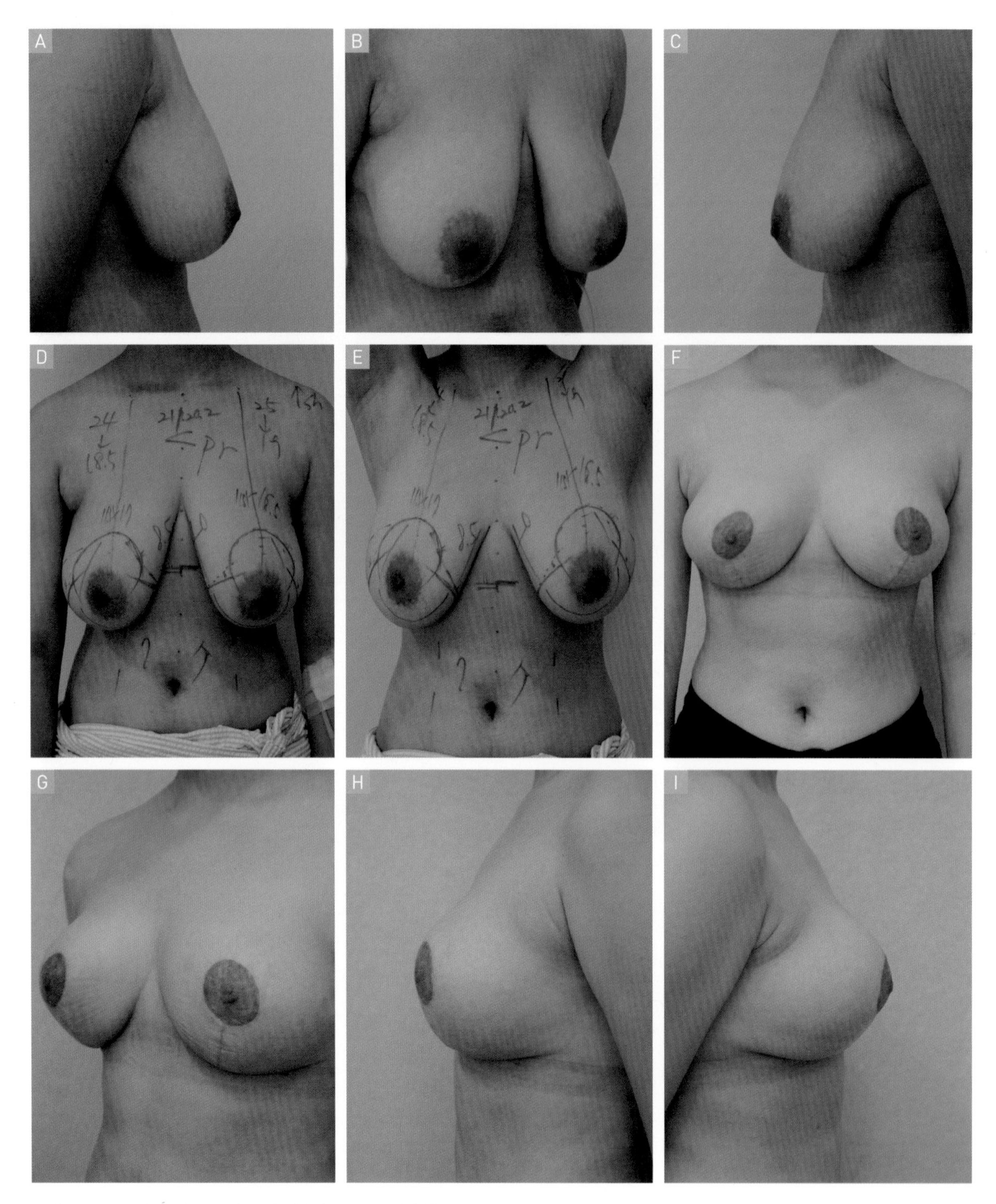

그림 3 A,B,C. 수술전. D,E. 수술전 디자인. F,G,H,I. 수술후

5. 상내측 피판의 고정(insetting), 유선모양 만들기(molding)와 봉합 (그림 2)

상내측 피판을 고정하기 위해 가장 먼저 피판의 유륜을 새로운 유륜위치에 가봉합(tacking suture)한다.

1) 상내측 피판의 고정(insetting)과 유방조직의 봉합

이때 일반적으로 유륜을 상외측으로 90°회전(superolateral rotation advancement)시키게 되는데, 유방이 그리 크지 않거나 피판이 짧을 경우에는 30~45°정도만 회전시킬수도 있다.

유륜이 가봉합된 상태에서 3-0 Prolene을 이용하여 피판을 대흉근막 또는 남겨진 유선조직연(margin)에 고정하게 된다. 먼저 유륜 아래부위의 피판을 가장 높은 곳의 대흉근 근막에 봉합한다. 이는 유방 상부 볼륨감을 좋아지게 한다(upper pole fullness).

2) 바깥쪽 유방조직(lateral pilar)의 내측 전진 고정(medial advancement fixation)

바깥쪽 유방조직의 가장 아래부위 조직을 유방 안쪽의 대흉근 근막에 봉합한다(3-0 Prolene). 이는 유방의 폭을 줄여주는 역할을 한다(breast width narrowing).

3) 상내측 피판의 하연(lower border)을 바깥쪽 유방 조직(lateral pilar)의 유선실질조직(breast parenchyme)에 봉합한다.

이 봉합으로 유방의 돌출도(projection)가 좋아지며, 사강(dead space)을 줄여주게 된다. 위 세가지 봉합으로 유방 모양이 어느정도 잡히게 되면 안쪽 유방조직과 바깥쪽 유방조직, 상내측 피판과 바깥쪽 유방조직을 상황에 따라 추가로 고정시켜준다(3-0 PDS).

4) 피부 봉합

① 유륜의 피부 봉합은 8군데 함몰 단속 봉합(buried interrupted suture)한 뒤 표피밑 연속 봉합(subcuticular continuous suture)한다(3-0 PDS 또는 3-0 Nylon).

② 수직절개창 5-6 군데 진피 단속 봉합(subcutaneous interrupted suture) 후 표피밑 연속 봉합(subcuticular continuous suture)한다(3-0 PDS 또는 3-0 Nylon). 이때 수직절개창의 길이가 너무 긴 경우에는 쌈지 봉합(purse-string suture)을 추가하여 길이를 단축시킬 수 있다.

6. 수술 중, 수술 후 관리

- 배액관

모든 환자에서 배액관을 사용한다. 배액관의 목적은 혈종 예방보다는 장액종 배액이 목적이며,사강을 줄여 창상치유를 돕고, 유방의 모양 개선에 도움이 되도록 한다. 배액관은 보통 2일 정도 유지한뒤 제거한다.

- 항생제

상대적으로 긴 수술시간(두시간 이상)과 유선관내 세균노출 창상이므로, 수술전후 항생제 투여는 필수적이다. 수술 시작과 동시에 정맥 항생제를 투여하며, 수술후 2일째까지 유지한다. 경구 항생제는 술후 5일째까지 예방목적으로 복용시킨다.

- 테이핑

수술직후 유방 조직을 밀착 고정시키기위해 테이핑이 필요하다. 테이핑을 통해 유방조직이 새로운 유방모양에 맞춰 고정되는 것을 도와주어 사강을 줄일수 있고, 특히 새로운 가슴밑선 형성(new IMF)을 위해 피부가 흉벽과 잘 유착되도록 도와준다. 테이핑은 종이 테이프(3M micropore)나 탄성이 있는 테이프(Elatex)

를 이용할 수 있고, 상황에 맞춰 적절히 사용하면 된다. 테이핑은 보통 3-4일 정도 유지후 제거한다.

• 일상생활 회복

수술 후 48-72시간 정도 안정을 취하도록 하고, 일주일정도까지 제한된 일상생활을 권장한다. 걷기 운동은 10일경부터, 일반적인 하체 운동은 2-3주부터, 상대적으로 격렬하게 상체운동인 테니스, 수영, 골프 같은 운동은 4주 후에 시작하는 것을 권장한다.

7. 합병증

1) 상처치유지연

봉합된 상처부위에 상처치유가 지연되는 문제는 가장 흔히 발생하는 합병증이다. 특히 잘 발생하는 부위는 유륜과 수직절개상처가 만나는 부위(T point)와 수직절개의 최하단부(IMF)이다. 이는 봉합부위의 과도한 긴장, 봉합사 매듭의 과도한 조임으로 인한 조직혈류 악화등에 의해 발생하며, 혈종이나 장액종이 있는 경우에도 생길수 있다. 이를 예방하기 위해서는 유선조직과 근막(muscle fascia & Scarpa's fascia)을 적절한 위치에 고정함으로써 피부에 걸리는 긴장을 줄일수 있다. 봉합시 피부에 과도한 조임이나 당김이 생기지 않도록 주의해야 한다.

2) 혈종

혈종을 배액관으로 예방할 수 없기 때문에 수술중 지혈에 주의를 기울여야 한다. 특히 수술전 투메센트 용액으로 인해 혈관 수축이 일어나 수술중에 출혈이 가려질수 있으므로 수술이 마무리 될때까지 지혈은 지속되어야 한다. 유선의 성상이 지방형보다는 유선실질형인 경우 더욱 주의를 기울여야한다. 수술이 잘 되었더라도 수술 후 운동제한에 주의를 기울이지 않으면 후출혈이 발생할수 있다. 많은 양의 혈종은 수술적으로 배액해주어야하며, 대개는 1주일정도 액화되기를 기다려 주사기로 빼낸다(18G syringe aspiration).

3) 장액종

장액종 역시 배액관으로 예방할 수 없다. 또한 장액종은 배액관을 제거한뒤 발생하기도 한다. 장액종은 양이 많은 경우 바늘을 이용하여 흡인(needle aspiration)해야한다. 양이 적은 경우 대부분 자연적으로 흡수되기 때문에 별다른 처치를 하지 않아도 된다.

4)흉터

흉터는 가슴 축소수술에서 피해갈수 없는 문제이며, 환자들이 가장 걱정하는 문제이다. 수직절개 가슴축소수술에서 수직절개 흉터보다는 유륜 흉터가 조금 더 자주 문제시된다. 유륜흉터에서도 상내측 부분이 문제되는 경우가 흔하다. 흉터 예방을 위해서는 피부봉합시 적당한 긴장도를 유지하면서 봉합이 되도록 하며, 봉합사 매듭이 진피 아래에 잘 묻히도록 해야하며, 실이 녹는 과정에서 봉합부 농양(stitch abscess)이 생길 수 있다.

5) 새로운 가슴밑선 문제(new IMF problems)

흉터와 관련하여 발생할수 있는 또다른 문제는 수직절개의 하단부분에 주로 생기는 주름(puckers), 이중가슴밑선(double IMF)과 견이(dog ear)이다. 이들은 대개 기존 가슴밑선과 상향된 새로운 가슴밑선사이의 피부피판이 흉벽에 밀착되지 못해서 나타나는 경우가 가장 많다. 그러므로 가슴밑선 부위의 적절한 압박드레싱이 필요하다. 하지만 대부분 시간이 지남에 따라 좋아지게 되서 교정수술(revision)이 필요한 경우는 적으므로 6개월정도 기다린후 상황에 따라 간단한 교정수술로 치료가능하다. 수술전 유방의 크기가 거대했거나 피부의 성상에 따라 이런 문제가 도드라질수 있으므로 수술전에 환자에게 미리 설명하는 것이 도움이 된다.

6) 유륜 넓어짐 현상(areolar widening)

간혹 수술후 유륜이 넓어지는 문제가 생길 수 있는데, 이 문제는 쌈지봉합으로 해결하려해서는 안된다. 유륜이 넓어지는 주된 이유는 남겨지는 유방조직이 남은 피부에 비해(breast parenchyme vs skin envelope) 상대적으로 많은 경우 유륜주변에 과도한 긴장이 유발되기 때문이다. 그러므로 유륜주변으로 과도한 부하가 걸리지 않도록 유방조직 절제량을 조절하는 것이 무엇보다 중요하다. 유륜 봉합시 비흡수성 봉합사를 이용하여 환상봉합(areolar cicle suture) 또는 고어텍스(Gore-tex)를 이용한 유륜봉합술(interlocking Gore-tex suture technique)이 도움이 되며, 수술전 디자인할 때 새로운 유륜둘레를 잘 예상하여 그 길이에 맞도록 디자인하는 것이 도움이 될 수 있다.

7) 모유수유 문제

모유수유에 관한 문제는 수술전 환자들이 가장 궁금해하는 문제중 하나이다. 유방의 크기가 큰 여성의 경우 과반수 이상에서 수술여부와 상관없이 모유수유에 어려움을 겪는다. 하지만 수술 후 상내측 피판경에 남은 유선관이 정상적인 긴장도로 조형되면 수술전 과도한 긴장도로 당겨졌던 유선관이 자기 기능을 회복하여 모유의 이동에 도움이 될 수 있다. 특히 상내측 피판을 만들 때 전층이 포함(full thickness)되도록 하는 것이 모유수유를 가능하도록 하는데 가장 중요하다. 이때 피판경의 선택에 따라 여러가지 요소를 고려하는 것이 필요하다. 예를 들면, 상측 피판(superior pedicle)을 이용하는 경우 유륜의 고정(insetting)을 위해 피판을 얇게 만들게 되고, 고정시 피판이 접히거나 눌릴 수 있어 상대적으로 모유수유 문제가 발생할 가능성이 높아지게 된다.

참 · 고 · 문 · 헌

1. Asplund O, David DM. Vertical scar breast reduction with medial flap or glandulartransposition of the nipple – areolar. Br J Plast Surg 49:507-514, 1996.
2. Balch CR. The central mound technique for reduction-mammaplasty. Plast Rconstr Surg 76:890-898, 1985.
3. Benelli L. A new periareolar mammoplasty: the " round block" technique. Asthet Plast Surg 14:93-100, 1990.
4. Chiari AJ. The L short scar mammoplasty: a new approach. Plast Rconstr Surg 90:233-246, 1992.
5. Davison SP, Mesbahi AN, Ducic I et al. The versatility of the superomedial pedicle and various skin reduction patterns. Plast Rconstr Surg 120: 1466-1476, 2007.
6. Hall-Findly EJ. A simplified vertical reduction mammoplasty: shortening the learning curve. Plast Rconstr Surg 104:748-759,1999.
7. Hidalgo DA. Improving safety and aesthetic results in inverted Tscar breat reduction. Plast Rconstr Surg 103:874-886, 1999.
8. Hugo NE, McClellan RM. Reduction mammoplasty with a single superiorlybased pedicle. Plast Rconstr Surg 63:230-234,1979.
9. Lassus C. A 30-year experience with vertical mammoplasty. Plast Rconstr Surg 97;373-380, 1996.
10. Lejour M. Vertical mammoplasty and Lip[suction of the breast. Plast Rconstr Surg 94:100-114, 1994.
11. McKissock PK. Reduction mammoplasty with a vertical

dermalflap. Plast Rconstr Surg 49:245-252, 1972.

12. Ribeiro L. Creation and evolutionof 30tears of the inferior pedicle in reduction mammaplasties. Plast Rconstr Surg 110: 960-970,2002.
13. Robbins TH. A reduction mammoplasty with areola-nipple based on an inferior pedicle. Plast Rconstr Surg 59:64-67,1977.
14. Rohrich R. Minimally invasive , Limited incision breast surgery : passing fad or emerging trend? Plast Rconstr Surg 110:1315 – 1317, 2002.
15. Rohrich RJ, Gosman AA,Brown SA, et al. Current preferences for breast reductiontechniques: a survey of board-certified breast surgeons 2002. Plast Rconstr Surg114:1724-1733, 2004.
16. Sampaio-Goes JC. Periareoal mammoplasty double skin technique. Breast Dis 4:111, 1991.
17. Skoog T. A technique of breast reduction transposition of the nipple on a cutaneous vascular pedicle. Acta Chir Scand 126:453-465,1963.
18. Spear SL, Howard MA. Evolutionofmthe vertical reduction mammoplasty. Plast Rconstr Surg 112:855-868, 2003.
19. Wuringer E. Refinement of the central pedicle breast reduction by applicationof the ligamentous suspension. Plast Rconstr Surg 103:1400-1410, 1999.
20. Yousif NJ, Larson DI, Sanger JR, et al. Elimination of the vertical scar in reduction mammoplasty. Plast Rconstr Surg 89:459-467,1992.

수직절개식 가슴축소술 - 상방진피경

Vertical Reduction-superior pedicle technique

| 심형보 |

현재 사용되고 있는 가슴축소술 방법은 역T자법, 유륜절개법, 수직절개법, 유두이식술, 밑주름절개법 등이 있으며, 현재 가장 널리 시행되는 수술법이 수직절개법이다. 수직절개법의 원리는 유방 하부조직을 절제하고 남은 양측 조직기둥(pillars)을 모아 견고하게 하수를 교정하는 것이다. 이 유방조직의 하방모듬(lower pole tightening)이 원추형 모양을 만들고, 밑선을 상승시키며, 장시간 하수를 저지하는 역할을 한다**(그림 1)**. 이에 비하여 역T자법이나 유륜절개법은 주로 피부브라(skin brassiere)에 의존한다.

수직절개법은 다시 상방진피경(superior pedicle)과 내측진피경(medial pedicle) 방법으로 분류된다. 상방진피경은 융기(projection)를 잘 유지하는 장점이 있으며, 내측진피경은 안전하게 대량 절제가 가능한 장점이 있다**(그림 2)**.

1. 수술 방법

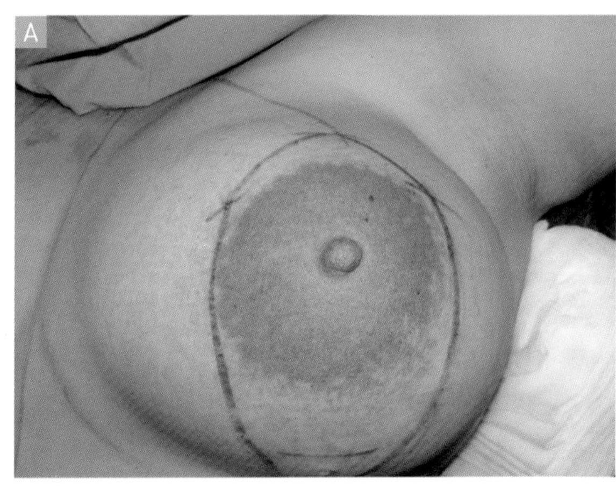

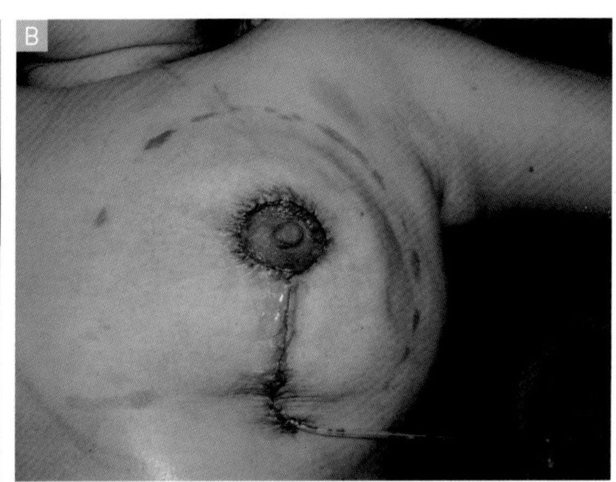

그림 1 Immediate postoperative view.

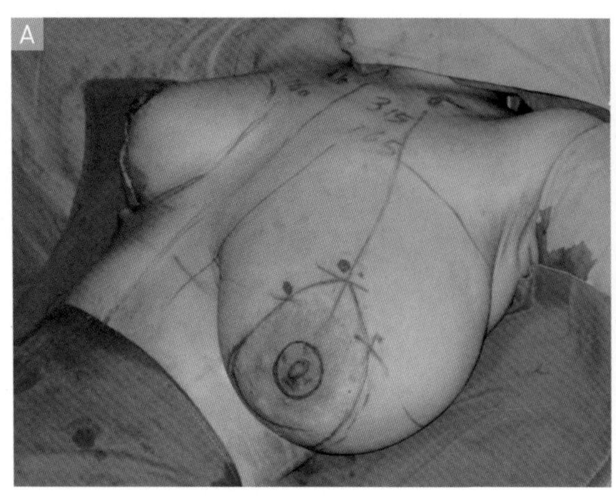

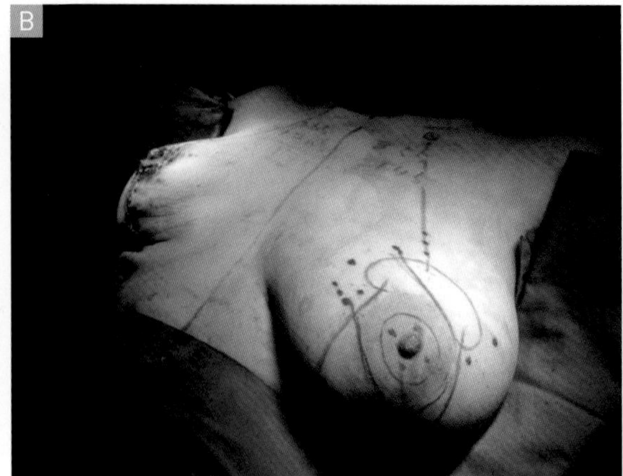

그림 2 상방진피경과 내측진피경 수직절개법 비교.

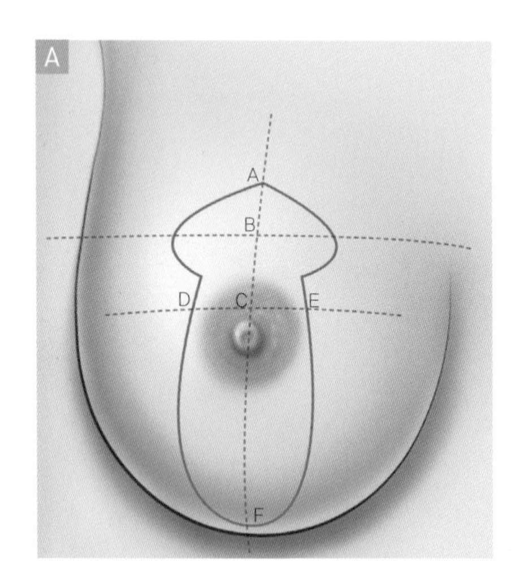

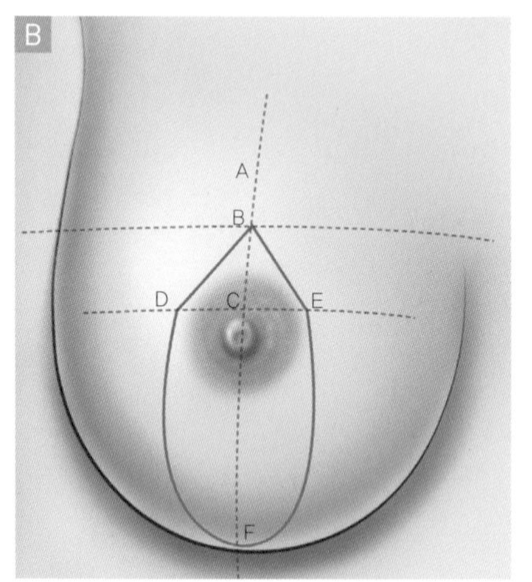

그림 3 Lejour's design and a modified design without Mosque dome.

1) 디자인

상방진피경을 이용한 수직절개식 가슴축소수술의 디자인은 두가지가 있다.

고식적인 Lejour technique의 디자인과 모스크돔(Mosque dome)을 없앤 변형 디자인이다. 심한 비대칭이 있거나 일측성 축소술, 수술후 유두 높이를 예측하기 어려울 경우, 모스크돔없는 디자인이 유용하며, 술기에 익숙해질수록 Lejour 디자인이 편해진다**(그림 3)**.

똑바로 선 상태에서 중심선과 유방 밑주름, 쇄골 중앙부에서 유두까지 이어지는 세로축을 표시하고, 이 선을 유방 밑주름 아래까지 연장한다. 수직 절개하는 부위는 유방을 내측과 외측으로 밀었을 때 위의 세로축과 일치하는 선으로 한다. A포인트는 기존의 유방 밑주름 높이보다 2 cm 위에 전면에 표시하였고, B포인트가 최종 유두 위치가 된다. 절제하는 하연(F)과 유방 밑주름과의 거리는 2-6 cm으로 절제하는 양에 따라 거리를 조정한다. 내외측의 절제선 간의 D-E거리는 5-8 cm 이며 피부절제량에 따라 조정한다.

변형된 디자인을 사용할 경우, 수술 전 디자인에의

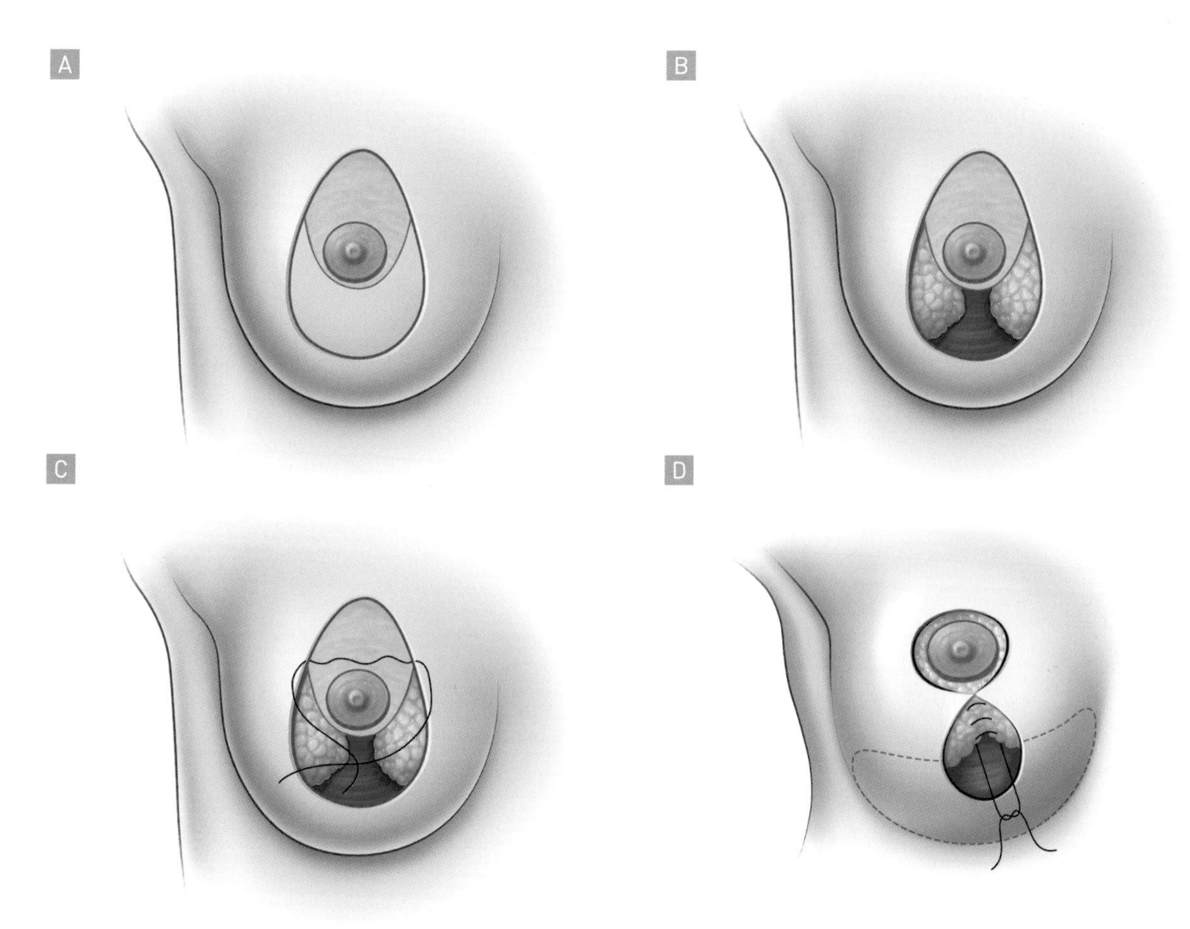

그림 4 Superior pedicled vertical reduction mammaplasty without Mosque dome.

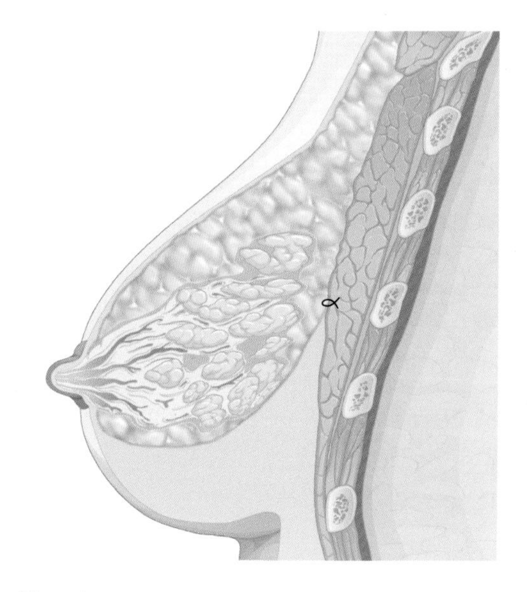

그림 5 Glandular suspension.

의존도가 감소하며, 유두 유륜체의 위치를 미리 고정시키지 않아 자유롭게 유방실질 절제가 가능하며, 봉합시 유두 유륜체의 위치를 임의로 조절할 수 있다는 장점이 있다. 대신 추후 수술시간이 20여분 길어진다는 단점을 가지고 있다.

2) 수술법 (그림 4-6)

리도카인, 에피네프린 혼합액을 주입하고, 유두유륜 복합체를 제외하고 상방진피경이 되는 부분과 유륜하연에서 2-3 cm 아래까지 상피를 벗겨낸다. 도안된대로, 피판경을 제외한 양측 경계부 및 하부 절개선을 따라 수직으로 대흉근막까지 절개한다. 이때 피부

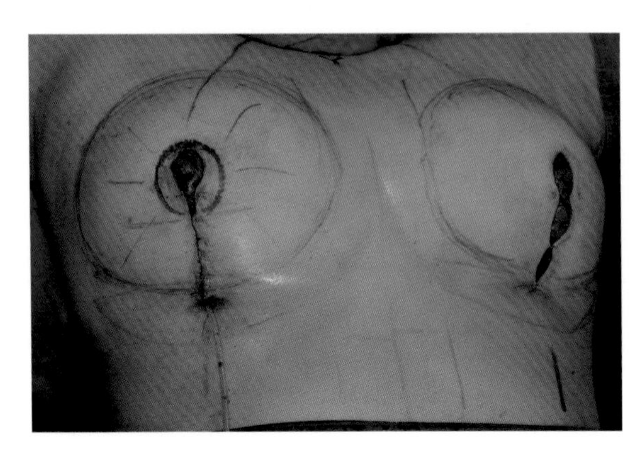

그림 6 At the end of the procedure, nipple–areolae complex position are marked and adjusted.

박리는 하지 않는다. 가운데 아랫부분 유선조직을 대흉근막을 경계로 기존의 유방 밑주름으로부터 상부로 박리하여 길죽한 통로를 만든다. 유방 실질의 상부 경계까지 시행하는 데 대개 3번째 늑간 부위까지 이르게 된다. 그 다음 나중에 모아줄 양쪽의 유선조직기둥을 경계로 수직으로 절개를 가하고, 윗부분은 진피피판경을 남기고 가운데 부분의 유선 조직을 절제해낸다. 이때 필요한 축소 부피에 따라 절제하는 경계와 양을 결정한다. 그 다음 유방 상부가 불룩해지는 효과를 위해 새로이 정해질 유두 유륜 복합체의 위치에서 피판경의 깊은 부분과 노출된 대흉근막의 최상부에 2-0 흡수성 봉합사로 고정을 한다. 이 고정은 일시적으로 유방 상부에 부피를 더하여 주고, 아랫부분에 피부 봉합 부위가 치유되는 동안 장력이 생기지 않도록 하는 역할을 한다. 또한 유두유륜 복합체가 상방으로 올라가는데 어느 정도의 역할도 한다. 아직 대흉근막과 부분적으로 붙어있는 상태인 양 쪽의 유선 조직 기둥(pillars)을 모아 단단히 봉합한다. 원추 모양의 유방 모양이 만들어졌으면 스테이플러로 피부를 일시적으로 봉합하고 전체적인 모양과 대칭성을 확인한다. 필요하면 이때 유선조직의 봉합을 다시 하거나, 부분적으로 절제를 더 하기도 한다. 유방하부에 남는 유방조직이나 피하지방층은 절

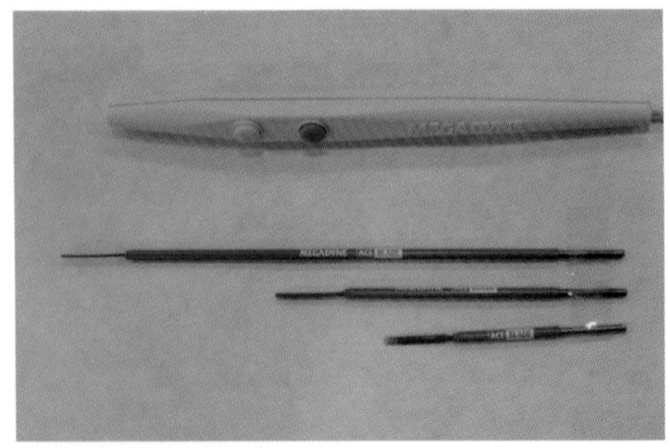

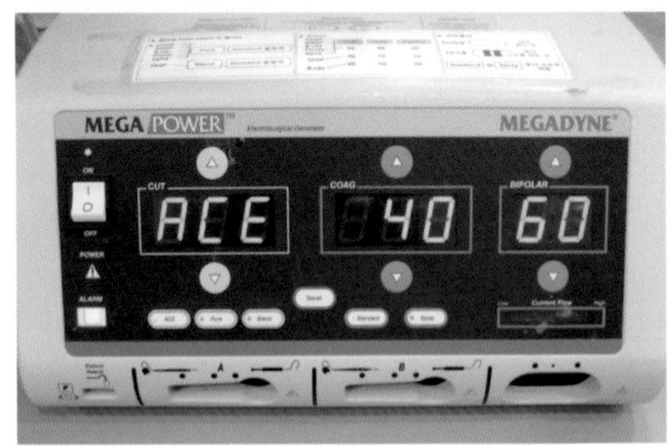

그림 7 Ace cutting system.

제술과 지방흡입술을 혼합하여 교정한다.

배액관 삽입 후에 피부를 봉합하고, 새로이 만들어진 유방 밑 주름으로부터 4-5 cm되는 지점을 유륜의 아랫쪽 경계로 정하고, 유륜마커를 이용하여 새로운 유륜의 위치를 표시한다. 표시된 부분의 상피를 벗겨내고, 유두유륜 복합체를 그 위치에 고정한다. 수술이 끝날 때에 정상적으로 유방의 윗부분은 불룩하고, 아래쪽은 납작한 모양이 되는 것이 좋다.

3) 수술법의 최신 경향

- 유방조직 절제 시에 Ace Cutting System을 사용한다 **(그림 7)**. Ace blade는 열에 의한 조직손상이 적으며 유선조직 절개가 쉬워 수술시간이 단축된다.
- 지방흡입은 수술을 마칠 즈음에 측면과 하방에서 유방윤곽을 개선시키는 목적으로 시행한다.

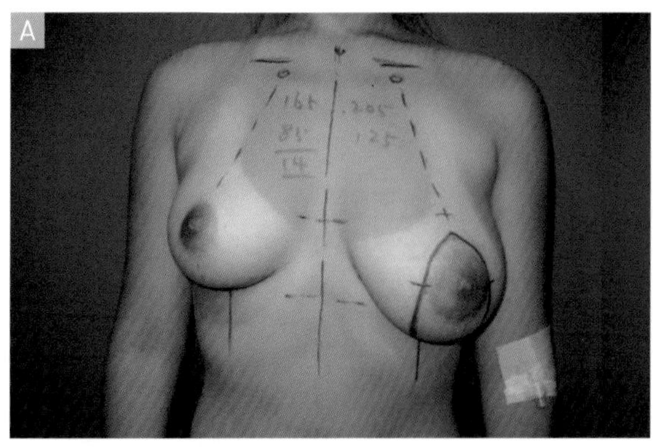

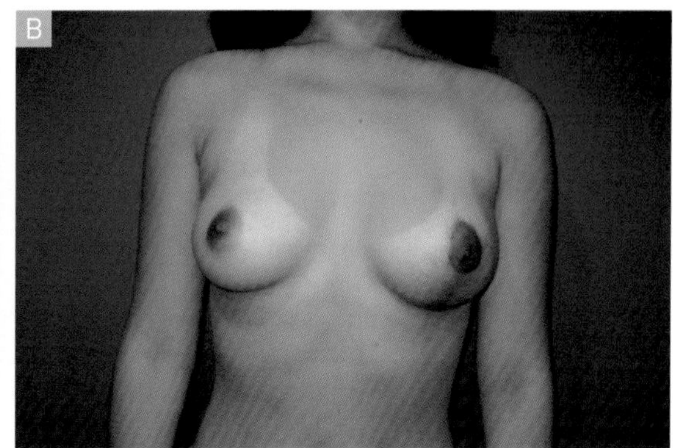

그림 8 일측성 유방비대증.

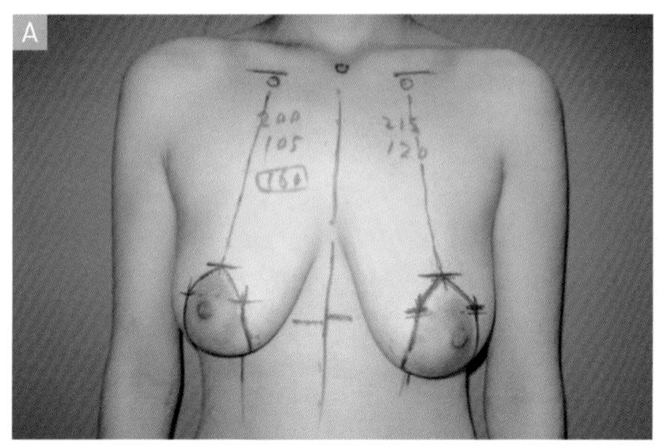

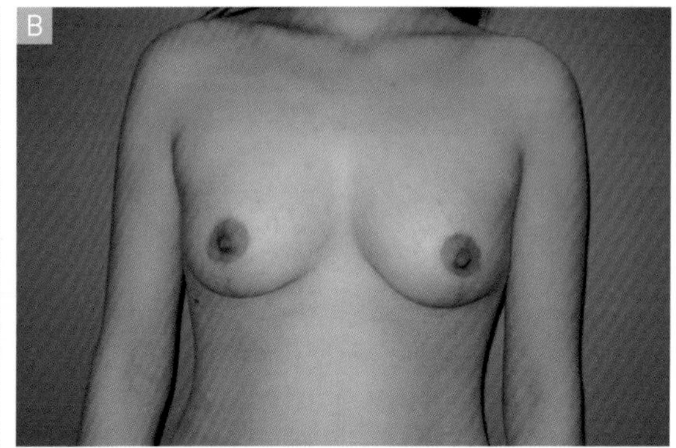

그림 9 심한 유방하수를 동반한 유방비대증.

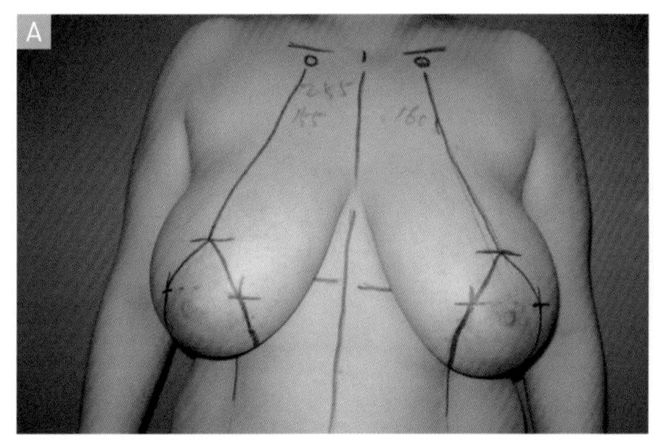

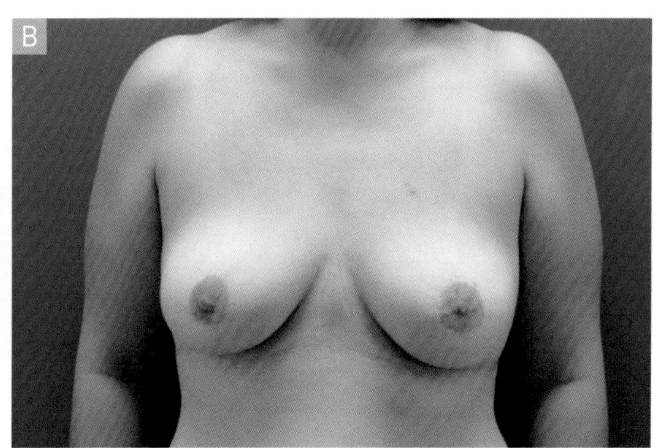

그림 10 중증도 이상의 유방비대증.

- 상부융기가 부족할 경우, 중심피판을 거상하여 대흉근 밑으로 통과시킨다(Pectoral slip).

2. 장단점과 특징

상방진피경 수직절개식 가슴축소술은 중증도 유방

비대증에 적합한 수술법이다. 주로 유방 하부에서 조직 절제가 이루어지며, 상방진피경으로 인해 상부 융기를 높게 유지하는 것이 장점이다. 그러나 피판경의 길이가 길어져 길이와 폭의 비율이 1.5:1을 넘게 된다면 혈행 장애의 가능성이 증가하므로 내측진피경을 사용하는 것이 안전하다**(그림 8–10)**.

참·고·문·헌

1. Lassus C.: A 30-year experience with vertical mammaplasty Plast Recomstr Surg 97:373 1996
2. Lejour M.: Vertical mammaplasty and liposuction of the breast Plast Reconstr Surg 94:100 1994
3. Sim HB: Circumareolar Reduction Mammaplasty Utilizing the Inferior Segment Technique. J Korean Soc Aesthetic Plast Surg. 1998 Sep;4(2):369-379.
4. Sim HB: Circumareolar Mastopexy and a Protocol for the Management of Breast Ptosis. J Korean Soc Aesthetic Plast Surg. 1999 Mar;5(1):102-113.
5. Sim HB, Nam SJ: A New Design of Vertical Reduction Mammaplasty. J Korean Soc Plast Reconstr Surg. 2005 Mar;32(2):237-244.
6. Sim HB, Yoon SY, Nam SJ: Breast Reduction using Free Nipple Graft. J Korean soc Plast Reconstr Surg. 2007 Jan;34(1):88-92.
7. Sim HB, Hong YG: Breast Reduction through an Inframammary Incision. J Korean Soc Plast Reconstr Surg. 2010 March;37(2):169-174.

Chapter 20

Reduction Mammoplasty & Mastopexy »

하방피판경축소술

Inferior Pedicle Reduction

| 안상태 |

Inferior pedicle technique은 McKissock의 vertical bipedicle technique을 수정보완한 방법으로 wise-pattern을 기본 디자인으로 사용하여 inverted-T 모양의 흉이 남는 것은 동일하지만 vertical bipedicle의 superior pedicle을 절단하고 inferior pedicle만 사용하는 점이 다르다. Inferior pedicle은 intercostal perforator와 internal mammary artery의 branch에 의해서 풍부한 혈류를 공급받기 때문에 nipple-areolar complex (NAC)를 안전하게 옮길 수 있으며 intercostal nerve들에서 나오는 lateral cutaneous nerve들의 anterior branch들이 보존되므로 유두의 감각도 정상에 가깝다. 또한 유방조직의 절제를 위한 수술시야가 좋고 areola에서 inframammary fold (IMF) 사이의 처진 피부를 처리하기 쉬우며 주변 피판들과 독립된 단일 pedicle이어서 이동이 자유롭다.

반면에, 하부의 유방조직과 상부 유방과의 dermal pedicle 연결이 완전히 단절되고 하부조직의 이동을 위해 상부 중앙의 실질조직을 절제해야 하기 때문에 유방이 충분히 돌출되지 못하고 편편해질 수 있다. 축소된 유방의 모양이 하부에 남긴 유방조직의 양과 이를 덮는 양측 피판에 의해서만 이루어질 뿐이고 pedicle의 상부 연결이나 유방조직의 내부고정이 없기 때문에 수술 후 유방하부가 bottoming out(점차 아래로 처져 내려오기)되기 쉽다.

이 방법의 취약점이었던 IMF의 내외측으로 삐져 나오는 흉과 유방 하부가 처지는 현상을 개선하기 위하여 수평 방향의 절개선을 줄이고 유방의 상부와 중앙에 조직을 많이 남기고 하부에 조직을 적게 남기는 등의 다양한 경험이 축적되면서 300 g 정도의 소량 절제는 물론 pedicle의 길이가 30 cm, 절제양이 2,000 g에 이르는 하수가 심한 거대유방까지 거의 모든 크기와 모양의 유방, 특히 매우 크고 긴 유방과 넓고 박스 모양인 유방의 축소에도 reproducibility(재현성), predictability(예측가능성), 수술결과의 유지면에서 우수하여 최근 여러 종류의 short scar technique들이 개발되었음에도 불구하고 오늘날까지 거의 40년에 걸쳐서 꾸준하게 가장 흔하게 선택되고 있는 방법 중 하나이다.

1. 환자의 선택과 술전 디자인

수술반흔을 최소화하는 것이 바람직하지만 유방조직에 비해 skin envelope이 많이 남거나 매우 크고 처진 유방을 축소할 때에는 inverted-T scar를 감수하더라

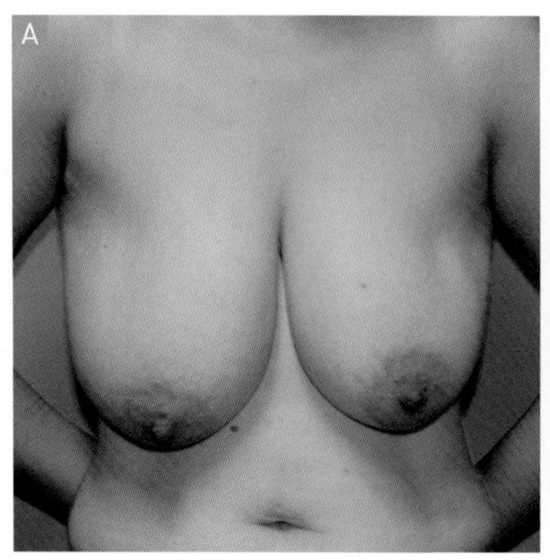

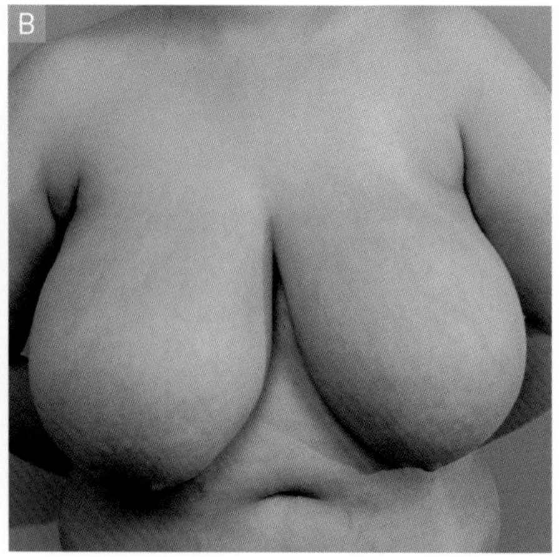

그림 1 Inferior pedicle reduction에 적합한 환자: A. 유방조직에 비해 피부가 많이 늘어진 유방. B. 매우 크고 처진 유방

도 inferior pedicle technique을 선택하는 것이 좋다(**그림 1**). 매우 크고 심하게 처진 유방을 축소하려면 유륜과 IMF사이의 유방 하부 피부를 transverse excision(횡절제)해 주어야 축소된 유방의 형태와 윤곽이 살아난다. 유방의 상, 하부가 동일한 폭인 넓은 박스형 유방도 inverted-T technique으로 유방하부의 피부를 횡절제함으로써 좋은 결과를 얻을 수 있다.

Inferior pedicle technique은 대부분의 수술과정이 디자인대로 진행되기 때문에 술전 디자인을 잘 해두면 수술의 진행이 쉬워서 초보자도 비교적 좋은 결과를 얻을 수 있다. 수술전 디자인을 작도할 때에는 바른 자세로 일어서서 어깨를 편안하게 펴고 얼굴은 정면을 바라보게 한다. 먼저 sternal notch (SN)에서 수직으로 sternal midline (SM)을 내려 긋고, midclavicle (MC)에서 유방의 projection point(돌출점)를 지나 IMF에 이르는 breast midline (BM)을 그려서 양측 유두와 유방의 위치와 모양이 대칭인지 확인한다. BM은 유두를 기준으로 하지 않고 유방의 돌출점을 기준으로 삼아야 축소된 유방의 가장 돌출된 부위에 NAC가 위치하게 된다. 선을 그을 때에는 필기할 때와 달리 펜을 그림과 같이 엄지와 검지로 잡는 것이 편하다(**그림 2A**).

새로운 유두의 위치(A점)는 보통 IMF를 유방 전면에 투사하여 정하지만 한국여성에서는 SN이나 MC에서 18~20 cm 정도가 적당하며 SN과 양쪽 유두를 잇는 선은 정삼각형이 되도록 하는 것이 좋다. 체형에 따른 차이를 고려하여 midhumeral point에서 2~3 cm 하방에 유두의 위치를 정하기도 한다. 수술 후 무거운 유방에 의한 처짐현상이 없어지고 나면 유두가 예상보다 높이 당겨 올라갈 수 있으므로 이를 예방하기 위해 처진 유방을 받쳐 올린상태에서 새로운 유두의 위치를 정하는 것이 좋다. 높은 유두는 낮은 위치보다 교정이 어렵기 때문에 보통 IMF 높이보다 1~2 cm 낮은 곳에 새로운 유두의 위치를 정하는 것이 무난하다(**그림 2B**).

왼손의 손등으로 유방을 받쳐 올리면서 같은 손의 엄지와 검지로 새 유두(A점)보다 7~8 cm 정도 하방의 피부를 모아 쥔 상태에서 유방의 하부가 너무 당겨지거나 남아서 처지지 않을 정도의 피부절제량이 되는 지점에 B, B'점을 표시하여 새 유두(A점)를 정점으로 하는 이등변삼각형(ABB')을 그린다(**그림 2C**). 이등변인 AB와 AB'는 환자의 체형에 따라 길이를 가감하고 매우 넓고 박스형 유방인 경우에는 삼각형의 바닥인 BB'를 길게 하여 유방의 폭을 좁혀준다. 이등변삼각형의 양측 바닥(BB')에서 IMF의 양측 끝점에 이르는 transverse incision(횡절개선)을 그리기 위해서 유방을 약간 외측으로 옮기면서 IMF의 내측 끝과 만나는 점(C)을 표시하고, 유방을 내측으로 옮기면서 IMF의 외측 끝과 만나는 점(D)을 표시한다**(그림 2D, 2E)**. 횡절개선(BC, B'D)은 직선이 아닌 늘어진 S자 모양으로 그리는 것이 유방의 부드러운 곡선을 살리고 IMF와의 길이를 맞추는데 도움을 주는 것으로 알려져 왔으나 실제로는 유방의 모양이 자연스럽지 못하게 되어서 요즘에는 삼각형의 밑변 꼭지점에서 시작하는 부드러운 곡선으로 그린다**(그림 2F)**. IMF가 변형되지 않을 정도로 유방을 살짝 들어 올린 상태에서 IMF선을 그린다. IMF는 해부학적인 위치보다 0.5 cm 정도 위쪽에 그려야 수술 후에 수평으로 놓인 절개 흉터가 눈에 덜 띄게 된다. 이 때 C와 D를 IMF보다 약간 위쪽에 표시하면 수술 후 IMF 내,외측 반흔의 길이를 어느 정도 줄일 수

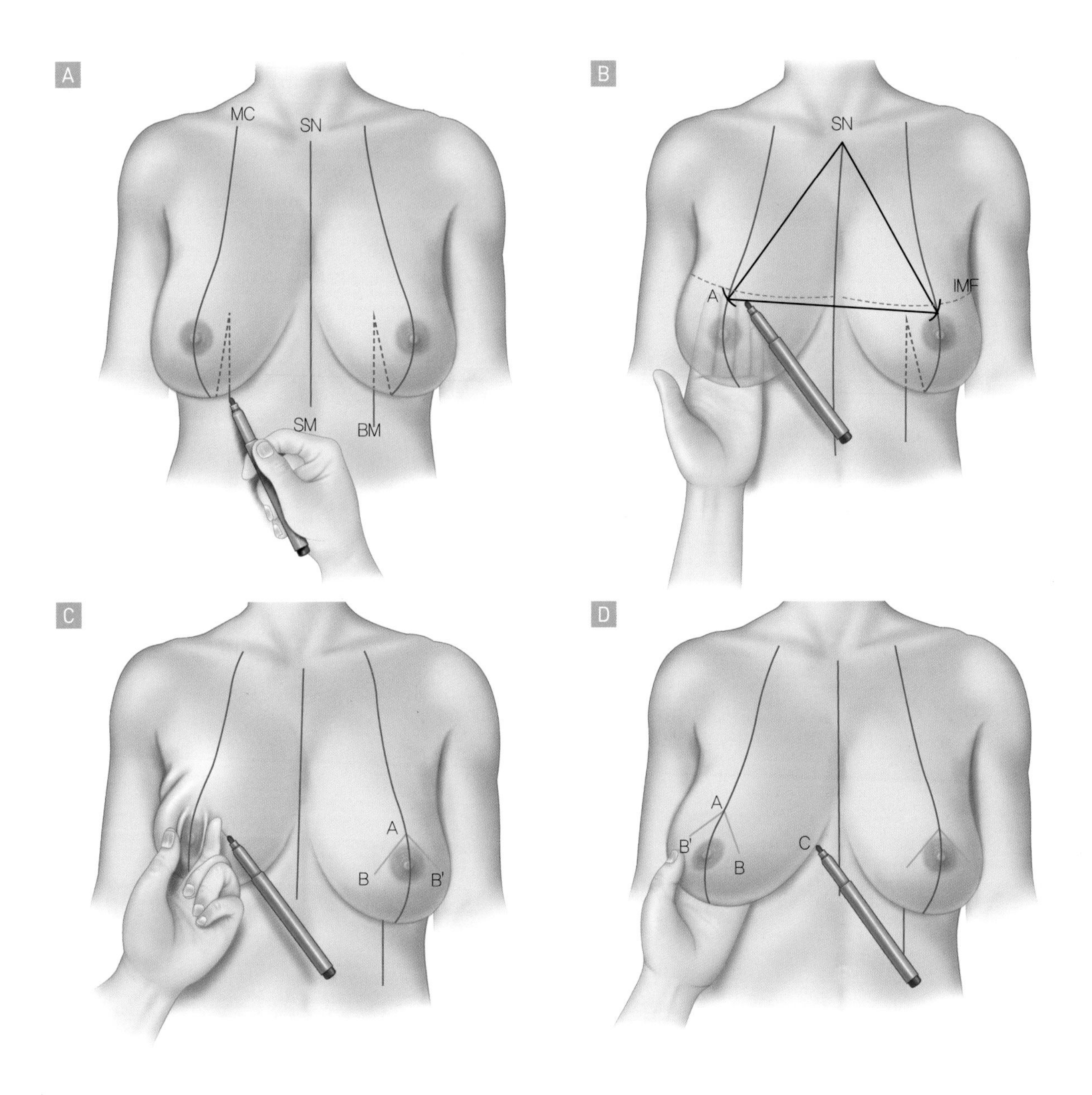

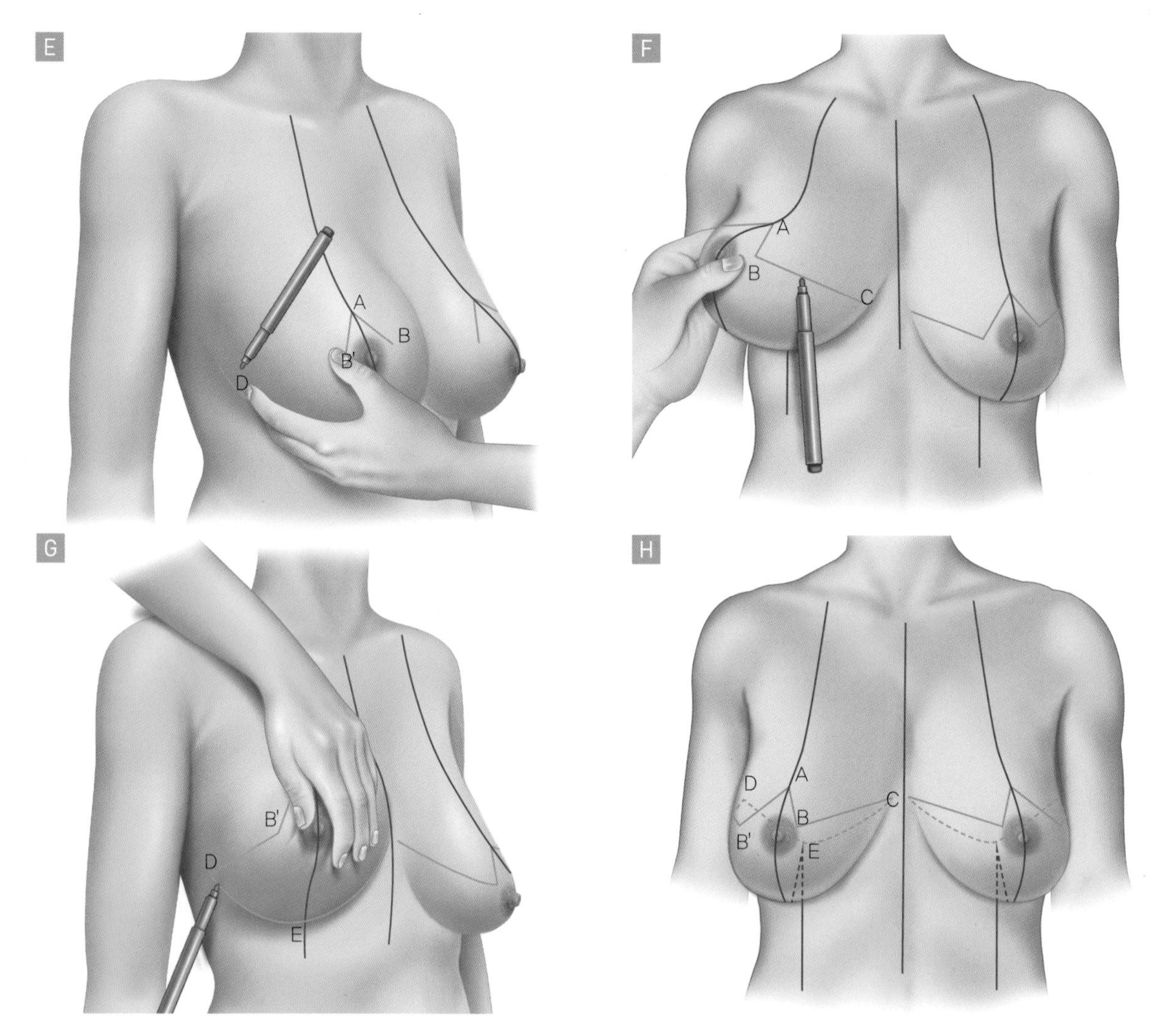

그림 2 **Wise-pattern의 기본 도안** A. Sternal notch(SN), Sternal midline(SM), Midclavicle(MC), Breast midline(BM) B. New nipple(A)은 Inframammary fold(IMF) 보다 1-2 cm 낮은 위치에 정하고 SN과 양측 유두(A)를 잇는 선은 정삼각형이나 이등변삼각형이 되는 것이 이상적이다. C. 왼손의 손등으로 유방을 받쳐 올리면서 엄지와 검지로 새 유두(A점)보다 7-8 cm 정도 하방의 피부를 모아 쥔 상태에서 유방의 하부가 너무 당겨지거나 남지 않을 정도의 피부절제량이 되도록 유방중심선(BM)의 양측으로 대칭이 되는 점 B, B'를 표시한다. D. 유방을 약간 외측으로 옮기면서 IMF의 내측 끝(C)을 표시한다. E. 유방을 내측으로 옮기면서 IMF의 외측 끝과 만나는 점(D)을 표시한다. F. B와 C, B'와 D를 부드러운 곡선으로 연결하여 수평절개선을 완성한다. G. 유방을 살짝 들어올린 상태에서 IMF를 따라 C와 D를 연결하고 BM과 IMF가 만나는 지점(E)을 표시한다. H. Inferior pedicle을 제외한 CBAB'D와 CED 사이의 피부와 유방조직이 유방의 축소를 위하여 절제될 부분이다. BC+B'D=CE+DE가 되면 긴장을 최소화하고 dog ear를 줄이면서 IMF를 봉합할 수 있다.

있다. BM이 IMF와 만나는 점(E)을 표시하여 나중에 피판 봉합의 기준이 되도록 한다**(그림 2G)**. 횡절개선과 IMF의 길이는 BC와 B'D를 합한 길이가 CE와 DE를 합한 길이와 같게 하면 dog ear 없이 쉽게 봉합할 수 있다**(그림 2H)**.

조수가 유방을 양손으로 감싸 쥐어서 NAC가 당겨지지 않을 정도로 부드럽게 편 상태에서 cookie cutter를 이용하여 유두를 중심으로 직경 4.5 cm 정도의

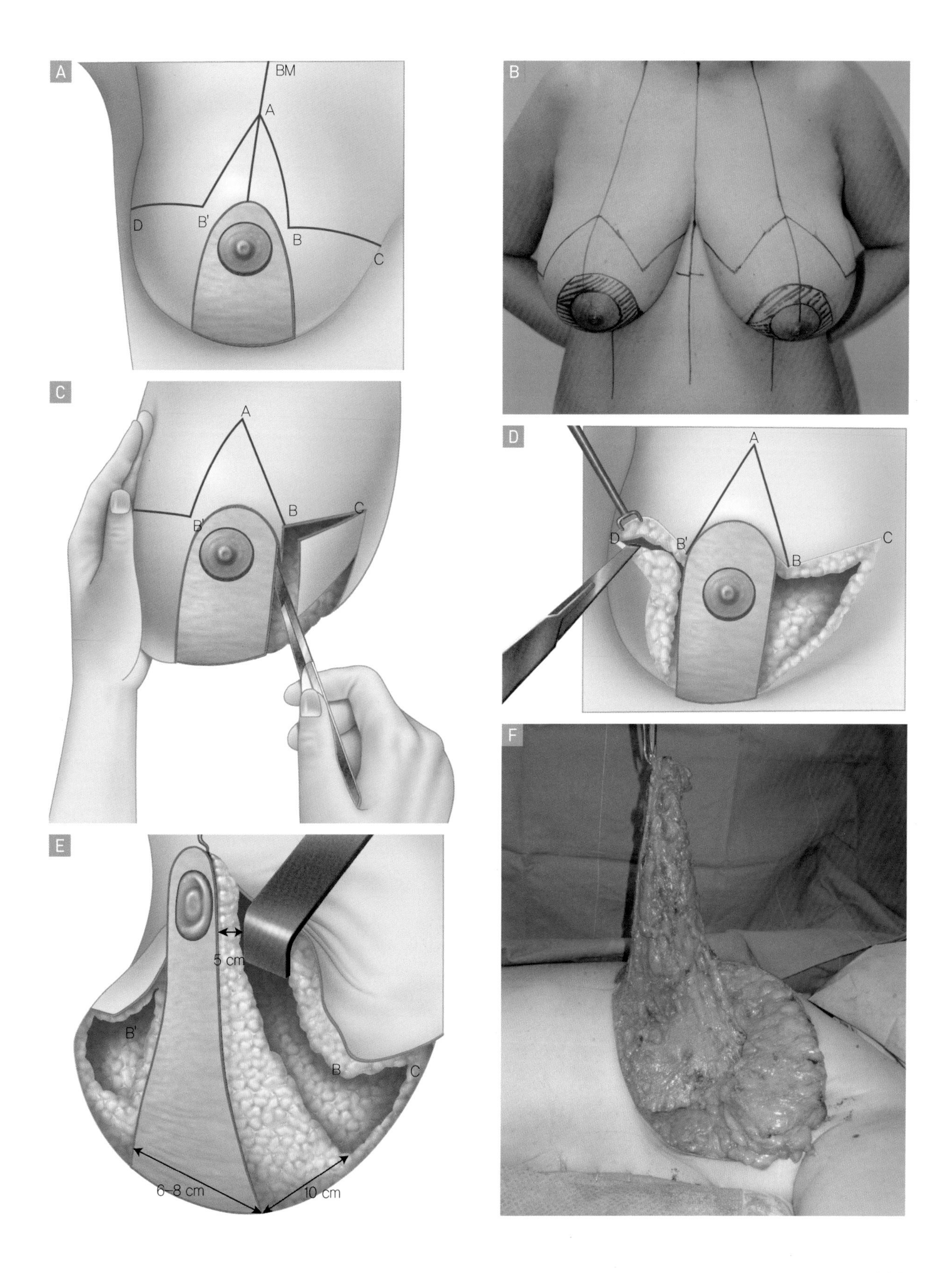
A
BM
A
D
B'
B
C
B
C
A
B
C
B'
D
A
D
B'
B
C
E
5 cm
B'
B
C
6-8 cm
10 cm
F

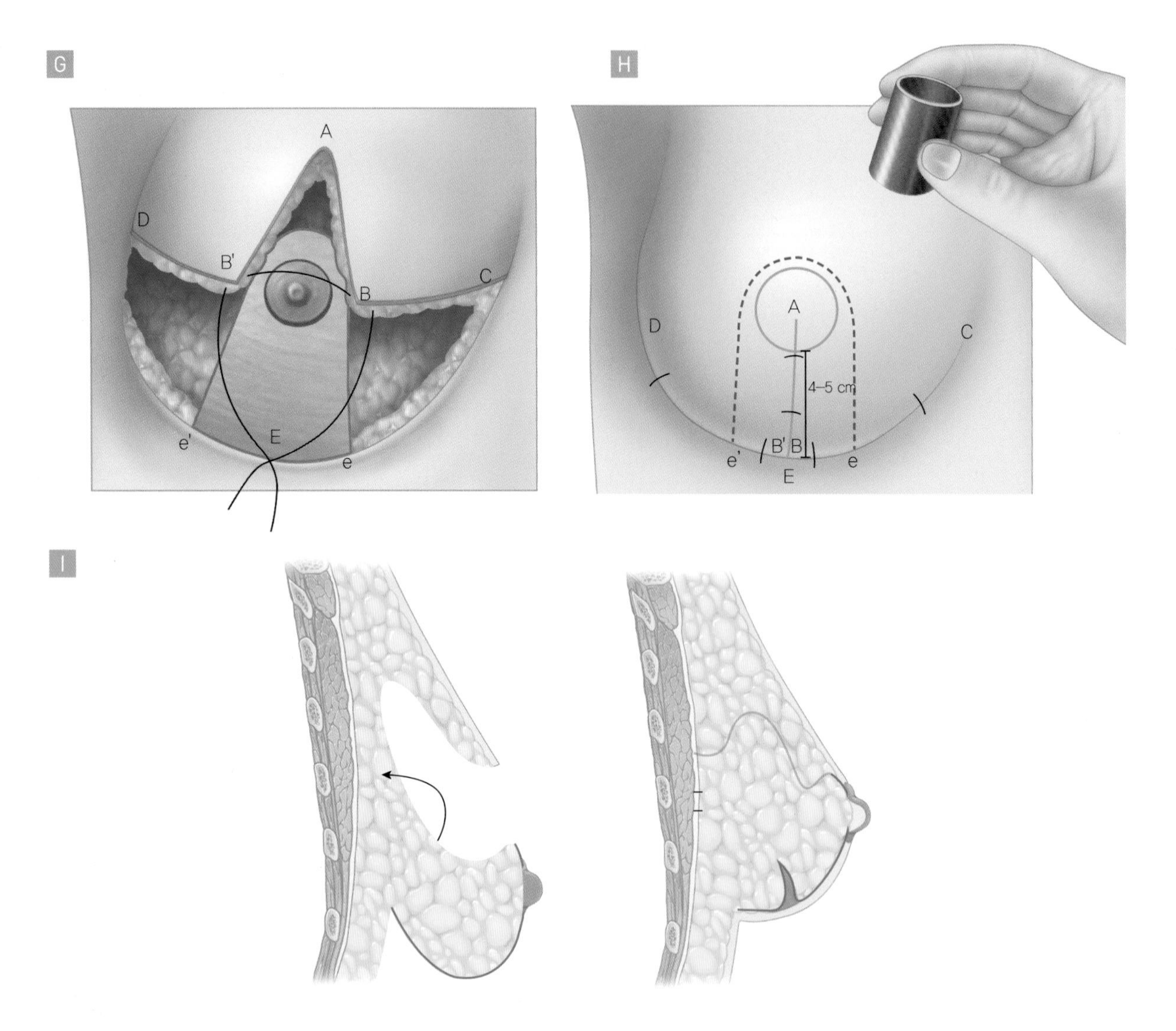

그림 3 **Inferior pedicle reduction의 수술방법** A. Cookie cutter를 이용하여 유두를 중심으로 직경 4.5 cm 정도의 원을 그려서 NAC를 표시한다. NAC의 2 cm 바깥으로 12시에서 3시와 9시 방향으로 곡선을 그린 다음 수직방향으로 IMF까지 내려 그어서 뒤집어진 U 모양의 Inferior pedicle을 작도한다. B. 완성된 inferior pedicle reduction의 도안. C. NAC를 제외한 pedicle로부터 표피를 제거한 다음 한 손으로 유방의 바깥쪽을 받쳐서 pedicle로 올라오는 perforator들을 다치지 않도록 주의하면서 내측과 외측의 조직을 wedge resection한다. D. 내측과 외측의 breast flap으로부터 조직을 비스듬하게 깎아내듯이 절제하여 피판의 끝부분을 얇게 만들어서 서로 봉합할 때 pedicle 위에서 긴장과 압박이 없도록 한다. E. Inferior pedicle은 폭이 6–8 cm, 두께는 pectoral fascia 부착부에서는 10 cm, NAC부분에서는 5 cm인 피라미드 모양이 된다. F. Inferior pedicle의 측면. G. 내측과 외측의 피판을 IMF를 따라 pedicle을 덮으며 전진시켜서 BM에 맞추어 봉합한다. H. 내외측 피판이 만나는 선상에 IMF로부터 4–5 cm을 넘지 않는 지점에 NAC의 하단이 위치하도록 45 mm cookie cutter를 놓고 NAC를 그린다. I. Pedicle의 중간부를 4번 ICS 위치의 근육에 고정하여 처짐을 예방한다. Inferior pedicle에 포함된 조직이 절제 후 빈 공간을 채우고 내외측의 피판이 pedicle을 덮어서 autoaugmentation의 형태로 유방의 모양이 만들어진다.

NAC를 그린다. Inferior pedicle을 만들기 위해 NAC의 12시 방향에서 2 cm 위에서 시작하는 곡선을 그리고 3시와 9시 방향에서 수직방향으로 IMF까지 내려 그어서 뒤집어진 U 모양의 절개선을 그린다(**그림 3A**). 완성된 inferior pedicle은 IMF에서 BM을 중심으로 하고 폭이 6-8 cm가 되어야 한다. pedicle의 폭은 보통 6 cm로 충분하지만 축소량이 크고, 방사선 조사, 비만, 흡연 등으로 피판경의 혈류저하가 우려되면 8 cm까지 늘릴 수 있다(**그림 3B**). intercostal artery의 branch들로부터의 혈류를 충분히 받기 위해서는 pedicle의 길이와 폭의 비율을 3:1로 하는 것이 적당하다고 하지만 base의 폭을 너무 넓게 하면 양측 피판을 당겨 봉합할 때 dermal pedicle에 들어있는 작은 혈관들이 눌려서 오히려 혈액순환이 저하될 수 있다. 환자가 유두의 감각보존에 대해 예민한 경우에는 4-6번 intercostal nerve들을 다치지 않기 위해 pedicle을 외측으로 연장하거나 옮길 수도 있다.

2. 수술 방법

환자를 수술대에 눕히고 양팔을 팔 받침대에 고정한다. 이 때 팔을 직각이 될 정도로 지나치게 벌려서 유방의 모양이 변형되지 않도록 주의한다. 절개선을 따라 epinephrine이 함유된 리도케인을 주사하고 술자의 선호에 따라 pedicle을 제외한 절제해당 부위에 tumescent 용액을 주입할 수 있다. NAC를 제외한 inferior pedicle로부터 표피를 제거한다. NAC로의 주된 혈류는 진피층이 아닌 실질조직을 통해 공급되므로 표피를 너무 얇게 벗기려 애쓰지 않아도 된다. 그러나 진피층을 보존하면 subdermal plexus가 유지되고 inferior pedicle을 지탱하는 조직층이 보완되는 장점이 있다. 10번 나이프를 이용하여 모든 절개선의 피부를 절개하고, 가는 tip의 electrocautery를 이용해서 유방조직을 절제한다. 한 손으로 유방의 바깥쪽을 받쳐서 pedicle로 올라오는 perforator들을 다치지 않도록 주의하면서 내측과 외측의 조직을 wedge resection한다(**그림 3C**). 무거운 유방이 외측으로 처져있는 상태에서 외측 절제를 진행하면 pedicle의 밑을 내측으로 파고 들어서 결과적으로 pedicle의 base에 충분한 조직을 확보하지 못하고 perforator들을 손상하여 NAC의 괴사를 초래할 수 있다. Pedicle의 내측과 외측의 유방조직 절제부위에서는 pectoral fascia와 바로 위의 조직을 일부 남겨서 바닥을 통해 pedicle으로 가는 신경과 혈관을 최대한 보존한다. 큰 유방일수록 유방조직의 2/3 이상이 외측에 해당하므로 외측에서는 충분히 절제하고 내측은 수술 후 편편해지지 않도록 절제를 최소화한다(**그림 3D**). 절제부위의 내측과 외측의 breast flap으로부터 조직을 비스듬하게 깎아내듯이 절제하여 피판의 끝부분을 얇게 만들어서 서로 봉합할 때 pedicle 위에서 긴장과 압박이 없도록 한다. 특히 외측 피판에서의 절제가 잘 되어야 원뿔모양의 자연스러운 유방을 만들 수 있다. 이 모든 과정 중에 항시 명심해야할 것은 내외측 피판에는 최소한 1.5-2 cm 두께의 조직을 남겨야 하며, pedicle에 포함된 breast tissue가 다치거나 pectoral fascia로부터 분리되지 않아야 한다. 완성된 inferior pedicle은 혈관, 신경, glandular tissue들을 보존하기 위하여 pectoral fascia 부착부에서는 10 cm, NAC부분에서는 5 cm 두께의 조직을 남기는 피라미드 모양이 되어야 한다(**그림 3E, 3F**). 내외측 피판의 상부를 비스듬하게 파내어 NAC가 위치할 자리를 마련한다. 이 부분은 가능한 최소한으로 절제하여야 축소된 유방 상부가 꺼져 보이지 않는다.

Inferior pedicle의 중간부분을 midclavicular line 상에 네번째 ICS 위치에서 pectoralis muscle에 흡수성 봉합사로 고정하고, 내측과 외측의 유방피판을 breast midline에 맞추어 staple로 임시봉합 한다(**그림 3G**). 축소된 유방의 대칭성을 확인하는 방법으로는 양측에서 절제된 조직의 무게를 부위별로 측정하여 비교하는 것이 쉽지만 수술 전에 이미 비대칭인 경우가 많고 절제양 보다 절제 후 남은 조직의 양이 중요하기 때문에 환자를 수술대에 앉혀서 양쪽 유방의 대칭성과 모양을 확인하는 것이 좋다. 수정이 필요하면 임시봉합을 풀고 추가절제를 시행한다. 만족스러운 모양이 되면 철저히 지혈하고 electrocautery로 인한 찌꺼기를 씻어내기 위해 식염수로 수술부위를 세척한다. 내측과 외측의 피판을 IMF를 따라 전진시켜서 BM에 맞추어 다시 임시봉합 한다. Dog ear를 남기지 않고 반흔의 길이를 최소화하기 위해서는 내측과 외측의 끝부분부터 봉합을 시작하는 것이 좋다. 필요하면 외측 피판의 상부와 겨드랑이 쪽에서 지방흡입을 해준다.

내외측 피판이 만나는 선상에 IMF로부터 4-5 cm을 넘지 않는 지점에 NAC의 하단이 위치하도록 45 mm cookie cutter를 놓고 NAC를 그린다(**그림 3H**). 앉은 자세에서 위치가 적당한지 확인한 다음 NAC 해당 부위의 피부를 도려내고 NAC는 #5-0 PDS로, 내외측 피판은 #4-0 PDS 봉합사로 subcuticular suture한 후 steri strip으로 고정한다. Drain은 필요에 따라 넣을 수 있다.

수술이 끝나면 inferior pedicle에 포함된 조직이 절제 후 빈 공간을 채우고 내외측의 피판이 pedicle을 덮어서 autoaugmentation의 형태로 유방의 모양을 만들게 된다(**그림 3I**). Inferior pedicle reduction의 단점으로 지적되어온 bottoming out과 nipple의 superior migration은 pedicle을 근육에 고정하고 NAC를 낮춰 잡는 것으로 어느 정도 해결이 가능하다. 수술 당일은 탄력붕대를 감고 다음날 보조브라(supporting brassiere)를 착용한 상태로 퇴원시킨다.

3. 수술결과

Inferior pedicle reduction은 수술 후 시간이 경과함에 따라 유방하부가 점차 처지고 유두가 위로 당겨지며 돌출되기 보다는 편평한 모양의 유방이 만들어지는 경향이 있는 것으로 알려져 있다. 그러나 수술 후 축소된 유방을 3D로 분석한 바에 의하면 최종 모양으로 완성되는 시기가 inferior pedicle technique은 6개월, vertical technique은 9개월이 걸리고 1년 후에는 두 가지 방법 모두 유방 상부와 하부의 비율이 70:30으로 동일하였다는 보고가 있다. Inferior pedicle technique은 수술반흔이 가장 길게 남는 방법이지만 디자인만 잘 숙지하고 있으면 모든 크기와 모양의 거대유방의 축소에 대해 만족스러운 결과를 얻을 수 있는 좋은 방법이다.

대부분의 환자들은 큰 유방으로 인하여 오랫동안 고민해왔기 때문에 가능하면 최대한으로 줄이고 싶어 하지만 여성의 유방은 어느 정도의 질량감이 있어야 모양이 좋다. 원하는 대로 충분히 줄이면 수술 후 환자들은 대체로 만족해 하지만 시간이 경과하면 유방이 빈약해 보일 수 있으므로 수술 전에 이 점에 대해 환자와 충분히 상의해야한다.

유방축소술로 좋은 결과를 얻기 위해서는 현재 유방의 크기와 원하는 유방의 크기, 유두의 이동거리를 바탕으로 하여 환자의 주 관심사가 모양인지 흉인지를 확인하고 수술자의 경험과 숙련도를 고려해서 수술 방법을 선택하여야 한다.

증례 1

47세 여자로 유방조직의 양은 많지 않으나 처짐의 정도가 심하여 inferior pedicle technique을 이용하여 transverse excess skin의 절제와 함께 좌우 유방에서 각 각 350 g, 385 g을 축소하고 유두의 위치를 우측은 9 cm, 좌측은 10 cm 올려 주었다. 복부비만에 대한 지방흡입, 양측 부유방의 절제를 동시에 시행하였다. 수술 후 1년 4개월 경과한 후의 사진에서 환자의 체격에 어울리는 적절한 크기와 모양의 유방으로 축소되었다(**그림 4**).

증례 2

45세 여자로 유방의 폭이 크고 무겁게 처져 있으며 좌측이 큰 비대칭 거대유방이었다. 유두는 좌우 각 각 10.5 cm, 10 cm씩 올려서 MC에서 20 cm 거리에 위치하도록 하였으며 inferior pedicle의 폭을 7 cm으로 하고

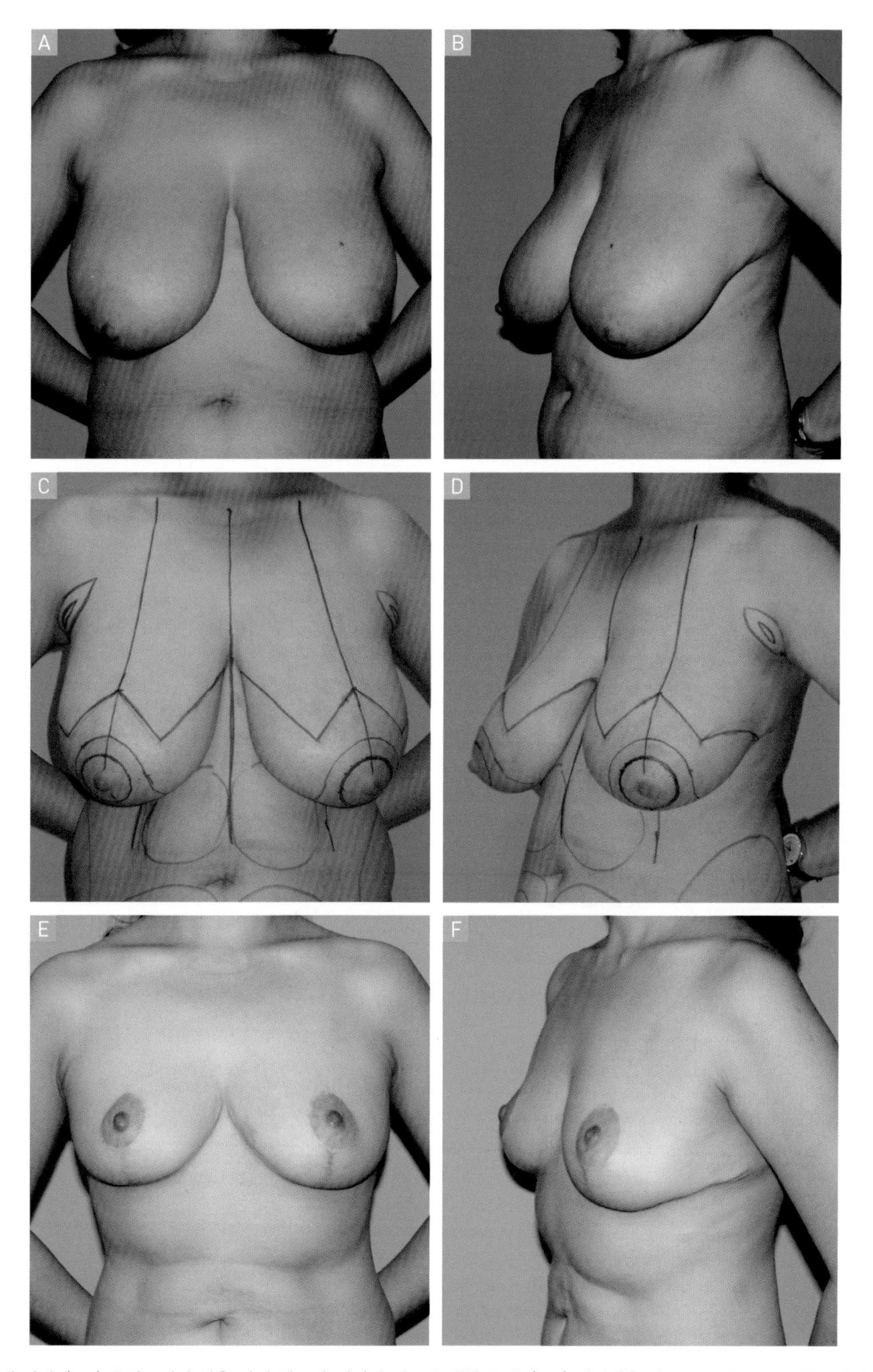

그림 4 47세 여자: (A,B) 유방조직의 양은 많지 않으나 처짐의 정도가 심한 유방. (C,D) 절제양은 좌 350 g, 우 385 g에 불과했으나 유두의 위치를 우측은 9 cm, 좌측은 10 cm 올려 주었다. (하) 1년 4개월 경과한 후의 사진.

좌우 유방에서 각 각 892 g, 808 g을 절제하였다. 2개월 후에 복부거상술을 시행하였다. 유방축소술 후 1년 경과한 후 환자는 만족하였으나 수술 시 N-IMF가 6 cm이 넘어서 유두가 약간 높게 위치하고 있음을 알 수 있다(**그림 5**).

증례 3

56세 여자로 유방의 처짐이 심하고 좌측이 큰 비대칭 거대유방이었다. 유두는 MC까지의 거리가 좌우측 각 각 33 cm, 31.5 cm이었던 것을 21 cm 거리에 위치하도록 하였으며 inferior pedicle의 폭을 7 cm으로 하고 좌우 유방에서 각 각 686 g, 626 g을 절제하였으며 areola에서 IMF까지 5 cm이 되도록 NAC의 위치를 정하였다. 수술 후 8개월 경과한 상태이다(**그림 6**).

증례 4

21세의 젊은 여성으로 무겁고 큰 유방이 심하게 처져 있었으며 우측이 더 큰 비대칭 유방이었다. 계측 상 MC-N은 좌우 각 각 36.5 cm, 37 cm이었으며 N-IMF는 16 cm씩이었다. 양측 모두 BM이 유두보다 외측에 위치하였다. 새로운 유두의 위치는 BM 선상에 MC로부터 22 cm 거리에 정하여 Nr-MS-Nl이 23 cm의 정삼각형이 되게 하였다. Inferior pedicle은 폭 8 cm, 길이 16 cm이었으며 양측 IMF 절개선의 길이는 24 cm이었고 내외측 유방피판의 수평절개선의 합(BC+B'D)은 좌우 각 각 25 cm, 26 cm이었다. 좌우측 유방에서 각각 1330 g, 1460 g을 절제하였으며 NAC는 areola-IMF가 5 cm 되는 위치에 만들었다. 수술 후 1년경과 시점에서 비교적 만족스러운 결과를 보였다(**그림 7**).

증례 5

57세 여자로 유방의 처짐이 심하고 BM이 유두보다 외측에 위치하였다. 환자는 무게로 인한 불편감과 큰 유방으로 인한 스트레스를 호소하며 모양은 개의치 않을 테니 최대한 줄여줄 것을 요청하였다. 그러나 환자의 체형을 고려할 때 너무 작은 유방은 조화롭지 못하다는 것을 술전 상담을 통해 설득하고 좌우측에서 각각 625 g, 608 g만을 절제하였다. 수술 후 환자는 충분히 축소가 되지 않았다고 불만을 토로하였으나 5개월이 경과한 시점에서 점차 크기가 줄어들고 있으며 환자의 몸통에 적절한 크기임을 설명하였다(**그림 8**).

증례 6

58세 여자로 무겁고 처진 유방을 최대한 축소하여 주기를 원하였다. 환자의 요구에 맞추어서 유두의 위치는 MC-N이 좌우 각각 33 cm, 34 cm인 것을 22 cm으로 줄이고 좌우측 유방에서 각각 820g, 766g 씩을 절제하였다. 환자는 만족했으며 3개월 후에 복부성형술도 받았다. 그러나 수술 7개월 후의 사진에서 보는 바와 같이 체격에 비해 너무 빈약한 유방이 되었음을 알 수 있다(**그림 9**).

증례 7

57세 여자로 좌측이 더 큰 비대칭 비대유방에 대해 좌우측에서 각각 722 g, 612 g을 절제한 후 9년이 경과하였다. 양측 IMF 외측에 dog ear가 남았으나 수술반흔은 전반적으로 양호하게 성숙된 것을 알 수 있으며 유두가 약간 위로 당겨지고 유방이 편평한 느낌이 있으나 현재 66세인 환자의 나이를 고려할 때 수술결과가 잘 유지되었다고 볼 수 있다. 환자는 만족하고 있으며 dog ear 교정을 권하였으나 원하지 않았다(**그림 10**).

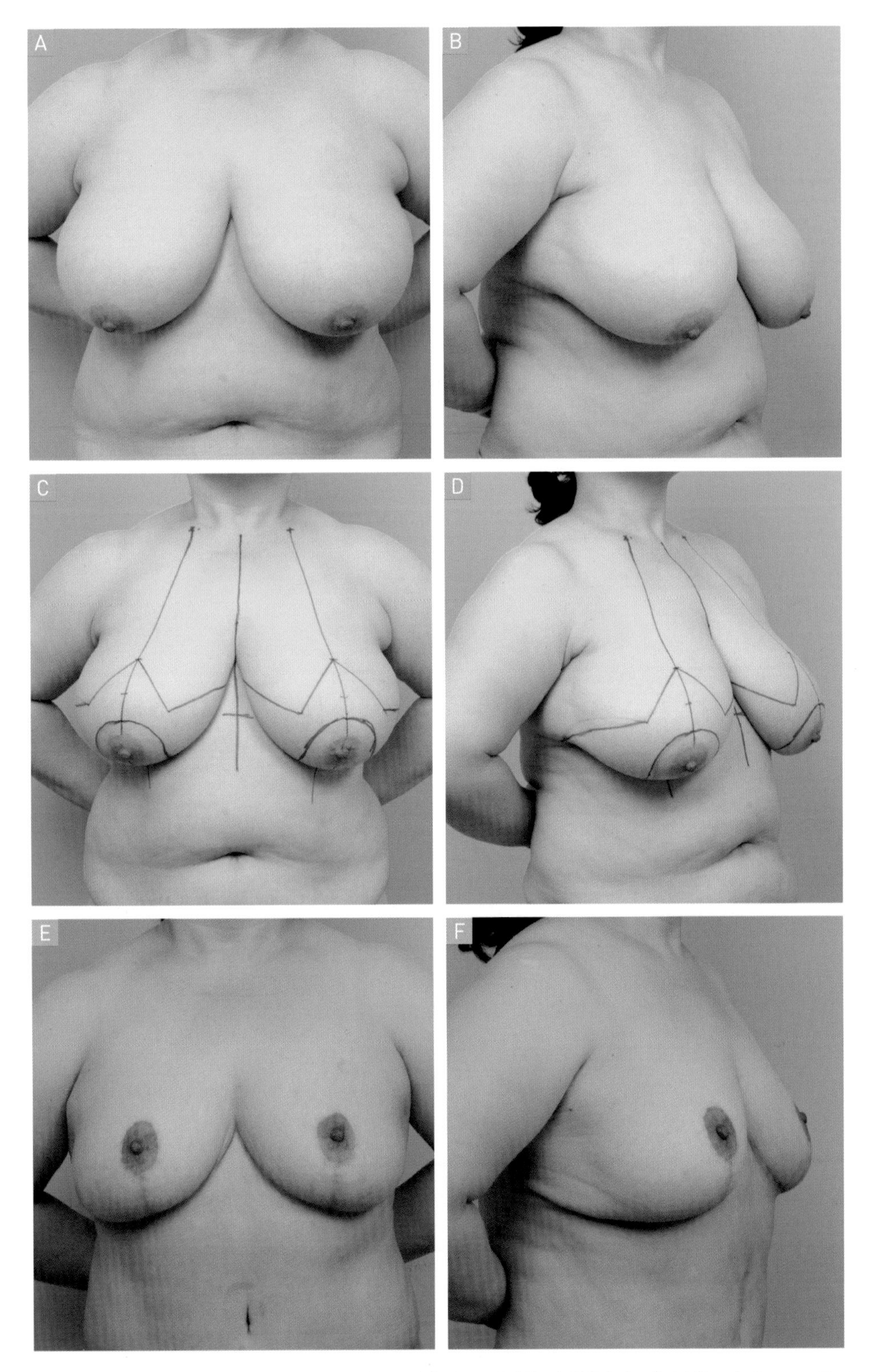

그림 5 45세 여자: (A,B) 유방의 폭이 크고 무겁게 처져 있으며 좌측이 큰 비대칭 거대유방. (C,D) 유두는 좌 10.5 cm, 우 10 cm씩 올리고 좌우 유방에서 각 각 892g, 808g을 절제하였다. (E,F) 1년 경과 후 사진.

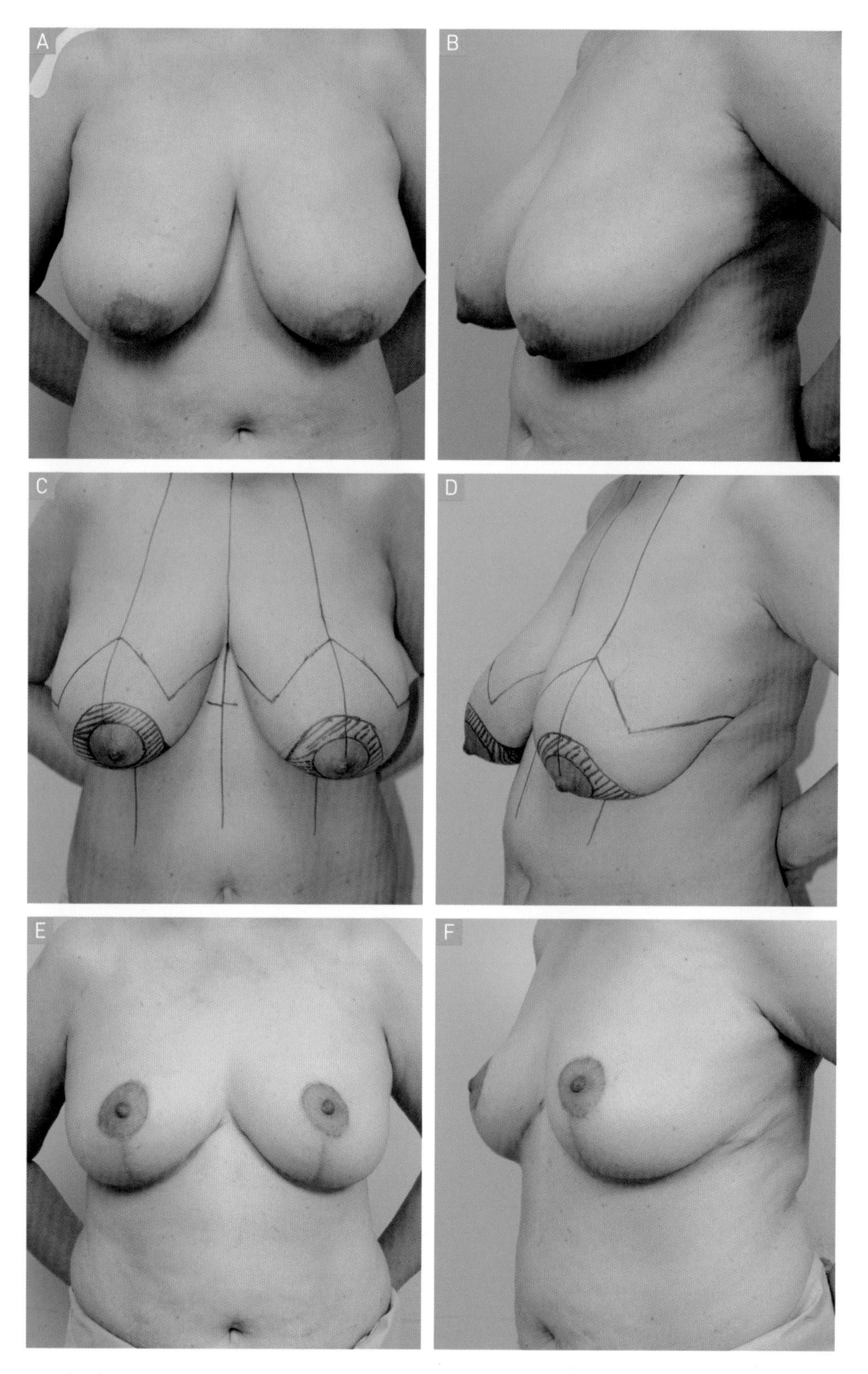

그림 6 56세 여자: (A,B) 유방의 처짐이 심하고 좌측이 큰 비대칭 거대유방. (C,D) 유두는 좌우측 12 cm, 10.5 cm올리고 좌우 유방에서 686g, 626g을 절제하였다. (E,F) 수술 후 8개월 경과한 상태.

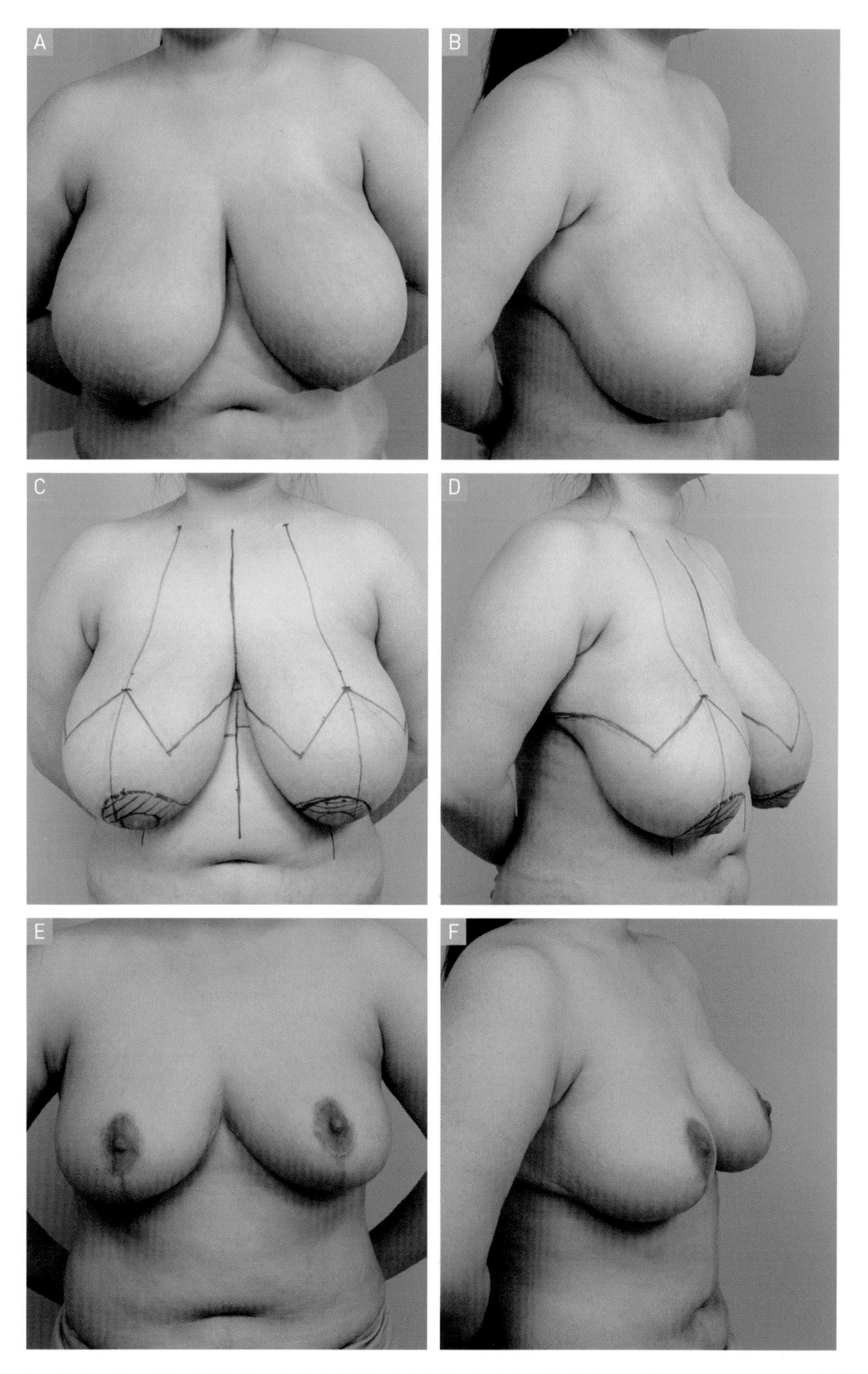

그림 7 21세 여자: (A,B) 무겁고 큰 유방이 심하게 처져 있었으며 우측이 더 큰 비대칭 유방으로 양측 모두 BM이 유두보다 외측에 위치하였다. (C,D) 유두는 좌우 14.5 cm, 15 cm 올렸으며 Inferior pedicle은 폭 8 cm, 길이 16 cm이었다. 좌우측 유방에서 각각 1330g, 1460g을 절제하였다. (E,F) 1년 경과 후 사진.

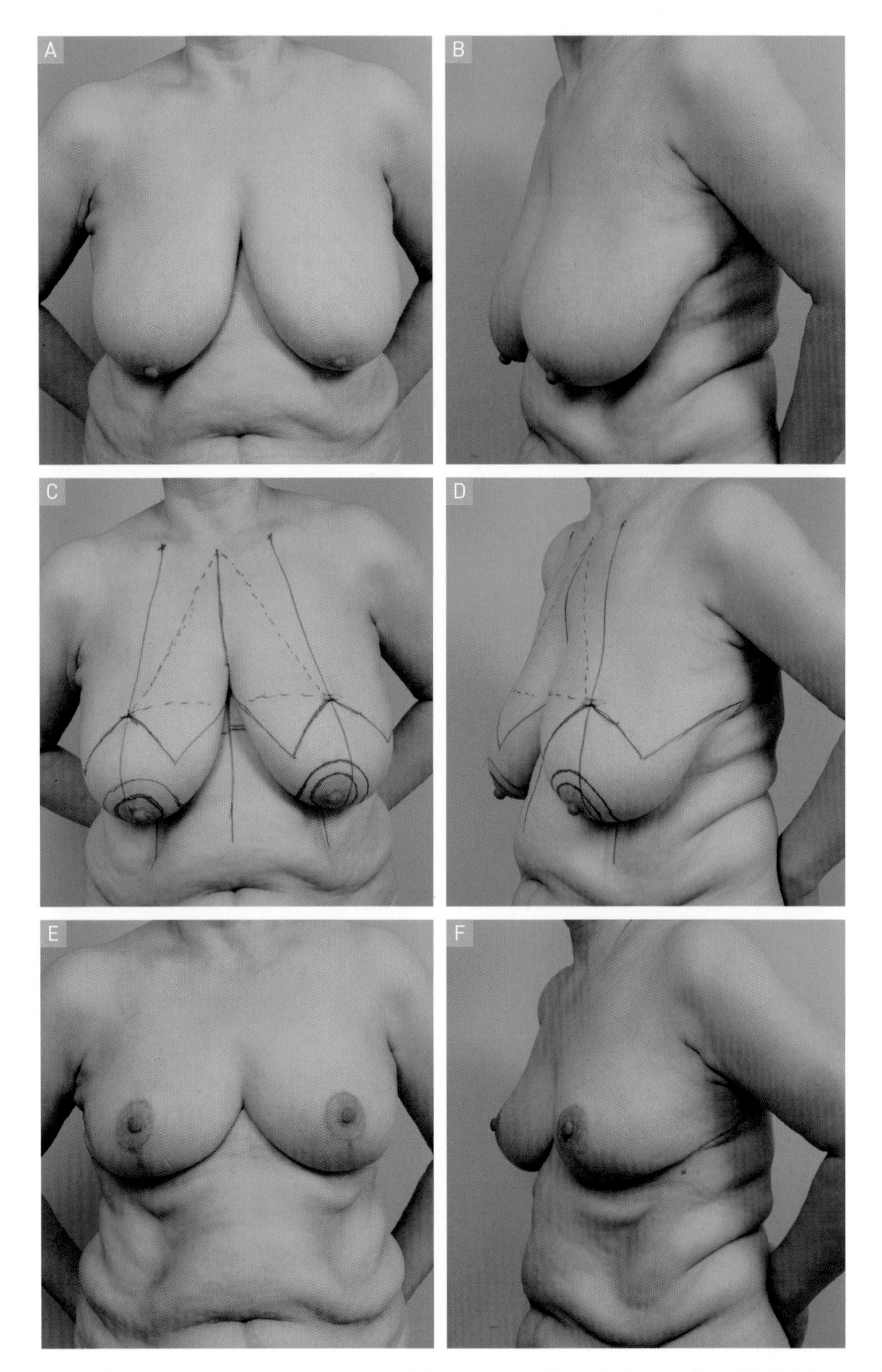

그림 8 57세 여자: (A,B) 유방의 처짐이 심하고 BM이 유두보다 외측에 위치하였다. (C,D) 환자는 더 작은 유방을 원하였으나 좌우측에서 각각 625g, 608g만을 절제하였다. (E,F) 5개월이 경과한 시점에서 점차 크기가 줄어들고 있으며 환자의 몸통에 어울리는 적절한 크기를 유지하였다.

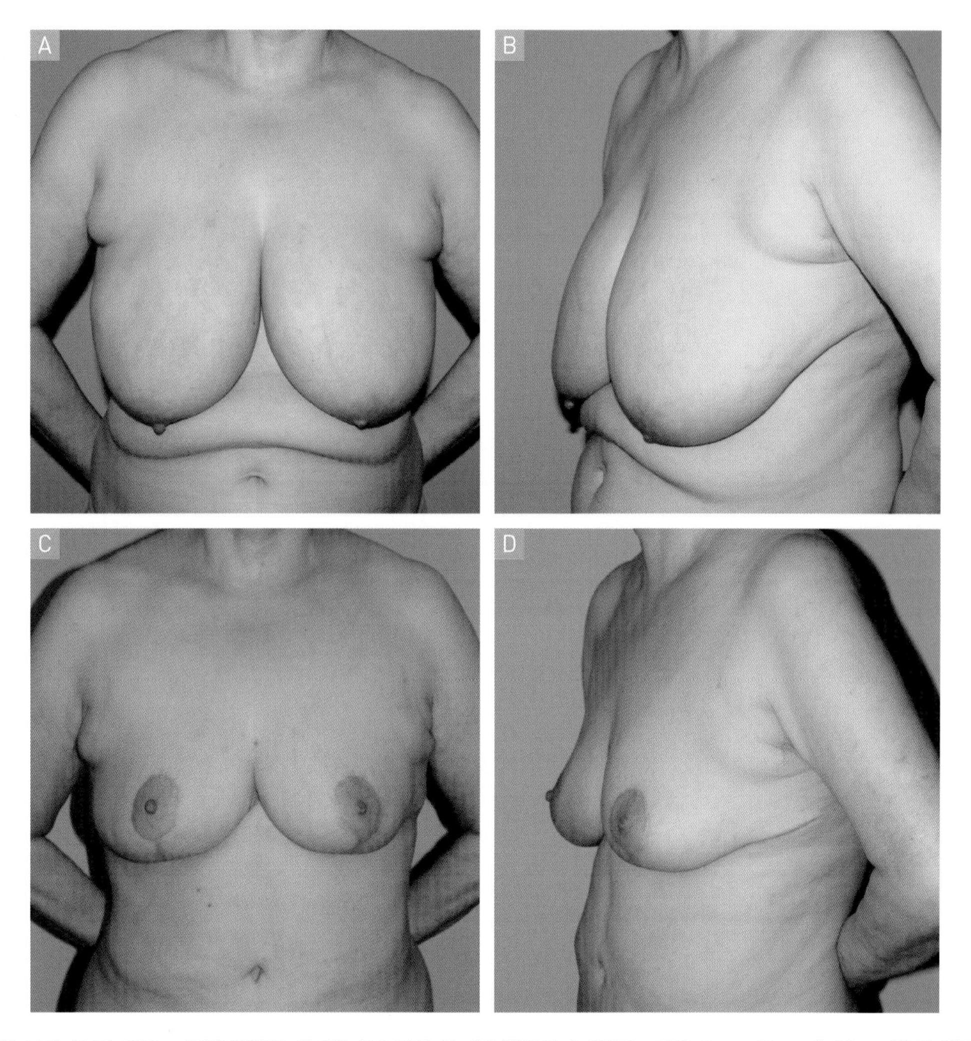

그림 9 58세 여자: (A,B) 무겁고 처진 유방을 최대한 축소하여 주기를 원하였다. 유두는 좌우 11 cm, 12 cm 높이고 좌우측 유방에서 820g, 766g 씩을 절제하였다. (C,D) 환자는 만족하였으나 수술 7개월 후의 사진에서 보는 바와 같이 체격에 비해 빈약한 유방이 되었다.

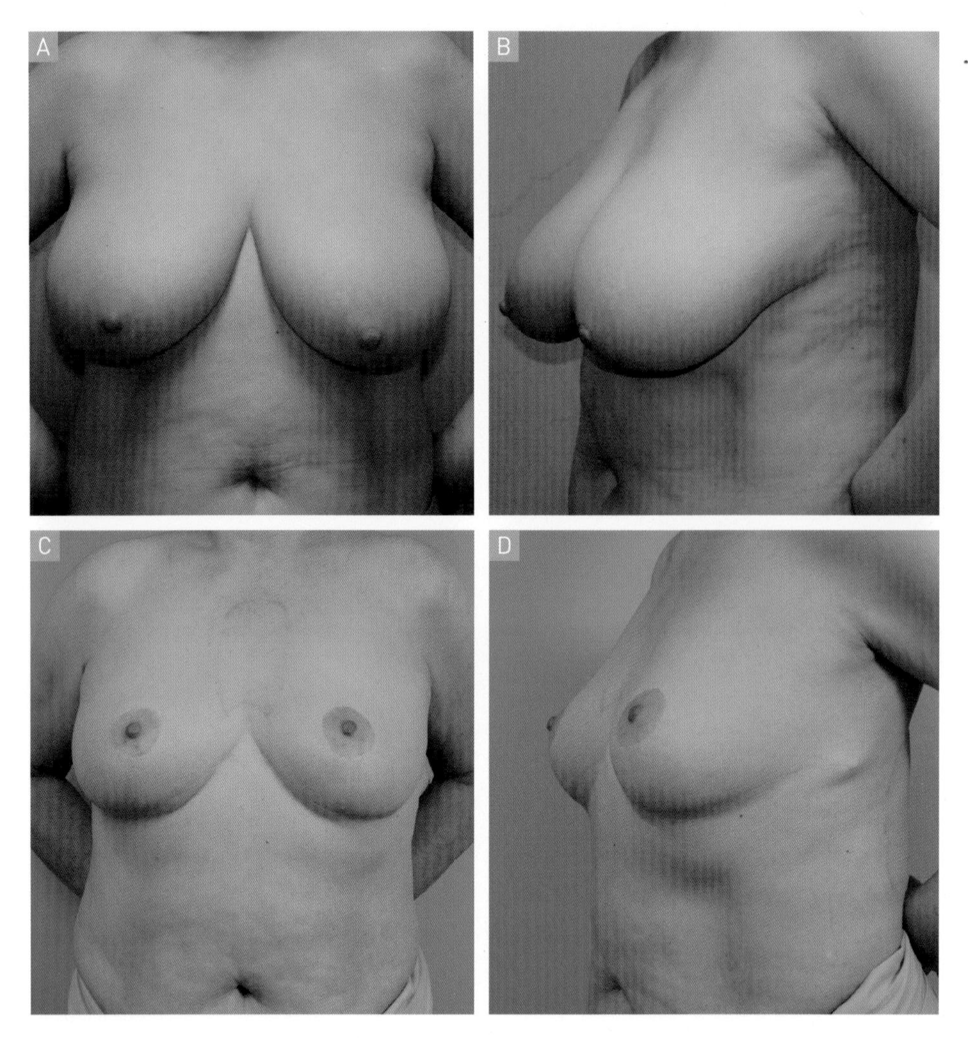

그림 10 57세 여자: (A,B) 좌측이 더 큰 비대칭 비대유방. (C,D) 좌우측에서 각각 722g, 612g을 절제하고 9년 경과 후 사진. 양측 IMF 외측에 dog ear가 남았으나 수술반흔은 전반적으로 양호하게 성숙되었다. 유두가 약간 위로 당겨지고 유방이 편평한 느낌이 있으나 현재 66세인 환자의 나이를 고려할 때 수술결과가 잘 유지되었다고 볼 수 있다.

참 · 고 · 문 · 헌

1. Çelebiler Ö, Sönmez, A, Erdim M et al.: Patients' and surgeons' perspectives on the scar components after inferior pedicle breast reduction surgery. Plast Reconstr Surg 116:459-464 2005
2. Courtiss EH, Goldwyn RH: Reduction mammaplasty by the inferior pedicle technique. Plast Reconstr Surg 59:500 1977
3. Eder M, Klöppel M, Müller D, et al.: 3 - D analysis of breast morphology changes after inverted T-scars and vertical-scar reduction mammaplasty over 12 months. J Plast Reconstr Aesthet Surg 66(6):776-786 2013
4. Fisher J: Inferior pedicle breast reduction. Neligan PC. Plastic Surgery. 3rd Ed. New York: Elsevier Saunders Vol 5:165-176 2013
5. Hall-Findlay EJ, Shestak KC: Breast reduction. Plast Re-

constr Surg 136:531e–544e 2015
6. Hammond DC, Loffredo M: Breast reduction. Plast Reconstr Surg 129:829e–839e 2012
7. Hoffman S: Inferior pedicle technique in breast reduction. In: Spear SL, ed. Surgery of the Breast. Volume II. 2nd ed. Philadelphia: Lippincott Williams and Wilkins 1119-1130 2006
8. Kerrigan CL, Slezak SS: Evidence-based medicine: Reduction mammaplasty. Plast Reconstr Surg 132:1670–1683 2013
9. Kroll, SS: A Comparison of deepithelialization and deskinning in inferior pedicle breast reduction. Plast Reconstr Surg 81(6):913-916 1988
10. Mathes SJ, Schooler W: Inferior pedicle reduction: Techniques. In: Mathes SJ, ed. Plastic Surgery. Volume VI. 2nd ed. Philadelphia: Elsevier 601-630 2006
11. Nahabedian MY: Scar Wars: Optimizing outcomes with reduction mammaplasty. Plast Reconstr Surg 116:2026-2029 2005
12. Nahai FR, Naha F: MOC-PS(SM) CME Article: Breast reduction. Plast Reconstr Surg 121:1-13 2008
13. Okoro SA, Barone C, Bohnenblust M, Wang HT: Breast reduction trend among plastic surgeons: A national survey. Plast Reconstr Surg 122:1312-1320 2008
14. Pennington DG: Improving the results of inferior pedicle breast reduction using pedicle suspension and plication. Aesthet Plast Surg 30:390-394 2006
15. Ribeiro L: A new technique for reduction mammoplasty. Plast Reconstr Surg 55:330-334 1975
16. Rorhrich RJ, Gosman AA, Brown SA, et al.: Current preferences for breast reduction techniques: a survey of board certified plastic surgeons. 2002. 114; 1724 2004
17. Wrye SW, Banducci DR, Mackay D, et al.: Routine drainage is not required in reduction mammaplasty. Plast Reconstr Surg 111: 113-117 2003
18. 강진성: 유방미용수술. 강진성. 성형외과학. 6권. 3판. 서울:군자출판사 2937-2942 2004
19. 설정현: 유방축소술 및 유방고정술. 설정현. 유방성형외과학. 초판. 서울:군자출판사 37-46 2005
20. 안상태: 역 T자형 반흔을 남기는 유방축소술. 안상태 편저. 유방성형술. 초판. 서울: 군자출판사 273-304 2010

Chapter 21

Reduction Mammoplasty & Mastopexy »

유방고정술

Mastopexy

이백권, 설철환

Reduction mammoplasty(유방축소술)와 Mastopexy(유방고정술)는 성형외과수술 중 가장 까다로운 수술 중 하나이다. 유방의 처진 정도와 조직의 양에 따른 세밀한 계획을 필요로 하고 수술 중 디자인의 변경이 필요하기도 하며 의사의 경험과 노하우에 따라 결과의 차이가 많이 날 수 있는 수술이다. 유두유륜복합체와 피판의 혈액순환장애가 발생하지 않도록 피판경을 적절히 확보하는 것 또한 중요하다.

'Mastopexy' or 'breast lift'는 '유방고정술'이라고 하며 늘어져 보이는 처진 유방(유방 하수)을 고정(fixation)시키는 성형수술을 말한다. 이는 단독으로 시행되는 경우도 있으나 많은 경우 특히 동양인의 경우 유방축소술이나 augmentation-mastopexy 때 같이 시행된다.

유방조직의 비대가 있고 유방하수가 있는 경우에는 피부와 유방조직을 같이 적절히 절제하는 유방축소술(reduction mammoplasty)이 필요하겠고 유방조직이 부족하면서 유방하수가 있는 경우에는 유방확대와 유방고정술을 동시에 하는 유방확대고정술(augmentation mastopexy)이 필요하다. 유방조직 양이 적당하면서 유방하수가 있는 경우에 mastopexy를 단독으로 하게 되는데 이런 경우라도 수술 후 유방이 납작하지 않고 좀 더 좋은 projection을 유지하기 위해 보형물을 사용하는 경우도 종종 있기 때문에 실제 임상에서 순수하게 mastopexy만 시행하는 경우는 상대적으로 드문 편이다. 단독으로 시행이 되든 확대나 축소술과 병행을 하든 유방고정술은 수술 후 모양도 중요하지만 결국 '수술 반흔(scar)'과의 싸움이다.

수술방법은 유방이 처진 정도나 처져 보이는 원인에 따라 그 수술법이 결정 된다, 최종적인 수술의 주된 목표를 모양에 두고 수술방법을 결정 할 수 있으나 서양인에 비해 흉이 많이 남고 오래 지속되는 동양인에 있어서는 수술 흉을 고려해서 수술방법을 결정하여야 한다. 즉 선택한 수술로 인해 얻는 것(완성도 높은 모양, 수술자의 욕심)과 잃는 것(수술 흉터, 합병증, 환자의 실망)을 잘 판단하고 비교해서 환자에 가장 적합한 방법을 결정하는 것이 중요하다. 따라서 수술 전 환자와의 충분한 상담이 필수적이다.

참고로 유방이 처져서 예쁘게 하고 싶다고 찾아오는 환자분들은 거의 대부분 당연히 흉터를 거의 남기지 않고 간단히 유방확대술로 교정하기를 원하시는 분들이고, 드물게 크기보다 단순히 처진 것만을 교정하기를 원하기도 한다. 이에 유방고정술의 필요성을 설명하고 이에 따르는 수술 흉을 말씀드리면 거의 대부분 고민을 한다. 환자의 입장은 완성도가 높은 유방이

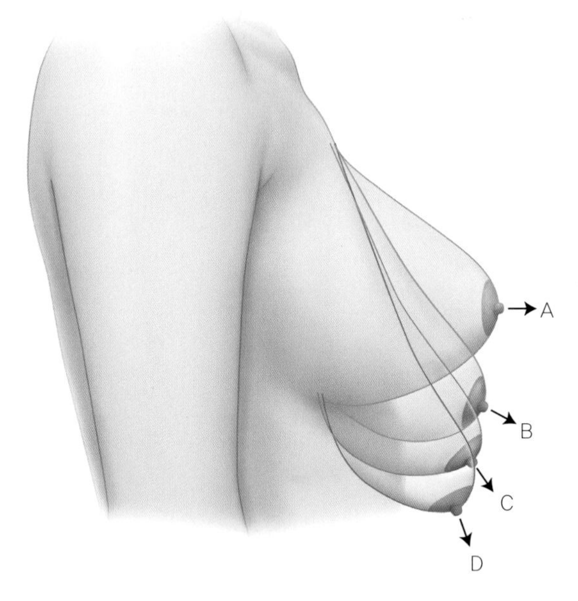

그림 1 **True ptosis분류(Regnault)**
A. normal, B. minimal ptosis, C. moderate ptosis, D. severe ptosis

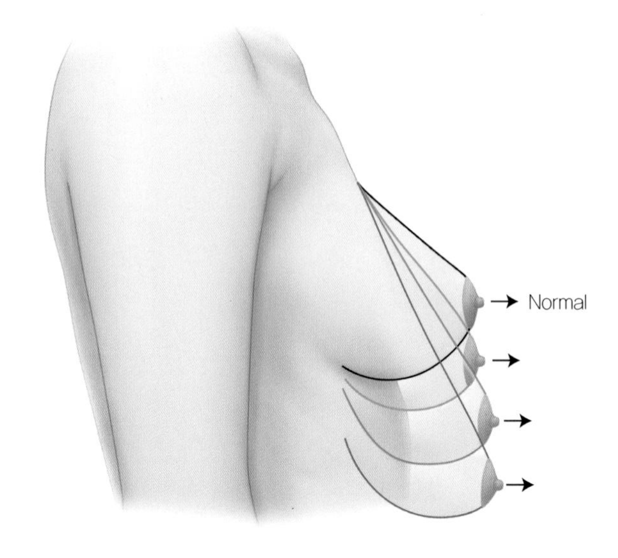

그림 2 Glandular ptosis

아니라 단순히 처진 유방을 흉 없이 간단히 교정하기를 원한다. 이에 저자의 수술 원칙은 가능한 수술 흉을 적게 남기면서(least scar; avoid excessive scarring) 가능한 완성도를 높이는(possible suboptimal results) 방법을 선택하고 있다. 유방확대술로 교정이 가능한 정도의 경한 유방하수는 이렇게 수술하는 것이 흉터를 최소화하고 싶은 환자의 요구에 더 적합할 것이다.

1. 유방하수 분류(Brink 분류)

1) True ptosis (그림 1)

IMF의 위치는 변하지 않고 주로 유두위쪽의 피부가 길어지는 경우로 nipple이 아래를 향하게(downward pointing) 되고, nipple-IMF길이는 정상이며 clavicle-nipple길이가 길어진다.

- Minimal ptosis — nipple이 inframammary fold (IMF) level이나 이보다 약간 아래에 위치하나, 유방의 lower pole의 위에 위치하는 경우**(그림 1-B)**.
- Moderate ptosis — nipple이 IMF아래 1-3 cm사이에 위치하고, some lower-pole breast tissue가 유두 아래에 보이는 경우**(그림 1-C)**.
- Severe ptosis — nipple이 IMF level보다 3 cm 아래에 위치하고 유두 아래에 lower-pole breast tissue가 보이지 않는 경우**(그림 1-D)**.

2) Glandular ptosis (그림 2)

유방의 gland, 유두, IMF가 한 unit로 흉곽(chest wall)에서 아래로 미끄러져 내린(sliding downward) 경우로 주로 IMF가 아래로 내려가 있어 clavicle-nipple 거리, nipple-IMF 거리가 길어져 있으나 유두는 앞을 보고 있다(forward pointing).

3) Parenchymal maldistribution (그림 3)

유방의 lower pole의 발달이 떨어져 volume이 적은

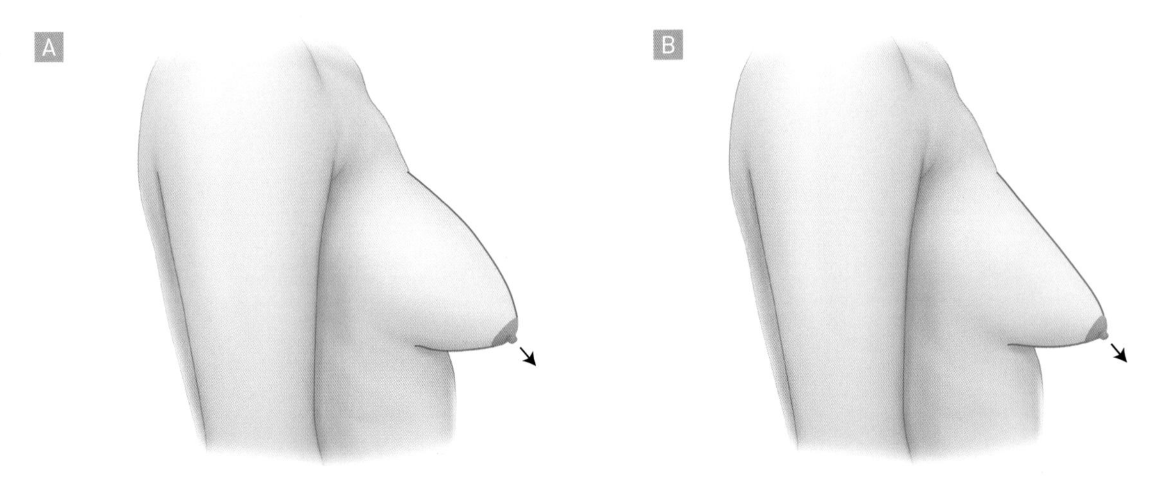

그림 3 **Parenchymal maldistribution** A. Constricted breast, B. Tuberous breast

경우로, 유방조직이 주로 위에 위치해 있고 IMF위치가 높고,유두의 위치는 정상이나 IMF위치 정도이고, nipple-IMF길이가 짧고, clavicle-nipple거리가 정상이다. Tuberous breast, constricted breast 등이 이에 해당한다.

4) Pseudoptosis (그림 4)

nipple의 위치는 정상(IMF leve이나 약간 위)이나 유방의 inferior pole skin이 늘어진 경우로 보통 IMF가 아래에 위치하여, nipple-IMF 길이가 길어지고 clavilce-nipple길이는 정상인 경우이다. 이는 모유 수유 후 postpartum milk-gland atrophy나 glandular ptosis 교정 수술 후 발생된다.

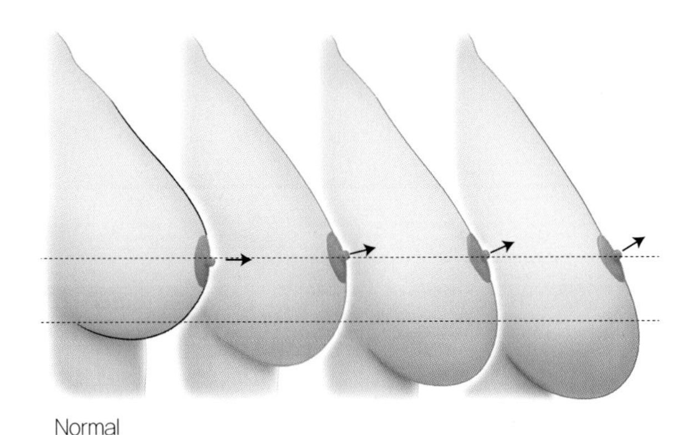

그림 4 Pseudoptosis

저자의 경우는 유두의 위치(suprasternal notch-nipple 거리)가 길어지는 true ptosis와 유두의 위치는 정상인데 기타 다른 원인으로 유방이 처져 보이는 pseudoptosis로 크게 2가지로 나누어서 생각하며, 본 chapter에서는 주로 true ptosis에 대해서만 언급하기로 한다. Pseudoptosis의 경우는 mastopexy가 대체로 필요하나 각 경우에 따라 추가적인 수술법이 필요하게 된다.

2. 적응증 및 금기

1) Indications for mastopexy:

- Postpartum milk gland diminishment, menopause, gross weight loss 등으로 인해 유방이 처진 경우
- Post-explantation ptosis-유방 보형물을 제거한 후 inelastic skin envelopes가 처지는 경우.
- 일부 tuberous breast deformity나 constricted breast의

경우 유방고정술과 더불어 유방확대술 및 유방조직 펼침술 등의 추가적인 수술이 필요하게 된다. 그러나 적지 않은 경우 mastopexy가 필요 없다.

2) Contraindication for mastopexy: few

- Aspirin use, tobacco smoking, diabetes, and obesity와 같은 nipple necrosis 발생 가능성을 높이는 medical and health conditions
- For the woman who is at high risk for developing breast cancer (primary or recurrent)
  - mastopexy가 유방의 histologic architecture를 변화시켜 정확한 MRI 판독을 방해하는 조직 변화를 일으킬 가능성이 큰 경우

3. 수술

1) 수술계획 시 고려해야 할 사항

(1) 우리나라를 포함한 동양인의 경우 유방이 처졌다고 하는 환자의 대부분이 유방확대를 동시에 원하는 경우가 많으며, 드물게 유방축소술이 필요한 경우가 있다. 전자의 경우 거의 대부분의 환자들은 단순 유방확대 만으로 처진 것과 확대를 해결하기를 원한다. 하지만 중등도 이상의 유방하수가 있는 경우 확대만을 시행하면 유방이 더욱 처져 보이거나 유방이 너무 아래에 달려 있는 결과를 초래 한다. 따라서 mastopexy가 필요한지 아닌지를 정확하게 결정하는 것이 매우 중요하다.

(2) Mastopexy가 필요한지 결정을 해야 할 때 고려해야 할 지표는 suprasternal notch to nipple (SN) distance, nipple과 inframammary fold (IMF) 위치 관계, mid-humeral level이 있는데 이중 가장 첫번째로 판단해야 할 지표는 SN distance이다.

저자의 경우 SN=19-21 cm를 기준으로 이보다 긴 경우 mastopexy를 시행하고 있다. 물론 이보다 길어도 신체 조건에 따라 유두가 mid-humeral level 정도에 위치하는 경우는 mastopexy를 시행하지 않는다. 반대로 SN<19 cm나 정상 범주에 있는 경우에도 high IMF로 인해 유방이 처져 보이는 경우가 있다. 이 경우는 mastopexy를 시행하되 유두의 위치가 너무 위쪽으로 올라가지 않도록 conservative 하게 시행하는 것이 좋다. 즉 유방 자체의 완벽한 모양 보다 신체의 전반적인 balance를 고려해서 breast lift의 정도를 결정해야 한다. Tuberous breast나 constricted breast가 이런 경우인데 대부분의 경우 유방확대가 필요하며, 유방 확대를 시행하는 경우에는 mastopexy 없이 IMF위치를 내리면서 확대를 시행해 처져 보이는 유방을 교정하기도 한다. 물론 mastopexy와 augmentation이 동시에 필요한 경우도 있다.

(3) 유두의 위치는 신중하게 결정을 해야 하며 반드시 conservative하게 하는 것이 좋다. 한번 높아진 유두의 위치는 교정하기 매우 힘들기 때문이다. 특히 mastopexy와 augmentation을 동시에 시행하는 경우는 각각 술기로 인한 유두의 위치 변화를 고려해야 한다.

mastopexy를 시행하는 경우 lifting의 정도 즉 nipple의 새로운 위치는 저자의 경우 standing position에서 nipple에서 위로 수직으로 올린 선상(또는 breast meridian)에 IMF보다 약간 높은 위치와 SN distance(19-21 cm) 두가지 지표가 교차하는 부위를 새로운 유두의 위치로 정한다. 이때 유방축소술(특히 vertical reduction)을 같이 시행하는 경우는 reduction 후 parenchymal manipulation으로 인해 유두의 위치가 올라가므로 SN distance를 21 cm 정도로 낮게 위치시키는 것이 좋고, augmentation을 동시에 시행하는 경우는 확대 후 유두의 위치 상승이 약간 있으므로 SN distance를 20 cm정도로 그리고 최종적으로 원하는 유

두 위치 보다 1 cm정도 낮게 결정한다. 다시 한번 강조하지만 절대적인 수치는 없으며 수술 받는 환자의 신체 조건을 전체적으로 파악을 해서 conservative하게 유두 위치를 결정하는 것이 중요하다. undercorrection 되면 부족한 것을 추가로 lift하면 되지만 너무 높게 유두가 올라간 경우는 교정하기 어렵다는 것을 명심해야 한다.

(4) Mastopexy수술에서 첫번째 고려 사항은 유두-유륜 복합체(nipple areolar complex, NAC)의 tissue viability이다. 절대적으로 NAC의 혈액순환을 확보 하는 것이 중요하다. Mastopexy의 가장 serious surgical complication이 NAC necrosis이다. 특히 breast parenchyma를 manipulation을 하는 경우 조심을 해야 한다. NAC의 blood supply를 숙지하고 가능한 한 blood circulation을 저해하지 않도록 해야 한다. 따라서 미용적 결과가 약간 떨어 지더라도 가능하면 유방실질을 건드리지 않는 방법이 안전하다.

(5) 저자의 경우는 가능하면 mastopexy로 인한 흉을 최소로 남기는 방법을 선택한다, 가능한 conservative 하고 간단한 방법이 흉을 적게 남기며 수술로 인한 합병증 발생이 적다. 부족하면 더할 수 있으나 과하면 돌이키기 어렵다. 그리고 절개 및 절제를 많이 할수록 흉이 많이 남고 회복도 느리고 합병증 발생률이 높아지게 된다.

(6) 수술 전 디자인을 정확하게 하여 그 디자인대로 수술을 하려고 하지 말고, 디자인을 conservative하게 하고 다소 시간이 더 걸리더라도 수술을 하면서 모양을 다듬어 가는 것이 결과적으로 안전하게 오류를 피할 수 있다.

2) 수술방법 선택

일반적으로 유방 하수의 정도에 따라 수술 방법을 선택하게 된다.

- Minimal ptosis: 초승달형 유방고정술(Crescent mastopexy) with or without augmentation mammoplasty 또는 유륜둘레 유방고정술(Periareolar mastopexy) 또는 Augmentation mammoplasty only

유방의 볼륨이 적절하다면 확대 없이 초승달형 유방고정술이나 유륜둘레 유방고정술을 적용할 수 있다. 유두의 위치(IMF나 mid-humeral level과의 관계 등)가 너무 낮지 않고 유방볼륨이 부족하다면 유방확대술만 시행하여 유방하수를 교정할 수 있는데 subperctoral plane보다는 dual plane, subglandular, subfascial plane이, round implant보다는 anatomic implant가 ptosis교정에 유리하다.

- Moderate ptosis: 유륜둘레 유방고정술(Periareolar mastopexy) 또는 수직절개 유방고정술(Vertical mastopexy)

이 경우 저자는 scar를 최소로 남기는 유륜둘레 유방고정술을 선호한다. 수술 전 유방의 형태에 따라 결정을 하게 되는데, NAC위치를 올리면서 유방의 좌우 폭도 줄이고 유방의 projection을 고려하는 경우는 수직절개 유방고정술이 좋으나 scar가 유방의 inferior pole에 수직으로 남는다는 점이 단점이다. 그러나 위 3가지 고려 사항 중 유방의 projection의 기대치를 낮춘다면 유륜 주위로만 흉이 최소로 남는 유륜둘레 유방고정술이 좋다. 다만 이때도 유방 보형물을 사용한다면 유방의 projection의 문제를 어느 정도 극복할 수도 있다.

- Severe ptosis : 역T자절개 유방고정술(Inverted-T mastopexy) regardless of the type of pedicle used 또는 수직절개 유방고정술(Vertical mastopexy)

이 경우 역T자절개 유방고정술이 가장 확실하게 유방하수 및 유방 모양을 교정할 수 있으나 수술시간이 타 방법에 비해 많이 걸린다는 점과 scar가 많이 남는 다는 점이 단점이다. 이에 비해 수직절개 유방고정술은 유방의 수직방향 조직제거가 부족할 수 있다는 점과 유방하 주름부위에 남는 피부(dog ear)를 처리하기 위한 2차 수술이 필요할 수 있다는 단점이 있다.

유방하수의 정도에 따른 수술법을 기술하였는데 의사와 환자간의 충분한 상담을 통해 그리고 수술자의 경험에 따라 환자에게 가장 적합한 방법을 선택하게 된다.

본 단원에서는 4가지 대표적인 mastopexy 수술방법인 crescent mastopexy, periareolar mastopexy, vertical mastopexy, inverted-T mastopexy에 대해 설명하고자 한다.

A

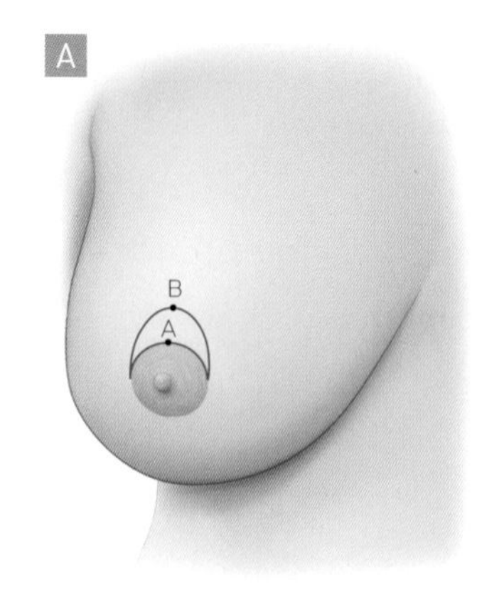

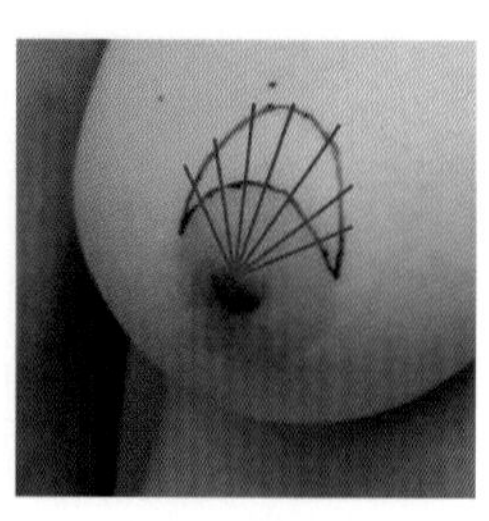

그림 5 **Preoperative design of Crescent mastopexy**
A. The peak point of lower incision, B. The peak point of upper incision

3) 초승달형 유방고정술(Crescent mastopexy)

설철환

유륜상연에서 초승달모양으로 피부를 제거하고 봉합하여 NAC(유두유륜복합체)의 위치를 올려주는 방법이다. 경한 정도의 유방하수환자에게 적용되며 NAC를 2 cm 정도까지 거상하는 용도에 사용할 수 있다.

Crescent mastopexy는 거상효과가 적기 때문에 단독으로 시행되는 경우는 드물며, 확대와 동시에 시행하여 미흡한 거상효과를 보완하는 경우가 많다. 그러나 유륜유두복합체 위치의 비대칭 교정(**그림 6**), 유방재건 시 반대편 유방의 balancing등의 용도로 단독시행될 수 있다(**그림 7**).

(1) 술전 디자인(그림 5)

이 방법은 반흔이 유륜 상연의 반원에 국한되는 장점이 있으나 거상효과가 적고 수술 후 유륜 상연의 유륜색이 옅어지는 부위가 제거되므로 유륜하연과의 이질감이 있으며 많은 양을 절제할 경우 유륜이 세로타원모양으로 변형된다는 단점이 있다.

이러한 타원변형을 최소화하려면, 거상을 위해 절제되는 피부의 폭(A~B)을 2.5 cm 미만으로 제한할 필요가 있고 피부만 절제할 것이 아니라 유방실질조직까지 포함하여 전층 절제 한 후 깊은 층에서부터 봉합해 나옴으로써 피부에 걸리는 장력을 최소화하는 것이 바람직하다.

유륜 상연에 반원모양으로 lower incision line을 그리고 NAC를 거상하고자 하는 거리의 110-120% 정도를 초승달모양 디자인의 폭으로 하여 upper incision line을 그린다. NAC를 medial 또는 lateral쪽으로 약간 이동시키고자 하는 의도가 있을 때에는 초승달모양 디자인의 방향을 그쪽으로 약간 회전시킬 수 있다. 유륜 모양의 변형을 최소화하면서 봉합을 용이하게 하기 위해, 유두로부터 방사선을 그어서 upper line과 lower line이 만날 점을 미리 표시해 놓는다.

(2) 수술방법

Lower incision line과 upper incision line에 절개를 하고 Bovie의 cutting mode를 사용하여 피하지방층과 유방실질조직층을 수직으로 절개해 들어간다. 유방실질조직이 끝나고 subglandular layer까지 들어가게 되면

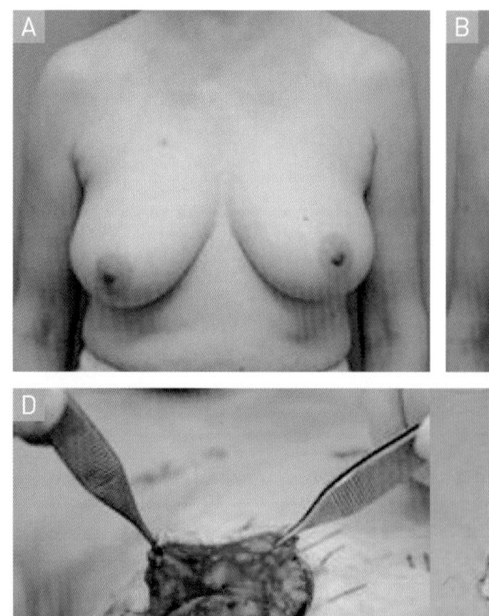
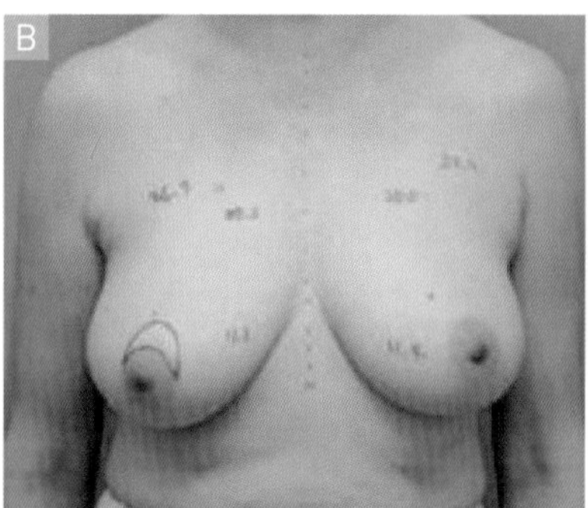
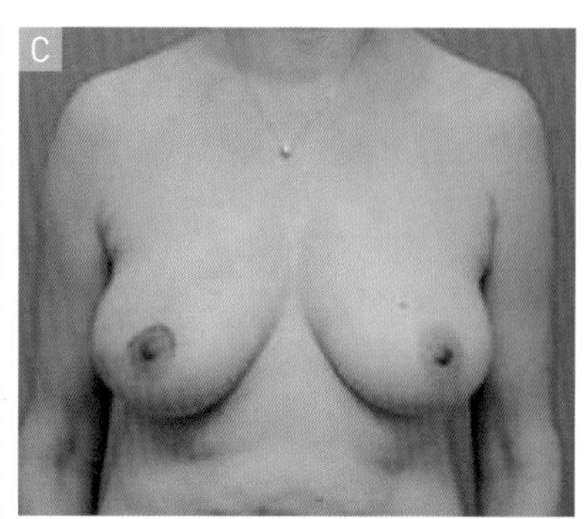
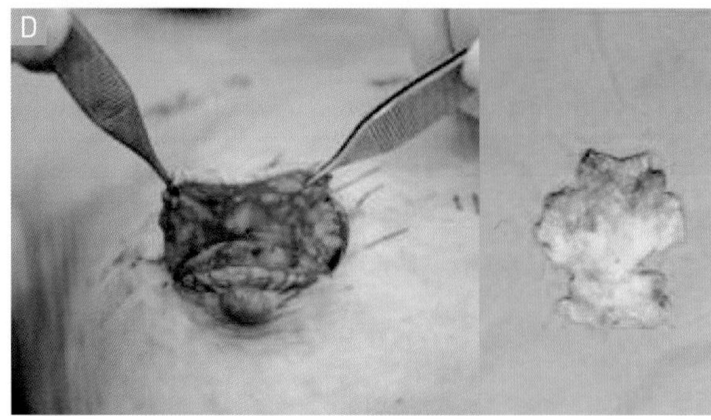

그림 6 **유두유륜복합체 위치의 비대칭 교정을 위한 Crescent Mastopexy.**
우측 유방에 시행하였으며 피부와 유방실질조직을 full thickness로 절제하고 봉합함
A.수술 전, B. 수술 전 디자인, C. 수술 후 10일, D. 전층으로 절제된 조직

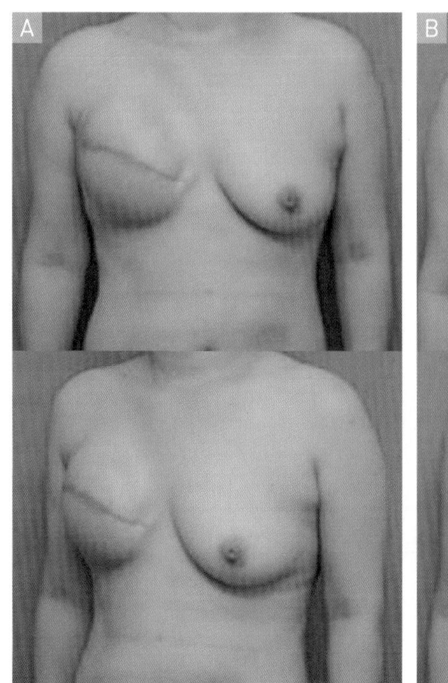
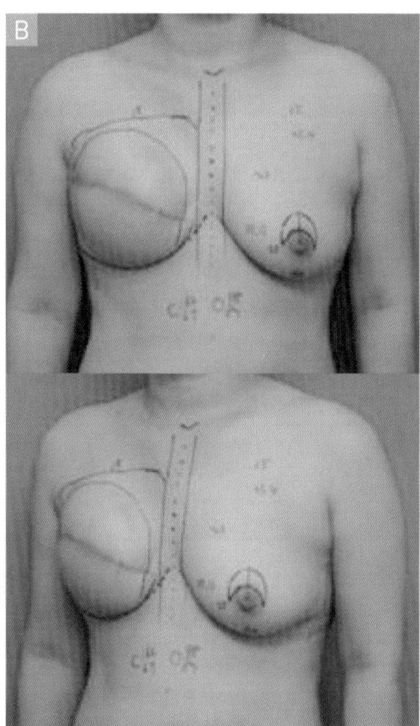
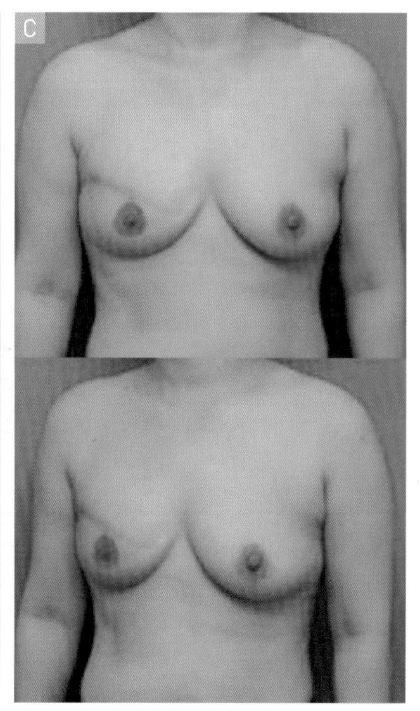

그림 7 **유방재건 시 대칭을 맞추기 위한 Crescent Mastopexy.**
우측 유방에는 조직확장기 제거 및 보형물을 이용한 유방재건술이 좌측 유방에는 crescent mastopexy가 시행되었다.
A. 수술 전, B. 수술 디자인, C. 수술 후 10개월

피부, 피하지방층, 유방실질조직이 포함된 조직편이 절제되어 나오게 된다. 유방실질조직은 deep layer부터 Vicryl 2-0과 PDS 3-0로 봉합하고 피하층은 수술전 표시한 지점들이 마주 닿게 Vicryl 4-0과 Maxon 5-0로 봉합하고 피부는 Steri Strip이나 glue 제품으로 접착한다. **(그림 6)**

(3) 증례

(그림 6), (그림 7)

4) Periareolar mastopexy(유륜둘레 유방고정술):

| 이백권 |

저자의 경우 가능한 parenchymal manipulation을 하지 않는 skin-only mastopexy를 주로 시행한다. 경우에 따라서 유방 실질을 모아주는 것이 수술 후 결과가 좋을 수 있으나 수술 후 합병증 발생 위험도를 고려할

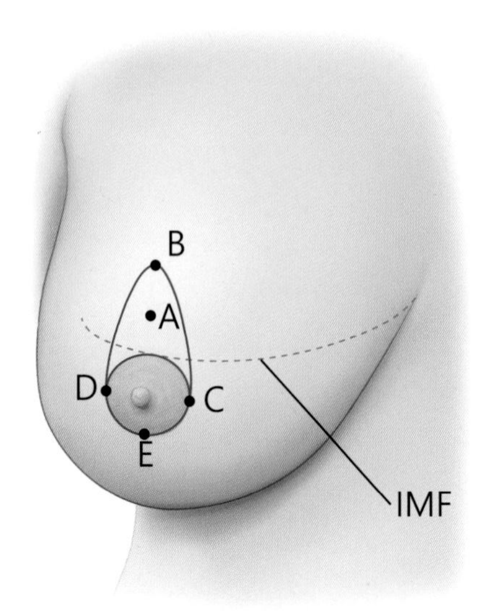

그림 8 **Preoperative design of Periareolar mastopexy**
A. new nipple position, B. upper border of new areola, C. medial border of periareolar excision or original areola, D. lateral border of periareolar excision or original areola, E. lower border of periareolar excision or original areola, IMF; inframammary fold

때 즉 득과 실(Gain & Loss)을 생각해 '수술을 단순화 한다'는 기본 원칙에 의한 것이다. 또한 동양여자의 경우 유방 하수만을 교정하기 보다는 유방 확대를 같이 하는 경우가 많으므로 보형물에 의해 유방의 모양이 좋아지기 때문에 skin-only mastopexy만을 시행하는 경우가 많다. 하지만 위 두가지 방법으로도 미용적인 효과가 떨어 지는 경우는 유방조직의 조작(manipulation)을 하기도 한다. 유륜둘레 유방고정술의 장점은 수술이 간단하다는 것과 수술 반흔을 최소화 할 수 있다는 것이며, 단점은 수술 후 유방모양이 flat하고 projection이 부족할 수 있고, 유두-유륜 복합체가 flat 해지는 경향이 있고, 유륜주위에 wide scar나 hypertrophic scar가 남을 수 있다는 점이다. 따라서 유륜둘레 유방고정술을 시행할 때 봉합부의 tension을 줄이는 것이 중요하다.

(1) 술전 디자인(그림 8)

가장 중요한 것은 유두 위치 결정이다.

저자의 경우 유방고정술만 시행하는 경우는 환자가 서있는 상태에서 유두에서 수직으로 올린 선상에서, IMF level보다 약간 높으면서 동시에 SN-N 18-19 cm 정도의 위치를 new nipple position (A)으로 정한다. 만약 유방확대를 같이 시행하는 경우는 이보다 1-2 cm 정도 낮게 위치를 정한다.

다음은 새로운 유륜의 크기 결정인데, 유륜이 큰 경우 유륜의 지름을 3.5 cm-4 cm(유방이 큰 경우 4 cm)으로 디자인을 하고 purse-string suture를 할 때 최종적인 유륜은 이 보다 0.5 cm정도 작게 한다. 이유는 첫째 NAC를 약간 convex하게 만들 수 있어 유두-유륜 복합체가 flat해 지는 경향을 예방하고, 둘째 scar widening으로 인해 유륜이 커지는 것을 예방 할 수 있다. 그러나 유륜의 크기가 크지 않은 경우는 원래의 유륜 크기로 디자인을 하고 최종적인 유륜의 크기도 원래의 크기(유륜이 작은 경우)나 약간 작게(유륜 크기가 적절한

그림 9 cartwheel interlocking purse-string suture of periareolar excision

경우) purse-string suture를 한다. 참고적으로 동양인의 경우는 유륜이 큰 것 보다 약간 작은 것을 선호한다.

B점은 새로운 유륜의 반지름을 A에서 수직 선상에서 잡고, C점과 D점은 original 유륜의 내측 및 외측 변연부에 잡고, E점은 original 유륜의 6시 방향에 잡는다. 이때 유방의 수평폭을 줄이고자 하는 경우는 유방을 좌우상방으로 당겨서 원하는 만큼의 위치에 C점과 D점을 잡는다. 또한 유방의 inferior pole이 긴 경우 그 길이를 줄이고자 하는 만큼의 위치에 E점을 잡는다. 이후 C-B-D-E점을 연결할 때 완전한 타원형이기보다 가능한 길이가 짧아지게 위를 약간 예각의 곡선으로 디자인을 한다. 피부 절제가 많으면 많을수록 즉 절제된 외곽의 길이가 길면 길수록 수술 후 피부 주름이 증가하고, 수술 후 scar widening이나 NAC flattening 되는 경향이 심해지므로 가능한 conservative하게 절제하는 것이 중요하다.

(2) 수술방법

저자의 경우 디자인된 선을 따라 절개를 하고 new NAC를 제외한 부분을 de-epithelialization한 후 8 points cartwheel interlocking purse-string suture(쌈지봉합)를 시행한다(**그림 9**). 이후 각 point 사이 사이에 피하봉합을 시행하고 skin은 더마본드나 히스토아크릴 등의 glue 제품으로 봉합을 하고 스테리 스트립 등의 테이프로 보강을 한다. 피부를 절제하지 않고 de-

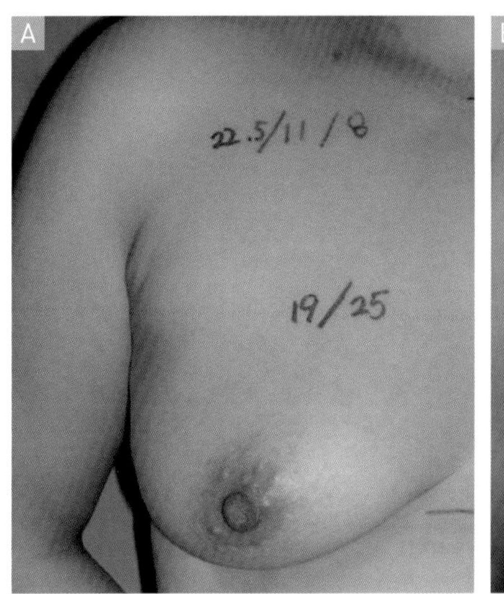

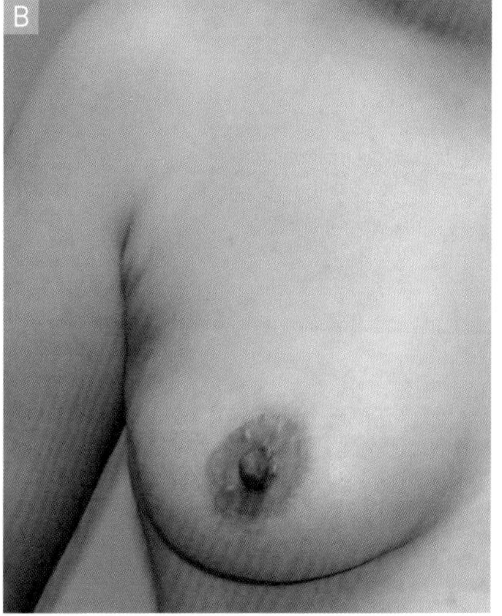

그림 10 Periareolar mastopexy (skin-only). A. 수술 전, B. 수술 후 8개월

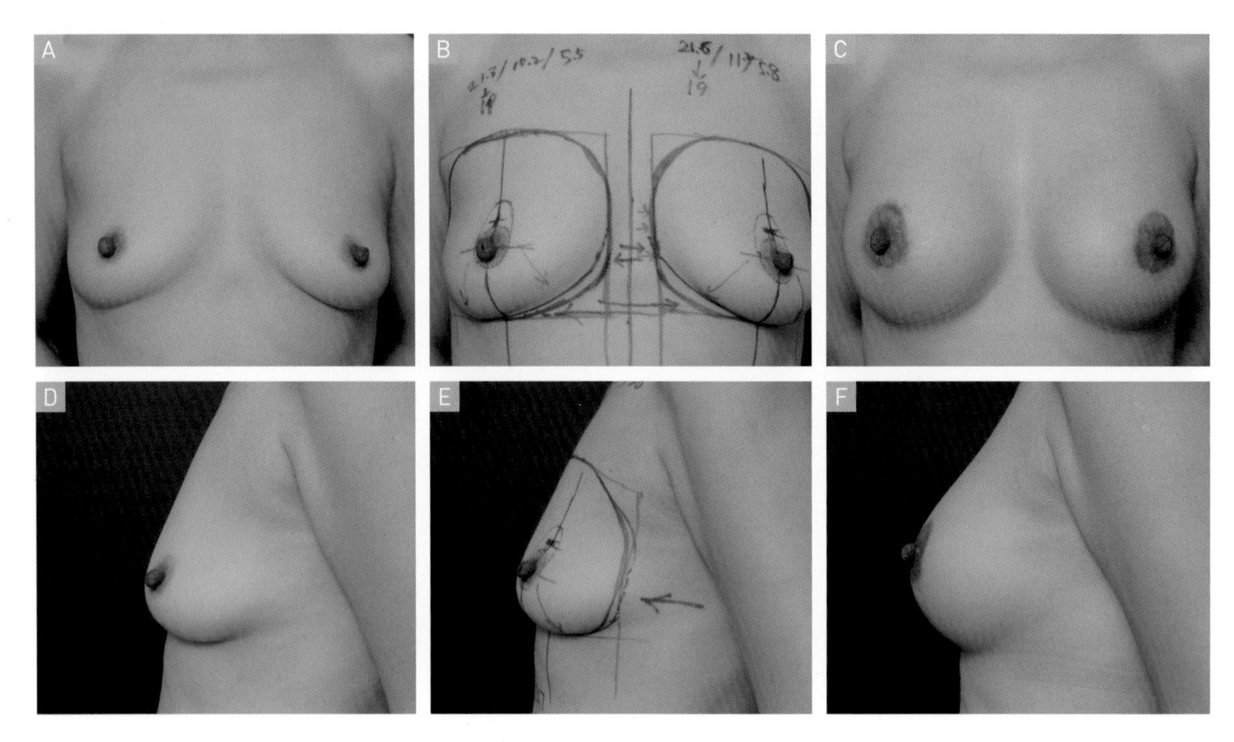

그림 11 Priareolar mastopexy (skin-only) augmentation (total subfascial pocket, full height full projection 335gm anatomic implant) A, D. 수술 전, B, E. 수술 전 디자인, C, F. 수술 후 3개월

epithelialization을 하는 이유는 NAC의 혈액순환을 좋게 하고, 쌈지봉합 후 유륜 부위의 볼륨 증가에 도움이 되기 때문이다. 쌈지봉합의 재료는 저자의 경우 #2-0 Vicryl을 사용하는데 이는 쌈지 봉합 시 뻣뻣하여 다루기가 힘들다는 단점이 있으나 tie 후 잘 느슨해 지지 않는다는 점과 흡수사 이기 때문에 장기적으로 봉합사가 유륜 주위에서 만져지지 않는다는 장점이 있다. 이에 비해 Goretex제품은 매끄러워서 쌈지 봉합이 수월하다는 점과 비흡수사여서 봉합 부위가 느슨해 지는 것이 덜 하다는 장점이 있으나 반면 비흡사인 관계로 지속적으로 유륜 주위에서 만져진다는 점과 후에 stitch abscess가 발생하는 경우 경미한 국소적인 염증의 경우에도 치료가 잘 되지 않는다는 점, stitch abscess로 제거하는 경우 시기에 상관없이 유륜 widening이 되며, 재질이 매끄러워서 tie가 loose해 질 수 있다는 단점이 있어 저자의 경우는 흡수사의 사용을 선호한다.

(3) 증례

(그림 10), (그림 11)

5) Vertical mastopexy

| 이백권 |

수직 절개법의 장점은 유두-유륜 복합체가 flat해 지거나 비후성 반흔이나 넓은 반흔 형성의 가능성이 낮다는 점, 유방의 수평 폭을 조절할 수 있다는 점, 유방 조직을 조작 할 수 있어 유방 모양을 control 할 수 있다는 점 등이며, 단점은 유방의 하부에 수직의 반흔이 생긴다는 점과 유륜둘레 유방고정술보다 수술시간이 더 걸린다는 점 등이다.

(1) 술전 디자인(그림 12):

환자가 서있는 상태에서 유두에서 수직으로 올린

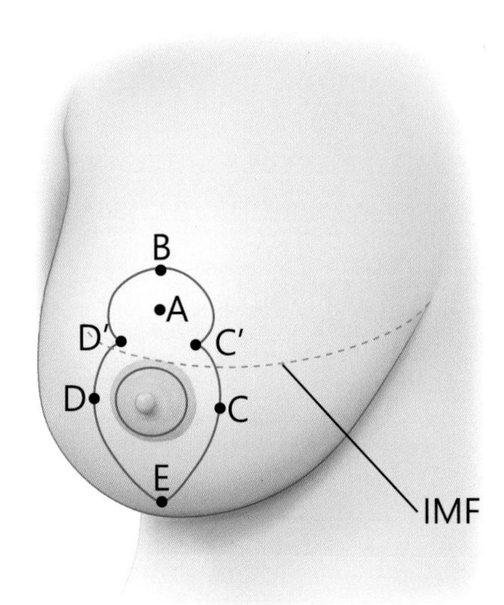

그림 12 Preoperative design of vertical mastopexy
A. new nipple position, B. upper border of new areola, C. medial border of vertical skin excision, C'. junction of circular new areola and medial limb, D. lateral border of vertical skin excision, D'. junction of circular new areola and lateral limb E. joining of both limb, IMF; inframammary fold

선상에서, IMF level보다 약간 높으면서 동시에 SN-N 18-19 cm 정도의 위치를 new nipple position(A)으로 정한다. 만약 유방확대를 같이 시행하는 경우는 이보다 1-2 cm정도 낮게 위치를 정한다. 새로운 유륜의 크기는 지름 3.5-4 cm으로 하되 그외 유륜이 작은 경우 등은 유륜둘레 유방고정술과 같은 원칙으로 정하고, B점은 새로운 유륜의 반지름을 A에서 수직 선상에서 잡고, C점과 D점은 유방을 좌우상방으로 비스듬히 당겨서 제거를 원하는 만큼의 내외측에 잡는다. 이때 가능한 약간 undercorrection 한다는 생각으로 정하는 것이 후에 흉도 적게 남고 자연스러운 모양을 얻을 수 있다. overcorrection은 교정하기 어려우며 좋은 결과를 얻기 힘들다. C'점과 D'점은 C'-B-D'길이(areolar opening)가 새로운 유륜의 지름이 4 cm일 경우 13 cm, 4.5 cm일 경우 15 cm이 되게 잡고 limb과 acute하게 연결을 한다. E점은 original 유륜의 6시 방향에 B cup 유방의 경우 C'-E(limb)가 5-7 cm, C cup은 7-9 cm, D cup은 10-12 cm 되게 잡고 D'-E선(limb)과 일차 봉합시 dog ear가 생기지 않게 연결을 한다. 위 디자인은 유방 조직 manipulation을 하지 않거나 minimal하게 하는 경우이고, 유방 조직의 절제가 많이 필요한 경우는 유두유륜 복합체(NAC)를 medial pedicle이나 superomedial pedicle의 형태로 디자인을 하여 NAC를 옮기게 된다. 이때 pedicle의 폭은 가능한 8cm 정도 유지를 하여 NAC의 circulation을 확보하는 것이 매우 중요하다. 참고로 pedicle의 방향은 어느 방향이나 가능하나 저자의 경험으로 medial pedicle이 NAC를 setting하기 쉽고, 유방조직 절제도 용이하다고 생각한다.

(2) 수술방법

디자인된 선을 따라 먼저 표피층에 절개를 하고 예정된 유두-유륜 복합체를 남기고 excision할 부위를 de-epithelization 한 후(가능하면 진피층을 남겨 유두-유륜 복합체의 혈액 순환을 좋게하고 유방의 볼륨이나 contour를 좋게 하려고 하나, 경우에 따라 skin flap mobilization을 용이하게 하기 위해서 skin excision을 시행하기도 한다.) 피하 지방층까지 절개를 한 후 절개선 주위로 약간 skin flap undermining을 하고(유방 조직을 조작 하려고 할 때는 박리를 유방조직을 mobilize 할 정도로), 유두-유륜 복합체를 위쪽 새로운 위치로 옮기고 좌우 skin flap을 layer-by-layer로 봉합을 한다. 이때 새로운 유두-유륜 복합체의 6시 방향의 윤곽이 아래로 당겨지지 않게 하려면 피부 절제 시 유두-유륜 복합체 원형 둘레와 limb의 선이 만나는 곳이 acute하게 하는 것이 중요하다.

Breast tissue manipulation (excision, overlapping, fixation etc.)을 계획하는 경우는 skin excision한 후 skin closure 하기 전에 유두-유륜 복합체 위아래 부위에서 조작을 해 원하는 유방 모양으로 만들 수 있다.

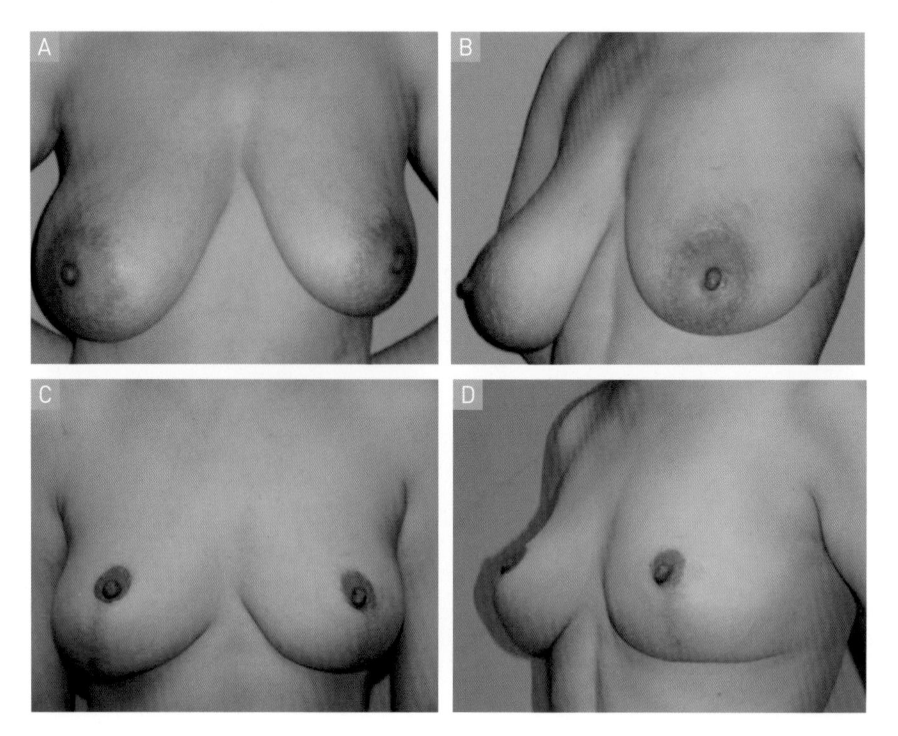

그림 13 Vertical mastopexy (superior pedicle, 우측 290 gm, 좌측 120 gm 유방조직 제거) A, B. 수술 전, C. D. 수술 후 5개월

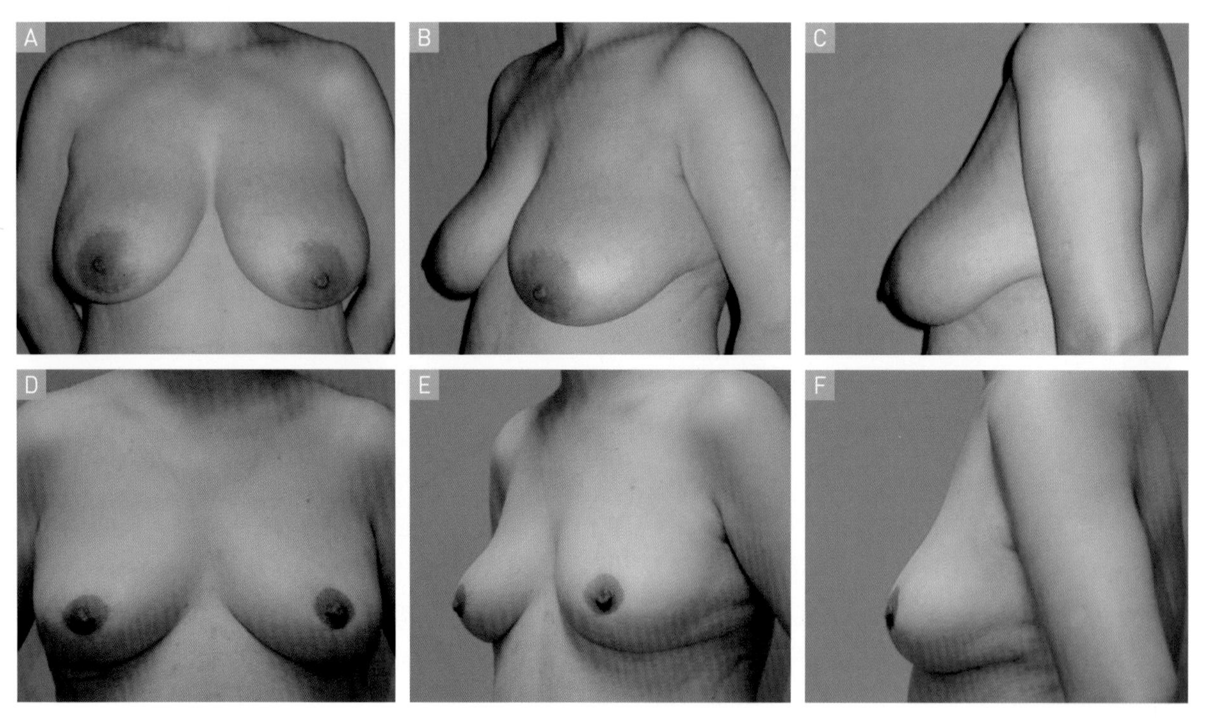

그림 14 Vertical mastopexy(medial pedicle, 좌우측 각각 420gm, 400gm 유방조직 제거)
A, B, C. 수술 전, D, E, F. 수술 후 12개월

(3) 증례

(그림 13), (그림 14)

6) Inverted-T mastopexy

| 설철환 |

Inverted-T 모양의 절제방법은 피부와 조직을 많이 절제할 수 있기 때문에 거대유방의 축소에 주로 활용되는 방법이다. Inverted-T mastopexy는 심한 유방하수가 있지만 유선조직은 절제할 필요가 없고 거상만 필요한 경우에 시행된다.

Vertical mastopexy를 시행할 때 inframammary fold 부위에 생기는 dog ear를 처리하기 위해 horizontal excision을 한 경우에도 inverted-T 모양의 반흔이 남게 되는데 이 경우에는 짧은 수평반흔이 남는다.

피부가 많이 남는 좀 더 심한 유방하수에 이 방법을 적용한 경우에는 더 긴 수평반흔이 남게 된다. 보형물을 제거한 후 보형물 재삽입 없이 유방고정술을 시행하는 경우**(그림 17)**, 심한 체중감소 후 발생한 유방하수를 교정하는 경우 등이 그러한 예가 되겠다.

Vertical mastopexy에 비해 피부절제를 더 많이 할 수 있고 유두에서 IMF(유방밑선)까지의 거리를 적절한 수준까지 줄이기가 용이하고 수술 직후 모양이 더 좋다는 장점이 있지만 vertical mastopexy에는 없는 수평반흔이 남는다는 단점이 있다. 그러나 IMF에 숨을 수 있는 길이의 수평반흔은 미용적으로 크게 문제되지 않는다.

(1) 술전 디자인(그림 15)

수술디자인은 Inverted-T reduction mammoplasty 때와 유사하다. 환자가 서있는 상태에서 breast meridian과 IMF를 그리고 IMF로부터 아래로 vertical axis를 그어 놓는다. vertical axis는 보통 midline으로부터 8-10 cm 떨어져 있게 한다. IMF로부터 약 0.5 cm 상방에 new IMF를 표시한다. Vertical axis와 IMF가 만나는 점을 유방 앞면에 투사한 점을 new nipple position(A)으로 정하되 suprasternal notch에서 A까지의 거리, clavicle의 중간점에서 A까지의 거리가 각각 대략 18-21 cm가 될 수 있도록 필요하면 위치를 약간 조정한다. A점으로부터 약 2 cm 상방에 새로운 유륜의 최정점(B)를 표시한다. 유방을 바깥쪽으로 민 상태에서 내측절제선을 그리고 유방을 안쪽으로 민 상태에서 외측절제선을 그리는데 미리 IMF아래로 그려둔 vertical axis의 연장선 상에 그린다. 저자는 inverted-T reduction이나 mastopexy 디자인을 할 때 철사로 된 key hole pattern을 사용하는 것을 선호하는데 유륜지름이 38 mm되게 하는 key hole pattern을 내외측 절제범위에 따라 양쪽 limb을 적절히 벌린 다음 이를 따라 유륜둘레절개선과 수직절개선을 그린다. 이때 유륜하연으로부터의 수직절개의 길이(C-C', D-D')가 약 5-6 cm 정도가 되도록 C'점과 D'점을 표시하고 여기에서부터 new IMF까지

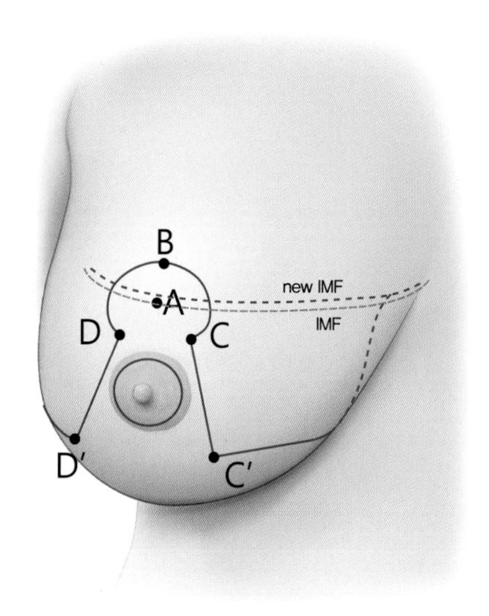

그림 15 **Preoperative design of inverted-T mastopexy.**
A. new nipple position, B. upper border of new areola, C. junction of new areola and medial limb, C'. lower end of medial limb, D. junction of new areola and lateral limb, D'. lower end of lateral limb, IMF; inframammary fold

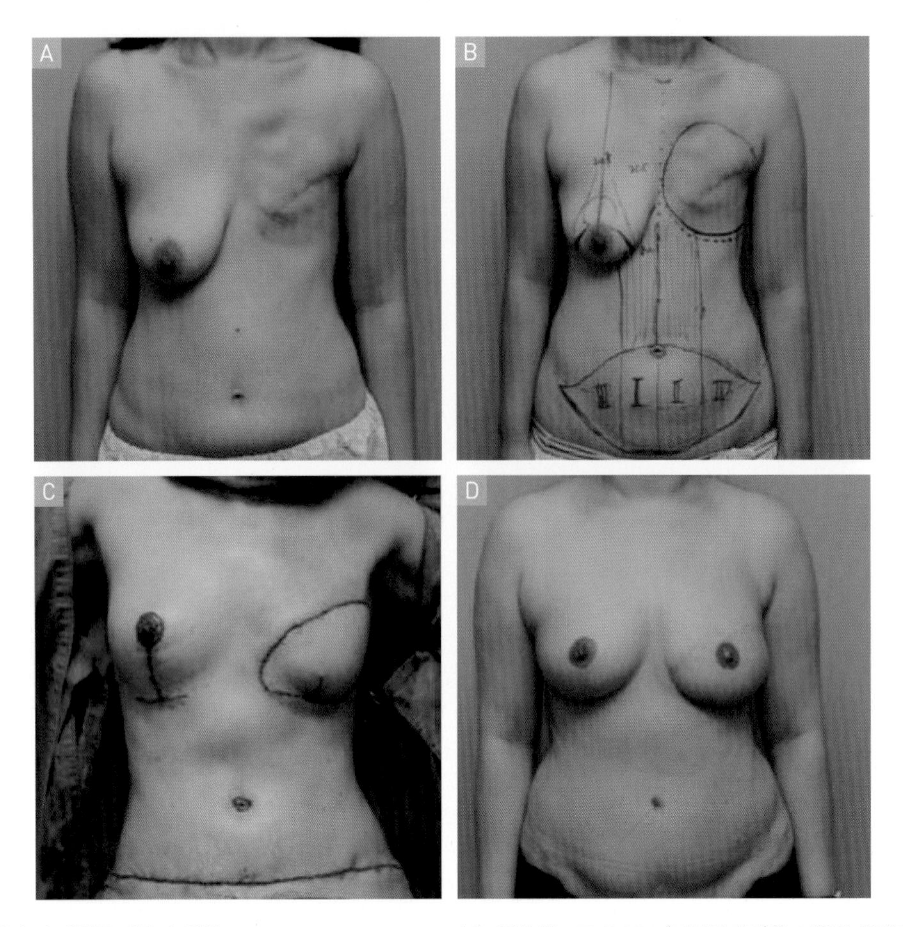

그림 16 **유방재건 시 대칭을 맞추기 위한 inverted-T mastopexy.** 좌측 유방에는 TRAM flap(복직근피판)을 이용한 유방재건술이 우측 유방에는 inverted-T mastopexy가 시행되었다. Horizon excision의 길이를 짧게 하여 scar가 IMF안에 충분히 숨을 수 있게 하였다.
A. 수술 전, B. 수술 디자인, C. 수술 직후, D. 수술 후 12개월

를 연결하여 내외측피판의 하연을 그린다. 이때 연결선이 너무 내측이나 외측으로 가지 않도록 하여 수술 후 반흔이 IMF범위 안에서 잘 숨을 수 있게 한다.

(2) 수술방법

전신마취 후 stapler를 이용해서 tailor tacking(임시봉합)을 하고 수술대를 올려 환자를 앉힌 후 유두의 위치, 유방의 모양, 피부봉합 장력 등을 체크하고 디자인을 필요한 만큼 수정한다. 환자를 다시 눕히고 수정된 디자인 선을 따라 피부절개를 한다. 유방의 크기를 줄여야 할 필요가 없고 피부봉합의 장력이 크지 않다면 피부가 제거되어야 할 부위를 deepithelization만 하여 NAC로 가는 혈류를 최대한 보존한다. 특히 보형물을 제거하면서 mastopexy를 하는 경우 심부조직으로부터의 혈류가 단절되어 있으므로, 이렇게 pedicle부위를 충분히 확보하는 것이 좋다. NAC의 혈류장애 우려가 적을 때에는, pedicle은 deepithelization하고 그 외 부위는 피부와 피하지방층 전층을 제거한다. 이 때 피부봉합을 용이하게 할 수 있게 필요한 만큼 피부피판을 박리할 수도 있다.

Key point들을 먼저 Vicryl 2-0와 PDS 3-0을 이용해서 봉합한 후 다시 환자를 앉혀서 유방모양과 dog ear

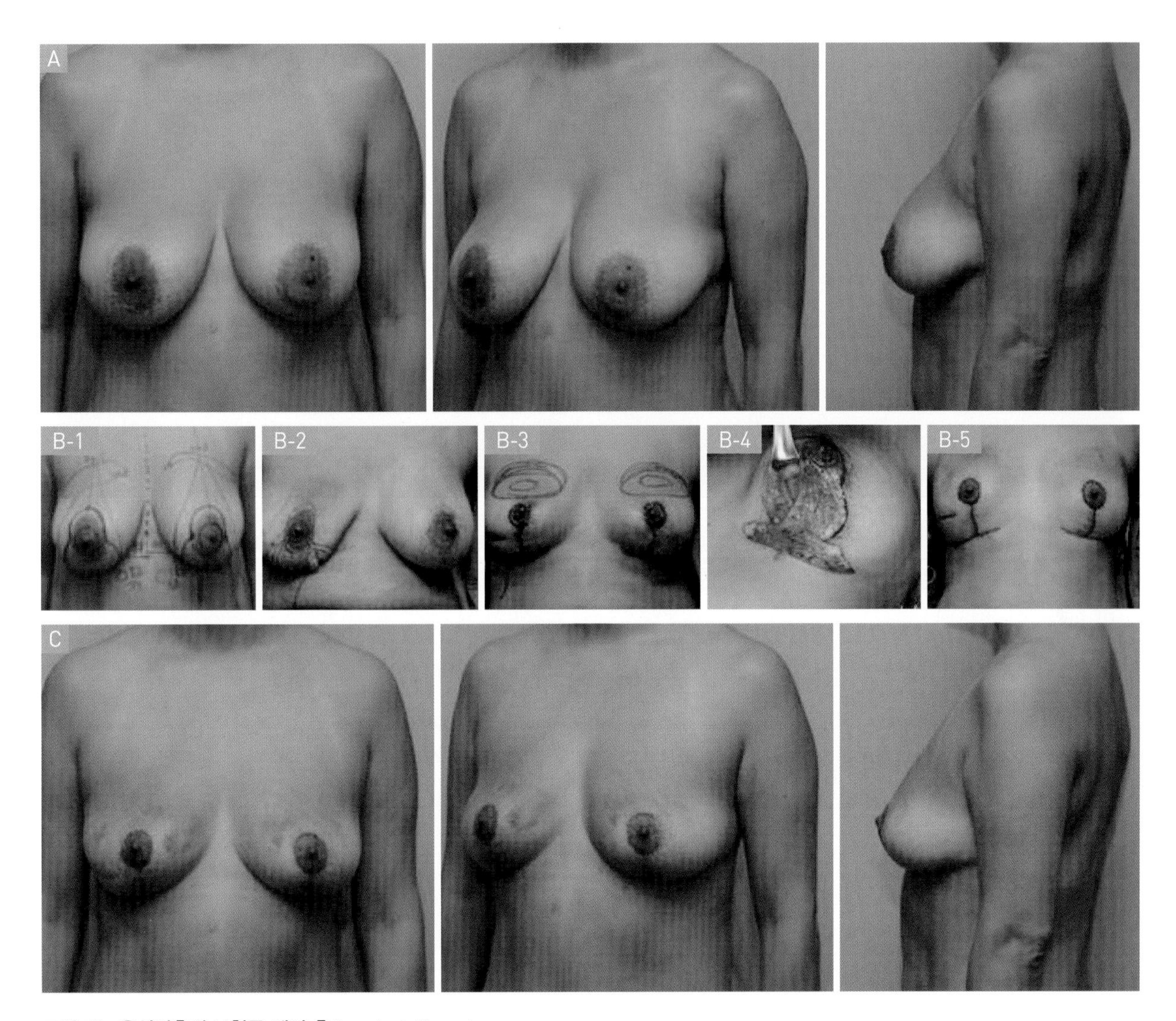

그림 17 **유선밑층의 보형물 제거 후 inverted-T mastopexy.**
A. 수술 전, B-1. 수술 디자인, B-2. 우측 보형물 제거 후 모습, B-3. Tailor-tacking후 디자인 수정, 지방이식 할 부위 표시, B-4. Deepithelization후, B-5. 수술 직후, C. 수술 후 9일

의 정도를 봐서 필요한 만큼 추가로 절제한다. Mastopexy 후에도 유방 upper pole 부위에 함몰이 있을 것으로 예상되는 경우, 미리 지방을 채취해 두었다가 mastopexy 직후 그 부위에 지방이식을 시행하면 함몰개선에 도움을 줄 수도 있다(**그림 17**). 진피층은 Maxon 5-0 subcuticular continuous suture하고 피부 봉합은 몇 군데 key point만 Nylon 6-0로 한 후 Steri Strip을 붙여 봉합을 대신한다.

(3) 증례

(그림 16), (그림 17)

4. Complications

1) General medical complications: bleeding, infection, and the secondary effects of the anesthesia.

혈종은 철저한 지혈로 예방 가능하다. 염증은 미용적 효과를 떨어뜨리는 합병증 중 하나이므로 초기에 적극적으로 염증 치료를 하는 것이 매우 중요하다. 저자의 경우 모든 수술에서 수술 전 20-30분전에 그리고 수술 후 항생제를 i.v. 하고, 수술 후 5-7일간 항생제를 경구투여 한다.

2) Specific complications: skin necrosis, necrosis of the nipple and dysesthesia, abnormal changes in sensation (numbness and tingling).

피부 괴사나 유두 괴사는 피해야 하는 매우 심각한 합병증이다. 이는 일정한 두께로 피판을 거상하고 유방의 혈액 공급을 잘 숙지 하여 예방 할 수 있다. 수술에 방해가 되지 않는 한 가능한 모든 혈관은 보존하는 것이 수술 후 피부 괴사뿐 아니라 skin sloughing 등의 wound problem을 예방하는데 중요하다.

3) Seroma, hematoma

보형물을 사용하는 경우나 지방흡입을 같이 시행하는 경우 발생 할 수 있으나 이 이외의 경우는 철저한 지혈과 수술 후 초기 압박 드레싱으로 이를 예방할 수 있다.

4) Tension-caused wound breakdown at the junction of the limbs of the incision.

이는 과도한 excision으로 이해 발생 할 수 있으므로 conservative excision을 통해 이를 예방 할 수 있다.

5) Asymmetry of the breast

술전 정확한 디자인과 술중 세심한 좌우 비교를 통해 예방 할 수 있다. 또한 술전 환자가 가지고 있던 비대칭을 잘 숙지하고, 수술에 따라 교정 가능한 부분과 교정이 되지 않는 부분을 환자에게 고지하는 것이 중요하다.

6) A possible, undesirable outcome of the periareolar mastopexy (circumareolar incision): underprojection of the corrected breast from the chest wall.

유륜둘레 유방고정술에 올 수 밖에 없는 문제점이나 쌈지 봉함을 할 때 계획했던 유륜의 크기보다 작게 봉합을 하는 것과 skin excision대신 de-epithelization을 통해 새로운 유륜 밑에 볼륨을 줌으로써 어느 정도 flattening을 피할 수 있다.

7) Scar: hypertrophic, wide

봉합 시 tension을 줄이고 수술 후 창상 관리 및 경우에 따라 triamcinolone intralesional injection, silicone gel sheet or ointment 를 통해 예방 할 수 있다.

참·고·문·헌

1. Brink RR. The Management of true ptosis of the breast. Plast Reconstr Surg. 1993;91(4):657-662.

Reduction Mammoplasty & Mastopexy »

여성형유방증(지방형유방증)

Lipomastia

| 윤상엽 |

비만 등의 원인으로 유방에 지방이 많이 쌓여 여성의 유방처럼 커진 경우를 지방형유방증(lipomastia)이라고 한다. 순수하게 지방만 많이 쌓인 지방형도 있지만 유선조직들이 같이 발달한 혼합형도 많다. 유선조직이 주로 발달한 경우를 유선형이라고 한다. 언급한 순서대로 가성(pseudo), 혼합형(mixed) 그리고 진성(true) 여성형유방증(gynecomastia)으로 분류하는 것이 전통적인 방식이다. 하지만 지방형유방증을 "가성"이라는 용어로 부르는 것은 오해를 불러 일으킬 수 있다. 진성 여성형유방증이 아니므로 단순히 시간이 지나거나 살을 빼면 쉽게 해결 될 수 있다는 생각을 갖게 만든다. 실제 임상에서 만나는 환자에게 그런 식으로 설명하는 경우들이 많았다. 하지만 진료실에서 만나는 대부분의 환자들은 이미 감량과 여러 종류의 운동을 시도했지만 해결되지 못해서 의사를 찾아오는 경우가 많다. 그런 환자들에게 시간이 지나거나 살을 빼면 해결된다는 식의 설명은 설득력이 없고 실망만 안겨준다. 특히 성형외과 의사는 지방형유방증(lipomastia)이라는 개념을 가지고 문제에 접근해야 한다. 과거 지방흡입술이 발달하기 전에는 외과적 적출수술(surgical excision)을 적용했었다(**그림 1**).

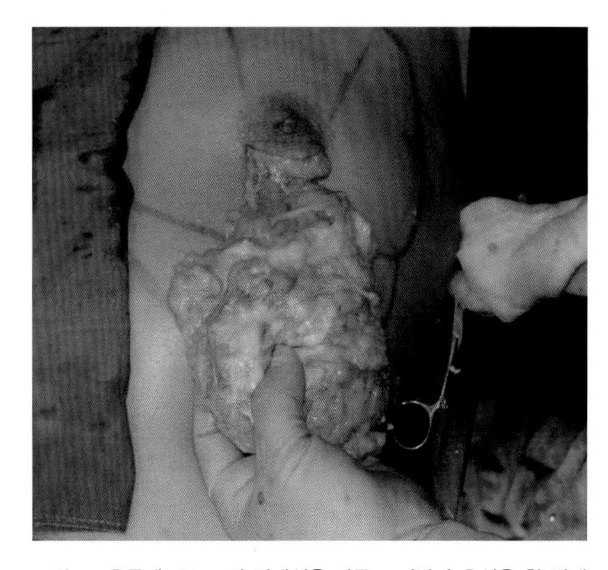

그림 1 유륜에 180도 긴 절개선을 만들고 지방과 유선을 한 번에 떼어내는 유방 적출술은 대부분의 지방형유방증(진성 또는 혼합형 여성형유방증)에 적절하지 않다.

유방적출수술은 유방암 수술방법으로 지방형유방증에 적용하면 신경 손상과 출혈 부작용 등이 심각하다. 다양한 지방흡입술이 발전한 최근에 적출수술의 개념을 가지고 접근하는 것은 적절하지 않다. 임상에서 접하는 대부분의 환자들은 진성 여성형유방증이 아니라 지방형 유방증이다. 지방형유방증은 외과적 적출 개념의 수술이 아니라 지방을 녹여 꺼내는 지방흡입술의 개념이 우선 적용되어야 한다. 즉, 종양절제가 아니라 가슴윤곽을 개선시키는 흉곽성형수술이다.

수술시기에 대한 논란이 있을 수 있다. 특히 성인이 아닌 중고등학생이 여성형유방증에 대해 상담 받으러 오는 경우 의사는 환자 및 보호자들에게 여성형유방증의 경과에 대해 잘 설명해야 한다. 일반적으로 사춘기 시절 여성형유방증은 저절로 사라지는 경우가 많다. 청소년기 남성의 3/4은 가슴이 커지는 것을 느끼고 1/3은 2년 안에 사라진다. 그리고 3년 내 93%에서 사라진다. 그러나 만 17세 이후 까지 지속되는 7%의 여성형유방증은 수술 대상이 될 수 있다. 여성형유방증의 발생 빈도가 남성 인구의 50% 이상(30-65%)이라는 보고도 있다. 또한 식생활 서구화 등 여러 가지 원인들 때문에 국내에서도 증가세가 두드러지고 있다. 만약 또래 집단으로부터의 심리적인 압박이 심한 경우나 일상적인 체육 활동 참여가 어렵고 건전한 이성 교제에 방해를 받는 등의 문제가 있는 경우에는 환자뿐 아니라 보호자와 긴밀한 상담을 통해 수술 여부를 고려할 필요가 있다. 일차적으로 심리적 상담과 치료가 필요하지만 이에 못지 않게 수술에 대해서도 고려해야 한다.

진성 여성형유방증은 클라인펠터 증후근의 증상으로 나타날 수 있으며 성선저하증, 고환 등의 생식기 문제, 간경화, 심한 단식, 폐암, 결핵, 갑상선 기능항진증 그리고 각종 약물 중독 등의 가능성이 있다. 지방형유방증을 주로 다루는 성형외과 의사도 여성형유방증 관련 질병에 대해 항상 고려해야 되고 필요한 경우 내분비내과나 소아청소년과 등에 의뢰를 해야 한다. 청소년 시기에는 대부분 특별한 내분비적 검사 없이 경과를 지켜 보지만 과도하게 커지거나 2년 이상 지속되는 여성형유방증 소견을 보이면 검사를 의뢰하는 게 좋다.

시진과 촉진만으로 확실히 알 수 있는 지방형유방증에 대해 성 호르몬 검사를 비롯한 피 검사 등을 하는 것은 바람직하지 못하다. 대부분 임상 증상만으로 진단이 가능하며 추가적인 검사가 필요하지 않다. 촉진 등의 이학적 검사를 통해 지방이 많은 유형인지, 유선조직이 더 많은 유형인지 판단하고 피부의 처진 정도나 남는 정도를 판단한다. 덩어리가 만져지는 지, 유두에 이상이 없는지, 또는 유즙 등이 나오는 지 여부도 추가적으로 확인한다. 대부분 검사 결과는 정상이다. 초음파 검사는 진단 목적이 아니라 수술 계획을 수립하고 구체적 방법을 결정하는데 의미가 있으며 환자에게 지방형유방증의 형태를 시각화 시켜서 설명할 수 있어 의미가 있다.

1. 초음파 검사를 통한 구별

지방형유방증과 유선형 여성형유방증은 경험이 조금만 쌓여도 시진과 촉진만으로도 구별할 수 있다. 하

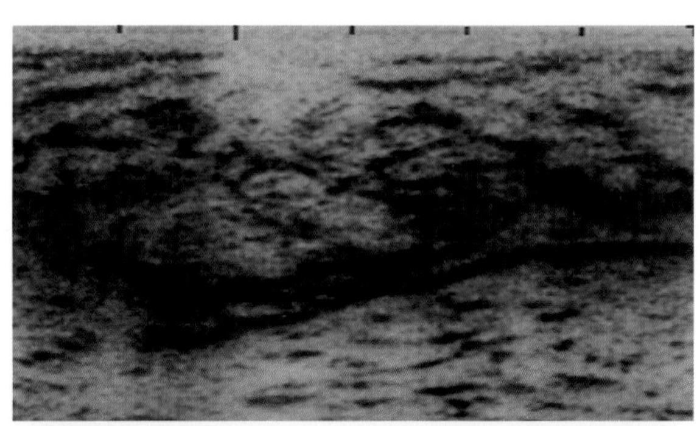

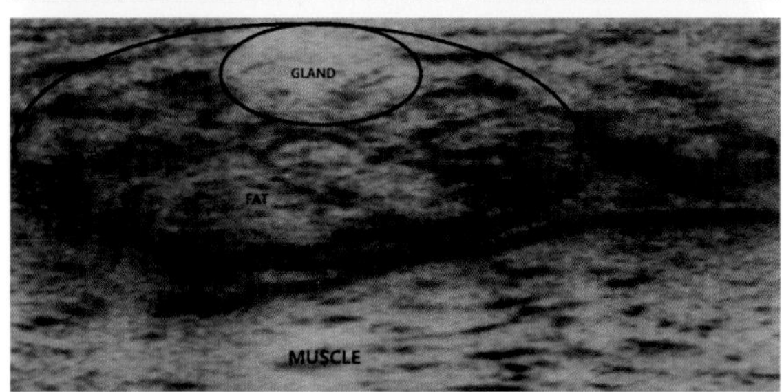

그림 2, 3 초음파 사진 상 가장 위층(SKIN)는 피부이고 가장 아래층(MUSCLE)은 근육이다. 유두 바로 밑에 지름 2~3 cm 크기의 딱딱한 부분(GLAND) 즉, 섬유-유선조직이 확인되고 좌우 및 아래 부분은 지방조직(FAT)으로 쉽게 구별할 수 있다.

지만 실제 수술 전 상담 과정에서 초음파 검사를 통해 환자에게 더 많은 정보를 제공할 수 있어 초음파 검사를 한다. 지방흡입량과 제거할 섬유유선조직량도 예측할 수 있다(**그림 2, 3**).

2. 지방형유방증 수술방법

호르몬 치료법은 효과가 없는 것으로 여러 연구에서 증명되었다. 1970년대까지는 유방적출이 유일한 수술방법이었으나 그 이후 지방흡입 수술방법이 비약적으로 발전함으로 아주 작은 절개선을 통해 약 1리터의 지방을 없애는 것도 가능해 졌다. 겨드랑이 절개선과 같이 유방과 멀리 떨어진 부위에서도 지방흡입이 가능하다. 그러나 지방흡입만으로 모든 지방형유방증을 해결할 수는 없다. 혼합형으로 유선조직이 같이 커진 경우도 있으며 지방형유방증으로 판단되더라도 유두유륜복합체 밑부분에 섬유조직이 발달한 경우를 자주 만나게 된다. 결국 겨드랑이 절개선이나 유방밑주름 절개선을 사용해 지방흡입을 하더래도 수술의 마지막 단계에서 섬유-유선조직을 제거하기 위해 유륜이나 유두밑 절개선을 만들어야 되는 경우가 생긴다. 경험이 쌓이고 수술 전 초음파 검사를 통해 섬유-유선조직량을 미리 예측한 후 수술을 시작하면 시행착오를 줄일 수 있다. 경험적으로 섬유-유선조직이 3~4 g을 넘지 않고 상대적으로 부드럽다고 판단되면 유륜 절개선을 사용하지 않고 겨드랑이 등의 절개선을 사용하기도 한다. 그러나 경험이 충분히 쌓이기 전이거나 절개선을 추가로 만드는 것이 부적절한 경우에는 유륜 절개선 만으로 지방흡입과 유선제거를 같이 하는 수술방법을 적용하는 게 낫다.

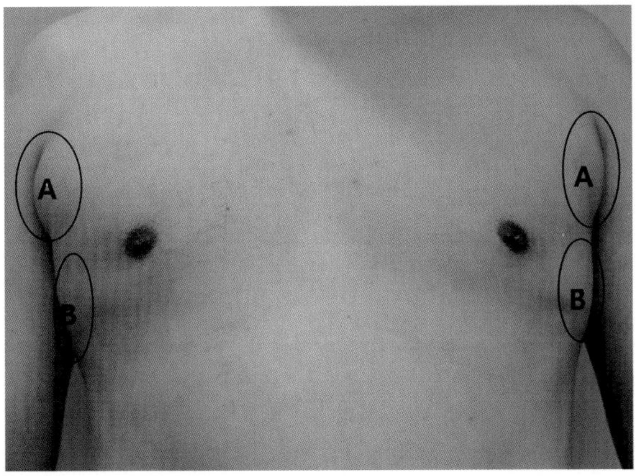

그림 4 지방형 유방증 수술 후 6개월 상태로 A(겨드랑이 윗부분)과 B(흉곽 외측부분)에 여전히 지방이 남아 불룩한 모습이다.

3. 마취

국소마취와 전신마취 모두 가능한데 정맥마취를 사용하는 경우가 많다. 환자가 수술 중 불편함을 느끼지 않게 만드는 것과 안전성의 확보가 제일 중요하다. 국소마취제에는 충분한 투메슨트(tumescent) 용액을 주입하여 국소마취의 효과를 얻는 것과 동시에 수술 중이나 수술 이후 출혈 가능성을 최소화 시키는 것이 중요하다.

4. 수술 전 디자인

지방흡입 범위와 섬유-유선조직이 만져지는 딱딱한 부분을 구별하여 표시한다. 3가지 색상을 사용해 디자인을 하는데, 검은색 펜을 사용해 환자의 간단한 정보와 유방의 범위를 그린다. 다음 파란색 펜을 사용해 겨드랑이 부위와 옆 부분의 지방이 쌓인 곳을 표시한다. 이 두 곳을 흡입하는 것이 전반적인 가슴 모양의 개선에 도움이 된다. 만약 이 두 곳을 간과하면 전반적인 가슴 윤곽이 어색해 질 수 있다(**그림 4**).

마지막으로 빨간색 펜을 사용해 유륜 둘레의 딱딱

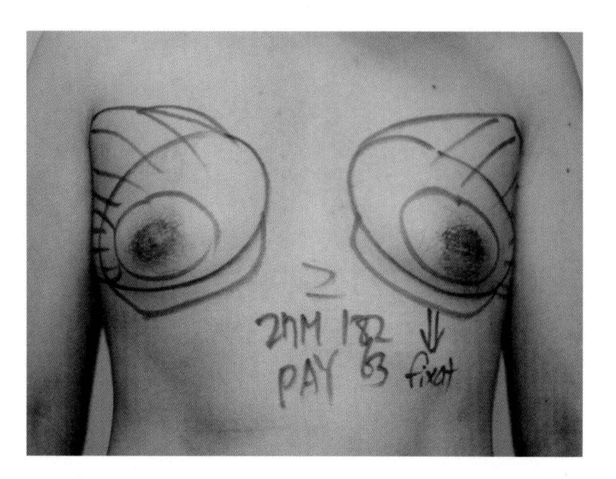

그림 5 검은색 펜으로 환자에 대한 기본 정보를 표시하고 유방의 범위를 표시한다. 파란색 펜으로 겨드랑이 윗부분과 흉곽 외측부분을 표시한다. 빨간색 펜으로 섬유-유선조직 범위를 표시한다. 유방밑주름이 뚜렷한 경우 밑주름을 넘어 1~3 cm 정도를 표시하고 흉곽 전체 피부의 재배치(redraping)를 위해 적극적으로 흡입한다.

한 부분 즉, 섬유-유선조직이 있는 부분을 표시한다. 유방밑주름이 뚜렷한 경우에는 밑주름을 넘어 1~3 cm 범위를 표시한다. 이 부분까지 적극적으로 지방흡입을 하면 흉곽 전체 피부의 재배치(redraping)가 잘 일어나 윤곽 개선에 도움이 된다. 유방밑주름이 아주 뚜렷하고 피부 처짐이 심한 경우에는 긴 가위를 사용해 유방밑주름에 단단히 고정된 인대 조직 등을 끊어주기도 한다**(그림 5)**.

5. 절개선

1970년대 까지는 여성형유방증의 치료 결과가 좋지 못했다. 특히 수술 후 눈에 많이 띄는 흉터가 문제가 되었다. 만약 1970년대 이전의 개념을 가지고 여성형유방증 특히 지방형유방증을 수술하면 흉곽 윤곽의 결과와 상관없이 심한 흉터 때문에 환자들에게 실망감을 안겨줄 수 있다. 유륜을 한 바퀴 돌리는 360도 흉터를 만들거나**(그림 6)**, 유륜 윗부분에 흉터를 만들거나**(그림 7)**

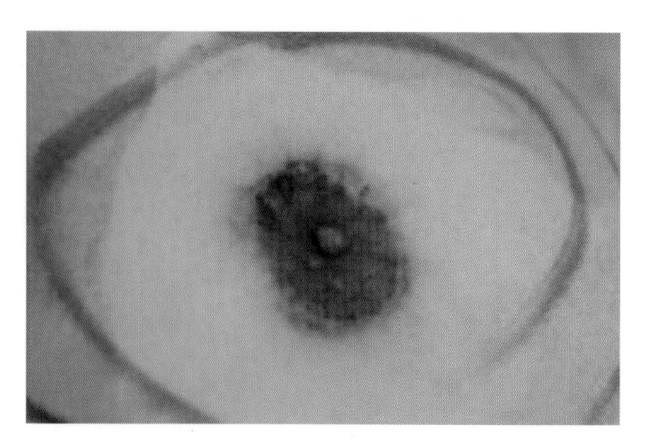

그림 6 유륜 주변을 한 바퀴 돌린 360도 흉터. 눈에 잘 띄며 유륜 전체가 왜곡되는 현상이 잘 일어난다.

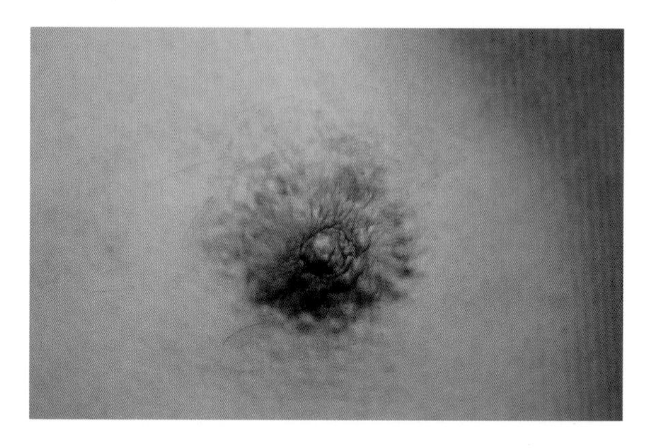

그림 7 유륜 윗부분에 두껍게 만들어진 흉터. 유륜 6시 방향 흉터가 눈에 덜 띄는데 12시 방향에 넓고 긴 흉터를 만드는 것은 유륜 전체 모양이 뒤틀리거나 흉터가 심하게 남는다.

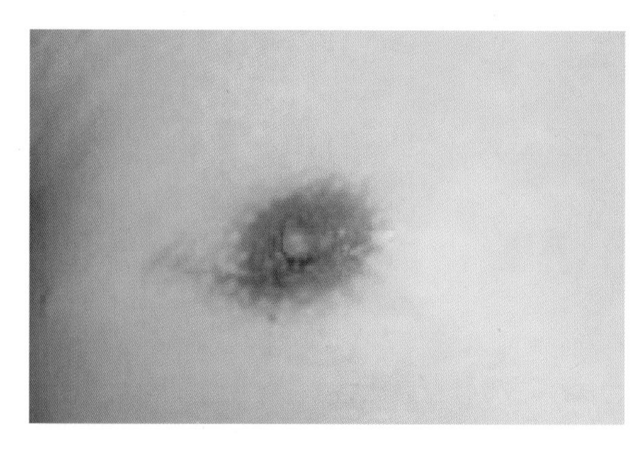

그림 8 유륜을 넘어가는 흉터. 유륜 주변 피부까지 흉터를 연장하는 것은 바람직하지 못하다. 유방암 수술에 적용되는 흉터로 성형수술로 받아들이기 힘들다.

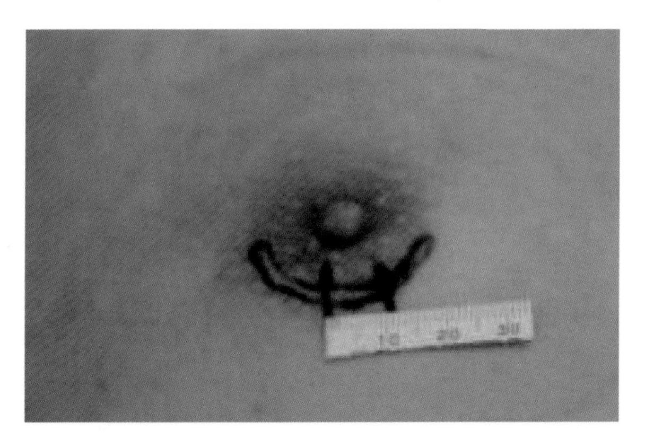

그림 9 유륜 하단의 반달 모양 절개선 흉터. 180도 절개선은 유륜 모양을 왜곡시킬 수 있고 눈에 잘 보인다.

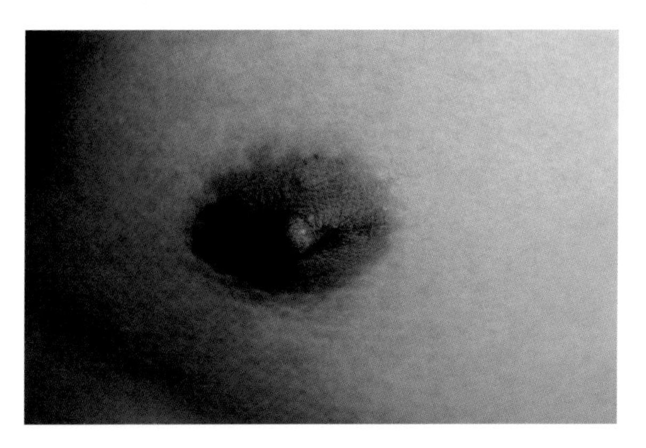

그림 12 유륜을 가로지르는 절개선 흉터가 잘 보이고 색소침착이 잘 일어나며 유두 돌출현상도 일어나기 쉽다.

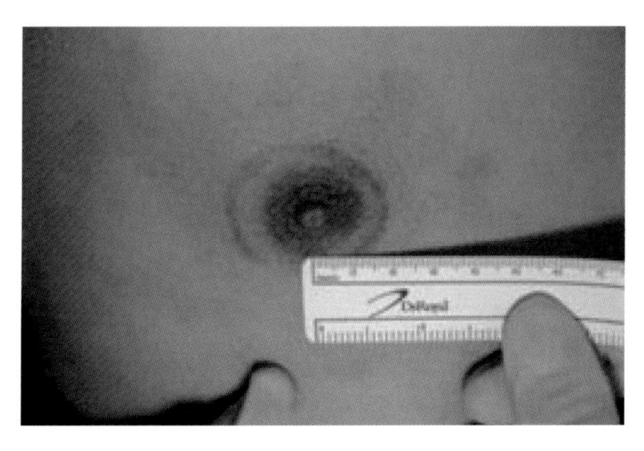

그림 10 유륜과 피부 경계 6시 방향 3 mm 이하의 작은 칼집 절개선을 만든다.

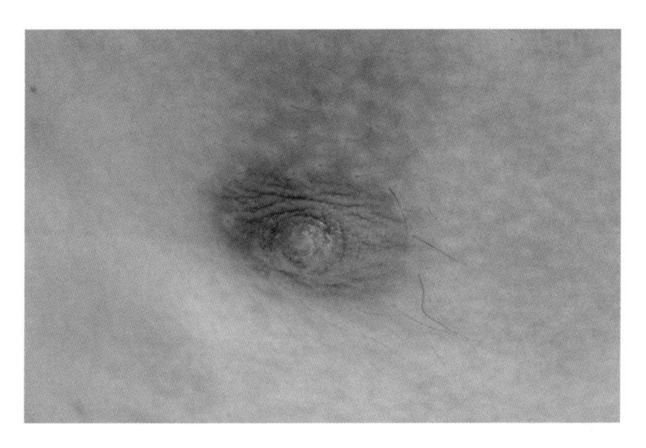

그림 11 유두와 유륜 접합 부위에 칼집 절개선을 만들면 흉터가 거의 보이지 않는다.

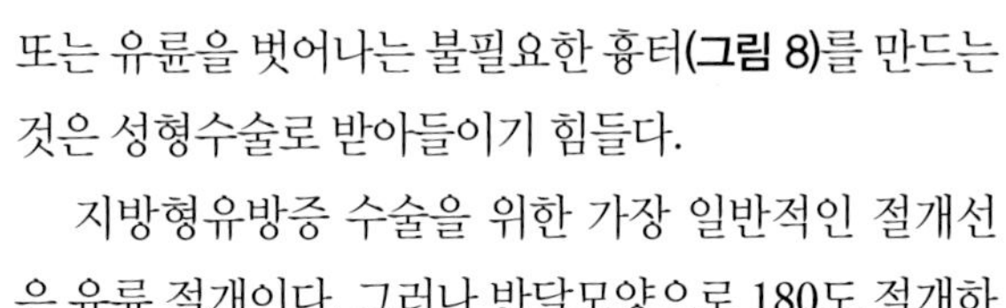

또는 유륜을 벗어나는 불필요한 흉터(**그림 8**)를 만드는 것은 성형수술로 받아들이기 힘들다.

지방형유방증 수술을 위한 가장 일반적인 절개선은 유륜 절개이다. 그러나 반달모양으로 180도 절개하는 것은 수술 후 흉터가 크고 유륜 모양이 왜곡될 수 있다(**그림 9**).

유륜과 피부 경계 6시 방향에 작은 절개선을 만드는 것이 일반적인 방법이다(**그림 10**).

유두유륜 경계부위에 작은 칼집(stab) 절개선을 만들어 수술하는 방법도 유용 하다(**그림 11**).

하지만 주의할 점이 있다. 유두 밑 절개선은 3 mm 이하여도 남성의 유두 평균 지름이 6 mm이하 밖에 되지 않아 수술 과정에서 조금만 연장되어도 절개선이 유두 지름 길이에 가깝게 된다. 따라서 미세하지만 수술 후 치유 과정에서 유두 모양 왜곡이 일어날 수 있다. 반달 모양의 긴 유륜 절개선을 만들 때 유륜 모양이 왜곡되고 흉터가 눈에 잘 띄며 색소침착 등의 2차적인 문제가 잘 생기는 것과 같은 원리로 유두 지름에 달하는 유두밑 절개선은 상처 치유과정에서 유두에 여러 가지 문제를 일으킬 수 있다.

유륜을 수평으로 가로지는 전통적인 수술법도 있다(**그림 12**). 유용한 면이 있지만 색소침착이 잘 일어나

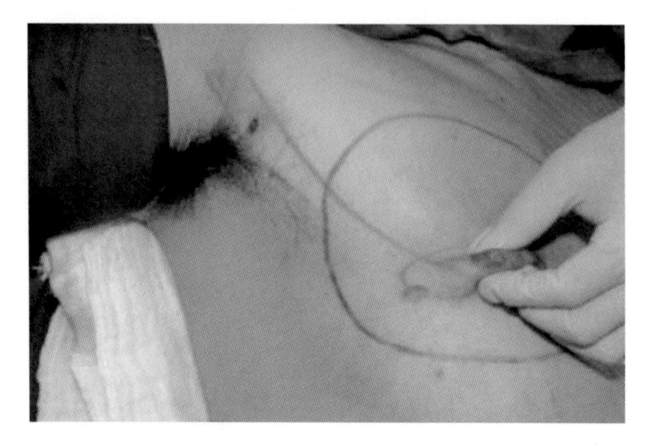

그림 13 겨드랑이 절개선. 겨드랑이 주름과 일치 시켜 흉터를 안 보이게 할 수 있다.

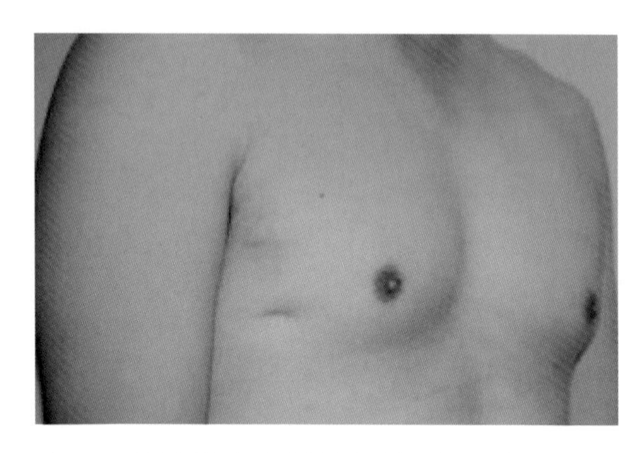

그림 14 유방밑주름의 연장선 상에 절개선을 만들 수 있다. 그러나 수술 후 흉터가 눈에 잘 보이는 단점이 크다.

며 유두 모양이 왜곡될 수 있다. 특히 유두 밑 절개선의 연장이기 때문에 상처가 낫는 과정에서 유두 부근에 일어나는 흉터화 과정 속에서 딱딱함이 오랫동안 남아 유두 돌출현상이 생기기 쉽다. 또한 유두의 혈액순환에 문제를 일으켜 부분괴사도 일어나기 쉽다.

겨드랑이나 유방밑주름 절개선을 이용하는 수술방법도 유용한 경우가 많다**(그림 13, 14)**.

그러나 너무 멀어서 유두 유륜 복합체에 단단히 붙어 있는 섬유-유선조직을 제대로 제거하지 못하고 남기게 되어 수술 후 유두의 뾰족함이 해결되지 못해서 환자의 만족도가 떨어질 수 있다.

수술 전 충분하고 신중한 초음파 검사를 통해 제거할 섬유-유선조직량이 많지 않다고 판단 되는 경우이거나 경험상 섬유-유선조직이 부드러워 먼 곳에서도 효과적으로 제거가 가능할 것으로 판단되는 경우에는 겨드랑이 절개선 등으로 효과적인 수술을 할 수 있었다. 몇몇 의사들은 겨드랑이 절개선을 통해 지방을 흡입한 후 남은 섬유-유선조직 제거를 위해 유륜에 다시 절개선을 만들기도 하는데 이중으로 절개선을 내는 것은 한번 더 생각해 볼 문제이다. 환자 입장에서는 절개선이 두 개여야 되는 이유를 납득하기 어렵다. 내시경을 이용한 겨드랑이 절개선 접근 방법은 내시경 기구가 커서 절개선이 길어지는 단점이 있지만 효과적으로 섬유-유선조직을 제거할 수 있는 방법이다.

유륜에 칼집 절개선을 만들면 우선 흉터가 최소화

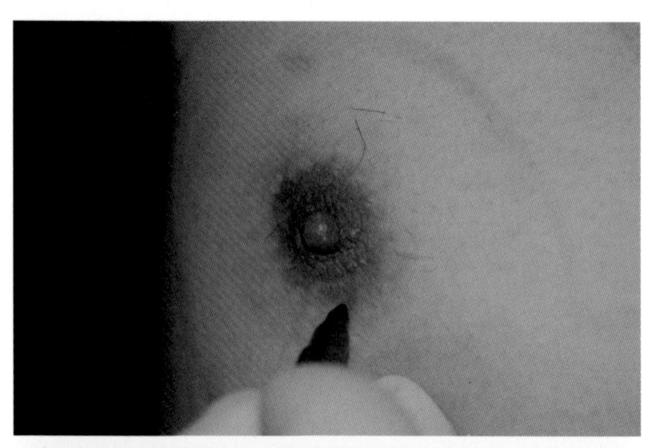

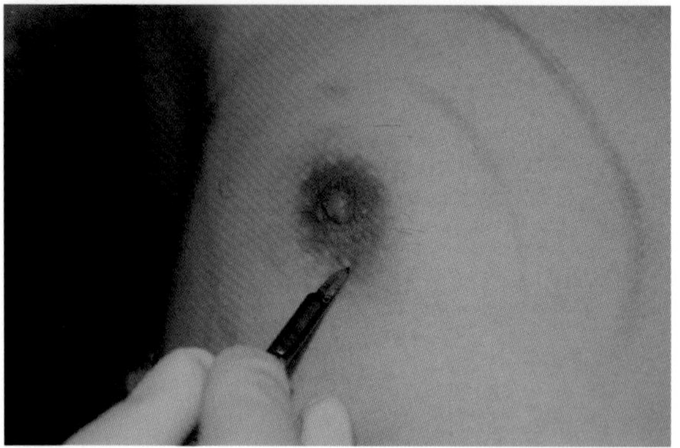

그림 15, 16 유륜과 피부 경계부위에 3 mm 이하의 칼집 절개선을 만드는 모습.

되어 수술 후에도 잘 못 찾는다는 장점이 있고 유륜의 경계를 따라 연장할 수 있는 장점도 있다. 즉 지혈과정이 원활지 않거나 섬유-유선조직이 제대로 제거가 안 될 때 절개선을 쉽게 연장할 수 있다(**그림 15, 16**).

6. 지방흡입

지방형유방증을 해결하기 위한 지방흡입 방법으로 초음파 기계를 사용하는 것이 가장 일반적이다. 남성 유방은 섬유화가 심해 딱딱하기 때문에 초음파 지방흡입 장비를 사용하는 것이 효과적이다. 지방형유방증은 대부분의 유방조직을 흡입과정을 통해 제거할 수 있다. 그러나 유두유륜복합체 바로 밑부분에 섬유-유선조직이 남는 경우가 많은데 절제 과정이 추가적으로 필요하다. 특별히 고안된 예리한 캐뉼라를 사용하더라도 완전히 제거하지 못하는 경우들이 많다. Dr. Rosenberg나 Dr. Hamas 등이 특별히 고안한 예리한 끝을 가진 캐뉼라를 이용해 섬유-유선조직을 제거할 수 있다고 주장하였으나 경험상 제거해야 될 조직양이 적거나 부드러운 일부 경우에서만 가능하다. 대부분의 경우에서는 흡입과정만으로 딱딱한 섬유-유선조직을 효과적으로 제거하기는 어렵고 무리한 힘을 주면 조직 손상이 일어나 출혈만 심해지는 경우도 많다. Dr. Rohrich 등은 초음파 지방흡입 장비만으로 여성형유방증을 효과적으로 수술할 수 있다고 주장하며 2003년 논문에 증례를 제시하였는데 이후 다른 저자들에게 의해 비판을 받았다. Dr. Esme 등은 초음파 만으로 섬유-유선조직을 제거할 수 없으며 Dr. Rohrich가 제시한 증례 사진에서도 유륜 주변 섬유조직이 남아 제대로 수술이 되지 않았음을 지적하였다. 섬유-유선조직을 해결하기 위해서는 적절한 절제가 필요하다. 또한 지방형유방증 수술은 종양 적출수술이 아니라 지방흡입을 통한 가슴윤곽 성형수술이므로 과도한 지방제거로 인한 함몰변형(접시모양 변형 Saucer's deformity)등이 생기지 않게 주의해야 한다. 반대로 지방 등의 조직을 너무 많이 남겨서 저교정(undercorrection)이 되지 않게 주의해야 한다.

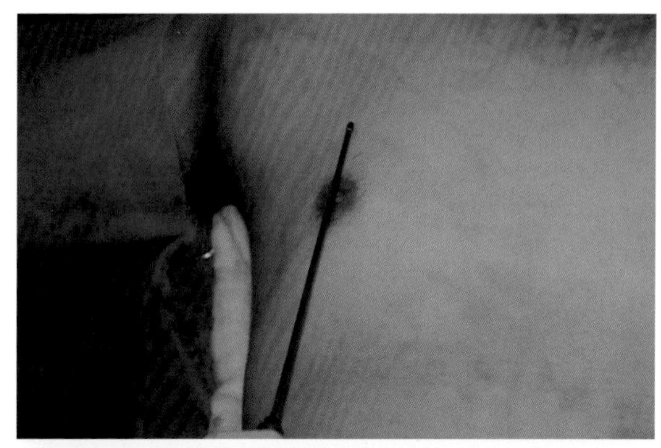

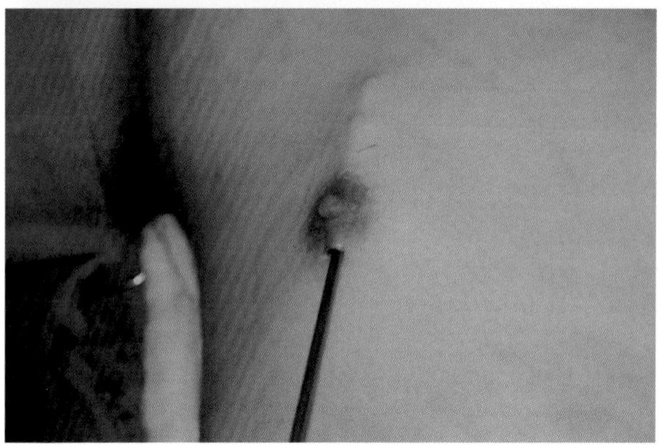

그림 17, 18 초음파 지방흡입 기구와 유륜 절개선을 통해 넣은 모습.

초음파 등을 이용한 지방흡입 과정으로 최대한 많은 지역을 평평하게 만들어야 한다(**그림 17, 18**). 즉, 섬유-유선조직이 남는 범위가 유륜 둘레를 넘지 않을 정도로 지방흡입을 적극적으로 하는 게 좋다(**그림 19, 20**). 초음파 지방흡입은 피부화상 등의 우려가 있어 한쪽 가슴에 12-15분을 넘지 않고 출력 조절에 유의해야 한다. 남은 지방을 제거하기 위한 지방흡입은 다양한 기구를 사용할 수 있는데 고가의 특별한 기구가 필요하지 않다. 기본적인 지방흡입 기구를 사용해도 충분하다. 지방형유방증의 크기에 따라 캐뉼라의 지름이

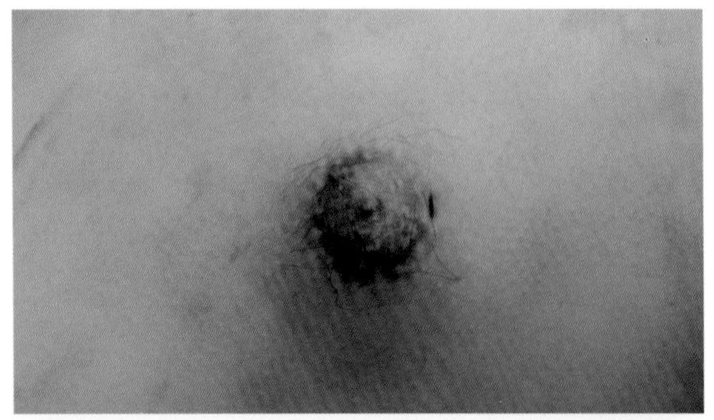

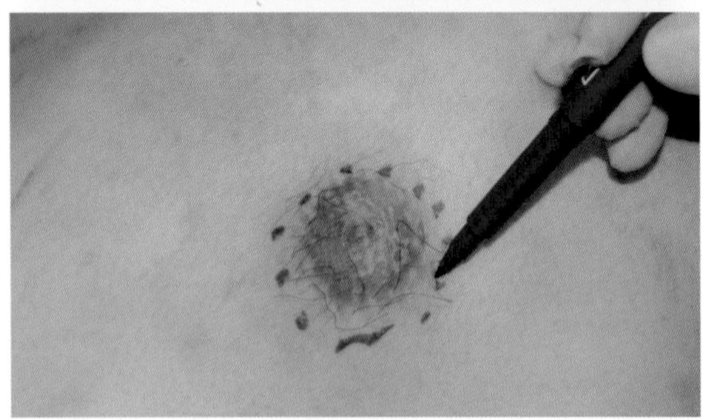

그림 19, 20 지방흡입 과정을 통해 최대한 섬유-유선조직 범위를 줄이는 게 중요하다.

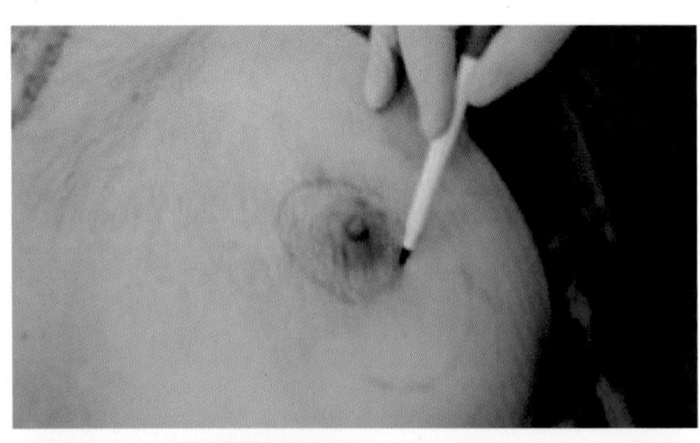

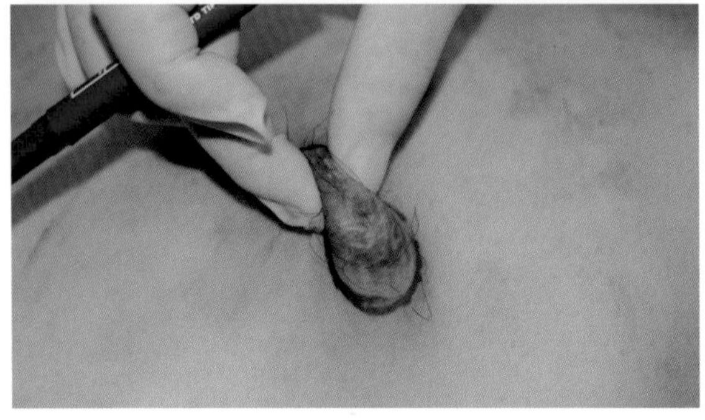

그림 21, 22 섬유-유선조직 부분을 한번 더 검사해서 더 줄이기 위해 추가 지방흡입을 한다.

달라질 수 있는데 일반적으로 3-4 mm의 직경을 가진 캐뉼라를 사용한다.

만일 유륜보다 큰 범위로 남았다면 특히, 유선형이 아니라 혼합형이거나 지방형유방증이 맞다면 지방흡입을 더 적극적으로 해야 한다. 가끔 유선조직을 제거했다고 주장하지만 실제 사진을 보면 지방을 포함한 사진을 많이 보게 되는데 적극적인 추가 지방흡입을 통해 섬유-유선조직 범위를 줄이는 것이 중요하다(**그림 21, 22**).

7. 섬유-유선조직 절제

지방형유방증의 조직들 대부분은 지방이기 때문에 지방흡입으로 해결할 수 있다. Dr. Rosenberg는 지방흡입 만으로 모든 여성형유방증을 수술할 수 있다고 주장했었는데 수 천 증례를 경험한 결과 Dr. Rosenberg의 주장에 100%는 아니지만 상당부분 동의한다. 그만큼 적극적으로 지방흡입을 하는 것이 필요하다. 그러나 경험적으로 그리고 실제적으로 유선조직이 많지 않아도 섬유조직들이 마치 유선조직처럼 딱딱하게 자리를 잡고 있기 때문에 지방흡입 만으로 모든 섬유-유선조직을 제거하려고 시도하면 출혈이나 과교정(overcorrection) 등의 부작용이 생기기 쉽다. 따라서 지방흡입 이외에 조직절제 과정도 대부분 필요하다.

3 mm 이하의 작은 유륜 절개선을 이용해도 섬유-유선조직 대부분을 효과적으로 제거할 수 있다(**그림 23, 24**).

출혈이나 혈종 부작용을 막기 위해서는 절제하는 범위가 넓지 않게 해야 한다. 즉, 유륜 둘레를 넘어가는 주변부는 지방흡입 과정으로 해결하고 유륜 둘레 안쪽 범위에만 남은 섬유-유선조직만 절제한다. 범위가 줄어들기 때문에 지혈 과정도 용이하다(**그림 25, 26**).

섬유-유선조직을 효과적으로 제거하기 위해 다양

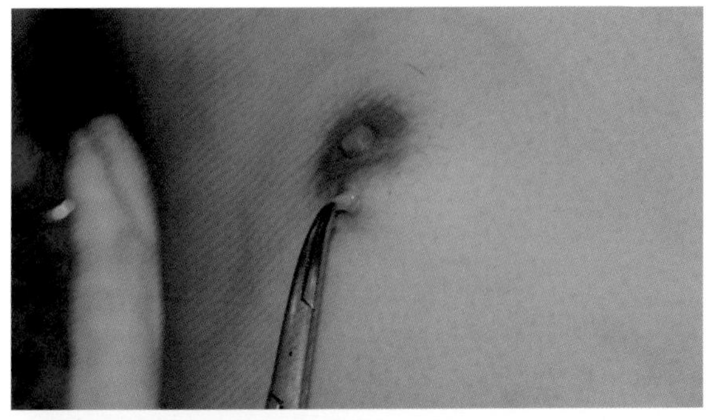

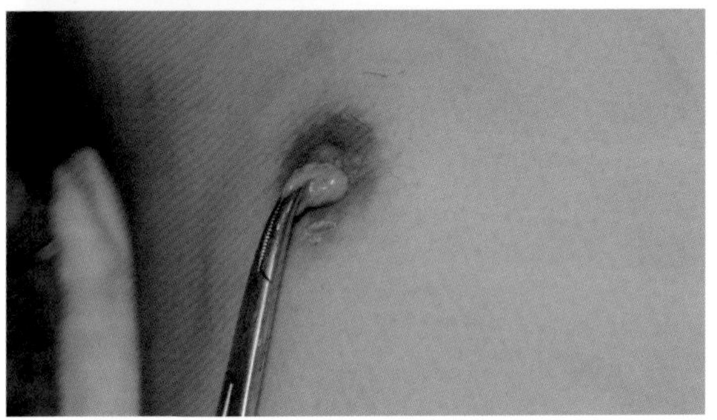

그림 23, 24 유륜 절개선을 통해 섬유-유선조직을 작은 조각으로 만들어 제거하는 모습.

한 수술방법을 적용할 수 있는데 유륜절개를 이용해 직접 눈으로 확인하면서 조금씩 잘라내는 방법이 가장 일반적이다(**그림 27, 28**).

그 외 맘모톰을 비롯해서 다양한 장비와 기구를 이용해서 섬유-유선조직을 제거할 수 있다. 고주파 장비나 CO2 레이저 등 섬유-유선조직을 자를 수 있는 장비는 모두 적용 가능하다(**그림 29**).

Dr. Prado 등은 연골(조직) 절삭기를 이용해 섬유-유선조직을 제거하는 논문을 2005년 발표 했는데 섬유-유선조직을 효과적으로 제거할 수 있다. 다만, 강도가 약한 조직일수록 절삭기의 칼날이 헛돌 수 있기 때문에 반대편 손으로 섬유-유선조직을 강하게 잡고서 깎는 과정이 필요하다(**그림 30–35**).

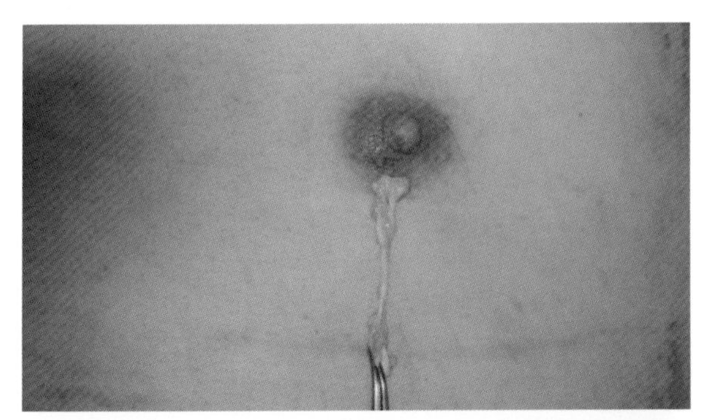

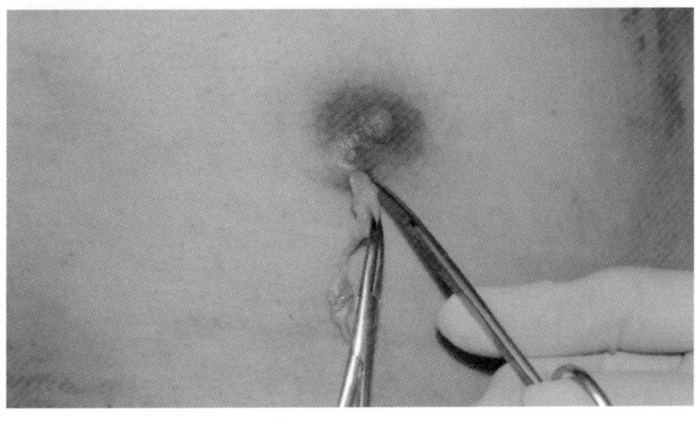

그림 25, 26 유선조직이 많은 경우에도 유륜의 작은 절개선만으로 제거할 수 있다.

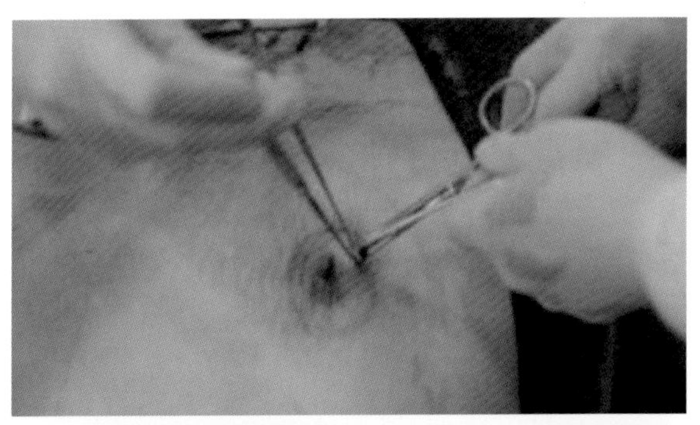

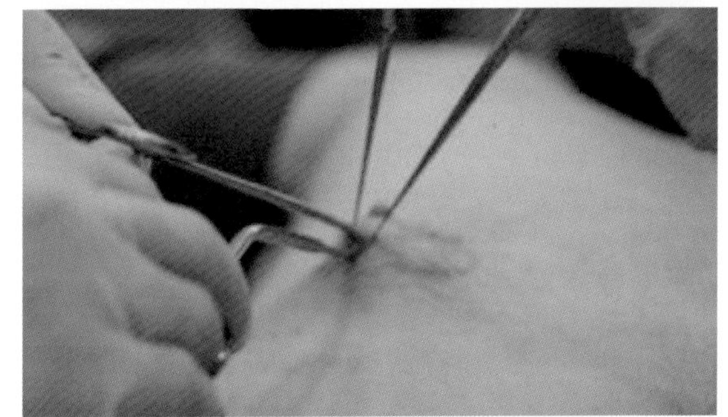

그림 27, 28 "꺾인 가위"를 이용해 섬유-유선조직 절제하는 모습.

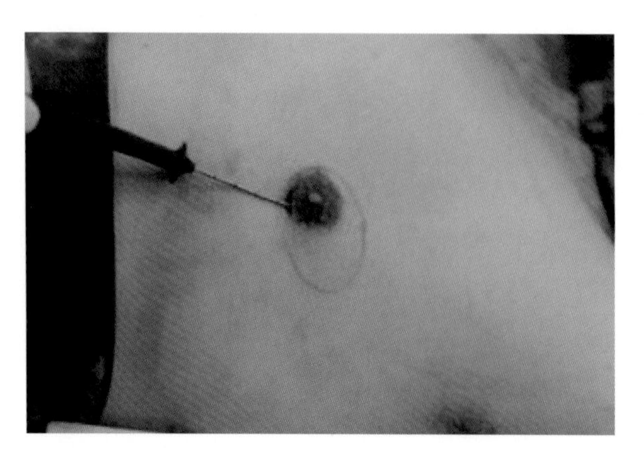

그림 29 고주파 장비를 이용해 일부 섬유-유선조직을 제거하는 모습.

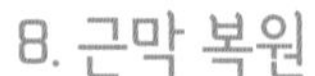

8. 근막 복원

유두유륜 복합체 부위가 가장 튀어나온 곳이기 때문에 과하게 조직을 제거하면 경과 과정에서 유두유륜 복합체 주변이 함몰되는 경우가 생길 수 있다. 수술의 마지막 단계에서 근막 상태를 확인하고 주변 근막과 서로 끌어당겨 복원해 주면 함몰을 어느 정도 예방할 수 있다. 재수술 과정에서도 근막 복원이 중요한 역할을 하는 경우가 많다. 함몰된 부위를 채워주기 위한 단순 지방이식만으로는 충분히 복원되지 못하는 경우가 있는데 근막 복원이 좋은 해결 방안이 된다.

9. 근막과 피부 뒷면의 봉합

늘어지거나 주름이 심하게 생길 것으로 예상되는 경우 즉, Dr. Cordova 등이 말한 3급이나 4급으로 유두유륜복합체가 유방밑주름 수준 또는 그 이하로 처진 경우에서는 피부를 적극적으로 자르는 방식의 수술방법이 많이 소개되어 왔었다. 즉 여성의 유방축소법을 적용하는 것인데 실제 수술 후 흉터가 심해 환자의 실망감이 크다. 근막 일부와 피부 뒷면을 서로 봉합해주

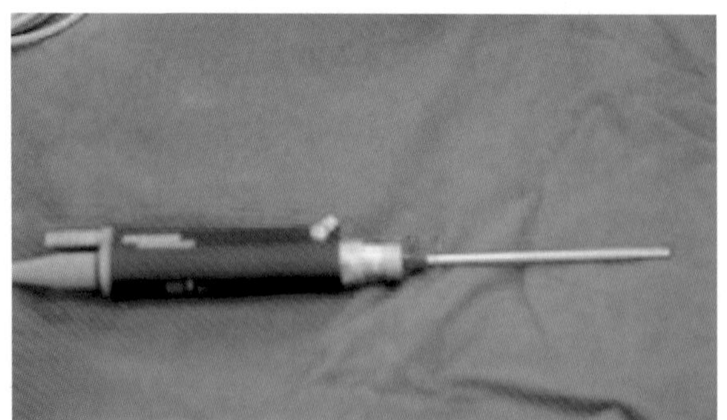

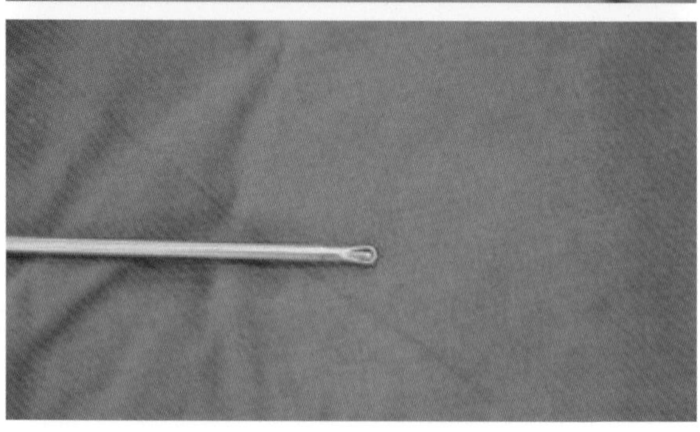

그림 30, 31 조직절삭기. 끝에 톱니 모양의 칼이 있다. 기구의 뒤쪽은 음압이 걸린다.

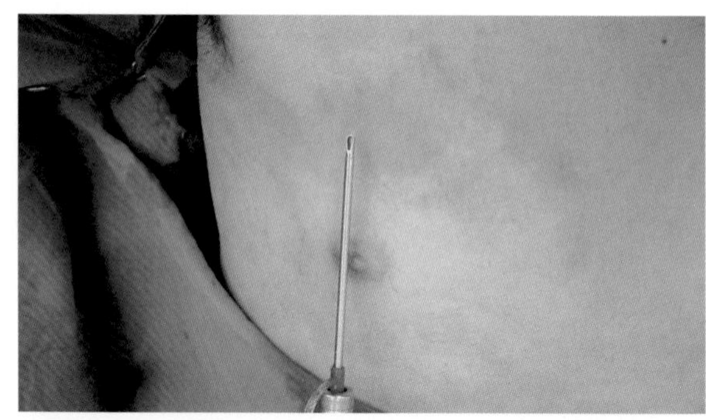

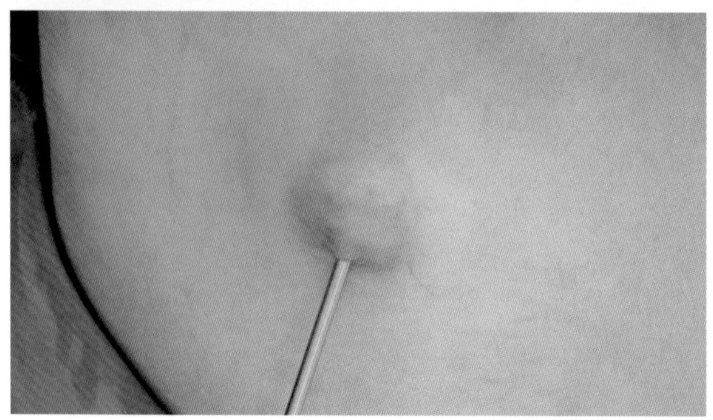

그림 32, 33 조직절삭기를 유륜 절개선으로 넣은 모습.

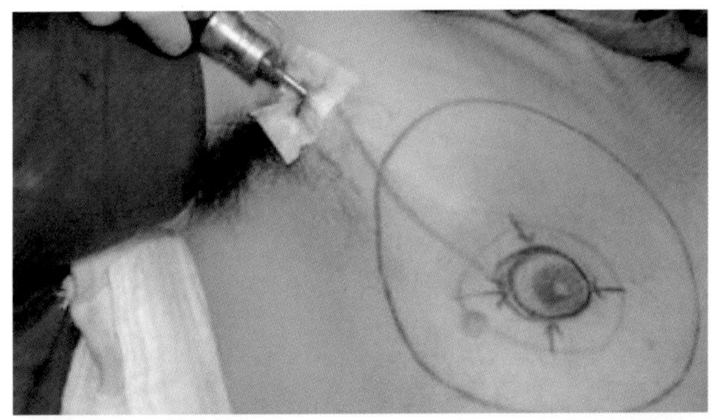

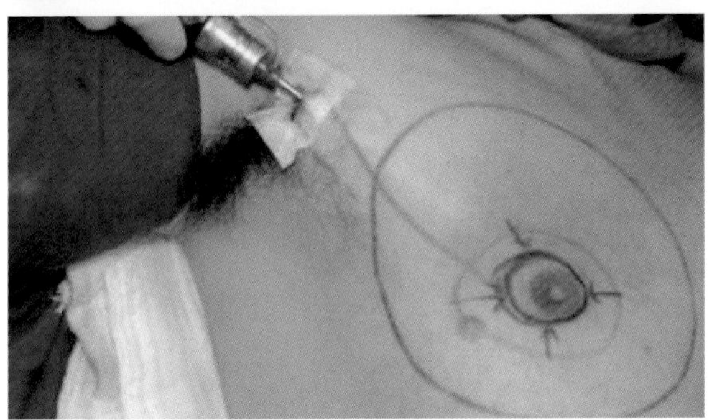

그림 34, 35 겨드랑이 절개선을 통해 조직절삭기로 섬유-유선조직을 제거할 수 있는데 기구 끝이 멀어질수록 전달되는 힘이 약해져 섬유-유선조직이 잘 깎이지 않을 수 있다.

면 피부의 처짐을 예방할 수 있다. 피부가 처지지 않게 잡아주는 인대조직을 수술 과정에서 과도하게 제거하면 피부가 처지기 쉽다. 또한 너무 크거나 오랫동안 지속되어 피부가 늘어진 경우에는 피부를 잡아주는 인대조직들이 느슨해지는데 이를 보강해주는 개념의 수술이 근막과 피부 뒷면 봉합이다. 만약 너무 강하게 봉합하면 수술 후 근육을 움직이거나 팔을 들 때마다 딸려 올라가는 애니메이션 변형(animation deformity)이 생길 수 있다. 피부 뒷면을 근막에 고정하기 위해서 추가적으로 긴 절개선이 필요하지는 않다. 작은 절개선을 통해서도 가능하다(**그림 36-38**).

10. 자가 지방 이식

수술 초반 3~5 cc 정도 지방을 초음파 지방흡입 과정 전에 주사기 흡인 과정으로 뽑아 둔다. 수술 후반부에 유륜 및 주변 피부의 함몰이나 울퉁불퉁함이 있으면 간단한 자가지방이식이 도움이 된다(**그림 39**).

11. 지혈과정

유륜에 3 mm 이하 작은 절개선만으로도 어렵지 않게 지혈할 수 있다. 특히 유륜 둘레 범위 정도만 절제하기 때문에 지혈해야 되는 범위가 넓지 않다(**그림 40, 41**).

거즈를 이용하면 유륜 둘레 범위 내에서 출혈 지점

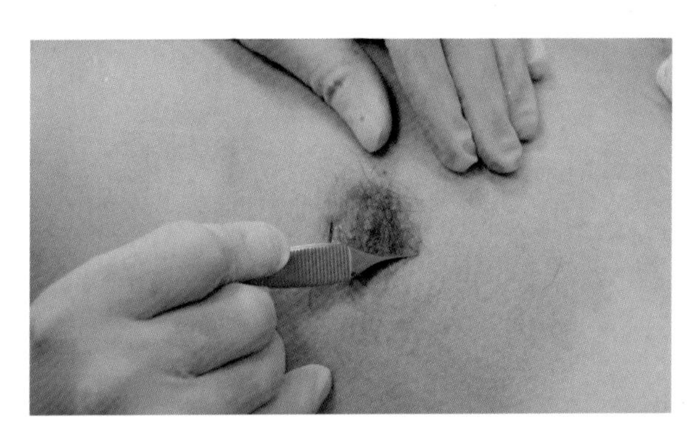

그림 36 유두 근처 피부 뒷면을 유두 보다 1 cm 높은 지점의 근막에 고정하기 위해 표시한다.

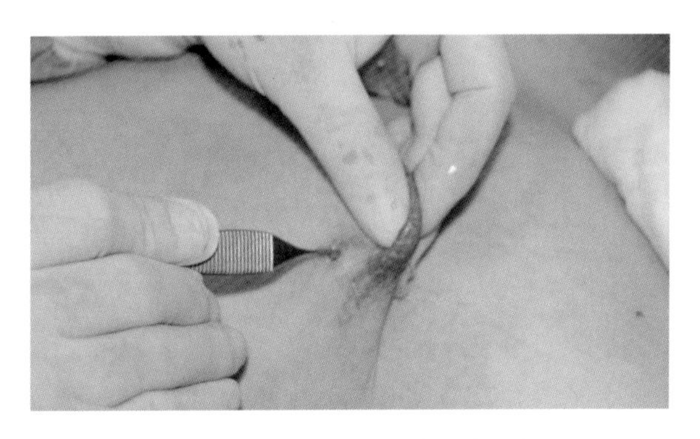

그림 37 작은 절개선을 통해 피부 뒷면을 잡은 모습.

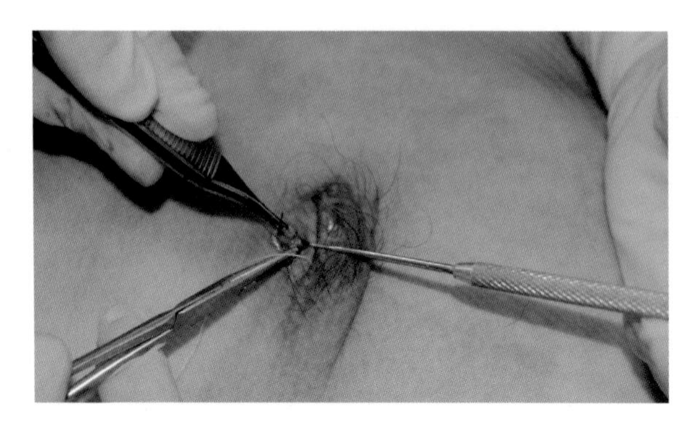

그림 38 작은 절개선을 통해 피부 뒷면과 근막 부위를 서로 봉합한다.

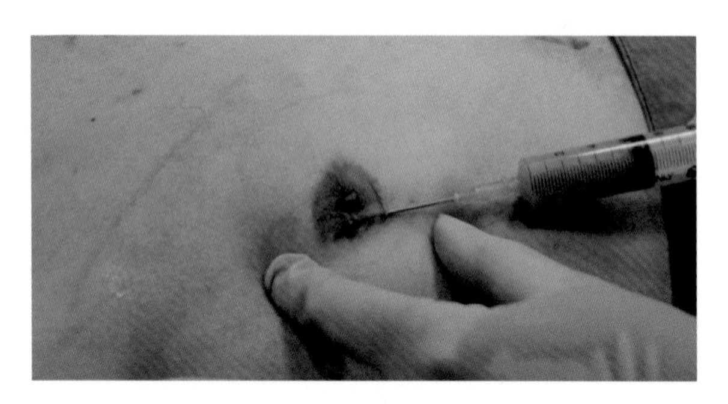

그림 39 수술 초반 뽑아둔 지방을 유륜 함몰 부위에 넣는 모습.

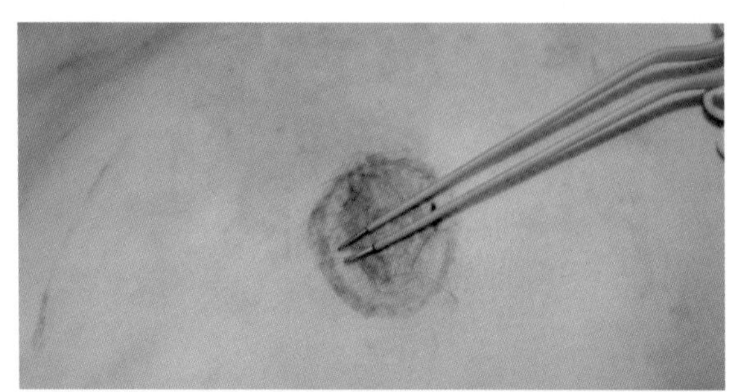

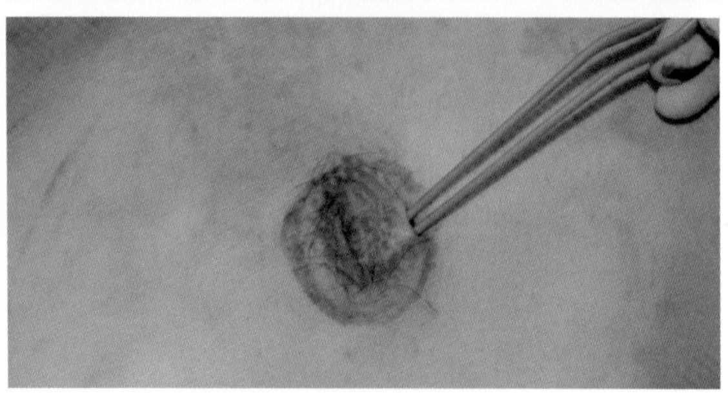

그림 40, 41 3 mm의 작은 절개선 만으로도 지혈을 손쉽게 할 수 있다.

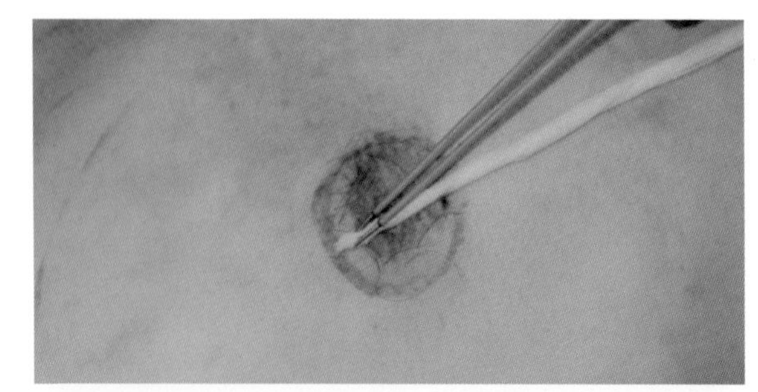

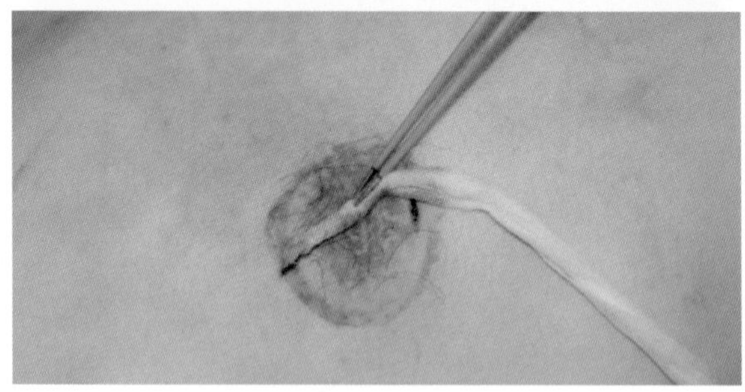

그림 42, 43 2X2 거즈를 생리식염수에 적셔 절개선 안으로 넣음으로써 출혈 정도와 위치를 파악할 수 있다.

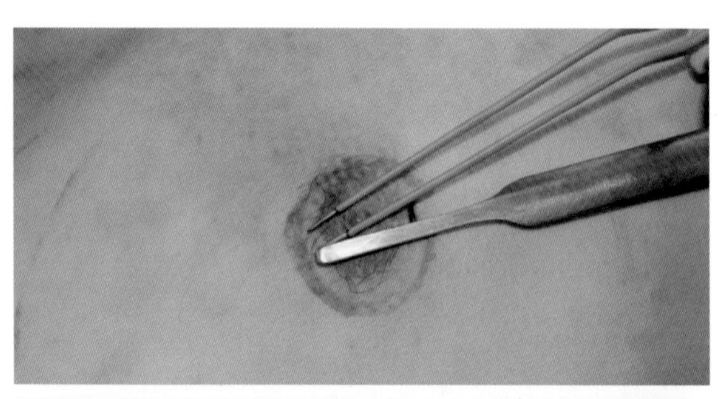

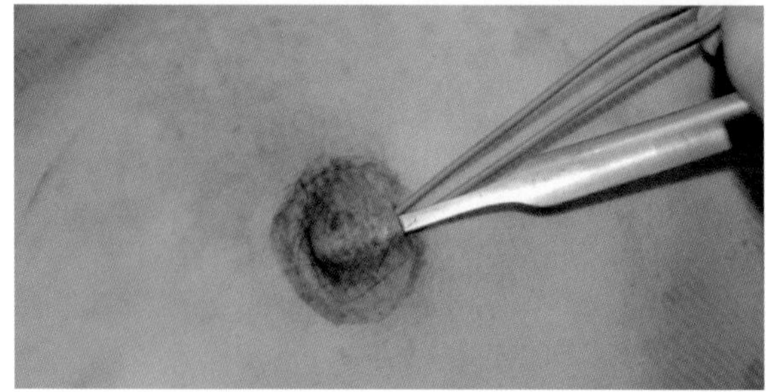

그림 44, 45 특별히 제작한 폭이 좁은 광원 (light source) 견인기를 이용해 지혈하는 모습.

을 쉽게 알 수 있다. 경험적으로 유방의 내측 아래쪽 즉 4시 방향 쪽에 비교적 굵은 혈관이 있어 유의해야 한다. 무리한 힘을 주지 않으면 대부분의 경우 특별한 지혈과정을 하지 않아도 피가 나지 않는다(그림 42, 43).

만약 지혈과정이 쉽지 않으면 이 절개선을 유륜 경계를 따라 늘려야 된다. 또한 특별히 제작한 폭이 좁은 광원(light source) 견인기를 만들어 사용하기도 한다(그림 44, 45).

출혈성 경향이 있거나 예상치 못한 출혈이 발생하면 배액관을 사용하는 게 좋다. 배액관을 사용하더라도 대부분은 수술 후 한 두 시간 회복실에서 관찰한 후 제거하거나 다음날 방문하는 날 제거한다. 지방형유방증 수술 후 출혈은 대부분 정맥출혈이므로 누르는 것만으로도 해결이 된다. 만일 수술 도중 동맥출혈이 의심된다면 주저하지 말고 절개선을 늘려서 출혈 지점을 찾고 철저히 지혈해야 한다.

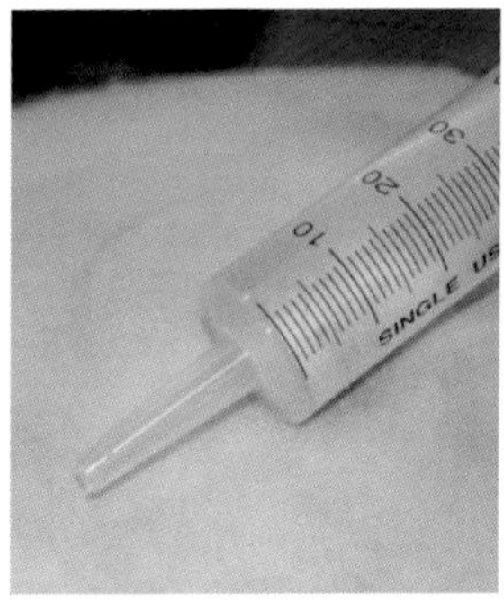

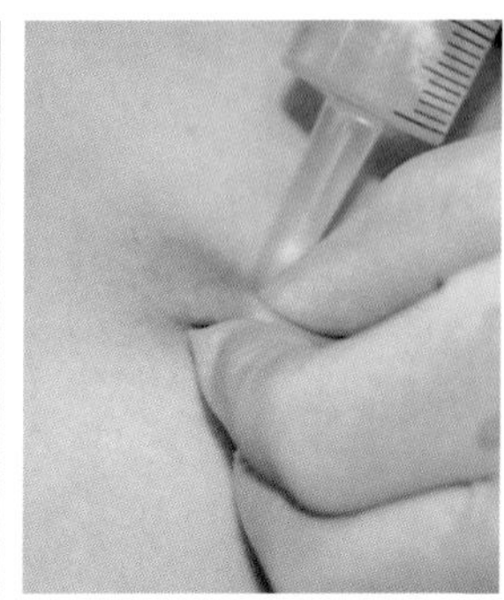
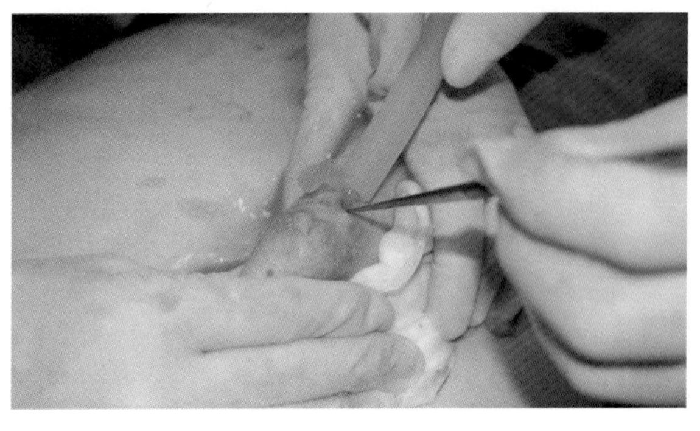

그림 46, 47, 48 맑은 생리식염수를 사용해 출혈이 없는지 확인한다.

12. 관주 Irrigation

맑은 생리식염수를 사용해 씻어냄으로써 지방조각 등을 제거하고 피가 나는지를 확인한다(그림 46, 47, 48).

소독액을 사용해 수술부위 전체를 씻어준다. 감염을 예방하기 위한 목적이다(그림 48, 49, 50).

수술 후 통증 완화를 목적으로 국소마취제를 수술부위에 넣는다(그림 51, 52).

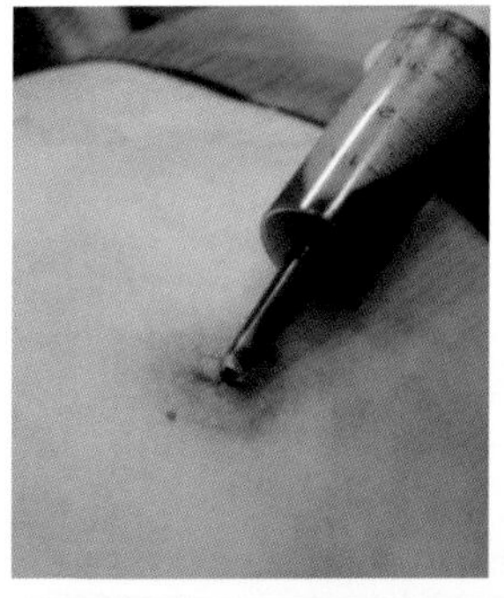
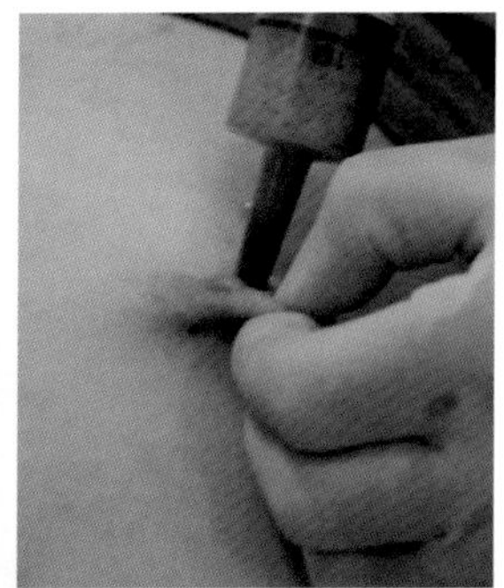
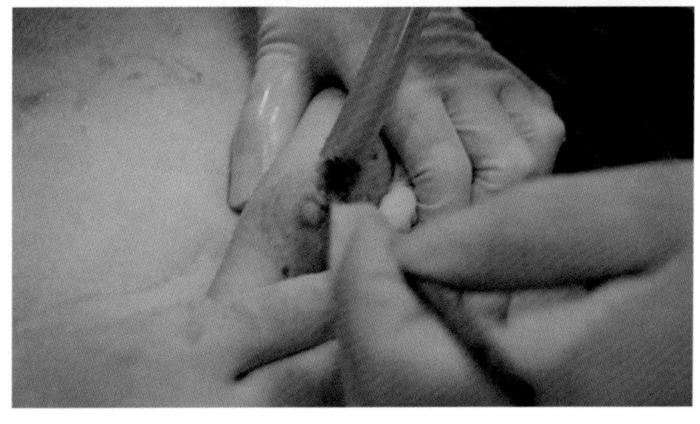

그림 48, 49, 50 희석된 베타딘 용액을 사용해 씻어낸다. 원액에 가까울수록 통증을 유발할 수 있기 때문에 주의한다.

13. 피부 봉합

녹는 실을 이용해 진피 봉합을 한 이후 피부는 조직접착제를 이용해 봉합한다(그림 53, 54).

조직접착제를 사용하면 수술 후 빠른 시기에 샤워

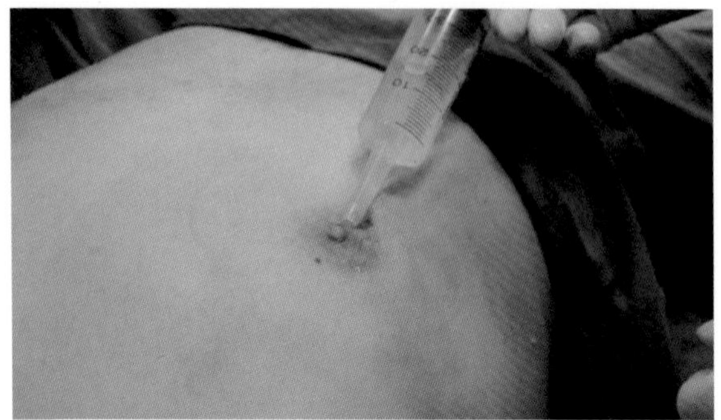

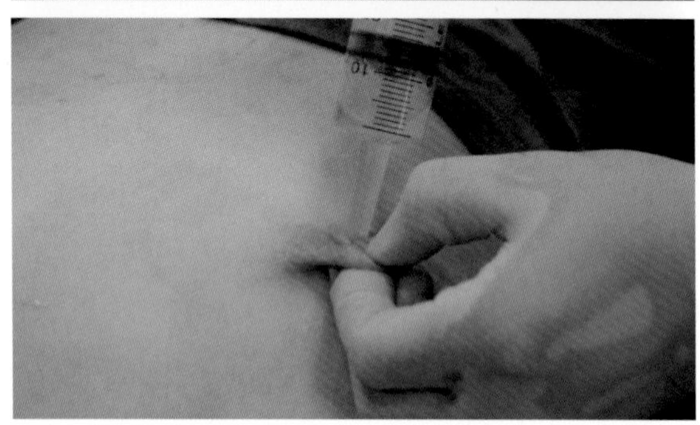

그림 51, 52 Bupivacaine (long acting lidocaine) 등을 수술 마지막 단계에 넣음으로 수술 후 통증 감소를 도모한다.

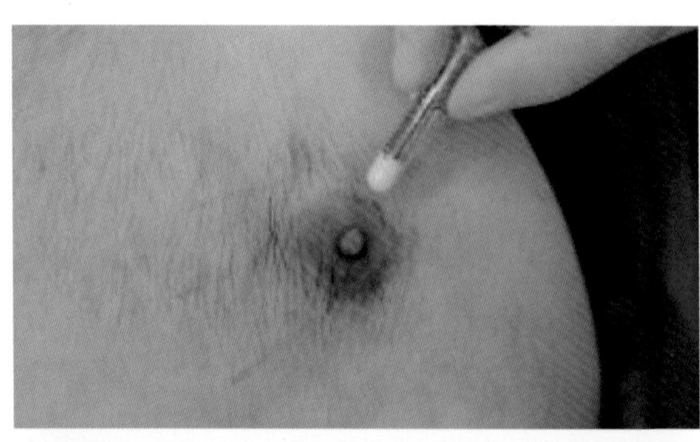

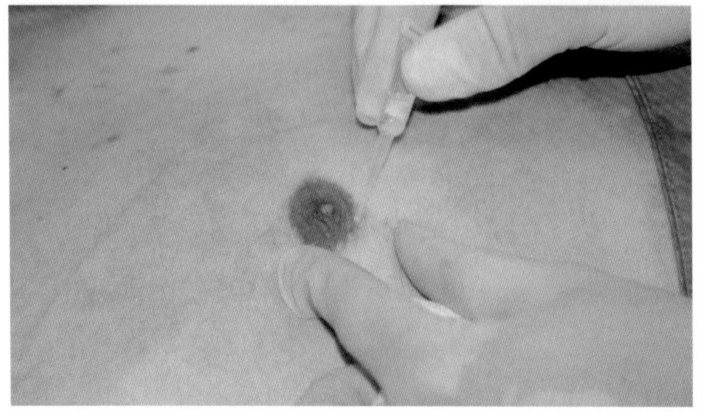

그림 53, 54 조직접착제를 이용해 피부를 봉합한다.

할 수 있고 실밥 자국이 남지 않는 등의 장점이 있다. 조직접착제는 별다른 치료 과정이 필요 없으며 2-3주 후에 자연스럽게 사라진다.

1) 드레싱

수술 부위를 효과적으로 눌러줄 필요가 있다. 수술 직후 초기에는 정맥 출혈을 막는 역할을 하며 수술 후 2-4주 동안 적용함으로 수술 후 경과 과정을 돕는 역할을 한다. 24-48 시간은 피부 위에 스폰지를 대고 탄력붕대로 감은 후 압박밴드나 복대 등을 착용시켜 세 겹으로 감싼다. 대부분의 정맥 출혈은 압박만으로 막을 수 있기 때문에 효과적이다(**그림 55, 56**).

24-48시간 후에는 스폰지와 탄력붕대를 푼 다음 압박밴드나 복대를 피부나 면 티셔츠 위로 입게 한다. 일반적으로 2-4주간 착용시킨다(**그림 57, 58, 59**).

최소 24시간 이상 피부에 스폰지로 누르면 그 부분은 멍이 잘 들지 않는다. 스폰지 등의 압박효과가 있어 피부를 잡아주게 되고 모세혈관 등의 안정화가 일어나 잘 터지지 않기 때문이다.

2) 관리

2009년 저자가 제시한 새로운 기준에 따른 4급이나 5급의 큰 지방형유방증는 수술 후 초음파 검사를 실시해 혈종이나 장액종 여부를 살펴 보는 게 좋다. 만약 혈종이 발생해도 1주 간격으로 3번 정도 주사기 흡인 치료로 해결된다. 그러나 장기간 혈종이나 장액종을 방치해두면 딱딱한 피막(capsule)이 생겨 유방 전체 모양이 왜곡되거나 촉감이 안 좋게 된다. 초기에 발견해서 적극적으로 처치해야 한다.

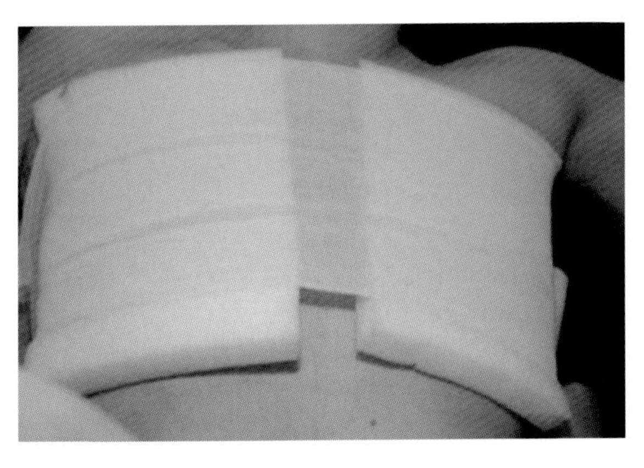

그림 55 피부 위에 스폰지를 대고 위로 압박붕대로 감은 모습

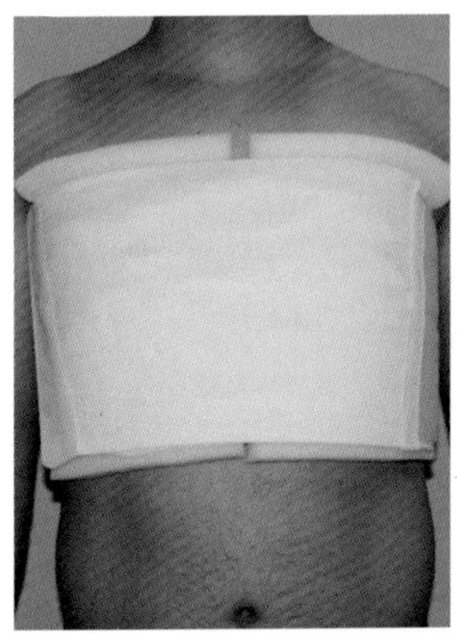
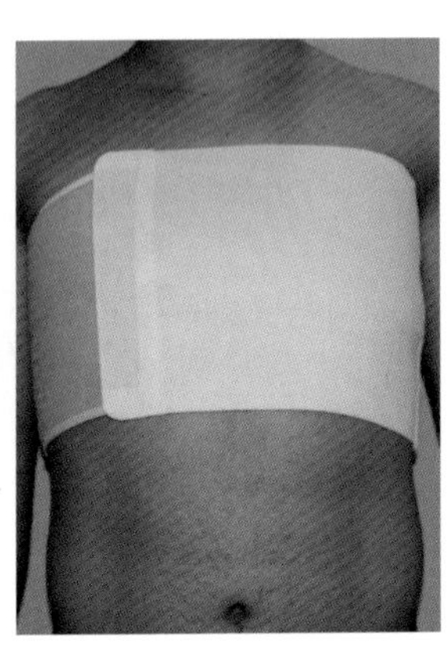

그림 56, 57 수술 후 24시간 동안에는 스폰지, 압박붕대 그리고 압박밴드까지 3겹으로 싸고 있다. 24시간 후에는 스폰지와 붕대를 풀고 압박밴드나 복대를 착용시킨다.

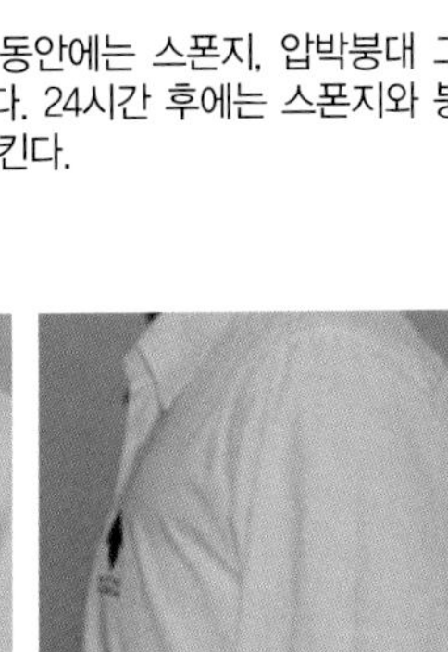

그림 58, 59 면 티셔츠나 와이셔츠 속에 압박밴드를 착용한 모습. 옆모습에서 옷 위로 표시가 잘나지 않는다.

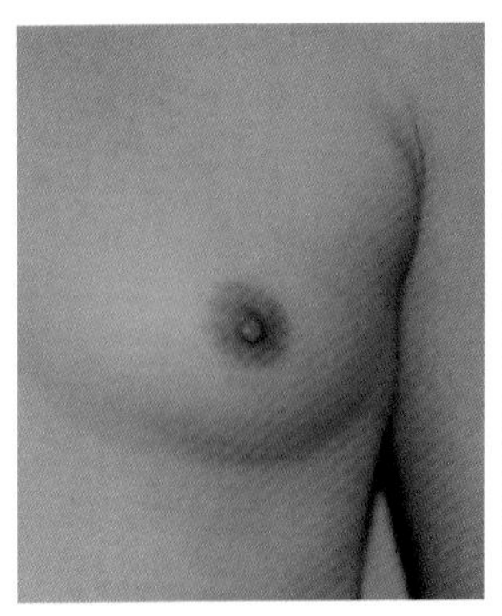
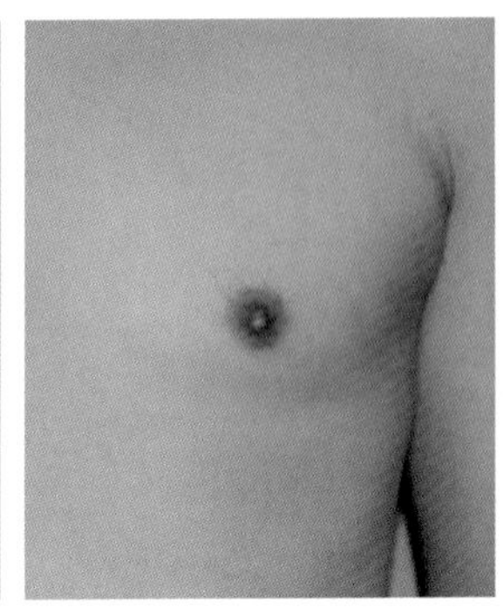

그림 60, 61 수술 전 유륜 지름이 39 mm 였던 환자로 수술 후 26 mm로 줄어들었다.

3) 유륜크기

서양인들을 기준으로 한 유륜의 평균적인 크기는 28 mm이다. 한국인 남자는 2005년 저자의 발표에 따르면 24.3 mm이다. 지방형유방증 수술을 통해 유륜 지름을 줄일 수 있는데 평균적으로 23.8%가 줄어든다 (그림 60, 61).

그러나 줄어드는 정도가 일률적이지는 못하고 4-45%로 편차가 크다. 특히, 수술 전 유두의 색깔이 중요한데 연한 색일수록 많이 줄어드는 경향이 있다(그림 62, 63).

유륜 둘레 피부를 잘라내는 유륜축소 수술은 심한 흉터를 남길 수 있으므로 신중히 적용해야 한다. 수술 전 유륜 크기에 대해 관심이 많았고 스트레스를 많이 받는 환자는 수술 과정에서 유륜 피부를 더 많이 줄이기 위해 초음파 에너지를 유륜 피부에 적극적으로 적용하고 필요할 경우 전기소작기를 이용한다. 평상시 전기 파워의 20-25%만을 적용해 유륜 피부 뒷면을 자극한다. 그러나 화상의 위험성이 있으므로 주의해야 한다.

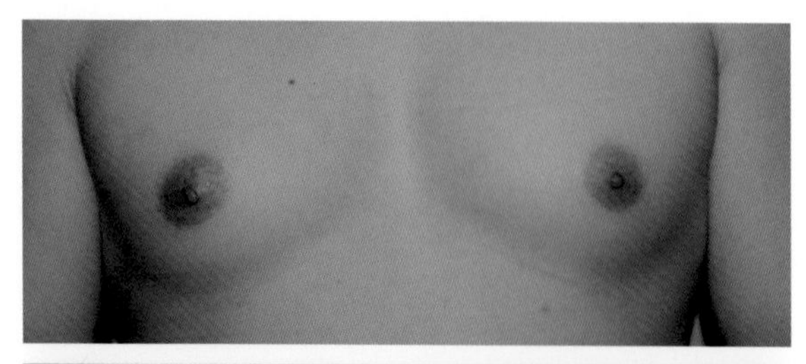
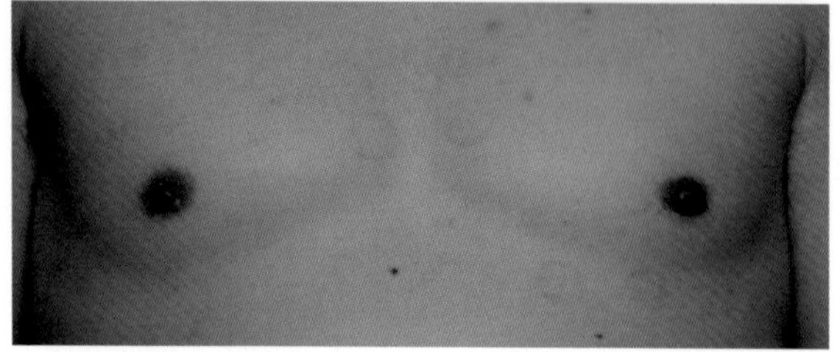

그림 62, 63 수술 전 유륜 지름이 32 mm였던 환자로 수술 후 20 mm로 줄어들었다.

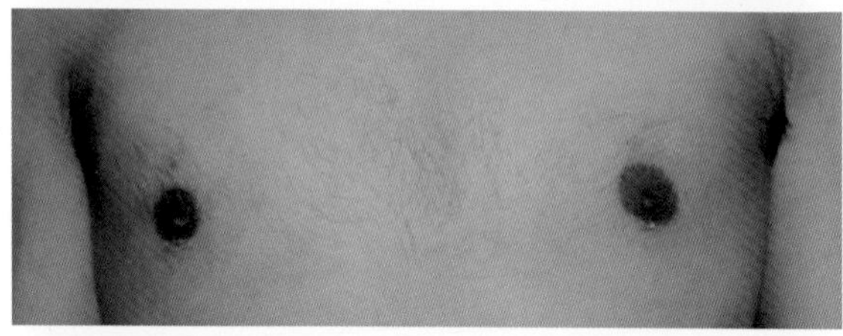
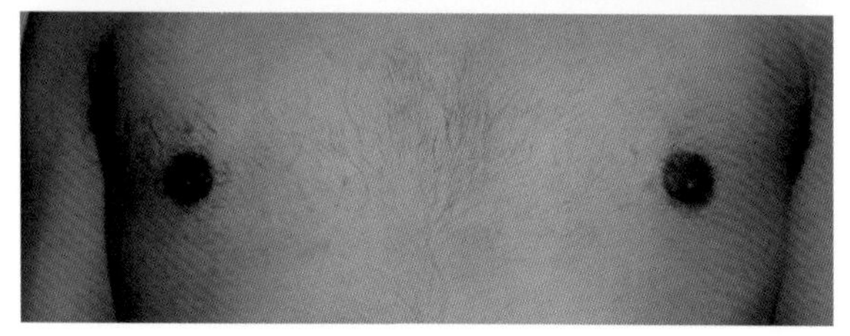

그림 64, 65, 66 수술 전과 지방형여유증 수술 후 3주 및 3개월 후의 모습. 3주 모습에서 조직접착제가 붙어 있다. 3개월 후의 모습에서는 흉터가 희미해지고 있다.

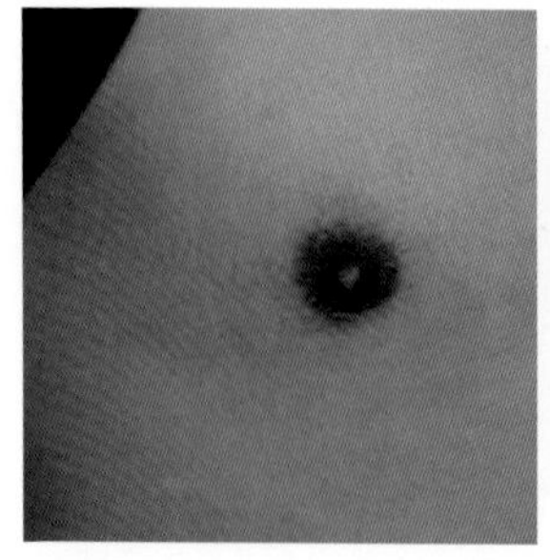
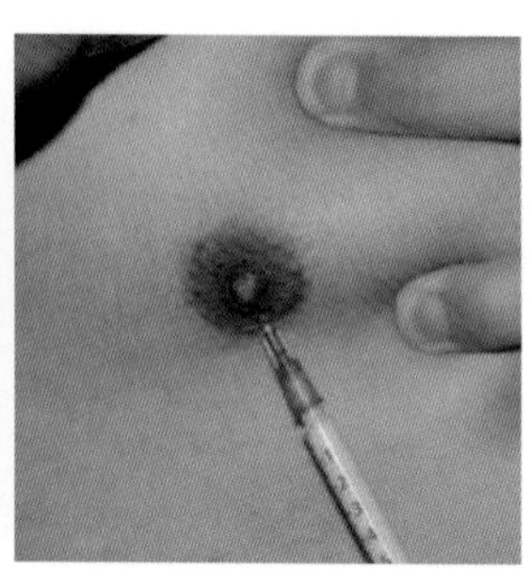

그림 67, 68 수술 후 흉터를 줄이기 위한 스테로이드 주사.

4) 유륜 흉터의 변화

절개선을 유륜과 피부 경계에 정확히 위치시키고 유륜 6시 방향에 국한된 작은 절개선을 만들면 수술 후 잘 찾을 수 없을 정도의 흉터만 남길 수 있다. **(그림 64, 65, 66)**

만약 흉터가 부분적으로 비대해졌거나 눈에 보이는 경우 스테로이드 주사 등이 도움이 된다. **(그림 67, 68)**

15. 부작용과 해결방안

1) 출혈

지방형유방증 수술 후 비교적 흔히 접할 수 있는 부작용은 출혈이다. 만약 출혈이 발생한 경우경험적으로 90%이상 대부분이 수술 직후인 24시간 이내 발생한다**(그림 69, 70)**.

동맥출혈로 심한 통증이 동반되는 경우 재수술을 통해 출혈점을 찾아 지혈하고 배액관을 삽입해서 2-3일 유지한다. 대부분의 경우 재수술을 통해 6개월 후 만족할 만한 결과를 얻을 수 있다. **(그림 71, 72)**

통증이 심하지 않고 출혈량도 많지 않은 정맥출혈의 경우 2-3주 후 초음파 검사를 실시해 혈종이나 장액종 부위를 확인하고 주사기 흡인(aspiration)치료를 하면 어렵지 않게 해결된다.

2) 함몰 (접시모양 변형, Saucer's deformity)

지방형유방증을 수술할 때 유방의 가장자리 부분 지방흡입을 제대로 하지 않고 유두유륜복합체 주변부 유선조직만 과도하게 제거하면 함몰이 생기기 쉽다. 가슴윤곽 수술의 개념이 아니라 종양적출술 또는 유방암 수술의 개념으로 수술 할 때 함몰이 잘 생긴다(그림 73, 74).

심한 함몰이 생긴 경우에는 먼저 애니메이션 변형이 있는지 시진과 촉진을 통해 확인하고 초음파 검사를 통해 피부와 근막 또는 근육의 유착이 있는지 살펴본다. 재수술 과정은 손상 정도에 따라 다른데 일반적으로 유착된 부분을 떼어내고 주변 근막을 끌어당겨와 복원하고 지방이식을 통해 윤곽을 맞추게 된다. 유착이 심한 경우 인공진피 등을 사용할 수 있다. 효과적인 복원 작업을 위해서는 경험이 필요하다(그림 75-82).

3) 심한 염증 또는 세균 감염

지방형여유증 수술 후 세균 감염은 워낙 드물어 잘 볼 수 없지만 실제 발생해도 즉각적인 처치로 쉽게 해결된다. 고여 있는 체액을 빼내고 항생제 치료를 한다(그림 83-88).

4) 피부 처짐

한 쪽 유방에서 지방이 500 cc이상 나올 것으로 예상되는 큰 경우이거나 급격한 다이어트 등으로 수술 전 이미 피부가 처진 경우에는 수술 후 피부가 처지거나 주름이 생길 수 있음을 수술 전에 확실히 설명해야 한다. 유방밑주름이 뚜렷하고 튼 살이 많으며 유륜과 유방밑주름 사이 피부가 유난히 탄력이 떨어지는 특징

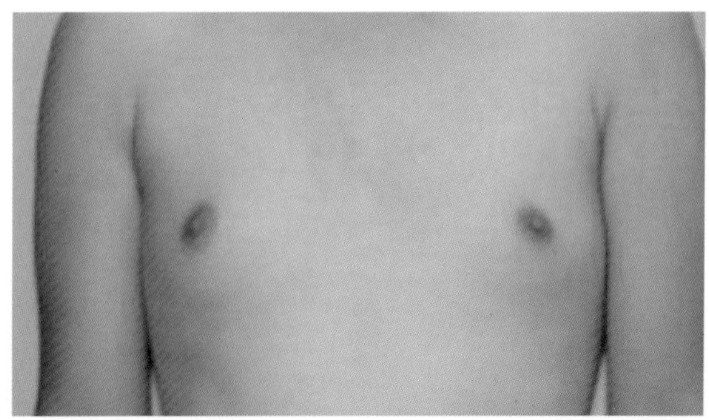

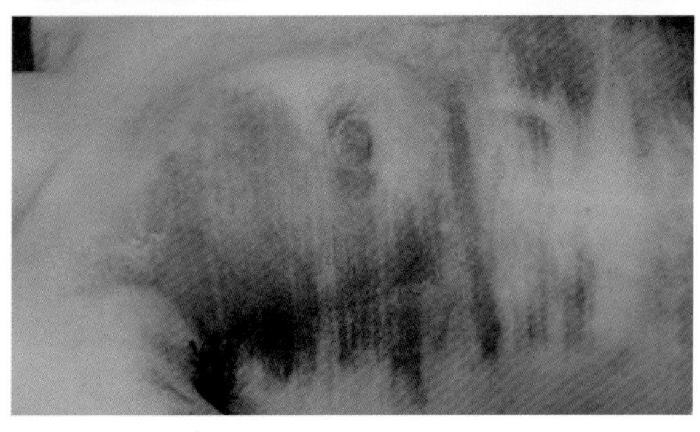

그림 69, 70 30대 초반 환자로 지방형여유증 수술 후 다음날 오른쪽 가슴에 출혈이 있어 내원한 모습.

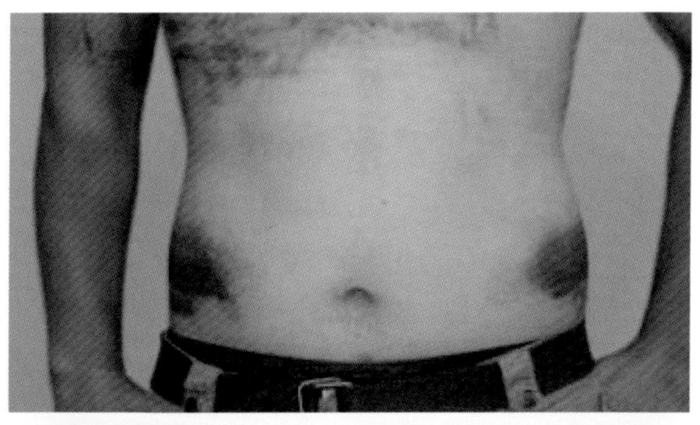

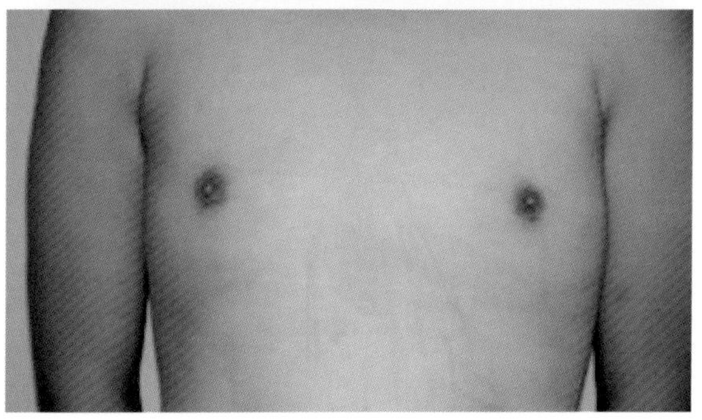

그림 71, 72 출혈 때문에 멍이 허리까지 내려온 3주 후 모습과 3개월 후이다. 출혈 등의 부작용이 있어도 즉각적인 처치를 하면 최종 결과는 나쁘지 않다.

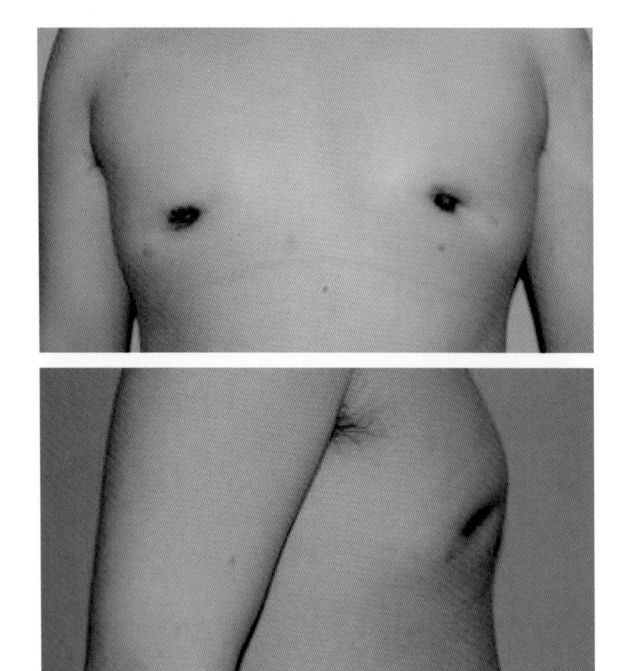

그림 73, 74 유륜 부근에서 유선조직 절제만 과도하게 하고 주변부 지방흡입을 제대로 하지 못해 함몰이 생긴 경우.

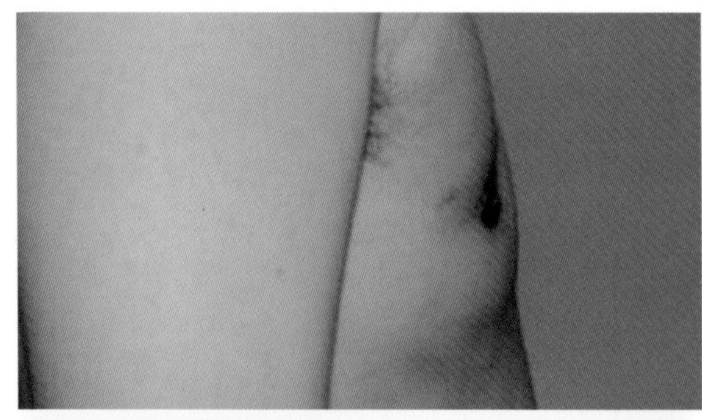

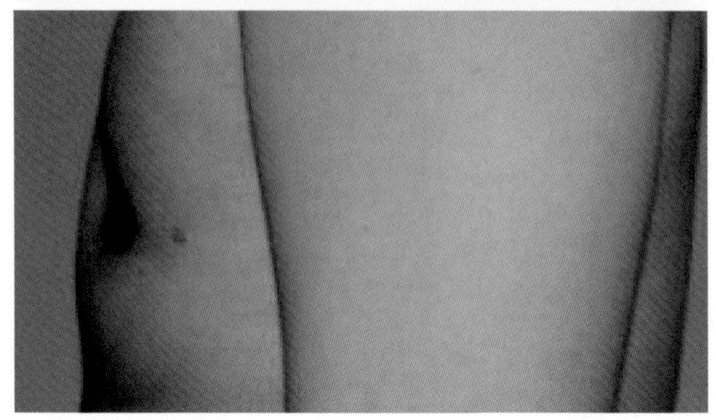

그림 75, 76 함몰이 심한 경우. 유방의 중심부에 국한된 과도한 유선조직 절제와 주변부 지방흡입이 부족했다. 윤곽성형에 대한 개념이 부족해 종양적출술의 개념만 가지고 수술할 때 생길 수 있다.

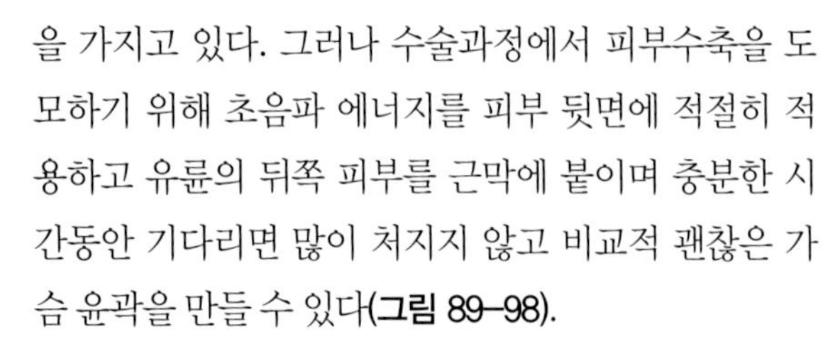

을 가지고 있다. 그러나 수술과정에서 피부수축을 도모하기 위해 초음파 에너지를 피부 뒷면에 적절히 적용하고 유륜의 뒤쪽 피부를 근막에 붙이며 충분한 시간동안 기다리면 많이 처지지 않고 비교적 괜찮은 가슴 윤곽을 만들 수 있다(**그림 89–98**).

성형외과 의사는 불안한 환자에게 미래의 결과에 대해 자신 있게 설명할 수 있어야 한다. 환자는 결과를 예측할 수 없어 불안해한다. 더욱이 의사가 확신이 없으면 환자는 더욱 더 고통 받는다. 심지어 비전문의나 비의료인의 비상식적인 조언을 받아들이기도 한다.

피부 처짐이나 남음으로 생기는 주름은 부분 자가 지방이식을 통해 개선할 수 있다(**그림 99–101**).

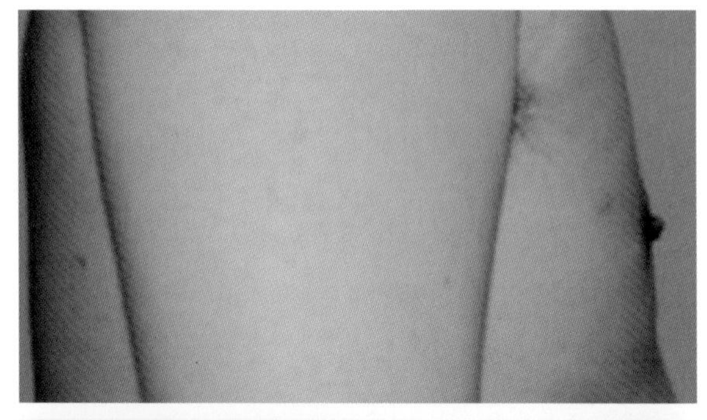

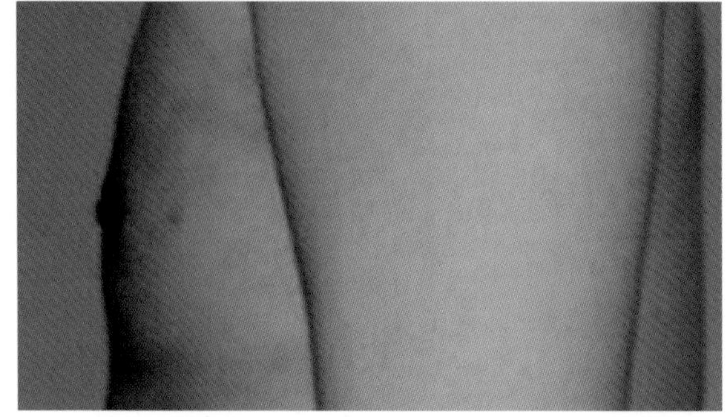

그림 77, 78 그림 75, 76 환자의 재수술후 모습. 대흉근과 유착된 피부 뒷면을 떼어내고 파인 공간은 지방이식을 통해 윤곽을 맞췄다.

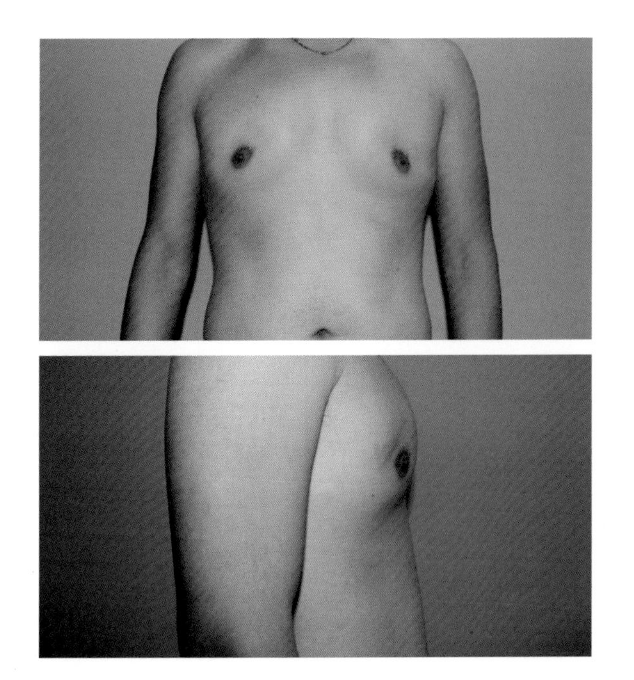

그림 79, 80 전체적으로 지방흡입이 부족하고 유륜 윗부분 위주로 유선 및 지방조직을 과도하게 절제해서 생긴 접시모양 변형. 지방형유방증은 지방흡입 후에 남은 섬유-유선조직을 조심해서 제거하면 위와 같은 부작용을 최소화할 수 있다.

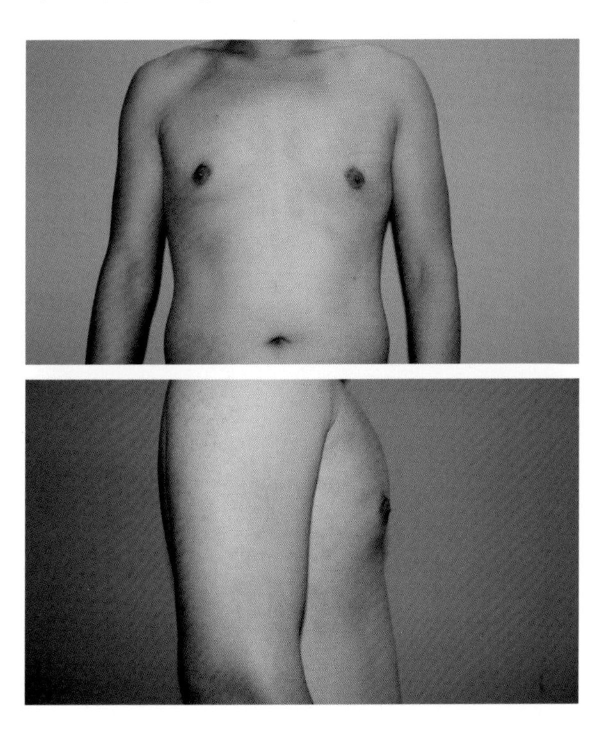

그림 81, 82 유륜 아래와 유방 가장자리 튀어나온 부분을 흡입하고 유륜 윗부분은 지방이식을 해서 가슴의 전반적인 윤곽을 개선시켰다.

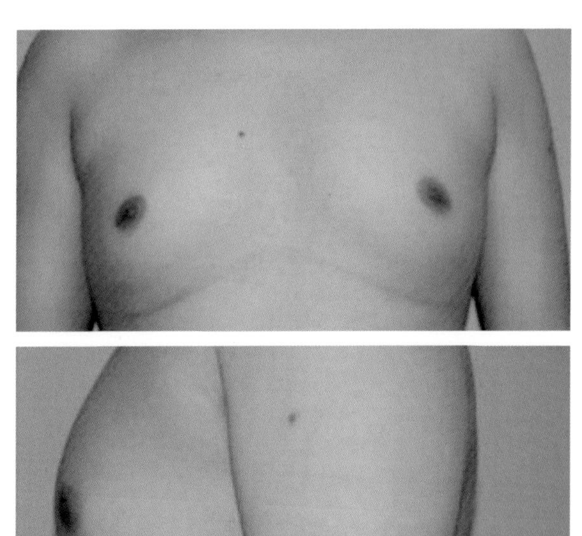

그림 83, 84 20대 후반 초음파 지방흡입과 유륜 절개를 이용한 섬유-유선조직 제거를 했다.

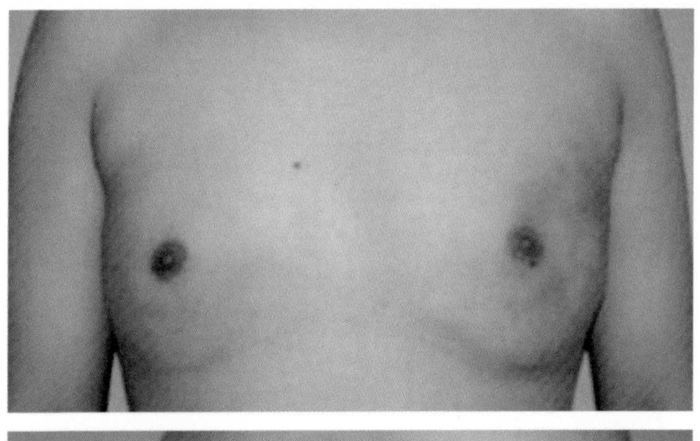

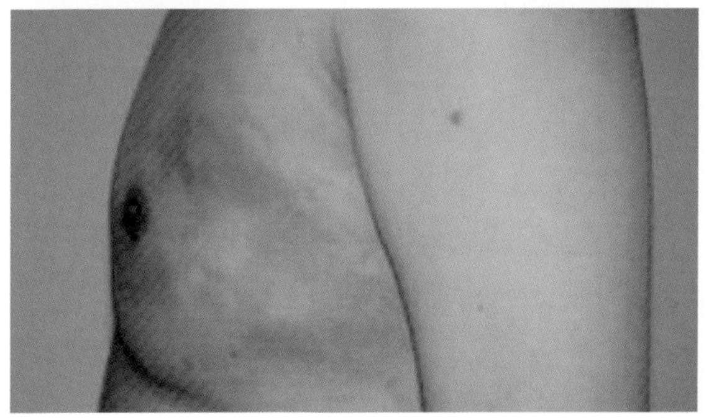

그림 85, 86 그림 83, 84 환자의 1주일 후 모습. 환자는 발적을 호소하며 병원을 방문했다. 왼쪽 흉곽에 열감이 있었고 주사기로 흡인하였더니 탁한 체액(turbid fluid)이 나왔다. 균 배양 검사상 포도상구균(Staphylococcus aureus)이 나왔다. 2주 동안 경구용 항생제 처방을 했고 1주일 후 흡인을 한 차례 더 했다.

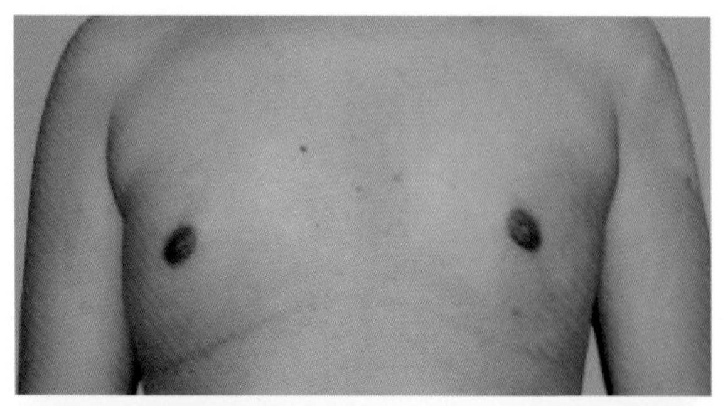

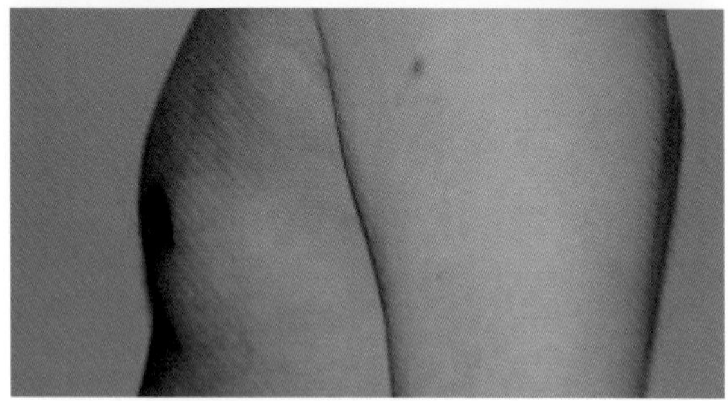

그림 87, 88 6개월 후의 모습으로 감염으로 인한 2차 손상이나 다른 부작용은 없었다.

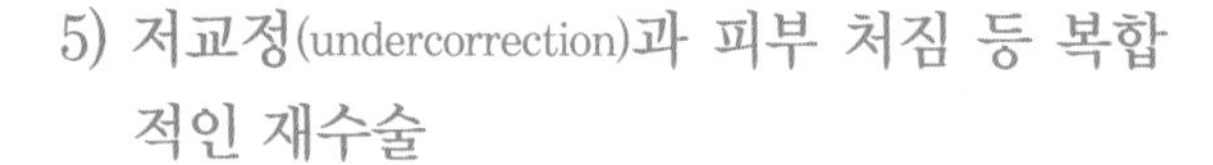

5) 저교정(undercorrection)과 피부 처짐 등 복합적인 재수술

유선조직을 과도하게 제거하면서 전반적인 지방흡입을 부족하게 하고 피부 처짐에 대한 개념이 부족하게 수술하면 수술 전보다도 못한 결과가 초래되기 쉽다**(그림 102–104)**.

이미 처진 흉곽 피부 전체를 재배치하기 위해 넓은 범위를 흡입하고, 뚜렷한 유방밑주름을 완화시키고, 처진 피부를 끌어당겨 대흉근의 근막에 일부 고정하며, 함몰된 부위는 자가지방이식으로 교정할 수 있다 **(그림 105–108)**.

16. 수술 증례

2009년 저자는 "지방형유방증에 대한 새로운 분

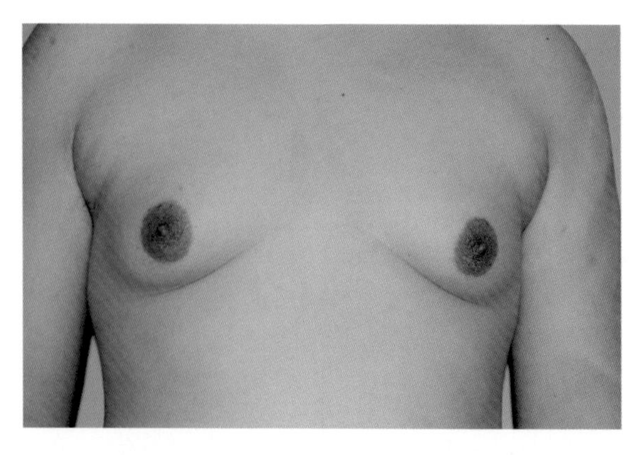

그림 89 환자는 급격한 다이어트(한 달 동안 20 kg 감량)로 피부가 처진 상태로 내원했다.

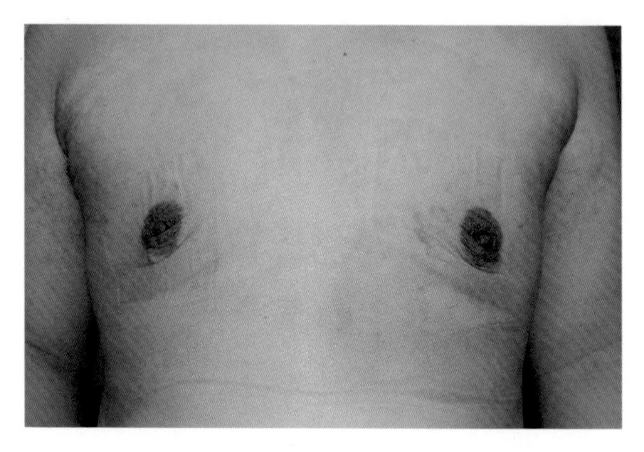

그림 90 수술 후 다음날 결과로 유륜 주변에 피부 주름이 많이 생기고 처진 모습이다.

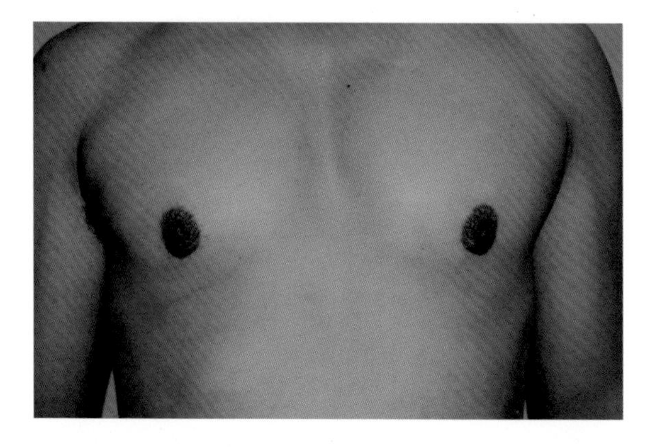

그림 91 2년 후에 방문한 모습으로 적절하고 지속적인 운동을 통해 유방의 주름이 다 없어지고 피부 처짐도 극복된 모습이다. 비만 체형이 근육질 체형으로 바뀐 모습이다.

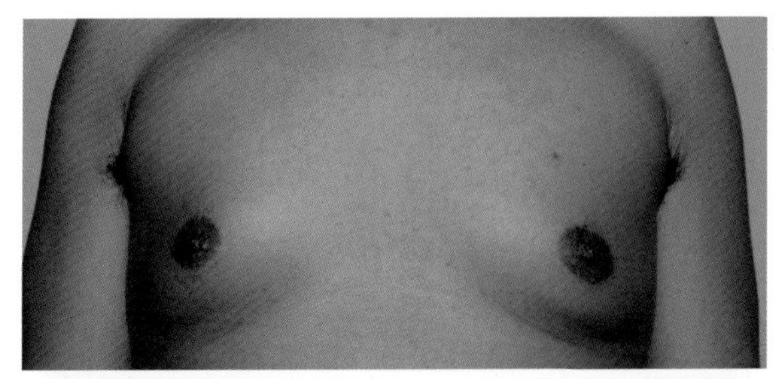

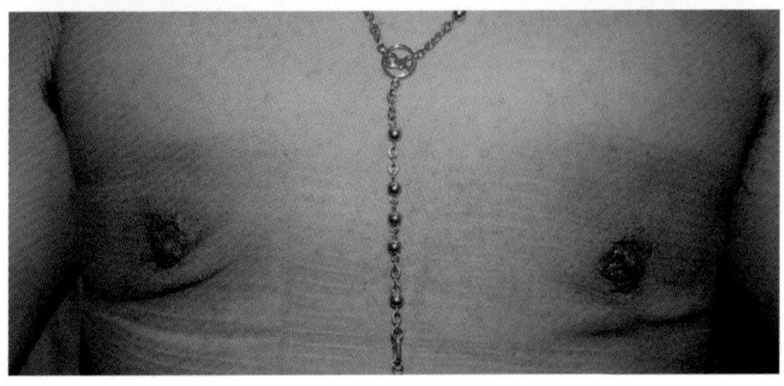

그림 92, 93 수술 전과 한 달 후 사진으로 유방의 크기는 줄었으나 피부가 처지고 주름이 심한 상태로 환자의 만족도가 낮았다.

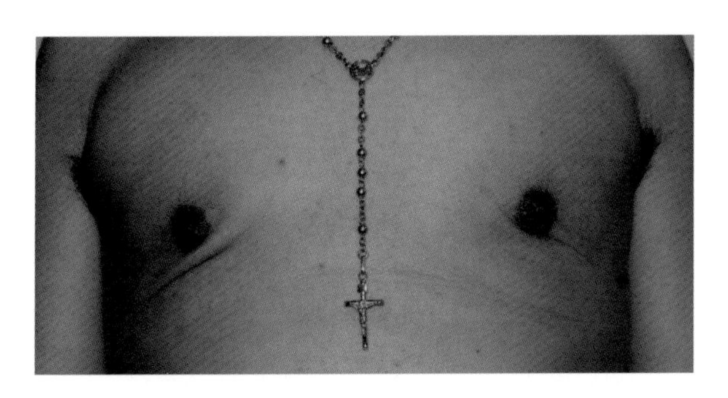

그림 94 수술 4개월째 사진으로 여전히 주름이 심하고 피부가 접혀있는 모습이다. 유륜 주변 피부가 남아서 생기는 모습으로 경험이 없는 의사는 유륜 둘레 피부를 잘라내는 수술을 고려하거나 환자에게 설며을 잘 하지 못한다.

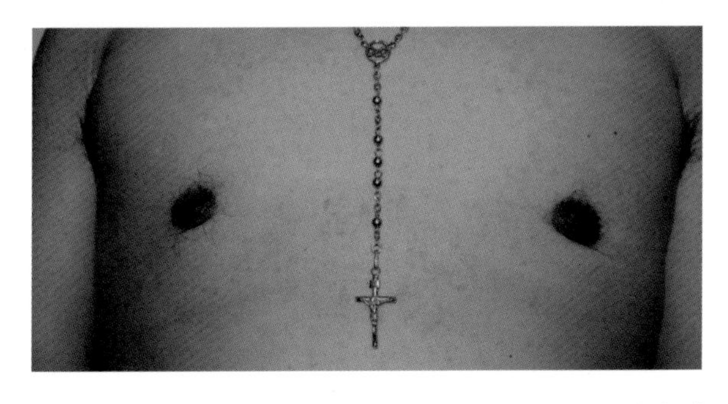

그림 95 1년 5개월 후의 모습. 유륜 하단에 일부 주름이 남아 있지만 전반적인 가슴 모양이 많이 개선된 모양이다. 환자의 만족도 또한 매우 좋아졌다.

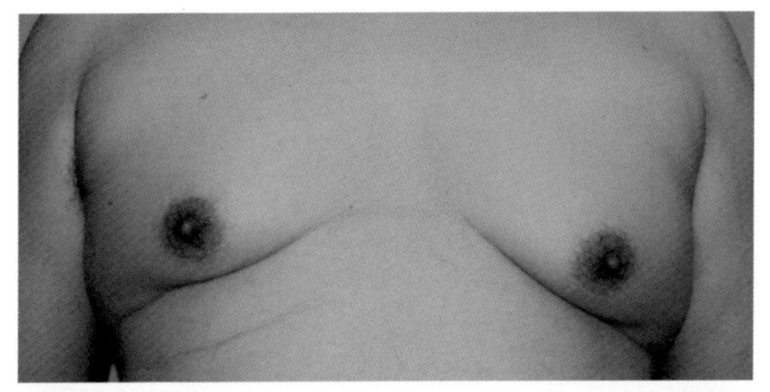

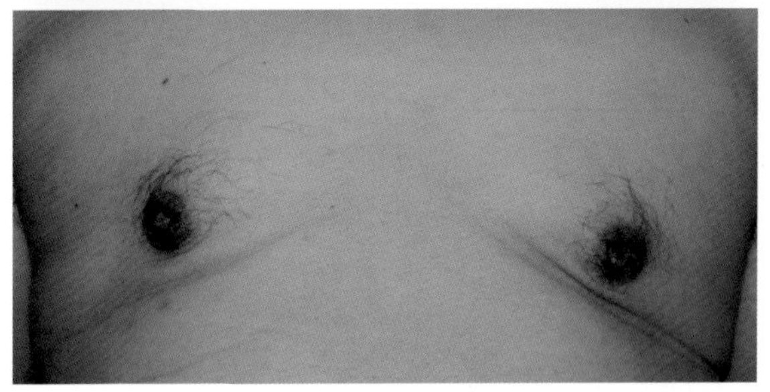

그림 96, 97 20대 후반 고도비만 였던 분으로 유두유륜복합체가 유방밑주름 수준만큼 내려온 경우로 여성의 유방축소 수술방법을 적용하기 쉽다. 유륜절개를 통해 지방흡입과 섬유-유선조직 절제를 시행하였고 한 달 후의 결과이다.

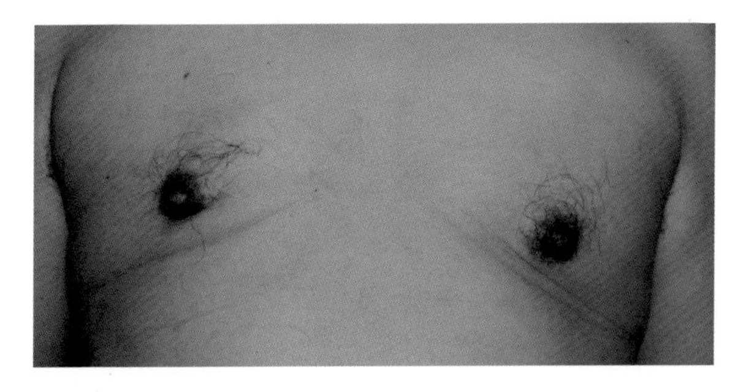

그림 98 13개월 후의 결과이다. 환자의 오른쪽 유륜 하단에 주름이 있고 왼쪽 유방밑주름이 남아 있는 상태이지만 수술 전 사진과 비교할 때 지방형유방증 수술의 효과는 크다. 환자의 만족도 또한 매우 높았다. 만약 오자형 또는 수직절개 유방축소 수술을 했다면 유륜과 유방 피부에 생기는 흉터를 감당하기 쉽지 않았을 것으로 보인다.

류"를 제안했는데 크기에 따라 5단계로 나누었다. 흡입하는 지방을 기준으로 50 ml 이하는 1단계, 150 ml 까지는 2단계, 300 ml까지는 3단계, 500 ml까지는 4단계 그리고 500 ml 이상은 5단계로 정의하고 수술방법을 조금씩 달리하였다. 그러나 대부분의 수술법에 적용되는 공통적인 개념은 첫번째, 눈에 띄지 않을 정도

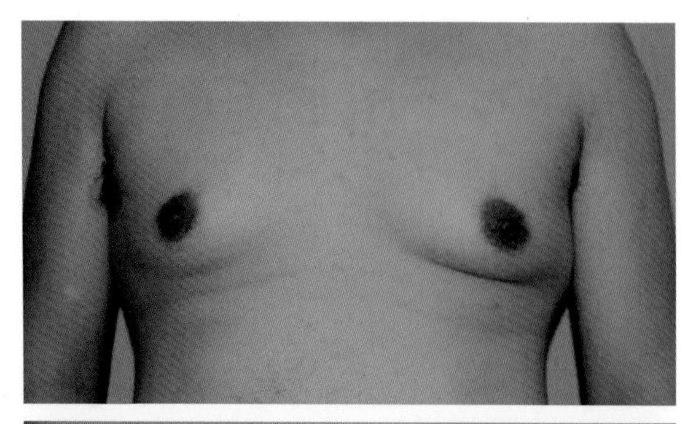

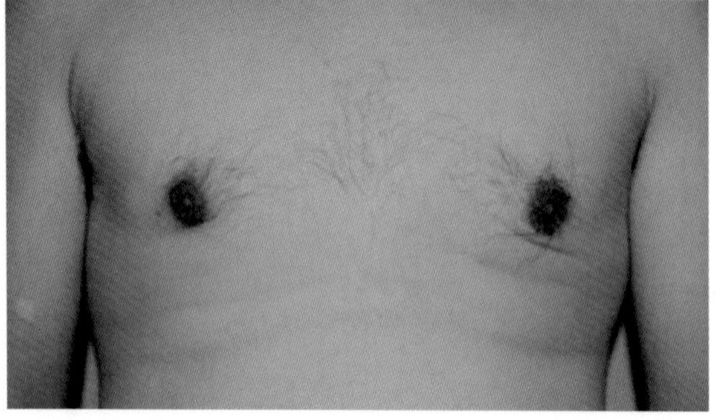

그림 99, 100 30대 중반 키 174 cm과 몸무게 86 kg이며 250 cc씩의 지방을 흡입하고 유선조직은 30 g씩을 제거하였으며 수술 7개월 후의 모습으로 왼쪽 유방에 6 cm정도 눈에 띄는 주름이 생겼다.

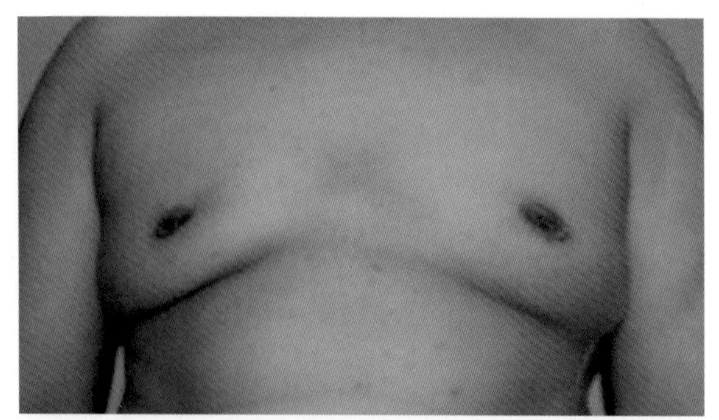

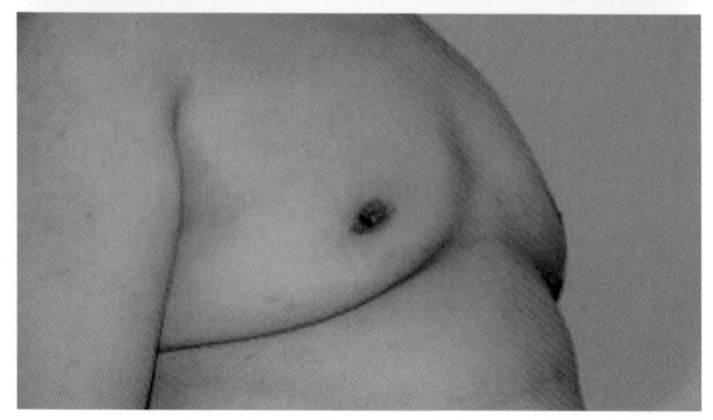

그림 102, 103 유륜에 큰 흉터를 남기고 유선조직 절제를 했으나 지방흡입을 제대로 하지 못하고 피부를 잡아주는 인대조직 등을 손상시켜 심하게 처진 상태로 방문하였다.

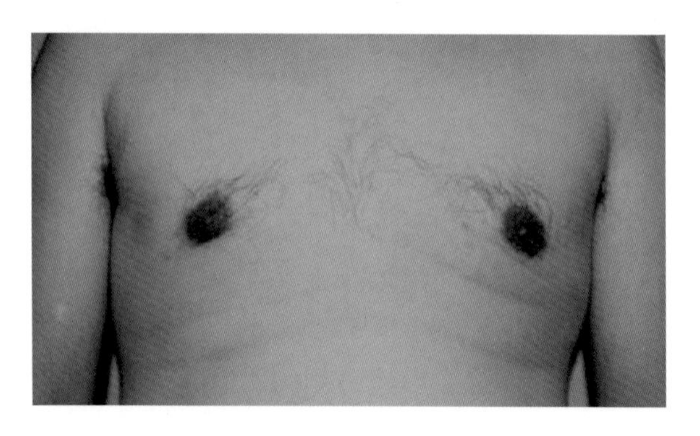

그림 101 자가지방을 12 cc 넣은 후 3개월 후의 모습. 피부 주름이 개선된 모습을 확인할 수 있다.

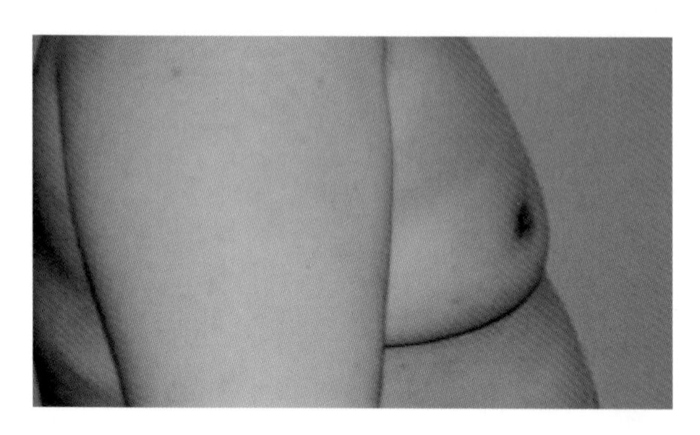

그림 104 옆모습에서 늘어진 피부가 유방밑주름을 완전히 덮은 모습이다.

의 작은 절개선으로 수술한다. 두 번째, 지방흡입 과정만으로 대부분의 유방조직을 제거할 수 있다. 세 번째, 섬유-유선조직을 유륜 둘레 크기만큼 최소로 남겨 절제함으로 지혈 범위도 최소화시킬 수 있고 다른 부작용도 줄일 수 있다(**그림 109– 130**).

17. 유두축소(Nipple reduction in male)

지방형유방증 또는 여성형유방증을 가진 남성 가운데 유두가 커서 고민인 경우를 종종 만난다. 한국인 남성의 유두 평균 크기는 2005년 보고에 따르면 6-7

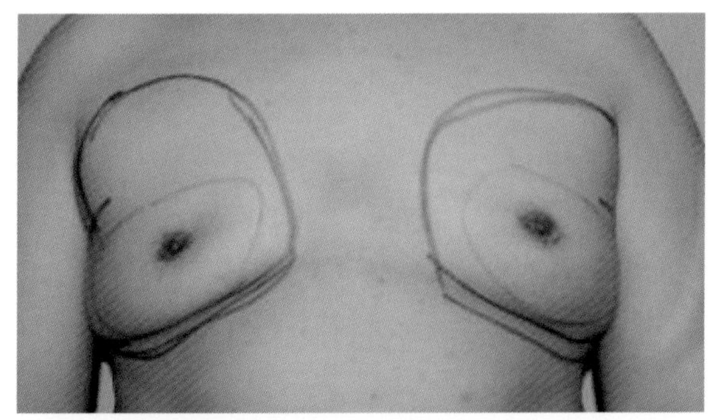

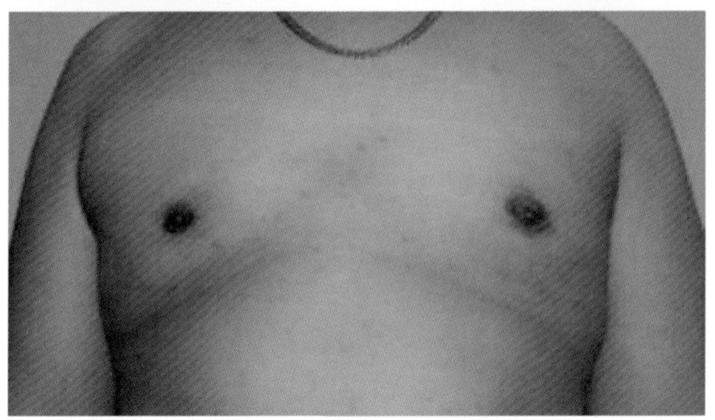

그림 105, 106 흉곽 전체의 넓은 부위를 흡입하고 유륜 주변 피부 뒷면을 근막에 고정하였다. 4개월 후의 모습으로 피부 처짐이 극적으로 개선된 모습이다.

mm를 넘지 않는다. 경험적으로 4-5 mm 이하의 작은 유두를 원하는 경우가 많았다. 지방형유방증 때문에 유방이 튀어나왔다는 스트레스에 시달리기 때문에 조금 큰 유두에 대해서도 스트레스를 많이 받는 경향이 있다.

비교적 작은 크기의 남성 유두로 지름이 10 mm를 넘지 않는 경우에는 유두의 12시 방향에 상부피부피판경을 남기고 3/4 또는 4/5의 유두를 제거하는 방법을 사용한다(**그림 131–134**).

습관적으로 만지거나 다른 이유로 유두가 많이 커져서 지름 10 mm 이상인 경우는 여성 유두축소 방법을 적용한다. 유두유륜접합부 피부를 360도 절개해서 박리한 후 유두의 실질조직을 확실히 제거하고 유두 끝의 일부 피부만 남겨 원하는 유두 크기로 줄일 수 있다(**그림 135 –138**).

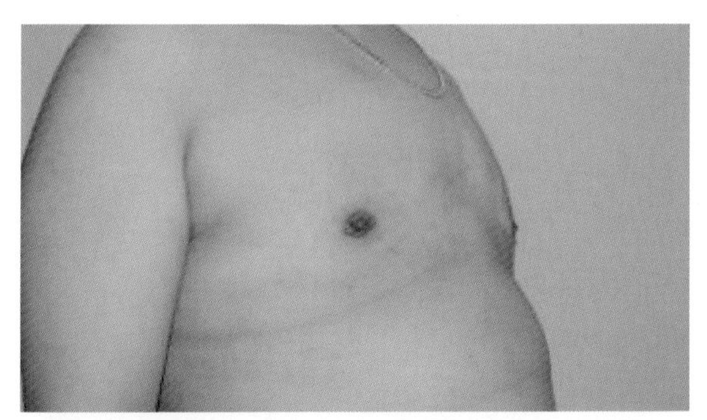

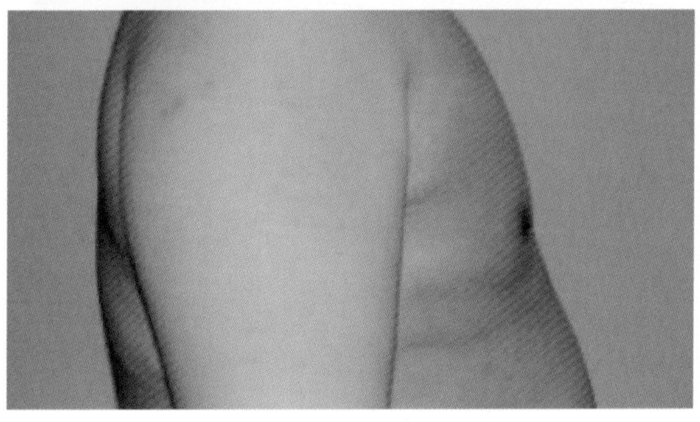

그림 107, 108 옆모습으로 흉터 개선의 효과는 크지 않으나 가슴 윤곽이 많이 좋아졌고 유방밑주름을 덮을 정도로 처졌던 피부가 완전히 교정되었다.

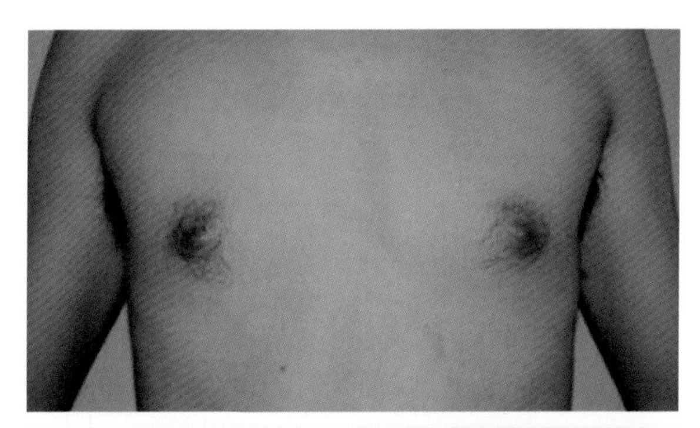

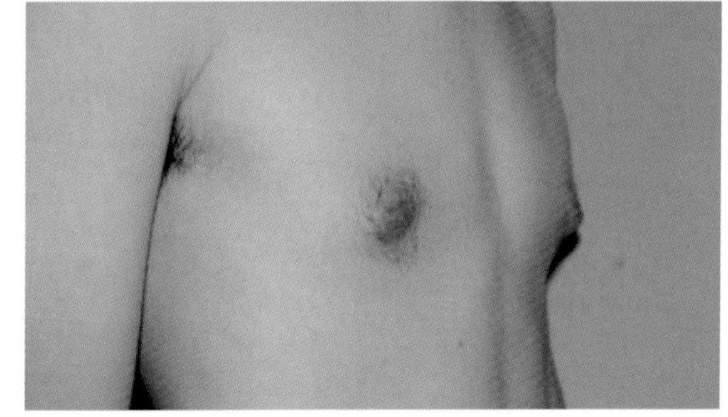

그림 109, 110 20대 초반 키 171 cm과 몸무게 64 kg이며 초음파 지방흡입을 통해 왼쪽 50 cc와 오른쪽 20 cc 지방을 흡입하고 유선조직은 6 g과 8 g씩 제거하였다.

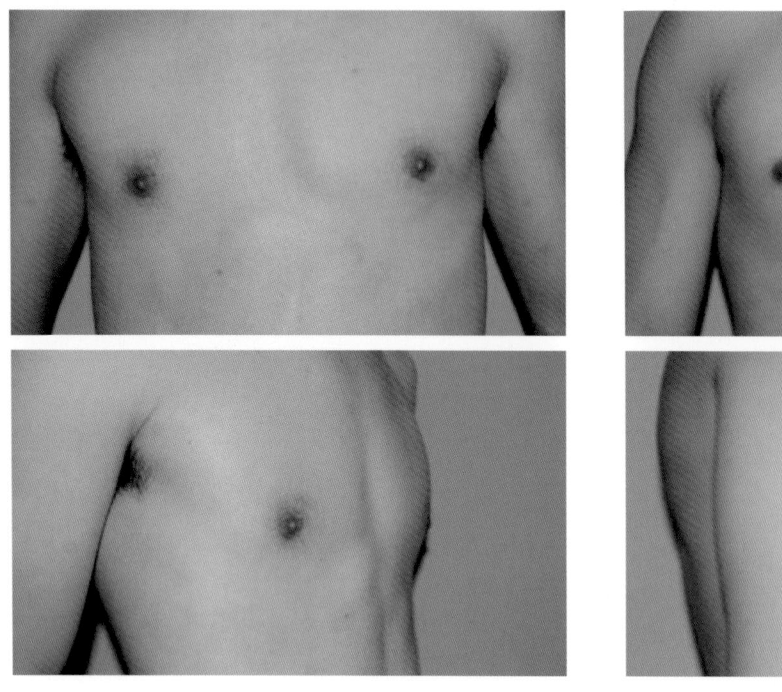

그림 111, 112 3개월 후의 결과로 유두의 뾰족함이 사라진 모습이다.

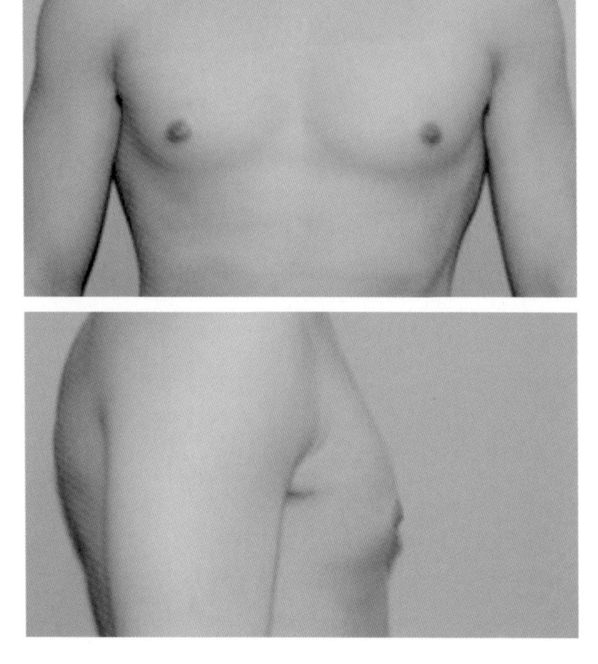

그림 113, 114 20대 중반 키 174 cm과 몸무게 71 kg이며 초음파 지방흡입을 통해 60 cc와 55 cc씩을 각각 흡입하고 유선조직은 11g과 12 g를 각각 제거하였다.

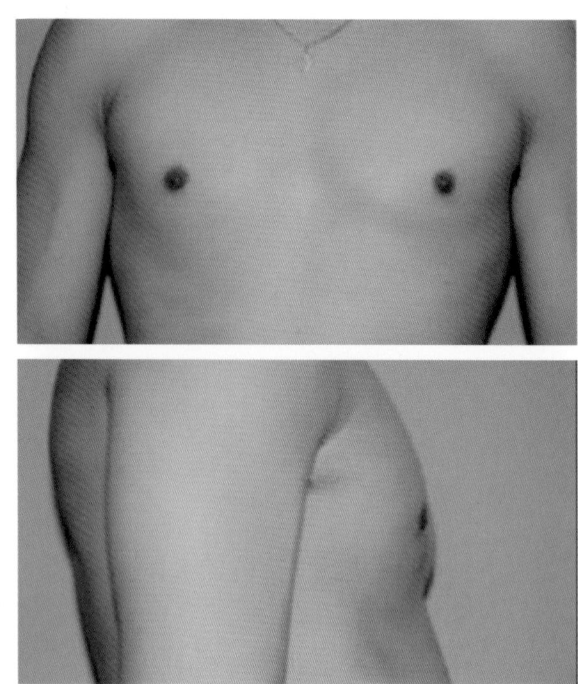

그림 115, 116 3개월 후의 결과로 유두와 주변 유륜 부위의 뾰족함과 봉긋함이 사라진 모습이다.

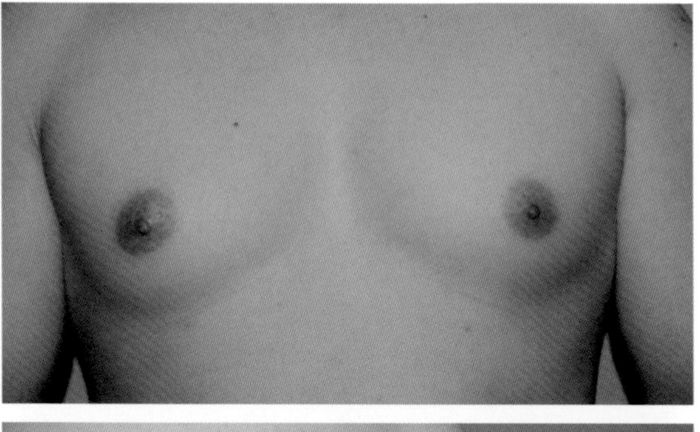

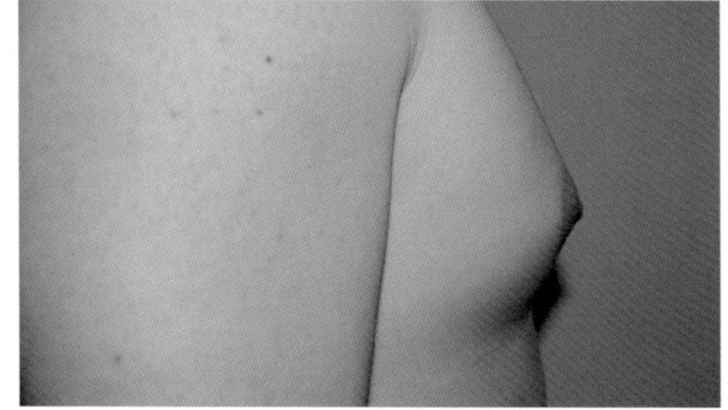

그림 117, 118 30대 후반 키 162 cm와 몸무게 68 kg이며 초음파 지방흡입으로 각각 150 cc를 흡입하고 조직절삭기 등을 이용해 오른쪽 23 g과 왼쪽 10 g의 유선조직을 제거하였다.

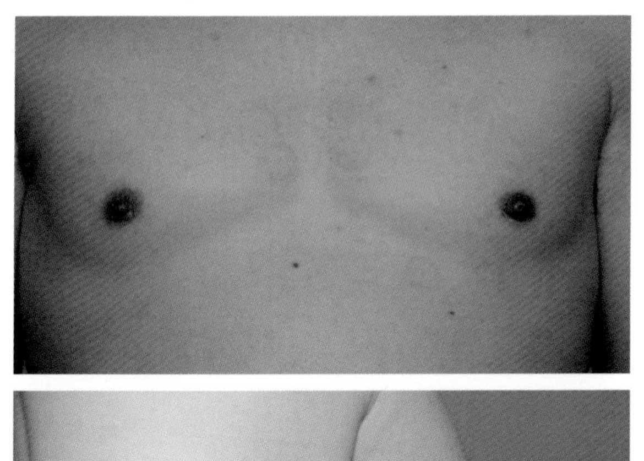
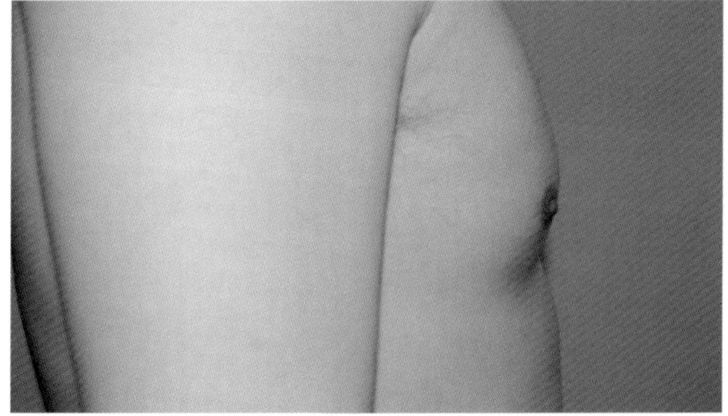

그림 119, 120 한 달 후의 결과로 유방 전반적인 뾰족함이 사라진 모습으로 얇은 면 티셔츠를 입을 수 있게 되어 만족도가 높았다.

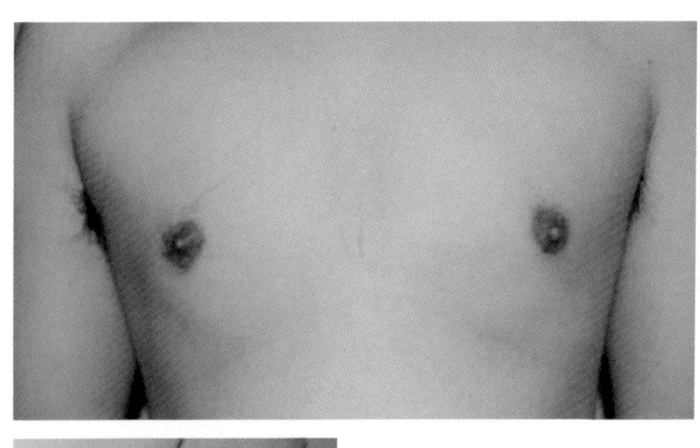
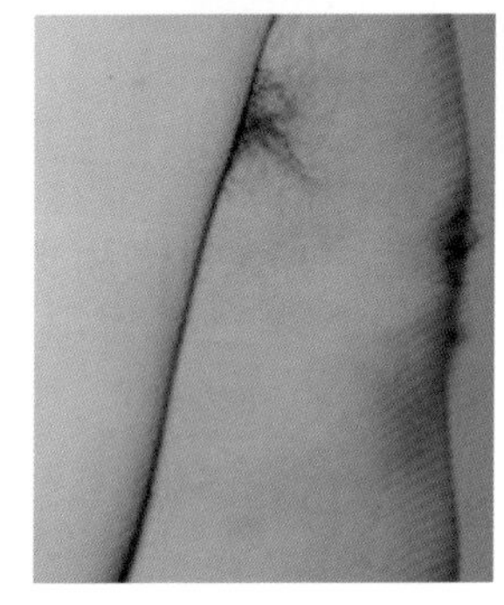

그림 123, 124 4개월 후의 결과로 평평해진 흉곽 전체 모양을 확인할 수 있다.

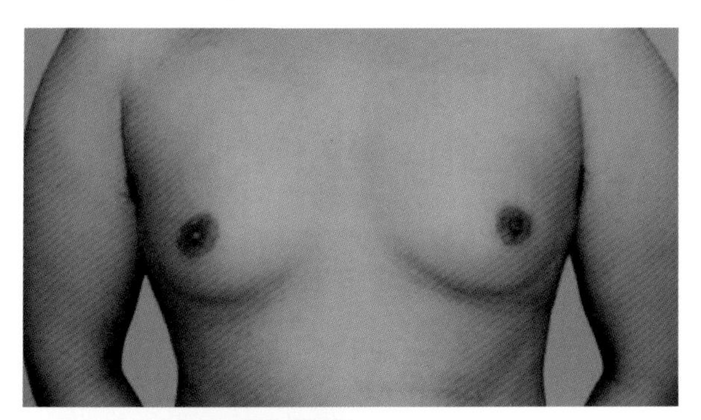
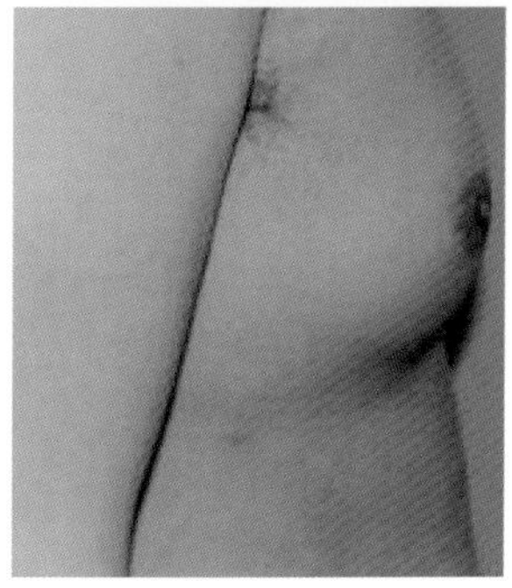

그림 121, 122 20대 중반 키 178 cm과 몸무게 84 kg이며 초음파 지방흡입을 통해 440 cc와 500 cc를 흡입하고 유선조직은 11 g과 12 g를 제거하였다.

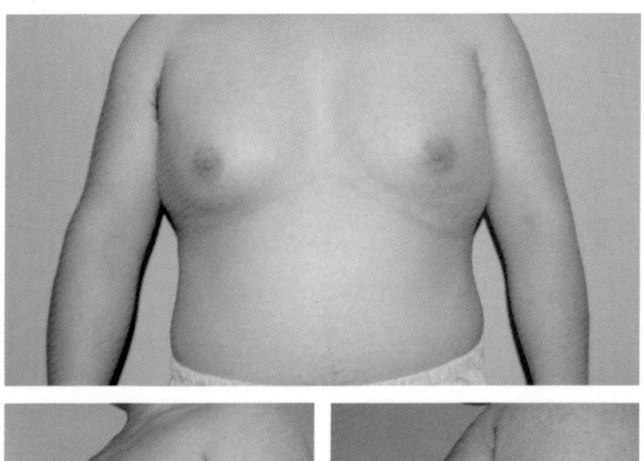
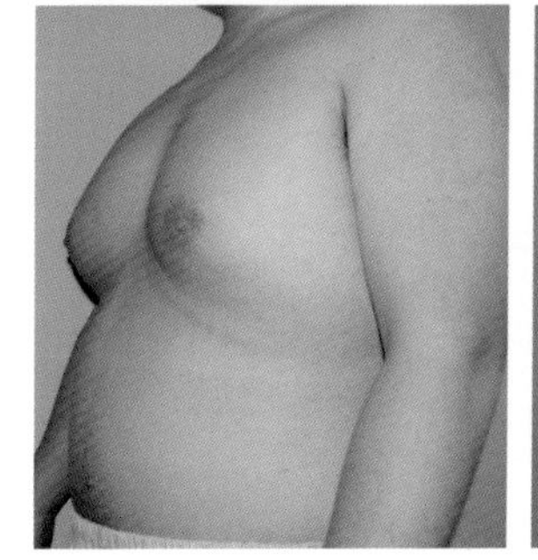
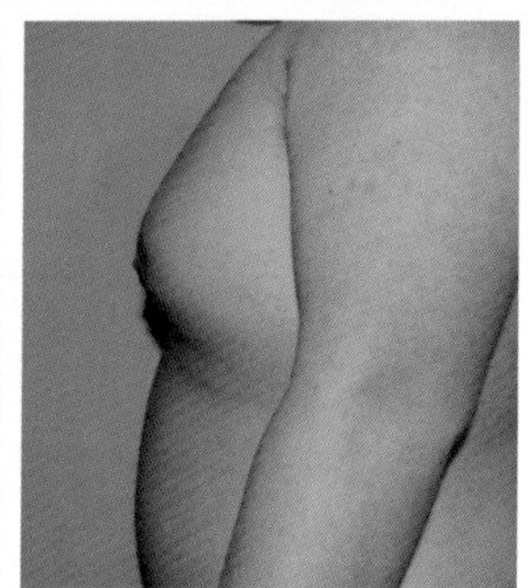

그림 125, 126 127 20대 중반 키 173 cm과 몸무게 94 kg이며 초음파 지방흡입 과정을 통해 890 cc와 870 cc를 흡입하고 유선조직은 26 g과 18 g를 제거하였다.

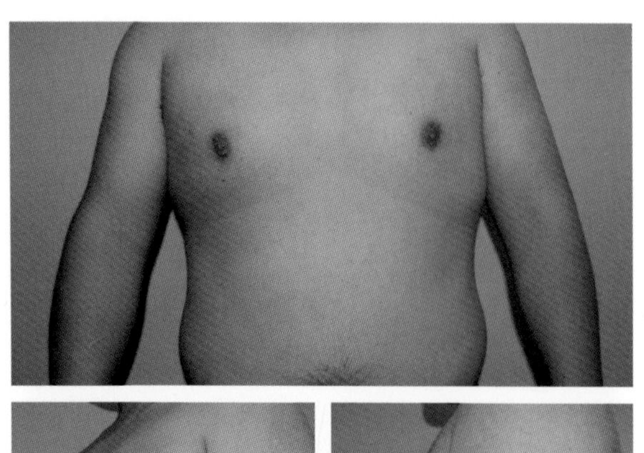

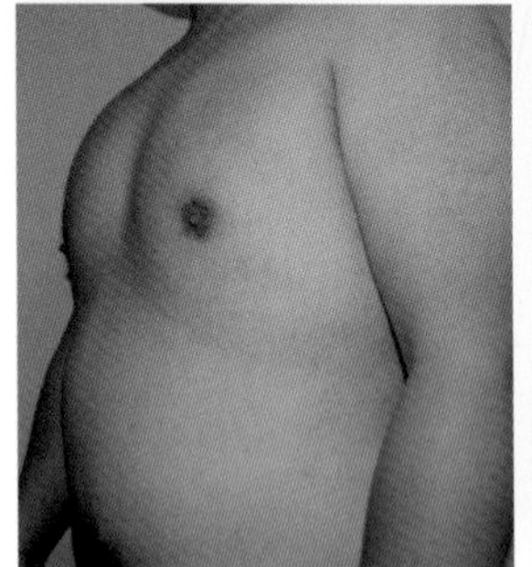

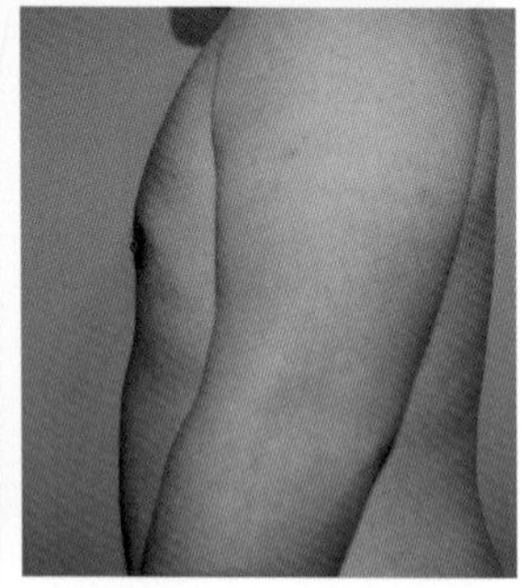

그림 128, 129, 130 수술 9개월 후의 결과로 유방의 윤곽이 평평하게 바뀐 모습이다.

유두를 제대로 줄이지 못하는 가장 큰 이유는 유두의 실질 조직을 남기고 단순히 피부만 제거하기 때문이다. 유두조직을 확실히 절제하지 않으면 실밥을 푼 이후 경과과정에서 유두가 다시 커진다. 유두 중심부위에 유관 및 신경과 혈관 등 중요한 조직들이 모여 있는데 이 중심 부분을 자르고 가장자리 조직들을 중심부로 모으는 형태의 유두축소 수술은 여성의 경우 수유를 불가능하게 만들고 유두괴사와 감각이상 등 부작용을 초래할 수 있어 바람직하지 않다.

유두축소와 지방형유방증 수술은 별다른 어려움이나 부작용 없이 동시에 할 수 있다(**그림 139–144**).

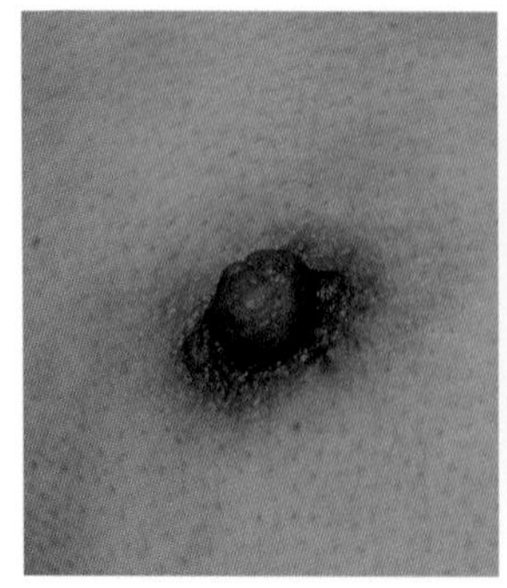

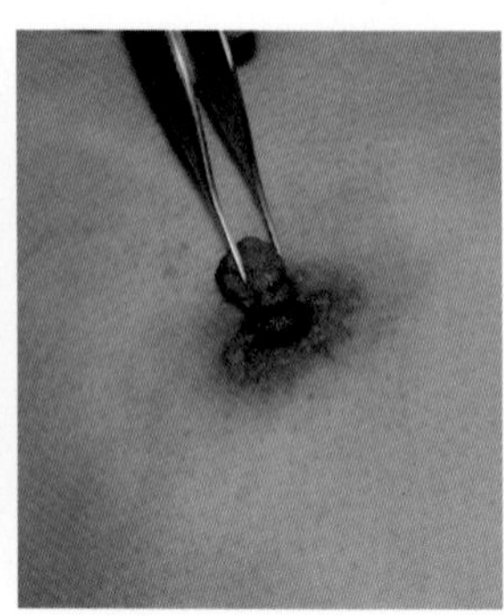

그림 131, 132 유두 지름 9 mm로 커진 경우로 superior skin pedicle만 남기고 3/4의 유두를 잘라낸 모습.

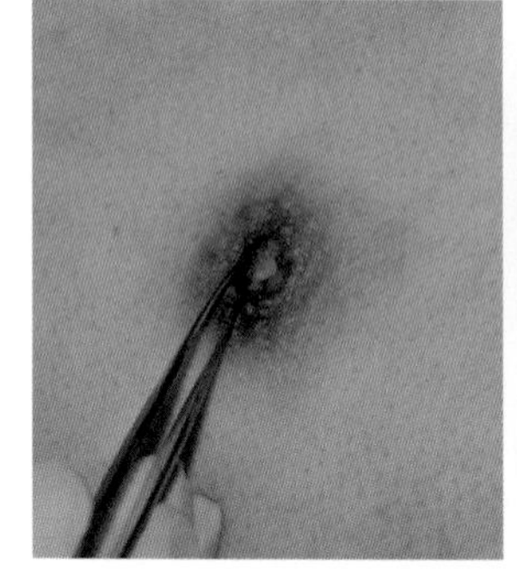

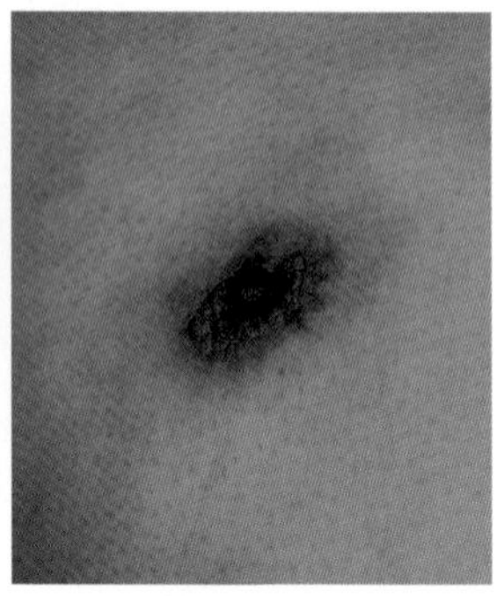

그림 133, 134 남은 유두 부분을 유두유륜접합부 경계에 맞춰 꿰맨 모습으로 수술 전 9 mm 지름이 수술 후 4 mm로 줄어들었다.

18. 함몰유두 교정

(Inverted Nipples Correction in male)

지방형유방증이나 여성형유방증을 가진 남성에서 함몰유두를 종종 볼 수 있다. 유방의 빠른 성장 속도를 유관 및 유두 성장속도가 따라가지 못해서 생긴다. 지방형유방증 수술 과정 중에 간단한 술기로 쉽게 교정할 수 있다. 유두의 3시 또는 9시 방향에 작은 절개선을 만든 후 작은 곡선 가위(curved scissors)로 유두 중심부 등을 박리하고 녹는 실을 사용해 쌈지봉합한다. 만약 유두유륜접합부 절개선으로 지방형유방증 수술을 하는 경우에는 혈액순환에 직접적으로 문제가 있을 수 있어 6개월 후에 따로 하는 게 낫다(**그림 145–150**).

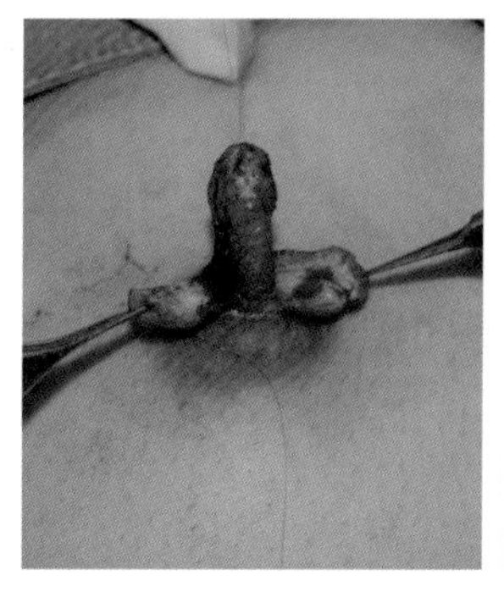
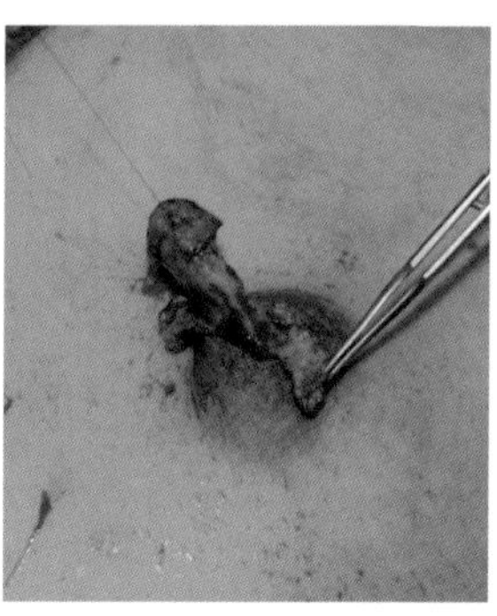

그림 135, 136 수술 후 유두의 지름이 4–5 mm가 될 수 있도록 유두의 중심부 일부만 남기고 양쪽 옆의 유방 실질조직을 확실히 제거한다.

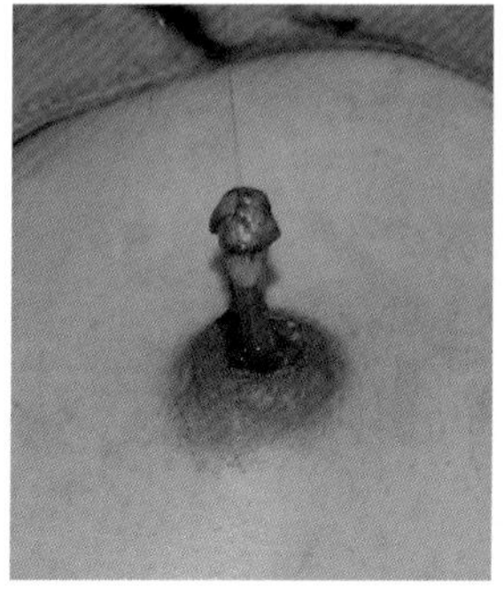
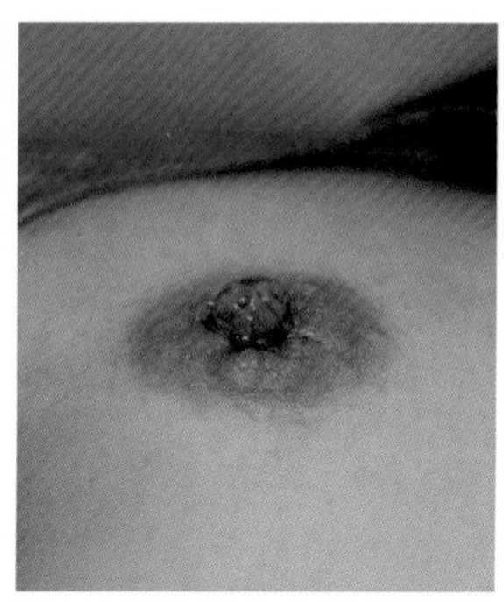

그림 137, 138 유두 끝의 일부 피부만 남기고 줄어든 유두를 유두 유륜접합부에 맞춰 꿰맨다.

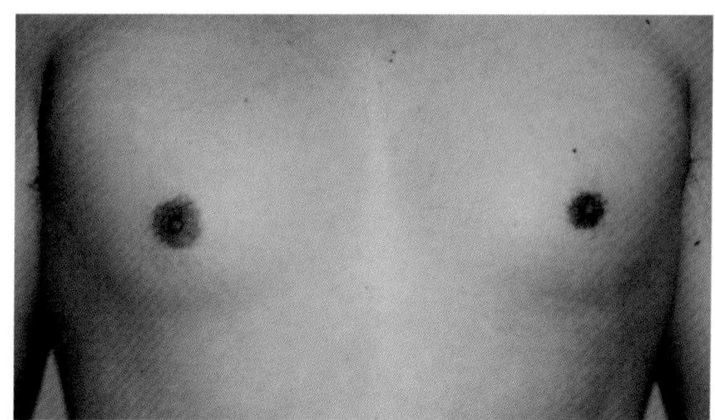
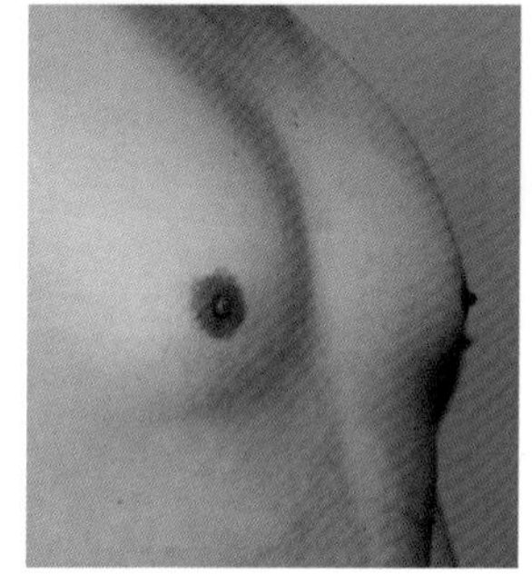
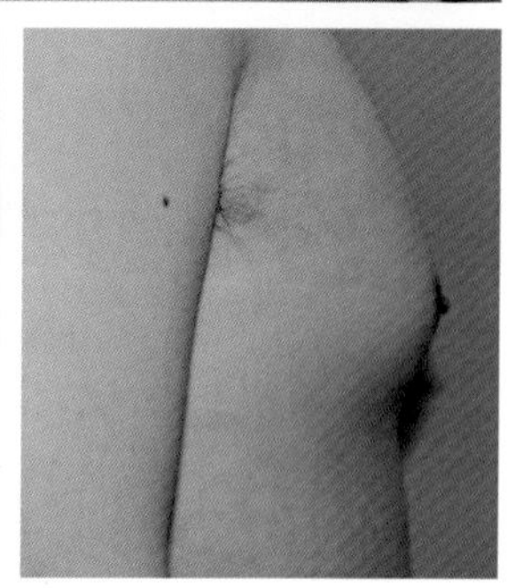

그림 139, 140, 141 20대 후반으로 키 174 cm과 몸무게 76 kg이며 각각 150 cc의 지방을 흡입하고 유선조직 10 g씩을 제거하였다. 유두는 지름 7–8 m와 높이 5 mm였다.

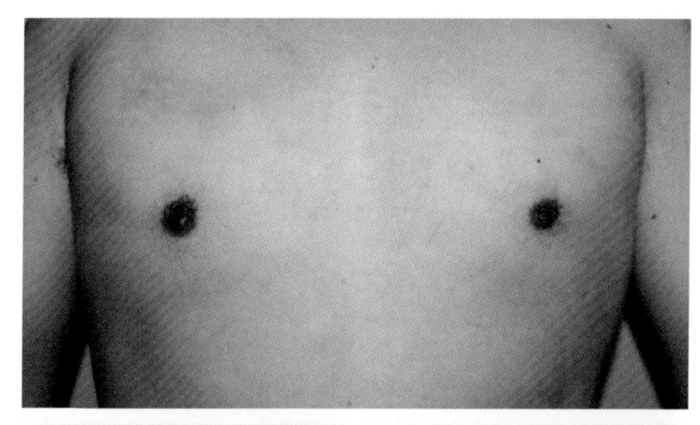
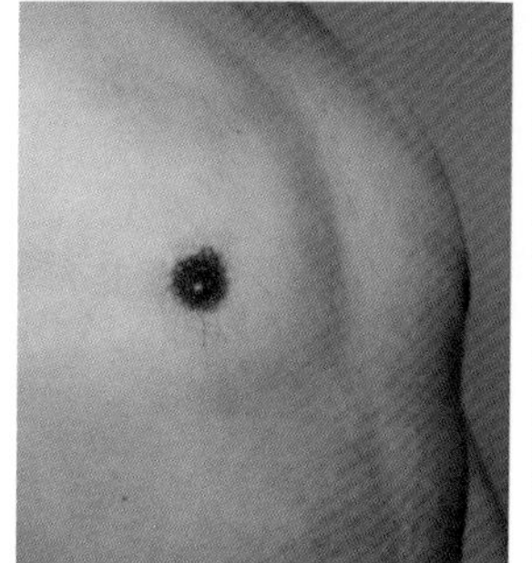
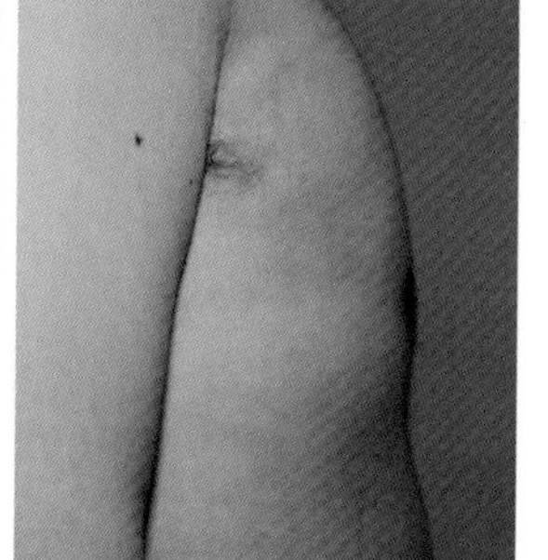

그림 142, 143, 144 6개월 후의 결과로 흉곽 모양이 평평해졌고 동시에 유두 크기도 지름4 mm와 높이 1 mm로 줄었다.

참 · 고 · 문 · 헌

1. Abramo AC, Viola JC: Liposuction through an axillary incision for treatment of gynecomastia. Aesth Plast Surg 13:85-9, 1989
2. Bannayan GA. Hajdu SL: Gynecomastia: clinicopathologic study of 351 cases. Am J Clin Pathol 77:633, 1984
3. Carlson HE: Gynecomastia. B Engl J Med 303:795, 1980
4. Cordova A, Moschella F: Algorithm for clinical evaluation and surgical treatment of gynaecomastia. J Plast Reconstr Aesth Surg 61:41-9, 2008
5. Courtiss EH: Gynecpmastia: Analysis of 159 patients and

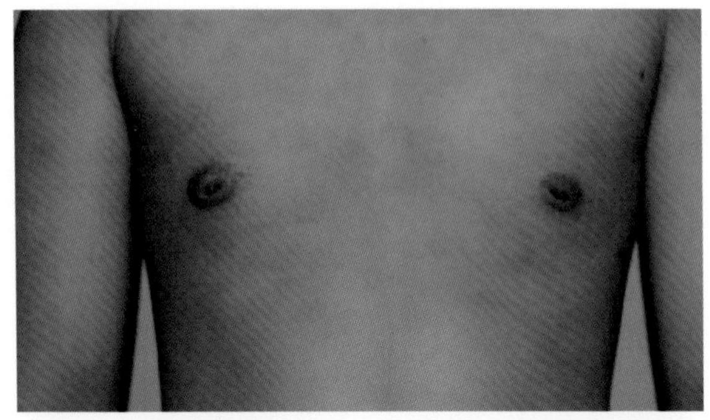

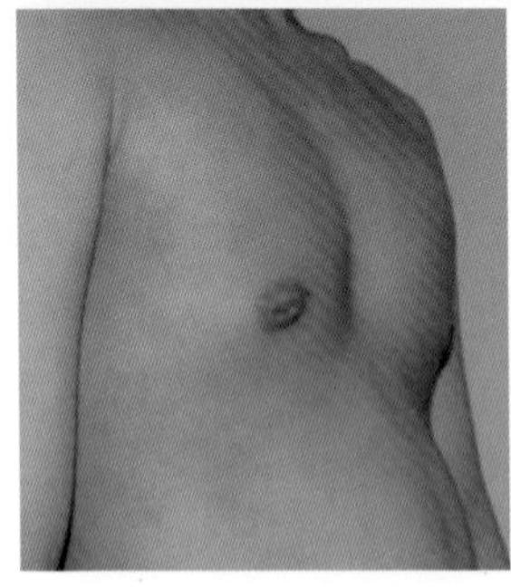

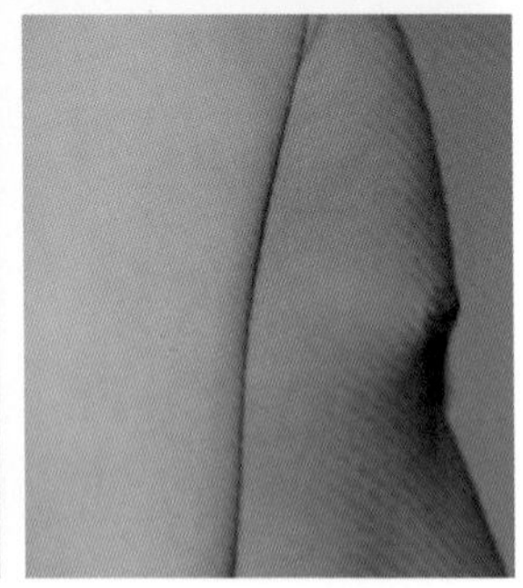

그림 145, 146, 147 20대 후반으로 키 172 cm와 몸무게 70 kg이며 각각 110 cc의 지방을 흡입하고 유선조직 10g씩을 제거하였다. 함몰된 유두도 같이 교정하였다.

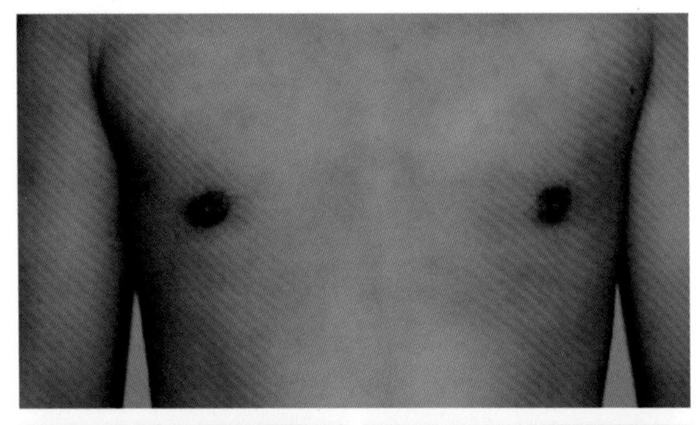

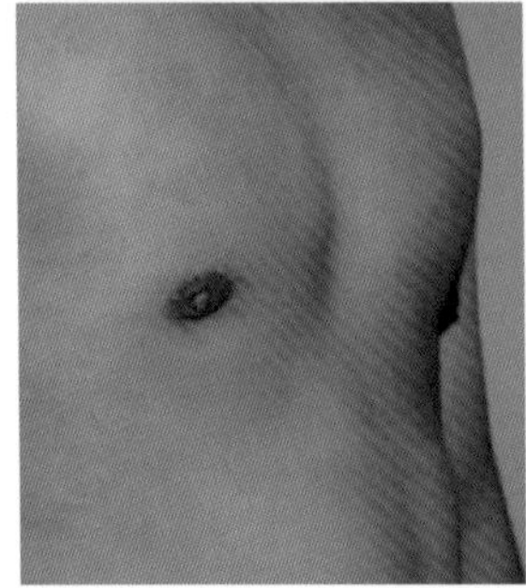

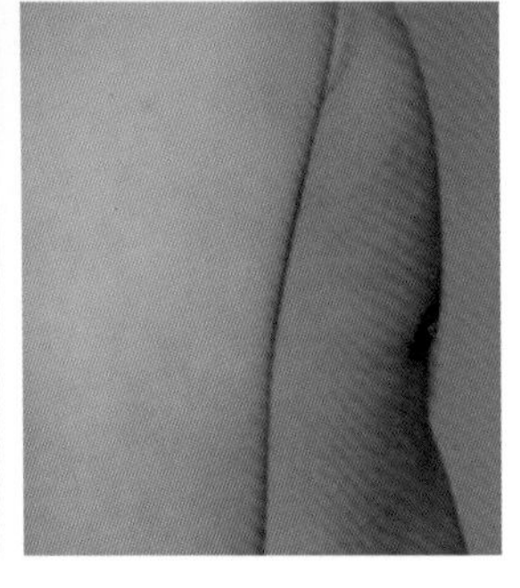

그림 148, 149, 150 3개월 후의 결과로 흉곽의 전체적 윤곽이 개선되었고 함몰되어 있던 유두도 같이 교정되었다.

current recommendations for treatment. Plast Reconstr Surg 79: 740, 1987

6. Ersek RA, Schaeferele M, Beckham PH, Salisbury MA: Gynecomastia: A Clinical Review Aesthetic Surgery Journal 20: 381, 2000
7. Esme DL, Beekman WH, Hage JJ, Nipshagen MD: Combined use of ultrasonic-assisted liposuction and semicircular peri-areolar incision for the treatment of gynecomastia. Ann Plast Surg 59: 629-634, 2007
8. Hamas RS, Williams CW: A sharp cutting liposuction cannula for gynecomastia. Aesth Surg J 18:261, 1998
9. Hodgson LB, Fruhstorfer BH, Malata CM: Ultrasonic Liposuction in the Treatment of Gynecomastia. Plast Reconstr Surg 116: 646, 2005
10. Narula HS, Carlson HE: Gynecomastia. Endocrinol Metab Clin North Am 36: 497-519, 2007
11. Nutall FQ:. Gynecomastia as a physical finding in normal men. J Clin Endocrinol Metab 48:338, 1979
12. Persichetti P, Berloco M, Casadei RM, Marangi GF, Lella FD, Nobili AM: Gynecomastia and the complete circulareolar approach I the surgical management of skin redundancy. Plast Reconstr Surg 107:948, 2001
13. Pitanguy I: Transareolar incision for gynecomastia. Plast Reconstr Surg 38: 414-9, 1966
14. Rohrich RJ, Ha RY, Kenkel JM Adams, Jr WP: Classification and Management of Gynecomastia: Defining the Role of Ultrasound-Assisted Liposuction. Plast Reconstr Surg 111:909, 2003
15. Rosenberg GJ: Gynecomastia: suction lipectomy as a contemporary solution. Plast Reconstr Surg 80:379, 1987
16. Sim HB, Hong YG: Endoscope-assisted transaxillary approach in gynecomastia correction. J Korean Soc Aesth Plast Surg 2:113-119, 2008
17. Sim HB: Treatment of gynecomastia utilizing the ultra-

sound-assisted liposuction. J Korean Soc Aesth Plast Surg 1:819-24, 2002

18. Sim HB, Yoon SY: The treatment of gynecomastia using ultrasound-assisted liposuction with pull-out method or excision through peri-areolar incision. J Korean Soc Plast Reconstr Surg 34:237, 2007
19. Webster JP: Mastectomy for gynecomastia through a semicircular intra-areolar incision. Ann Surg 125:557, 1946
20. Yoon SY, Kang MG: Correction of lipomastia through a stab incision on the nipple areolar junction. Archives of Aesthetic Plastic Surgery 20: 31-5, 2014
21. Yoon SY, Kang MG: The new classification for fatty-type gynecomastia (Lipomastia) and 1000 cases review. J Korean Soc Plast Reconstr Surg 36:773, 2009
22. Yoon SY, Sim HB: The configuration and location of the nipple-areola complex of young Korean adult. J Korean Soc Plast Reconstr Surg 32:706-9, 2005

함몰유두

Inverted Nipple

| 한상훈 |

함몰유두는 여성이 신체에 수치심을 갖게 하며 위생적으로, 미용적으로 좋지 않으며 출산 후 수유가 어려워질 수도 있다. 여성의 약 10% 이내에서 발생하는데, 유두가 돌출되지 않고 함몰된 원인은 1) 유관이 짧다. 2) 섬유성 조직이 많아 유두를 속으로 당긴다. 3) 유두의 연부조직이 덜 발달되어 있어 돌출되지 못하는 등의 이유가 있다. 이러한 원인은 각 함몰유두에서 그 정도가 다르며 수술법 또한 다르게 된다.

1. 분류(Han, 1999)

1) Grade I

유두주위에 압박을 가했을 때 함몰된 유두가 쉽게 빠져나오며 돌출이 잘 유지되는 경우이다. 유두 조직이 잘 발달되어 있고 유관의 길이도 정상이다.

2) Grade II

압박을 가했을 때 유두가 Grade I 보다 어렵게 돌출된다. 유두는 곧 다시 함몰된다. 중등도의 fibrosis가 있어서 이를 잘 박리하면 유관을 절제하지 않고도 수술이 가능하다. 유두의 연부조직에는 콜라겐이 많으며 smooth muscle cell 들이 관찰된다.

3) Grade III

함몰정도 매우 심하며 유두를 돌출시키기가 매우 어렵다. 유두 조직이 잘 발달되지 않아 연부조직이 부족하고 유관이 매우 짧으며, 조직학적으로 유관이 atrophic 하고 섬유화가 심하다.

2. 함몰유두의 수술

Grade I의 유두는 쉽게 돌출되므로 다시 함몰되지 않도록 쌈지 봉합을 한다. 유두의 기저부에 작은 절개를 가한 후 4-0 나일론 봉합사를 이용하여 적절한 압력으로 봉합하여 혈행에 지장이 없도록 한다.

Grade II의 유두는 돌출시킨 후 traction suture 를 이용하는 게 좋다. 6시 방향에 작은 절개선을 가하고 유두 밑의 섬유조직을 풀어준다. 이 때 작은 가위를 이용하여 유관을 다치지 않도록 수직 방향으로 박리하여야

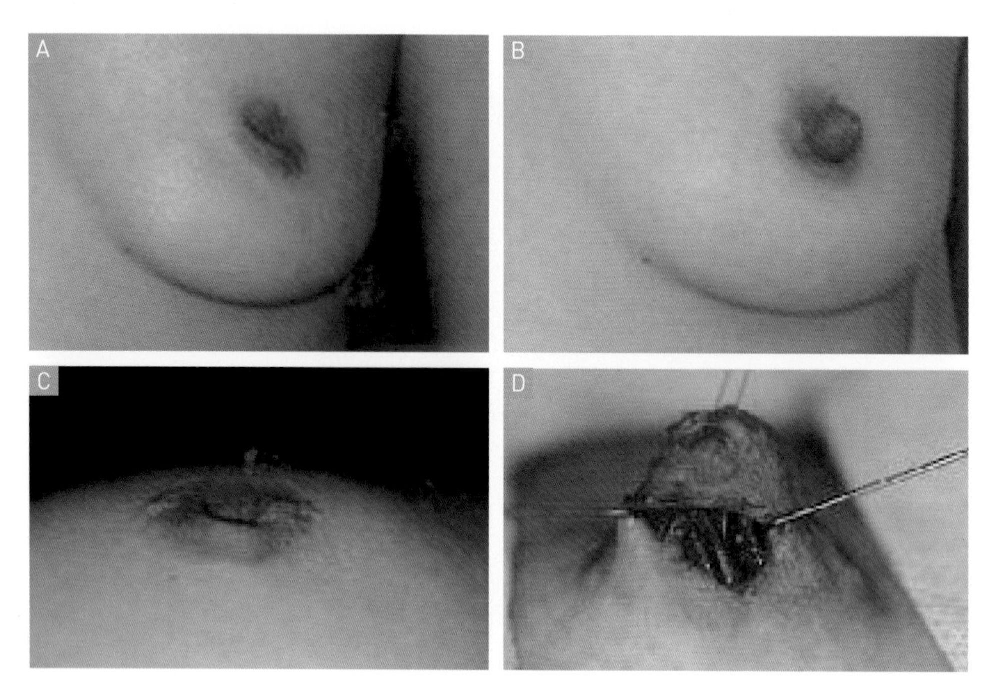

그림 1 Inverted nipple Grade II Left. preoperative photo. Right top. postoperative result. Right bottom. Fibrotic tissue is released between the lactiferous ducts. All ducts are saved. The 4-0 nylon purse string suture was made at the base of the nipple for the maintenance of the projection.

한다. 유두의 돌출이 충분히 유지되면 4-0 나일론으로 쌈지 봉합을 한다(**그림 1**).

Grade III의 유두는 traction suture를 이용하여 돌출시킨다. 유관이 매우 짧은 경우엔 유관을 절제할 수 있으며 출산 후엔 모유 수유가 불가능해 진다. 수술은 주로 섬유성 조직의 박리, 부족한 연부조직의 보충, 유관의 절제, 쌈지봉합 등을 복합적으로 사용한다. 수술 후에 돌출을 유지하기 위해서 부목(splint)을 사용할 수도 있다. 부족한 연부조직을 보충하기 위하여 삼각형모양의 유륜피판이 많이 쓰이나 자가조직이나 여러 물질등을 이식한 보고도 있다.

수술 후에는 유두의 혈액순환을 잘 관찰해야 한다. 유두내의 연부조직의 손상과 쌈지 봉합으로 인하여 혈행이 매우 감소되기 때문이다. 일반적인 수술 합병증 외에 재발, 감각 이상, 모유수유의 어려움 등이 생길 수 있다.

참·고·문·헌

1. Burm JS, Kim YW. Correction of inverted nipples by strong suspension with areolar-based dermal flaps. Plast Reconstr Surg. 120: 1483-1486, 2007
2. Han S, Hong Y. The inverted nipple: Its grading and surgical correction. Plast Reconst Surg. 104:389-395, 1999
3. Kim DY et al. Correction of inverted nipple: an alternative method using two areolar dermal flaps. Ann Plas Surg 51:636-640, 2003

Reduction Mammoplasty & Mastopexy »

유두축소술

Nipple Reduction

| 선상훈 |

유두비대(Nipple hypertrophy)는 남녀 모두에게 발생가능하며, 가족력이 있는 경우가 많다. 사춘기가 지나면서 나타나기 시작하며, 여성에 있어서는 임신과 모유수유 후 명확해지거나 정도가 심해질 수 있다. 일단 커진 유두는 폐경기가 지난 후에도 없어지지 않는다.

유두비대는 기능적이 문제를 유발하지는 않지만 사회적, 정신적 문제를 일으킬 수 있다. 예를 들어, 밀착된 옷을 입을 때, 수영장, 목욕탕, 군대 등의 공동생활 장소에서 심각한 정신적 스트레스의 큰 원인이 된다. 또한 옷과의 마찰로 인해 피부손상이나 통증을 일으킬 수도 있다.

유두는 진피하 혈관총(Subdermal plexus)과 선조직내 혈관총(Intraglandular plexus)으로부터 혈액공급을

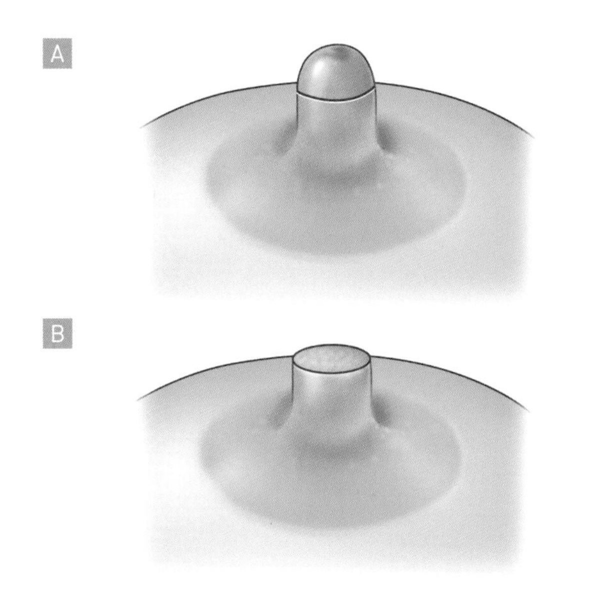

그림 1 단순 절제 방법

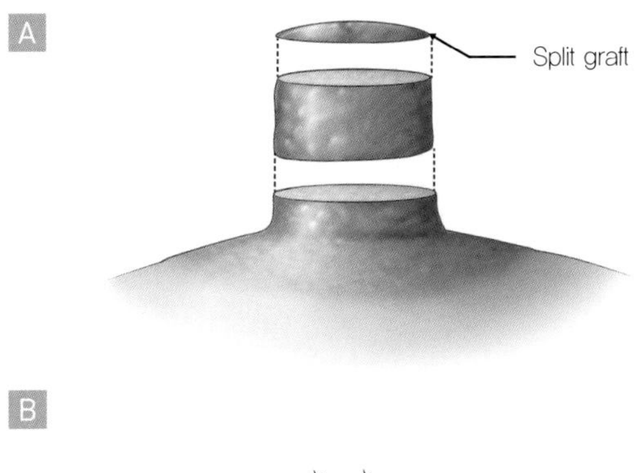

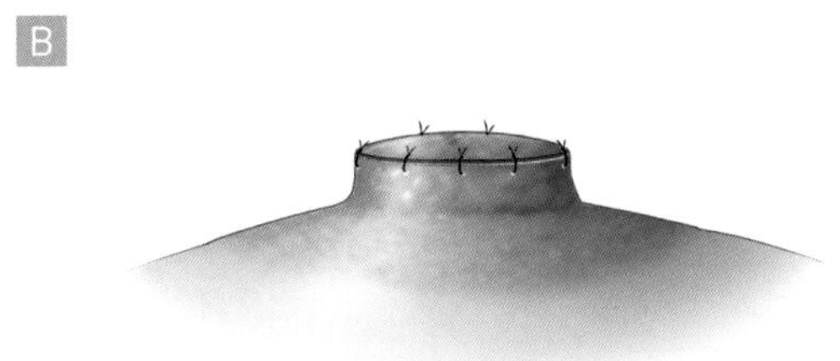

그림 2 Vecchione 방법 A. 유두의 중간 부분을 절제하고 윗부분의 피부를 떼어낸다., B. 떼어낸 피부를 절제한 단면에 이식한다.

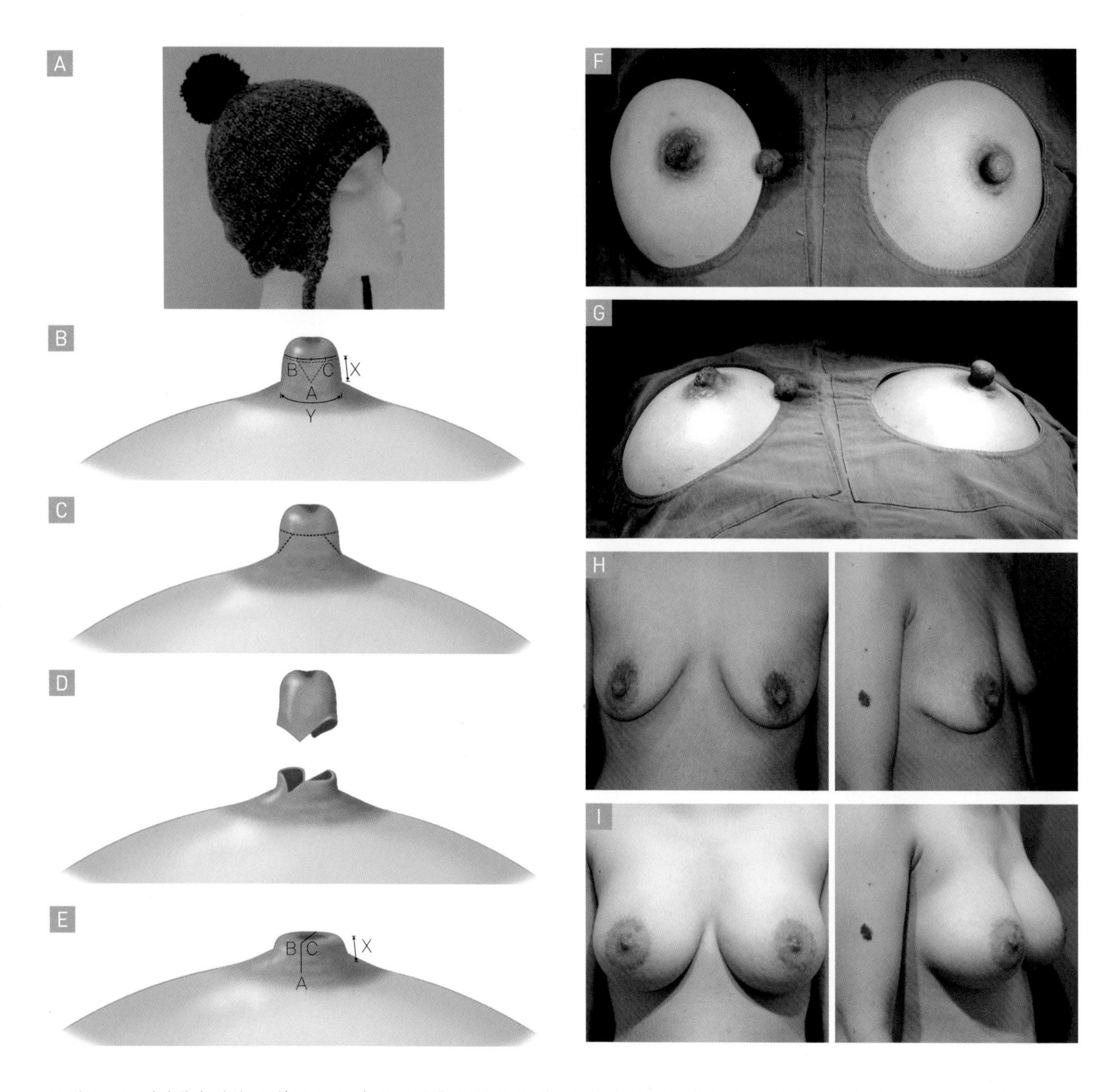

그림 3 A. 귀마개가 달린 모자(Chullo hat), B. 수술을 위한 디자인(Y: 유두의 바닥 너비, X: 수술 후 유두의 높이, a–b–c: 절제되는 유두의 삼각 피판), C. 그림 B의 측면 모습, D. Chullo hat형태로 유두를 절제한 모습, E. 남은 피판을 봉합한 모습, F. 실제 수술 사진(우측 유두: 수술 후 상태와 절제된 유두, 좌측 유두: 수술 전 상태), G. 사진 F의 측면 모습, H. 유두축소 보형물 가슴확대술 술전 정면, 측면 사진, I. 유두축소 보형물 가슴확대술 술후 정면, 측면 사진

받고, 얕은층 신경총(Superficial plexus)과 깊은층 신경총(Deep plexus)으로부터 감각신경 지배를 받는다. 이들은 각각 밀접하게 얽혀있기 때문에 유두축소술 후 완전한 괴사나 감각소실의 가능성은 높지 않다.

1. 유두축소술 시 고려사항

크기, 모양의 대칭을 맞춰주는 것이 중요하다. 더불어 감각, 발기능력을 보존하기 위해 노력해야 하며, 여

그림 4 Regnault 방법 A. 유두의 허리부분의 피부를 절제한다. B. 피부 절제 후 상태. C. 봉합한 후의 상태.

성의 경우 모유수유의 가능성도 고려해야 한다.

이상적인 유두축소술 방법은 간단하고, 부작용의 가능성이 낮은 안전하며, 혈관과 신경의 손상을 최소화하고 반흔의 발생도 줄일 수 있도록 덜 침습적이고 보존적이어야 한다. 또한 재수술에도 적용 가능해야 할 것이다.

2. 유두축소술의 종류

유관을 파괴하는 수술방법들은 수술과정이 쉽고 간단하지만 수유 장애의 발생 가능성이 높다. 유관을 보존하는 수술방법들은 수술과정이 까다롭고 조직절제와 피판을 사용하므로 조직손상 가능성이 있다. 여기에는 유두의 피부를 절제하는 방법과 피판을 거상하는 방법이 있다. 각 방법의 대표적인 수술법을 소개한다.

1) 유관 파괴법

(1) 단순 절제 방법

유두 상부에서 1/3~1/2 정도의 높이에서 횡으로 완전 절제 하는 방법**(그림 1)**

(2) Vecchione 방법

유두를 횡으로 완전 절단한 후 피부이식하는 방법**(그림 2)**

(3) Chullo hat 모양 제거 방법

저자의 수술방법으로 귀마개가 달린 모자(Chullo hat) 모양으로 유두조직을 제거하고 남은 두 개의 피판을 단순봉합하는 방법**(그림 3)**

2) 유관 보존법

(1) 유두 피부 절제법

① Regnault 방법

유두의 허리부분 둘레의 피부를 절제하여 유두의 폭은 유지하고 높이를 줄이는 방법**(그림 4)**

(2) 유두 피판 거상법

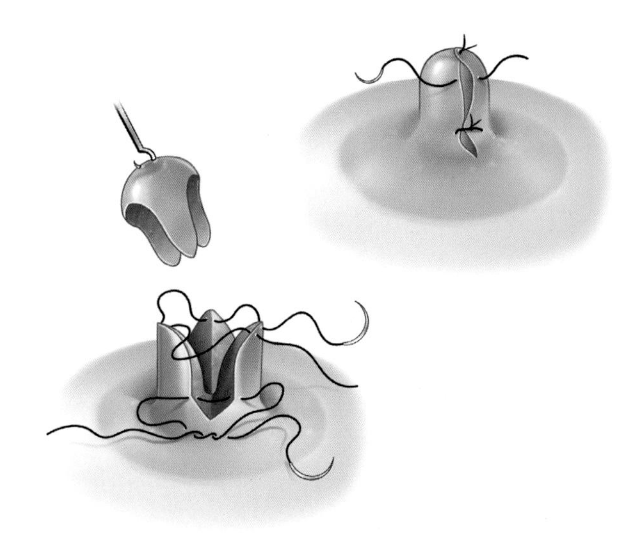

그림 5 Triple Falp 방법

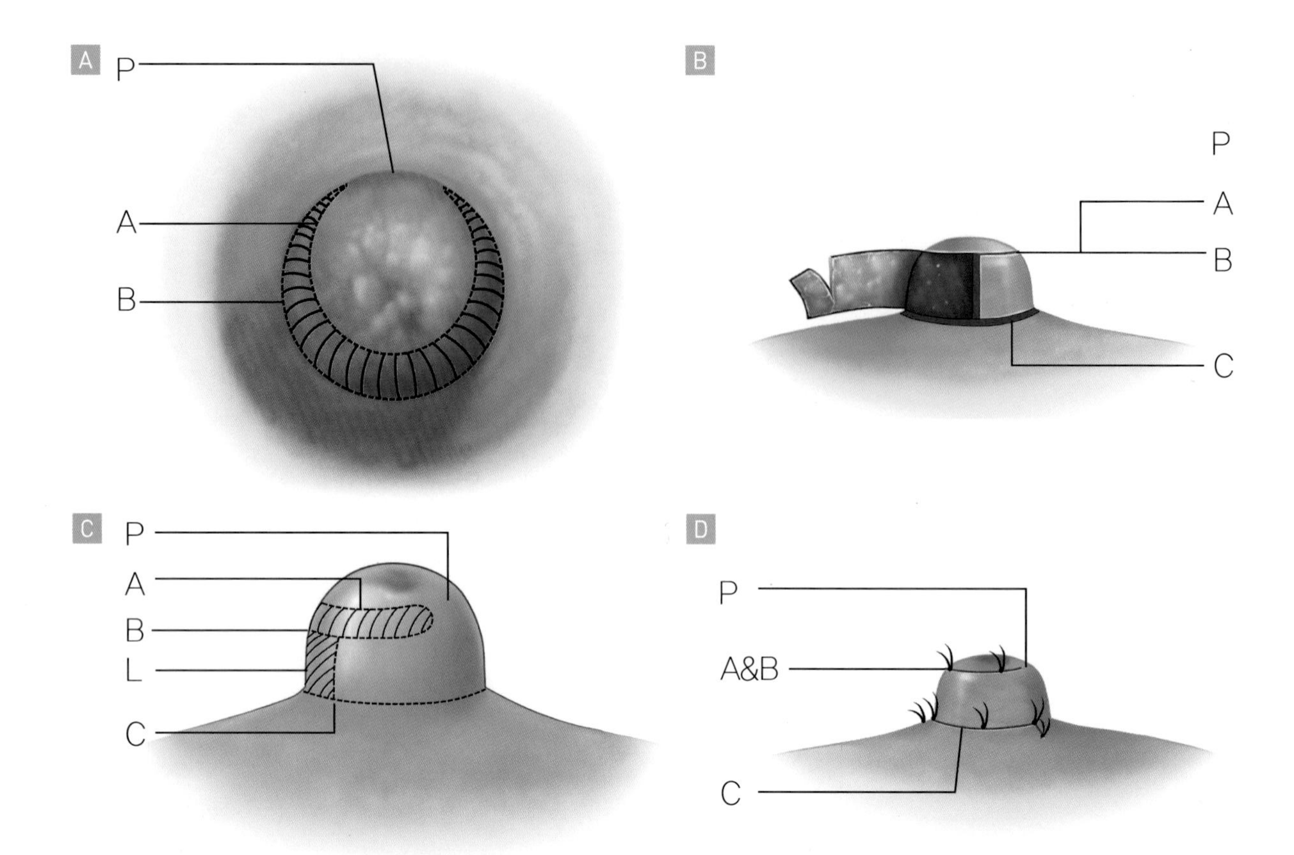

그림 6 p: 유두의 12시 방향, Superior pedicle역할을 담당, a: 새로운 유두의 둘레, b: 측면 flap의 위쪽 경계, c: 측면 flap의 아래쪽 경계(유두 유륜 경계선), 빗금친 부위: 유두 피부를 절제하는 부위
빗금이 처진 부분의 피부를 절제하고, 뚜껑에 해당되는 상부 flap과 2개의 측면 flap을 거상한 후 봉합한다.
A, B. 수술을 위한 디자인의 정면, 측면 그림., C, D. 빗금이 처진 부분의 피부 절제 후 flap을 거상하고 봉합한 상

① Triple Flap 방법

유두 가운데를 Y자 형태로 제거한 후 남는 세 개의 피판을 봉합하는 방법**(그림 5)**

② Modified Top Hat Flap 방법

유두의 12시 방향을 기준으로 3개의 flap을 거상하여 유두의 높이와 둘레를 줄이는 방법**(그림 6)**

참·고·문·헌

1. Moliver C, Kargel J, Sullivan M. Treatment of nipple hypertrophy by a simplified reduction technique. Aesthet Surg J. 2013;33: 77-83.
2. Sim HB, Sun SH. Nipple Reduction With the Chullo-Hat Technique Aesthet Surg J. 2015;35: 154-160.
3. Basile, F.V., and Chang, Y.C. The triple-flap nipple reduction technique. Ann Plast Surg. 2007;59: 260-262.
4. Cheng, M. H., Smartt, J. M., Rodriguez, E. D., and Ulusal, B. G. Nipple reduction using the modified top hat flap. Plast Reconstr Surg. 2006;118: 1517-1525.

Aesthetic breast reconstruction »

확장기/보형물을 이용한 유방재건

Expander/Implant Breast Reconstruction

| 노태석 |

1. 서론

1) 보형물을 이용한 유방재건술의 증가

지난 10여년 동안 유방암 수술 후 유방재건술은 수요가 급격하게 늘어가고 있다. 국내에서는 2015년 4월부터 유방재건술이 건강보험 급여 대상으로 전환이 될 정도로 사회적으로도 중요하게 인식되고 있다. 확장기와 보형물을 이용하는 2단계 재건술은 1980년 초반에 Radovan에 의하여 소개된 이후로 꾸준한 발전을 거듭하고 있다. 일반적으로 자가조직을 이용하는 재건술이 보형물을 이용하는 방법에 비하여 자연스러운 유방을 재건할 수 있다고 알려져 있지만, 최근 해부학적(anatomic) 구조를 가진 확장기와 보형물의 소개로 보형물을 이용하는 방법은 결과면에서 비약적인 발전을 이루게 되었다. 미국의 통계에 의하면, 유방전절제술 후 보형물을 이용한 재건술이 1998년에는 8.5%에서 시행되었으나 2008년에는 25.8%에서 시행되어 증가하는 추세를 보이는 반면, 자가조직을 이용한 재건술을 시행한 비율은 같은 기간 동안 약 12% 정도에 머물고 있어 상대적으로 증가율이 저조한 결과를 보여준다.

보형물을 이용하는 유방재건술은 수술방법이 간단하고, 동일한 색과 질감을 가진 주변의 피부에 의해 재건이 이루어지고 공여부의 흉터를 남기지 않고 유방의 절개 흉터가 작게 되며, 수술 시간이 짧고 회복이 빠르다는 장점이 있다. 반면, 피막구축이나 보형물의 파열과 같은 합병증이 일어날 수 있으며, 감염에 취약하고 외부 온도에 민감할 뿐만 아니라 나이에 따른 조직의 변화에 적응하지 못 한다는 단점이 있다. 거의 모든 환자들에게 적용이 가능하지만, 특히 사용할 수 있는 공여부의 조직이 부족한 환자와 긴 수술시간 및 회복기간을 견디기 어려운 환자들에게 효용성이 뛰어난 방법이다. 보형물을 이용한 재건술은 직접 보형물만을 이용하는 방법(direct-to-implant), 크기를 조절할 수 있는 조절형 보형물(adjustable implant)을 사용하는 방법, 조직의 확장 후 보형물을 삽입하는 2단계 방법(two-stage expander/implant reconstruction) 등이 있어 유방암 수술 후의 상태나 술자의 선호도에 따라 적절한 방법을 선택할 수 있다. 대부분의 환자에서 가장 일관성이 있고 재현성이 높은 방법은 확장기와 보형물을 이용하는 2단계 재건술로서, 현재에도 가장 널리 이용되고 있다.

2) 유방암 수술의 변화

유방암 수술의 경향이 변화함에 따라 보형물을 이용한 재건술에도 많은 영향을 미치고 있다. 근치적 유방절제술(radical mastectomy) 또는 변형된 근치적 유방절제술(modified radical mastectomy)이 과거의 표준 치료였다면, 최근 유방암 수술은 피부보존 유방절제술(skin-sparing mastectomy) 또는 유두보존 유방절제술(nipple-sparing mastectomy)과 같이 조직을 최대한 보존하는 방법이 주된 술식으로 자리를 잡아가고 있다. 유방암 수술 후에 충분한 조직이 보존됨에 따라 유방재건술에도 많은 영향을 미치게 된다. 본래의 조직이 많이 보존되기 때문에 최종적인 미용적 결과도 우수하게 되었다. 피부(skin envelope)를 보존하는 유방암 수술 중에는 확장기에 최대한 많은 식염수를 주입함으로써 전체적인 조직 확장 기간을 단축시킬 수 있다. 경우에 따라서는 조직 확장의 단계가 필요 없이 바로 보형물을 삽입할 수 있는 재건술(direct-to-implant)이 가능하도록 하였다.

재건방법을 결정하는데 있어서 환자가 어떠한 재건방법을 선호하는지는 매우 중요하며, 젊은 여성일수록 공여부의 흉터, 오랜 재원기간과 공여부 근육의 약화를 원하지 않기 때문에 보형물을 이용한 재건을 선호한다. 최근 들어 유방암의 발생 연령이 낮아짐에 따라 젊은 여성에서의 유방재건이 증가하고 있으며, 이러한 점은 보형물 재건술이 증가하는 원인 중의 하나로 볼 수 있다. 또한 BRCA1과 BRCA2와 같은 유방암 관련 유전자에 대한 진단술의 발달로 인해 젊은 여성의 양측 유방절제술이 증가하게 되었으며, 이에 따라 양측성 유방재건술의 수요도 점차 늘고 있는 추세이다. 양측성 유방재건술에서는 자가조직을 이용할 경우 환자가 충분한 공여부 조직을 가지고 있어야 하며 양측 수술에 부담이 큰 반면, 보형물을 이용하는 방법은 상대적으로 부담이 적으며 대칭을 맞추기에도 용이하기 때문에 더욱 선호된다.

3) 보형물과 확장기의 선택

최초의 보형물을 이용한 유방재건술은 확장기 없이 보형물만을 바로 삽입하는 형태로 이루어졌다. 피부보존 유방절제술(skin-sparing mastectomy) 또는 유두보존 유방절제술(nipple-sparing mastectomy)과 같이 조직이 보존되는 유방절제술이 이루어지지 않은 경우에 바로 보형물을 삽입하는 방법은 상처 벌어짐, 감염 등의 합병증이 다른 방법에 비하여 흔하며 좋은 결과를 얻기 어렵기 때문에, 피부 조직이 충분한 환자의 경우를 제외하고는 많이 선호되지 않는다.

조절형 보형물(adjustable implant)은 피부가 부족한 상태에서 삽입 후 크기를 조절할 수 있도록 고안된 보형물이다. 매끄러운(smooth) 표면과 거칠한(textured) 표면 두 가지 형태 모두 있으며, 내용물에 따라 식염수로만 이루어진 것과 식염수와 실리콘이 조합되어 있는 것으로 나눌 수 있다. 식염수와 실리콘의 비율에 따라 실리콘이 25%와 50%인 것으로 구분이 되며 피부 조직이 많이 부족할 경우에는 실리콘 50% 조절형 보형물은 피하도록 한다. 주입구(injection port)는 보형물과 멀리 떨어져 있으며, 주입구를 통하여 식염수를 주입하면 조절형 보형물은 마치 확장기와 같이 작용하고, 추후 주입구를 제거하면 일반적인 보형물의 역할을 하게 된다. 하지만, 주입구가 확장기와 멀리 위치해 있기 때문에 높은 감염률과 주입구의 기능부전과 같은 합병증과 관련이 있으며, 주입구를 제거하기 위해서 또 다른 절개를 가해야 한다는 점은 단점으로 들 수 있다. 조절형 보형물은 다른 방법들과 비교할 때 사용되는 있는 빈도가 줄고 있는 편이다.

현재 보형물을 이용하는 재건술에서 가장 많이 사용하는 방법은 2단계 확장기/보형물 재건술이다. 이 방법은 첫 단계로 확장기를 일시적으로 삽입하여 부족

Current Range

STYLE 133FV FULL HEIGHT

SUGGESTED FILL VOLUME(CC)	CATALOG NUMBER	WIDTH (CM) [A]	HEIGHT (CM) [B]	PROJECTION (CM) [C]
300	133FV-11	11.0	11.5	5.0
400	133FV-12	12.0	12.5	5.3
500	133FV-13	13.0	13.5	5.7
600	133FV-14	14.0	14.5	6.2
750	133FV-15	15.0	15.5	6.7
850	133FV-16	16.0	16.5	6.8

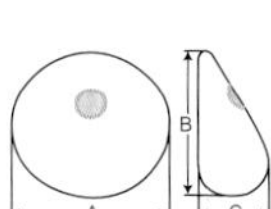

STYLE 133MV MODERATE HEIGHT

SUGGESTED FILL VOLUME(CC)	CATALOG NUMBER	WIDTH (CM) [A]	HEIGHT (CM) [B]	PROJECTION (CM) [C]
250	133MV-11	11.0	10.0	4.9
300	133MV-12	12.0	11.0	5.2
400	133MV-13	13.0	12.0	5.6
500	133MV-14	14.0	13.0	6.0
600	133MV-15	15.0	14.0	6.3
700	133MV-16	16.0	15.0	6.6

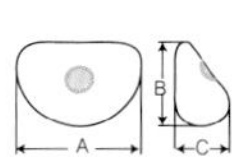

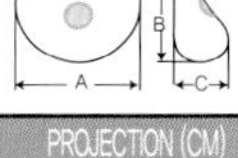

STYLE 133SV SHORT HEIGHT

SUGGESTED FILL VOLUME(CC)	CATALOG NUMBER	WIDTH (CM) [A]	HEIGHT (CM) [B]	PROJECTION (CM) [C]
200	133SV-11	11.0	7.6	4.7
250	133SV-12	12.0	8.4	5.3
300	133SV-13	13.0	9.1	5.7
375	133SV-14	14.0	9.7	6.0
450	133SV-15	15.0	10.5	6.3
550	133SV-16	16.0	11.3	6.3

STYLE 133LV LOW HEIGHT

SUGGESTED FILL VOLUME(CC)	CATALOG NUMBER	WIDTH (CM) [A]	HEIGHT (CM) INTRA ARC[B]	PROJECTION (CM) [C]	HEIGHT (CM) TIP TO BASE [D]
150	133LV-11	11.0	7.0	4.7	7.6
200	133LV-12	12.0	7.5	5.3	8.4
300	133LV-13	13.0	8.0	5.7	9.1
350	133LV-14	14.0	8.5	6.0	9.7
400	133LV-15	15.0	9.0	6.3	10.5
500	133LV-16	16.0	9.5	6.3	11.3

Extra-Projection Range

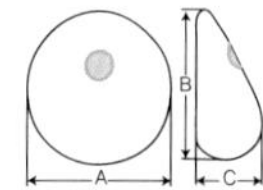

STYLE 133FX FULL HEIGHT

SUGGESTED FILL VOLUME(CC)	CATALOG NUMBER	WIDTH (CM) [A]	HEIGHT (CM) [B]	PROJECTION (CM) [C]
350	133FX-11	11.0	11.5	5.9
450	133FX-12	12.0	12.5	6.3
550	133FX-13	13.0	13.5	6.7
650	133FX-14	14.0	14.5	7.1
800	133FX-15	15.0	15.5	7.6
950	133FX-16	15.5	16.0	8.1

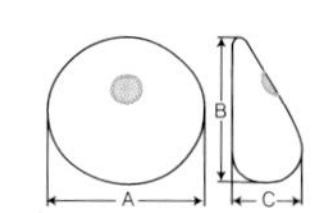

STYLE 133MX MODERATE HEIGHT

SUGGESTED FILL VOLUME(CC)	CATALOG NUMBER	WIDTH (CM) [A]	HEIGHT (CM) [B]	PROJECTION (CM) [C]
300	133MX-11	11.0	10.0	5.9
400	133MX-12	12.0	11.0	6.3
500	133MX-13	13.0	12.0	6.7
600	133MX-14	14.0	13.0	7.1
700	133MX-15	15.0	14.0	7.6
850	133MX-16	15.5	14.5	8.1

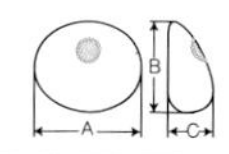

STYLE 133SX SHORT HEIGHT

SUGGESTED FILL VOLUME(CC)	CATALOG NUMBER	WIDTH (CM) [A]	HEIGHT (CM) [B]	PROJECTION (CM) [C]
250	133SX-11	11.0	9.0	5.9
350	133SX-12	12.0	10.0	6.3
400	133SX-13	13.0	11.0	6.7
500	133SX-14	14.0	12.0	7.1
650	133SX-15	15.0	13.0	7.6
800	133SX-16	15.5	13.5	8.1

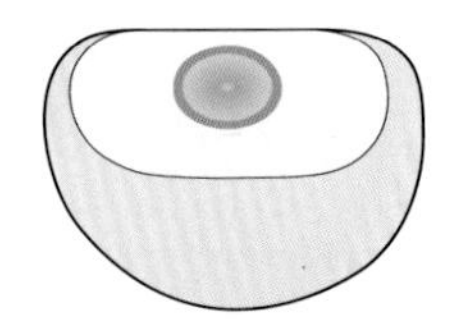

Siltex® Low Hight Contour Profile®
Breast Tissue Expander (Style 6100)

Vol	Width	Height	Proj.	Catalog
250cc	11.4cm	8.1cm	6.1cm	354-6111
350cc	12.7cm	9.4cm	6.5cm	354-6112
450cc	14.0cm	10.2cm	7.1cm	354-6113
550cc	15.0cm	10.9cm	7.4cm	354-6114
650cc	15.7cm	11.2cm	7.9cm	354-6115
750cc	16.5cm	11.9cm	8.1cm	354-6116

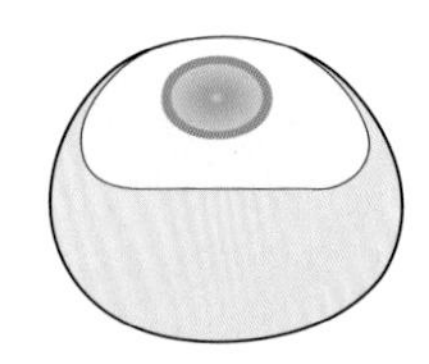

Siltex® Medium Contour Profile®
Breast Tissue Expander (Style 6200)

Vol	Width	Height	Proj.	Catalog
275cc	10.7cm	9.3cm	6.2cm	354-6211
350cc	11.7cm	10.0cm	6.6cm	354-6212
450cc	12.7cm	10.8cm	7.0cm	354-6213
550cc	13.5cm	11.7cm	7.4cm	354-6214
650cc	14.6cm	12.6cm	7.6cm	354-6215
800cc	15.6cm	13.3cm	8.0cm	354-6216

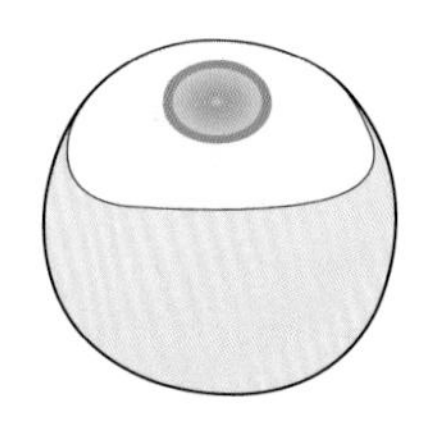

Siltex® Tall Hight Contour Profile®
Breast Tissue Expander (Style 6300)

Vol	Width	Height	Proj.	Catalog
250cc	10.1cm	10.7cm	5.6cm	354-6311
350cc	11.3cm	11.8cm	6.0cm	354-6312
450cc	12.3cm	12.9cm	6.5cm	354-6313
550cc	13.2cm	13.8cm	6.9cm	354-6314
650cc	14.0cm	14.6cm	7.3cm	354-6315
750cc	14.6cm	15.3cm	7.6cm	354-6316
850cc	15.4cm	15.9cm	7.9cm	354-6317

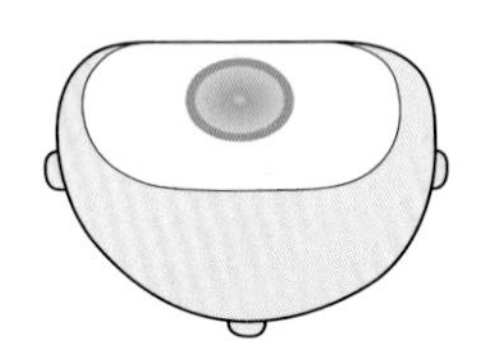

Siltex® Low Hight Contour Profile®
Breast Tissue Expander (Style 7100)

Vol	Width	Height	Proj.	Catalog
250cc	11.4cm	8.1cm	6.1cm	354-7111
350cc	12.7cm	9.4cm	6.5cm	354-7112
450cc	14.0cm	10.2cm	7.1cm	354-7113
550cc	15.0cm	10.9cm	7.4cm	354-7114
650cc	15.7cm	11.2cm	7.9cm	354-7115
750cc	16.5cm	11.9cm	8.1cm	354-7116

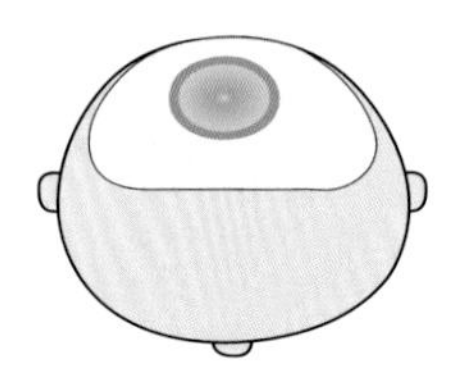

Siltex® Medium Contour Profile®
Breast Tissue Expander (Style 7200)

Vol	Width	Height	Proj.	Catalog
275cc	10.7cm	9.3cm	6.2cm	354-7211
350cc	11.7cm	10.0cm	6.6cm	354-7212
450cc	12.7cm	10.8cm	7.0cm	354-7213
550cc	13.5cm	11.7cm	7.4cm	354-7214
650cc	14.6cm	12.6cm	7.6cm	354-7215
800cc	15.6cm	13.3cm	8.0cm	354-7216

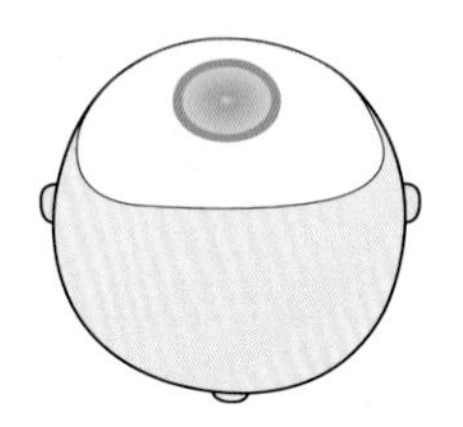

Siltex® Low Hight Contour Profile®
Breast Tissue Expander (Style 7300)

Vol	Width	Height	Proj.	Catalog
250cc	10.1cm	10.7cm	5.6cm	354-7311
350cc	11.3cm	11.8cm	6.0cm	354-7312
450cc	12.3cm	12.9cm	6.5cm	354-7313
550cc	13.2cm	13.8cm	6.9cm	354-7314
650cc	14.0cm	14.6cm	7.3cm	354-7315
750cc	14.6cm	15.3cm	7.6cm	354-7316
850cc	15.4cm	15.9cm	7.9cm	354-7317

그림 1 **해부학적 형태를 가진 확장기** 현재 상용되고 있는 대표적인 두 업체의 해부학적 확장기이며, 폭과 높이, 돌출 정도에 따라 다양한 크기가 존재한다.

한 조직을 늘린 다음, 두 번째 단계로 확장기를 제거하고 영구적인(permanent) 보형물로 교체하게 된다. 첫 단계의 확장기 삽입 시 확장기를 정확하게 위치시키는 것이 중요하다. 해부학적(anatomic) 확장기가 유방의 하극(lower pole)을 효과적으로 확장시킬 수 있기 때문에 최근 널리 사용되고 있으며(**그림 1**), 확장기의 아래 경계를 유방밑주름(infra-mammary fold)과 일치시키거나 또는 이보다 약간 아래에 위치시키게 된다. 확장기의 표면은 부드러운(smooth)것과 거친(textured) 것이 있으며, 거친 표면의 확장기에서 확장의 효과가 좋고 피막구축(capsular contracture)을 감소시키며, 주변의 조직이 확장기의 표면과 결합하여 확장기가 이동(migration)되지 않도록 안정시키는 효과가 높다. 또한 식염수를 주입하게 되는 주입구의 위치에 따라 멀리 떨어진(remote)것과 확장기에 부착된(integrated) 형태로 나눌 수 있다. 주입구가 멀리 떨어지게 되면 확장기에 부착된 것과 비교하여 감염률을 높이고 주입구가 막히게 되거나 누수되는 합병증이 동반될 수 있기 때문에, 최근에는 확장기에 부착된 주입구를 선호하고 있다. 최근 연구에 따르면 주입구가 부착되어 있고 거친 표면의 확장기의 경우 피막구축이 3%, 감염률이 1.2%, 주입된 식염수의 누출이 1.8% 관찰되었고, 주입구의 기능부전은 발생하지 않은 것으로 보고하고 있다.

목표한 정도의 확장이 이루어지게 되면, 두 번째 단계로 영구적 보형물로 교체하게 된다. 2012년에 미국 식품의약국(Food and Drug Administration)에서 해부학적 실리콘 보형물이 승인된 이후 국내에서도 사용이 허가되면서, 최근에는 여러 가지 종류의 보형물이 사용되고 있다. 해부학적 실리콘의 보형물 사용은 자연스러운 유방 모양을 만들 수 있다는 점에서 중요하다. 보형물은 둥근 모양과 해부학적인 모양, 실리콘과 식염수, 부드러운 표면과 거친 표면에 따라 여러 가지 종류로 분류할 수 있다. 반대편 유방의 모양, 유방절제술 후의 상태, 술자의 성향 등에 따라 적절하게 선택되어야 한다. 첫 단계에서 해부학적 확장기를 사용하였다면 마찬가지로 해부학적(anatomic) 보형물을 사용하는 것이 하극의 자연스러운 모양을 유지하는데 유리하다. 일반적으로 한쪽만을 재건하면서 반대편이 중등도(moderate) 크기의 유방일 경우 해부학적 보형물이 선호된다. 해부학적인 보형물은 부피뿐만 아니라 폭과 높이, 돌출 정도에 따라 다양한 크기가 존재하므로 반대편 유방에 따라 적절하게 선택할 수 있다. 유방이 작으며 유방하수(ptosis)가 없을 경우에는 둥근(round) 모양의 보형물로도 만족스러운 결과를 얻을 수 있다.

4) 무세포진피기질을 이용한 보형물 재건술

보형물을 이용한 유방재건술은 무세포진피기질(acellular dermal matrix)의 소개로 인하여 수술방법의 변화를 가져왔다. 기존에는 유방절제술 후 확장기의 상부와 내측부분을 대흉근(pectoralis muscle)으로 덮게 되고, 나머지 전거근(anterior serrtus muscle)으로 덮는 방법으로 시행되었다. 이러한 방법으로도 대부분의 환자에서는 확장기를 충분히 피복할 수 있지만, 대흉근의 크기가 작거나 유방절제술 중 조직의 손상이 있는 경우에는 간혹 확장기를 둘러싸는 조직이 불충분하게 된다. 무세포진피기질은 확장기의 하외측(inferolateral) 부분을 피복하는데 이용함으로써 확장기가 삽입되는 공간을 여유 있게 만들 수 있다. 무세포진피기질을 이용하게 되면 다음과 같은 장점을 얻을 수 있다.

- 보형물의 위치 조정이 용이해진다.
- 보다 명확한 유방 밑 주름을 형성할 수 있다.
- 수술 중 충분한 확장을 통하여 전체 확장기간을 단축시킬 수 있다.
- 피막구축을 방지하는 효과가 있다.
- 유방하극의 확장을 용이하게 함으로써 우수한 미용적 결과를 얻을 수 있다.

무세포진피기질은 생물학적인 물질로서 처음에는 화상 환자 치료를 위한 피부대체물(skin substitute)로 사용하였다. 무세포진표기질은 사체(cadaver)로부터 얻은 피부조직을 탈표피화(deepithelialization) 시킨 후 면역 거부를 막기 위해 세포와 항원인자(antigenic component)를 제거하는 공정을 거치면서 생산이 된다. 그 결과 콜라겐, 탄력소(elastin), 히알루론산, 섬유결합소(fibronectin) 등이 남게 되면서, 숙주(host) 세포가 침투(invasion)하여 재증식(repopulation)할 수 있는 골격(scaffold)을 제공한다. 무세포동종진피기질은 이러한 과정을 거치면서 면역거부 없이 숙주 조직과 통합(integration) 및 대체(replacement)가 이루어진다. 무세포진피기질의 생물역학적(biomechanical)적 성상은 정상 진피와 거의 유사하므로, 확장기를 피복할 수 있는 적절한 대체물질이 될 수 있다.

2. 환자 선택(Patient Selection)

1) 보형물을 이용한 재건술의 적응증

확장기/보형물을 이용한 2단계 재건술로부터 만족스러운 결과를 얻기 위해서는 신중한 환자의 선택이 중요하다. 적절한 선택을 위해서는 유방암과 관련된 상태와 환자가 가지고 있는 의학적인 문제를 면밀히 파악해야 한다. 유방암의 생물학적인 특성과 침범 범위, 유두유륜복합체(nipple-areolar complex)에의 포함 여부 등을 알고 있어야 하며, 반대편 유방 형태 및 병적인 상태의 여부, 과거 유방수술의 병력에 대해서도 파악을 해야 한다. 수술 후 항암치료는 유방절제술 후 약 4-6주 이내에 시행하도록 권고되기 때문에, 보조 항암치료가 예상이 되는 환자에서는 이 기한 내에 수술 상처의 치유가 모두 이루어져야 한다. 따라서 상처 치유와 관련된 내과적 질환을 가지고 있거나 심각한 흡연자에서는 즉시 재건을 결정하는데 있어서 신중해야 한다. 일반적으로 이전에 방사선 치료를 받은 경우를 제외하고는 유방전절제술을 받은 모든 여성에서 보형물을 이용한 재건술을 받을 수 있다.

편측에 유방전절제술을 받을 예정이거나 받은 환자에게 있어서, 유방재건술의 방법을 선택하기 위해서 매우 다양한 요소들을 고려해야 한다. 과거에는 주로 술자의 선호도에 따라 자가조직 또는 보형물을 이용하는 재건술을 선택하는 경우가 많았으나, 최근에는 환자 개개인의 특성에 따라 적당한 방법을 선택하고 있는 경향이다. 우선적으로 고려해야 요소로는 반대편 유방의 모양과 환자의 체형을 들 수 있다. 반대편 유방의 모양과 대칭을 맞추기 위해 크고 쳐진 유방을 재건할 때는 자가조직을 이용한 재건술이 유리한 반면, 작거나 중간 정도의 크기를 가지며 중등도 미만의 유방하수가 있는 유방을 재건하기 위해서는 보형물을 이용한 재건술이 적당하다(**그림 2**). 환자의 체형에 따라 자

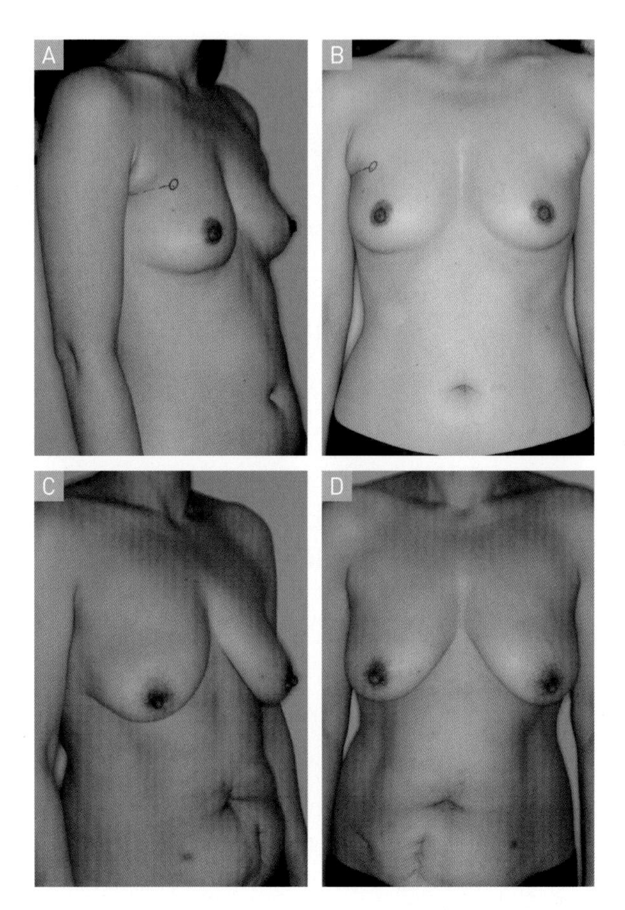

그림 2 적절한 재건방법의 선택. 한쪽 유방절제술이 계획되어 있을 때는 우선적으로 반대편 유방의 모양을 고려해야 한다.
A, B, 작거나 중간 정도의 크기를 가지며 중등도 미만의 유방하수가 있는 유방을 재건하기 위해서는 보형물을 이용한 재건술이 적당하다.
C, D, 크고 쳐진 유방을 재건할 때는 자가조직을 이용한 재건술이 유리하다.

가조직이 충분치 않을 정도로 마른 환자에서는 보형물을 이용한 재건술이 선호된다. 이러한 환자에서도 종종 반대편 유방에도 보형물을 삽입하도록 권하여 양측의 대칭성을 맞추기도 한다. 복부조직이 충분한 체형을 가지고 있는 환자에서는 자가조직을 이용한 재건술의 좋은 적응증이 될 수 있지만, 오히려 지나치게 비만인 경우에는 재건술과 관련된 합병증의 비율을 증가시킬 수 있으므로 이에 대한 충분한 설명 후에 재건술을 선택하는 과정이 필요하다.

양측에 유방전절제술을 받을 환자에서는 보형물을 이용한 재건술이 우선적으로 선호된다. 특히, 마른 환자의 경우에는 자가조직을 이용한 재건을 시행하기에는 많은 제한이 따른다. 자가조직으로 양측을 재건하기 위해서는 많은 양의 조직이 필요하며 회복기간도 그만큼 길어지게 되므로, 보형물을 이용한 재건술이 많이 이루어지고 있다. 비만인 환자일 경우에는 자가조직이나 보형물을 이용하는 재건술 모두 쉽지 않은 방법이지만, 상대적으로 회복기간이 짧으면서 환자에게 부담이 작은 보형물 방법이 선호되기도 한다.

2) 보형물을 이용한 재건과 방사선 치료

이전에 방사선 치료를 받았던 환자에게는 보형물을 이용한 재건술을 권하지 않는다. 방사선을 받은 환자에게 보형물을 이용한 재건을 시행할 경우 피막구축, 상처 벌어짐, 보형물의 노출, 보형물의 위치 변화와 같은 합병증의 비율이 높아지는 것으로 알려져 있다. 마찬가지로 확장기나 보형물이 삽입된 상태에서 방사선 치료를 받더라도 합병증의 비율이 높아지기 때문에 수술 전에 국소적으로 진행된 유방암으로 수술 후 방사선 치료(postmastectomy radiotherapy)가 예상되는 환자에서는 재건방법에 대하여 보다 신중해야 하며, 보형물보다는 자가조직을 이용한 재건을 권유하는 것이 안전하다(**그림 3**).

방사선 치료는 피부조직에 만성적인 염증상태를 일으키게 되어 피부의 점진적인 변화를 유발한다. 방사선에 의한 영향은 방사선 조사 후 약 12주를 기준으로 조기효과(early effect)와 지발효과(late effect)로 나눌 수 있다. 조기효과는 피부와 같이 빠르게 증식하는 조직에 영향을 주며 홍진(erythema), 건조(dryness), 탈모(epilation), 착색(pigmentation)과 같은 증상이 나타

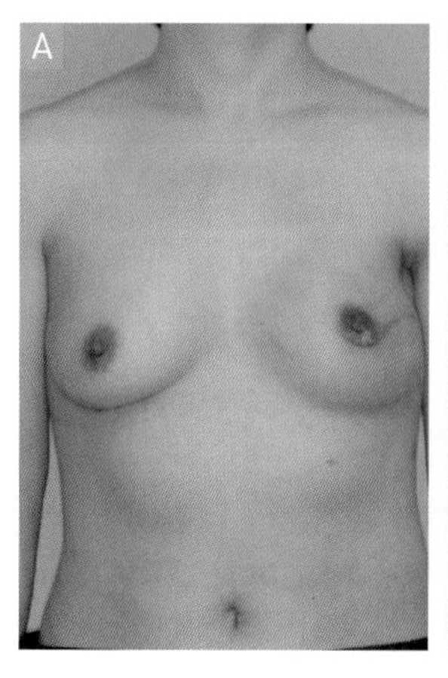

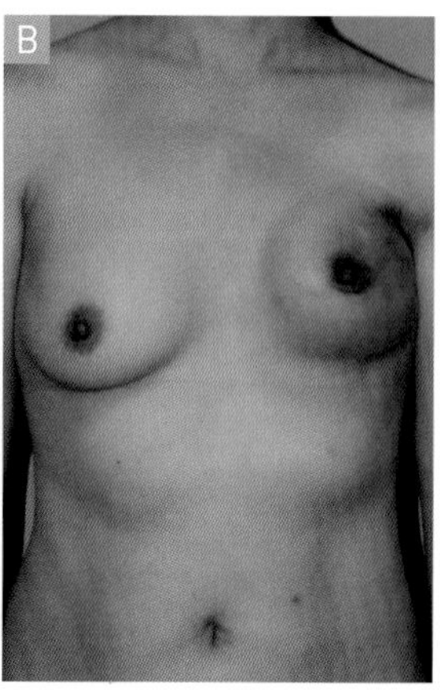

그림 3 방사선 치료 후에 발생한 피막구축.
A. 보형물을 이용한 재건술 4개월 후의 사진이며, 비교적 양쪽 유방의 대칭을 이루는 결과를 보여준다.
B. 수술 후 방사선 치료를 받고 6개월 후의 사진으로 심한 피막구축으로 보형물의 위치가 변해있다.

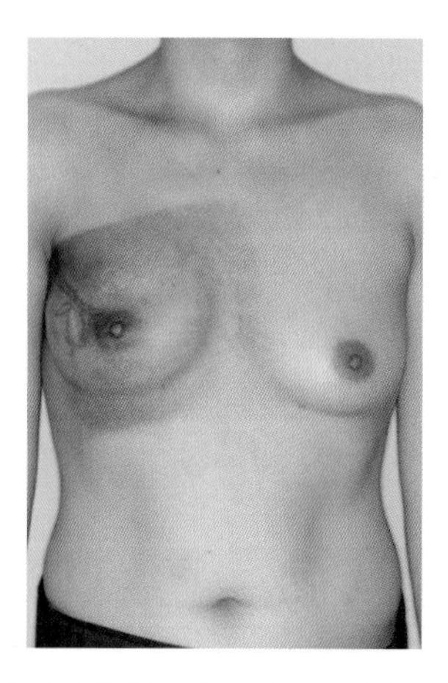

그림 4 수술 후 방사선 치료의 조기효과. 방사선 치료 직후의 모습으로 방사선 치료로 인한 피부조직의 홍조와 착색이 관찰된다. 일반적으로 방사선에 의한 조기효과는 대체로 시간이 지남에 따라 자연적으로 호전된다.

나게 되며, 보통 자연적으로 호전이 된다(**그림 4**). 지발 효과는 수주에서 수년, 심지어는 수십 년 후에도 발생할 수 있으며, 조직 섬유화(tissue fibrosis), 혈관확장증(telangiectasia), 상처치유 지연(delayed wound healing), 림프부종(lymphedema), 궤양(ulceration), 악성변환(malignant transformation)과 같은 증상이 나타난다. 조직학적으로 미세혈관의 병적인 상태(microangiopathic change)를 유발하여 조직을 허혈(ischemic) 상태로 만들게 된다. 이러한 조직학적인 변화는 보형물을 지지하는 조직을 불안정하게 하여, 결국에는 합병증의 비율을 높이게 된다.

유방암 환자가 수술 후에 방사선 치료를 받을 지의 여부는 수술 후 최종적인 조직검사 결과(pathologic result)에 따라 결정이 되므로 확장기를 삽입하였지만 예상치 못하게 수술 후 방사선 치료를 받게 되는 경우가 있다. 또한 수술 후 방사선 치료의 적응증이 갈수록 확대되고 있으며 동시에 보형물을 이용한 재건술을 선호하는 비율도 증가하고 있기 때문에, 확장기를 삽입

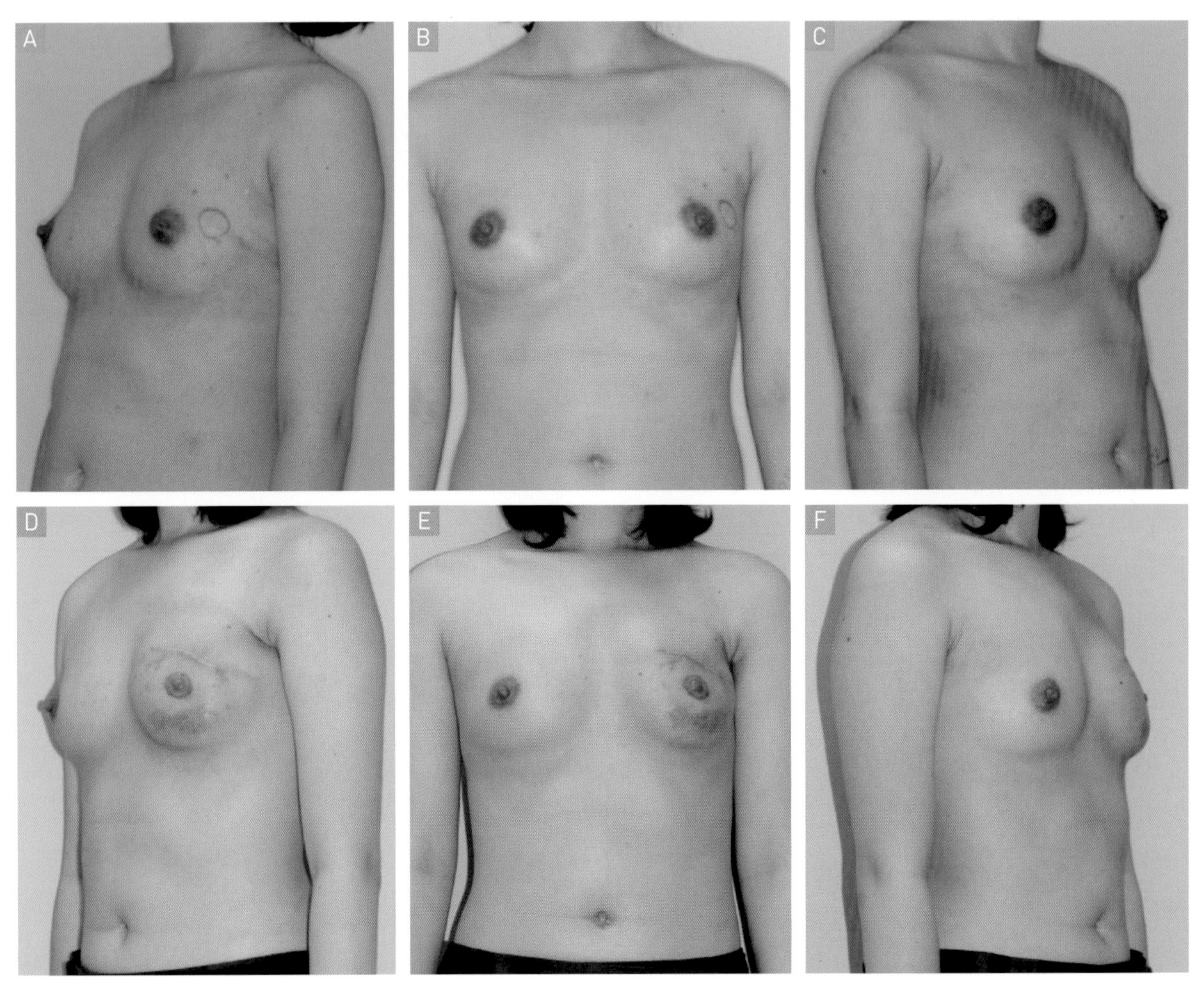

그림 5 확장기/보형물 재건술과 수술 후 방사선 치료.
A–C. 수술 전 사진., D–F. 수술 후 방사선 치료를 받고 이차 수술을 시행한지 2년 경과한 사진.

하고 있으면서 방사선 치료를 받게 되는 상황이 늘어날 것으로 예상할 수 있다. 최근에는 일부 술자들에 의해 수술 후 방사선 치료가 예상되는 환자에게도 확장기/보형물 재건술이 시도되고 있다. 전반적인 합병증의 발생 빈도는 수술 후 방사선을 받지 않는 환자들에 비하여 높지만, 과거보다는 만족스러운 결과를 얻는 것으로 보고하고 있다(**그림 5**). 이러한 결과의 향상은 방사선 조사 기술과 보형물의 발달, 적절한 프로토콜의 개발에 기인한 것으로 분석하고 있다. 방사선 치료의 시행 시기에 따라 확장기를 보형물로 교체하기 전에 하는 경우와 교체 이후에 하는 경우로 나눌 수 있으며, 어떠한 시점에 시행하는 것이 더 유리한지에 대해서는 아직 논란이 많다.

3. 수술 전 계획(Pre-operative Planning)과 수술술기(Operative Technique)

1) 첫 번째 수술의 계획

즉시유방재건술 시에는 유방암의 종양학적인 상태와 유방절제술의 방법, 예상되는 보조적 치료에 대하여 논의가 되어야 한다. 더불어 이를 위해서는 유방외과, 종양내과, 방사선종양학과와의 협의를 통한 다학제적 접근이 필요하다. 수술 전에 환자와의 면담을 통하여 각 재건방법들에 대한 특징을 충분히 이해시킨 후, 즉시 재건 또는 지연 재건에 대한 선택을 하고 재건 방법 가운데 어떠한 방법이 적당한지를 결정한다. 그리고 보형물을 이용하는 재건을 선택했다면 직접 보형물을 삽입하는 방법(direct-to-implant, one-stage implant reconstruction) 또는 확장기/보형물의 단계적 재건방법을 선택할지, 그리고 반대편 유방에 대한 술기(contralateral adjustment)가 필요한지에 대한 결정을 하게 된다.

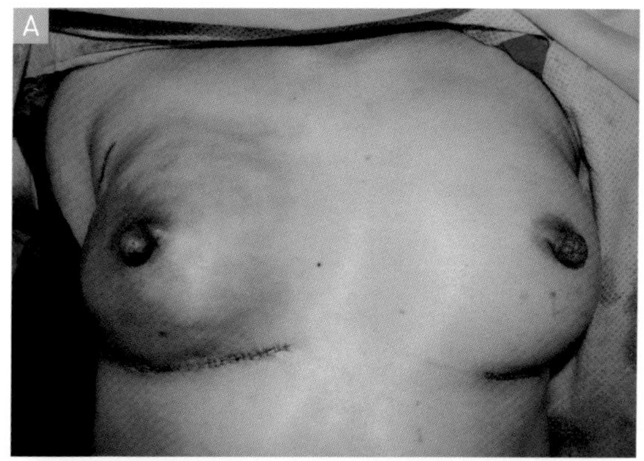

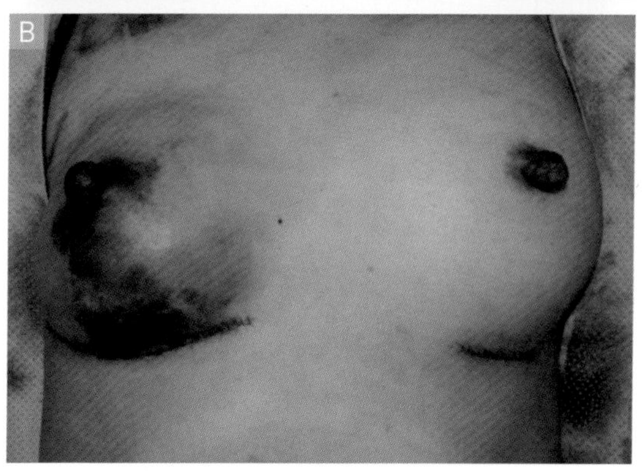

그림 6 직접 보형물을 삽입하는 재건술 후 피부피판의 괴사.
A. 유두보존 유방절제술 후 보형물을 바로 삽입하여 재건을 시행한 직후 사진
B. 수술 7일 후 사진으로 유방하극에 피부조직의 괴사가 발생한 사진으로, 보형물을 제거하고 확장기를 삽입하는 재수술을 시행하였다.

최근에는 피부보존 유방절제술(skin-sparing mastectomy) 또는 유두보존 유방절제술(nipple-sparing mastectomy)이 많이 이루어지고 있으며, 이러한 술식 후에는 무세포진피기질(acellular dermal matrix)을 이용하여 바로 보형물을 삽입(direct-to-implant)하는 것을 고려해 볼 수 있다. 확장기를 이용하는 단계적 수술에 비해 한 번의 수술로 보형물을 덮을 수 있어 추가적인 수술이 필요 없으며, 정상적인 신체상(body image)을 유지할 수 있다는 장점이 있다. 하지만 유방절제술 후 남아있는 피부조직이나 유두유륜복합체 괴사가 일어나지 않을 정도로 건강한 상태이어야 하며, 추후 괴사가 일어날 경우에는 추가적인 교정수술(revision surgery)이 불가피하게 된다(**그림 6**). 남아있는 피부조직이 불안정할 경우 확장기/보형물을 이용한 단계적 수술을 선택할 수 있으며, 또한 확장기간(expansion period) 동안 양측 유방의 대칭을 맞추기 위한 계획을 세워 두 번째 수술을 할 수 있는 기회를 갖게 된다. 현재까지 피부 또는 유두유륜복합체가 보존된 유방절제술 후에 어떠한 보형물 재건술을 선택해야 하는지에 대한 절대적인 기준은 없으며, 유방절제술 후의 상태, 술자의 선호도, 환자의 성향 등을 고려하여 적절한 방법을 결정해야 한다.

확장기/보형물을 이용하는 재건술의 수술방법은 비교적 단순하지만, 좋은 결과를 얻기 위해서는 수술 전 재건할 유방의 형태에 대한 정확한 평가와 숙련된 경험을 통한 확장기와 보형물의 적절한 선택이 중요하다. 한쪽 유방만을 수술할 경우에는 수술 전에 반대편 유방의 크기(dimension)에 대해서 계측(measuring)을 시행한다. 수술할 부위의 유방은 종양과 수술 전 검사로 인한 붓기 때문에 유방의 형태가 왜곡이 될 수 있으며, 재건의 목표는 반대편의 유방과 대칭을 이루는데 있기 때문이다. 가장 중요한 계측치는 유방기저부의 폭(base width)이며, 이에 따라 확장기의 폭을 결정하게 된다. 유방의 폭이 아무리 크더라도 폭이 15 cm 이상인 확장기는 팔의 움직임에 제한을 줄 수 있으므로 피하는 것이 좋다. 만약에 환자가 작은 유방을 가지고 있어서 반대편 유방의 확대를 원하는 경우에는 측정한 폭보다 넓은 폭을 가진 확장기를 선택한다. 반대로 반대편 유방의 크기가 커서 축소를 원하는 경우에는 측정치보다 작은 폭의 확장기를 선택한다. 수술 전에 선택된 폭을 중심으로 여러 가지 확장기를 준비하여, 수술 중에 유방절제술 후의 상태와 흉벽(chest wall)폭에 따라 적절한 폭의 확장기를 최종적으로 결정한다. 확장기의 높이도 마찬가지로 반대편 유방의 높이에 따라 결정이 된다. 일반적으로 확장기의 높이는 높은 것(full-height)과 중간(moderate-height), 그리고 낮은 높이(low-height)의 확장기로 구분할 수 있다. 높이가 낮은 확장기는 주로 유방하극(lower pole)만을 확장시키고 대흉근의 중간과 윗부분에서는 확장이 일어나지 않게 된다. 반대로 높은 확장기는 유방 상극(upper pole)을 포함하여 확대하게 된다. 확장기의 높이는 폭과는 달리 술자에 따라 선호하는 높이가 있어 어떠한 높이가 적당한지는 술자들 마다 견해가 다르다.

수술 전에 결정해야 할 또 다른 중요한 사항은 반대편 유방에 대하여 술기(contralateral adjustment)를 가할지 여부를 결정하는 일이다. 반대편 유방에 대한 술기로는 확대술, 축소술, 거상술이 있으며 유방의 형태에 따라 적절하게 선택할 수 있다. 반대편 술기는 재건된 유방과 대칭을 맞추는데 도움을 주고 양측의 유방을 수술 전보다 이상적인 형태로 바꿈으로써 유방암으로 인해 정신적으로 힘든 시기에 기대감을 줄 수 있다는 장점이 있다. 하지만 유방암으로 재건술을 받는 환자에게는 반대편 유방에도 암이 발생할 수 있는 우려가 있기 때문에 환자가 수술을 결정하는 일이 쉽지 않다. 반대편에 대한 술기를 시행하기 전에 환자에게 수술에 충분한 이해와 동의가 이루어져야 하며, 수술 후에는 정기적인 검진 및 검사를 통하여 종양 발생 여부를 확인해야 한다. 확장기/보형물 단계적 재건술에서 보통 두 번째 수술 시에 반대편 술기가 시행된다. 이 시기에 시행하는 것이 보다 편안한 상황에서 반대편 술기를 계획할 수 있으며 미용적인 측면에 집중할 수 있기 때문이다.

2) 첫 번째 수술: 확장기의 삽입

유방외과에서 유방절제술을 마치게 되면 멸균된 타월과 수술용 도포(drape)로 수술 영역(operative field)을 준비한다. 수술용 가운과 장갑은 새로운 것으로 착용을 하고, 재건수술을 위한 수술용 기구도 새로 준비한다. 환자는 앙와위(supine) 자세를 취하고, 유방절제

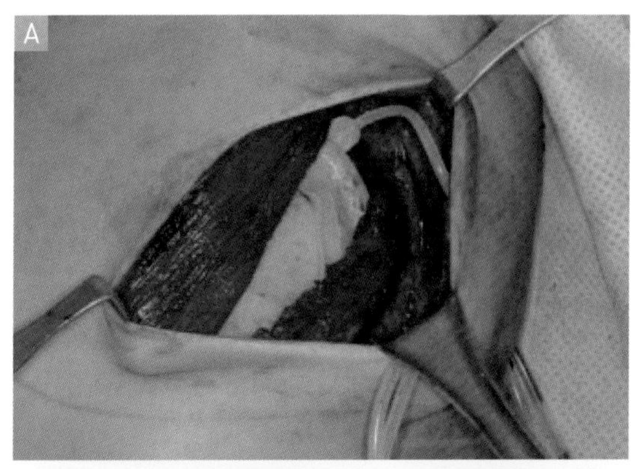

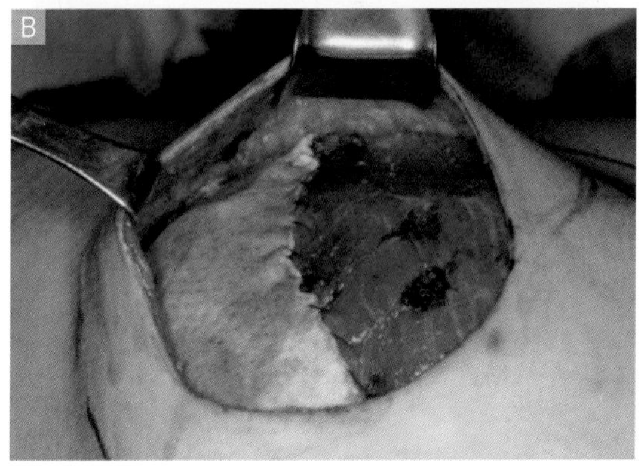

그림 7 **확장기의 삽입.**
A. 대흉근과 전거근을 이용하여 확장기를 피복.
B. 대흉근과 무세포진피기질을 이용하여 확장기를 피복.

술 후 수술할 부위를 꼼꼼히 살피면서 대흉근 상태와 유방밑주름의 보존 정도, 남아있는 피부 피판의 상태를 확인한다. 선택된 확장기의 크기를 고려하여 대흉근 아래로 삽입될 영역을 반대편 유방의 크기와 위치가 일치하도록 도안(marking)한다. 확장기가 삽입될 공간(pocket)의 하연(lower border)은 유방밑주름을 지나면서 1cm를 넘지 않도록 한다. 확장을 시작하면 확장기의 하연이 위로 올라갈 수 있기 때문이다. 확장기가 정확하게 위치해 있는지 확인하기 위해 반대편 유방은 수술 중에도 항상 볼 수 있도록 한다.

확장기는 대흉근 아래로 삽입이 되며, 확장기의 하외측(inferolateral)은 전거근이나 무세포진피기질(acellular dermal matrix)을 이용하여 덮게 된다. 예전에는 주로 확장기 하외측의 피복을 피부피판이나 전거근(anterior serrtus muscle)을 이용하였으나, 최근 경향에 따르면 무세포진피기질을 많이 사용하고 있다(**그림 7**). 2010년 미국성형외과학회(American Society of Plastic Surgeons)의 조사에 따르면, 반 이상의 성형외과 의사가 무세포진피기질을 이용하여 보형물 재건을 하는 것으로 알려지고 있다. 대흉근하 공간(subpectoral pocket)을 만들기 위해 대흉근의 외측 경계부터 박리를 시작한다. 내측 방향으로 대흉근의 하부를 따라 분리한 다음, 상내측을 향해 박리를 한다. 내측의 두꺼운 근막을 충분히 이완하여 확장기가 정확한 위치에 올 수 있도록 한다. 상부로의 지나친 박리는 불필요한 출혈이 발생할 수 있고 확장기가 위쪽에 위치할 수 있기 때문에 피하도록 한다. 대흉근의 박리를 마친 후에 무세포진피기질을 이식하게 된다. 이식하는 방법에는 여러 가지가 있지만, 일반적으로 대흉근이 둘러쌓지 못한 하외측을 무세포진피기질 이식편으로 피복하게 된다. 이식편은 흡수성 봉합사를 이용하여 하외측에는 흉벽과 근막, 전거근에 고정하고, 상내측은 확장기를 삽입할 수 있도록 일부분만 대흉근과 봉합한다.

준비된 확장기를 개봉하여 들어있는 공기를 제거하고, 확장기의 누수가 없는지를 확인하기 위해 적은 양의 식염수를 주입한다. 확장기를 삽입하기 전에 배출관(drain)을 삽입하고, 항생제 또는 포비돈 요오드액(povidone iodine)이 섞인 용액으로 삽입될 공간을 세척(irrigation)한다. 확장기를 삽입할 때는 확장기가 정확하게 위치했는지 확인을 하고, 대흉근과 이식편의 나머지 부분을 봉합한다. 확장기에는 피부의 긴장(skin tension)이 지나치지 않을 정도의 식염수를 주입한다(**그림 8**).

3) 두 번째 수술의 계획

확장기를 삽입하고 2주 후부터 확장을 시작한다. 일반적으로 2-3주 간격으로 약 50 cc의 식염수를 주입

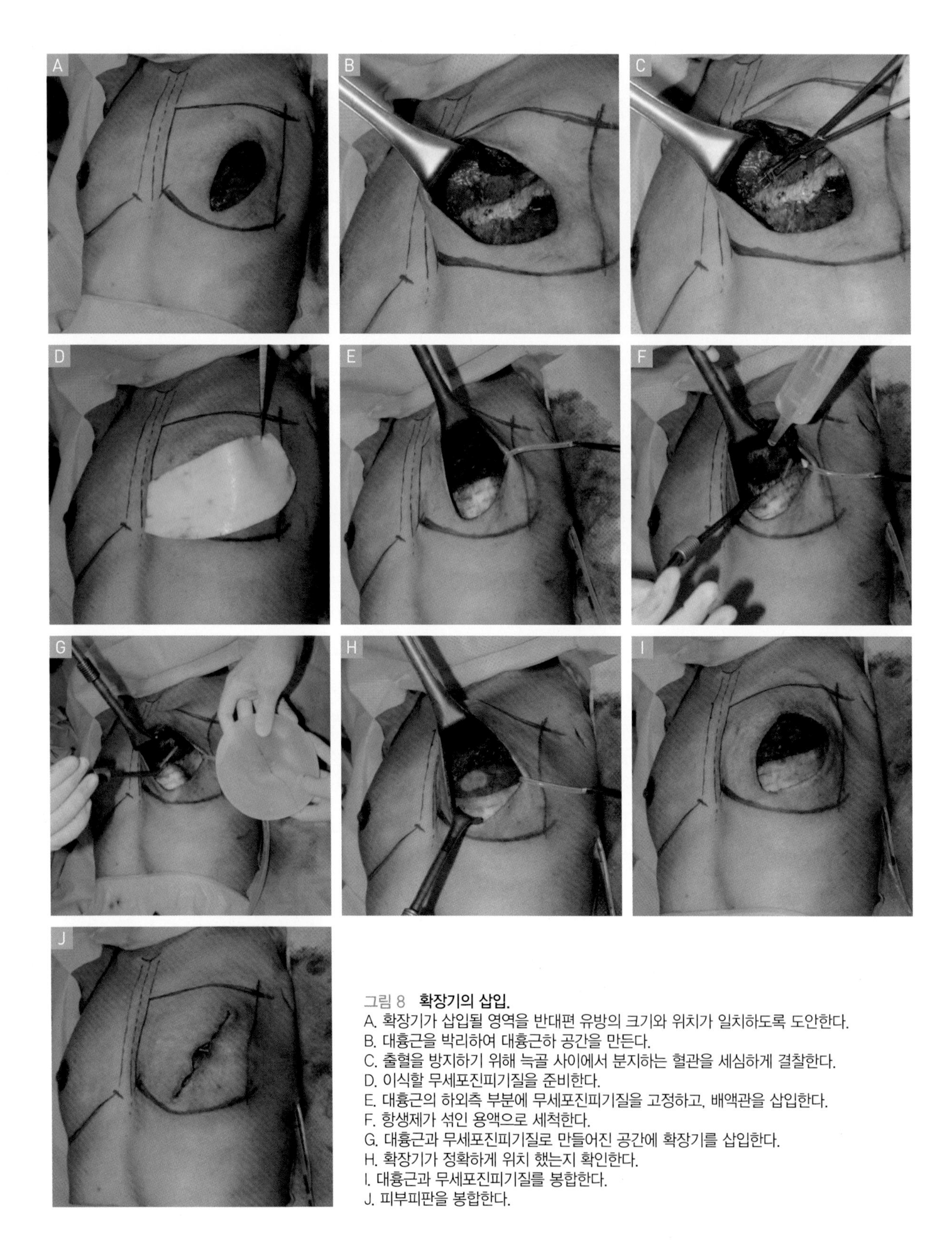

그림 8 **확장기의 삽입.**
A. 확장기가 삽입될 영역을 반대편 유방의 크기와 위치가 일치하도록 도안한다.
B. 대흉근을 박리하여 대흉근하 공간을 만든다.
C. 출혈을 방지하기 위해 늑골 사이에서 분지하는 혈관을 세심하게 결찰한다.
D. 이식할 무세포진피기질을 준비한다.
E. 대흉근의 하외측 부분에 무세포진피기질을 고정하고, 배액관을 삽입한다.
F. 항생제가 섞인 용액으로 세척한다.
G. 대흉근과 무세포진피기질로 만들어진 공간에 확장기를 삽입한다.
H. 확장기가 정확하게 위치 했는지 확인한다.
I. 대흉근과 무세포진피기질를 봉합한다.
J. 피부피판을 봉합한다.

하게 되며, 주입되는 양은 피부의 긴장도를 고려하여 결정하게 된다. 반대편 유방의 크기를 고려하면서 확장의 종말점(end point)를 결정하고, 첫 번째 수술 후 약 3-6개월 후에 두 번째 수술을 진행한다. 보조적 항암치료(adjuvant chemotherapy)를 받는 환자의 경우에는 항암치료의 종료 후로 두 번째 수술을 계획한다.

확장기의 삽입의 목표는 두 번째 수술을 단순화하는데 있다. 두 번째 수술을 위하여 확장된 상태를 정확하게 평가해야 한다. 유방밑주름의 수준(level)과 형태를 관찰하여 유방밑주름을 낮추어야 할지 또는 높여야 할지, 내측 또는 외측으로 공간을 넓혀야 할지를 결정한다. 삽입될 영구 보형물의 크기(dimension)는 첫 번째 수술 시 결정된 확장기와 유사한 것을 준비하여 수술 중에 사이저를 이용하여 최종적으로 적절한 보형물을 선택한다. 간혹 호르몬 치료 또는 환자의 체중 변화로 인하여 반대편 유방의 크기와 모양이 변하는 경우도 있으므로, 당시의 반대편 유방을 기준으로 보형물을 선택해야 한다. 보형물은 기준에 따라 둥근 모양과 해부학적인 모양, 실리콘과 식염수, 부드러운 표면과 거친 표면으로 나눌 수 있으며, 술자의 경험에 따라 적절한 보형물을 선택한다. 반대편 유방에 대한 술기도 첫 번째 수술 전 계획 시 이미 결정되는 경우가 대부분이며, 확장하는 기간 동안 환자와 충분히 상의하여 원하는 크기와 모양을 결정하여 양측 유방의 대칭이 이루어지도록 디자인한다.

4) 두 번째 수술: 영구 보형물의 삽입

유방절제술 시에 가해졌던 절개선을 따라 다시 절개를 가한다. 절개를 통하여 확장기를 제거한 후 공간(pocket)의 상태를 면밀히 파악한다. 확장기가 적절하게 위치하여 반대편 유방과 대칭적인 공간을 형성했다면 두 번째 수술에서의 조작을 최소화할 수 있다. 수술 전 계획에 따라 유방밑주름의 위치를 조절하거나, 필요에 따라 무세포진피기질이 생착된 부분에 피막절개술(capsulotomy)을 가하여 보형물이 삽입될 공간을 조작(refinement)한다. 첫 번째 수술 시 이식한 무세포진피기질은 대부분 생착이 이루어지며(**그림 9**), 일부 생착이 이루어지지 않은 이식편이 있다면 제거한다. 사이저를 이용하여 환자를 앉힌 자세에서 적절한 보형물을 최종적으로 결정한다. 항생제 또는 포비돈 요오드액이 섞인 용액으로 삽입될 공간을 세척하고 배액관을 삽입한 후, 무균적 방법으로 보형물을 삽입하고 절개부위를 봉합한다(**그림 10, 11**).

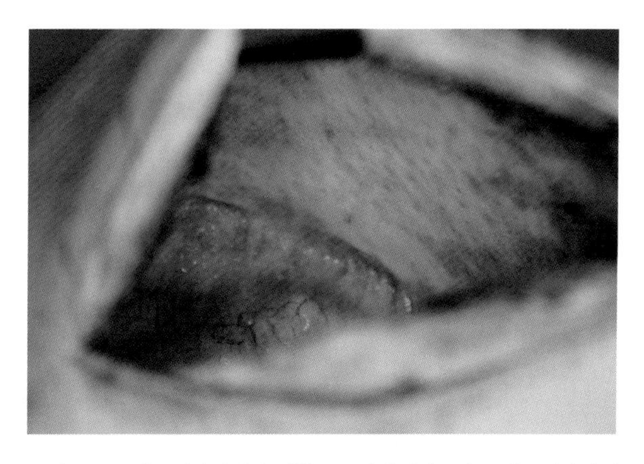

그림 9 무세포진피기질의 생착. 두 번째 수술 시 무세포진피기질이 생착되어 재혈관화(revascularization) 된 것을 확인할 수 있다.

4. 합병증(Complication)

1) 혈종(Hematoma)

혈종은 주로 수술 하루나 이틀 후에 나타난다. 확장기 삽입 후 혈종의 양이 적고 지속되는 출혈이 없으며 배액관이 정상적으로 기능을 한다면 경과를 관찰해 볼 수 있으나, 출혈이 지속되면 재수술로 출혈을 일으키는 혈관을 결찰하고 혈종을 제거해야 한다. 배액관이 기능을 하지 못하여 혈종이 확장기나 보형물 주변에 생성된

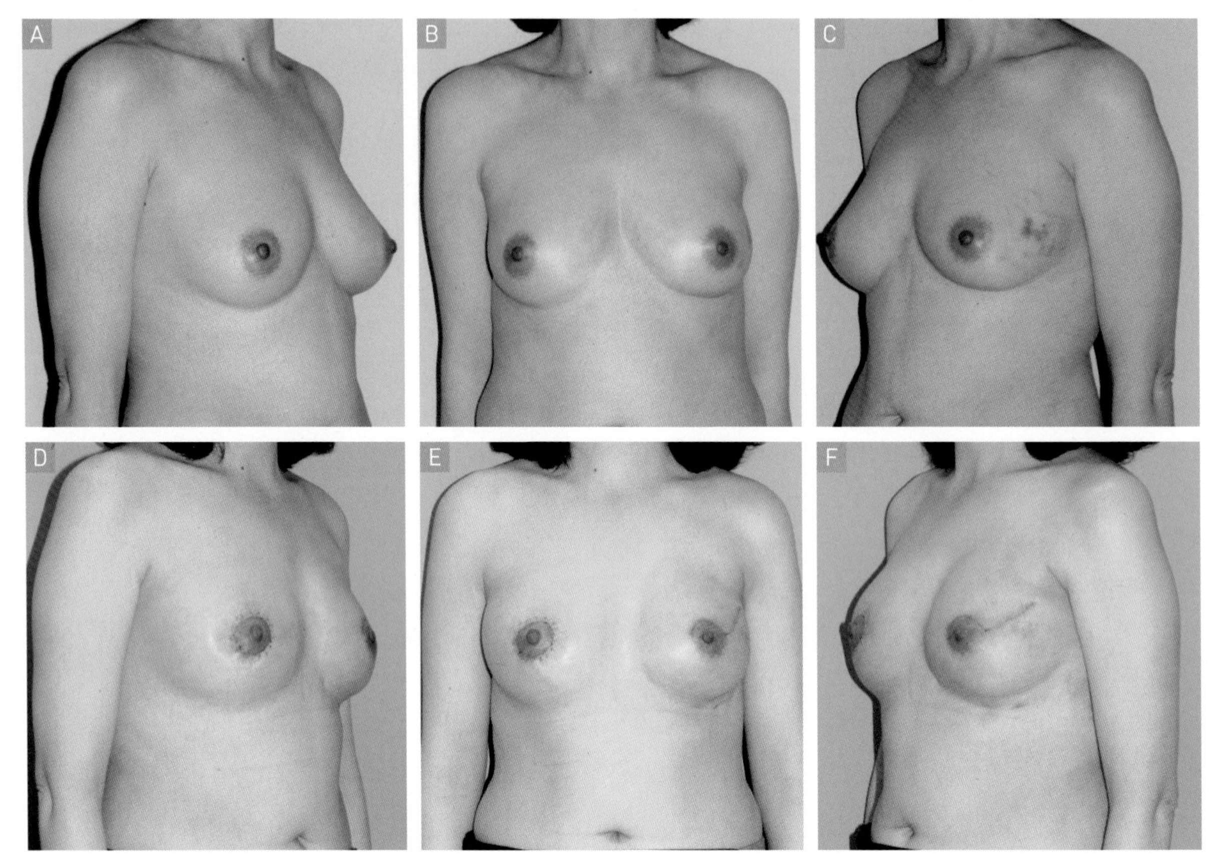

그림 10 확장기/보형물 재건술의 결과. 좌측은 확장기/보형물 재건술을 시행하였고 우측은 유방거상술을 시행하였다.
A, B, C. 수술 전 사진., D, E, F. 수술 후 사진.

경우에도 수술적으로 해결을 할 필요가 있다. 작은 혈종의 경우 초음파를 이용해 직접 혈종을 제거해 볼 수도 있다. 반대편의 축소술이나 거상술을 한 경우에도 혈종이 생길 수 있으며 작고 안정적인 혈종은 특별한 처치 없이도 수주 후면 완전히 없어진다. 하지만 유방확대술을 시행한 경우라면 작은 혈종이라도 장기적으로 피막구축의 확률이 높아지므로 제거해야 한다.

2) 홍반(Erythema)

홍반은 피부피판을 박리하면서 자주 일어날 수 있는 반응이며 자연적으로 소실된다. 유방하극의 홍반과 염증반응이 지속되면서 명백한 감염의 증가가 없는 현상을 붉은 유방 증후군(red breast syndrome)이라고 한다. 현재까지 확실한 기전이 알려지지는 않았지만, 림프 배액의 교란(derangement)과 관련이 있는 것으로 추측하고 있다. 특히 무세포진피기질을 사용하였을 경우 관찰되는 빈도가 높다. 감염과 감별하는 것이 중요하며, 붉은 유방 증후군일 경우 열(fever)과 오한(chill), 백혈구의 증가(leukocytosis)가 동반되지 않는다. 붉은 유방 증후군의 치료를 위해 항생제나 소염제가 도움이 된다는 증거는 없으며, 감염의 증상이 없는지 경과를 관찰한다.

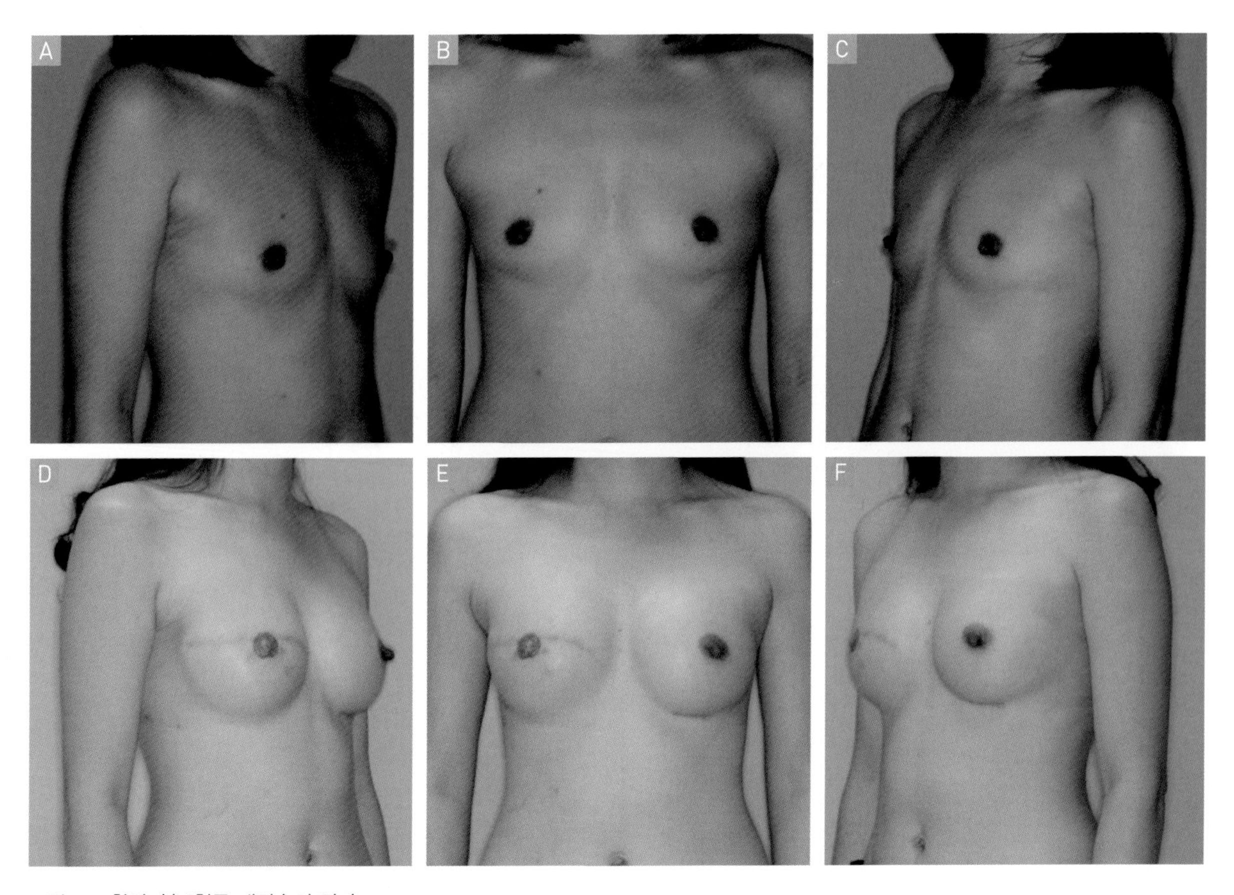

그림 11 확장기/보형물 재건술의 결과.
A, B, C. 수술 전 사진., D, E, F. 수술 후 사진.

3) 장액(Seroma)

장액은 조직의 손상, 지방과 같은 수술의 잔해들(debris), 혈관재형성의 저해 등과 같은 여러 가지 원인에 의해 발생하게 된다. 장액을 최소화하기 위한 예방적 방법으로 확장기나 보형물이 삽입되는 공간을 적극적으로 세척하고, 사강(dead space)을 줄이는 퀼트봉합(quilting suture)을 시도하거나, 배액관을 오랫동안 유지해 볼 수 있다. 일단 장액이 형성되면 감염을 방지하기 위해 제거를 해야 한다. 상당한 양의 장액이 있다면 재수술을 고려해 볼 수도 있다.

4) 피판 괴사(Flap necrosis)

유방절제술 시 피부피판을 지나치게 얇게 박리하거나 수술 중 확장기를 무리하게 확장했을 경우에 피부피판의 괴사가 발생할 수 있다. 최근에는 수술 중에 형광물질을 주입하여 조직의 관류상태를 평가하는 장비를 사용하여 피판의 괴사 여부를 예측하기도 한다 **(그림 12)**. 무엇보다 중요한 것은 피판을 임상적으로 판단하는 것이며, 수술 중에 괴사가 우려되는 피판은 과감하게 절제를 해야 한다. 수술 후 피판이 괴사된 조직을 제거하고 피판을 당겨서 봉합하며, 피부의 긴장도가 과도할 경우 확장기에 주입된 식염수의 양을 조절할 수 있다. 수술 후 보조적 항암치료가 필요하다면 피

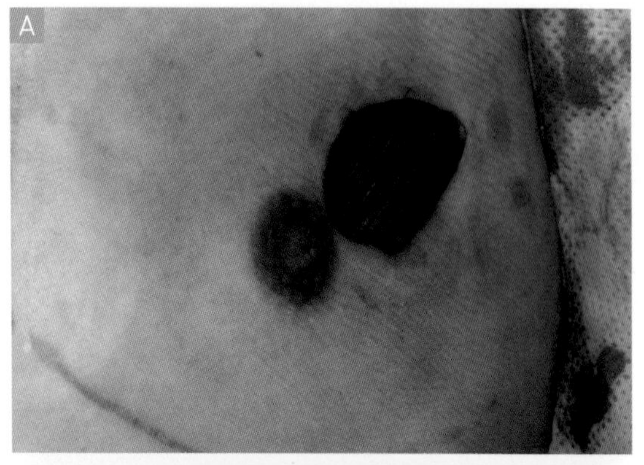

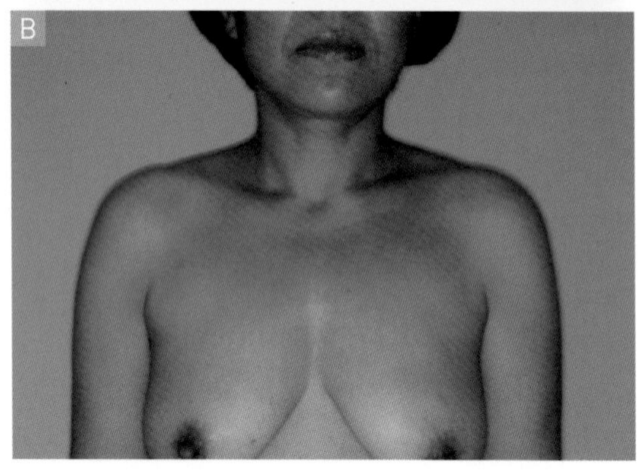

그림 12 수술 중 피부피판의 관류상태 측정. 수술 중에 SPY Elite 시스템(LifeCell corp., Branchburg, NJ, USA)을 이용하여 조직의 관류상태를 평가할 수 있다.
A. 유두보존 유방절제술 직후 확장기 삽입 전 사진.
B. 형광물질을 주입한 후 SPY Elite 시스템을 이용하여 관류상태를 분석한다. 관류 상태가 좋지 않은 조직은 괴사가 우려되므로 미리 제거할 수 있다.

판의 괴사로 인하여 지연되지 않도록 적극적으로 해결을 해야 한다.

5) 감염(Infection)

일반적으로 감염을 예방하기 위해 수술 전 예방적 항생제 투여하며, 배액관이 삽입되어 있는 동안에도 예방적 목적으로 항생제를 투여할 수 있다. 감염이 발생하면 체온이 상승하고 피부에 발적(redness)이 일어나며 통증이 동반된다. 확장기/보형물 재건술 시에는 주로 확장기를 삽입한 후에 감염이 발생한다. 피판의 괴사, 장기간의 장액과 같은 다른 합병증과 관련되어 발생하는 경우가 많으며, 우선 원인이 되는 다른 합병증을 우선적으로 해결하면서 치료적 목적으로 경구 또는 정맥 항생제를 사용한다. 정맥 항생제 치료로 해결이 되지 않을 때는 보형물을 제거하거나, 적극적인 세척과 변연절제술(debridement) 및 보형물 교체 등을 통한 수술적인 치료로 해결을 기대해 볼 수도 있다.

6) 피막구축 (Capsular contracture)

미용목적의 보형물을 이용한 유방수술보다는 유방재건술에서 피막구축이 발생할 확률이 높다. 미국식품의약국의 보고에 따르면 베이커 분류법(Baker classification) Ⅲ 또는 Ⅳ등급의 피막구축이 발생할 확률은 16~30% 정도이며, 식염수 보형물과 실리콘 보형물과는 큰 차이가 없는 것으로 조사되었다. 거칠한 표면의 보형물을 근육하 공간에 삽입하게 되면 심각한 피막구축을 방지하는 효과가 있지만, 조직과의 유착으로 인해 피부의 주름(rippling)을 형성하는 빈도가 높아지게 된다. 수술 시 혈종이나 감염과 같은 합병증이 있었거나, 방사선 치료를 받게 되면 피막구축의 빈도가 높아진다.

참·고·문·헌

1. Albornoz CR, Bach PB, Mehrara BJ, Disa JJ, Pusic AL, McCarthy CM, Cordeiro PG, Matros E. A paradigm shift in U.S. Breast reconstruction: increasing implant rates. Plast Reconstr Surg. 2013; 131(1): 15-23.
2. Albornoz CR, Cordeiro PG, Farias-Eisner G, Mehrara BJ, Pusic AL, McCarthy CM, Disa JJ, Hudis CA, Matros E. Diminishing relative contraindications for immediate breast reconstruction. Plast Reconstr Surg. 2014; 134(3): 363e-9e.

3. Basu CB, Leong M, Hicks MJ. Acellular cadaveric dermis decreases the inflammatory response in capsule formation in reconstructive breast surgery. Plast Reconstr Surg. 2010; 126: 1842-7.
4. Baxter RA. Intracapsular allogenic dermal grafts for breast implant-related problems. Plast Reconstr Surg. 2003; 12: 1692-6.
5. Becker S, Saint-Cyr M, Wong C, Dauwe P, Nagarkar P, Thornton JF, Peng Y. AlloDerm versus DermaMatrix in immediate expander-based breast reconstruction: a preliminary comparison of complication profiles and material compliance. Plast Reconstr Surg. 2009; 123: 1-6.
6. Bindingnavele V, Gaon M, Ota KS, Kulber DA, Lee DJ. Use of acellular cadaveric dermis and tissue expansion in postmastectomy breast reconstruction. J Plast Reconstr Aesthet Surg. 2007; 60: 1214-8.
7. Breuing KH, Colwell AS. Inferolateral AlloDerm hammock for implant coverage in breast reconstruction. Ann Plast Surg. 2007; 59: 250-5.
8. Chun YS, Verma K, Rosen H, Lipsitz S, Morris D, Kenney P, Eriksson E. Implant-based breast reconstruction using acellular dermal matrix and the risk of post-operative complications. Plast Reconstr Surg. 2010; 125: 429-36.
9. Kim JY, Connor CM. Focus on technique: two-stage implant-based breast reconstruction. Plast Reconstr Surg. 2012; 130: 104S-15S.
10. Kim JY, Davila AA, Persing S, Connor CM, Jovanovic B, Khan SA, Fine N, Rawlani V. A meta-analysis of human acellular dermis and submuscular tissue expander breast reconstruction. Plast Reconstr Surg. 2012; 129: 28-41.
11. Mandell J. Sexual Differentiation: Normal and abnormal. In: Walsh PC, Retik AB, Vanghan ED Jr, WeinA. Jc, editors. Campbell's Urology 7th ed, Philadelphia : Saunders, 1998; 2145-54.
12. McGrath MH. The psychological safety of breast implant surgery. Plast Reconstr Surg. 2007; 120: 103S-109S.
13. Nahabedian MY. AlloDerm performance in the setting of prosthetic breast surgery, infection, and irradiation. Plast Reconstr Surg. 2009; 124: 1743-53.
14. Namnoum JD. Expander/implant reconstruction with AlloDerm: recent experience. Plast Reconstr Surg. 2009; 124: 387-94.
15. Nava MB. Expander-implants breast reconstructions. In: Neligan PC editors. Plastic Surgery 3rd ed, vol. 5. Philadelphia : Saunders, 2013; 336-369.
16. O'Shaughnessy K. Evolution and update on current devices for prosthetic breast reconstruction. Gland Surg. 2015; 4: 97-110.
17. Preminger BA, McCarthy CM, Hu QY, Mehrara BJ, Disa JJ. The influence of AlloDerm on expander dynamics and complications in the setting of immediate tissue expander/implant reconstruction: A matched-cohort study. Ann Plast Surg. 2008; 60: 510-3.
18. Rawlani V, Buck DW, Johnson SA, Heyer KS, Kim JYS. Tissue expander breast reconstruction using prehydrated human acellular dermis. Ann Plast Surg. 2011; 66: 593-7.
19. Salzberg CA, Ashikari AY, Koch RM, Chabner-Thompson E. An 8-year experience of direct-to-implant immediate breast reconstruction using human acellular dermal matrix (Allo-Derm). Plast Reconstr Surg. 2011; 127: 514-24.
20. Sbitany H, Sandeen SN, Amalfi AN, Davenport MS, Langstein HN. Acellular dermis?assisted prosthetic breast reconstruction versus complete submuscular coverage: A head-tohead comparison of outcomes. Plast Reconstr Surg. 2009; 124: 1735-40.
21. Sbitany H, Serletti JM. Acellular dermis-assisted prosthet-

ic breast reconstruction: A systematic and critical review of efficacy and associated morbidity. Plast Reconstr Surg. 2011; 128:1162-9.

22. Spear SL, Mesbahi AN. Implant-based reconstruction. Clin Plast Surg. 2007; 34: 63-73. Spear SL, Parikh PM, Peisin E, Menon NG. Acellular dermisassisted breast reconstruction. Aesthetic Plast Surg. 2008; 32: 418-25.
23. Strock LL. Immediate two-stage breast reconstruction using a tissue expander and implant. In: Spear SL editors. Surgery of the breast 3rd ed, vol. 1. Philadelphia : Lippincott Williams & Wilkins, 2011; 388-405.
24. Stump A, Holton LH 3rd, Connor J, Harper JR, Slezak S, Silverman RP. The use of acellular dermal matrix to prevent capsule formation around implants in a primate model. Plast Reconstr Surg. 2009; 124: 82-91.
25. Topol BM, Dalton EF, Ponn T, Campbell CJ. Immediate single-stage breast reconstruction using implants and human acellular dermal tissue matrix with adjustment of the lower pole of the breast to reduce unwanted lift. Ann Plast Surg. 2008; 61: 494-9.
26. Vardanian AJ, Clayton JL, Roostaeian J, Shirvanian V, Da Lio A, Lipa JE, Crisera C, Festekjian JH. Comparison of implant-based immediate breast reconstruction with and without acellular dermal matrix. Plast Reconstr Surg. 2011; 128: 403e-10e.
27. Woerdeman LA, Hage JJ, Smeulders MJ, Rutgers EJ, van der Horst CM. Skin-sparing mastectomy and immediate reconstruction by use of implants: an assessment of risk factors for complications and cancer control in 120 patients. Plast Reconstr Surg 2006; 118: 321-30.
28. Zienowicz RJ, Karacaoglu E. Implant-based breast reconstruction with allograft. Plast Reconstr Surg. 2007; 120: 373-81.

Aesthetic breast reconstruction »

직접 보형물 삽입 유방재건

Direct-to-implant Breast Reconstruction

| 이준호 |

보형물을 이용한 유방재건술은 추가적인 흉터를 남기지 않고 빠른 회복이 가능하기 때문에 많은 환자들로부터 유방절제술 후 즉시유방재건술의 방법으로 선택되고 있다. 보형물을 이용한 유방재건술은 꾸준히 증가하는 추세를 보이고 있으며 미국의 통계에 의하면 2002년부터 자가조직을 이용한 유방재건율을 앞지르기 시작해 2012년도에는 전체 유방재건술의 80%를 차지하였다.

보형물을 이용한 유방재건술은 확장기를 먼저 삽입하여 조직을 확장시킨 후 2차수술에서 영구적인 보형물로 교체해주는 2단계 수술법(2-stage implant-based breast reconstruction)이 표준이지만 유방절제술 후에 확장기를 삽입하지 않고 바로 보형물을 삽입하는 1단계 수술법(1-stage implant-based breast reconstruction)도 점차 늘고 있다.

1단계 수술법은 유방재건술의 과정을 단순화 시켜 유방재건을 완성시키는 시간과 비용을 감소시키고 수술횟수를 줄이면서 이에 관계된 이환율도 줄일수 있다. 또한 환자의 빠른 직장 및 일상생활로의 복귀를 가능하게 해준다는 장점이 있다.

이러한 1단계 수술법은 확장기를 거치지 않고 유방절제술 후 곧바로 보형물을 삽입한다고하여 direct-to-implant (DTI) 유방재건술이라고도 한다.

1. 역사

DTI 유방재건술은 유방보형물이 개발되어 사용된 1962년부터 사용되던 방법이었지만 높은 합병증 발생율과 좋지않은 미용적인 결과로 한동안 외면당하다시피 한 수술방법이었다. ADM (acellular dermal matrix)을 유방재건에 사용하기전에는 보형물의 일부만 대흉근으로 덮어주고 나머지는 피하층내에 그대로 노출시키는 방법(partial muscular coverage technique)이나 대흉근(pectoralis major), 전방거근(serratus anterior), 복직근(rectus abdoniminis muscle)으로 보형물을 완전히 덮어주는 방법(complete muscular coverage technique)을 사용하여 DTI 유방재건을 시행하였다.

Partial muscular coverage technique을 시행하면 유방절제술 후 남은 피부피판이 보형물의 하중을 지탱하게 되는데 이로 인한 스트레스로 피판의 괴사, 창상열개(wound dehiscence), 피막구축, 보형물이 아래쪽으로 이동하는 현상(bottoming-out) 등의 합병증으로 이

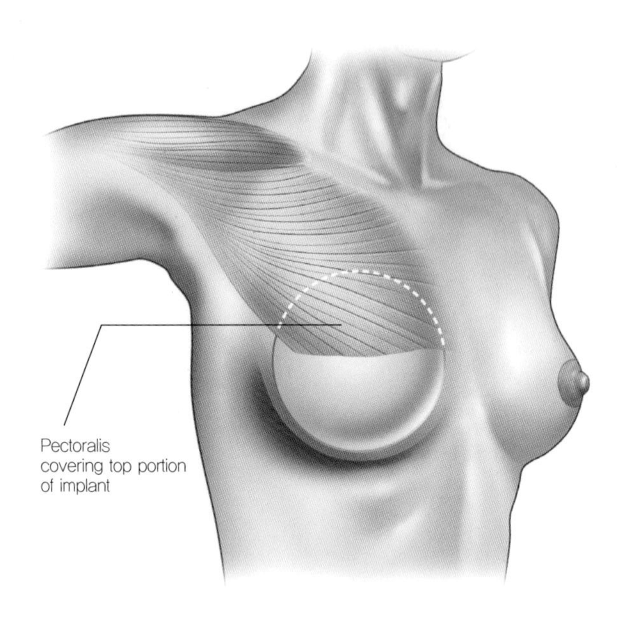

그림1 Partial muscular coverage technique

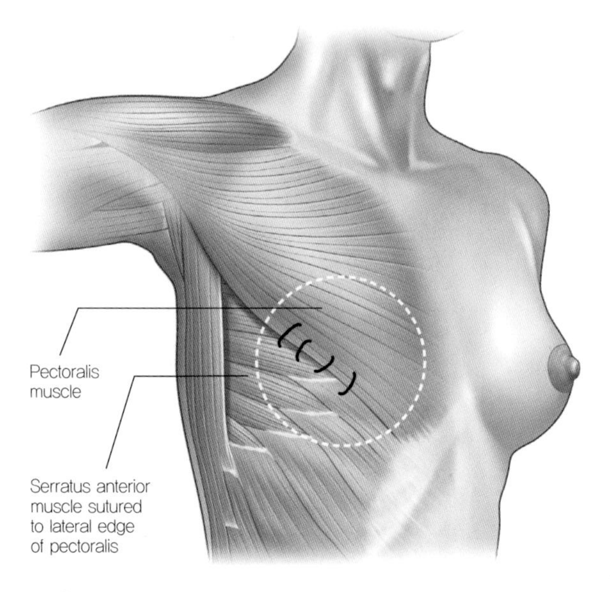

그림 2 Complete muscular coverage technique

어지는 경우가 많다**(그림 1)**.

Complete muscular coverage technique의 경우 보형물이 근육층에 완전하게 덮히게 되어 보형물의 돌출이 제대로 유지되지 못하고, 유방하주름도 둔탁해진다는 단점이 있으며 근육의 수축으로 보형물이 위쪽으로 이동(high riding implant)하는 경우도 발생한다**(그림 2)**.

하지만 ADM이 개발되고 유방재건술에 사용되면서 대흉근으로 보형물의 내측과 상부를 덮고 나머지 아래쪽과 바깥쪽은 ADM으로 해먹처럼 덮어주는 방법(inferior sling technique)을 사용함으로써 보형물이 정확한 위치에 자리잡을 수 있게되었고 유방하부 피부피판의 물리적인 부담을 줄여주어 피판의 괴사 및 구형구축을 감소시키데 도움이 되었다. 그외에도 미용적인 개선, 술후 통증감소, 수술시간의 단축등 여러가지 장점들도 가져왔다.

현재 무세포동종진피(acellular dermal matrix)는 다양하게 개발이 되고 있고 그 재료도 사체(human)뿐만 아니라 돼지(porcine), 소태아(fetal bovine)로 다양해졌으며 최근에는 vicryl, silk로 만들어진 제품까지도 개발되고있다.

최근 많은 논문에서 DTI 유방재건술의 증가를 언급하고 있으며 그 적응증을 늘려가고 있다.

2. 적응증

DTI의 적응증이 되는 환자는 기본적으로 피부보존술식 유방절제술(skin sparing mastectomy) 후 즉시 유방재건술을 받으려는 환자이며 수술전 충분한 면담을 통해 만약 유방절제술 후 피부피판의 상태가 좋지 않으면 확장기를 사용한 2단계 수술을 할 수 있다는 것과 수술시 ADM을 사용한다는 사실에 모두 동의하여야 한다. 이상적인 대상자는 가슴이 크지 않으며 (small to moderate breast size) 유방하수가 없고 유방절제술후 피부상태가 좋은 환자이다. 양측성 유방재건술환자에서 보다 좋은 미용적 결과를 기대 할 수 있다.

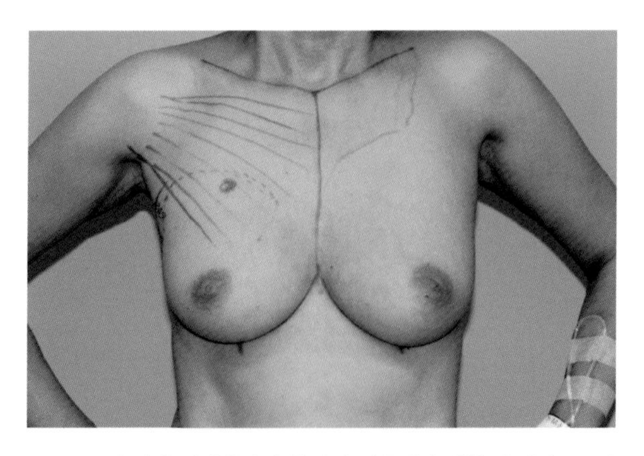

그림 3 술전에 선자세에서 흉벽의 정중선과 양측 유방하주름선 그리고 이선과 만나는 가슴의 중앙선을 표시한다.

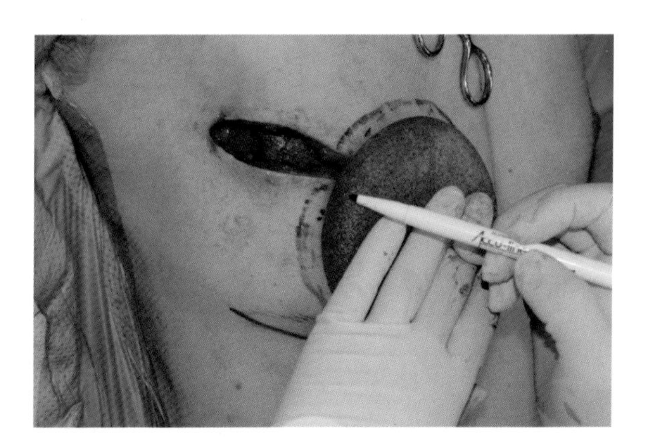

그림 4 선택한 보형물을 이용하여 가슴에 박리할 포켓의 범위를 표시한다.

3. 수술방법

수술전 환자가 선 자세에서 중요한 기준점을 미리 표시한다. 먼저 흉골절흔(sternal notch)과 검상돌기(xyphoid process)를 이어 가슴의 정중선을 표시한 뒤 양측유방의 유방하주름선을 표시한다. 그리고 유두에서 수직으로 내려와 유방하주름과 만나는 선을 표시해줘 가슴의 중앙을 표시해준다. 흉골절흔 및 흉벽에서 유두까지의 거리, 유방의 돌출정도, 폭을 측정해두면 보형물의 선택 및 삽입위치 그리고 유두유륜복합체의 위치를 정하는데 도움이 될수 있다(**그림 3**).

수술절개부는 유방외과팀에서 결정을 하며, 유방외과팀에 의해 피부보존식 유방절제술이 이루어 진후 성형외과팀이 들어가 수술영역을 재소독한다. 절제된 유방조직의 무게와 부피를 측정하면 보형물의 크기를 결정할 때 도움이 된다. 절제된 유방조직의 부피를 측정하는 방법은 여러가지가 있지만 아르키메데스의 원리를 이용하여 실제적인 절제편의 부피를 물이 가득찬 용기에 넣어 넘친 물의 양으로 부피를 측정하는 방법이 가장 정확하다. 절제편의 부피, 환자의 유방모양, 반대측과의 대칭성을 고려하여 가장 적절하다고 생각되는 보형물 sizer를 삽입하여 본다. 이후 수술대를 세워 환자를 앉힌 자세로 하여 sizer를 삽입한 유방의 보형물의 볼륨, 돌출정도(projection), 너비, 높이를 반대측과 비교하여 환자에게 가장 적절하다고 생각되는 볼륨, profile의 보형물을 선택한다. 물방울모양 보형물을 사용하는 경우 보형물의 돌아감(malrotation)을 예방하기 위해 보형물의 밑바닥(base)에 맞춰 포켓을 박리하여야 하는데 이를 위해 선택한 보형물을 이용하여 환자의 흉벽에 보형물의 바닥면을 따라 디자인을 시행한다. 이때 보형물의 방향표시점(orientation marks)이 유두 혹은 술전표시한 가슴중앙선에 맞게 위치시켜주고 보형물의 아래쪽 경계가 유방하주름에 놓이도록 위치시켜준다(**그림 4**).

이렇게 유방절재술후 재건술의 준비가 완료되면 대흉근의 외측경계부에서부터 박리를 시작한다. 이때 근이완제를 투여하면 좀 더 용이하다. 대흉근과 소흉근 사이를 박리하여야 하며 잘못들어가서 소흉근 아래로 박리를 진행하게 되면 출혈이 많고 박리가 어려워 질수 있다. 만약 구분이 어렵다면 대흉근의 외측경계부에서 포셉으로 근육을 조금 잡고 위쪽으로 들어보면 성긴조직층(loose areolr layer)이 층이 보이는데 이리로

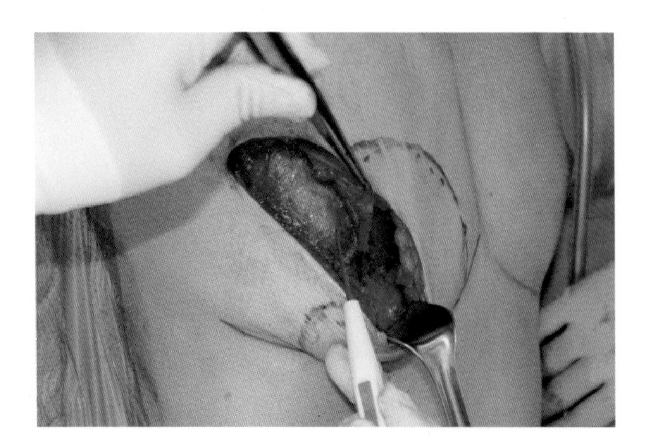

그림 5 대흉근의 아래쪽으로 포켓박리를 시작한다.

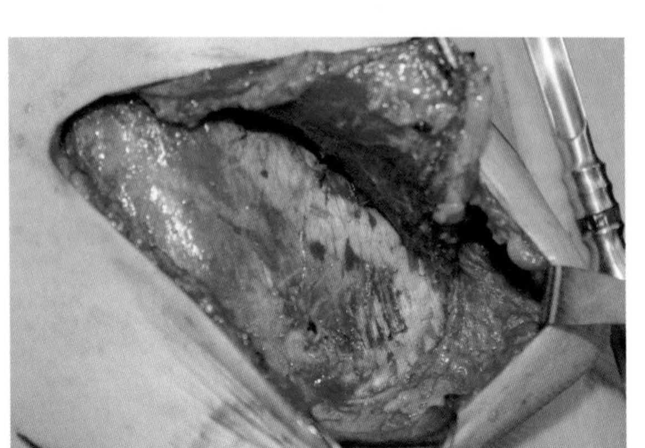
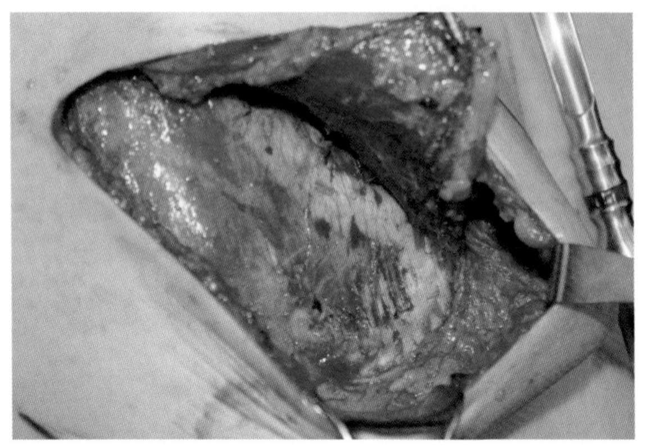

그림 6 대흉근의 아래쪽 경계부에서 4시(우측) 방향부터 외측끝까지 분리하여준다

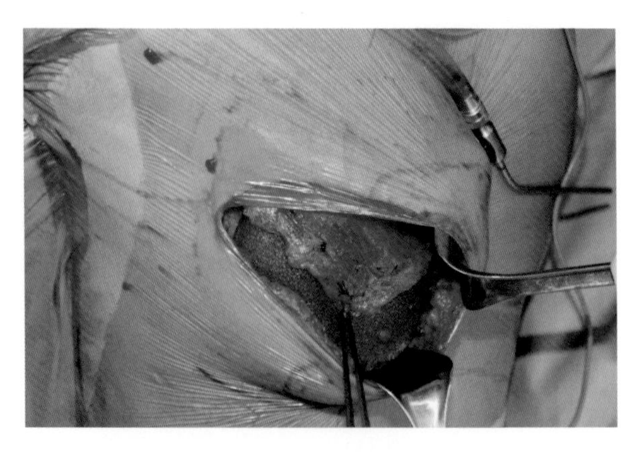

그림 7 보형물 삽입 후 근육으로 상부를 덮어 준다.

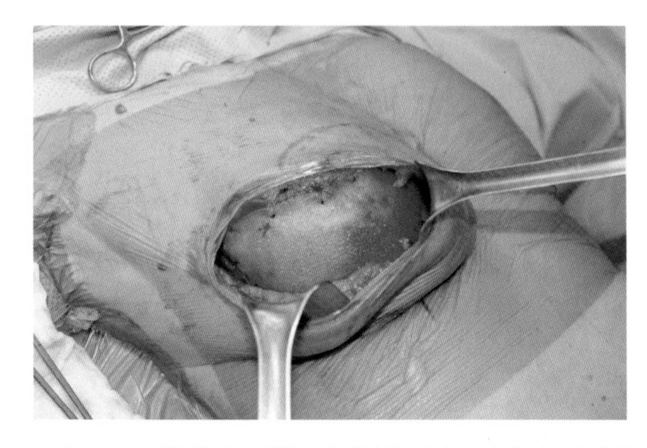

그림 8 ADM을 위로는 대흉근의 아래쪽 경계부, 아래로는 유방하주름의 흉벽이나 Scarpa's fascia에 봉합을 해준다.

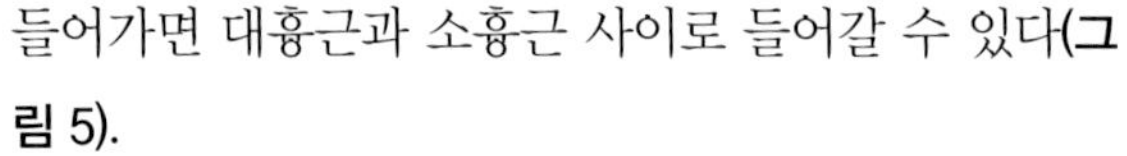

들어가면 대흉근과 소흉근 사이로 들어갈 수 있다(**그림 5**).

디자인을 따라 외측에서 내측으로, 위쪽에서 아래쪽으로 박리하여 준다. 박리가 모두 이루어지고 나면 4시(우측) 혹은 8시(좌측) 방향부터 외측끝까지 대흉근을 분리하여준다(**그림 6**).

보형물이 들어갈 포켓이 완성이 되면 먼저 식염수로 세척을 하여 포켓내에 조직찌꺼기 및 혈전이 남지 않게 깨끗이 씻어주고 항생제(gentamicin, cefazolin)와 povidone-iodine이 혼합된 용액으로 한번 더 세척하여 준다. 용액으로 유방포켓을 세척한후 유두유륜을 포함한 가슴피부를 povidone-iodine으로 다시 소독하여 준다. Ioban®(3M, US)으로 다시 수술부위를 덮어준 후 보형물을 삽입할 창을 낸 뒤 삽입하고 근육으로 보형물 상부를 덮어준다. 나머지 부위는 준비한 ADM으로 덮어준뒤 봉합한다(**그림 7**).

ADM은 내측에서부터 봉합을 시작해서 대흉근의 아래쪽 경계부를 따라 봉합하여 준 뒤 다시 ADM의 아래쪽을 유방하주름의 흉벽이나 Scarpa's fascia에 봉합을 해준다(**그림 8**).

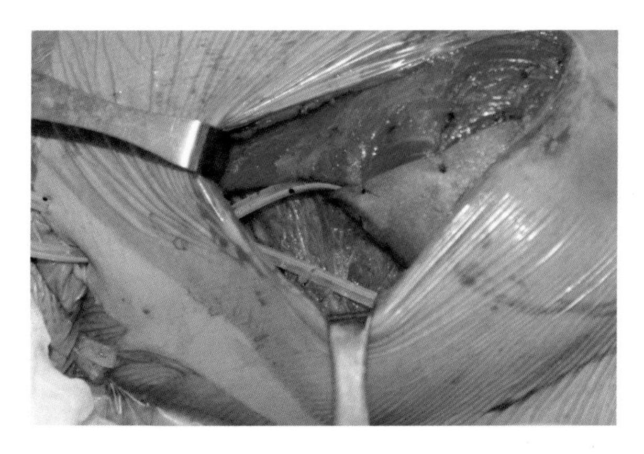

그림 9 배액관은 ADM 위층과 아래층으로 각각 한개씩 삽입한다.

배액관은 ADM의 위측과 아래층에 하나씩 삽입해 준다. 배액관은 배액량이 20 cc 이하로 이틀 연달아 배액되는 경우 제거하는데 보통 ADM 위쪽은 1주일, 아래쪽은 2주 정도에 제거된다**(그림 9)**.

ADM이 모자라는 경우에는 전방거근의 근육이 근막을 박리하여 보형물의 외측을 덮어줄수 있으며 아래쪽 피부피판의 지방층에 ADM을 봉합하거나 ADM에 절개(slit incision)를 가하여 확장시키는 방법도 사용할 수 있다.

흔히 유두보존술식 유방절제술 후 DTI로 유방을 재건하게 되면 유두유륜복합체가 위쪽으로 당겨져 올라가게 되는데 이런 현상을 줄이기 위해 위쪽 피부피판을 아래쪽으로 당겨서 봉합해주면 유두유륜복합체의 높이 차이를 줄여 줄 수 있다. 이외에도 유방하부에 조직을 조금더 모을수 있어 좀더 자연스러운 유방모양을 얻을 수 있으며, 봉합선의 긴장을 줄여 봉합선상의 조직괴사를 줄일수 있으며, 오메가 절개의 경우 유륜모양을 둥글게 유지시킬수 있는 장점도 있다**(그림 10)**.

수술 후 배액관 제거 후 팔운동을 시작하도록 하고 수술후 약 8주까지는 과격한 운동은 피하도록 교육한다.

4. 결과

2013년 Davila 등의 연구에서 2-stage와 1-stage 유방보형물을 이용한 비교연구 결과를 보면 두가지 모두

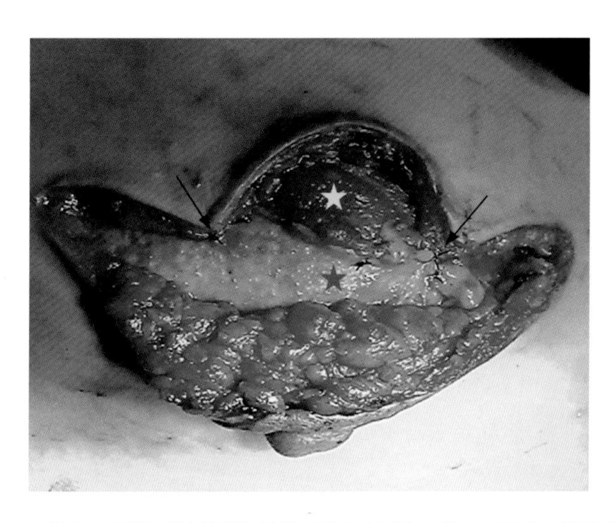

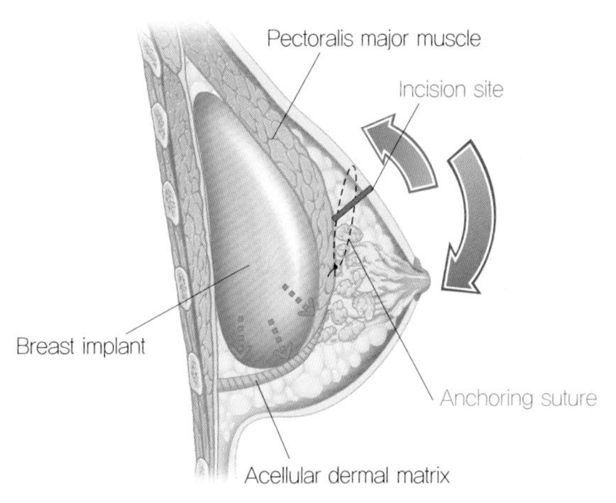

그림 10 위쪽 피부피판을 아래로 당겨서 근육이나 ADM층에 고정시켜주면 유두유륜복합체가 위로 당겨져 올라가는 현상을 최소화 할수 있다. (검정 가는 실선 화살표: 봉합사 고정부위, 노란별표: 대흉근, 빨간별표: ADM, 초록색 실선화살표: 위쪽피부피판을 고정하지 않았을 때 피부구축으로 인한 유두유륜복합체의 이동방향, 빨간색 굵은 실선화살표: 위쪽피부피판을 고정 후 유두유륜복합체의 이동방향)

상당히 낮은 이환율을 보였지만, 전체적인 합병증 발생율이 1-stage(6.8%)가 2-stage (5.4%) 유방재건술에 비해 다소 높았고 특히 보형물 삽입술의 실패(implant failure)가 DTI 유방재건에서 1.4%로 2 stage 유방재건술의 0.8%에 비해 높게 나왔다. 그외 감염, 재수술률, 주된합병증에서는 차이가 없는 것으로 조사되었다.

2015년 Colwell의 연구에 따르면 Breast-Q를 이용한 환자들의 만족도 또한 1-stage와 2-stage에서 비슷하게 보고되었다. 이상의 보고처럼 2-stage와 비교하여 대등하다고는 할 수 없겠지만 과거에 비해 그 결과가 많이 개선되었음을 알 수 있다.

5. 합병증

1) 감염

감염은 보형물이 들어가는 모든 수술에서 공통적으로 가장 민감하게 생각해야 할 합병증이다. 연구에 따라 발병률이 1-35%까지 보고되고 있다. 예방을 위해서 술전후 예방적 항생제 사용 및 무균적 시술이 필요하다. 증상으로는 국소적인 열감, 통증, 부종, 발적이 동반된다. 치료를 위해서는 먼저 연조직염(cellulitis)과 보형물공간의 감염(implant space infection)의 감별이 중요하다. 연조직염의 경우 치료로 먼저 경구용항생제 치료를 시도하고 효과가 없는 경우 정맥주사용 항생제를 사용한다. 만약 보형물공간의 감염이 의심이 되면 수술실에서 보형물을 빼고 배농 제거 및 세척후 감염이 의심되는 ADM도 제거하고 새로운 보형물로 교체하여 배액관 삽입후 정맥주사 항생제를 사용한다. 항암치료를 받는 환자의 경우 항암치료에 의한 중성구 감소증(chemotherapy induced neutropenia)의 동반 여부도 확인하여 절대호중구 개수(absolute neutrophil count)가 500/mm^3 이하인 경우 과립구 집락자극 인자(granulocyte colony-stimulation gactor, G-CSF)도 투여하여야 한다.

Red Breast Syndrome: 유방전체 혹은 ADM이 놓여진 부위 위쪽 피부 전체에 감염은 아니면서 염증에 의한 홍반(erythema)을 보이는 경우이다. 발병율과 원인은 명확하게 알려진바 없으나 ADM에 사용된 보존액으로 의한 것으로 의심이 되고 있다. 임상적으로 감염과 감별이 어려울수 있는데 감별방법으로는 red breast syndrome은 백혈구 증가가 없으며, 홍반 이외에 감염 증상은 없으며, 발적 부위를 손가락으로 눌렀다 떼었을때 혈색이 돌아오는 속도가 감염보다 느리다. 예방으로는 보존액에 담겨진 ADM(예: Alloderm ready to use®, CGCryoderm®, Dermacell®)의 경우 보존액이 완전히 씻겨가게 여러번 세척해서 사용한다. 치료는 별다른 치료가 필요없이 저절로 호전되나 항소염제가 도움이 될 수 있고 감염과 감별이 어렵기 때문에 예방적 항생제 치료를 하기도 한다.

2) 피부괴사

피부괴사는 0-21%의 빈도로 보고 되며 과거 DTI 유방재건의 가장 큰 걸림돌이었다. 하지만 ADM의 사용으로 유방절제술 후 피부피판의 부하를 덜어줌으로 그 빈도를 줄일 수 있었다. “A good reconstruction always starts with a good mastectomy’란 말과 가장 직접적인 관련이 있는 합병증이다. 피부보존술식 유방절제술에서 피부괴사의 발병율이 10%를 넘어간다면 DTI 유방재건보다 2-stage 유방재건을 하는 것이 좋은 예방법이 될 수있다. 치료는 괴사(necrosis)의 정도에 따라 다른데 부분층괴사의 경우는 보존적 치료로 치유시킬 수 있다. 전층괴사의 경우 그 폭이 좁고 피부를 당겨서 봉합하여 상처를 닫을 수 있다면 절제후 봉합해주고 그 부위가 넓다면 절제후 원래 사이즈보다 작은 사이즈의 보형물이나 확장기를 삽입하는 방법으로 전환해

준다. 수술중 명백한 괴사가 발생할 것으로 예상된다면 2-stage 유방재건으로 전환하여야 한다.

3) 장액종(seroma)

장액종은 오히려 ADM의 사용으로 그 빈도가 늘어난 합병증이다. 예방을 위해 보형물 삽입전 포켓을 깨끗이 세척하여 조직의 찌꺼기를 완전히 씻어내고, ADM의 상하가 뒤집히지 않도록 조심하여야 하며, ADM에 절개창을 내어 배액을 도울수도 있다. 배액이 너무 오래지속되면 배액양이 20 cc 이하로 줄지 않더라도 배액관 제거 후 경과를 지켜볼 수 있으며 장액종의 발생이 의심되면 초음파로 그 양을 확인하고 초음파 가이드 하에 뽑아내야 한다.

참·고·문·헌

1. Albornoz CR, Bach PB, Mehrara BJ, Disa JJ, Pusic AL, McCarthy CM, Cordeiro PG, Matros E. A paradigm shift in U.S. Breast reconstruction: increasing implant. Plast Reconstr Surg. 2013 Jan;131(1):15-23.
2. American Society of Plastic Surgeons. 2011 Reconstructive Demographics. 2012
3. Cheng A, Saint-Cyr M. Comparison of Different ADM Materials in Breast Surgery. Clinics in Plastic Surgery, 39(2), 167–175.
4. Colwell, AS. Current strategies with 1-stage prosthetic breast reconstruction. Gland Surg. 2015 Apr;4(2):111-5.
5. Davila AA, Mioton LM, Chow G, Wang E, Merkow RP, Bilimoria KY, Fine N, Kim JY. Immediate two-stage tissue expander breast reconstruction compared with one-stage permanent implant breast reconstruction: A multi-institutional comparison of short-term complications. J Plast Surg Hand Surg. 2013 Oct;47(5):344-9.
6. De Vita R, Buccheri EM, Pozzi M, Zoccali G. Direct to implant breast reconstruction by using SERI®, preliminary report. J Exp Clin Cancer Res. 2014 Nov 25;33:78.
7. Haynes DF, Kreithen JC. Vicryl mesh in expander/implant breast reconstruction: long-term follow-up in 38 patients.. Plastic and Reconstructive Surgery, 134(5), 892–899.
8. Lee JH, Hur SW, Kim YH, Kim TG, Lee SJ, Kang SH, Choi JE. Simple anchoring suture to minimise asymmetric nipple-areola complex (NAC) in immediate unilateral breast reconstruction with implant. Journal of Plastic, Reconstructive & Aesthetic Surgery. 2015 68(2):273-275.
9. Martin L, O'Donoghue JM, Horgan K, Thrush S, Johnson R, Gandhi A; Association of Breast Surgery and the British Association of Plastic, Reconstructive and Aesthetic Surgeons. Acellular dermal matrix (ADM) assisted breast reconstruction procedures: joint guidelines from the Association of Breast Surgery and the British Association of Plastic, Reconstructive and Aesthetic Surgeons. Eur J Surg Oncol. 2013 May;39(5):425-9.
10. Salzberg CA. Direct-to-Implant Breast Reconstruction. Clinics in Plastic Surgery, 39(2), 119–126.
11. Wink JD, Fischer JP, Nelson JA, Serletti JM, Wu LC. Direct-to-implant breast reconstruction: An analysis of 1612 cases from the ACS-NSQIP surgical outcomes database. J Plast Surg Hand Surg. 2014 Dec;48(6):375-81.

광배근 피판

Latissimus Dorsi Flap

| 유대현 |

유방재건에 있어서 LD flap은 매우 유용한 flap이다. LD flap은 근육전체와 피부피판을 함께 붙여 사용할 수도 있고(full-muscle myocutaneous), 근육의 일부와 피부피판을 붙여 사용할 수도 있으며(split-muscle myocutaneous), 근육만을 이용하여(muscle-only) 피판을 거상할 수 있다. 그러나 일반적인 LD flap은 중중도 크기의 유방을 재건하기엔 그 볼륨이 적으므로 보다 많은 volume을 확보하기 위해 등의 deep fat (scarpa's fascia 아래의 피하 지방층)을 광배근에 붙여 거상하는 extended LD flap (eLD flap)이 많이 사용되기도 한다. 그러나 이 술식은 등 부위의 함몰과 많은 반흔을 남긴다는 단점이 있어 LD flap 과 보형물을 함께 사용하거나 혹은 지방이식을 동시에 추가로 시행하여 재건하는 방법이 선호 되기도 한다. eLD flap을 이용한 재건은 다음 챕터에서 별도로 소개할 것이므로 이번 챕터에서는 언급하지 않도록 하겠다. 앞서 언급했다시피 광배근을 이용한 유방의 재건은 연조직을 얻는 양에 한계가 있기에 반대측 유방과의 대칭을 맞추기 위해 조직확장기나 보형물을 함께 쓸 수 밖에 없는 경우가 왕왕 발생한다. 피부의 여유가 충분하다면 바로 보형물을 넣어 반대측 유방과의 대칭을 맞출 수 있지만, 수술 시 발생한 부기(swelling)로 인해 정확히 대칭을 맞추기 어렵다는 점과, 피부나 근육이 조금 모자를 경우 수술 후 발생한 부기로 인해 혈액의 순환이 원활히 되지 못할 수 있다는 단점이 있다. 물론 서구인들에 비해 유방이 상대적으로 작은 편인 우리나라 환자들의 경우 이러한 케이스가 흔히 발생하지는 않지만, 대칭을 맞추기 위해 보형물이 삽입이 필요하나 피부 피판이 모자를 경우에는 근육층에 지방을 이식할 수 있다. 그러나 가장 바람직한 것은 술 전 정확한 피부길이의 측정으로 필요한 양을 거상하는 것이다. 그러나 서양에서는 즉시 보형물을 넣기보다 조직확장기를 넣어 확장 후 보형물을 교체하는 술자도 있다. 조직확장기의 확장 방법은 보형물을 이용한 일반적인 유방재건과 마찬가지로 진행하면 되고, 보통 1차 수술 후 4-6개월 후 2차 수술을 진행하게 된다. 또는 환자가 동의하는 경우 반대측에 비해 작더라도 재건된 유방의 크기에 맞추어 추후 반대측 유방의 모양을 조절해 주는 것도 대칭을 맞춰 주는데 유용한 방법이라 할 수 있다.

1. LD flap의 적응증

유방재건을 원하는 모든 환자에게서 적용해볼 수

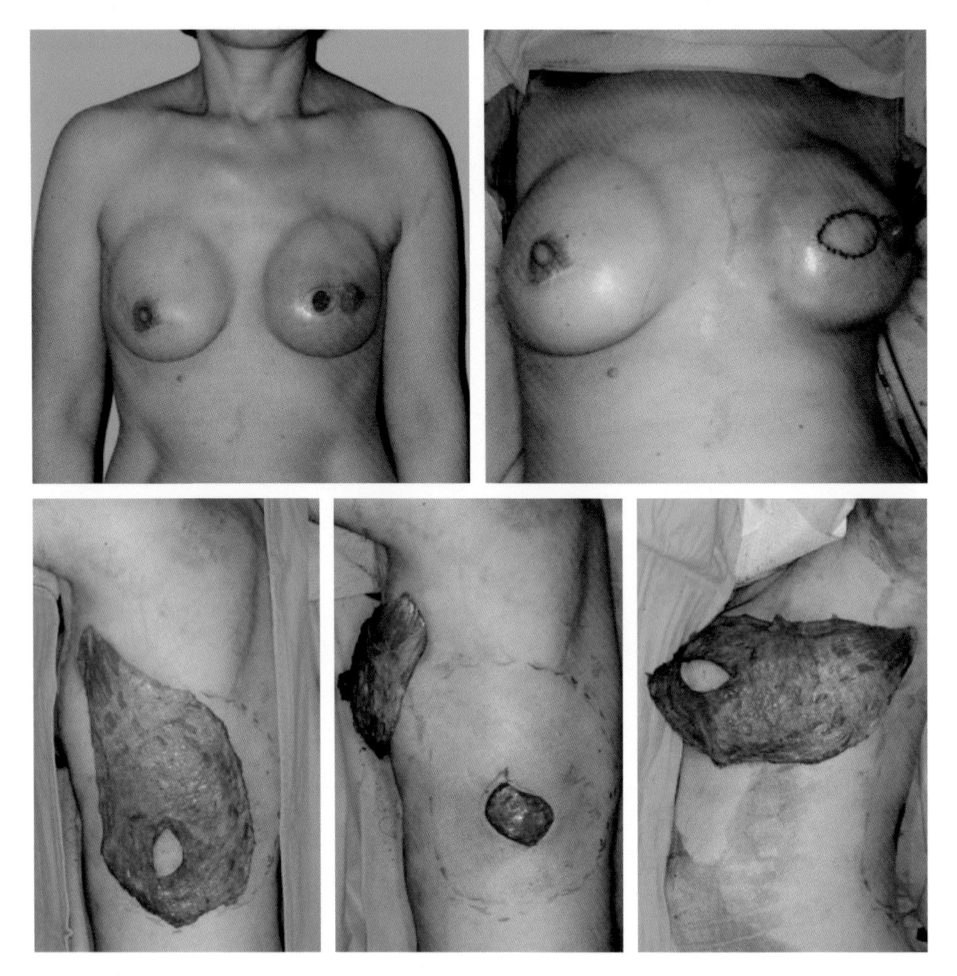

그림 1 nipple sparing total mastectomy 후 보형물을 이용한 재건을 시행 받았으며, 이후 반복되는 capsular contracture와 감염이 동반되었던 환자이다. 보형물이 노출된 인근 피부가 많이 얇아진 상태로 이 부분을 커버하기 위하여 피부피판을 포함해 LD myocutaneous flap을 거상하였다. Pedicle dissection을 위한 axilla의 약 5 cm incision과 skin paddle거상을 위한 incision만으로도 충분히 수술이 가능하다.

있다. 최근 TRAM이나 DIEP를 선호하는 술자가 많으나, 복부조직이 충분치 않거나 제왕 절개 등 임신과 출산 가능성이 있는 젊은 여성, 환자가 배에 흉터를 남기기 원하지 않는 경우, 과거 복부성형술이나 개방적 복부 수술력, 지방흡입술과 같은 수술력이 있는 경우 등 자가조직재건을 원하나 복부의 조직을 이용하기 어려울 경우 사용할 수 있다. 또한 마른 환자 혹은 피부 envelop이 너무 얇아서 보형물만 사용하였을 경우 모양이 부자연스럽거나 보형물의 노출이 우려될 경우 LD flap과 보형물을 함께 사용하여 미용적으로 우수한 효과를 나타낼 수도 있다. 특히 방사선 치료를 받았던 환자의 경우 LD flap의 피부 피판이 방사선 조사 후 손상된 피부를 대체하는 데에도 유용하게 사용될 수 있고, 보형물로 인해 피부가 얇아져 보형물이 노출된 경우 이를 해결하거나, 광배근이 보형물을 감싸줌으로써 구연구축이나 염증의 발생 위험성을 낮출 수도 있다(**그림 1**). 흡연자인 경우나 mastectomy skin flap의 괴사확률이 높은 경우에도 LD flap을 이용한 재건이 도움이 될 수 있으며, 유방 부분절제술로 인한 변형을 교정하는 데에도 유용히 사용될 수 있다.

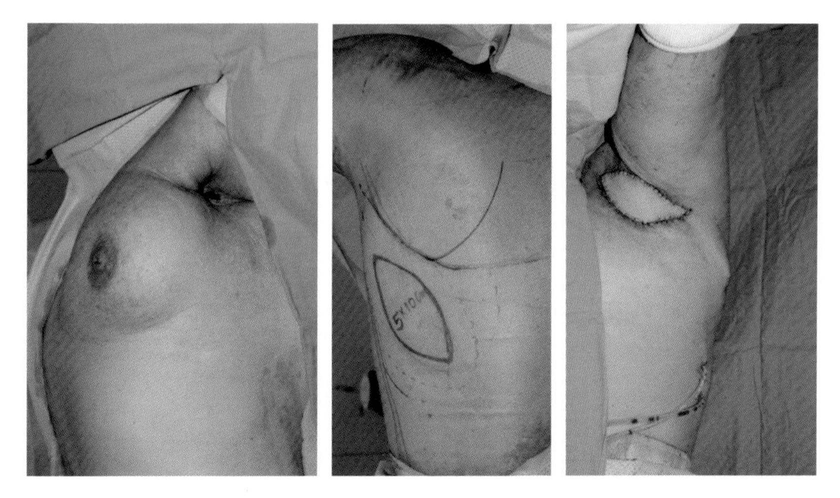

그림 2-1 좌측 유방암에 대한 절제술 및 방사선치료 시행 1년 후 발생한 액와부의 osteoradionecrosis에 대해 광배근 일부와 피부피판을 이용하여 coverage해 준 사례

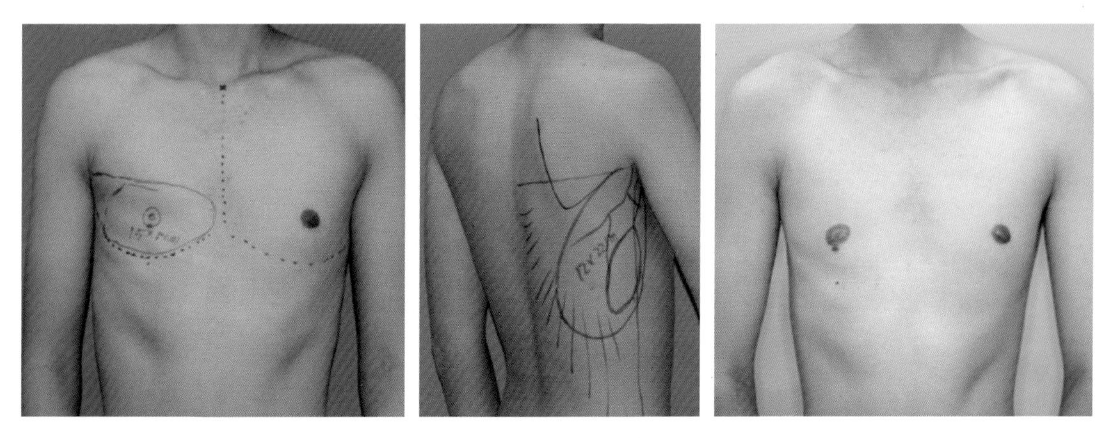

그림 2-2 Poland 증후군으로 인한 우측 흉곽의 변형을 LD muscle flap을 이용하여 호전시켜 준 사례. 액와 절개를 통하여 LD flap을 거상 대흉근을 대신 하여 삽입한다. 여성의 경우에도 보형물과 대흉근 피판을 동시에 사용함으로 보다 upper chest의 함몰을 교정하고 보다 우수한 질감을 얻는등 우수한 미용적 효과를 얻을 수 있다.

또한 흉곽이나 액와부의 osteoradionecrosis나 depression 대한 치료, 그리고 Poland syndrome에서 발생한 흉곽의 변형을 교정 하는데에도 유용하게 사용될 수 있다(**그림 2-1, 2, 3**).

LD flap과 보형물, 복부조직을 이용한 재건술의 장단점을 비교하면 (**표 1**)과 같다.

2. 수술방법

1) Conventional methods

고식적인 ld 피판술은 eLD와 수술방법에 있어 큰 차이가 없으나 eld와 달리 피판에 scarpa's fascia 하방의 지방층을 붙이지 않고 근막 박리하여 피판을 거상 한다

먼저 수술 전 환자가 서있는 상태에서 환자의 양팔

표 1 LD flap과 보형물, 복부조직을 이용한 재건술의 장단점을 비교

LD vs implant based reconstruction		LD vs abdominal flap based reconstruction	
장점	단점	장점	단점
• 마른환자에게서 더 나은 미용적 결과를 보인다. • 감염위험성 적다. • 구연구축이 적다. • 필요시 피부피판을 사용할 수 있다.	• 수술시간이 길다. • 회복기간이 길다. • 공여부의 흉터가 남는다.	• 미세수술이 필요 없다. • 회복이 빠르다. • 부분절제술시 재건에 유리하다. • 복부에 흉터가 남지않는다.	• 덜 자연스럽다. • 피부와 지방조직이 부족할 수 있다. • 부피의 부족분을 채우기 위해 보형물이 필요할 수 있다.

을 벌리게 하고, 이를 내리 눌러서 광배근의 tone을 확인하도록 한다. 그리고 다시 환자가 팔을 차렷 자세로 모으게 하여 광배근이 수축함을 확인하고, 근육의 anterior border를 확인하여 마킹해두도록 한다. 혹 팔을 모으는 동안 광배근이 수축하지 않거나 광배근의 tone이 떨어져있고, 환자가 이전에 겨드랑림프절생검술 등을 시행 받은 과거력이 있다면 thoracodorsal nerve가 손상되었을 가능성을 시사하고, 이때에는 인근의 pedicle도 손상되어있을 가능성이 존재하므로 수술 전 확인이 필요하다.

즉시재건술을 시행할 경우라면 mastectomy가 종료된 후, supine position에서 arm board를 이용해 팔을 벌리도록 자세를 취한 후 mastectomy를 시행한 절개창을 이용하여 LD의 anterior border를 확인하고 최대한 elevation 하고, Pedicle을 찾아 vessel loop으로 tagging 하여 둔다. 이후 축축한 laparotomy pad 한 장을 mastectomy site에 packing하고, ioban과 같은 aseptic한 vinyl drape으로 mastectomy site를 덮어주어 raw surface가 외부로 노출되지 않도록 한다. 그런 후에 환자를 lateral decubitus position으로 돌리도록 체위변경을 시행한다. 새로 drape을 시행한 후, scapula tip, posterior iliac crest, midline을 표시한 후 근육의 위치를 표시하도록 한다(**그림 3**). Elliptical 하게 피부 피판을 디자인하고, pinching해보아 일차봉합이 가능한지 확인하도록 한다. 외국교과서에서는 폭이 10 cm미만일 경우라면 tension이 크지 않다고 기술하고 있으나, 저자의 경험상 폭이 7 cm을 넘지 않도록 디자인 하여야 공여부의 일차봉합이 용이하다.

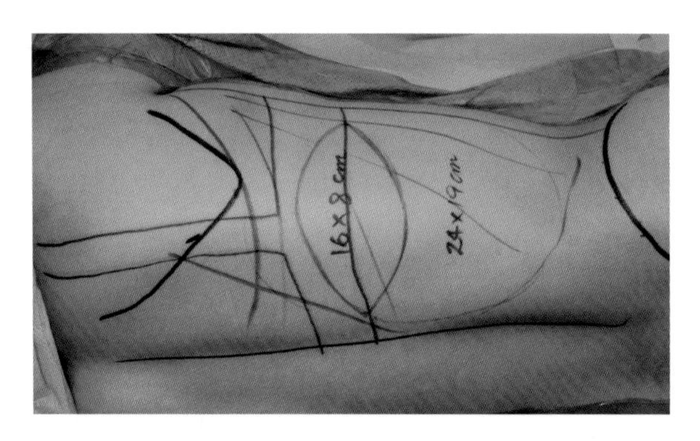

그림 3 brassier line안쪽으로 horizontal scar가 남을 수 있도록 한 디자인.

저자의 경우 주로 사진과 같이(**그림 3**) 수술 전 marking해두었던 brassier line 안쪽으로 horizontal scar가 남을 수 있도록 피부 피판을 디자인하나, 술자에 따라 그리고 defect의 위치에 따라 다양한 형태로 피부 피판을 디자인 할 수 있다. Skin towel이나 pad를 이용해 액와부를 pivot point로 두고 insetting할 곳과의 위치관계를 확인하며 디자인 하는 방법도 도움이 될 수 있으며, insetting시 피부 피판이 90-110°정도 회전 할 수 있음을 염두에 두어야 한다.

혹 피부 피판이 필요하지 않은 경우라면, posterior axillary line에 작은 incision을 넣고 내시경을 통해 근육

피판만을 거상할 수도 있다. 이에 대해서는 뒤에서 다시 설명하도록 한다.

디자인한 피부 피판에 incision을 넣은 후, 근육층까지 들어가 근막 상방에서 dissection을 시행하도록 한다. eLD의 경우에는 근육층까지 들어가지 않고, scarpa's fascia 아래층에서 dissection을 시행하나 standard LD의 경우 근막층에서 dissection을 시행한다.

LD의 근막층을 따라 표층의 dissection이 끝나면 LD의 anterior border를 찾아 serratus anterior와 external oblique m과 분리하며 LD의 심층부를 anterior 경계에서부터 dissection하여 근육을 chest wall에서 분리하도록 한다. 아래쪽(caudal)으로 갈수록 근육의 경계가 모호해지므로 위쪽(cephalic)에서부터 아래쪽으로 내려가는 방향으로 피판을 일으키는 것이 좋다. 이때 lumbar perforator들에서 출혈이 될 수 있으므로 이를 주의하여 ligation 혹은 coagulation 시키도록 한다. 심층부 dissection이 종료되면 inferior border에서부터 위쪽으로 진행하며(cephalad direction) 근육을 이는곳으로부터 분리하고, medial에서는 paraspinous fascia로부터 근육을 분리할 때 근막이 손상되지 않도록 주의하도록 한다. Superior portion에서는 trapezius와 teres major로부터 근육을 분리시키도록 하고, 액와부쪽으로 진행할 때에는 supine position에서 tagging해두었던 pedicle을 찾아 손상되지 않도록 유의하며 tension없이 자유롭게 mastectomy site로 피판이 이동할 수 있도록 한다. 혈관경은 주로 axillary line으로부터 8-10 cm 하방, 광배근의 anterior border로부터 2-3 cm 가쪽에서 근육으로 들어가게 되고, 보통 길이는 8-10 cm 가량이 된다. Serratus anterior로 분지하는 pedicle의 anterior branch는 피판의 arc of rotation에 영향을 주지 않는다면 보존하나 방해가 된다면 ligation 한다.

광배근의 닿는 곳까지 모두 끊어주어 광배근을 자유롭게 insetting 하는편이 수술 후 액와부의 bulging을 감소시킨다는 점에서도 도움이 되는데, 이 과정은 환자를 다시 supine position으로 돌린 후 진행할 수도 있다. 다만 닿는 곳까지 모두 끊어준 후에는 혈관경이 당겨지지 않도록 유의해야 한다. 피판이 충분히 거상되어 편안하게 mastectomy site로 전위되면, supine position에서 packing 해두었던 laparotomy pad를 제거한 후 피판을 mastectomy site로 옮긴다. 공여부에는 배액관을 삽입한 후 일차봉합 하도록 한다. 일차봉합 전 3곳 정도에서 quilting suture를 시행하면 수술 후 공여부의 장액종 발생확률을 감소시킬 수 있다. 공여부의 봉합이 끝나면 환자를 다시 supine position으로 돌리도록 하고, drape를 새로 시행한다.

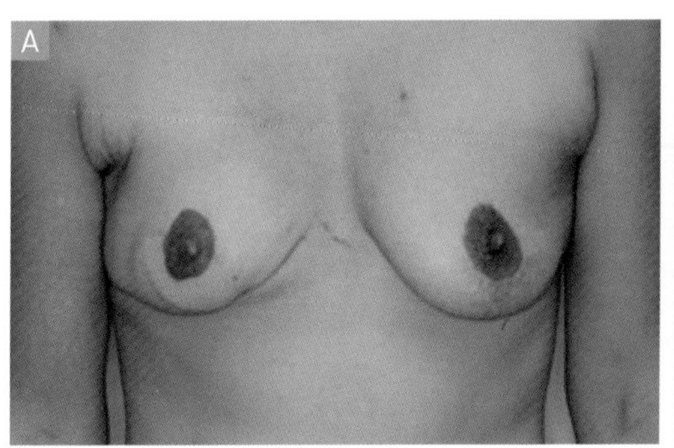

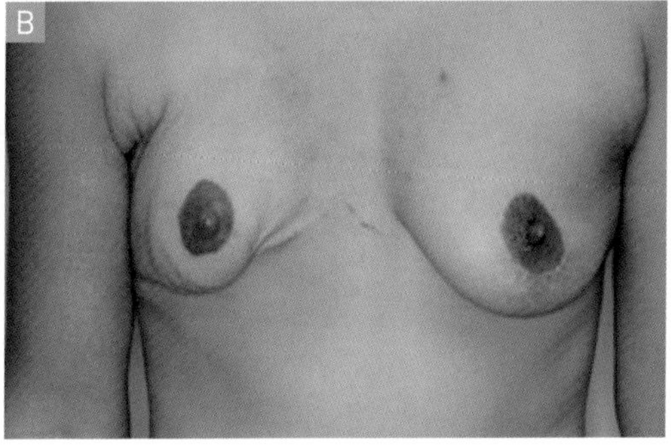

그림 4 우측 total mastectomy시행 후 LD myocutaneous flap으로 재건했던 case로 재건시thoracodorsal nerve transsection을 시행하지 않았다. 환자가 위팔이 힘을 줄 때마다 breast twitching이 발생하는 모습(B).

근육 피판과 피부 피판의 위치를 잡도록 하고, 혈관경이 당기지는 않는지 확인한 이후 tagging해두었던 vessel loop을 제거하도록 한다. Thoracodorsal nerve는 끊어주지 않더라도 근육이 위축되며 근육의 twitching이나 수축이 감소된다는 의견도 있고, 오히려 근육의 위축을 예방한다는 의견도 있지만, 저자의 경우 수술 후 발생하는 twitching과 위팔을 모으거나(adduction), 펴는(extension) 운동을 할 때에 전위된 광배근이 수축하는 것을 예방하고자 thoracodorsal nerve를 끊어주는 것을 선호한다(**그림 4**). 필요한 경우 유방하주름을 새로 잡아주도록 하고, 근육 피판의 상측과 내측을 흉곽에 고정한 후 필요하다면 보형물이나 조직확장기를 근육 속에 위치시켜(submuscular pocket) 반대측과의 균형을 맞추도록 하고, 재건된 유방의 가쪽 경계쪽 흉곽에 광배근을 고정하여 보형물이 등쪽으로 이동하지 못하도록 한다. 마지막으로 배액관을 삽입한 후 피부피판을 봉합하여 수술을 마치도록 한다.

2) 내시경 혹은 로봇을 이용한 LD muscle flap 거상

수술 전 환자가 서있는 상태에서 axilla의 hairline하방의 주름선을 통한 curvilinear axillary line을 디자인하도록 한다. 외과수술이 종료된 후 환자를 환측이 위쪽으로 향하도록 측와위로 체위변경을 시행한 후, 수술 중 환측 팔을 움직이며 시야를 확보할 수 있도록 환측 팔을 포함하여 drap을 하도록 한다. 술자는 환자의 가슴쪽에, 보조의는 환자의 등쪽에 서서 수술을 시행하는 것이 용이하다.

Axillary incision site와 광배근 주위의 피하조직에 약 500-1000 cc의 tumescent fluid를 주입하면 국소지혈작용 및 atraumatic하게 plane을 잡아 dissection을 하는 데에 도움이 되나 반드시 필요한 과정은 아니다. Tumescent 주입 후 epinephrine의 효과가 퍼질때까지 기다리는 동안, 유방쪽의 incision site를 통하여 필요한 조직의 양을 가늠해보도록 한다. 혹 많은 양의 조직이 필요한 경우 광배근 표층의 sub-Scarpa's fatty tissue도 피판에 포함시키도록 한다.

Mastectomy site를 통하여 axilla까지 tunnel을 만들어 flap이 통과할 수 있는 공간을 확보하도록 하고, 미리 디자인해두었던 겨드랑의 주름선을 따라 curvilinear incision을 넣도록 한다. Spear의 저서에는 약 9 cm의 axillary incision으로 수술을 진행한다고 하나, 겨드랑림프절 생검술을 시행하여 incision이 있는 경우나, mastectomy incision을 연장하여 사용할 수도 있다. 특히 mastectomy incision이 충분히 길고 lateral에 위치한 경우에는 추가로 겨드랑에 절개창을 넣지 않고 Pediatric Omni-tract retractors와 curvilinear retractor를 mastectomy site에 장착해 시야를 확보하고 trocar를 넣기 위한 작은 incision만을 추가하여 수술을 진행할 수 있다. 또한 다른 방법으로는 axillary fossa 3 cm 하방에서부터 posterior axillary line을 따라 약 6 cm의 incision을 넣고, 추가로 광배근의 anteroinferior border에 trochar incision을 추가하여 수술을 진행할 수도 있다. 이때에는 육안으로 dissection이 종료된 후 내시경을 사용하기 시작하였을 때 incision site를 최대한 닫아주고 CO_2 inflation을 하여 시야를 확보하고 수술을 진행한다(**그림 5**).

Dissection을 시작할 때 광배근의 lateral edge를 따라 위치하는 혈관경을 먼저 찾도록 한다. 혈관경을 확인한 후에는 serratus anterior로 가는 branch를 찾아 ligation해야 광배근의 mobilization이 쉽다. 겨드랑의 incision이 높을 경우 thoracodorsal pedicle을 serratus branch로 착각하는 경우도 발생할 수 있으므로 이를 주의하도록 한다.

혈관경을 확인한 후에는 monopolar electrocautery를 이용해 광배근의 심층을 dissection한다. 이때 scapula level에서는 plane을 벗어나 자칫 깊게 파고들 수

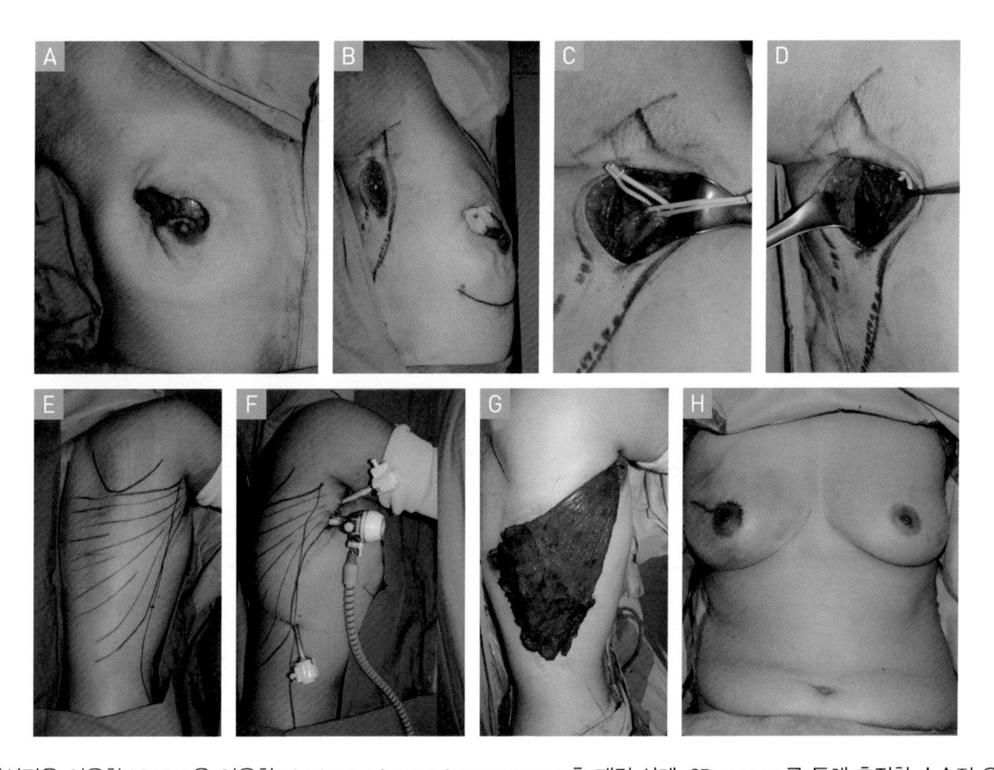

그림 5 내시경을 이용한 LD flap을 이용한 nipple sparing total mastectomy 후 재건 사례. 3D camera를 통해 측정한 수술전 우측 유방의 부피는 355 cc 였던 환자로, 액와부하방 약 6 cm incision을 통하여 pedicle을 찾고, 광배근의 anterior border를 박리한 후(C, D). 내시경을 이용해 근육피판을 거상하였다(F, G). 좌우 대칭을 맞추기 위하여 180 cc anatomical form stable gel mammary implant도 추가로 삽입해 준 후 수술을 종료하였다(H).

도 있으므로 손을 넣어 plane을 확인하며 dissection을 시행하도록 한다. 어느 정도 dissection을 시행하였다면 내시경이 장착된 retractor와 endoscopic monopolar dissector를 이용해 dissection을 진행하도록 한다. Lumbar perforator들도 내시경하에서 확인 가능하므로 clip이나 electrocautery를 이용해 지혈해가며 수술을 시행한다. Tumescent fluid때문에 터진 perforator들에서 당장 출혈이 되지 않을 수 있으므로 수술종료 전 반드시 출혈여부를 확인해야 한다. 광배근 심층의 dissection이 끝나면 endoscopic scissor나 harmonic endoscopic scalpel을 이용해 광배근의 anterior, posterior border를 끊어주도록 하고 광배근 표층의 dissection을 시행하도록 한다. 표층의 dissection도 심층과 마찬가지로 일단 최대한 육안으로 확인하며 dissection을 진행하고, 어느 정도 진행 후 내시경을 이용해 dissection하면 된다. 재건 시 부피가 많이 필요하다면 scarpa's fascia하부의 지방층을 붙여서 dissection하도록 하고, 광배근만으로도 충분할 것으로 예상된다면 근막 바로 위에서 dissection하도록 한다. 광배근 표층의 dissection이 끝나면 근육의 distal origin을 끊어줘야 하는데, 술자가 한 손을 넣어 근육의 distal portion을 잡아 traction을 하면서 endoscopic scissor나 harmonic endoscopic scalpel을 이용해 절단해나가면 된다.

Distal attachment까지 모두 절단 한 후 근육 피판을 겨드랑쪽 절개창으로 전위시키고, 상완골의 부착부도 절단해주어 근육이 자유롭게 전위되도록 하여 유방의 결손부위에 위치하도록 한다. 공여부의 lumbar perforator와 intercostal perforator들도 지혈이 제대로 되었는지 확인하고 배액관을 넣고 공여부의 봉합을 시행한 후 환자를 다시 supine position으로 변경해주고 insetting을 시행 한 후 수술을 마무리 한다.

3. 부작용

광배근을 이용한 유방재건술은 흡연자, 당뇨환자 등에서도 안전하게 쓰일 수 있는 방법으로 알려져 있으며, 피판의 괴사는 수술 중 pedicle이 손상되지 않는 한 거의 일어나지 않는다. 하지만 부분괴사는 약 7%정도에서 발생할 수 있는 것으로 보고되고 있는데, 이것은 주로 eLD에서 발생할 수 있는 합병증이다. 광배근을 이용한 유방재건술의 가장 흔한 합병증은 공여부에 발생하는 장액종이며, 술 후 어깨에 힘이 덜 들어가거나 움직임에 불편함을 호소하는 경우도 발생할 수 있다. 어깨의 운동장애는 수술 후 2주 정도 경과하였을 때에도 어깨의 불편함을 호소할 경우 물리치료를 시행해 예방할 수 있다. 감염이나 혈종은 다른 일반적인 성형수술과 비슷한 빈도로 발생할 수 있다. 보형물이나 조직확장기를 함께 사용하였을 때에는 이것이 등쪽으로 빠져나가지 않도록 흉곽의 가쪽 경계와 광배근을 잘 봉합해 주어야 한다. 과거 smooth implant를 사용하던 시기에는 광배근과 함께 보형물을 사용한 경우 구연구축도 많이 발생할 수 있는 합병증으로 알려져 있었으나, textured implant를 사용하게 되면서 구연구축의 발생확률도 많이 낮아지게 되었다 .

내시경을 이용한 수술방법에서 발생 가능한 합병증은 일반적인 광배근 재건술에서 발생할 수 있는 합병증과 다르지 않다. 내시경 수술에서도 가장 흔한 합병증은 장액종이나 장액종이나 혈종의 발생확률은 open technique과 별반 차이는 없다. 하지만 환자들의 평가들 들어보면 내시경을 수술을 시행했을 경우 수술 후 통증이 적고 팔 움직임의 불편감도 적은 것으로 생각된다. 팔을 벌린채로 수술을 진행하기에 수술 직후에 어깨가 뻑뻑하다고 호소하는 경우도 간혹 있는데, 이러한 증상이 지속될 경우 수술 급성기가 지나는 대로 물리치료를 시작하는 것이 도움이 될 수 있다.

4. 부분절제술 후의 유방 재건

1) 적응증

과도한 양의 유방부분절제술이 시행되어 향후 유방의 변형이 초래될 것이 예상되는 경우, 광배근의 일부 혹은 전체를 이용한 피판술이 도움이 될 수 있으며, 특히 이 방법은 상외방의 유방조직을 재건하는데에 유리하다.

유방보존술식을 시행 받은 환자 중 재건을 시행하지 않았을 때 향후 미용적 결과가 나쁠 것이 예상되는 환자가 주된 적응증으로, 종괴의 크기가 크거나 환자의 유방이 작은 경우, 술 후 방사선치료가 예정된 경우 등에서 부분절제술 후에도 재건이 필요할 가능성이 높아진다. 유방조직의 10-20% 이상이 절제될 것으로 예상되는 경우에는 재건술을 계획하는 것이 좋다.

Endoscopic-assisted reconstruction with latissimus dorsi (EARLi) 술식은 20 to 30%정도의 유방조직이 절제될 경우의 재건에 적합하며, 특히 유방암의 약 75%가 발생하는 상외측의 재건에 유용하다. 유방암의 약 6%가 발생하는 하내측은 이 술식으로는 재건하기 어렵다. 수술방법은 위에서 설명한 두가지 방법과 중복되므로 생략하도록 한다.

2) 수술 결과

유방보존술식 시행후 방사선치료를 받는 경우 광배근을 이용한 유방재건은 oncological하게 안전한 것으로 알려져있다. 재건을 시행한다고 해서 수술 후 종양의 재발을 탐색하는데 영향을 미치지 않으며, mammography에서도 재발된 종괴와 근육을 쉽게 감별할 수 있다. 문헌에 따라 광배근을 이용한 유방보존술식의 재건 후 2-3년 후에 재발된 비율이 13%까지 나타난 경우가 있는데, 이는 재건이 필요할 만큼 종괴의 크기가 컸기 때문에 재발률이 높게 나타났을 것이라 생각해 볼 수 있다. 어찌되었든 처음 수술을 계획할 때 광배근을 이용한 재건후 재발했을때 다른 재건 방법이 존재하는지에 대해 고려하고 수술 시행 여부를 결정하는 것이 좋다.

또한 최종 병리결과를 확인 하여 적절한 margin을 확보한 후 안전하게 재건을 계획하고 시행하는 delayed immediate reconstruction을 시행하는 것도 좋은 방법이다. 이러한 경우 재건수술은 외과수술 후 병리결과가 확인된 이후인 5일에서 3주 사이에 시행할 수 있다.

참·고·문·헌

1. Barnett GR, Gianoutsos MP. The latissimus dorsi added fat flap for natural tissue breast reconstruction: report of 15 cases. Plast Reconstr Surg. 1996;97:63-70.
2. Coleman DJ, Foo IT, Sharpe DT. Textured or smooth implants for breast augmentation? A prospective controlled trial. Br J Plast Surg. 1991;44:444-448.
3. De Mey A, Lejour M, Declety A, Meythiaz AM. Late results and current indications of latissimus dorsi breast reconstructions. Br J Plast Surg. 1991;44:1-4.
4. Elizabeth J. Hall-Findlay GRDE. Aesthetic and Reconstructive Surgery of the Breast. Elsevier; 2010.
5. Ismail Jatoi MK, Jean Y. Petit. Atlas of Breast Surgery. Germany: Springer; 2006.
6. Kronowitz SJ, Feledy JA, Hunt KK, et al. Determining the optimal approach to breast reconstruction after partial mastectomy. Plast Reconstr Surg. 2006;117:1-11; discussion 12-14.
7. Lin CH, Wei FC, Levin LS, Chen MC. Donor-site morbidity comparison between endoscopically assisted and traditional harvest of free latissimus dorsi muscle flap. Plast Reconstr Surg. 1999;104:1070-1077; quiz 1078.
8. McCraw JB, Maxwell GP. Early and late capsular "deformation" as a cause of unsatisfactory results in the latissimus dorsi breast reconstruction. Clin Plast Surg. 1988;15:717-726.
9. Monticciolo DL, Ross D, Bostwick J, 3rd, Eaves F, Styblo T. Autologous breast reconstruction with endoscopic latissimus dorsi musculosubcutaneous flaps in patients choosing breast-conserving therapy: mammographic appearance. AJR Am J Roentgenol. 1996;167:385-389.
10. Moore TS, Farrell LD. Latissimus dorsi myocutaneous flap for breast reconstruction: long-term results. Plast Reconstr Surg. 1992;89:666-672; discussion 673-664.
11. Pollock H. Breast capsular contracture: a retrospective study of textured versus smooth silicone implants. Plast Reconstr Surg. 1993;91:404-407.
12. Spear SL. Surgery of the Breast - Principles and Art, Vol. 1, 3rd ed. Philadelphia: Lippincott Williams & Wilkins; 2011.
13. Tschopp H. Evaluation of long-term results in breast reconstruction using the latissimus dorsi flap. Ann Plast Surg. 1991;26:328-340.
14. Woerdeman LA, Hage JJ, Thio EA, Zoetmulder FA, Rutgers EJ. Breast-conserving therapy in patients with a relatively large (T2 or T3) breast cancer: long-term local control and cosmetic outcome of a feasibility study. Plast Reconstr Surg. 2004;113:1607-1616.

Aesthetic breast reconstruction »

확장된 광배근피판

Extended LD flap

| 남수봉, 이재우 |

일측의 유방절제술 이후 그에 따르는 이상적인 유방 재건의 목표는 반대측 유방과 최대한 유사한 크기와 질감을 가진 유방을 새롭게 재건하는 것이다. 자가조직을 이용한 유방 재건 방법으로는 광배근피판(LD flap)이 제일 먼저 소개되었고 특히 부분 절제 후 유방 재건이 필요한 경우가 많아지면서 LD flap이 점차적으로 일차적인 방법이 되었다. 하지만 유방 전절제 후 유방 재건 시에 LD flap은 부족한 부피로 인해 보형물을 함께 사용해야만 하는 경우가 많았으며 그에 따라 1970년대 중반부터 90년대 초반까지 LD flap과 동시에 보형물을 사용한 보고가 많았다. 이후 보형물 사용으로 인한 단점을 보완하기 위한 새로운 자가 조직 피판의 필요성이 대두되어 유경횡복직근피판을 이용한 방법부터 심하복벽동맥천공지 피판까지 소개되면서 복부 피판은 유방 전절제 후 유방 재건의 gold standard method 가 되기에 이르렀다.

1983년 Hokin 등이 확장된 광배근피판(eLD flap) 방법을 소개하였고 이후에 다양한 응용 방법이 발표되었다. 그에 따라 보형물을 사용하지 않고도 작거나 중등도 크기의 유방 결손의 재건이 자가 조직만으로 가능하게 되면서 eLD flap이 일차적 유방 재건술의 방법 중 하나로 다시 각광을 받게 되었다. 또한 복부 피판은 eLD flap과 비교하였을 시 공여부 반흔, 복부 불편감, 긴 수술 시간 등의 단점이 있고, 복부 피판을 원하지 않는 환자 및 이전 복부 수술을 받은 환자, 고도 비만 환자 등 복부 피판을 적용할 수 없는 경우도 있으므로, eLD flap은 이러한 경우 좋은 대안이 될 수 있다.

1. 환자의 선택과 고려 사항

유방의 크기가 작거나 중등도인 경우 유방 전절제 이후 eLD flap만으로 재건이 가능하며, 유방이 큰 환자에서도 공여부의 지방층이 충분하다면 같은 방법으로 재건이 가능하다. 그러나 eLD flap은 공여부에 흔히 발생할 수 있는 합병증인 장액종과 함께 공여부의 외형적 변형, 지속적인 공여부 부위 통증, 어깨 운동 제한 등의 합병증이 발생할 수 있으므로, 수술 전에 환자와 충분한 상담을 통해 시행 여부를 결정해야 한다. 유방 전절제가 예정된 환자가 보형물의 삽입을 원하지 않거나 이차적인 지방 이식술을 원하지 않을 경우에는 복부 피판을 먼저 고려해야 한다. 임신을 원하는 여성, 고도 비만, 고령, 이전에 복부에 수술을 받은 경우, 전신 상태가 불량한 경우 등에서는 복부 피판의 적응증이 될 수 없어 eLD flap의 사용을 고려해야 한다.

유방 전절제 후 eLD flap을 사용한 유방의 재건술은 일반적인 LD flap을 이용한 재건술보다 공여부 합병증 발생의 빈도가 높으므로 보형물의 사용이나 이차적인 지방 이식술 등에 대한 환자의 거부감이 적다면 확장부위의 지방층을 무리해서 피판에 포함시키는 것보다, 적당한 크기의 eLD flap과 보형물을 동시에 사용하는 것이 좋다. 보형물의 크기가 작을수록, eLD flap의 두께가 두껍고 부피가 클수록 보형물로 인한 이차적인 변형을 포함한 합병증을 줄일 수 있으므로, 절제된 유방 조직과 eLD flap의 부피를 감안해서 최소한의 보형물 부피를 결정하여야 한다. 보형물을 사용하지 않아 술 후 유방의 projection이 부족하거나 함몰 변형 등이 발생하면 1-2회 정도 지방 이식술을 통해 충분히 교정할 수 있다.

2. 해부학적 고려 사항

광배근(LD) 및 보형물과 관련된 해부학적 내용은 다른 part에 기술되어 있으므로 추가적으로 언급하지 않는다. 초창기 LD flap은 76년 Olivari, 77년 Schneider 등에 의해 소개된 것처럼 LD만 사용하였기 때문에 부족한 부피의 보충을 위하여 LD flap의 하방으로 보형물을 삽입하는 것이 필요하였다. 그러나 이러한 보형물의 사용을 줄이기 위한 해부학적 연구가 계속적으로 이루어졌으며 이를 바탕으로 LD와 함께 근육의 상층에 분포하는 deep fat layer and superficial fat layer, scapular and parascapular fat layer (fascia), lumbar fat layer (fascia), LD의 lateral border보다 앞쪽의 fat layer를 eLD flap에 선택적으로 포함시킬 수 있게 되었다.

피하층까지 절개를 하면 두 개의 지방층을 분리하는 Scarpa's fascia (thoracodorsal fascia)를 확인할 수 있는데, 이를 기준으로 deep and superficial fat layer가 나뉜다. 비만인 환자에서는 Scarpa's fascia의 상부를 따라 skin flap에서 1 cm정도 두께를 남기고 피판을 거상할 수 있지만 대부분의 환자에서는 Scarpa's fascia의 직하부를 따라 박리를 해야 skin flap의 괴사 등 공여부 합병증을 줄일 수 있다. 특히 bra line 보다 상부로 갈수록 Scarpa's fascia가 명확하게 확인되므로 박리가 쉽지만, bra line 보다 아래쪽으로는 갈수록 확인이 어려워 skin flap의 두께를 확인하면서 박리를 조심스럽게 해야만 한다. LD 하부의 얇은 지방층은 피판에 포함하지 않고 가능한 보존해야 장액종의 발생 빈도를 줄일 수 있다.

Scapular and parascapular fat layer는 circumflex scapular pedicle이 손상받더라도 thoracodorsal pedicle에서 기원하여 LD의 upper margin부위에서 공급되는 perforator들을 통해 충분한 혈액 공급을 받는 것으로 알려져 있으므로, LD의 upper margin 부위로부터 상방으로 약 10 cm까지 안전하게 사용할 수 있다. 그러나 피판을 거상할 때 scapular tip 부위와 scapular and parascapular fat layer의 하방 근막을 손상하지 않아야 통증과 같은 합병증을 예방할 수 있다. 또한 teres major, trapezius의 손상에 주의해야 한다.

Lumbar expansion은 주로 BMI가 30 이상인 비만 환자에게 시행하는데, neutral position에서 허리에 주름이 잡히는 정도로 비만인 경우에서는 skin paddle을 브라 라인보다 낮게 위치하도록 해서 가능한 허리 부위 지방층을 많이 포함할 수 있도록 하여 충분한 부피의 피판을 얻을 수 있다. 그러나 비만이 아닌 대부분의 환자들에서는 lumbar expansion을 할 경우 contour deformity와 함께 장액종의 양이 많고 불편하다는 등의 불평을 많이 들을 수 있다. 통상적으로 LD가 얇고, 수술 중 출혈도 많으며 fascia의 구분도 힘들어 얻을 수 있는 volume에 비해 지방 괴사 등의 합병증 발생 가능성이 높음을 인지하고 있어야 한다. LD의 lateral border보다 앞쪽으로 extension을 하는 것도 얻을 수 있는 volume에 비해 지방 괴사, 감각 이상 등의 합병증 발생 가능성이 높다.

액와부에서 LD 하방의 혈관경을 확인할 때 해부학적으로 변이가 있을 수 있음을 충분히 감안해야 한다. 주로 LD의 lateral border 부근에서 serratus anterior branch와 thoracodorsal pedicle의 주행을 확인할 수 있지만 LD의 medial border를 따라 주행하거나 LD의 lateral border보다 떨어져서 주행하는 경우도 있으므로 반드시 LD의 하방에서 serratus anterior branch가 분지되는 지점을 확인하고 혈관경의 상부를 박리해야 한다. LD의 insertion부위 일부 근육들이 pectoralis major와 연결되어 있는 경우에는 연결된 근육을 분리해야 혈관경의 확인이 쉽고, teres major와 LD가 중첩되어 경계가 불분명한 경우에는 이의 분리를 액와부에서 시행하는 것 보다는 등에서 eLD flap을 분리해 상부로 진행할 때 scapular tip부위에서부터 근육층 사이를 분리하는 것이 더욱 용이하다.

3. 수술 방법

환자의 키, 몸무게, BMI, 허리의 주름 위치와 정도, IMF의 수준 등을 술전 standing (sitting) position에서 확인하고, 브라 라인의 위치는 개인차가 있으므로 반드시 술전에 표시한다. 공여부에 예상되는 반흔의 위치와 길이, 유두 유륜의 제거 가능성에 대비해서 skin paddle의 폭과 위치를 브라 라인을 기준으로 설정하고, 보형물의 사용 가능성과 extension되는 범위, 합병증 발생 가능성에 대해서 충분한 설명이 이루어져 있어야 한다. 그리고 수술 전에 외과와 협의해서 절제 범위, 절개 예정선을 sitting position에서 디자인을 한다. 지연재건의 경우도 마찬가지 방법으로 준비를 하는데, 반대편 유방의 크기와 형태를 고려하여 재건 가능한 유방 형태와 크기, 공여부 반흔의 정도 등에 대해서 환자와 의논을 하고, balancing procedure (augmentation, reduction, mastopexy 등)의 여부를 결정한다. 환자의 자세에 따른 혈관경의 박리 방법, 재건 순서 등은 환자의 반흔 상태와 위치, 술자의 경험 등에 따라 차이가 있다.

1) skin paddle의 위치와 크기

유방 절제 시 유두 유륜 복합체가 함께 제거된 경우 skin paddle의 형태는 브라 라인을 기준으로 폭 5-6 cm, 길이 15 cm의 elliptical shape으로 설정한다. 유두 유륜 복합체가 보존된 경우에는 폭을 3-4 cm, 길이 10-13 cm 정도로 줄일 수 있다. 이전 여러 보고들에서는 좀 더 많은 부피를 얻기 위해서 백합무늬(fleur de lis), 또는 oblique 형태로 7×25 cm까지 다양한 폭과 길이로 디자인을 시행하였다. 하지만 공여부 반흔의 미용적인 중요성 때문에 점차 브라 라인과 나란한 수평 형태의 디자인이 선호되고 있다. 서양인들은 어깨가 드러나는 드레스을 입는 경우가 많아 브라 라인보다 낮은 위치의 수평 반흔을 선호하지만 우리나라의 경우 브라 라인 선상이나 이보다 약간 높은 위치의 반흔을 더 선호하는 경향이 있다. Skin paddle의 폭을 결정할 때 pinch test를 통하여 결정한 폭보다 무리하게 넓게 하면 봉합 후 반흔이 넓어지거나 피부 봉합 경계부위 괴사 등의 위험이 높아지고, 어깨 운동의 제한이 발생할 수 있다. 또한 공여부가 점차적으로 얇아지며 contour deformity가 발생하게 되어 미용적으로 만족스런 유방을 재건하더라도 환자의 불만족을 초래하게 된다. 이에 저자는 skin paddle을 pinch보다 다소 좁게 설정하여 수술을 시행하고 있으며, flap extension을 무리하게 많이 하는 것 보다는 작은 보형물을 동시에 사용하는 것이 공여부 합병증을 줄이고 미용적으로도 만족스런 유방을 재건할 수 있어 이를 선호하는 편이다. 지연재건의 경우 skin paddle은 수평으로 디자인하지만 피부의 폭이 최대로 필요하므로, 술전 환자에게 공여부

반흔 문제 및 합병증 가능성이 대해서 충분히 설명을 해야 한다. BMI가 30 이상인 비만 환자인 경우 허리에 많은 주름이 형성되어 있는데, 브라 라인 보다 낮은 위치에서 주름을 포함하여 수평 디자인을 하는 것이 술 후 공여부 contour가 좀 더 자연스러울 수 있다. 하지만 결국 반대편과 주름의 차이가 발생되므로 back의 symmetry를 위해서는 브라 라인에서 디자인하는 것이 더 만족스러운 결과를 얻을 수 있을 것으로 판단된다.

2) 포함되는 범위

LD의 lateral border와 scapular tip, spinous processes, thoracic cage의 경계, iliac crest를 각각 표시하고, 브라 라인을 기준으로 skin paddle의 위치를 결정한다. LD의 upper border는 scapular tip보다 상방에 위치하고 있기에, tip에서 상방으로 5~10 cm까지 박리 범위를 표시하고, spinous process보다 외측(피판쪽)으로 약 3 cm, thoracic cage의 하방 경계까지를 피판 박리 범위로 정한다. 저자는 앞서 기술한 대로 lumbar extension은 시행하지 않으며, LD의 lateral border를 보존하고 있어 주로 scapular or parascapular extension을 포함하고, Scarpa's fascia의 아래 deep fat layer가 손상되지 않도록 주의하여 피판에 모두 포함을 시킨다.

3) 박리와 피판 분리

Lateral decubitus position으로 환자를 위치시키는데, upper arm은 수술 중에 자유롭게 abduction할 수 있도록 고정하지 않는다. 먼저 외과에서 axillary dissection을 위해서 절개를 하는데, LD의 lateral border 보다 약 1.5 cm 후방으로 절개를 연장한다. 초창기에는 skin paddle의 외측 끝 부분이 axillary region으로 향하도록 oblique하게 디자인하여 axillary dissection 부위와 박리면이 연결되도록 하였지만, axilla의 절개를 조금 연장하면 브라 라인에 나란한 작은 skin paddle을 사용해도 scapular tip에서 axillary region 사이의 LD proximal part 박리가 쉬워진다. 그리고 pedicle의 박리를 위한 충분한 공간이 확보되어 시야가 좋고, teres major muscle과 LD의 upper border 사이 박리까지 쉽게 할 수 있으며 LD를 분리하고 근육 일부를 절제하거나 다듬는 작업도 쉽게 할 수 있다. 이러한 술기를 통하여 피판을 가슴쪽으로 이동한 후 pedicle의 위치를 정확하게 아는 상태로 beveled하게 근육을 분리할 수 있으므로 남아있는 LD의 stump가 axillary region을 충분히 보충할 수 있다. 또한 axillary fold 부위에서 발생할 수 있는 bulging deformtiy의 예방이나 anterior axillary fold의 재건에도 유용하게 쓰일 수 있다.

연장된 절개를 통해서 LD의 lateral border를 하방까지 확인하고, 근막과 근육 사이를 박리하는데, 이는 anterior axillary fold 부위의 bulging deformity를 예방하기 위해서 가능한 적은 양의 근육을 포함하기 위한 전처치가 된다. LD의 lateral border를 따라 posterior axillary fold부위를 박리하면서 loose한 LD lateral border를 serratus anterior muscle, fascia와 미리 완전히 분리시켜 두면 피판을 이동시키기 용이하고 수술 시간을 절약할 수 있다. Skin paddle 가까이까지 근막하 박리를 하는데, 유방 절제 범위에서 지방층이 필요한 LD의 최초 고정 위치까지의 거리를 확인해서 이후부터 근막과 지방층을 포함하여 박리한다. 외과에서 시행한 axillary dissection을 참고하여 LD pedicle의 주행을 확인하는데, 외과에서 이미 박리를 많이 한 경우 쉽게 pedicle을 확인할 수 있지만 적게 박리한 경우에는 LD의 lateral border에서 serratus anterior와의 사이에 위치한 loose plane을 통해 serratus branch를 먼저 확인하고 상방으로 조심스럽게 박리를 하면 hilus of thoracodorsal pedicle을 찾을 수 있다. 그런 다음 pedicle이 손상되지 않도록 조심해서 pedicle의 한쪽 면을 미리 박리해 둔다. 이는 나중에 피판을 완전히 거상한 다음 axillary region으로 피판을 꺼내어서 반대편 pedicle 부위의 박리를 쉽게 하기 위함이다.

Skin paddle의 경계를 따라 절개를 가하고 superficial fat layer의 하방으로 낮은 출력의 monopolar electrocautery를 이용해서 박리하여 Scarpa's fascia를 확인한다. Scapular tip에서 상방으로는 fascia가 뚜렷하게 확인되지만 그 하방으로는 명확하게 확인되지 않는 경우가 대부분이다. 기존의 LD flap은 근막 직상방 혹은 직하방으로 박리를 하는 것이지만 eLD flap은 근막 상방의 deep fat layer를 모두 포함해서 박리를 해야 하고, parascapular and scapular fat fascia 등을 포함해서 LD 범위 밖의 지방-근막층을 포함하여 채취하는 것이다. 피판에 fascia가 포함되도록 fascia의 상방으로 박리할 경우 피판의 volume을 많이 얻을 수 있지만, 공여부 skin flap의 문제, 공여부 contour의 문제, seroma의 발생과 양의 증가 등의 단점이 많으므로 fascia의 하방으로 박리하는 것이 바람직하다. 비만 환자에서는 fascia의 상방에도 두꺼운 지방층이 형성되어 있으므로 fascia 상방의 박리가 가능한 경우도 있다.

Axilla를 통한 박리와 연결하여 tunnel을 형성하고, LD의 upper border를 따라 teres major 근육과의 경계를 확인한다. LD의 lateral border 부위에서는 deep fat layer와 근막층 사이 loose한 plane을 따라 LD의 lateral border까지 박리를 하는데, 이때 posterior axillary fold의 연장선이 해부학적으로 보존되면서 추후 발생 가능한 접힌 반흔이나 contour deformity를 예방하기 위하여 deep fat layer를 남겨둔다. LD의 lateral border는 뚜렷하게 경계를 알 수 없는 경우가 대부분인데, lateral intercostal branch와 nerve의 손상을 피하기 위해서는 근육이 보이지 않는 부분까지 무리해서 박리하지 않아야 하고, posterior axillary fold 부위의 근육이 얇아지는 부분에서 근육을 분리해야 한다. BMI가 낮은 환자에서 박리 범위가 axillary line까지 진행된 경우 술후 등과 옆구리 부위에 감각 이상이나 통증을 호소하는 경우가 있었지만 박리 범위를 줄이면서 이러한 불편함을 호소하는 경우가 적어졌다.

Skin paddle의 상방으로는 Scarpa's fascia의 직하방을 따라 fascia를 확인하면서 scapular tip으로부터 5-10 cm까지 박리를 하고, 내측으로는 spinous process를 촉진하면서 이의 lateral 3 cm 정도까지 박리 한다. Skin paddle의 하방으로는 Scarpa's fascia가 명확하지 않아 일부 fascia의 손상을 완전히 피할 수는 없으나, skin flap이 얇아지지 않도록 주의하며 thoracic cage의 경계까지 박리를 진행한다. 이 후 하방으로는 LD가 매우 얇고 retraction을 깊게 해야만 하며, 경우에 따라 박리를 잘못하면 skin flap이 얇아지는것과 더불어 external oblique muscle까지 손상이 되는 경우도 있어, thoracic cage의 경계에서 근막과 근육에 절개 예정선을 표시하고 LD의 lateral border부터 피판을 분리하는 것이 바람직하다. 근육 분리 예정 위치를 monopolar electrocautery로 근막에 절개를 가해서 근육을 노출시켜 표시한 다음 근육 분리를 진행하면 정확한 피판의 경계를 따라 채취할 수 있다. Thoracic cage의 끝 부분에서는 여러 개의 vessel branches가 external oblique abdominis muscle에서부터 LD로 나오고 있으므로, 근육의 하방으로 피판을 채취할 때 세심한 지혈이 필요하다. 근육을 잡아서 당기는 기구나 retractor 등을 사용하는 것 보다 손가락을 이용하여 피판을 들어 올리면서 분리하면 피판에 최소한의 손상을 남기면서 피판의 거상이 가능하다. 피판의 하방까지 분리가 끝나면 피판의 아랫면을 따라 paraspinatus fascia에 손상을 주지 않도록 조심해서 피판 내측을 분리해야 한다. 이러한 바닥 부위 fascia가 지나치게 손상받게 되면 contour deformity와 함께 심한 술후 통증을 유발할 수 있으므로 주의가 필요하다. Posterior intercostal pedicle의 dorsal branch는 직경이 크고 단독으로 안전한 perforator flap이 가능할 정도로 혈류량이 많으므로 이를 정확히 박리해서 결찰해야만 공여부 혈종 발생을 예방할 수 있다.

Scapular tip주위와 아래쪽 선상으로 dorsolateral branch가 1-3개 확인되는데, 이는 posterior intercostal pedicle의 dorsal branch와 lateral branch 사이에서 분지 되는 것으로 정확히 결찰해야 한다. Spinous process 부위에서 LD를 분리할 때 상부 경계 부위에서는 trapezius와 overlap되는 것을 확인할 수 있으며 이때, trapezius가 손상이 되지 않도록 분리해야 한다. 그리고 피판의 아랫면을 따라 LD의 upper border를 확인할 수 있고, parascapular and scapular fat fascia를 포함하여 상부까지 피판을 분리한다. 이때 teres major 등의 근막은 보존하여야 하고, scapular tip에서 골이 노출되지 않도록 주의하여야 한다.

앞서 tunnel을 형성한 부분을 참고하면서 teres major와의 경계 부분을 확인하고 axillary region 가까이까지 피판 분리를 한다. Scapular tip 주위에서 eLD flap 하방 fat tissue는 보존하도록 하고, serratus posterior muscle 등이 분리되지 않도록 주의한다. 이 부위의 지방층을 피판에 포함시키게 되면 BMI가 정상이거나 작은 환자에서 scapular tip이 두드러져 보이거나 심한 통증을 유발할 수 있다. 마지막 단계로 피판의 아랫면을 따라 axillary region까지 loose areolar plane을 박리하는데, serratus anterior branch가 확인되고, teres major로의 branch도 확인될 때까지 박리를 진행해 두면 axillary region에서의 피판 분리와 pedicle 정리 작업이 쉬워진다.

4) 피판의 분리와 혈관경 정리(Tailoring of the pedicle)

Axillary region에서 절개를 연장하면 혈관경 분리, LD 분리와 분리된 근육 경계 부위 다듬기가 쉽다고 앞서 기술하였다. LD를 분리하지 않으면 혈류 공급이 보장되는 안전한 피판으로 사용할 수 있지만 피판의 이동 범위가 제한되며, 특히 axilla와 anterior axillary region에 bulging이 생겨 미용적인 문제와 함께 불편감도 생기게 된다. 따라서 LD를 완전히 분리하여야 이동 범위가 넓어지고 미세수술의 경험이 있는 술자의 경우에서는 충분한 pedicle 길이를 안전하게 확보할 수 있으므로 피판의 insetting을 조금 더 자유롭게 할 수 있다. 유방 절제 범위가 넓어서 anterior axillary fold를 재건해야 하는 경우에서는 근육을 분리한 다음 pedicle 주위 근육을 절제하지 않고 펼쳐서 anterior axillary fold 부위에 고정 봉합을 한다. 하지만 fold를 만들어 줄 필요가 없는 경우 pedicle을 teres major fascia로부터 충분히 분리하고, LD로 들어가는 pedicle의 입구를 중심으로 주위 근육은 모두 절제하여 가슴쪽 tunnel 부위에서는 혈관경만 위치하도록 하면 피판의 bulkness도 피할 수 있고, 좀 더 자유롭게 피판을 insetting 할 수 있다.

혈관경의 한쪽면을 확인한 상태에서 LD를 분리한 후 혈관경 주위를 정리하는데, circumflex scapular branch와 serratus anterior branch는 보존하여야 한다. Teres major fascia에서 thoracodorsal pedicle을 충분히 분리하면 branch들을 분리할 필요 없이 충분한 pedicle 길이를 얻을 수 있으며, branch를 분리하지 않아야 pedicle의 kinking이나 stretching을 예방할 수 있다. Serratus anterior branch 주위에서 teres major로의 작은 branches는 긴 혈관경이 필요할 경우 모두 결찰할 수 있다. 마지막 단계로 혈관경에서 운동신경을 분리하는데, circumflex scapular branch가 분리된 후 LD의 아래면을 주행하는 부분에서 약 1 cm 폭을 결찰하고 제거한다. 운동 신경은 혈관보다 깊이 분포하는 경우가 많지만, 깊이가 동일하거나 동맥과 비슷한 직경을 가진 운동신경의 경우 박동성의 유무와 신경외막을 확인해서 구분을 해야 하며, LD로 삽입되는 입구에 가까울수록 branching되기 때문에 가능한 근위부에서 분리하든지, branching된 가지 모두를 분리해야 한다. 혈관경 정리가 끝나면 흉곽으로 피판을 이동시키는데, 혈관경이 꼬이거나 당겨지지 않도록 반드시 확인하고, 절제된 LD의 끝부분을 흉곽 통로 입구 주위에 고정 봉합하여 환자 position change 후에도 피판이 당겨지는 것을 예방하여야 한다.

5) 피판의 insetting

절제된 흉곽 부위에서 pectoralis fascia나 deep fat layer에 피판을 고정 봉합 하는데, 이는 early sagging을 방지하기 위해서 반드시 필요하다. LD가 얇은 경우는 접혀있는 커튼처럼 약간씩 접어서 고정하는데, 이는 추후 근육의 부피 감소에 따른 봉합 부위의 depression을 예방하기 위해서이다. 특히 유방의 inferomedial part의 fullness가 충분히 보충되어야 하고, 유방하주름(IMF) 부위에 scapular fat fascia가 위치하게 되므로 자연스런 유방 형태가 될 수 있도록 그 고정에 유의해야 한다. eLD flap의 부피가 작은 경우 axillary region의 터널 입구 부위에 key suture를 한 다음, ptotic한 유방 형태를 얻기 위해서 피판의 고정을 IMF 부위부터 하기도 하는데, 저자는 유방 전절제 후 eLD flap의 부피가 조금이라도 모자란다고 판단되면 작은 보형물을 대흉근 하방에 삽입하므로 eLD flap의 고정을 항상 상부부터 시작해서 sternal border까지 시행한다. Dual plane으로 삽입된 보형물은 ADM (artificial dermal matrix)과 eLD flap으로 완전히 감싸줘야 하는데, 피판의 폭이 충분하면 IMF 부위 피판의 고정 없이 fold하여 ptotic한 자연스런 유방을 만들 수 있지만 대부분 여유가 많지 않아 IMF 부위에 고정 봉합을 일부 시행하기도 한다.

유방 부분 절제 후 eLD flap을 사용할 경우에는 skin paddle은 dermis까지 모두 없애고 재건한 유방의 하방으로 접혀서 위치하도록 하여 외부에서 skin paddle이 만져지거나 윤곽이 나타나지 않도록 하는것이 바람직하다. 그러나 유두 유륜이 제거된 경우, 유두 유륜이 얇게 남은 경우, 남아있는 유선 조직이 두꺼운 경우에서는 필요한 만큼 피부나 진피층을 남기고 남아있는 유선 조직에 피판을 고정 봉합하여 추후 피판과 유선 조직과의 경계에 함몰 변형이 발생되지 않도록 해야 한다.

6) 공여부 봉합

공여부에 종종 발생하는 장액종의 예방을 위해 quilting suture나 fibrin glue 등의 사용을 고려해 볼 수 있으나 장액종의 발생 빈도는 대조군에 비해 유의하게 줄어들지 않는 것으로 알려져 있다. 400 cc suction drain을 삽입하고, 양측에 보존한 Scarpa's fascia를 봉합하면 depression scar의 발생, 봉합부위 벌어짐, 일부 경계 괴사 등을 예방할 수 있다. 진피와 표피 봉합은 반흔을 줄이기 위해 세심하게 시행한다.

4. 증례

(그림 1,2,3,4,5,6,7 참조)

5. 합병증

가장 흔한 합병증은 장액종으로 그 발생률은 다양한 것으로 알려져 있다. 장액종의 발생을 줄이기 위하여 여러 방법들이 소개되었지만, 이들로 인한 delayed hematoma와 통증, 등이 당겨지면서 발생하는 운동 장애, contour deformity 등의 합병증이 발생할 수 있어 술자마다 선호하는 방법은 매우 다양하다. 장액종을 줄이기 위한 추가적인 처치를 하지 않는 경우 장액종의 빈도와 양이 증가되어 needle aspiration을 반복해야 하는 경우가 종종 있지만 대부분 합병증 없이 완전치유되었다.

공여부 변형, 반흔, 벌어짐, 경계 괴사는 skin paddle

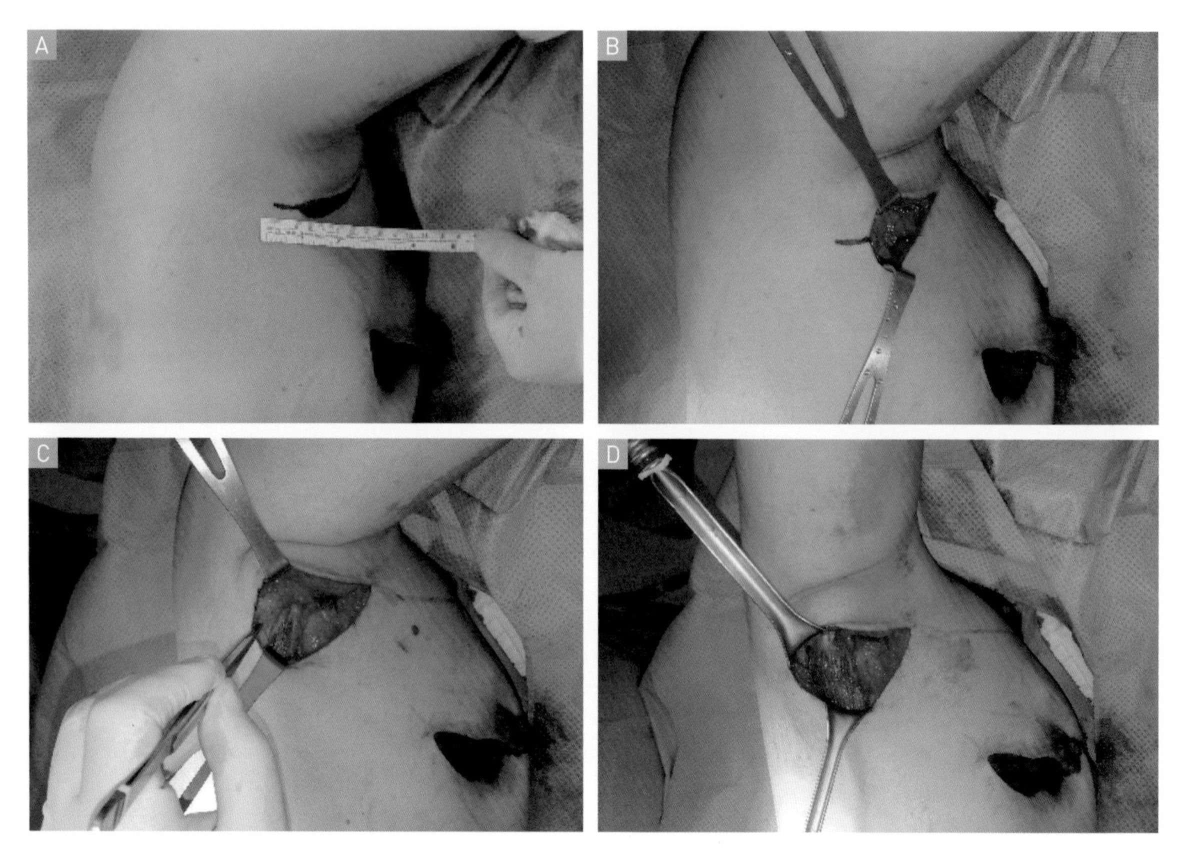

그림 1 Axillary region에서 LD의 lateral border에서 1.5 cm 정도 절개를 연장하면 LD의 upper border (teres major와의 경계)가 충분히 노출되고, skin paddle 부위까지 박리가 가능하며, LD 분리와 이동, 혈관 박리 등이 쉬워진다.

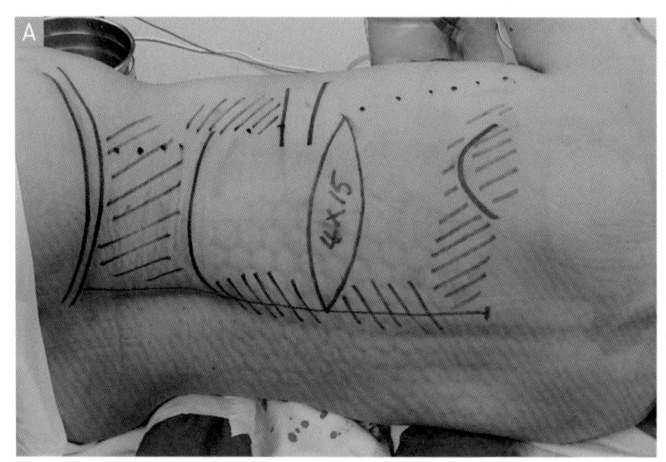

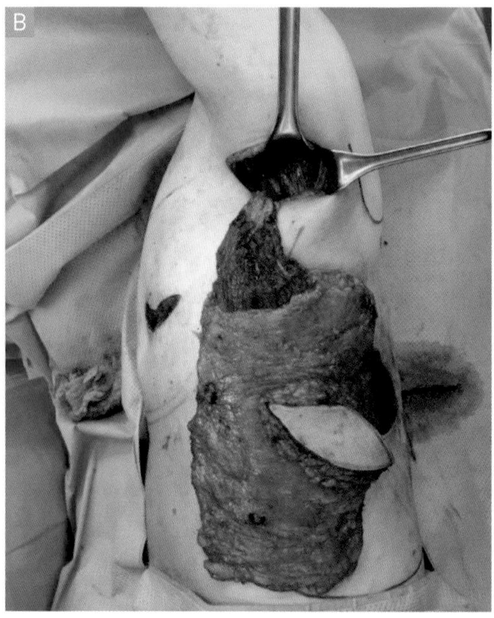

그림 2 A. 술전 디자인 모습. Scapular tip 부위에서 scapula and parascapular fat fascia를 포함하여 eLD flap을 거상하는데, thoracic cage의 하방에 분포하는 lumbar extension은 사용하지 않는다. LD의 lateral border를 넘지 않고, spinous process에서 3 cm lateral 부위까지 피판을 거상한다., B. 거상된 피판의 모습

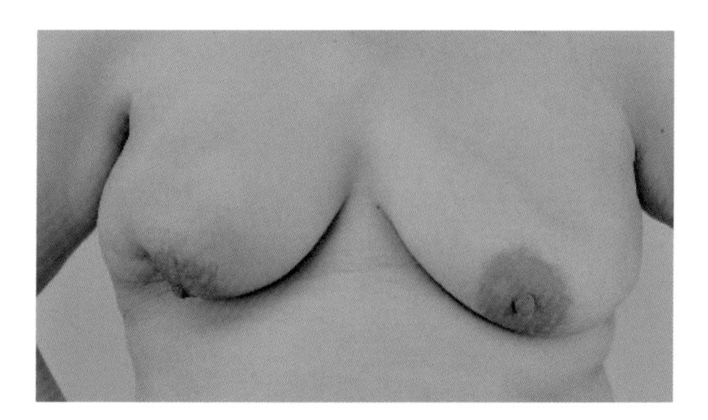

그림 3 우측 유방암에 대한 부분 절제 후 재건을 하지 않고, 남아 있는 유방 조직으로 당겨 봉합하면 사진과 같은 변형이 발생된다.

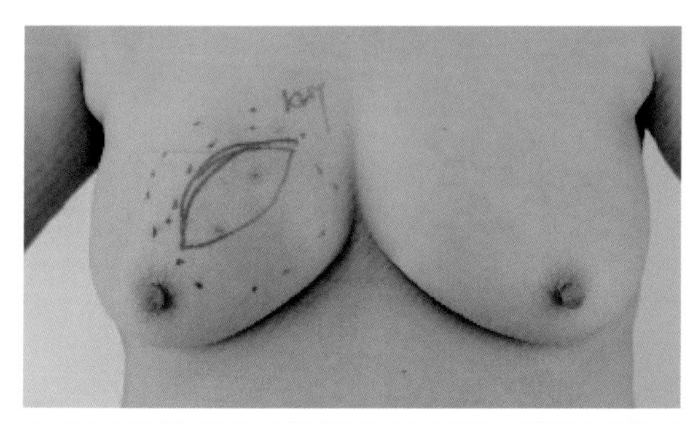

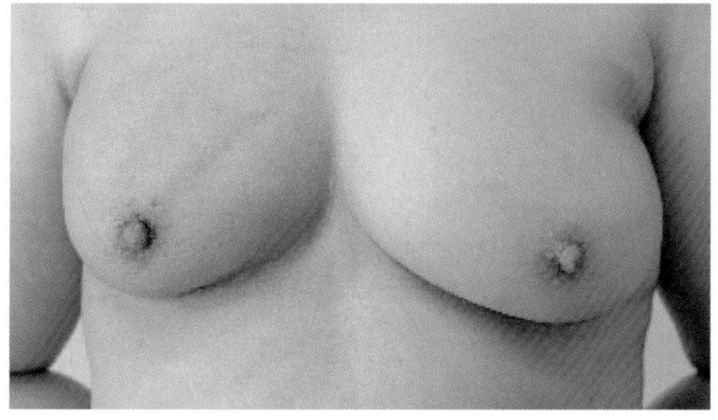

그림 4 우측 nipple sparing mastectomy 후 eLD로만 재건하고 방사선 치료 후 약 18개월 경과된 모습으로 LD의 motor nerve를 절제하기 때문에 유방 volume의 감소를 감안하여 작은 보형물을 동시에 사용하는 것을 고려해야 한다. 수술 후 1년까지 경과가 우수하더라도 방사선 치료를 받게 되면 최종 치료 종결일로부터 최소한 18개월 이상 경과를 관찰해야 최종 결과를 알 수 있다.

의 폭이 넓을수록 발생 가능성이 높아지며, pinch test 보다 약간 작게 작도하고, Scarpa's fascia 층을 따로 봉합하거나 진피층 봉합을 세심하게 하여 효과적인 예

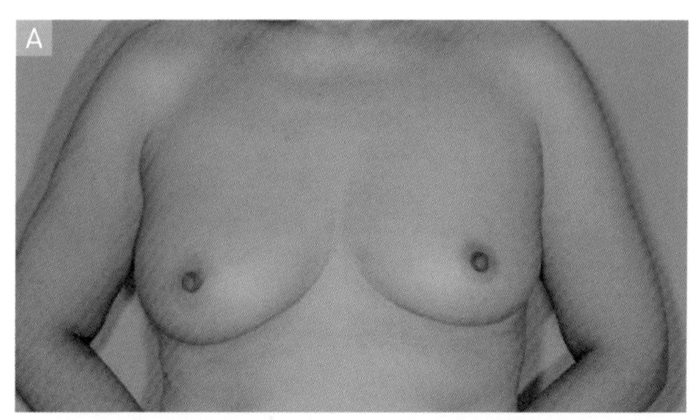

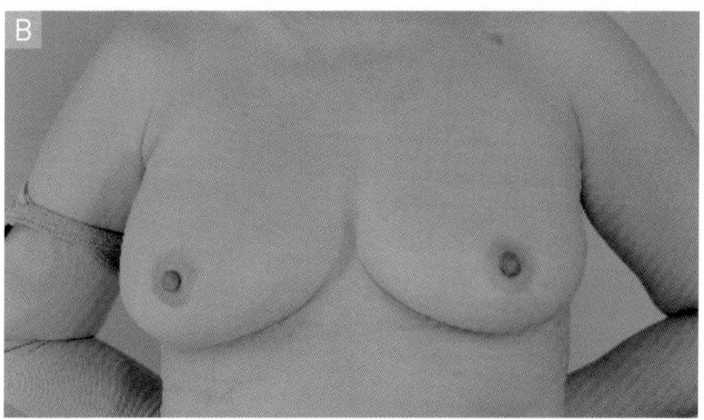

그림 5 우측 유방암으로 partial excision 및 eLD로 재건 후 아래 사진(B)은 방사선 치료 후 2년 6개월 경과된 모습.

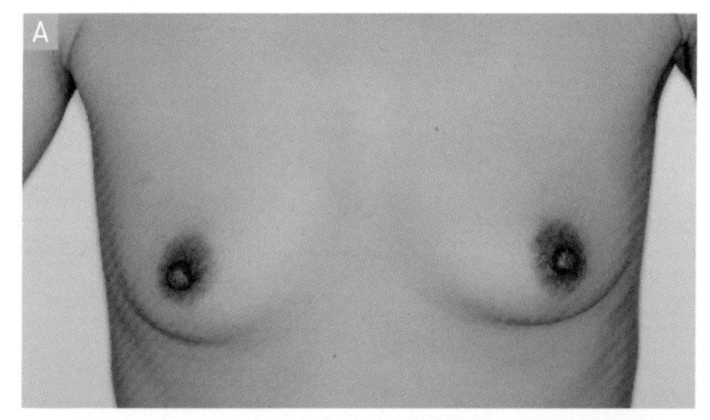

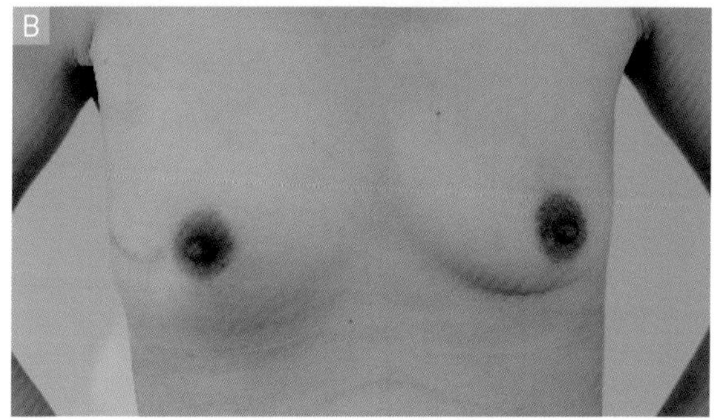

그림 6 우측 유방암으로 nipple sparing mastectomy 및 eLD로 재건 후 항암 치료와 방사선 치료를 받지 않은 환자로 아래 사진(B)은 수술 후 14개월 모습.

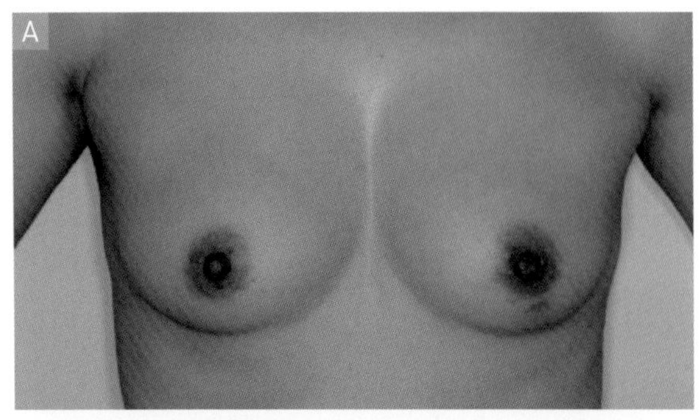

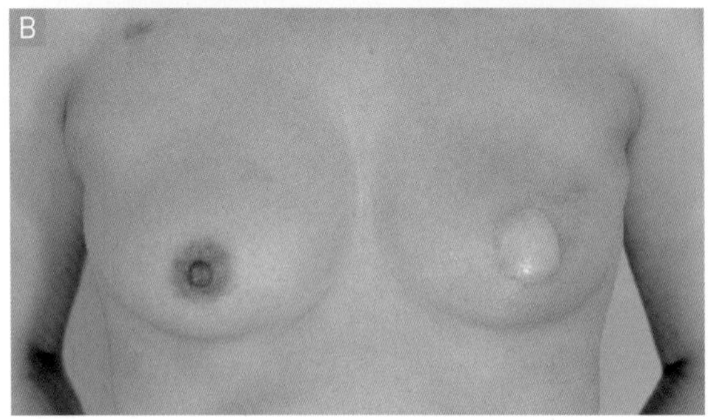

그림 7 좌측 유방암으로 skin sparing mastectomy 및 eLD로 재건 후 아래 사진(B)은 방사선 치료 후 2년 2개월 경과된 모습.

방이 가능하다. 저자의 경우 지연 재건을 포함하여 skin paddle의 폭을 5 cm 이하로 시행하면서 그에 따른 공여부 합병증은 발생하지 않았다. 공여부의 변형은 수술 후 1-2년이 지나면 피부가 유연해지면서 회복된다.

피판의 혈관경 손상 발생시 미세술기를 이용하여 salvage 할 수도 있지만 혈관경이 손상되지 않도록 예방하는 것이 최선이다. 저자의 경우 circumflex scapular와 serratus anterior로의 branch는 결찰하지 않으며 긴 혈관경이 필요한 경우 일부 teres major로의 branch는 결찰한다. 특히 외과에서 axillary dissection을 할 때 혈관경이 노출되어 정맥이 확장되는 등의 혈관경 손상 가능성이 의심되는 경우에는, 혈관경 주위 조직을 혈관에서 절대 분리하지 않아야 하고, 피판의 이동 후에도 과도한 tension이 생기지 않도록 주의하여야 한다. Shoulder abduction 상태에서 이동된 피판 위치와 혈관경의 위치를 확인하여 tension이 없는지 확인하고, teres major와의 근육 사이막을 충분히 분리해서 혈관경의 pulse가 육안으로 확인될 정도까지 tension을 조절한다.

재건한 eLD flap의 involuntary movement 예방을 위해서 운동 신경을 분리하는데, 재건한 피판의 부피가 과도하게 줄어들 수 있는 단점이 있어 운동 신경을 분리하지 않는다는 보고도 많다. Involuntary movement의 발생 빈도는 10% 미만으로 높지 않지만 일단 발생하면 간단하게 해결할 수 없어 곤란한 경우가 많다.

재건한 eLD flap의 부피 감소는 10-15%로 알려져 있으며, 운동 신경을 분리한 경우 최소 12개월 경과 관찰에서 20-25%정도 부피가 줄었다는 보고가 있다. 저자의 경우 LD 위축이 약 40-45%로 관찰되고 전체 피판의 부피 감소는 약 30%로 추정하고 있어 재건하는 피판의 부피는 제거한 유방 조직보다 약 30% 크게 재건하는 것을 원칙으로 하고 있다. 일부 보고에서 운동 신경을 분리하지 않으면 제거된 부피와 비슷하거나 약간 작게 재건해도 만족스런 결과를 보였다고 하지만 이는 논란의 여지가 있다.

재건된 유방의 크기, 형태에 대한 미용적인 판단은 크기와 형태가 지속적으로 변화할 수 있으므로 방사선 치료를 받지 않은 경우 술후 12개월 이상, 방사선 치료를 받은 경우에서는 방사선 치료 종결일로부터 18개월 이상 경과 후 시행해야 한다. 환자의 만족도는 재건한 유방의 크기, 형태에 다소의 불완전성이 있다 하더라도 미용수술과 달리 대체적으로 만족도가 높은 경향이 있어 정량적인 분석과 의료인의 객관적인 판단이 더욱 중요하다 할 수 있다. 유방 크기가 작아지거나 요철 변형 등이 발생한 대부분의 환자들은 보형물의 사용이나 교체, 지방 이식 등의 교정을 권유 받아도 거부 반응을 보이는 경우가 많다. 반대편 유방에 대한

balancing procedure는 유방 확대, 유방 축소, 처진 유방의 교정 등이 있는데 가능한 일차 수술로 동시에 시행하는 것을 환자들이 선호하는 편이며 그 결과에 대해서도 만족도가 높다.

참·고·문·헌

1. Branford O.A., Kelemen N., Hartmann C.E.A., Holt R., Floyd D. Subfascial harvest of the extended latissimus dorsi myocutaneous flap in breast recontruction: a comparative analysis of two techiques. Plast. Reconstr. Surg. 132:737. 2013
2. Clough K.B., Louis-Sylvestre C., Fitoussi A., Couturaud B., Nos C. Donor site sequelae after autologous breast recontruction with an extended latissimus dorsi flap. Plast. Reconstr. Surg. 109:1904.2002
3. Dancey A.L., Cheema M., Thomas S.S. A prospective randomized trial of the efficacy of marginal quilting sutures and fibrin sealant in reducing the incidence of seromas in the extended latissimus dorsi donor site. Plast. Reconstr. Surg. 125:1309.2010
4. Germann, G. Steinau, H.U. Breast reconstruction with the extended latissimus dorsi flap. Plast Reconstr. Surg. 97:519, 1996
5. Heitmann, C., Pelzer, M., Kuentscher, M., Menke, H., Germann, G. The extended latissimus dorsi flap revisited. Plast. Reconstr. Surg. 111: 1697, 2003
6. Hokin, J.A.B. Mastectomy reconstruction without a prosthetic implant. Plat.Reconstr. Surg. 72:810, 1983.
7. Hokin.J.A.B., Silfverskiold, K.L. Breast reconstruction without an implant; Result and complications using an extended latissimus dorsi flap. Plast. Reconstr. Surg. 79:58, 1987.
8. Jeon B.J., Lee T.S., Lim S.Y., Pyon J.K., Mun G.H., Oh K.S., Bang S.I. Risk factors for donor-site seroma formation after immediate breast reconstruction with the extended latissimus dorsi flap. Ann. Plast. Surg. 69:145.2012
9. Kim H.S., Wiraatmadja E.S., Lim S.Y. et al. Comparison of morbidity of donor site following pedicled muscle-sparing latissimus dorsi flap versus extended latissimus dorsi flap breast reconstruction. J. Plast. Reconstr. Aesthet. Surg. 66:640, 2013.
10. Kim Z.S., Kang S.G., Roh J.H., et al. Skin-sparing mastectomy and immediate latissimus dorsi flap reconstruction: a retrospective analysis of the surgical and patient-reported outcomes. World. J. Surg. Oncol. 10:259.2012
11. Lee, J.W., Chang, T.W. Extended latissimus dorsi musculocutaneous flap for breast recontruction: experience in oriental patients. Br. J. Plast, Surg. 52:365, 1999.
12. Marshall, D.R., Anstee, E.J., Stapleton, M.J. Soft tissue reconstruction of the breast using an extended composite latissimus dorsi myocutaneous flap. Br. J. Plast, Surg. 37:361, 1984.
13. Menke, H., Erkens, M., Olbrisch R.R. Evolving concepts in breast reconstruction with latissimus dorsi flap: Results and follow-up of 121 consecutive patients. Ann. last. Surg. 47:107, 2001
14. Misra.A., Chester. D., Park. A A comparison of post-operative pain between DIEP and extended latissimus dorsi flaps in breast reconstruction. Plast. Recontr. Surg. 117:1108, 2006
15. Patah, F. Extended latissimus dorsi flap in breast reconstruction. Oper. Techn. Plast. Reconstr. Surg. 6:38, 1999
16. Russell, R.C., Pribaz, J., Zook, E.G., et al. Functional evaluation of latissimus dorsi dornor site. Plast. Reconstr. Surg. 78:336, 1986
17. Serra. M.P., Sinha. M. Adaptation of the Hall-Findlay

technique for simultaneous contralateral reduction in delayed breast reconstruction with extended latissimus dorsi flap. J. Plast. Reconstr. Aesthet. Surg. 63:996, 2010

Chapter 29

Aesthetic breast reconstruction »

광배근피판과 보형물을 이용한 유방재건

LD flap with implant breast reconstruction

| 강상규 |

유방은 여성의 여성성에 있어서 그 기능에서뿐 아니라 미용적으로 매우 중요한 신체 조직이다. 유방 재건의 목적은 모양과 볼륨에 있어서 미용적으로 대칭성을 맞추는데 있다고 할 수 있다. 유방의 재건은 그 재료에 따라 자가 조직, 보형물을 이용한 재건, 시기에 따라 즉시 재건과 지연 재건으로 나눌 수 있다. 주로 사용되는 자가 조직은 광배근과 복직근 피판이 있으며, 보형물로는 다양한 종류의 임플란트와 인공 진피 등이 쓰인다.

이렇듯 다양한 재건 방법 중에서 수술방법의 선택은 환자의 신체적 요소뿐 아니라 생활 모습도 고려되어야 한다. 한국은 예로부터 좌식문화가 발달되어 복근을 많이 사용하기 때문에 복부를 이용한 재건보다 등조직을 이용한 재건이 더 적합할 수 있다. 또한 마른 체형의 여자는 유방을 재건하기에 복부 조직이 충분치 않은 경우가 많고, 흡연자나 너무 뚱뚱한 체형의 여성에서는 복부를 이용하여 재건할 경우 합병증 발생 비율이 증가하게 된다.

광배근(latissimus dorsi muscle)은 등에 넓게 부착되어 있는 편평한 모양의 근육으로 150-250g 정도 되는 무게를 가지며 혈액 공급이 매우 풍부하다. 이에 광배근 피판은 풍부한 혈액 공급으로 방사선 치료에도 잘 견디며, 혈액 공급이 부족한 곳이나 이미 방사선 치료를 받은 결손 부위의 재건에도 사용될 수 있고, 크기조절이 쉬워서 작은 부위 결손의 재건에도 사용할 수 있다. 하지만 유방의 크기가 작은 사람의 경우 광배근 피판만을 가지고도 충분히 재건 수술을 할 수 있지만, 어느 정도 유방의 크기를 가진 여성에서는 단독으로 유방 전체를 재건하기에는 크기가 부족할 수 있다. 이를 극복하기 위해 광범위 광배근 피판(extended LD muscle flap)을 사용할 수 있지만 이는 공여부 합병증 발생의 빈도를 높이게 한다. 또한 광배근 피판은 편평한 모양을 가지고 있기 때문에 봉긋한 유방의 모양을 만들기에 한계점이 있으며, 장기적으로 유방의 높이(projection)가 무너질 수 있다.

이렇게 광배근은 혈액공급이 풍부하고 안전한 장점을 가지고 있지만, 충분한 부피를 얻기 힘들고 유방의 높이를 유지하지 못한다는 점에서 한계점을 가지고 있다. 이를 극복하기 위해서 보형물과 함께 사용할 경우 손쉽게 부족한 부피를 보충해 줄 수 있으며, 다양한 크기의 보형물이 선택 가능하므로 모양 조절이 자유로우며, 봉긋한 유방의 모양을 장기적으로 쉽게 유지할 수 있다.

보형물만을 이용하여 단독으로 유방재건을 하는 경우도 있는데, 이러한 경우 대흉근(pectoralis major muscle)이 보형물을 충분히 덮을 수 없기 때문에 가슴 아래 부위의 보형물을 덮어주는 연부조직이 부족하게 된다. 이것은 보형물이 쉽게 비치거나 만져질 수 있으며, 보형물 손실의 위험성이 증가한다. 광배근 피판의 사용은 따로 대흉근을 들어 올릴 필요 없이 보형물 전체를 잘 덮어줄 수 있으며, 충분한 크기의 공간(pocket)을 만들 수 있기 때문에 더 자연스러운 유방의 모양과 유방아래 주름(inframammary fold)을 만들 수 있게 해준다.

자연스러운 유방 처짐과 충분한 공간(pocket)을 만들기 위해 조직 확장기를 이용한 유방 재건을 할 수 있으나 이것은 결과물을 만들기 위해서 시간이 오래 걸리고 수술을 두 번해야 하는 단점이 있다.

광배근 피판과 보형물을 이용한 즉시 유방 재건은 풍부한 혈액 공급을 받기에 안전하고, 충분한 부피와 자연스러운 가슴을 만들 수 있는 하나의 좋은 수술 방법이라 할 수 있다.

1. 적응증

광배근 피판술이 가능하고 보형물에 대한 특별한 거부감이 없다면 모든 유방재건에서 적응증이 될 수가 있다. 하지만 유방의 크기가 너무 크거나 유방 처짐이 심할 경우 억지로 정상측 유방에 맞춰 재건하기 보다는 정상측 유방의 축소술이나 거상을 시행하여 좀 더 아름다운 모양의 유방으로 재건하기를 추천한다. 양측 재건의 경우에는 추천되지 않는다.

2. 수술 방법

1) 광배근 피판

유방아래 주름 높이에 평행한 피부 피판을 타원형으로 포함하여 광배근 피판을 들어올려 겨드랑이를 통해서 결손부위로 이동시킨다. 이때 피부 피판은 가슴부위 피부결손이 있다면 피부결손 재건에 이용한다.

2) 보형물 크기의 선택

광배근 피판과 보형물을 이용한 유방재건에서 양측의 대칭을 잘 맞추기 위해서는 적절한 보형물을 선택하는 것이 중요하다. 보형물 선택에 있어서 대략의 기준이 중요한데 이는 다음 공식을 통해서 구할 수 있다.

광배근 피판의 무게는 대략 150-250 g 정도이며 시간이 지나면 30% 정도는 위축된다(위축된 후 100-200 g). 이에 제거된 가슴 조직의 무게에서 100-200 g을 제외한(환자 광배근의 발달 정도에 따라) 무게가 재건에 사용되는 보형물의 대략의 크기가 된다. 보형물은 lower profile, texture type이 주로 사용된다.

3) 보형물 공간(pocket)의 형성

겨드랑이를 통해 이동된 광배근 피판을 유방절제술로 생긴 결손 부위에 자연스럽게 넓게 펴서 위치시킨다. 피판의 고정을 안쪽에서부터 시작하여 유방아래 부분으로 진행하고 반대쪽 유방과 대칭을 확인해야 한다. 위쪽은 반대측 유방과 비교하였을 때 가슴이 시작하는 높이에 자연스럽게 고정하도록 한다(수평매트리스봉합법을 이용). 보형물 크기에 맞는 sizer를 만들어진 공간(pocket)에 위치하고 환자를 앉힌 자세에서 팽창시킨다. 이때 계산되어진 보형물의 크기보다 작게 혹은 크게 팽창시키면서 반대측 유방과의 대칭을 눈과 촉진으로 확인하면서 보형물의 최종 크기를 결정한다. 광배근 피판이 나중에 30%정도 위축될 것을 고려하여 반대측 유방보다 20-30%정도 크게 재건해야 한다.

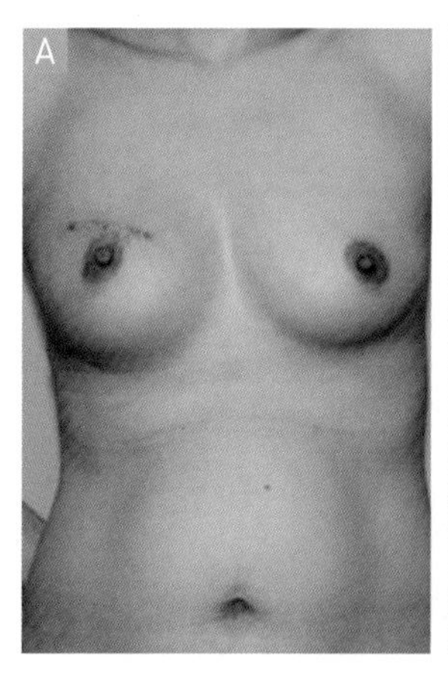

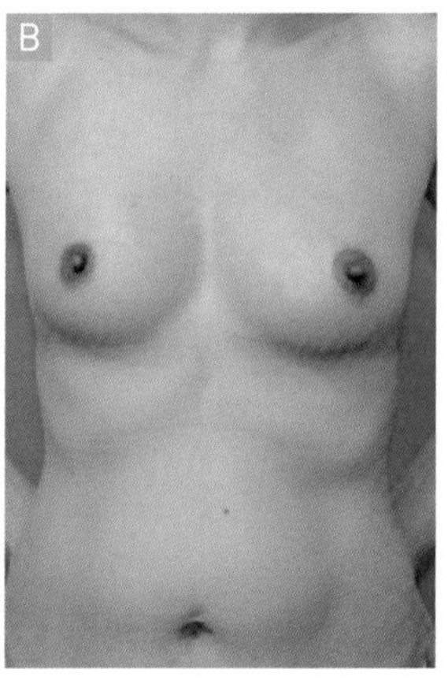

그림 1 오른쪽 유방의 유방암으로 수술 받기 전 사진과(A) 유두보존 유방 전 절제술 후 광배근 피판과 보형물을 이용하여 유방 재건을 시행한 후 사진(B)

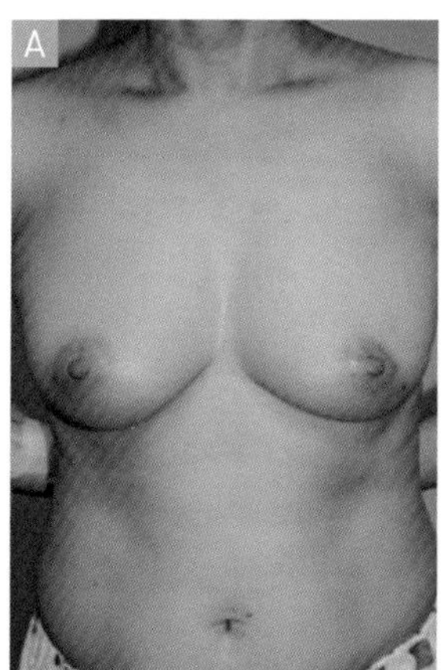

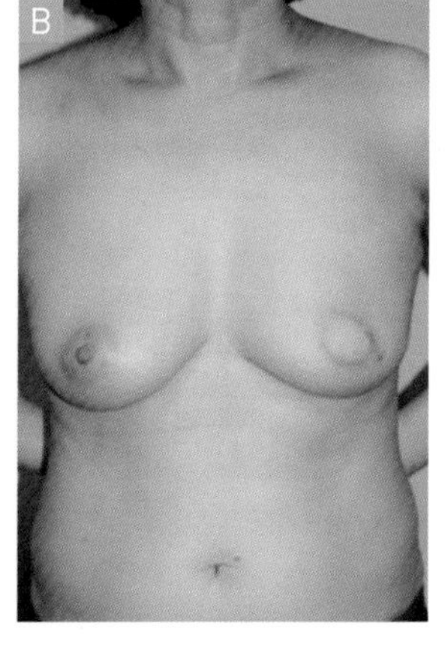

그림 2 왼쪽 유방의 유방암으로 수술 받기 전 사진과(A) 피부보존 유방 전 절제술 후 광배근 피판과 보형물을 이용하여 유방 재건을 시행한 후 사진(B)

만들어진 공간에 보형물을 위치시킨 뒤 광배근 피판의 바깥쪽 보형물을 덮어 자연스럽게 위치하는 부위에 고정을 시행하고 최종적으로 양측의 대칭을 비교한다. 피부결손이 있을 경우 광배근 피판의 피부 피판을 이용하여 결손을 재건할 수 있다.

Hemovac은 보통 보형물이 위치하는 공간과 유방 절제술 공간 두 군데에 위치시키고 이것은 평균 일주일 정도 후 제거한다.

4. 합병증

가장 대표적인 광배근 피판 재건술의 합병증은 장액종(seroma)이다. 이러한 장액종의 합병증은 광범위 광배근 피판을 사용할 경우 더 증가하게 되는데, 보형물의 복합사용은 광범위 광배근 피판의 필요성을 줄이기 때문에 장액종의 합병증을 줄이는데 도움이 된다.

보형물과 관련된 합병증도 생길 수 있는데 보형물을 단독으로 사용하였을 때보다 광배근 피판을 이용하여 보형물을 충분히 덮어주어 연부조직이 충분하게 된다면 보형물이 보이거나 손실되는 합병증의 발생 빈도를 줄일 수 있다.

5. 결론

광배근 피판과 보형물을 이용한 유방의 재건방법은 자가 조직과 보형물의 혼합 재건 방식으로 즉시재건이 가능하며 각각의 단점을 보완하면서 좋은 결과를 가져다주는 좋은 방법이 될 수 있다. 광배근 피판만을 이용한 재건은 부피나 가슴의 높이를 유지하는 것에 한계점이 있는데 보형물의 삽입은 이를 보충해준다. 또한 보형물로만 재건하였을 경우 나타날 수 있는 보형물이 비치거나 만져지는 합병증의 위험은 광배근을 이용해 연부조직으로 충분히 덮어줌으로써 그 위험성이 감소할 수 있다.

이처럼 광배근 피판과 보형물을 이용한 가슴의 재건은 보형물의 크기를 자유롭게 선택하면서 다양한 크기의 유방을 재건할 수 있고, 광배근의 좋은 혈액공급은 이전의 방사선 치료 상처나 혈액공급이 부족한 곳, 재건 후 방사선 치료가 계획되어 있는 환자에게도 재건을 가능하게 해준다.

참 · 고 · 문 · 헌

1. Bailey MH, Smith JW, Casas L, et al. Immediate breast reconstruction : Reducing the risks. Plast Reconstr Surg. 1989;83:845-851
2. Bittar SM, Sisto J, Gill K. Single-stage breast reconstruction with the anterior approach latissimus dorsi flap and permanent implants. Plast Reconstr Surg. 2012 May;129(5):1062-70
3. Chang DW, Youssef A, Cha S, et al. Autologous breast reconstruction with the extended latissimus dorsi flap. Plast Reconstr Surg. 2002;110:751
4. Clough KB, Louis-Sylvestre C,Fitoussi A, et al. Donor site sequelae after autologous breast reconstruction with an extended latissimus dorsi flap. Plast Reconstr Surg. 2002;109:1904
5. Eskenazi LB. New options for immediate reconstruction: Achieving optimal results with adjustable implants in a single stage. Plast Reconstru Surg. 2007;119:28-37
6. Menke H, Erkens M, Olbrisch RR. Evolving concepts in breast reconstruction with latissimus dorsi flaps: results and follow-up of 121 consecutive patients. Ann Plast Surg. 2001;47:107.
6. Woerdeman LA, Hage JJ, Hofland MM, Rutgers EJ. Aprospective assessment of surgical risk factors in 400 cases of skin-sparing mastectomy and immediate breast reconstruction with implants to establish selection criteria. Plast Reconstr Surg. 2007;119:455-463

Chapter 30

Aesthetic breast reconstruction »

근육일부보존 동측 유경횡복직근피판술

Ipsilateral pedicled muscle sparing TRAM flap

| 손대구 |

유경횡복직근피판술(pedicled transverse rectus abdominis muscle flap, pTRAM)은 피부피판을 하복부에 횡(transverse)으로 도안하여 술 후의 흉터를 하복부에 위치하게 하고 복부성형수술도 동시에 시행하는 수술방법으로 당시로는 획기적인 술기의 진보였다. 그러나 pTRAM은 복직근으로 들어오는 상복벽혈관(superior epigastric artery)을 피판경으로 하기 때문에 하복부 피부피판으로 들어오는 혈액량이 심하복벽혈관(deep inferior epigastric artery, DIEA)에서 직접 들어오는 혈관경을 사용하는 유리횡복직근피판술(free transverse rectus abdominis muscle flap, free TRAM)에 비해 적고, 한쪽의 복직근을 희생하므로 복벽이 약해지거나 탈장과 같은 합병증이 생길 수 있는 단점이 제기되었다. 이를 극복하기 위하여 복직근의 일부를 보존하는 수술방법이 소개되었다. 그러나 복직근에 들어오는 늑간신경은 DIEA의 외측줄기와 거의 같이 주행하기 때문에 늑간신경을 동시에 보존할 수 없는 경우가 많았고 이로 인해 보존된 근육은 결국은 위축되고 섬유화 되었다. 복직근 일부 보존의 유무와는 상관없이 pTRAM과 free TRAM 간의 복벽에 관련된 합병증의 차이에 대한 의견은 다양하다.

미세수술의 발달로 free TRAM은 DIEA천공지 피판으로 발전하였다. 반면에 pTRAM은 술기가 개발된 초기에 혈관과 신경에 대한 해부학적인 연구를 기반으로 피판지연처치, 양측 유경피판, 복직근 일부 보존, 그리고 vascular augmentation 등이 개발되었지만 2000년에 들어오면서 free TRAM의 발전에 밀려 더 이상 술기의 진보가 이루어 지지 못하였다. 즉, pTRAM으로 인해 발생할 수 있는 상복부의 불룩함(epigastric bulging), 유방밑주름의 소실, 복벽의 약함 등을 단점으로만 간주하고 이를 극복하기 위한 술기가 개발되지 못하였다.

유경복직근의 혈관경을 재건할 유방측에 두는 동측 유경피판(ipsilateral pedicled flap)을 사용할 것인지 아니면 반대측에 두는 반대측 유경피판(contralateral pedicled flap)을 선택할 것인지에 대해서도 서로 다른 의견들이 있다.

저자는 동측유경피판을 이용하고 복직근의 외측 1/3가량을 보존하며, 보존된 근육의 위축을 방지하기 위하여 절단된 늑간신경(intercostal nerve)을 복직근에 다시 심어주는 신경이식술과 복직근이 늑골에 부착하는 부위를 일부 절제하여 피판경에 의해 상복부가 불룩해지는 것을 방지하는 수술방법을 소개하고자 한다.

1. 복직근의 혈관경과 신경주행에 관한 해부학

상복벽혈관은 대부분 costoxiphoid angle의 바로 외측인 복직근의 내측 1/3에 존재한다. 김덕임 등(2003)의 한국인 사체연구에 의하면 상복벽혈관은 복직근 내측 1/3로 들어가는 것이 52%, 중간 1/3로 38%, 외측 1/3로 2% 그리고 두 개의 동맥이 동시에 들어가는 것이 8%라고 하였다. Miller 등(1988)의 연구에 의하면 심하복벽혈관과의 연결은 60%에서 choke vessel형태이고 15%에서는 직접 연결되어 있다고 한다. 이러한 연결형태보다 더 중요한 것은 choke vessel zone 인데, 배꼽 수준의 나눔힘줄인 아래나눔힘줄(3rd tendinous intersection)과 그 위의 중간나눔힘줄 사이에 대부분 존재하였다. 즉, 하복벽혈관과 상복벽혈관의 연결이 상복벽의 비교적 낮은 부위인 배꼽 바로 위에서부터 시작한다는 점을 유의해야 한다**(그림 1)**.

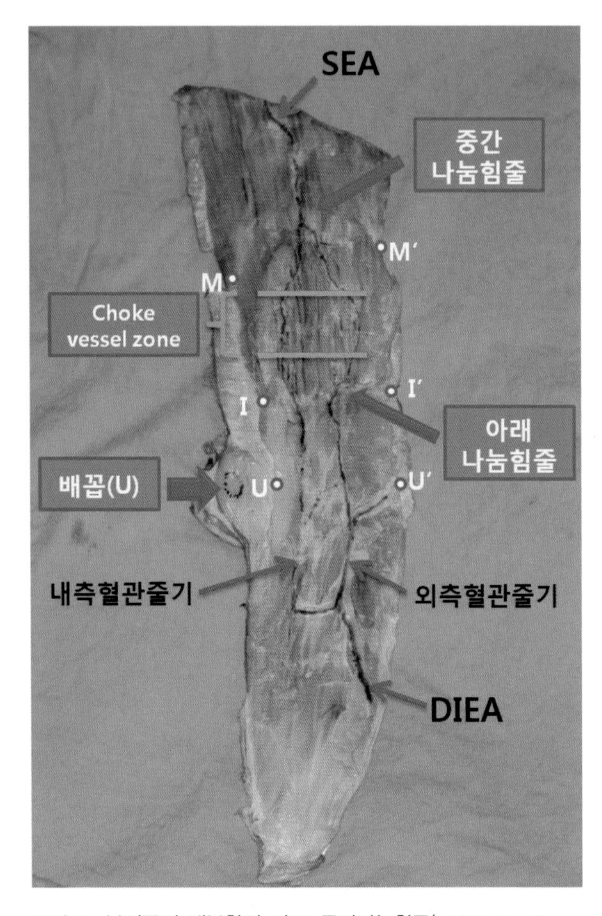

그림 1 복직근의 해부학적 지표: 중간나눔힘줄(middle tendinous intersection)의 외측경계(M′) 및 내측경계(M), 아래나눔힘줄(inferior tendinous intersection)의 외측경계(I′) 및 내측경계(I), 배꼽(U)과 여기서 그은 수평선이 복직근의 외측경계와 만나는 점(U′), 위의 경우에서는 상복벽혈관(SEA)이 복직근의 중간 1/3로 들어 오고 있다.
SEA, superior epigastric artery; DIEA, deep inferior epigastric artery

저자가 한국인 시신에서 얻은 복직근 11례와 64 channel abdomen dynamic CT에서 얻은 복직근 32례의 영상에서 복직근의 내측 및 외측 경계에서부터 상, 하복벽혈관의 내, 외측줄기까지의 거리를 측정하였을 때, 내측 혈관줄기는 복직근의 내측 경계(medial edge)에서 아래나눔힘줄(inferior tendinous intersection)에서 가장 가까웠으며, 사체에서 평균 거리는 1.8 cm, CT에서 평균 거리는 2.1 cm 이었다. 외측 경계(lateral edge)에서는 사체해부에서는 배꼽으로부터 연장한 수평선과 만나는 점(U′)에서 가장 가까웠으며, 거리는 평균 2 cm 이었고, CT영상에서는 아래나눔힘줄(I′)에서 가장 가까웠으며, 거리는 평균 1.9 cm 이었다**(그림 1)**.

복직근은 T8-T12 늑간신경의 지배를 받는다. 늑간신경은 internal oblique muscle과 transversus abdominis

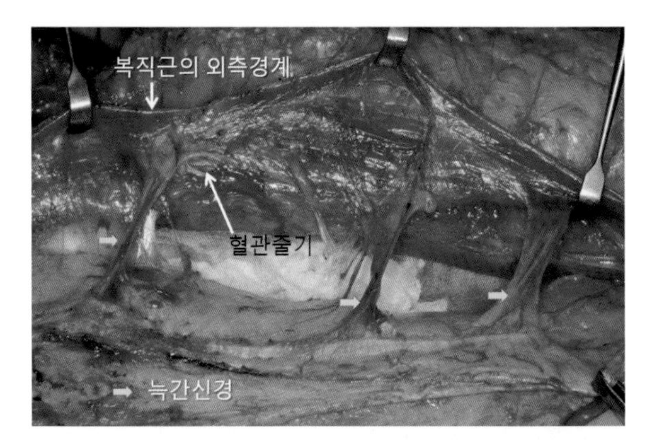

그림 2 Anterior rectus sheath를 복직근과 분리하고 근육의 후면을 보인 사진 : 늑간신경이 internal oblique muscle과 transversus abdominis muscle사이에서 나와 복직근의 외측 1/3지점에서 근육 안으로 들어가 혈관 줄기와 같이 주행하고 있는 것이 보인다.

muscle사이를 지나 복직근의 외측 1/3지점(외측경계에서 2-4 cm사이)에서 근육 안으로 들어오는데, 대부분에서 DIEA의 혈관줄기와 같이 주행하고 있어서 신경과 근육을 같이 보존할 수 있는 경우가 드물다**(그림 2)**. Hammond 등(1993)의 연구에 의하면 복직근 보존을 시도한 5명 중 3명에서 심한 근위축과 완전탈신경을 관찰하였다.

2. 수술방법

1) pTRAM flap elevation

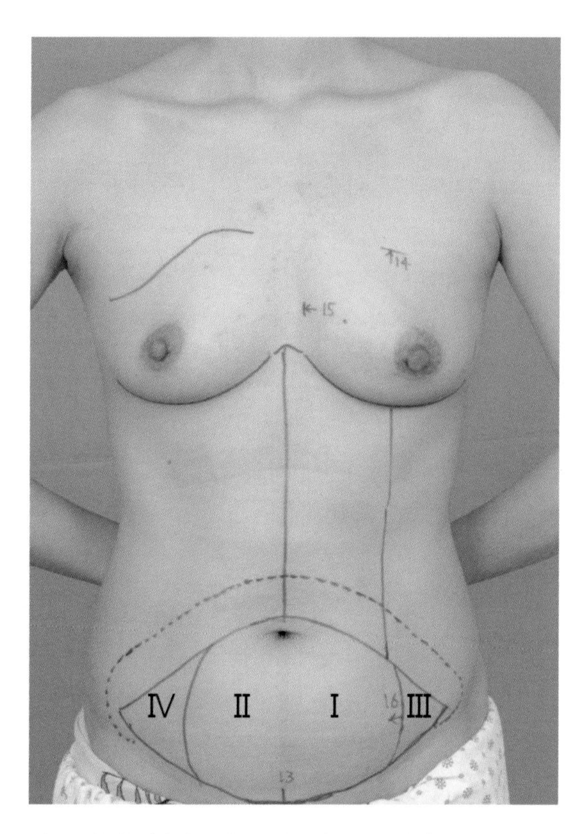

그림 3 술전 디자인: 동측 복직근의 피부표면경계와 하복부피판을 도안한 모습. 하복부피판의 위쪽절개선 위의 점선은 복부피판을 일으킬 때 심부피하지방을 피판에 추가하는 부분을 표시한 것이며, 반대편 유방의 곡선표시는 유방 상내측의 불룩한 정도를 나타낸 것으로 대칭적인 유방을 만드는데 중요하다. 이 환자에서 유방의 surface height는 14 cm 이며 surface width는 15 cm이다.

하복부의 위쪽 절개선은 배꼽의 바로 상부에서 외측 하방으로 약간 경사지게 옆구리 쪽으로 도안하고, 아래쪽 절개선은 환자의 복부의 여유를 생각하여 치골(symphysis pubis)상부에서 평행하게 그리고 외측 상방으로 경사지게 올라가서 양측 절개선이 ASIS부근에서 만나게 한다. 복부에 힘을 주게 하여 동측 복직근의 내, 외측연을 표시한다. 반대측 유방의 모양과 특징을 고려하여 하복부피판에 재건할 유방의 용적(dimension)을 표시하면 자연히 절제하여야 할 제 4구역(zone IV)과 제 3구역(zone III)이 결정된다**(그림 3)**.

수술은 먼저 하복부의 위쪽 절개선을 따라 No. 10 knife로 진피 직하방까지 절개를 가한 다음, 단극성 전기소작기로 머리(cephalic) 쪽으로 비스듬하게 절개를 가하여 피판에 심부피하지방조직을 필요한 만큼 추가한다**(그림 4)**.

복부피판을 전복직근막(anterior rectus sheath)과 외측 횡복직근(external oblique abdominis)의 근막 직상방으로 일으켜 외측으로 늑골궁 상방까지 내측으로는 xiphoid process까지 도달한다. 이때 중앙의 피하지방층이 복직근막과 단단히 붙어있기 때문에 복직근막에 손상을 주지 않도록 조심하여야 하는데, 절개해야 할 층이 구별이 잘 되지 않을 때는 오히려 피하지방 쪽으로 치우치게 박리하여 복직근막에는 손상을 주지 않도

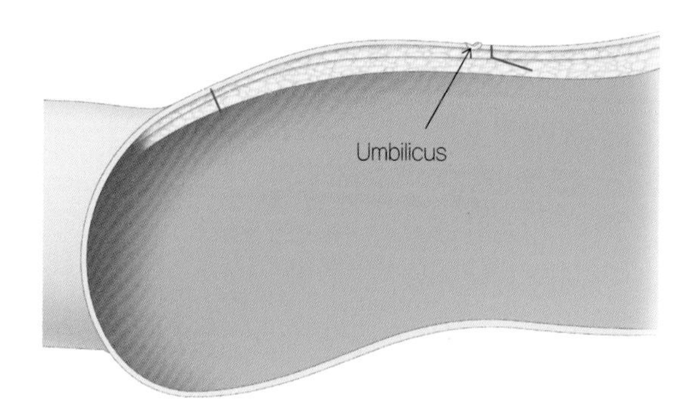

그림 4 하복부피판의 상, 하 절개방향

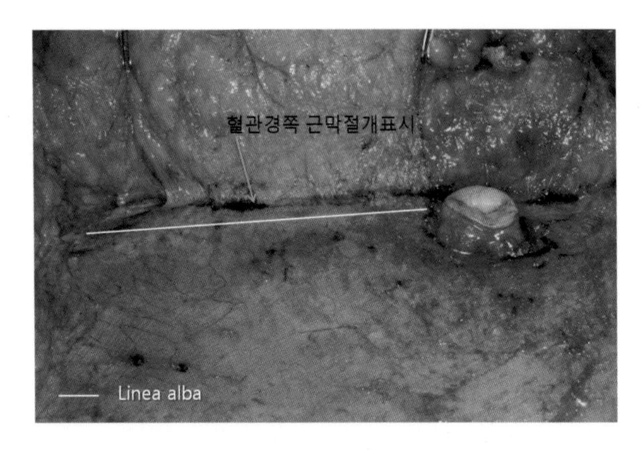

그림 5 혈관경 반대측 피판을 백색선을 넘어 1 cm까지 일으키는 것은 백색선을 보존하여 피판을 옮긴 후 공여부에 남은 내, 외측 복직근막을 모아서 견고하게 봉합하기 위함일 뿐만 아니라 혈관경 쪽의 anterior rectus sheath에 정확하게 절개함으로써(혈관경쪽 근막절개 표시) 혈관경이 되는 복직근을 손상 없이 박리하며, 플랜지를 남겨 복직근막을 쉽게 봉합하기 위함이다.

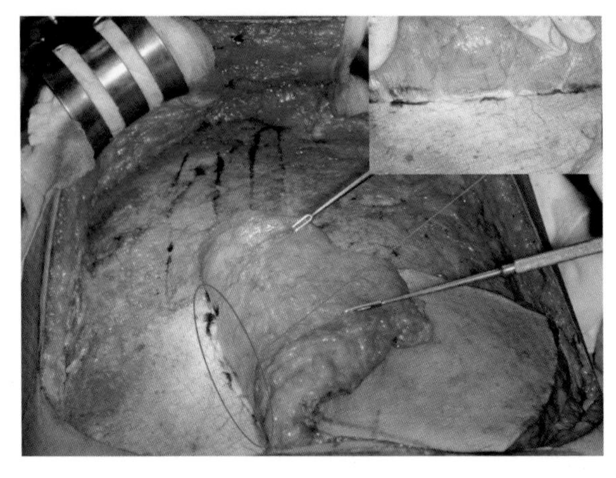

그림 6 근막절개선: 전복직 근막의 중간 1/3은 근육에 부착하여 muscle pedicle이 안전하게 유지되도록 한다.

록 해야 한다. 복부피판을 유방쪽으로 옮기기 위한 터널을 만들 때 중앙의 xiphoid process에서 inframmary fold의 내측 1/2을 가능하면 넘지 않도록 한다.

피판의 아래쪽 절개예정선을 따라 절개를 가하고 수직으로 들어가 근막에 이른 다음, 피판경의 반대측에서 피부 피판을 근막위로 중앙의 백색선(linea alba)을 넘어 약 1 cm정도 까지 일으킨다**(그림 5)** 이때 하복벽혈관의 내측 줄기(medial row)가 백색선에서 1-2 cm 정도 외측에 있기 때문에 조심해야 한다. 피판을 일으키며 나타나는 천공지들은 결찰하고 위치를 피부상에 표시하여 피판경 쪽에서 피부피판을 일으킬 때 지표로 삼는다.

피판경 쪽에서도 마찬가지로 근막상부로 피판을 일으켜 하복벽혈관의 외측줄기(lateral row)를 만나면 중단한다. 배꼽을 피부피판으로부터 분리 할 때는 umbilical stalk에 연조직을 충분히 붙여서 혈액순환이 좋도록 해야 한다.

복직근을 일으키기 위하여 복직근 위에 근막절개선을 도안할 때 피부피판의 상부에서는 복직근막의 내, 외측 1/3에, 피부피판에서는 외측줄기와 내측줄기 바로 옆에 표시한다**(그림 5, 6)**. 내측 1/3과 외측 1/3의 종절개선을 따라 근육을 다치지 않게 조심스럽게 절개하고 unipolar와 bipolar 전기소작기를 사용하여 복직근막을 복직근으로부터 분리한다. 복직근막은 복직근의 tendinous inscription에 강하게 부착하고 있기 때문에 이 부분의 박리가 어려운데, 박리가 깊어지면 혈관경에 손상을 줄 수 있다. 앞쪽의 복직근막 분리 후 근육의 후면으로 들어가 뒤쪽의 복직근막을 분리해 들어가면서 뒷면을 노출하여 심하복벽혈관의 주행경로를 확인한다.

심하복혈관의 주행이 확인되면 피판과 함께 복직근을 한쪽으로 젖혀서 arcuate line의 위치를 확인한 다음, 가장 낮게 위치한 천공분지의 하방에서 하복벽혈관을 찾아서 결찰한다. 이때부터 pTRAM flap은 superior epigastric artery로부터 만 혈액공급을 받게 되고 정맥환류(venous return)는 기존의 정맥순환과 반대방향으로 흐르게 되어 일시적으로 피판은 정맥울혈(venous congestion)에 빠지게 된다. 피판의 구역에 따라 정맥울혈이 다르게 나타나는데 정맥울혈이 심한 Zone IV와 III를 이때 미리 충분히 절제함으로써 남은 피판에

toxic metabolites에 의한 영향을 최소화 하는 방법도 있다. 피판을 유방으로 전이하고 공여부인 복부의 봉합이 끝날 즘에 피판은 정상적인 혈류역학(hemodynamic)을 되찾는다.

2) Rectus abdominis muscle preservation & intercostal nerve implantation

심하복혈관 외측줄기의 외측에 있는 근육을 분리하여 보존할 수 있다. 근육을 절단하기 보다는 근섬유를 분리하는 기분으로 복직근의 외측 1/3가량(약 2-3 cm)을 분리할 수 있다. 이론적으로는 혈관경이 포함된 근육만 가져가고 나머지는 모두 보존할 수 있다(**그림 7**). 그러나 내측에 보존된 근육은 필연적으로 완전탈신경화 되기 때문에 결국은 위축되고 섬유화된다. 그러므로 시간을 들여서 내측까지 보존하기 보다는 외측을 신경과 같이 보존하는 것이 합리적이다(**그림 8**).

복직근의 외측 1/3을 보존하기 위하여 근육을 분리할 때, 근육으로 들어가는 늑간신경의 외측분지들이 혈관경의 외측줄기와 대부분 동행하기 때문에(**그림 2**) 일단은 절단하고 pTRAM 피판을 유방으로 전이한 후 보존된 복직근 후벽에 9-0 비흡수성 봉합사로 신경이식술을 시행한다(**그림 9**). 소수의 경우에 늑간신경이 혈관경과 떨어져 있는 경우도 있는데 이때는 그대로 보존한다(**그림 10**). 결찰한 하복벽혈관이 손상되지 않도록 내측 2/3의 복직근을 unipolar 혹은 bipolar 전기소작기로 절단한다. 피판을 재건할 유방쪽으로 전이하기 전에 피판의 혈류를 확인하고 4구역과 3구역을 미리 절제한다.

pTRAM 유방재건수술에서 문제가 되는 costal bulging을 없애고 피판의 venous outflow를 좋게 하기 위하여 복직근의 부착부위(insertion)인 제 5, 6, 7늑골상부에서, 복직근의 바로 외측에서 시작해서 costal margin위로, 내측으로는 costoxiphoid angle 근처까지

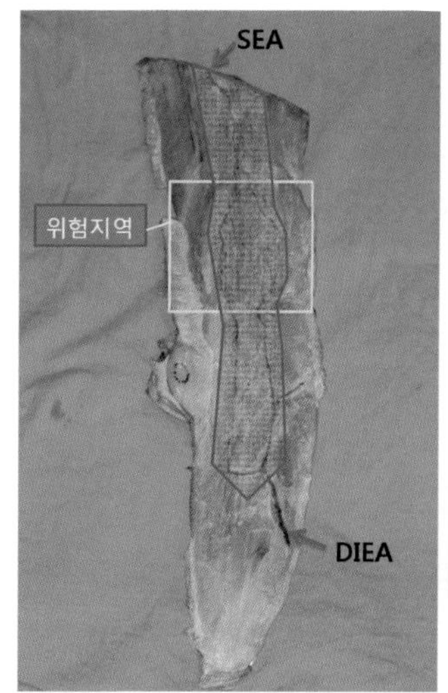

그림 7 이론적으로 남길 수 있는 근육과 혈관경에 반드시 포함되어야 할 부분(빗금부분)

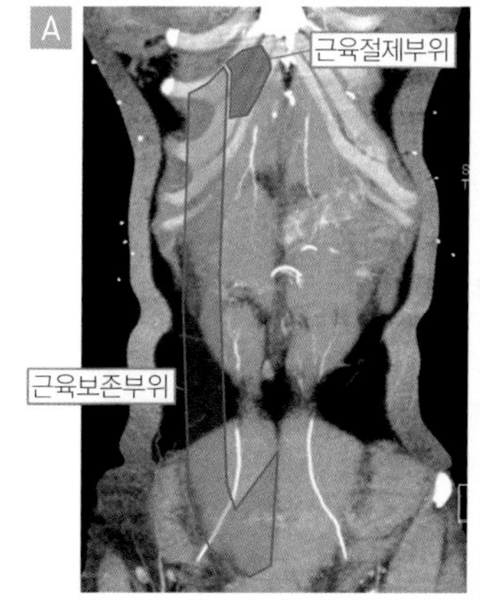

그림 8 (왼쪽)근육보존부위와 근육절제부위 표시, (오른쪽)늑간신경과 함께 보존된 복직근

복직근의 일부를 unipolar bovie로 절제한다(**그림 8**). 상복벽혈관(SEA)은 costal cartilage 뒤쪽에서 늑골연을 감고 올라와 복직근의 후면에서 근육으로 들어 가기 때문에 복직근 일부를 절제할 때 costal margin을 따라 손가락으로 한계를 정한 뒤에 그 상방에서 절제하면 손상을 주지 않는다(동영상). 이 후 피판을 180도 뒤집어

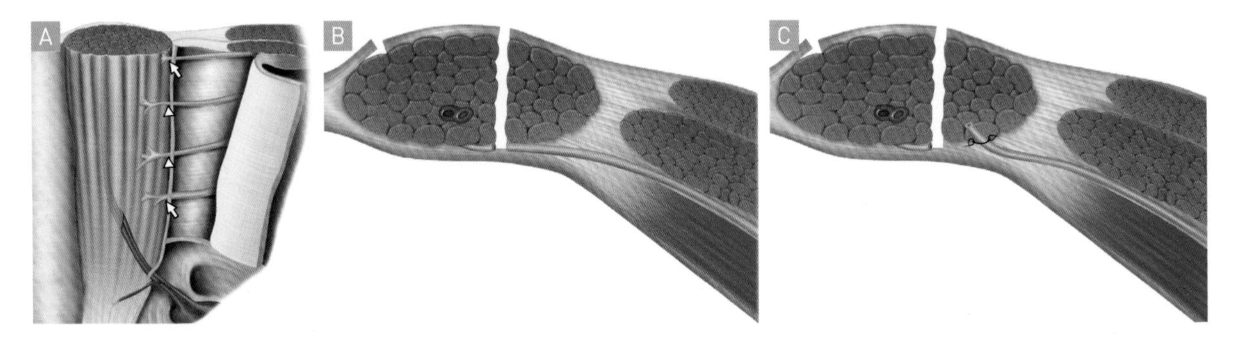

그림 9 신경이식수술 (Jeong W, Son D, Yeo H, Jeong H, Kim J, Han K, Lee S: Anatomical and Functional Recovery of Neurotized Remnant Rectus Abdominis Muscle in Muscle-Sparing Pedicled Transverse Rectus Abdominis Musculocutaneous Flap Arch Plast Surg. 40:361, 2013)

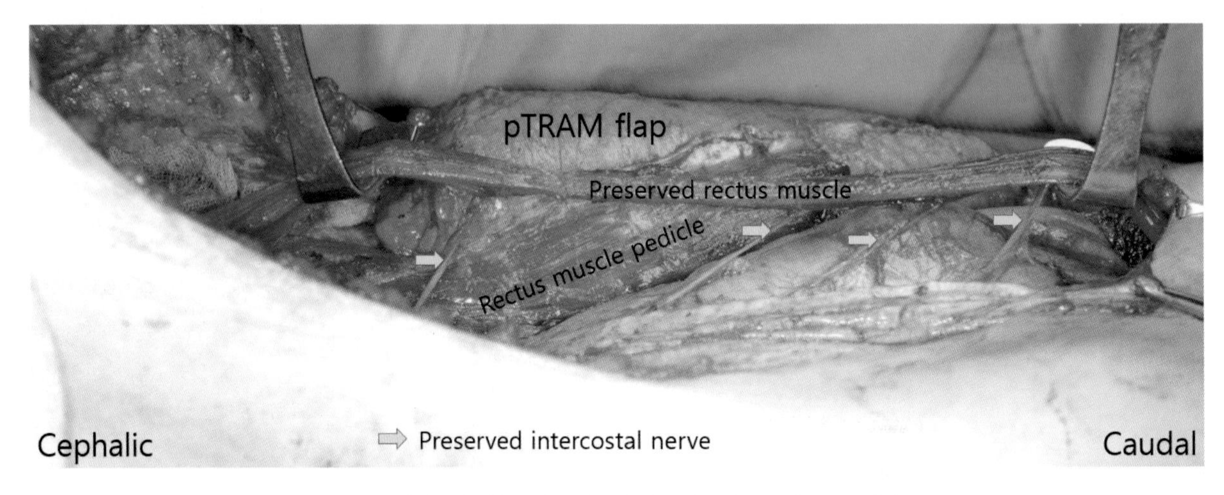

그림 10 복직근으로 들어가는 늑간신경이 혈관경의 외측줄기와 떨어져 있는 경우에는 그대로 보존한다.

터널을 통과하여 가슴부위로 전이한다. 근육을 절제한 곳에 복직근혈관경이 놓이게 한다. 복직근의 외측 1/3을 보존하였기 때문에 그만큼 복직근혈관경의 bulkness 자체가 줄었고, 내측으로는 복직근의 부착부위 일부를 제거하였기 때문에 터널 내의 공간이 넓어져서 복직근혈관경에 미치는 압박이나 저항이 매우 감소한다. 이와 같은 이유로 내부에서는 피판 자체의 정맥배액이 방해를 받지 않고, 외부적으로는 costal bulging이 생기지 않게 된다.

피판을 가슴부위로 전이하고 나면 늑골연에서 SEA와 8번 늑골신경을 찾을 수 있다. 8번 늑골신경은 충분히 절제함으로써 술 후 근육의 위축을 유도한다. 가슴으로 전이한 피판을 다시 180도 뒤집어 피부피판이 위로 오게 한 후 staples로 일시적으로 적당히 고정해 둔다.

내, 외측에 남아있는 양측의 복직근막을 1-0 Vicryl로 두 번 겹치게 봉합한다. 복직근막이 약화될 기미가 보이면 Mesh로 보강한다. 환자를 jack knife position으로 바꾼 후, 배꼽은 복부 피판에 새로운 위치를 잡은 다음 타원형으로 피부를 절제하고 피하지방을 적절히 절제한 다음, 남겨둔 배꼽을 새롭게 마련한 위치로 끄집어 내어 4-0 Vicryl로 3, 6, 9시 방향에서 복직근막에 고

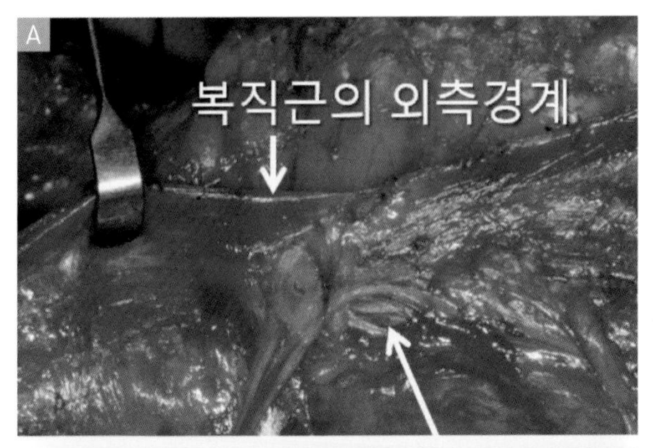

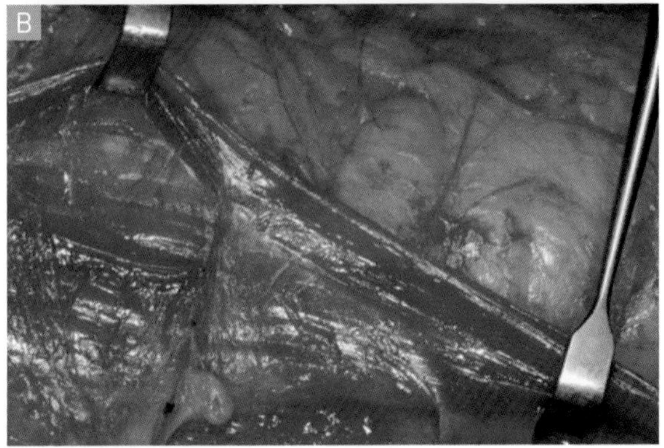

그림 11 **유방모양 만들기** (A) 가로로 평평한 유방과 (B) 세로로 긴 유방에서의 복부피판의 구획이 놓이는 위치와 고정봉합 위치

정하여 봉합한다. 복부피판 아래 흡입배액관을 넣고 상, 하 절개연을 당겨서 긴장없이 봉합한다.

3) Breast shaping

성인의 유방은 가슴에서 봉긋하게 나온 것이 아니라 버선모양으로 처져 있기 때문에 수술하기 전에 가슴의 모양을 철저하게 관찰하는 것이 대칭적인 유방을 만드는데 매우 중요하다. 피판을 수평으로 그대로 옮기면(배꼽 절제한 부분이 upper pole쪽에 감) 옆으로 평평한 유방이 되고, 수평으로 옮긴 상태에서 외측으로 90도 회전하면(배꼽 절제한 부분이 lateral로 감) 좁고 긴 유방이 된다(**그림 11**). 대부분의 유방은 이 두 양극단 사이에 어디엔가 있을 것이기 때문에 피판을 적절하게 회전하여 반대측 유방 모양과 비슷하게 만들 수 있다. 유방하방의 자연스러운 불룩함과 처짐을 만들려면 피판의 일부를 접어서 안으로 넣으면 된다. 유방의 모양을 그대로 유지하기 위하여 피판을 흉부의 상부와 내측에 고정봉합 한다.

3. 신경이식수술의 효과

정운혁 등(2013)이 pTRAM에서 복직근의 일부를 보존하고 신경이식술을 시행한 9명의 환자에서 수술 전후 64채널 전산화단층촬영(SOMATOM sensation, Siemens, Germany Ltd)을 시행하여 복직근의 단면적을 구하여 비교하였고, 남아있는 복직근이 실제 수축 기능을 하는지 알아보고자 근전도(Medelec synergy, Viasys Healthcare, UK Ltd)를 시행하였다. 9명중 7명(77.78%)에서 근육이 관찰되었고, 근육의 단면적은 평균 96.24 mm^2(정상측; 377.97 mm^2) 이었으며 모두에게서 MUAP파형이 관찰되었다.

pTRAM에서 복직근의 일부를 보존하는 시술은 수술 중 복벽혈관의 주행경로를 확실히 파악하면 근육을 쉽게 분리할 수 있다. 신경이식술은 단순히 신경을 근육에 미세봉합사로 심어 주는 것으로 loupe시야에서 충분히 가능하다. 이와 같이 복직근 보존과 신경이식술은 많은 시간과 노력을 투자하지 않고 시행할 수 있으므로 복직근의 일부를 남기는 시술을 선택할 때는 반드시 신경을 이식하거나 보존하여야 한다. 비록 남긴 복직근이 탈신경화되어 위축되고 섬유화된다 하더라도 복벽에서 buttress로 작용하기 때문에 복직근의 일부를 남기는 시술은 복벽의 기능에 어떤 방식으로든 도움이 된다.

4. 동측 혹은 반대측 유경피판의 장단점

Contralateral pedicle의 장점은 혈관경의 꼬임(kinking)이 적고, 혈관경의 반대쪽 끝인 zone IV의 정맥배액이 좋으며 그쪽이 재건 시 연조직이 비교적 덜 필요한 겨드랑이 쪽으로 간다는 점이라고 하였다. 그러나 혈관경에 장력(tension)이 증가하여 오히려 정맥울혈이 올 수 있다는 의견도 있고, 내측의 유방하주름이 없어지고 perixiphoid bulge가 생기는 단점도 지적되었다. 유방하주름인대(inframammary crease ligament)는 내측으로 5번째 늑골의 골막에서, 외측으로는 5번과 6번 늑골사이의 fascia에서 기시한다고 한다. 그러므로 피판을 전이하기 위한 터널을 내측으로 너무 치우치게 내지 않는 것이 좋다.

Ipsilateral pedicle의 장점은 내측유방하주름을 박리하지 않아도 되기 때문에 자연스러운 xiphoid hollow를 보존할 수 있고, 혈관경의 길이를 최대로 얻을 수 있기 때문에 피판의 움직임이 좋아서 유방의 모양에 따라 다양하게 피판을 회전할 수 있으며, 정맥배액이 우수하고, costal bulging 없이 유방하주름 윤곽을 잘 살릴 수 있다는 것이다. 그러나 같은 쪽에 방사선치료를 받은 경우는 ipsilateral pedicle을 피해야 하고, contralateral pedicle혹은 bilateral pedicle로 하는 것이 안전하다.

5. pTRAM이 적절한 환자

pTRAM은 유방의 크기와 복부에서 가져올 수 있는 피판의 양이 비슷한 경우에 선택하여야 한다. 이때 유용한 피판은 Zone IV 전체와 Zone III의 1/2-1/3, 그리고 Zone II의 1/3-1/4 정도를 절제한 후에 남는 피판을 말한다. Zone III와 IV를 포함하여야 양측 유방의 대칭을 얻을 수 있을 정도로 큰 피판이 필요한 경우에는 free TRAM으로 전환하는 것이 좋다. 또한 고위험 환자군 즉, 흉부에 방사선치료를 받은 사람, 흡연, 심한 비만이 있는 사람에서는 free TRAM이나 latissimus dorsi flap으로 유방재건수술을 하는 것이 더 안전하다.

6. pTRAM 후 복부합병증

pTRAM과 free TRAM 후 복벽의 기능과 합병증에 대해서는 상당히 많은 논란이 있다.

술 후 일정한 시간이 지난 뒤에는 pTRAM과 free TRAM 환자 간에 일상생활에서 복벽의 기능적인 차이는 없다고 한다. 하복부의 불룩함이나 탈장 발생은 어떤 수술방법을 선택했느냐 보다는 개개 환자의 복벽 근막의 상태와 어떤 방법으로 수복했는지가 더 관계가 있을 것으로 유추하고 있다.

7. 요약

동측의 pTRAM을 사용할 경우 혈관경의 꼬임과 긴장이 적고, 전이한 후 충분한 길이의 혈관경을 확보하기 때문에 피판의 이동이 자유로워 유방의 모양을 내기가 용이하고, 상복부의 불룩함이 적은 장점이 있다. 유경피판은 유리피판에 비하여 피판에 들어오는 혈행이 적지만 문제가 되는 제 4구역과 제 3구역을 절제하면 술 후의 지방괴사를 최소화 할 수 있다.

복직근의 일부를 복부에 보존하여 복직근혈관경의 부피를 줄이고, 복직근의 부착부위의 일부를 제거하면 혈관경에 미치는 저항을 최소화 할 수 있고, costal bulging이 없이 선명한 유방밑주름을 만들 수 있다. 보존된 복직근에 신경이식수술을 추가하면 남겨놓은 근육의 위축을 막을 수 있어서 술 후 복벽의 기능회복에 긍정적인 역할을 할 것으로 기대된다.

참·고·문·헌

1. Ascherman JA, Seruya M, Bartsich SA. Abdominal wall morbidity following unilateral and bilateral breast reconstruction with pedicled TRAM flaps: outcomes analysis of 117 consecutive patients. Plast Reconstr Surg 121: 1, 2008
2. Bayati S, Seckel BR. Inframammary crease ligament. Plast Reconstr Surg 95: 501, 1995
3. Beasley ME. The pedicled TRAM as preference for immediate autogenous tissue breast reconstruction. Clin Plast Surg 21:191, 1994
4. Bharti G, Groves L, Sanger C, Thompson J, David L, Marks M. Minimizing donor-site morbidity following bilateral pedicled TRAM breast reconstruction with the double mesh fold over technique. Ann Plast Surg 70:484, 2013
5. Chun YS, Sinha IS, Turko A, Lipsitz S, Pribaz JJ. Outcomes and patient satisfaction following breast reconstruction with bilateral pedicled TRAM flaps in 105 consecutive patients. Plast Reconstr Surg 125: 1, 2010
6. Chun YS, Verma K, Sinha I, Rosen H, Hergrueter C, Wong J, Prabaz JJ. Impact of prior ipsilateral chest wall radiation on pedicled TRAM flap breast reconstruction. Breast Surg 71:16, 2013
7. Clugston PA, Gingress MK, Azurin D, Fisher J, Maxwell GP. Ipsilateral pedicled TRAM flaps: the safer alternative? Plast Reconstr Surg 105: 77, 2000
8. Codner MA, Bostwick J, Nahai F, Bried JT, Eaves FF. TRAM flap vascular delay for high-risk breast reconstruction [comment] Plast Reconstr Surg 96:1615, 1995
9. Elliott LF, Hartrampt CR. Tailoring of the new breast using the transverse abdominal island flap. Plast Reconstr Surg 72: 887, 1983
10. Glugston PA, Lennox PA, Thompson RP. Intraoperative vascular monitoring of ipsilateral versus contralateral TRAM flaps. Ann Plast Surg 41:623, 1998
11. Grotting JC, Urist MM, Maddox WA, Vasconez LO. Conventional TRAM flap versus free microsurgical TRAM flap for immediate breast reconstruction. Plast Reconstr Surg 83: 828, 1989
12. Hammond DC. Rectus abdominis muscle innervation: implications for TRAM flap elevation. Plast Reconstr Surg. 96: 105, 1995
13. Harashina T, Sone K, Inoue T, Fukuzumi S, Enomoto K. Augmentation of circulation of pedicled transverse rectus abdominis musculocutaneous flaps by microsurgery. Br J Plast Surg 40:367, 1987
14. Hartampt CR. Autogenous tissue reconstruction in the mastectomy patient. A critical review of 300 patients. Ann Surg. 205(5):508, 1987
15. Hartrampt CR. Abdominal wall competence in transverse abdominal island flap operations. Ann Plast Surg 12(2):139, 1984
16. Hartrampt CR, Scheflan M, Black PW. Breast reconstruction with a transverse abdominal island flap. Plast Reconstr Surg 69: 216-224, 1982
17. Jeong W, Son D, Yeo H, Jeong H, Kim J, Han K, Lee S. Anatomical and Functional Recovery of Neurotized Remnant Rectus Abdominis Muscle in Muscle-Sparing Pedicled Transverse Rectus Abdominis Musculocutaneous Flap Arch Plast Surg. 40:359, 2013
18. Jones G. The pedicled TRAM flap in breast reconstruction. Clin Plast Surg 34:83, 2007
19. Jones G. The pedicled TRAM flap in breast reconstruction. Clin Plast Surg 34:83, 2007
20. Lejour M. Dome M. Abdominal wall function after rectus abdominis transfer. Plast Reconstr Surg 87:1054, 1991
21. Miller LB, Bostwick J, Hartrampf CR, Hester TR, Nahai F. The superiorly based rectus abdominis flap: predicting

and enhancing its blood supply based on an anatomic and clinical study: Plast Reconstr Surg 81: 713, 1988
22. Mizgala CL, Hartrampf Jr CR, Benett GK. Assessment of the abdominal wall after pedicled TRAM flap surgery:5- to 7-year follow-up of 150 consecutive patients. Plast Reconstr Surg 93:988, 1994
23. Olding M, Emory RE, Barrett WL. Preferential use of the ipsilateral pedicle in TRAM flap breast reconstruction. Ann Plast Surg 40:349, 1998
24. Restifo RJ, Syed SS, Ward BA, Scoutt LM, Taylor K. Surgical delay in TRAM flap breast reconstruction: a comparison for 7- and 14-day delay periods. Ann Plast Surg 38:330, 1997
25. Serletti JM. Breast reconstruction with the TRAM flap: pedicled and Free. J Surg Oncol 94: 532, 2006
26. Serletti JM, Moran SL. Free versus the pedicled TRAM flap: a cost comparison and outcome analysis. Plast Reconstr Surg 100: 1425, 1997
27. Shestak KC. Breast reconstruction with a pedicled flap. Clin Plast Surg 25:167, 1998
28. Suominen S, Asko SS, Von SK. Sequelae in the abdominal wall after pedicled or free TRAM flap surgery. Ann Plast Surg 36:629, 1996
29. 김덕임, 이우영, 한승호, 백두진, 고기석, 정락희, 이백권, 이종원, 안상태. 근육피판술을 위한 배곧은근의 형태. 대한체질인류학회지 16(3): 137, 2003
30. 손대구, 박병주, 김진한, 최태현, 김준형, 한기환. 복직근의 혈관 주행에 관한 시신해부 및 컴퓨터 단층촬영. 대한성형외과학회지 35: 663, 2008

Chapter 31

Aesthetic breast reconstruction »

미세 유방재건

Microsurgery in breast reconstruction

| 민경원 |

유방재건술이란 Poland 증후군과 같이 선천적으로 유방형성이 미숙하거나 유방암이나 외상 등의 후천적인 이유로 유방을 절제하였을 경우 환자에게 유방을 새로 만들어주는 수술을 말한다. 미세혈관에 대한 지식의 깊이가 깊어짐에 따라 free flap을 이용하여 유방을 재건하는 방법은 보편화되었다. 이와 아울러 implant의 발달과 수술의 간편성 측면에서 implant를 이용하여 재건하는 방법도 크게 늘고 있다. 2014년에 본원에서 유방절제술을 받은 환자의 38.3%에서 유방재건술을 시행하였으며, 이중 free flap과 implant를 이용한 유방재건의 비율이 5대 5로 비슷했다. 하지만 미세수술 술기의 발달로 free flap의 성공률이 점점 높아짐에 따라 free flap을 이용한 유방재건의 수요는 꾸준할 것으로 예상된다.

유방재건은 재건시기에 따라 즉시재건과 지연재건으로 나뉜다. 즉시재건은 0기에서 2기 사이의 비교적 초기 유방암으로 원발병소의 완전한 절제가 가능할 것으로 생각되는 경우이거나, 절제부위에 염증, 감염, 방사선 치료의 병력이 없는 경우가 좋은 적응증이 된다. 한번의 수술로 재건이 가능하고, 신체적 변형으로 인한 육체적, 정신적 고통에서 벗어날 수 있다는 장점이 있으나, 한편으로 수술시간이 길어지고, 유방재건에 대한 동기부여가 지연재건의 경우보다 약하다는 단점이 있다.

반면에 지연재건은 유방절제술 후 보조적인 화학요법, 방사선 치료, 호르몬 요법 등을 시행받고, 6개월에서 수년이 지나, 재발의 가능성이 낮은 환자중 유방재건에 대한 필요성을 인식하고 수술받기 원하는 경우 시행하게 된다. 두번 수술을 한다는 점, 이전 유방절제술로 인해 수혜부에 반흔이 심하다는 점과 유방하 주름(inframammary fold)을 만들어줘야 한다는 기술적인 어려움이 단점으로 꼽힌다. 2014년에 본원에서 시행한 유방재건술중 즉시재건과 지연재건의 비율은 9대 1이었다.

현재 미세수술을 이용한 free flap의 경우 하복부조직을 이용한 flap을 많이 사용한다. 이는 상대적으로 충분한 조직을 얻을 수 있고, 술중 자세의 변동이 없으며, 술후 부가적으로 날씬한 복부를 얻을 수 있기 때문이다. Flap을 선택한 후 혈관경(pedicle)을 환측과 반대측 중 어느 쪽에서 가져갈 지, 수혜부에 문합할 혈관은 어떤 것을 사용할 지, flap의 크기와 디자인 등의 요소들은 유방절제로 인한 결손량과 반대측 유방의 모양, 술자의 술기와 경험 등에 근거하여 결정한다.

수혜부 혈관으로는 thoracodorsal artery (TDA)나

internal mammary artery (IMA)를 사용하는데 지연재건에서는 방사선 치료를 받은 경우 axilla의 섬유화가 심하게 진행되어 TDA의 박리가 어려워 IMA를 더 사용하는 편이다. Moran 등이 시행한 전향적연구결과에 따르면 free flap으로 유방재건시 수혜부 혈관으로 TDA와 IMA를 비교하였는데, 수술 성적에 차이가 없었다고 한다. 결론적으로 환자의 병력과 술자의 선호도 등을 고려하여 적절한 수혜부 혈관을 선택하도록 한다.

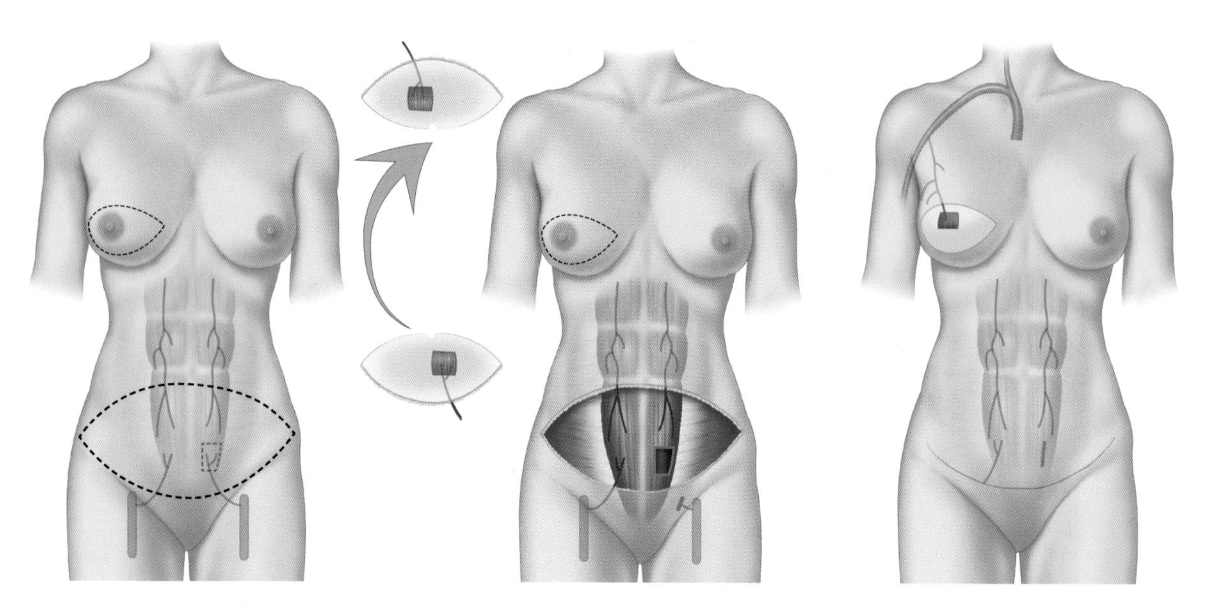

그림 1 우측 유방의 재건을 위해 thoracodorsal artery를 수혜부 혈관으로 하는 free TRAM flap 과정의 모식도

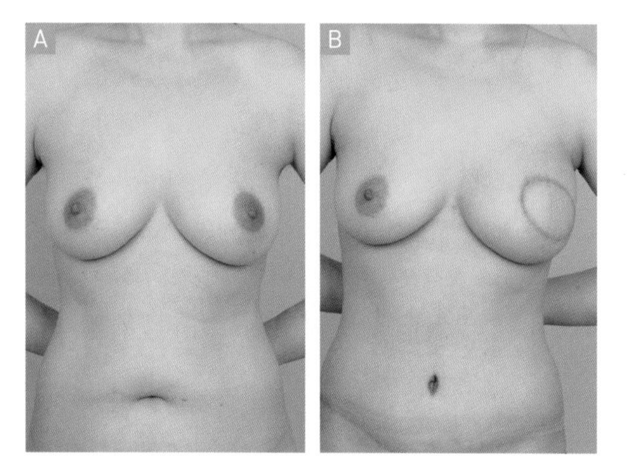

그림 2 좌측 유방에 발생한 유관상피내암(ductal carcinoma in situ)로 변형근치적유방절제술(modified radical mastectomy)를 시행하고 즉시 free TRAM flap으로 재건하였다. 재건술 전 (A) 및 술후 6개월째 사진 (B).

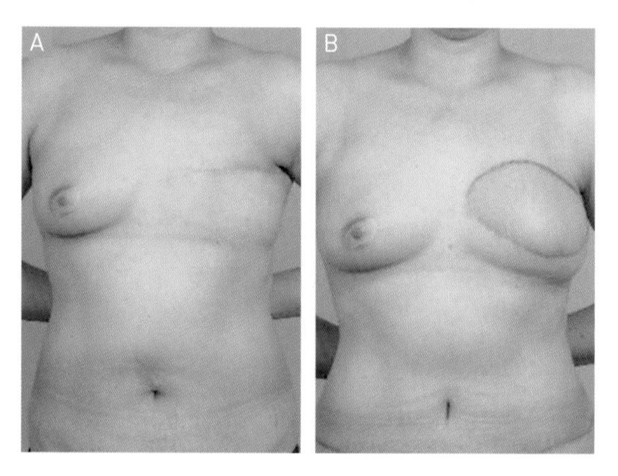

그림 3 좌측 유방암으로 유방전절제술(total mastectomy), 보조적 화학요법 및 방사선치료를 시행 받고 수년 후 free TRAM flap을 시행하여 유방을 지연 재건하였다. 재건술전 (A) 및 술후 6개월째 사진 (B).

1. Flap(피판)

1) TRAM flap

1982년에 Hartrampf가 유방재건에 있어서 TRAM flap의 사용에 대한 보고를 한 이후, pedicled TRAM flap은 유방재건의 대표적인 방법으로 많이 사용해왔다(**그림 1**). 하지만 미세수술 술기의 개선에 힘입어 최근에는 미용적으로 더 나은 결과를 얻고 술후 합병증을 최소화시킬 목적으로 free TRAM flap을 더 많이 사용하는 추세다. 그럼에도 불구하고 각 센터마다 술자의 선호도에 따라 pedicled TRAM과 free TRAM이 시행되고 있으며, deep inferior epigastric perforator (DIEP) flap이나 superficial inferior epigastric artery (SIEA) flap 등의 개선된 flap도 소개되어 사용되고 있다.

Free TRAM flap의 장점은 다른 free flap의 장점과 유사하게 pedicled flap에 비해 유방의 모양을 만들기 쉽다는 점이다(**그림 4, 5**). 이 flap의 적응증은 일정 부피 이상의 유방을 재건해야할 경우, 즉시재건 이후 방사선 치료가 이어지는 경우, 임신의 계획이 더 이상 없는 경우, 하복부에 pedicle의 손상을 입을만한 수술을 받은 병력이 없는 경우 등을 생각할 수 있다. 하지만 저자의 경험상 제왕절개와 같은 하복부 수술의 기왕력은 flap의 생존에 큰 영향을 미치지 않는 것 같다. 수평절개뿐만 아니라 정중선의 수직절개 반흔의 경우에도 복부수술받은지 몇 년의 시간이 지난 경우에는 TRAM flap 거상 이후 flap에 일부 울혈성 소견을 보이기는 하지만 수시간이 지나면 해소되기 때문에 하복부 수술의 기왕력이 TRAM flap의 금기증은 더 이상 아니다. 최근에는 multi-detector computed tomography (MDCT)와 같은 검사를 통해 pedicle의 보존 여부 및 위치까지 확인이 가능하므로 술전에 flap 사용가능여부를 결정하는데 도움을 받을 수 있다(**그림 2**).

이 flap의 pedicle은 deep inferior epigastric artery (DIEA)와 superior epigastric artery인데 이 두 혈관은 복부중앙의 rectus abdominis muscle 안에서 choke vessel의 형태로 연결되며, pedicled TRAM의 경우 superior epigastric artery를, free TRAM의 경우 DIEA를 통해 혈류공급을 받는다. 이 혈관들은 rectus abdominis muscle을 뚫고 올라가는 천공지(perforator)를 분지하는데, 이 perforator들이 복부의 피부와 피하지방으로 진행하므로, 술중에 주요 perforator를 flap에 포함시키는 것이 중요하다. Andrades 등은 flap을 거상할 때 perforator를 둘러싸는 rectus abdominis muscle을 어느 정도 포함시켰느냐에 따라 muscle sparing (MS) 0에서부터 3까지 총 4가지로 분류했다. MS-0은 rectus abdominis muscle을 perforator 부위에서 완전히 잘라 flap에 포함시키는 경우이고, MS-1은 rectus abdominis muscle의 내측 혹은 외측 만을 포함시키는 경우이고, MS-2는 rectus abdominis muscle의 중간 부위만, MS-3는 rectus abdominis muscle을 박리하여 perforator만 포함시키는 경우로, DIEP flap이라고 부른다(**그림 3**).

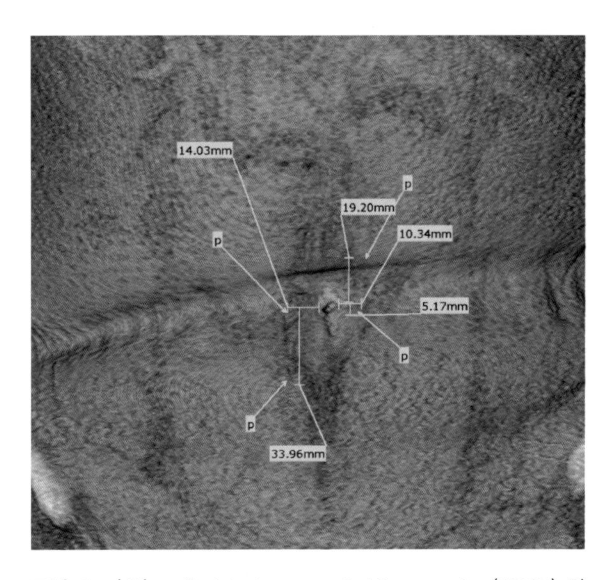

그림 4 술전 multi-detector computed tomography (MDCT) 검사를 통해 배꼽을 기준으로 pedicle의 위치정보를 확인할 수 있다.

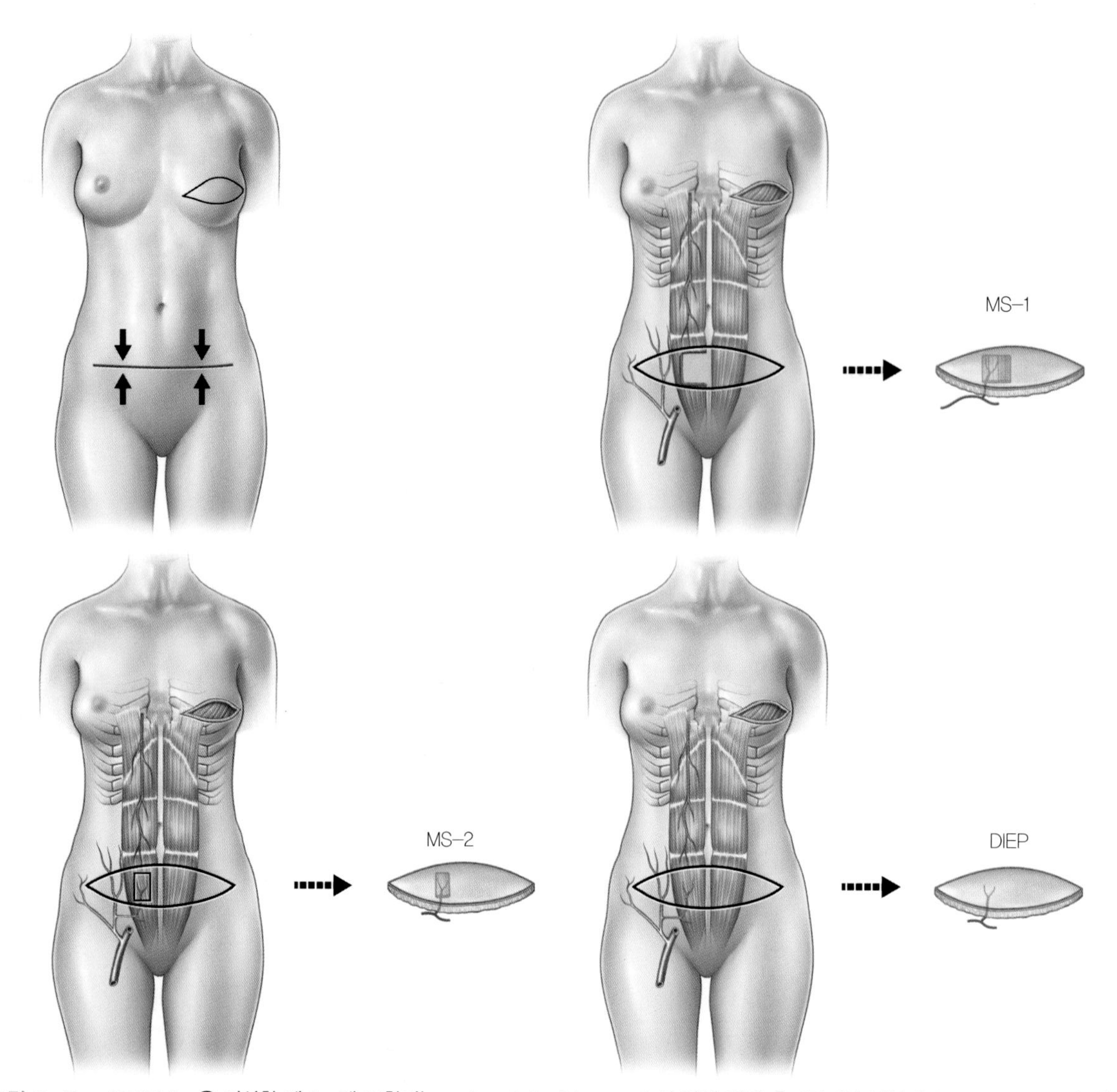

그림 5 Free TRAM flap을 거상할 때 flap에 포함되는 rectus abdominis muscle의 양에 따라 총 4가지로 나뉜다. Muscle sparing (MS)–0은 rectus abdominis muscle을 완전하게 잘라가져가고, MS–1은 muscle의 내측 또는 외측의 일부만, MS–2는 muscle의 중앙부만, MS–3 (DIEP)는 muscle을 가져가는 것 없이 pedicle만 가져간다.

MS-0에서 MS-3로 갈수록 rectus abdominis muscle의 손상을 최소화하여 복벽의 강도를 높게 유지할 수 있으나, 4가지 유형 간에 장기적으로 경과 관찰한 연구 결과가 아직 필요한 단계이다.

Flap을 디자인해서 거상하고, 미세수술을 통해 이전하여 유방을 재건하는 과정은 다른 chapter에서 다루기 때문에 구체적인 언급은 생략한다.

2) Deep inferior epigastric perforator (DIEP) flap

DIEP flap은 1989년에 Koshima에 의해 임상증례가 보고된 이후, 1990년대에 대중화되기 시작하여 현재는 TRAM flap을 대체할 수 있는 flap으로 사용되고 있다. TRAM flap이 갖는 장점에 rectus abdominis

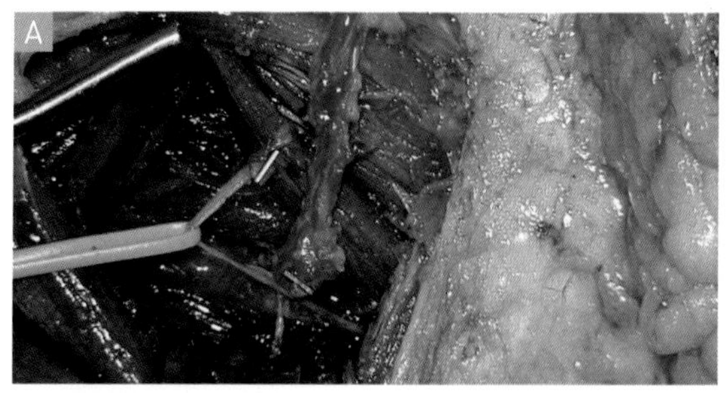

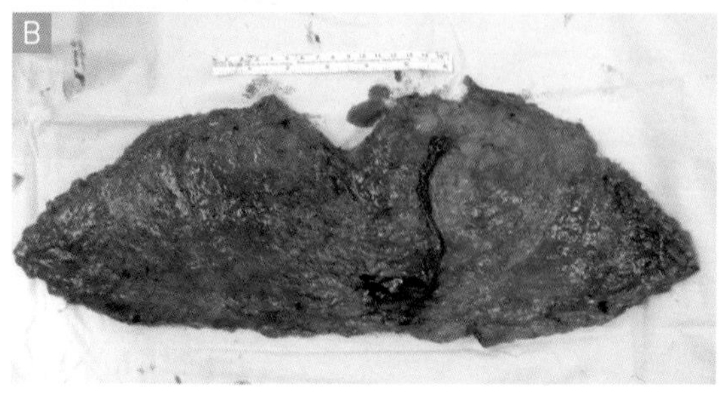

그림 6 Free DIEP flap을 거상하여 유방재건을 시행하였다. Pedicle인 DIEA의 perforator가 rectus abdominis muscle을 뚫고 올라오는 사진(A)과 거상된 flap(B).

muscle을 flap에 포함시키지 않기 때문에 복벽의 강도를 유지하기 쉽다는 장점이 추가된다. DIEP flap의 pedicle은 external iliac artery에서 분지하는 deep inferior epigastric artery (DIEA)이다. DIEA는 external iliac artery에서 갈라져 나온 이후에 rectus abdominis muscle의 후방에서 상복부로 방향으로 진행하다가 rectus abdominis muscle의 하부 (17%), 중앙부 (78%) 또는 상부 (5%)에서 muscle 속으로 들어간다. DIEA는 rectus abdominis muscle 속으로 진입한 이후 복부 피부방향으로 perforator를 분지하는데, rectus abdominis muscle을 기준으로 각각 내측 (18%), 중앙 (28%), 또는 외측 (54%)에서 주요 perforator가 muscle을 뚫고 나온다. Flap을 거상할 때 pedicle을 몇 개나 포함시켜야 하는 지의 여부는 안전한 거상을 위해 중요하다. Nahabedian 등은 88례의 DIEP flap 수술에서 flap에 포함되는 pedicle의 개수를 확인하였는데, 그 결과 pedicle이 하나인 경우가 76%, 두개인 경우가 22%, 그리고 세 개인 경우가 2%이었다. Flap을 거상한 이후 유방을 재건하는 과정은 TRAM flap과 유사하다 **(그림 6)**.

3) Superficial inferior epigastric artery (SIEA) flap

1975년 Taylor와 Daniel에 의해 처음 소개된 이후 1990년대에 유방재건을 위해 부분적으로 사용되기 시작하였다. SIEA를 pedicle로 사용하기 때문에 rectus abdominis muscle을 필요로 하지 않으므로 TRAM flap이나 DIEP flap에서 발생할 수 있는 공여부의 합병증을 최소화 시켰다는 점에서 강점이 있다. Flap의 디자인은 TRAM flap이나 DIEP flap과 유사하나 주로 복부 피부나 피하지방이 풍부한 경우 사용해볼 수 있다.

문헌에 따르면 35%의 사례에서 SIEA가 발견되지 않았다고 한다. 따라서 술전에 Doppler 초음파를 이용하거나 MDCT와 같은 정밀검사를 통해 pedicle의 존재여부를 확인하는 것이 중요하다. 이러한 해부학적인 이유로 유방재건을 시행할 때, flap 거상 시 SIEA의 존재여부를 확인하고, 만약 발견되지 않는다면 TRAM flap이나 DIEP flap으로 계획을 변경하는 것을 추천한다. 한편 TRAM flap이나 DIEP flap을 시행한 경우에 울혈이 예상되는 증례에서 superdrainage를 위해 superficial inferior epigastric vein을 추가적으로 문합하기도 한다.

복부의 fascia를 건드리지 않기 때문에 공여부의 합병증 면에서 이점이 있지만 최근에 Coroneos 등이 발표한 논문에 따르면 DIEP flap과 견주어 보았을 때 SIEA flap이 reexploration, arterial insufficiency, 재수술이 필요한 조직괴사, flap failure의 면에서 유의하게 발생율이 높았기 때문에 유방재건에 있어서 SIEA flap의 사용을 권하지 않는다고 하였으므로, 실제 SIEA flap을 계획할 때 보다 더 신중을 기해야 할 것으로 보인다.

4) Gluteal artery perforator (GAP) flap

GAP flap은 위에서 서술한 flap과는 달리 하복부에 반흔을 남기지 않고 일상적인 속옷으로 가려지는 부위에 반흔을 남기기 때문에 미용적으로 큰 강점이 있다. Pedicle은 superior gluteal artery와 inferior gluteal artery를 사용할 수 있는데 둘중에 어떤 artery를 사용하느냐에 따라 디자인이 달라진다. 술전 디자인을 할 때는 환자를 서있는 상태에서 Doppler 초음파를 이용하여 perforator를 미리 찾아놓는다.

Pedicle은 8.5-10 cm의 길이로 확보할 수 있고, 유방재건에 필요한 양의 피부와 피하지방을 얻을 수 있다. 하지만 서양인과 달리 동양인의 체형상 풍부한 양의 조직을 얻지 못할 수 있고, 술중에 자세를 변경해야 하는 불편함이 있기 때문에, 하복부에서 공여조직을 이용할 수 없을 경우와 같은 상황에서 제한적으로 사용을 고려해볼 수 있겠다.

5) Anterolateral thigh (ALT) flap

주로 두경부나 하지재건에 쓰이는 flap이지만 하복부를 공여부로 사용할 수 없는 환자의 유방재건에 사용했다는 보고가 있다. ALT flap은 공여부와 수혜부의 거리가 상대적으로 멀기 때문에 두 팀이 동시에 수술을 진행할 수 있다는 장점이 있다. 이 flap의 pedicle은 descending branch of the lateral circumflex femoral artery이며, 평균 10 cm의 길이와 2 mm보다 큰 지름의 혈관을 확보할 수 있다. Flap의 폭이 8-9 cm인 경우에도 공여부의 일차봉합이 가능하다. 유방전절제술을 한 경우 ALT flap에서 얻은 조직의 양으로 재건시 부족할 수 있기 때문에 flap 선정할 때 고려하도록 한다.

2. 술후 관리 및 부작용

1) 술후 관리와 flap의 monitoring (감시)

술후 환자의 자세는 TRAM flap, DIEP flap 또는 SIEA flap을 사용하였을 경우 공여부 봉합 시에 유지하였던 잭나이프 자세를 취하여야 한다. 저자의 경우 술후 2일간은 절대안정을 취하도록 하며, 금식을 유지하여 flap이 나빠질 경우 바로 응급수술에 들어갈 수 있도록 한다. 술후 2일간 flap의 monitoring을 집중적으로 시행하는데 2-3시간 간격으로 flap의 온도, 재건된 유방의 피부의 색깔, 모세혈관 재충전 시간 등을 주로 관찰한다. Flap의 상태가 의심스러운 경우 pedicle 부위를 피해서 바늘로 찔러보아 맺히는 피의 색깔을 관찰할 수 있다. 하지만 flap의 상태가 좋지 않은 경우 응급수술로 pedicle의 상태를 관찰하는 것이 우선이다.

Pedicle의 개통을 유지하기 위해 가장 중요한 것은 pedicle이 눌리지 않도록 자세에 주의를 기울이는 것이다. 항응고를 위해 술중 혈관문합이 끝난 이후 1250unit의 heparin을 한차례 정맥주사하고, 술후 dextran을 5일간, Prostaglandin E1 (PGE1)을 7일간 사용한다. Heparin은 미세혈관문합 후 microemboli가 혈관 내 관찰되었다는 Acland 등의 연구를 근거로 항응고를 위해 사용하며, dextran은 항응고와 혈류증가가 주목적이고, PGE1은 혈관을 확장시키기 위해 사용한다. 단, PGE1의 경우 환자가 두통을 호소할 수 있으므로 미리 잘 설명해둔다.

술후에 주기적으로 확인하여야 할 것이 혈색소와 알부민 수치이다. 혈색소는 9 이상을 유지하도록 하며, 술전 빈혈이 있었거나, 술중 출혈이 심했었던 병력이 있는 경우 수치를 살펴가며 수혈을 시행할 수 있다. 수혈 시에는 점도가 높아지지 않도록 생리식염수와 전혈의 비율을 1대 1로 하여 투여한다. 알부민 수치를 3 이상으로 유지하는 것은 삼투압현상을 통한 혈관내 혈액의 증가가 주된 목적인데, 수치가 낮은 경우 창상치유가 늦다는 보고가 있으므로 술후 2-3일까지 주기적으로 확인하도록 한다.

절대안정을 2일간 취한 후 술후 3일째부터는 금식을 풀고, 저잔사식을 섭취하며, 화장실 출입 정도의 보행을 시작한다. 보행 시 공여부의 긴장이 심하므로 구부린 자세에서 걷도록 하며, 술후 일주일이 지나면 어느 정도 허리를 펴서 걷도록 연습시킨다. 술후 5일째부터는 일반식으로 바꾸고 일주일간의 PGE1의 사용이 끝나 flap에 특별한 문제가 없다면 퇴원하도록 한다.

2) 합병증

Free flap으로 유방재건을 시행한 경우 가장 큰 합병증은 flap의 소실이다(**그림 7**). Flap을 거상할 때 pedicle에 손상을 받아 flap에 문제가 생기는 경우는 응급수술로도 구제하기가 어렵다. 하지만 미세혈관을 문합하는 과정 자체만으로 pedicle은 thrombosis의 가능성을 항상 갖고 있는데 문헌에 따르면 술후 48시간 안에 4-80%의 발생률을 보인다고 한다. Flap이 부분적으로 괴사되는 경우는 대부분 이차적 치유를 기다리며, 피부에 발생한 경우 치유가 더딜 때는 일차봉합을 시행할 수 있다.

Free flap은 공여부가 존재하기 때문에 필연적으로 공여부에 합병증이 발생할 가능성이 있다. 하복부의 조직을 이용하여 유방재건을 한 경우 비록 속옷으로 가려지지만 수평방향으로 긴 반흔을 남긴다. 그리고 TRAM flap이나 DIEP flap의 경우 복부의 fascia와 rectus abdominis muscle을 건드리기 때문에 복벽의 강도가 약화되어 hernia 등이 발생할 수 있다(**그림 8**). 술중 복벽의 강화를 위해 mesh를 덧대어 fascia를 봉합함으로써 hernia 등의 발생을 예방할 수 있다. 이런 측면에서 TRAM flap보다는 DIEP flap, 더 나아가서는 SIEA flap이 더 낫겠지만 flap 자체의 안전성을 고려하여 flap 선택을 시행하여야 한다.

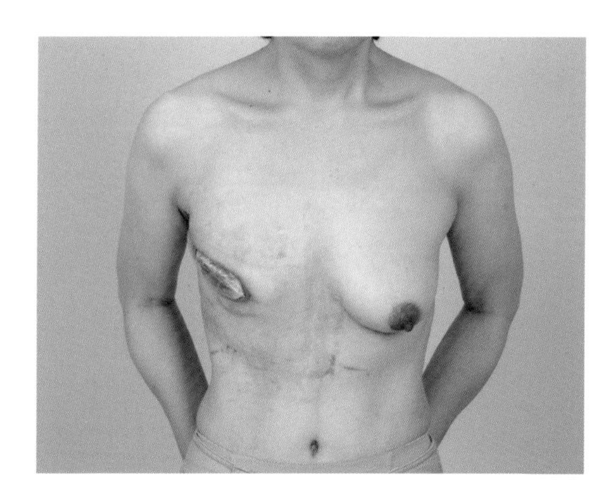

그림 7 Free flap으로 우측 유방을 재건한 이후 flap의 소실이 일어났다.

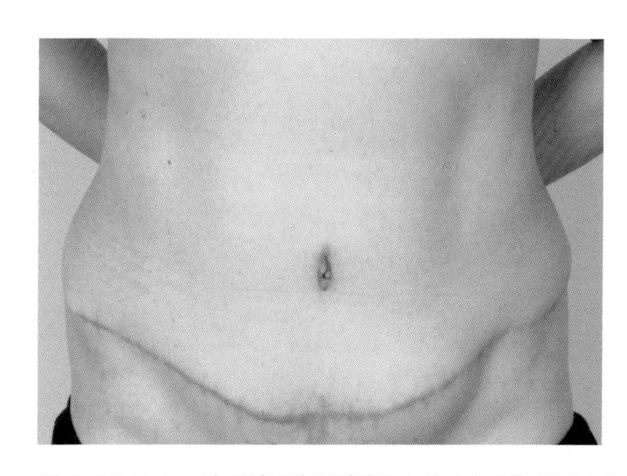

그림 8 TRAM flap의 공여부에 복벽약화가 일어나 좌측 하복부에 hernia가 발생하였다.

재건한 유방의 외적측면도 고려하여야 한다. 재건된 유방은 지방괴사나 축소, 구축, 그리고 반흔 등으로 유방 모양에 변형이 올 수 있고, contour irregularity 등이 동반될 수 있다. 따라서 수술 직후뿐만 아니라 경과 관찰중에도 반대측 유방과 비교하여 대칭적인지, 처지는 정도는 비슷한지를 살펴본다. 필요한 경우 미진한 부위의 보완을 위해 지방이식술과 같은 이차수술을 시행한다.

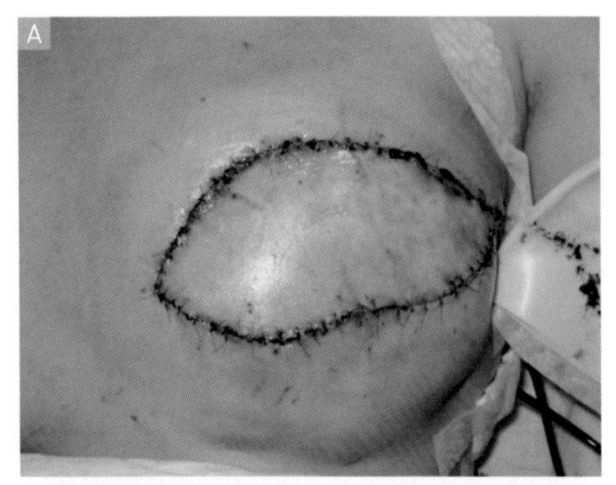

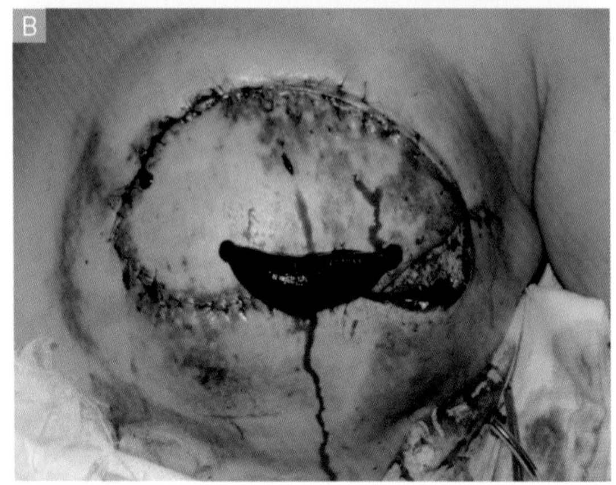

그림 9 Free TRAM flap으로 좌측 유방을 재건한 후 정맥성 울혈 소견 (좌측)이 보여 leech (우측)를 이용한 치료를 통해 울혈을 일부 해소할 수 있었다.

3. Flap salvage(피판 구제)

1) 비수술적인 방법

술후 48시간동안 monitoring을 시행하면서 flap에 울혈이 발생하는지 확인한다. 일시적으로 발생하는 울혈은 시간이 지나면 해소되는 경우가 많지만 정맥의 기능부전으로 발생하는 울혈의 경우 며칠간 leech(*Hirudo medicinalis*, 거머리)를 사용해볼 수 있다 **(그림 9)**. 실혈로써 정맥성 울혈을 해결하는 방법이기 때문에 혈색소 수치를 확인하고, leech로 인한 수술부위의 감염이 발생하는지 주의를 기울인다. 이외에도 salvage를 위해 혈전용해제를 사용하는 방법이 있으나 free flap의 salvage에 대한 후향적연구결과에 의하면 치료효과에 다소 논란이 있다. 하지만 혈전용해제로 인해 전신적인 출혈의 가능성이 있으므로 제한적으로 사용하여야 한다.

2) 수술적인 방법

술후 발생한 울혈이 비수술적인 방법으로 해소되기 어렵다고 판단된다면 응급 수술로 pedicle을 확인해야한다. 미세혈관문합을 시행한 부위에 혈전이 발생한 것이 확인되면 혈전을 제거하고 재문합을 시행한다. 문헌에 따르면 free flap을 시행한 이후 다시 응급 수술에 들어가 reexploration하는 빈도는 5-25%에 달한다. 본원에서 최근 500례를 대상으로 분석한 결과 free flap 수술은 97%에서 성공적으로 시행되었으며, 응급 수술로 pedicle을 확인했던 비율은 7.4%였다. 혈전을 제거하기 위해 Fogarty catheter를 주로 많이 사용한다**(그림 10)**. 하지만 혈전은 혈관을 따라 길게 형성되어있는 경우가 많아 catheter를 이용해 제거할 수 있는 것은 혈전의 원위부에 국한되며, 제거중에 혈관내벽에 손상을

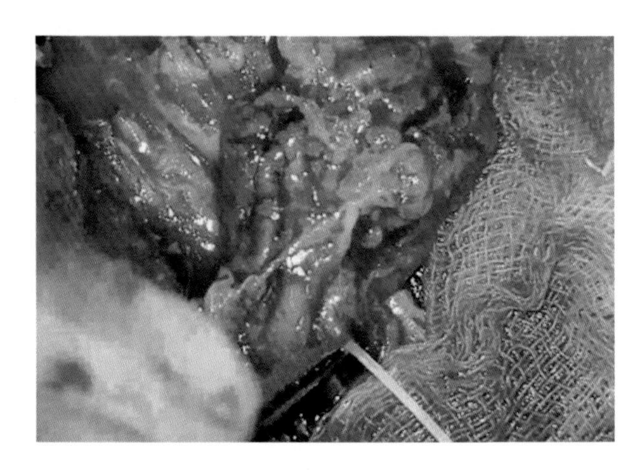

그림 10 미세혈관문합한 pedicle을 찾아 혈전을 제거하기 위해 미세혈관 속으로 catheter를 삽입하였다.

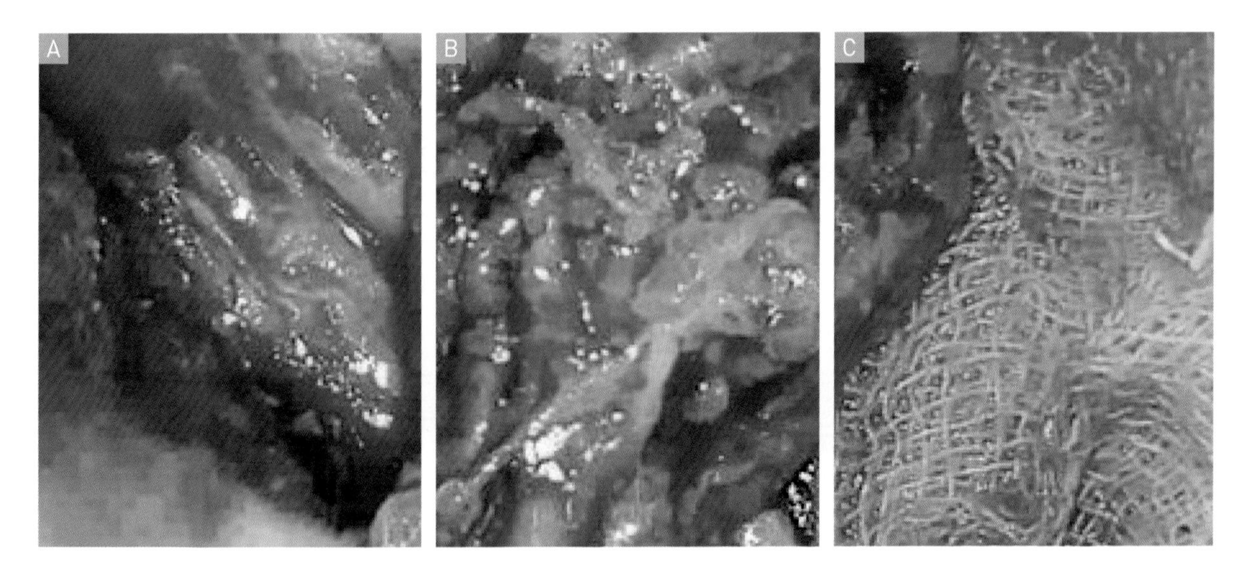

그림 11 Free flap을 이용하여 좌측 유방을 재건한 후 flap의 울혈성 소견이 관찰되었다. 응급수술을 통해 혈전제거술 및 미세혈관재문합술을 시행하여 flap을 구제할 수 있었다. 술전(A), 재건술후 6시간 경과(B), 구제술후 1일째(C).

가하여 혈전생성이 재발될 가능성이 있다. 이에 대한 대안으로 pedicle의 근위부를 열어 혈전을 직접 제거하고, 필요시 혈관 이식을 시행하여 재문합하는 방법이 있다(**그림 11**).

참·고·문·헌

1. Acland RD, Anderson G, Siemionow M, McCabe S. Direct in vivo observations of embolic events in the microcirculation distal to a small-vessel anastomosis. Plast Reconstr Surg. 1989;84(2):280-288.
2. Andrades P, Fix RJ, Danilla S, et al. Ischemic complications in pedicle, free, and muscle sparing transverse rectus abdominis myocutaneous flaps for breast reconstruction. Ann Plast Surg. 2008;60(5):562–567.
3. Chen CM, Halvorson EG, Disa JJ, et al. Immediate postoperative complications in DIEP versus free/muscle-sparing TRAM flaps. Plast Reconstr Surg. 2007;120(6):1477–1482.
4. Coroneos CJ, Heller AM, Voineskos SH, Avram R. SIEA versus DIEP Arterial Complications: A Cohort Study. Plast Reconstr Surg. 2015;135(5):802e-807e.
5. Guerra AB, Metzinger SE, Bidros RS, et al. Breast reconstruction with gluteal artery perforator (GAP) flaps: critical analysis of 142 cases. Ann Plast Surg 2004;52:118.
6. Hartrampf CR, Scheflan M, Black PW. Breast reconstruction with a transverse abdominal island flap. Plast Reconstr Surg. 1982;69(2):216–225.
7. Hong KY, Chang LS, Chang H, et al. Direct thrombectomy as a salvage technique in free flap breast reconstruction. Microsurgery. 2016 Oct 5.
8. Koshima I, Soeda S. Inferior epigastric artery skin flaps without rectus abdominis muscle. Br J Plast Surg 1989;42(6):645–648.
9. Moran SL, Nava G, Behnam AB, Serletti JM. An outcome analysis comparing the thoracodorsal and internal mammary vessels as recipient sites for microvascular breast reconstruction: a prospective study of 100 patients.

Plast Reconstr Surg. 2003;111(6):1876-1882.
10. Nahabedian MY, Dooley W, Singh N, et al. Contour abnormalities of the abdomen following breast reconstruction with abdominal flaps: the role of muscle preservation. Plast Reconstr Surg 2002;109:91.
11. Nahabedian MY, Momen B, Galdino G, et al. Breast reconstruction with the free TRAM or DIEP flap: patient selection, choice of flap, and outcome. Plast Reconstr Surg 2002;110(2):466–475.
12. Nahabedian MY, Tsangaris T, Momen B. Breast reconstruction with the DIEP flap or the muscle-sparing (MS-2) free TRAM flap: is there a difference? Plast Reconstr Surg 2005;115:436.
13. Schaverien MV, Perks AGB, McCulley SJ. Comparison of outcomes and donor-site morbidity in unilateral free TRAM versus DIEP flap breast reconstruction. J Plast Reconstr Aesthet Surg. 2007;60(11):1219–1224.
14. Soucacos PN, Beris AE, Malizos KN, et al. Successful treatment of venous congestion in free skin flaps using medical leeches. Microsurgery. 1994;15:496–501.
15. Taylor G, Daniel R. The anatomy of several free flap donor sites. Plast Reconstr Surg 1975;56:243.
16. Wei FC, Suominen S, Cheng MH. Anterolateral thigh flap for postmastectomy breast reconstruction. Plast Reconstr Surg 2002;110(1):82.
17. Wu LC, Bajaj A, Chang DW, et al. Comparison of donor-site morbidity of SIEA, DIEP, and muscle-sparing TRAM flaps for breast reconstruction. Plast Reconstr Surg. 2008;122(3):702–709.
18. Yii NW, Evans GR, Miller MJ, et al. Thrombolytic therapy: what is its role in free flap salvage? Ann Plast Surg. 2001;46:601–604.

Aesthetic breast reconstruction »

유리 횡복직근피판

Free transvers rectus abdominis myocutaneous(TRAM) flap

| 윤을식 |

1979년 처음으로 보고된 이래로 유리 횡복직근피판술이나 심하부상복부천공지 피판술은 미세혈관유방재건술중 가장 흔히 시행되고 믿을만한 방법으로 여겨져 왔다. 대부분의 환자들은 유방을 재건할 만큼 충분한 볼륨의 지방층과 피부를 갖고 있다. 혈관경의 크기는 미세봉합술을 시행하기에 적당하고 길며, 주행경로도 일관성이 있다. 유리피판술의 풍부한 혈액공급은 지방괴사의 위험을 줄이고 자연스러운 유방을 만들기 위해 접거나, 절제하는 것을 자유롭게 시행할 수 있다. 뿐만 아니라 공여부의 소실이 적고 두 팀이 동시에 실시할 수 있다는 장점이 있다. 지난 몇 년 사이에 유리횡복직근피판술은 가능한 한 복직근과 근막을 덜 절제하고 공여부의 이환율을 줄이기 위한 방향으로 발전, 유리횡복직근보존 피판(free muscle sparing (MS) TRAM flap), 심하부상복부천공지 피판(deep inferior epigatric artery (DIEP) flap), 천하부상복부 피판(superficial inferior epigastric artery (SIEA) flap)등의 다양한 술식이 소개되었다. 상기 피판들은 하복부의 피부와 연부조직을 이용하고 미용적으로 만족할 만한 유방재건을 제공해준다는 점에서 공통점을 가지고 있다.

1. 적응증 과 금기

1) 적응증

적응증은 유방재건을 계획하고 있는 건강한 모든 환자에게 적용되고 중등도의 피부이완성과 복부지방을 갖고 있으면 된다. 그 외 유방암 수술 후 피부에 여유가 없을 때, 오랜 기간 방사선 치료로 피부에 탄력이 없을 때, 보형물을 이용한 재건술에서 좋은 결과를 얻지 못한 경우에 시행한다. 수술자는 수술 전 문진을 통해 수술 후 입원기간이 늘어나며 수술방법이 복잡하고 수술시간이 길다는 내용을 환자에게 충분히 설명해 주고 허락을 받아야 한다. 공여부의 복부 반흔 및 공여부 이환(morbidity)에 대해 환자에게 충분히 설명하여 이해시키도록 한다.

2) 금기증

유리 횡복직근 근피판술의 사용에 대한 금기증은 아래와 같다.

- 공여부 이환과 추가적인 복부 반흔이 생기는 것을 꺼리는 환자

- 길고 복잡한 수술방법 그리고 장기간의 입원을 꺼리는 환자
- 환자가 너무 마르거나 냄비배꼽체형(potbelly habitus)이 있어 복부피판을 일차적으로 봉합할 수 없는 경우
- 과거에 횡복직근피판술이나 복부성형술을 시행한 경우
- 과거력상 개복수술로 심하부상복부혈관이 잘렸거나 손상을 받은 경우
- 내과적 중증환자(significant medical comorbidity)

3) 고위험군

(1) 흡연자

유리횡복직근피판술은 혈류공급이 월등하여 흡연자에게도 절대적인 금기증이 아니다. 저자의 경험으로 흡연자가 비흡연자에 비해 혈관의 막힘이나 피판의 괴사 그리고 지방괴사의 발생이 높지 않아 결과에 있어서 별 차이가 없는 것 같다. 그러나 근치적유방절제술을 받은 유방 피부 피판의 괴사, 복부피판의 괴사 그리고 복부 탈장의 위험성은 흡연자가 비흡연자에 비해 월등히 높다. 이와 같은 흡연과 관련된 합병증은 수술 4주전에 금연을 함으로써 유의하게 줄일 수 있다.

(2) 비만환자

비만환자에서의 유리피판술을 이용한 유방재건술은 개인 특성에 맞게 결정해야 한다. 저자의 경험으로는 비만인 경우 정상 체중 성인보다 의미있게 피판의 괴사와 공여부 합병증이 높게 발생하였다. 즉 정상 성인과 비교해 볼 때 비만환자에서 전체 피판의 소실, 장액종, 유방절제술 피부의 괴사, 복부 탈장, 공여부 감염 그리고 복부의 장액종의 발생이 의미있게 높게 발생하였다. 다양한 연구에서 합병증과 체중의 상관관계가 비례하여 발생한 것으로 보고되고 있다. 그러므로 BMI가 40 이상 되는 고도 비만환자에서는 유리피판술을 이용한 유방재건술을 가능하면 시행하지 말아야 한다. BMI가 40 이하인 건강한 비만환자는 피판의 실패율과 술후 합병증이 정상인에 비해 높게 발생할 수 있다는 사전동의(informed consent)를 받고 시행할 수 있다. 비만환자의 지연 유방재건술은 술 전 체중 감량으로 술 후 합병증을 현격히 줄일 수 있다는 점을 환자에게 충분히 설명하여 합병증을 줄이도록 한다.

(3) 과거력상 복부 지방흡인술을 시행받은 환자

복부의 지방흡인술 후 유리피판술이 안전하게 이용할 수 있는지의 여부에 대해서는 논란의 여지가 있다. 과거의 지방흡인술은 복부의 천공지과 미세혈관이 손상시켜 피판의 생존을 위협할 수 있기 때문이다. 그러나 지방흡인술 후 유리피판을 이용한 유방재건술에 대해 몇몇 연구에서 보고된 바가 있다. 도플러로 복부 천공지의 개존 상태를 확인할 수 있다면 유리피판을 이용할 수 있으며 더욱 중요한 것은 수술 시 피판의 혈류상태를 향상시키고 충분한 혈류공급을 위해 피판으로 가는 천공지를 가능한 한 많이 포함시켜야 한다.

2. 수술전 고려되어야 할 사항 (preoperative consideration)

유리 피판술은 환자에게 중대한 수술 스트레스를 가한다. 공여부와 수혜부, 두 수술 부위에서 체액 소실이 상당하고, 환자들이 긴 수술 시간으로 인해 저체온증으로 가는 경향이 있다. 그러므로 유리 피판 재건술 후보자들은 반드시 심장, 호흡기 및 신장 상태에 대해 수술 전 정밀하게 평가받아야만 한다. 환자들은 여러 합병증과 상처 회복 과정에서 발생할 수 있는 문제들의 위험도를 줄이기 위해 수술 전 금연을 해야 한다. 또한 수술 2주 전부터 아스피린이 포함된 제품을 피해, 기본 응고 상태를 정상화하는 것이 중요하다. 그리고 수술

전에, 환자의 복부를 평가해서 환자들이 횡복직근 근피판술에 좋은 후보자인지를 판단해야 한다. 특히, 복부 흉터를 잘 살펴봐야 한다. 만약 흉터가 있다면, 유리 횡복직근 근피판술이 안전하게 시행될 수 있는지 결정하기 위해 흉터의 위치, 길이, 기간과 원인을 고려해야 한다. 환자를 앙와위 상태에서 무릎을 굽히게 한 뒤 복부를 자세하게 관찰하여, 피판을 채취한 후 일차봉합이 가능한지 확인해야한다. 또한, 복벽의 상태를 점검하여 탈장이나 냄비 배꼽 체형이 있는지 확인해야 한다.

환자가 유리 횡복직근 근피판술에 좋은 후보자인지 결정된 후에는, 환자가 일어선 상태에서 피판 디자인을 시행한다. 유방하 주름을 양측으로 표시하고, 횡복직근 근피판술은 횡 피부 피판과 함께 하복부에 디자인한다. 상방 피판 절개선 표시(upper marking)는 대개 배꼽이나 그 위에, 하방 피판 절개선 표시는 치골(pubis) 위에 삼각형 모양으로 하여 공여부 봉합시 피판 중앙부의 긴장도를 줄이도록 하며, 일반적으로 자연적인 피부 주름을 따라 시행한다. 그 후, 피판 디자인은 전상 장골극(ASIS)까지 점점 가늘게(taper)하여, 공여 부위 봉합 후 견이변형(dog ear deformity)이 생기지 않도록 한다**(그림 1)**.

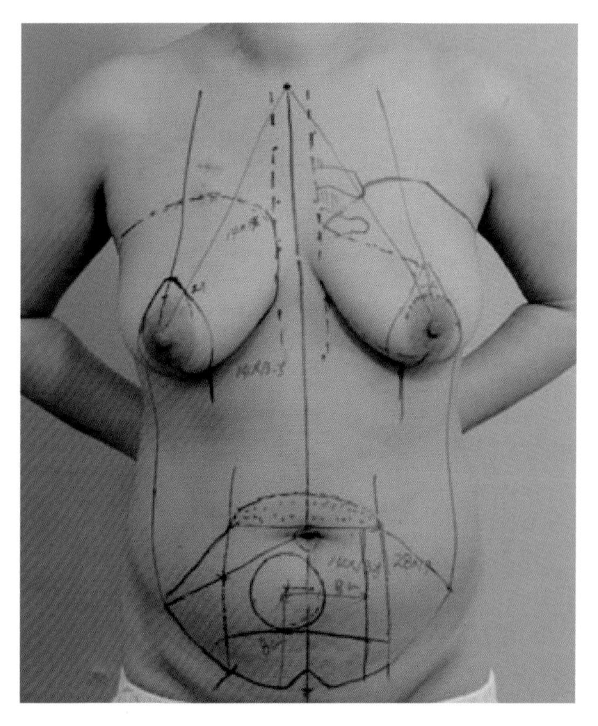

그림 1 수술 전 환자가 일어서 있는 상태에서 피판 디자인을 시행한다. 복부성형술과 같이 절제량에 따라 피판의 폭을 결정할 수 있다. 체형이 큰 환자에서는 보편적인 타원형 피판을 도안하고, 마른 환자에서는 핸들(handlebar) 모양으로 도안하는 것이 선호된다.

1) 수술 시기(timing of the operation)

유리피판술을 이용한 즉시 재건술을 원하는 환자의 건강상태는 유방전절제술 후 최소 2-6시간을 견딜 수 있을 정도의 체력을 갖고 있어야 한다. 만약 유방전절제술 후 방사선치료를 요하는 경우에는 적어도 방사선치료를 마친 후 최소 6개월은 지나고 유리피판술을 이용한 지연 유방재건술을 받기를 권한다. 비록 몇몇 재건의들은 방사선 치료가 유리피판술에 나쁜 영향을 미치지 않는다고 보고하고 있지만, 저자의 개인적인 경험은 그렇지 않았다. 즉 병원마다 방사선치료사의 치료 프로토콜이 다양하기 때문에 일정한 결과를 얻을 수 없으며 이는 가장 큰 문제점으로 대두되고 있다. 저자의 경우 유리피판술 후 방사선 치료를 받은 몇몇 환자에서 재건된 유방 볼륨의 현격한 감소, 과색소침착 그리고 지방괴사를 경험하였다. 따라서 피부보존 혹은 유두보존유방절제술후 방사선치료를 받아야 하는 환자들은 조직확장기를 넣은 후 유방피부를 확장된 상태로 유지하여 6개월 후에 유리피판술을 시행하도록 권장한다.

3. 해부

1) 배곧은근(복직근, Rectus abdominis muscle)

배곧은근은 한 쌍의 길고 곧은 근육으로 척추를 구

부리고 복부내벽을 팽팽하게 해준다. 배곧은근은 치골결합(symphysis pubis)과 치골능선(pubic crest)으로부터 나와 다섯번째, 여섯번째 및 일곱번째 갈비뼈 연골에 붙는다. 각각의 배곧은근은 두개에서 다섯개의 건획(tendinous intersection)으로 나뉘고, 가장 꼬리 쪽이 배꼽위치에 있다. 전배곧은근집(anterior rectus sheath)에는 건획이 붙어있지만, 후배곧은근집(posterior rectus sheath)에는 부착되어 있지 않다. 건획은 대개 근육을 관통해 전체적으로 연장되어 있지 않고 절반만 통과하고 있다.

2) 배곧은근집(Rectus sheath)

배곧은근은 활꼴선(arcuate line) 밑의 뒷부분만 제외하고는 두꺼운 집으로 쌓여 있다. 배곧은근집은 근육의 앞부분에 건획으로 합쳐져 붙어있다. 복부내벽 근육의 건막은 확장되었다가 배곧은근집막의 앞부분을 형성하기 위해 합쳐진다.

중요한 이행은 활꼴선 뒷집 안에 있다(반월선 또는 더글라스 원호). 변형이 있을 수 있지만, 활꼴선은 대개 배꼽과 치골결합 사이의 중간에 위치해 있다. 활꼴선은 내사위 건막(internal oblique aponeurosis)이 멈춰서 분열되고 세 근육의 건막이 배곧은근의 앞쪽으로 지나가는 이행점을 표시한다. 횡근근막(transversalis fascia)은 활꼴선 아래에 위치하는 단일 막으로, 피판박리 후 약하고 잠재적인 탈장이 일어날 수 있는 부분이다.

백선(linea alba)은 중앙선에서 융합된 건막들의 교차를 나타낸다. 백선은 칼돌기(xiphoid process)에서 가장 넓고, 배꼽아래로 갈수록 가늘어 진다. 배곧은근집의 가쪽 경계는 종종 외적으로 구분할 수 있고, 이것을 반월선(linea semilunaris) 이라 부른다.

3) 혈액공급

배곧은근은 두 개의 혈관경이 있는데 하나는 심부 상복부동맥이고 다른 하나는 심부 하복부동맥이다. 심부 상복부동맥 및 심부 하복부동맥 유경은 배곧은근의 표면 아래로 서로 접근할수록 분지된다. 이 두 개의 시스템은 배꼽 위에서 Taylor와 Palmer가 쵸크혈관(choke vessel)으로 일컫는 작은 직경의 혈관 시스템을 통해 배꼽 위에서 연결된다.

심부 상복부동맥은 여섯번째 갈비뼈사이 공간의 내유동맥(internal mammary artery)으로부터 나온다. 상복부동맥의 작은 분지가 갈비뼈 경계를 따라가서 갈비뼈사이동맥(intercostal artery)을 배곧은근집으로 연결한다.

심부 하복부동맥은 대개 외장골동맥(external iliac artery)의 내측으로부터 샅고랑인대 (inguinal ligament) 1 cm 위에서 심부 회선장골동맥(deep circumflex iliac artery) 반대쪽으로 기원한다. 주요 심부 하복부동맥은 수평근막(transversalis fascia)을 관통하고 활꼴선 바로 밑의 배곧은근집으로 들어간다. 그 후 배곧은근과 집의 후벽 사이를 타고 사선과 내측으로 올라간다. 대개, 심부 하복부동맥은 배꼽 아래에서 두 개 또는 세 개의 큰 분지로 나뉜다. 해부학적 연구를 통해, 심부 하복부동맥의 분지의 정도는 세 개의 다른 유형으로 분류된다. 첫 번째 종류는, 심부 하복부동맥이 나눠지 않고 배곧은근의 표면 아래를 따라 단일 혈관으로 남아있는 것이다(29%). 두 번째 종류는, 두 개의 우세 혈관 분지로 나뉘는 것이다(57%). 세 번째는 심부하복부동맥이 세 분지 되는 것이다(14%).

심부 하복부동맥은 두 개의 반행정맥(venae comitantes)을 갖고 있는데, 대개 외장골정맥과 합쳐지기 전에 서로 연결되어 하나의 정맥을 형성한다. Boyed 등의 연구에 따르면 심부하복부정맥은 68%의 증례에서 단일 분지로, 32%에서 두 분지로 외장골정맥으로 연결된다.

4) 천공지 (perforators)

심부 동맥은 횡복직근 근피판술의 복부 피부를 천공지 시스템으로 공급한다. 이 혈관들은 심부 하복부동맥과 심부 하복부정맥의 마지막 분지이다. Talyor와 Palmer의 해부 연구는 심부 하복부동맥 시스템과 복벽 피부의 풍부한 연결을 입증했다. 많은 관통동맥은 전 배곧은근집을 통해 나타나지만, 배꼽주위부분으로 가장 많이 분포하고 있다. 드물게는 치골위(suprapubic)에서도 찾을 수 있다. 배꼽주위 천공지의 분지들은 배꼽이 중심이 되어 마치 스포크 휠처럼 보인다. 그러므로 배꼽 주위 천공지의 결합은 채취한 피부 피판을 사실상 중심선으로부터 어느 방향으로든 가능하게 한다.

천공지는 다른 곳의 표재 혈관과 이 지역을 연결하는 초크 시스템을 통해 소통하고, 심부 하복부동맥에 위치한 큰 피부도(skin island)를 디자인할 수 있게 한다. 이 시스템간의 중요한 연결은 진피층까지 오는 혈관 내에서 발생한다.

5) 횡복직근 근피판

횡복직근 근피판으로의 혈액 공급은 근육과 피하조직의 그물망의 2단 배열이다. 상복부와 하복부 동맥 시스템은 아래 여섯개의 갈비뼈사이 혈관과 복벽 내 근육안에 있는 심부 회선장골동맥의 윗 분지를 연결하는 깊은 세로 혈관 공급을 형성한다. 심부 하복부동맥은 배곧은근과 횡복직근 근피판술의 중요 혈관이다. 심부 상복부동맥에 염색약을 주입 시 배꼽 아래까지 근육을 염색시키는 경우는 흔하지 않지만, 심부 하복부동맥에 염색약을 주입하게 되면 높게는 칼돌기(xiphoid process)와 배꼽사이의 중간 높이까지 염색시킨다. 피하조직 그물망은 얕은 복부 동맥, 얕은 회선장골동맥, 외장골동맥, 얕은 상복부동맥과 갈비뼈사이 동맥의 분지로 구성되어 있다. 피하와 심부 혈관계

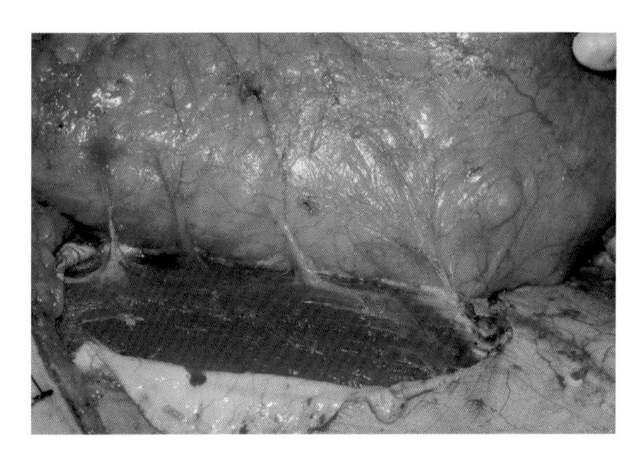

그림 2 횡복직근 근피판으로의 혈액 공급

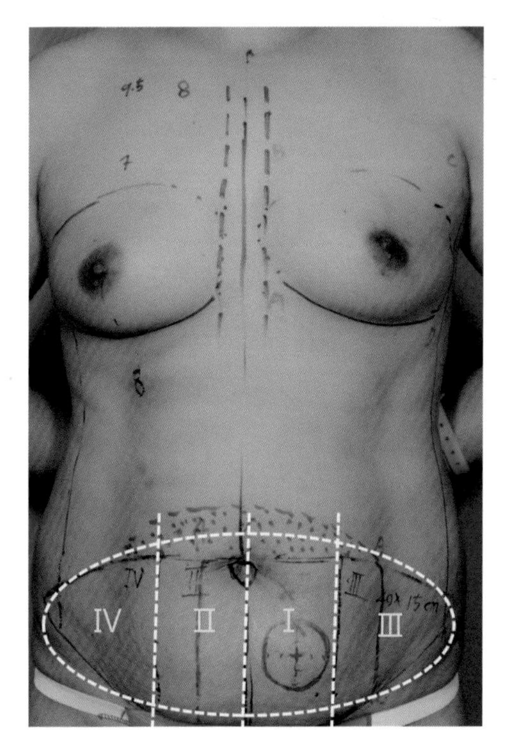

그림 3 혈행성에 기초로 한 횡복직근 근피판의 4개의 지역

(subcutaneous and deep systems)는 배곧은근을 가로지르는 천공지로 연결되어 있다.

횡복직근 근피판의 정맥 혈류에 대한 광대한 연구는 얕은 혈관계와 깊은 혈관계를 밝혀냈다. 얕은 혈관계(superficial system)의 정맥은 Scarpa 근막 위에 있으

며, 중앙선을 가로질러 광대하게 연결된다. 얕은 혈관계의 정맥은 깊은 정맥 혈관계로 근피부 동맥 천공지(musculocutaneous arterial perforators)를 동반한 정맥에 의해 배출된다. 연결된 정맥에 위치한 밸브는 얕은 혈관계에서 깊은 혈관계로의 혈류 방향을 조절한다.

횡복직근 근피판술은 전체 하복부로부터 피부를 통합시킨다. 네 개의 다른 피부 지역이 횡복직근 근피판술에 포함된다. 지역 1은 각각의 외직복근을 덮고 있는 피부를 일컫는다. 지역 2는 반대쪽 배곧은근을 덮고 있는 반대쪽 하복부의 피부를 나타낸다. 반월선의 가쪽에 있는 복부의 각 측의 피부 지역이 지역 3이고, 반대쪽 반월선의 가쪽 피부가 지역 4가 된다. 지역 4의 혈액 공급이 가장 미약하다.

6) 신경분포

배곧은근은 T7-T12에서 유래되어 복횡근과 내복사근 사이의 면을 가로지르는 아래 여섯개의 갈비뼈사이 신경의 분절로 신경이 분포되어 있다. 이렇게 섞여 있는 운동 및 감각 신경은 배곧은근의 신경 분포를 제공하고, 그 위를 덮고 있는 피부에 감각을 제공한다. 갈비뼈 사이 신경은 배곧은근 중간 부분의 후방 표면으로 들어간다**(그림 2,3)**.

4. 수술 준비

1) 환자자세

환자는 테이블에 똑바로 대칭이 되도록 앙와위로 있어야 한다. 허리는 테이블의 굽혀지는 부위에 있어야 피판을 끼워 넣거나 모양을 만드는 도중에 앉은 자세를 취할 수 있다. 대부분의 수술 테이블은 환자를 앉은 위치로 만들기 위해 반대로 되어 있어야 하고 환자의 머리가 테이블의 다리 부위에 있어야 한다. 환자의 팔은 펼쳐져서 팔 테이블(암보드)에 있어야 하고, 팔꿈치와 손목에 충분한 패딩폼을 대줘야 한다. 양팔은 두루마리형 거즈로 테이블에 안정시켜야 한다. 이렇게 해야 수술의가 필요 시 액와 림프절로 접근할 수 있게 된다.

즉시 재건에서 피판 채취와 유방 절제는 수술 시간을 줄이기 위해 동시에 이루어진다. 지연된 재건의 경우에는, 수혜 부위 준비와 피판 채취가 두 수술 팀에 의해 동시에 진행된다.

피판 채취의 첫 걸음은 배꼽을 박리하는 것이다. 이것은 11번 블레이드로 12, 3, 6, 9시 방향으로 네 개의 작은 찌름절개를(stab wound) 할 수 있게 도와준다. 스킨훅(Skin hook)을 절개 부위에 넣어 당겨주면서 찌름절개들을 연결시키기 위해 절개술을 시행한다. 건절단가위(tenotomy scissor)를 사용하여, 배꼽 줄기를 배꼽 기저까지 아래로 절개한다. 배꼽 삽입(insetting) 도중 가이드로 사용하고 줄기의 꼬임을 방지하기 위해, 마킹 스티치(marking stitch)를 배꼽 12시 방향에 시행한다.

피부도(skin island)의 경계를 복벽 아래까지 자른다. 얕은 하복부정맥과 얕은 하복부동맥을 확인하여 보존한다. 만약 얕은 하복부동맥의 크기가 크고 환자가 적합한 후보자라면, 얕은 하복부동맥 피판을 유방재건을 위해 사용한다. 심지어 얕은 하복부동맥 피판이 계획에 없었더라도, 얕은 하복부정맥을 보존하여 약 4-5 cm 박리해내는 것은 중요하다. 더 적고 작은 천공지가 피판에 포함되는 심부 하복벽천공지 피판술과 유리 근육 보존성 횡복직근 근피판술의 사용이 증가함으로써, 만약 심부 정맥 배출만으로 충분하지 않다면, 종종 얕은하복부정맥이 정맥 배출의 두 번째 수단으로 사용되기 위해 필요하다.

2) 전근 횡복직근 근피판술(full-muscle TRAM flap)

흡연과 비만과 같은 높은 위험 요인을 갖고 있는 환자에서는, 가능한 많은 주요 천공지를 포함시켜 피판에 혈류 공급을 극대화 시키는 것이 우선이다. 많은 경우에서 전근 횡복직근 근피판술이 가장 좋은 선택이다.

횡복직근 근피판을 선호하는 쪽에서 모든 주요 천공지를 보존한 채 배곧은근집에서 조심스럽게 박리한다. 근막을 보존하면서 배곧은근막을 열고, 천공지 주위 근막의 작은 부분만 붙이고, 근막판(island of fasica)을 서로 연결한다. 근막은 아주 작은 양만 희생된 채 열었을 때, 장력이나 합성 그물(synthetic mesh)없이 근막의 일차 봉합을 용이하게 한다. 배곧은근집 절개를 아래와 가쪽으로 연장하여 아래에 있는 배곧은근을 노출시킨다.

전배곧은근집막(anterior rectus sheath fascia)을 아래에 있는 배곧은근과 이것의 건획으로부터 박리한다. 배곧은근집 부착부위는 근육의 내측과 가측 경계로 나뉜다. 빽빽이 붙어 있기 때문에 전배곧은근집과 건획을 분리시킬 때는 주의해야 한다. 약간의 갈비뼈사이 신경과 혈관들이 후 배곧은근집 표면에서 보일 수 있다. 갈비뼈사이 분지를 고립시켜서 결찰한다. 근육의 가측 경계를 확인하고 아래쪽으로 박리하여 심부하복부동맥 유경을 치골 결절(pubic tubercle) 위의 근육 아랫부분의 가측 경계에서 찾는다. 배곧은근을 후집(posterior sheath)으로부터 분리한다.

그 후 배곧은근을 부드럽게 당겨 그 아래로 주행하는 심부 하복부혈관을 노출시킨다. 혈관 유경을 찾고 고립시킨 후에, 치골결합과 치골능선의 아랫 근육 부착 부위를 분리시켜 심부 하복부 유경을 노출시키고 박리하는데 용이하게 한다. 그 후 외장골혈관에 위치한 기시부위로 추적하여 최적의 혈관 유경 길이를 얻는다. 윗 근육 부착부위를 나누고, 상복부동맥과 정맥을 결찰한다. 위쪽으로는 피판으로 주행하는 천공지 위에 있는 어떤 위치에서라도(필요하다면 갈비뼈 가장자리의 부착부위까지) 근육을 분리할 수 있다. 심부하복부 유경은 수혜 부위가 준비될 때까지 손상시키지 않고 그대로 둔다.

수혜부 혈관경이 박리되고 유방 절제 후 포켓이 준비된 후에는, 횡복직근 근피판을 심부 하복부동맥과 정맥을 일일이 헤모클립(hemoclip) 이나 봉합 결찰실을 사용하여 결찰한 뒤 채취한다. 피판이 채취된 후에는 근육을 주위 피판에 봉합 하여 과도한 장력이나 천공지의 꼬임을 최소화한다.

3) 근육보존성 횡복직근 근피판술

피부와 피하조직을 가측 천공지가 보일 때까지 전배곧은근집을 가쪽으로부터 내측으로 들어올린다. 이번에는, 오른쪽과 왼쪽 모두로부터의 가측 천공지를 평가하고, 어떤 것을 보존할 지 결정을 한다. 천공지의 크기, 숫자와 방향을 고려하여 평가한다. 사용되지 않는 측의 천공지의 가측 열은 헤모클립을 사용하여 결찰하고 나누고, 그 후 피판을 들어올려 천공지의 내측 열을 노출시킨다. 다시 한 번 말하자면, 양측의 천공지를 평가하고, 사용할 쪽은 놔두고, 다른 쪽은 헤모클립으로 결찰하고 나눈다. 이러한 조작은 피판에 포함될 두 개 이상의 가장 좋은 천공지가 남을 때 까지 계속한다. 모든 조건이 같다면, 저자는 유방 결손의 반대측 복부에 위치한 내측 천공지를 선호한다. 내측 천공지는 더 긴 유경을 제공하고, 근육의 가측에서 내측으로 분포하기 때문에 이것들을 채취하는 것이 남아있는 배곧은근에 적은 기능적 손상을 입힌다. 또한, 가측으로 위치한 천공지에 비해, 내측으로 위치한 천공지는 피판의 중앙선을 거쳐 더 좋은 관류를 제공한다. 대개, 두 개 또는 세 개의 중간 크기 이상의 천공지면 횡복직근 근피판술에 충분한 혈류를 제공한다.

전배곧은근집막을 아래에 있는 배곧은근과 그 건

획으로부터 박리하고, 배곧은근 내에서의 천공지의 방향과 주행을 평가한다. 근육 보존성 횡복직근 근피판술 또는 심부 하복벽천공지 피판술을 시행할지에 대한 결정은 천공지의 숫자, 직경, 위치뿐만이 아니라 배곧은근 내에서의 방향과 주행도 기준이 된다. 심부 하복벽천공지 피판술은 한 개의 큰 천공지가 있거나, 두 개 혹은 그 이상의 천공지가 같은 근육 사이 막(intramsucular septum)에 위치할 때 선택된다. 만약 천공지가 다른 근육내층에 위치하게 되면, 심부 하복벽천공지 피판술을 위해서는 천공지 사이의 근섬유들을 분리시켜야 한다. 이런 상황에서, 천공지 사이와 주위 근섬유의 작은 띠를 합친 후 유리 근육 보존성 횡복직근 근피판술을 시행한다. 저자는 심부 하복벽천공지 피판술은 배곧은근에 큰 상처없이 혈관경을 채취할 수 있을 때만 시행하는 것을 선호한다.

수술 시 상황에 따라 세 종류의 유리 근육 보존성 횡복직근 근피판술을 시행할 수 있다. 배곧은근의 내측 부분을 보존시키고, 피판과 함께 배곧은근의 가측 부분만 채취하거나(MS-1M) 가측 부분을 보존시킨 채, 피판과 함께 배곧은근의 내측 부분만 채취할 수 있다(MS-1L). 마지막으로, 천공지 주위 근육의 작은 띠만 피판과 함께 채취하여 대부분의 근육을 손상시키지 않고 남길 수도 있다(MS-2).

유리 근육 보존성 횡복직근 근피판 채취의 종류는 천공지의 위치와 방향에 의해 결정된다. 만약 천공지가 매우 내측으로 위치해 있다면, MS-1L을 대개 사용한다. 만약 천공지가 근육의 중간에 위치한다면, 대개 MS-2를 사용한다. 반면 천공지가 가측으로 위치한다면, 그때는 MS-1M을 채취한다. 또한, 배곧은근 내에서의 천공지의 방향은 천공지와 함께 얼마나 많은 배곧은근을 떼 낼 것이냐의 결정 요소이다. 만약 천공지가 근육을 통해 직접적으로 위로 나온다면, 적은 양의 근육 희생만이 필요하다. 그러나 만약 천공지가 근육을 통해 사선으로 주행하고 있다면, 더 많은 근육이 희생될 필요가 있다.

피판과 함께 떼어낼 근육의 범위를 정한 다음에는, 근육을 근육 내 막 안에 있는 근섬유의 방향으로 내측 및 가측으로, 그리고 아래로는 후배곧은근집까지 분리한다. 배곧은근 아래로는 천공지로의 주요 분지들이 대개 보인다. 대부분의 아래 천공지들의 아래로, 가측과 내측의 절개된 면 사이에 있는 근섬유들을 나눈다. 저자는 출혈을 최소화하기 위해 양극성 지혈장치(bipolar device)를 사용하여 근육을 분리하는 것을 선호한다. 모든 혈관 분지들은 헤모클립으로 결찰하거나 bipolar device로 지혈해야 한다. 지혈되고 깨끗한 수술부위를 유지하여 시야와 노출을 극대화하는 것이 중요하다. 근육의 아랫부분을 나눈 후에는, 주요 유경을 노출시킨다. 배곧은근섬유는 그 후 아래로 분리시켜 주요 유경들을 더 노출시키고 박리한다. 유리 근육 보존성 횡복직근 근피판술 또는 심부 하복벽천공지 피판술에서는 유경은 대개 기시부위까지 모든 박리를 필요하지 않는데, 그 이유는 이미 유경이 충분히 길기 때문이다. 마지막으로, 천공지의 윗부분에 있는 근섬유들은 배곧은근의 내측과 가측 사이의 절개된 면으로 나눈다. 이번에는 배곧은근으로 상부 혈행 공급을 볼 수 있고, 이것을 결찰시킨다.

수혜 혈관을 박리하고 유방 절제 후 포켓이 준비된 후에, 헤모클립과 봉합 결찰실을 사용하여 심부 하복부동맥과 정맥을 일일이 결찰한 후에 피판 채취를 완료한다. 피판이 채취된 후에는 근육을 봉합, 피판을 덮게 하여 과도한 긴장이나 천공지의 꼬임을 최소화한다 **(그림 4,5,6,7,8)**.

5. 수혜부위의 준비

즉시 재건을 위해서는 유방 절제를 한 후 유방 절제 피부 피판(mastectomy skin flap)과 결손 부위를 수혜부

그림 4 횡복직근 근피판을 배곧은근집으로부터 모든 주요 천공지들을 보존한 채 조심스럽게 박리한다.

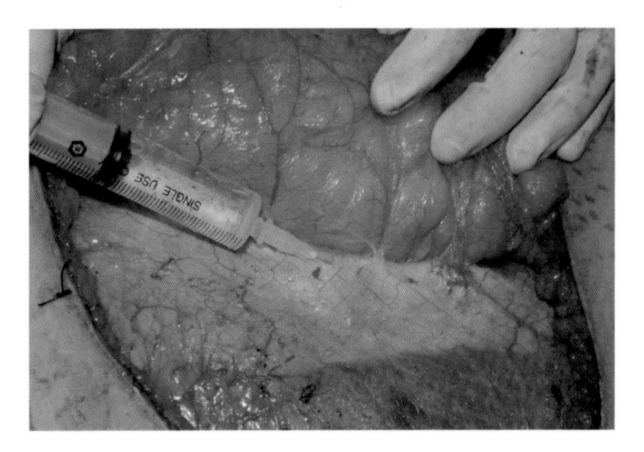

그림 5 배곧은근집막을 열기 전 천공지 0.5 cm 외측에서 국소마취제를 주입하는 모습

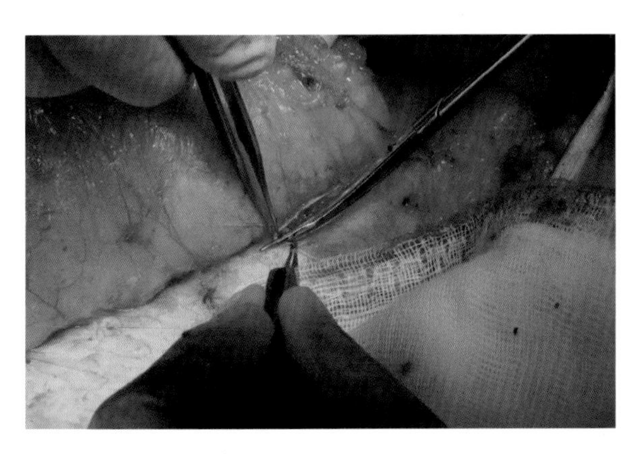

그림 6 근막 보존 기술을 사용해 배곧은근집막을 연다.

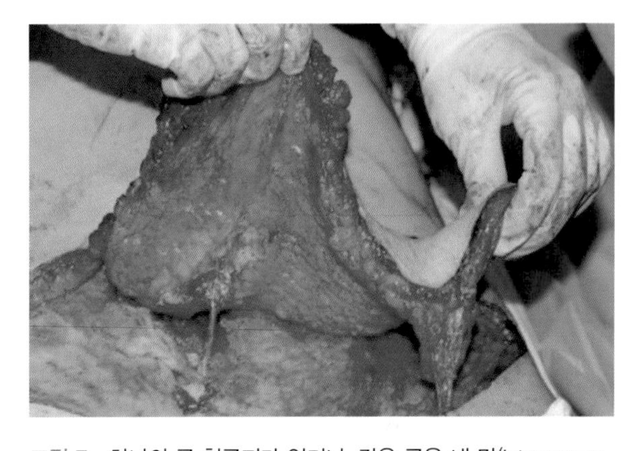

그림 7 하나의 큰 천공지가 있거나, 같은 근육 내 막(intramuscular septum)에 두 개 또는 그 이상의 천공지가 위치해 있을 때 심부하복부 천공지 피판을 선택한다.

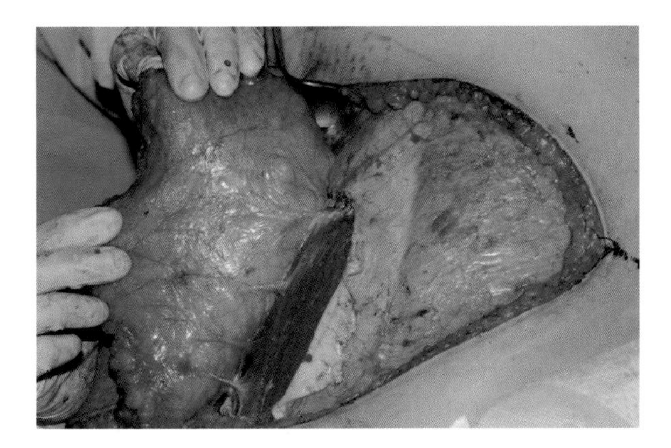

그림 8 만약 천공지들이 다른 근육 내 층(intramuscular layer)에 위치한다면, 천공지들 사이와 주위에 있는 근섬유들의 작은 띠를 합치고, 유리 근육 보존성 횡복직근 근피판술을 시행한다.

혈관경을 박리하기 전에 조심스럽게 평가해야 한다. 지연 재건을 시행할 때는 이전 유방 절제 흉터를 자르고 병리학적 검사를 시행해야 한다. 다음으로는 피부피판을 유방 절제 결손부위를 다시 만들기 위해 대흉근으로부터 위 아래로 들어올린다. 아래쪽으로는, 과다한 박리를 하게 되면 낮은 유방하 주름을 만들 수 있으므로, 이를 피하기 위해 세심한 주의가 필요하다.

현재 저자는 내유방 혈관을 우선적인 수혜부 혈관으로 사용하고 있다. 갈비뼈사이 공간을 촉진하여 편안한 미세혈관 문합을 위한 즉시 접근 가능하고 넓은 최적의 공간을 찾는다. 이것은 대개 두번째나 세번째 갈비뼈사이 공간에 있다. 그 후, 대흉근 위의 지역을 살펴서 수혜부로 사용할 수 있는 천공지 혈관을 찾는다. 때때로, 꽤 큰 천공지 혈관들이 흉근 섬유들의 내측으로 나오는 것을 볼 수 있다. 대개 관통 정맥은 매우 얇은 벽을 가지면서 크고 관통 동맥들은 작다. 또한 대부분의 천공지는 주요 심부 하복부동맥과 심부 하복부정맥과 크기가 맞지 않는 문제를 제기하여 문합을 어렵게 만든다. 따라서 이런 종류의 문합에 숙련된 미세수술의만이 수혜부 혈관으로 천공지를 사용해야 한다.

만약 대흉근 위로 적합한 천공지들이 없다면, 원하는 갈비뼈사이 공간에 있는 대흉근을 갈비뼈사이 공간을 노출시키기 위해 근섬유 방향으로 분리시킨다. 복장뼈로부터 흉근을 뗄 필요는 없다. 대개 흉근 아래의 갈비뼈사이 근육에서 나오는 더 많은 천공지들을 볼 수 있다. 다시 말하면, 천공지들이 적합한지 평가하고 수술의가 충분히 크다고 여긴다면, 이들을 수혜 혈관으로 사용할 수 있다.

내유방 혈관을 노출시키기 위해 위에 있는 갈비뼈사이 근섬유를 bipolar device를 이용해 조심스럽게 층층으로 분리시킨다. 보통 복장뼈 가장자리로부터 1-3 cm 이내에 내부 유방 정맥과 동맥들을 찾을 수 있다. 만약 하나의 정맥만 있다면, 그것은 동맥으로부터 내측에 있다. 만약 두 개의 정맥이 있다면, 동맥은 정맥들 사이에 존재한다. 최적의 노출을 위해서 수술 부위를 출혈 없게 유지하는 것이 중요하다. 최대한 주의해서 작은 분지들로부터의 출혈을 조절할 수 있도록 한다. 인접한 연골은 일상적으로 제거할 필요는 없다. 하지만 갈비뼈 사이 공간이 가늘거나 깊어 문합을 어렵게 만든다면 위나 아래에 있는 연골을 제거해 혈관을 더 노출시키는 것이 좋다. 이것을 하기 위해서는 연골막을 자르고 연골로부터 박리하고, rib dissector나 rongeur를 사용해 내부 유방 혈관 위의 연골을 2-3 cm 제거한 후, 연골막을 내부 유방 혈관으로부터 조심스레 박리한다. 다시 한 번 강조하자면, 최대한 주의해서 모든 작은 분지들에서의 출혈을 조절해야만 한다. 수혜부 혈관의 마지막 준비는 현미경 하에 시행한다.

1) 수혜부혈관으로서 흉배혈관과 내유방혈관의 장단점

유리피판술을 이용한 유방재건술을 시행할 때 적합한 수혜부 혈관 선택은 수술 성공 여부를 결정짓는 매우 중요한 요소이다. 가장 일반적으로 사용되는 수혜부 혈관은 흉배혈관과 내유방혈관이며 수술의의 경험과 혈관의 상태에 따라 가장 적절한 것으로 선택된다. 즉시 유방 재건술을 시행하는 경우 액와 림프절 절제술을 시행하면서 이미 노출되어 있는 흉부 동맥을 사용하는 것이 유용하나 자연스러운 유방을 만들기 위해서는 긴 혈관경을 필요로 한다. 즉, 유방 내측의 볼륨을 증가시키거나 자연스럽게 처진 유방을 재건하는데 한계가 있다. 그리고 액와부 박리로 인한 림프 부종이 발생할 수 있으며 종종 감각 이상을 초래하기도 한다. 또한, 지연 유방 재건술을 시행하는 경우 이전 수술 및 방사선 치료로 인한 액와부 흉터 조직의 형성으로 인해 흉부 동맥 박리가 어려워 수술 시간이 오래 걸리고 혈관 직경이 감소되어 있어 혈관 문합이 어렵다. 이런 경우 액와부 흉부 동맥을 대체하여 내유방 혈관이 자주 사용된다. 내유방 혈관은 지연 유방 재건술을 시행하더라도 이전 유방절제술 시에 노출되지 않아 손상을 받지 않은 상태이며 방사선 치료의 영향도 받지 않아 혈관 문합을 시행하기가 수월하고 기시부가 유방 내측에 있어 혈관 문합 후 유방 내측 부피를 보강하여 미용학적으로 좋은 결과를 얻을 수 있으며 짧은 혈관경을 가진 피판이라도 혈관문합이 가능하고 수술의 시야가 좋은 장점이 있다. 그러나 내유방 혈관은 박리를 위해는 연골을 절제해야 하고 그로 인한 수술 후 심한 통증, 흉부 윤곽 변형, 기흉 등의 이환율이 높고, 심장 동맥

우회로 시술 시 내유방 혈관을 공여부로 사용할 수 없는 단점이 있다.

2) 수혜부혈관으로서 내유방혈관 관통지의 이용과 내유방동맥의 끝옆연결술의 유용성

위에 언급한 흉배 혈관과 내유방 혈관의 장단점을 고려한 대안으로 내유방 혈관 천공지의 이용과 내유방동맥의 끝옆연결술(end to side anastomosis)이 있다. 내유방 혈관 천공지는 내유방 혈관에서 흉골의 외측 경계선의 외측등측 방향으로 나와 늑간극을 통과해 대흉근의 내측 경계선에서 대흉근과 근막을 뚫고 주행하는 혈관으로 늑연골을 제거할 필요 없이 수혜부 혈관을 박리할 수 있어 수술 시간이 단축되며 유방 내측에서 기시하여 유방 내측 부피를 증강시킴으로써 미용학적으로 좋은 결과를 보일 수 있다. 또한 내유방 혈관보다 얕게 위치하고 있어 심장 박동 및 호흡으로 인한 진동이 적고 혈관 문합을 하기 더 쉬우면서 내유방 혈관을 보존할 수 있고 액와부 박리를 피할 수 있는 등 흉부동맥 및 내유방 혈관의 단점을 극복할 수 있다. 현재 서양에서는 내유방 혈관의 관통지에 대한 연구가 활발히 이루어지고 있으며 실제 임상에 사용된 예도 많이 보고되고 있다. 그러나 한국인 환자들의 내유방 혈관 관통지를 공여부 혈관으로 이용할 수 있는 가능성에 대한 해부학적, 임상학적 연구는 많지 않다. 특히 사체가 아닌 생체에서의 연구는 더욱 드물다.

내유방혈관 관통지는 일반적으로 재현성이 떨어지고 혈관의 지름이 작으며 약해서 일관성이 떨어지므로 재건의사가 수혜부 혈관으로 선택하기를 주저하는 경향이 있다. 그러나 1999년 Blondeel이 처음으로 내유방혈관 천공지를 이용한 유리피판술의 성공을 처음 보고하였다. Park 등이 발표한 논문에서는 5례의 증례에서 내유방혈관 천공지를 이용한 유방재건술을 시행하였는데 시행한 모두에서 충분한 혈액이 분출되는 내유방혈관 천공지를 찾을 수 있었다고 보고하였다. Haywood는 유방절제술 후 내유방혈관 천공지를 찾아 그것의 외경이 1.5 mm 이상이면서 동맥혈의 흐름이 좋은 환자가 39%에 해당하였으며 이 환자들에 한해서 수술을 시행하여 좋은 결과를 얻었다고 발표하였다. Munhoz은 서양인을 대상으로 16구의 고정된 시신 해부를 시행하였으며 동시에 40례의 임상 수술을 시행하였는데 시신 해부에서는 32쪽 중 22쪽에서만 내유방혈관 천공지가 발견되었고, 임상수술에서는 유방재건수술을 시행받은 환자의 72.5%에서만 내유방혈관 천공지가 발견되었다고 보고하였다. 이처럼 내유방혈관 천공지의 존재 확률에 대해서도 아직 이견이 많으나, 생체를 이용한 우리 연구에서는 12명의 모든 환자에서 존재를 확인하였다.

내유방혈관 천공지는 대부분 한 개의 천공동맥과 한 개의 천공정맥으로 이루어져있고 가장 크기가 큰 혈관은 2번째 늑간 공간에서 나오는 것으로 보고되었다. Park 등은 대부분의 늑간에서 각기 한 개씩의 천공동맥 및 정맥이 발견되었고 가장 큰 혈관이 다수의 빈도로 나온 곳이 역시 2번째 늑간 공간이었다고 보고하였다. 그러나 22구의 시신에서는 가장 큰 혈관의 빈도가 높다고 알려진 2번째 늑간 공간에서 전혀 천공지가 발견되지 않아, 이는 적은 비율이기는 하지만 수술 시 2번째 늑간 공간에 천공지가 없을 수도 있다는 것을 의미하기 때문에 도플러나 MD-CT를 이용한 술 전 검사가 필요하며 또한 유방절제술 후 자가피판을 이용한 재건수술이 필요 할 경우에는 2번째 늑간공간이 아닌 다른 늑간공간에서도 직접 수혜부 혈관을 찾을 필요가 있다고 주장했다. 한편 저자의 임상적 연구 결과에서도 총 천공지 중 16.7%가 3번째 늑간 공간에서 기시하는 것을 확인할 수 있었다. 대부분의 유리피판술을 이용한 재건술의 성공 여부는 수혜부 혈관 직경의 크기가 중요하다. 천공지의 경우에는 근본적으로 직경이 작은 혈관이므로 더욱 그러하다 하겠다. 또한 사체의 경우에는 사후 혈관의 수축 및 박동성의 결여로 인해 실제 생체와 차이가 있다. 사체 연구에서는, Munhoz 등은 서양인을 대상으로 16구의 고정된 시신 해부에서 천공동맥의 평균 외경은 0.85 mm이었다는 결과를 보고하였다. 2003년 Rosson은 서양인을 대상으로 10구의 신선 시신을 이용한 해부연구를 시행하여 내유방 혈관의 천공동맥 및 정맥의 평균외경은 각각 1.14 mm의 결과를 보고하였고 가장 큰 천공동맥의 평균외경은 1.74 mm, 가장 큰 천공정맥의 평균외경 1.78 mm의 결과를 보고하였다. Park 등은 11구의 사체를 이용한 연구에서 천공동맥의 평균외경 1.32 mm와 천공정맥의 평균외경 1.48 mm 및 가장 큰 천공동맥의 평균

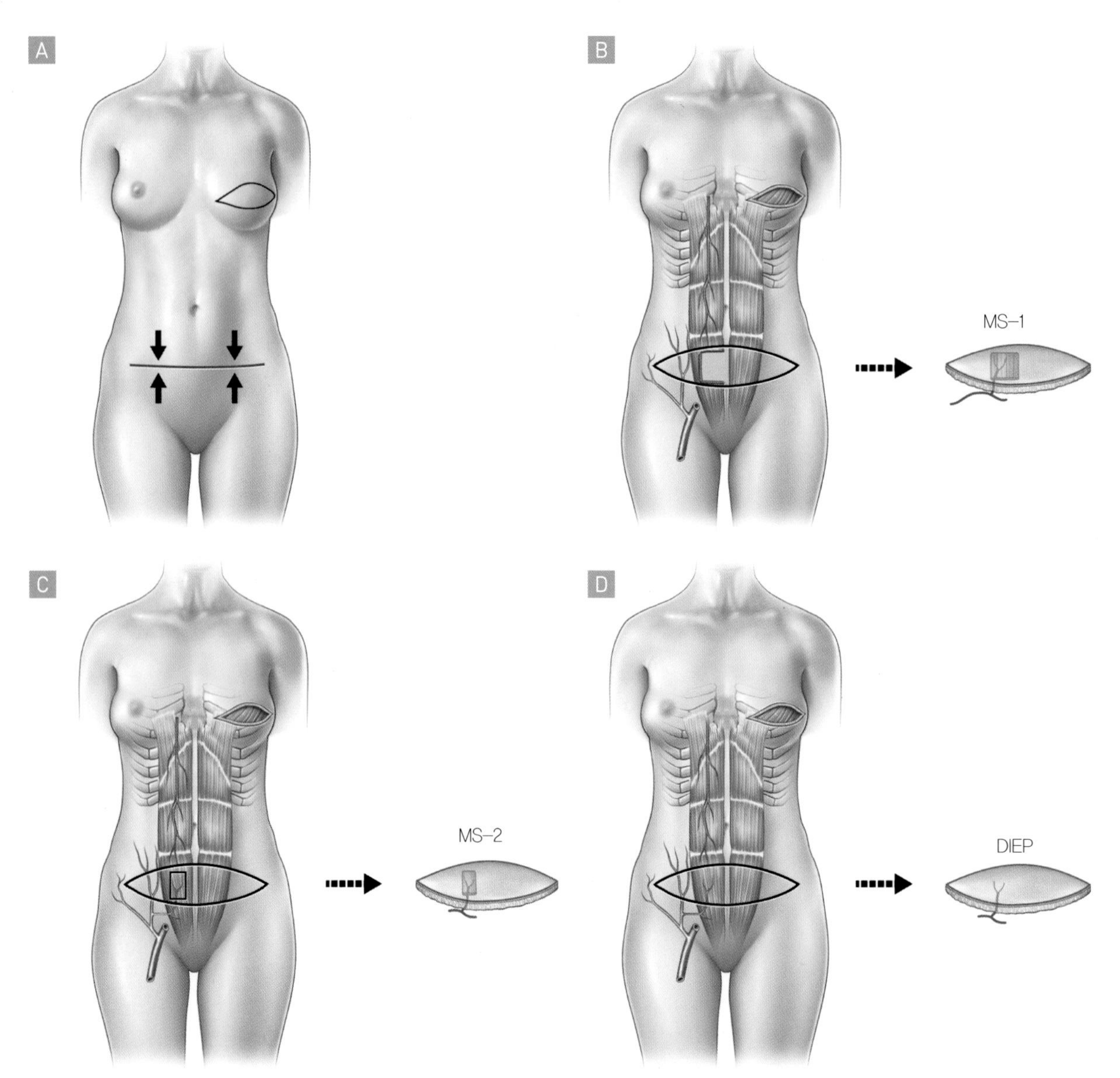

그림 9 유리 근육 보존성 횡복직근 근피판술은 세 종류로 분류할 수 있다. (A) MS-0 피판은 복직근을 완전히 절제한다. (B) MS-1 피판은 외측 근육띠를 남겨 근육으로의 신경지배를 보존한다. (C) MS-2 피판은 복직근의 중앙 부위 일부만을 절제한다. (D) MS-3 피판은 복직근을 모두 보존하며 심부하복부천공지피판이라고도 한다.

외경은 1.72 mm, 가장 큰 천공정맥의 평균외경 2.15 mm의 결과를 보고하였다(2009년 park). 생체의 경우 Park 등은 5례의 경우에서 천공 동맥 및 정맥의 평균외경은 각각 1.32 mm와 1.4 m의 결과를 보고하였고 가장 큰 천공동맥의 평균외경은 2.5 mm, 가장 큰 천공정맥의 평균외경은 2.2 mm의 결과를 보고하였다. 생체를 이용한 우리 연구에서는 천공동맥의 평균외경 1.52 mm와 천공정맥의 평균외경 2.2 mm 및 가장 큰 천공동맥의 평균외경은 3.0 mm, 가장 큰 천공정맥의 평균외경 3.5 mm의 결과를 보였다. 이는 사체나 생체를 이용한 다른 연구의 결과에 비해서 직경이 작지 않음을 확인하였다. 비록 기술적으로 어렵기는 하지만 전통적인 미세수술방법을 이용해서 0.5 mm 이상의 문합은 가능하다는 견지에서 내유방혈관 천공지는 크기면에서 좋은 후보로 사용될 수 있겠다.

내유방동맥의 끝옆연결술의 유용성은 최근 Moon 등이 늑연골 보전 방법을 이용한 내유방동맥의 끝옆연결술을 100례의 환자를 대상으로 50례는 단측문합을, 50례는 단단연결술을 시행하여 두 군간에 지방괴사, 혈전발생 그리고 허혈시간을 비교했을 때 유의한 차이가 없었고 시행된 모든 피판이 생존하여 미용적으로 만족할 만한 결과를 얻었다는 보고를 하였다. 이는 수혜부혈관으로서 내유방동맥의 단단연결술로 인한 소실로 미래에 심장 동맥 우회로 시술시 내유방 혈관을

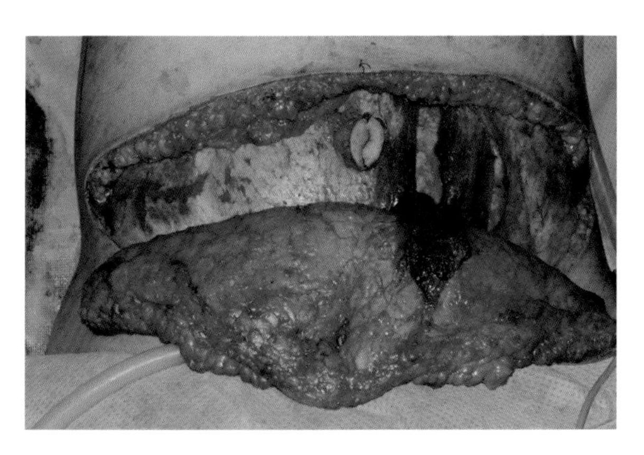

그림 10 근육을 근육내 막 안에 있는 근섬유의 방향으로 아래까지는 후배곧은근집까지 안쪽과 가쪽으로 나눈다.

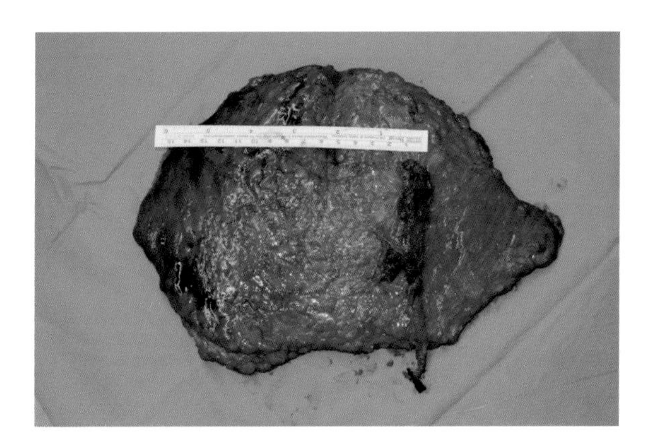

그림 11 유리 근육 보존성 횡복직근 피판

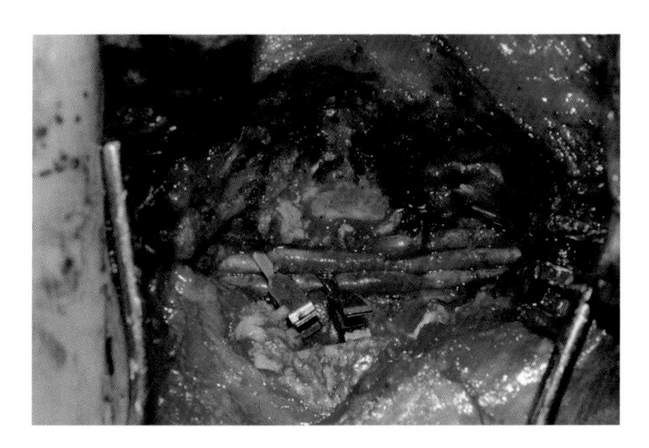

그림 12 내유방혈관을 일차 수혜혈관으로 사용한다

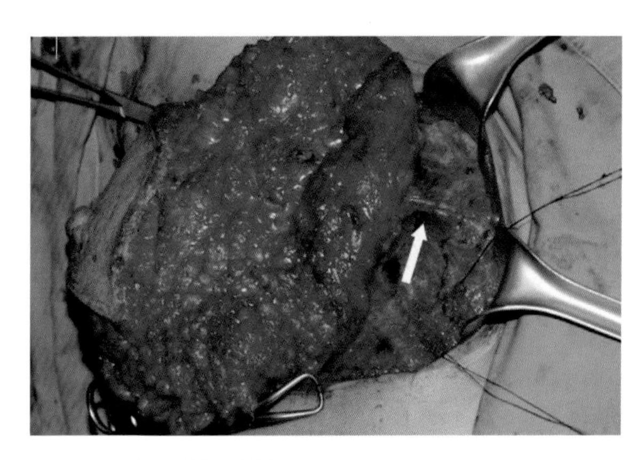

그림 13 내유방 천공지 혈관

공여부로 사용할 수 없는 단점을 극복할 수 있는 또 하나의 방법이라고 생각한다(**그림 9,10,11,12,13**).

6. 피판 작성과 유방모양 제작

자가 조직 유방 재건의 종합적인 목표는 유방 절제 부위에 혈행성이 좋은 조직을 옮기고 해부학 및 미적으로 가능한 정상처럼 보이는 가슴을 만드는 것이다.

저자는 횡복직근 근피판을 유방 재건 시 세로로 위치시키는 것을 선호한다. 이것은 반대쪽 복부로부터의 피판을 사용해야 용이하게 실시할 수 있다. 이 방법은 해부학적인 위치에서, 피판을 혈관 유경의 방향이 안쪽의 내유방 수혜 혈관 쪽으로 향하게 해서 가슴 위에 세로로 놓는다. 얕은 하복부정맥 또한 안쪽으로 향하게 하여 만약 정맥 배출의 두 번째 수단이 필요하다면 얕은 하복부정맥을 내부 유방 천공지 정맥이나 두번째 내부 유방 정맥과 문합한다. 얇은 지역 3조직은 가슴 상부에 놓이고, 피판에서 가장 두꺼운 부분인 지역 1과 2조직은 재건된 유방에 놓인다. 지역 3으로부터의 피판 가장자리는 대개 버려지고, 지역 4는 항상 버려진다. 특정 상황에서, 중앙선을 가로지르는 지역 2는 피판의 분출을 증가시키거나 하수증처럼 보이는 유방(ptotic-appearing breast)을 만들기 위해 접을 수 있다.

피판을 끼워 넣고 모양을 가다듬는 도중 수술의는 반드시 장력, 방향, 혈관 유경의 상태에 대해 항상 알고 있어야 한다. 몇몇의 수술의는 가슴벽에 피판을 고정시키는 것을 좋아하지만, 저자는 대부분의 경우에서 이러한 조작이 불필요하고 봉합이 재건된 유방에 부자연스러운 윤곽을 남길 수 있다는 것을 알아냈다. 대개, 유방 절제 피부 피판만으로도 횡복직근 근피판을 충분히 고정시킬 수 있다. 하지만 피판이 유방 절제 결손보다 많이 작을 때에는, 주머니 안으로 떨어져 혈관 유경에 과다한 장력을 야기할 수 있기 때문에 안쪽과 위쪽으로 고정하는 것이 필요하다.

횡복직근 근피판을 유방 절제 후 결손부에 잠시 위치시키고, 유방 피판을 횡복직근 근피판에 덮어 씌운다. 유방 절제 피판은 그 후 잠시 동안 피부 스테플러로 횡복직근 근피판 위에 고정시킨다. 환자를 앉는 자세로 위치시키고, 횡복직근 근피판을 유방 모양으로 만든다.

횡복직근 근피판으로 유방 재건을 위해 모양을 만들 때, 유방의 위쪽과 안쪽 지역에 초점을 맞춰 유방 사이 오목한 부분의 양을 충분히 확보하는 것이 중요하다 약간 과다하게 교정된 유방사이 공간의 경우에는 추후 지방흡입술로 쉽게 교정할 수 있다. 하지만, 유방의 위쪽과 안쪽 부분의 불충분한 조직 양으로 인해 발생한 부족한 유방 사이 공간은 교정하기 어렵다. 이 경우 대개 피판을 다시 올리고 앞으로 나오게 하여 빈 공간을 채워 넣는 것이 필요한데 이는 매우 어려운 작업이 될 수 있다.

수술 시 반대쪽 유방보다 초기 유방 양을 약간 크게 만드는 것이 더 좋다. 대부분의 상황에서, 재건된 유방에 약간의 수축은 일어난다. 또한, 약간 큰 유방은 지방흡입술이나 직접 절제로 쉽게 교정할 수 있다. 완벽한 대칭을 달성하기 위한 과다한 시도는 때때로 원하는 것보다 더 작은 가슴을 초래할 수 있다. 만약 초기 재건 유방이 반대쪽보다 크게 작다면, 이것은 재건 유방 확대나 반대쪽의 자연 가슴을 축소시키는 방법으로만 교정할 수 있다. 또한 유방하 주름(inframammary fold)을 옳은 위치에 위치시키기 위해 주의를 하는 것이 필요한데, 이는 후에 이것을 조절하기 매우 어렵기 때문이다.

반대쪽 유방과 비교했을 때 최적의 크기와 모양이 완성된다면, 스킨 패들(skin paddle)을 표시한다. 환자는 그 후 앙와위로 다시 위치시킨 다음에 피부의 파묻힐 부분의 상피를 벗긴다. 피판 아래로 배액관을 위치시킨다.

한쪽 유방 재건에서는 반대쪽 자연 유방을 가이드로 사용해 재건된 유방의 양과 모양 대칭을 달성한다. 피부 보존 유방절제술 후에 즉시 재건을 할 때에는, 남아있는 유방절제 피부 외피가 유방 재건 때 피판 모양 만들기를 용이하게 할 수 있다.

지연된 유방 재건에서 수술의는 유방절제 피부 피판의 아래 부분을 어떻게 관리할지 결정해야만 한다. 만약 피부 피반이 충분하고 부드럽다면, 저자는 그것을 보존하여 유방 재건을 위해 사용하는 것을 선호하는데, 이는 더 자연스럽게 보이는 모양을 만들 수 있기 때문이다. 만약 피부 피판이 방사선 치료로 인해 섬유화 되어 있다면, 이를 버리고 횡복직근 근피판 피부로 그 부분을 대체하는 것이 더 낫다.

지연된 유방 재건 중 가장 어려운 부분 중 하나는 최적의 유방하 주름을 만드는 것이다. 적당한 위치에 유방하 주름을 만들기 위해서 환자를 세운 상태에서 세심하고 정확한 수술 전 표시는 필수이다. 초기 재건 시 너무 높거나 낮게 만들어진 주름은 종종 교정하기 어렵다. 그러나, 주름을 약간 아래보다는 약간 위로 만드는 실수를 범하는 것이 그나마 좀 더 나을 것이다. 저자는 개인적으로 높게 만든 유방하 주름을 낮게 만드는 것이 낮게 만든 유방하 주름을 위로 올리는 것보다 쉬웠다.

1) 수혜부혈관에 따른 피판의 삽입(insetting)과 조형(shaping)

자가조직을 이용한 유방재건술의 일반적인 목적은 혈관화된 조직을 절제된 유방부위에 이식하여 가능한 한 해부학적이고 미용적으로 자연스러운, 정상에 가까운 유방을 만드는 것이다.

피판의 삽입(insetting)과 조형(shaping) 시 피판의 긴장도, 회전 그리고 혈관경의 위치와 상태를 항상 주의하여야 한다. 피판을 흉벽에 고정 봉합하는 경우 재건된 유방이 부자연스러운 모양으로 만들어 질 수 있으며, 흔히 유방절제술 피판만으로도 피판을 잘 유지할 수 있다. 그러나 피판이 절제된 결손부위보다 작은 경우 흉벽의 내측과 상측에 고정해 줄 필요가 있다. 그 이유는 결손 부위안에서 피판이 아래로 이동하여 혈관경의 과도한 긴장을 가져올 수 있기 때문이다. 전이된 피판을 유방모양으로 만들 때는 환자를 앉힌 자세에서 피부 스태플러(skin stapler)를 이용하여 고정한다.

피판을 유방모양으로 만들 때 유방의 내상측 부분을 강조하여 적당한 가슴골(cleavage) 부피를 확보하는 것이 중요하다. 이때 작게 만드는 것 보다는 약간 크게 만드는 것이 좋다. 크게 만든 유방은 지방흡인술로 쉽게 교정이 가능하지만 작게 만든 유방은 그렇지 않고 흔히 피판을 다시 거상하여 빈곳을 채워줘야 되므로 큰 수술이 될 가능성이 높기 때문이다.

(1) 내유방 동맥과 정맥을 이용한 수혜부 혈관

① 수혜부 혈관과 반대측 복부 피판경을 이용

저자는 내유방 혈관을 수혜부 혈관으로 이용할 경우 횡복직근피판을 수직으로 배치하는 것을 선호한다. 이 경우 복부의 반대측 피판을 이용하는 것이 가장 좋다. 피판을 흉부에 수직으로 놓음으로써 혈관경이 내측으로 위치하게 되어 수혜부혈관으로 내유방동맥과 문합하기 적당한 해부학적으로 자연스러운 위치에 놓이게 되기 때문이다. 또한 얕은 하복부정맥(SIEV)도 내측으로 위치하게 되어 제 2의 정맥 배액이 필요하게 된다면 내유방혈관의 관통지 정맥 혹은 제 2늑간 내유방정맥과 문합할 수 있다. 이 때 피판의 두께가 비교적 얇은 지역 3은 상측에 배치하고 피판의 두께가 가장 두꺼운 지역 1과 2는 재건된 유방의 중심부에 위치하도록 한다. 지역 3 피판의 모서리는 흔히 제거하고 지역 4는 항상 제거한다. 어떤 경우에는 지역 2는 피판의 돌출을 증가하거나 처진 유방을 만들기 위해 안으로 접어서 위치시키기도 한다.

② 수혜부 혈관과 같은 방향의 복부 피판경을 이용

일부 증례에서는 수혜부 혈관과 같은 방향의 복부 피판을 이용하는 경우가 종종 있다. 수술 전 CT Angiography상 반대측 피판의 혈관경이 적당하지 않아 같은 쪽의 피판을 사용할 수 밖에 없는 경우로 이 때는 복부 피판을 시계방향으로 180도 회전하여 놓는다. 이 경우 지역 4가 겨드랑이 방향으로 향하기 때문에 교정이 쉽고, 유방의 폭이 넓은 큰 유방에 적당하다는 장점이 있다. 단점으로는 배꼽이 6시에서 8시 방향에 놓이고 같은 쪽 내유방혈관과 심하복부동맥을 이용하면 복부와 유방의 혈류공급이 약해질 수 있는 가능성이 있다는 점이 있다.

(2) 흉배동맥과 정맥을 수혜부 혈관으로 이용

① 수혜부 혈관과 반대측 복부 피판경을 이용

흉배동맥과 정맥을 이용하는 경우는 피판을 시계방향으로 180도 회전시켜 위치시킨다. 이는 유방의 폭이 넓고 크기가 크고 처진 환자에 이용할 수 있다. 단점은 유방의 측부가 불룩(lateral fullness)하여 걸음걸이시 상완부와 맏닿아 불편할 수 있고 지역 4가 내측에 위치하기 때문에 지방괴사가 일어난 경우 교정시 접근이 어렵다는 점이다.

② 수혜부 혈관과 같은 방향의 복부 피판경을 이용

시계방향으로 90도 회전시켜 위치시킨다. 유방하수가 없는 중간 크기의 유방환자에 적당하며 유방측부의 불룩한 현상을 최소화할 수 있다.

2) 요약 및 결론

집도의가 수술 시 어떤 접근법을 선택하거나 임상적인 결정을 내리는데 있어 영향을 미치는 요소는 크게 두 가지로 먼저 개인적인 경험, 수련과정, 다른 연구자들의 논문 및 임상결과, 혹은 수술자의 직관을 들 수 있고 다음으로는 근거중심의학에 기초한 최근의 경향이 있을 수 있다. 이 두 가지 속성은 지속적으로 혹은 주기적으로 반복되며 수술의의 결정에 영향을 끼치게 된다. 그러므로 매 수년마다 반복되는, 성형외과 영역에서 오래된 논쟁거리들을 다시 논의하는 것은 전문가들뿐만 아니라 새롭게 자신만의 영역을 구축하고자 노력하는 젊은 수술자들에게도 바람직할 수 있다. 이러한 논쟁거리중 하나가 미세 유방 재건에 있어서 어떠한 혈관이 수혜부 혈관으로 바람직하냐 하는 것이다. 이 논쟁은 대개 흉배혈관(thoracodorsal) 대 내유방혈관(internal mammary vessel)의 선택의 문제로 귀결된다. 왜 이 결정이 중요한가? 왜냐하면 술자가 기존에 발표된 연구결과를 어떻게 해석하느냐 –개별적인 경험을 통해, 독단을 통해, 혹은 엄연한 사실을 기반으로- 에 따라 이러한 결정이 수많은 결과, 예를 들면 수술 시간, 유방의 미용적인 형태, 피판의 생존, 반흔의 위치, 림프부종의 생성, 술자의 수술시 편안함, 2차 수술의 빈도나 방법, 문합부의 문제가 생겼을 때 해결방법, 수술의 보조와 트레이닝, 수혜부의 유병률 등에 영향을 미칠 수 있기 때문이다. 대부분의 변수들은 수술자들이 유방재건 후 결과에 대해 만족할 확률을 극대화시키기 위한 것이다. 최근에는 내유방혈관(internal mammary vessel)이 더 일반적인 결정으로 여겨지는 것처럼 보인다. 반면 이전에는 흉배혈관(thoracodorsal vessel)이 더 선호되었다. 앞서 본문에 기술된 내용에 수혜부 혈관에 있어서 최선의 선택이 무엇인지 각각의 선택에 대한 장점과 단점들이 모두 제시되었고, 또 여러가지 상황들에 대한 반론들도 제기되었기 때문에 이것이 젊은 재건의들로 하여금 논쟁을 재점화하길 기대한다. 저자는 각각이 선호하는 혈관에서 최선의 결과를 얻는데 도움이 되는 유용한 많은 기술적인 팁을 제공하였다. 대개 10,000시간의 신중한 임상 경험이 어느 분야이든 전문가를 만드는데 필요하다고 이야기한다. 이 장에서와 같은 논문의 집약은, 젊은 성형외과 의사들에게 있어서 독립적인 임상진료를 할 때 쟁점화된 논쟁에 대해 자신만의 견해를 생각해보도록 고양함으로써 이 같은 소요시간을 줄여주는데 큰 도움이 될 것이다. 그러나 궁극적으로는, Dr. W. W. Shaw가 이 동일한 논쟁에 대해 15년 전에 간결하게 제시한 것과 같이, "언제나 선택의 가지는 많은 것이 좋다, 그것이 수혜부 혈관이든 치마의 길이이든.", 문제는 당연히, '술자 자신'에게 있어 무엇이 더 나은 선택이냐 하는 것이다.

7. 공여부위 관리

전복부벽의 약화나 탈장을 막기 위해서, 공여 부위 결손을 세심하게 봉합하는 것이 필요하다. 만약 근막 보존 수술법을 사용해 근막을 채취했다면, 심지어 양쪽 피판을 채취한 경우에도 아무런 장력 없이 세로로 나뉜 전 배곧은근집의 안쪽과 가쪽 띠를 일차 봉합 할 수 있다. 배곧은근집막은 단속봉합(interrupted suture)과 연속봉합 술기(running suture technique)를 이용해 흡수되지 않는 봉합실로 일차 봉합을 한다. 그러나 만약 위에 있는 근막의 통합성이 떨어지거나, 근막의 상당한 부분이 채취되고 장력 없는 일차 봉합이 어렵다면, 합성 그물을 사용하여 봉합을 보강한다. 합성 그물은 수술의의 선호에 따라 속넣기(inlay) 또는 겉얹기 술기(onlay technique)를 사용해 위치시킬 수 있다. 특히 전 배곧은근집은 후 배곧은근집이 부족해 탈장이 잘 발생하는 활꼴선 아래 위치에서는 세심하게 봉합해야 한다. 배액관은 피하 조직 내의 근막 봉합 위에 위치시킨다.

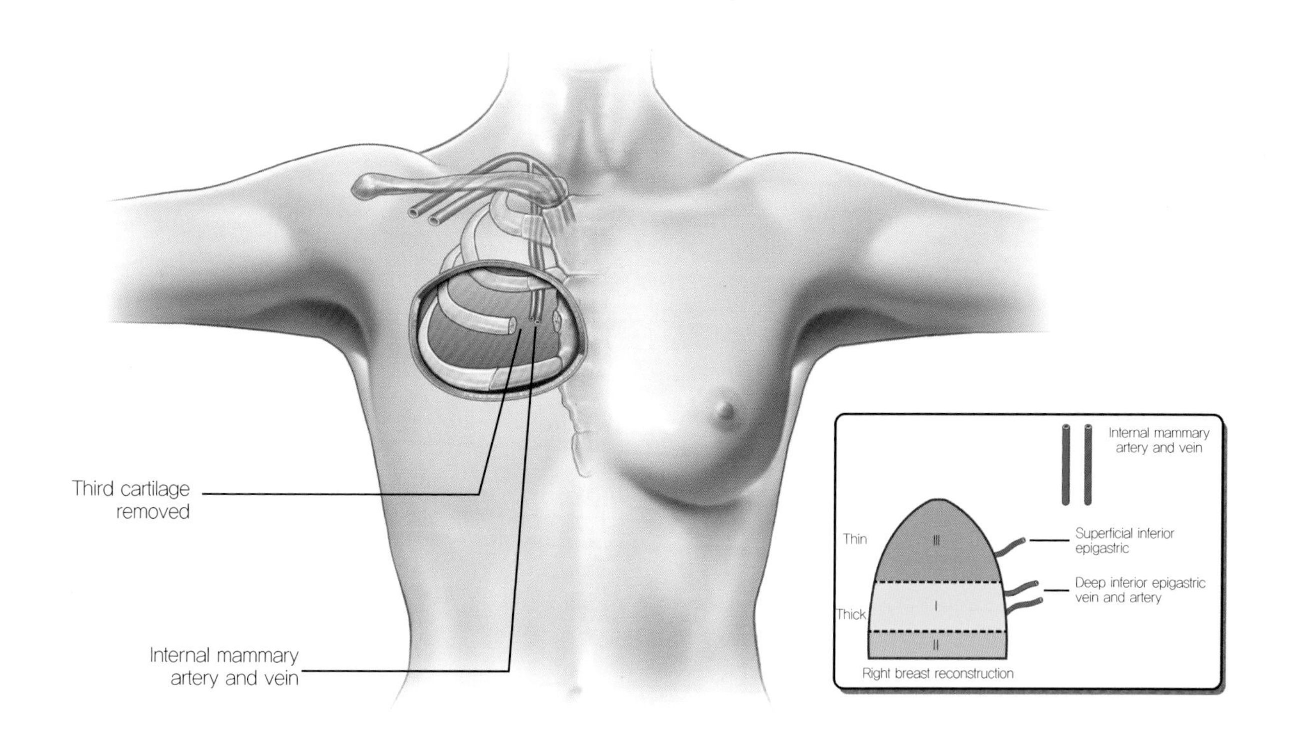

그림 14 저자는 유방 재건 시 횡복직근 근피판을 세로로 위치하는 것을 선호한다.

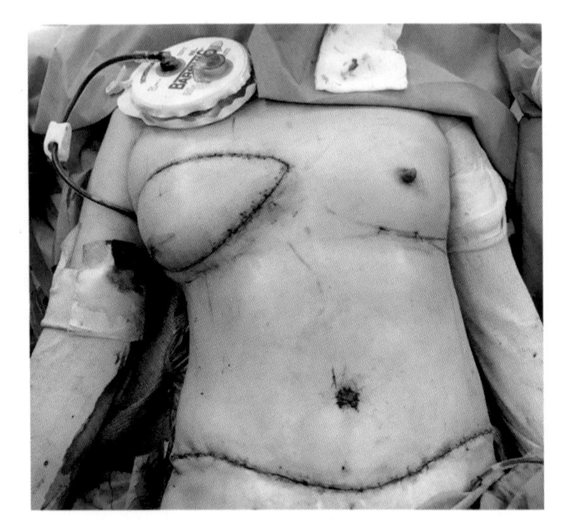

그림 15 횡복직근 근피판을 끼워 넣고 모양을 다듬기 위해 환자를 앉은 자세로 한다.

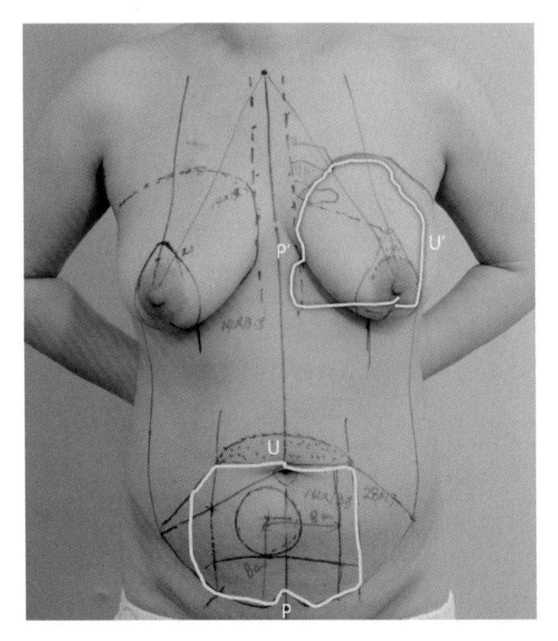

그림 16 횡복직근 근피판을 유방재건 중 모양을 가다듬을 때, 적당한 유방사이 공간을 확보하여.유방의 위와 안쪽 지역에 초점을 맞추는 것이 중요하다. 횡복직근 근피판의 세로삽입을 가정한 모습 (U: umbilicus, P: symphysis pubis, U', P': 피판 삽입시 U, P의 대응점)

복부를 봉합한 후에는 배꼽을 복부 피판 중앙에 만들어진 절개선을 통해 다시 가지고 와서 봉합으로 고정시킨다. 중앙선 위에 걸쳐 올바른 해부학적 위치에 존재하면서 배꼽 줄기가 꼬이지 않게 하기 위해 주의를 해야 한다. 배꼽을 끼워 넣는 것은 많은 다른 방법들이 있다. 저자는 더 어려 보이게 하기위해, 배꼽의 아랫부분으로부터 찡그린 절개선을('frown' incision) 만들고 작은 쐐기모양으로 잘라 내는 것을 선호한다(**그림 14,15,16**).

8. 합병증

(1) 피판소실

심지어 아주 잘 설계된 유리 횡복직근 근피판 유방재건 수술일지라도 수술 성공은 궁극적으로 동맥과 정맥 문합의 성공에 달려 있다. 피판 소실을 일으키는 정맥 혈전증의 가장 흔한 원인은 아마도 미세혈관 문합 동안의 기술적 실수일 것이다. 그러므로 수술의가 문합 개방률에 영향을 줄 수 있는 생리학적인 요인을 철저한 이해하고 기술적 능숙함과 경험으로부터 얻은 임상 판단을 갖고 있는 것이 중요하다.

(2) 지방괴사/부분 피판 소실

지방 괴사와 부분 피판 소실은 피판의 한 부분에 불충분한 관류로 인해 발생한다. 이것을 최소화하기 위한 가장 좋은 방법은 피판의 관류를 최적으로 하고 관류가 좋지 않은 부분은 확실히 버리는 것이다. 이런 버릴 부분들은 밝은 빨간 출혈이 없는 어느 피판도 포함된다. 대부분의 사례에서, 지역 4조직은 버리는 것이 좋다. 또한 대개 지역 3의 경우에도 가장자리로부터의 작은 부분은 버린다.

한편 필요한 만큼 많은 천공지들을 포함시켜 피판에 최적의 관류를 제공하는 것이 좋다. 물론 많은 사례에서, 단지 두개나 세개의 천공지들 만으로, 때때로는 심지어 하나의 큰 천공지만으로도 충분한 관류를 제공할 수 있다. 그러나 흡연자와 비만환자 같은 고위험 환자들에서는, 상당한 지방 괴사나 부분 피판 소실 위험을 줄이기 위해, 수술의가 많은 천공지들을 포함시키는 것을 고려해야 한다.

수혜 혈관의 적합한 선택 또한 최적의 혈류를 위해 중요하다. 천공지들을 수혜 혈관으로 사용하는 것은 세련된 술기이지만, 수술의는 합병증을 최소화하기 위해 유방 재건에 사용될 피판의 크기와 혈관 크기 일치를 고려해 주의해야 한다.

(3) 복부의 불룩한 부분/탈장

근육 보존성 횡복직근 근피판술과 심부 하복벽천공지 피판술과 같은 유리 횡복직근 근피판술의 변형술이 개발되게 된 추진력에는 특히 탈장이나 불룩 나온 부분과 같은 복부 증여 부위 이환율을 감소시키기 위한 욕망이 있다. 이를 위한 한 방법은 최적의 장력없는 근막 봉합이다. 저자는 얼마나 많은 배곧은근이 희생되었는지는 상관없이 대부분의 유리 횡복직근 근피판을 채취하기 위해 근막 보존 기술(fascia-sparing technique)을 사용하는 것을 선호한다. 이를 통해 양측 모두 수술한 경우에도 최소한의 장력으로 배곧은근집막을 일차 봉합 할 수 있다. 그러나 위에 놓여 있는 근막 통합성이 빈약하다거나 장력 없는 일차 봉합이 어렵다면, 합성 그물을 사용해 봉합을 보강해야 한다.

(4) 수술 후 관리

대부분의 사례에서 수술 후 특별한 혈관확장제나 항응고제는 필요하지 않다. 보정브래지어(support bra)를 사용하는 것이 재건된 유방을 안쪽으로 지지하고 유지하는 것에 도움이 된다. 환자는 복부 증여 부위의 장력을 최소화하기 위해 굽힌 자세로 위치시킨다. 피판은 간호사나 수술 스태프에 의해 매 시간마다 체크한다. 환자는 수술 당일에는 구강 섭취를 억제해야 한다. 다음날 아침 만약 피판이 안정적인 것을 확인하였다면 식사를 진행한다. 한편 수술 후 조기보행이 권장된다. 복부를 긴장시킬 수 있는 운동은 수술 후 약 6주 후에 재개한다.

(5) 교정

가슴 모양을 만든 후에는, 최종적으로 원하는 유방 크기와 모양을 달성하기 위해 재건된 유방을 교정하는 두 번째 단계의 수술이 필요할 것이다. 가끔, 반대쪽 유방에 수술적 중재가 필요할 수 있다. 이 두 번째 단계에서 시행될 수 있는 다른 수술로는 지방 괴사 절제, 유방하 주름 비대칭 교정, 흉터 교정, 복부 공여 부위의 사소한 손질 그리고 유두-유륜 재건이 포함된다.

초기 재건 시 반대쪽 유방과 정확하게 크기와 모양을 일치시키는 것은 대개 가능하지 않다. 그 이유로는 먼저 수술 중 환자자세의 한계를 들 수 있다. 심지어 환자가 앉은 자세에서 가능한 만큼 유방의 모양을 만들더라도, 수술대에서 환자가 섰을 때의 중력의 모든 효과를 복제할 수는 없다. 또한, 혈액 공급과 피판의 생존율에 위협을 가하지 않고 모양을 만드는 데에는 한계가 있다. 마지막으로, 초기 재건된 유방이 모양과 크기를 기존 그대로 완전히 유지하는 일은 거의 없다. 그러므로 대부분의 사례에서 최종 결과에 약간의 손질이 필요할 것이라 생각하는 것이 합리적이다. 피판과 수술 부위가 함께 치유됨으로써, 재건된 유방의 크기와 모양은 계속 진화한다. 이러한 이유로 재건된 유방에 대한 약간의 교정은 종종 필요하다.

필요한 교정 수술의 정도는 국소 마취를 요하는 작은 외래 수술부터 전신 마취를 요구하는 중대한 중재까지 다양하다. 교정의 종류와 정도는 종종 초기 재건 때 계획할 수 있다. 즉 초기 교정 수술 때 두 번째 단계에서 실시할 것으로 예상되는 교정 수술 규모가 작아지도록, 추후 결과를 고려하면서 피판 삽입과 모양 다듬기를 시행할 수 있다.

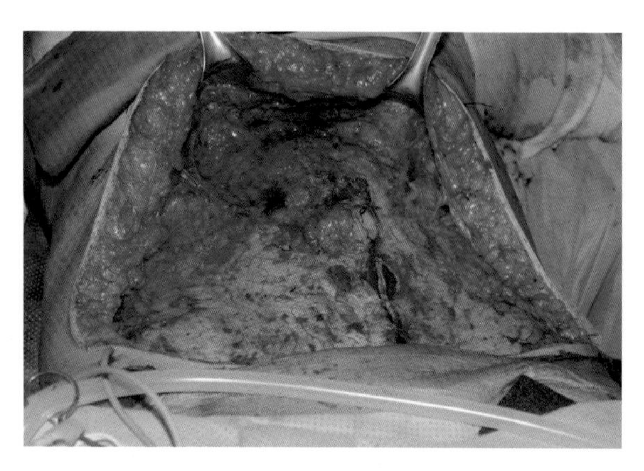

그림 17 유리 근육 보존성 횡복직근 근피판과 심부 하복부 천공지 피판 을 채취한 후의 공여 부위

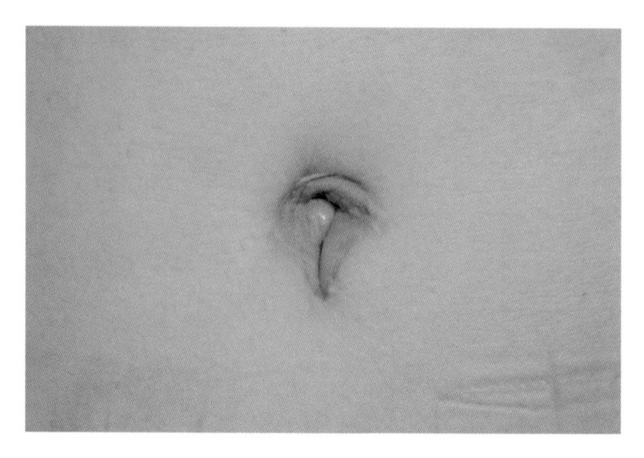

그림 18 저자는 더 어려 보이게 하기 위해, 배꼽의 아랫부분으로부터 찡그린 절개선을('frown' incision) 만들고 작은 쐐기모양으로 잘라 내는 것을 선호한다.

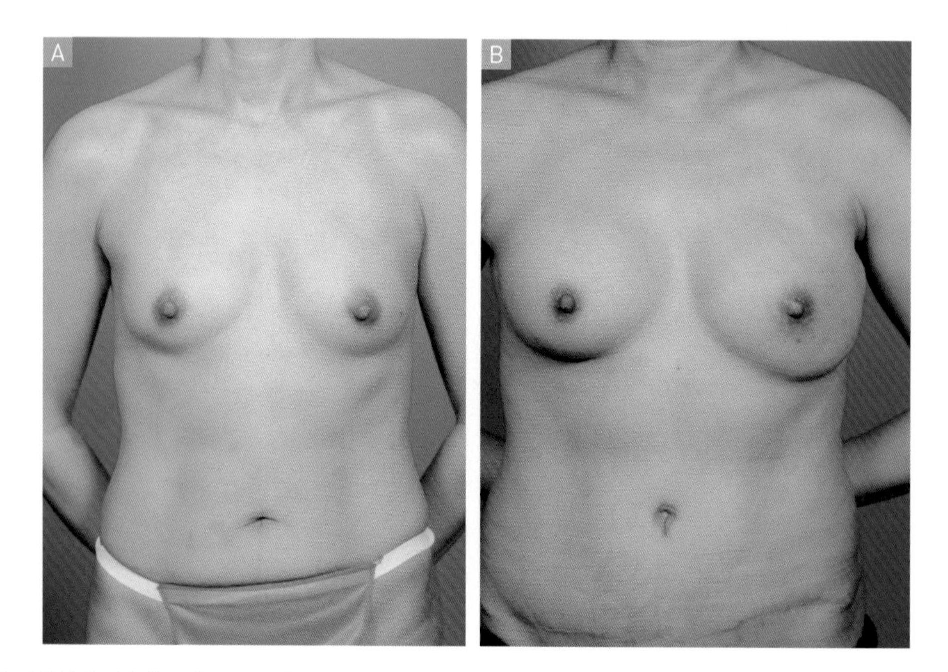

그림 19 좌측 유방암에 대해 횡복직근 근피판을 이용한 가슴재건술을 시행 받은 환자의 수술 전후 사진. (A) 수술 전 사진, (B) 수술 1년 후 추적관찰)

9. 결론

유리 횡복직근 근피판술은 미세수술 자가 조직 유방 재건 중 가장 인기 있고 신뢰할 수 있는 방법 중 하나이며, 유리 근육 보존성 횡복직근 근피판술, 유리 심부 하복부천공지 피판술과 유리 얕은 하복부동맥 피판술과 같은 다양한 변형술이 파생되어 왔다. 각각의 피판술에 맞는 적절한 환자군 선택과 안전한 수술 기술로, 공여부위 이환율을 최소화 하면서 미적으로 만족스러운 유방 재건을 시행할 수 있다(**그림 17,18**).

❧ 고위험 환자군에서 복부조직을 이용하여 유방재건술을 성공적으로 시행하려면 가장 중요한 것이 채취한 복부조직의 혈행 공급이다. 혈액공급이 불충분하면 수술 후 지방괴사의 원인이 되기 때문이다. 혈행공급이 좋으면 자유롭게 피판을 제작하여 이상적인 유방을 만드는데 유리하여 미용적으로 좋은 결과를 얻을 수 있다. 두 번째로 중요한 것은 공여부인 복부조직의 근과 근막의 손상없이 채취하여 공여부 이환율을 낮추는 것이다. 이는 자연스러운 유방을 만든 것만큼 중요한데 조기에 정상생활 복귀에 큰 역할을 하기 때문이다.

참 · 고 · 문 · 헌

1. Arnez ZM, Valdatta L, Tyler MP, Planinsek F. Anatomy of the internal mammary veins and their use in free TRAM flap breast reconstruction. British Journal of Plastic Surgery 1995;48:540-5.
2. Clark CP, Rohrich RJ, Copit S, Pittman CE, Robinson J. An anatomic study of the internal mammary veins: clinical implications for free-tissue-transfer breast reconstruction. Plastic and reconstructive surgery 1997;99:400-4.
3. Dupin CL, Allen RJ, Glass CA, Bunch R. The internal mammary artery and vein as a recipient site for free-flap breast reconstruction: a report of 110 consecutive cases. Plastic and reconstructive surgery 1996;98:685-9.
4. Hamdi M, Blondeel P, Van Landuyt K, Monstrey S. Algorithm in choosing recipient vessels for perforator free flap in breast reconstruction: the role of the internal mammary perforators. British Journal of Plastic Surgery 2004;57:258-65.
5. Haywood RM, Raurell A, Perks AGB, Sassoon EM, Logan AM, Phillips J. Autologous free tissue breast reconstruction using the internal mammary perforators as recipient vessels. British Journal of Plastic Surgery 2003;56:689-91.
6. Munhoz A, Ishida L, Montag E, Sturtz G, Saito F, Rodrigues L, et al. Perforator flap breast reconstruction using internal mammary perforator branches as a recipient site: an anatomical and clinical analysis. Plastic and reconstructive surgery 2004;114:62-8.
7. Ninković M, Anderl H, Hefel L, Schwabegger A, Wechselberger G. Internal mammary vessels: a reliable recipient system for free flaps in breast reconstruction. British Journal of Plastic Surgery 1995;48:533-9.
8. Park M, Lee J, Chung J, Lee S. Use of internal mammary vessel perforator as a recipient vessel for free TRAM breast reconstruction. Annals of plastic surgery 2003;50:132-7.
9. Rosson G, Holton L, Silverman R, Singh N, Nahabedian M. Internal mammary perforators: a cadaver study. Journal of reconstructive microsurgery 2005;21:239-42.
10. Saint-Cyr M, Chang D, Robb G, Chevray P. Internal mammary perforator recipient vessels for breast reconstruction using free TRAM, DIEP, and SIEA flaps. Plastic and reconstructive surgery 2007;120:1769-73.
11. Schmidt M, Aszmann O, Beck H, Frey M. The anatomic basis of the internal mammary artery perforator flap: a cadaver study. Journal of plastic, reconstructive & aesthetic surgery 2010;63:191-6.
12. Vesely MJJ, Murray D, Novak C, Gullane P, Neligan P. The internal mammary artery perforator flap: an anatomical study and a case report. Annals of plastic surgery 2007;58:156-61.

Aesthetic breast reconstruction »

유리 횡복직근피판을 이용한 수정광역유방절제의 재건

Free TRAM Flap for MRM Defect

| 안상태 |

유방재건 후 가장 좋은 결과를 기대할 수 있는 경우는 보통 크기의 유방에 대해 skin-sparing mastectomy나 nipple sparing mastectomy를 받은 환자이다. 너무 작거나 큰 유방은 원 상태와 비슷하게 재건하기 어렵다. Skin-sparing mastectomy 후 autologous free-tissue를 이용하여 재건하면 가장 자연스럽고 항구적인 결과를 얻을 수 있겠지만 유방외과 의사가 modified radical mastectomy(MRM)나 total mastectomy를 선호하는 경우에는 재건해야할 유방에 다양한 위치와 크기의 피부 결손이 남게 되므로(**그림 1**) TRAM flap을 도안할 때와 inset할 때에 혈류분포, pedicle의 위치, skin flap의 크기와 배치 등에 각별한 주의를 요한다. 유방재건을 담당하는 성형외과 의사의 입장에서 보면 axillary lymph node dissection 여부 보다 NAC와 피부의 절제 범위가 중요하기 때문에 본 단원에서는 MRM이나 total mastectomy를 받은 환자의 유방재건 시에 TRAM의 작성과 inset 시에 좋은 결과를 얻기 위해 주의를 기울여야 할 부분에 대해 중점적으로 살펴보고자 한다.

1. Mastectomy 방법

① Radical mastectomy

Halsted의 radical mastectomy는 유방조직 전체와 이를 덮고 있는 피부, pectoralis major muscle과 Level I, II, III axillary lymph nodes 전체를 en bloc으로 제거한다. 이 방법은 국소재발율이나 생존율에 별다른 잇점이 없이 유병율이 높아서 최근에는 거의 사용되지 않고 있다(**그림 2A**).

② Modified radical mastectomy(MRM)

유방조직과 Level I-II axillary lymph nodes를 en bloc으로 제거하면서 nipple areolar complex (NAC)와 biopsy 부위를 포함하는 피부를 방추형으로 절제한다.

③ Total mastectomy

현재 가장 보편적으로 사용되고 있는 방법으로 유방조직 전체를 절제하면서 NAC와 함께 인접한 피부를 방추형으로 절제한다(**그림 2B**).

④ Skin-sparing mastectomy

Total mastectomy에서 한 단계 발전된 방법으로 circumareolar incision을 통해 NAC와 유방조직을 절제함으로써 피부를 최대한 보존하여 즉시재건을 용이하게 한다.

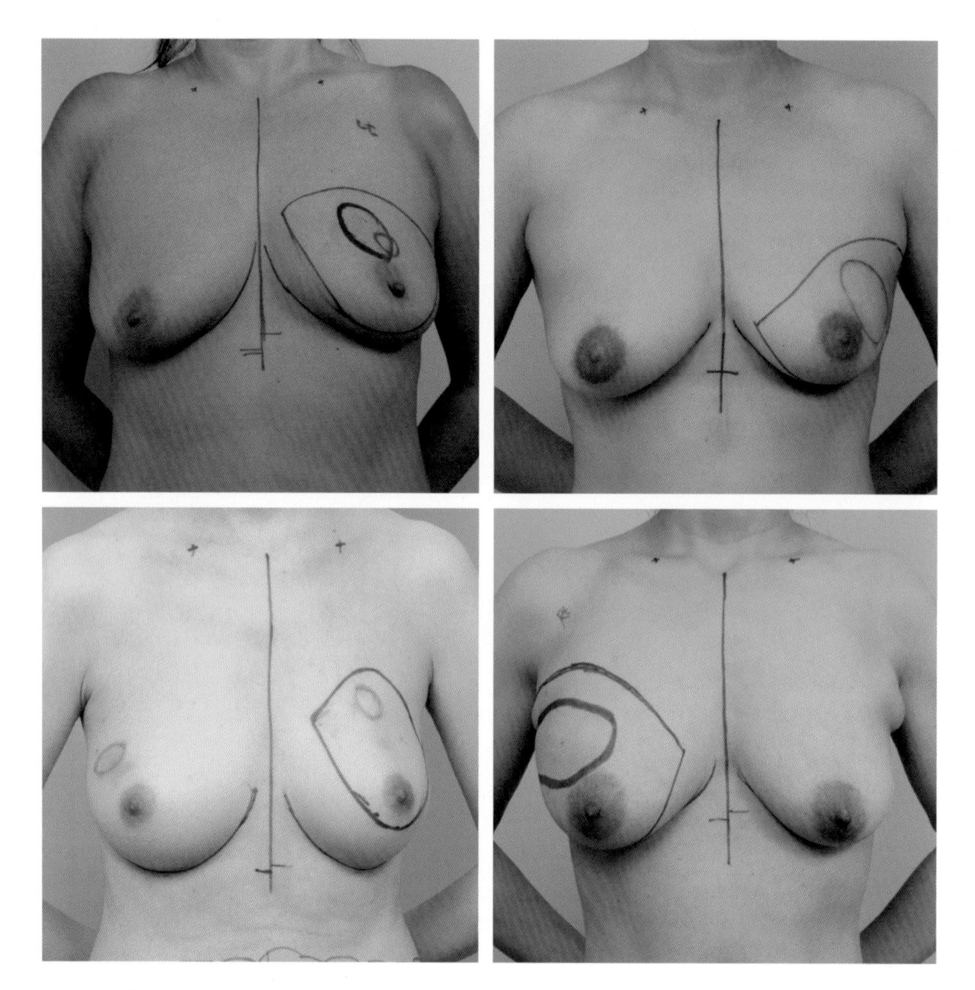

그림 1 여러 형태의 피부절제를 동반하는 total mastectomy.

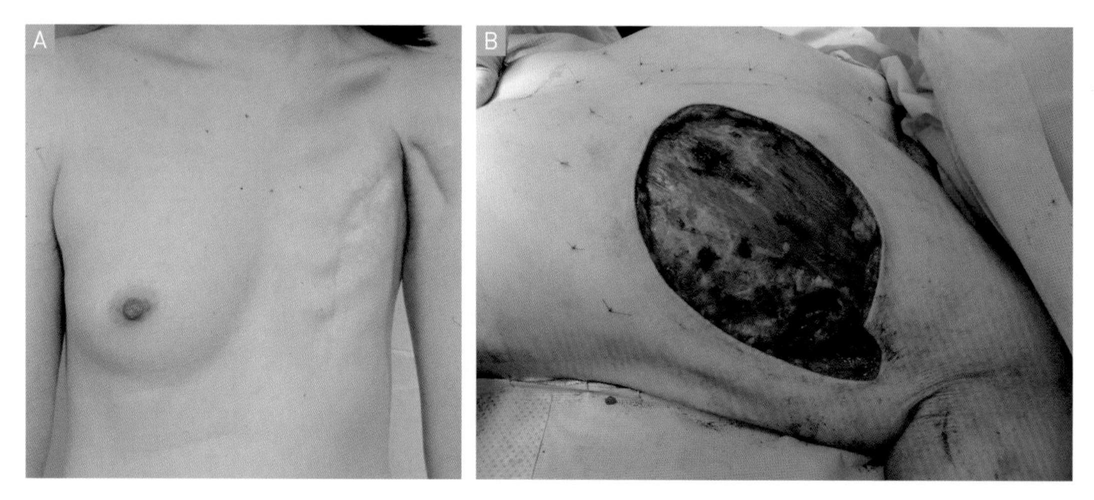

그림 2 Mastectomy defects: A. 좌측 유방에 대한 radical mastectomy 후 심한 변형과 반흔이 남은 모습. B. NAC를 포함한 타원형의 피부를 절제하고 pectoralis major muscle이 보존된 total mastectomy.

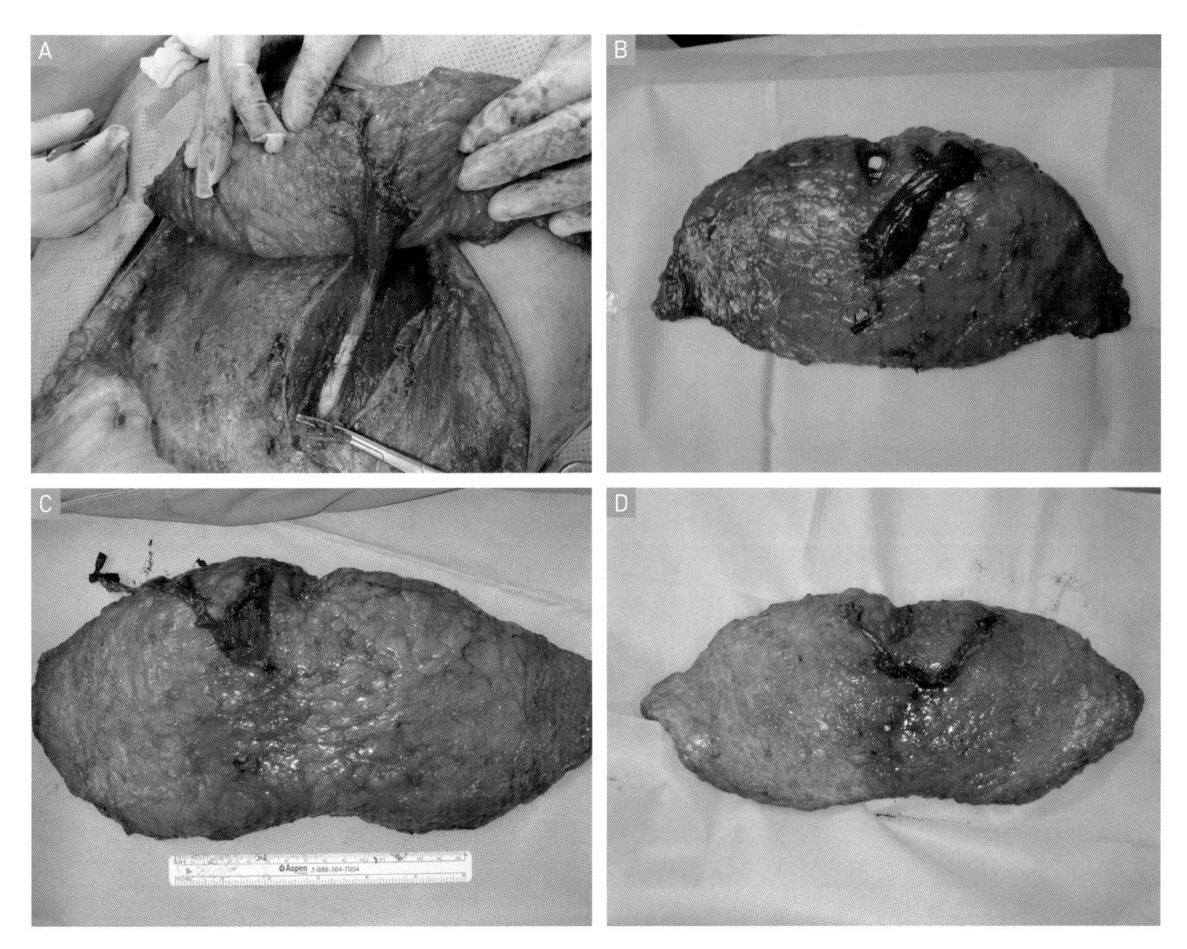

그림 3 **Free TRAM의 종류** A & B. MS-1 donor defect와 flap. C. MS-2 flap. D. MS-3(DIEP) flap.

⑤ Nipple sparing mastectomy

Areola의 외측을 절개하여 NAC까지 보존하면서 유방조직을 절제한다.

2. Free TRAM의 종류

유방재건을 위해 하복부의 조직을 이용하는 피판은 rectus abdominis muscle을 어느 정도 보존하느냐에 따라 free TRAM, muscle sparing free TRAM, deep inferior epigastric perforator(DIEP) flap, superficial inferior epigastric artery (SIEA) flap 등으로 나뉘지만 pedicled TRAM에 비교하여 이들은 모두 넓은 의미의 free TRAM에 속한다.

① MS-0(Free TRAM)

Vascular pedicle에 rectus muscle 전체를 포함하는 방법이지만 술기의 발전으로 최근에는 거의 사용하지 않는다.

② MS-1

Rectus muscle의 innervation을 보존하기 위해 근육의 lateral band를 남기고 medial band만을 pedicle에 포함하는 경우**(그림 3A, 3B)**.

③ MS-2

Perforator 주변의 근육만 최소한으로 포함하는 경우**(그림 3C)**.

④ MS-3(DIEP)

Rectus muscle 전체를 보존하고 deep inferior epigastric artery perforator만 박리하여 pedicle로 이용하는 경우**(그림 3D)**.

3. TRAM을 위한 복벽 해부학

여러 종류의 TRAM flap을 성공적으로 해내기 위해서는 복벽의 해부학적 구조를 잘 이해하는 것이 무엇보다 중요하다. Rectus abdominis muscle (Recti)은 복벽 중심선인 linea alba의 좌우에 평행으로 위치하며 symphysis pubis에서 시작하여 xyphoid process와 subcostal margin에 붙는다. Recti는 tendinous inscription이라는 fibrous band들이 가로지르고 있으며 rectus sheath에 싸여 있다. Rectus sheath는 external과 internal oblique muscle들의 aponeurosis와 transversus abdominis가 합쳐져서 이루어진다. Arcuate line은 umbilicus와 pubic symphysis 사이의 1/3 지점을 횡으로 지나는 선으로 이보다 위에서는 recti가 external oblique, internal oblique의 일부로 이루어진 anterior rectus sheath와 internal oblique의 일부와 transversus abdominis로 이루어진 posterior sheath에 싸여 있으나 이보다 아래에서는 posterior sheath가 없어지고 sheath를 이루는 세가지 aponeurosis가 모두 recti의 앞쪽에만 있게 된다. 또한 이 지점에서 inferior epigastric vessel이 recti를 뚫고 올라온다. Recti는 Mathes & Nahai type III muscle로 두 개의 dominant pedicle인 superior와 inferior deep epigastric vessel을 가지고 있으며 이들은 복벽의 중앙부에서 choke vessel에 의해서 서로 연결되어 있다. TRAM은 하복부의 여유조직을 이용하기 때문에 superior epigastric vessel로부터 혈류 공급을 받는 pedicled TRAM은 choke vessel에 의존하게 되는 반면, free TRAM은 inferior epigastric vessel로부터 직접 풍부한 혈류 공급을 받을 뿐 아니라 perforator를 박리하여 recti의 상당 부분을 보존할 수 있는 장점이 있다. Recti의 주기능은 trunk와 lumbar vertebra를 flexion하는 것으로 등근육들과 균형을 맞추어 자세를 만드는데 중추적인 역할을 할 뿐 아니라 대소변을 볼 때 복압을 올려준다.

4. 술전 디자인

수술 전날 또는 수술 당일 마취 시작 전에 환자를 만나 수술계획을 다시 확인하여 환자의 궁금증을 해

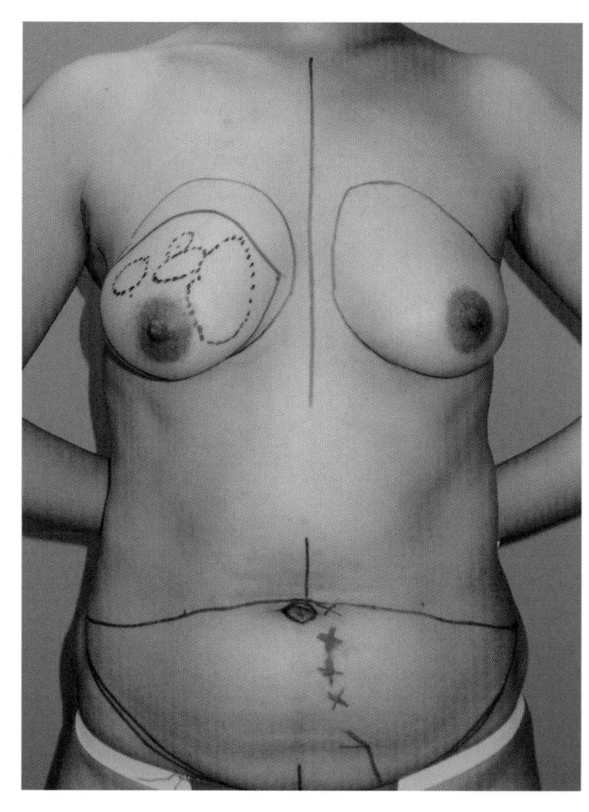

그림 4 술전 디자인: Midsternal line, IMF, Breast base, Breast cancer 위치, 피부절제 범위, TRAM flap, Vascular pedicle with perforators.

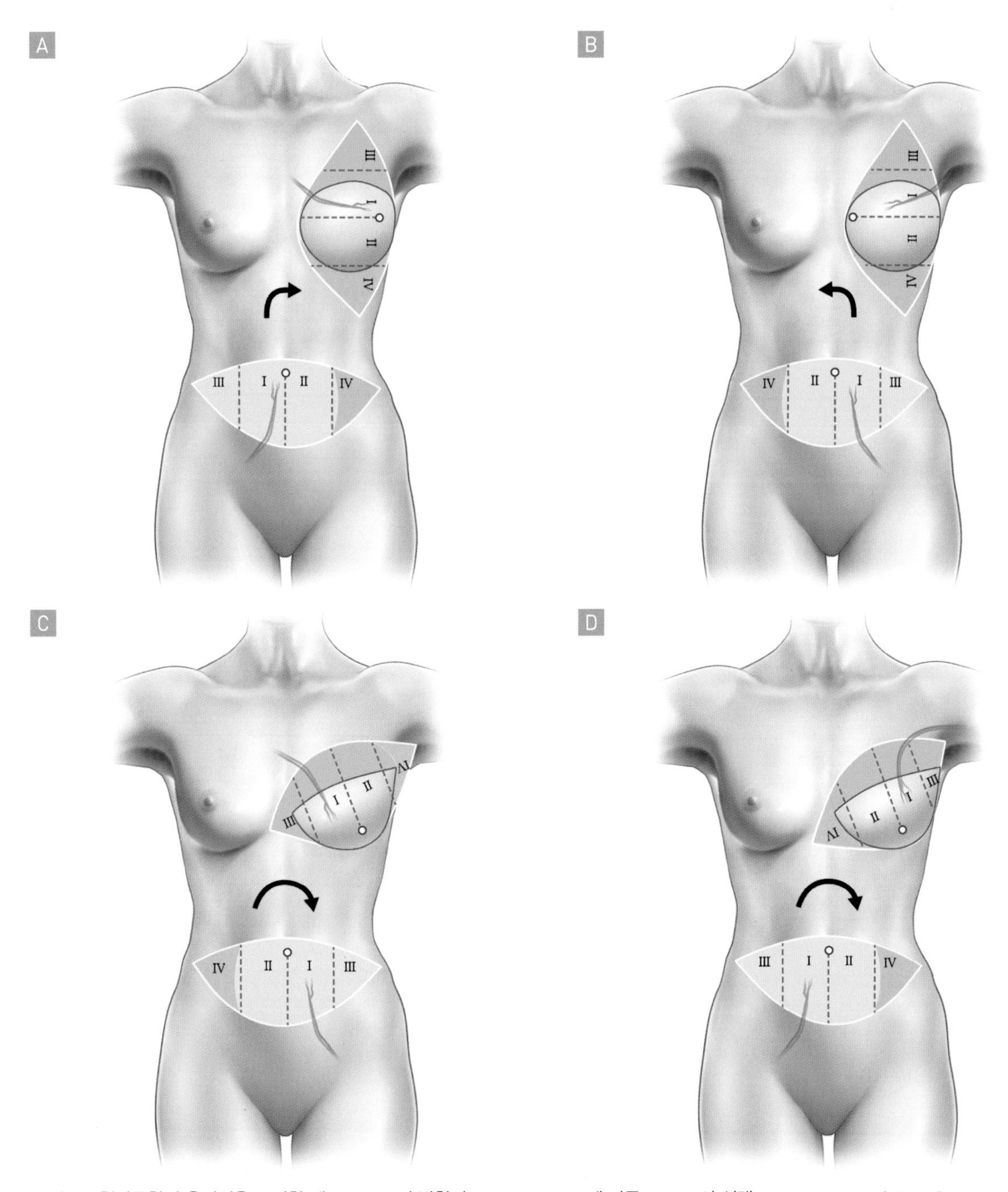

그림 5 혈관문합의 용이성을 고려할 때 flap inset의 방향과 recipient vessel에 따른 pedicle의 선택: A. Vertical inset & IMA: Contralateral pedicle. B. Vertical inset & TDA: Ipsilateral pedicle. C. Horizontal inset & IMA: Ipsilateral pedicle. D. Horizontal inset &TDA: Contralateral pedicle.

소하고 불안한 마음을 진정시킨 다음에 술전 디자인을 시행한다. 디자인은 대칭성을 확보하기 위해 일어선 자세에서 하는 것이 좋다. Midsternal line과 양측 유방의 내, 외, 하방 경계부를 그리고, 정상 유방의 inframammary fold(IMF)에 맞추어 절제할(지연 재건인 경우 절제된) 유방의 IMF를 그린다. 정상 유방을 축소하거나 mastopexy할 예정이면 변경될 IMF 위치에 맞춘다. TRAM flap의 상단은 배꼽 1-2 cm 위까지, 하단은 공여부의 봉합 시 지나친 긴장이 남지 않을 정도에서 pubic hair의 상부 또는 Pfannenstiel incision부위까지, 양측은 복부의 형태에 따라 dog ear가 최소화될 수 있는 곳까지 포함하는 방추형으로 그린다. Recipient vessel과 재건할 유방의 형태를 고려하여 vascular pedicle의 위치를 정한다(**그림 4**). MRM 후 immediate reconstruction인 경우에는 axillary dissection으로 thoracodorsal vessel (TDA)이 드러나게 되므로 이것을 recipient vessel로 사용하는 것이 편리하다. Delayed reconstruction인 경우에는 비교적 접근이 쉬운 internal mammary vessel (IMA)을 recipient vessel로 사용하는 것이 편리하다.

좁고 긴 유방을 재건할 때에는 flap을 수직방향으로 세워서 inset해야 하므로 vascular pedicle과 recipient vessel의 문합을 용이하게 하기 위해서 IMA를 사용하려면 contralateral pedicle을, TDA를 사용하려면 ipsilateral pedicle을 이용하는 것이 편하다. 반면에 넓고 퍼진 유방을 재건하고자 할 때에는 flap을 수평방향으로 눕혀서 inset하기 때문에 IMA를 사용하려면 ipsilateral pedicle을, TDA를 사용하려면 contralateral pedicle을 이용하는 것이 좋다(**그림 5**). 그러나 한 가지 더 고려해야할 사항은 내측과 하방의 조직의 질과 양이 유방의 모양을 좌우하기 때문에 유방재건 후 이 부위에 피판의 부분괴사나 지방괴사가 생기면 유방의 모양이 흉하고 복구도 매우 어렵다는 점이다. TRAM flap의 circulation이 Zone I, III, II, IV의 순서로 양호하기 때문에 유방의 내측과 하방에 혈류가 좋은 조직을 배치하기 위해서는 수직방향의 피판배치를 할 경우 IMA를 사용하려면 ipsilateral pedicle을, TDA를 사용하려면 contralateral pedicle을 이용해야하고, 수평방향의 피판배치를 할 경우에는 IMA와 TDA 공히 ipsilateral pedicle을 이용해야한다. 그러나 이런 식으로 혈류우선 배치를 할 경우에는 수평방향에 IMA를 이용할 때를 제외하고는 혈관경의 길이가 충분히 길어야 하고 수술 중이나 후에 pedicle이 뒤틀리지 않도록 주의해야 한다(**그림 6**). Pedicle이 정해지면 CT angio를 참고하여 도플러를 이용하여 pedicle의 주행과 perforator의 위치를 표시한다. 공여부의 봉합 시 한쪽으로 치우치지 않도록 상복부와 pubic area에 중심선을 표시해 둔다.

5. 유방절제와 피판 작성

양팔을 벌리고 바로 누운 자세로 전신마취하에 수술을 진행한다. 유방을 절제하는 외과팀과 복부피판을 작성하는 성형외과팀이 동시에 수술을 진행하는데 지장이 없도록 충분한 작업공간을 확보한다. 수술부위를 소독하기 전에 수술 중 도안이 지워지지 않도록 봉합사를 이용해서 표식을 남겨두는 것이 좋다.

MRM이나 total mastectomy는 유방조직 절제와 함께 NAC와 암조직이 투영되는 피부를 횡적으로 또는 비스듬히 방추형으로 절제한다. 외과팀이 유방절제를 시행하는 동안 성형외과팀은 TRAM 박리를 진행한다. 먼저 피판의 상단과 배꼽 주위를 15번 칼로 절개하고 elctrocautery를 이용하여 복벽근막까지 박리한다. 상복부 피판을 costal margin과 xyphoid까지 거상하고 이 때 subcostal perforator들을 다치지 않도록 주의하여 공여부 봉합 시 피판 혈류저하로 인한 창상치유 지연이 일어나지 않도록 한다. 박리된 피판을 끌어내려 덮어서 TRAM 채취 후 봉합이 가능한 지를 확인하고 TRAM 하단을 절개한다. Mid-inguinal region에서 superficial inferior epigastric vein을 찾아서 나중에 정맥혈류를 보완할 경우에 대비해 보존한다. TRAM 피판의 박리는 외측에서 내측을 향하여 근막으로부터 들어 올려 lateral row의 perforator들이 rectus fascia를 뚫고 피판의 피하조직으로 들어가는 지점까지 진행한다.

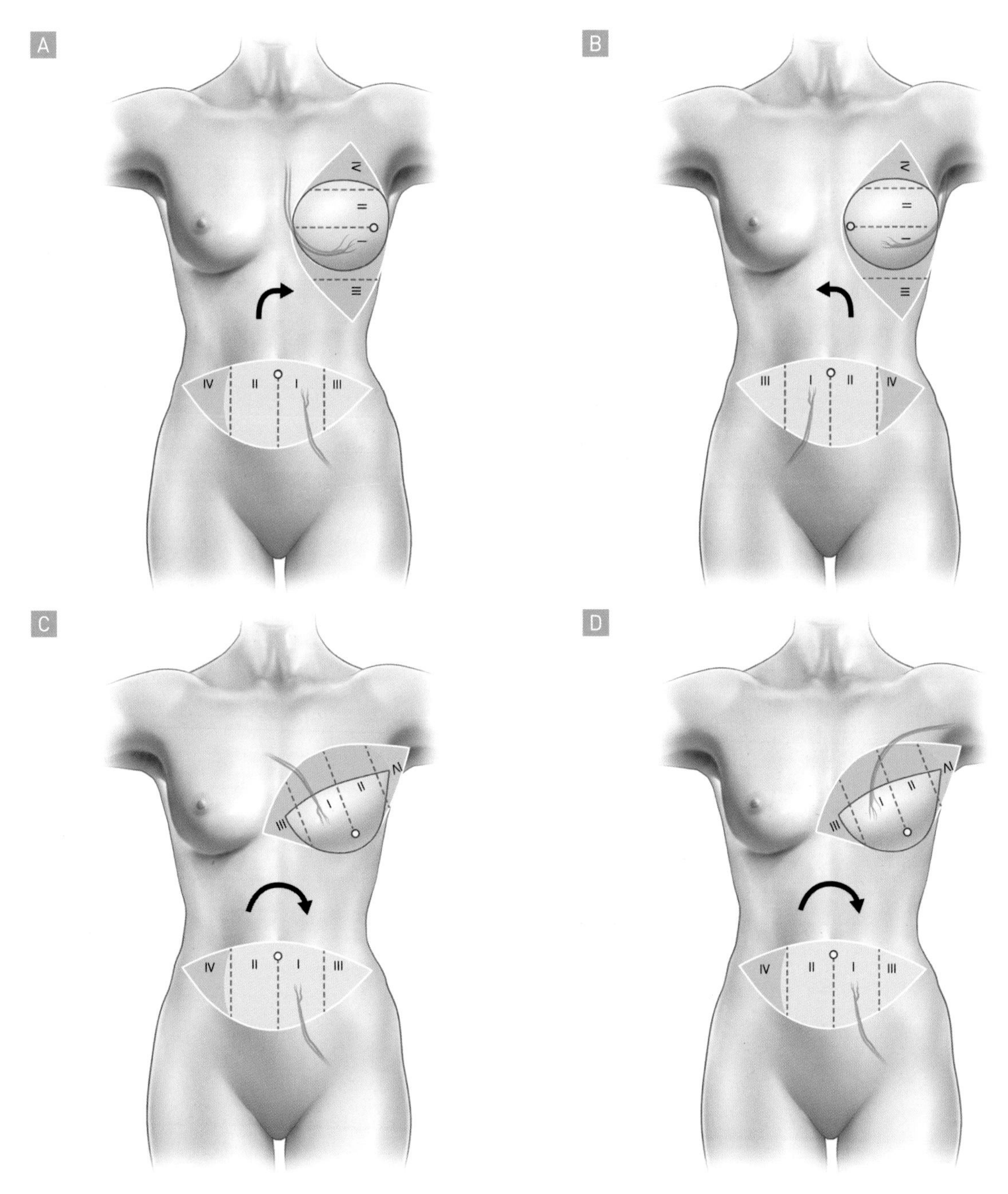

그림 6 하내방 혈류를 고려할 때 flap inset의 방향과 recipient vessel에 따른 pedicle의 선택 A. Vertical inset & IMA: Ipsilateral pedicle. B. Vertical inset & TDA: Contralateral pedicle. C. Horizontal inset & IMA: Ipsilateral pedicle. D. Horizontal inset & TDA: Ipsilateral pedicle.

Pedicle 반대쪽의 피판은 중앙선을 넘어서 pedicle 쪽 perforator의 medial row까지 박리한다. Perforator들 중 medial, lateral 또는 양측 모두 사용할 것인지를 결정하고 주변의 fascia를 포함하여 박리한다. Rectus muscle의 외측이나 후방에서 pedicle을 찾아서 external iliac vessel까지 따라 내려간다. Pedicle은 이 때 자르지 않

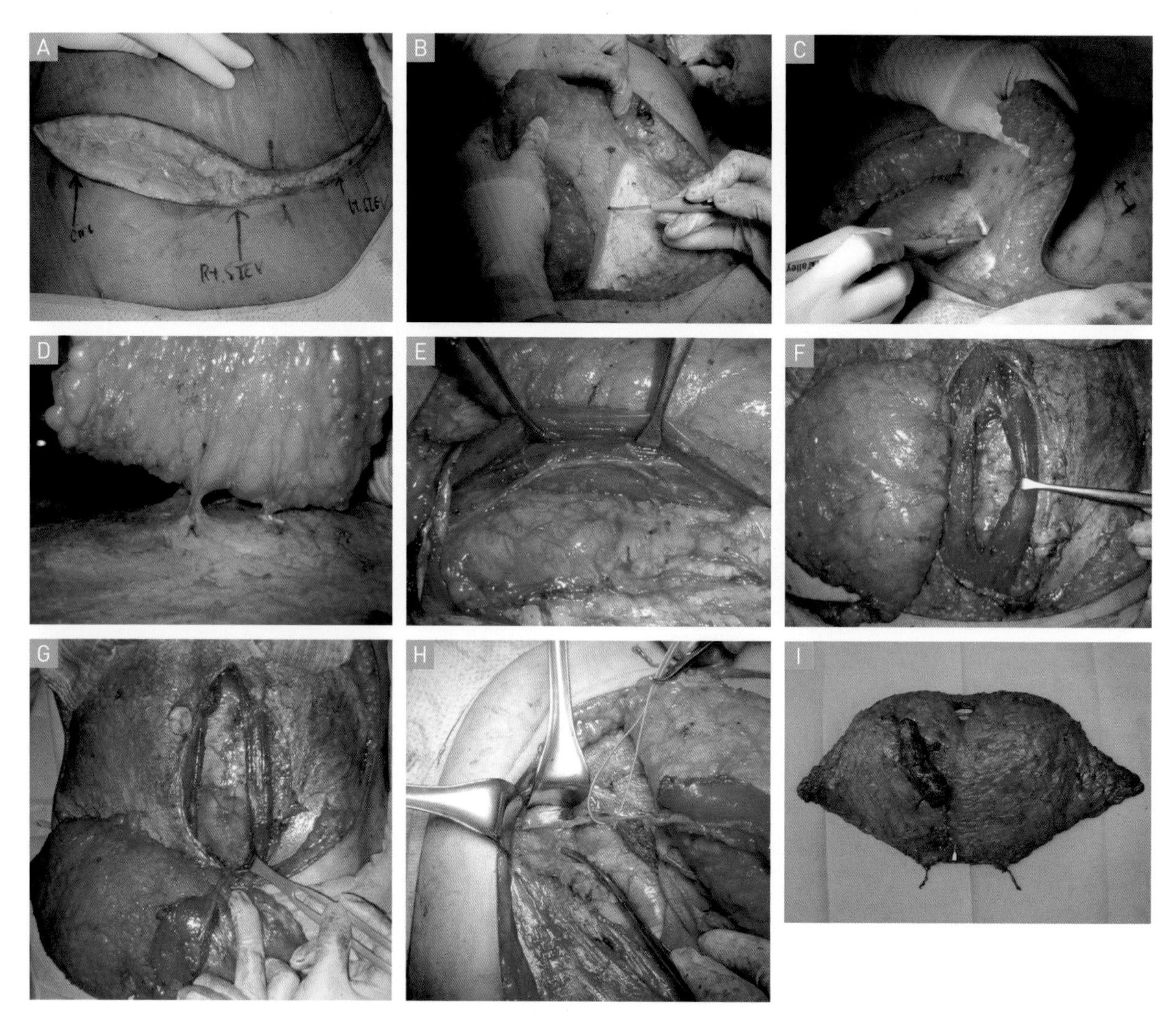

그림 7 TRAM flap의 작성: A. SIEV 박리 및 보존, B. 동측 피판 박리. C. 반대측 피판 박리. D. Perforator들. E. DIEA와 perforator 들의 Rectus muscle내 위치. F. Perforator를 포함한 내측 근육 분리. G. Rectus muscle의 외측이 보존된 공여부. H. DIEA pedicle 절단 전. I. 완성된 MS-1 flap.

고 수여혈관이 준비되고 문합이 가능할 때까지 기다린다. Pedicle을 자르고 나면 perforator의 아래에서 rectus muscle을 잘라서 pedicle을 긴장 없이 분리해낸다. Rectus의 윗부분을 자를 때에는 먼저 superior pedicle을 찾아서 결찰하여 출혈을 예방한다. 어느 정도의 근육을 포함시킬 것인가는 perforator의 위치나 개수에 따라 다르며 근육을 포함하지 않는 MS-III 또는 DIEP, 가운데 부분만 포함하는 MS-II, 내측이나 외측만 포함하는 MS-I, rectus의 아래쪽을 완전 절단하는 MS-0로 구분된다(**그림 7**).

6. Recipient vessel

유리피판을 이용한 유방재건을 위해서 가장 흔히 사용되는 recipient vessel은 thoracodorsal vessel과 internal mammary vessel이다. 일반적으로 thoracodorsal vessel을 recipient로 사용할 때에는 유리피판의 peicle이 길어야 재건된 유방이 충분히 내측에 위치하여 자연스러운 모양이 만들어진다. Thoracodorsal vessel은 MRM 후에 즉시 재건하는 경우에 recipient vessel로 사용하면 axillary node dissection으로 인해 혈관이 거의 노출되어 있으므로 문합을 위해 준비하는데 추가시간이 별로 필요하지 않아서 편리하다. Thoracodorsal vessel을 circumflex scapular vessel과 신경으로부터 박리한 후 젖은 스폰지를 바닥에 깔아 편편하게 하여 문합에 용이하게 한다. 수여부와 공여부의 혈관 문합이 편안하게 이루어질 수 있는 위치에 피판을 임시고정하고 inferior epigastric vessel과 thoracodorsal vessel을 9-0 nylon으로 end-to-end anastomosis한다. 지연재건 시에 술자의 선호에 의해 thoracodorsal vessel을 recipient vessel로 택하는 경우에는 혈관을 찾기 위한 과정이 필요하다. Mastectomy flap의 외측을 박리하여 latissimus dorsi muscle의 anterior border에 이르면 위로 따라 올라가서 tendinous junction에 도달하기 직전에 axillary vein을 확인한다. 이 지점에서부터 latissimus의 경계부에서 흉벽을 향해 연조직을 박리해 들어가면 thoracodorsal vessel을 쉽게 찾을 수 있다.

Internal mammary vessel은 지연재건에 사용하면 MRM으로 인하여 박리되었던 axilla를 다시 박리해야하는 부담이 없으므로 많이 이용되고 있다. 또한 pedicle이 길지 않아도 문합이 가능하며 피판을 내측에

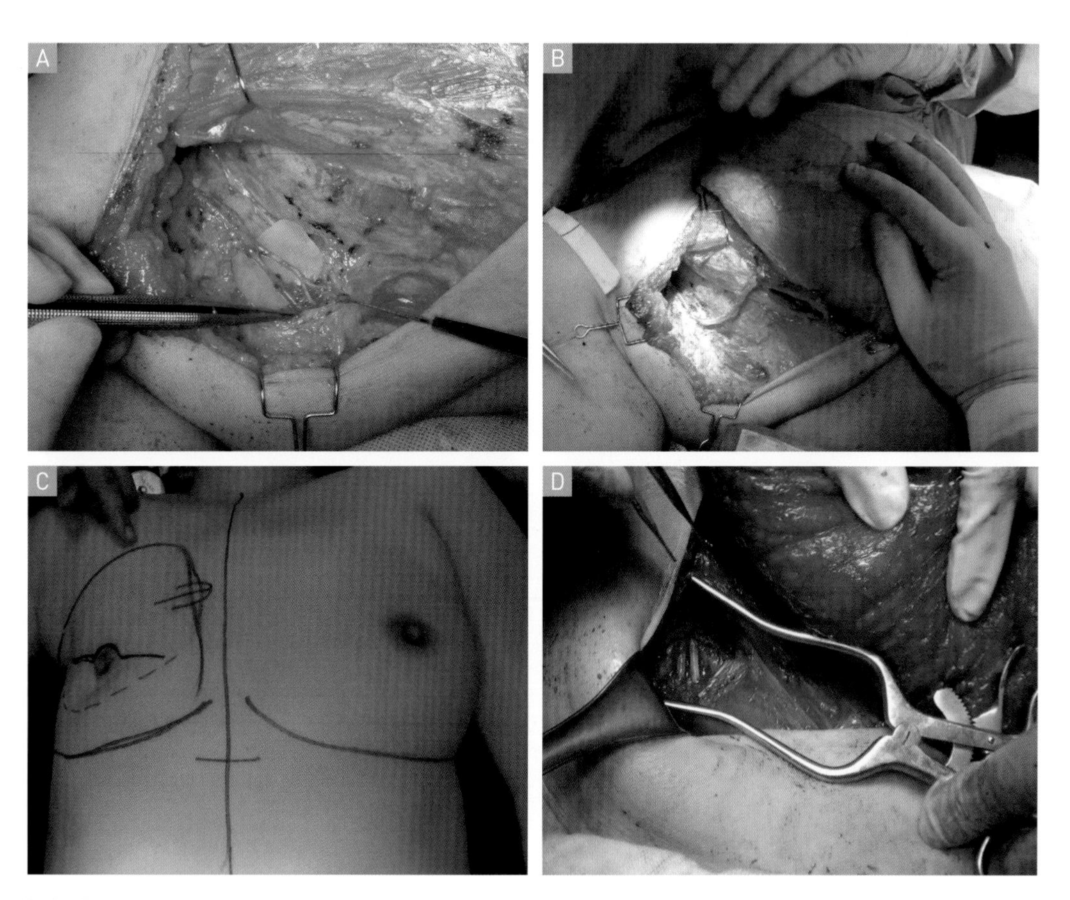

그림 8 **혈관문합** A. TDA. B. TDA-DIEA 문합. C. 3rd ICS. D. IMA.

위치하기 좋아서 대칭성과 미용적인 면에서 우수하여 즉시재건에서도 선호하는 사람이 많다. 세 번째와 네 번째 intercostal space (ICS) 중 간격이 넓은 곳의 pectoralis muscle을 벌리고 self-retaining retractor를 장착하여 sternum에서부터 costochondral junction 1-2 cm 내측까지의 intercostal muscle을 노출시킨다. Bipolar cautery를 이용하여 intercostal muscle을 조심스럽게 제거하면 internal mammary vessel이 드러난다. 혈관 박리를 위해 연골을 절제할 경우에는 pectoralis muscle을 벌리고 세 번째 costal cartilage의 앞면 perichondrium을 sternum에서부터 costochondral junction 1-2 cm 내측까지 절개한다. Perichondrium을 최대한 뒷면까지 박리한 다음 rongeur를 이용하여 연골을 제거한다. 연골이 제거되고 perichodrium의 뒷면이 드러나면 internal mammary vessel의 외측에서부터 조심스럽게 잘라낸다. Internal mammary artery는 박리 도중 손상받기 쉽고 thrombosis가 잘 생기므로 가능하면 건드리지 않도록 주의한다. Internal mammary vein은 왼쪽보다 오른쪽이 굵다. 박리가 끝나면 최대한의 길이가 확보되도록 해당 ICS의 하단에서 혈관을 절단하고 스폰지를 바닥에 깔아 문합을 위해 편편한 위치에 놓는다. 유리피판을 문합에 용이한 위치에 임시 고정하고 9-0 nylon으로 end-to-end 문합한다(**그림 8**).

7. Flap inset

유리피판의 혈관경을 재건할 유방과 동측으로 할 것인지, 반대쪽으로 할 것인지는 정상 유방의 모양과 수여혈관의 위치에 따라 수술 전에 미리 결정한다. 일반적으로 수여혈관이 thoracodorsal vessel이고 재건할 유방의 모양이 폭이 좁고 길게 처진 모양일 때는 동측의 혈관경을 가진 피판을 만들어서 90도 회전하여 배꼽이 있던 부분이 재건된 유방의 inferomedial으로 위치하게 한다. 이 경우 TRAM flap의 상하 폭이 재건된 유방의 좌우 폭에 해당하게 된다. Thoracodorsal vessel을 수여혈관으로 하여 좌우 폭이 넓은 유방을 재건하고자할 때는 반대쪽 혈관경을 가진 피판을 140도 돌려 놓아서 피판의 끝부분이 겨드랑이쪽에 위치하게 하거나 좌우 폭이 더 넓어야 하는 경우에는 180도 돌려 놓는다. Internal mammary vessel을 수여혈관으로 사용할 때는 이와 반대로 좁고 처진 유방에는 반대쪽 혈관경을, 폭이 넓은 유방에는 동측의 혈관경을 이용한다.

유방의 inferomedial은 breast mound를 형성하는 주요 부분이고 유방의 projection을 증대하기 위해서 피판의 일부를 접어 넣어 주어야 하는 경우도 있으므로 수술 후 이 부위에서 partial flap necrosis나 fat necrosis가 일어나면 모양이 흉하고 교정도 매우 어렵다. 따라서 flap inset할 때 혈관경의 길이를 충분히 확보할 수 있다면 피판의 혈류가 부족한 Zone II와 IV보다는 혈류가 양호한 Zone I과 III가 유방의 하내방에 위치하도록 하는 것이 바람직하다.

Skin-sparing mastectomy를 시행한 경우에는 mastectomy flap의 피부를 그대로 이용하고 탈상피된 피판으로 속만 채워 주면 되지만 MRM이나 total mastectomy 후에는 방추형의 피부결손이 동반되므로 flap inset할 때 TRAM flap에서 피부를 남길 부분과 탈상피할 부분을 조화롭게 배치하여야 원하는 모양을 얻을 수 있다. 피판의 혈류를 고려하여 유방의 모양에 따라 flap inset하고 난 후 TRAM flap의 피부에 여유가 있으면 mastectomy flap의 아래쪽을 IMF 쪽으로 추가 절제하여 mastectomy로 인한 반흔이 재건된 유방의 전면에 두 줄로 남지 않도록 하면 좀 더 미용적인 결과를 얻을 수 있다. 피판의 배치가 끝나면 mastectomy flap에 가려지는 TRAM flap의 피부를 탈상피한다. 탈상피는 완벽하게 균일한 층으로 벗겨낼 필요는 없으나 가능한한 subdermal plexus를 다치지 않고 보존하여야 피판의 가장자리까지 고르게 혈류가 유지된다. 이 때

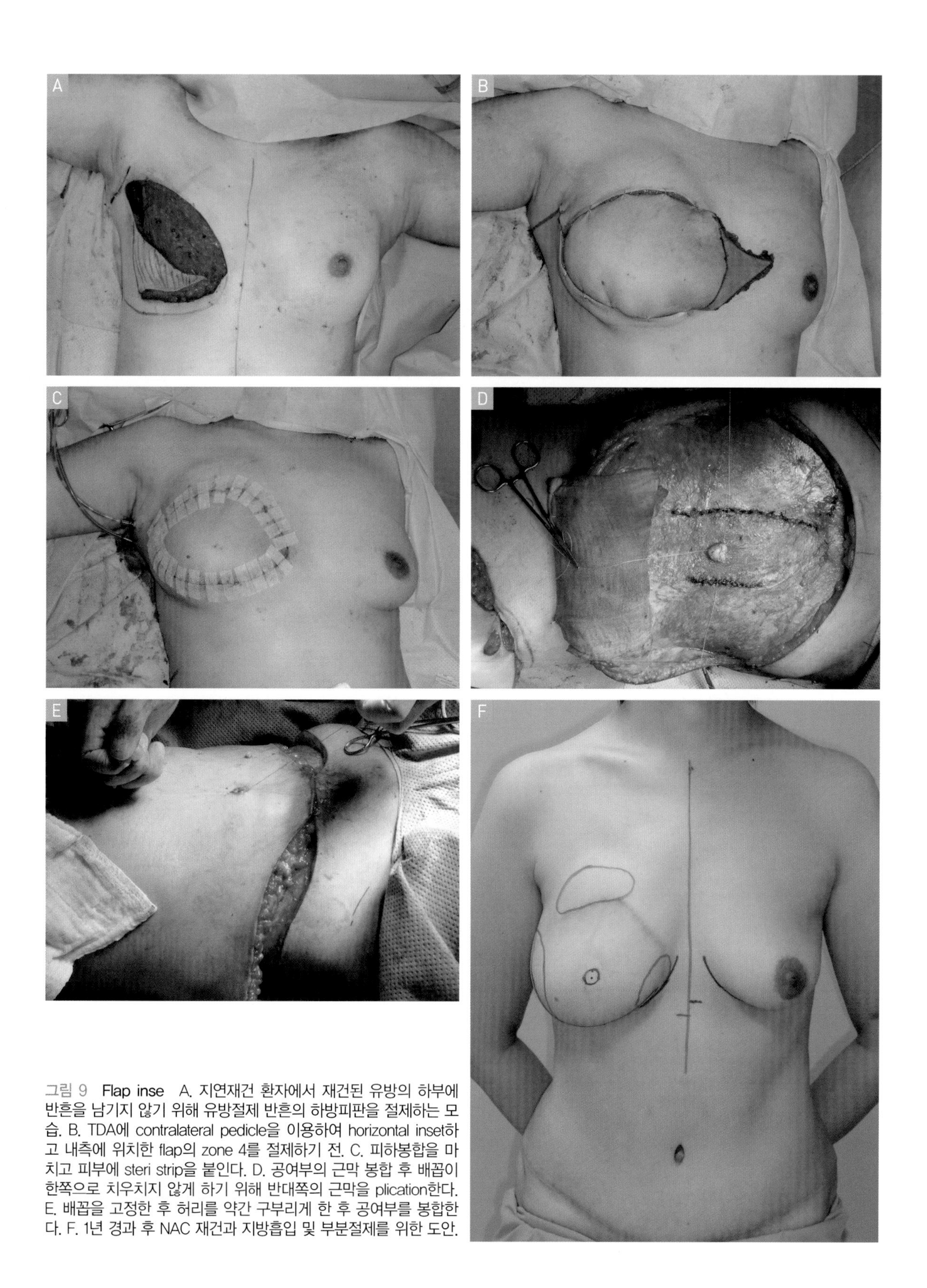

그림 9 Flap inse A. 지연재건 환자에서 재건된 유방의 하부에 반흔을 남기지 않기 위해 유방절제 반흔의 하방피판을 절제하는 모습. B. TDA에 contralateral pedicle을 이용하여 horizontal inset하고 내측에 위치한 flap의 zone 4를 절제하기 전. C. 피하봉합을 마치고 피부에 steri strip을 붙인다. D. 공여부의 근막 봉합 후 배꼽이 한쪽으로 치우치지 않게 하기 위해 반대쪽의 근막을 plication한다. E. 배꼽을 고정한 후 허리를 약간 구부리게 한 후 공여부를 봉합한다. F. 1년 경과 후 NAC 재건과 지방흡입 및 부분절제를 위한 도안.

TRAM flap이나 mastectomy flap의 viability가 의심되면 TRAM의 탈상피나 mastectomy flap의 추가절제를 하지 않은 상태에서 마무리하고 3일 정도 기다린 후에 다시 열어서 조정하는 수도 있다.

피판이 원하는 위치를 유지하도록 3-0 vicryl로 흉벽에 몇 군데 고정한다. Subcuticular suture는 4-0 PDS로 하고 피부는 steri-strip을 붙이거나 dermal cement를 바른다(**그림 9**).

8. Abdominal closure

TRAM을 채취하고 나면 하복벽의 근막에 부분결손이 남게 된다. 대부분 muscle-sparing을 하기 때문에 직접봉합이 가능하지만 rectus muscle의 대부분을 잘라내는 MS-I이나 MS-0인 경우에는 긴장이 심해서 직접봉합이 어렵고 synthetic mesh나 acellular dermal matrix를 사용해야 하는 수도 있다. 이 때 배꼽이 한쪽으로 치우치는 것을 예방하기 위해 반대쪽의 fascia도 plication 해 주는 것이 좋다. 복부피판을 임시봉합하고 환자를 앉혀서 배꼽의 위치를 표시한다. 환자를 원위치하고 배꼽의 위치에 구멍을 낸 다음 주변의 피하조직을 제거한다. Fascia, 배꼽, 피부를 interrupted half-buried mattress suture한다. 복부피판의 봉합은 scarpa's layer와 deep dermis는 3-0 vicryl로, subcuticular suture는 4-0 PDS로 하고 피부는 stri-strip을 붙이거나 dermal cement를 바른다.

수술 중과 수술 후 침상안정을 요하는 기간 동안은 혈전형성을 예방하기 위해 하지에 간헐적 압박이 가해지도록 intermittent positive pressure garment를 착용시킨다. 수술 후 재건된 유방은 혈류를 세심하게 관찰할 수 있도록 protective dressing만 하고 복부는 복대를 착용한 상태에서 봉합부의 긴장을 줄이기 위해 30도 정도 구부리고 있도록 한다. 수술 다음 날은 supporting brassier를 착용하고 3일 째부터 걷기를 권장하며 7일 째에 퇴원하도록 한다. 퇴원 후에도 3-4주 동안 팔운동과 허리 펴기는 주의하도록 권한다.

9. NAC 재건 및 대칭성 확보를 위한 2차수술

즉시재건을 받은 환자는 항암치료나 방사선치료를 받고 난 후나 건강이 허락되는 시기에, 지연재건을 받은 환자는 3개월 이상 경과되어 재건된 유방의 형태가 잡히면 NAC의 재건과 양측 유방의 대칭성을 확보하기 위한 2차 수술을 시행한다. 재건된 유방에 대해서는 남는 조직의 절제나 지방흡입술을 시행하고 부족한 부분에는 지방이식술로 보충할 수 있다. 반대쪽 유방은 필요에 따라 유방확대술이나 축소술 또는 거상술을 시행한다. 이러한 절차가 마무리된 후에 반대쪽 NAC의 위치에 맞추어 skate flap, CV flap, CY flap, nipple graft 등의 방법으로 NAC를 재건한다. 이 때 재건된 유방과 하복부에 비후성 반흔이나 dog ear가 있으면 반흔성형술을 시행한다. 3개월 정도 지난 후에 NAC의 문신을 시행한다.

10. 수술 결과와 증례

유방 재건 시에는 단지 결손된 조직의 양을 복원하는 것에 그치지 않고 반대쪽 유방과 대칭을 이루도록 각 부위가 균형감 있게 배치하는 것이 중요하다. 내측과 하방에 충만감 있는 자연스러운 유방을 만들기 위해서는 이 부위에 혈액순환이 좋은 조직이 위치하도록 recipient vessel과 pedicle을 선택하는 것이 좋다. 특히 MRM이나 total mastectomy와 같이 상당량의 피부절제가 동반된 경우에는 결손된 피부의 복원과 부피의 보충이 동시에 이루어져야 하기 때문에 TRAM flap의 작성과 inset 시에 피판의 혈류분포를 고려하여 신

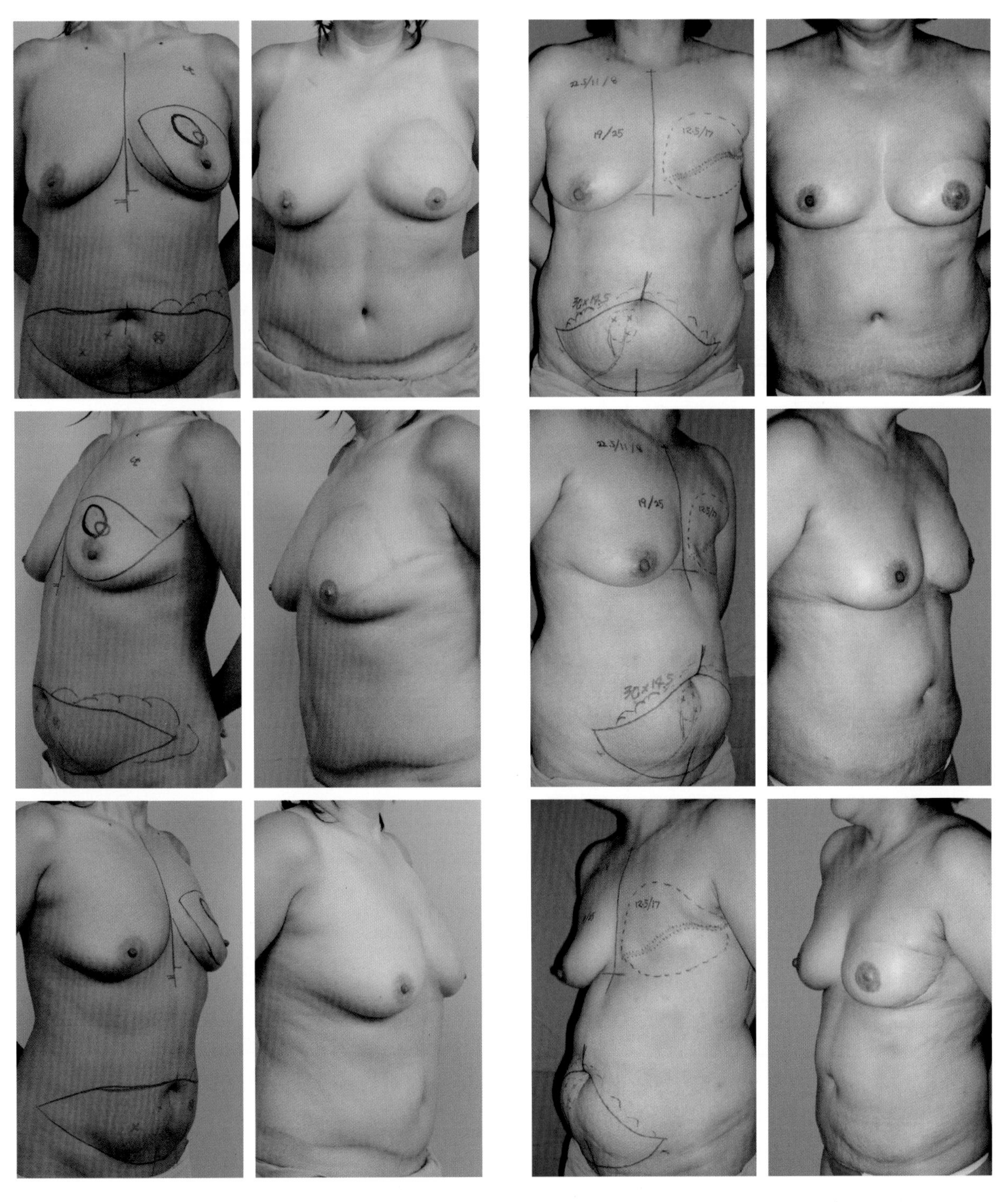

그림 10 증례 1: (좌) 큰 유방에 넓은 피부절제가 동반된 mastectomy 후에 즉시재건 예정인 환자. Midline abdominal scar가 있다. TDA를 recipient로 하고 ipsilateral pedicle을 가진 DIEP flap을 horizontal inset하였다. (우) 수술 2년 2개월 경과 후 사진.

그림 11 증례 2: (좌) 작고 넓은 유방에 지연재건 예정인 환자. TDA를 recipient로 하고 contralateral pedicle을 가진 MS-1 flap을 horizontal inset하였다. (우) 반대쪽 유방은 mastopexy하였다. 수술 6년 6개월 경과 후 모습.

중하게 계획하여야 좋은 결과를 얻을 수 있다. 한 개의 main pedicle을 가진 MS-2나 DIEP flap인 경우에는 pedicle의 이동이 비교적 자유로워서 다양한 형태의 flap inset이 가능하다. Pfannenstiel scar가 있으면 TRAM pedicle (DIEA)의 손상 가능성 때문에 염려하게 되는데 대부분의 경우 영향을 받지 않는다. Midline abdominal scar는 TRAM flap의 가운데를 가로지르는 반흔으로 인하여 zone II의 혈류감소와 재건된 유방에 반흔을 남기는 문제가 있다. 그러나 반흔이 배꼽까지 연장되지 않았으면 생각보다 반대쪽으로의 혈류가 보존되는 경우가 많고 재건된 유방에 남는 반흔도 시간 경과에 따라 엷어지거나 반흔성형술로 호전시킬 수 있으므로 크게 구애받을 필요는 없다.

증례 1 : 큰 유방에 넓은 피부절제가 동반된 mastectomy 후에 즉시재건을 시행한 환자로서 midline abdominal scar가 있었으나 술전 CT angiography 소견과 술 중 혈류검사 상 zone II의 혈류가 양호함이 확인되었다. TDA를 recipient vessel로 하고 ipsilateral pedicle을 가진 DIEP flap을 horizontal inset하였다. Nipple은 CV flap으로 재건하였다. 수술 2년 2개월 경과 후 TRAM flap에 포함되었던 midline abdominal scar가 breast flap 안에 놓여서 보이지 않는다(**그림 10**).

증례 2 : 작고 넓은 유방을 지연재건한 환자로 TDA를 recipient로 하고 contralateral pedicle을 가진 MS-1 flap을 horizontal inset하였다. Nipple은 skate flap으로 재건하고 반대쪽 유방은 periareolar mastopexy하였다. 수술 6년 6개월경과 후 자연스럽게 대칭을 이루고 있다(**그림 11**).

증례 3 : 좁고 긴 유방을 즉시재건한 환자로 IMA를 recipient로 하고 ipsilateral pedicle을 가진 DIEP flap을 vertical inset 하였다. Nipple은 CV flap으로 재건하였다. 수술 1년 1개월 경과 후 사진으로 전체적인 모양은 좋으나 breast mound에 놓인 반흔들(TRAM의 배꼽 봉합부, CV flap의 공여부, 피판의 하방 경계부)이 눈에 거슬린다(**그림 12**).

증례 4 : 보통 크기의 유방에 넓은 피부절제가 동반된 mastectomy 후에 즉시재건을 시행한 환자로 TDA를 recipient로 하고 ipsilateral pedicle을 가진 MS-2 flap을 vertical inset하였다. Nipple은 CV flap으로 재건하였다. 수술 10개월경과 후 사진으로 모양은 좋으나 피판의 색조가 어울리지 않으며 복부 중앙선의 흔적이 눈에 뜨인다. 피부결손이 커서 skin flap이 재건된 유방의 IMF까지 덮지 못해서 피판 경계선이 유방 하부에 드러난 점이 아쉽다(**그림 13**).

증례 5 : 크고 처진 유방에 넓은 피부절제가 동반된 mastectomy후에 즉시재건을 시행한 환자로 TDA를 recipient로 하고 contralateral pedicle을 가진 MS-2 flap을 horizontal inset하였다. Contralateral mastopexy를 예상하여 재건할 유방의 크기와 skin flap의 모양을 조절하였다. Nipple은 CV flap으로 재건하였다. 수술 4년 10개월경과 후 사진으로 재건된 유방은 물론 반대쪽 유방도 수술 전보다 자연스러운 모습을 보이고 있다(**그림 14**).

증례 6 : 좁고 긴 유방에 넓은 피부절제가 동반된 mastectomy후에 즉시재건을 시행한 마른 체형의 환자로 IMA를 recipient로 하고 contralateral pedicle을 가진 DIEP flap을 vertical inset 하였다. Nipple은 CV flap으로 재건하였으며 contralateral mastopexy를 시행하였다. 수술 3년경과 후 사진에서 보는 바와 같이 유방 표면의 대부분에 해당하는 넓은 피부결손을 성공적으로 재건하여 자연스러운 결과를 얻을 수 있었다(**그림 15**).

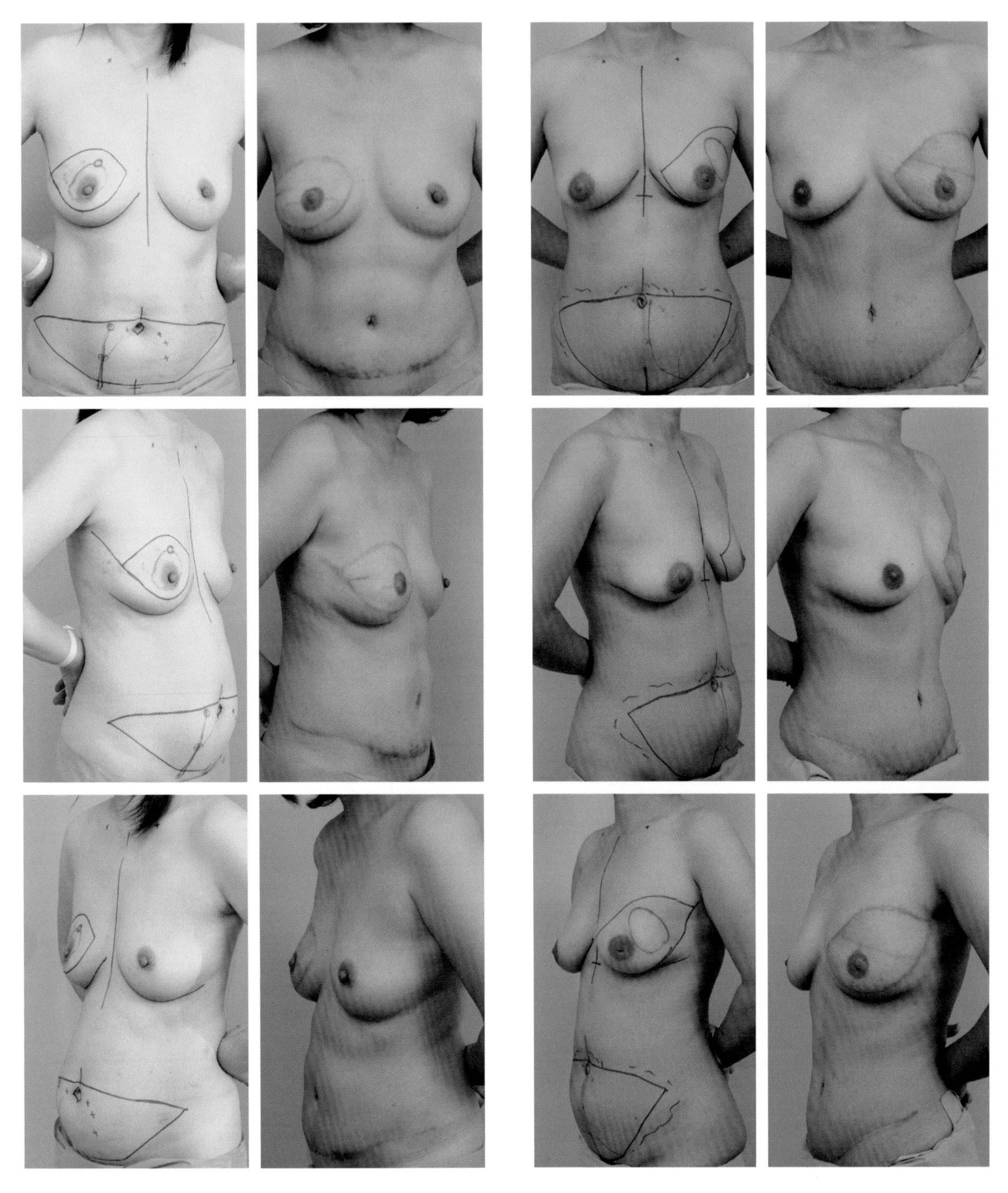

그림 12 증례 3: (좌) 좁고 긴 유방에 즉시재건 예정인 환자. IMA를 recipient로 하고 ipsilateral pedicle을 가진 DIEP flap을 vertical inset 하였다. (우) 수술 1년 1개월 경과 후 사진으로 전체적인 모양은 좋으나 breast mound에 놓인 반흔들이 눈에 거슬린다.

그림 13 증례 4: (좌) 보통 크기의 유방에 넓은 피부절제가 동반된 mastectomy 후에 즉시재건 예정인 환자. TDA를 recipient로 하고 ipsilateral pedicle을 가진 MS-2 flap을 vertical inset하였다. (우)수술 10개월 경과 후 사진.

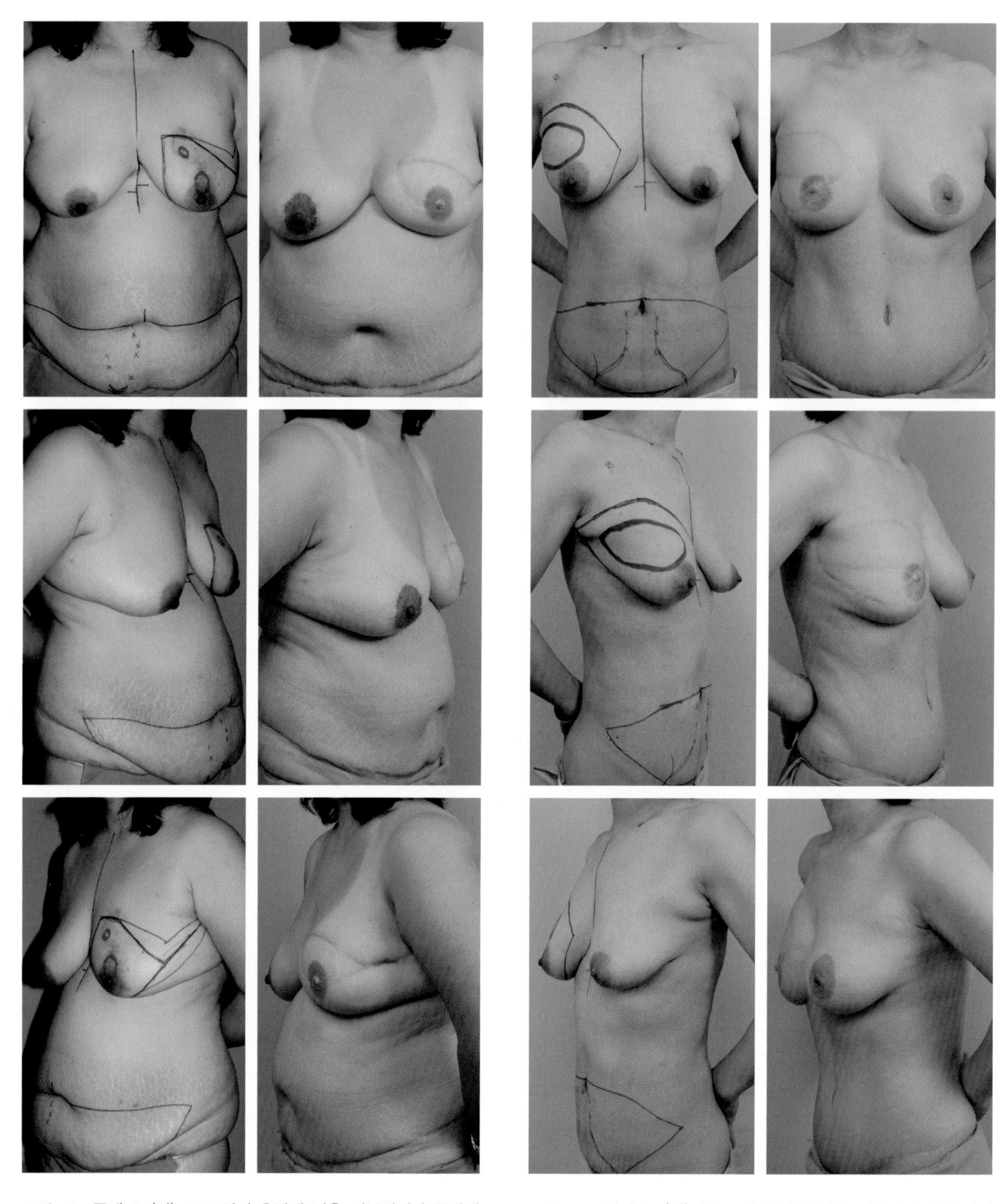

그림 14 증례 5: (좌) 크고 처진 유방에 넓은 피부절제가 동반된 mastectomy후에 즉시재건 예정인 환자. TDA를 recipient로 하고 contralateral pedicle을 가진 MS-2 flap을 horizontal inset하였다. Contralateral mastopexy를 예상하여 재건할 유방의 크기와 skin flap의 모양을 조절하였다. (우) 수술 4년 10개월 경과 후 사진.

그림 15 증례 6: (좌) 좁고 긴 유방에 넓은 피부절제가 동반된 mastectomy후에 즉시재건 예정인 환자. IMA를 recipient로 하고 contralateral pedicle을 가진 DIEP flap을 vertical inset 하였다. Contralateral mastopexy를 시행하였다. (우) 수술 3년 경과 후 사진.

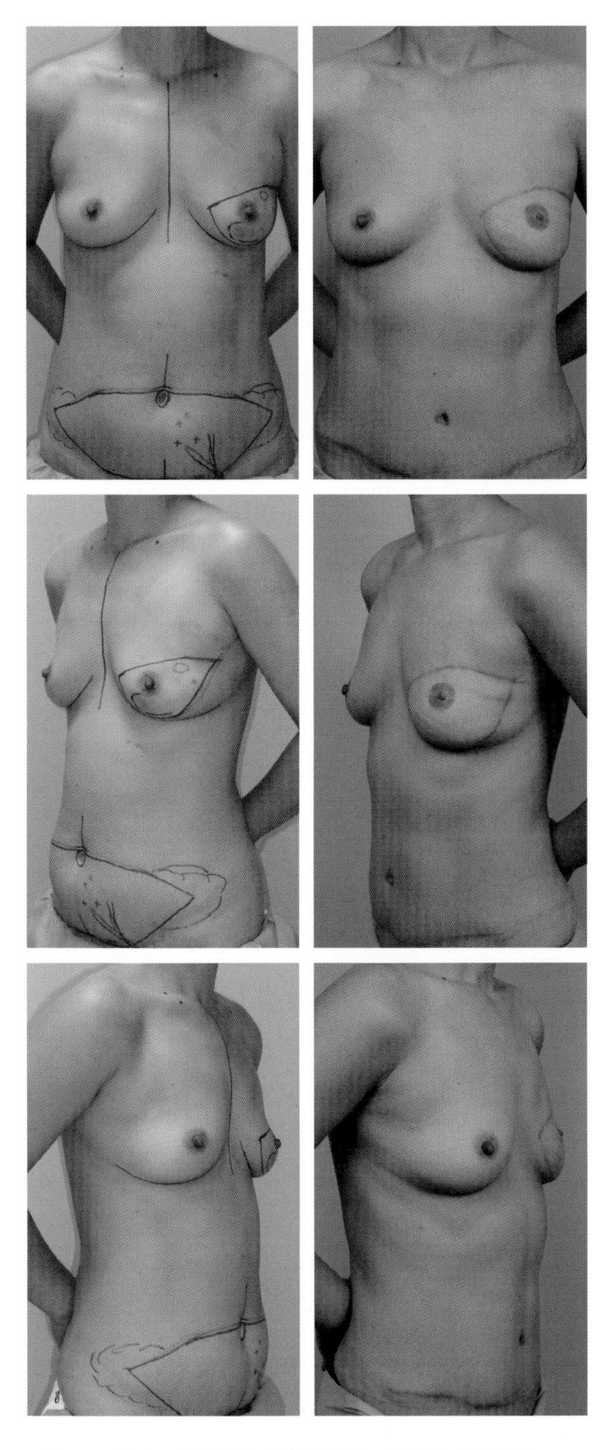

그림 16 증례 7: (좌) 작은 유방에 넓은 피부절제가 동반된 mastectomy 후에 즉시재건 예정인 환자. TDA를 recipient로 하고 ipsilateral pedicle을 가진 MS-1 flap을 oblique inset하였다. (우) 수술 2년 경과 후 사진.

증례 7 : 작은 유방에 넓은 피부절제가 동반된 mastectomy 후에 즉시 재건한 환자로 TDA를 recipient로 하고 ipsilateral pedicle을 가진 MS-1 flap을 oblique inset하였다. 수술 2년 경과 후 사진으로 유방하부에 피판 경계 반흔이 위치하지 않아서 자연스럽다**(그림 16)**.

참 · 고 · 문 · 헌

1. Dayhim F, Wilkins EG.: The impact of Pfannenstiel scars on TRAM flap complications. Ann Plast Surg 53(5):432-435 2004
2. Fosnot J, Serletti JM: Free TRAM breast reconstruction. Neligan PC. Plastic Surgery. 3rd Ed. New York: Elsevier Saunders Vol 5:411-434 2013
3. Hartrampf CR, Scheflan M, Black PW: Breast reconstruction with a transverse abdominal island flap. Plast Reconstr Surg 69 (2):216-225 1982
4. Heller L, Feledy JA, Chang DW: Strategies and options for free TRAM flap breast reconstruction in patients with midline abdominal scars. Plast Reconstr Surg 116(3):753-759; discussion 760-761 2005
5. Kropf N, Macadam SA, McCarthy C, et al: Influence of the recipient vessel on fat necrosis after breast reconstruction with a free transverse rectus abdominis myocutaneous flap. Scand J Plast Reconstr Surg Hand Surg 44(2):96-101 2010
6. Moran SL, Nava G, Behnam AB, Serletti JM: An outcome analysis comparing the thoracodorsal and internal mammary vessels as recipient sites for microvascular breast reconstruction: a prospective study of 100 patients. Plast Reconstr Surg 111(6):1876-1882 2003
7. Ninkovic MM, Schwabegger AH, Anderl H: Internal mammary vessels as a recipient site. Clin Plast Surg 25 (2):213-221 1998

8. Ozkan A, Cizmeci O, Aydin H, et al: The use of the ipsilateral versus contralateral pedicle and vertical versus horizontal flap inset models in TRAM flap breast reconstruction: the aesthetic outcome. Plast Reconstr Surg 26(6):451-456 2002
9. Robb GL: Thoracodorsal vessels as a recipient site. Clin Plast Surg 25(2):207-211 1998
10. Song AY, Fernstrom MH, Scott JA, et al: Assessment of TRAM aesthetics: the importance of subunit integration. Plast Reconstr Surg 117(1):15-24 2006
11. 강진성: 유방재건. 강진성. 성형외과학. 6권. 3판. 서울: 군자출판사 3072-3078 2004
12. 민경원: 유리횡복직근피판을 이용한 유방재건I. 안상태 편저. 유방성형술. 초판. 서울: 군자출판사 398-421 2010
13. 안상태: 유방재 건술. 안상태 편저. 유방성형술. 초판. 서울: 군자출판사 351-376 2010
14. 안희창: 유리횡복직근피판을 이용한 유방재건II. 안상태 편저. 유방성형술. 초판. 서울: 군자출판사 423-440 2010

Chapter 34

Aesthetic breast reconstruction »

유리 횡복직근피판으로 유방재건시 미적결과의 극대화

Maximizing Aesthetic Outcome in Breast Reconstruction with free TRAM

| 안희창 |

미적으로 조화를 이룬 유방을 만드는 일은 환자의 상태를 잘 파악하는 수술자의 날카로운 눈썰미와 수술적 감각과 세련된 술기, 오랜 경험이 필요하다.

즉시 재건의 경우, 근래는 유방암의 조기 발견으로 대부분 유두보존을 시행하거나 피부보존유방절제술(skin sparing mastectomy)을 시행하여, 재건할 유방의 유두와 유방하 주름위치가 정해져 있고 유방동산(breast mound) 피부가 남아 있어 그안에 탈 상피한 유리피판을 채워 넣는 수술이라 근치적 유방절제술(radical mastectomy)을 시행한 지연 유방 재건술보다 유방의 모양을 만들기 비교적 쉽다.

따라서 이 장에서는 근치적 유방 절제술 후 흉살과 방사선으로 단단해진 피부를 다시 거상하여 유방동산과 유방하주름(inframammary fold)을 새롭게 만들어야 하는 지연 유방재건술을 중심으로 설명하고자 한다. 섬유화 되었거나 방사선 치료를 받은 조직은 적절한 유방 하수나 자연스런 대칭성을 확보하기 쉽지 않으므로, 수술과정에 여러 가지 고려할 점들을 집어보도록 한다.

미적으로 자연스럽고 대칭적인 유방을 만들기 위하여, 이식할 하복부 조직의 적절한 양, 반대편 유방의 윤곽선 재현, 유방하 주름의 대칭적 재현과 유방의 적절한 위치, 유방의 적절한 돌출, 유방의 좌우 경계부 형성이 잘 되어야 한다. 아울러, 반흔의 관리와 유두 및 유륜의 위치와 색깔, 대칭성도 소홀히 하지 않아야 한다.

1. 수술 전 고려 사항

성공적이고 아름다운 유방재건을 위하여, 재건할 부위 뿐 아니라 반대편 유방, 공여부, 환자의 전신상태등에 관하여 수술 전 면밀한 관찰과 계획이 필수적이다.

1) 재건할 부위의 상태

우선 재건할 부위의 유방절제 반흔 위치와 방향, 길이, 비후성 반흔이나 구축이 있는지 살펴보고 앞으로 재건할 유방을 그려보게 된다. 가슴의 피부상태, 방사선 치료 여부와 궤양, 피부착색 여부, 남아있는 피하지방 조직이 어느 정도인지를 고려하여 재건 시 이들 조직을 더 절제 하고 공여부의 조직이 충분할 지 판단한다. 대흉근, 전거근, 광배근 근육이 존재하는지 살펴본다.

유방 절제 반흔이 횡으로, 바깥쪽으로 비스듬히, 수

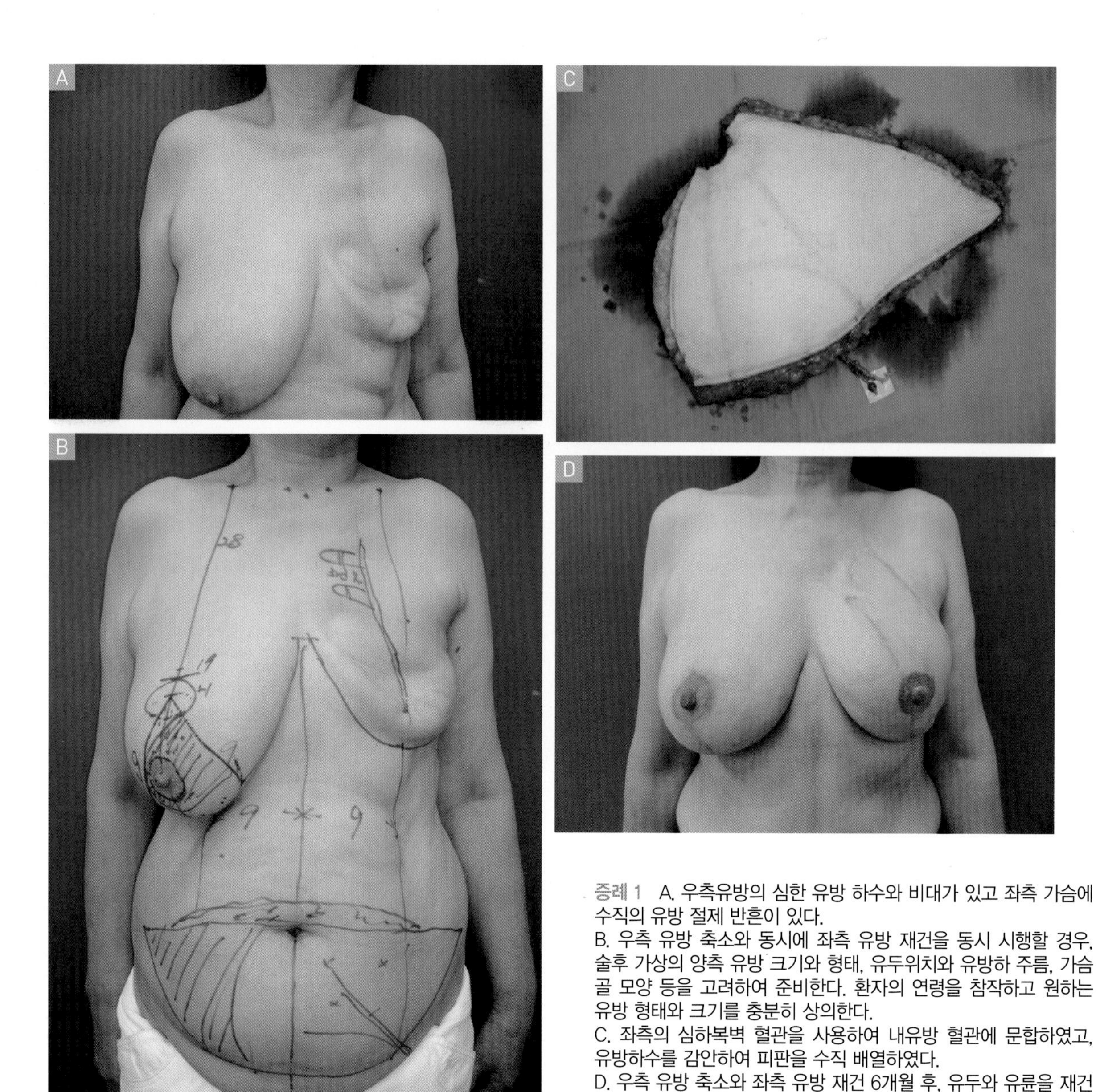

증례 1 A. 우측유방의 심한 유방 하수와 비대가 있고 좌측 가슴에 수직의 유방 절제 반흔이 있다.
B. 우측 유방 축소와 동시에 좌측 유방 재건을 동시 시행할 경우, 술후 가상의 양측 유방 크기와 형태, 유두위치와 유방하 주름, 가슴골 모양 등을 고려하여 준비한다. 환자의 연령을 참작하고 원하는 유방 형태와 크기를 충분히 상의한다.
C. 좌측의 심하복벽 혈관을 사용하여 내유방 혈관에 문합하였고, 유방하수를 감안하여 피판을 수직 배열하였다.
D. 우측 유방 축소와 좌측 유방 재건 6개월 후, 유두와 유륜을 재건하였으며 수직 반흔의 Z-plasty를 넣어 주었다.

직으로 절개되었는지에 따라 앞으로 이전할 피판 위치를 정하게 된다. 비후성 반흔이 있는지, 비정상적으로 여러 개 복합 절개 반흔이 있는지, 양측 유방 재건이 필요한지, 횡절개가 옆구리를 넘어 등쪽까지 연장 되어 있는지, 액와부에 흉이 심한지에 따라 어느 정도의 수여부 피부를 절제할지 결정하며, 수술 후 반흔을 예측할 수 있다.

방사선 치료 후 딱딱하고 착색 되어 있는 피부와 궤양이 있으면, 이를 모두 절제하고 새로운 조직으로 대체할 범위를 정한다.

피부의 착색이나 궤양이 없더라도 유방하부의 돌출과 윤곽을 위하여 유방하 주름까지의 피부를 모두 절제할 수 있으며, 쇄골 아래 함몰 부위를 메꾸어 주거나 원형의 이음선으로 인한 원형 구축을 방지하고 연조직을 돋아 주기 위하여 횡으로 절제된 반흔을 끊어 준다.

2) 반대편 유방의 형태

수술 전 준비로 또다른 중요한 사항은, 재건할 유방의 기준이 되는 반대편 유방의 크기와 형태를 면밀히 관찰하는 것이다. 유방의 크기가 큰지, 작은지, 쳐져 있는지, 바깥쪽으로 벌어져있는지, 가운데 몰려있고 가슴골이 깊은지, 수직으로 하수가 있는지, 혹은 횡으로 퍼져 있는지를 고려한다. 이때 환자의 키와 어깨 폭, 체중과 BMI, 나이, 결혼 및 향후 출산 가능성 여부를 고려한다.

반대편 유방의 확대, 축소, 하수교정 등이 필요한지와 어느 정도의 교정을 할 것인지, 유방동산 재건과 동시에 할 것인지 혹은 이차로 유두재건 시 교정할 것인지를 결정한다. 이러한 변수에 따라 재건할 유방의 크기와 모양, 필요한 조직 양도 변하지만, 술 후 결과의 예측에는 여러 유방 성형술에 상당한 경험 축적이 필요하다(증례 1).

3) 공여부 상태

환자의 복부에 지방이 충분한지, 두께가 어느 정도인지, 비만으로 피부와 지방이 과다한지, 반대로 마른 체구로 조직의 양이 부족한지 측정한다. 기왕의 복부 수술 반흔이 중앙에 수직으로 혹은 횡으로 있어 복부 조직 일부나 반을 잘라버려야 하는지도 살펴본다. 여러 차례 과다한 지방흡입술을 받았는지, 외상이나 제왕절개술 등의 여러 반흔이 복부 조직 손상을 유발하거나 심하복부 혈관 손상을 주지는 않았는지도 주의 깊게 살펴보아야 한다. 간혹 피부색이 희고 지방이 많고 뱃살이 늘어지는 나이 많은 환자에서 아주 오래된 수술 반흔은 언뜻보아 수술 흔적을 못보고 지나칠 수도 있다.

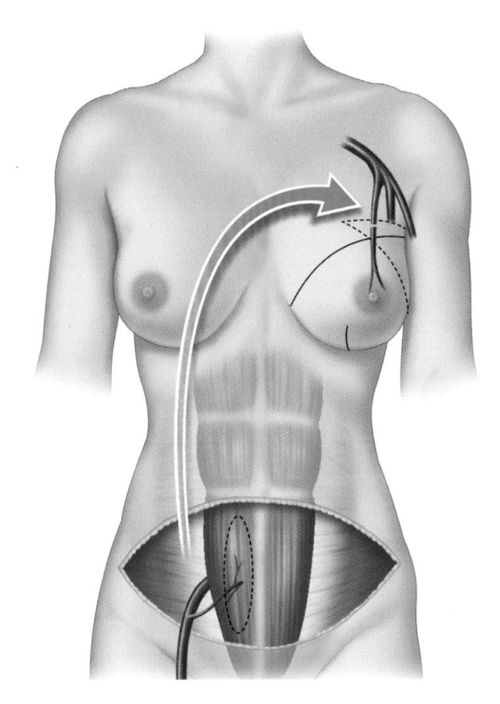

그림 1 수여부 혈관위치와 Zone IV 필요성 여부가 피판의 혈관경 선택에 영향을 주며, 반대편 유방의 형태와 크기를 참고하여 피판 배치를 결정한다.

중정도 크기 이상의 유방을 만들기 위하여, 혹은 체지방이 적고 마른 환자이지만 비교적 큰 유방을 가지고 있어 유방하부의 돌출을 많이 만들어야 하는 환자에서는, 복부 조직을 두겹 혹은 세겹 겹쳐 넣어야 할 경우도 있어서 소위 Zone IV 사용을 미리 고려한다(**그림 1**).

4) 수여부 혈관 상태

수여부 혈관을 액와부에서 사용할지, 내유방혈관(internal mammary vessel)을 사용할지 술전에 결정한다. 지연유방재건의 경우 대개 동측 내유방혈관을 사용하지만, 방사선 치료 정도와 혈관 손상 여부를 감안하여, 흉배혈관(thoracodorsal vessel), 흉견봉혈관(thoracoarcromial vessel), 반대편 내유방 혈관, 견갑하 혈관(subscapular vessel)을 사용할 가능성도 미리 대비한다. 이 수여부 혈관의 위치에 따라 피판의 배열이 달라질 수 있기 때문이다.

5) 환자의 전신적 상태

환자의 일반적인 정신적 육체적 건강상태를 고려하여 가장 적절한 수술법을 결정한다. 당뇨, 비만, 동맥경화나 심장병, 폐질환, 과다흡연자를 주의한다. 환자의 나이, 젊은 여성과 노인 여성의 신체적 특성과 향후 인생에 임신과 출산, 수유 등 필요로 하는 사항을 고려한다. 특별한 요구사항, 직업, 유방절제와 재건수술과의 기간에 따른 변수를 감안하다. 여기에 유방암의 병기(stage)와 종류, 방사선 영향을 고려한다.

6) 수술방법의 선택

수술 전 수술방법의 선택은 여러 재건 방법 중 안전하고 확실한 방법을 환자의 입장에서 최우선하여 선택한다. 가능한 지방 괴사나 합병증을 유발할 수 있는 요소를 최대한 배제하여야 한다. 유경 피판, 유리 피판, 천공지 유리 피판, 광배근 피판, 심지어 조직 확장 및 보형물 재건 등 모든 술기에 익숙하여야 하며, 환자의 체형과 조건에 따라 수술방법을 선택하고 디자인 한다.

유리 피판술은 유경 피판에 비해 혈액순환이 좋은 조직을 사용하려는 자가 조직 유방 재건술이다. 그러나, 외과의의 미세수술 훈련과 경험, 선호, 합병증, 지방괴사, 커다란 유방동산을 필요로 하는지, 기왕에 상복부의 수술을 받아 내유방 혈관의 손상이 있는지 등을 고려하여 수술방법을 선택한다.

피부보존 방식의 유방절제술 후 즉시 유방재건은 유두와 유륜을 유방동산과 동시에 재건하며, 지연유방재건의 경우 수개월 뒤 이차적으로 유두를 재건 한다.

2. 수술 전 디자인과 준비

수술 전 디자인은 환자가 서있는 상태에서 유방절제 반흔을 절제해 낼 것을 가상하며 시작한다. 반대편 유방의 유방하 주름을 그린 후, 유두위치를 쇄골 중심부, 정중앙 흉골선, 유방하 주름까지 측정한다. 만일 한쪽 유방만의 재건이라면, 반대편 유방의 모양과 크기, 유방하 주름의 위치와 형태가 절대적 중요 기준이 된다. 이는 지연재건뿐 아니라, 즉시 재건에서도 반대편 유방의 기준점과 landmarks를 표시하고 참고 삼아야 한다.

양측 유방의 지연재건에서는 평상시 브래지어 위치가 유방하 주름에 참고가 되므로 브래지어 선을 그려 놓는다. 한쪽의 유방 재건을 하더라도 반대편 유방의 유방하수 교정이나 축소술 혹은 확대술을 함께 할 경우에는, 술전 계측을 통해 반대편 유방의 결과를 예측하고 유두와 유방하 주름의 위치를 가상하여 재건될 유방 모양을 계획해야 한다.

유방의 형태가 수직으로 긴지, 바깥쪽으로 벌어져 있는지, 중앙에 모아져 있는지, 수직길이가 짧고 횡으로 퍼진 상태인지 파악하여, 복부의 피판을 어떻게 배열할지 미리 결정한다. 만일 유방축소나 확대를 하지 않는다면, 재건할 유방의 가장 돌출부에 유두를 만들 것을 가상하여 측정한 유방의 유두에 합치한 피판의 최정점을 예정한다.

유방하 주름의 위치는 복부의 피부 여유 상태, 절제된 유방의 양, 방사선 영향상태에 따라 다소 차이가 있지만, 반대편보다 약 1-2 cm 가량 위에 그린다. 당겨서 봉합한 유방 조직을 트게 되면 긴장이 없어진 유방하부 조직이 아래로 내려오고, 하복부 공여부에서 일차 봉합함에 따라 상복부 조직 또한 내려갈 것을 감안한다. 게다가 재건 된 유방조직의 무게로 중력에 의한 하

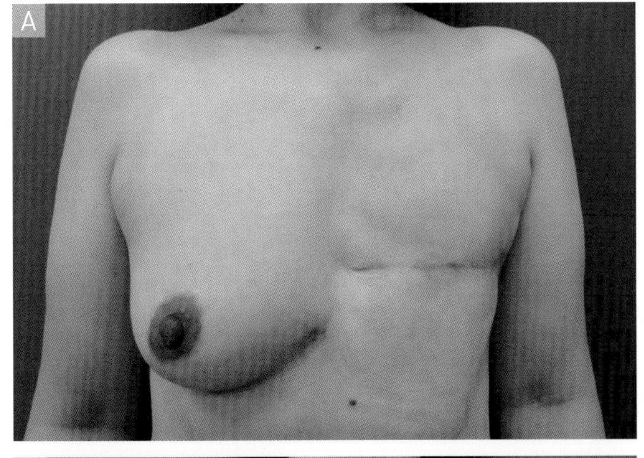

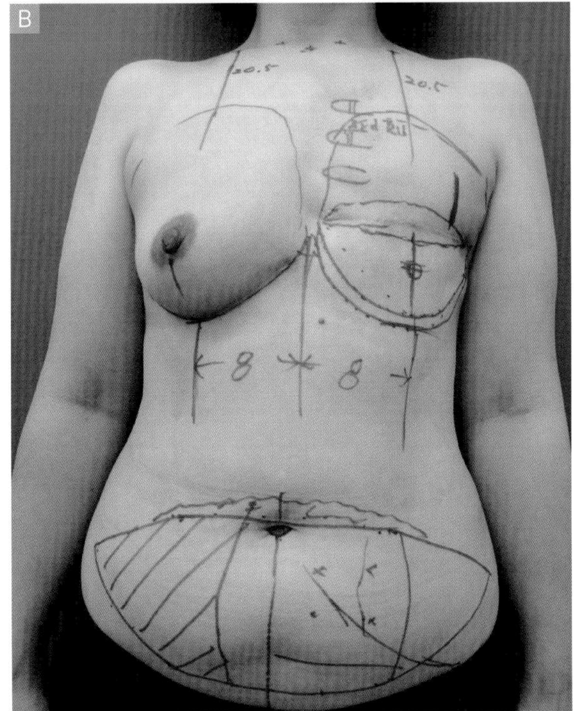

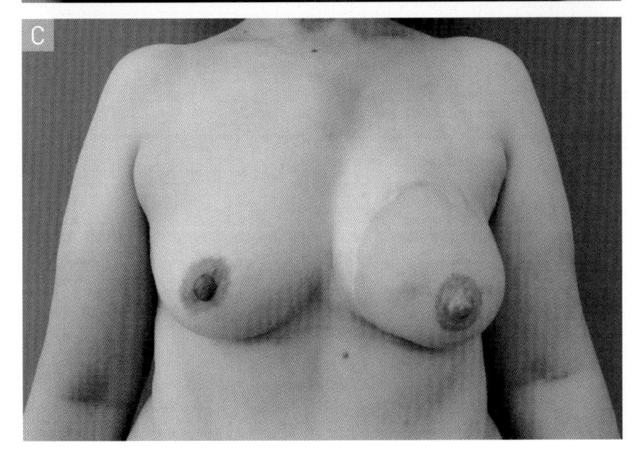

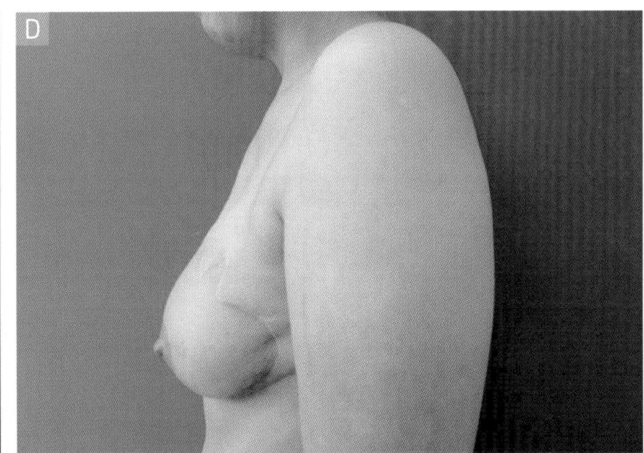

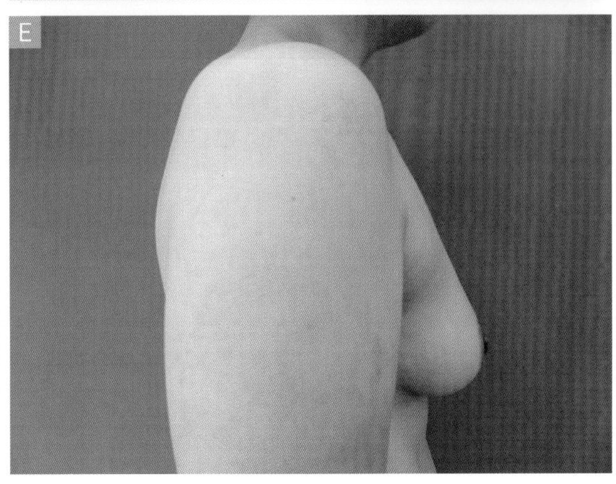

증례 2 A. 좌측 가슴에 횡으로 위치한 유방전절제술 반흔이 있고, 우측유방은 적당한 크기에 하수가 없어 보완이 필요하지 않은 술전 상태
B. 수술 후 가상의 유륜위치와 유방하주름을 잡아 본다. 건측 유방하 주름 보다 약 1 cm 정도 상부에 유방하 주름을 위치 시켜 나중에 무게에 의한 하수로 내려오는 것을 감안한다. 재건할 유방의 상부와 좌우 측면 경계를 측정하여 도안 한다.
C. 술후 2년 정면 모습이다. 술후 환자의 체중 증가에 따라, 피판의 무게에 의한 하수가 관찰된다. 쇄골하 가슴에 지방 주입, 피판의 지방흡입등이 추후 시행될 수 있다. 가슴골의 형태가 잘 유지 되어있다.
D. 체중 증가로 인한 유방크기 증가가 있으나, 좌측 재건된 유방의 돌출(projection)과 유두의 위치가 적절하다.
E . 우측 유방의 측면 모습. 수술 전후에 모양과 위치를 참고하는 중요한 기준이다.

수도 예측하여야 한다(증례 2).

하복부에 피판을 도안 시, 대개 피판의 상연이 배꼽 1-2 cm 위에 위치시켜 가능한 배꼽주위 관통지가 많은 부분의 투툼한 지방을 포함하도록 그린다. 하복부 피판의 Zone IV는 대개 잘라 버리지만, 커다란 유방재건을 위해선 수여부의 상부쪽에 위치시켜 정맥혈 배출이 잘 되게 하여 모두 사용할 수도 있다.

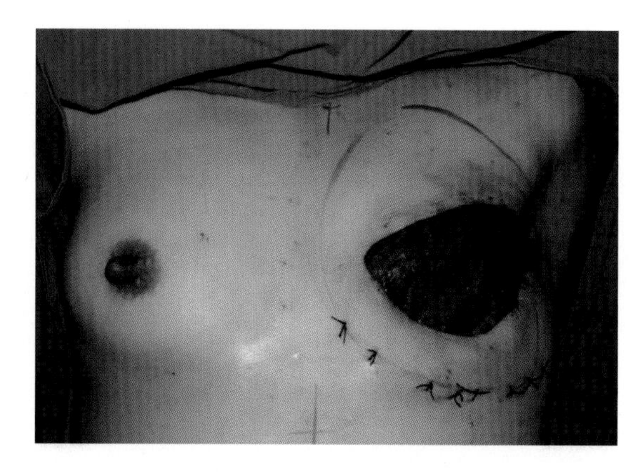

그림 2 유방 절제술전에 유방하주름의 위치를 봉합사로 표시하여 둔다.

3. 피판의 배치와 고정

피판의 배열은 수직으로, 횡으로, 비스듬히 할지는 반대편 유방의 형태에 따라 술전에 미리 결정한다. 이때 혈관경의 위치와 방향을 고려한다. 복부중앙의 지방층이 가장자리보다 두꺼우므로 이를 감안하여, 가슴골이 깊으면 피판의 지방층이 두꺼운 배꼽주위가 내측에 오게 위치시킨다.

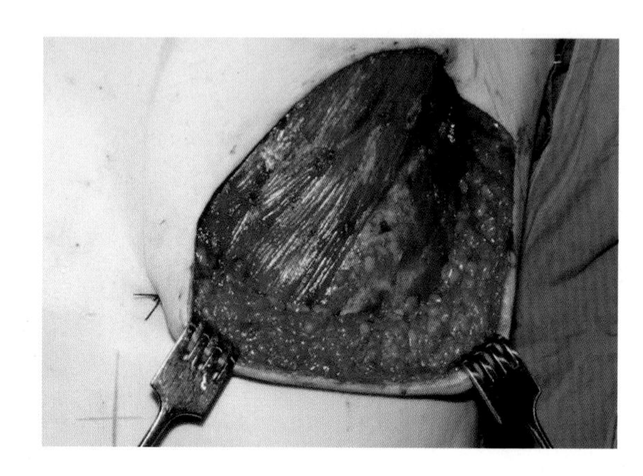

그림 3 유방하주름을 다시 만들어 주기 위하여 흉벽 대흉근과 전거근에 비흡수성 봉합사로 고정한다.

1) 유방의 돌출

유방하부 돌출을 위하여 수직 배열 피판의 경우, 복부 지방 두께가 충분하면 복부 중앙부가 유방 하부에 오게 하나, 때로는 두겹 혹은 한겹 반으로 탈상피한 지방층을 접어 넣을 수 있다. 유방의 흉과 반대편 유방형태에 따라 피판을 횡적 배열할 경우 배꼽주위 피판 상연을 쐐기로 절제하고 가운데로 모아 앞으로 돌출 시킨다.

아주 마른 환자의 경우 Arcuate Line 상부의 혈관경 동측 복직근을 모두 피판에 포함시켜 거상하면 유방하부의 돌출에 사용할 수 있다.

2) 유방 경계부

유방하 주름을 다시 만들기 위하여, 비흡수성 봉합사로 상복부 유방하 주름 가장자리 피하조직을 미리 디자인하였던 위치의 흉벽 근막에 다시 고정하여 준다 **(그림 2, 3)**. 이는 향후에 디자인하였던 유방하 주름이 보다 더 내려가는 것을 방지해주고 재건된 유방하 주름 윤곽을 더 선명히 하여 자연스런 유방 하수와 모양 형성에 기여한다. 유방 외측의 피부박리도 많이 진행 되었다면, 외측 경계부의 전 액와선도 전거근근막에 재고정하여 수술 후 유방동산이 옆구리로 이동하거나 겨드랑이 밑의 옆구리 살이 늘어져 팔에 걸리작거리는 것을 방지한다.

탈 상피한 피판의 Scarpa's fascia를 유방 내 상측 흉

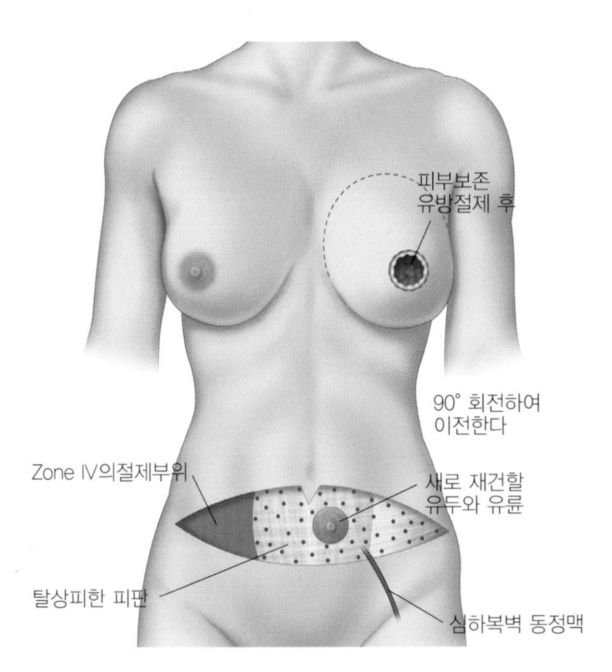

그림 4 피부 보존 절제 후 즉시 재건의 경우, 동측 탈상피한 하복부피판 scarpa's fascia를 유방 내상측에 몇 군데 고정하여 피판이 하부나 외측으로 쏠리지 않게 하고, 유방 하부돌출과 쇄골하 함몰 보완에 사용한다. 피부보존 유방절제 후 즉시 유두 재건의 경우, 유두와 유륜의 위치가 혈관경에 가깝고 복부의 가장 두툼한 부위에 오게 하여야 동시에 만든 유두가 안전하고 돌출이 자연스럽다.

벽 대흉근막에 비흡수성 봉합사로 한두군데 고정 해준다. 재건후 쇄골하 함몰을 방지하며 제 3 늑연골 채취 후 함몰부위가 드러나지 않게 할 뿐 아니라, 피판의 외측과 하부로 지나친 쏠림을 방지 할 수 있다 **(그림 4)**.

피부 보존 방식 유방절제 후 즉시 재건 시에는, 유륜 부위에 피판 돌출부 창을 만들어 국소 피판으로 유두와 유륜을 동시에 만든다(증례 3).

3) 혈관 문합

지연 재건의 경우 대개 제 3 늑연골을 절제하고 노출시킨 내유방동정맥이 수여부 혈관의 제일 선택이 된다. 수여부 혈관을 미리 박리 확보하여 놓고, 공여부 피판을 거상하여 수여부에 옮긴다.

미세혈관문합전 몇 개의 봉합고정으로 피판을 가슴위에 고정하여 수술 중 사고로 무거운 피판이 미끄러지거나 떨어지지 않게 한 뒤, 미세 혈관 문합을 시작한다.

즉시 재건으로 흉배 동정맥을 수여부 혈관으로 사용한다면, 공여부 피판의 혈관경 길이를 내유방동정맥을 사용할 때보다 다소 길게 가져와야 피판의 배치가 자유롭다.

4) 피판의 배열

동측 혹은 반대측 혈관경피판을 사용 할 것인지는 반대편 유방의 모양, 재건 시기와 수여부 혈관 선택에 따라 수술 전 디자인에서 미리 결정한다. 술자에 따라 선호가 있으나 유방이 아주 크거나 많은 피부가 필요한 경우가 아니라면, 수여부 혈관 위치 선택에 관계없이 동측 혈관경 피판을 많이 사용한다.

흉배 동맥을 수여부 혈관으로 할 때, 좁고 하수가 있는 유방이라면 동측의 하복부 피판을 90도 회전하여 배꼽부위가 유방의 하내측에 오도록 한다. 이때 피판의 높이가 유방의 폭이 되며, 어느 정도의 유방 돌출을 위해 Zone II 일부를 탈상피하여 유방하부 안에 접혀 들어가 받쳐주게 된다. 그러나 유방이 크고 많은 돌출이 필요하면 Zone III를 탈상피하여 안에 받쳐 넣고 Zone I 이 유방 하부 피부를 형성하는 것이 지방 괴사나 부분 괴사를 막을 수 있다 **(그림 5)**.

유방이 넓고 높이는 짧다면, 반대편 혈관경피판을 180도 횡으로 배치하여 배꼽 부위를 가운데로 모으고 Zone IV전부와 III 일부를 잘라낸다**(그림 6)**. 유방이 다소 크고 돌출도 있으면, 140도 돌려 비스듬하게 배치하고 배꼽부위를 가운데로 모은다.

내유방 동맥을 수여부혈관으로 사용하며 좁고 하수가 있는 유방의 재건이라면, 동측의 혈관경 피판은 90도 돌리고 반대측 혈관경피판은 270도 회전 시켜 피

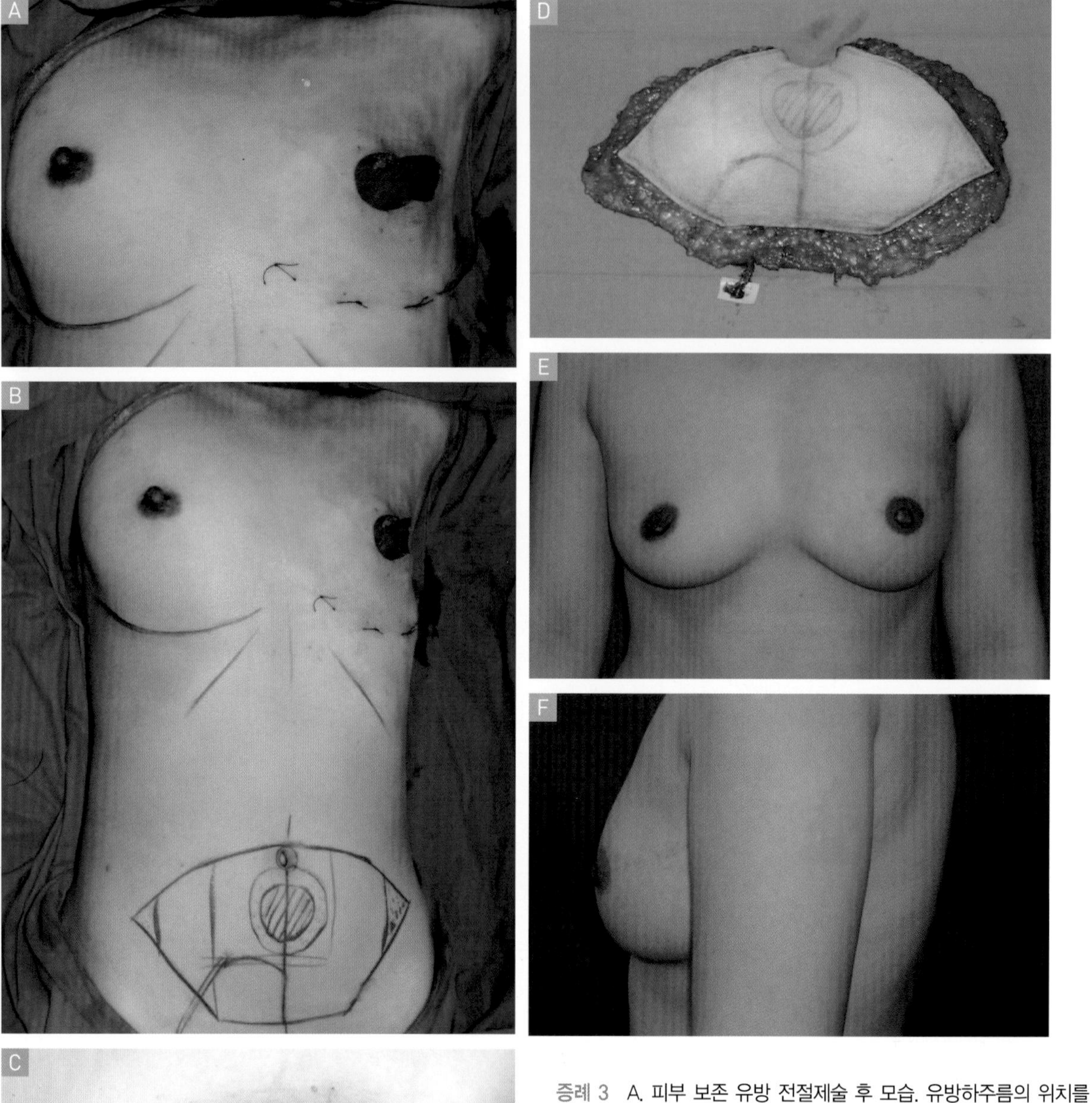

증례 3 A. 피부 보존 유방 전절제술 후 모습. 유방하주름의 위치를 유방절제하기 전에 봉합사로 미리 잡아두는 것이 필요하다.
B. 흉배혈관에 문합을 계획하고 피판의 혈관경 위치를 정한다. 유두와 유륜이 피판의 가장 두툼한 부위에 위치시키도록 디자인한다.
C. 외과의가 유방절제 후 유방하주름을 재고정하여, 재건된 유방의 이동과 하수를 최소화하고 돌출을 유지하도록 한다.
D. 피판을 90 도 돌려 흉배혈관에 문합하고, 혈관경이 있는 Zone I, III을 탈상피하여 두겹으로 접어 유방의 하부에 위치시킨다. 이러한 배열은 유방의 돌출 유지에 유용하고 피판 내 지방 괴사를 방지하며, 유두유륜도 동시재건을 하여도 유두부위 혈행이 좋아 안전하다.
E. 술후 2년 정면모습이다. 피부 보존 유방절제술 후 즉시 유방 재건은 지연 재건 보다 유방의 모양과 반흔에 유리한다. 유방하 주름이 잘 유지되었고 재건 유방의 좌우 상하 경계가 비교적 대칭적이다.
F. 술후 2년 측면 모습. 쇄골하부위 함몰이 없고 유방의 돌출이 유지되었으며 반흔의 관리가 우수하다.

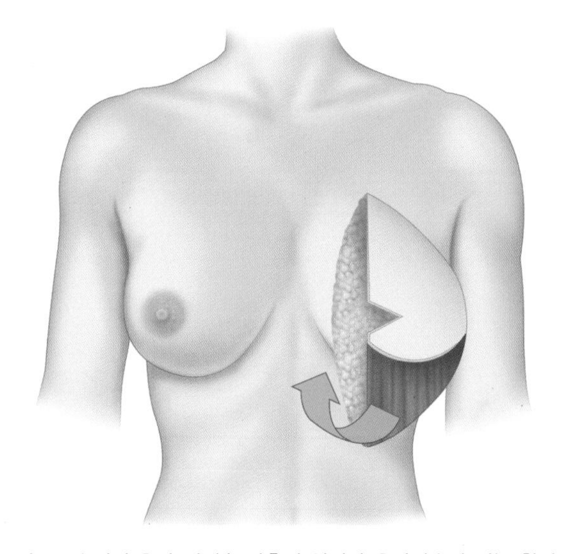
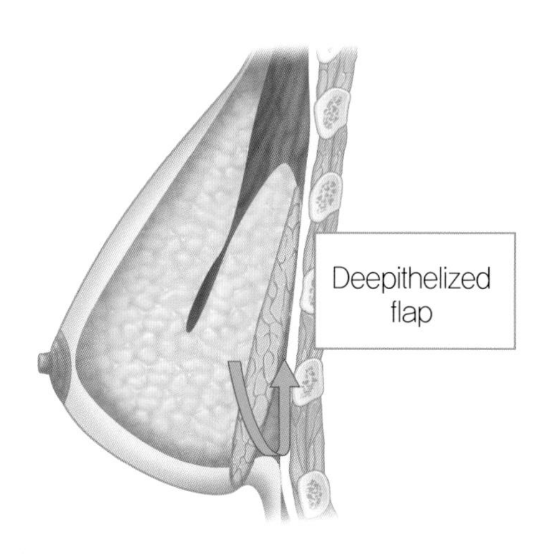

그림 5 수직의 유방 절제술 반흔이 있거나 유방하수가 있는 환자, 건측 유방 모양이 중앙에 정점이 위치한 타입, 쇄골하 함몰을 메꾸기 원할 때 유용한 배열이다.

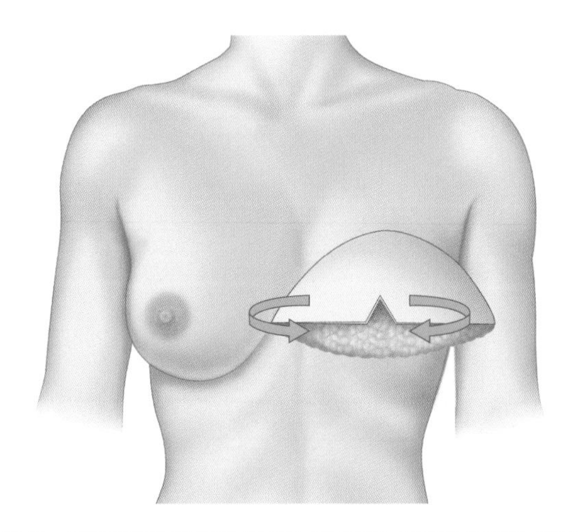
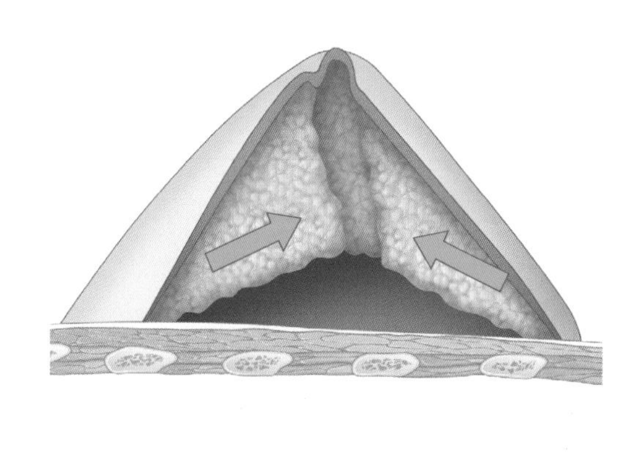

그림 6 유방전절제 반흔이 횡으로 위치하고 쇄골하 함몰이 없으며, 건측 유방하수가 없고 유방의 형태가 횡으로 넓은 BMI가 비교적 높아 지방층이 두터운 환자에 유용한 배열이다.

판의 배꼽부위가 유방 하내측에 오도록 한다. 마찬가지로 유방의 높이가 크고 돌출이 많이 필요하면, Zone III를 접어서 유방 하부에 들어가게 하고 Zone I이 하부를 형성하며, Zone IV를 유방 상부에 위치시킨다. 이 경우 Zone IV도 자연스런 정맥혈 배출로 피판이 괴사되지 않고 쇄골하 유방조직을 형성한다. 유방 높이가 짧고 옆으로 퍼진 형태라면, 반대편 혈관경피판을 180도 돌려 Zone IV를 잘라버리고 배치한다. 비스듬히 배치할 경우 동측 혈관경피판을 45도 돌려 배치하여 배꼽 주위 두툼한 복부조직이 유방하부를 형성하게 한다(**그림 7**).

5) 혈관 문합 후

미세혈관 문합이 끝나고, 유방 하부 돌출과 유방 상부 쇄골하 함몰을 메꾸기 위하여 피판의 일부를 탈 상

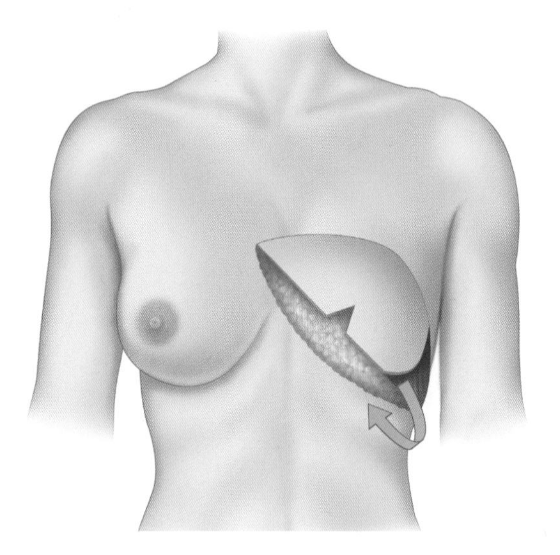
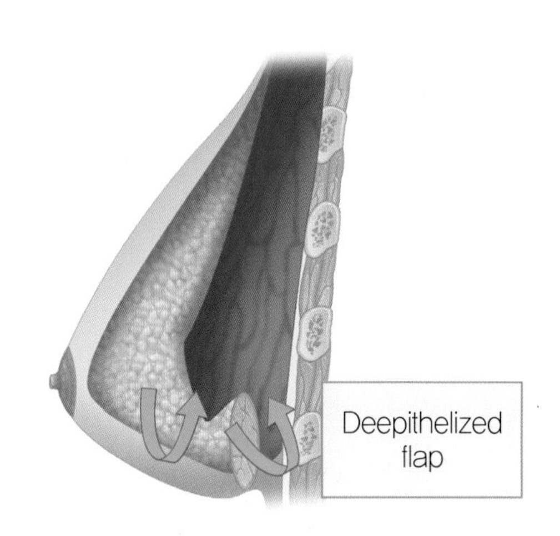

그림 7 건측 유방형태가 외하연으로 흐르는 타입에 경정도 유방하수가 있으며, 비스듬한 유방절제 반흔의 경우에 유용한 배열이다.

피하여 집어 넣는다. 탈상피를 너무 깊게하지 않도록 하여 피판의 진피하혈관총 손상이 가능한 적게 한다. 이때, 환자를 앉혀 피판의 크기와 모양이 적절한지 확인하고 최고 돌출 정점이 나중에 유두의 위치가 될 수 있도록 피판의 위치를 재조정한다. 피부보존 유방절제 후 즉시 재건이라면, 유두를 동시에 만들어 준다.

미세혈관 문합부와 혈관경이 꼬이거나 꺽이지 않도록 다시 확인하고 혈관이 눌리지 않게 홈을 내어 통로를 확보하여 준다. 유리피판술 후 혈전으로 피판허혈이 생기면, 피판을 구제하였더라고 지방괴사가 생길 가능성이 높기 때문이다.

피판이 너무 타이트하면 혈관경이 눌려 압박될 수 있고, 너무 여유가 많으면 유방하수가 될 수 있다.

6) 공여부 복벽의 봉합과 보완

공여부 Arcuate line 하부의 복직근(Rectus muscle)을 후복직근막(posterior rectus sheath)에 다시 원위치 고정하여 준다. 유방 재건에 사용하지 않는 Zone II, IV의 잘라낸 복부 조직 중 탈 상피한 진피(de-epithelized dermis)나 Scarpa's fascia를 떼어 결손 된 복직근막위에 이식하여 덮어주면, 약화된 복직근막을 강화시키고 복직근 결손을 메꾸어 복벽의 윤곽선을 개선 시킬 수 있다. 복부는 Scarpa's fascia를 잘 봉합하고, 진피층의 피하봉합, 마지막으로 피부를 봉합한다.

4. 수술 후 관리

1) 수술 후 자세와 드레싱

수술 후 환자의 자세는 반쯤 일으킨 앉은 자세를 유지한다. 혈관경 위치가 압박되지 않도록 하면서 드레인의 기능이 원활한지 피판의 혈류가 좋은지 모니터링 한다. 피판이 자연스레 하부에 쳐져서 위치하도록 하면 양측 가장자리로 벌어지지 않도록 한다. 경우에 따라 Elastomer 등 탄력접착붕대로 유방 축소, 확대, 하수 교정한 반대편 유방하 주름을 보완할 수 있다.

2) 흉관리

술후 최소 6개월간 반흔 성숙을 위한 연고나 silicone gel 도포, 흉의 확장을 방지하기 위한 taping, 흉의 돌출과 비후를 막기위한 압박 garment 착용으로 반흔의 관리를 시행한다.

3) 이차 보완과 유두 재건

일반적으로 한번의 수술로 최상의 결과를 얻을 수 없기에, 이차 보완수술은 유방 재건의 마지막 단계이자 미적인 완성을 위해 중요한 과정이다. 환자의 보다 높은 기대를 충족시키기 위해서, 의사 또한 최상의 결과를 얻기 위해선 인내와 꾸준한 노력이 필요하다.

일차로 유방동산 재건수술 후, 유방의 크기와 양, 돌출과 윤곽, 유방하 주름등 위치, 수술 반흔, 부분적 지방괴사등 경화 정도, 쇄골하 함몰 여부, 통증을 재평가하여 교정할 곳이 없는지 살펴본다. 또한, 반대편 유방의 하수 교정, 축소, 확대, 함몰유두 교정을 시행하며, 이때 재건할 유두와 유륜의 위치를 결정한다.

수개월 뒤 유두재건시점에 필요한 부위에 소량의 지방 흡입이나 지방이식 등 보완 수술은 양측 유방의 크기 및 대칭성과 자연스러움을 갖추는데 매우 유용하다.

참·고·문·헌

1. Craft RO, Colalkoglu S, Curtis MS, et al. Patient satisfaction in unilateral and bilateral breast reconstruction. Plast Reconst Surg. 127:1417-1424, 2011
2. Joshua Fosnot, Joseph M. Serletti. Free TRAM Breast Reconstruction. Neligan 4th Edi. Vol 5. Ch 17:411-434, 2012
3. Kroll SS, Gherardini G, Martin JE, et al. Fat necrosis in free and pedicled TRAM Flaps. Plast Reconst Surg.102(5):1502–1507, 1998
4. Richard G. Reish, Alex Lin, Nicole A. Phillips et al. Breast reconstruction outcomes after nipple sparing mastectomy and radiation therapy. Plast Reconst Surg. 135:4: 959-966, Apr. 2015.
5. Rosen WM, Ashton MW. Improving outcomes in autologous breast reconstruction. Aesthetic Plast Surg. 33:327-335, 2009
6. Nahabedian MY, Dooley W, Singh N, Manson PN. Contour abnormalities of the abdomen following breast reconstruction with abdominal flap: the role of muscle preservation. Plast Reconst Surg. 109:91-101, 2002

Aesthetic breast reconstruction »

Chapter 35

심하복벽동맥천공지피판을 이용한 유방재건

The Deep Inferior Epigastric Artery Perforator (DIEP) Flap for Breast Reconstruction

| 문구현, 전병준 |

하복부는 주로 피부와 지방으로 구성되어, 유방 조직과 유사한 구조와 부드러운 질감을 얻을 수 있고, 비교적 쉽게 모양을 만들 수 있을 뿐만 아니라, 자연스러운 처짐을 재현할 수 있어 이상적인 유방재건 공여부로 여겨진다. 이런 이유로 하복부를 공여부로 하는 유방재건은 1979년 Holmstrom과 Robbins 등이 유리피판(free flap)의 형태로, 그리고 1982년 Hartrampf 등이 유경피판(pedicled flap)의 형태로 보고한 이후 널리 시행되고 있다.

유리피판을 이용한 유방재건이 먼저 보고되었지만, 초기에는 미세 수술의 술기 부족과 제반 여건이 성숙되지 않아 상복벽 혈관(superior epigastric vessels)을 혈관경으로 하는 횡복직근-피부 유경피판(pedicled transverse rectus abdominis myocutaneous flap, pedicled TRAM flap)이 널리 시행되었다. 이후 하복벽(lower abdomen)의 주된 혈액 공급을 심하복벽 혈관(deep inferior epigastric vessels)이 담당하는 사실이 알려지고, 탈장(hernia), 복벽의 약화나 돌출 등의 공여부 합병증의 해결을 모색하면서 횡복직근-피부 유리피판(free TRAM flap)이 재조명되어 널리 쓰이게 되었다.

유경피판과 비교하여 횡복직근-피부 유리피판(free TRAM flap)은 충분한 혈행을 유지하여 정맥 울혈(venous congestion), 지방괴사(fat necrosis), 피판의 부분적인 소실(partial flap loss)과 같은 합병증이 적고, 심미적으로 중요한 유방하 주름(inframammary fold)을 온전히 보전할 수 있다. 이후 유리피판을 이용한 재건이 널리 시행되면서, 피판의 혈액 순환은 최대한 보존하고 공여부의 이환율은 최소화하려는 연구가 활발히 전개되었고, 처음 알려졌을 때 복직근(rectus abdominis)의 상당부분을 사용하는 형태에서, 심하복벽동맥 천공지와 주변 일부 근육만을 포함하는 근육보존 횡복직근-피부 유리피판(muscle sparing free TRAM flap)으로 발전하였다.

미세수술이 주요한 재건 방법으로 널리 사용되어 점차 익숙해지고, 심하복벽 혈관(deep inferior epigastric vessels)의 자세한 구조와 하복벽에 혈액을 공급하는 범위가 알려지면서, 배꼽 주변에 존재하는 큰 천공지 하나를 통해 충분한 혈액 공급이 가능한 피판을 생각하게 되었고, 1989년 복직근 없이 심하복벽 동맥을 혈관경으로 가지는 피부 피판이 처음으로 보고되었다. 이렇게 알려지게 된 심하복벽동맥 천공지 피판(deep inferior epigastric artery perforator flap, DIEP flap)은 피부와 지방으로 이루어진 천공지 피판으로, 근막(fascia)에 선상 절개를 가하고 복직근을 벌리기만 할 뿐 이들

구조물들을 온전히 보존한다. 또한 복직근의 운동 신경을 보존하여, 수술 후 복근 기능 약화와 같은 공여부의 합병증을 최소화하고 회복을 촉진시킨다. 아울러 충분한 피부와 연부 조직을 제공하여 미용적으로 만족스러운 재건이 가능해 현재 유방 재건 목적으로 가장 널리 사용되고 있다.

1. 피판과 관련된 해부학적 구조

1) 천하복벽 동맥(Superficial Inferior Epigastric Artery, SIEA)과 동반 정맥(Venae Comitans)(그림 1)

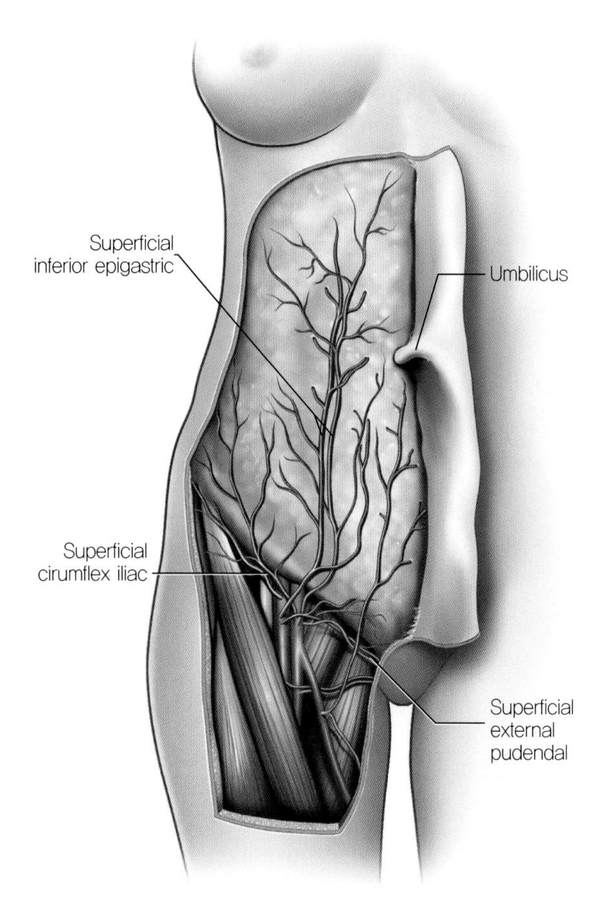

그림 1 Superficial Inferior Epigastric Artery and Vein(SIEA & SIEV)

천하복벽 동맥(SIEA)은 하복벽의 부차적인 혈액순환을 담당하는 혈관으로, 천장골회선 동맥(superficial circumflex iliac artery, SCIA)과 한 가지로, 또는 단독으로 서혜인대(inguinal ligament) 아래로 2-3 cm 지점에서 기시하는 것으로 알려져 있으나, 발견되지 않는 경우도 있다(9.1-35%). 대개 심부대퇴정맥(deep femoral vein) 또는 복재정맥팽대(saphenous bulb)로 배액되는 작은 크기(<0.5 mm)의 동반정맥(venae comitans)이 함께 주행하기도 하지만 없는 경우도 있다. 천하복벽 혈관(superficial inferior epigastric vessel)은 상외측(superolateral)으로 진행하며, 서혜인대 중간(전상장골극(anterior superior iliac supine, ASIS)과 치골결절(pubic tubercle)의 중간) 지점에서 Scarpa's fascia의 아래를 지난다. 이후 주행을 계속 하여 서혜 인대를 지난 지점에서 Scarpa's fascia를 뚫고 천층 피하지방으로 진입한다. 평균 지름은 1.9 mm(1.2-2.5 mm), 혈관경의 평균 길이는 5.2 cm(3-7 cm) 가량으로 알려져 있다. 천하복벽 정맥은 일부에서는 동맥과 별도로, 일부에서는 동반 정맥(venae comitantes)으로, 그리고 두 가지 형태 모두로 존재하는 것으로 보고되고 있다.

2) 천하복벽 정맥(Superficial Inferior Epigastric Vein, SIEV)

천하복벽 정맥(SIEV)이 동맥과 별도로 존재하는 경우, 대체로 천하복벽 동맥(Superficial Inferior Epigastric artery, SIEA)의 2-3 cm 내측에 위치하며, 지름은 약간 더 큰 2.1 mm 가량이고, 평균 길이는 6.4 cm 정도로 천대퇴정맥(surperficial femoral vein), 복재정맥팽대(saphenous bulb), 대복재정맥(great saphenous vein) 등으로 배액된다. 평상시 하복부 피판 중앙 2/3의 정맥 배액을 주로 담당하는데, 주행 도중 정맥 천공지(venous perforator)를 통해 심하복벽 동맥의 동반 정맥과 여러 곳에서 불규칙적 연결을 보이고, 특히 배꼽 주변에서 자주 연결되어 있다. 정맥 천공지는 밸브가 있어, 정맥혈이 주로 천하복벽 정맥에서 심부의 방향으로 진행하게 한다. 하복부 피부와 지방의 정맥 환류(venous return)는 대부분 천하복벽 정맥으로 이루어지며, 일부분이 정맥 천공지를 통해 심하복벽 동맥 동반 정맥으로 배액된다. 하지만 하복부 피판을 거상하면 상황이 달라지는데, 천하복벽 정맥으로 유입된 정맥혈이 정맥 천공지를 통해 심하복벽 동맥 동반 정맥으로 배액되는 것이다. 따라서, 두 정맥(SIEV, DIEA vena comitans)을 연결하는 정맥 천공지가 없거나 크기가 작은 경우, 심하복벽 동맥 동반 정맥(DIEA vena comitans)만을 문합하면, 상당수에서 피판 울혈(flap congestion)이 발생할 수 있다. 또한 천하복벽 정맥(SIEV)은 궁상선(arcuate line) 부근과 배꼽의 위아래 부위 등에서, 진피하혈관얼기(subdermal plexus) 층을 지나는 연결 정맥(linking vein)를 통해 정중선 건너편과 연결되어 있다. 약 8-36%에서는 적절한 크기의 연결 정맥이 없고, 정맥 환류가 지름이 훨씬 작은 진피하모세혈관 체계(subdermal capillary network)를 통해서만 이루어져야 하므로 정중선 건너편 피판에서 정맥 울혈이 발생할 수 있다. 이를 예방하기 위해 전산화 단층 촬영술을 이용한 혈관조영(computed tomography angiography, CTA)과 같은 수술 전 검사를 통해 동맥뿐만 아니라 정맥의 주행과 연결 관계를 미리 파악하여 수술 계획에 반영하는 것도 좋은 방법이다. 아울러 피판을 거상할 때, 천하복벽 정맥을 일정 길이 함께 박리하여 혈관클립(vessel clip)으로 결찰하고, 박리하면서 관찰하여 정맥이 부풀어 오르면, 동반 정맥만으로는 정맥 환류가 부족한 것

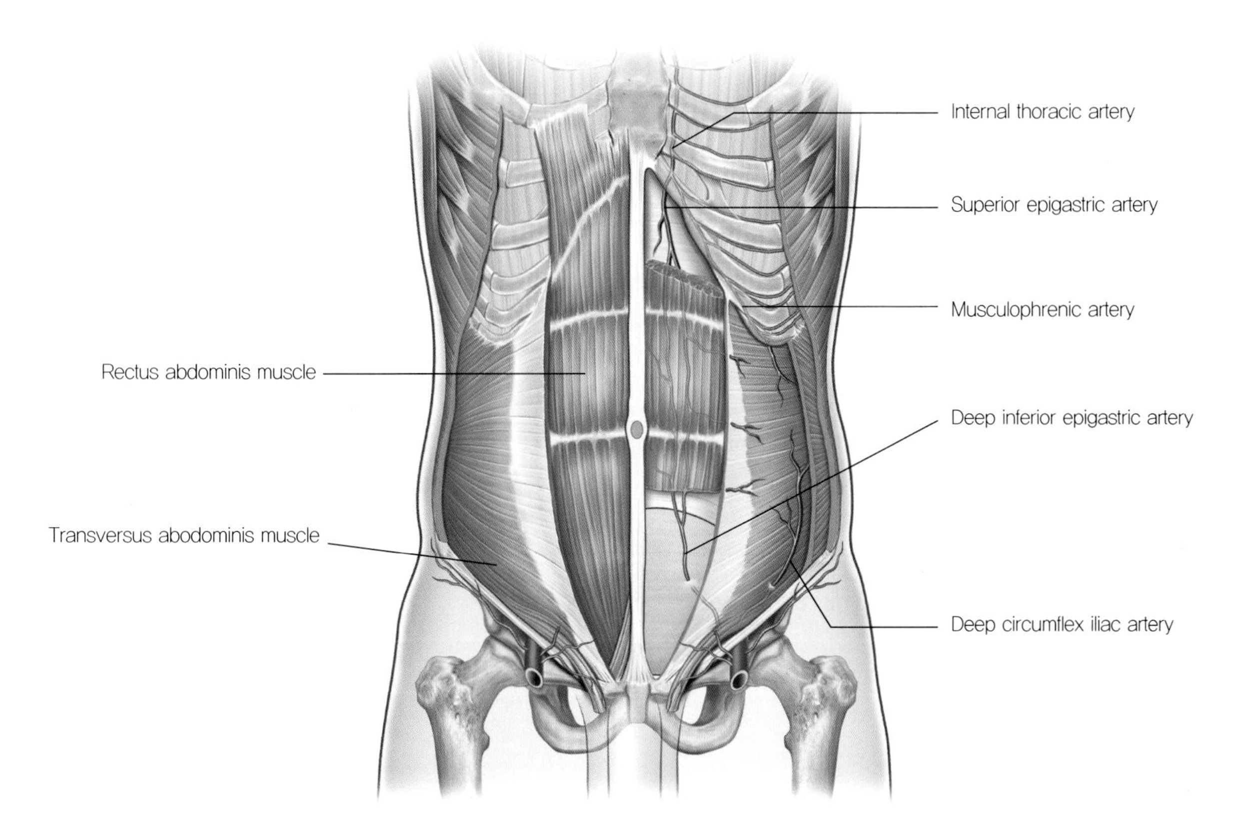

그림 2 Deep Inferior Epigastric Artery (DIEA)

으로 판단하고 추가적인 문합을 고려할 필요가 있다.

3) 심하복벽 동맥(Deep Inferior Epigastric Artery, DIEA)과 동반 정맥(Venae Comitantes)(그림 2)

하복벽의 주요한 혈액공급을 담당하는 심하복벽 동맥(DIEA)은 서혜인대(inguinal ligament) 1 cm 상방 외장골 동맥(external iliac artery)에서 기시한다. 복횡근근막(transversalis fascia) 밑에 붙어 상내측(superomedial direction)으로 비스듬하게 진행하다가 궁상선(arcuate line, linea semicircularis) 부근에서 근막을 뚫고 올라와 복직근 아래에 붙어 복직근과 후복직근초(posterior rectus sheath) 사이로 주행을 지속한다. 궁상선을 어느 정도 지난 시점에서 복직근 속으로 뚫고 들어가는데, 들어가기 전에 가측(lateral branch)과 내측(medial branch)분지로 나누어져 진행한다. 일부는 분지를 내지 않고 복직근의 중앙으로 진행하는데 근육으로 여러 분지를 내고 배꼽 부근을 지나 상복벽 동맥(Superior Epigastric Artery)과 교통하게 된다. 가측 분지는 근육의 가측 1/3에서 근막을 관통하는 천공지(perforator)를 내고, 내측 분지는 근육의 내측 1/3에서 천공지를 내게 된다. 지름이 0.5 mm 이상인 주요한 천공지는 주로 배꼽을 기준으로 그 위로 2 cm, 그 아래로 6 cm, 그리고 각각 그 좌우로 1-6 cm 떨어진 두 직사각형 모양 부위에서 2-8개가 발견되는 것으로 알려져 있다. 혈관경의 길이는 평균 10.3 cm (7-14 cm) 가량이고 지름은 2-3 mm이며, 동반 정맥(vena comitans)의 지름은 2-4 mm 정도이다.

피판의 혈액 순관과 관련된 여러 연구에 따르면, 심하복벽 천공지 피판을 제 1-4 영역(zone I-IV)으로 나눌 수 있다. Hartrampf 등의 견해를 적용할 경우, 천공지가 뚫고 나오는 복직근 위 피판을 제 1영역(zone I), 정중선 건너편 복직근 위 피판을 제 2영역(zone II), 천공지와 같은 쪽 복직근 가장자리 피판을 제 3영역(zone III), 그리고 정중선 건너편 복직근 가장자리 피판을 제 4영역(zone IV)으로 나눌 수 있다고 보았다. 하지만 Holm 등은 하복부의 혈액 순환은 정중선에 의해 분리되어 이루어지고, 정중선을 기준으로 같은 쪽에 존재하는 피판은 주축혈관형(axial pattern)으로 혈액순환이 이루어지나, 정중선을 지나서는 난축혈관형(random pattern)으로 혈액순환이 이루어지므로, 천공지가 뚫고 나오는 복직근 위 피판을 제 1영역(zone I)으로, 그와 인접한 복직근 가장자리 위 피판을 제 2영역(zone II)으로 보아야 하고, 정중선 건너편의 피판을 각각 제 3,4영역으로 보는 것이 타당하다고 주장하였다**(그림 3)**. 이후 밝혀진 좀 더 상세한 분류에서는 혈관경으로 천공지를 하나만 포함하는 경우를 상정하였을 때, 동심원과 유사한 형태로 영역을 구분할 수 있다고 본다. 즉, 천공지가 관통하는 복직근 위 피부가 혈액 순환이 가장 우수한 제 1영역이고, 그 주변으로 제 2, 3영역이 차례로 존재하며, 천공지로부터 가장 먼 정중선 건너편 복직근 가장자리 피판 같은 부분은 혈액 순환이 가장 나쁜 제 4영역에 해당한다는 것이다. 이 경우, 천공지가 어느 분지에서 기시하였는가에 따라 다른 특성을 보이는데, 내측 분지에서 기시한 천공지는 더 크고, 전

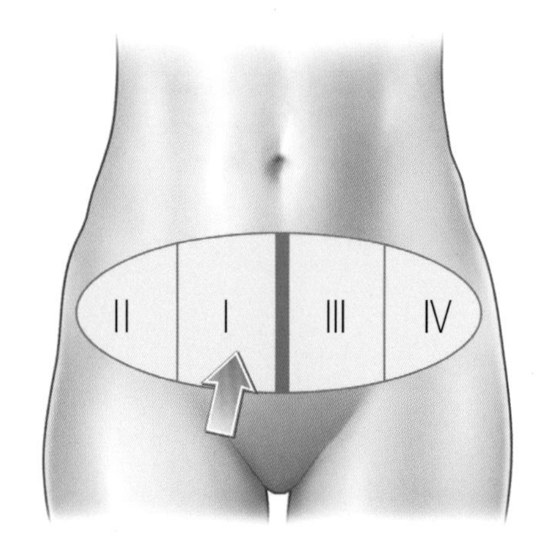

그림 3 Holm 등에 의해 제안된 "true perfusion zones of the lower abdominal flap".

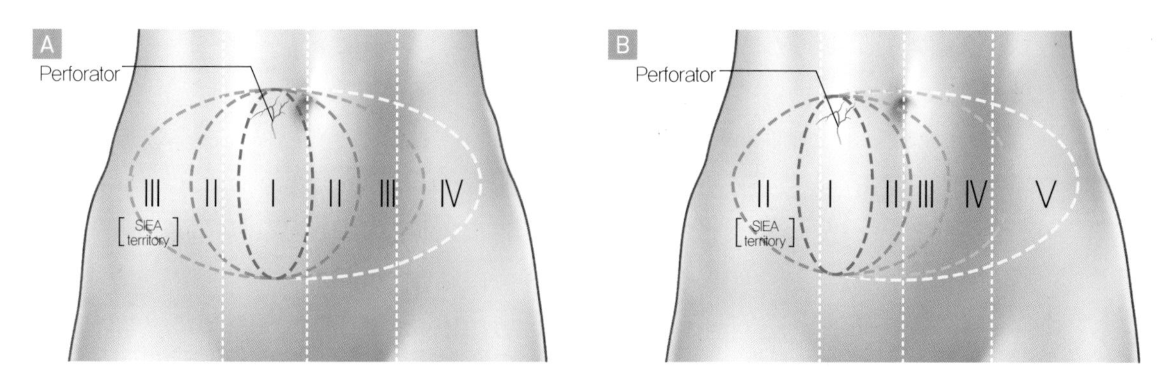

그림 4 The perforasome of the DIEP flap A: Medial row perforator, B: Lateral row perforator

복직근초(anterior rectus sheath)에서 Scarpa's fascia으로 수직으로 올라와 Scarpa's fascia 부근에서 다수의 분지를 낸다. 또한 정중선을 지나서도 상당한 혈액을 공급하므로 제 1영역뿐만 아니라 같은 쪽 복직근 가장자리 피판, 정중선 건너편 복직근 위 피판의 일부를 포함하는 제 2영역까지 비교적 넓은 영역의 만족스러운 혈액순환이 가능하다. 하지만 가측 분지에서 기시한 천공지는, 전복직초를 뚫고 나와 가측으로 Scarpa's fascia를 향해 비스듬히 진행하여, Scarpa's fascia 부근에서 적은 수의 분지를 낸다. 또한 정중선 건너편과의 연결이 나쁘며, 혈액순환이 원활한 범위도 좁아 제 1영역과 제 2영역 모두 천공지가 있는 반쪽 하복부(hemiabdomen)에만 한정될 수 있다**(그림 4)**.

4) 늑간 신경(Intercostal nerve) (그림 5)

피판을 박리하다 보면 늑간신경(intercostal nerve)의 분지를 마주하게 된다. 운동신경과 감각신경이 섞여 있는 늑간 신경은 대개 복직근의 아래로 또는 복직근을 가측(lateral side)에서 내측(medial side)으로 가로질러 주행하는데, 운동신경의 경우 혈관경 위로 타고 넘어 진행하는 경향이 있고, 감각신경의 경우, 천공지

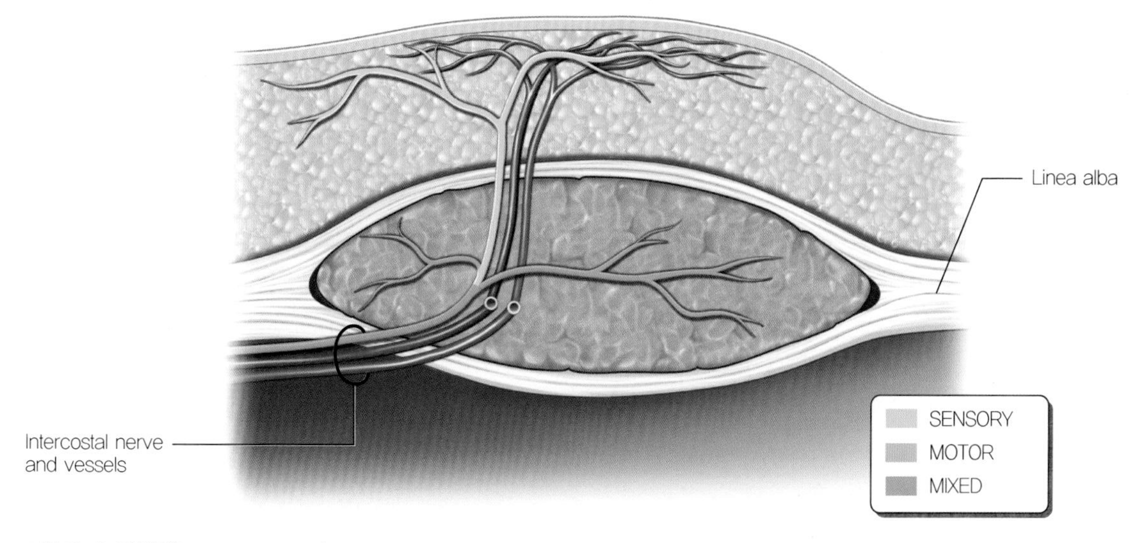

그림 5 늑간신경(Intercostal nerve).

와 함께 주행하여 피판으로 향하게 된다. 피판에 감각 신경을 포함하여 거상한 다음, 유두의 감각에 관여하는 제 4 늑간 신경(4th intercostal nerve)의 감각 분지와 문합하면, 감각의 빠른 회복과 질적 향상이 가능하다는 보고도 있으나, 자발적인 회복으로 충분하다는 보고도 있어 늘 시행되는 것은 아니다.

2. 재건 수술의 적응증

어떤 환자든 일단 재건에 적합한 하복부 조직을 가진 경우, 수술 적응증에 해당한다. 보다 이상적으로는 비만하지 않고, 흡연하지 않으며, 재건에 대한 적당한 기대를 가진 환자를 상정할 수 있다. 체질량 지수가 30 이상이거나, 흡연을 하는 경우, 재건된 유방의 지방 괴사나 공여부 합병증의 가능성이 높다. 따라서 가능하면 수술 전 체중을 감량하고, 적어도 3주 이상 전에 금연하도록 한다. 이전의 개복술이나 제왕절개수술 등으로 하복부, 정중선, 늑골연 등의 피부와 연부조직에 반흔이 있는 경우, 신중한 고려가 필요하다. 특히 하복부 정중선 반흔의 경우 지방 괴사 등의 합병증의 가능성이 높아, 피판 거상시 원활한 혈액 순환이 가능하도록 피판과 천공지의 위치 등에 주의를 기울여야 한다. 또한 반흔이 있는 경우, 공여부 합병증이 호발하였는데, 상처의 벌어짐, 장액종(seroma), 복벽의 약화와 돌출(bulge) 등이 주로 관찰되었다. 이외에 복부에 지방 흡입술을 받은 경우, 수술 전 검사(CT angiography)를 통해 피판 거상에 적합한 천공지가 있는지 확인해야 하고, 재건에 충분한 부피를 얻기 어렵거나, 수술에 부적합한 신체 상태 등은 상대적 금기에 해당한다. 천공지 손상 가능성이 높은 미용 목적의 복부 성형술(abdominoplasty)을 받았거나, 수술에 대한 동기가 불충분한 경우에도 수술을 진행하지 않는 것이 바람직하다.

3. 수술 전 평가

적절한 천공지의 선택은 수술 과정과 결과에 지대한 영향을 미치게 된다. 천공지의 크기와 주행을 평가하기 위한 방법으로는 Duplex Doppler, 컴퓨터단층촬영을 통한 혈관조영술(computed tomography angiography, CTA), 자기공명영상을 이용한 혈관조영술(magnetic resonance angiography, MRA)등이 있다. Handheld Doppler는 이 방법들 각각과 함께, 또는 단독으로도 이용할 수 있는 좋은 방법이다. 하지만 Handheld Doppler의 경우, 천공지를 찾는 능력은 매우 뛰어나지만 지나치게 민감하여 주변을 지나는 혈관과의 관계 파악이 어려울 수 있고, 근막을 뚫고 나오는 정확한 위치나 상세한 주행 경로를 파악하기 어렵다. 그렇지만 수술 도중 혈관의 위치나 문합 후 혈액 순환을 확인하는데 편리하고 유용하다.

Duplex Doppler의 경우, 천공지의 정확한 위치, 혈류량 및 혈관경의 지름을 알 수 있고, 천하복벽 동맥(SIEA)의 존재를 확인하는데 도움이 된다. 또한 배꼽을 중심으로 격자를 표시하고 그 위에서의 천공지의 위치를 기록해두면, 수술 당일 정확한 위치를 얻을 수 있다. 하지만 시술자에 따라 얻을 수 있는 정보의 차이가 있고, 필요할 때 동일한 형태로의 재현이 불가능하다.

컴퓨터단층촬영을 이용한 혈관조영(CTA)은 단시간에 얻을 수 있는 비침습적인 영상 기술로, Doppler에 비해 뚜렷한 영상을 비교적 저렴한 비용으로 제공한다. 천공지의 정확한 위치뿐만 아니라, 천공지의 근육내 주행 경로와 피하지방에서 천공지의 분포, 천하복벽 정맥과 심하복벽 동맥 동반 정맥의 연결, 천하복벽 정맥간의 연결과 같은 상세한 정보를 얻을 수 있다. 이러한 정보를 수술에 적용할 경우, 수술 시간을 줄이고, 피판 및 공여부 합병증과 술자의 스트레스 감소에도 도움이 된다. 아울러 하복부에서 거상할 피판의 부피를 미리 가늠하거나 수혜부 혈관으로 주로 사용되는

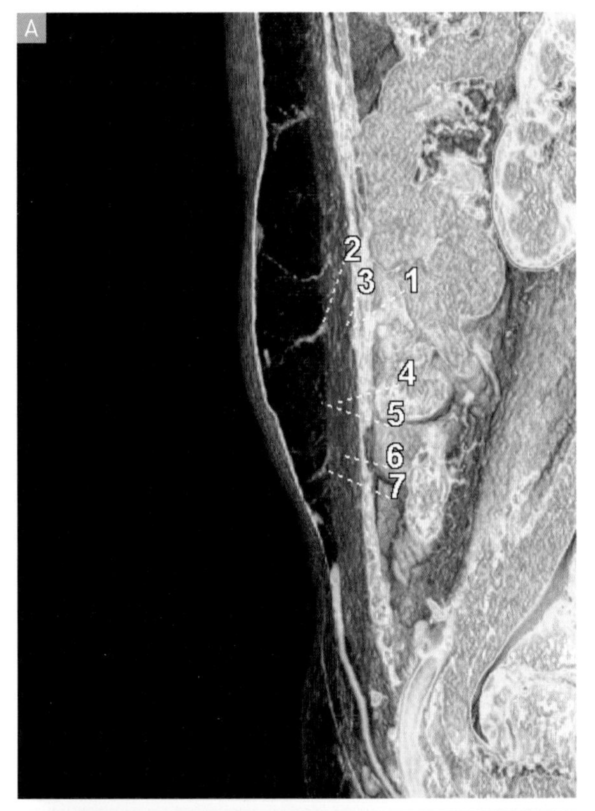

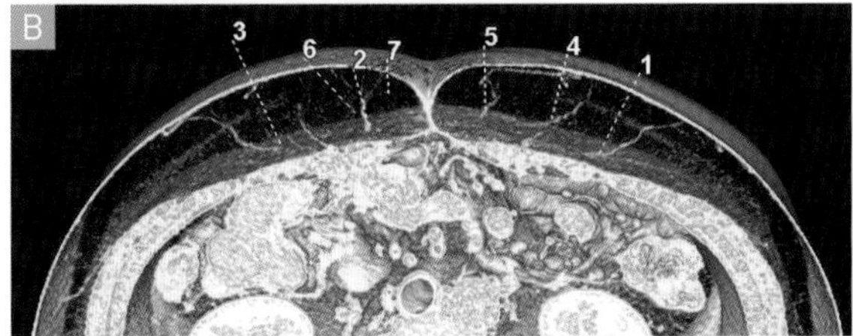

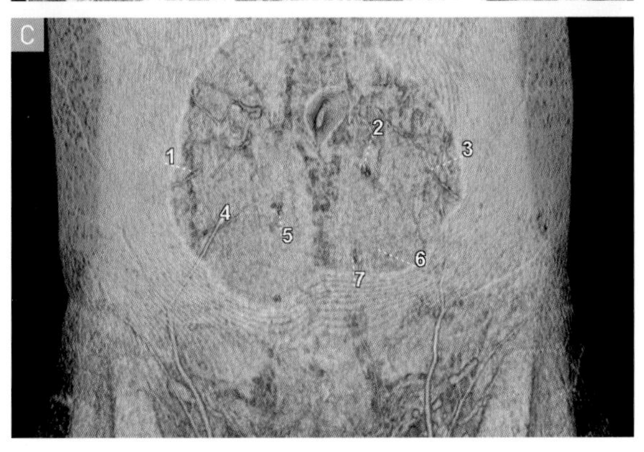

그림 6 **하복부** Computed tomography angiography(CTA) 3차원적으로 재구성한 그림에서 가장 적합한 천공지를 선택할 수 있다. 천공지의 상대적인 크기, 주행 경로뿐만 아니라, 천하복벽 정맥(Superficial Inferior Epigastric Vein)의 주행 경로와 상대적인 크기를 가늠할 수 있어 재건에 적합한 피판을 도안하는데 도움이 된다.

내흉혈관(internal mammary vessel)에 대한 평가를 포함할 경우, 수술의 안전성을 높이고, 미용적으로 우수한 재건을 수행하는데 도움이 된다(**그림 6**). 방사선 조사 노출이 단점으로 지적되지만, 다양한 방법으로 조사량을 줄이는 방법이 연구되고 있으며, 현재까지 천공지 관련 수술 전 검사로는 최적의 방법이다. 자기공명영상을 이용한 혈관 조영술(MRA)은 비교적 최근에 도입되어 천공지 피판과 관련하여 사용되고 있는데, CTA 유사한 정보를 방사선 노출 없이 얻을 수 있지만, 비용이 고가이고, 촬영 시간이 길다. CTA의 대안으로 제시되기도 하지만 타당성에 대한 추가적인 검토가 필요하다.

4. 수술 과정

1) 피판의 도안

피판의 도안은 환자가 서있는 상태에서 시행하는데, 가슴에 정중선(midline), 유방하주름(inframammary fold), 유방의 수직경선(breast meridian)을 표시하여 대칭을 맞추는데 참고할 수 있도록 한다. 하복부에는 배꼽(umbilicus)과 치골결절(pubic tubercle), 양측 전상장골극(anterior superior iliac spine, ASIS)의 위치와 CTA 등으로 미리 확인한 주요한 천공지의 위치를 고려하여 타원형의 피판을 그린다. 엄지와 검지로 복부를 가볍게 잡아보아(pinch test) 피부의 탄력과 밀도, 늘어나는 정도 등을 고려하여 피판의 폭은 12-15 cm, 길이는 24-36 cm 가량으로 하며 추가적인 부피가 필요할 경우, 액와중간선(midaxillary line)에 이르도록 가장자리 쪽으로 도안을 연장할 수 있다. 이 때 거상할 피판의 외연뿐만 아니라, 사용할 천공지, 천공지 혈관경의 주행, 재건에 쓰일 피판의 부위 등도 표시한다. 배꼽 주위의 주요한 천공지를 포함하기 위해 도안을 좀더

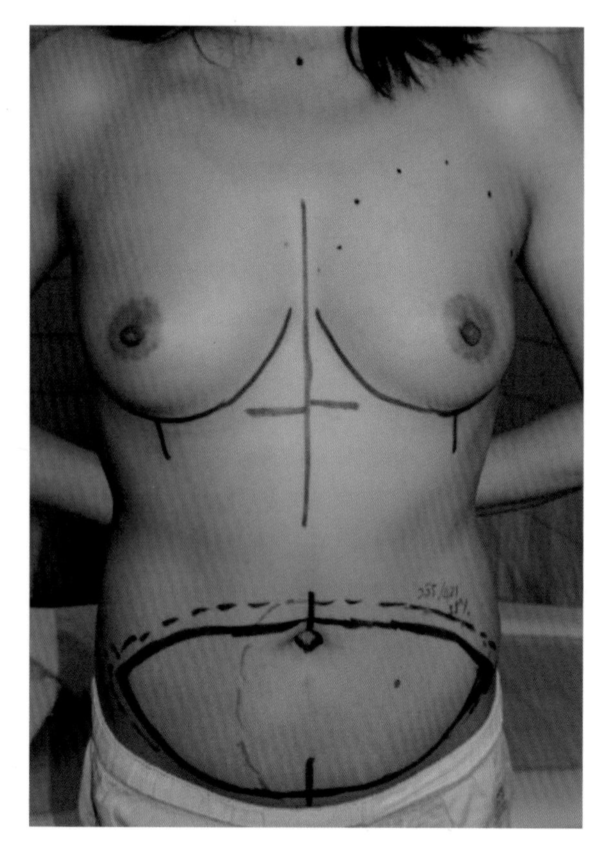

그림 7 **수술 전 도안,** 배꼽, 양측 전상장골극(ASIS), 치골결절(pubic tubercle)의 위치를 고려하여 피판을 도안한다. 추가적인 부피가 필요할 경우, 근막쪽으로 비스듬히 박리한다.(점선)

위쪽에 위치시킬 수 있지만, 반흔의 위치가 속옷에 가려지지 않아 눈에 띄일 수 있고, 피판 거상 후 남은 상복부 피판 하연에서 검상돌기(xiphoid process), 늑골연(costal margin)까지의 거리가 불충분할 경우 공여부 봉합이 어려울 수 있다(**그림 7**).

2) 수술 전 준비

동맥압 측정(arterial pressure monitoring)을 위한 준비와 도뇨관(urinary catheter)을 삽관하고, 따뜻한 바람이 나오는 담요와 같은 적절한 방법으로 체온을 유지할 수 있도록 준비한다. 심부정맥혈전(deep vein

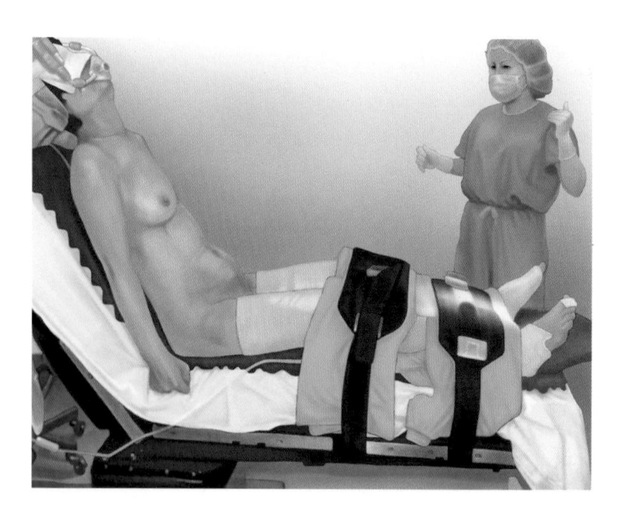

그림 8 수술 전 준비

thrombosis, DVT)을 예방하기 위해 항혈전색전 스타킹(anti-thromboembolic stocking) 또는 간헐적 압박기(intermittent pneumatic compressor)를 착용한다. 수술 중 건측과 비교 및 평가를 위해, 그리고 공여부의 봉합을 용이하게 하기 위해 환자를 앉혀야 하므로, 고관절의 위치를 수술 침대의 접히는 부분을 고려하여 적절히 잡아주고, 무릎을 살짝 굽혀주어 반복적으로 앉히고 눕히는 과정에서 관절과 다리에 무리가 가지 않도록 한다. 뒤통수를 포함하여 눌리는 부분에 충분하고 적절한 보호가 이루어질 수 있도록 준비한다. 수술할 부위를 소독할 때, 양 팔도 함께 소독하여 스타키넷(stockinet)을 씌우고, 탄력 붕대로 감아 몸통의 양쪽에 놓아 술자가 수혜부와 공여부에 수월하게 접근할 수 있도록 한다(**그림 8**). 수술 도중 발생하는 근육 경련은 피판 박리 도중 혈관경에 치명적인 손상을 초래할 수 있으므로 충분한 근이완(muscle relaxation)을 시행하고, 미세혈관문합을 시행하는 동안 흉벽의 움직임을 조절하기 위해 일회호흡량(tidal volume)의 조절이 필요할 수 있음을 마취통증의학과 의사와 미리 상의한다.

3) 수혜부 준비

즉시재건(immediate reconstruction)을 시행하는 경우, 여러 형태의 절개선을 통해 다양한 정도로 박리된 유방 피판을 보게 된다. 이 때 피판의 지혈 상태(hemostasis), 생존 범위(viability), 박리 범위 등에 대한 평가가 필요하며, 생존이 어려워 보이는 부분은 과감하게 절제하는 것이 좋다. 박리가 원래 유방의 경계를 넘어 진행된 경우, 미리 표시해 둔 유방하주름(inframmary fold)과 일측성 재건일 경우 남아있는 반대쪽 유방과 비교하여 봉합을 통해 유방하주름선을 다시 만들고, 유방하주름 가장자리에 적절한 봉합으로 측면 경계(lateral border)를 회복한다. 이를 통해 피판의 상당 부분이 가장자리로 빠지는 것을 막고, 유방 내측 가슴골을 만들 수 있으며, 수혜부로 사용된 내흉혈관(internal mammary vessel)을 적절하게 가릴 수 있다.

지연재건(delayed reconstruction)의 경우, 새로운 유방하주름의 위치를 정하고, 피판이 놓일 공간을 확보해야 한다. 일측성 재건일 경우, 반대쪽 유방과 비교하여 유방하주름의 위치를 정하게 되는데, 유방절제술 반흔을 절제하고 박리를 진행하면, 당겨짐이 풀리면서 반흔 아래쪽 피부와 연부조직이 좀 더 내려오고, 공여부 봉합을 시행할 때 아래쪽으로 당겨지는 것을 고려하여 반대쪽보다 2 cm 가량 높게 정하는 것이 좋다. 또는 하복부 피판 거상 후, 환자를 앉힌 상태에서 복부를 towel clamp 등으로 모으고 적절한 유방하주름의 위치를 가늠하는 방법을 고려할 수 있다. 유방절제술 반흔 조직을 남기면, 재건 후 유방을 옥죄는 듯한 모양을 보일 수 있어 충분히 절제하고, 필요한 경우 조직 검사를 시행한다. 반흔을 중심으로 위쪽 유방 피판은 하복부에서 온 피판과 자연스럽게 이어지면서 잘 펴지도록 끝부분을 얇게 거상하고, 필요하면 피하로 방사상 절개(radial scoring)를 가한다. 나머지 피판은 대흉근 근막 위 층으로 쇄골의 바로 위쪽까지 박리하고, 가장자리 쪽으로는 적당 범위를 거상하여 전액와선(anterior axillary line)을 유지하고, 피판이 가장자리 쪽으로 치우치는 것을 막는다. 반흔의 아래쪽으로는 유방하주름으로 예정된 선까지 표피만 제거(de-epithelization)하고, 나머지 연부조직을 남겨두어 부피를 더하고, 유방의 돌출을 개선할 수 있다.

수혜부 혈관으로써 내흉 동맥과 정맥(internal mammary artery and vein)은 흉배동맥 및 정맥(thoracodorsal artery and vein)과 비교하여 여러 장점들을 지닌다. 지연재건에서 예전에 액와임파절 절제술을 시행한 경우, 액와부에 위치한 흉배 혈관 박리가 반흔 때문에 쉽지 않다. 그리고 즉시재건에서 감시임파절 생검(sentinel node biopsy)을 시행한 경우, 추후 결과에 따라 액와임파절 절제술(axillary node dissection)이 필요할 수 있는데, 이 경우, 문합된 혈관 주위로 박리가 필요해 피판의 생존을 위협할 수 있다. 내흉혈관을 수혜부 혈관으로 사용하면, 흉배 혈관에 비해 재건된 유방을 좀더 내측으로 위치시키는 것이 용이하다. 아울러 흉강에 걸리는 음압(negative pressure)은 내흉 정맥(internal mammary vein)을 통한 배액을 촉진한다. 방사선치료로 인한 혈관 손상도 상대적으로 적으며, 심하복벽 혈관과 크기가 잘 맞는 것도 장점으로 꼽힌다. 왼쪽 내흉혈관, 특히 내흉 정맥의 크기가 작은 경우가 많지만, 문합을 시행하는데 어려움을 초래할 정도는 아니다.

내흉 동맥과 정맥 접근을 위해 늑연골을 제거하는 방법(rib cartilage resection approach)은 주로 3번째 또는 4번째 늑연골을 제거하고 생긴 공간을 이용하여 혈관 문합을 시도한다. 촉지를 통하여 절제할 늑연골의 위치를 확인하고, cautery를 이용하여 근섬유와 나란한 방향으로 대흉근을 벌리고, 흉늑접합부(sternocostal junction)에서 늑골의 연골-뼈 접합부(costochondral junction)까지 노출시킨다. 늑연골과 연골막(perichondrium)을 박리한 다음, 아래쪽 연골막 손상을 주의하

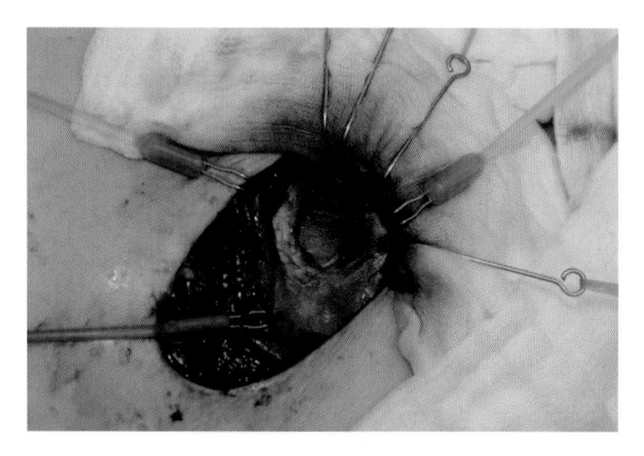

그림 9 왼쪽 제2 늑골간 공간에서 대흉근(pectoralis major)을 벌리고 늑간근(intercostalis)을 제거하여 내흉동맥(internal mammary artery)과 정맥(vein)을 노출시켰다.

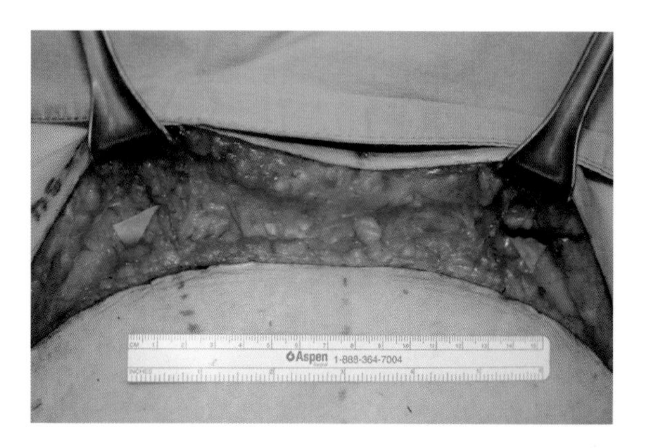

그림 10 피판의 정중선에서 4 – 6 cm 떨어진 부위에서 천하복벽 정맥(SIEV)이 자주 발견되므로 주의하면서 절개하고, 적절한 길이를 확보하여둔다.

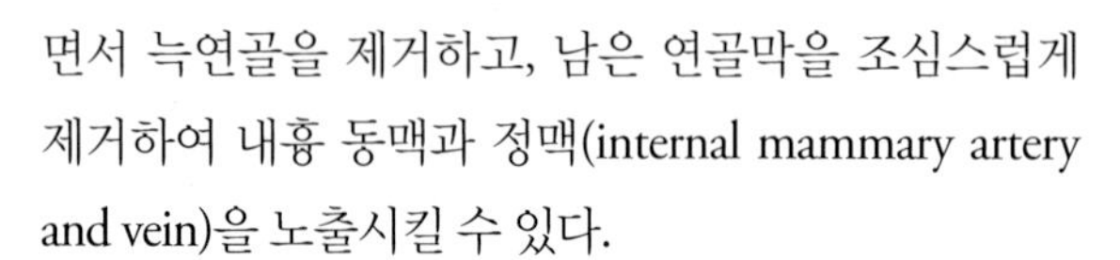

면서 늑연골을 제거하고, 남은 연골막을 조심스럽게 제거하여 내흉 동맥과 정맥(internal mammary artery and vein)을 노출시킬 수 있다.

반면 늑연골을 보존하는 방법(rib sparing approach)은 주로 상대적으로 넓은 제 2 늑간이나 때로는 제 3 늑간(intercostal space)을 이용하며, 공간의 추가적인 확보를 위해 늑연골 일부를 제거하기도 한다. 근섬유 방향과 나란한 방향으로 대흉근(pectoralis major)을 벌리고, bipolar cautery를 이용하여 흉골(sternum)의 가장자리로부터 3 cm 떨어진 지점에서 내측으로 진행하며 늑간근(intercostal muscle)을 절제한다. 이후 늑간근의 깊은 근막(deep fascia)과 느슨한 윤문상조직(areolar tissue)을 조심스럽게 제거한 다음, 내흉 동맥과 정맥(internal mammary artery and vein)을 노출시킬 수 있다. 이 방법은 수술 시간 단축, 수술 후 통증 감소, 늑연골 절제에 따른 문합 주변부 함몰과 같은 흉벽 관련 합병증의 감소가 가능해 저자들이 선호하는 방법이다(**그림 9**).

4) 피판 거상

환자를 앙와위(supine position)로 위치시키고, 미리 도안한 절개선을 따라 에피네프린이 첨가된 국소마취제를 아래쪽 도안의 천하복벽 동맥과 정맥(SIEA and SIEV)의 예상 주행 범위를 제외하고 고르게 주입한다. 도안된 피판의 상부나 하부 어느 쪽을 먼저 박리해도 상관없지만 상부를 먼저 박리하는 경우, 먼저 배꼽 주위로 절개를 가하여 근막까지 박리한다. 이어서 도안의 상부를 절개하고 혈관 소작을 통한 지혈에 주의하면서 근막까지 박리한다. 위쪽 방향으로 비스듬하게 진행하면 추가적인 지방 채취로 부피를 증가시킬 수 있다. 이후 복벽의 근막(fascia) 위 층을 따라 검상 돌기(Xiphoid process)와 늑골연(costal margin)에 이르도록 박리를 진행한다.

피판의 하부 도안을 절개할 때, 주의가 필요한데, 특히 중앙에서 4-6 cm 떨어진 부위에서 천하복벽 정맥(SIEV)이 발견되는 경우가 많으므로 진피를 지나 깊은 절개를 가하지 않도록 주의한다(**그림 10**). 천하복벽 정맥은 진피하혈관얼기(subdermal plexus)와 Scarpa 근막 사이 층으로 주행함을 염두에 두고, 지혈에 주의하며 박리를 진행한다. 천하복벽 정맥의 가측으로 2-3 cm 떨어진 위치에서 Scarpa 근막 아래로 진행하는 천하복벽 동맥(SIEA)을 발견할 수도 있다. 천하복벽 정맥이 아주 가늘지 않다면 피판과 함께 수 cm 가량 박리하

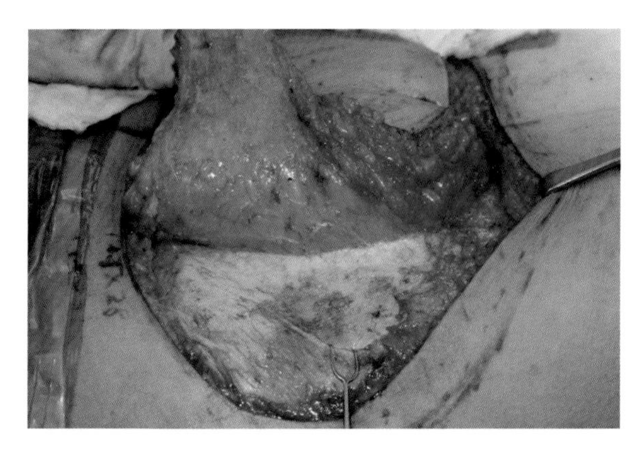

그림 11 가측에서 내측 방향으로 외복사근 근막 위 층으로 전복직근초(anterior rectus sheath)의 가장자리에 도달할 때까지 박리한다.

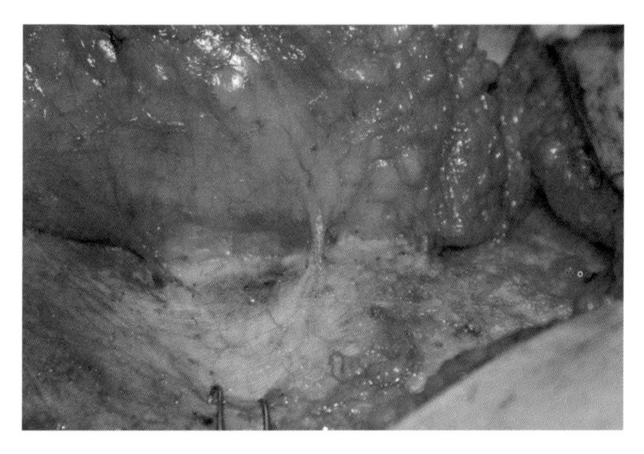

그림 12 전복직근초를 뚫고 나오는 만족스러운 크기의 정맥과 뚜렷한 맥동을 보이는 동맥을 포함한 천공지를 피판에 포함시킨다.

고, 혈관클립(hemoclip)으로 결찰해 둔다. 피판의 박리가 진행되는 동안 천하복벽 정맥(SIEV)의 두께 변화를 관찰하고, 필요한 경우 추가적인 혈관 문합에 이용한다. 피판의 상부 절개와 달리 하부 절개선에서는 복근의 근막까지 수직으로 박리한다. 이는 공여부를 봉합할 때, 상복부 피판과의 두께 차이를 줄이고, 층이 지거나 패여 보이는 현상을 예방하기 위해 필요하다.

이후 피판의 박리는 가장자리로부터 내측 방향으로 진행하는데, 전복직근초(anterior rectus sheath)의 가측 경계에 도달할 때까지 외복사근(external oblique muscle) 근막 위로 박리를 진행한다(**그림 11**). 이후 천공지를 마주할 수 있으므로 박리에 주의하고, CTA 등으로 확인한 최선의 천공지를 향해 곧바로 박리를 진행할 수 있다. 그렇지 않으면 여러 개의 천공지들을 찾고 천공지의 크기와 위치를 고려하여 적합한 천공지를 선택한다. 천공지가 근막을 뚫고 나오는 지점에서, 정맥의 두께가 대략 1 mm 이상이고, 촉지 가능하거나 육안으로 뚜렷한 맥동이 관찰되는 동맥이 있는 경우, 비교적 만족스러운 천공지로 볼 수 있으나 개인간 차가 심하다(**그림 12**). 또한 크기가 비교적 큰 천공지의 경우, 갈라진 근막의 틈과 주변으로 둘러싼 지방을 볼 수 있는 경우가 많다. 천공지의 크기와 위치가 적합한 경우, 하나의 천공지만으로도 피판의 거상이 가능하지만, 크기가 작거나 위치가 만족스럽지 않은 경우, 추가적인 천공지를 포함해야 한다. 다수의 천공지를 포함하거나, 각각의 천공지가 복직근 섬유 방향과 다른 평면 상에 위치하면, 근육 내 천공지 박리 범위가 넓어지고, 일정 부분의 근육 절개가 불가피한 경우도 있다. 이런 경우, 술자의 판단과 선호에 따라 근육 보존 횡복직근-피부 피판(muscle sparing TRAM flap)으로 변경하는 것도 고려할 수 있다.

처음 천공지를 근막에서 분리할 때, 보이지 않는 부분을 짐작으로 박리하지 않아야 하고, 천공지 주변으로 피판과 근막을 전 방향을 박리하여 충분한 시야를 확보해야 한다. 특히, 근막 바로 아래로 천공지의 혈관경 또는 분지가 진행하기도 하는데, 이를 염두에 두지 않고 부주의하게 서둘러 박리하면, 출혈로 시야가 나빠져 수술이 어려워진다. 천공지와 주변 근막을 분리한 다음, 위쪽으로 1-3 cm 가량 근막을 절개하여 천공지의 박리를 편리하게 하고 위쪽 혈관경의 결찰을 용이하게 할 수 있다. 천공지의 아래쪽으로 복직근과 나란하게 근막을 절개하고, 혈관경 박리를 시작한다.

근육 내 박리(intramuscular dissection) 동안 뚜렷한 시야의 확보를 위해, 확실하고 공들인 지혈이 반드시 필요하다. 이를 통해 혈관경의 손상을 최소화하면

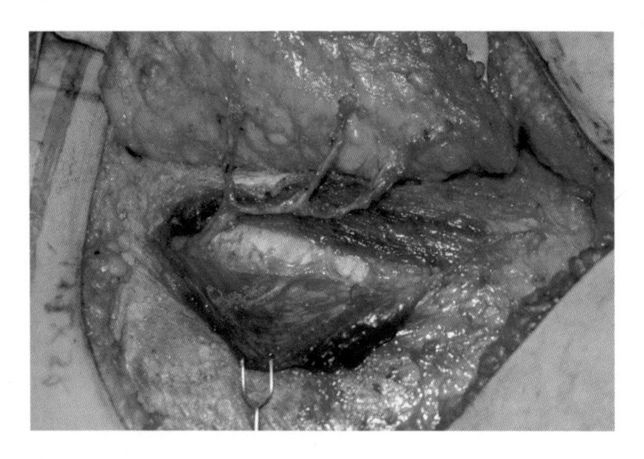

그림 13 천공지의 근육내 박리

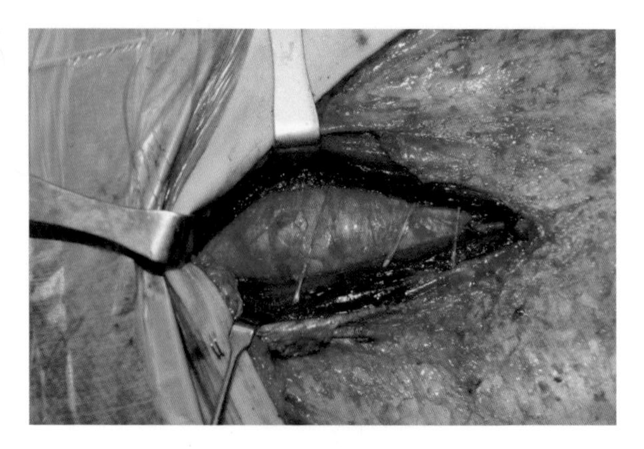

그림 14 피판 박리 후 복직근(rectus abdominis)의 외측에서 내측 방향으로 진행하는 늑간신경(intercostal nerve)을 보존한다.

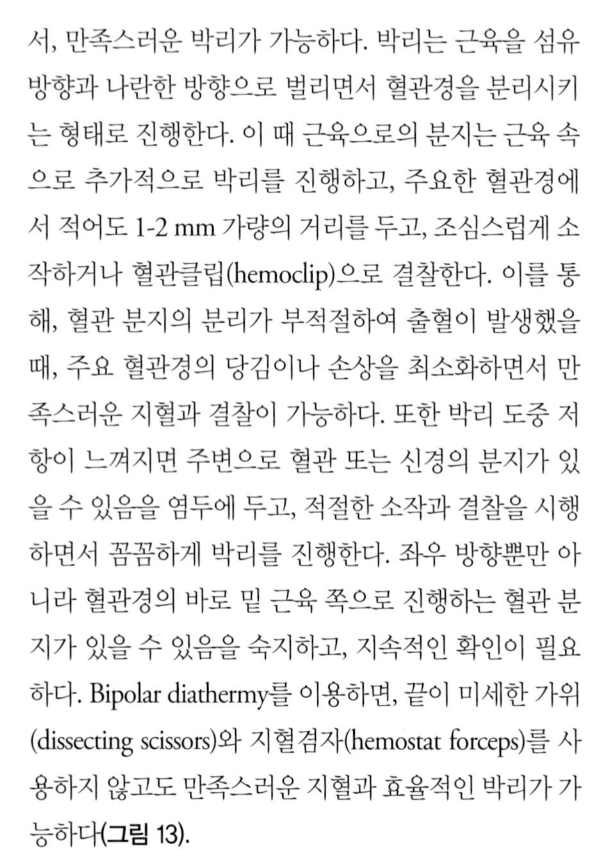

서, 만족스러운 박리가 가능하다. 박리는 근육을 섬유 방향과 나란한 방향으로 벌리면서 혈관경을 분리시키는 형태로 진행한다. 이 때 근육으로의 분지는 근육 속으로 추가적으로 박리를 진행하고, 주요한 혈관경에서 적어도 1-2 mm 가량의 거리를 두고, 조심스럽게 소작하거나 혈관클립(hemoclip)으로 결찰한다. 이를 통해, 혈관 분지의 분리가 부적절하여 출혈이 발생했을 때, 주요 혈관경의 당김이나 손상을 최소화하면서 만족스러운 지혈과 결찰이 가능하다. 또한 박리 도중 저항이 느껴지면 주변으로 혈관 또는 신경의 분지가 있을 수 있음을 염두에 두고, 적절한 소작과 결찰을 시행하면서 꼼꼼하게 박리를 진행한다. 좌우 방향뿐만 아니라 혈관경의 바로 밑 근육 쪽으로 진행하는 혈관 분지가 있을 수 있음을 숙지하고, 지속적인 확인이 필요하다. Bipolar diathermy를 이용하면, 끝이 미세한 가위(dissecting scissors)와 지혈겸자(hemostat forceps)를 사용하지 않고도 만족스러운 지혈과 효율적인 박리가 가능하다**(그림 13)**.

박리를 진행하면서 늑간 신경(intercostal nerve)의 분지들과 여러 차례 교차하는 지점을 지나게 된다. 운동 신경과 감각 신경이 섞여 있는 신경 분지는 대개 복직근초(rectus sheath)의 가측에서 진입하여 내측으로 진행하는데, 복직근(rectus abdominis muscle)의 가장자리부터 근육 폭의 1/3 가량 되는 지점의 후면에서 근육을 뚫고 들어와 천공지를 따라 피판으로 진행하는 감각 신경과 천공지의 위를 타고 넘는 형태로 내측으로 진행하는 운동 신경으로 분지한다. 따라서 혈관경의 가측으로 신경과 함께 주행하는 혈관 분지는 조심스럽게 결찰하여 절단하고, 신경을 조심스럽게 박리하여 피판으로 향하는 감각 신경은 절단해도 무방하나, 운동 신경은 보존하도록 한다**(그림 14)**. 여러 천공지와 얽혀 있어 박리를 위해 불가피한 경우, 운동 신경을 절단하고, 피판을 박리한 다음 공여부 봉합 전에 신경외막봉합(epineural repair)을 시행할 수 있다.

혈관경의 박리가 근위부로 진행되면 복직근 내부를 지나 복직근과 후복직근초(posterior rectus sheath) 또는 복직근과 복횡근근막(transversalis fascia) 사이의 층으로 심하복벽 혈관이 가장자리 방향을 향해 비스듬하게 주행하게 된다. 이때 혈관경 박리를 위해 제한적인 근막 절개와 근육 견인으로 수술 시야를 확보할 수 있다. 또는 전복직근초(anterior rectus sheath) 절개와는 별도로 복직근의 반월선(linea semilunaris)에 연하여 근막 절개를 가하고, 복직근을 박리하여 내측으로 견인하여 시야를 확보할 수도 있다. 혈관경의 길이는 예

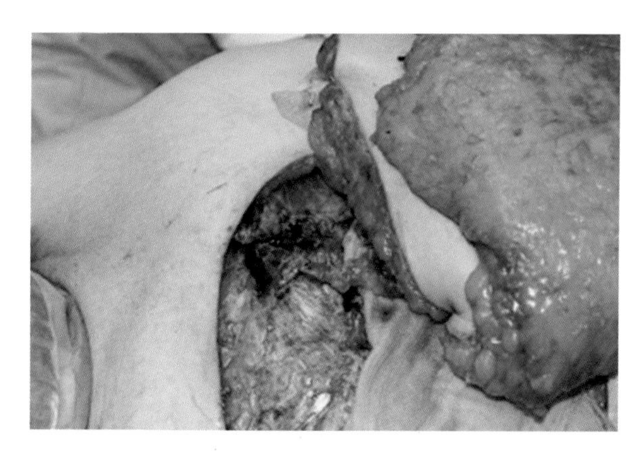

그림 15 충분한 길이의 혈관경을 확보하여 자유롭게 피판을 위치시킬 수 있다.

상되는 피판의 위치, 혈관 문합 부위와의 관계, 혈관경의 당김 방지를 고려하여 결정한다. 저자들의 경우 충분한 혈관경을 얻기 위해, 심하복벽 혈관(deep inferior epigastric vessel)이 기시하는 외장골 혈관(external iliac vessel) 인접부까지 박리하고 혈관을 결찰한다. 이는 충분한 박리로 문합하기 쉬운 큰 지름의 혈관을 얻을 수 있고, 만일 혈관 관련 합병증으로 응급 재수술이 필요한 경우에도, 어려움 없이 혈관을 절단하고, 혈관 손상이 없는 안전한 부분에서 재문합이 가능하기 때문이다. 아울러 혈관경이 긴 경우, 늘어진 S자 곡선의 형태로 위치시키면 되지만, 모자란 경우, 피판을 위치시키고 유방의 모양을 만드는데 제한이 있을 수 있다(**그림 15**).

한쪽 혈관경을 근위부까지 박리할 때, 반대쪽 천공지는 박리하지 않은 상태로 유지하여, 비상 수단으로 남겨 두는 것이 좋다. 적절한 부피를 얻기 위해 복부 양쪽의 천공지를 혈관경으로 포함(bipedicled flap)해야 하는 경우, 반대쪽 천공지를 미리 박리한 주혈관경과 문합하기에 적절한 길이를 얻을 때까지 박리한 뒤 결찰하여 거상을 마무리한다(**그림 16**). 분리된 배꼽의 진피와 전복직근초(anterior rectus sheath)를 봉합사로 떠서 여유 있게 남겨 두어, 공여부 봉합 시 배꼽의 재배치에 이용할 수 있도록 미리 준비하고, 분리된 피판의 무

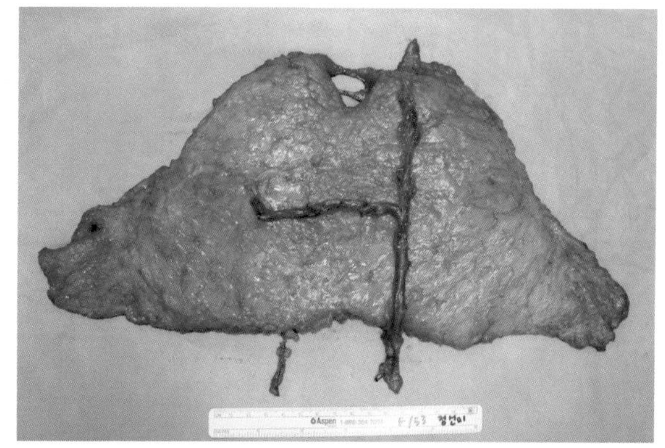

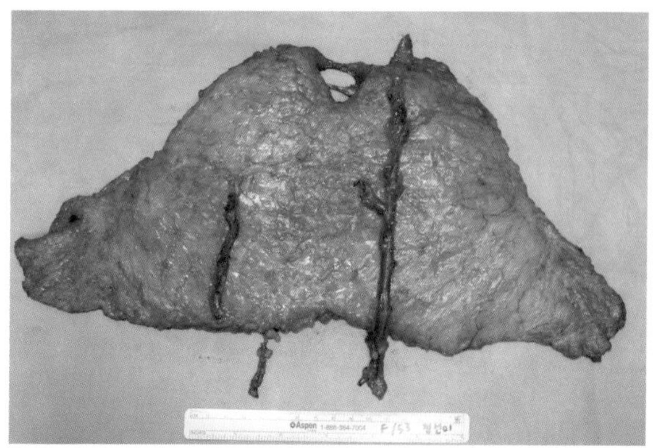

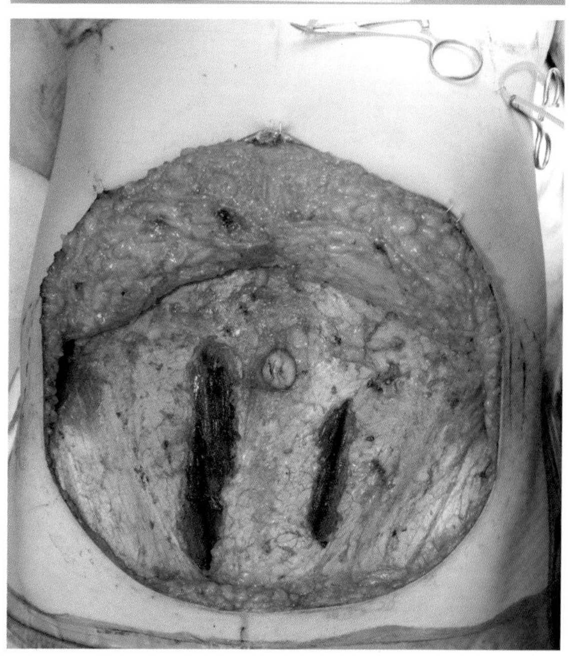

그림 16 **심하복벽동맥 천공지 피판**
피판과 천하복벽정맥(SIEV)을 함께 박리해 두면, 정맥 환류가 원활하지 못할 때 추가적인 정맥 문합이 가능하다. 추가적으로 부피가 필요한 경우, 양측 복근에서 각각 천공지를 거상한 다음 피판내 문합을 시도할 수 있다.

게를 측정한다.

5) 미세혈관문합

피판을 가슴 부위로 옮길 때 혈관경이 꼬이지 않도록 주의하고, 특히, 하나의 천공지만 포함한 혈관경을 이용할 경우 각별한 관심이 필요하다. 피판을 들고 혈관경을 자연스럽게 늘어뜨려 혈관경의 방향을 원위치로 회복하거나, 혈관경 동맥과 동반 정맥을 다른 방법으로 결찰하여 위치를 표시하는 방법을 사용할 수도 있다. 피판을 흉벽에 올려놓고 나서, 단단한 임시 고정이 반드시 필요하다. 이는 피판 이동에 따른 혈관경의 위치 변화와 갑작스런 피판 추락에 따른 참사를 예방하기 위함이다. 피판을 수술포를 이용하여 만든 주머니로 감싸거나, Skin stapler 등을 이용하여 직접 고정한 다음 젖은 거즈나 수술포로 덮는다. 이를 통해 피판과 혈관경이 마르거나, 이에 따른 혈관경 내벽의 손상을 예방할 수 있다. 또한 피판의 위치가 미세수술을 시행하는 도중 손의 움직임을 방해하지 않도록 세심한 주의를 기울인다. 일반적으로 내흉 정맥(internal mammary vein, IMV)이 내흉 동맥(internal mammary artery, IMA)보다 내측에 위치하므로 9-0 nylon 등의 봉합사로 정맥 문합을 먼저 시행하고, 이어서 내흉 동맥과 심하복벽 동맥간의 문합을 시행한다. 혈관 문합은 정맥의 경우 단단 문합(end-to-end anastomosis)으로, 동맥의 경우 단단 문합 또는 단측 문합(end-to-side anastomosis)을 시행할 수 있다. 저자들은 늑간(intercostal space)에서 동맥의 단측 문합을 시행하는데, 이는 앞서 언급한 늑연골 보존 방법의 장점들을 유지함은 물론, 잠재적으로 심혈관 질환 치료에 사용 가능한 내흉 동맥(internal mammary artery)을 보존하기 위함이다. 문합이 끝난 다음 혈관겸자(vessel clamp)를 제거하고, 혈관의 문합 상태와 피판의 혈액 순환을 관찰한다(**그림 17**).

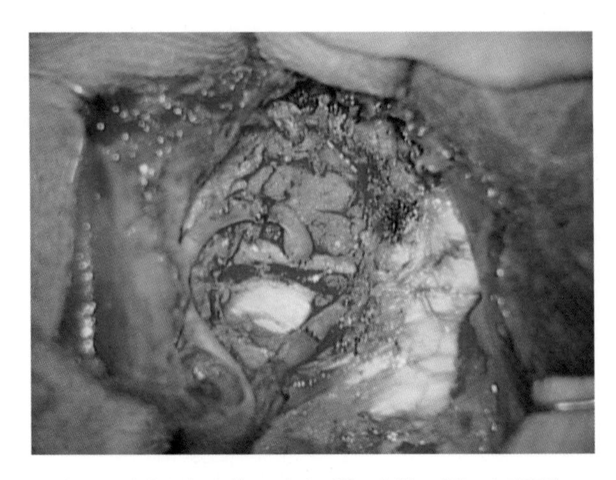

그림 17 심하복벽 정맥(DIEV)과 내흉 정맥(IMV)을 단단문합(E-E anastromosis)하고, 심하복벽 동맥(DIEA)을 내흉 동맥(IMA)에 단측문합(E-S anastomosis)한 모습.

6) 피판 위치 잡기와 유방 모양 만들기

피판은 미용적으로 만족스러운 모양을 위해 유방 상내측 부피의 보존, 적절한 돌출과 자연스러운 처짐 등에 대해 고려하고, 일측성 재건의 경우 반대편 유방과의 대칭을 염두에 두고 위치시킨다. 혈액 순환이 가장 좋은 피판의 부위가 내측에 놓이게 함으로써, 재건 이후 유방의 상내측이 꺼져 보이는 것을 예방할 수 있고, 부차적으로는 혈관 문합 부위를 피판으로 덮어 보호할 수 있기 때문이다. 혈액 순환이 비교적 나쁜 피판의 부분인 제 4영역(zone IV)은 재건에 필요한 무게를 고려하여 가능하면 모두 제거하고, 혈액 순환 상태를 고려하여 제 3영역(zone III)의 일부분도 절제한다. 피판에서 혈액 순환이 덜 좋은 부분을 외측에 위치시킴으로써 부분적인 피판의 괴사(partial necrosis)나 지방 괴사(fat necrosis) 등이 나타날 경우, 피판을 절제 하고 국소 피판술 등으로 재건하여 재수술을 편리하게 할 수 있다. 그러나 유방의 모양과 술자의 선호에 따라서도 혈관경(동측/반대측)과 피판 위치잡기(수직/가로)의 방향이 달라진다. 저자들은 동시재건의 경우, 반대측 혈관경을 이용하여 피판을 수직 내지 사선 방

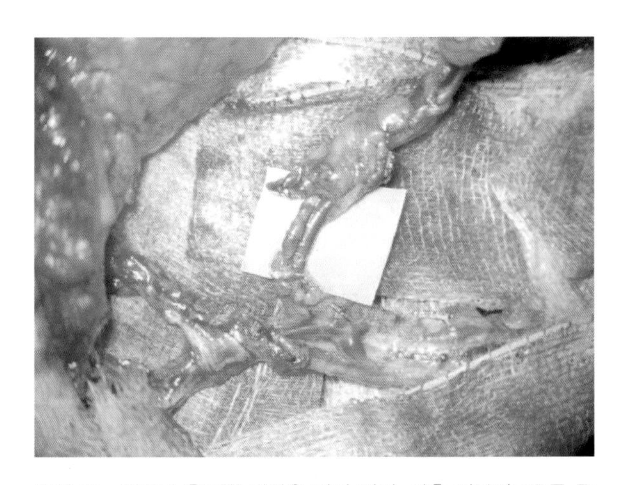

그림 18 재건에 충분한 피판을 얻기 위해, 양측 전복직근초를 뚫고 나오는 천공지를 피판 내에서 연결하기도 한다. 내흉 혈관과 문합한 혈관경의 분지와 반대편 피판과 함께 박리한 천공지를 연결하였다.

향으로 위치시키는 것을 선호한다. 하복부 피판의 대부분을 사용하여야 하는 경우, 양측성으로 천공지를 박리하여(bipedicled DIEP flap) 피판내문합(intraflap anastomosis)을 시행하여야 한다(**그림 18**). 피판의 울혈(congestion)이 관찰되는 경우, 혈관 문합 부위와 혈관경의 꼬임 또는 꺾임 유무를 다시 확인하여야 하고, 필요한 경우, 천하복벽 정맥(SIEV)을 혈관경의 동반 정맥(vena commitans)과 또는 흉배 정맥(thoracodorsal vein), 흉견봉 정맥(thoracoacromial vein), 외경 정맥(external jugular vein), 두부 정맥(cephalic vein) 등과 추가적으로 문합(superdrainage)하는 것도 고려해볼 수 있다.

피판을 유방 절제술로 발생한 공간에 채워넣고, skin stapler로 임시 봉합하여 침대를 움직여 환자를 앉힌 다음 모양을 평가한다. 모양이 대칭적이고 미용적으로 만족스러운 경우, 피부가 남겨질 부분을 표시하고, 꺼내어 편한 위치에 임시 고정한다. 표시된 피부 이외의 부분은 표피를 제거(deepithelization)하고, 남아있는 피부와 표피를 제거한 부분 경계면의 진피를 cautery로 절개하여, 남아있는 유방 피부와 층이 지지 않고 매끄럽게 이어지게 한다. 표피를 제거한 부분에서 나오는 혈액의 성상을 관찰하여 피판의 혈액 순환을 재차 평가하고, 꼼꼼하게 지혈하여 혈종을 예방한다. 피판을 다시 조심스럽게 밀어 넣고, 피판의 진피 또는 Scarpa 근막과 수혜부 대흉근(pectoralis major) 근막을 흡수성 봉합사로 피판의 위쪽과 안쪽 경계 몇 곳을 고정한다. 시간이 경과함에 따라 재건한 유방이 하측방으로 처질 것을 염두에 두고, 내상방이 약간 과교정 되게 하는 것이 좋다. 또한 반대쪽 유방과 크기가 비슷하거나 10% 가량 크게 재건 하는 것이 바람직한데, 이는 이후 지방 흡입을 시행하는 것이 부피가 부족한 가슴을 지방 이식 등으로 균형을 맞추는 것보다 훨씬 쉽기 때문이다. 혈관 문합 부위에 직접적인 영향을 주지 않도록 주의하면서 두 개의 배액관을 삽관하고, 미지근한 생리식염수로 수 차례 세척하고 봉합을 진행한다.

7) 공여부 봉합

절개된 근막은 절제한 근막이 없어 긴장 없이 봉합이 가능하다. 갈라진 복직근은 3-0 round Vicryl을 이

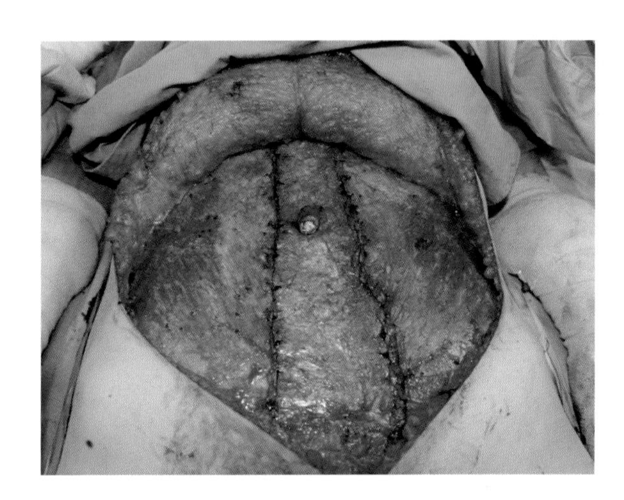

그림 19 **근막 봉합이 완성된 모습**
양쪽 근막을 대칭적으로 봉합하고, 환자를 앉혀 보아 상복부 돌출의 가능성이 높은 부분을 추가적으로 봉합하였다.

용하여 수평매트리스봉합(horizontal mattress suture)으로, 근막은 1-0 PDS를 이용하여 팔자상봉합(figure of eight)을 단순단속봉합(simple interrupted suture)의 형태로 시행한다. 아울러 복벽의 늘어짐을 막고 미용적인 개선을 목적으로 1-0 Prolene을 이용하여 매듭이 근막에 덮이게 하면서 연속연쇄봉합(continuous interlocking suture)을 양측 복직근 위 근막에 대칭적으로 시행한다. 이러한 근막 봉합은 상복부까지 실시하여 상복부 돌출이 생기지 않도록 한다(**그림 19**). 배꼽의 성형은 다양한 방법으로 이루어질 수 있는데, 일단 위치는 양쪽 전상장골극(ASIS)을 잇는 선상에 놓이도록 하는 것이 좋으나 상황에 따라 달라질 수 있다. 저자들은 적절한 위치에 복부 피판에 적절한 크기의 뒤집힌 V(inverted V)형 절개를 가하고, 절개선 주변 피하지방을 제거하여 두께를 줄인다. 준비해둔 배꼽 주변의 봉합사를 이용하여 전복직근초(anterior rectus sheath)와 피판의 연부 조직과 진피를 뜨고 조심스럽게 당겨 주어 적절한 위치에 놓이도록 한다. 두 개의 배액관을 삽관하고, 미지근한 생리식염수로 충분히 세척하고, 출혈이 없는지 다시 확인한 다음, 복부 피판을 하내측으로 당기면서 옆구리 부분에 견이 변형(dog-ear deformity)의 발생을 최소화하면서 봉합한다.

5. 술후 관리

수술 후 면밀한 피판의 감시는 유리 피판을 이용한 만족스러운 유방 재건을 위해 필수적이다. 이는 유리 피판을 이용한 재건에서, 피판의 혈액 순환 이상이 의심되어 재확인하는 경우가 1.11-6% 가량 되고, 적절한 조치가 취해질 경우, 42.9-88.9%까지 혈행의 재개와 피판의 회생이 가능하기 때문이다. 수술 후 피판의 감시는 가능하면 자주, 많은 정보를 얻어 이전 감시 결과와 비교하고 평가하는 것을 일반적인 원칙으로 한다. 피판의 색깔, 모세혈관 표면 온도, 피부의 긴장도 등의 임상적인 정보뿐만 아니라 문합한 혈관 주변으로 Doppler를 설치하거나 피판에 Laser Doppler를 부착하여 혈류의 변화를 통하여 감시할 수 있다. 어떠한 방법이든 규칙적인 간격으로 이루어져야 하고, 조금이라도 이상 소견을 보이면 최대한 빨리 수술실로 들어가 확인하는 것이 필요하다. 따라서 신속하고 원활한 의사소통을 위해 모바일 기기를 이용하는 방법도 편리하게 활용될 수 있다.

응급 수술의 가능성을 고려하여 1-2일 가량 금식을 유지하고, 정맥을 통해 적절히 수분을 공급한다. 같은 기간 동안 움직임을 제한하고, 항혈전색전 스타킹(anti-thromboembolic stocking)과 간헐적 압박 펌프(intermittent compression pump)를 착용하게 한다. 입원 기간 동안 복부의 통증을 줄이고, 공여부 상처의 치유를 돕기 위해, 상체를 일으키거나 다리와 무릎 밑에 여러 개의 베게 등 구조물을 놓고 허리를 굽힌 채 유지하도록 한다. 수술 후 2-3일경부터 보행기(walker) 등의 도움을 받아 허리를 굽힌 상태로 보행을 시작하고, 소변 배액관(urinary catheter)을 제거한다. 피판의 혈류 개선, 혈관 확장 및 혈액 응고 방지 목적으로 다양한 약물의 사용이 보고되고 있으나, 저자들의 경우 수술 중 혈관 문합이 끝난 이후 LipoPGE1 수액에 혼합하여 수시간에 걸쳐 정주하고, 수술 후 5일까지 매일 1회 정주하며, 다른 약물을 추가로 사용하지 않고 있다. 수술 후 2-3일경부터 와이어가 없고 가슴을 부드럽게 지지해줄 수 있는 브레지어를 착용하게 한다. 유방과 복부의 배액관은 하루 30 ml 이하의 양이 배액될 때까지 유지하고 이에 맞춰 수술 후 6-8일경 퇴원한다. 수술 후 3주까지 과도한 팔의 움직임을 제한하고 8 주까지 무거운 물건을 들거나 격렬한 운동을 금한다. 수술 후 3-6개월 가량 경과한 다음 유두를 만들고, 양쪽 유방의 균형을 맞추기 위한 수술과 복부의 반흔, 견이 변형(dog-ear deformity) 등에 대한 교정을 시행할 수 있고, 이러한

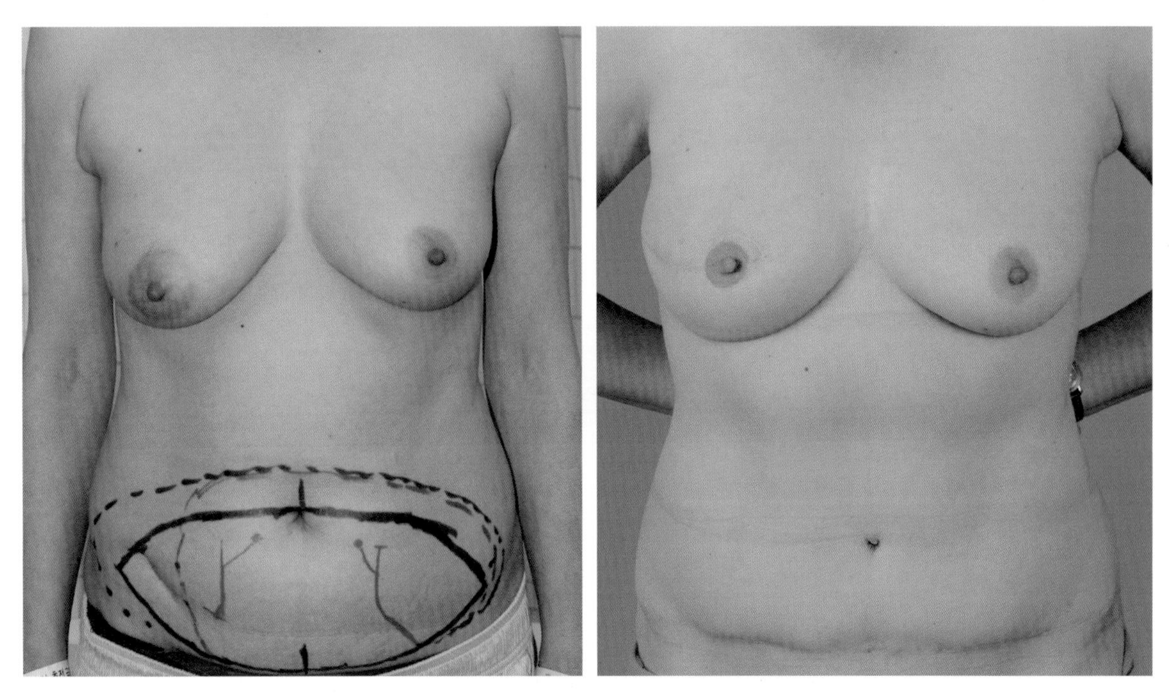

증례 1 우측 유방의 다발성 침윤성유선암으로 피부보존절제술과 항암치료를 받은 환자. 심하복벽동맥천공지 피판을 이용한 유방 재건술 619일 경과 후 사진.

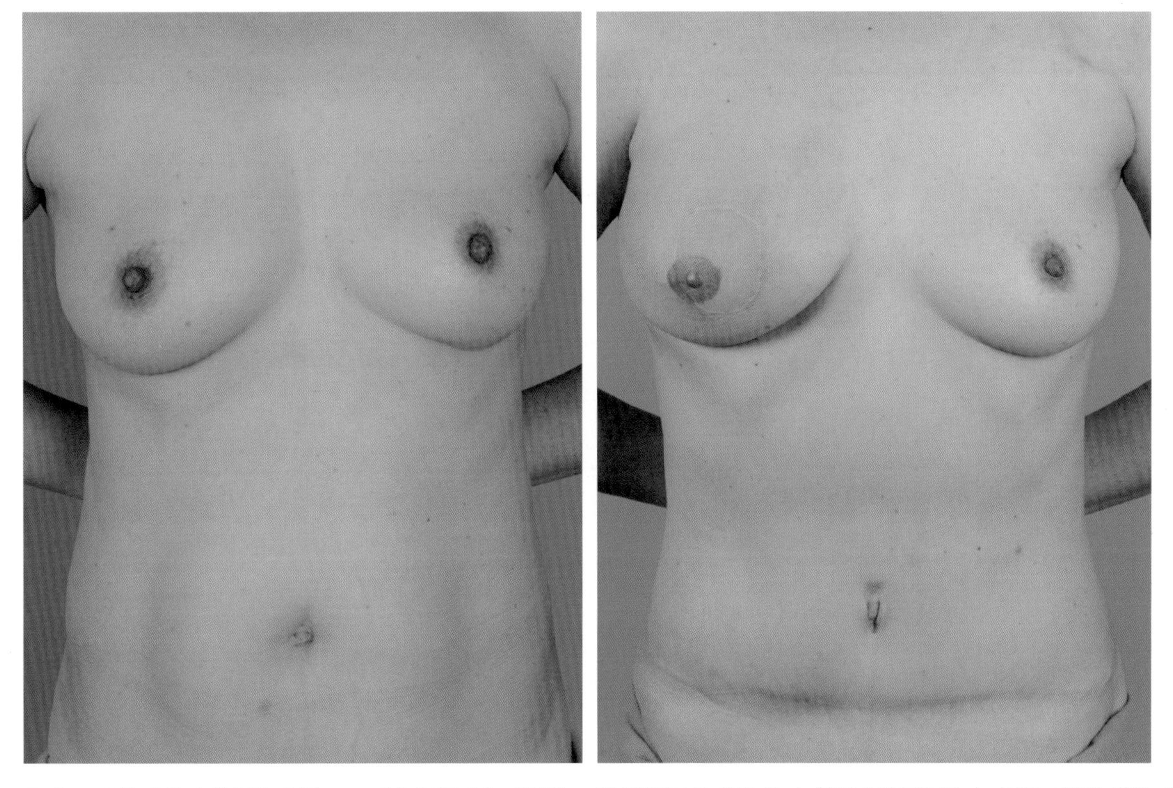

증례 2 우측 유방의 침윤성소엽암으로 피부보존절제술, 항암치료, 방사선치료를 받은 환자. 심하복벽동맥천공지 피판을 이용한 유방 재건술 600일 경과 후 사진.

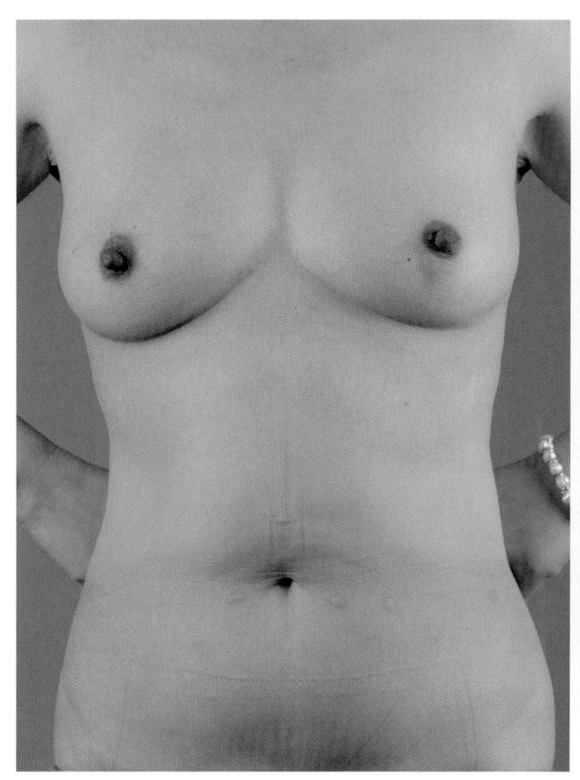
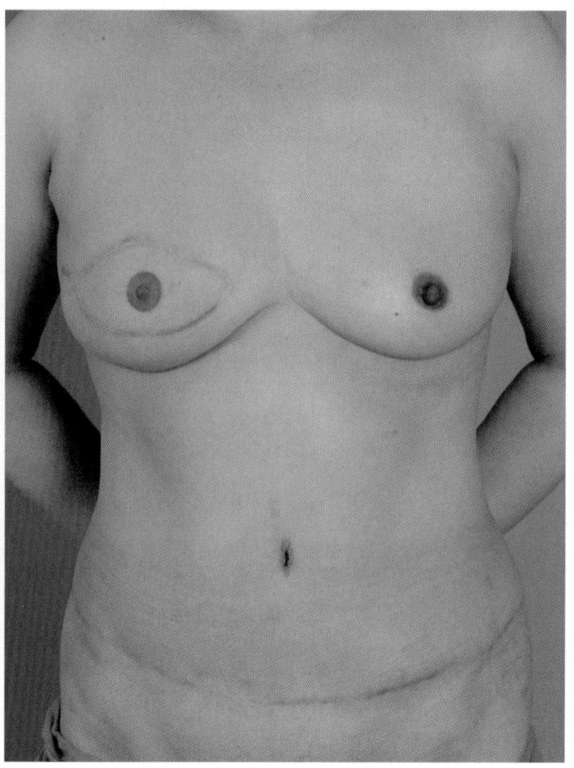

증례 3 우측 유방의 침윤성유선암으로 변형근치절제술, 항암치료, 방사선치료를 받은 환자. 심하복벽동맥천공지 피판을 이용한 유방 재건술 419일 경과 후 사진.

수술 이후 2개월이 경과하여 유두 문신을 시행한다.

6. 합병증

하복부를 공여부로 하는 피판을 이용한 유방 재건에서 비만(BMI>30), 복부의 다발성 반흔과 흡연력은 공여부 합병증과 재건된 유방의 지방 괴사 가능성을 높일 수 있다. 따라서 가능하다면 수술 전 3주 내지 3개월 전부터 금연하고, 체중 조절을 위해 노력하는 것이 좋다. 아울러 수술 전 검사(CTA)를 통해 적합한 천공지를 찾아 피판의 혈관경으로 사용하면, 원활한 피판의 혈액 순환이 가능하여 지방 괴사를 예방하는데 도움이 된다.

주요한 합병증으로 전체 피판 괴사(total flap loss)는 1% 가량에서 나타나고, 지방 괴사(fat necrosis)는 0.2-12.9% 가량에서 관찰되는 것으로 알려져 있다. 드물지만 복벽의 돌출(abdominal bulging)도 1% 가량에서 발생하고, 혈종(hematoma), 창상의 염증 또는 치유지연, 심부정맥혈전증(deep vein thrombosis)이 발생하기도 한다.

참·고·문·헌

1. Arnez ZM, Khan U, Pogorelec D, Planinsek F. Rational selection of flaps from the abdomen in breast reconstruction to reduce donor site morbidity. Br J Plast Surg 1999;52:351-4.

2. Audolfsson T, Rozen WM, Wagstaff MJ, Whitaker IS, Acosta R. A reliable and aesthetic technique for cephalic vein harvest in DIEP flap surgery. J Reconstr Microsurg 2009;25:319-21.
3. Blondeel PN, Arnstein M, Verstraete K, et al. Venous congestion and blood flow in free transverse rectus abdominis myocutaneous and deep inferior epigastric perforator flaps. Plastic and reconstructive surgery 2000;106:1295-9.
4. Blondeel PN, Beyens G, Verhaeghe R, et al. Doppler flowmetry in the planning of perforator flaps. Br J Plast Surg 1998;51:202-9.
5. Blondeel PN, Demuynck M, Mete D, et al. Sensory nerve repair in perforator flaps for autologous breast reconstruction: sensational or senseless? Br J Plast Surg 1999;52:37-44.
6. Boyd JB, Taylor GI, Corlett R. The vascular territories of the superior epigastric and the deep inferior epigastric systems. Plastic and reconstructive surgery 1984;73:1-16.
7. Bunkis J, Walton RL, Mathes SJ, Krizek TJ, Vasconez LO. Experience with the transverse lower rectus abdominis operation for breast reconstruction. Plastic and reconstructive surgery 1983;72:819-29.
8. Chang DW, Reece GP, Wang B, et al. Effect of smoking on complications in patients undergoing free TRAM flap breast reconstruction. Plastic and reconstructive surgery 2000;105:2374-80.
9. Chang DW, Wang B, Robb GL, et al. Effect of obesity on flap and donor-site complications in free transverse rectus abdominis myocutaneous flap breast reconstruction. Plastic and reconstructive surgery 2000;105:1640-8.
10. Cina A, Barone-Adesi L, Rinaldi P, et al. Planning deep inferior epigastric perforator flaps for breast reconstruction: a comparison between multidetector computed tomography and magnetic resonance angiography. Eur Radiol 2013;23:2333-43.
11. Gill PS, Hunt JP, Guerra AB, et al. A 10-year retrospective review of 758 DIEP flaps for breast reconstruction. Plastic and reconstructive surgery 2004;113:1153-60.
12. Giunta RE, Geisweid A, Feller AM. The value of preoperative Doppler sonography for planning free perforator flaps. Plastic and reconstructive surgery 2000;105:2381-6.
13. Hallock GG. Perforasomes, Venosomes, and Perfusion Zones of the DIEAP Flap. Plastic and reconstructive surgery 2010;126:2282-4; author reply 4-6.
14. Hamdi M, Rebecca A. The Deep Inferior Epigastric Artery Peforator Flap (DIEAP) in Breast Reconstruction. Seminars in Plastic Surgery 2006;20:95-102.
15. Hartrampf CR, Scheflan M, Black PW. Breast reconstruction with a transverse abdominal island flap. Plastic and reconstructive surgery 1982;69:216-25.
16. Heitmann C, Felmerer G, Durmus C, Matejic B, Ingianni G. Anatomical features of perforator blood vessels in the deep inferior epigastric perforator flap. Br J Plast Surg 2000;53:205-8.
17. Hofer SO, Damen TH, Mureau MA, Rakhorst HA, Roche NA. A critical review of perioperative complications in 175 free deep inferior epigastric perforator flap breast reconstructions. Annals of plastic surgery 2007;59:137-42.
18. Holm C, Mayr M, Hofter E, Ninkovic M. Perfusion zones of the DIEP flap revisited: a clinical study. Plastic and reconstructive surgery 2006;117:37-43.
19. Holmstrom H. The free abdominoplasty flap and its use in breast reconstruction. An experimental study and clinical case report. Scand J Plast Reconstr Surg 1979;13:423-27.

20. Hwang JH, Mun GH. An evolution of communication in postoperative free flap monitoring: using a smartphone and mobile messenger application. Plastic and reconstructive surgery 2012;130:125-9.
21. Imanishi N, Nakajima H, Minabe T, Chang H, Aiso S. Anatomical relationship between arteries and veins in the paraumbilical region. Br J Plast Surg 2003;56:552-6.
22. Kikuchi N, Murakami G, Kashiwa H, Homma K, Sato TJ, Ogino T. Morphometrical study of the arterial perforators of the deep inferior epigastric perforator flap. Surg Radiol Anat 2001;23:375-81.
23. Kim H, Lim SY, Pyon JK, Bang SI, Oh KS, Mun GH. Preoperative computed tomographic angiography of both donor and recipient sites for microsurgical breast reconstruction. Plastic and reconstructive surgery 2012;130:11e-20e.
24. Kim H, Lim SY, Pyon JK, et al. Rib-sparing and internal mammary artery-preserving microsurgical breast reconstruction with the free DIEP flap. Plastic and reconstructive surgery 2013;131:327e-34e.
25. Koshima I. Short pedicle superficial inferior epigastric artery adiposal flap: new anatomical findings and the use of this flap for reconstruction of facial contour. Plastic and reconstructive surgery 2005;116:1091-7.
26. Koshima I, Soeda S. Inferior epigastric artery skin flaps without rectus abdominis muscle. Br J Plast Surg 1989;42:645-8.
27. Kroll SS, Gherardini G, Martin JE, et al. Fat necrosis in free and pedicled TRAM flaps. Plastic and reconstructive surgery 1998;102:1502-7.
28. Kronowitz SJ, Chang DW, Robb GL, et al. Implications of axillary sentinel lymph node biopsy in immediate autologous breast reconstruction. Plastic and reconstructive surgery 2002;109:1888-96.
29. Kwon SS, Chang H, Minn KW, Lee TJ. Venous drainage system of the transverse rectus abdominis musculocutaneous flap. Scand J Plast Reconstr Surg Hand Surg 2009;43:312-4.
30. Langer S, Munder B, Seidenstuecker K, et al. Development of a surgical algorithm and optimized management of complications - based on a review of 706 abdominal free flaps for breast reconstruction. Med Sci Monit 2010;16:CR518-22.
31. Lee KT, Lee JE, Nam SJ, Han BK, Mun GH. Is Holm Zone III safe from fat necrosis in medial row perforator-based deep inferior epigastric perforator flaps? Microsurgery 2015;35:272-8.
32. Lie KH, Taylor GI, Ashton MW. Hydrogen peroxide priming of the venous architecture: a new technique that reveals the underlying anatomical basis for venous complications of DIEP, TRAM, and other abdominal flaps. Plastic and reconstructive surgery 2014;133:790e-804e.
33. Lipa JE. DIEP Flap Breast Reconstruction. In: Hall-Findlay EJ, Evans GRD, eds. AESTHETIC AND RECONSTRUCTIVE SURGERY OF THE BREAST: SAUNDERS ELSERVIER; 2010.
34. Masia J, Clavero JA, Larranaga JR, Alomar X, Pons G, Serret P. Multidetector-row computed tomography in the planning of abdominal perforator flaps. Journal of plastic, reconstructive & aesthetic surgery : JPRAS 2006;59:594-9.
35. Mehrara BJ, Santoro TD, Arcilla E, Watson JP, Shaw WW, Da Lio AL. Complications after microvascular breast reconstruction: experience with 1195 flaps. Plastic and reconstructive surgery 2006;118:1100-9; discussion 10-1.
36. Mehrara BJ, Santoro T, Smith A, et al. Alternative venous outflow vessels in microvascular breast reconstruction.

Plastic and reconstructive surgery 2003;112:448-55.
37. Moon HK, Taylor GI. The vascular anatomy of rectus abdominis musculocutaneous flaps based on the deep superior epigastric system. Plastic and reconstructive surgery 1988;82:815-32.
38. Mun GH, Lee SH. Efficient dissection of an intramuscular perforator using bipolar forceps. Annals of plastic surgery 2007;58:591.
39. Nahabedian MY, Momen B, Galdino G, Manson PN. Breast Reconstruction with the free TRAM or DIEP flap: patient selection, choice of flap, and outcome. Plastic and reconstructive surgery 2002;110:466-75; discussion 76-7.
40. Neil-Dwyer JG, Ludman CN, Schaverien M, McCulley SJ, Perks AG. Magnetic resonance angiography in preoperative planning of deep inferior epigastric artery perforator flaps. Journal of plastic, reconstructive & aesthetic surgery : JPRAS 2009;62:1661-5.
41. Parrett BM, Caterson SA, Tobias AM, Lee BT. DIEP flaps in women with abdominal scars: are complication rates affected? Plastic and reconstructive surgery 2008;121:1527-31.
42. Phillips TJ, Stella DL, Rozen WM, Ashton M, Taylor GI. Abdominal wall CT angiography: a detailed account of a newly established preoperative imaging technique. Radiology 2008;249:32-44.
43. Pratt GF, Rozen WM, Chubb D, Ashton MW, Alonso-Burgos A, Whitaker IS. Preoperative imaging for perforator flaps in reconstructive surgery: a systematic review of the evidence for current techniques. Annals of plastic surgery 2012;69:3-9.
44. Reardon CM, O'Ceallaigh S, O'Sullivan ST. An anatomical study of the superficial inferior epigastric vessels in humans. Br J Plast Surg 2004;57:515-9.
45. Robbins TH. Rectus abdominis myocutaneous flap for breast reconstruction. Aust N Z J Surg 1979;49:527-30.
46. Rozen WM, Chubb D, Crossett M, Ashton MW. The future in perforator flap imaging: a new technique to substantially reduce radiation dose with computed tomographic angiography. Plastic and reconstructive surgery 2010;126:98e-100e.
47. Rozen WM, Pan WR, Le Roux CM, Taylor GI, Ashton MW. The venous anatomy of the anterior abdominal wall: an anatomical and clinical study. Plastic and reconstructive surgery 2009;124:848-53.
48. Sacks JM, Chang DW. Rib-sparing internal mammary vessel harvest for microvascular breast reconstruction in 100 consecutive cases. Plastic and reconstructive surgery 2009;123:1403-7.
49. Schaverien M, Saint-Cyr M, Arbique G, Brown SA. Arterial and venous anatomies of the deep inferior epigastric perforator and superficial inferior epigastric artery flaps. Plastic and reconstructive surgery 2008;121:1909-19.
50. Schaverien MV, Ludman CN, Neil-Dwyer J, et al. Relationship between venous congestion and intraflap venous anatomy in DIEP flaps using contrast-enhanced magnetic resonance angiography. Plastic and reconstructive surgery 2010;126:385-92.
51. Scheflan M, Dinner MI. The transverse abdominal island flap: part I. Indications, contraindications, results, and complications. Annals of plastic surgery 1983;10:24-35.
52. Scott JR, Liu D, Said H, Neligan PC, Mathes DW. Computed tomographic angiography in planning abdomen-based microsurgical breast reconstruction: a comparison with color duplex ultrasound. Plastic and reconstructive surgery 2010;125:446-53.
53. Taylor GI, Daniel RK. The anatomy of several free flap donor sites. Plastic and reconstructive surgery 1975;56:243-53.

54. Tindholdt TT, Tonseth KA. Spontaneous reinnervation of deep inferior epigastric artery perforator flaps after secondary breast reconstruction. Scand J Plast Reconstr Surg Hand Surg 2008;42:28-31.

Aesthetic breast reconstruction »

유방재건을 위한 대체 천공지피판

Alternative perforator flaps for breast reconstruction

| 엄진섭 |

자가조직을 이용한 유방재건술 중 가장 많이 쓰이고, 가장 이상적인 결과를 만들어 주는 방법은 하복부 조직을 이용한 transverse rectus abdominis musculocutaneous (TRAM) flap과 그의 발전된 형태인 DIEP (deep inferior epigastric artery perforator) flap이라고 할 수 있다. 같은 하복부 조직을 이용하지만, 혈관 구조가 전혀 다른 SIEA flap도 가능하다. 하지만, 이러한 하복부 조직을 이용할 수가 없는 경우가 있다. 예를 들면, 재건해야 할 유방의 크기는 큰 편인데, 하복부의 피하지방층이 작은 경우, 복부에 큰 흉터가 있어 혈관구조가 손상된 경우, 복부성형술을 받은 경우, 하복부피판으로 재건술을 받고 실패한 경우 등이 있다. 이러한 경우에 대체로 사용할 수 있는 조직은 충분한 피판의 넓이와 부피가 보장되는 둔부와 허벅지가 가장 선호된다. 가장 많이 사용되는 대체피판은 둔부조직을 이용하는 superior gluteal artery perforator (SGAP) flap과 inferior gluteal artery perforator (IGAP) flap이다. 허벅지를 이용하는 피판은 transverse upper gracilis (TUG) flap 이 먼저 사용되었고, profunda femoris artery perforator (PAP) flap이 최근에 소개되었다. 이 장에서는 저자가 사용하고 있는 SGAP flap과 PAP flap을 소개한다.

1. Superior gluteal artery perforator (SGAP) flap

엉덩이 조직은 피부와 연부 조직이 풍부하고 혈관이 잘 발달해서 피판의 공여부로서 좋은 편이며, 전통적으로 많은 피판이 개발되어있다. 특히 욕창이 잘 발생하는 부위로 피판의 수요가 많아 그 해부학이나 다양한 피판의 활용이 알려져 있다. 유방재건을 위해서는 넓고 부피가 큰 피판이 필요한데, 이에 가장 적합한 부위는 하복부이고 다음으로 좋은 부위는 엉덩이라고 할 수 있다. 엉덩이에서 평균적으로 8 cm 정도의 폭으로 300 g 전후의 피판을 채취할 수 있어, 하복부 피판의 대체 피판으로 가장 많이 선택된다. 둔부 천공지피판은 1993년 Koshima에 의해 처음 소개되어 욕창 수술에 많이 이용되었고, 1995년 Allen이 유방 재건에 이용하기 시작하여, 현재는 유방 재건에 두번째로 많이 이용되는 유리 피판이라고 할 수 있다.

1) 해부학

SGAP flap의 혈관 해부학은 DIEP flap에 비해 더 간단하고 일관성이 있다. 엉덩이의 가장 중요한 혈

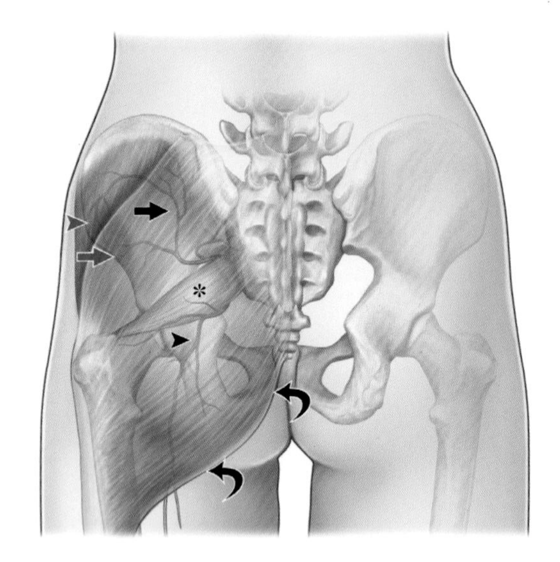

그림 1 Superior gluteal artery는 greater sciatic foramen을 나온 뒤 piriformis muscle의 상부를 지나 gluteus maximus muscle으로 들어간다.(Black arrow; superficial division of superior gluteal artery.
Orange arrow; deep division of superior gluteal artery
Black arrow head; inferior gluteal artery
Asterisk; pyriformis muscle

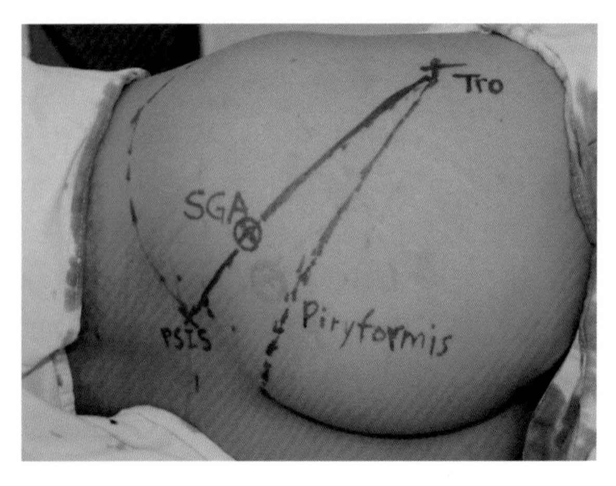

그림 2 Greater trochanter과 PSIS (posterior superior iliac spine)를 연결하는 선의 내측 1/3지점이 superior gluteal artery가 sacral bone을 뚫고 나오는 자리이며, 선의 외측 1/3지점은 perforator가 많이 분포하는 중심점이다. Greater trochanter에서 coccyx의 하방 끝점을 연결하는 선은 pyriformis muscle의 상연을 의미한다.

류 공급원은 superior gluteal artery와 inferior gluteal artery이다. Superior gluteal artery는 internal iliac artery가 greater sciatic foramen을 나온 뒤에 분지된다(**그림 1**). Gluteus maximus muscle의 아래층에서 3-4개의 큰 분지로 나누어져서 근육을 관통 하여 피하층으로 들어간다. 대개 2-3개 이상의 큰 perforator가 있지만, 하나의 천공지로도 피판 전체에 혈류를 공급하는데 문제가 없다. 이러한 큰 천공지들은 주로 둔부의 상외부에 위치고 있다. 박리가 다 끝난 혈관의 길이는 7 cm 전후이다.

2) Surgical technique

SGAP flap 디자인은 환자를 수술테이블 위에 lateral decubitus position으로 눕힌 다음 시작한다. 가장 먼저 두 개의 중요한 해부학적 landmark인 greater trochanter와 posterior superior iliac spine (PSIS)을 표시하고, 이 두 점 사이에 그은 선의 내측 1/3지점을 표시한다. 이 점이 superior gluteal artery가 sacral bone을 뚫고 나오는 자리이며, dissection의 종착점이라고 할 수 있다(**그림 2**). 선의 외측 1/3지점은 perforator의 가이드 점으로 이 점을 중심으로 큰 perforator가 분포한다. 다음으로, greater trochanter에서 coccyx의 하방 끝점을 연결하는 선을 표시한다. 이선은 pyriformis muscle의 상연을 의미하며, pyriformis muscle과 그 아래의 신경을 손상하지 않게 가이드 역할을 한다. 점과 선을 다 표시한 다음 Doppler로 천공지의 위치를 찾는다. 앞서 기술한 것처럼, 주로 상외측에 큰 천공지들이 많다. 외측으로 위치한 천공지를 선택하면 혈관경이 길어지는 장점도 있다. 천공지를 정했으면, 그 점을 중심으로 한 쪽 둔부 전체를 가로지르는 ellipse모양의 피판을 작도한다(**그림 3**). 폭은 공여부의 일차봉합이 가능할 수 있게 정해야 하는데 대개 7-8 cm 정도가 된다.

피판의 거상은 외측부터 하는 것이 좋다. 절개를 가한 다음, 피하지방층을 분리하고 근육층이 보이면 근막을 자르고, subfascial plane으로 거상한다. 외측

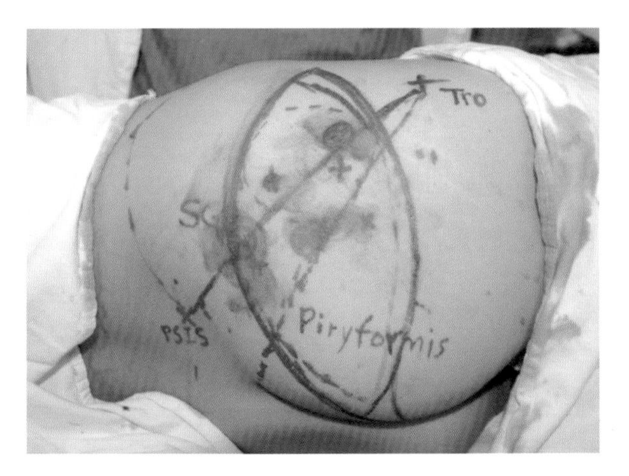

그림 3 정해진 천공지를 포함하는 폭 7–8 cm 정도의 ellipse 모양의 피판을 작도한다.

그림 5 Harvest가 끝난 SGAP flap. 조직이 단단한 편이고 혈관경의 길이가 6–7 cm로 짧은 편이다.

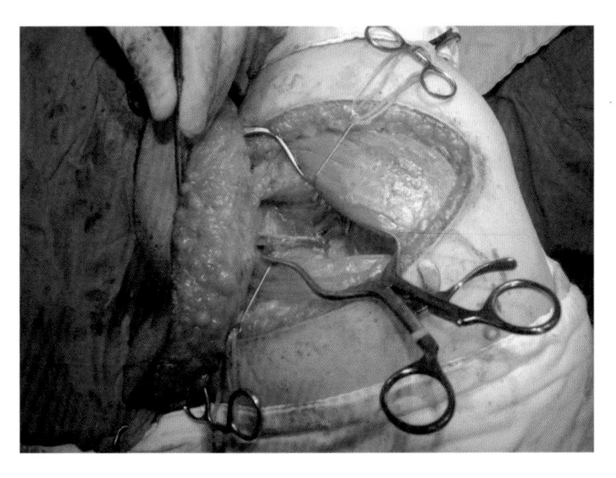

그림 4 근육의 섬유방향으로 splitting하고 혈관경을 근육과 분리한다. Inner fascia 전후로 큰 분지가 많아 주의를 요한다.

을 박리할 때 피판의 범위 밖의 지방층을 일부 포함시키는 것이 피판의 부피도 늘리고, 공여부 봉합후 dog ear를 줄일 수 있다. Subfascial plane으로 내측방향으로 박리를 진행하면서, doppler로 찾아놓은 천공지를 확인한다. 일단 천공지를 선택하면, 천공지가 나오는 plane을 따라 근육을 넓게 벌려주는 것이 중요하다 (**그림 4**). 대개는 이 plane을 따라 천공지가 근육의 바닥까지 거의 수직으로 주행하는데, 결국 천공지의 길이는 근육의 두께라고 할 수 있다. 비교적 많은 수의 혈관 분지를 ligation하면서 천공지를 근육으로부터 박리를 하는데, 이 과정이 피판의 거상에서 가장 지루하고 어려운 과정이다. 박리가 거의 끝나고, gluteus maximus muscle의 inner fascia에 가까이 오면, 2-3개의 큰 가지들과 만나서 sacral bone 안으로 들어간다. Inner fascia를 일부 열고 박리를 더 진행하면, 1-2 cm 정도의 길이를 더 얻을 수는 있고, 혈관의 직경이 커져 수혜부 혈관과의 size match가 좋아지지만, 큰 가지가 많아 혈관문합을 할 자리를 정하기가 어렵다. 혈관의 박리가 끝나면, 피판의 나머지 부분을 분리하여 거상을 완성한다(**그림 5**).

lateral decubitus position에서 피판을 가슴으로 가져와서 혈관 문합을 시도할 수도 있으나, 자세의 불편함으로 큰 장점이 없다. 공여부를 먼저 일차봉합하고, 자세를 supine으로 바꾸는 것이 대략 30분 정도 소요되어 ischemic time 관점에서 큰 무리는 없다. 공여부의 봉합은 배액관을 장치한 다음, superficial fascia를 먼저 봉합하고, 피하층을 봉합한다.

SGAP flap은 혈관경의 길이가 6-7 cm 정도로 짧은 편이어서 수혜부혈관은 internal mammary vessels을 사용해야 한다. Thoracodorsal vessels을 사용하면, 피판

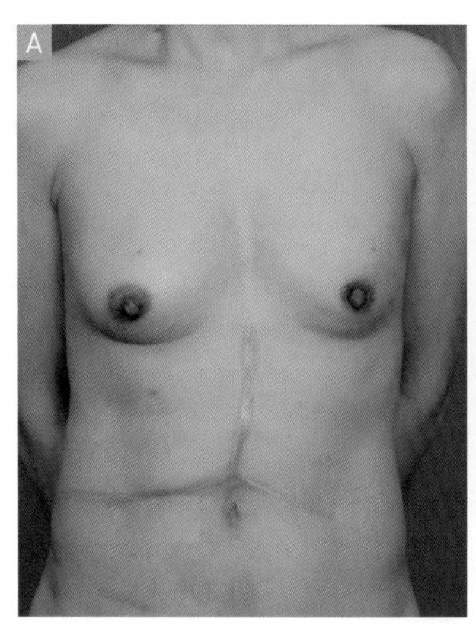

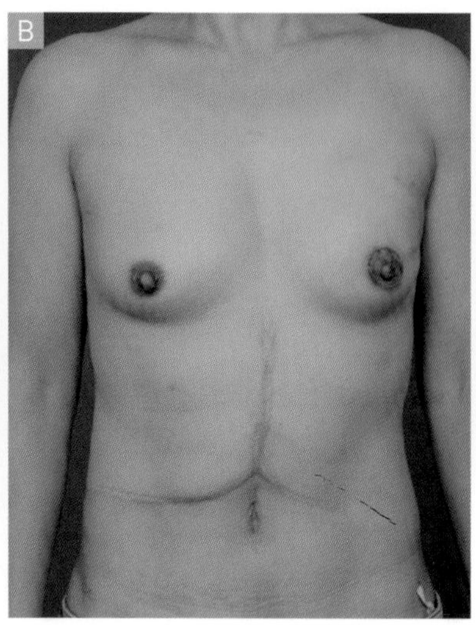

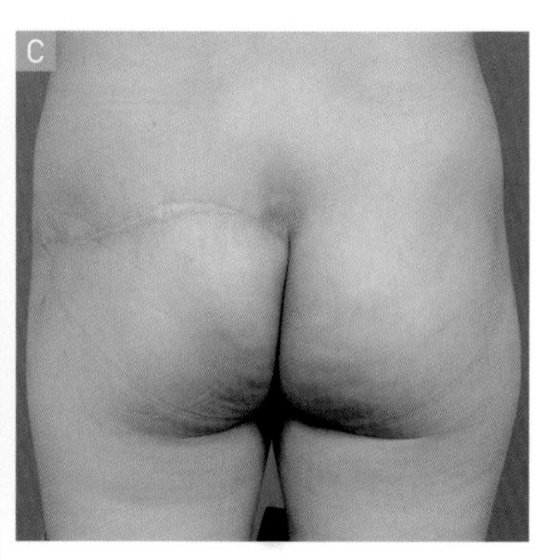

그림 6 43세 환자의 수술 전(A), 수술 후(B), 수술 후 공여부 흉터(C) 모습이다. 상복부에 세로와 가로의 큰 흉터가 있어 하복부피판을 이용할 경우 공여부의 일차봉합이 어려울 수 있어 SGAP flap을 선택하였다. Skin-sparing mastectomy 후 SGAP flap으로 재건하고, 유두 재건, 유륜 문신술을 시행하였다. 공여부의 흉터는 약간의 widening이 발생하였으나 속옷 안에 잘 가려지는 위치이고, 상둔부의 함몰이 있으나, 옷을 입은 상태에서는 두드러져보이지 않는다.

을 적절한 위치에 inset하기가 어렵다. SGAP flap은 폭이 짧고, 피부가 질기며, 지방층이 단단하여 자연스럽고 대칭적인 모양으로 inset하기 어렵다. 대개는 가로방향으로 inset하여 lower pole의 모양에 집중하게 되고 upper pole에는 조직을 줄 수가 없어서 depression, 혹은, stepping 이 잘 발생한다(**그림 6**).

3) 장단점

하복부 피판에 비해 단점이 많은 편인데, 가장 두드러지는 단점은 피판의 면적이 작다는 점이다. 특이 수직길이가 짧아서 유방의 결손부위를 모두 덮어주기 어렵다. 부피 또한 하복부 피판에 비해 작아 유방이 큰 환자에서는 대칭을 맞추기가 어렵다. 특히 동양인에서는 피부의 여유분과 지방조직의 부피가 서양인에 비해 더 작아서 SGAP flap이 실제로 많이 사용되지는 않는 것으로 보인다. 피판의 거상이라는 관점에서 보았을 때, SGAP flap은 어려운 수술이고, 매우 단순하고 지루한 수술이라고 할 수 있다. 혈관의 박리는 거의 대부분이 intramuscular dissection이고, 작은 branch들이 많은 편이다. 혈관 박리 시간이 김에도 불구하고, 최종 혈관경의 길이는 짧아서 피판의 inset에서 어려움을 겪을 수 있다. 그 외의 단점으로는 수술 중 자세를 변경해야 하는 번거로움과 그로 인한 ischemic time의 증가, 수술 후 둔부의 변형 또는 비대칭이다. 공여부에 장액종이 잘 발생하는 것도 단점이다. 장점은 주로 공여부에 관한 것들인데, 하복부피판에 비해 공여부의 술 후 통증이 적고 회복이 빠르다. 또한 공여부 흉터가 수영복에 가려지는 점도 좋다(**그림 6**). 피부가 두꺼워 유두재건 후 형태를 잘 유지하는 장점도 있다.

2. Profunda femoris artery perforator (PAP) flap

우리 몸에서 하복부와 엉덩이 다음으로 큰 피판을

만들 수 있는 부위는 허벅지 상부이다. 실제로 허벅지의 외측 조직을 이용하는 anterolateral thigh (ALT) flap이 유방재건에 이용된 적이 있고, 허벅지 내측의 조직을 이용하는 transverse upper gracilis (TUG) flap은 유방재건에서 SGAP flap 다음으로 많이 사용되는 대체 피판이다. PAP flap은 가장 최근에 소개된 유방재건용 피판으로 허벅지의 내후방의 조직을 이용하는 피판이다. TUG flap과 사용하는 조직이 겹치면서 비슷하게 보이기도 하나, 좀 더 허벅지 후방, 다시 말해, 엉덩이 아래 쪽 부위를 주로 사용하게 되며, 혈관경도 완전히 다르다. 허벅지에 살이 많은 여성이나, 하복부나 엉덩이에 흉터를 만들고 싶지 않은 환자에게 적용한다. 실제로 수술후 흉터가 gluteal fold의 1-2 cm 하방에 위치하여 잘 드러나지 않는다. 피부와 지방조직이 매우 부드러워 유방재건에 적합하다. 허벅지에 살이 매우 많고, 피부가 늘어져 있는 환자라면, thigh lift의 효과도 줄 수 있다. 가장 큰 단점은 역시 부피와 면적이 작다는 점이다. 따라서 허벅지에 살이 많고 유방의 크기가 작은 환자를 잘 선택하여 시행하는 것이 바람직하다.

1) Surgical anatomy

Profunda femoris artery (deep femoral artery)는 femoral artery의 분지로서 허벅지의 posterior compartment에 속한다. Femur의 바로 뒷면을 따라 근육보다 깊은 면을 주행하며 많은 분지들을 낸다. 흔히, 세 개의 구간으로 나누어 perforator들을 구분하는데, first perforator는 adductor magnus에 gracilis의 혈류를 공급하고, second and third perforators는 semimembranous, biceps femoris와 vastus lateralis에 혈류를 공급한다. 특히, Upper posterior thigh에서 근육 사이의 septum을 따라가거나 근육을 관통하는 perforator을 내어 posterior thigh의 피부에 혈류를 공급한다. 주로 medial 및 lateral thigh에 가장 큰 perforator 2-3개가 있다.

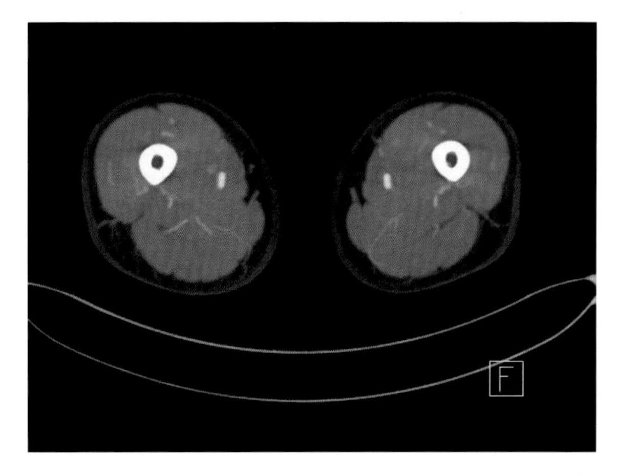

그림 7 PAP flap의 medial and lateral perforator를 잘 보여주는 CT angiogram이다.

2) Surgical technique

PAP flap을 시행하기 위해서는 술전 CT angiography로 perforator의 크기와 intramuscular course를 확인해야 한다. Inferior gluteal fold와 posterior thigh의 midline을 reference line으로 해서 perforator의 위치를 정하는데, 주로 medial과 lateral perforator로 구분한다(**그림 7**). 이중 사이즈가 크고, 혈관경의 길이가 길며, 박리가 쉬운 하나의 perforator를 선택하게 되는데, medial perforator가 이러한 조건에 잘 맞는다. Medial perforator는 inferior gluteal fold에서 가깝고, gracilis의 posterior margin에 가까워 찾기도 쉽고, supine / frog leg position에서 박리가 가능하다.

피판의 디자인은 standing position에서 하는 것이 좋다. CT angiography로 정한 perforator의 위치를 도플러로 확인한 다음, crescent shape의 피판을 도안한다. 상부경계는 inferior gluteal fold를 따라 그리고, 하부 경계는 6-7 cm 아래에 그린다. 외측 끝은 gluteal fold를 벗어나지 않게 정해고, 내측 끝은 medial thigh를 포함하고 inguinal crease까지 연장한다(**그림 8**). 수술

중 환자의 position은 medial perforator를 선택한 경우 supine / frog leg position으로 가능하고, lateral perforator를 선택한 경우에는 prone position이 좋다.

피판의 박리는 매우 단순한 과정이다. 피부 절개를 가한 다음, 지방층을 분리하여 근막층을 노출시킨다. Medial perforator를 선택한 경우에는 내측 끝에서 박리를 시작하는 것이 좋다. 이때 지방을 많이 포함시키지 않고 얇게 박리하는 것이 좋은데, 너무 깊게 박리하면, lymph node의 손상으로 하지의 lymphedema를 야기할 가능성이 있다. 피판의 하부와 외측의 경계를 절개할 때 beveling을 통해 가능하면 많은 지방층을 포함하는 것이 좋다. 내측에서 피판을 거상하다가 gracilis의 근막이 확인되면, 근막에 절개를 가하고 그 아래 plane으로 박리를 진행한다. Grailics의 후방 경계에서 약 3 cm 뒤에 medial perforator가 주로 발견되므로 주의 깊게 박리를 하는 것이 좋다. 일단 perforator가 발견되면, 나머지 과정은 일반적인 perforator 박리와 같은 방식으로 진행하면 된다. 혈관경의 길이가 충분히 확보되고, 혈관 분문합에 적합한 직경이 될때까지 박리를 한다. 혈관경의 길이는 6-7 cm 정도로 길지 않은 편이다 **(그림 9)**.

수혜부 혈관은 SGAP flap에서처럼 internal mammary vessels이 적합하다. 혈관의 직경은 잘 맞는 편이다. 혈관 문합 후 deepithelization을 시행하고 inset을 한다. 피판의 폭이 좁은 편이므로 inset 과정이 쉽지 않은 편이다. 가능하다면, cone shape으로 말아서 사용하면 보다 자연스러운 모양을 만들 수 있다. 하지만 역시 upper pole과 그 상부의 defect를 다 cover할 수 없어서 stepping 또는 depression이 잘 생긴다. 공여부의 봉합은 frog leg position에서 약간의 어려움이 있을 수 있다. 봉합 시 바닥에도 같이 고정해 주면 inferior gluteal fold의 모양을 재건해 줄 수 있고, 흉터가 허벅지 쪽으로 내려가는 것을 예방하는데 도움이 된다.

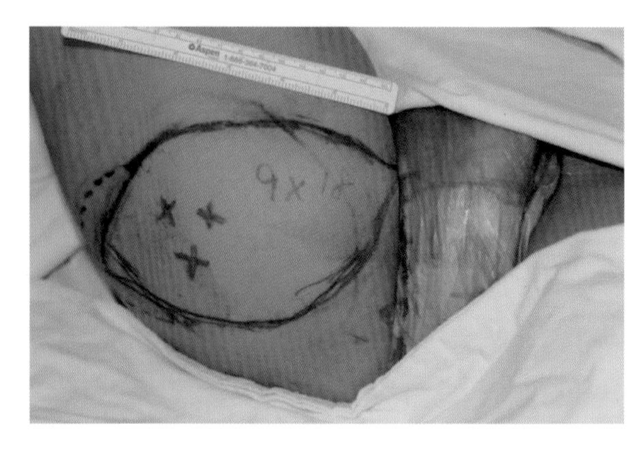

그림 8 PAP 피판을 우측 inner and posterior thigh에 작도한 모습이다. Gracilis muscle의 후방에 있는 medial perforator를 선택한 경우 supine / frog leg position으로 피판의 거상이 가능하다.

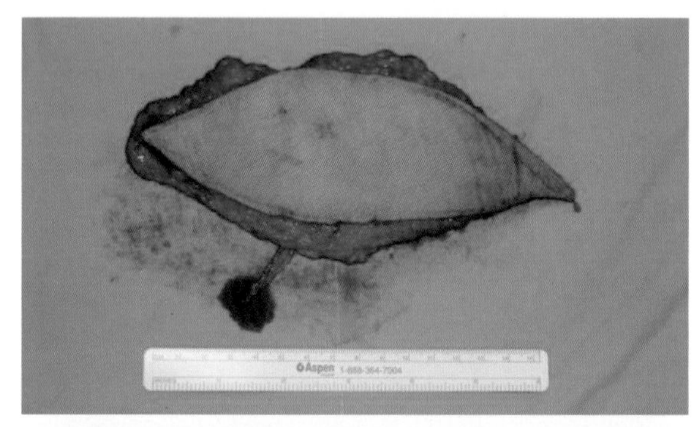

그림 9 거상된 피판의 모습.

3) 장단점

PAP flap은 하복부와 둔부에 흉터를 만들기 싫어하는 환자에게 좋은 선택이 될 수 있다. 환자에 따라서는

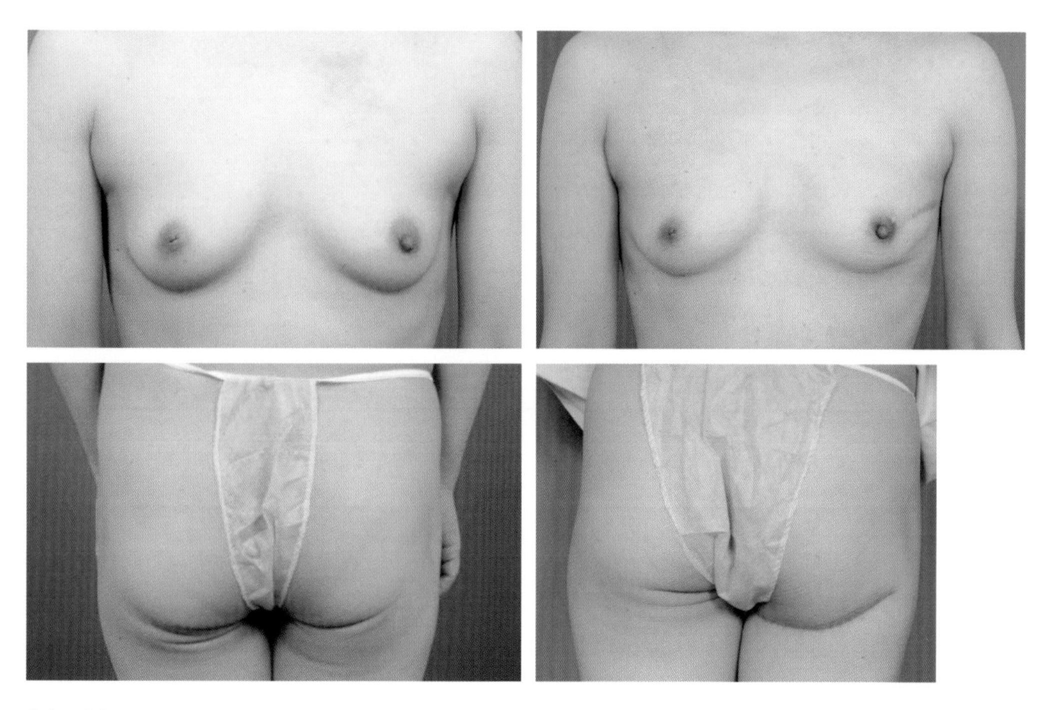

그림 10 **수술 전후 모습.** 피판의 폭이 좁아 lower pole에 충분한 volume이 채워지지 못한모습이고, upper pole에 stepping이 발생하기 쉽다. 공여부 흉터는 gluteal fold를 따라 생겨 옷 안으로 잘 가려진다.

상부 허벅지에 살이 많아 충분한 양의 조직을 얻을 수 있지만, 일반적인 한국 여성에서는 부피가 모자랄 수 있다. 특히 SGAP flap처럼 피판의 상하 폭이 좁아 inset 시 어려움을 많이 겪게 된다. 하지만, 공여부의 흉터는 큰 해부학적 경계부, 특히, 접히는 부위에 위치하게 되어 가장 두드러지는 장점이라고 할 수 있다. 하복부에 비해 공여부의 통증이나 기능적 결손이 훨씬 적고, 보행 및 회복이 빠르다는 점도 장점이다. 수술 중 자세의 변화가 필요 없다는 점도 장점이다

참·고·문·헌

1. Blechman KM, Broer PN, Tanna N, Ireton JE, Ahn CY, Allen RJ. Stacked profunda artery perforator flaps for unilateral breast reconstruction: a case report. J Reconstr Microsurg. 2013 Nov;29(9):631-4
2. Blondeel PN, Van Landuyt K, Hamdi M, Monstrey SJ. Soft tissue reconstruction with the superior gluteal artery perforator flap. Clin Plast Surg. 2003 Jul;30(3):371-82. Review.
3. Chaput B, Fade G, Sinna R, Gangloff D, Chavoin JP, Garrido I."Body-lift"-like pattern for the simultaneous bilateral superior gluteal artery perforator flap in breast reconstruction. Aesthetic Plast Surg. 2013 Feb;37(1):52-5.
4. De Frene B, Van Landuyt K, Hamdi M, Blondeel P, Roche N, Voet D, Monstrey S. Free DIEAP and SGAP flap breast reconstruction after abdominal/gluteal liposuction. J Plast Reconstr Aesthet Surg. 2006;59(10):1031-6.
5. Fade G, Gobel F, Pele E, Chaput B, Garrido I, Pinsolle V, Pelissier P, Sinna R. Anatomical basis of the lateral superior gluteal artery perforator (LSGAP) flap and role in bilateral breast reconstruction. J Plast Reconstr Aesthet

Surg. 2013 Jun;66(6):756-62.

6. Georgantopoulou A, Papadodima S, Vlachodimitropoulos D, Goutas N, Spiliopoulou C, Papadopoulos O. The microvascular anatomy of superior and inferior gluteal artery perforator (SGAP and IGAP) flaps: a fresh cadaveric study and clinical implications. Aesthetic Plast Surg. 2014 Dec;38(6):1156-63.
7. Granzow JW, Levine JL, Chiu ES, Allen RJ. Breast reconstruction with gluteal artery perforator flaps. J Plast Reconstr Aesthet Surg. 2006;59(6):614-21.
8. Guerra AB, Soueid N, Metzinger SE, Levine J, Bidros RS, Erhard H, Allen RJ. Simultaneous bilateral breast reconstruction with superior gluteal artery perforator (SGAP) flaps. Ann Plast Surg. 2004 Oct;53(4):305-10.
9. Haddad K, Obadia D, Hunsinger V, Hivelin M, Lantieri L.. Breast reconstruction with Profunda Artery Perforator flap in lithotomy position. Surgical technique. Ann Chir Plast Esthet. 2015 Jul 1.
10. Haddock NT, Greaney P, Otterburn D, Levine S, Allen RJ. Predicting perforator location on preoperative imaging for the profunda artery perforator flap. Microsurgery. 2012 Oct;32(7):507-11.
11. Hunter JE, Lardi AM, Dower DR, Farhadi J. Evolution from the TUG to PAP flap for breast reconstruction: Comparison and refinements of technique. J Plast Reconstr Aesthet Surg. 2015 Jul;68(7):960-5.
12. LoTempio MM, Allen RJ. Breast reconstruction with SGAP and IGAP flaps. Plast Reconstr Surg. 2010 Aug;126(2):393-401
13. Mayo JL, Allen RJ, Sadeghi A. Four-flap Breast Reconstruction: Bilateral Stacked DIEP and PAP Flaps. Plast Reconstr Surg Glob Open. 2015 Jun 5;3(5):e383. PMID.
14. Rad AN, Flores JI, Prucz RB, Stapleton SM, Rosson GD. Clinical experience with the lateral septocutaneous superior gluteal artery perforator flap for autologous breast reconstruction. Microsurgery. 2010 Jul;30(5):339-47.
15. Saad A, Sadeghi A, Allen RJ.The anatomic basis of the profunda femoris artery perforator flap: a new option for autologous breast reconstruction--a cadaveric and computer tomography angiogram study. J Reconstr Microsurg. 2012 Jul;28(6):381-6.
16. Werdin F, Peek A, Martin NC, Baumeister S Superior gluteal artery perforator flap in bilateral breast reconstruction. Ann Plast Surg. 2010 Jan;64(1):17-21
17. Woo Shik Jeong, Taik Jong Lee, Jin Sup Eom. Breast Reconstruction with Superior Gluteal Artery Perforator Flap in Asian, JKSM 2013 May;22(1):7-12

Aesthetic breast reconstruction »

종양성형술을 이용한 부분유방재건술

Partial Breast Reconstruction with Various Oncoplastic Techniques

| 양정덕, 이정우 |

유방암은 우리나라에서도 발생 빈도가 꾸준히 증가하면서 2000년 이후 약 10년 동안 발병률이 2배 이상 증가했으며, 최근 10년 사이 여성에게 발생하는 암 중에서 갑상선암 다음으로 2번째로 많이 발생하는 암이 되었다. 최근 유방암에 대한 진단 기법의 발달과 정기 검진이 보편화되면서 아주 작은 크기의 조기 유방암을 발견하는 경우가 많아졌고, 그에 대한 치료로 total mastectomy보다는 partial mastectomy 후 chemotherapy나 radiotherapy를 연계하여 수술 후 유방의 변형을 최소화하려는 breast-conserving surgery (BCS)의 빈도가 증가하고 있다. 많은 연구에서 BCS는 total mastectomy에서와 동일한 생존율을 보이지만 local recurrence는 약간 더 높은 것으로 보고되었으며, 양쪽 유방의 asymmetry, chest wall adhesion, mastectomy 후 numbness 등의 complication이 적고 미용적으로 더 좋은 결과를 보였다. 그러나 유방의 크기에 비해 종양이 크거나 넓은 margin이 필요한 경우, 또는 종양의 위치에 따라 환자들의 미용적 만족도가 떨어질 수 있다.

Audretsch 등에 의해서 처음 소개된 oncoplastic surgery (OPS)는 BCS의 확장된 개념으로써 유방암을 중심으로 광범위하게 절제 후 남아 있는 유방 조직으로 모양을 만들거나 유방 주위의 조직을 이용하여 유방을 재건하는 성형외과적 술기를 가리키며, 유방암 절제 후에 생긴 변형을 줄여줄 수 있어 미용적으로 좋은 결과를 얻을 수 있을 뿐만 아니라 BCS의 indication을 넓혀주어 total mastectomy의 빈도를 감소시키는 장점이 있다. OPS는 크게 두 가지로 나누어 볼 수 있는데, excised volume이 비교적 작은 경우 glandular reshaping 또는 reduction mammoplasty technique을 통해 절제 후 남아 있는 유방 조직으로 재건하는 volume displacement technique과 excised volume이 비교적 큰 경우 불충분한 volume을 유방 이외의 autologous tissue를 flap으로 거상하여 defect를 채워주는 volume replacement technique이 있다.

1. GENERAL PRINCIPLES

1) Patient Selection

BCS를 받은 대부분의 환자들이 OPS의 좋은 indication이 될 수 있다. 특히 positive margin과 연관된 독립적인 risk factor (multifocal disease, large tumor size, diffuse microcalcification, presence of an extensive intraductal component, younger age, estrogen receptor negativity, lobular histology)를 가지고 있거나 neoadjuvant chemotherapy에 반응이 좋은 locally advanced breast cancer 환자들도 negative margin을 획득하기 위해 좀 더 많은 범위를 절제함으로 인해 미용적으로 나쁜 결과를 보일 수 있으므로 OPS의 좋은 indication이 될 수 있다. 또한 전체 유방의 20% 이상을 절제하거나, 종양이 유방의 아래쪽이나 내측, 또는 subareolar area에 위치하는 경우에도 절제 후 deformity가 두드러질 수 있어 OPS의 대상이 될 수 있다.

2) Selection of Oncoplastic Surgical Techniques

절제술을 시행 받은 모든 유방암 환자에게 OPS가 필요한 것은 아니지만, 서양인에 비해 상대적으로 유방의 크기가 작은 동양인의 경우에는 BCS 후 유방의 크기가 작아지면서 미용적으로 불만족스러운 결과를 보이는 경우가 많으며, large-sized breast를 가진 환자의 경우에도 BCS 후 눈에 띄는 scar나 유방의 deformity를 보일 수 있다. 유방에 비해 excised volume이 많을수록 이러한 수술 후 결과를 쉽게 예측할 수 있으며, 환자에 따라서 적절한 OPS를 적용하기 위해서 수술 전 유방의 크기, 종양의 위치 및 예상되는 defect의 크기 등을 고려하여 미리 계획을 세운다면 보다 만족스러운 결과를 얻을 수 있다.

OPS는 excised volume에 따라 크게 두 가지로 나눌 수 있는데, excised volume이 비교적 작은 경우에 glandular reshaping 또는 reduction mammoplasty technique을 통해 절제 후 남아 있는 유방 조직으로 재건하는 volume displacement technique과 excised volume이 비교적 큰 경우에 불충분한 volume을 유방 이외의 autologous tissue를 flap으로 거상하여 defect를 채워주는 volume replacement technique이 있다(**표 1**). 하지만 유방의 크기가 작은 경우에는 excised volume이 작더라도 남아 있는 유방 조직이 재건을 위해서는 부족한 경우가 많아 volume replacement technique을 적용하여 미용적으로 보다 나은 결과를 얻을 수 있다.

Conventional BCS는 종양의 위치에 따라 수술 후 depression이나 scar가 두드러지기 쉬운데 반해, OPS는 glandular reshaping이나 reduction mammoplasty technique 등의 성형외과적인 술기를 통해 nipple-

표 1 Partial mastectomy reconstruction techniques. From Yang, et al., with permission from Korean Breast Cancer Society.

Volume displacement techniques	Volume replacement techniques
Glandular reshaping	Adipofascial flap
Linear suture	Lateral thoracodorsal flap
Parallelogram mastopexy lumpectomy	Thoracoepigastric flap
Purse string suture	ICAP flap
Round block technique	TDAP flap
Batwing mastopexy	LD myocutaneous flaps
Tennis racket method	
Rotation flap	
Reduction mammoplasty techniques	
Inverted T	
Vertical type	

ICAP, intercostal artery perforator; TDAP, thoracodorsal artery perforator; LD, latissimus dorsi.

areolar complex (NAC) 주위나 유방 하부와 같이 잘 보이지 않는 곳에 scar를 위치시켜 수술 후 미용적 결과를 향상시킬 수 있으며, NAC의 절제 여부에 따라 immediate 또는 delayed reconstruction을 시행할 수도 있다. 유방 상부에 위치한 종양을 제거한 경우에는 areola 주변으로 round block technique, tennis racket method, rotation flap, reduction mammoplasty technique using inferior pedicle과 같은 방법들이 좋은 결과를 얻을 수 있다. 유방의 중앙에 위치하는 종양의 경우에는 multifocal 또는 multiple breast cancer의 가능성, NAC의 direct invasion 가능성, NAC의 제거 시 심미적인 거부감 등을 고려하여야 한다. 유방 하부에 위치한 종양은 절제 후 부족한 조직으로 인한 distortion, skin retraction, NAC의 malposition 등의 미용적으로 만족스럽지 못한 결과에 주의하여야 한다.

OPERATIVE TECHNIQUES

1) Volume Displacement Techniques

Volume displacement technique은 excised volume이 비교적 작은 경우 glandular reshaping 또는 reduction mammoplasty technique을 통해 남아 있는 유방 조직을 재배치하여 wide local excision에 의한 영향을 최소화한다. 일반적으로 volume displacement technique은 volume replacement technique에 비해 수술 범위가 작고 donor site가 없다는 장점이 있지만, 재건 후 유방 크기가 작아지고 모양이 바뀜으로 인해 반대편 유방 상태에 따라 asymmetry의 정도를 개선하기 위한 추가적인 수술이 필요할 수 있다.

(1) Glandular Reshaping

Defect가 중등도 이하로 작으면서 남아 있는 유방 조직이 충분하다면 defect 주변의 breast parenchyma을 흉벽과 피부로부터 충분히 박리한 뒤 fibroglandular breast tissue를 advancement, rotation, 또는 transposition 하여 defect로 이동시킴으로써 defect의 depression을 최소화할 수 있으며, 결과적으로 primary closure까지도 가능하게 된다.

① Parallelogram Mastopexy Lumpectomy

종양이 NAC로부터 비교적 멀리 위치하는 경우에 적용 가능하며, standard lumpectomy에 비해 좀 더 넓은 margin을 확보할 수 있다. 피부 절개는 마주보는 두 변의 길이가 같은 parallelogram 모양으로 하여 dog-ear가 생기는 것을 방지한다(**그림 1A**). Lumpectomy 후에는 절개선 주변의 유방 조직을 박리하고 defect 쪽으로 advancement 한다(**그림 1B, C**). Scar가 길어질 수 있으며, 피부를 많이 절제한 경우 NAC가 malposition 될 수 있으므로 주의하여 적용해야 한다.

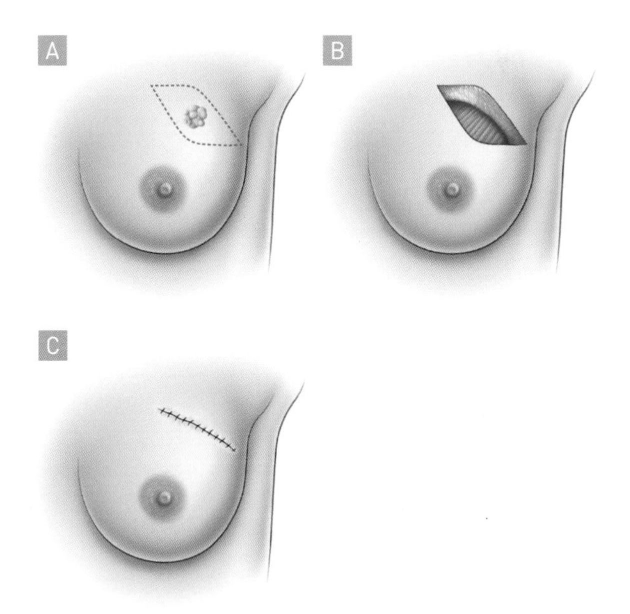

그림 1 Parallelogram mastopexy lumpectomy. (A) Preoperative design with parallelogram form. (B) Lumpectomy. (C) Glandular reshaping. From Yang, et al., with permission from Korean Breast Cancer Society.

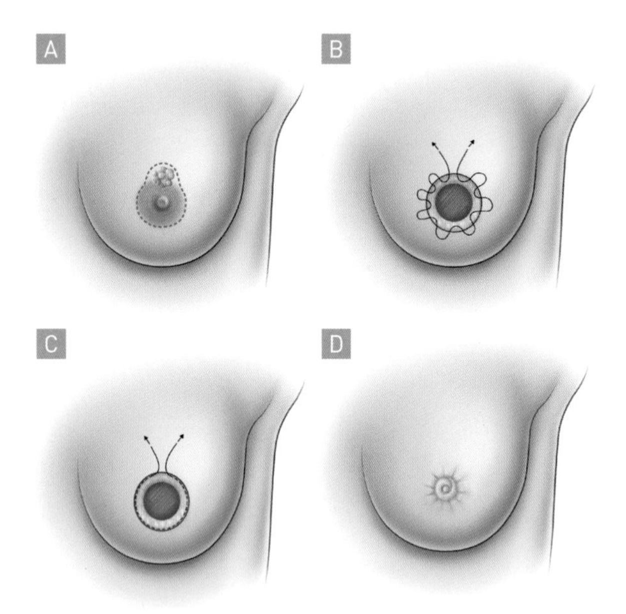

그림 2 Purse-string suture. (A) Preoperative design including tumor and nipple-areolar complex. (B) Purse-string suture with nearby breast tissue. (C) Purse-string suture with skin. (D) Final result at closure. From Yang, et al., with permission from Korean Breast Cancer Society.

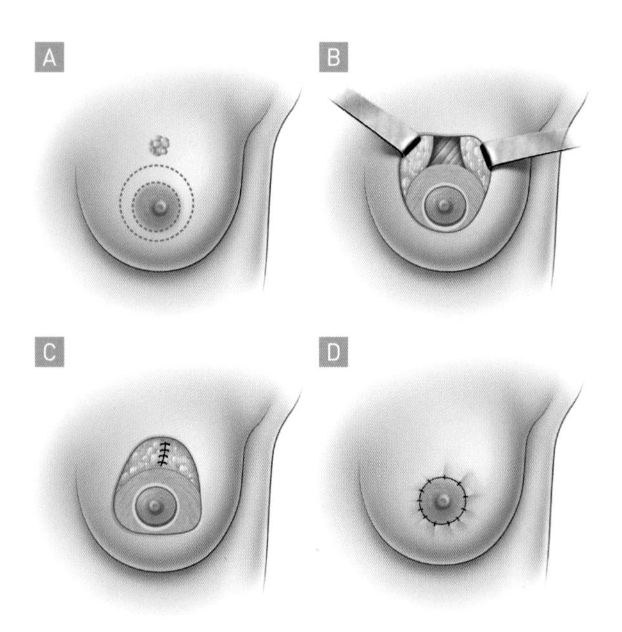

그림 3 Round block technique. (A) Preoperative design with two circular skin marking. (B) Lumpectomy and de-epithelization. (C) Undermining and approximation of nearby breast tissue. (D) Postoperative periareolar scar. From Yang, et al. [50], with permission from Korean Breast Cancer Society.

② Purse-String Suture

비교적 defect가 작고, 종양이 NAC와 매우 가까워 종양과 NAC를 같이 절제하는 경우(central quadrantectomy) 에 적용할 수 있다(**그림 2A**). Defect 주변의 유방 조직을 박리하고 defect 쪽으로 모아준 뒤 NAC를 따라 둥글게 절제한 피부는 purse-string suture를 이용한 continuous running stitch technique으로 봉합한다(**그림 2B, C, D**). 종양이 NAC에 가까운 경우 과거에는 total mastectomy를 시행하였으나, purse-sting suture를 이용한 BCS 후 radiotherapy를 시행하고 NAC를 재건하여 미용적으로 더욱 만족스러운 결과를 얻을 수 있다.

③) Round Block Technique

Small- to moderate-sized breast에서 ptosis가 없고 종양이 NAC에 가까이 있지만 nipple invasion이 없는 경우에 적용할 수 있다. 환자가 앉거나 선 상태에서 areola 주변으로 두 개의 원형 피부 절개선을 marking 한다(**그림 3A**). 안쪽은 areolar border에, 바깥쪽은 종양의 크기와 위치, nipple의 위치, ptosis의 정도에 따라 달리 하는데, ptosis가 심할수록, 종양의 크기가 클수록 바깥쪽 절개선을 더 크게 marking 한다. 두 절개선 사이는 de-epithelization을 하는데, NAC의 원활한 blood supply를 위해서 dermis에 손상을 주지 않도록 주의하여야 한다. 피부 아래로 박리하여 종양 주변에 접근한 뒤 정상 조직을 포함하여 lumpectomy 한 후 주변의 유방 조직을 박리하여 defect 쪽으로 모으고, 양쪽 유방의 symmetry를 확인하면서 areola 주변의 절개선을 running suture technique으로 봉합한다(**그림 3B, C, D**). 수술 후 areola 주변의 scar만 남게 되어 미용적으로 만족도가 높다. Areola가 큰 경우에는 크기를 줄여 줄 수도 있으며, ptosis가 심한 경우에는 반대편 areola도 같은 방식으로 수술하여 대칭적이고 이상적인 areola를 만들 수 있으나, 바깥쪽 절개선의 둘레가 안쪽 절개선의

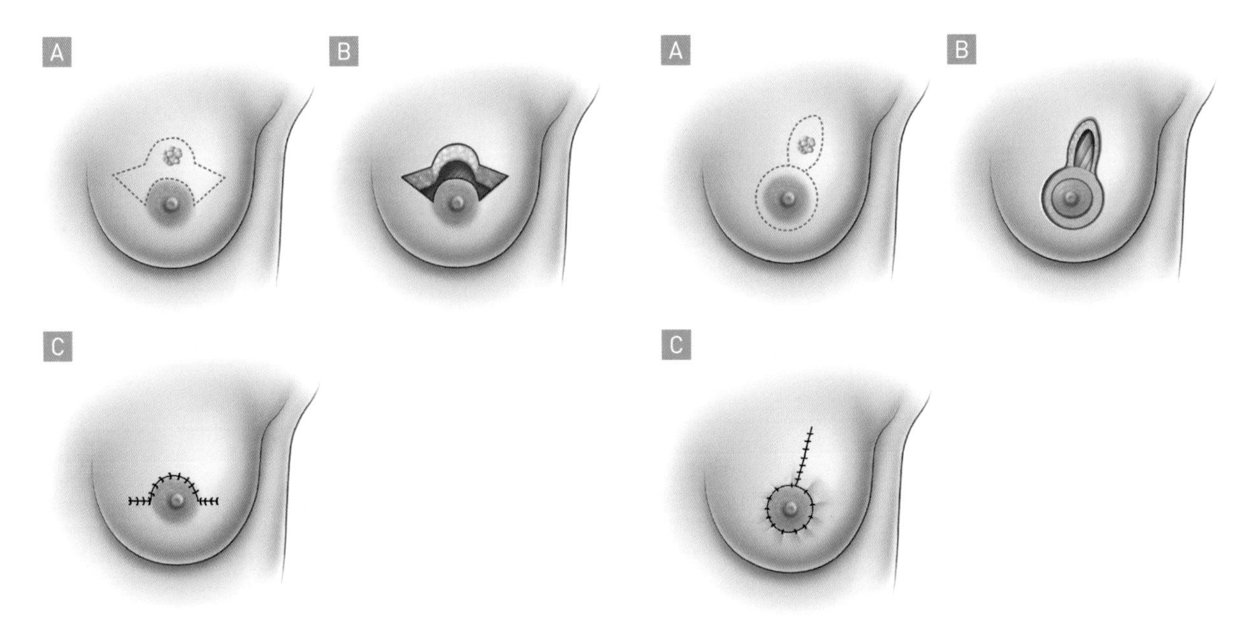

그림 4 Batwing mastopexy. (A) Preoperative design with batwing form. (B) Lumpectomy. (C) Pulling up the inferior breast tissue. From Yang, et al., with permission from Korean Breast Cancer Society.

그림 5 Tennis racket method. (A) Preoperative design with racket form. (B) Lumpectomy and de-epithelization. (C) Filling and nipple-areolar complex reposition. From Yang, et al., with permission from Korean Breast Cancer Society.

2배가 넘지 않도록 주의하여야 한다.

④ Batwing Mastopexy

Nipple에서 비교적 가까운 거리의 upper central portion에 위치하는 종양에 적용할 수 있다. Areola의 위쪽 경계에 위치하는 반원형 절개선과 이보다 상방에 위치하면서 평행한 또 하나의 반원형 절개선, 그리고 이 두 선을 연결하는 날개 모양의 절개선을 이용하여 병변을 제거한 뒤, defect 하방의 유방 조직을 위쪽으로 당겨서 층층이 봉합한다**(그림 4)**. 이러한 피부 절개선의 모양 때문에 inverted V 혹은 omega plasty라고도 불린다. 절개선의 일부가 NAC의 경계에 위치하기 때문에 상대적으로 scar가 잘 보이지 않으며, 수술 중에 nipple invasion이 확인된 경우 간단하게 central quadrantectomy를 시행할 수도 있다. 반면, NAC의 직경이 작으면 상대적으로 scar가 크게 드러날 수 있으며, 수술 후 NAC의 위치가 원래보다 좀 더 상방에 위치하기 때문에 경우에 따라서 symmetry를 위한 반대편 수술을 병행해야 할 수도 있다.

⑤ Tennis Racket Method

NAC에서부터 멀지 않으면서 유방의 upper outer quadrant (UOQ)와 lower outer quadrant (LOQ)에 위치하는 종양에 주로 적용되지만, 다른 quadrant에도 적용 가능하다. Round block technique처럼 areola 주변의 두 개의 원형 절개선과 바깥쪽 원형 절개선에서 시작하는 쐐기 모양의 절개선을 이용한다**(그림 5A)**. 두 원형 절개선 사이는 de-epithelization하고**(그림 5B)**, 쐐기 형태로 종양을 제거한 후 주변의 유방 조직을 모아 defect를 메우고 NAC의 위치를 고려하여 두 개의 원형 절개선을 봉합한다**(그림 5C)**.

⑥ Rotation Flap

NAC에서부터 멀지 않으면서 유방의 upper inner

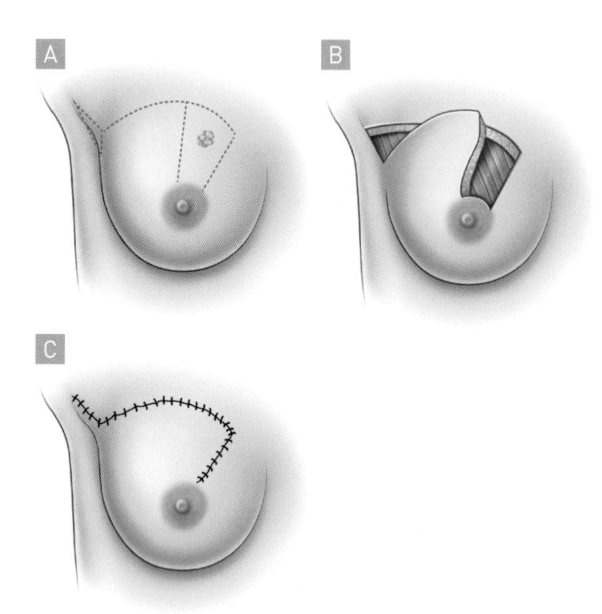

그림 6 Rotation flap. (A) Preoperative design. (B) Lumpectomy and flap elevation. (C) Flap rotation and closure. From Yang, et al., with permission from Korean Breast Cancer Society.

quadrant (UIQ)에 위치하는 비교적 큰 종양에 적용할 수 있으며, 경우에 따라서는 upper central portion에 위치하는 종양에도 적용 가능하다. Areola의 UIQ 경계에 위치하는 반원형 절개선과 이와 평행한 유방의 UIQ 경계에 위치하는 반원형 절개선, 그리고 이 두 선을 직선으로 연결하는 구역 안의 유방 조직을 제거한 후 UOQ의 유방 조직을 fasciocutaneous flap으로 거상하고 rotation하여 defect를 메우는 방법이다. Axilla의 triangular incision은 flap의 회전을 돕고 axillary lymph node dissection시에 유용하게 사용할 수 있다**(그림 6)**. 하지만, 절개선이 상대적으로 길다는 단점이 있다.

(2) Reduction Mammoplasty Techniques

유방암 환자에서 유방의 용적이 크거나 ptosis가 있으면서 중등도 이상의 비교적 큰 defect가 예상되는 경우에 적용할 수 있으며, 수술 전 큰 유방으로 인해 일상적인 생활에서 불편함이 있어 환자가 breast reduction을 원하는 경우 좋은 indication이 될 수 있다**(표 2)**. Oncoplastic reduction mammoplasty는 미용적, 기능적, 종양학적으로 많은 이점을 가지고 있는데, 수술 후 유방의 크기가 감소되어 균형적인 체형을 만들고, 수술 전 양쪽 가슴의 asymmetry를 교정할 수 있으며, 큰 유방으로 인한 요통 및 어깨 통증 등을 완화시킬 수 있다. 또한 반대편의 절제된 유방 조직에 대한 검사를 통해 occult cancer를 확인할 수 있고, partial mastectomy 후 reduction mammoplasty를 위한 추가 절제를 통해 resection margin의 안전성을 확보할 수 있으며, 균일한 용량의 방사선을 균형있게 조사할 수 있어 radiotherapy로 인한 complication을 의미 있게 낮출 수 있다. 그러나 술 후 complication으로 wound dehiscence, fat necrosis, flap necrosis, NAC necrosis 등이 있을 수 있고, 드물게는 wound infection, hematoma, seroma 등이 발생할 수 있다.

표 2 Patient selection for oncoplastic reduction mammoplasty. From Yang, et al., with permission from Korean Breast Cancer Society.

Patient selection
1. Those who wish to undergo partial reconstruction
2. Those who don't want replacement techniques
3. Those who wish to reduce their breasts
4. Those in whom cancer is confirmed preoperatively
5. Breast size: moderate to large
6. Defect size: moderate to large

수술 전 oncoplastic reduction mammoplasty를 계획하는 단계에서 가장 중요한 것은 vascular pedicle의 선택이라 할 수 있는데, 종양의 위치가 중요한 영향을 미치게 된다. 일반적으로 유방의 상부에 종양이 위치한 경우에는 inferior pedicle을, 유방의 하부에 위치한 경우에는 superior pedicle을 선택할 수 있다. 이외에도 술자가 선호하는 수술 방법, 유방의 모양이나 ptosis의 정도 등이 영향을 미칠 수 있다. Vascular pedicle이 결정되면 incision 방법을 결정하게 되는데, 유방의 크기가

중등도인 경우에는 ptosis의 정도와 종양의 크기를 고려하여 vertical pattern 혹은 Wise pattern (inverted T) 중에 선택할 수 있으며, 유방의 크기가 큰 경우에는 주로 Wise pattern을 적용할 수 있다.

① Wise Pattern (Inverted T)

수술 전 디자인 단계에서 환자는 upright standing position을 유지하면서 종양의 위치를 표시한 뒤 suprasternal notch에서 배꼽으로 향하는 정중선을 먼저 표시한다. Midclavicular point에서 현재의 nipple까지 이어주는 직선과 현재의 nipple에서 inframammary fold (IMF)까지 이어주는 vertical axis를 표시한 뒤 새로운 nipple의 위치를 정한다. 이 때 새로운 nipple의 위치와 midsternal point 사이의 거리는 약 9-11 cm 정도가 적당하며, suprasternal notch에서 양측의 새로운 nipple의 위치를 잇는 선이 약 18-22 cm 정도의 정삼각형을 형성하는 것을 확인한다. Wise keyhole wire pattern을 이용하여 종양의 절제 범위가 포함 되도록 절개 부위를 도안하는데, 종양의 위치에 따라 Wise keyhole wire pattern을 종양 쪽으로 회전을 시키거나 디자인을 확장할 수 있다. 이 때 vertical limb은 유방을 upward rotation시킨 상태에서 medial과 lateral로 밀어주면서 vertical axis와 만나는 지점에 위치하게 되고 길이는 수술 후 IMF에서 nipple까지의 거리가 되어 약 4.5-5 cm 정도가 적당한데, 시간이 지남에 따라 유방이 bottom out 되면서 scar가 길어질 수 있어 주의하여야 한다. Vertical limb이 끝나는 지점에 horizontal limb이 위치하게 되며 이는 수술 후 IMF에 놓이게 되어 scar를 숨길 수 있다. Dermoglandular pedicle은 종양의 위치에 따라 inferior 혹은 superior pedicle을 선택하는데, 약 8-10 cm 정도의 폭을 가지며 areola 경계에서는 약 1.5 cm의 폭을 두고 도안한다(**그림 7, 8**).

수술은 도안에 따라 종양을 절제하고 피부 절개를 시행한 뒤 dermoglandular pedicle이 될 부위에 de-

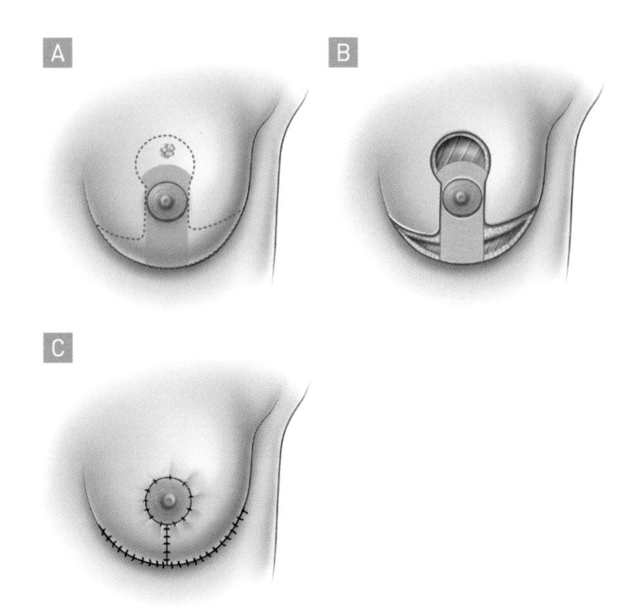

그림 7 Wise pattern (inverted T) reduction with inferiorly based pedicle. (A) Preoperative design. (B) Lumpectomy and de-epithelized pedicle elevation. (C) Transposition of the pedicle into the new location. From Yang, et al., with permission from Korean Breast Cancer Society.

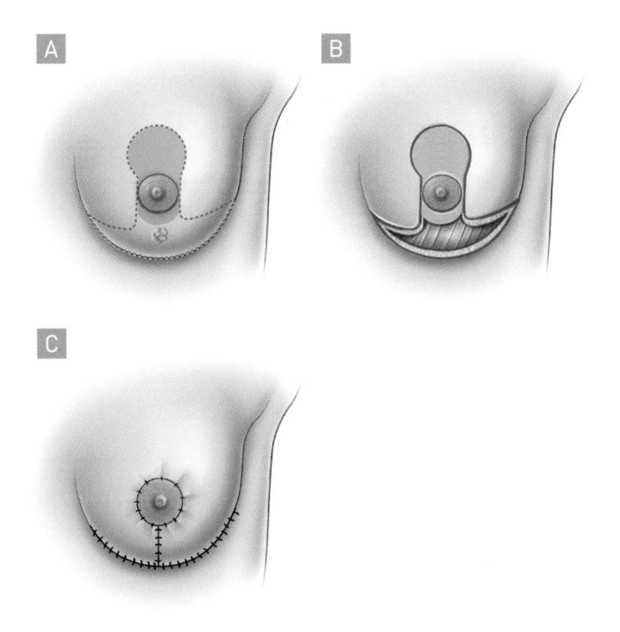

그림 8 Wise pattern (inverted T) reduction with superiorly based pedicle. (A) Preoperative design. (B) Lumpectomy and de-epithelized pedicle elevation. (C) Transposition of the pedicle into the new location. From Yang, et al., with permission from Korean Breast Cancer Society.

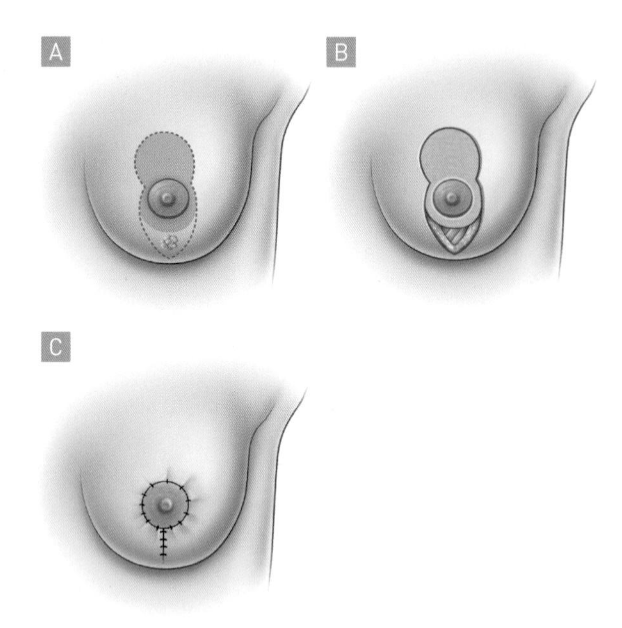

그림 9 Vertical reduction. (A) Preoperative design. (B) Lumpectomy and de-epithelized pedicle elevation. (C) New nipple positioning. From Yang, et al., with permission from Korean Breast Cancer Society.

epithelization을 시행한다. Pedicle의 두께는 기저부에서 4-10 cm, NAC 부근에서 3-5 cm를 기준으로 한다. Pedicle을 거상한 후 pedicle 주변의 parenchymal tissue를 제거하여 NAC를 포함하는 pedicle이 새로운 위치로 쉽게 transposition될 수 있도록 한다. NAC를 포함하는 pedicle과 새로운 위치의 areola을 임시 봉합한 뒤, 양측 유방의 symmetry를 확인하면서 같은 방법으로 반대편 유방의 reduction을 시행한다.

② Vertical Pattern

Wise pattern과 동일하게 새로운 nipple의 위치를 정하고 종양의 위치 및 유방 조직의 절제 범위를 표시한다. 유방을 upward rotation시킨 상태에서 medial과 lateral로 밀어주면서 vertical axis와 만나는 지점에 피부 절개선을 도안하는데, 수직 절개선의 가장 아래 부위는 IMF에서 약 4 cm 상방에 위치시킨다. Dermoglandular pedicle은 약 8-10 cm 정도의 폭을 가지며 areola 경계에서는 약 1.5 cm의 폭을 두고 도안한다(**그림 9**). 수술 역시 Wise pattern과 동일하게 도안에 따라 종양을 절제하고 dermoglandular pedicle을 거상한 뒤 새로운 위치로 transposition시킨다.

1) Volume Replacement Techniques

Volume replacement technique은 excised volume이 비교적 큰 경우 남아 있는 유방 조직이 재건을 위해 불충분하여 유방 이외의 autologous tissue를 flap으로 거상하여 부족한 volume을 import하는 술기로써, volume displacement technique에 비해 술기가 복잡하고 donor site를 필요로 하며 회복 시간이 길다는 단점이 있다.

(1) Adipofascial Flap

IMF의 아래쪽이나 thoracodorsal area에서 거상할 수 있는데, wide excision 후 보충할 양을 고려하여 알맞은 크기의 flap을 피부에 디자인한다. 피부에서 약 3-4 mm의 깊이로 subcutaneous fat layer로 충분히 박리한 후, 디자인을 따라 반원형으로 subcutaneous fat과 rectus abdominis muscle의 anterior sheath 또는 latissimus dorsi (LD) muscle의 fascia까지 함께 거상하는데, flap의 양이 충분하지 않을 경우에는 flap 아래의 muscle을 함께 거상할 수 있다. 이렇게 거상한 flap을 defect로 이동시킨 뒤 재건할 유방의 모양을 고려하여 흉벽에 고정시키고, 박리된 피부 아래쪽으로 negative pressure drain을 거치한 뒤 피부를 봉합한다(**그림 10**).

이 flap은 반대편 유방이 크지 않고 IMF나 thoracodorsal area에 subcutaneous fat tissue가 충분한 환자에게 적합하며, obese 하지 않은 환자에서도 lower 또는 lateral quadrant의 defect를 재건하는데 유용하게 이용될 수 있다.

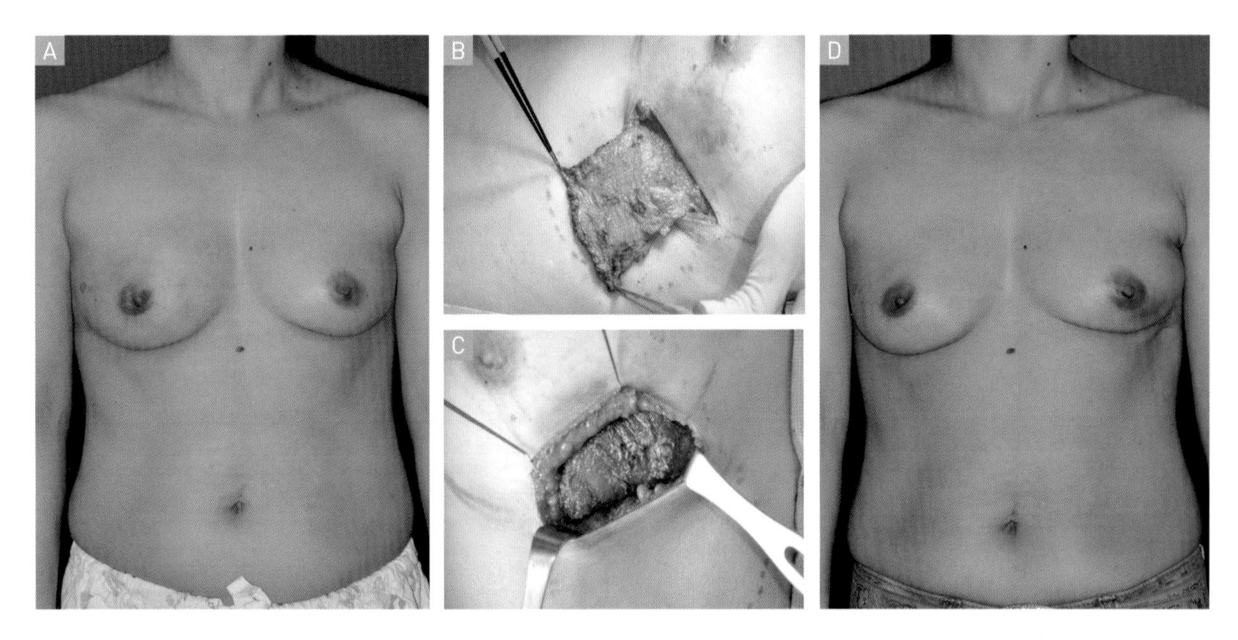

그림 10 A 43-year-old woman with invasive ductal carcinoma in left lower outer breast. (A) Preoperative view. (B, C) Intraoperative views of elevation and insetting of adipofascial flap after partial mastectomy. (D) 3-month postoperative outcome. From Yang, et al., with permission from Korean Breast Cancer Society.

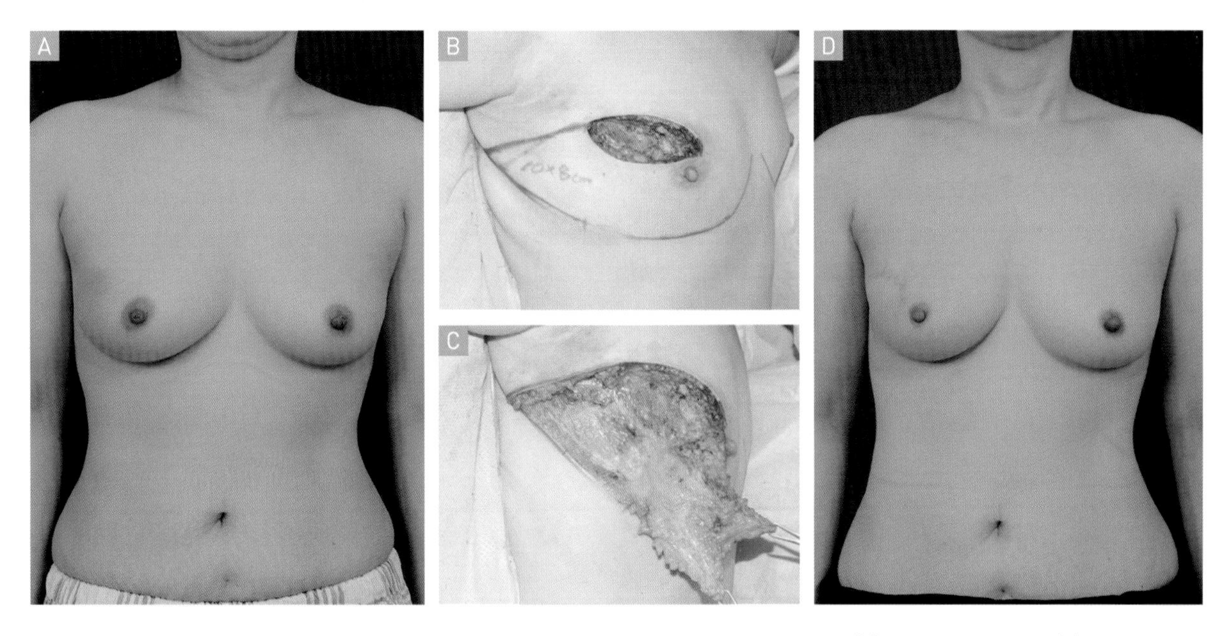

그림 11 A 43-year-old woman with invasive ductal carcinoma in right upper outer breast. (A) Preoperative view. (B) Intraoperative view of elevated lateral thoracodorsal flap after partial mastectomy. (C) Dissected additional perforator. (D) 30-month postoperative outcome.

(2) Lateral Thoracodorsal Flap

Lateral thoracodorsal flap은 wedge-shaped transposition flap으로 flap의 축이 IMF의 외측 연장선 상에 놓이게 된다. Superior border는 anterior axillary fold의

medial 쪽으로 인접한 곳에서 시작하여 외측으로 연장되고, inferior border는 superior border에서 약간 더 외측에서 시작하여 완만한 곡선을 이룬다. Flap을 디자인 할 때, lateral thoracic region에서 이용 가능한 피부와 subcutaneous fat tissue의 양을 결정하는 것이 매우 중요한데, 엄지손가락과 집게손가락을 이용한 pinch test를 통해 술 후 donor site의 tension을 유방으로 전달하지 않는 flap의 폭을 정할 수 있다. Flap을 거상할 때 LD muscle 또는 serratus anterior muscle의 fascia를 포함시키는 것이 중요한데, 이 fascia를 통해서 lateral intercostal perforator로부터 blood supply를 받기 때문이다. 거상한 flap을 defect로 transposition시킨 뒤 donor site는 primary closure한다. Donor site의 scar는 환자의 등에 위치하게 되어 브래지어를 착용하면 가릴 수 있다(**그림 11**).

이 flap은 원래의 유방과 비슷한 피부와 연부조직을 제공하며, 주변 근육의 손상이 없어 donor site의 morbidity 또한 최소화 할 수 있지만, posterolateral thoracotomy와 같이 lateral chest wall에 수술을 받은 과거력이 있는 경우에는 contraindication이다.

(3) Thoracoepigastric Flap

Thoracoepigastric flap의 superior border는 IMF에 놓이며, inferior border는 superior epigastric artery와 vein으로부터 기시하여 rectus abdominis muscle을 관통하는 perforator (vascular pedicle)의 위치를 고려하여 결정한다. 이 perforator의 위치는 수술 전 도플러 검사를 이용하면 쉽게 찾을 수 있으며, flap의 길이는 defect의 위치와 excised volume에 따라 결정한다. Vascular pedicle로 사용될 perforator의 손상에 주의하여 거상한 flap은 피부와 subcutaneous fat tissue를 포함하며 supramuscular tunnel을 통해 defect로 transposition시킨다. 이 때 tunnel 아래에 위치한 flap은 de-epithelization 하며, defect에 위치한 flap은 유방의 모양을 고려하여

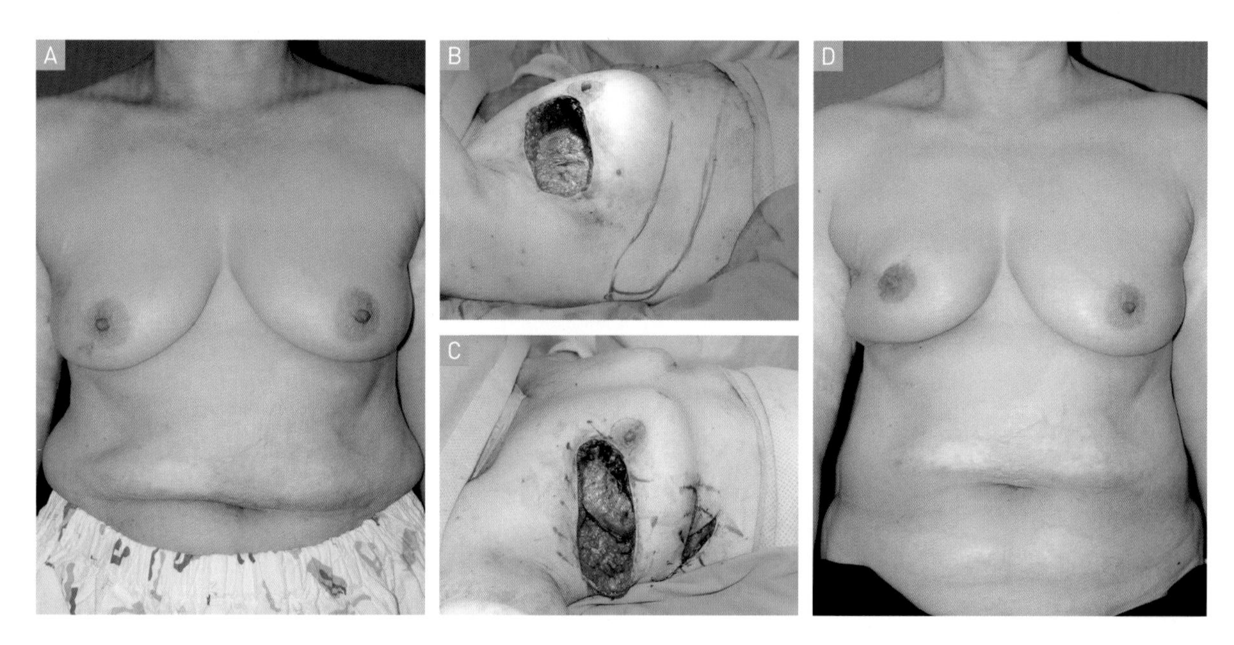

그림 12 A 60-year-old woman with invasive ductal carcinoma in right upper outer breast. (A) Preoperative view. (B) Intraoperative view of designed thoracoepigastric flap after partial mastectomy. (C) Intraoperative view of the inset flap. (D) 20-month postoperative outcome. From Yang, et al., with permission from Korean Breast Cancer Society.

부분적으로 또는 완전히 de-epithelization한다. Donor site가 위치하는 유방 아래 부위는 피부와 subcutaneous tissue의 여유가 많기 때문에 대개 primary closure가 가능하며, scar는 IMF에 위치하므로 쉽게 숨길 수 있다(**그림 12**). 술자의 판단에 따라 필요할 경우 negative pressure drain을 거치한다.

이 flap은 upper abdomen에 충분한 피부와 연부 조직을 가진 노령의 환자에서 주로 lower quadrant의 defect를 재건하는데 적용할 수 있으며, incision을 외측으로 연장하여 upper quadrant 또한 재건할 수 있지만 flap의 길이가 너무 길어지면 blood supply에 문제가 생길 수 있다. Pedicle의 손상 가능성이 있기 때문에 ipsilateral upper abdomen에 기왕의 수술로 인한 scar가 있는 환자에게는 contraindication이다.

(4) Intercostal Artery Perforator (ICAP) Flap

ICAP flap은 pedicle에 따라 분류할 수 있는데, 흉벽 측면의 costal segment에서 기시하는 perforator를 이용하는 lateral ICAP (LICAP) flap과 muscular segment에서 기시하는 perforator를 이용하는 anterior ICAP (AICAP) flap이 유방 재건에 흔히 사용된다. LICAP는 LD muscle의 anterior border에서 3-4.5 cm 앞쪽의 6번째와 7번째 intercostal space에 주로 위치하며 AICAP는 sternal border에서 외측으로 1-4 cm 떨어진 곳에 주로 위치하기 때문에 lower quadrant에 종양이 있을 경우 IMF의 하방과 외측으로 광범위하게 박리하여 pedicle이 손상될 수 있으므로 주의해야 한다. LICAP flap은 LD muscle과 serratus anterior muscle 영역까지, AICAP flap은 pectoralis muscle이나 rectus abdominis muscle 영역까지 피부 절개를 할 수 있다. 피부와 subcutaneous fat tissue를 포함하여 subfascial plane으로 박리하면서 perforator를 확인한 뒤 anterior intercostal vessels 또는 internal mammary vessels을 따라 손상에 주의하면서 박리한다. defect의 위치와

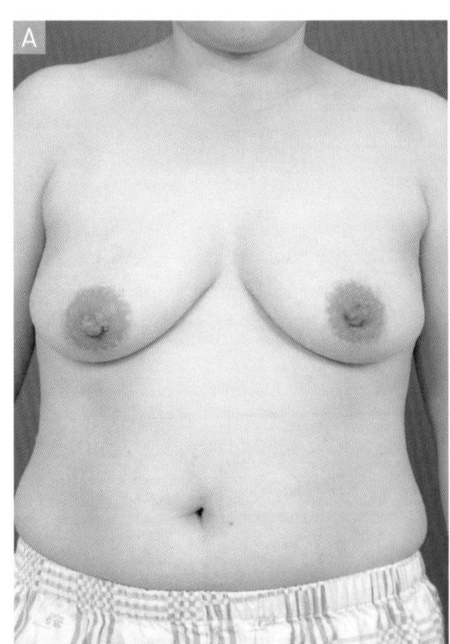

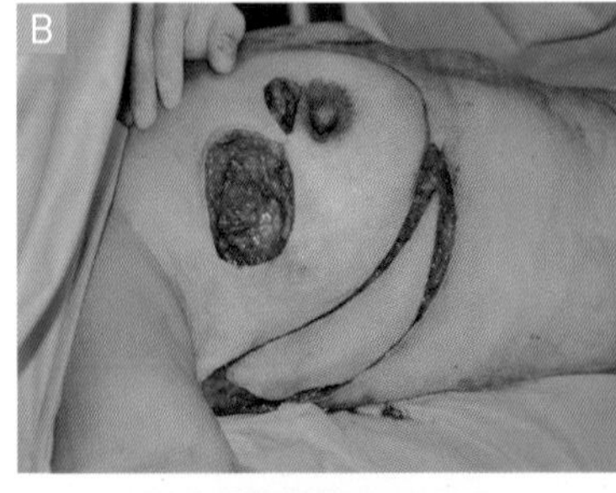

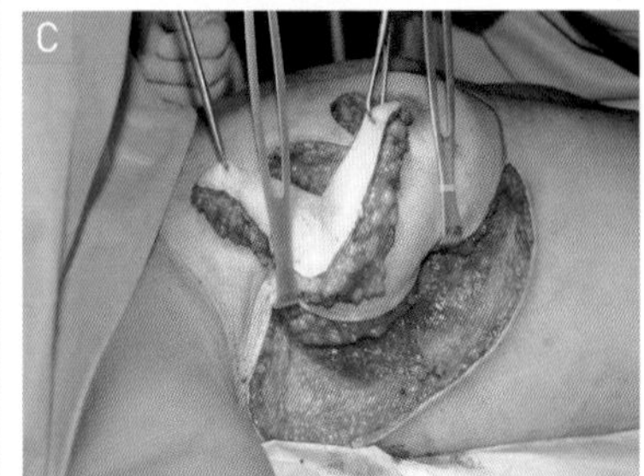

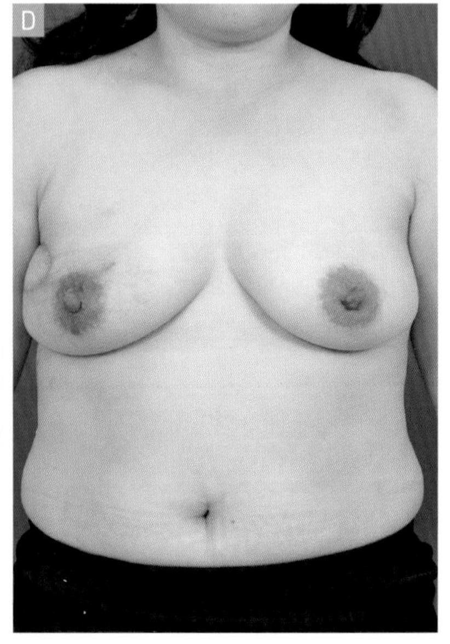

그림 13 A 39-year-old woman with invasive ductal carcinoma in right upper outer breast. (A) Preoperative view. (B, C) Intraoperative views of elevated intercostal artery perforator flap after partial mastectomy. (D) 13-month postoperative outcome. From Yang, et al., with permission from Korean Breast Cancer Society.

excised volume에 따라 부분적으로 또는 완전히 flap을 de-epithelization 하고, defect와 donor site 사이의 supramuscular tunnel을 통해 defect로 transposition시킨다. 재건할 유방의 모양을 고려하여 flap을 접거나 모양을 다듬어 defect에 inset 한 뒤 negative pressure drain을 거치하고 donor site는 primary closure한다(**그림 13**).

이 flap은 유방의 lower pole이 빈약할 경우, 이를 확대하기 위해 turnover flap으로 이용할 수도 있다. Flap의 축이 IMF를 따라 위치하므로 브래지어를 착용하여 donor site의 scar를 가릴 수 있으며, skin texture가 원래의 유방과 비슷하고, LICAP을 pedicle로 사용하더라도 thoracodorsal vessels을 손상 없이 보존할 수 있는 장점이 있다.

(5) Thoracodorsal Artery Perforator (TDAP) Flap

Thoracodorsal artery는 subscapular artery에서 기시하여 LD muscle의 lateral and deep surface를 따라 주행하면서 lateral chest wall을 덮고 있는 피부에 혈류를 공급하는 serratus branch와 perforator를 분지하는데, 이 perforator를 포함하여 넓은 skin paddle을 가지는 flap을 디자인할 수 있다. LD fascia 수준에서 flap을 거상하여 적절한 perforating vessel을 선택한 다음, thoracodorsal artery와 vein이 나올 때까지 LD muscle을 따라 박리를 계속하는데, 길이가 긴 pedicle이 필요하거나 arc of rotation을 많이 요구하는 경우에는 위쪽으로 axillary vessel을 향해 충분히 박리한다. 거상한 flap은 LD muscle의 anterior edge와 defect 사이에 tunnel을 만들어 defect로 transposition시킨다(**그림 14**).

이 flap은 LD muscle 을 보존할 수 있으며, restricted shoulder movement나 seroma와 같은 수술 후 donor site의 complication 발생을 감소시켜 회복기간을 줄여줄 수 있다.

(6) Latissimus Dorsi (LD) Myocutaneous Flap

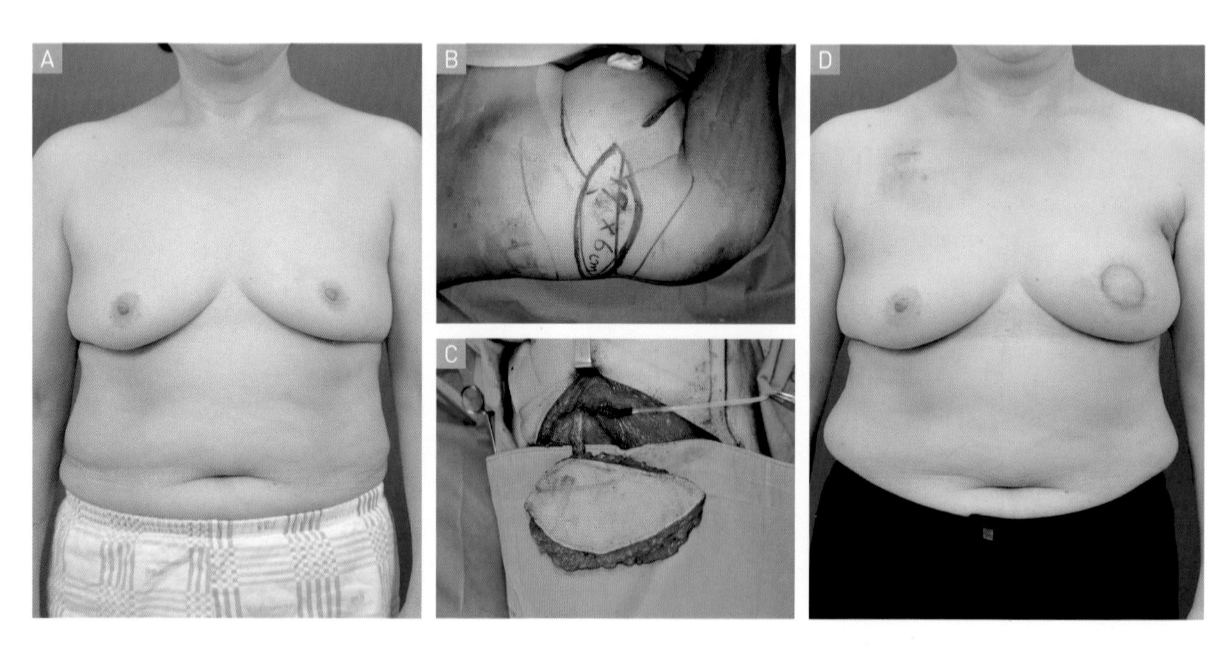

그림 14 A 59-year-old woman with invasive ductal carcinoma in left central breast. (A) Preoperative view. (B) Intraoperative view of designed thoracodorsal artery perforator flap after partial mastectomy. (C) Intraoperative view of the elevated flap. (D) 2-month postoperative outcome. From Yang, et al., with permission from Korean Breast Cancer Society.

LD flap은 최초의 순수한 autologous tissue를 이용한 surgical breast reconstruction이지만, 상대적으로 유방이 큰 서양 여성들에게는 transverse rectus abdominis myocutaneous (TRAM) flap에 비해 충분한 조직을 제공하지 못하는 단점이 있다. 그러나 비교적 유방의 크기가 작은 동양 여성에서는 BCS 후의 breast reconstruction에 유용하게 이용될 수 있다.

Skin paddle의 위치와 크기는 다양하게 디자인 할 수 있는데 저자가 즐겨 사용하는 디자인은 horizontal pattern으로, 수술 전 환자는 upright standing position을 유지하면서 등쪽 브래지어 위치에 수평으로 그은 선을 따라 타원형 모양으로 pinch test를 통해 primary closure가 가능할 정도의 transverse skin paddle을 디자인하여 브래지어 착용 시 donor site의 scar가 가려질 수 있도록 한다. 대개의 경우 harvest 가능한 skin paddle의 폭은 6-10 cm, 길이는 20-25 cm 정도이며, LD muscle의 anterior edge를 5-7 cm 정도까지 넘어서는 확장된 디자인을 할 수도 있다. Harvest 가능한 flap의 폭은 posterior axillary fold에서부터 spinous process까지 이를 수 있으며, defect의 위치와 크기를 고려하여 flap의 경계를 피부에 표시한다. 수술은 환자가 decubitus position을 유지한 상태에서 skin paddle을 따라 피부 절개를 가한 뒤 Scarpa's fascia와 유사한 thoracodorsal fascia 바로 아래로 박리를 진행한다. 이 때 fascia 위쪽의 fat layer를 back skin 쪽에 남기는 것이 중요한데, 이는 donor site의 blood supply를 담당하는 subdermal plexus를 보존하여 skin necrosis, wound dehiscence와 같은 complication을 줄여주기 위함이다. LD muscle의 anterior edge에서부터 박리를 시작하여 medial 쪽으로는 paravertebral area까지, inferior 쪽으로는 external oblique muscle과 overlap 되는 부위까지, superior 쪽으로는 thoracodorsal vessel에서 LD branch가 분지 되는 부위까지 박리할 수 있으며, 필요에 따라서는 주변의 fat and fascial extension을 포함할 수도 있다. Axilla

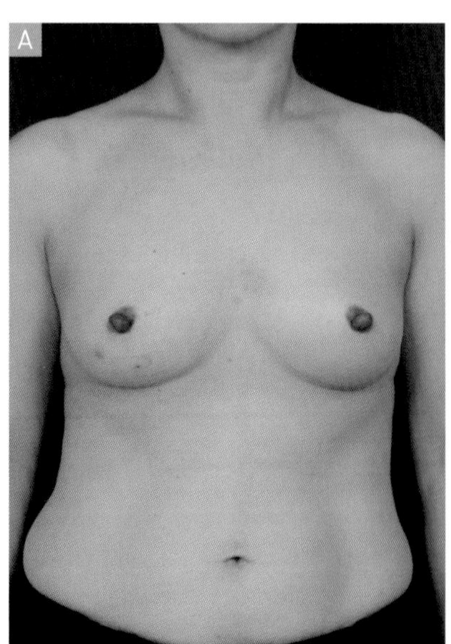

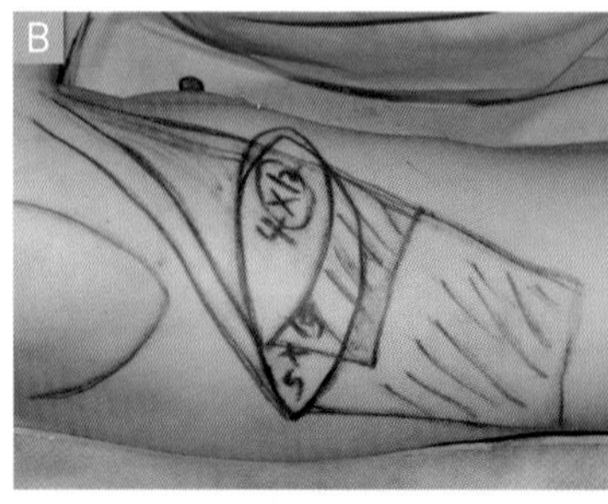

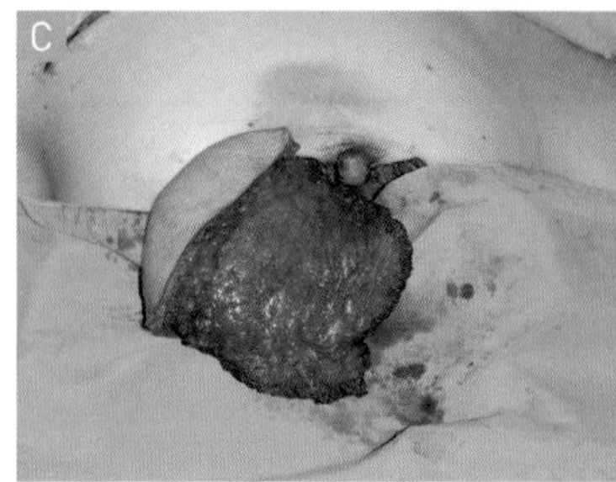

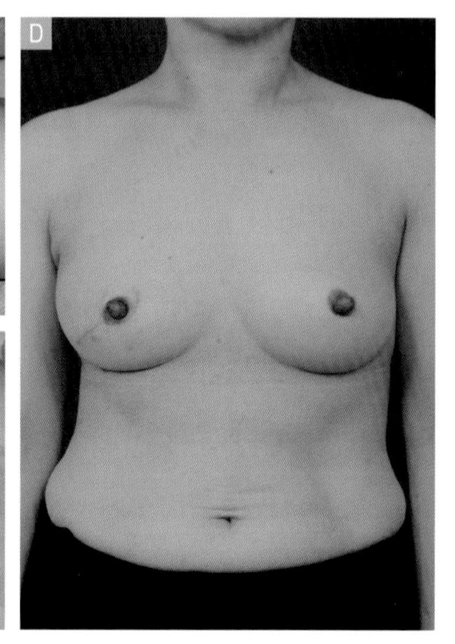

그림 15 A 49-year-old woman with invasive ductal carcinoma in right lower inner breast. (A) Preoperative view. (B) Intraoperative view of designed Latissimus dorsi flap after partial mastectomy. (C) Intraoperative view of the elevated flap. (D) 5-month postoperative outcome.

에 위치하는 subcutaneous tunnel을 통해 flap을 defect로 transposition시키는데, thoracodorsal vessel이 LD muscle로 들어가는 것보다 상방에서 LD muscle의 humeral attachment를 division 하여 arc of rotation을 증가시켜 줄 수 있다. 또한 thoracodorsal vessel에서 분지하는 serratus branch로 인해 flap rotation이 제한된다면 division 할 수 있지만, 항상 필요한 것은 아니다. Donor site는 negative pressure drain을 거치하고 primary closure한다. 환자를 supine position으로 위치시킨 후 재건할 유방의 모양을 고려하여 flap을 inset 한다**(그림 15)**.

이 flap은 reliable blood supply가 가장 큰 장점으로 흡연, 당뇨, 비만과 같은 microvascular surgery의 위험인자를 가진 환자에서 유용한 pedicled flap으로 사용된다. 또한, 술 후 radiotherapy나 chemotherapy가 예정되어 있더라도 contraindication이 아니다. 그러나, 어려운 술기, 긴 수술 시간, 등, 어깨, 팔의 weakness와 긴 scar, seroma와 같은 donor site의 complication을 단점으로 꼽을 수 있다. 그 중에서도 donor site의 seroma는 가장 흔한 complication으로 발생율이 약 20%까지 보고되기도 하는데, donor site를 닫을 때 quilting suture를 하거나 fibrin glue를 사용하여 상당히 감소시킬 수 있다.

3. MANAGEMENT ALGORITHM FOR REPAIR OF PARTIAL MEASTECTOMY (IN ASIAN WOMEN)

OPS는 서양 여성과 같이 비교적 큰 유방에서 먼저 적용 되었으며, glandular reshaping만으로도 미용적으로 만족할만한 결과를 얻을 수 있었다. 하지만 동양 여성과 같이 small-to moderate-sized breast에서는 상대적으로 defect가 작더라도 deformity가 심해 volume replacement technique이 유용하게 이용되고 있다. 미용적인 결과를 고려한다면 BCS보다는 skin-sparing 또는 nipple-sparing mastectomy 후 total breast reconstruction을 시행하는 편이 나을 수 있지만, partial mastectomy 후 재건술을 시행하여 환자의 유방을 보존하려는 욕구와 미용적인 결과 모두를 충족시킬 수 있다.

저자가 small- to moderate-sized breast를 가진 환자에서 종양의 위치와 excised volume을 고려하여 OPS를 결정하는 알고리즘을 **(그림 16)**에 준비하였다. 우선 excised volume이 100 g 미만인 경우에는 종양의 위치를 고려하여 세분화된 술식을 적용하였는데, 유방 상부에 위치하는 경우에는 tennis racket method 또는 rotation flap이 유용하게 사용될 수 있다. 유방의 중앙에 위치하는 경우에는 purse-string suture 또는 linear suture를, 유방 하부에 위치하는 경우에는 tennis racket method 또는 reduction mammoplasty technique이 유용하게 사용될 수 있다. excised volume이 100 g 이상인 경우에는 100 g에서 150 g, 150 g 이상인 경우로 세분화하여 volume replacement technique을 주로 적용하였다. excised volume이 100 g에서 150 g인 경우에는 ICAP flap 또는 TDAP flap을, 150 g 이상인 경우에는 LD myocutaneous flap을 적용하여 미용적으로 만족할 만한 결과를 얻을 수 있었다.

4. COSMETIC IMPROVEMENT

1) Repositioning of Nipple-Areolar Complex

Subareolar area의 직간접적인 tumor invasion이 의심되어 NAC를 제거한 경우에는 immediate 또는 delayed reconstruction을 시행할 수 있지만, 유방의 상부나 하부에 종양이 위치한 경우에는 유방 또는 유방 이

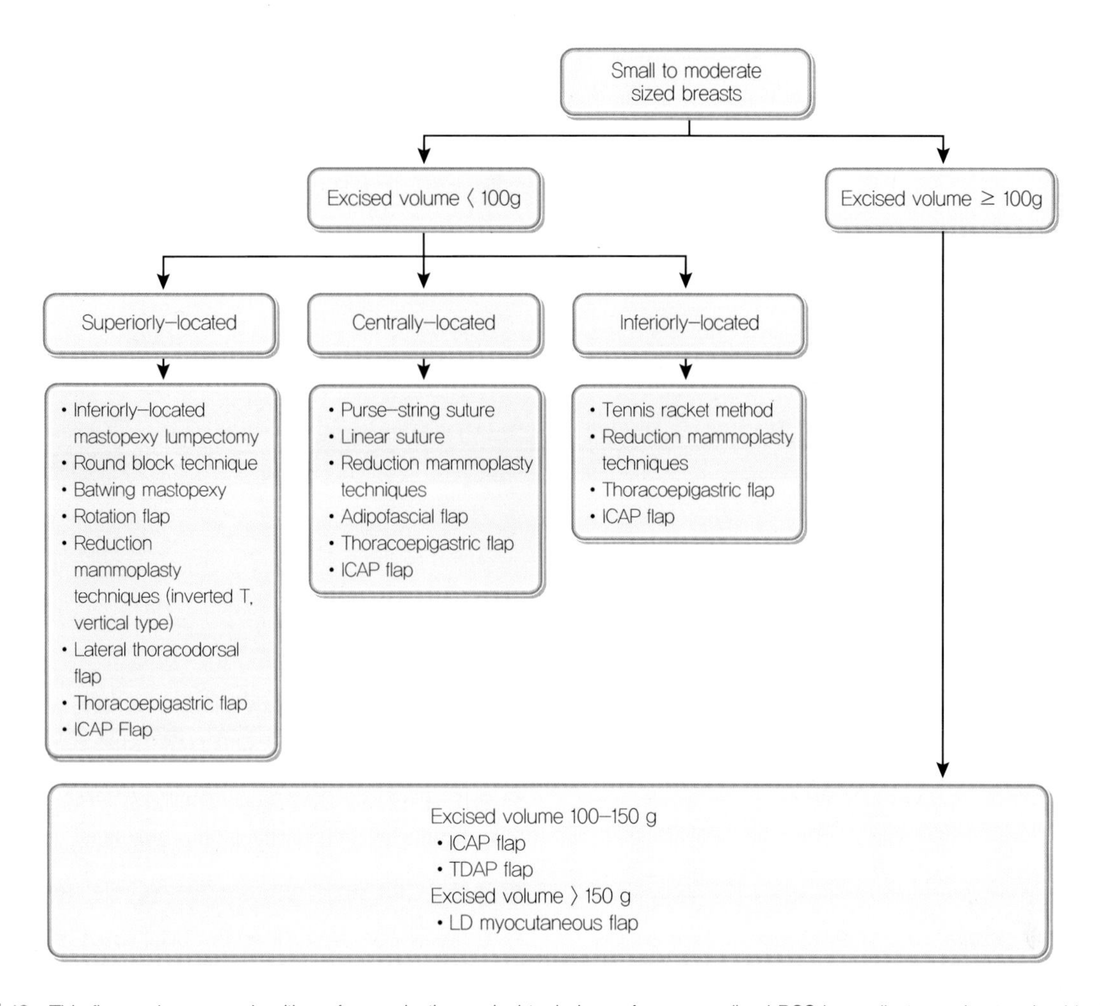

그림 16 This figure shows an algorithm of oncoplastic surgical techniques for personalized BCS in small- to moderate-sized breasts based on the excised breast tissue volume and tumor location. ICAP, intercostal artery perforator; TDAP, thoracodorsal artery perforator; LD, latissimus dorsi; BCS, breast conserving surgery. From Yang, et al., with permission from Korean Breast Cancer Society.

외의 조직을 적절하게 재배치 하더라도 skin retraction과 같은 distortion으로 인해 NAC의 malposition을 초래할 수 있다. Nipple의 위치와 크기는 양쪽 가슴의 symmetry를 맞추는데 있어 중요한 부분이지만, 종양을 절제한 후에는 반대편 유방의 조작 없이는 완벽한 symmetry를 맞추기 어려운 경우가 많다.

2) Surgery to Contralateral Breast

NAC의 asymmetry, 양쪽 유방의 크기나 ptosis 정도의 차이로 인해 OPS 후 asymmetry가 발생할 수 있으며, 이는 반대편 유방에 다양한 성형외과적인 수술을 시행하여 극복할 수 있다. 그 정도가 경미한 경우에는 periareolar symmetrical de-epithelization을 시행하여 NAC의 위치를 교정할 수 있으며, excised volume이 비교적 작은 경우에는 반대편 유방에서도 비슷한 위치에서 비슷한 양의 glandular resection을 시행할 수 있다. moderate- to large-sized breast에서 ptosis가 있는 경우에는 mastopexy 또는 reduction mammoplasty를 통해 symmetry를 이룰 수 있으며, 절제한 반대편 유방 조직에 대한 검사를 시행하여 occult cancer를 조기에 발견할 수 있는 장점도 있다.

3) Additional Procedure to Reconstructed Breast

OPS 후 발생한 local depressed area의 교정은 invasive approach보다는 local anesthesia 하에서 시행하는 fat graft만으로도 교정할 수 있다. Rigotti 등은 fat graft를 통해 부족한 volume도 보충할 수 있을 뿐만 아니라 방사선에 조사된 피부의 양상도 좋아진다고 보고하였다.

종양 절제 과정에서 NAC를 같이 절제한 경우에는 chemotherapy와 radiotherapy가 끝난 뒤 C-V flap 또는 Hammond flap 등을 이용하여 nipple을 재건할 수 있으며, 그로부터 약 2개월이 경과한 시점에서 areola pigmentation을 위해 tattoo를 시행할 수 있다.

4) How to Reduce Complication of Oncoplastic Surgery

OPS 후 나타날 수 있는 대표적인 complication으로 fat necrosis와 scar를 들 수 있다. Fat necrosis를 예방하기 위해서는 chest wall과 skin envelope 사이에서 거상한 glandular flap을 포함하여 모든 flap에 충분한 blood supply를 유지하는 것이 가장 중요하다. OPS를 시행함으로 인해 donor site를 포함한 scar가 더욱 길어질 수 있지만, periareolar area나 IMF와 같이 눈에 잘 띄지 않는 부위에 위치시켜 scar를 숨길 수 있다. 또한 layered suture를 시행하여 피부 긴장을 줄이고 undermining 할 때 skin envelope의 blood supply를 잘 유지함으로써 scar widening을 최소화할 수 있다.

5. FOLLOW-UP AFTER ONCOPLASTIC SURGERY

1) Oncologic Outcome: Local Recurrence

OPS 후의 local recurrence에 대해서는 좀더 오랜 연구가 필요하지만, 현재까지의 연구를 살펴보면 conventional BCS (10-14%) 보다 OPS (2-9%) 의 local recurrence rate가 대체로 낮은 것으로 보고되고 있다. 이러한 차이는 conventional BCS에 비해 OPS를 시행할 경우 종양을 포함한 더 많은 양의 유선 조직 절제가 가능해져 positive margin의 빈도를 줄이고 oncologic safety를 가져오기에 가능하다고 본다. Rainsbury는 local recurrence rate를 OPS의 수술 방법에 따라 나누어 분석하였는데, volume displacement technique을 시행한 경우에는 0-7%, volume replacement technique을 시행한 경우에는 0-5%로 보고하였다. 저자는 partial mastectomy 후 volume replacement technique을 시행한 경우 2.8%의 local recurrence를 경험하였다.

OPS 후에는 유방 내 anatomical structure의 변형이 오는 경우가 많기 때문에 postoperative glandular change와 local recurrence의 감별은 아주 중요하다. 술후의 follow-up imaging study에서 이상 소견이 발견된다면 좀더 적극적인 접근이 필요하다.

2) Fat Necrosis

Fat necrosis는 BCS 후 surgical complication 또는 radiotherapy로 인한 조직의 손상으로 발생할 수 있으며, 발생율은 4-25%로 보고되고 있다. 비록 수술 후에 발생하는 fat necrosis가 minor complication이라 하더라도 종양의 local recurrence와 감별이 어려울 수 있어, 환자에게 미용적인 문제뿐만 아니라 그로 인한 불안을 초래할 수 있다. 수술 후 mammography, USG, MRI 등의 imaging study에서 발견되는 이상 소견들은 대부분 fat necrosis, fluid collection, dystrophic calcification 등이지만, 필요에 따라 fine needle aspiration (FNA), core needle biopsy 또는 excisional biopsy 등의 방법으로 local recurrence와 감별해야 할 필요가 있다. 2 cm 이하의 작은 크기의 fat necrosis는 보존적인 치료와 마사지 등으로 대부분 해결되는데, 간혹 통증이 지속되면 NSAIDs가 도움이 되기도 하며, 단지 2-7%의 경우에서만 수술적 치료가 필요한 것으로 보고되고 있다. 최근의 보고에 따르면, 80% 이상에서 ultrasound-assisted liposuction으로 증상의 호전을 보이며, fat necrosis의 크기가 크더라도 시간이 지남에 따라 크기가 감소하거나 complete resolution 될 수 있다고 한다.

6. CONCLUSIONS

유방암 환자에서 BCS를 시행하는 비율이 미국이나 유럽은 약 70%에 달하는데 비해 우리나라를 비롯한 아시아에서는 증가 추세에 있지만 약 50-60% 정도로 보고되고 있는데, 이는 surgical approach의 차이라기 보다는 동양 여성에 비해 서양 여성의 유방이 비교적 크기 때문이라 여겨진다. 또 하나의 큰 차이점은 수술 방법으로, 미국이나 유럽에서는 reduction mammoplasty technique이 80-90%를 차지하는 반면, 아시아에서는 그 비중이 아주 낮으며 미용적인 만족도를 고려하여 mastectomy 후 immediate reconstruction을 권하는 경우가 많다. 그러나, 앞서 소개한 BCS with partial breast reconstruction techniques을 적절하게 적용한다면 작은 유방을 가진 여성에서도 oncologic safety 뿐만 아니라 미용적인 효과도 기대할 수 있을 것이다.

이를 위해서는 BCS의 장단점을 잘 이해하고, breast surgeon, plastic surgeon, radiologist, medical oncologist 등의 다양한 전문가들로 구성된 breast care team이 협진하여 환자마다 적절한 치료 계획을 수립하여야 한다. 즉, breast surgeon은 plastic and reconstructive surgery를 이해하고 수술을 진행하는 과정에서 plastic surgeon과의 긴밀한 논의가 필요하며, plastic surgeon은 breast cancer에 대한 이해를 높이고 breast surgeon과 함께 patient care에 대해서 고민을 나눈다면 좋은 결과를 가져올 수 있을 것이다.

앞으로는 과거처럼 단순히 유방 조직을 보존하는 것만으로 BCS가 완성되었다고 할 수는 없으며, BCS와 radiotherapy 후의 유방 모습과 반대편 유방과의 symmetry까지도 고려한 연구가 더욱 활발히 이루어져야 할 것이다.

참·고·문·헌

1. American Cancer Society. Breast Cancer Facts & Figures 2013-2014. Atlanta: American Cancer Society, Inc. 2013.
2. Anderson BO, Masetti R, Silverstein MJ. Oncoplastic approaches to partial mastectomy: an overview of volume-displacement techniques. Lancet Oncol 2005;6:145-57.
3. Bae SG, Yang JD, Lee SY, Chung KH, Chung HY, Cho BC, et al. Oncoplastic techniques for treatment of inferiorly located breast cancer. J Korean Soc Plast Reconstr Surg 2008;35:680-6.
4. Berry MG, Fitoussi AD, Curnier A, Couturaud B, Salmon RJ. Oncoplastic breast surgery: a review and systematic approach. J Plast Reconstr Aesthet Surg 2010;63:1233-43.
5. Chang DW, Youssef A, Cha S, Reece GP. Autologous breast reconstruction with the extended latissimus dorsi flap. Plast Reconstr Surg 2002;110:751-9.
6. Chang E, Johnson N, Webber B, Booth J, Rahhal D, Gannett D, et al. Bilateral reduction mammoplasty in combination with lumpectomy for treatment of

breast cancer in patients with macromastia. Am J Surg 2004;187:647-50.

7. Cho HW, Lew DH, Tark KC. Effect of fibrin sealant in extended lattisimus dorsi flap donor site: retrospective study. J Korean Soc Plast Reconstr Surg 2008;35:267-72.
8. Clough KB, Kroll SS, Audretsch W. An approach to the repair of partial mastectomy defects. Plast Reconstr Surg 1999;104:409-20.
9. Daltrey I, Thomson H, Hussien M, Krishna K, Rayter Z, Winters ZE. Randomized clinical trial of the effect of quilting latissimus dorsi flap donor site on seroma formation. Br J Surg 2006;93:825-30.
10. Dolmans GH, van de Kar AL, van Rappard JH, Hoogbergen MM. Nipple reconstruction: the "Hammond" flap. Plast Reconstr Surg 2008;121:353-4.
11. Fisher B, Anderson S, Bryant J, Margolese RG, Deutsch M, Fisher ER, et al. Twenty-year follow-up of a randomized trial comparing total mastectomy, lumpectomy, and lumpectomy plus irradiation for the treatment of invasive breast cancer. N Engl J Med 2002;347:1233-41.
12. Garcia-Etienne CA1, Tomatis M, Heil J, Friedrichs K, Kreienberg R, Denk A, et al. Mastectomy trends for early-stage breast cancer: a report from the EUSOMA multi-institutional European database. Eur J Cancer 2012;48:1947-56.
13. Hamdi M. Oncoplastic and reconstructive surgery of the breast. Breast 2013;22:S100-5.
14. Hamdi M, Salgarello M, Barone-Adesi L, Van Landuyt K. Use of the thoracodorsal artery perforator (TDAP) flap with implant in breast reconstruction. Ann Plast Surg 2008;61:143-6.
15. Hamdi M, Van Landuyt K, de Frene B, Roche N, Blondeel P, Monstrey S. The versatility of the inter-costal artery perforator (ICAP) flaps. J Plast Reconstr Aesthet Surg 2006;59:644-52.
16. Hassa A, Curtis MS, Colakoglu S, Tobias AM, Lee BT. Early results using ultrasound-assisted liposuction as a treatment for fat necrosis in breast reconstruction. Plast Reconstr Surg 2010;126:762-8.
17. Hoch D, Benditte-Klepetko H, Bartsch R, Gösseringer N, Deutinger M. Breast reconstruction with the latissimus dorsi muscle flap. In: Fitzal F, Schrenk P, editors. Oncoplastic Breast Surgery: A Guide to Clinical Practice. Vienna: Springer; 2010. p.157-64.
18. Holmström H, Lossing C. The lateral thoracodorsal flap in breast reconstruction. Plast Reconstr Surg 1986;77:933-43.
19. Huemer GM. Partial mastectomy: breast reconstruction with the pedicled thoracoepigastric flap. In: Fitzal F, Schrenk P, editors. Oncoplastic Breast Surgery: A Guide to Clinical Practice. Vienna: Springer; 2010. p.127-32.
20. Khoobehi K, Allen RJ, Montegut WJ. Thoracodorsal artery perforator flap for reconstruction. South Med J 1996;89(Suppl 10):S110.
21. Kijima Y, Yoshinaka H, Funasako Y, Kaneko K, Hirata M, Ishigami S, et al. Immediate reconstruction using thoracodorsal adipofascial flap after partial mastectomy. Breast 2009;18:126-9.
22. Kijima Y, Yoshinaka H, Owaki T, Funasako Y, Aikou T. Immediate reconstruction using inframammary adipofascial flap of the anterior rectus sheath after partial mastectomy. Am J Surg 2007;193:789-91.
23. Lee J, Jung JH, Kim WW, Hwang SO, Kang JG, Baek J, et al. Oncologic outcomes of volume replacement technique after partial mastectomy for breast cancer: A single center analysis. Surg Oncol 2015;24:35-40.
24. Levine JL, Reddy PP, Allen RJ. Lateral thoracic flaps in breast reconstruction. In: Nahabedian M, editor. On-

coplastic Surgery of the Breast. Philadelphia: Saunders Elsevier; 2009. p.83-92.
25. Losken A, Elwood ET, Styblo TM, Bostwick J 3rd. The role of reduction mammaplasty in reconstructing partial mastectomy defects. Plast Reconstr Surg 2002;109:968-75.
26. Losken A, Mackay GJ, Bostwick J 3rd. Nipple reconstruction using the C-V flap technique: a long-term evaluation. Plast Reconstr Surg 2001;108:361-9.
27. Losken A, Styblo TM, Carlson GW, Jones GE, Amerson BJ. Management algorithm and outcome evaluation of partial mastectomy defects treated using reduction or mastopexy techniques. Ann Plast Surg 2007;59:235-42.
28. MacDonald S, Taghian AG. Prognostic factors for local control after breast conservation: does margin status still matter- J Clin Oncol 2009;27:4929-30.
29. Malka I, Villet R, Fitoussi A, Salmon RJ. Oncoplastic conservative treatment for breast cancer (part 3): techniques for the upper quadrants. J Visc Surg 2010;147:e365-72.
30. Maxwell GP. Iginio Tansini and the origin of the latissimus dorsi musculocutaneous flap. Plast Reconstr Surg 1980;65:686-92.
31. Munhoz AM, Montag E, Arruda E, Brasil JA, Aldrighi JM, Gemperli R, et al. Immediate conservative breast surgery reconstruction with perforator flaps: new challenges in the era of partial mastectomy reconstruction? Breast 2011;20:233-40.
32. Munhoz AM, Montag E, Fels KW, Arruda EG, Sturtz GP, Aldrighi C, et al. Outcome analysis of breast-conservation surgery and immediate latissimus dorsi flap reconstruction in patients with T1 to T2 breast cancer. Plast Reconstr Surg 2005;116:741-52.
33. Munhoz AM, Montag E, Gemperli R. Oncoplastic breast surgery: indications, techniques and perspectives. Gland Surg 2013;2:143-57.
34. Petit JY, De Lorenzi F, Rietjens M, Intra M, Martella S, Garusi C, et al. Technical tricks to improve the cosmetic results of breast-conserving treatment. Breast 2007;16:13-6.
35. Pleijhuis RG, Graafland M, de Vries J, Bart J, de Jong JS, van Dam GM. Obtaining adequate surgical margins in breast-conserving therapy for patients with early-stage breast cancer: current modalities and future directions. Ann Surg Oncol 2009;16:2717-30.
36. Rainsbury RM. Surgery insight: oncoplastic breast-conserving reconstruction—indications, benefits, choices and outcomes. Nat Clin Pract Oncol 2007;4:657-64.
37. Rietjens M, Urban CA, Rey PC, Mazzarol G, Maisonneuve P, Garusi C, et al. Long-term oncological results of breast conservative treatment with oncoplastic surgery. Breast 2007;16:387-95.
38. Rigotti G, Marchi A, Galiè M, Baroni G, Benati D, Krampera M, et al. Clinical treatment of radiotherapy tissue damage by lipoaspirate transplant: a healing process mediated by adipose-derived adult stem cells. Plast Reconstr Surg 2007;119:1409-22.
39. Smith ML, Evans GR, Gürlek A, Bouvet M, Singletary SE, Ames FC, et al. Reduction mammaplasty: its role in breast conservation surgery for early-stage breast cancer. Ann Plast Surg 1998;41:234-9.
40. Trombetta M, Valakh V, Julian TB, Werts ED, Parda D. Mammary fat necrosis following radiotherapy in the conservative management of localized breast cancer: does it matter? Radiother Oncol 2010;97:92-4.
41. Uemura T. Superior epigastric artery perforator flap: preliminary report. Plast Reconstr Surg 2007;120:1e-5e.
42. Urban C, Lima R, Schunemann E, Spautz C, Rabinovich

I, Anselmi K. Oncoplastic principles in breast conserving surgery. Breast 2011;20(Suppl 3):S92-5.
43. Veronesi U, Cascinelli N, Mariani L, Greco M, Saccozzi R, Luini A, et al. Twenty-year follow-up of a randomized study comparing breast-conserving surgery with radical mastectomy for early breast cancer. N Engl J Med 2002;347:1227-32.
44. Veronesi U, Volterrani F, Luini A, Saccozzi R, Del Vecchio M, Zucali R, et al. Quadrantectomy versus lumpectomy for small size breast cancer. Eur J Cancer 1990;26:671-3.
45. Weinrach JC, Cronin ED, Smith BK, Collins DR Jr, Cohen BE. Preventing seroma in the latissimus dorsi flap donor site with fibrin sealant. Ann Plast Surg 2004;53:12-6.
46. Yang JD, Bae SG, Chung HY, Cho BC, Park HY, Jung JH. The usefulness of oncoplastic volume displacement techniques in the superiorly located breast cancers for Korean patients with small to moderate-sized breasts. Ann Plast Surg 2011;67:474-80.
47. Yang JD, Lee JW, Cho YK, Kim WW, Hwang SO, Jung JH, et al. Surgical techniques for personalized oncoplastic surgery in breast cancer patients with small- to moderate-sized breasts (part 1): volume displacement. J Breast Cancer 2012;15:1-6.
48. Yang JD, Lee JW, Cho YK, Kim WW, Hwang SO, Jung JH, et al. Surgical techniques for personalized oncoplastic surgery in breast cancer patients with small- to moderate-sized breasts (part 2): volume replacement. J Breast Cancer 2012;15:7-14.
49. Yang JD, Lee JW, Kim WW, Jung JH, Park HY. Oncoplastic surgical techniques for personalized breast conserving surgery in breast cancer patient with small to moderate sized breast. J Breast Cancer 2011;14:253-61.
50. 중앙암등록본부. 국가암등록사업 연례 보고서 (2010년 암등록통계), 보건복지부. 2012.
51. 한국유방암학회. 2014 유방암백서. 2014.

Aesthetic breast reconstruction »

유두 재건

Nipple reconstruction

| 정재훈, 허찬영 |

유방 재건 수술의 화룡점정은 유두 재건이다. 비교적 수술이 간단하면서도, 그 미용적인 효과는 뛰어나다. 유두 재건이 더해지면 훨씬 더 자연스러운 가슴모양이 된다. Nipple-areolar complex(젖꼭지-젖꽃판 복합체, NAC)는 가슴의 가장 돌출된 부위에 위치하는 것이 이상적이다. 사람마다 유두크기, 지름, 모양, 젖꽃판 크기, 색깔 등이 다양하기 때문에, 한쪽 유두 재건을 할 때에는 반대측 유두크기, 지름, 모양, 젖꽃판 크기뿐 아니라, 흉골(sternum)에서 반대측의 유두까지의 거리, 유두에서 유방 밑 주름까지의 거리를 측정하여, 가장 이상적이고, 대칭적인 위치를 선택해야 한다. 양측 유방재건의 경우, 다양한 위치와 크기로 유두 재건을 할 수 있다.

대략적인 유륜의 지름은 4 cm 가량이며, 유두의 평균 지름은 1.3 cm, 돌출은 0.9 cm 이다. 이러한 수치를 염두에 두면, 특히 양측 유두재건을 시행할 때 도움이 된다.

수술 시기도 중요하다. 유방 재건 수술 뒤 안정되지 않은 상태에서 유두 재건을 시행하면, 차후 유두 위치가 원치 않은 부위에 자리 잡힐 수 있다. 마지막 수술 기준으로 대략 3-5개월이 지난 뒤 유두 재건을 시행하는 것이 좋다. 부종과 염증이 가라앉으면서 가슴모양이 최종 위치에 자리잡기 때문이다.

어떤 수술방법으로 유방 재건을 시행했느냐에 따라 유두 재건을 시행할 때 상황이 달라진다. 조직 확장기-보형물을 이용한 수술을 받았을 경우 피부가 얇고, 수술 흉터가 주로 가운데에 위치해 있다. 자가 조직을 이용한 재건 수술을 받은 경우, 타원형 또는 원형의 흉터가 있고, 피부도 공여부에 따라 두꺼운 경우가 대부분이다. 피부가 얇은 경우 유두 재건을 했을 때 유두 돌출이 충분치 않은 경우가 많고, 가운데 흉터가 피판 디자인을 하는데 방해할 수도 있다. 이러한 상황을 모두 고려해서 유두 재건을 시행해야 한다.

1. 수술 방법

1) 복합이식(Composite nipple graft)

초기의 유두 재건 수술로 복합이식 수술방법이 많이 사용되었다. 반대측 유두에서 이식하는 방법이 가장 먼저 발표 되었다. 이후 대음순과 발가락 피부 등 다양한 복합이식편이 사용되었다. 하지만 공여부 합병증 등으로 널리 사용되지는 않는다. 반대측 유두

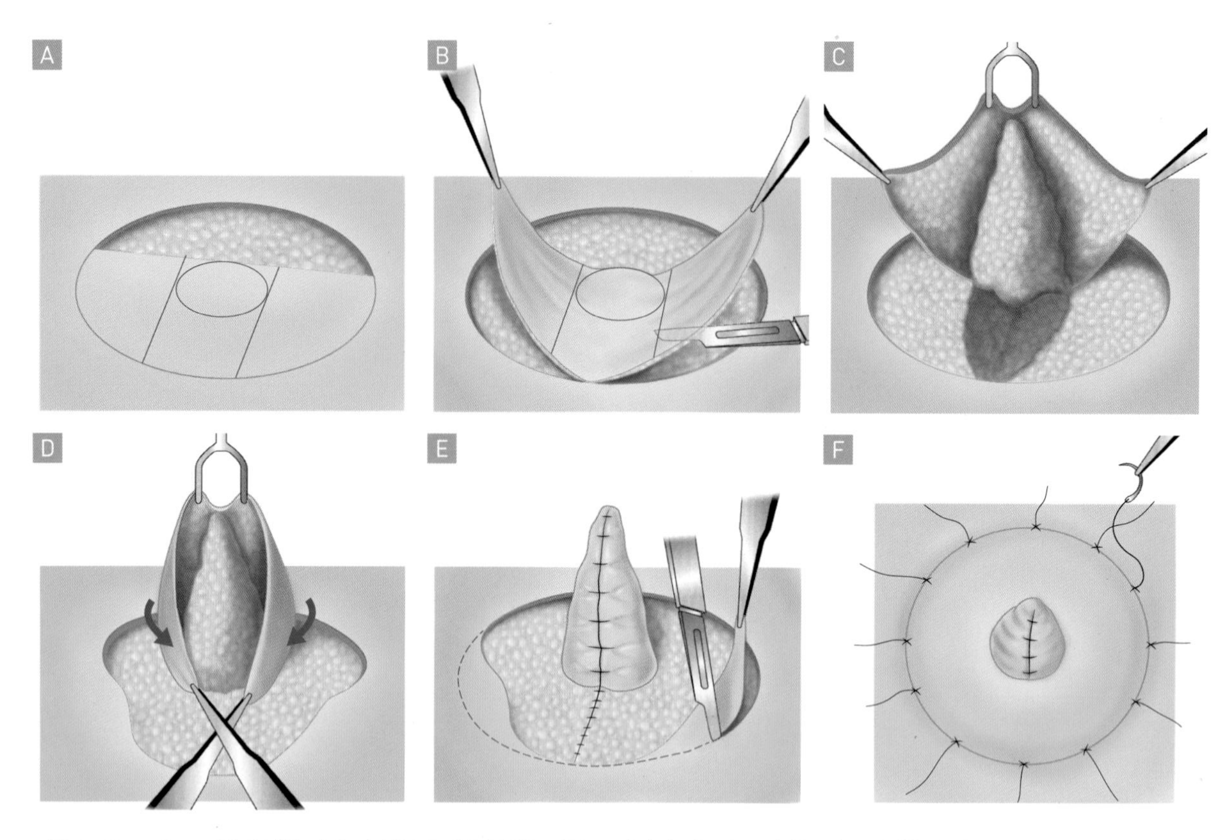

그림 1 Skate flap. 그림과 같은 피판 디자인으로 유두부위를 만들고, 나머지 젖꽃판 부위에는 피부 이식을 한다.

가 클 경우, 반대측 유두 복합이식 수술을 이용할 수 있다. 5-6 mm 이상 돌출이 과다한 경우 수술의 적응증으로 볼 수 있다. 수술 방법은 이식할 부위에 de-epithelization(표피박리)을 시행하고, 반대측 유두의 말단부위 40-50% 가량을 절제하여 이식한다. 피부 이식과 같이 tie-over 드레싱을 유지하고, 이식편이 생착될 때까지 지속적인 경과 관찰을 한다. 반대측 유두의 감각이 떨어지지 않을까 걱정하는 환자가 많은데, 수술 후 약 6개월 가량 경과하면, 공여부 유두의 감각이 수술 전과 차이가 거의 없다는 보고가 있다.

2) 국소 피판술(local flap)

국소 피판술은 가장 많이 쓰이고 있는 유두 재건 수술방법이면서, 그 종류가 매우 다양하다. 현재는 국소 피판술 중에서도 C-V flap 피판술 형태가 가장 많이 사용되며, 양쪽 날개 피판모양이 V형 또는 사각형 형태 등 다양한 형태로 수정되어 사용되고 있다. 국소 피판 수술에 대해 살펴보면 다음과 같다.

(1) Skate flap

1987년 발표 이후 다양한 방법으로 사용되고 있다. 피판 디자인으로 유두부위를 만들고, 나머지 젖꽃판 부위를 피부 이식하는 방법이다(**그림 1**). 4 cm 가량의 유륜 재건 부위에는 수술흉터가 지나가지 않는 것이 피판 혈류 순환을 위해 안전하다. 이후 연구에 따르면, skate flap으로 수술했을 때 유두 돌출도가 잘 유지되는 것으로 밝혀졌다.

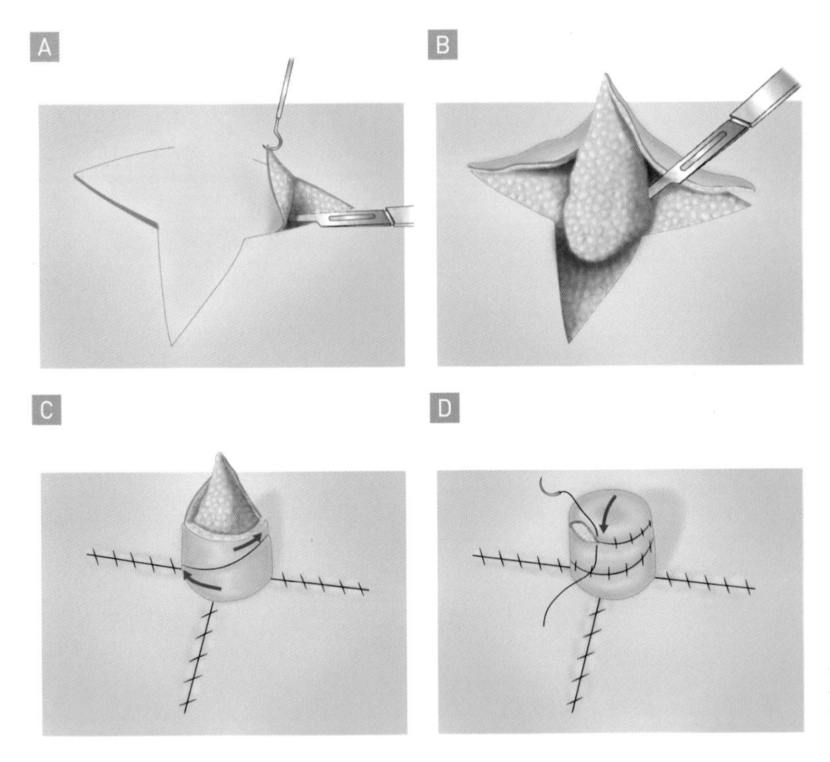

그림 2 Star flap. 그림과 같이 피판을 들어 유두 부위를 만들고, 피판 공여부를 일차 봉합한다.

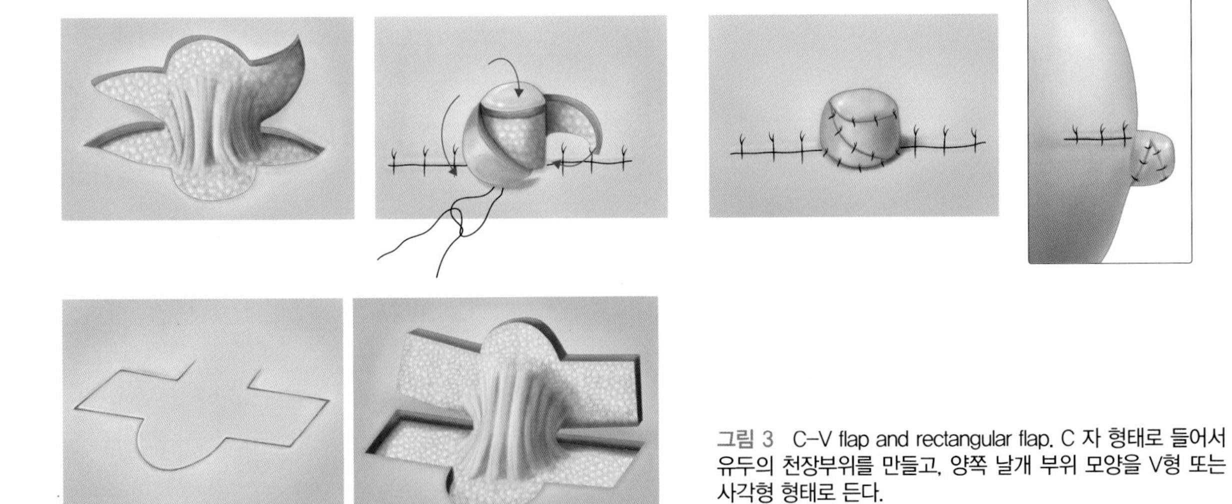

그림 3 C-V flap and rectangular flap. C 자 형태로 들어서 유두의 천장부위를 만들고, 양쪽 날개 부위 모양을 V형 또는 사각형 형태로 든다.

(2) Star flap

1991년 발표된 방법으로, 유두를 피판으로 만드는 기본 원리는 skate flap과 유사하다. 하지만 stake flap과 달리 피판 공여부를 일차 봉합한다(**그림 2**). 이 피판의 단점으로는 유두 돌출이 부족하고, 장기간 유지가 잘 안 될 수 있다는 점이다. 전형적인 star flap은 3개의 날개 피판을 들어서 유두를 만드는데, 가운데 날개 피판이 유두의 폭을 결정하므로, 반대측 유두 크기를 측정하여 피판 디자인할 때 고려해야 한다. 가운데 피판을 들 때는 아래 피하지방을 충분히 포함시키고, 양쪽 피판을 들 때에는 비교적 적은 양의 지방층만 포함시킨다.

(3) C-V flap

Star flap에서 가운데 날개 피판을 C 자 형태로 들어서 유두의 천장부위를 만들고, 양쪽 날개 부위 모양은 그대로 V 자 형태로 든다. 여기에서 C-V flap이라는 이름이 유래되었다. 디자인이 간단하고, 피판을 들기가 쉬우며, 피판 공여부는 일차 봉합할 수 있다. 피판을 들 때는 피하층까지 들수록 안전하다. 또한, 피판 공여부를 타이트하게 일차 봉합하는 것이 중요한데, 공여부 봉합이 느슨해지면, 유두 피판의 돌출이 감소하면서 편평하게 변하기 쉬워진다. 앞에서 언급한 것과 같이 가장 널리 쓰이는 피판술이며, 양쪽 날개 피판 모양이 V형 또는 사각형 형태 등 다양한 형태로 수정되어 사용되고 있다(**그림 3**).

사각형 형태로 디자인할 경우, dog-ear 변형이 심하지 않아, V형 일때보다 공여부 흉터 길이를 줄일 수 있다는 장점이 있다. 또한 마킹도구를 이용하면 크기에 맞는 디자인을 일정하게 시행할 수 있다(**그림 4**). 사각형 형태에서 양쪽 날개 끝의 디자인이 한쪽은 튀어나오게, 다른 한쪽은 들어가게 하는 피판이 arrow flap이다(**그림 5**). 양쪽 날개 끝이 일직선으로 봉합되지 않기 때문에 Z-plasty의 효과를 줄 수 있다.

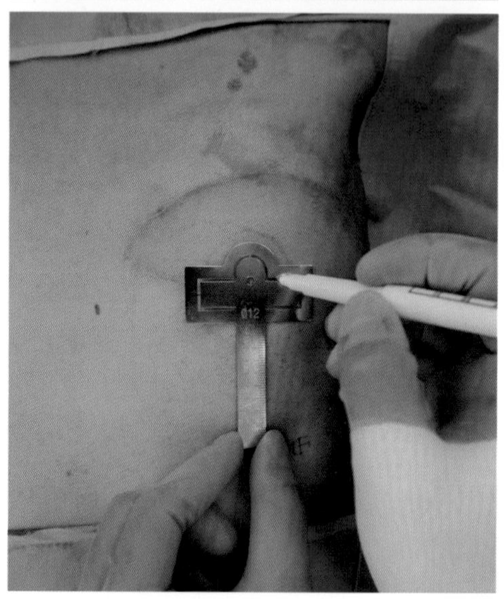

그림 4 마킹도구를 이용하면 크기에 맞는 디자인을 일정하게 시행할 수 있다

(4) 흉터 위에 사용할 수 있는 국소 피판술

지금까지 언급했던 피판 수술은 대부분 유두 재건할 부위에 흉터가 없을 때 사용할 수 있는 방법이다. 하지만, 때에 따라서 가장 적절한 유두위치에 흉터가 가로지르는 경우가 생긴다. 특히 조직 확장기-보형물을 이용한 유방 재건 뒤에 유방절제 흉터가 유두 재건 위치를 가로지르는 경우가 많다. 이럴 때 사용할 수 있는 국소 피판술에는 S flap, Double-opposing tab flap 과

그림 5 Arrow flap. 양쪽 날개 끝의 디자인이 한쪽은 튀어나오게, 다른 한쪽은 들어가게 한다.

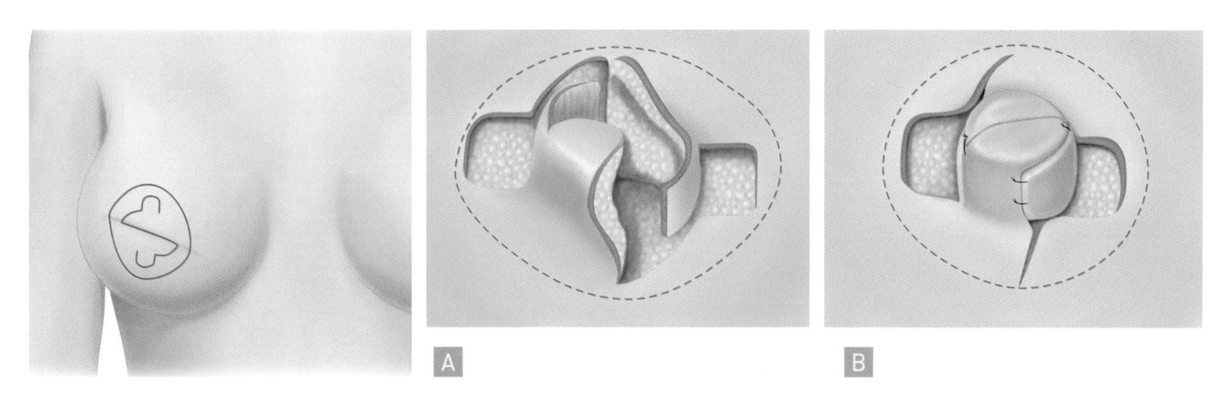

그림 6 Double-opposing tab flap. 흉터의 양쪽에서 마주보는 피판을 들어서 하나의 돌출된 유두를 만든다. 유륜 부위는 피부 이식으로 재건한다.

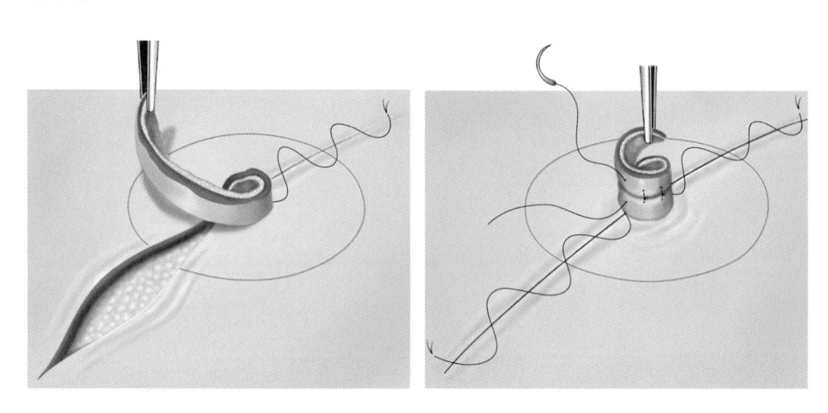

그림 7 Spiral flap. 흉터를 따라서 길게 절제한 다음 나선형으로 말아 올려서 유두 재건을 한다.

spiral flap 등이 있다. Double-opposing tab flap은 흉터의 양쪽에서 마주보는 피판을 들어서 하나의 돌출된 유두를 만드는 방법이다. 유륜 부위는 피부 이식으로 재건할 수 있다(**그림 6**).

Spiral flap은 흉터를 따라서 길게 절제한 다음 나선형으로 말아 올려서 유두 재건을 하는 방법이다(**그림 7**). 흉터조직을 피판으로 사용할 수 있다는 큰 장점이 있다. 5-6 cm 정도의 길이의 피판을 들어야지 약 1 cm 정도의 돌출을 얻을 수 있다.

3) Pull-out/purse-string flap

유두 부위를 재건하기 위해 피판을 다 들지 않고, purse-string 봉합을 이용하여 유두재건을 할 수 있다. 함몰 유두 수술 때 사용하는 다양한 purse-string 봉합 방법을 유두 재건 수술에도 적용할 수 있다.

(1) Bell flap

계획하는 유륜 크기보다 조금 더 크게 디자인을 해야 하는데, 이는 복주머니 목을 조이듯이 모아주면 유륜 지름이 줄어들기 때문이다. 종 모양의 유두 피판을 들어서 유두를 만들고, 유륜 부위에는 purse-string 봉합을 한다(**그림 8**). 시간이 지나감에 따라 유두의 돌출이 예측보다 더 낮아질 수 있다는 단점이 있다.

(2) Double opposing peri-areolar/purse-string flap

Skate flap의 원리를 이용하면서, 유두는 C-V flap으로 들어서 재건하는 방법이다(**그림 9**).

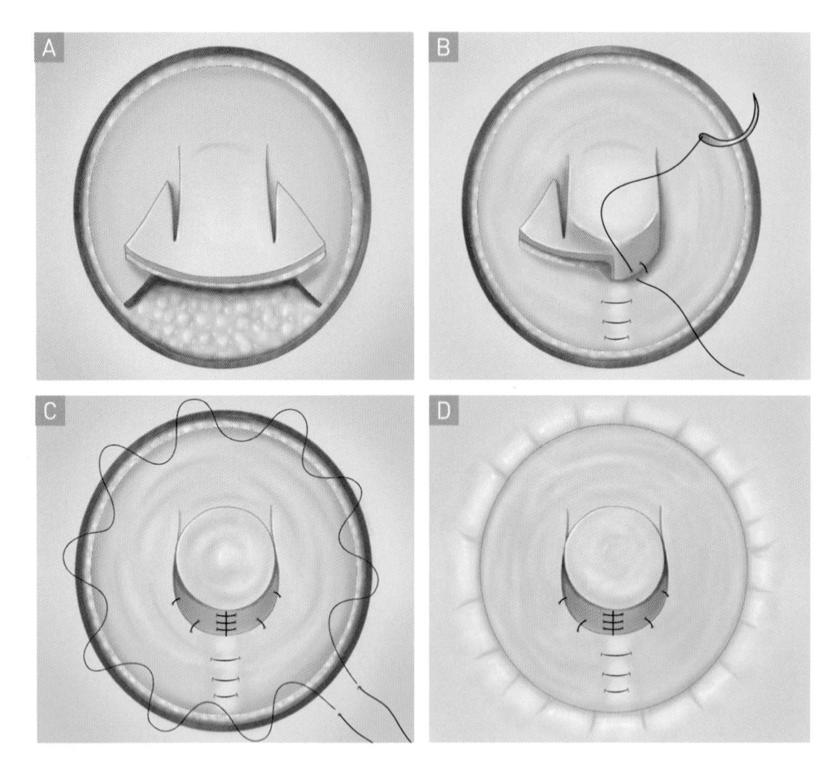

그림 8 Bell flap. 종 모양의 유두 피판을 들어서 유두를 만들고, 유륜 부위에는 purse-string 봉합을 한다.

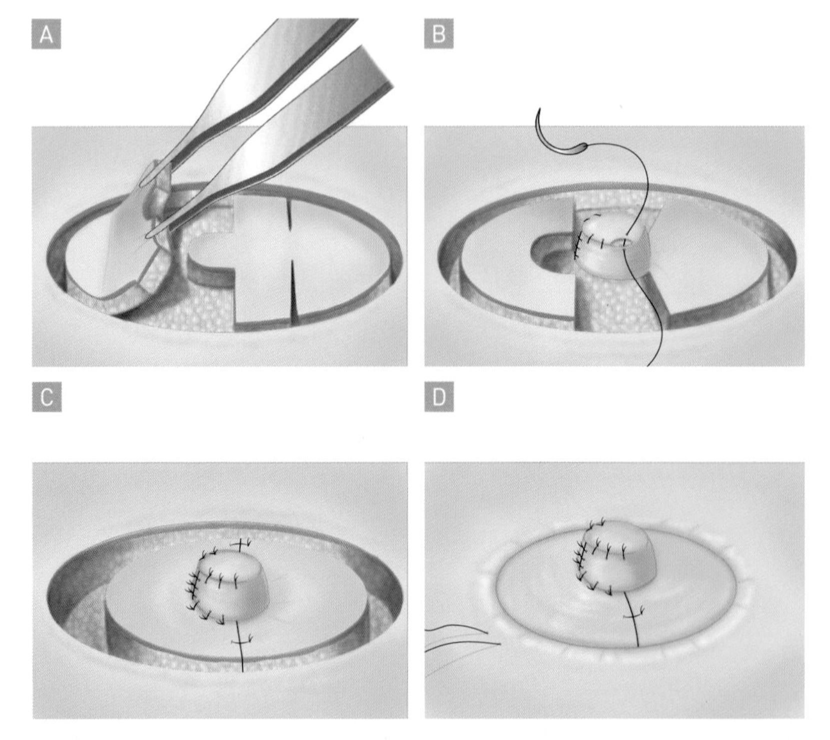

그림 9 Double opposing peri-areolar/purse-string flap. 유두는 C-V flap으로 들어서 재건하고, 유륜은 purse-string 봉합을 시행한다.

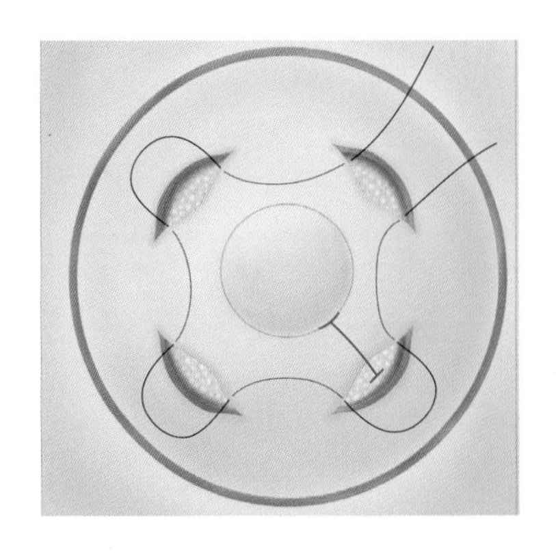
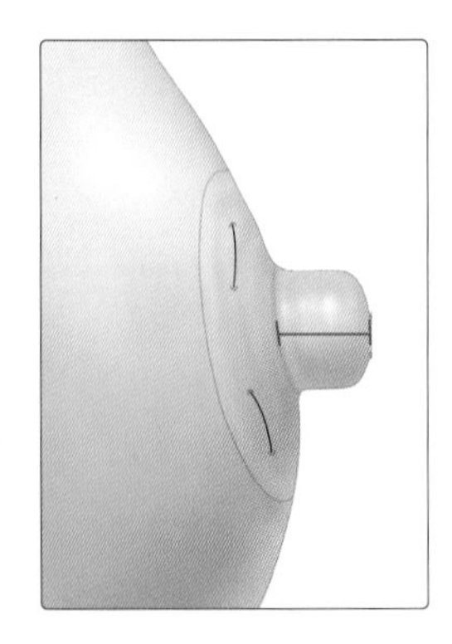

그림 10 Top-hat flap. . 4개의 절개를 90도 간격으로 네 방향에 가하고, 절개창으로 통해 피하 박리를 시행한 뒤 비흡수성 봉합사를 이용하여 purse-string 봉합을 시행한다.

역시 유륜 디자인을 할 때 20-25% 정도 크게 해야 하는 것이 중요하다. Purse-string 봉합에는 주로 2-0 또는 3-0 비흡수성 봉합사를 사용한다.

(3) Top-hat flap

이 방법은 피판을 들지 않고, 공여부 흉터를 최소화하여 유두를 재건할 수 있는 방법이다. 총 4개의 절개를 90도 간격으로 네 방향에 가한다. 절개창으로 통해 피하 박리를 시행하고, 비흡수성 봉합사를 이용하여 4군데 모두 통과시킨 뒤 purse-string 봉합을 시행한다 **(그림 10)**.

4) 피판과 이식편 복합 사용

(1) 연골 이식

유두 재건 시에 피판과 함께 연골을 이식할 수 있다. 물론 장기간 관찰 결과는 발표되지 않았지만, 연골이 유지되면서 돌출 유지에 도움이 될 것으로 생각된다. 유방 재건 수술을 할 때 갈비연골을 채취해서, 피하에 보관했다가 유두 재건 때 쓰는 방법도 보고 되었다.

(2) 동종 이식편

국소 피판술을 사용하면서 무세포성 진피 이식편을 같이 이용을 하는 경우가 많다. 국소 피판술만 사용할 경우에 장기간 경과관찰을 해보면, 피판의 진피 조직을 제외하고는 조직이 시간이 지남에 따라 위축이 많이 생기는 것을 관찰할 수 있다. 그래서 이식편으로 돌출을 유지시킬 필요가 느껴질 때가 있다. 진피 조직이 두꺼우면 유두 돌출이 잘 유지되는 편이지만, 진피 조직이 두껍지 않으면 지방조직을 많이 붙이더라도 돌출이 잘 유지되기 힘들다. 무세포성 진피 이식편은 조직 확장기-보형물을 이용한 유방 재건에서 익숙하게 사용되는 재료로써, 주변 조직과 결합이 잘되어 감염률이 특별히 높지 않고, 흡수도 잘 되지 않는다. 유두 재건때 일괄적으로 사용하기에 좋고, 특히 돌출이 낮아져서 재수술을 해야 하는 경우 사용할 수 있는 아주 좋은 재료이다. 처음 유방 재건 수술을 할 때 사용하고 남은 진피 이식편을 버리지 않고, 피하조직에 보관했다가, 유두 재건 때 사용하면 비용을 더욱 절약할 수 있다. 그 외, polyurethane-coated silicone gel implant, calcium hydroxylapatite, hyaluronic acid, artificial bone substance, 등 다양한 합성재료를 유두 재건에 사용하기도 한다.

5) 유륜 재건

다음 chapter에서 자세히 기술되겠지만, 유륜 재건에서 가장 주의해야 할 점은 색깔을 맞춰주고, 원래의 유륜 질감을 표현하는 것이다. 대표적인 수술방법은 피부 이식과 문신이다. 물론, 이 두 가지 방법을 같이 사용할 수도 있다. 피부 이식은 주로 유두 재건을 할 때 같이 시행한다. 반면, 문신은 유두 재건을 한 다음 대략 수개월 경과 관찰 후에 시행한다. 피부 이식을 하면 잔주름이 생기고 색깔이 주변 피부와 다르기 때문에 자연스러운 유륜을 재건할 수 있다. 공여부는 반대측 유륜, 허벅지, 사타구니 등 다양한 부위를 사용할 수 있다. 또는 유륜 위치의 피부를 들었다가 그 자리에 그대로 이식시킬 수도 있다. 문신으로 유륜 재건을 하면, 반대측 유륜 색깔과 더 비슷한 색깔을 얻을 수 있다. 주로 위 또는 중간층 유두진피에 색소가 침착되는데, 너무 얕게 문신하면 색소가 노출되거나 피부가 벗겨지면서 색소가 없어지기 쉽다. 대부분 색깔이 시간이 지나가면서 옅어져서, 처음에 문신할 때 반대측보다 조금 더 진하게 하는 것이 좋다. 상처는 대략 3-5일까지는 드레싱을 유지해주는 것이 좋다.

2. 수술 후 관리

돌출되게 재건된 유두를 보호하기 위하여 다양한 방법의 드레싱들이 시행되고 있다. 지름이 큰 플라스틱 주사기를 잘라서 사용하거나, 폼드레싱을 탑처럼 쌓아서 사용하는 등 다양한 방법이 있다. 최소 수 주에서 수 개월이 지난 뒤까지도 보호해 주는 것이 안전하다. 실밥 제거 또한 최대 4주까지 늦게 시행할 수 있다. 빠른 실밥 제거로 피판이 조기에 편평해지는 것을 막아야 한다. 또한, 차후 문신을 할 부위에는 실밥 흉터를 걱정할 필요가 없고, 오히려 더 자연스러운 질감으로 보일 수 있다. 복합 이식이나 피부 이식을 시행했을 때에는 tie-over 드레싱을 시행한다. 일반적으로 3-5일 후에 tie-over 드레싱을 제거한다.

3. 결과

유두 재건하는 방법이 다양한 만큼, 그 결과와 환자의 만족도는 다양하다. 한 가지 수술방법에서의 결과와 만족도도 다양하다. 유두 돌출이 잘 유지되고, 반대측과의 대칭성 여부가 결과와 만족도를 결정짓는 가장 주요한 부문이다. 대부분의 환자들은 유두 재건에 만족하지만, 만족하지 못하는 원인으로는 돌출이 부족하고, 색깔이 반대측과 맞지 않고, 모양과 크기가 대칭적이지 않는 점 등이 있다.

4. 합병증 및 재수술

국소 피판술과 관련된 가장 흔한 합병증은 돌출 감소, 피판 괴사, 상처 벌어짐, 감염, 부정확한 위치 등이 있다. 피부 이식과 관련된 합병증에는 이식편 괴사 등이 있다. 치료는 재수술을 비롯한 항생제 치료 등이 있다. 상처가 이차 치유(secondary healing)에 의해 회복하면 질감과 색깔의 변화가 생기는데, 유두, 유륜 재건에서는 이러한 점이 단점이 아닐 수 있다. 돌출 감소나 부정확한 위치가 생긴 경우, 쉽지 않지만 재수술을 시행하는 것이 필요하다.

지방 이식, 무세포성 진피 이식편, 필러 등이 유두 돌출에 도움이 될 수 있다. 물론 장기간 경과 관찰 후 다시 돌출 감소가 생길 수 있지만, 이러한 방법은 공여부 문제가 거의 없기 때문에 반복적으로 사용할 수 있다.

피판을 다시 사용할 경우, 이전 피판과 흉터를 고려하여 주의 깊게 디자인해야 한다. 피부 이식과 관련된 문제가 발생했을 경우, 상처 바닥 부위의 감염, 부종 등 문제를 완전히 해결한 뒤 나중에 지연 재건하는 것이 좋다.

참 · 고 · 문 · 헌

1. Adams WM. Free transplantation of the nipples and areola. Surgery. 1944;15:186.
2. Adams WM. Labial transplant for correction of loss of the nipple. Plast Reconstr Surg. 1949;4(3):295–298.
3. Anton MA, Eskenazi LB, Hartrampf CR Jr. Nipple reconstruction with local flaps: star and wrap flaps. Perspect Plast Surg. 1991;5:67–78.
4. Chen WF, Barounis D, Kalimuthu R. A novel cost-saving approach to the use of acellular dermal matrix (AlloDerm) in postmastectomy breast and nipple reconstructions. Plast Reconstr Surg. 2010;125(2):479–481.
5. Di Benedetto G, Sperti V, Pierangeli M, et al. A simple and reliable method of nipple reconstruction using a spiral flap made of residual scar tissue. Plast Reconstr Surg. 2004;114(1):158–161.
6. Eng JS. Bell flap nipple reconstruction – a new wrinkle. Ann Plast Surg. 1996;36(5):485–488.
7. Evans KK, Rasko Y, Lenert J, et al. The use of calcium hydroxylapatite for nipple projection after failed nipple-areolar reconstruction: early results. Ann Plast Surg. 2005;55(1):25–29.
8. Guerra AB, Khoobehi K, Metzinger SE, et al. New technique for nipple areola reconstruction: arrow flap and rib cartilage graft for long-lasting nipple projection. Ann Plast Surg. 2003;50(1):31–37.
9. Hallock GG. Polyurethane nipple prosthesis. Ann Plast Surg. 1990;24(1):80–85.
10. Hammond DC, Khuthaila D, Kim J. The skate flap purse-string technique for nipple-areola complex reconstruction. Plast Reconstr Surg. 2007;120(2):399–406.
11. Klatsky SA, Manson PN. Toe pulp free grafts in nipple reconstruction. Plast Reconstr Surg. 1981;68(2):245–248.
12. Kroll SS, Hamilton S. Nipple reconstruction with the double-opposing-tab flap. Plast Reconstr Surg. 1989;84(3): 520–525.
13. Kroll SS, Reece GP, Miller MJ, et al. Comparison of nipple projection with the modified double-opposing tab and star flaps. Plast Reconstr Surg. 1997;99(6):1602–1605.
14. Little JW 3rd. Nipple-areolar reconstruction. Adv Plast Surg. 1987;3(43).
15. Panettiere P, Marchetti L, Accorsi D. Filler injection enhances the projection of the reconstructed nipple: an original easy technique. Aesthetic Plast Surg. 2005;29(4): 287–294.
16. Peter C. Neligan. Plastic Surgery: 5- Breast. Chapter 22 Reconstruction of the nipple-areola complex. 499-520.
17. Richter DF, Reichenberger MA, Faymonville C. [Comparison of the nipple projection after reconstruction with three different methods.] Handchir Mikrochir Plast Chir. 2004;36(6):374–378.
18. Sanuki J, Fukuma E, Uchida Y. Morphologic study of nipple-areola complex in 600 breasts. Aesthetic Plast Surg. 2009;33(3):295–297.
19. Shestak KC, Nguyen TD. The double opposing periareola flap: a novel concept for nipple-areola reconstruction. Plast Reconstr Surg. 2007;119(2):473–480.
20. Tanabe HY, Tai Y, Kiyokawa K, et al. Nipple-areola reconstruction with a dermal-fat flap and rolled auricular cartilage. Plast Reconstr Surg. 1997;100(2): 431–438.
21. Yanaga H. Nipple-areola reconstruction with a dermal-fat flap: technical improvement from rolled auricular cartilage to artificial bone. Plast Reconstr Surg. 2003; 112(7):1863–1869.
22. Zenn MR, Garofalo JA. Unilateral nipple reconstruction with nipple sharing: time for a second look. Plast Reconstr Surg. 2009;123(6):1648–1653.

PART 02

체형교정 및 지방이식

Body correction and fat graft

02

Chapter 39

지방성형술 개론

Introduction to lipoplasty

| 김영진 |

동서고금을 막론하고 인류는 아름다운 몸매(body contour)를 추구해왔다. 역사적으로 각 시대나 문화권에 따라 이상적이라 여겨지는 아름다운 몸매의 기준에는 크고 작은 차이가 있었지만, 현대 사회에서는 일반적으로 균형 잡히고 날씬한 몸매를 이상적으로 여긴다. 특히 여성들은 탄력 있고 적당한 크기의 가슴과 엉덩이, 잘록하게 들어간 허리, 곧게 뻗은 다리를 추구한다. 그러나 불과 한세기 전만 해도 이러한 몸매는 부러움과 동경의 대상이었을 뿐, 어쩔 수 없는 부분으로 받아들여 지는 것이 일반적이었다. 하지만 삶의 질이 향상되고 미디어의 영향력이 커지면서, 일반 대중의 아름다운 체형에 대한 관심과 욕구는 계속 증가하고 있다.

그러나 20세기 들어 삶이 풍족해지면서 인류는 급격한 생활 습관과 식습관의 변화를 겪게 된다. 이는 필연적으로 인간의 체형 변화에 영향을 미치게 되어 결과적으로 비만 환자가 증가하게 되었다. 비만인 사람은 일반적으로 아름답지 못한 몸매를 갖고 있다고 평가 받는다. 따라서 그들은 체중에 민감하며 자신의 모습에 대하여 자긍심이 떨어져 있는 경우가 많다. 그래서 식이 조절과 운동, 생활 습관의 변화를 통해 체중감소를 시도하지만 항상 '체중 감량'이 '아름다운 몸매'의 필요 충분 조건이 되는 것은 아니다. 위의 방법들을 통한 체중 감량이 원하는 부위의 지방을 선택적으로 줄이지는 못하기 때문이다. 예를 들어, 복부나 허벅지 부위의 지방이 감소하는 동시에 얼굴 부위나 유방의 지방까지 과도하게 감소되면 도리어 초췌해 보이거나 아름답지 못한 몸매가 될 수 있다. 또한 지방 세포의 수는 그대로 유지되기 때문에 비만이 쉽게 재발하기도 한다.

이런 한계를 극복하기 위해 개발된 체형교정술은 지방 세포를 외과적 수술로 파괴해 그 수를 줄이고 국소적인 지방 축적이나 함몰 부위를 교정하는 것을 목표로 한다. 20세기 초반부터 체형교정을 위해 피부지방절제술(dermolipectomy)과 같은 수술 방법들이 시도되었지만, 그 당시 수술들은 해부학적 이해가 부족하였고 수술 기구 역시 좋지 않았다. 따라서 수술 후 합병증이 생기는 일이 빈번했다. 실례로 1921년 프랑스 외과 의사인 Charles Dujarrier는 한 발레리나의 하지를 맵시 있도록 하기 위하여 큐렛(curette)을 이용한 피하지방제거술을 시행하였으나 과다출혈 및 혈관 손상으로 다리를 절단하여야 했다. 이후에도 여러 외과 의사들에 의해 체형교정을 위하여 다양한 방법들이 시도되었지만, 불과 20세기 중반까지만 해도 만족스럽지 못한 결과와 심각한 합병증으로 인해 몸매의 아름답지 않은 부위는 두꺼운 옷으로 가려야 하는 숙명으로 받아들여졌다. 하지만 그런 노력을 바탕으로 수많은 해부학적 지식이 축적되고, 다양한 외과적 수술 방법이 개발되면서 현대적인 체형교정술이 발전할 수 있었다. 현재 성형외과 영역에서 빠져서는 안될 큰 영역을 차지하게 되었다.

체형교정술의 대상은 몸통, 가슴, 복부, 엉덩이, 상하지 등 전신이며, 그 방법 또한 외과적 절제, 지방흡입, 지방이식 또는 보형물 삽입 등 매우 다양하다. 그 중 지방흡입술(lipoplasty, suction-assisted lipectomy, liposuction)이 개발된 이후 체형교정술의 수술 빈도는 기하급수적으로 늘어났다. 지방흡입술 이전에 주로 시행되던 피부지방절제술은 지방이 축적된 부위의 피부와 지방을 한꺼번에 제거하는데, 이 방법은 수술 시간과 회복 기간이 길 뿐 아니라, 봉합선을 따라 큰 흉터를 남기는 단점이 있다. 반면 지방흡입술은 수술 방법이 비교적 간단하고 회복도 빠르며 무엇보다 흉터가 거의 남지 않는 장점이 있다. 실제로 미국 성형외과학회(American Society of Plastic Surgery) 및 미국미용성형외과학회(American Society for Aesthetic Plastic Surgery)의 통계에 따르면 지난 수년간 미국에서 시행된 미용성형수술 중에서 가장 많은 비중을 차지하는 시술은 지방흡입술이었다.

현대적인 지방흡입술이 처음 도입된 건 1970년대 초반, 이탈리아의 Giorgio와 Arpad Fischer에 의해서였다. 그들은 독자적으로 개발한 큐렛과 수술용 칼이 결합된 형태인 'cellusuctiotome'이라는 기구를 이용하여 음압으로 지방흡입을 시도하였다. 이렇게 시작된 지방흡입술은 1980년대 초반, 프랑스의 Yves-Gerard Illouz에 의해 대중화되었고 곧 전 세계로 확산되기 시작한다. 그는 주변 조직에 손상을 적게 주는 캐뉼라(cannula)를 직접 개발하였으며, 이전까지는 산부인과 영역에서만 쓰이던 Karman 흡입기를 지방흡입 영역에 도입하여 이전까지의 방법보다 안전하고도 좋은 결과를 얻는 방법을 소개하였다. 그리고 그는 식염수와 히알루로니다아제(hyaluronidase)를 혼합한 액체를 지방흡입 전에 주입하여 합병증 발생률을 현저하게 낮췄는데, 이 방법은 현재 'wet technique'의 시초가 되었다.

그와 함께 Pierre Fournier 역시 지방흡입술을 발전시킨 위대한 개척자 중 한 명이다. 그는 이전까지의 지방흡입과는 다르게 캐뉼라를 교차시켜 지방흡입을 하면 균일한 결과를 얻을 수 있다는 것을 발견하고 이를 발표하였다. 1987년, 미국의 Jeffrey Klein은 여기서 한 단계 더 나아가 투메센트(tumescent) 용액을 개발하였고 이를 지방흡입술에 사용함으로써 지방흡입술을 한 단계 발전시키는 데 큰 공헌을 하였다. 이전까지의 지방흡입술은 국소마취제에 의한 과다한 사용 및 독성 때문에 전신마취 하에서 밖에 시행되지 못하였는데 투메센트 용액이 개발되고 조제법이 발전하면서 국소 마취 하에서 간단하고 안전하게 좋은 결과를 얻을 수 있게 되었기 때문이다.

이렇게 발전된 지방흡입술은 국소적 지방 축적을 교정하는 데서 출발하여 현재 체형교정술에는 없어서는 안될 중요한 도구로 자리잡았다. 지방흡입술은 비교적 안전하며 짧은 시간 안에 국소마취로 시행될 수 있다. 국소적으로 지방이 축적된 부위의 피부 밑 지방층(subcutaneous fat layer)을 최소한만 절개한 후 캐뉼라를 삽입해 지방을 제거하기 때문에 시술 후 흉터 또한 최소화 할 수 있다. 이런 지방흡입술은 주로 나이가 젊고 피부의 탄력성이 좋아 피부를 함께 절제할 필요가 없는 사람들이 좋은 적응증이며 이들에게 시행하면 만족할만한 결과를 얻을 수 있다.

지방 흡입술이 신체의 국소적인 지방 축적을 해결하기 위해 개발된 반면, 지방 이식은 안면부나 신체의 국소적인 함몰을 교정하기 위해 발달했다고 볼 수 있다. 1893년 독일의 외과 의사였던 Franz Neuber는 안면부 기형을 교정하기 위해 최초로 지방이식을 시도하였다. 이후 지방이식은 1900년대 초반부터 반안면 위축증의 치료나 유방 확대 등 신체의 부족한 부분을 보충하기 위한 방법으로 꾸준히 발전해했다. 사실, 지방이식술은 지방흡입술의 발전과도 연관이 깊다. 지방흡입술의 발달로 지방 세포를 획득하기가 한층 수월해졌기 때문이다.

하지만 지방이식은 아직까지도 지방을 모으고, 세척하고, 주사하는 방법에 있어 표준화된 방법이 없다. 또한 흡수율 정도의 편차가 개인별, 부위별로 다양하여 그 결과를 예측하기 힘들다. 하지만 그간 수많은 성형외과 의사들의 노력에 의해 지방 세포의 생착률을 높이는 몇 가지 조건이 제시되었는데 일반적으로 이식받는 부위의 혈행(circulation)이 좋을수록 생착률이 높아지며, 특히 지방 세포를 모으거나 주입할 때 최대한 적은 압력으로 시행해야 시술 도중 발생할 수 있는 지방 세포의 손상을 최소화 할 수 있다. 또한 지방 이식 시 한 부위에 많은 양을 집중해서 주입하기 보다는 여러 층에 나누어서 주입하는 것도 생착률을 높이는 방법 중 하나이다.

이식된 지방의 예측하기 어려운 흡수율 때문에 지방이식을 시행할 때에는 신중히 행하여야 한다. 특히 안면부는 미세한 변화로도 큰 인상 변화를 줄 수 있기 때문에 안면부 지방이식은 성형외과 의사들에게 도전을 요하는 분야였다. 하지만 1995년 William Coleman에 의해 미세지방이식(micro-fat graft) 개념이 제시되면서 지난 20년간 안면부 지방이식은 크게 발전하게 되었다. 이 방법의 핵심은 지방이식을 시행할 때 아주 가는 캐뉼라를 이용하여 여러 층으로 나누어 지방을 이식함으로써 이식된 지방의 생착률을 높이고 섬세한 모양 교정을 가능하게 하는 것이다. 최근에는 이식된 지방의 운명에 대한 생리학이 연구되고 밝혀지면서 미세지방이식의 효과를 뒷받침 하고 있다.

미세지방이식뿐 아니라 이식된 지방의 생착률을 높이기 위한 다양한 시도들이 연구, 발표되고 있다. 흡인한 지방 세포로부터 줄기 세포를 추출하여 이식 지방과 동시에 주입하는 방법이 대표적이다. 성숙한 지방 세포가 스캐폴드(scaffold) 역할을 하고, 여기에 따로 추출한 지방 줄기 세포를 부착하여 이식하게 되면 줄기 세포로부터 이식 시 필연적으로 발생하게 되는 저산소 환경에 혈관 생성 촉진 인자들이 발현되어 결과적으로 지방 이식의 생착률을 높인다는 이론이 임상에 적용되어 좋은 결과를 보이고 있다. 이식되는 지방 세포를 혈관 생성 인자나 내피전구세포가 포함된 스캐폴드에 삽입하여 이식하는 방법 또한 기대되는 방법 중 하나이다. 또한 아직 실험적인 단계이긴 하지만 이식 지방을 채취하기 위해 지방흡입 전에 사용하는 투메센트 용액에 혈관확장제나 다른 약제를 첨가함으로써 채취한 지방의 생착률을 높일 수 있다는 결과들이 발표되고 있어 이식 지방의 생착률이 100%에 근접하는 것이 불가능한 것만은 아닌 것으로 보인다.

이외에도 지방이식술은 우리나라 여성에게 상대적으로 빈약한 유방과 엉덩이를 더욱 돋보이게 하는 방법으로도 사용된다. 또한 체중 감소로 인해 발생한 원하지 않는 부위의 함몰을 교정하거나, 근육질 몸매를 원하는 환자에게 근육의 선을 더 명확하게 해주는 등 다양한 방법으로 적용될 수 있다.

지방흡입이나 지방이식과 같이 비교적 간단하면서도 최소 침습적인 방향으로 체형교정술은 발전되어 왔다. 그리고 이런 수술 방법들의 발전 덕분에 체형교정술이 현재와 같이 대중화되고, 또 미용 성형에서 차지하는 비중이 커진 것 또한 사실이다. 하지만 경우에 따라서는 체형교정을 위하여 전통적인 의미의 수술적 접근이 필요한 경우도 있는데 그 대표적인 예가 복부성형술이다.

복부성형술의 시초는 1899년 Howard Kelly가 시도한 복부의 지방 제거였다. 1924년 Max Thorek에 의해 배꼽을 보존하는 하복부 횡절개를 이용한 방법, 1957년 Sydney Vernon에 의해 배꼽 옮김과 근육층 보강을 이용한 방법들이 개발되어 복부성형술은 지속적으로 발전하였으며 현재에는 절개선이 속옷이나 수영복에 가려지는 낮은 절개를 이용한 방법이 인기를 끌고 있다. 또한 지방흡입술과 접목시켜 상부 복벽 피판을 지방흡입술로 거상하여 피판의 혈행을 보존하면서도 효과적으로 복부성형술을 시행하는 지방흡입복부성형술(lipoabdominoplasty)처럼 복부성형술 역시 진화를 거듭하며 발전하고 있다.

흔히 복부성형술은 미용 수술이라고 생각되기 쉽지만, 사실 미용적인 교정뿐만 아니라 복벽의 구조적인 재건도 함께 시행한다. 복부성형술의 미용적인 목적은 복벽의 윤곽을 회복시키고, 자연스러운 모양의 배꼽을 만들어주며, 복벽성형술 후 생기는 반흔을 적절한 위치에 생기도록 하는 것이라고 한다면, 재건적인 목적은 근막과 근육을 정상 위치로 회복시키고 다른 해부학적 변형을 교정하여 복직근이개(diastasis recti abdominus)나 복벽탈장(abdominal hernias)을 막는 것이라 할 수 있다. 복부성형술의 과정은 쉽고 단순해 보이지만, 그 결과는 만족스럽지 못한 경우가 많은데, 이는 수술 시 복벽의 얇은근막구조물이나 혈행과 같은 기본적인 해부학적 지식뿐 아니라 정확한 수술 계획과 디자인이 결과에 결정적인 역할을 하기 때문이다.

체형교정술은 복부뿐 아니라 둔부나 상하지에도 활용된다. 둔부가 여성의 아름다운 몸매의 중요한 부위로 부각되면서 그 시행 빈도도 크게 늘고 있는데 보형물이나 지방 이식 또는 다른 조직을 이용한 엉덩이 확대술이나 엉덩이 올림술, 지방 흡입을 이용한 엉덩이 축소술 등이 대표적인 예이다. 또한 의복의 노출 정도가 커지면서 상하지 교정술 역시 주목 받는 분야이다. 상하지는 쉽게 노출되는 부위이기 때문에 일부 환자들에게는 가장 정신적으로 고통 받는 부위가 될 수도 있다. 하지만 같은 이유로 술 후 반흔 역시 쉽게 눈에 띄는 부분이기 때문에 성형외과 의사에게는 도전을 요하는 분야이기도 하다.

우리 성형외과 의사들은 과학과 예술이 만나는 접점에 서 있다고 할 수 있다. 우리는 인체를 과학적으로 분석하고 이해하며, 이를 바탕으로 임상에 적용하여 환자들이 미용적으로 만족할 수 있는 결과를 얻기 위해 노력하고 있기 때문이다. 체형교정술의 발달 과정을 살펴보면 성형외과 의사들의 이런 고뇌와 노고가 여실히 드러난다. 이 장에는 지방성형술을 크게 지방흡입술과 지방이식, 체형교정술 세 부분으로 나누어 각각의 수술을 시행하는데 있어 필요한 기초 배경 지식은 물론 각 분야의 선두를 달리고 있는 여러 저자들의 최신 지견에 대하여 서술되어 있다. 또한 각각에는 어떠한 술기들이 있는지, 그 술기를 사용하는데 있어 기술적으로 중요한 부분과 각 저자들의 노하우, 그리고 술 중 발생할 수 있는 위험성과 술 후 합병증에는 어떠한 것이 있는지 등에 대하여 논의할 것이다. 본 저자는 이 장이 체형교정 술기의 다양함과 그 난해함으로 인해 어려움을 겪고 있을 성형외과 의사들이 체형교정술이라는 학문에 한 걸음 다가서는데 큰 도움을 줄 것이라고 믿는다.

참 · 고 · 문 · 헌

1. 2015. Cosmetic Surgery National Data Bank Statistics, The American Society for Aesthetic Plastic Surgery(ASAPS)
2. Aesthetic surgery of the abdominal wall, Melvin A. shiffman, Sid Mirrafati, chap.4 Abdominoplasty History and Techniques p72
3. Asadi M, Haramis HT. Successful autologous fat injection at 5-year follow-up. Plast Reconstr Surg. 1993;91(4):755-6
4. Coleman SR. Facial recontouring with lipostructure. Clin Plast Surg. 1997;24(2):347-67.
5. Coleman WP III. The history of liposuction. Dermatol

Clin 1990; 8: 381-3

6. Delvin B, Kingsnorth AN. The management of abdominal hernias. 2nd ed. London: Arnold; 1999. p. 211–30.
7. Fischer A, Fischer G. Revised technique for cellulitis fat reduction in riding breeches deformity. Bull Int Acad Cosmet Surg 1977; 2: 40-1of the technique in cadavers. Ann Plast Surg 1983; 11: 93-8
8. Fischer G (1991) History of my procedure, the harpstring technique and the sterile fat safety box. In: Fournier P (ed) Liposculpture: The syringe technique. Arnette-Blackwell, Paris, pp 9-17
9. Fournier P. Body Sculpturing Through Syringe Liposuction and Autologous Fat Re-injection. Corona Dee Mar, CA: Samuel Rolf International, 1987
10. Gonzalez-UlloaM(1959) Circular lipectomy with transposition of the umbilicus and aponeurolytic technique. Cirurgia 27:394
11. Hanke CW, Bernstein G, Bullock BS. Safety of tumescent liposuction in 15336 patients national survey results. Dermatol Surg 1996;22: 459-62
12. Illouz Y. Body contouring by lipolysis: a 5-year experience with over 3000 cases. Plast Reconstr Surg 1983; 72: 511-24
13. Illouz Y-G (1985) History. In: Illouz Y-G (ed) Liposuction: The Franco-American Experience.Medical Aesthetics, Inc., Beverly Hills, California, pp 1-18
14. Kelly HA (1899) Report of gynecological cases. JohnsHopkins Med J 10:197
15. Klein JA. The tumescent technique for liposuction surgery. Am J Cosmet Surg 1987 ; 4: 236-67
16. McCurdy JA Jr. Five years of experience using fat for leg contouring (Commentary). Am J Cosmet Surg. 1995;12(3):228.
17. Neuber F. Fettransplantation. Chir Kongr Verhandl Deutsche Gesellsch Chir. 1893;22:66.
18. Roberts TL, Weinfeld AB, Bruner TW, Nguyen K. "Universal" and ethnic ideals of beautiful buttocks are best obtained by autologous micro fat grafting and liposuction. Clin Plastic Surg. 2006;33(3):371-94.
19. S a ldanha OR , S ouza Pinto EB, Matos WM, et al. Lipoabdominoplasty without undermining . Aesthet Surg J 2001 ; 21 : 518 – 526 .
20. S a ldanha OR , S ouza Pinto EB, Matos WM, et al. Lipoabdominoplasty with selective and safe undermining .Aesthet Plast Surg 2003 ; 27 : 322 – 327 .
21. Somalo M (1940) Circular dermolipectomy of the trunk. Semin Med 1:1435
22. ThorekM(1924) Plastic surgery of the breast and abdominal wall. Charles C. Thomas, Springfield, IL
23. Vernon S (1957)Umbilical transplantation upward and abdominal contouring in lipectomy. Am J Surg 94:490–492
24. Vilain R (1975) Treatment of steatomery in the female: theory and practice. Ann Chir Plast 20:135–146

Chapter 40

지방흡입술 총론

Introduction to liposuction

| 박재우 |

일반적으로 지방흡입이라고 할 때 일반인이 아닌 의사들도 전신에 있는 지방을 흡입하는 것으로 알고 있는 경우가 많듯이 이에 대한 개념정립이 부족한 상황이다. 지방흡입이란 전신지방을 흡입하여 비만을 치료하는 수술이 아니라 국소적으로 과다한 지방을 기구를 이용하여 제거하거나 이를 이식하여 체형을 교정하는 수술을 이야기 한다. 이 때 가급적 많은 지방을 흡입하고자 진피하부에 부착된 지방층까지 흡입하여 피부의 괴사나 굴곡을 초래하는 경우가 많거나 수술 후 피부가 아래의 근육층에 붙어 피부를 만질 때 빨래판같이 딱딱하게 만져지거나 아래 근육의 굴곡이 드러나 울퉁불퉁하게 보이는 경우가 많다. 이러한 경우는 지방흡입에 대한 이해가 부족하여 진피층 아래의 모든 피하지방을 제거하고자 노력한 결과이며 이러한 부작용을 피하기 위해서는 피부 바로 밑에 딱 붙어있는 지방층의 일부를 남겨 만질 때 부피가 있어 완충작용을 할 수 있는 층을 확보하여야 한다.

비만의 치료는 운동요법과 식이요법, 약물치료, 정신행동치료와 더불어 위를 절제하거나 묶는 수술적인 방법 등이 있다. 지방흡입은 전신비만의 치료방법은 아니지만 피하지방의 일부를 흡입해 줌으로서 운동의 효율을 높이고 만성대사질환의 약물반응이 더 잘 일어날 수 있게 도움을 줄 수가 있다.

최근 국소적 지방축적을 개선 혹은 치료하기 위해 비수술적인 방법들이 사용되고 있는데 이산화탄소가스나 지방을녹이는 약물을 피하에 주입하거나, 저장액을 피하에 주입한 후 LPG 엔더몰로지같은 기구로 외부에서 음압을 걸어 지방에 대한 강제적인 파괴가 일어날수 있도록 하는 경우도 있다. 또는 0.3-0.5 Mhz의 고주파를 피부 깊숙히 투입하여 생체 열에너지로 변환하여 vasodilation, circulation을 유도하여 지방분해 효과 유발하고자 하는 경우도 있다. 이러한 비수술적인 치료들은 수술에 대한 두려움이나 흉터에 대한 염려는 없지만 심한 요요형상과 시술 후 결과에 편차가 많고 지속적이지 않으며 반복적인 시술로 인한 경제적 시간적 투자가 필요한 부분이 있다.

반면에 수술적인 지방흡입술은 수술에 대한 부담감과 후유증에 대한 염려가 있기는 하지만 과다한 체지방을 직접 뽑아내 줌으로서 영구적, 반영구적인 지방세포수의 감소를 기대할 수 있으며 또한 흡입과 이식을 병행할 때 단시간에 뚜렷한 체형변화를 얻을 수 있다는 장점 때문에 점차 그 수술빈도가 늘어나고 있다. 지방흡입술은 1980대 중반 Illouz의 wet technique에 이어 Klein의 tumescent technique이 소개 되면서 획기적인 발전을 이루었으며 이후 대용량 지방흡입이라는 분야로 발전되었다. 하지만 그와 더불어 약물로 인한 부작용이나 재수술의 경우가 점차 늘어나고 있다.

1. 역사

피하지방에 대한 시술은 문헌상 오랜 역사를 가지고 있지만 현대적인 지방흡입술이 개발된 것은 1990년대정도로 비교적 짧으며 앞으로도 발전할 여지가 많은 분야이다. 문헌에 기록된 체지방에 대한 최초의 시술은 1921년 프랑스산부인과의사인 Dr Charles Dujarrier가 무용수의 종아리모양을 좀 더 개선시키기 위하여 산부인과 자궁내막을 긁어내는 curette으로 피하지방을 긁어내려고 시도한 것이 처음이다. 하지만 시술도중 대퇴동맥을 손상시킴으로 족부괴사와 함께 하지절단이라는 비극을 맞이함으로서 이 후 수 십 년간 curette을 이용하여 과다한 피하지방을 긁어내는 blinded sharp excisional procedures가 반복하여 행해지기는 했지만 출혈과 관련된 합병증으로 인하여 하기 힘든 수술로 여겨져 왔으며 이후 1960년대까지 피하지방에 대한 시술을 보고한 문헌은 거의 찾아보기 힘들다. 이러한 출혈로 인한 합병증으로 인하여 1960년대 Pitanguy와 다른 의사들은 피부와 피하지방을 한꺼번에 잘라내는 시술을 시행하였다. 하지만 그의 방법은 수술 후 많은 흉터를 남기는 것으로 인해 그다지 널리 알려지지 않았고 이는 지방흡입술이라기 보다 현대의 dedermolipecty 에 가까운 수술이었다.

현대적인 지방흡입술의 기초는 Rome에 사는 Fischer부자에 의해 개발되었다. 1976년 부자지간인 Giorgio와 Arpad Fischer가 처음으로 음압기계와 blunt cannula 를 이용하여 여러 군데 절개창을 내고 교차방식(criss-cross pattern)으로 지방을 흡입해 내는 현대적인 지방흡입술을 개발하여 출혈과 관련된 합병증을 줄이고 보다 만족할 만한 결과를 얻었다. 하지만 현대적인 tumescent 용액을 사용하지 않은 dry technique으로 이전보다 좋은 결과를 가질 수 있었으나 출혈등의 문제는 여전히 피하기 어려운 문제였다.

하지만 이후 Dr Pierre Fournier같은 많은 사람들이 교차방식(criss-cross pattern)으로 지방을 흡입해 내는 Fischer의 방법이 보다 매끈하고 편평한 피부표면을 가진 좋은 결과를 가져올 수 있음을 알고 이 방법을 따라 하기 시작했고 또 이를 개선시키기 시작했다. Dr Fournier는 처음에 dry technique이 과다한 지방을 제거함에 있어서 보다 정확하다고 생각하고 이러한 방법을 썼으나 추후 Illouz가 소개한 local infiltration의 장점을 알게 되고 시간이 흐른 뒤에는 tumescent sol 등으로 인한 혈관수축과 출혈감소의 장점을 알게 된 후 이 방법을 선호하게 되었다. 또한 그는 붕대나 tape을 이용한 압박이 술 후에 합병증을 줄이고 보다 좋은 결과를 가져온다는 것을 알게 되었고 이러한 방법을 다른 이들에게 적극적으로 교육하여 지방이식술을 널리 보급하였다.

또한 1982년 Dr Yves Illouz는 Dr Fischer의 방법이 좋다고 생각하여 이를 개선시키는데 힘을 썼다. 피부를 부풀려 출혈을 줄이고 피부로 가는 신경혈관조직을 보호하고 지방흡입을 쉽게 하기 위하여 hyaluronidase가 함유된 식염수를 피하지방 매 2 cm당 1-2 cc 주입한 후 지방흡입을 하는 최초의 Wet technique liposuction을 시행하였다. 1983년 Dr Fournier와 Dr Otteni 는 Illouz 에게 저장액을 주입한 후 blunt cannula 로 벌집모양으로 지방흡입을 하는 방법을 배운 후 이 방법을 알리기 시작하였지만 현대적인 wet procedure와 가까운 방법임에도 불구하고 'dry procedure'라고 이야기하였다. 이후 Illouz 와 Fournier의 방법은 liposculpture, suction lipectomy, suction lipoplasty, 또는lipodissection이라 불려지게 되었고 지방흡입술의 명칭은 미국에 전파된 후 미국의 Dr Newman 의해 'Liposuction' 이라는 이름을 가지게 되었다.

지방흡입술에 있어서 가장획기적인 발전을 가져오게 된 계기는 1985년 Dr Jeffery Klein에 의한 희석된 국소마취제용액의 개발이었다. 이전까지 지방흡입술은 국소마취제사용량의 제한(7 mg/kg)과 대용량 흡입 시 수혈, 수술 후 입원치료 등의 필요성으로 대형병원에서 전신마취하에서만 이루어지던 시술이었다. 하지만 그 불편함으로 인하여 국소마취 하에서 외래수술로 개발하려는 욕구가 늘어나게 되고 약간의 수술 전 진정제와 국소마취제를 사용하여 수백 ml 정도의 작은 부분만 수술을 시행하여 왔으나 사용할 수 있는 lidocain 의 최대용량의 제한으로 보편적인 수술이 될 수는 없었다. 1985년 Dr Klein이 1:100,000 epinephrine이 함유된 희석된 1% lidocaine을 이용하여 하복부의 지방을 국소마취 하에 흡입을 하게 되면서 희석된 국소마취제의 전신적인 흡수가 고농도의 국소마취제의 사용 시 보다 전신적인 흡수가 덜 되고 또한 epinephrine을 사용함으로서 더욱 흡수가 지연되고 이전까지의 문제점이었던 출혈을 획기적으로 감소시킨다는 것을 발견 하고 이후 적절한 국소마취제의 희석농도를 찾는 노력을 기울여 1L의 생리식염수에 0.05% lidocaine, 1:1,000,000 million epinephrine, and 10 mL of bicarbonate 가 함유된 최적의 용액을 만들어 내었다. 이러한 Tumescent용액을 사용하여 수술부위의 통증을 줄여 원하는 마취효과를 얻을 수 있으며 혈관의 수축을 유도하여 수술 중 출혈을 줄이고, 피하지방을 여기시켜 흡입을 용이하게 하고, 수술 후에도 통증을 줄여주는 마취지속효과로 인하여 지방흡입술에 있어서 획기적인 발전을 이루게 되었다. 1990년 그는 또 tumescent 용액을 지방에 주입한 후 혈중 lidocaine 농도를 측정하여 고농도의 lidocaine을 피부에 주입할 때와 다르게 희석된 lidocaine 용액을 지방층에 주입할 때 안전하게 쓸 수 있는 lidocaine 최대용량이 35 mg/kg 이라는 것을 밝혀내었으며 이로 말미암아 전신마취가 아닌 국소마취 하에서 뽑아 낼 수 있는 지방량이 획기적으로 증가하였다. 그는 또한 압박붕대를 이용한 수술 후 관리보다 압박복을 착용함으로서 더 좋은 결과를 가질 수 있음을 알렸고(1995년), 1996년에는 Dr Omstad 에 의해 Klein's tumescent technique을 이용할 때 lidocain을 55 mg/kg까지 써도 안전하다는 것을 알려져 지방흡입술의 발전에 큰 영향을 주었을 뿐 아니라 거대유방축소술이나 복부성형술의 기술발전에도 큰 공헌을 하였다.

이후 전형적인 음압에 의한 지방흡입술 이외에 초음파나 레이저, 진동형동력에 의한 기구를 이용한 지방흡입술이 발전되었는데 1992 Zocchi에 의해 초음파를 이용하여 신경혈관조직의 손상을 최소화하면서 지방분해를 촉진하고 이때 발생되는 열로 피부진피층을 자극하여 지방흡입 후 피부의 탄력을 높이기 위한 초음파지방흡입술에 대한 부분이 소개 되었다. 이 기구는 지방을 분해하는데 의사의 수고를 덜어주고 섬유조직이 많아 지방을 뽑기 힘든 부위의 흡입에 좋은 것으로 알려져 있다. 하지만 초음파기구의 특성상 cannula tip의 과도한 열발생으로 인한 피부손상이나 괴사, 화상, 장액종등의 새로운 합병증이 야기되었다. 사용시 용액을 선주입하여 초음파가 작용하게 해서 cannula를 끊임 없이 움직여주어 화상의 위험성이 없게 사용하여야 한다.

외부에서 초음파로 지방을 녹여 흡입해내는 기구들도 소개가 되었지만 확실하지 않은 효과로 임상적으로 수술후 관리기구로 사용되고 있으며 지방흡입술에는 잘 사용하지 않는다.

2006년 Kim과 Geronemus에 의하여 1064-nm diode laser를 이용 피하지방을 녹이고 간질조직과 피부의 수축을 극대화시켜 피부탄력을 증가시키는 laser-assisted lipolysis (LAL)이 소개 된 것 처럼 고식적인 tumescent sol을 이용한 suction assisted liposuction 보

다 다른 도구나 소재들이 개발되는 부분이 더욱 발전 되고 있다.

2009년 Dr Paul는 지방흡입술후 늘어난 피부의 탄력을 회복시키기 위하여 고주파를 이용한 지방흡입술인 Radiofrequency-Assisted liposuction을 소개하였다. 이는 bipolar RF를 이용하여 지방을 녹이고 피부밑 진피에 열을 가하여 피부의 탄력을 3차원적으로 회복시키는 수술이다. 하지만 이는 지방을 녹이고 흡입하는 것보다 지방흡입술 후에 피부의 탄력을 증대시키기 위한 장비이며 이 또한 화상의 위험성과 사용상의 불편함 때문에 널리 사용되지는 않았다.

1982년 Illouz의 wet technique의 개발과 1987년 Dr Klein의 diluted lidocaine & epinephrine sol 인 Klein's solution의 개발로 지방흡입술은 획기적인 발전을 하게 되며 tumescent suction assisted liposuction (SAL)을 기반으로 power assisted liposuction (PAL), ultrasound assisted liposuction (UAL) and laser assisted liposuction (LAL), water assisted liposuction, RF assisted liosuction 등 많은 기구들이 발전하기를 시작하였다.

하지만 이러한 새로운 기계들의 발전도 일반적인 지방흡입의 합병증 이외에 각자의 기구가 가진특성에 관련된 합병증들도 새롭게 야기되었다. Dr. Ahmad등이 보고한 바에 의하면 SAL에관련된 합병증이 22.1% 인데 반하여 UAL에 관련된 합병증은 35.2%, LAL에 관련된 합병증은 22.9%정도로 오히려 줄어들지 않았고 증가된 것을 알 수가 있다. 이와 같이 새로운 기계의 적용으로 인하여 그 후유증의 발생빈도도 점점 높아지고 있으며 국소적인 증상이나 후유증 이외에 전신적인 후유증이나 합병증이 점차 늘어가고 있다. 하지만 추후 지방흡입의 기구나 방법은 보다 간단하고 안전하며 한결 같은 결과를 낼 수 있는 부분으로 점차 발전 되어져 갈 것이다.

2. 용어

지방흡입술(liposuction)은 약 1기압정도의 음압 기계에 연결된 구멍이 뚫린 blunt-tip cannula로 피하의 지방을 제거해 내는 일련의 수술을 이야기한다. 하지만 지방흡입술을 이야기 하는 많은 용어들이 있으며 혼용해 쓰기 도 하고 특정한 시술을 이야기 하기도 하여 에 대한 정리가 필요하다. 이는 liposculpture, suction lipectomy, suction lipoplasty, 또는 lipodissection으로 불려지며 일반적으로 Suction Assisted Lipectomy (SAL)이라 불려진다.

이에 반해 Lipoplasty 란 용어는 피하지방에 대한 좀 더 광의의 수술명칭으로 피하지방을 빼거나 지방이식을 함으로서 체형이나 얼굴형을 바꾸는 일련의 수술들을 이야기 할 때 쓰인다. 초음파나 laser, RF가 피하지방을 녹일 수 있다는 부분이 소개되면서 Lipolysis란 용어가 대두되었고 이는 어떤 방법을 이용하던지 체내의 지방세포를 직접 용해시키는 과정을 이야기 하고 있다.

Dry Technique : 전신마취하에서 지방흡입을 할 부위에 아무런 용액을 주입하지 않은 상태에서 지방흡입을 시행하는 것으로 수술 중 lipoaspirate의 20-45% 정도가 혈액일 정도로 출혈의 위험성이 크고 안전하게 뽑아낼 수 있는 지방양도 작으며, 수술 후에도 오랜 부종과 굴곡, 착색 등의 합병증을 동반하기 쉬워 현재 잘 사용하지 않는다.

Wet Technique : 지방흡입전 수술부위에 약 200-300 cc 정도의 용액을 넣고 이후에 지방흡입을 하는 것으로 lipoaspirate의 4-30% 정도가 혈액일 정도로 dry technique에 비하여 출혈의 빈도가 작지만 1980년대 유행한 방법으로 요즘은 잘 사용하지 않는다.

Superwet Technique 1980년대 중반에 쓰여지던 방법으로 뽑아낼 지방 1 cc당 epinephrine과 lidocaine이 혼합된 식염수나 Ringer's lactate solution을 1 cc 정도 넣어

흡입해내는 방법으로 lipoaspirate에 혼합된 혈액이 1% 이하일 정도로 출혈량을 현격히 줄일 수 있었으며 현재에도 대용량 지방흡입시 사용되고 있는 방법이다.

Tumescent Technique : 1985년에 Dr Klein에 의해 소개된 tumescent technique은 예상되는 흡입량 1 cc당 Ringer's lactate 나 식염수에 0.025% - 0.1% lidocaine 과 epinephrine 1:1,000,000 혼합된 용액을 3 내지 4 cc 정도 주입하여 지방흡입을 시행하는 것을 말한다. superwet technique과 비슷하게 lipoaspirate 의 1% 이하 정도로 출혈량이 아주 작다.

3. 지방흡입 할 수술환자의 술전 진단

Tumescent을 사용한 후 지방흡입은 비교적 안전하고 국소피하지방을 제거하고 체형을 교정하는데 효과적이며 이와 더불어 지방이식을 병행함으로서 더욱 좋은 효과를 얻을 수 있어 최근 많이 시행되는 성형수술중 하나이다. 2014 미국성형외과학회연차보고에 의하면 연 21만건정도로 미국성형수술분야에서 3번째로 많이 행해지는 수술이다.)

다이어트나 운동으로 국소적인 체지방을 감소시킬 수는 있으나 그 형태를 변화시키는 것은 불가능하며 또한 반복되는 요요현상으로 인하여 피부의 탄력이 점차 감소하게 된다. 또한 무리한 다이어트와 이에 동반한 식음료보조제들을 오래 복용함으로서 영양불균형이나 건강상의 문제를 야기하는 경우도 있다. 아무리 운동을 하더라도 우리 몸에 있는 모든 지방세포들이 동일하게 줄어드는 것은 아니며 부위에 따라 더 빨리 빠지거나 늦게 빠지는 부분이 있다. 이는 신체부위에 따라 지방세포들이 가지는 지방산들의 분포가 달라서 일어난다고 알려져 있다.

사회생활의 확대와 체형을 드러내는 복식습관의 변화 등으로 인하여 체형을 교정하고자 하는 사람들이 증가하면서 나이나 부위, 성별, 인종등 그 대상에 있어서 점차 다양해 지고 있다. 젊은 사람들은 피부의 탄력성이 좋고 시술 후 결과가 좋아서 흔히 행해지고 있으며 나이든 인구에 있어서도 지방흡입 과 더불어 복부성형술을 병합함으로서 그 결과를 더욱 좋게 할 수 있어서 점차 그 대상이 확장되는 추세에 있다.

Phinney등은 아랫배의 피하지방이 대퇴부외측의 피하지방보다 포화지방산 비율이 높고 대퇴부 외측은 불포화지방산의 조성이 높다고 이야기 한 것 처럼 신체 각 부위의 지방세포들은 운동이나 영양분공급제한에 다른 반응을 보인다. 또한 체중의 증가나 과체중 비만등에 대한 가족력이나 유전적인 요인이 관여한다고 알려져 있다.

이러한 운동이나 다이어트로도 줄일 수 없는 지방을 지방흡입술로 제거를 하고 또 부족한 부위에 보충함으로서 체형을 교정하는 수술이 지방흡입술인 것이다.

개인의 비밀이 보장되고 편리하고 효과적인 면이라는 부분에서 office-based 수술이 증대되고 있으며 미국의 경우 1979년에 전체 외과수술의 10%를 차지하던 부분이 2006년 현재 약 80%를 차지하고 있다.

이와 같이 외래수술이 늘면서 외래수술에 대한 환자의 안정성이 요구되고 있으며 최우선시 되어야 하는 부분이다.

환자에 대한 안전성은 먼저 환자에 대한 사전검사와 수술에 관련된 부분에 대한 이루어지고 이에 대한 기록이 철저하게 이루어져야 한다. 환자가 전신이나 국소마취하에서 수술을 시행할 때 문제가 될 위험요소가 없는지 문진이나 검진, 의학적 검사를 통하여 파악해야 하며 술 전 vital sign을 측정하여 술 중이나 술 후의 변화를 참고해야 한다.

1) 기왕력과 문진

수술 전에 환자의 나이나 키 몸무게, 흡연유무 등 뿐

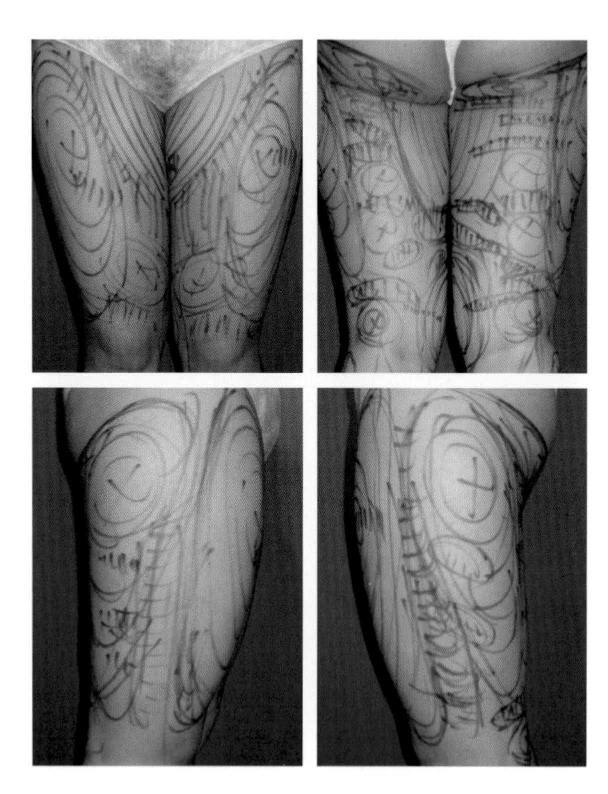

그림 1 술전디자인 : 흡입할 부위 및 꺼진 부위 표시

만 아니라 환자의 현재 건강상태, 질환의유무, 가족력, 현재 복용하고 있는 약물, 그리고 특정약물에 대한 과민반응 등에 대한 정보를 채집해야 한다. 그리고 수술전 기초 vital sign을 측정하여 수술중이나 수술 후 환자의 상태파악에 필요한 기초정보를 채집하여야 한다. 그리고 심전도검사, 혈액검사등 뿐만 아니라 가임여성에 있어서는 임신검사 등 기초술전검사를 시행하여야 한다.

2) 수술 전 디자인

수술부위의 비대칭, 함몰부위, 중요한 구조물 등에 대한 상세한 디자인이 필요하다(**그림 1**). 필요하다면 함몰된 부위에 대하여 즉시 지방이식도 고려해야 한다. 환자의 전신상태가 긴 수술을 견디지 못하거나 피부의 탄력이 없는 경우 순차적인 지방흡입이 보다 좋은 결과를 얻을 수가 있다.

4. 마취

집도하는 의사가 수술의 정도 수술과정 수술 후 회복기간을 고려하여 마취를 결정해야 하고 이를 마취과의사나 마취간호사에게 지시해서 수술에 필요한 마취를 시행해야 한다. tumescent 용액에 포함되어진 국소마취제에 대해서도 그 작용에 대한 고려가 있어야 한다. 조금만 흡입할 시에는 수술부위의 통증제거에 대해서만 고려하면 되지만 전신마취나 수면마취가 동반되는 대용량지방흡입시에는 반드시 환자의 상태를 고려해서 시행해야 하며 국소마취제의 전신독성에 대한 부분 주의를 기울여야 한다.

tumescent 용액에 첨가하는 국소마취제는 수술 중이나 수술 후의 통증감소효과가 탁월하나 그 사용에 있어서 상당한 주의를 요하는 부분이 많다. Wet technique이 처음 사용하기 시작할 때에는 저용량의 Marcaine을 wet solution에 첨가하여 사용하는 경우가 있었다. 특히 Bupivacaine은 lidocaine에 비하여 쉽게 흡수되고 긴 반감기를 가져 체내에서 천천히 제거가 되고 쉽게 reverse 되지 않는다. 또한 Marcaine은 심혈관계, 신경계, 순환계에 독성작용을 일으켜 심부정맥 cardiac arrhythmias, 발작 seizure, 호흡억제 respiratory depression 나 coma를 야기할 뿐 아니라 정맥 내 주사 시 사망에 이르게 할 수도 있어 사용상의 큰 주의를 요하는 약물이다. 현재까지 지방흡입에 사용되는 Marcaine의 작용에 대한 연구가 없기 때문에 사용하는 것은 위험성이 뒤따른다.

1) Lidocaine

지방흡입시 국소마취제로 가장 흔히 쓰이는 Lidocaine은 Marcaine (bupivacaine)과 달리 안전한 사용영역이 넓고 과 달리 lidocaine은 쉽게 reverse되며 희석시키지 않은 상태로 epinephrie 과 함께 피하에 주입할 때 7 mg/kg까지 사용이 가능하며 또한 지방층에 주입시 흡수가 더욱 느리고 epinephrine의 혈관수축작용으로 흡수가 지연되며 흡입시 lipoaspirate 와 함께 일부 제거가 되기 때문에 전신적인 독성에 대해서는 큰 걱정을 하지 않아도 된다. tumescent 용액으로 희석하여 사용할 때는 55 mg/kg까지 사용이 가능하다.

하지만 일반적으로 지방흡입시 tumescent 용액으로 사용할 시 에는 35 mg/kg 정도로 사용하는게 안전하다고 여겨지고 보편적으로 사용된다.

하지만 지방흡입과 관련한 사망에 있어서 lidocaine toxicity가 연관이 있는 경우가 많고, lidocaine을 안전용량내에서 사용하더라도 심혈관계나 신경계 증상이 나타날 수 있기 때문에 lidocaine독성을 나타내는 증상에 대해서 잘 알고 있어야 하며 이에 대한 주의를 빠트릴 수가 없다.

이때 나타나는 Lidocaine 독성증상은 sign 들은 가벼운 두통, 어지럼증, 조급함 agitation restlessness, 느린반응 lethargy, 늘어짐 drowsiness, 이명, 금속맛, slurred speech, 혀와 입주변부의 감각이상등이며 이러한 증상들은 lidocaine 의 혈중농도가 3-6 μg/ml. 정도에 나타나는 증상이다. 혈중농도가 5 to 9 μg/ml 정도가 되면 오한 shivering, 근육경련muscle twitching, 진탕tremors등의 증상이 생기며 10μg/ml이상이 되면 convulsions, 중추신경계억제, coma등이 나타나 위험하게 되며 이 이상 높아질 경우 호흡억제 및 사망에 이르기 된다.

더욱이 lidocaine 혈중농도는 epinephrine과 함께 사용했을 때 Tumescent 용액을 주입한 후 10시간에서 12시간이 지나야 혈중최고치에 도달하기 때문에 더욱 주의를 기울여야 한다.

약물의 흡수속도, 약물상호작용, 정맥주사용액양, 그리고 쓰여진 tumescent sol 의 양등과 같이lidocaine toxicity에 영향을 미치는 여러 가지 요인들이 작용하지만, 특히 대용량 흡입에서는 독성작용을 줄이기 위해서 고려해야 할 점들이 있다. 국소통증을 없애는 정도 내에서 가능하면 사용하는 용액의 lidocaine의 농도를 낮추는 것과, 많은 용액이 주입되는 tumescent technique보다 적은 용액을 사용할수 있는 superwet technique을 사용하는 것이 좋다.

만일 전신마취나 척추마취 같은 것을 병행을 한다면 lidocaine 양을 현저히 낮추거나 아예 안 쓰고 epinepine만 사용하는 경우도 있다.

2) Epinephrine

Epinephrine은 혈관수축작용으로 수술부위의 출혈을 억제하고 lidocaine 같은 국소마취제의 흡수를 지연시켜 그 작용 시간을 늘이고 사용되는 국소마취제의 양을 줄이면서 국소마취제의 독성을 줄여주는등, 지방흡입시 사용되는 용액의 조성에 있어서 없어서는 안되는 요소이다. 사용되는 epinephrine의 용량도 사용되어지는 장소와 범위에 따라 1:100,000 to 1:1,000,000 로 다양하게 사용되어지고 있다.

안전하게 사용할수 있는 epinephrine용량이 10 mg/kg정도가 되지만 지방흡입술에 사용시에 일반적 최대 0.07 mg/kg이하로 사용하는 것이 바람직하다.

너무 많은 epinephrine 양을 사용하면 전신적으로 흡수되어 hepatic blood flow를 저하시켜 lidocaine 이나 bupivacaine같은 약제의 대사를 느리게 하여 독성의 위험성을 높일 수가 있다. 또한 여러 부위를 수술할 때에는 한꺼번에 용액을 주입하는 것보다 순차적으로 수술하면서 용액을 주입하는 것이 약물의 안전영역을 넓히기 때문에 좋다.

Epinephrine은 pheochromocytoma, hyperthyroidism, severe hypertension, cardiac disease, or peripheral vascular disease의 경우에 사용을 피하는 것이 좋다.

halothane마취를 하거나 선행요인 이 있는 사람에게서 cardiac arrhythmias이 발생할 수 있으며 hyperthyroid 환자에게서 심근수축력의 변화나 cardiac irritability, hypertension 등이 발생할 수가 있다. 수술의 가장 큰 목적은 환자를 안전하게 부작용 없이 수술하는 것이다. 이를 위하여 환자의 상담시점부터 수술전 검사, 수술준비, 수술중과정, 수술후 처치 모든 과정에 있어서 적절한 일련의 과정이 행해지고 있는지 모니터링하고 끊임없이 개선해 나가야 할 것이다. 만일 환자의 안전에 위배되는 어떠한 사항이 발견될 시에는 즉시 그 모든 과정을 중지하고 환자의 안전한 회복에 힘써야 하며 그 어떤 수술의 완성보다 환자의 안전이 최우선 되어야 할 것이다.

3) 전신마취

지방흡입에 있어서 전신마취의 필요성과 안전성은 의사들마다 의견이 분분하지만 전신마취가 외래수술 환자에 있어서도 마취와 관련하여 수술 중이나 수술 후의 사망이나 후유증에 대해서 국소마취와 별 반 차이 없이 효과적이고 안전한 마취방법이라고 여겨지고 있다. 전신마취는 복잡하고 긴 수술일 경우 환자의 수면상태를 유지하는 충분한 마취효과로 인하여 의사가 환자에게 집중할 수 있게 해주고 환자의 반응에 따른 시간의 소비를 줄여주어 수술시간을 단축시켜주는 역활을 한다. 또한 수술 중에 환자의 기도를 확실하게 확보하여 환자의 안전성을 높일 수가 있다.

척추강마취 Epidural Anesthesia는 수술 중 환자를 수술부위의 통증없이 편안하게 할 수 있으며 대사가 빠르고 전신독성이 적은 Chloroprocaine 많이 사용되고 있다. 하지만 척추강마취는 혈관확장에 따른 저혈

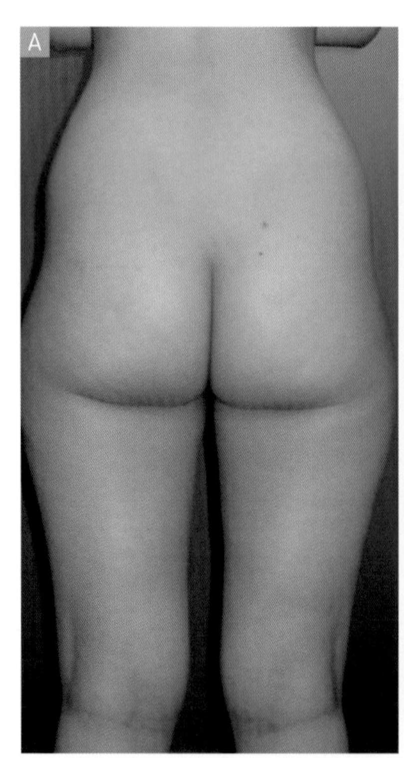

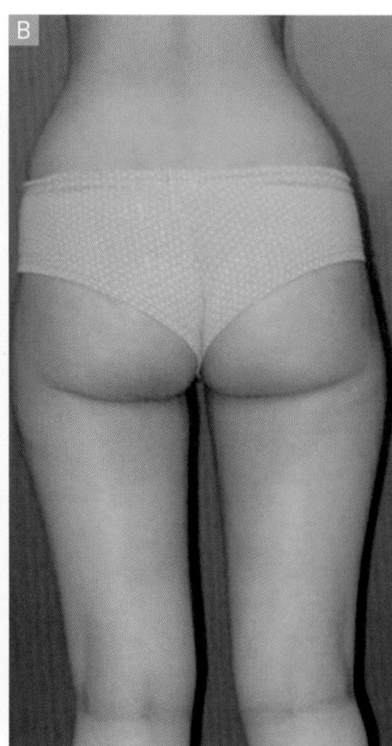

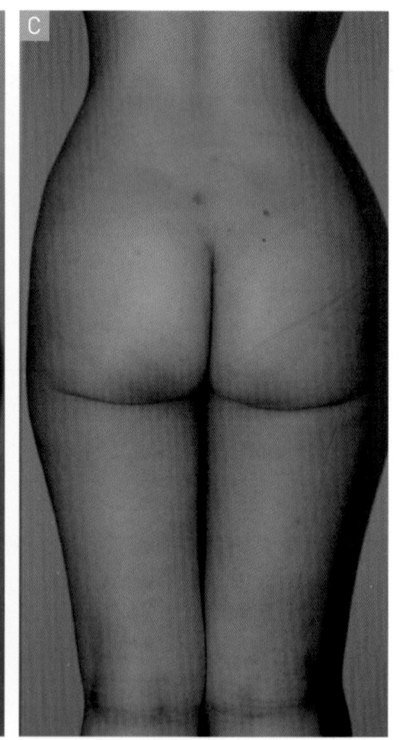

그림 2 허리, 허벅지 지방흡입 및 엉덩이 지방이식

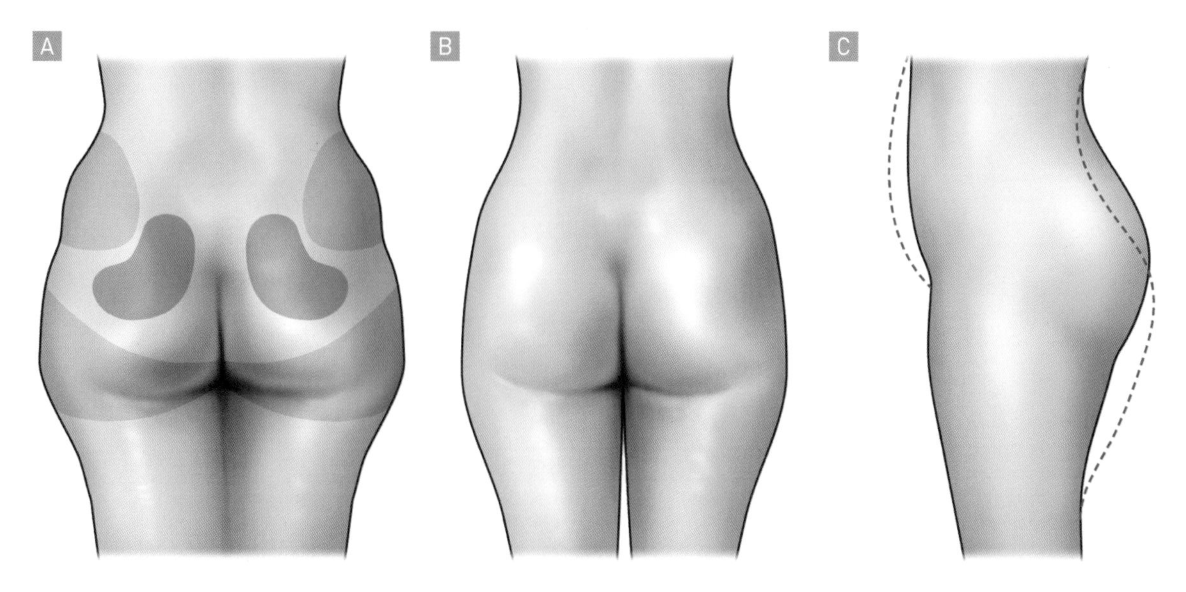

그림 3 지방흡입술 및 지방이식술을 이용한 힙업

압을 야기하고 이에 따른 수액요법이 필요하기 때문에 fluid overload의 위험성을 조심해야 한다.

정맥마취는 중등도의 진정 마취효과를 얻을 수 있어 외래에서 점차 많이 쓰여지고 있는 마취제이다. 하지만 안전한 영역에서 사용되어 질 수 있도록 조심해서 사용해야 한다.

5. 환자의 선택 : 지방흡입의 적응증

지방흡입술은 전신적인 비만을 직접 치료하는 수술이 아니라 체부, 사지, 턱 밑 등 부분적으로 과다한 지방축적부위에 대한 미용적인 교정방법이다(**그림 2, 3**).

지방흡입은 국소적인 지방의 축적이 있는 체부, 복부, 사지, 얼굴주변부 등의 체형을 교정하는데있어서 탁월한 효과를 지니며 적절한 환자에 시술시 좋은 효과로 만족도가 높은 수술이다. 또한 유방축소술, 여성형유방, 복부성형술 시에 보조적으로 사용되어 수술의 만족도를 높이기도 하며 피판재건술후 부피를 감소시키기 위하여 사용되어지기도 한다.

지방흡입술은 비만환자의 치료에 있어서 기본적인 치료가 될 수는 없다. 비만환자에 있어서 전신적인 비만을 직접적으로 치료를 하는 것은 아니지만 많은 양의 체지방을 흡입해 내면 체형의 개선뿐만 아니라 고혈압호전, 심혈관계개선, 당뇨병의 완화 같이 만성질환의 치료에도 보조적인 도움이 된다. 하지만 비만환자에 있어서는 창상의 지연회복, 감염, 심부정맥혈전증, 무호흡증 등으로 인한 수술 위험성이 높아지므로 비만환자에게서 지방흡입수술이 가지는 수술의 좋은 점과 위험도를 고려하여 수술해야 한다. 특히 BMI 30 이상의 비만환자들을 수술 할 때 위험성이 높아지므로 이를 고려하여 수술하는 것이 좋다.

너무 미미한 지방의 축적이나 현재 수술하기 힘든 다른 질환을 앓고 있거나 비현실적인 사람들은수술을 피하는 것이 좋다. 필요한 경우 운동이나 식이요법, 약물치료, 정신과적인 치료로 전환하거나 병행할 필요가 있다

6. 지방흡입양

지방흡입에 있어서 흡입량(lipoaspirate)이라고 하는 것은 최종적으로 뽑혀진 지방자체의 양을 말하는 것이 아니라 지방흡입을 시행할 때 흡입되어져 나오는 지방과 용액을 합한 부분을 지칭하는 말이다. 그리고 기록할 때도 흡입 시 뽑혀진 총량을 흡입량으로 기록한다.

한번의 수술로 5000 cc 이상의 지방과 물의 혼합액(lipoaspirate)을 흡입할 때 대용량지방흡입이라고 정의한다.

어느 정도 이상의 지방흡입을 하면 위험하다는 확실한 근거는 없어도 지방흡입량(lipoaspirate)이 많을수록 수술부위가 많을수록 합병증의 위험성은 증가된다.

무작정 많은 양을 뽑는 것보다 BMI나 환자의 의학적 소견 등을 바탕으로 어느 정도의 지방을 뽑는 것이 좋을지 가늠을 해야 한다. .필요하다면 한번에 많은 양을 뽑기보다 여러번에 나누어 순차적으로 흡입하는 것이 좀 더 좋은 임상결과를 가져올 수 있기 때문에 위험을 무릅쓰고 대용량지방흡입을 고집할 필요는 없다.

흡입하는 지방의 양은 환자에 따라 다르나 적절한 양을 흡입하여 너무 과하게 교정되거나 덜 교정되는 사례가 생기지 않도록 해야 한다. 이러한 부분을 이루기 위해서는 시술자의 경험이 보다 쌓여져 숙련도가 높아져야 한다. 또한 시술자가 사용하는 기구의 특성을 잘 알고 이를 적절히 활용하여야 수술 중 출혈이 적고 기구에 따른 부작용 없이 좋은 결과를 얻을 수가 있다.

7. 지방흡입의 안전성

대용량지방흡입은 많은 양의 용액을 주입하고 많은 양의 지방을 흡입함에 있어서 필수불가결하게 신체내의 항상성을 무너뜨리고 신체대사의 균형이 무너지게 되며, 이러한 생리적인 작용의 변화에 대하여 시술자는 충분한 의학적 지식을 가지고 있어야 한다. 특히 수액조절에 대해서는 화상이나 다발성손상환자의 치료에 준하는 기본적인 지식을 반드시 가지고 있어야 한다. 대용량을 흡입하면 할수록 주입하는 용액의 양이 많아지고 이와 더불어 수술이 길어지면서 들어가는 정맥수액제의 양도 많아져 한 순간에 수액불균형상태를 초래하고 fluid overload 상태가 된다.

물론 적절한 양을 사용하고 흡입해내는 정도의 tumescent technique이 안전하기는 하지만 Tumescent 용액을 주입하기 전과 주입한 후의 수액조절은 여러 가지 다른 면이 있으며 좀 더 많은 양을 주입했을 경우 폐부종이나 fluid imbalance의 합병증이 발생할 수 있는 위험성도 가지고 있기 때문에 주입하는 전체 양과 뽑아낸 전체 양 뿐 만 아니라 소변량, 예상되는 출혈량 대한 부분을 항상 인식하고 있어야 한다.

"Tumescent technique"을 이용한 대용량지방흡입을 위해서 많은 양의 tumescent 용액을 주입하게 되는데 이때 2-3 cc tumescent 용액을 주입하면 흡입되는 lipoaspirate 양이 약 1 cc정도 되는데 주입한 용액의 약 50% 내지 70%는 체내에 남게 된다. 이렇게 체내에 남아있는 수액양을 고려해서 전체적인 수액조절이 이루어져야 한다.

주입하는 tumescent 용액이 70 ml/kg이상되면 과부하가 걸리게 되고 피하에 주입한 양의 70%가 혈관내로 흡수되어 혈압상승과 정맥확장과 더불어 맥박이 강하고 빨라지게 된다. 또한 기침과 호흡곤란 등의 폐부종소견을 보이게 되며 이러한 경우 필요에 따라서 diuresis가 필요할 수도 있다. 수술 중에 주입한 총 fluid 양과 흡입한 lipoaspirate 양을 확인하면서 시행해야 한다. 또한 술 중의 vital sign 과 더불어 예상되는 출혈량, 소변량을 확인하면서 수술해야 한다. 대용량 지방흡입할 때에는 다른 성형수술을 병행하는 것보다 지방흡입만 하는 것이 합병증을 줄이는 방법이다. 수술 중 출혈이 500 cc 이상 예상되는 경우는 반드시 수혈할 준비를 해두어야 한다.

8. 수술중 환자의 처치

수술의 합병증을 줄이기 위하여 수술 중이나 수술 후의 환자관리가 중요한데 그 중에 가장 신경써야하는 부분이 저체온증이다. Hypothermia는 수술 중이나 수술 후 흔히 발생할 수 있는 부분이며 이로 인하여 환자의 상태가 급격히 나빠지거나 감염의 위험성이 높아지는 등 다른 이차적인 문제를 야기할 수 있는 부분이어서 예방이 중요하다. 저체온증을 야기할 수 있는 원인은 수술실의 온도가 너무 낮거나, 환자가 옷을 벗은 상태이거나 보호되지 않은 경우, 차가운 수액제, 마취에 의하여 체내의 온도조절중추가 제대로 작동 못하는 경우 등이 있다.

따라서 수술실의 온도가 적절한지 항시 체크해야 하고 환자의 심부체온을 올리기 위해 피부를 따뜻하게 하는 cutaneous warming devices (Bair Huggers)나 따뜻한 바람을 불어넣은 공기담요, 수액제를 체온정도 까지 데워서 주입할 수 있는 데울 수 있는 fluid warmers 등을 구비해 두어야 한다. 이러한 장비가 없는 경우 수술시간을 2시간이내로 제한하거나 수술부위가 체표면적의 20 %이상넘지않게 해야 한다.

또한 바로눕거나 엎드려서 장시간의 수술로 인하여 압박궤양의 발생이 염려가 되는 부분은 완충제를 밑에 깔아서 보호하고 무릎은 약간 구부려 popliteal vein의 혈류를 최대한 증진시켜준다.

9. 심부정맥혈전증의 예방

심부정맥혈전증은 수술 중 일어날 가능성이 낮지만 폐동맥색전증을 유발하고 그 빈도가 증가함에 있어 관심을 소홀히 할 수 없는 분야이다. 대부분의 의사는 이에 대한 예방적 치료를 하지 않고 있으나 미국에서 한 해 18,340 cases정도 발생하고 있으며, 우리나라에 있어서도 심심치 않게 유전적인 과혈전증소견을 가진 사람들이 발견되고 비만인구의 증가와 식습관의 변화, 고령인구, 흡연, 피임제, 혈관질환증가 등으로 인하여 발생할 가능성이 현저히 우려되는 질환이다.

성형수술중 발생하는 DVTPE의 발생빈도는 약 1-2% 이하일 것으로 생각되지만 그 증상의 발현에 있어서 3분의 2정도가 증상이 없기 때문에 실질적인 발생빈도는 더 높을 것으로 예상된다. 또한 성형수술 대상자 중에 DVTPE을 야기할 고위험군의 환자가 증가하는 추세이다.

VTE를 예방하는 방법에는 물리적인 방법과 약물적인 방법으로 나눌 수가 있다. 물리적인 방법에는 graduated compression stockings (GCSs), intermittent pneumatic compression (IPC) devices, and venous foot pumps (VFPs)등이 있는데 이들은 출혈위험성이 높은 환자나 약물적인 치료에 보조적으로 사용 된다. 1시간 이상의 수술이면 어떤 경우든지 사용이 권장되고 전신마취의 경우에 있어서는 수술 전 30-60분 전부터 착용하는 것을 권장한다. 이때 수동적인 압박스타킹보다는 간헐적인 압력을 줄 수 있는 pneumatic compression 이 더욱 효과적이다.

DVT/PE예방에 가장 흔히 사용하는 약물은 Low-molecular-weight heparin (LMWH)이며 2004년 이후부터 indirect FXa inhibitor 인 fondaparinux, idraparinux 등이나 direct FXa inhibitors, direct thrombin inhibitors 등이 개발되어 사용되고 있다. 하지만 출혈의 위험성 증가에 대한 염려로 항혈전제의 사용을 꺼려한 경향이 있지만 여러 보고에 의하면 실질적인 출혈의 증가는 염려되지 않는다.

10. 그 외 수술 중 고려할 점

전신마취하에서 수술의 시간이 길어질수록 수술후 입원기간이 길어지는 상관관계가 있으며, 또한 긴 수술이나 많은 용량을 흡입한후 이에 대한 보상작용의 일환으로 수술후 오심, 구토, 출혈등과 연관성이 많아, 수술시간이 6시간 넘지 않게 해야 한다.

대용량지방흡입과 복부성형술 같은 다른 시술을 같이 할 경우 치사율이 3배정도 증가하게 되는데(복부지방흡입만 0.0137%, 복부성형술동반0.0305%), 이 경우 총 흡입량이 5000 cc를 넘지 않게 해야 한다.

수술시 여건이 허락한다면 WAL, US, Laser 등과 같이 지방을 녹이거나 부수고, RF 처럼 피부의 탄력을 회복시켜주는 여러 가지 기계들을 조합하여 사용하는 것도 시술자의 수고를 덜고 보다 좋은 결과를 얻을 수 있는 좋은 방법이다.

11. 수술 후 처치 및 관리

수술직후 환자의 상태를 파악하여 fluid/electrolyte balance에 문제가 없는 지 파악하고 교정해 주어야 한다. 출혈의 위험성이 있고 많은 양의 출혈이 있었다면 CBC를 시행하여 수혈여부를 결정해야 하지만 수액과 주입한 tumescent 용액에 의해 RBC 농도가 정상적으로 약간 낮아져 있다는 것을 염두에 두어야 한다. 장시간 수술 후 낮아진 체온을 올리기 위하여 여러 가지 기구를 사용하여 빨리 회복시켜주어야 한다. 어떤 마취를 시행하였든지 환자가 완전히 마취에서 회복하였는지 숙련된 의료인력이나 의사가 직접 주기적으로 관찰하여야 하며, 환자가 완전히 마취에서 회복되었다는 것을 확인 한 뒤에 퇴원시켜야 한다.

빠른 부종의 소실과 좋은 수술결과를 얻기 위하여 Compression garments 이나 elastic stockings은 수술 당

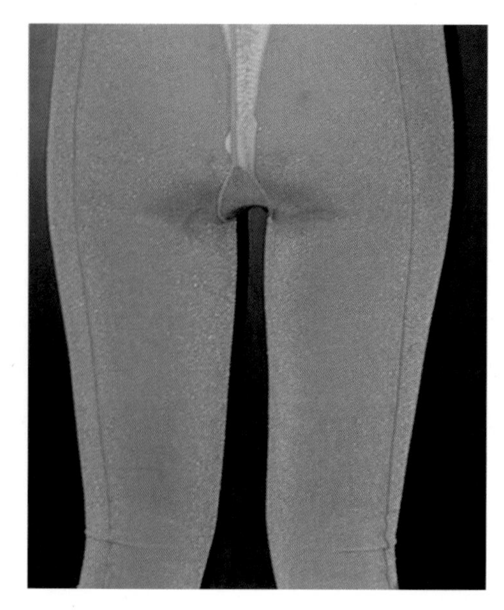

그림 4 수술후 압박복의 착용

일이나 익일 착용하고 수주간 착용을 권장한다. 필요에 따라서는 12주 정도 착용후 밤에만 수 주 더 착용하는 것을 권장하기도 한다. 수술후 피멍과 부종은 1-2주간 지속하고 경우에 따라서 더 지속하는 경우도 많다(**그림 4**).

수 술 후 통증은 수일간이나 일주일 정도 지속할 수 있으며 대부분 경구용 진통제로 조절이 가능한 정도이며 시간이 지날수록 점차 감소 된다. 하지만 갈수록 진통이 심해지거나 진통제로도 조절되지 않는 통증을 호소할 때는 출혈이나 피부괴사 감염 등을 의심해야 하고 이에 따른 적절한 조치가 필요하다.

수술 후 첫 3일은 급성합병증 유무를 파악하기 위해 매일 F/U이 필요하고 그 뒤부터는 일주일 간격으로 이 주일 간격, 한 달 간격으로 장기 추적관찰을 시행하여 발생할 수 있는 합병증의 유무와 수술결과를 관찰하여야 한다.

수술후 관리에 있어서 운동은 첫 2주간은 일상생활과 부종이 심해지지 않는 정도의 제한된 걷는 정도의 운동만을 권장하고 4주 뒤에는 약간의 조깅을 허용하

며 심한 weight 같은 운동은 8주가 지난 이후에 하기를 권한다.

빠른 부종을 없애기 위해서 가능한 한 수술부위를 높여서 자세를 취하는 것이 좋은데 피부에 대한 엔더몰로지와 고주파치료는 수술 후 고여있는 체액배출을 촉진시켜 부종을 빨리 사라지게 하고 수술 후 통증을 줄여주며 심부가 뭉치거나 피부표면이 울퉁불퉁해 지는 것을 어느 정도 방지해 주기 때문에 급성 붓기가 빠진 일주일 경부터 주 1-2회씩 8-12주 정도 시행하는 것이 좋다.

참·고·문·헌

1. 2014 Plastic Surgery Statistics Report : 2014 Top 5 Cosmetic Surgical Procedures. http://www.plasticsurgery.org/Documents/news-resources/statistics/2014-statistics/plastic-surgery-statsitics-full-report.pdf
2. Agu O, Hamilton G, Baker D. Graduated compression stockings in the prevention of venous thromboembolism. Br J Surg 1999;86:992- 1004.
3. American Association for Accreditation of Ambulatory Surgical Facilities, Inc. AAAASF Resource Guide. Mundelein, Ill.: American Association for Accreditation of Ambulatory Surgical Facilities, Inc., 2002. P. 37.
4. Barash, P. G., Cullen, B. F., and Stoelting, R. K. Clinical Anesthesia, 3rd Ed. Philadelphia: Lippincott-Raven, 1997. Pp. 212-227.
5. Bitar, G., Mullis, W., Jacobs, W., et al. Safety and efficacy of office-based surgery with monitored anesthesia care/sedation in 4778 consecutive plastic surgery procedures. Plast. Reconstr. Surg. 111: 150, 2003.
6. Byrd, H. S., Barton, F. E., Orenstein, H. H., et al. Safety and efficacy in an accredited outpatient plastic surgery facility: A review of 5316 consecutive cases. Plast. Reconstr. Surg. 112: 636; discussion 642, 2003.
7. Commons, G. W., Halperin, B., and Chang, C. C. Largevolume liposuction: A review of 631 consecutive cases over 12 years. Plast. Reconstr. Surg. 108: 1753, 2001
8. Davison, S. P., Venturi, M. L., Attinger, C. E., Baker, S. B., and Spear, S. L. Prevention of venous thromboembolism in the plastic surgery patient. Plast. Reconstr. Surg. 114: 43e, 2004
9. de Jong, R. H. Body mass index: Risk predictor for cosmetic day surgery. Plast. Reconstr. Surg. 108: 556, 2001.
10. Fischer A, Fischer G: First surgical treatment for molding body's cellulite with three 5 mm incisions. Bull Int Acad Cosmet Surg 3:35, 1976
11. Flynn TC, Coleman WP II, Field LM, et al: History of liposuction. Dermatol Surg 24:515-520, 2001
12. Fodor, P. B. Wetting solutions in ultrasound-assisted lipoplasty. Clin. Plast. Surg. 26: 289, 1999.
13. Fogarty, B. J., Khan, K., Ashall, G., and Leonard, A. G. Complications of long operations: A prospective study of morbidity associated with prolonged operative time (6 h). Br. J. Plast. Surg. 52: 33, 1999.
14. Food and Drug Administration. Liposuction Information. Available at www.fda.gov/cdrh/liposuction. Accessed January 30, 2003.
15. Fournier PF, Otteni FM: Lipodissection in bodysculpting: The dry procedure: Plast Recon Surg 72:598-609, 1983
16. Gasperoni, C., and Salgarello, M. The use of external ultrasound combined with superficial subdermal liposuction. Ann. Plast. Surg. 45: 369, 2000.
17. Geerts WH, Pineo GF, Heit JA, Bergqvist D, Lassen MR, Colwell CW, et al. Prevention of venous thromboembolism: the Seventh ACCP Conference on Antithrombotic and Thrombolytic Therapy. Chest 2004;126(3

Suppl):338S-400S.

18. Giese, S. Y., Bulan, E. J., Commons, G. W., Spear, S. L., and Yanovski, J. A. Improvements in cardiovascular risk profile with large-volume liposuction: A pilot study. Plast. Reconstr. Surg. 108: 510, 2001.
19. Gilliland, M. D., and Coates, N. Tumescent liposuction complicated by pulmonary edema. Plast. Reconstr. Surg. 99: 215, 1997.
20. Gingrass, M. K. Lipoplasty complications and their prevention. Clin. Plast. Surg. 26: 341, 199
21. Gold, B. S., Kitz, D. S., Lecky, J. H., and Neuhaus, J. M. Unanticipated admission to the hospital following ambulatory surgery. J.A.M.A. 262: 3008, 1989.
22. Gray, L. N. Update on experience with liposuction breast reduction. Plast. Reconstr. Surg. 108: 1006, 2001.
23. Gringrass, M. Lipoplasty complications and their prevention. Clin. Plast. Surg 26: 341, 1999.
24. Hoefflin, S. M., Bornstein, J. B., and Gordon, M. General anesthesia in an office-based plastic surgical facility: A report on more than 23,000 consecutive officebased procedures under general anesthesia with no significant anesthetic complications. Plast. Reconstr. Surg. 107: 243, 2001.
25. Hughes, C. E. I. Reduction of lipoplasty risks and mortality: An ASAPS survey. Aesthetic Surg. J. 21: 120, 2001.
26. Hunstad, J. P. Body contouring in the obese patient. Clin. Plast. Surg. 23: 647, 1996
27. Iverson, R. E., and Lynch, D. J. Patient safety in office-based surgery facilities: II. Patient selection. Plast. Reconstr. Surg. 110: 1785; discussion 1791, 2002.
28. Iverson, R. E., and Lynch, D. J. Practice advisory on liposuction. Plast. Reconstr. Surg. 113: 1478; discussion 1491, 2004
29. Iverson, R. E. Patient safety in office-based surgery facilities: I. Procedures in the office-based surgery setting. Plast. Reconstr. Surg. 110: 1337; discussion 1343, 2002.
30. J Ahmad, FF Eaves, RJ Rohrich, JM Kenkel: The American Society for Aesthetic Plastic Surgery (ASAPS) survey: current trends in liposuction. Aesthet Surg J 2011, 31(2):214-224.
31. JB Horton, EM Reece, G Broughton II, JE Janis, JF Thornton, RJ Rohrich: Patient Safety in the Office-Based Setting. Plast and Reconst Surg 117: 61e-80e, 2006
32. Junco, R., Bernard, A., Anderson, L. S., et al. Report of the Special Committee on Outpatient (Office-Based) Surgery. Dallas, Texas: Federation of State Medical Boards, 2002.
33. Kiffner E, Knote G, Bohmert H: Dermolipectomy for the reduction of redundant skin and local lipodystrophy. Fortschr Medicine 94:202-206, 1976
34. Kim KH, Geronemus RG: Laser lipolysis using a novel 1064 nm diode laser. Dermatol Surg 32:241-248, 2006
35. Klein JA: The tumescent technique for liposuction surgery. Amer J Cosm Surg: 4:263-267, 1987
36. Klein JA: Tumescent liposuction and improved post operative care using tumescent liposuction garments. Dermatolo Clin 13:329-338, 1995
37. Klein, J. A. Tumescent technique for local anesthesia improves safety in large volume liposuction. Plast. Reconstr. Surg. 92: 1085, 1993.
38. Klein JA: Tumescent technique for regional anesthesia permits lidocaine doses of 35 mg/kg for liposuction: Peak plasma levels are diminished and delayed 12 hours. J Dermatol Surg Oncol 16:248-263, 1990
39. Knize, D. M., and Fishell, R. Use of perioperative subcutaneous "wetting solution" and epidural block anesthesia for liposuction in the office-based surgical suite. Plast. Reconstr. Surg. 100: 1867, 1997.

40. Levine MN, Raskob G, Beyth RJ, Kearon C, Schulman S. Hemorrhagic complications of anticoagulant treatment. The Seventh ACCP Conference on Antithrombotic and Thrombolytic Therapy. Chest 2004;126(3 Suppl):287S-310S.
41. Marcus, J. R., Tyrone, J. W., Few, J. W., Fine, N. A., and Mustoe, T. A. Optimization of conscious sedation in plastic surgery. Plast. Reconstr. Surg. 104: 1338, 1999.
42. Matarasso, A. The tumescent technique: The effect of high tissue pressure and dilute epinephrine on absorption of lidocaine. Plast. Reconstr. Surg. 103: 997, 1999.
43. McDevitt, N. B., and the American Society of Plastic Surgeons. Deep vein thrombosis prophylaxis. Plast. Reconstr. Surg. 104: 1923, 1999.
44. Meister, F. Possible association between tumescent technique and life-threatening pulmonary complications. Clin. Plast. Surg. 23: 642, 1996.
45. Mendes, F. H. External ultrasound-assisted lipoplasty from our own experience. Aesthetic Plast. Surg. 24: 270, 2000.
46. Miller, R. D. Anesthesia, 5th Ed. Philadelphia: Churchill Livingstone, 2000. Pp. 503-517.
47. Mingus, M. L., Bodian, C. A., Bradford, C. N., and Eisenkraft, J. B. Prolonged surgery increases the likelihood of admission of scheduled ambulatory surgery patients. J. Clin. Anesth. 9: 446, 1997.
48. M Paul, RS Mulholland: A New Approach for Adipose Tissue Treatment and Body Contouring Using Radiofrequency-Assisted Liposuction. Aesthetic Plastic Surgery 33: 687-694, 2009
49. Naguib, M., Magboul, M. M., Samarkandi, A. H., and Attia, M. Adverse effects and drug interactions associated with local and regional anesthesia. Drug Saf. 18: 221, 1998.
50. Ostad A, Kageyama N, Moy RL, et al: Tumescent anesthesia with a dose of 55 mg/kg is safe for liposuction. Dermatol Surg 22:921-927, 1996
51. Perry, A. W., Petti, C., and Rankin, M. Lidocaine is not necessary in liposuction. Plast. Reconstr. Surg. 104: 1900, 1999.
52. Pitanguy I: Trochanteric lipodystrophy. Plast Reconstr Surg 34:280-286, 1964
53. Pitman, G. H., Aker, J. S., and Tripp, Z. D. Tumescent liposuction, a surgeon's perspective. Clin. Plast. Surg. 23: 633, 1996.
54. Platt, M. S., Kohler, L. J., Ruiz, R., Cohle, S. D., and Ravichandran, P. Deaths associated with liposuction: Case reports and review of the literature. J. Forensic Sci. 47: 205, 2002.
55. Price, M. F., Massey, B., Rumbolo, P. M., and Paletta, C. E. Liposuction as an adjunct procedure in reduction mammaplasty. Ann. Plast. Surg. 47: 115, 2001.
56. Rao, R. B., Ely, S. F., and Hoffman, R. S. Deaths related to liposuction. N. Engl. J. Med. 340: 1471, 1999.
57. Rohrich, R. J., and Beran, S. J. Is liposuction safe? Plast. Reconstr. Surg. 104: 814, 1999.
58. Rohrich, R. J., and Janis, J. E. Lidocaine dosing duality in liposuction: "Safe" only when highly diluted. (Reply) Plast. Reconstr. Surg. 113: 1514, 2004.
59. Rohrich, R. J., and Rios, J. L. Venous thromboembolism in cosmetic plastic surgery: Maximizing patient safety. Plast. Reconstr. Surg. 112: 871, 2003.
60. Rohrich RJ, Beran SJ, Fodor PB: The role of subcutaneous infiltration in suction-assisted lipoplasty: a review. Plast Reconstr Surg 1997, 99(2):514-519; discussion 520-516.
61. Rohrich, R. J., Kenkel, J. M., Janis, J. E., Beran, S. J., and Fodor, P. B. An update on the role of subcutaneous infil-

tration in suction-assisted lipoplasty. Plast. Reconstr. Surg. 111: 926, 2003

62. Rubenstein, E. H. An anesthesiologist's perspective of lipoplasty. Clin. Plast. Surg. 26: 423, 1999.; 4, 5
63. Samdal, F. Surgical treatment of gynecomastia: Five years' experience with liposuction. Scand. J. Plast. Reconstr. Hand Surg. 28: 123, 1994.
64. SD Phinney, JS Stern, KE Burke, AB Tang, G Miller, and RT Holman : Human subcutaneous adipose tissue shows site-specific differences in fatty acid composition. Am J Clin Nutr 60:725-9, l994.
65. Trott, S. A., Beran, S. J., Rohrich, R. J., Kenkel, J. M., Adams, W. P., Jr., and Klein, K. W. Safety considerations and fluid resuscitation in liposuction: An analysis of 53 consecutive patients. Plast. Reconstr. Surg. 102: 2220, 1998.
66. Urbankova J, Quiroz R, Kucher N, Goldhaber SZ. Intermittent pneumatic compression and deep vein thrombosis prevention. A metaanalysis in postoperative patients. Thromb Haemost 2005;94:1181-1185.
67. VL Young, ME Watson : The Need for Venous Thromboembolism (VTE) Prophylaxis in Plastic Surgery. Aesthetic Surg J 26: 157-175, 2006
68. WP Coleman III: THE HISTORY OF LIPOSUCTION AND FAT TRANSPLANTATION IN AMERICA. Dermatologic Clinics 17:723–727, 1999,
69. Zocchi M: Ultrasonic liposculpturing. Aesth Plas Surg 16:287-298, 1992

지방흡입술 » 기구별 지방흡입

파워 지방흡입술

Power-Assisted Lipoplasty, PAL

| 민병두 |

1. 역사

오늘날 널리 시행되고 있는 지방흡입술은 wet technique이나 Klein의 tumescent technique(투메슨트)와 같은 마취법의 발전, 케뉼라의 발전, 보조기구의 발전으로 이루어져 왔는데, 이 가운데 기계적인 보조기구에 의한 방법을 파워지방흡입술(power-Assisted Lipoplasty, PAL)이라고 한다.

1970년대 초 흡입-보조 지방성형술(suction-assisted lipoplasty)이 여러 학술지에 실리기 시작하고, 1975년 Arpad fischer 등이 움직이는 내부 부속에 칼날이 들어있는 "cellusuciatome"이라는 기구를 소개한 이후, 1990년대에 Charles Gross 등이 모터가 달린 핸드피스에 의해 구동되는 "Liposhaving"시술을 선보일 때까지 파워지방흡입의 개념은 없었다.

이후 oscillating system, reciprocating system이 개발되어 쓰이기 시작하면서 90년대 말부터 전통적인 지방흡입 수술법과의 비교 및 장단점에 대한 보고가 많아지게 되었다. 이러한 기구에는 전기적으로 또는 공기에 의해 구동되는 모터가 들어있으며, 이 모터는 지방흡입 케뉼라의 끝부위를 움직이게 된다. 이러한 방식으로 지방흡입을 시술하는 의사의 작업량이 감소되었으며, 지방제거 속도는 증가되는 것으로 확인되었다.

1995년에 즈음하여 널리 쓰이기 시작한 초음파 기구를 이용한 수술법이 선풍적인 인기를 끌며 외부초음파를 이용한 방법도 도입 되었다. 이는 피부화상에 의한 괴사나 장액종 발생을 증가시킨다는 염려 등으로 근래 주춤한 데 반해 파워지방흡입기를 이용한 시술은 꾸준히 사용되며 발전하면서 오늘날 지방흡입술에 있어서 기본적인 장비로 인식되어 가고 있다.

그러나 각종 레이저나 고주파를 이용한 기구 등이 계속 개발되어 소개되고 있어서 앞으로의 추세는 지켜보아야 할 것이다.

2. 장비

현재 여러 가지 파워지방흡입 장비가 널리 사용되고 있는데 대부분은 전기 모터에 의해 구동이 되며, 가스나 공기에 의해 구동되는 것들도 있다. 보통 본체와 케이블, 핸드피스 등으로 구성되며**(그림 1)**, 각 장비들의 특성에 따라 케뉼라의 움직임은 진동, 회전, 병진 운동을 하게 된다**(그림 2)**.

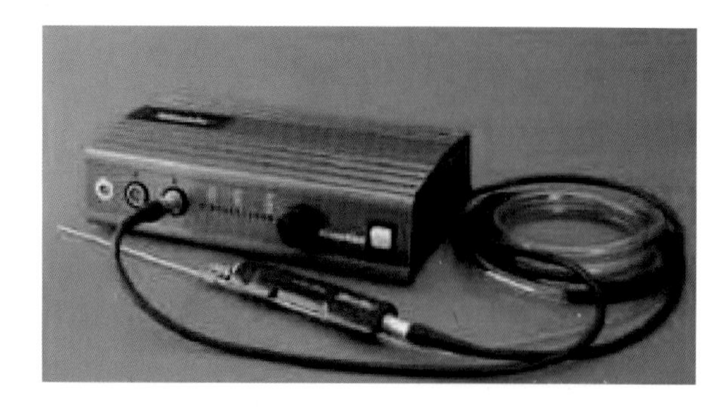

그림 1 MicroAire

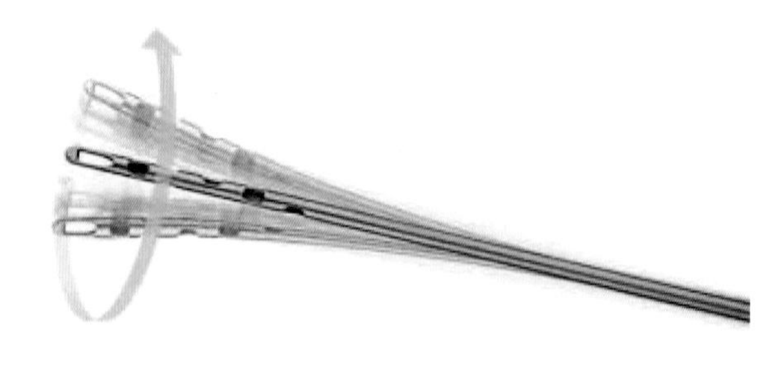

그림 2 PAL 구동중 캐뉼라의 움직임

2000년 전후에는 여러 파워지방흡입기와 기존 지방흡입술을 비교하는 보고가 많았는데, 근래에는 지방유래 줄기세포에 대한 관심이 높아지고 대용량 지방채취에 대한 필요성이 증가하면서 지방채취를 위한 Trap device도 많이 소개되고 있다.

3. 장단점

파워기구를 사용하는 의사들은 지방흡입수술의 속도가 증가했다고 한다. 이는 정해진 시간에 더 많은 양의 지방을 흡입할 수 있으므로 보다 효율적인 지방흡입 방식이라는 것을 의미한다. 지방흡입수술을 하는 의사 측면에서 육체적 작업량을 감소시켜 줄 뿐 아니라 케뉼라가 보다 수월하게 조작될 수 있도록 도움을 준다. 케뉼라의 진동은 섬유 조직을 손상시키지 않으면서 통과하기 때문에 균질화된 지방을 흡입할 수 있고, “male pseudogynecomastia”와 같은 섬유성 부위에도 도움이 된다는 보고가 있었다.

또한 환자들은 케뉼라의 진동에 편안한 느낌을 받는 듯 하며, 진동에 대한 감각이 통증의 인식을 줄이는 반대적 자극 역할을 한다는 의견도 있다.

파워 지방흡입 장비의 단점으로는 고가의 장비가 필요하다는 것이고, 가격은 보통 미화로 수천 달러에서 만 달러에 이른다. 물론 근래 나오는 국산 장비의 경우 상대적으로 저렴한 것도 많이 있다. 일부 장비는 소음이 심하기도 하지만, 잘 만들어진 고가의 장비는 매우 조용한 편이다.

진동으로 인한 의사의 팔 손상 가능성에 대한 초창기 우려는 보고된 바가 많지 않지만, 실제로는 상당한 부담이 될 수 있으므로 이 시술을 많이 하는 의사는 주의를 하는 것이 바람직하다.

그리고 하루에 여러 명의 시술을 하게 될 경우 케뉼라 뿐 아니라 구동시키는 핸들도 각 시술마다 멸균하여 사용하여야 한다.

4. 시술자의 수칙

2000년을 기준으로 미국에서는 매해 370,000건이 넘는 지방흡입 시술이 시행될 정도로 가장 인기 있는 미용성형수술도 자리 잡게 되면서, 2003년 지방성형술의 안전성에 대해 조사하고 안전에 대한 가이드라인을 만들게 되었다. 파워 지방흡입술도 보조기구를 이용할 뿐 기계가 알아서 수술해 주는 것이 아니기 때문에, 시술자는 보다 철저히 원칙을 지키고 주의를 기울여야 한다. 시술의사의 적절한 목표에 의해, 지방을 얼마나 뺄 것인지 보다는 얼마나 잘 남겨놓느냐에 따라 최종적인 결과가 결정되는 것이다.

파워 지방흡입술은 지방을 유화시키기 때문에 흡입량이 전통적인 방법에 비해 더 적게 보일 수 있다. 그리고 수술자가 직접 손으로 움직이는 것 외에 기계적인 힘이 더 가해지므로, 시술자가 의도하는 것보다 부분적으로 더 많이 흡입될 가능성도 있기 때문에 케뉼라의 홀 방향이나 머무는 시간 등을 잘 조절해야 할 필요가 있다. 특히 한쪽 면에만 홀이 있는 케뉼라를 사용하는 경우, 홀 방향이 피부 쪽을 향할 경우 subdermal plexus손상을 일으켜 피부괴사의 가능성이 있으므로 주의해야 한다. 따라서 초심자의 경우 홀이 180도 세 방향으로 퍼져있는 mercedes 타입의 케뉼라를 선택하고, 썩션기의 음압을 1/2 기압으로 줄이고, 파워지방흡입 장비의 진동파워도 적절히 줄여서 사용하기를 권장한다.

5. 적용

파워지방흡입의 가장 좋은 적응증은 국소적 지방과다 침착이다. 예를 들어 얼굴, 목, 몸통, 사지의 부분적 과다지방제거를 통한 체형교정이 대표적이다. 하지만 비만치료나 체중감소는 지방흡입술의 적응에 해당하지 않고, 셀룰라이트의 근치나 제거할 지방용량, 둘레감소에 대해 약속을 하는 것은 금물이다. 특히 메가용량의 지방흡입의 경우 PAL의 사용을 제한하는 것이 바람직하다.

그리고 지방이식을 위한 지방채취에 이용될 수 있다. 근래 우리나라에서는 얼굴은 물론 유방이나 기타 다른 부위에도 지방이식을 이용한 수술법이 널리 시행되고, 지방유래 줄기세포시술에 대하 관심이 높아지면서 많은 양의 지방채취가 필요한 경우가 늘어나서 파워지방흡입의 필요성이 증가한다고 하겠다.

또한 지방종, 여성형 유방, 가성 여성형 유방, 지방이영양증 등과 같은 질환의 치료로 이용될 수 있고, 조직이 단단하거나 지방흡입, 주사시술, 카복시와 같은 기존 시술로 인한 흉조직이 있는 경우에 유용하다고 할 수 있다.

6. 시술 전 준비

파워지방흡입술은 항상 무균술식을 이용해야 하며, 모든 기구들은 멸균처리가 되어야 한다. 특히 체내로 들어가는 투메슨트 주입용 캐뉼라와 흡입용 캐뉼라는 세척과 멸균을 철저히 하는 것은 물론 술중에도 만지지 않도록 주의한다.

그리고 수술 전 자세한 문진과 흉부 방사선이나 혈액검사, 심전도 검사를 하여 환자의 전신 상태를 철저히 체크하고, 수술중 환자의 활력징후, 산소포화도, 심전도 등과 같은 감시가 필요하다. 또한 수술 중 응급상황에 대비하여 심폐소생술이 가능하도록 미리 준비한다.

수술 전 디자인은 환자의 요구와 시술자의 시술목표에 따라 수술장 밖에서 미리 하는 것이 좋다. 이때 엉덩이 밑주름이나 복부 정중선, 아랫배 주름, 기존의 흉터 등을 꼭 표시하고, 목표로 하는 부위에 등고선 표시를 한다. 수술중에는 자세에 따라 미리 디자인한 표시가 왜곡될 수 있다는 점을 명심하고 이를 감안해서 시술해야 한다.

7. 시술방법

기본적인 수술과정은 전통적인 지방흡입술과 다르지 않다. 투메슨트 용액을 주입할 때에는 원하는 시술부위에 골고루 서서히 침윤되도록 하는 것이 대단히 중요한데, 다중포트를 이용하는 방법도 보고된 바가 있지만, 지방을 흡입하는 것 못지않게 중요한 과정으로 수술의 성패를 가르는 한 요소라고 할 수 있다. 그리고 투메슨트 용액을 주입한 후 지방을 흡입하기 전에, 섬유조직의 격막을 따라 골고루 침투되고 혈관수축이 잘 이루어질 수 있도록 기다리는 시간이 반드시 필요한데, 이때 손으로 마사지를 할 수도 있고, 외부 초음파나 저준위 레이저를 적용하는 것도 도움이 된다. 이 과정이 잘 이루어지지 않으면 원하는 지방흡입은 잘 되지 않고, 조직손상과 출혈만 일으킬 뿐이다.

흡입시에는 시술자의 손과 팔에 무리가 가지 않도록 핸드피스를 가볍게 쥐고 부드럽게 움직임을 계속한다. 케뉼라를 삽입한 상태에서는 움직임이 없어도 흡입이 될 수 있어서 원치 않는 피부윤곽의 패임이 생길 수 있으므로 주의한다. 또 반대편 손으로 시술부위를 pinch한 상태로 흡입하는 것도 자제해야 한다. 썩션기의 음압은 1/2 혹은 2/3 기압 정도로 조정하고, 핸드피스의 진동파워도 최대보다는 적절히 줄여서 사용하면서 시술자의 선호에 맞춰 보도록 한다.

파워흡입기를 이용하는 경우 매뉴얼 방식에 비해 절개창 주변부위의 maceration이 심해서 흉터와 색소침착이 생기기 쉬우므로, 피부보호에 신경을 써야 한다. 흘러나온 oil을 절개창 주변에 바르는 방법, 멸균 테이프를 붙이는 방법, 젖은 거즈를 대는 방법, 프로텍터(트로카)를 이용하는 등 여러 가지 방법이 소개되고 있으니 본인에게 적절한 방법을 선택할 수 있을 것이다.

수술을 마친 후에는 손이나 거즈를 이용하여 절개창 방향으로 피부를 밀어내어 조직 내에 남아있는 투메슨트 용액이 흘러나올 수 있도록 하고, 절개창의 봉합시에는 과도하게 촘촘하게 봉합하는 것은 피한다.

8. 수술 후 처치

수술 후 처치는 전통적인 지방흡입술과 마찬가지로 수술 직후 중등도의 압박을 시행한다. 이 때 스펀지 테이프(3M Reston)를 수술부위에 붙인 후 압박을 하면 멍이 줄어들고, 울퉁불퉁해지는 것도 예방할 수 있다. 흡입관이 들어가는 절개창 부위는 주입했던 투메슨트 용액이 흘러나올 수 있도록 스펀지로 덮지 말고 거즈를 대 준다. 충분히 회복하고 귀가한 후에는 일상적인 움직임과 활동을 하는 것이 좋다.

수술 후 다음날에는 피부상태와 윤곽을 잘 살펴야 하는데, 이 때 어느 정도의 멍과 테이프나 압박붕대에 대한 피부발진이 있을 수 있다. 절개창은 소독하고 방수밴드를 붙여서 샤워를 할 수 있도록 배려해도 좋다. 그리고 압박복을 착용하여 수술부위가 골고루 은근한 압박이 될 수 있도록 한다. 압박복은 일반적으로 한 달 정도 착용하기를 권하는데, 피부탄력이 적은 환자의 경우 상황에 따라 연장해서 착용하는 것을 고려할 수 있다.

일주일후 실밥제거를 한 다음에는 엔더몰로지와 같은 마사지를 하는 것을 권장한다.

9. 합병증

일반적인 지방흡입술과 마찬가지로 부종, 반상출혈, 부분적인 이상감각, 통증, 흉터, 비대칭, 피부의 울퉁불퉁함이 흔하게 동반될 수 있다. 그리고 경우에 따라 피부의 과색소침착증, 가려움, 혈종, 장액종, 반창고나 압박붕대에 과민한 피부반응도 발생 가능한 것들이다.

드물지만 피부괴사, 심한 혈종과 반복적인 장액종, 신경손상, 전신적 감염, 저혈량성 쇽, 복강 혹은 흉강내 천공, 심부정맥 혈전증, 폐부종, 폐색전증, 그리고 사망까지도 보고되었다.

지방흡입술후 발생하는 사소한 부작용도 교정이 어려울 뿐 아니라, 되돌이킬 수 없는 경우가 많으므로 항상 과도한 시술을 지양하고, 적절한 목표를 가지고 빠른 시간 내에 수술을 끝낼 수 있도록 노력해야 한다.

참·고·문·헌

1. Codazzi, Denis, et al. "Power-Assisted Liposuction (PAL) Fat Harvesting for Lipofilling: The Trap Device."
2. Coleman, William P., et al. "The efficacy of powered liposuction." Dermatologic surgery 27.8 (2001): 735-738.
3. Elam, Michael V. "Reduced Negative Pressure Liposuction." Liposuction. Springer Berlin Heidelberg, 2006. 301-304.
4. Flynn, TC. Powered liposuction: an evaluation of currently available instrumentation. Dermatol Surg. 2002 May;28(5):376-82
5. Flynn, Timothy Corcoran. "Powered Liposuction Equipment." Liposuction. Springer Berlin Heidelberg, 2006. 283-285.
6. Fodor, Peter B., and Peter A. Vogt. "Power-assisted lipoplasty (PAL): a clinical pilot study comparing PAL to traditional lipoplasty (TL)." Aesthetic plastic surgery 23.6 (1999): 379-385.
7. Fragen, Ronald A., Dee Anna Glaser, and Kevin Pinski. "2003 Guidelines for Lipo-Suction Surgery."
8. JA Klein. The tumescent technique for liposuction surgery: Am J Cosmet Surg, 1987
9. Katz, Bruce E., Michael C. Bruck, and William P. Coleman. "The benefits of powered liposuction versus traditional liposuction: A paired comparison analysis." Dermatologic surgery 27.10 (2001): 863-867.
10. Scuderi, Nicolò, et al. "Power-assisted lipoplasty versus traditional suction-assisted lipoplasty: comparative evaluation and analysis of output." Aesthetic plastic surgery 29.1 (2005): 49-52.
11. Shiffman, Melvin A. "Principles of liposuction." Liposuction. Springer Berlin Heidelberg, 2006. 379-380.

Chapter 42

지방흡입술 » 기구별 지방흡입

물을 이용한 지방성형술

water assisted lipoplasty: waterjet, harvestjet

| 박재우 |

지방제거와 지방흡입은 백년이상의 오래된 역사를 가졌지만 현대적인 지방흡입은 1987년 Klein이 국소마취하에서 시행한 tumescent technique을 이용한 지방성형을 보고한 이후 비약적인 발전을 이루었다. 지방흡입이 발달됨에 따라 뽑아낸 지방을 이용한 지방이식이 따라서 발달하게 되었고 신체 어느 부위든 부피를 증가시키고자 하는 부분에 대한 충분한 자가조직을 확보하게 되어 얼굴, 유방, 엉덩이 등에 대한 지방이식과 지방흡입이 성형외과 영역에서 큰 부분을 차지하게 되었다.

국소마취하에서 시행할 수 있는 안전한 지방흡입이 정착되자 수술자의 노고는 줄이면서 좀 더 효과적으로 지방을 채취하면서 지방을 뽑는 공여부의 합병증은 줄이는 방법들에 대한 요구가 증대되면서 지방을 효과적으로 뽑는 여러 가지 기구들이 개발되었다. 최근 안전하고 효과적인 수술기계나 방법들이 소개되어 더욱 발전하고 있다. 조직콜라겐 섬유에 대하여 적절한 열손상을 가하여 피부나 조직의 탄력을 회복시킨다는 초음파, 레이져, 고주파 기기들이 소개되고 있지만 이에 대해서는 의견이 분분한 사항이다.

하지만 기구들이 발전한다고 해서 이들이 지방흡입에 대한 안전성과 효율성을 아무런 보장없이 무작정 높아지거나 믿을 만한 것이 아니며, 이에 대한 검증과 경험이 있어야 한다.

이렇게 지방흡입이 발달될수록 점차 많은 양의 지방흡입을 하게 되었고 따라서 주입하는 tumescent용액의 양이 증가되어 수액전해질의 불균형으로 인한 문제점이 생겨나게 되었다. 그와 더불어 사용되는 수액의 양이 늘어나면서 이때 사용되는 국소마취제의 양이 늘어가면서 국소마취제의 부작용이 증가하게 되었다. 특히 이러한 국소마취제의 부작용은 수술도중에 일어나지 않고 수술이 끝난 후 하루 이틀 정도에 발생하기 때문에 의료진의 도움이 없는 상태에서 부작용이 발생하여 더욱 위험한 경우가 많다. 국소마취하에서 진행하는 모든 지방흡입수술들은 그 흡입양이 많아지면 이러한 부작용을 피해갈 수는 없는 부분이다. 이러한 부작용을 줄이기 위하여 오히려 다시 전신마취가 늘어나게 되었으며, 그 결과로 지방흡입수술과 연관된 부작용 이외에 전신마취로 인한 부작용이 더하여져 부작용이 더욱 많아지게 되었다.

Tumescent 방법의 장점을 최대화하면서 그 부작용을 최소화하는 방법들이 개발되어져 왔는데, 그 중에 물을 이용한 지방성형술(water jet–assisted lipoplasty, WAL)은 지방을 분리해 내기 위하여 지방조직에 물을 고압으로 분사시키면서 지방을 주변조직과 분리한 후, 분리된 지방과 주입된 tumescent용액을 다시 흡입하는 것으로, 이러한 방법은 과다한 tumescent용액을 사용한 후 발생할 수 있는 수액전해질의 불균형 및 과다한 국소마취제의 부작용을 최소화하면서 지방을 효과적으로 흡입해 낼 수 있는 장점을 가진 방법이다. 또한 WAL방법은 지방세포에 손상을 최소화하면서 지방을 분리해 낼 수 있을 뿐 아니라 이때 주변의 혈관이나 신경, 결체조직에 대한 손상도 최소화할 수 있다.

2007년 독일의 Human med에서 개발된 Body-Jet이라는 기계는 하나의 관을 통하여 지방의 분해와 흡입 등 두가지 기능을 동시에 가능하게 해주는 기구인데, 기구 끝에 30°정도의 경사면을 가진 분사구를 통하여 아주 강한 압력으로 물방울을 부채꼴 모양으로 한쪽 방향으로 분사함으로서 주변에 있는 결체조직이나 혈관 신경 등을 자르지 않고 손상을 최소화여 보호하면서 격막 사이의 지방을 헐겁게 하여 지방의 분리를 용이하게 해준다. 또한 고압으로 분사된 용액이 조직에 골고루 스며들어 짧은 시간 내에 마취를 효율적으로 할 수 있으며 같은 시간대에 분사된 물로 지방을 분해함과 동시에 삽입된 관 주변에 나있는 여러 개의 흡입구를 통하여 지방을 여기하고 분리하기 위하여 주입된 tumescent용액을 분리된 지방과 함께 흡입해 낸다 **(그림 1)**.

tumescent용액을 주입한 후 부풀려 강제적으로 뽑아내는 다른 지방흡입방법과 달리 Body-Jet을 이용한 WAL방법은 tumescent용액을 주입하는 동시에 지방과 함께 흡입해 체외로 뽑아 줌으로서 체내에 남아있는 tumescent용액을 최소화하여 이로 인한 부작용을 최소화하고 회복을 촉진하는 장점이 있다.

1. WAL 적응증

WAL 방법은 다른 지방흡입방법에 비하여 피부에 대한 자극이 적어 피부수축의 효과는 적은 편이기 때문에 피부의 탄력이 그다지 떨어지지 않는 중등도의 지방을 가진 사람들에게서 시행하기 적합하며 뽑아낸 지방으로 신체 다른 부위를 채우거나 크게하는 목적으로 지방이식을 같이 계획하는 사람들에게 더욱 유용하다. 하지만 임신 중이거나 조절되지 않는 당뇨병, 고혈압 및 심혈관질환 같은 전신적인 만성질환이나 출혈경

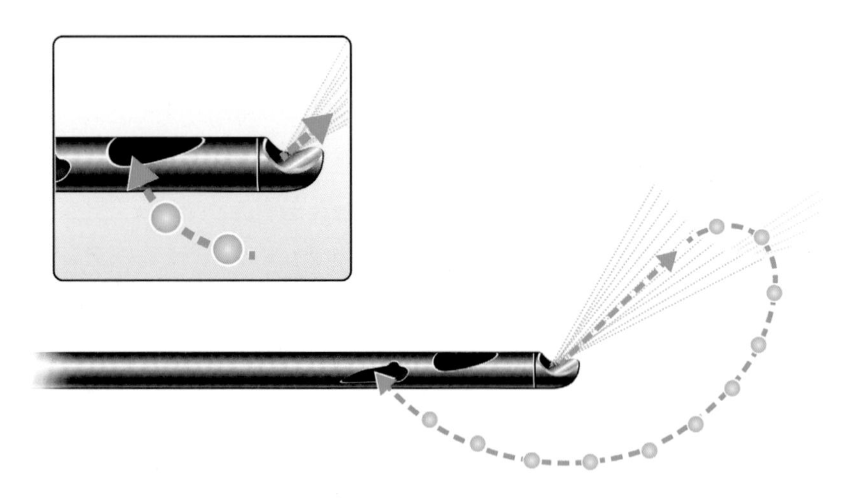

그림 1 tumescent용액을 주입하는 동시에 분리된 지방을 흡입하는 특수관(HumanMed AG, 독일). tumescent 용액을 분사하여 주입하면서 지방을 분해하기 때문에 지방의 파괴가 최소화되며, 이식에도 좋은 지방을 동시에 흡입할 수 있어 효율적이다.

향이 있는 경우에는 그 시술을 삼가하여야 한다.

2. 수술방법

수술전 환자의 키, 체중등을 이용하여 비만정도를 파악하고 시술하고자 하는 각 부위의 치수를 측정한다. 수술전 지방을 흡입할 부위를 등고선 형태나 빗금 형태 등의 방법으로 돌출정도를 표시하여 누워있을 때에도 서 있을 때의 모습을 알 수 있게 표시하고 디자인 전후의 사진을 찍어 수술 중 참고하거나 수술 후의 사진과 비교하여 결과를 파악할 수 있게 사용한다. 수술전 마취를 위한 전처치나 진통제를 사용하고, 수술부위와 충분히 떨어진 곳에 수액줄을 장치한다.

1) 마취 및 tumescent용액의 주입

대부분의 외래수술은 국소마취나 정맥마취를 동반한 국소마취하에서 수술을 시행하며, 수술 후의 부작용을 최소화하려면 한번 시행할 때 신체부위의 1/3을 넘지 않는 범위 내에서 수술하는 것이 좋다.

다양한 길이와 굵기의 흡입관을 목적에 따라 선택하여 사용함으로서 다양한 부위의 지방흡입을 효율적으로 할 수 있다. 또한 tumescent용액을 주입하는 양과 압력을 조절함으로서 좀 더 다양한 형태로 적용할 수가 있다. tumescent용액을 분사하여 주입할 때 계속 분사하는 것보다 간헐적으로 분사하는 것이 지방세포를 손상시키지 않고 효과적으로 지방을 분리할 수 있다.

또한 tumescent용액을 주입하는 것과 지방을 흡입하는 부분을 따로 적용할 수 있어 전체적인 tumescent 용액을 주입양과 지방의 흡입양을 조절할 수 있어 안전한 시술을 할 수 있다.

만일 범위가 넓어 사용되는 tumescent용액이 많아질 경우 tumescent을 피하지방층에 주입할 때 두 가지 방법으로 시행하는데, 이때 사용하는 tumescent 용액은 일반적으로 사용하는 것보다 국소마취제가 적게 들어가게 만드는 것이 좋다. 처음 마취할 때는 tumescent 용액을 만들 때 생리식염수 1L에 500 mg의 lidocaine 만 첨가하더라도(normal saline 1000 mL, Lidocaine (500 mg), epinephrine 1 mg/mL, sodium bicarbonate 8.4% 20 mL) 충분한 마취효과를 가질 수 있으며, 흡입해 낼 때에는 이보다 절반 정도의 작은 국소마취제를 사용하여 고압으로 지방을 분리해 낼 때 사용하는 것이 좋다. 국소마취제의 양을 절반 이하로 줄여 tumescent 용액을 만들어 하면서 용액을 주입하는 동시에 흡입해 방법을 사용하면 과다한 수액과 마취제의 위험성을 줄일 수 있다. 지방흡입이 충분히 시행된 후 조직에 남아있는 tumescent 용액을 흡입하여 수액전해질의 불균형과 국소마취제의 영향을 최소화한다.

또한 작용시간이 긴 국소마취제와 짧은 국소마취제를 같이 섞어 사용하면, 마취효과를 높이면서 부작용을 줄일 수 있다.

지방을 뽑고자 하는 부위에 전처치로 처음 마취를 할 때 tumescent용액을 낮은 압력으로 천천히 주입하는 것은 일반적인 다른 흡입방법 때 주입하는 양의 20% 내지 30%정도로 소량이며, 통증을 줄이면서 골고루 넣어주는데 걸리는 시간이 10분이상 걸리기 때문에 tumescent용액을 주입한 후 기다리지 않고 흡입해도 충분한 마취효과와 지혈효과를 얻을 수 있으며 주입과 흡입을 동시에 하면서 최소한의 손상을 주면서 안전하게 흡입하여 짧은 시간에 최대의 흡입효과를 가질 수 있다. 따라서 WAL 방법은 전신마취대신 적당한 수면마취하에서 국소마취로 시행할 수 있는 장점이 있다. 이때 따뜻한 용액을 사용하여 저체온증을 방지해 주어야 한다.

tumescent 용액을 주입하면서 동시에 흡입하는 것은 조직의 손상을 최소화하면서 분리된 지방을 흡입하

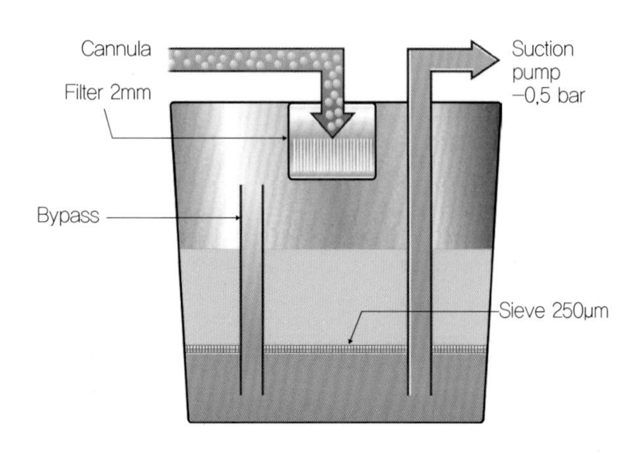

그림 2 지방채집기(Lipocollector: HumanMed AG, Schwerin, Germany). 흡입된 지방이 용기로 들어올 때 간격 2.0-mm의 좁은 망을 통과하여 덩어리가 큰 지방이나 결체조직을 제거하여 이식하기 좋은 작은 덩어리들만 채집하게 된다. 채집기 아래에 직경 250 μm의 필터를 설치하여 지방과 섞인 수액을 분리해 순도 높은 지방만 남게한다.

는데 효과적이다. 이때 뽑혀진 지방은 알갱이가 작고 손상이 적어 뽑아낸 지방을 이식하는데 최적화 된 상태라고 이야기 할 수 있으며, 이 때 지방을 제외한 유리 용액과 유리지방을 제거하기 위해 특수 고안된 용기를 사용하여 많은 양의 지방을 분리 채집하는 동시에 원심분리 없이도 순도 높은 지방을 처리할 수 있어 지방이식에 걸리는 시간을 줄일 수 있으며 대용량 지방흡입과 지방이식에도 많이 이용되고 있다(**그림 2**).

특히 요즘 유방에 대한 자가지방이식이 점차 늘어나고 있으며 이때 WAL를 이용하여 빠른 시간 내에 많은 양이 지방을 효과적으로 이식할 수 있다.

고압의 분사된 용액을 사용하여 지방을 분리 흡입하는 방법은 섬유화가 많거나 단단한 조직에서 지방을 분리해 내기가 다른 방법에 비해 쉽기 때문에 재수술의 경우에도 많이 사용된다.

지방흡입이 원하는 만큼 다 이루어진 경우 피부표면을 확인 한 후 부족한 부분에 피하층 쪽으로 다시 한번 용액을 분사하면서 남아있는 지방을 흡입해 내면 표면의 굴곡으로 인한 울퉁불퉁함을 줄일 수 있으며 이 후 남아있는 용액을 다시 한번 흡입해 내어 잔류된 용액을 줄여줌으로써 회복을 촉진시킬 수 있다.

3. 술후 관리

수술 후 다시 한번 남은 용액을 흡입해 내지만 남아있는 지방조직 사이에 주입한 용액들이 다시 빠져나와 상당량의 용액이 흘러나온다. 수술직후 수술대 위에서 수술부위를 마사지 하면서 남아있는 용액을 짜준 후 짧은 Penrose drain이나 음압흡입배액관을 삽입하여 남아있는 용액이 잘 흘러 나오게 하거나 압박드레싱을 하면서 절개창을 하루 정도 열어두어 용액들이 절개창을 통해 흘러 나온 후 수술 다음 날 절개창을 봉합하는 것도 좋은 방법이다. 압박드레싱을 할 때 foam sponges를 사용하는 것이 표면을 고르고 편편하게 만드는데 좋은데 이때 접착제가 너무 심하게 붙어 물집이나 이차감염을 초래할 수 있어 접착제가 직접 피부에 닿지 않게 접착면에 한 겹의 거즈를 대면 피부손상을 막을 수 있다. 수술직후 압박복을 착용하게 하고 이를 최소 한 달 가량 착용하게 한다. 이때 압박복은 처음에는 부종을 고려하여 약간 헐겁게 만든 후 2주경에 수선하여 줄이면 좀더 효과적이고 안전하게 사용할 수 있다. 최근에는 환자에게 고탄력 압박스타킹을 준비하게 하여 이를 수술직후부터 착용하게 하는데 이것도 좋은 방법이다. 수술직후 퇴원하고 걸어 다니면서 가벼운 실내생활을 할 수 있게 하면 심부정맥혈전증 등의 합병증을 방지할 수 있어서 누워있지 말고 다니게 적극 지도하여야 한다. 술후 일주일 정도 지나면 일반적인 생활은 가능하지만 운동을 포함한 정상적인 생활은 한 달 정도 지난 후 할 수 있게 지도한다.

다른 수술방법에 비하여 출혈이나 통증 등이 적어 회복이 빠른 부분은 있으나, 수술 후 부종은 다른 방법보다 좀 더 오래가는 부분이 있기 때문에 환자에게 충분한 설명이 필요한 부분이다.

최종적인 수술의 결과가 2-3달이 지나면 나타나는 다른 방법에 비하여 조금 늦게 나타나는 편인데 이는 부종이 오래가는 부분이 아니라 지방흡입 시 고압으로 남아있는 지방을 한번 더 흡입해 낼 때 이때 지방과 결체조직에 자극을 주어 시간이 가면서 점차 지방이 줄어드는 이차적인 효과를 가지게 된다.

다른 지방흡입방법에 비하여 피부에 대한 자극이 적어 피부수축의 효과는 적다.

4. 합병증

다른 지방흡입방법에 비하여 수술 중 많은 양의 수액과 국소마취제를 주입하여 사용하였지만 수술 후 과다한 수액이나 국소마취제에 의하여 나타나는 증상은 극히 드물다. 하지만 수술 후 하루 이틀 내에 지속적인 두통이나, 말단부나 입술 주변의 감각이상, 진전, 시야가 흐릿하거나 이명 등을 보이면서 극심한 오심과 구토를 보이면 과다한 국소마취제로 인한 부작용을 의심해야 한다. 혈종이나 감염등은 다른 일반적인 외과수술에 준하는 정도이다. 혈관에 대한 손상이 적기 때문에 출혈성 경향이 있지 않으면 WAL 시행후 출혈량은 별로 많지 않은데, 흘러나오는 용액에 피가 섞여 나와 출혈량이 심각한 것으로 오인할 수가 있기 때문에 출혈이 과다하다고 의심되면 적혈구량검사를 해보는 것이 좋다. 장액종은 흔하지 않은데 가끔 마지막에 남아있는 용액을 다시 뽑아주지 않거나 처음부터 너무 많은 용액을 주입한 후 짜내지 않은 경우 장액종이 생기는 경우도 있기 때문에 처음 주입량을 줄이고 마지막에 남아있는 용액을 짜낸다면 장액종은 거의 발생하지 않는다. 수술 후 부작용은 비교적 적은 편이며 가끔 (3% 정도) 수술부위에 뭉칠 수가 있으며 가끔 작은 종괴들이 만져지기는 하지만 이러한 부분은 외부초음파치료로 잘 흡수된다.

피부표면의 굴곡은 피부진피에 대한 손상이나 진피직하부의 지방에 대한 손상이 적기 때문에 다른 방법에 비하여 적은 편이며 심하지 않기 때문에 이들이 발생하면 외부초음파치료나 고주파치료로 잘 해결이 된다.

국소적으로 너무 과하게 흡입되어 함몰변형이 일어나거나 극심한 비대칭, 피부굴곡 등은 드물며, 가끔 기계에 대한 이해가 부적하고 경험이 적어 충분한 흡입이 되지 않은 경우 재흡입을 해야 하는 경우도 있다.

참·고·문·헌

1. A Araco, G Gravante, F Araco, D Delogu, V Cervelli. Comparison of power water–assisted and traditional liposuction: a prospective randomized trial of postoperative pain. AesthetPlast Surg 31:259–265, 2007.
2. D Man, H Meyer. Water Jet-Assisted Lipoplasty Aesthetic Surg J 27:342–346, 2007.
3. DP Muench. Breast Augmentation by Water-Jet Assisted Autologous Fat Grafting: A Report of 300 Operations Surg J 02(02): e19-e30, 2016.
4. G Blugerman, D Schavelzon, MD Paul. A Safety and Feasibility Study of a Novel Radiofrequency-Assisted Liposuction Technique. Plast. Reconstr. Surg. 125: 998, 2010.
5. GH Sasaki, A Tevez. Laser-assisted liposuction for facial and body contouring and tissue tightening: A 2 year experience with 75 consecutive patients. Semin Cutan Med Surg 28:226-235, 2009.
6. GH Sasaki. The significance of shallow thermal effects from 1064/1320nm laser on collagenous fibrous septae and reticular dermis: implications for remodeling and tis-

sue tightening. Aesthet Surg J 2009; in press.

7. GH Sasaki. Water-assisted liposuction for body contouring and lipoharvesting: safety and efficacy in 41 consecutive patients. Aesthet Surg J. 31:76–88, 2011.
8. GL Weinberg, CE Laurito, P Geldner, BH Pygon, B BK urton. Malignant ventricular dysrhythmias in a patient with isovaleric academia receiving general and local anesthesia for suction lipectomy. J Clin Anesth 9:668-670, 1997.
9. GT Tucker. Local anaesthetic drugs—mode of action and pharmacokinetics. Anaesthesia 38:983-1010, 1990.
10. J Stutz, D Krahl. Water jet-assisted liposuction for patients with lipoedema: Histologic and immunologic analysis of the aspirates of 30 lipoedema patients. Aesthetic Plast Surg 33:153-162, 2009.
11. JA Klein. The tumescent technique for liposuction surgery. J Am Acad Cosmetic Surg 4:263-267, 1987.
12. Klein JA. Superwet liposuction and pulmonary edema. In: Tumescent technique tumescent anesthesia and microcannular liposuction. St. Louis: Mosby; 2000. p. 61-66.
13. Klein JA. The tumescent technique: anesthesia and modified liposuction technique. Dermatol Clin 8:424-437, 1990.
14. M Deeb, A Eed. Megaliposuction: analysis of 1520 patients. Aesthetic Plast Surg 123:16-22, 1999.
15. M Gasparotti. Superficial liposuction: a new application for the technique for aged and flaccid Skin. Aesthetic Plast Surg 16:141- 153, 1992.
16. M Paul, RS Mulholland A New Approach for Adipose Tissue Treatment and Body Contouring Using Radiofrequency-Assisted Liposuction Aesthe Plast Surg 33: 687–694, 2009.
17. M Shiffman. Medications potentially causing lidocaine toxicity. American J Cosmetic Surg 15:227-228, 1998.
18. MA Howland. Pharmacokinetics and toxicokinetics. In: Goldfrank LR, editor. Goldfranks's toxicologic emergencies. 6th ed. Stanford, CT: Appleton & Lange; 1998. p. 173-194.
19. ML Zocchi. Ultrasonic-assisted lipoplasty. Aesthetic Plast Reconstr Surg 23:575-598,1996.
20. N Lindenblatt, L Belusa, B Teifenbach, W Schareck, RR Olbrisch. Prilocaine plasma levels and methemoglobinemia in patients undergoing tumescent liposuction involving less than 2000 ml. Aesthetic Plast Surg 28:435-440, 2004.
21. N Scuderi, G Paolini, FR Grippaudo, et al. Comparative evaluation of traditional, ultrasonic, and pneumatic assisted lipoplasty: analysis of local and systemic effects, efficacy, and costs of these methods. Aesthetic Plast Surg 24:395-400, 2000.
22. PA Perén, JB Gómez, J Guerrero-Santos Total Corporal Contouring with Megaliposuction (120 Consecutive Cases) Aesthe Plast Surg 23:93–100, 1999.
23. PB Fodor. Reflections on lipoplasty: history and personal experience. Aesthet Surg J 29:226-231, 2009.
24. PC Haeck, JA Swanson, KA Gutowski, B Basu, AG Wandel, LA Damitz, NR Reisman, SB Baker, ASPS Patient Safety Committe. Evidence-Based Patient Safety Advisory: Liposuction Plast. Reconstr. Surg. 124 (Suppl.): 28S, 2009.
25. PF Fournier 66 Megaliposuction: over 10 Liters. Liposuction: Principles and Practice, Springer 2007 p443-447,
26. PJ Lillis. Liposuction surgery under local anesthesia: limited blood loss and minimal lidocaine absorption. J Dermatolog Surg Oncology 114:1145-1148, 1988.
27. R Neira, C Ortiz-Neira. Low level laser-assisted liposculpture: clinical report of 700 cases. Aesthetic Surg J 22:451-

455, 2002.

28. RJ Rohrich, SJ Beran, FB Fodor. The role of subcutaneous infiltration in suction-assisted lipoplasty: a review. Plast Reconstr Surg 99:514-519, 1997.
29. RJ Rohrich, SJ Beran. Is liposuction safe? Plast Reconstr Surg 104;3:819-822, 1999.
30. SS. Collawn Skin Tightening With Fractional Lasers, Radiofrequency, Smartlipo. Ann Plast Surg 64: 1–5, 2010.
31. T Housman, N Lawrence, BG Mellen, MN Beorge, JS Filippo, KA Cerveny, et al. The safety of liposuction: results of a national survey. Dermatologic Surg 28:971-978, 2002.
32. TC Flynn. Powered liposuction. Clin Plast Surg 33:91-105, 2006.
33. W McCaughey. Adverse effects of local anesthetics. Drug Safety 49:126-132, 1992.

지방흡입술 » 기구별 지방흡입

VASER 3세대 초음파 지방흡입술

VASER 3rd Generation Ultrasound-assisted Liposuction

| 김진영 |

1. 지방흡입술에서 초음파의 도입

지방흡입술은 기본적으로 음압을 이용해 캐눌라를 통해 지방을 제거하는 수술로 가장 많이 시술되고 있는 성형수술 중의 하나이다. 여기에 지방을 좀 더 효율적으로 잘 녹여주고 대량의 지방을 흡입하고 피부에 탄력을 주는데 작용시키고자 여러 장비들이 개발되어 왔다. 그중에서 가장 먼저 개발된 장비중의 하나가 초음파 지방흡입술 장비이다. 초음파를 이용한 지방흡입술은 Zocchi에 의해 처음 소개된 이후 거듭된 장비의 업그레이드가 이루어져 왔다.

2. 초음파 지방흡입기의 구조

초음파(ultrasound)는 음파(sound)의 일종으로 가청주파수 이상의 음파 즉 16,000 Hz 이상의 음파를 말하는 것으로 고체, 액체, 기체등의 매질을 통해 전파되며 진동(vibration)이나 압력파동(pressure wave)의 형태를 나타낸다. 초음파 지방흡입기계의 구조를 보면 전기에너지를 발생시키는 제너레이터(generator)와 전기에너지를 초음파 진동에너지로 전환시켜주는 piezoelectric transducer, 그리고 발생된 초음파를 증폭시키는 acoustic horn, 여기에 직접 조직과 접촉하여 작용을 나타내

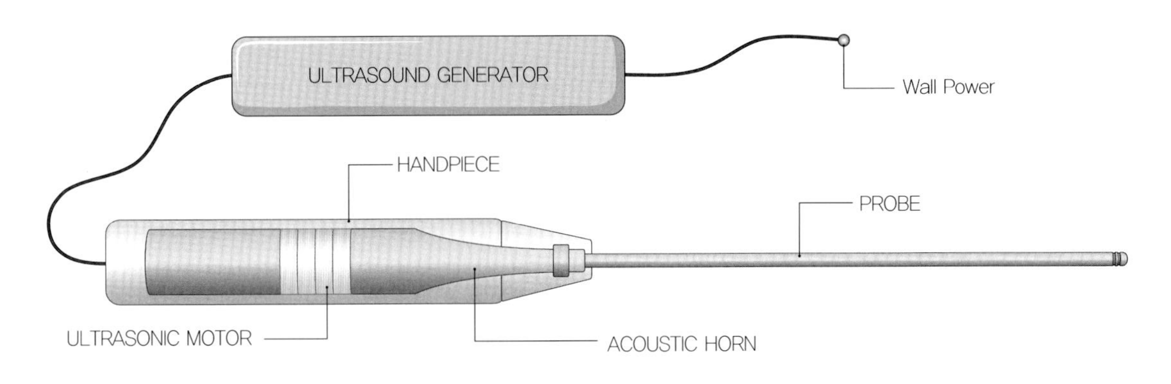

그림 1 초음파 지방흡입기의 구조

게 하는 금속 프로브(probe)로 구성이 되어있다**(그림 1)**.

초음파 에너지는 프로브의 팁의 빠른 전진과 후진 운동에 의해서 생성된다. 프로브 팁이 전진하면 주변에 압축(compression)이 일어나고 팁이 후진하면 팽창(rarefaction)이 일어나게 된다. 이러한 팁의 전후 운동 범위는 100μm 정도이다.

3. 초음파 지방흡입술의 지방유화의 원리

초음파는 다음의 3가지 현상과 효과에 의해서 지방세포를 유화(emulsification)시키게 된다.

1) 미세물리적 효과(micromechanical effect)

이것은 초음파 파장이 유기적인 세포내분자에 단방향으로 작용하여 직접적으로 세포에 충격을 가하는 것으로 이 효과는 지방흡입술에 사용되는 파장에서는 세포에 미치는 효과가 거의 미미한 수준이다.

2) 열효과(thermal effect)

이것은 전기에너지가 물리적 에너지로 바뀌면서 초음파 프로브 자체에서 형성되는 열, 초음파 프로브 표면에서 발생하는 떨림과 조직 사이의 마찰에 의해 생기는 열, 그리고 초음파 에너지를 조직들이 흡수하면서 발생하는 열에너지가 조직에 전달되는 것이다.

3) 미세공동화 효과(microcavitation effect)

초음파 지방흡입술에서 가장 중요한 효과로서 지방의 유화에 가장 큰 역할을 하는 효과이다. 초음파 파장은 팽창(rarefaction)과 수축(compression)의 주기를 갖고 있는데 팽창기에 음압이 발생하게 된다. 그래서 밀도가 낮은 지방조직이 초음파에 노출이 되면 지방세포들 사이의 세포간극에서 미세기포(microbubble)가 형성이 되고 이것이 초음파의 수축 팽창 주기에 따라서 미세기포가 점점 커지고 팽창이 되면 어느 순간에 미세기포가 터지게 되고 다시 미세기포는 숫자가 점점 늘어나고 터짐을 반복하게 되면 세포와 조직들 사이의 공간이 점점 커지게 되면서 세포들이 서로 서로 간격이 멀어지게 되어 쉽게 떨어져 나가게 되어 작은 조각으로 분쇄(fragmentation)가 되고 세포내 지방산들도 세포사이의 공간으로 확산되어 나오게 되면 이것이 조직액과 주입된 투메슨트 용액들과 섞여서 유화(emulsification)가 일어나게 되는 것이다. 이러한 미세공동화 효과는 조직의 밀도가 낮은 지방세포에서 일어나는 현상이며 밀도와 강도가 높은 조직인 골격, 근육, 신경, 혈관 등에서는 공동화가 일어나지 못하게 되어 선택적으로 지방조직에만 작용하게 된다. 따라서 분쇄와 유화작용이 지방조직에서만 나타나게 되어 다른 조

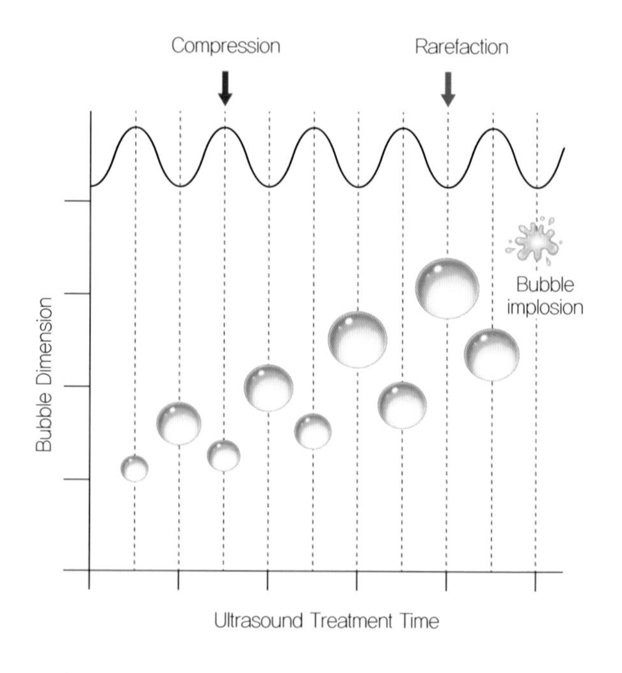

그림 2 초음파 지방흡입술시의 미세기포 형성과 파괴

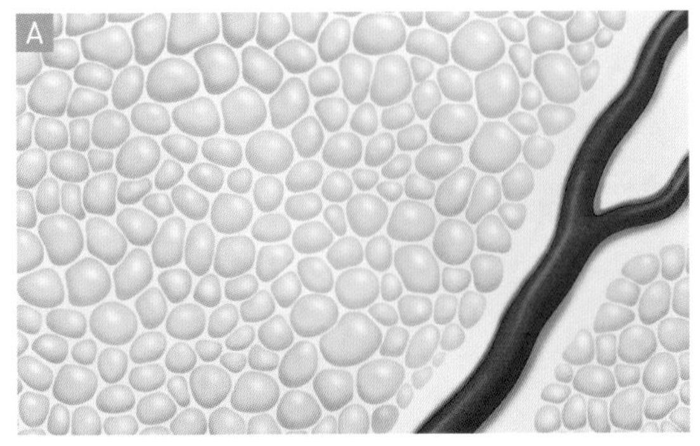

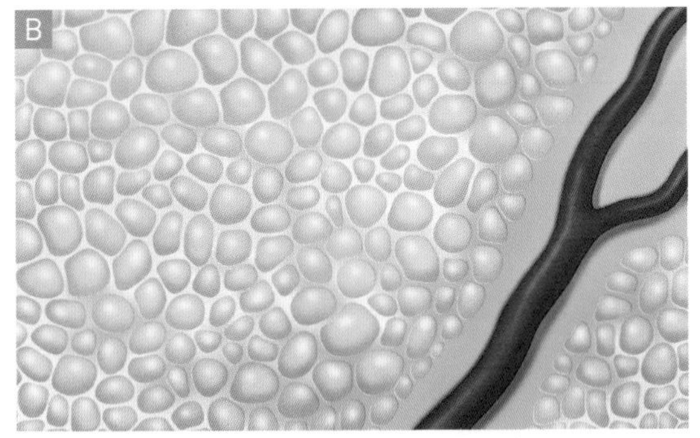

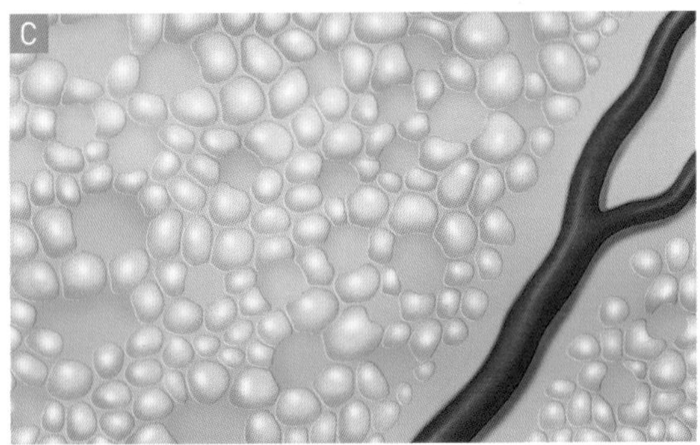

그림3 초음파에 의한 지방유화 과정
(A) 정상지방세포와 혈관조직
(B) 투메슨트 용액 주입후의 조직 (파란색이 투메슨트용액)
(C) 초음파 시술후 미세공동화 형성으로 지방의 분쇄와 유화

직에 손상을 주지 않으면서 지방을 쉽게 흡입하는데 유리한 장점이 있다(**그림 2, 3**).

4. 초음파 지방흡입술의 진화

1세대 초음파 지방흡입기계인 SMEI Sculpture II (SMEI, Casale Monferrato, Italy)는 solid, blunt-tipped probe 로 프로브(probe)의 직경이 4-6 mm로 두꺼운 편이다. 초음파 진동 주파수는 20,000 Hz이고 초음파 생성을 연속모드(continuous mode)로만 사용할 수 있는 장비였다.

2세대 초음파 지방흡입기계는 Lysonix 2000 (Lysonix Inc., Carpinteria, CA)과 Mentor Contour Genesis (Mentor Corp., Santa Barbara, CA)로 초음파 진동 주파수는 27,000 Hz와 22,500 Hz를 가지고 있으며 hollow cannula로 외경이 5.1 mm 이며, hollow cannula의 내경 사이즈는 2 mm로 초음파 시술을 하면서 동시에 지방흡입을 할 수 있도록 고안되었다. 역시 초음파는 1세대와 마찬가지로 연속모드로만 사용할 수 있는 장비였다.

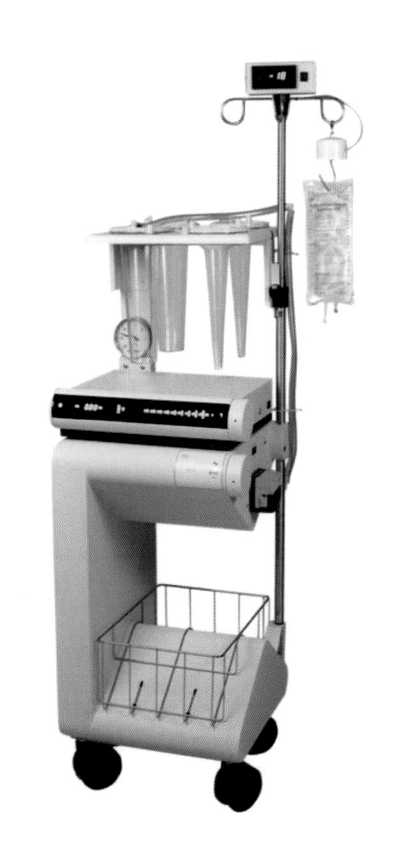

그림 4 VASER 초음파 지방흡입기계

1세대와 2세대 초음파 장비들은 프로브의 외경이 큰 편이고 초음파 프로브 자체에서 발생하는 열이 많았기 때문에 피부 보호기도 장착해야 해서 지방흡입술 시에 피부에 구멍을 내는 절개창을 크게 할 수밖에 없었다. 또한 초음파의 발생방향이 프로브의 끝에서 앞 방향으로만 나오게 되어 있어서 프로브의 끝에서 발생하는 열이 상당한 양이 될 수 밖에 없다. 또한 2세대 초음파 장비에서 프로브에 흡입관을 뚫어놓은 hollow cannula를 사용하여 초음파를 하면서 동시에 흡입을 할 수 있도록 고안하긴 했지만 흡입관의 직경이 너무 작아 흡입을 효율적으로 하기 힘든 부분이 있어 초음파 시술후 일반 흡입 캐뉼라를 이용해 따로 지방흡입을 다시 해야 한다.

3세대 초음파 기계인 VASER (Sound Surgical Technologies LLC, Lafayette, CO)**(그림 4)**는 probe의 직경이 2.2-3.7 mm로 얇아졌으며 효율성이 떨어지는 hollow cannula는 배제시키고 흡입관이 없는 solid blunt cannula를 적용하였다. 프로브의 끝 부분도 날카로운 모서리가 없이 둥글게 처리하여 조직의 손상을 덜하도록 하였다. 진동 주파수는 36,000 Hz로 증가시켜 좀 더 미세한 진동을 주도록 하였다. VASER의 프로브의 팁 끝부분에는 360도로 홈을 내어 링(ring)처럼 만들어 놓았다 **(그림 5)**. 이런 링을 만들어 놓은 이유는 초음파가 전진방향으로만 나오게 하는 것이 아니라 측면으로도 초음파 에너지를 분산시키도록 하여 프로브의 팁 끝에서 과도한 열이 발생하는 것을 방지하도록 하였다 **(그림 6)**. 프로브의 팁에 있는 링의 갯수가 많을수록 초음파 에너지가 옆으로 분산이 더 많이 되기 때문에 링

그림 5 VASER 프로브의 팁 모양 (1링, 2링, 3링)

A

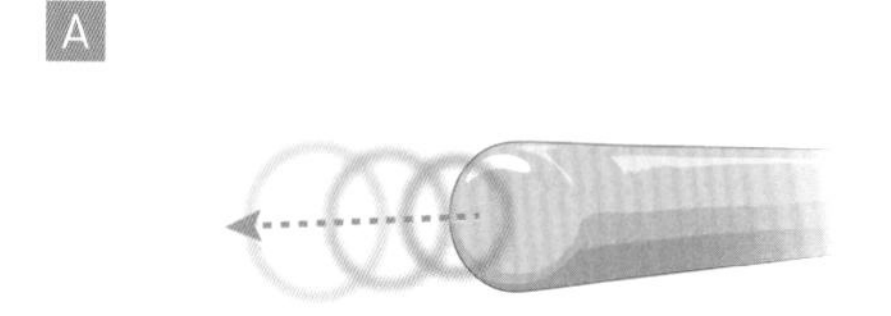

ring 없는 1,2세대 초음파

B

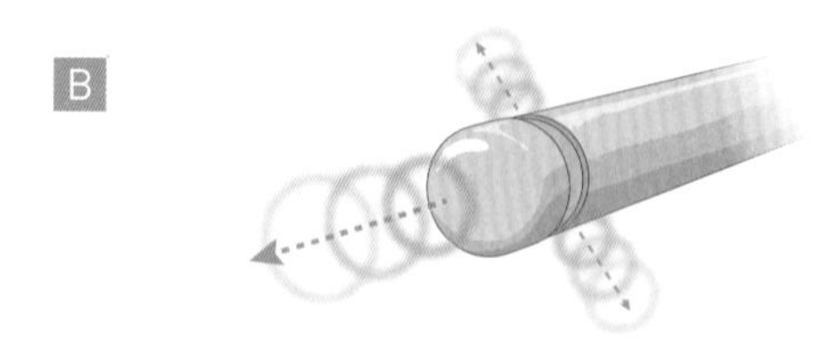

1-ring VASER probe

C

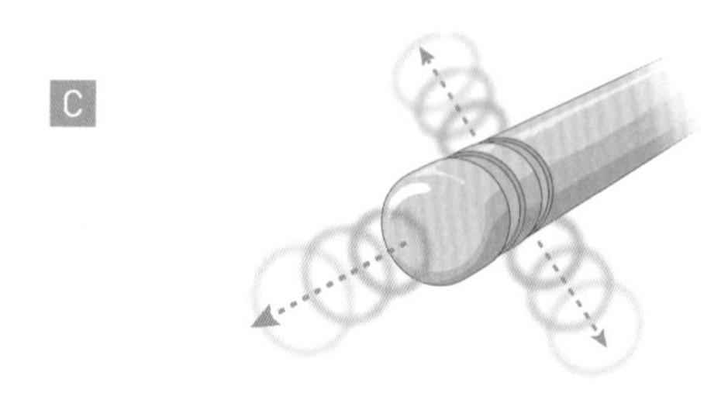

2-ring VASER probe

D

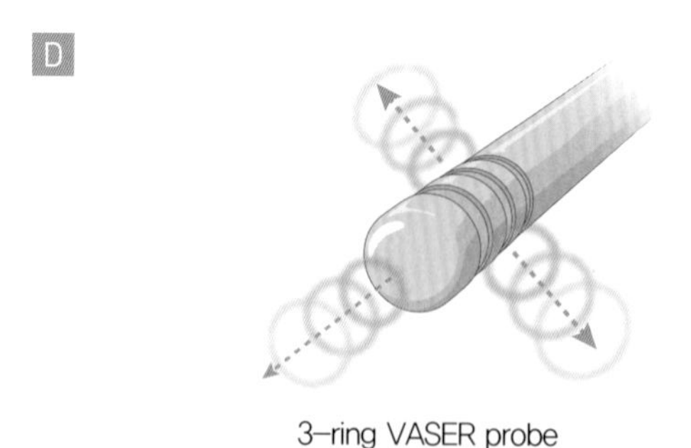

3-ring VASER probe

그림 6 1,2세대 초음파와 3세대 VASER 프로브에서 초음파가 나오는 방식

표 1 VASER 프로브 팁의 링 개수에 따른 초음파 에너지의 분산양상과 적용부위

Probe	% Tip	% Side	Tissue type
3.7 – 1 ring	65%	35%	Fibrous
3.7 – 2 ring	55%	45%	Moderate
3.7 – 3 ring	42%	58%	Soft

이 하나인 프로브는 단단하고 섬유질이 많은 지방조직에 사용하고 링이 세개인 프로브는 부드러운 지방에 사용하기 좋게 만들어졌다(표 1).

또한 VASER는 과거 1, 2세대의 초음파 지방흡입 기계가 모두 연속 모드로만 초음파 생성을 했던 것에 비해 펄스모드(pulse mode)와 연속모드(continuous mode)를 모두 사용할 수 있도록 하였다. 펄스모드를 사용함으로써 초음파 파동의 진폭은 유지하면서도 전달되는 에너지는 연속모드에 비해 50% 정도 감소시킬 수가 있어 적은 에너지를 사용하면서도 효율적인 지방조직의 유화(emulsification)를 얻을 수 있는 장점이 있다. 결국 열에너지는 감소시켜서 안전하게 시술을 하면서도 지방의 유화는 효과적으로 할 수 있다는 것이다.

5. 초음파 지방흡입술의 시술과정

초음파 지방흡입술의 시술과정은 일반 지방흡입술과 아주 많이 다르지는 않지만 초음파 기계를 사용해야 하는 부분에 있어서 학습곡선(learning-curve)이 일부 필요하다. 하지만 일반 지방흡입술을 충분히 해봤던 의사라면 초음파 지방흡입술을 시행하는데 있어서도 큰 어려움은 없을 것이다.

초음파 지방흡입술은 다음과 같은 단계로 시술을 하게 된다.

1) 수술전 계획과 디자인

일반 지방흡입술과 마찬가지로 환자에 대한 체크를 한다. 환자의 병력, 수술의 과거력, 전반적인 건강상태와 생활습관, 식습관, 평소 운동 정도 등을 파악하고 이에 대한 상담을 한다. 시술의 내용과 과정, 후처치, 부작용 등에 대한 설명을 하고 평소 복용하는 약이나 영양제, 건강보조식품 등을 문의해서 수술전에 미리 준비시켜야 할 부분이 있다면 조치를 하도록 한다. 수술 디자인을 하기 전에 미리 환자의 몸을 자세히 관찰하여 함몰된 부분이나 비대칭, 튀어나온 부위등을 체크하고 환자에게 고지하면서 모두 표시를 해놓는 것이 좋다. 수술디자인은 서있는 상태에서 하도록 하고 자세변화에 의해서 생기는 함몰이나 피부 변형이 있다면 이 부분도 체크를 해야 한다.

2) 투메슨트 용액 주입

투메슨트 용액은 일반 지방흡입술과 똑같이 사용한다. 흡입하는 양과 투메슨트 주입량의 비율은 1 : 1 ~ 1 : 1.5 정도로 부위에 따라서 차이가 있을 수 있다. 가능하면 지방층에 골고루 넣도록 하는데 얕은 층의 지방에 좀 더 주입을 많이 하도록 한다. 여러 부위를 한번에 흡입을 하는 경우에는 부위별로 투메슨트 주입을 하고 흡입술을 한뒤 다른 부위에 또 주입을 하고 흡입을 하는 식으로 순차적으로 넣도록 하여 리도케인이 한번에 다량으로 많이 들어가지 않도록 하는 것이 좋

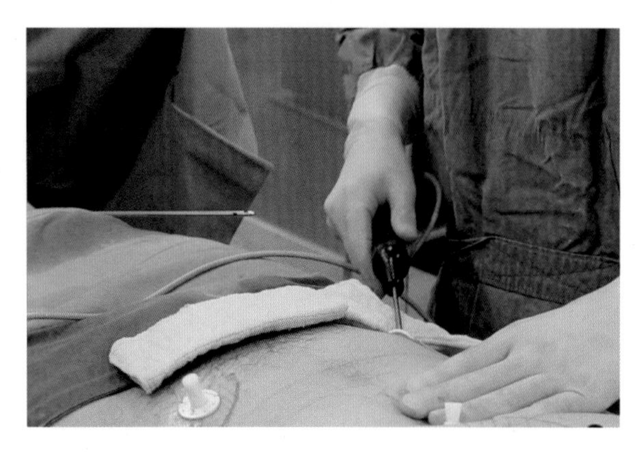

그림 7 초음파 지방흡입술시에 피부 보호기 장착과 젖은 타월을 대고 시술을 하는 모습

다. 투메슨트 용액 주입후에는 15분 정도 기다렸다가 초음파를 시술하도록 한다.

3) 초음파 치료

초음파 지방흡입술에서는 열화상에 대해서 항상 신경을 써야 하므로 이에 대한 조치들이 필요하다. 초음파 프로브를 넣기전에 피부보호기를 피부절개 입구부위에 장착을 해야 한다. 3세대 초음파로 발전하면서 프로브의 굵기도 얇아지고 피부 보호기의 사이즈도 작아져서 일반 지방흡입술때보다 2 mm 정도는 더 길게 절개를 해야 한다. 그리고 피부 보호기 주변에 젖은 타월로 피부를 덮어주어 수술 중 의도치 않게 초음파 프로브가 피부 겉에 닿아서 접촉화상이 일어나지 않도록 주의한다(**그림 7**). 그리고 프로브를 지방층안에서 움직일때는 항상 직선방향으로만 움직이도록 하고 커브를 주거나 꺾어서 움직이지 않도록 한다.

VASER 초음파 프로브의 선택은 지방의 양상과 부위에 따라서 선택을 한다. 지방세포가 크고 결합조직이 부드러운 부위는 3 ring의 팁을 가진 프로브를 선택하고 등이나 엉덩이, 여성형 유방증, 2차 수술처럼 단단한 지방이 있고 섬유성 조직들이 많은 부위에서는 1 ring의 팁을 가진 프로브를 선택하면 좋다. 그리고 대부분의 시술에서는 펄스모드를 사용하여 에너지를 줄이면서도 지방유화는 효과적으로 될 수 있도록 하고 펄스모드로 했을 때 프로브의 진행이 어렵고 지방의 유화가 힘든 경우에만 연속모드를 사용하여 시술하는 것이 안전한 시술이 될 것이다. 초음파를 시술하는 시간은 프로브가 저항없이 지방층에서 전후로 움직이는 상태를 느끼면 시술의 마지막 포인트(end-point)로 잡기는 하지만 "주입된 투메슨트 용액 100ml 당 최대 1분" 을 기준으로 하여 이보다 더 장시간 초음파를 시행하지는 않도록 한다. 그리고 흡입 캐뉼라로 유화된 지방을 제거한 뒤에는 초음파 시술은 더 이상 하지 않는 것이 좋다.

4) 지방 에멀젼의 흡입과 마지막 다듬기

2세대 초음파 지방흡입술에서는 hollow cannula를 사용하여 투메슨트 용액 주입 후 흡입과 동시에 초음파를 시행하는 방식을 사용했지만 이렇게 하면 투메슨트 용액이 빠지면서 지방세포의 밀도가 높아지게 되고 그러면 초음파에 의한 미세 공동화 효과가 효율이 떨어질 수 있기 때문에 또한 흡입관의 크기가 작아 흡입도 효율적이지 못해서 VASER에서는 hollow cannula를 사용하지 않고 초음파 시술을 한 후에 흡입은 따로 하게 되어있다. 아무래도 이런 시술방식으로 인해 시술시간이 일반 지방흡입술에서보다는 좀 더 길어지는 단점이 있다. 흡입 시에는 일반 지방흡입술(suction-assisted liposuction)으로 하든지 PAL (Power-assisted liposuction)을 해도 된다. PAL을 이용하면 좀 더 빠른 시간에 많은 양을 흡입할 수는 있을 것이다. 시술 중간중간에 핀치 테스트를 해보면서 골고루 지방이 흡입되고 있는지를 확인하는 것이 좋다. 흡입한 지방의 일부는 소독된 병에 모아놓고 수술의 맨 끝부분에 과하게 흡입되어 함몰된 부위가 있다면 모아두었던 지방을 원심분리하여 꺼진 부위에 이식해주면 수술 중에 함몰된 부위를 바로 교정할 수 있는 편리함이 있다.

5) 수술 후 관리

수술의 결과에 있어서 지방을 얼만큼 잘 빼주고 얼만큼 잘 남겨서 모양을 예쁘게 해주느냐가 가장 중요할 것이다. 수술 후의 관리는 수술의 결과에 아주 지대한 영향을 끼치는 것은 아닐지라도 회복을 빠르게 해주고 모양을 좀 더 좋게 해주는데 도움이 되는 부분이 있기 때문에 소홀히 해서는 안된다. 수술 후에는 탄력복을 맞춰 입도록 한다. 너무 타이트하게 조이는 옷보다는 적당한 압력으로 약간 눌러준다는 생각으로 탄력복을 맞추어 주는 것이 좋다. 너무 세게 조이는 옷을 입게 되면 붓기도 늦게 빠지게 되고 팔이나 다리의 관절 부위 같은 곳에서 옷이 접히게 되면 피부에 손상을 주어 색소침착이나 흉터를 남길 수 있다. 탄력복은 처음 2주간은 하루 24시간 계속 입어주도록 하고 그 다음 2-4주간은 12시간 정도 입는 정도로 해준다. 수술 후 고주파 관리나 외부 초음파 관리 등도 도움이 될 수 있다. 엔더몰로지 같은 맛사지로 관리를 해주는 것도 수술 후 딱딱해진 부위를 빨리 풀어주게 하고 약간의 울퉁불퉁한 부위는 치료를 하여 개선시켜주는 효과도 있다. 수술 후 운동과 식이요법을 같이 병행해주면 수술의 결과를 한층 더 좋게 만들 수 있으니 환자에게 꼭 권유하도록 한다.

6. VASER 초음파 지방흡입술의 실제 임상 시술에서의 장점

1) 저출혈(Low blood loss)

초음파 지방흡입술의 큰 장점 중의 하나가 출혈이 적다는 점이다. 음압을 이용한 일반 지방흡입술(suction-assisted liposuction)과 초음파를 이용한 지방흡입술(VASER-assisted liposuction)을 시행한 후의 흡입물을 분석하여 헤모글로빈 수치와 헤마토크릿 수치를 측정한 논문에서 VASER를 이용했을 때의 흡입물에서 헤모글로빈 수치와 헤마토크릿 수치가 일반 지방흡입술에서 보다 현저히 적은 수치를 보이고 있다. 특히나 지방이 부드러운 부위인 하복부나 허벅지안쪽 부위에서는 일반 지방흡입술에서도 출혈이 적은 편이기 때문에 차이가 크지 않지만 지방이 단단한 부위인 등이나 옆구리 뒤쪽 같은 부위에서는 출혈이 현저히 감소하는 것을 보여주고 있다.

2) 대용량 지방흡입(large volume liposuction)

투메슨트 용액의 개발로 초창기의 지방흡입술 때보다 한번 시술로 지방을 뺄 수 있는 한계량이 많아진 것이 사실이다. 그런데 초음파 지방흡입술에서는 같은 투메슨트 용액을 사용하더라도 더 적은 출혈을 일으키게 되므로 좀 더 많은 양의 지방을 한번에 제거하는데 안전도면에서 우수하다고 볼 수 있다.

3) 섬유성 지방의 흡입이나 재수술이 용이함 (Easy in Fibrous tissue and 2nd operation)

음압을 이용한 일반 지방흡입술 시에는 등이나 옆구리 뒤쪽 부위처럼 결합조직이 단단하고 섬유질이 많은 지방층에서 지방을 흡입하는 것이 쉽지 않다. 이런 부위에서는 단단한 결합조직이 밀도있게 존재하고 있어서 흡입관을 왔다갔다 진행시키는 것 자체가 어렵기 때문이다. 이런 부위에서도 VASER를 이용하면 초음파가 지방층에서 지방조직을 유화시키면서 캐눌라 팁이 쉽게 진행을 할 수 있도록 해준다. 그래서 초음파를 시행하고 나서 흡입관으로 지방을 뺄 때 조직이 성글게 되어 흡입관의 전후 운동이 쉬워지고 부드럽게 녹여낸 지방을 흡입하게 되기 때문에 섬유질이 많은 지

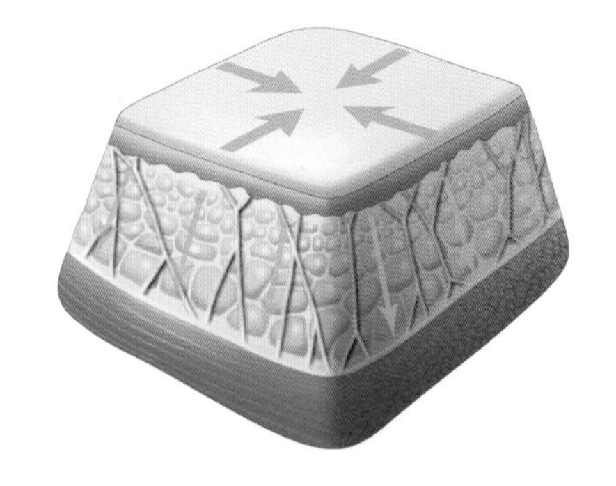

그림 8 초음파 지방흡입술 후 피부수축의 모식도

방부위 즉, 등 부위나 여성형 유방증 같은 부위에서도 지방을 좀 더 쉽게 제거할 수 있는 장점이 있다. 또한 재수술에 있어서도 이런 초음파의 장점을 이용해 유착(adhesion)이 있거나 섬유화(fibrosis)가 되어있는 지방층에서의 치료가 훨씬 쉬워진다.

4) 피부 수축(Skin retraction)

VASER는 1, 2 세대 초음파 지방흡입기에 비해 열발생이 훨씬 적어 화상의 위험이 적어 안전도면에서 우수한 것도 있지만 이런 점을 활용하여 얕은 층의 지방흡입술(천층 지방흡입술, superficial liposuction)을 하는 데에도 좋은 장점이 있다. 초음파 지방흡입술이 나오기 이전에는 지방흡입술에서 피부수축을 유도하기 위해서는 얕은 지방층의 흡입을 잘해주어야 하는데 이러한 수술기법이 어려운 기술이고 숙련도가 필요한 기법이었다. 또한 잘못 시행하면 울퉁불퉁해지기도 쉽고 피부괴사를 유발할 수도 있는 부분이 있다. 마찬가지로 초음파 지방흡입술에서도 피부수축이 유도되려면 천층 지방흡입술이 필요하다. 이때 VASER를 사용하면 지방조직을 둘러싸고 있는 결합조직이나 섬유성 격막(fibrous septa)들은 다치지 않고 남겨 놓은채 지방조직만 유화되어 흡입이 되고 남은 격막들이 피부를 당겨서 피부수축을 유도하게 되고 또한 프로브 팁을 얕은 지방층에서 시행해주어 열에너지를 진피층에 전달해 줄 수 있어서 피부수축을 유도하는데 좀 더 효과적일 수 있다 **(그림 8)**.

5) 지방세포의 생존(adipocyte viability)

초음파 지방흡입술 시에 잘못 알려진 상식중의 하나가 초음파를 시행하면 지방세포 자체가 파괴되어 세포가 죽는 것으로 알고 있는 경우가 많다. 하지만 이는 잘못된 상식이다. 초음파로 인해 지방세포 자체가 손상되어 세포벽이 깨지고 죽은 세포가 되는 것이 아니라 지방조직 덩어리가 아주 작은 조각으로 잘게 분쇄되어 유화되어서 결합조직에서 떨어져 나와 흡입하기 쉽게 되는 것이며 세포벽은 깨지지 않고 살아있게 된다. VASER 지방흡입술 후 흡입된 지방을 조직검사와 활동성 검사를 시행한 외국의 논문에서 85.1% 의 지방세포가 대사적으로 활동 가능한 살아있는 세포임이 발표된바 있다. 이는 초음파 지방흡입술 후에 채취된 지방조직도 자가지방이식에 다시 활용할 수 있다는 근거를 제시하는 것이다.

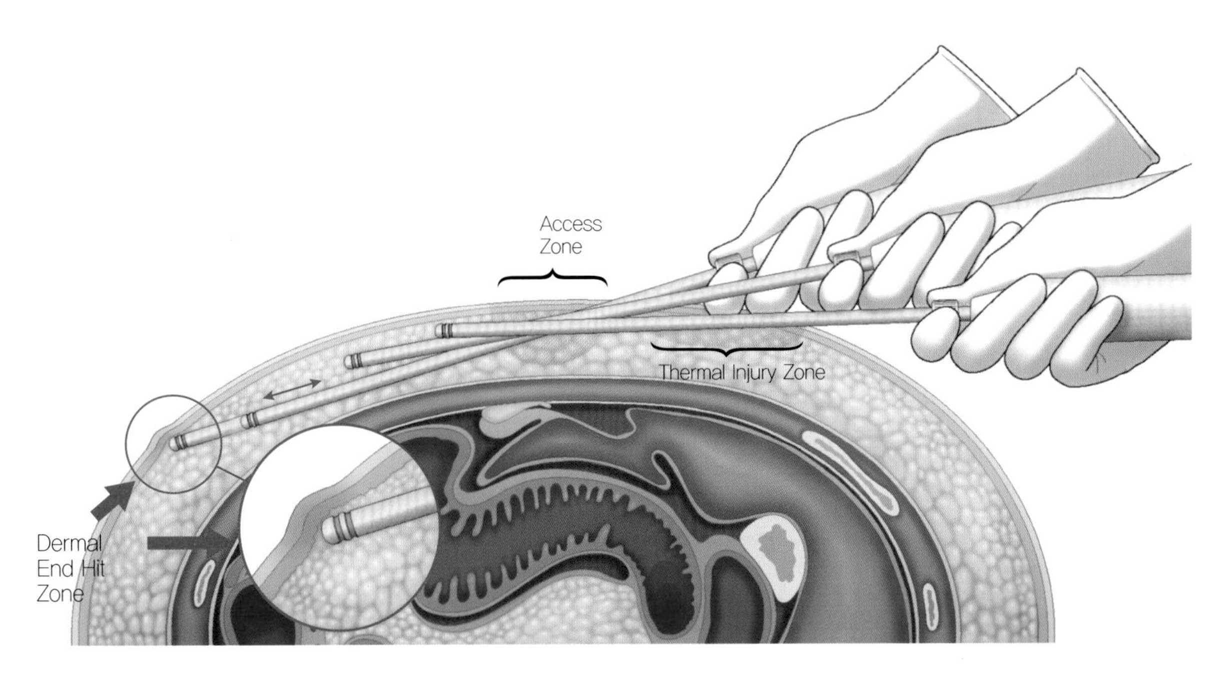

그림 9 초음파 지방흡입술에서 화상의 위험부위

6) 통증과 멍의 감소

초음파로 지방을 에멀젼화 시켜서 흡입을 하게 되므로 지방이 보다 쉽게 빠져나오게 되므로 흡입 캐뉼라를 세게 왔다 갔다 하면서 흡입을 할 필요가 없다. 흡입하는 음압도 기존의 일반 지방흡입술에서보다 약한 음압 상태에서 흡입을 해주면 되므로 주위 조직에 충격을 덜 주게 되고 이로 인해 통증이나 멍이 덜 생기게 된다.

7. 초음파 지방흡입술의 부작용

1) 화상(Burn)

초음파 장비를 이용함에 있어서 흔히 나타날 수 있는 부작용은 화상이다. 초음파 프로브 자체에서도 열이 발생되며 조직과의 마찰에 의해서도 열이 발생하고 조직이 초음파 에너지를 흡수하면서 발생하는 열이 있기 때문에 조직의 열손상을 주의해서 시술을 해야 한다. 화상이 가장 빈번히 나타날수 있는 부위는 프로브를 넣는 입구 부위와 프로브의 끝이 진피쪽에 닿는 부

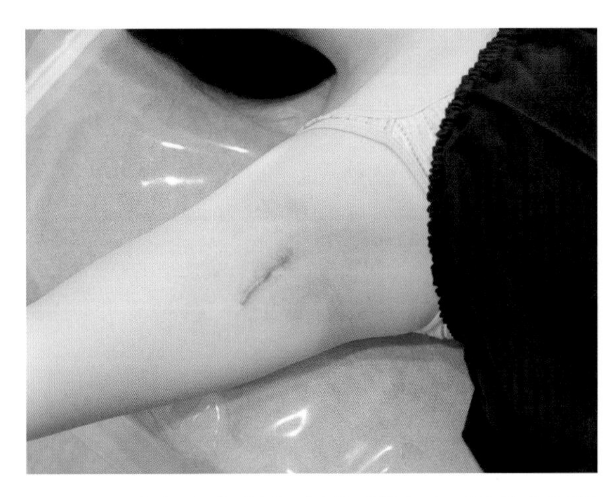

그림 10 초음파 지방흡입술을 이용한 액취증 치료시에 생긴 화상흉터. (겨드랑이 피부는 아주 얇기 때문에 화상에 특히 조심해야 한다.)

위가 될 것이다(**그림 9**).

화상의 위험을 예방하기 위해서는 투메슨트 용액을 충분히 주입해주고 피부 보호기를 캐뉼라가 들어가는 피부절개 입구 부위에 장착을 하고 시술을 하게 된다. 그리고 피부보호기 주변에 열전달을 막기 위해 젖은 타월을 대고 시술을 하는 것이 좋다. 또한 초음파 프로브를 한곳에 오래 머무르지 않도록 계속해서 움직이면서 시술을 해야 한다. 또한 프로브의 끝이 피부의 진피층 가까이에 너무 닿지 않도록 하는 것이 좋다(**그림 10**).

2) 장액종(seroma)

초음파 지방흡입술에 있어서의 장액종 발생은 일반 지방흡입술 시의 장액종 발생과 크게 다르지는 않지만 초음파를 사용함으로 인한 장액종 발생원인도 일부는 있을 수 있다. 초음파 사용으로 인한 장액종 발생의 원인의 하나는 초음파 에너지를 너무 많이 사용했을 경우이다. 너무 다량의 에너지를 사용하면 열손상으로 인해 주위조직이 손상되어 장액종을 유발할 수 있다. 또 하나의 원인은 초음파 시술을 지방층 깊은 곳에서 한 후에 녹은 지방을 적절히 흡입하지 못하고 남겨 놓은 채로 시술을 끝내게 되면 깊은 층의 녹은 지방에 의해서 장액종 발생을 유발할 수 있다. 그러므로 장액종의 발생을 예방하려면 너무 많은 에너지를 사용하지 말고 지방층의 깊은 층에서 너무 많이 초음파를 사용하지는 않는 것이 좋다.

그림 11 지방흡입물의 비교. 같은 환자의 왼쪽과 오른쪽을 PAL을 이용한 흡입물과 VASER+PAL을 이용한 흡입물을 비교한 것으로 (a) 왼쪽 병에는 PAL을 이용한 지방흡입물이고 (b) 오른쪽 병에는 VASER 시술 후 PAL을 이용해 흡입한 내용물이다. VASER를 사용한 흡입물에서 흡인된 지방의 사이즈가 더 작게 고르게 흡입되어 있는 것을 보이고 있다.

3) 울퉁불퉁함(irregularities)

지방흡입술에서 울퉁불퉁함이 나타나는 것은 지방층을 고르게 흡입하지 못함으로써 나타나는 경우가 대부분이다. 초음파 지방흡입술에서는 지방을 잘게 분쇄하여 유화시킨 후에 흡입을 하게 되므로 일반 지방흡입술에서 단단히 뭉쳐있는 지방을 흡입할 때 보다는 좀 더 고르게 흡입을 할 수 있게 되어 울퉁불퉁함이 적게 나타나게 된다. 하지만 시술자체가 바르지 못하다면 초음파 지방흡입술에서도 이런 울퉁불퉁함이 전혀 안 나타날 수는 없을 것이니 고르게 흡입을 하는 시술의 테크닉을 시술자가 갖추고 있어야 할 것이다. 이런 부작용을 예방하려면 흡입관을 피부면과 수평으로 유지하면서 시술을 하고 절개구멍을 가급적이면 여러군데 내어서 교차식으로 흡입을 하도록 해야할 것이다. 그리고 얕은층의 지방을 흡입할때에는 아주 조심스럽게 하고 너무 지나치게 흡입을 하지 않도록 해야 할 것이다(**그림 11**).

4) 이상감각(dysesthesia)

초음파 지방흡입술 시에 나타나는 부작용의 대부분은 초음파의 열효과와 관계되어 나타나는 것이 많다. 이상감각이 나타나는 현상도 이와 무관하지 않다. 대부분의 이상감각 발생은 시간이 지나면 저절로 호전

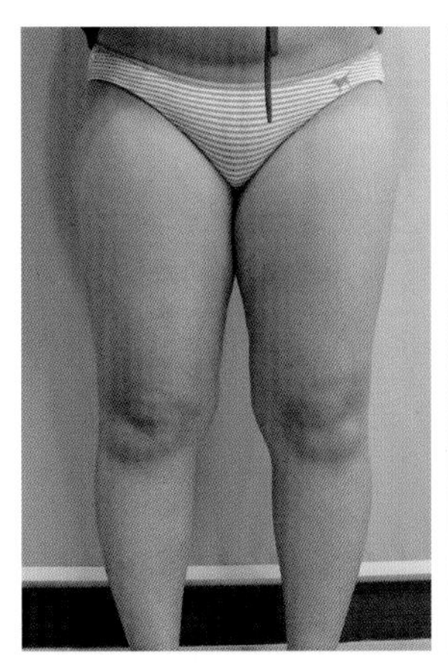
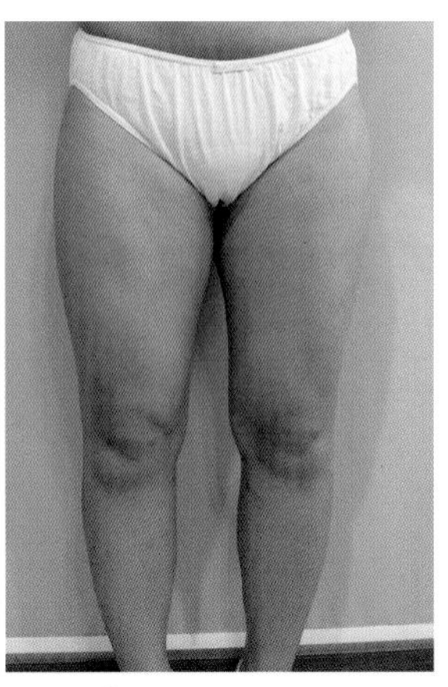

그림 12 허벅지와 종아리 지방흡입 수술전 및 수술후 6개월

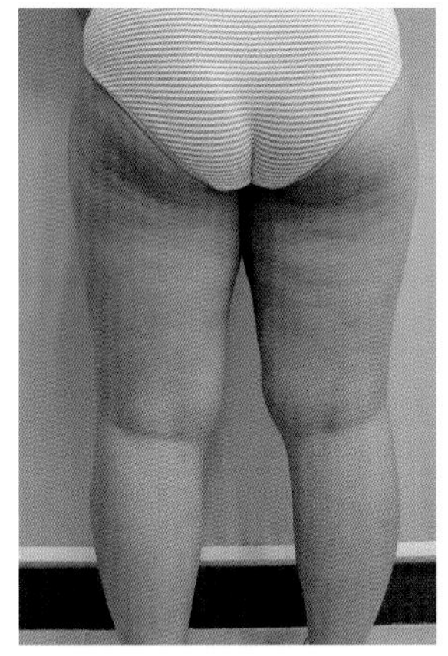
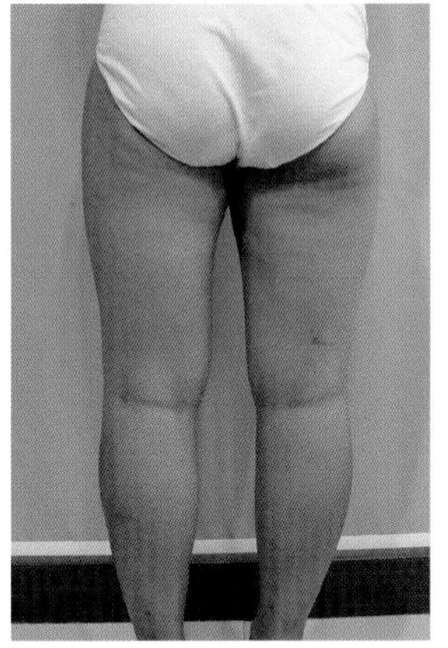

그림 13 허벅지와 종아리 지방흡입 수술전 및 수술 후 6개월

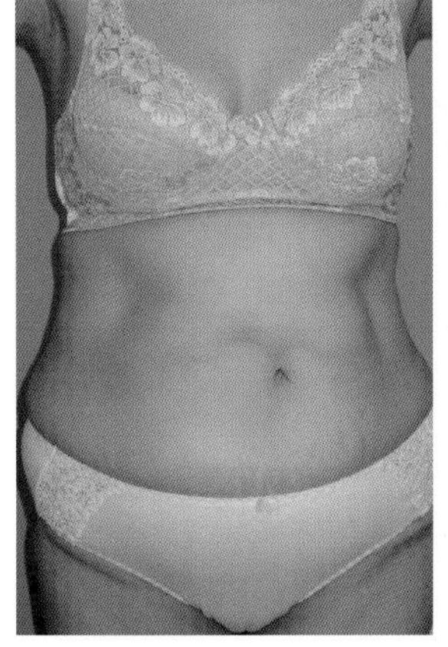
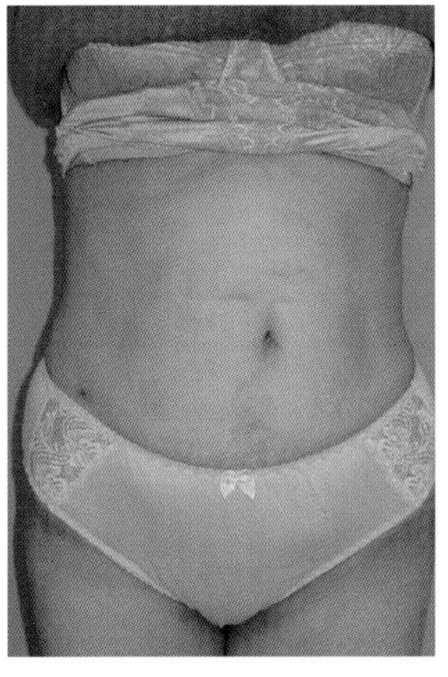

그림 14 복부 지방흡입 수술전 및 수술후 3개월

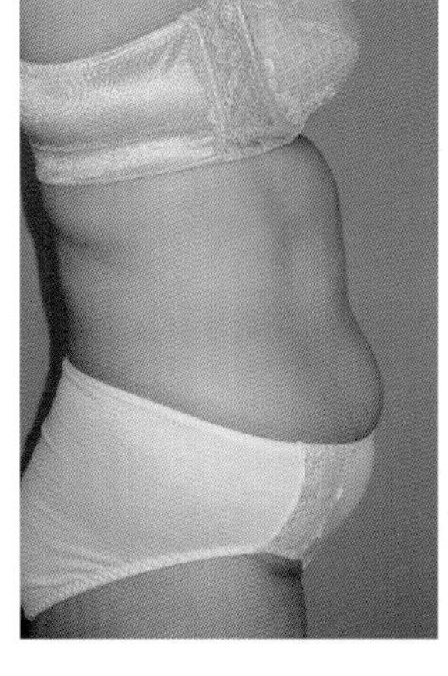
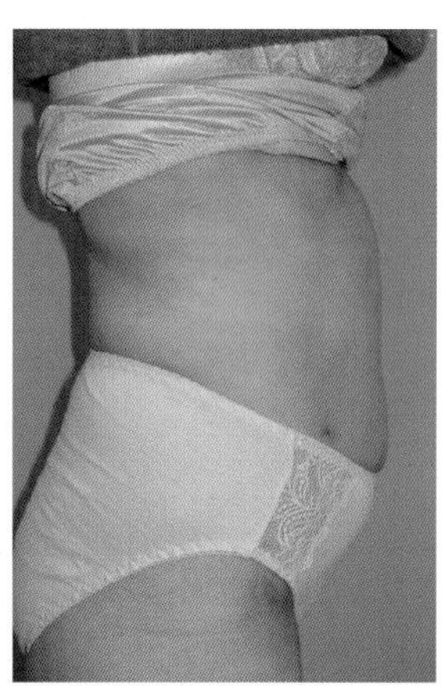

그림 15 복부 지방흡입 수술전 및 수술후 3개월

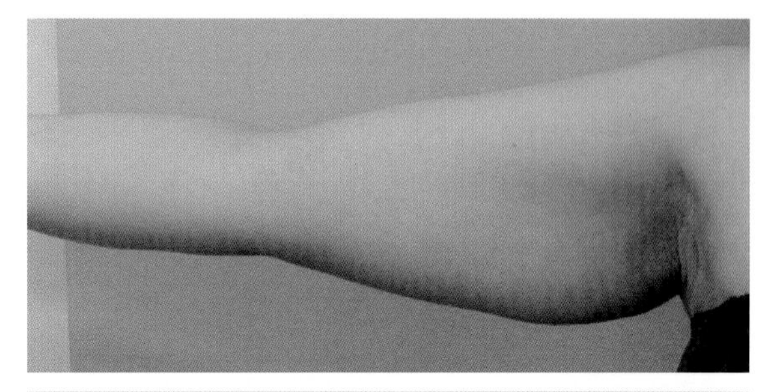
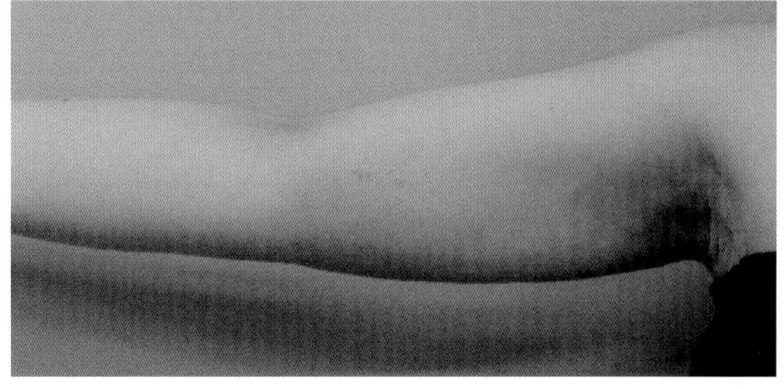

그림 16 팔뚝 지방흡입 수술전 및 수술 후 2주

이 되는 경향이 있다. 이상감각이 나타나는 기전으로 추정되는 것은 초음파의 열효과에 의해서 감각신경의 탈수초화(demyelinization of nerve fiber) 현상으로 이해되고 있다. 1, 2세대 초음파 지방흡입기계에서는 초음파 에너지가 많이 생성되어 열발생도 많아지게 되었지만 3세대로 발전해 오면서 초음파 에너지를 적게 사용하면서도 효율적인 지방의 유화를 시킬수 있게 되어

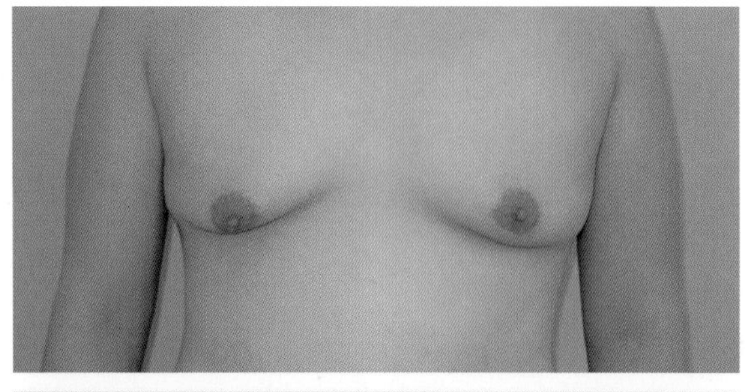
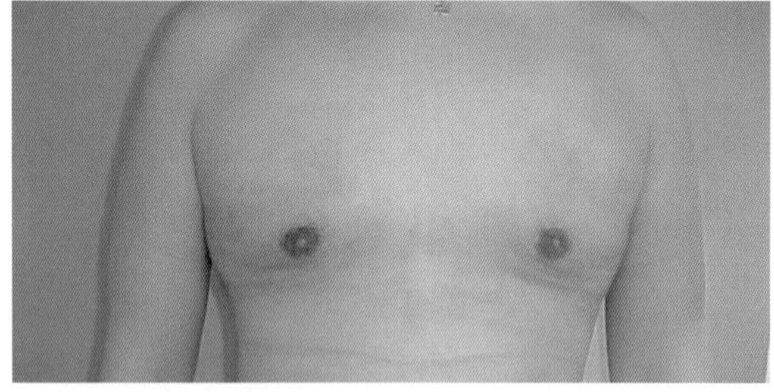

그림 17 여성형 유방증 지방흡입 수술전 및 수술후 3주

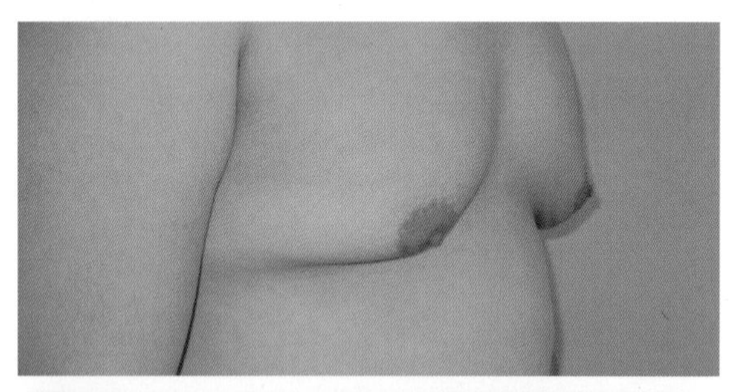
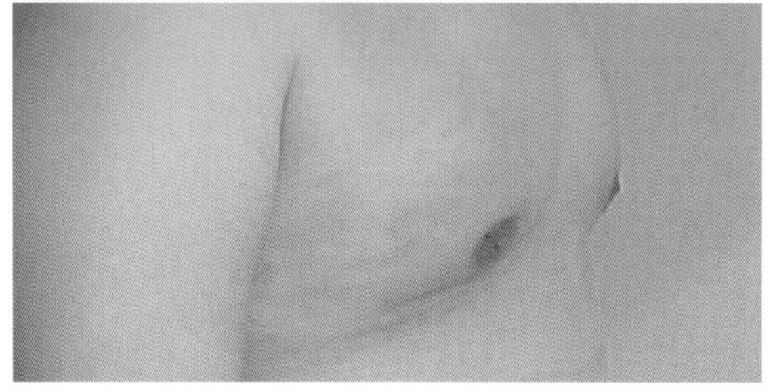

그림 18 여성형 유방증 지방흡입 수술전 및 수술 후 3주

열발생도 자연스럽게 적어지게 되었다. 그래서 화상이 나 장액종, 이상감각 등의 발생이 현저히 줄어들은 것은 사실이나 그래도 조심스럽게 사용해야 할 부분이다. 이상감각도 예방하기 위해서는 프로브를 한군데 오래 머무르지 않도록 하고 초음파 에너지를 장시간 너무 많이 사용하지 않도록 하는 것이 좋다.

8. 결론

지방흡입술에 있어서 중요한 것 중의 하나가 흡입기계를 어떤 것을 선택하느냐도 상당히 중요할 것이다. 좋은 기계를 선택하여 사용하면 부작용도 줄일 수 있고 통증이나 회복기간을 줄여줄 수 있는 좋은 장점들이 많이 있다. 하지만 가장 중요한 것은 시술자의 스킬과 노력, 시간에 구애받지 않고 끝까지 좋은 결과를 얻고자 열심히 하는 자세이다. 지방흡입술은 공을 들인 만큼 결과가 좋게 나올 수 있는 수술이기에 흡입 캐눌라를 놓기 전에 수술이 잘되었는지를 확인해보고 수술실안에서 확실한 좋은 결과를 보고 나서야 캐눌라를 놓는 것을 허락해야 할 것이다.

참·고·문·헌

1. Cimino WW. Ultrasonic surgery: power quantification and efficiency optimization. Aesthetic Surg J 2001;21:233-241
2. Garcia O, Nathan N. Comparative analysis of blood loss in suction-assisted lipoplasty and third generation internal ultrasound-assisted lipoplasty. Aesthetic Surg J. 2008;28:430-435.
3. Howard BK, Beran SJ, Kenkel JM, Krueger J, Rohrich RJ. The effects of ultrasonic energy on peripheral nerves: implications for ultrasound-assisted liposuction. Plast Reconstr Surg 1999;103:984-989.
4. Jewell ML, Fodor PB, de Souza Pinto EB, Al Shammari MA. Clinical application of VASER-assisted lipoplasty: A pilot clinical study. Aesthetic Surg J 2002;22:131–146.

5. Rohrich RJ, Beran SJ, Kenkel JM, Adams WP Jr, DiSpaltro F. Extending the role of liposuction in body contouring with ultrasound-assisted liposuction. Plast Reconstr Surg 1998;101:1090-1102.
6. Schafer ME, Hicok K., Mills DC, Cohen SR, Chao JJ . Acute adipocyte viability after third-generation ultrasound-assisted liposuction. Aesthetic Surg J 2013; 33: 698-704
7. Zocchi ML. Ultrasonic assisted lipoplasty. Clin Plast Surg 1996;23:575-598.

레이저를 이용한 지방용해

Laser-assisted lipolysis, LAL

| 박재우 |

1. LAL

피하지방에 대한 시술은 문헌상 100년이 넘는 오랜 역사를 가지고 있지만 어려운 수술로 인식되어져 수술술기나 기계의 발달이 거의 없다시피 하다가 1980년대 들어 Klein's solution이 개발된 이후 급속히 발전하여 1990년대 정도에 현대적인 지방흡입술이 개발되었다. 이러한 지방흡입술은 지난 수 십 년간 꾸준한 관심과 발전을 거듭하여 이제 동양에서도 성형외과의 큰 부분이 되었다. 동양인 등에게 있어서 지방흡입의 증가는 식습관의 변화와 생활습관의 서구화로 인한 비만의 증가가 한 원인이 될 수가 있으며, 사회문화적인 변천과 더불어 비만에 대한 인식의 차이가 그 원인 중 큰 부분을 차지하고 있다. 예전에는 정상인 같이 여겨지던 몸매가 비만하다고 여겨지게 되고 여러 가지 체형관리 시술과 더불어 지방흡입으로 이어지게 되는 것이다. 이러한 지방흡입술의 증가와 발전은 이에 사용되어지는 기구들의 발전에 의하여 더욱더 쉽고 회복기간도 짧아져 과거에 비해 수술기법과 결과의 상당한 발전을 이루어왔다. 즉, 과거의 고식적인 지방흡입기 뿐만 아니라 초음파를 이용하거나, 물을 이용하거나, 동력을 이용하거나 레이저를 이용한 많은 기구들이 소개되고 발달되어 왔다. 지방흡입술에 사용되는 새로운 기계들은 지방흡입에 필요한 시간과 노력을 줄일 뿐 아니라 지방성형술로 초래될 수 있는 많은 부작용을 줄이고 회복을 촉진하는 것이 가능하도록 했다. 또한 가기 여러 형태의 에너지를 사용한 개선된 기계들을 사용함으로서 일반적인 지방흡입으로도 개선되지 않는 늘어진 피부의 탄력도 어느 정도 회복시키는 것이 가능하여져 지방흡입술의 대상을 점차 확대시키고 있다. 여러 가지 기구들이 소개되었지만 최근에는 레이저를 이용한 지방성형술이 점차 증가하고 있는데 이는 일반적인 지방흡입에 사용함에 있어서 빠른 회복과 좋은 결과를 보일 뿐 아니라, 과거에 흡입하기 힘들었던 얼굴과 목주변부의 지방과 병적인 상황에서 부피의 감소나 치료에 응용될 수 있어서 그 사용이 점차 늘어나고 있다. 이는 특수한 파장대의 레이저를 이용하여 직접 지방을 녹여내고 흡입을 함으로서 쉽고 안전하게 지방을 흡입하면서 출혈을 줄이고 피부 굴곡을 줄일 뿐 아니라 피부의 탄력도 회복시켜주며 얼굴이나 목 같은 미세한 부분의 지방을 녹여낼 수 있게 되었다. 레이저를 이용한 지방성형술은 운동이나 다이어트로 빼기 힘든 국소지방을 줄이는 것에 효과적이며, 눈주변이나 빰, 턱밑 등 미세한 부분의 지방을 제거할 수 있으며, 재수술부위, 승마살이나 buffalo hump 같이 섬유화가 많이 된 부분의 지방흡입에 효과적이다.

그런데 지방성형 분야에 있어서 레이저의 이용은 그 역사가 짧고 또한 초기에는 보조적인 도구로 사용되어 왔다. 이러한 레이저 지방성형술은 1992년 Apfelberg가 레이져를 이용한 지방흡입에 대한 발표이래 많은 논문들이 소개되었고 이후 먼저 유럽과 중남미 지역에서 주로 체부의 대용량지방흡입 수술 시 사용되어 왔다. 2006년 Kim과 Geronemus에 의하여 1064-nm diode laser를 이용 피하지방을 녹이고 간질조직과 피부의 수축을 극대화시켜 피부탄력을 증가시키는 Laser-assisted lipolysis (LAL)가 소개 되었으며 2006년 미국에서 FDA 승인을 받은 후 많은 지역에서 사용되면서 급속한 발전을 이루어졌다.

Laser를 이용한 lipolysis에는 1064 nm Nd:YAG Laser가 처음 사용되었다. 하지만 초기의 1064 nm Nd:YAG Laser는 낮은 효율과 저출력으로 인해 임상적인 효과가 미미하여 널리 사용되지 못하고 그 이후 30%정도의 높은 에너지 효율과 최대 25-30 W정도의 높은 에너지 출력을 낼 수 있는 Diode Laser가 소개되어 사용되었다. 하지만 이는 지방세포에 대한 선택성이 낮아 안전성의 문제로 널리 사용되지는 못했다. 이로 인하여 더욱 에너지 효용성이 뛰어나고 지방세포에 선택적인 레이저가 필요하게 되었다. 최근에는 보다 효과적인 파장을 가진 레이져들이 소개되면서 부분이 더욱 발전되고 있다. continuous waved 980nm Diode Laser, pulsed 1064nm neodymium, yttrium, aluminium, garnet (Nd:YAG) Laser외에 최근 다양한 파장대의 레이져등이 개발되어 지방성형술에 사용되고 있는데 980nm/1064nm/1320nm/1444nm Nd:YAG Laser 등이 단독 또는 혼합사용되고 있다. 최근에는 물과 지방에 친화성이 더 높은 1,927 nm Thulium Holmium Chromium:YAG (THC:YAG) laser를 이용한 지방흡입도 소개되고 있다.

1) 레이져지방흡입술의 기전

레이저를 이용한 지방성형술은 비교적 새로운 분야이며 아직까지 발전의 여지가 많은 분야로 국소 부위에 마취제를 침윤하고 가늘고 어느 정도 굽혀지는 600 mm 정도의 광섬유를 조그마한 바늘 구멍으로 피하지방에 집어넣고 레이져에너지를 주사하여 흡수도가 높은 지방세포에 에너지를 전달시켜 선택적으로 지방세포를 파괴하여 지방을 녹인 후 주사기나 일반 지방흡입기를 이용하여 녹아있는 지방세포와 여분의 남아있는 지방조직을 흡입해 내는 수술이다. 레이져를 주사하지 않은 경우 지방세포가 파괴되지 않고 둥근 원형을 유지하는등 단순히 cannulization 효과만을 기대할 수 있으나 레이져로 높은 에너지가 전달 된 경우 지방세포들의 세포막이 파괴되어 있거나 세포의 크기가 줄어들어 있고 간질조직의 콜라겐섬유들이 수축되어 파괴된 세포의 공간이 줄어들어 있다. 중간의 혈관들이 손상되어 막혀져 있으나 지방조직이나 주변조직의 탄소화 경향은 보여지지 않는다. 이러한 소견들 때문에 laser lipolysis를 interstitial lipoplasty라고도 부르기도 한다. 이차적으로 피부와 간질조직의 일차적 수축이 일어나고 파괴된 지방들이 점차 흡수되면서 이차적인 부피감소와 간질조직의 콜라겐섬유의 재생으로 인하여 이차적인 수축이 일어나 피부가 탄력을 되찾거나 리프팅되게 된다. 이러한 레이져를 이용한 지방흡입술은 지방을 효과적으로 녹이고 출혈을 적게하며 회복을 빨리 할 뿐 아니라 피부의 탄력이 떨어진 경우 피부탄력을 회복시키기 위하여 피부 아래 진피층에 레이저를 직접 조사함으로서 진피층의 콜라겐섬유를 수축시키고 재생시켜 피부의 탄력을 회복시키기도 한다. 레이져를 사용함으로서 수술 시 출혈과 술자의 어려움을 줄이고 빠른 회복과 피부의 탄력회복까지 기대할수 있는 이점을 가지고 있다. 특히 다른 시술과 병행할 수 있어 많은 이점을 가지고 있다. 모든 레이져는 특유의 파장대에 맞는 조직의 receptive chromophores를 가지고 있으며 이에 작용하여 레이져 에너지가 흡수되고 충분한 열을 발생시켜 원하는 조직변성을 일으킬 수 있는 것이다. 이렇게 발생된 열은 지방세포뿐만아니라 주변조직에도 영향을 미쳐 열변성을 일으켜 가역적이거나 비가역적인 조직변성을 야기한다. 하지만 지방조직에 대한 친화력이 높아 선택적으로 지방조직에 흡수되기 쉬운 파장대의 레이져를 사용하였을 때 이러한 주변조직에 대한 손상을 줄일 수가 있으며 회복이 빠르고 합병증을 줄일 수가 있는 것이다. 저준위 에너지의 레이저에서는 지방조직의 파괴가 미미하나 고준위에너지의 레이져를 사용할 경우 지방세포의 파괴와 주변 혈관,교원섬유의 응고를 유발하여 조직재생을 촉진시킨다. 조직학적으로 지방조직내 지방세포의 파괴와 혈관응고와 더불어 망상진피의 재배열, 교원섬유의 재생 등이 관찰된다. 지방세포가 파괴되면 지방효소가 분리되어 나와 지방조직을 분해시키고 사전 터널링 없이도 조직을 유연하게 만들어 순차적인 지방흡입을 더 용이하게하는 작용을 하며 조직전반에 걸쳐 불필요한 손상을 줄이게 한다. 또한 혈관을 응고시킴으로서 순환기에 영향을 최소화할 뿐 아니라 수술 시 출혈을 줄이고 회복을 촉진시킨다. 세포막의 변성, 지방세포기화, 지방세포분해, 탄소화반응, 교원섬유 열성반응 등이 주사된 에너지 양에 비례하여 일어난다. 임상적으로도 빨리 회복되고 빠른 결과를 가지게 된다. 3개월 정도의 시간이 경과한 후 지방성형술을 시행한 부위의 부피도 평균 약 17% 감소가 있었으며 턱밑의 경우 최대 25% 정도의 부피감소가 있어 일반적인 시술보다 부피 감소의 효과가 큰 것으로 보여진다. Kim and Geronemus등은 tumescent fluid를 1000 cc 정도 주입한 후 지방용해술을 시행한다. 수술 후 좋은 임상결과를 반복적으로 낼 수 가 있다. 이러한 레이저 시술은 그 안전성에 있어서나 그 효용에 있어서 미국 FDA의 승인을 획득했으며 이에 대한 이용이 더욱 많아지고 있는 추세이다.

레이저를 지방세포에 주사할 때 지방세포가 에너지를 흡수해서 부피가 팽창한 후 지방세포가 터지게 된다. 이러한 pulsed Nd:YAG laser를 실험적으로 인체 지방 한 곳에 지속적으로 주사했을 때 조직상태를 조사를 해보면 흡입으로 인한 부피의 감소와 tunneling effect만 존재하는 일반적인 지방흡입술에 비하여, 지방세포파괴로 인해 중심부는 비가역적 조직변성(조직괴사분해) 부분이 발생하고, 그 주변으로 가역적인 조직변성인 tumefaction 반응이 있는 부위가 존재한다. 이러한 변화가 일어나는 기전은 명확하지 않다. 하지만 최근 연구에 의하면 레이져 에너지의 양에 따른 온도변화에 기인한 조직변화를 가져오는 선택적인 광열분해 작용 selective photothermolysis와 광역학적인 파괴 작용 thermomechanical or photoacoustic ablation이 주된 기전으로 여겨지고 있으며, 두 가지 작용의 독자적인 작용보다는 둘 다 같이 작용하는 것이 아닌가 추정된다. 하지만 레이저의 특성상 파장의 폭이나 연속파인지 단절파인지에 따라 그 작용 중 한 가지가 우선하며 다른 작용은 부수적인 작용을 가진다고 하겠다. 전달된 에너지의 양이 작아 조직 온도가 낮은 경우 지방세포의 비가역적인 반응인 tumefaction만 일어나게 된다. 만일 전달된 온도가 높으면 지방세포내에 열이 축적되어 지방세포가 파괴되고 주변 작은 혈관이 coagulation되어 막히게 된다. 이러한 효과는 조직에 대한 열변성 반응이 주된 작용이지만 단순히 photo thermal effect에 의한 것 뿐만 아니라 Photoacoustic, 또는 photomechanical effect가 같이 작용해 일어난다. 이러한 모든 작용들은 지방세포에 전달된 에너지의 정도에 따라 달라지며 지방조직에 전달된 에너지가 높을수록 지방조직의 부피감소가 심하다.

레이저를 이용하여 지방을 녹이기 위해 레이저를 사용할 때 두 가지의 parameter를 고려해야 하는데, 첫째는 레이져 고유의 파장길이 wavelength이며 다른 하나는 전달된 레이져 에너지의 총 양 total energy 등의 두 가지의 요소가 필요하다. 하지만 단절파 레이저(pulsed Nd:YAG Laser)를 사용할 때는 이외에 한번에 작용할 수 있는 에너지의 크기(peak power)인데 같은 에너지의 양이라도 펄스간격이 짧을수록 한번의 펄스에서 더 높은 에너지를 발생시킬 수 있기 때문이다. 각 조직의 특성에 따라 작용하는 파장의 길이가 다른데 이는 레이저의 특성상 레이저가 작용할 수 있는 색소단(chromophore)를 가지고 있는지 아닌지에 따라 작용이 달라진다. 레이저 파장에 따라 작용하는 색소단이 달라지기 때문이다. 특정한 색소단이 존재하는 경우 충분한 에너지를 받아들여 지방세포와 주변조직에 가역 혹은 비가역적인 조직변성을 충분히 일으킬 수 있고 선택적인 흡수로 인한 조직파괴가 손쉬워져 상대적인 collateral damage나 출혈 등을 줄일 수 있는 잇점이 있기 때문이다. 예를 들어 pulsed 1064 nm Nd:YAG Laser는 물과 지방에 대해 선택적인 흡수 파장을 가지지만 flash-lamp pump 방식에 의한 에너지의 생성은 최대 6W 정도의 에너지만을 생산할 수 있는 한계로 인해 효율이 수 % 이내로 아주 낮으며 임상적인 효과가 적어 널리 사용되지 못했다. 반면에 continuous waved 980 nm Diode Laser는 25 W 이상의 에너지를 생산할 수 있고 효율이 30% 이상 되며 1064nm Nd:YAG Laser와 비슷한 파장대의 특성을 가지고 있어 레이저를 이용한 지방흡입술에 보다 빈번하게 사용되어 왔다. 하지만 continuous waved 980 nm Diode Laser는 지방이나 물에 선택적으로 흡수되는 것이 아니라 주변에 있는 전반적인 조직에 전부 영향을 주기 때문에 어떤 선택된 조직에 작용하는 것이 아니라 조직 전반적으로 열 변성을 초래한다. 따라서 지방만을 선택적으로 제거해낼 수 없고 화상의 위험과 다른 조직 손상의 위험이 크기 때문에 술자가 없애고자 원하는 부위에 조심스럽게 사용해야 한다. 하지만 pulsed 1444 nm Nd:YAG Laser는 기존의 pulsed 1064 nm Nd:YAG Laser보다 물과 지방에 대한 선택성이 1000배 정도 높기 때문에 마취제에 침윤된 지방만을 선택적으로 녹여내고 없앨 수 있는 장점이 있다(**그림 1**). 이러한 지방에 대한 특정파장대의 레이저가 선택적으로 작용하기 때문에 레이져 지방성형술은 고식적인 지방흡입을 보다 정교하게 시행할 수 있다.

다른 한 가지의 요소는 사용되는 레이저의 에너지

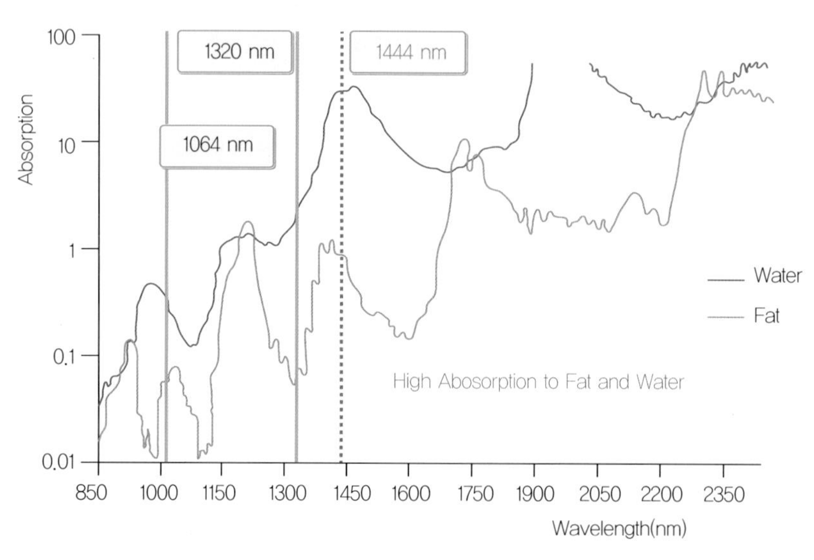

그림 1 각 파장대에 따른 물과 지방에 대한 흡수도

크기이다. 저준위 연속파 레이저를 사용할 때는 낮은 열이 발생하기 때문에 아주 한정된 부분에 열 작용에 의한 가역적 변성이 일어나고 비가역적인 변화는 잘 보이지 않는다. 이 경우에는 주된 작용이 열 작용에 의한 변성 작용이며 열 기계적인 작용은 거의 없다고 하겠다. 하지만 고준위 레이저를 조사할 경우는 지방조직 내의 작은 혈관들의 응고뿐만 아니라 지방세포 내에 축적된 열과 광역학적 작용에 의한 지방세포막의 파열을 관찰할 수 있으며, 이러한 부분은 단순한 광열성 분해 작용뿐 아니라 광역학 작용이 함께 작용한 것으로 보여진다. 이러한 지방세포에 생긴 가역적 또는 비가역적 변화는 지방조직에 주사된 레이저의 에너지 양과 에너지의 세기에 따라 비율적인 변화를 가지게 되며 에너지가 높으면 높을수록 많은 양의 지방이 줄어들게 되는 에너지 의존적 변화를 보이게 된다.

사람의 지방세포는 일반적으로 원형 형태로 직경이 35-75 μm 정도이나 tumescent 용액을 주입해서 침윤시켜 레이져를 주사하게 되면 직경이 100-110 μm 정도로 커지게 된다. 레이져에 의해 생긴 에너지로 인하여 세포막의 나트륨-칼륨 균형이 깨어져 세포 외액이 세포 내로 유입되어 세포가 커지게 되고 이후 분해되거나 흡수되는 과정을 거치게 된다. 레이저를 조사하지 않고 고식적인 지방흡입기로 흡입만 시행한 경우는 흡입된 조직 사이에 cannulae에 의해 만들어진 비어진 공간 이외에 지방세포막의 파열은 관찰할 수가 없다. 이러한 결과로 고식적인 지방흡입은 지방흡입한 양에 따라 결과가 나타나고 시간이 지속하여 수술 부위의 부종이 사라지고 나면 더 이상의 부피나 모양의 변화가 없다. 뿐만 아니라 조직 사이사이에 비어진 공간에 대한 창상치유 효과에 의한 수축 이외에는 더 이상의 조직 수축으로 인한 탄력의 회복을 기대할 수 없다. 6 W의 에너지로 pulsed 1064 nm Nd:YAG Laser(pulse 100 mm, 150 mJ per pulse, 40 Hz, peak power 1.5 Kw)와 continuous 980 nm Diode Laser를 주사한 경우 모두에서 세포막의 변성, 세포막파열, 세포의 수축과 작은 혈관의 응고와 주변 collagen fiber의 열변성을 초래할 수 있다. Diode Laser를 10 W나 15 W로 에너지 power가 높은 경우에는 대부분의 지방세포막이 파괴되고 collagen fiber와 작은 혈관들의 변성이 초래되고 45 J 정도의 아주 높은 에너지에서는 조직의 탄화 반응이 초래된다. 이러한 결과들로 볼 때 최대 6 W의 에너지를 낼 수 있는 pulsed 1064 nm Nd:YAG Laser는 지방조직의 변성을 초래할 수는 있지만 파괴 효과가 미미하여 실제 임상에서 사용하기 미흡하고 비선택적인 continuous 980 nm Diode Laser를 사용한 경우는 지방세포뿐만 아니라 혈관이나 신경 등의 조직을 손상시킬 수 있고 또 높은 에너지에서는 회복될 수 없는 정도의 손상을 초래할 수 있기 때문에 실제 사용의 위험성이 크다. 이에 비하여 pulsed 1444 nm Nd:YAG Laser는 지방과 물에 대한 선택성이 크기 때문에 같은 에너지에서도 보다 많은 양의 지방조직을 효율적으로 파괴할 수 있어 보다 안전하게 지방을 녹여낼 수가 있다. 6 W의 같은 에너지 양에서 3가지 파장대의 pulsed 1064 nm, 1320 nm, 1444 nm Nd:YAG Laser를 돼지의 피하 지방에 주사한 후 지방조직소실로 인한 조직 손실양을 측정하여 지방융해능력을 representative OCT images로 측정한 결과 파장대가 길어질수록 조직이 소실된 부위의 깊이와 직경이 커지게 되고 지방세포를 파괴한 직경이 0.5 mm, 2.5 mm, 5 mm 정도로 차이가 나며 이를 부피로 환산할 경우 레이저 파장대에 따라 1064nm에 비하여 1320 nm, 1444 nm를 주사했을 때 약 125배에서 약 1000배 정도의 파괴 효과가 있다 **(그림 2)**. 같은 부피의 지방을 없애기 위해서는 1,444-nm 파장대의 레이져를 사용했을 때 보다 1,064-nm 파장대의 레이져를 사용했을 때 약 3배 정도의 에너지가 더 필요하다. 하지만 투여된 에너지의 많은 양이 주변조직으로 전달되어 원치 않는 주변조직의 손상이 늘어나게 된다. 즉, 흡수도가 높은 긴 파장대의 레이져

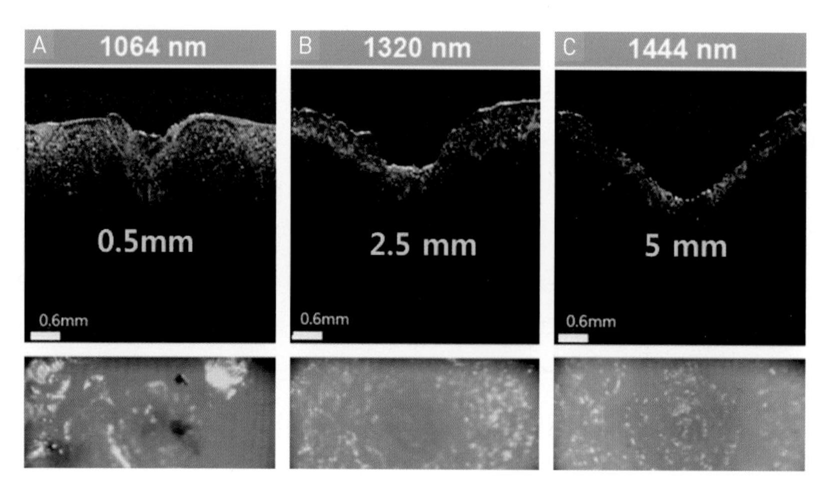

그림 2 같은 파라미터(150 mJ, 40 Hz, 6 W) 를 10초동안 주사하여 총 60 J의 같은 열량의 에너지를 준 후 1,064 (A), 1,320 (B), and 1,444 nm (C)각자의 파장에 따른 파괴도를 Representative OCT images (상부사진) 과 gross color photographic images (하부사진)로 비교. 좌측 1064 nm 시술 후 화구 직경이 약 0.5 mm인데 비해 우측 1444 nm 시술 후 화구 직경은 약 5mm 정도이다. 이를 부피로 환산하면 약 1,000배의 차이가 난다.

를 사용하면 같은 양의 지방을 녹이는데 있어서 총 에너지 양을 높이지 않아도 안전한 에너지 레벨에서 지방을 충분히 녹여낼 수 있다고 하겠다. 하지만 짧은 시간에 아주 높은 온도의 순간에너지를 전달하기 때문에 이때 발생하는 열의 양 중에서 주변으로 전달된 에너지의 양이 많지 않고 주변 조직의 파괴가 적어 비정상적인 섬유화 반응이 1064 nm보다 1444 nm를 사용한 경우가 적게 일어나며 회복 속도도 빠르다.

또한 1064 nm를 사용한 경우보다 1444 nm를 사용한 경우 지방조직의 파괴와 함께 주변 지방조직들의 간질 조직의 수축현상을 볼 수 있는데(**그림 3**), 이는 1444 nm를 사용할 때 일차적인 지방간질 조직의 수축현상을 초래함으로 말미암아 수술 시야에서 바로 볼 수 있는 primary skin & tissue retraction을 초래한다.

지방 세포막의 파괴 현상은 1064nm은 아주 제한된 영역에서 지방응고 파괴가 일어나고 주변의 지방세포막의 파괴가 미미한 것에 비하여 1444 nm를 사용한 경우 보다 광범위한 지방조직 파괴뿐만 아니라 주변의 지방세포막의 파괴를 관찰할 수 있다. 이러한 광범위한 지방세포막의 파열과 지방간질 조직의 수축은 일차적인 피부의 수축뿐만 아니라 시간이 지날수록 피부가 더 수축하는 이차적인 수축 현상도 기대할 수 있으며, 지방조직의 부피의 변화에 있어서도 부종의 변화로 인한 부피 감소가 아니라 파괴된 지방세포의 지속적인 소실로 인하여 이차적인 부피 감소를 기대할

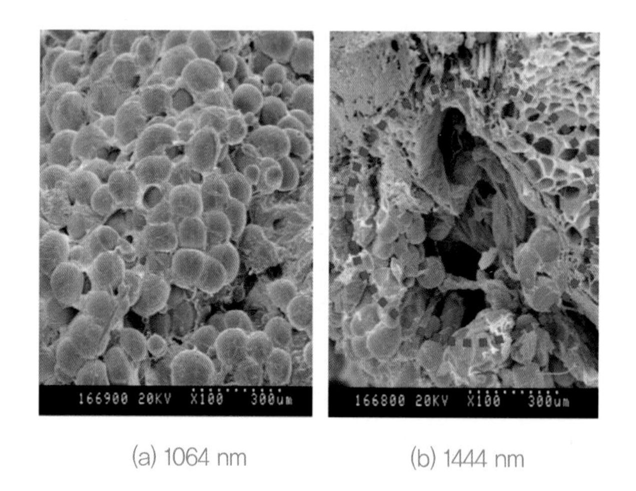

(a) 1064 nm (b) 1444 nm

그림 3 좌측 1064nm 시술 후 미약한 지방융해 효과를 보이며 주변 interstitial tissue의 수축이 보이지 않는다. 반면에 우측 1444nm 시술 후 광범위한 지방융해와 주변의 효과적인 interstitial tissue constriction이 관찰된다. Courtesy of S.Y.Song, MD. K.C.Tark, MD, Ph.D, FACS, FNAHQ, Korea

수 있다. 실제 임상적으로 이러한 현상을 많이 경험할 수 있다. 에너지 효용성에 있어서도 1064 nm에 비하여 1444 nm가 월등하기 때문에 제거하고자 원하는 지방세포를 빨리 녹여낼 수 있다. 그에 비하여 열 변성 작용으로 인한 조직의 변성은 적기 때문에 화상의 위험이 적고 부종이 적어 빠른 회복을 기대할 수 있다. 또한 지방세포에 대한 선택성이 좋기 때문에 주요 신경이나 혈관들이 분포하는 지역의 지방도 안전하게 녹여낼 수 있으며 이로 인해 얼굴이나 목 종아리 등과 같이 혈관이나 신경이 있어 염려되는 부분에서도 지방을 녹여내거나 피부 재생의 목적으로 사용할 수 있다. 980 nm diode Laser의 경우 신경분지나 작은 혈관에 닿으면 바로 절단되거나 손상을 입게 되지만 1444 nm 경우에는 신경이나 혈관에 붙여서 약 3초 이상 머물러야 손상이 일어날 수 있다. 지방세포에 대한 흡수도가 낮은 1064 nm는 주변으로의 열전달이 좋기 때문에 피부탄력을 높이는곳에 1320 nm이나 1444 nm 같이 지방세포에 대한 선택적니 흡수도가 높은 파장대의 레이져를 사용하여 지방용해를 극대화시키고 주변의 손상을 최소화 할 수 있어서 얼굴주변이나 팔 등의 위험한 부위에 사용게된다. 하지만 임상적으로 국소마취제나 튜메슨트 용액이 주입된 상태에서 계속 움직이면서 시술하는 경우에는 이와 같은 신경이나 혈관 손상의 위험이 거의 없다. 많은 시술자들이 안면부나 경부의 시술에 있어서 신경 손상의 위험성을 걱정하지만 레이저 지방성형술이 행하여지는 부위는 피하 지방층이며 이 부위에는 안면신경이 존재하지 않기 때문에 직접적인 손상의 위험이 없다. 또한 튜메슨트 용액으로 지방조직을 부풀려서 사용하기 때문에 더욱 거리가 멀어지게 되며 용액으로 인한 냉각 효과로 주변부의 동반 손상은 거의 없다. 레이져주사 후 조직의 온도변화는 레이져를 주사한 부위에 국한되게 발생하게 된다. 조직내의 온도는 외부에서 적외선온도계를 사용하여 측정한 온도수치 와는 어느 정도 다르다. 내부조직온도가 48- 50℃ 되어야 교원섬유조직의 변성을 초래하고 피부의 탄성을 회복하게 된다. 하지만 외부에서 측정하는 피부의 온도는 내부 피하조직의 온도보다 5도정도 낮기 때문에 외부에서 측정하는 온도가 38-41℃ 정도 유지하는 것이 안전하며 조직온도가 50℃ 가 넘어가면 불가역적인 조직변성을 초래하여 화상의 위험이 높아지기 때문에 높아도 45℃ 이하로 유지하는 것이 바람직하다.

2) 신경손상가능성

레이져를 이용한 지방흡입술이 수술 후 출혈이나 피멍, 통증과 부종이 적고 회복이 빠르고 수술이안전한 이유는 지방세포에 비해 작은 혈관들이나 신경들의 낮은 흡수도로 인하여 신경과 혈관들이 보호받을 수 있기 때문이다. 지속적인 신경손상증상이나 감각이상, 감각소실 등 신경손상의 경우는 그 빈도가 아주 드문데, 선택적인 지방흡수도를 가진 레이져 특성에 의해 주변의 지방조직이 파괴되더라도 신경조직은 대부분 온전하다고 알려져 있다. 간혹 피하 지방이 거의 없는 경우 피부의 탄력을 주는 목적으로 레이저를 시술할 경우라도 레이저 팁의 방향이 피부에 평행하고 조직의 심부로 향하지만 않는다면 신경이나 혈관의 손상은 일어나지 않는다. 이러한 경우 안면동맥과 하악골 경계부가 만나는 부위의 안면신경 하악분지가 가장 손상을 받기 쉽긴 하지만 이 또한 platysma에 의해 덮여 있기 때문에 큰 염려하지 않아도 된다. 관골궁을 지나는 안면신경 측두분지도 쉽게 손상을 받을 수 있는 부위이긴 하지만 레이저 팁이 피하 지방이나 진피 바로 밑에 위치하기만 한다면 신경 손상은 큰 걱정하지 않아도 된다. 운동신경인 안면신경보다 실질적으로 임상에 있어서 간혹 이마의 이물질을 제거할 때 상안와신경이나 활차신경의 손상이 염려된다. 그 외에 삼차신경의 분지인 하안와신경이나 관골신경분지 등의 손상을 조심해야 한다. 이들은 운동신경과 달리 감각신경이며 또한 운동신경보다 좀더 표재성으로 위치하기 때문에 신경이 완전히 끊기진 않더라도 약간의 신경막 손상으로도 감각이상이나 통증을 초래할 수 있기 때문에 이러한 부위를 시술할 때는 조심해야 한다. 레이저로 지방성형술을 시행한 경우 이러한 주된 신경분지 손상 이외에 신경의 감각기가 손상을 받을 수 있다. 대부분의 경우 일반적인 지방흡입술과 달리 레이저 지방성형술을 시행한 경우 피부의 과다한 통증을 호소하는 경우가 많은데, 이는 nerve ending이 손상을 입어서 발생한다고 추정된다. 이러한 통증이나 감각의 이상은 수술 후 약 2-3개월간 지속되다가 자연적 소실된다. 이러한 감각신경의 손상은 레이저 에너지의 세기가 커지면 좀 더 심해지지만 이 또한 자연적으로 없어지기 때문에 걱정할 사항은 아니다.

3) 레이저 주사의 마침점, 열손상 및 방지법

레이져 지방흡입술을 시행하면서 화상을 방지할 수 있는 여러 가지 방법들이나 장치들이 고안되어져 있지만 언제 레이져를 멈추어야 하는지 궁금한 문제이다. 대개 피부를 만지거나 집어 올려 보고 그 정도를 파악하거나 외부에서 피부의 온도를 측정하여 약 40℃ 정도 이르렀을 때 마치는 것이 보통 사용하는 방법이다. 지방조직에 투메슨트 용액을 주입한 후의 딱딱함과 비해서 레이저를 주사한 후의 딱딱함이 부드러워지고 레이저 캐뉼라를 진행함에 있어서 좀더 부드러워지거나 조직의 치밀성이 저하되거나 하면 레이져를 마칠 때가 되었다고 생각하게 된다. 많은 술자들은 피부를 집어 올려 깊은 피하지방층을 녹이거나 피부 직하부에 레이져를 주사하여 콜라겐의 재생성을 촉진시키기도 한다. 적외선 피부온도측정기를 사용하여 레이져를 시행하는 동안 계속 피부온도를 모니터링 하면서 시술하는 것이 안전한데 38 to 40℃가 넘지 않도록 주의해야 한다. 만일 피부온도에 비하여 피하지방층의 온도가 약 5℃ 정도 높기 때문에 피부온도가 47℃ 가 넘어가면 심부 조직의 비가역적인 열손상을 초래하게 되고 표피의 화상을 초래하게 된다. 이러한 경우 피부에 차가운 얼음으로 차갑게 하면서 시술하면 화상을 방지할 수가 있다. 레이저 지방성형술은 눈으로 보고 하는 것이 아니라 에너지를 준 후 흡입으로 모양을 보면서 시술하는 것이기 때문에 에너지의 양을 어느 정도 주어야 하고, 어느 정도에서 마쳐야 하는지 결정하기 힘들다. 이러한 주관적인 기준으로 레이져 주사량을 정하는 것은 그 기준이 모호하여 지방이 녹여 나오는 시점, 레이저 팁에 걸리는 저항이 없어지는 시점 등, 주관적인 기준으로 말할 때 그때마다 상황따라 어느 시점인지 정확히 정하기 힘들다. 따라서 환자에 따라서 술자의 상태에 따라서 항상 변할 수밖에 없고 그에 따라 수술 결과도 항상 달라질 수밖에 없다. 임상적인 판단이 가장 중요하겠지만 수술하기 전에 에너지양의 기준을 정해놓고 시술하면 수술 시간도 짧아질 뿐만 아니라 시술자가 항상 자기의 시술을 정량화 할 수 있고 결과도 항상 일정하게 예측할 수 있어 더 좋은 결과를 얻을 수가 있어서 도움된다. 예를 들어 nasolabial fold area의 면적을 unit로 설정하고 전체 면적에서 이러한 unit이 몇 개 정도가 되는지 계산하여 전체 레이저 주사량을 수술 전에 계산한다. 대개 3x5 cm 정도의 면적에 2 cm 정도의 두께를 가진 nasolabial fold라면 40 Hz, 150 mj, 6 W의 계기판 설정을 한 후 약 200 J 정도의 에너지를 주사하는데, 안면부 다른 부위를 nasolabial fold 면적으로 나누어 전체 개수와 단위 면적을 곱한 후 200 J을 곱하면 주사할 총 에너지의 양이 수술 전에 결정된다. 또한 4 cm 두께의 피부를 가진 체부의 레이져지방성형술을 시행할 때 손바닥 면적정도의 넓이에 대하여 약 2000 J 정도의 에너지를 주사하고 그 두께가 1 cm 정도 늘어날 때 마다 1000 J 정도씩 추가를 하여 손바닥 면적당 주사할 양을 결정하고 지방흡입 할 면적 전체에 대한 레이져 주사량을 사전에 계산하면 된다. 이러한 술자에 따라 다를 수 있지만 술자 각자가 객관적이고 정량적인 양을 정해놓고 시행한다면 더욱 정확하고 재현 가능한 수술이 될 수 있다.

4) 합병증과 안전성

화상의 위험성은 항상 잠재적인 위험성으로 존재하며 그 외 발생 가능한 합병증은 많을 수 있지만 실제로 임상에서 발생하는 합병증은 드물다. 지속적인 신경손상증상이나 감각이상, 감각소실 등 신경손상의 경우는 그 빈도가 아주 드문데, 선택적인 지방흡수도를 가진 레이져 특성에 의해 주변의 지방조직이 파괴되더라도 신경조직은 대부분 온전하다고 알려져 있다. 지방세포가 파괴되고 난 뒤 유리되어 나온 지방들이 혈관 내로 유입되어 혈청 내 지방의 성분이 높아질 수 있는 가능성이 염려되긴 하지만 레이져 지방흡입을 시행한 환자들을 수술한지 하루, 일주일, 한달 정도 추적하여보아도 혈중지방의 상승은 발견되지 않아 혈액 내 유리지방의 증가는 큰 염려하지 않아도 될듯하다.

레이져 지방성형술은 일반적인 지방흡입술에 비하여 수술 중 출혈이 적고 수술 후 통증과 피멍이 미미하며 회복이 빠르기 때문에 수술 후 환자들이 일상생활로 돌아가는 것이 빠르다. 이러한 안전성은 지방흡입하는 부위와 범위에 따라 다르지만 한 술자에게 시술되는 환자를 비교해 봤을 때 고식적인 방법에 비하여 그 합병증이나 재수술의 비율이 적었다. 또한 조직수축효과가 있어 수술 후에도 피부탄력이 증대되기 때문에 탄력이 저하된 환자들에 사용할 수도 있으며 이런 효과는 수술 후에도 수 개월 동안 지속된다. 하지만. 레이져 조사 후에 그냥 두는 것보다 녹아있는 지방들을 고식적인 지방흡입으로 빼내줘야 더 좋은 결과를 가질 수가 있다. 즉 레이져 하나만의 시술보다 다른 방법보다 병행해야 하며 이로 인하여 수술하는 시간이 좀 더 많이 걸리고 수술기구가 많아지거나 번거로운 부분이 있다. 또한 비싼 레이져를 구매해야하고 이 방법에 익숙해 지기 위해서는 많은 시간과 노력이 필요하다. 이 수술에 대한 숙련도를 가지기 위해서는 다른 수술방법보다 좀더 시간이 걸리는 단점이 있다. 정확히 어느 부위를 어느 정도 시술해야 하는지 수술상태에 따라 다르기 때문에 이에 대한 이해와 학습이 필요하다. 수술을 마치는 시점과 합병증이 생기는 시점의 경계도 모호하여 합병증을 피하기 위해서 안전한 방법부터 시술하는 것이 필요하다.

5) 적응증

레이저 지방성형술은 많은 지방을 좀더 쉽게 녹여내기 위하여 고안되어 사용되기 시작하였지만 일반적인 부위에서 많은 양의 지방을 녹여내는 것보다 국소적인 지방이 모여있는 것을 녹여낼 뿐 아니라 일반적인 지방흡입으로 교정하기 어려운 부분에 더 효과가 있으며 또한 교원섬유재생을 유발하여 조직을 수축시키고 피부의 탄력을 회복시키기 위하여 사용된다. 이는 가는 캐뉼라를 사용하여 큰 흡입관을 사용할 때 발생하는 기계적인 조직의 손상이 적고 정교한 시술이 가능하기 때문에 사지, 체간 등과 같이 고식적인 지방흡입의 대상 부위 외에도 얼굴주변이나 발목주변, 무릎주변부와 같은 어떠한 곳이라도 국소적인 지방이 모여있거나 탄력이 떨어진 곳에 사용이 가능하다. 특히 안면부의 지방흡입 시 피부굴곡 없이 정확한 볼륨을 줄이기 힘들고 피부탄력 저하가 염려되는 경우 레이저를 이용한 경우 많은 도움이 된다. 또한 섬유질이 많은 여성형유방, 등이나 셀룰라이트가 많은 부위 피부가 많이 늘어진 경우의 지방흡입에도 많은 효과를 볼 수 있고 이차적인 피부탄력 효과를 기대할 수도 있다. 이전의 지방흡입술로 표면이 울퉁불퉁하거나 변형이 있는 곳을 교정할 때도 좋은 효과를 볼 수가 있다. 이외에 국소적인 지방종의 치료나 피부의 CO_2 레이져와 같은 다른 방법과 병행하는 경우에도 사용된다.

이상적인 적응증은 고식적인 지방흡입으로 치료가 어려운 특정한 국소에 축적된 지방을 제거하고 동시에 탄력을 높이기 위한 경우에 사용하는 것이 제일 좋다. 국소에 축적된 지방이 식이요법이나 운동요법으로 반응하지 않거나 이로 인하여 자신의 이미지 형성에 부정적인 영향을 미치는 뷔위가 있으면 이러한 부분의 교정에 적합하다 할 것이다. 하지만 전신적인 대용량 지방흡입이 필요한 경우에는 레이져 지방흡입 단독으로 사용하기 보다 고식적인 지방흡입을 하기전이나 후에 사용하여 지방을 녹여 좀더 흡입이 용이하게 하거나 피부의 탄력을 극대화 시키는데 사용할 수도 있다. 하지만 환자의 요구가 비현실적이면 수술적인 치료보다 운동이나 식이요법을 먼저 시작하기를 권유하는 것이 좋다. 고령의 환자나 당뇨병, 고혈압, 간질환, 심혈관질환, 만성폐질환 등의 전신적인 질환을 가지고 있는 환자, 항혈전제를 사용하고 있는 환자등은 수술을 피하는 것이 좋다.

술전에 사진촬영을 시행하여 기록해 두는 것이 좋고 이때 수술부위와 주변부위를 명확히 디자인할 수 있도록 수술팬티나 가운을 입혀 촬영하도록 한다. 수술전에 체형이나 얼굴의 비대칭을 확인하고 디자인 시 표시를 해 두어야 하며 피부의 굴곡이나 흉터, 변형 등에 대한 부분도 표시해야 한다.

6) Latest Development and Future Considerations

새로이 개발된 1444 nm 레이져가 980 nm, 1064 nm, 1329 nm 등 이전의 파장들보다 지방에 대한 선택성이 더욱 높고 지방분해효과가 더욱 뛰어난 것이 알려져 이를 사용하는 기계가 소개되어(Accusculpt, Lutronics, Korea)널리 사용하고 있으며, 또한 이러한 980 nm, 1064 nm, 1329 nm 등 파장대의 레이져를 단독으로 사용하는 것보다 다른 파장대와 병합하여 사용하여 1444 nm의 지방분해효과와 1064 nm, 1320 nm 의 피부탄력 증강효과를 동시에 이루고자 하는 기계들도 소개되었다(Cynosure's Triplex Workstation, Cynosure). 최근에는 안전시스템이 강화되어 실시간으로 조직온도를 파악할 수 있어 조직의 과다한 온도상승으로 인한 화상의 위험이나 주변부 손상을 최소화 할 수 있는 장치도 소개되고 있다. 향후 물과 지방에 친화성이 더 높은 여러 가지 파장대의 레이져들이 점차 개발되고 소개되어 부작용은 적으면서 회복이 빠르고 더욱 효과적인 레이져지방성형술이 가능하게 될 것으로 전망한다. 그 예로 최근에는 2,100 nm thulium holmium chromium:YAG (THC:YAG) laser를 이용한 지방흡입도 소개되고 있다.

2. 안면부시술

1) 수술 적응증

수술의 적응증은 안면부에 국소적 지방축적으로 안면윤곽의 변형이 있는 경우에 주로 사용된다. 옆광대 부분의 돌출이 안면부 지방이 많아서 생긴 경우, 과다한 지방으로 인하여 턱선이 보이지 않거나 입가주름(marriotte line) 주변으로 볼살이 늘어진 경우, 팔자의 지방이 많아 팔자의 골이 깊고 늘어진 경우, 목 부분의 지방이 많아 피부가 늘어진 경우 등과 같이 지방조직이 국소적으로 모여있고 피부 탄력이 경도나 중등도로 약간 처져있는 경우에 좋다.

과거 안면성형 부분에 있어서 얼굴 모양을 바꾸거나 얼굴 볼륨을 줄이기 위해서는 안면골을 줄이고 깎는 안면골 성형술 이외에는 불가능하다고 생각했다. 하지만 많은 경우 얼굴의 지방이 많아서 안면골이 묻혀진 경우는 안면골 성형술을 시행하더라도 수술 후 얼굴의 볼륨이 줄어드는 결과가 흡족하지 않고 안면골에 붙어있던 여러 가지 ligament가 떨어짐으로 인하여 안면골에 붙어있던 연부조직들이 처져 이차적인 변형을 초래하는 경우가 많았다. 이러한 경우 레이저를 이용하여 얼굴의 과다한 지방들을 녹여내면서 동시에 피부 진피를 자극하여 피부 탄력을 회복시킴으로 안면거상술을 시행하지 않고 리프팅 효과를 얻을 수가 있다. 뿐만 아니라 중안면이 처져 있어 거상술이 필요한 경우 중안면 부위는 귀앞 정도의 절개를 가하여 흉터를 최소화시키면서 거상술을 시행하고 하안면부와 경부는 레이저 지방성형술을 이용한 리프팅으로 수술 시간과 회복 시간을 동시에 단축시키면서 흉터도 줄여 더 좋은 결과를 얻을 수도 있다.

이러한 레이저 지방성형술을 이용한 안면성형술은 나이가 어린 사람에게는 국소적으로 과다한 지방을 줄이면서 얼굴형을 개선시키는 것이 목적이며 중년 이상의 나이에서 국소적인 과다지방 축적뿐 만 아니라 경도나 중등도의 처진 피부를 가진 경우 좋은 결과를 가진다.

사람에 따라서 한 번의 시술로 좋은 결과를 얻을 수가 있지만 중년이거나 피부 탄력이 떨어진 사람의 경우 2-3번의 반복 시술을 시행하면 더 좋은 결과를 얻을 수가 있다.

사람에 따라서 얼굴의 특정 부위가 튀어나오거나 처진 경우도 있지만 나이가 들어가거나 태어나면서부터 동시에 얼굴의 일부분이 함몰되어 얼굴 일부분이 더 돌출되어 보인다. 이런 경우 지방이식이나 필러를 동시에 시술하면 얼굴 전체 모양을 개선하는데 많은 도움이 된다.

아큐스컬프 레이저 지방성형술을 시행한 이후 피부의 탄력 회복과 안면조직 리프팅이 많이 되었지만 피부 표면의 잔주름이나 홍조, 여드름 자국, 땀구멍 확장 등의 피부 문제가 있는 경우 레이저 지방성형술을 시행하고 3-4주경에 bipolar RF (Radio Frequency) Device를 이용한 시술을 시행하면 더 좋은 결과를 얻을 수도 있다.

2) 수술 전 준비사항 및 술 전 디자인

수술 전 검사는 병력검사와 기초 임상검사를 통하여 전신 질환이 있는지를 확인하고 아스피린 같은 약이나 다른 약물 복용 여부를 검사하고 고혈압 제제와 당뇨 치료약을 제외한 약물은 수술 전 2주경부터 중단하도록 한다.

수술 당일 상담 후에 수술할 부위와 시술 범위를 상의하고 세안을 철저히 한 후 수술 환자의 수술 전 모습을 정면, 사면, 측면 사진을 찍고 기록한다. 수술 전후의 변화가 큰 경우도 있지만 미세한 경우도 있기 때문에 사진상의 비교가 중요하다.

수술 전 디자인이 중요하다. 많은 수술자들이 앉힌 상태에서 시술하는데, 이러한 경우 시간도 많이 걸리고 환자가 정맥 마취된 상태에서 자세를 유지하거나 기도를 유지하기 힘들고 앉혀서 하더라도 좌우를 정확히 맞추는 것이 불가능하다. 그렇기 때문에 환자를 반듯하게 눕혀서 시술하는 것이 좋으며, 이를 위해서는 수술 전 세밀한 디자인과 디자인 된 모습에 대한 사진 촬영이 중요하다.

수술을 시행하면서 사진으로 인화되거나 디스플레이 화면에 뜬 디자인 된 모습을 보면서 시술하면 좀더 빠르고 정확한 시술을 기대할 수 있고 마지막에 앉혀서 점검을 하면서 교정하는 것이 좋다.

수술 디자인을 위해서는 수술자 자신만의 기준이 필요하다. 이를 위해서 피부 표면의 기준점(surface landmark)을 설정하고 이에 대한 디자인을 시행한다면 항상 정확한 디자인을 할 수 있다. 수술 전 디자인은 일정한 시술과 더불어 일정한 결과를 얻을 수 있기 때문에 매우 중요하다. 안면부와 목부분의 레이저 성형술을 위해서는 안면부와 목을 구분 짓는 경계선이 중요한데, 필자는 귓볼직하부와 턱끝을 연결하는 선을 긋고 이를 안면부와 경부를 구분하는 경계선으로 정한다.

입가주름(Marriotte line)을 표시를 하고 이 두 선이 만나 형성되는 점을 기준으로 면적을 구분짓는데 위쪽볼쪽(upper mesial side)을 1번으로 하고 윗쪽입꼬리쪽(upper distal side)을 2번 아래입꼬리쪽(lower distal side)을 3번 아래볼쪽(lower mesial side)을 4번으로 할 때 아래입꼬리쪽 3번 위치에 레이저 관을 삽입하기 위한 절개창(entry point)을 잡는 것이 시술하기 좋다(**그림 4**). 안면동맥이 하악골하면을 가로질러 지나는 부위를 표시를 하고 함몰되어 있지 않은지 관찰한다. 만일 이 부위가 많이 함몰되어있거나 안면동맥이 지나는 부위의 피부가 과도하게 얇은 경우는 이 부위의 지방흡입을 가능한 한 피해야 하며 과도한 지방흡입을 할 경우 이 부위가 많이 함몰되어 보이는 변형이 일어나기 때문에 수술 전 디자인을 할 때 반드시 표시해 두어야 한다. 입가주름과 안면동맥이 지나는 부위 사이가 주로 불룩하고 늘어져 있는데 가장 많이 융기된 부위를 중심으로 등고선 동심원으로 고저를 표시한다. 가끔 귓볼직하부의 이하선이 위치한 부위에 지방이 과다하게 축적된 부분이 있는 경우 이 부위를 표시해두어야 한다. 이때 lateral cheek depression 과 tear trough depression을 표시해서 이 부분이 흡입되어 함몰되는 것을 방지해야 한다.

지방에 의하여 늘어진 목주름을 치료하거나 지방으로 인하여 두꺼워진 목의 레이저 지방성형술을 위해서는 목을 구획을 나누어 시술하는 것이 편하다. 하악골경계선(Mandibular line)과 윗쪽목주름(superior neck crease line)을 표시한 뒤 이 두 선 사이에 추후 레이저 지방흡입 수술 후 들어갈 경부각(neck angle)의 위치를 예측해서 표시해 둔다(**그림 5**). Mandibular line과 평행하게 1 cm 정도 위치에 아래쪽으로 선을 하나 그어 이 두선 사이에 흡입이 너무 되지 않게 한다. 피하지방이 그리 많지 않은 경우 이 부분의 지방을 너무 많이 녹여내면 너무 sharp한 mandibular border line이 형성되어 환자들이 싫어 하는 경우가 있기 때문에 정도를 보면서 적당하게 시술한다. 대개 경부주름(neck crease line)은 3개 정도 있는데, 이들을 표시하고 지방 분포를 고려해서 어디까지 지방을 녹여 낼 것인지 디자인한다. 고도의 비만이 있는 경우는 lower neck crease아래에 쇄골상방까지 시술하는 경우도 있기 때문에 필요하면 목과 체부가 만나는 부위도 디자인하고 SCM muscle의 ant. & post. Border를 표시해 두어 근육 위까지 할건지, 근육 앞까지 시술한 건지를 정한다. 대개 SCM muscle 상부의 피부는 근막에 단단히 붙어있기 때문에 이 부위를 시술할 때 피멍이 보다 많이 들 수 있다. 기도의 양측 경계 부위를 표시하고 이를 목 아래, 위까지 연장하여 경부의 각 부분들을 구획을 정하면 수술 전에 경부에 얼마만큼의 레이저 양을 조사할 것인지 정할 수 있게 된다. 여러 가지 선들에 의해서 구획된 면적은 nasolabial fold의 면적과 유사하며 nasolabial fold에 주사하는 레이저의 양과 구획된 면적의 개수를 곱하여 수술 시 주사하게 될 레이저의 총량을 정할 수 있어서 편리하게 사용할 수 있다.

Malar eminence가 과도한 지방에 의하여 돌출된 경우 관골궁 위에 안면신경의 측두분지가 지나는 부위를 표시하고 eye fissure 의 lateral corner에서 수직선을 내려 이 두 선 사이에 위치한 융기된 부위를 동심원상으로 표시해 둔다.

Nasolabial crease와 nasolabial fold 사이의 경계선을 긋고 tear trough의 depressed area를 표시한 후 늘어진 nasolabial fold 부위를 표시를 한 후 융기한 최고점부터 변연부까지를 등고선 형태로 표시를 한다. 그리고 표시된 nasolabial eminence 중심축을 그려 레이저 시술 후 지방흡입 시 이 중심축 아래로만 흡입하도록 표시해 둔다.

이렇게 그려진 nasolabial fold area의 면적을 unit로

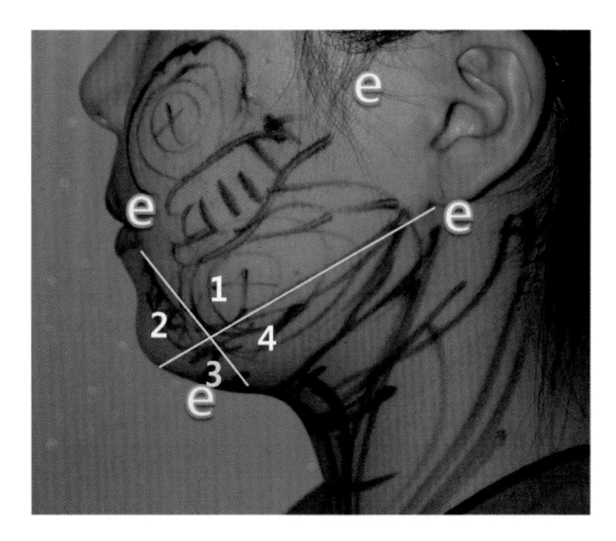

그림 4 레이저광게이블 삽입구. 귀뒤, 구렛나루, 팔자주름선, 턱밑. 입가주름선과 턱선으로 나눈 4구획중 턱끝에 가까운 구획3을 이용하면 신경손상도 적고 턱밑과 입가나 볼살등으로 쉽게 접근할수 있다.

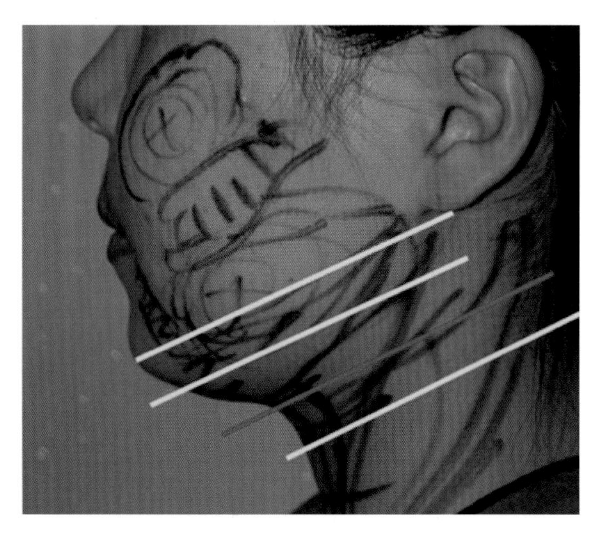

그림 5 디자인시 기준되는 가상선.
맨 위 턱끝과 귀밑을 연결한 선과 그 선 아래 1Cm 가상선사이가 장래 턱선이며 이 가상선과 윗쪽 목주름사이 중간이 설골이 위치하는 부분이다. 이선들을 기준으로 흡입시 목의 모양을 맞춰준다.

설정하고 전체 면적에서 이러한 unit이 몇 개 정도가 되는지 계산하여 전체 레이저 주사량을 수술 전에 계산한다. 대개 3x5 cm 정도의 면적에 2 cm 정도의 두께를 가진 nasolabial fold라면 40 Hz, 150 mj, 6 W의 계

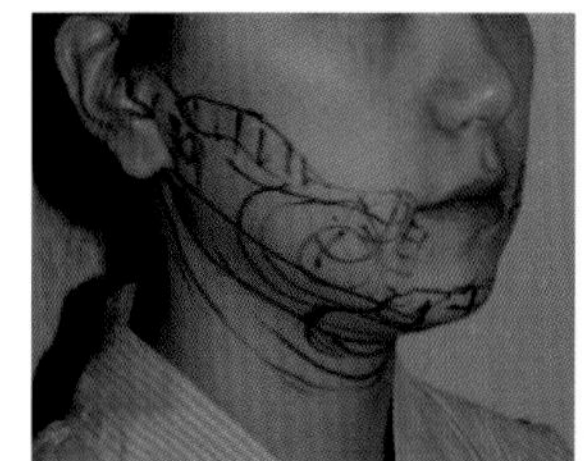
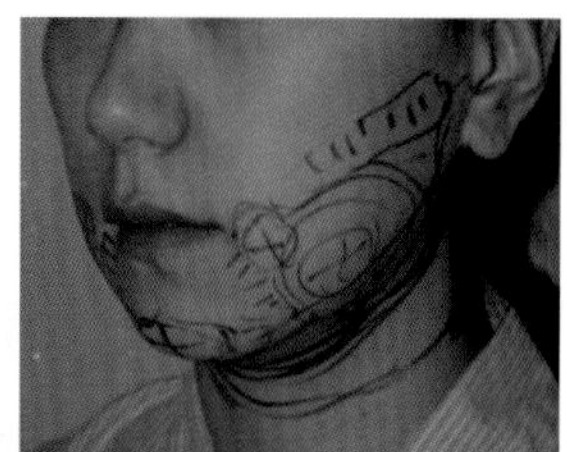
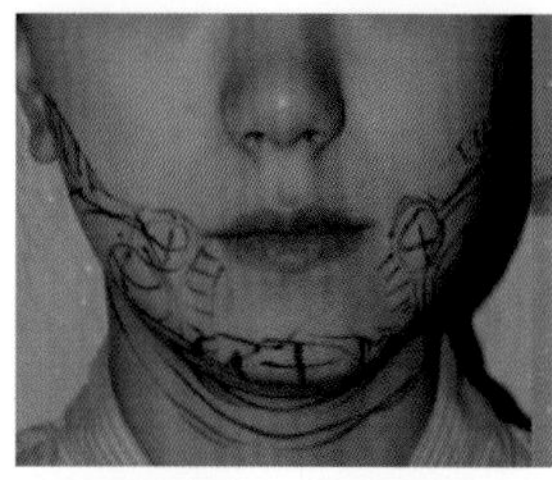
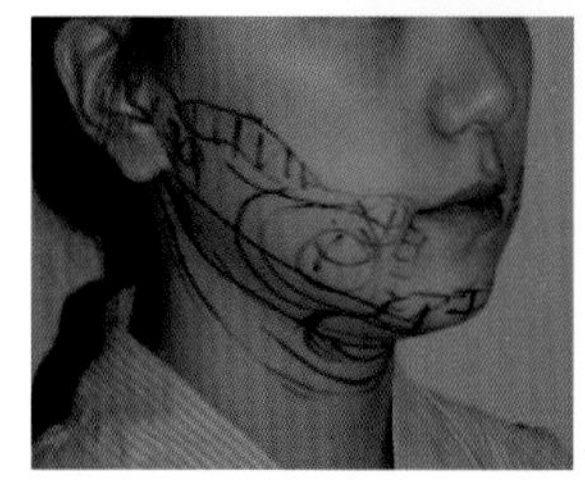
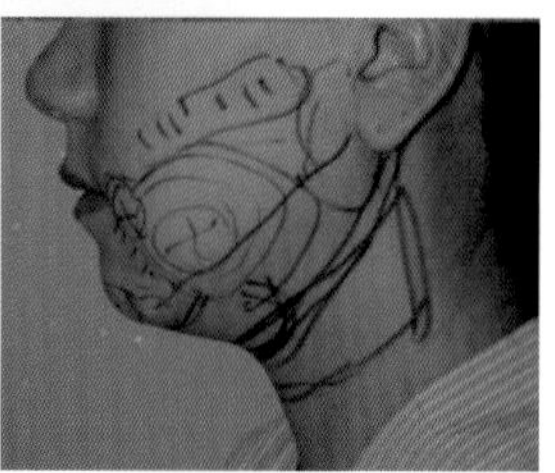

그림 6 술 전 디자인한 모습. 없애고자 하는 부위, 혹은 리프팅하고자 하는 부위보다 가능한 넓게 시술하는 것이 리프팅 효과가 크다.

기판 설정을 한 후 약 200 J 정도의 에너지를 주사하는데, 안면부 다른 부위를 nasolabial fold면적으로 나누어 전체 개수와 단위 면적을 곱한 후 200 J을 곱하면 주사할 총 에너지의 양이 수술 전에 결정된다. 레이저 지방성형술은 눈으로 보고 하는 것이 아니라 에너지를 준 후 흡입으로 모양을 보면서 시술하는 것이기 때문에 에너지의 양을 어느 정도 주어야 하고, 어느 정도에서 마쳐야 하는지 결정하기 힘들다. 지방이 녹여 나오는 시점, 레이저 팁에 걸리는 저항이 없어지는 시점 등, 주관적인 기준으로 말할 때 어느 시점인지 정확히 정하기 힘들다. 따라서 환자에 따라서 술자의 상태에 따라서 항상 변할 수밖에 없고 그에 따라 수술 결과도 항상 달라질 수밖에 없다. 에너지양의 기준을 정해 시술하면 수술 시간도 짧아질 뿐만 아니라 시술자가 항상 자기의 시술을 정량화 할 수 있고 결과도 항상 일정하게

예측할 수 있어 더 좋은 결과를 얻을 수가 있어서 도움된다.

마지막으로 양측 입가에 융기된 modiolus 부분을 표시하여 추후 레이저로 녹여낸다.

얼굴 전체를 시술하는 것이 아니라 볼살이 늘어진 경우와 같이 얼굴 한 부분을 시술하고자 해도 없애고자 하는 부분만을 표시하기 보다는 주변의 보다 넓은 부위를 포함시켜 디자인해 레이저를 시술하고 지방흡입은 융기된 부위만을 흡입한다면 interstitial tightening 효과가 더 많아 더 좋은 리프팅 효과를 얻을 수가 있다.

상태에 따라 안면 함몰이 같이 있는 경우 지방이식을 병행하기 위하여 수술 전에 이식할 부위를 표시하여 둔다. 지방을 같이 이식할 경우 얼굴에 대한 레이저 지방성형 시술 전에 이식할 지방을 뽑아 준비해두고 시술 후 바로 이식하는 것이 좋다(**그림 4,5,6**).

3) 수술 방법

수술을 위해 I.V. line을 확보한 후 수술 침대에 눕히고 얼굴 전체와 목 부분의 디자인된 부위를 소독한 위 수술포로 덮어 draping한다. 이때 귀 뒤부분을 접근할 수 있게 하고 양쪽으로 목을 돌릴 수 있게 한다.

(1) 마취

국소마취 전에 확보된 I.V. line을 통해 정맥마취를 실시하게 되는데, 먼저 Precedex (Dexmedetomidine, 100 mg/ml, Hospira,Inc. USA) 2 ml를 0.9 N/S 48 ml와 섞어 50 cc를 만든 뒤 loading dose로 1 mcg/kg을 10 min 투여한 뒤, maintenance dose로 0.2-0.7 mcg/kg/hr 속도로 투여한다. Midazolam 5 mg, Ketamin 1 cc를 0.9 N/S 18 ml와 섞어 24 cc의 cocktail solution을 만들어 매 15분마다 2 cc 정도 투여하고 Propopol 20 cc를 0.9 N/S 100 cc에 넣어 희석한 용액 15 cc를 주입하여 마취를 유지한다. 이때 마취제에 의하여 호흡이 억제될 수 있기 때문에 이러한 부분이 발생하면 가벼운 자극을 주어 호흡이 이루어지게 유도하고 그래도 반응이 없으면 턱을 들어 기도가 유지되게 하면 대부분의 경우 호전된다. 이때 pulsed oxymeter를 사용하여 PO2가 항상 90% 이상 유지되게 해준다. 또한 PCO2를 측정하여 실질적인 호흡이 이루어지는 지를 감시하면서 사용해야 한다.

수면마취된 상태에서 국소마취제를 주입하게 되는데, nasolabial fold는 디자인된 부분 아래쪽의 뺨에, cheek eminence는 sideburn area에 lower face와 neck은 area 4 (mariotte line과 mandibular line이 만나서 이루어진 부분의 안쪽 아래 부분)에 소독된 부직포 반창고를 붙이고 epinephrine (1:1,000,000)이 함유된 1% lidocaine 국소마취제를 피하에 주입한다. Sideburn area와 귓볼 아래에도 주입하여 마취를 시켜둔다.

(2) Nasolabial Fold & Malar Eminence

국소마취된 부위에 18 G hyperneedle을 이용하여 구멍을 뚫고 18 G single hole blunt needle을 이용해 10 cc 주사기로 tumescent solution을 피하에 주입한다. 이때 피부 표면이 팽창하여 올라올 정도로 넣게 되는데 nosolabial fold와 malar eminence 부위에는 각각 5-10 cc 정도 주입하고 lower face 쪽에는 한쪽에 30-40 cc 정도, neck에는 정도에 따라 한쪽에 30-50 cc의 tumescent solution을 주입하게 된다.

용액을 주입하고 난 후 10-15분 정도 기다려 지방조직 사이에 용액들이 충분히 침윤될 수 있도록 기다린다. 지방조직 사이에 용액들이 침윤하여 균질한 상태가 되면 pulsed 1444nm Nd:YAG Laser의 작용이 극대화될 수 있기 때문에 지방분해 효과와 조직의 간질조직의 수축으로 인한 리프팅 효과도 극대화되며, 동시에 이때 발생하는 열로 인한 화상의 위험은 줄일 수가 있고 염증 반응 등이 적기 때문에 회복 속도가 빨라진다.

수술자의 개개인에 따라 수술 방법의 선택이 달라질 수 있기 때문에 dry technique이나 double tumescent technique을 사용할 수도 있다.

지방조직 사이로 용액의 충분한 침윤이 일어난 후 Pulsed 1444 nm Nd:YAG Laser(Accusculpt, Lutronic, Inc. Korea)를 이용하여 지방조직을 녹이게 된다. 600 mm glass optic fiber를 facial hand piece에 연결하여 시술한다. 이때 40 Hz, 150-200 mj, 6-8 W의 parameter로 nasolabial fold에 150-200 J 정도의 에너지를 주사하여 지방조직을 녹이게 된다. 같은 parameter로 malar eminence는 100-200 J, lower face 300-500 J, lateral neck 500-1000 J, submentum 500-1000 J 정도로 주사하게 된다. 이때 부채살 모양으로 여러 방향으로 골고루 시술이 반복적으로 이루어 지도록 한다. 이때 NLF dermo-muscular attachment를 통과하면서 레이저로 약간 detach시켜주면 팔자주름이 보다 완화된다.

레이저를 시술할 때 팁이 움직이는 속도를 0.5-1 cm/sec 정도로 하라고 권장하지만 술자는 5 cm/sec정도로 빨리 움직이는데, 이는 40 Hz의 pulse이기 때문에 1 cm당 약 8회의 레이저가 조사되며 pulse 사이의 간격은 1.25 mm 정도된다. 레이저 팁에서 레이저 빔이 작용하는 범위가 1-2 mm 정도로 작용하기 때문에 이 속도로 시술하면 움직이는 경로에 위치한 모든 지방조직에 대해 레이저 빔이 작용하게 된다. 또한 이렇게 빨리 움직임으로서 같은 열량을 제한된 범위의 지방조직에 골고루 주사할 수 있어 일관된 결과를 얻을 수가 있다. 이는 또한 한 곳에 열중첩 현상이 일어나지 않기 때문에 레이저 시술 시 발생하는 열로 인한 collateral damage를 최소화할 수 있다.

Accusculpt는 12 W까지 출력을 높일 수가 있는데, 처음 시작하는 사람은 어느 정도의 출력으로 시술할까 고민을 하게 된다. 처음부터 높은 출력으로 시작하게 되면 시술 방법이 익숙하지 않아 화상이나 피부 천공, 과다한 흡입, 피부 함몰 등의 부작용을 만들 수 있기 때문에 낮은 파워에서 시작하는 것이 좋다. 4-6 W 정도면 지방을 충분히 녹일 수가 있다. 높은 출력으로 쏘는 것보다 적당한 출력으로 시술하는 것이 보다 골고루 시술할 수 있기 때문에 필자는 약 6-8 W 출력으로 시술한다. 너무 높은 출력은 같은 에너지 총량으로 골고루 녹여낼 수가 없고 피가 날 경우 팁 끝에 혈구가 타면서 탄화 현상이 잘생기기 때문에 좋지 않다.

뺨쪽의 entry point를 통하여 팔자주름 늘어진 부위를 흡입할 때에 nasolabial fold eminence 중심부를 연결한 중앙선 아래쪽을 위주로 흡입해야 한다. 이보다 위쪽으로 흡입하게 되면 술 전에 보이지 않던 tear trough가 나타나거나 더 심해질 수 있다. 이전에 레이저로 약간의 detach를 시켜놓은 NLF crease의 근육과 피부의 붙어있는 부위를 음압이 걸리지 않게 하여 흡입하지 않고 cannula로 왕복시키면서 좀더 이완시켜 주는 것도 좋다.

(3) Lower Orbital Fat Bulging

눈 밑의 orbital fat bulging은 4-5 W 정도의 출력으로 시술하는데, 이 정도면 레이저 팁 쪽의 탄화 현상 없이 눈 밑 지방을 충분히 녹여낼 수가 있다. Orbital bone margin을 표시한 후 lateral canthus 부분에 18 G needle에 Laser fiber를 끼워 삽입한다. 이때 피부 저항보다 약한 저항이 바늘 끝에 느껴지는데 이것이 orbital septum이다. Orbital septum을 뚫은 후 fiber를 진행시켜 orbital bone margin에 닿게 한 후 약간 뒤로 뽑으면서 orbital septum 내의 orital fat을 녹여낸다. 한쪽 눈에 150-200 J 정도의 에너지를 가한후 fiber를 빼낸후 hypodermic needle은 그냥 두고 그곳을 통하여 씻어낸다.

(4) Lower Face

수술 전에 디자인한 nasolabial fold를 기준 unit으로 삼아 그 정도 면적에 150-200 J 정도의 에너지를 주사한다. 나머지는 부위만큼씩 나누어 같은 에너지를 주사하면 훨씬 쉽게 시술할 수 있다. NLF와 같은 parameter로 lower face 300-500 J, lateral neck 500-1000 J, submentum 500-1000 J 정도로 주사하게 된다. 이때 부채살 모양으로 여러 방향으로 골고루 시술이 반복적으로 이루어 지도록 한다.

레이저를 시술할 때 처음에는 피부 표면을 옆으로 펴서 피하 진피층에 직접 자극하듯이 시술을 한 후 피부긴장을 주지 않은 상태에서 피하지방 상층을 녹여낸다. 그 다음 엄지와 검지 인지를 이용하여 피부 밑 지방을 움켜잡으면서 레이저를 시술하면 더 깊은 층을 녹일 수가 있다. 또한 잡는 정도에 따라 깊이를 조절할 수 있기 때문에 같은 부위를 여러 층으로 나누어 시술할 수 있다. Tumescent soluion을 주입한 경우 피하 지방층을 더 두텁게 만들기 때문에 이런 multiple layered Laser lipolysis가 가능할 수 있게 된다.

레이저 주사가 끝나고 나면 각각의 entry point를 통해 흡입하게 되는데 nasolabial fold나 malar eminence는 19 G blunt needle로 먼저 흡입한 후 18 G blunt needle로 흡입해 낸다. 이때 녹아있는 지방을 다 흡입하는 것이 아니라 약 0.5-2 cc가량을 흡입해 낸다. 대부분은 1 cc 미만의 지방을 흡입해 낸다. Area 4에 위치한 entry point는 부채살 모양으로 레이저를 주사한 후 이 곳을 통해 흡입하지 않고 귀 뒤의 entry point를 통하여 흡입해 낸다.

Entry point와 흡입하는 부위의 거리가 너무 짧은 경우 cannula에 걸리는 압력이 일정하지 않을 수가 있고 entry point 주변부를 골고루 흡입하지 못할 가능성이 있다. 이런 경우 흡입을 많이 하려다 보면 손가락으로 피부를 움켜잡고 흡입하는 수가 있는데, 이때 골고루 흡입하기가 힘들고 어느 한 곳이 과도하게 흡입되거나 진피 하부와 근막이 손상될 수 있다. 이러한 경우 시간이 경과할수록 함몰 변형이 나타나고 피부와 아래 근육의 유착 현상으로 입을 움직일 때 이상 변형이 나타날 수 있다. 이러한 부작용을 막기 위하여 흡입은 가능한 먼 곳에서 시행하는 것이 좋다.

귀 뒤쪽 entry point를 통해 lower face를 흡입을 하는 것이 좋은데, 이때 술 전에 디자인한 동심원상의 등고선을 생각하면서 시행하는 것이 좋고 가급적 골고루 흡입해 주어야 한다. 이때 피부를 잡고 흡입하기 보다는 피부를 펴면서 시행하고 가급적 cannular hole이 위쪽보다는 옆쪽이나 아래쪽을 향하는 것이 피부의 직접적인 손상을 막으면서 피하 지방을 흡입하기 좋다. 10 cc 주사기로 흡입을 하게 되는데, 흡입 시 걸리는 음압은 10 cc 이상으로 locking해서 사용하지 않고 손가락으로 피스톤을 약간 뒤로 당기면서 약 1 cc 정도 음압이 걸리게 한다. 이때 추후 만들어질 neck angle을 중심으로 많이 흡입을 하고 구분된 구획을 생각하면서 좌우 동일하게 흡입을 한다. 원래 대부분의 사람이 좌우 비대칭이 있기 때문에 이를 고려하여 많이 처지거나 많은 지방이 있는 부위를 상태에 따라 더 흡입하여 낸다. 목 아래의 체부와 연결되는 부위의 레이저 시술이나 지방흡입이 필요한 경우는 supraclavicular notch 부분의 한쪽에 18 G hyperneedle로 작은 구멍을 뚫고 레이저로 녹이고 흡입하면 목 아래 부분까지 시술이 가능해 진다. 목이 가쪽으로 두터워 SCM muscle 위에도 지방이 많은 경우가 있는데 이러한 경우 근육 위 부분에도 레이저로 녹이고 흡입해 낸다. 이때 근육의 앞뒤 경계 부위는 위쪽의 피부와 단단히 붙어있어 출혈이 잘 생길 수 있기 때문에 조심해서 시술해야 하고 만일 시술 시 저항이 있으면 무리하게 진행하지 말고 반복적으로 시술해야 한다.

귓불 아래쪽에 parotid gland 상방에 지방조직이 뭉쳐져 불룩한 경우 area 4 entery point를 통하여 레이저를 시술하고 흡입을 해 낸다. 이때 귓불 아래쪽과 뒤쪽까지도 레이저 시술과 흡입을 해주어야 좋은 결과를 얻을 수가 있다. Lower face가 lifting이 많이 되게 하기 위해서는 보다 넓은 부위를 시술해 주어야 하는데 귀 뒤쪽까지 SCM 뒤 경계부까지와 더불어 zygomatic arch와 preauricular area까지 시술해 주어야 tightening & lifting effect가 좋다.

레이저는 얼굴 전체를 시술함에 있어서 융기된 부분을 주로 시술하고 꺼진 부위는 피부 표면이 자극될 정도로만 시술한다. 예를 들어 뺨이나 facial a가 지나는 부위의 depressed area는 약 50-100 J 정도의 에너지로 자극만주고 흡입은 하면 안 된다. 흡입 시 피부가 얇은 부위를 흡입하면 시간이 갈수록 점차 얇아지고 함몰 변형이 일어난다. 이와 같이 함몰 변형이나 피부와 근육의 유착이 일어난 경우는 수술 후 1개월 이내에 빨리 hyaluronic acid filler로 채워 더 이상의 변형이 일어나는 것을 방지해 주어야 한다.

Mandibular line 아래 1 cm 정도도 피부가 얇은 경우 흡입을 과다하게 하면 경우에 따라 턱선이 너무 얇고 sharp하게 보여 불만이 생기는 경우가 많다. 피부가 비교적 얇은 사람에게서 지방이 국소적으로 뭉쳐진 변형을 보이는 경우는 tear trough와 연장선, cheek depression, facial a, madibular border 등에는 흡입을 과다하게 하면 안 된다.

목주름이 깊고 지방이 많지 않으면서 피부 탄력이 떨어지는 경우에도 지방을 많이 흡입하지 말고 레이저 시술을 주로 해야 하는데, 이러한 경우 지방을 많이 흡입하게 되면 목을 돌릴 때에 피부 표면에 잔주름이 많아져 곤란을 겪게 된다. 이러한 경우에는 지방흡입은 superior neck crease 상부에서만 레이저 시술을 시행하고 추후 생길 neck angle 부위만 어느 정도 집중해서 흡입하는 것이 좋다.

Supine position에서 흡입이 다 끝나고 나면 앉혀서 전체적인 모양을 확인하고 부족한 부위를 앉힌 상태에서 좀 더 흡입해 낸다.

4) 흡입 후 처치

흡입이 완전히 이루어지고 나면 수술 부위를 씻어내는 것이 중요한데, 아무리 흡입해 내더라도 레이저로 인하여 녹여낸 지방조직에서 유리된 free oil들이 남아있게 되고 이러한 free oil은 몸 속으로 흡수되어 간에서 대사되어 소변으로 배출된다고 하지만 수술 부위에서 흡수되어 대사되는 시간이 오래 걸린다. 또한 남아 있으면서 염증 반응을 일으키고 또한 탐식세포에 탐식된다.

이러한 유리된 free oil에 의해 얼굴의 부종이 심하고 오래가게 된다. 많은 술자들이 아큐스컬프를 이용한 레이저 지방성형술을 시행하고 난 뒤 얼굴의 부종이 심하고 경우에 따라서 한 달 이상 지속된다고도 한다. 이러한 것들의 원인으로 드라이 테크닉을 이용할 때 생긴 열로 인한 일차적인 염증 반응과 유리된 free oil에 의한 이차적인 염증반응이 복합된 결과라고 생각한다. 만일 tumescent technique으로 시술하면 조직 주변의 용액들이 생긴 열을 흡수해서 열 손상을 최소할 수 있으며 모든 시술 후 깨끗한 용액으로 씻어 낸다면 남아있는 free oil을 최소화하여 염증 반응을 줄일 수가 있다.

이때 0.9% N/S 5 cc에 hyaluronidase 1,500U (H-lase, Kuhnil pharm co. Korea)과 triamcinolone acetonide 10 mg을 섞어 흔든 혼합 용액을 0.9% N/S에 희석하여 총 100 cc 용액으로 만들어 시술 부위를 씻어내면 된다.

hyaluronic acid는 세포나 조직의 지지 구조물질을 형성하고 있는 mucopolysaccaride의 주요 구성 성분으로 널리 분포하고 있다. Hyaluronidase는 hyaluronic acid의 사이의 결합을 가수분해하는 효소의 총칭으로 결합조직의 기질에 위치한 mucopolysaccharide의 고차구조를 파괴하여 물질의 투과성을 높인다. 레이저 시술 후 hyaluronidase를 사용하면 유리상태의 free oil과 체액, 남아있거나 저류된 용액의 흡수를 촉진시켜 swelling을 최소화한다.

Adrenal corticosteroid인 Triamcinolone은 중등도 시

간 지속형으로 water & salt balance에 관여하며, 국소혈류를 증진시키고 면역세포들의 활동을 억제시켜 항염증 작용을 일으킨다. 이는 hydrocortisone에 비하여 국소항염증 작용이 높고 수분 저류가 일어나지 않는다.

이 두 가지 약을 섞어서 세척해 내면 hyaluronidase는 조직의 흡수를 촉진시켜 체액이나 남아있는 용액의 흡수를 돕고 triamcinolone은 단기적으로는 염증 반응을 줄여 회복을 촉진시키고 장기적으로는 흉터를 줄이는 역할을 하여 훨씬 좋은 결과를 얻을 수 있게 한다. 수술 당일 에는 수술 후 세척한 뒤 남아있는 용액에 의해 많이 부은 것 같이 보이지만 수술 다음 날은 부기가 거의 없이 일상생활이 가능할 정도의 모습을 얻게 된다(그림 7).

5) 수술 후 관리

1444 nm Nd:YAG Laser 시술 직후 시행한 가벼운 드레싱은 다음 날 제거하고 오픈시켜두거나 작은 메디폼이나 하이드로겔이나 종이 반창고 등을 하루 이틀 더 붙여둔다. 이후 수술부위는 개방하여 둔다. 항생제는 약 3-5일정도 처방한다. 개방한 후 손을 대거나 옷깃이 스쳐 이차적인 자극이 되지 않게 조심시킨다.

수술 후 레이저를 시술한 부위가 조여지면서 당기는 느낌이 생기는데 이는 약 2-3개월 정도 지속하며 시간이 갈수록 점차 좋아지게 된다. 많은 경우 피부 표면에 통증이나 압통이 발생할 수 있는데, 이는 레이저로 인한 감각신경 말단부가 손상 받은 후 재생되면서 일어나면서 생기는 증상이다. 이런 증상은 1444 nm Nd:YAG Laser 시술 시의 에너지 강도나 양이 많아지면 좀 더 심해지기는 하지만 사람에 따라 그 정도가 다르다. 대부분은 아무런 치료나 처치 없이 잘 견디며 대개 3개월 정도 되면 그 증상이 사라지지만 사람에 따라 5-6개월까지 지속되는 사람도 있다. 예민한 사람은 타이레놀이나 아주 약한 소염진통제 정도를 일주일 이내로 처방하면 좋아지며 약간의 온습포가 도움되기도 한다. 통증과 당김 현상은 고주파를 시행하면 좀 더 완화된다. 수술 후 일주일 까지는 저준위광선치료(healight)로 회복을 촉진시켜주고 그 이후에는 고주파를 시행하여 가벼운 마사지를 시행하여 주면 빠른 회복을 얻을 수가 있다.

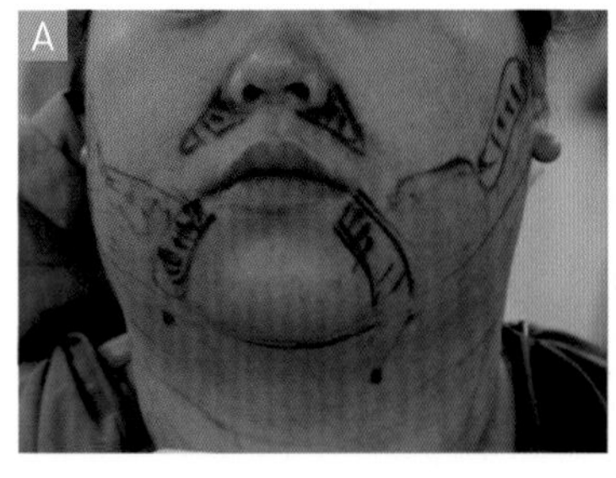

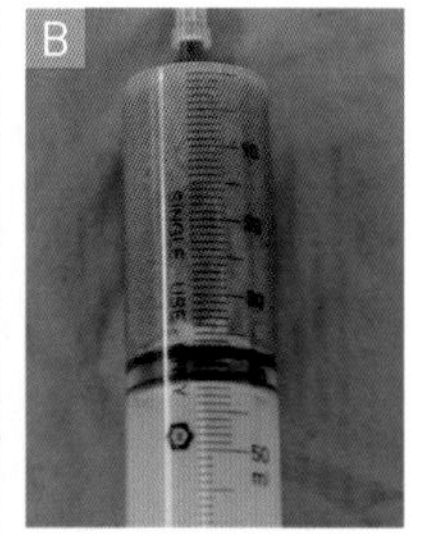

그림 7 레이저 조사 후 지방흡입한 모습. 레이저를 시술하고 나더라도 전반적으로 지방흡입을 잘해주어야 한다. 흡입으로 회복을 빨리 결과를 좋게 한다. 이때 굴곡이 생기지 않게 경계 부위가 잘 드러나게 시술한다.

1444 nm Nd:YAG Laser 시술 직후부터 많은 사람들이 당기는 느낌이 있으며 피부가 조여지는 것 같다고 호소하는 경우가 많다. 이는 1444 nm Nd:YAG Laser의 리프팅 작용으로 인한 조직의 일차적인 수축작용의 결과로 생기며 이차적인 수축 작용이 일어나면서 점차 더 심해질 수가 있다. 이러한 경우 턱 아래쪽에 뭉치거나 당김 현상이 일어날 수 있는데 목을 구부리는 것보다 스트레칭하는 것이 이러한 증상을 없애는데 도움되며, 또한 스트레칭으로 피부가 목의 심부조직에 타이트하게 밀착하여 좋은 모양이 생기게 만들기 때문에 수시로 스트레칭하게 환자에게 지도한다.

만일 턱끝 아래쪽 목에 뭉쳐있으면 빨리 풀어주고 없애주는 것이 좋은 결과를 얻게 된다. 피부와 심부조직을 수축시켜 놓았더라도 그 수축력은 조직이 뭉쳐 생긴 종괴의 부피가 지니는 힘을 이겨낼 수 없고 조직이 뭉쳐있으면 이러한 형태로 궁극적인 모양이 남겨지게 된다. 따라서 이러한 조직의 뭉침 현상은 가능한 한 빨리 없애주는 것이 좋다. 간헐적인 손 마사지와 온습포, 고주파를 시행하면 이러한 뭉침 현상이 없어질 수 있다. 이러한 보존적이니 요법으로 호전되지 않으면 약물 요법을 이용하여 이러한 뭉침 현상을 빨리 해결해 주는 것이 좋다. Ttriamcinolone과 hyaluronidase를 혼합한 용액을 종괴 내로 주입함으로서 부드럽게 만들어주는 것이 좋다.

수술 후 2-3주경부터 턱 아래에 딱딱한 종괴가 만들어 질 수 있는데 이것은 완전한 흉터조직이 아니라 조직의 수축으로 인한 것과 초기 흉터와 부종이 합쳐진 것이다. 이러한 때에 트리암시놀론-하이알유로니다제 혼합 용액을 주입하면 혈관을 통한 흡수를 촉진시키고 새로운 흉터를 방지함으로서 종괴를 줄이거나 없앨 수 있다. 한차례의 시술로 없어지지 않으면 1주 간격으로 2-3회 정도 시술하면 대부분 없어진다. 용액 주사 사이사이에 집에서 손으로 가볍게 마사지하게 하고 목을 뒤로 젖히는 스트레칭을 실시하는 것이 좋으며 고주파를 병행함으로서 더 좋은 결과를 얻을 수가 있다. 레이저로 인한 수축작용은 지속적으로 일어나며 수술 후 6개월 이상 지속한다. 이 기간 동안 꾸준한 관리가 필요하다.

1444 nm Nd:YAG Laser의 조직 수축 작용이 좋긴 하지만 어떤 종물이 형성한 부피감을 이겨낼 수는 없고 이를 두면 그 상태에서 수축되기 때문에 조직의 정상적인 수축을 방해하는 어떠한 종물도 빨리 없애주는 것이 좋다.

6) 재수술

피부가 딱딱하거나 여드름 흉터가 많은 사람에게서 지방의 양이 많은 사람의 경우 1444 nm Nd:YAG Laser를 시행할 때 좀 더 많은 양(일반적인 에너지양의 1.5배 정도)을 주사하고 좀 더 많이 지방을 제거해야 좋은 결과를 얻을 수가 있다. 수술 직후 효과가 충분하지 못하고 지방이 충분히 제거되지 못했다면 첫 수술 후 1주일 이내에 다시 한 번 시술하는 것도 좋은 방법이다. 수술 후 1 주경에는 첫 수술로 인한 큰 부종이 대부분 없어졌지 때문에 윤곽을 보기가 좋고 이전 수술로 피하조직이 박리가 되어있는 상태라 좀 더 쉽게 수술을 시행할 수 있다. 이 경우 처음 주사한 에너지양의 절반 정도를 주사하고 지방을 가볍게 흡입하면 좋은 결과를 쉽게 얻을 수가 있다.

하지만 많은 에너지양을 주사하고 많은 지방을 뽑았다고 한 경우에도 수술 후 별로 효과가 없어 보일 때가 있다. 이러한 경우는 조직의 흉터로 인하여 수축이 잘 일어나지 않거나 흡입이 충분히 이루어지지지 않아 얼굴이 작아 보이는 효과가 없어 보이며 이러한 경우 부종도 많아 붓기다 오래가서 효과가 없어 보일 수 있다.

이런 경우 회복하는 기간 동안 환자들의 불평이 많고 의사의 입장에서도 언제 좋아질지 답답한 경우가 많다. 만일 충분한 에너지를 주사하고 충분한 흡입이 이루어졌다면 기다리는 것이 좋다. 대부분 3개월 정도 지나면 좋아진다. 한 환자의 경우 수술 후 2개월 이상 지속되는 부기로 불평이 많았지만 3개월 이상 지나면서 붓기도 완전히 빠지고 모양도 좋아졌다. 지속적인 지방의 감소와 리프팅 효과는 일반적인 지방흡입과 달리 6개월 이상 지속되기 때문에 충분한 시간을 가지고 지켜보는 것이 좋다(**그림 8**).

하지만 환자에 따라 충분한 시간을 기다리기 힘든 경우 재수술을 고려할 수 있는데 불만족한 결과로 재수술을 요구하는 경우는 최소 3개월 정도 지나서 하는 것이 좋다. 대부분의 환자들에서 3개월 정도 지나면 어느 정도 최소한의 효과라도 가지기 때문에 환자와의 관계 회복도 쉽고 과교정에 의한 부작용도 방지할 수가 있다.

충분한 결과를 가졌음에도 환자가 원한다면 6개월 이상 지난 후 시행하는 것이 좋으며 레이저의 타깃인 피하지방이 어느 정도 있는 경우에 한 번 더 시술하

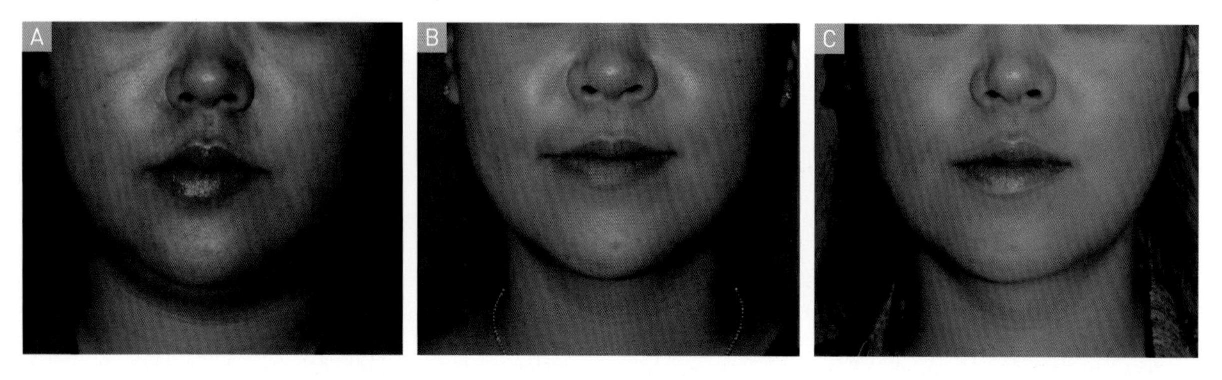

그림 8 A. 수술 전. B. 수술 후 3개월. C. 수술 후 8개월. 일반적인 지방흡입과 달리 시간이 지날수록 볼륨 감소와 리프팅이 더 기대된다. 최소 6개월 이상 지난 후 재수술하는 것이 좋다.

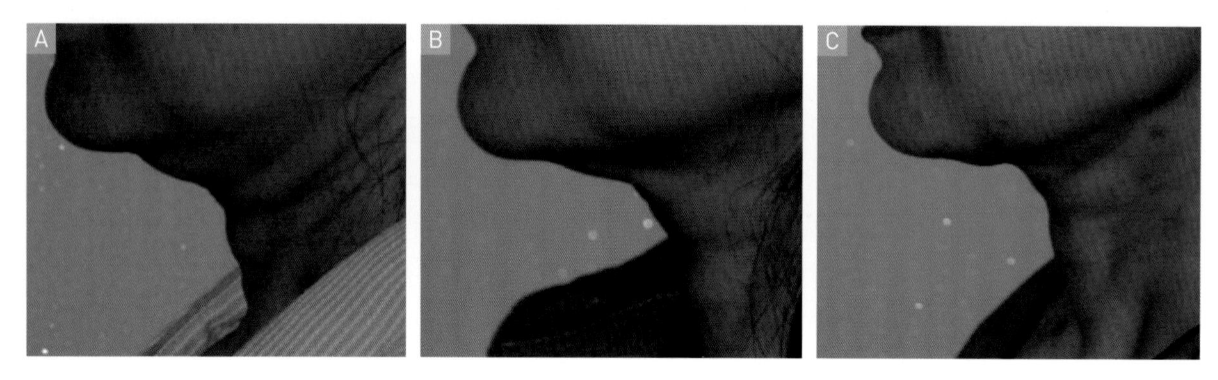

그림 9 나이가 많고 피부 탄력이 떨어지는 환자는 두 번 정도의 아큐스컬프시술을 시행하면 좋은 결과를 얻을 수가 있다(술 전 1차 수술 2주 후, 2차 수술 2주 후).

는 것이 좋다. 만일 피하지방이 거의 없다면 fractional interstitial radiofrequency device를 이용하여 리프팅을 촉진하는 것이 보다 더 바람직하다.

피부의 탄력이 떨어진 고령의 환자에 있어서는 약 6개월 내지 일년이 경과한 후 재수술을 시행하면 더욱 좋은 효과를 얻을수가 있다(**그림 9**).

7) 합병증의 치료

(1) 함몰 변형

가끔씩 과교정으로 인한 함몰 변형이 초래되는 경우가 있다(**그림 10**). 이러한 경우는 레이저 에너지의 양이 많아서 생기는 것보다 국소적인 흡입양이 과다해서 생기는 경우가 많다. 특정 국소 부위의 지방이 과다하게 축적되어 있는 경우 이를 쉽게 많이 없애기 위해 손가락으로 움켜쥔 채로 흡입을 하는 경우가 생기는 경우가 있는데, 이러한 경우 골고루 흡입되지 못하고 특정 부위만 반복적으로 흡입되어 완전한 회복이 되고 난 후 불규칙적인 함몰 변형이 남을 수가 있는 것이다. 이러한 경우는 시간이 지날수록 호전되지 않고 점점 심해질 수 있기 때문에 빨리 교정해 주는 것이 좋다. 더욱이 피부 진피층의 손상과 근막층의 손실이 동반되어 있는 경우 진피층과 근육이 바로 유착되어 근육이 움직일 때 마다 함몰 변형이 더욱 심해 질 수가 있다. 이러한 변형이 생긴 경우는 더 이상 지체하지 말고 가급적 빨리 이를 교정해 주어야 하는데, 하이알린 필러를

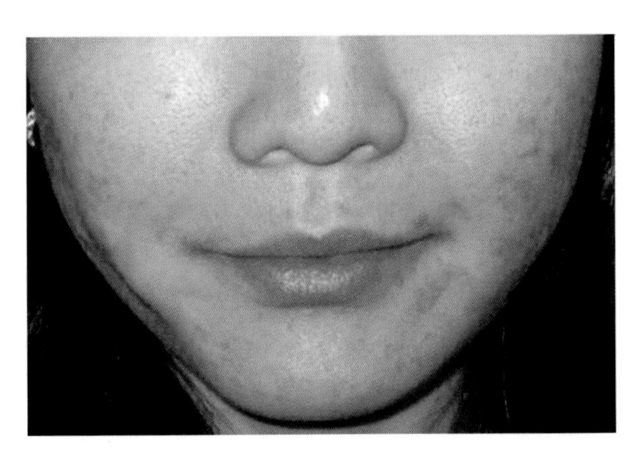

그림 10 과흡입으로 함몰변형이 생길 수 있다. 이런 경우 가급적 빨리 필러로 함몰 부위를 교정하면 피부 진피와 근육 사이 유착으로 인한 영구변형을 막을 수 있다.

주입하면 진피층과 근육층 사이의 유착을 막을 수 있고 또한 함몰된 부위를 손쉽게 교정할 수 있기 때문에 적극 추천하는 바이다.

(2) 화상

1444nm Nd:YAG Laser 시술 시 한 곳에 오래 머물게 되면 이론적으로 화상을 입을 수가 있는데, 시술 시 한곳에 머물지 않고 계속 움직이면서 시술하며 튜메슨트 용액을 주입한 후 시술하기 때문에 실질적으로 화상은 아주 드물다. 하지만 피부의 탄력을 얻을 목적으로 피부진피 직하부에 아주 천천히 시술하여 수축시키고자 하는 경우 화상을 입을 수 있다. 또한 화상은 아니더라도 진피의 변형과 지방층의 괴사로 수술 후 장기간에 걸쳐 수술 부위가 뭉쳐져 판상으로 딱딱하게 만져지거나 피부 표면의 굴곡이나 괴사를 관찰할 수 있다.

대부분의 경우 1444 nm Nd:YAG Laser 시술 후 생기는 화상은 레이저 광섬유가 피부를 뚫고 나오면서 생기는 점상 화상이 많고 그 크기가 1 mm 미만이기 때문에 흔적을 남기지 않고 자연 치유가 된다. 또한 한곳에 머물러 생기는 화상으로 인한 피부괴사라 하더라도 그 범위가 크지 않기 때문에 자연적으로 치유된다 하지만 피부괴사가 직경 0.5 cm 이상이 된다면 완치 후에도 추형을 남길 수가 있기 때문에 적극적인 치료가 요구된다.

(3) 신경손상 및 혈관손상

1444 nm Nd:YAG Laser 시술 시 안면신경의 마비와 혈관 손상을 염려하는 경우가 많은데, 1444 nm Nd:YAG Laser 시술은 전적으로 피하지방층에서 이루어지기 때문에 이론적으로 주된 신경과 혈관의 손상이 일어날 수 없다. 안면신경손상을 막기 위해서는 1444 nm Nd:YAG Laser 시술 시 튜메슨트 용액을 주입하여 피부의 두께를 늘이고 캐뉼라를 피부표면에 평행하게 하면서 시술한다면 안전하게 시술할 수가 있다.

하지만 많은 사람들이 깊은 부위를 제거하기 위하여 캐뉼라를 피부 표면과 평행이 아닌 심부를 향하여 시술하는 경우 이러한 신경 손상의 위험성이 증대될 수 있다. 만일 깊은 부위를 제거하기 원한다면 캐뉼라의 방향을 심부로 향하게 하지 말고 피부표면과 평행을 유지한 채 피부조직을 집어 올리면서 깊이를 조절하여 시술한다면 안전하게 시술할 수가 있다.

이러한 경우 안면신경 손상은 염려하지 않아도 된다. 시술하는 동안 움직이면서 시술하기 때문에 신경에 닿더라도 신경이 손상될 만큼의 열량이 작용하지 않기 때문에 안심해도 된다. 만일 1444 nm Nd:YAG Laser 후 신경 손상이 있다면 레이저 자체보다 지방흡입을 시행하는 동안 음압이 걸린 흡입 캐뉼라에 신경이 손상을 입을 가능성이 있다. 하지만 완전히 절단되는 경우는 극히 드물고 대개 일시적인 신경 손상일 경우가 많기 때문에 시간이 지나면 자연 회복 하게 된다.

또한 튜메슨트 용액을 주입함으로서 혈관을 수축시킴으로서 혈관 손상을 줄일 수 있으며 움직이는 동안 캐뉼라에 의해 자극을 받는 순간 더욱 수축하기 때문에 직접적인 혈관 손상은 거의 없으며 이로 인한 과다출혈은 걱정하지 않아도 된다.

참 · 고 · 문 · 헌

1. A Prado, P Andrades, S Danilla, P Leniz, PCastillo, F Gaete. : A Prospective, Randomized, Double-Blind, Controlled Clinical Trial Comparing Laser-Assisted Lipoplasty with Suction-Assisted Lipoplasty Plast. Reconstr. Surg. 118: 1032, 2006.)
2. Altshuler GB, Anderson RR, Manstein D, inventors; The General Hospital Corporation, Boston: Palomar Medical Technologies. Burlington, MA: assignee. Method and apparatus for the selective targeting of lipid-rich tissues. USA. 2003.
3. Apfelberg DB, Rosenthal S, Hunstad JP, Achauer B, Fodor PB. Progress report on multicenter study of laser-assisted liposuction. Aesthetic Plast Surg 1994;18(3):259–264.
4. Apfelberg DB. Results of multicenter study of laser-assisted liposuction. Clin Plast Surg 1996;23(4):713–719.
5. Badin AZ, Gondek LB, Garcia MJ, Valle LC, Flizikowski FB, de Noronha L. Analysis of laser lipolysis effects on human tissue samples obtained from liposuction. Aesthetic Plast Surg 2005;29:281-286.
6. Conway JM, Norris KH, Bodwell CE. A new approach for the estimation of body composition: infrared interactance. Am J Clin Nutr 1984;40:1123-1130.
7. DiBernardo BE, Reyes J, Chen B. Evaluation of tissue thermal effects from 1064/1320nm laser-assisted lipolysis and its clinical implications. J Cosmet Laser Ther. 2009;11(2):62–69.
8. Flynn TC, Coleman WP II, Field LM, et al: History of liposuction. Dermatol Surg 24:515-520, 2001
9. Goldman A, Shavelzon D, Blugerman G. Laser lipolysis: liposuction using an Nd:YAG laser. Rev Soc Bras Cir Plast [Sao Paulo] 2002;17(1):17–26.
10. Goldman A. Submental Nd:YAG laser-assisted liposuction. Laser Surg Med 2006;38:181-184.
11. Hallock, G. G. Conventional liposuction-assisted debulking of muscle perforator flaps. Ann. Plast. Surg. 531: 39, 2004.
12. http://www.fda.gov/consumer/ updates/liposuction082007.html.
13. Ichikawa K, Miyasaka M, Tanaka R, Tanino R, Mizukami K, Wakaki M. Histologic evaluation of the pulsed Nd:YAG laser for laser lipolysis. Lasers Surg Med 2005;36:43-46.
14. JC McBean, BE Katz Laser Lipolysis: An Update. J Clin Aesthet Dermatol. 4:25–34. 2011.
15. JG Khoury, R Saluja, D Keel, S Detwiler, MP Goldman: Histologic Evaluation of Interstitial Lipolysis Comparing a 1064, 1320 and 2100 nm Laser in an Ex Vivo Model. Lasers Surg Medi 40:402–406 (2008)
16. JIn Youn, JD Holcomb Ablation efficiency and relative thermal confinement measurements using wavelengths 1,064, 1,320, and 1,444 nm for laser-assisted lipolysis. Lasers Medical Science 28:519-527, 2013,
17. Katz BE, McBean JC. Laser-assisted lipolysis: a report on complications. J Cosmet Laser Ther.2008;10(4):231–233.
18. Kim KH, Geronemus RG: Laser lipolysis using a novel 1064 nm diode laser. Dermatol Surg 32:241-248, 2006
19. Klein JA: The tumescent technique for liposuction surgery. Amer J Cosm Surg: 4:263-267, 1987
20. Klein JA: Tumescent technique for regional anesthesia permits lidocaine doses of 35 mg/kg for liposuction: Peak plasma levels are diminished and delayed 12 hours. J Dermatol Surg Oncol 16:248-263, 1990
21. Koechner W. Nd:lasers. In: Schawlow AL, editor. Solid-state laser engineering. 4th ed. New York: Springer; 1996
22. M Paul, RS Mulholland: A New Approach for Adipose

Tissue Treatment and Body Contouring Using Radio-frequency-Assisted Liposuction. Aesthetic Plastic Surgery 33: 687-694, 2009

23. Palm MD, Goldman MP. Laser lipolysis: current practices. Semin Cutan Med Surg. 2009;28:212–219
24. Palm MD, Goldman MP. Laser lipolysis: current practices. Semin Cutan Med Surg. 2009;28:212–219.
25. Reynaud JP, Skibinski M, Wassmer B, Rochon P, Mordon S. Lipolysis using a 980nm diode laser: a retrospective analysis of 534 procedures. Aesthet Plas Surg. 2009;33(1):28–36
26. RR Anderson, JA Parrish. Selective photothermolysiss: Precise microsurgery by selective absorption of pulsed radiation. Science, New Series 220: 524-527, 1983
27. RR Anderson, W Farinelli, H Laubach, D Manstein, AN. Yaroslavsky, J Gubeli III, K Jordan, GR Neil, M Shinn, W Chandler, GP Williams, SV Benson, DR Douglas, HF Dylla. Selective Photothermolysis of Lipid-Rich Tissues: A Free Electron Laser Study. Lasers in Surgery and Medicine 38:913–919 (2006)
28. S Mordon, AF Eymard-Maurin, B Wassmer, J Ringot. Histologic Evaluation of Laser Lipolysis: Pulsed 1064-nm Nd:YAG Laser Versus CW 980-nm Diode. Aesthetic Surg J 2007;27:263–268.
29. Stebbins WG, Hanke CW, Peterson J. Novel method of minimally invasive removal of large lipoma after laser lipolysis with 980nm diode laser. Dermatol Ther. 2011;24(1):125–130.
30. Stebbins WG, Hanke CW. Rejuvenation of the neck with liposuction and ancillary techniques. Dermatol Ther. 2011;24(1):28–41.
31. Tark KC, Jung JE, Song SY. Superior lipolytic effect of the 1444nm Nd:YAG laser: comparison with the 1064nm Nd:YAG laser. Laser Surg Med. 2009;41(10):721–727.
32. van Veen RL, Sterenborg HJ, Pifferi A, Torricelli A, Chikoidze E, Cubeddu R. Determination of visible near-IR absorption coefficients of mammalian fat using time- and spatially resolved diffuse reflectance and transmission spectroscopy. J Biomed Opt 2005;10:054004.
33. Yavuzer, R. Investigation of the effect of liposuction on the perforator vessels using color Doppler ultrasonography. Plast. Reconstr. Surg. 104: 2346, 1999.
34. Zocchi M: Ultrasonic liposculpturing. Aesth Plas Surg 16:287-298, 1992

지방흡입술 »

지방흡입 합병증

Complication of Liposuction

| 박재우 |

지방흡입술이란 미용적인 체형교정을 목적이나 병적인 상황에서 치료적 목적으로 피하지방을 수술적인 방법으로 제거하거나 감소시키는 것을 말한다. 최근 수 십 년 동안 수술방법이나 수술기구의 급격한 발전으로 지방흡입술은 성형외과수술 중 가장 흔한 수술 중 하나가 되었다(2014년 미국성형외과학회 연차보고에의하면 연 21만건 정도로 미국성형수술 분야에서 세 번째로 많이 행해지는 수술).

숙련된 술자는 좋은 결과를 쉽게 이야기 하는 부분으로 인하여 많은 이들이 쉬운 수술로 여기고 시작하지만 이와 관련된 합병증이 적지 않다. 수술기법이 발달됨에 따라 지방흡입술을 받고자하는 환자의 연령이 높아지고 수술범위도 넓어지며 뽑아내는 지방의 양이 많아짐에 따라 수술의 위험성과 합병증이 점차 늘고있다. 하지만 지방흡입술에 연관된 치명적인 합병증은 내부장기의 손상, 과다한 출혈과 그로 인한 심혈관계의 손상, 전신적인 감염, 심부정맥혈전증과 폐동맥폐색, 수액의 과다투여와 이로 인한 폐부종, 국소마취제의 독성 및 함께 사용된 epinephrine의 독성, 마취의 합병증, 저체온증 등 많은 부분이 있다.

이러한 지방흡입술과 관련된 치사율이 5,000명당 한 명 정도로 수술과 관련한 복잡한 부분이 있고 수술 후 후유증도 적지 않아 수술 시 많은 주의가 요구되지만 오히려 최근 누구나 다 할 수 있는 수술로 여겨져 수련을 받지 않은 분야에서도 수술이 이루어지고 있으며 이로 말미암아 그 합병증이 증가되는 추세에 있다.

지방흡입술은 1982년 Illouz의 wet technique의 개발과 1987년 Dr Klein의 diluted lidocaine & epinephrine sol 인 Klein's solution의 개발로 지방흡입술은 획기적인 발전을 하게 되며 tumescent suction assisted liposuction (SAL)을 기반으로 power assisted liposuction (PAL), ultrasound assisted liposuction (UAL) and laser assisted liposuction (LAL), water assisted liposuction, RF assisted liosuction 등 많은 기구들이 발전하기를 시작하였다.

하지만 이러한 새로운 기계들의 발전도 일반적인 지방흡입의 합병증 이외에 각자의 기구가 가진특성에 관련된 합병증들도 새롭게 야기되었다. Dr. Ahmad등이 보고한 바에 의하면 SAL에관련딘 합병증이 22.1%인데 반하여 UAL에 관련된 합병증은 35.2%, LAL에 관련된 합병증은 22.9%정도로 오히려 줄어들지 않았고 증가된 것을 알 수가 있다.

이와 같이 새로운 기계의 적용으로 인하여 그 후유증의 발생빈도도 점점 높아지고 있으며 국소적인 증상이나 후유증 이외에 전신적인 후유증이나 합병증이 점차 늘어가고 있다.

1. 합병증

수술적으로 생길 수 있는 일반적인 가벼운 합병증은 출혈, 혈종, 감염, 장액종, 등의 급성증상과 저교정, 피부의 굴곡, 과교정 등을 이야기 할 수 있다. 좀 더 심각한 피부나 체형의 추형 등과 같이 미용적인 문제점도 있지만 저체온증, lidocaine 독성증상, 피부나 복부 장기의 관통 및 파열, 화상 및 피판괴사, 전신감염 및 폐혈증, 심부정맥혈전증, 지방폐색, 폐동맥폐색 등과 같이 생명에 지장을 초래하는 합병증이 생길 수도 있다.

지방흡입의 합병증은 초기합병증과 후기합병증 또는 국소적인 부분과 전신적인 부분으로 나눌 수가 있는데 전신적인 초기합병증은 deep venous thrombosis, pulmonary embolism, fat emboli, hypovolemia, edema, toxicity or medication interaction, perforation of abdominal wall or viscera, sepsis 등 그 정도가 심각한 경우가 많으며 이에 대한 적극적인 예방과 치료가 필요한 부분이다. 국소합병증은 출혈이나 감염, 피부괴사 등 일반적인 수술합병증 이외에는 대부분 시간이 지나고 난 뒤 생기게 되는 부분이 많은데 피부의 굴곡이나 함몰, 장액종, 피부의 감각변화, 착색 등이 올 수가 있다.

1) 전신합병증

심부정맥혈전증과 폐동맥색전증(Deep venous thrombosis and pulmonary embolism)

폐동맥색전증Pulmonary embolism은 여러가지 요인에 의하여 발생을 하는데 정맥혈류의 저류와 혈액응고기전의 활성화, 혈관내막의 손상 등이 원인이 되어 일어난다. 심부정맥혈전증의 증상은 다리의 갑작스럽고 급격한 통증, 종아리 부종, 정맥류의 저류 등이 있으며 폐동맥색전증은 갑작스런 흉통, 얕고 가쁜호흡, 토혈, 빈맥, 의식의 소실, 기관지음, 산소포화도의 저하 등의 증상과 소견들을 보인다.

심부정맥혈전증(deep venous thrombosis, DVT)은 폐동맥색전증을 유발하여 사망에 이르게 하는 무서운 합병증중의 하나이며 DVTPE의 치사율은 만들어진 embolus의 크기와 막혀진 폐동맥의 크기와 수에 달려져 있다. 심부정맥혈전증이 수술 중 일어날 가능성은 약 1-2% 이하로 낮고 대부분의 의사는 이에 대한 예방적 치료를 하지 않고 있으나 미국에서 한 해 18,340 cases 정도 발생하고 있다, 하지만 발생환자의 3분의 2 정도가 증상이 없기 때문에 실질적인 발생빈도는 더 높을 것으로 예상된다. 발생후 단순한 혈전증에만 그치는 것이 아니라 이차적으로 폐동맥색전증(Pulmonary embolism, PE)을 유발하고 미용성형수술과 관련된 사망사고의 4분의 1정도를 차지할 정도로 심각한 질환으로 한국에서의 그 보고는 희귀하여 간과되는 합병증중의 하나이다. 하지만 우리나라에 있어서도 심심치 않게 유전적인 과혈전증소견을 가진 사람들이 발견되고 비만인구의 증가와 식습관의 변화, 고령인구, 흡연, 피임제, 혈관질환증가 등으로 인하여 발생할 가능성이 현저히 우려되는 질환이다. 또한 성형수술 대상자 중에 DVTPE을 야기할 고위험군의 환자가 증가하는 추세이며 DVT 자체 빈도가 증가하고 있어 관심을 소홀히 할 수 없는 분야이다. DVTPE를 예방하는 가장 좋은 방법은 이러한 위험이 있는 환자를 파악하는 것이다. 선천적으로 나 병으로 인하여 혈액의 응고 기전에 이상이 있는 사람들이나 경구용 피임제나 호르몬 복용하는 등 고위험군들에 대해 특히 주의를 해야한다

대용량지방흡입술이 소개된 이후로 지방흡입술과 연관된 사망률이 다시 증가되고 있는데 지방흡입술로 인한 사망에 이르는 경우의 보고가 누락되거나

autopsy로 인한 사인의 규명이 이루어지지 않는 상황이 많아 실질적인 유병률은 파악이 안 되는 상황이기 때문에 임상적으로 DVT나 PE에 대하여 반드시 고려하면서 수술하는 것이 좋을 것으로 사려된다.

특히 대용량지방흡입을 할수록 DVT 위험도가 증대되며 이와 관련된 사망의 원인의 하나가 되기 때문에 수술 전에 DVT를 유발하거나 증대시킬 수 있는 위험임자인 호르몬제제, 경구용피임제 등의 사용을 피하고, DVT가 생기지 않도록 예방하는 것이 중요하다.

VTE를 예방하는 방법에는 물리적인 방법과 약물적인 방법으로 나눌 수가 있다. 물리적인 방법에는 압박스타킹graduated compression stockings (GCSs), intermittent pneumatic compression (IPC) devices, and venous foot pumps (VFPs)등이 있는데 이들은 출혈위험성이 높은 환자나 약물적인 치료에 보조적으로 사용 된다. 1시간 이상의 수술이면 어떤 경우든지 사용이 권장되고 전신마취의 경우에 있어서는 수술 전 30-60분 전부터 착용하는 것을 권장한다. 이때 수동적인 압박스타킹보다는 간헐적인 압력을 줄 수 있는 pneumatic compression 이 더욱 효과적이다. 수술 중이나 수술이 끝난 후에도 착용하여 사전에 방지하는 것이 중요하다.

이뿐만 아니라 수술 후 충분한 수액을 공급하고 필요하면 항응고제를 조기 처방하는 것도 도움되며, DVT/PE예방에 가장 흔히 사용하는 항응고제 약물은 Low-molecular-weight heparin (LMWH)이며 2004년이후부터 indirect FXa inhibitor 인 fondaparinux, idraparinux 등이나 direct FXa inhibitors, direct thrombin inhibitors등이 개발되어 사용되고 있다. 하지만 출혈의 위험성 증가에 대한 염려로 항혈전제의 사용을 꺼려한 경향이 있지만 여러 보고에 의하면 실질적인 출혈의 증가는 염려되지 않는다고 보고되고 있다.

마취가 회복되면 수 시간 이내에 가능한 빨리 걷게 하여 심부정맥에 혈액이 저류되는 것을 방지해주어야 한다. 압박스타킹은 수술 후 3-4일 동안 계속해서 착용하는 것이 도움된다. 환자가 자발적인 보행이 어려운 상태일 때는 다리를 상체보다 높이 올려주고 누워서도 다리를 움직이게 하고, 압박스타킹과 pneumatic intermittent compression systems을 계속 유지하면서 의료보조인력으로 하여금 하지마사지를 하게하여 임파액의 배액을 도와주어야 한다.

지방흡입술 후 환자가 아무 원인 없이 불안하고 땀을 많이 흘리면서 갑작스런 가슴통증을 호소하며 호흡이 짧아지고 약해지거나 가래에 피가 섞여져 나오고 빈맥이 있으면 폐동맥폐색증에 의한 증상으로 의심하고 즉시 내과중환자실로 이송하여 전문적인 치료가 이루어지도록 노력해야 한다. 지방흡입술후 지방자체에 의한 폐색증은 DVTPE 보다 빈도는 적지만 이 또한 치사율이 높은 합병증이다.

지방에 의한 폐색전증은 기계적인 폐색과 생화학적인 영향 등 두 가지의 원인기전이 있다. 지방흡입도중 혈관이 손상 된경우 이 혈관을 통하여 지방세포들이 손상을 입고 흘러나온 triglyceride 덩어리들이 정맥혈로 유입되어 이 것보다 작은 크기의 폐동맥을 기계적으로 막음으로서 일어난다. 이때 일어나는 증상은 DVTPE 때와 같이 호흡이 가빠지고 숨이 얕고 어지러운 것 같은 가벼운 신경증상과 더불어 체온의 상승, 저산소증, 청색증, 빈맥, 식은땀 등과 같이 비슷하지만 치료의 방향이 다르기 때문에 반드시 감별진단을 하여야 한다. 이러한 기계적인 막힘과 달리 지방흡입직후가 아니라 어느 정도의 기간이 지난 후 염증반응과 생화학적 반응을 동반한 fat embolism syndrome이 일어날 수 있다. 이론적으로 폐순환기내에 있던 유리지방자체나 이들의 가수분해에 의하여 기관지내의 점막세포나 폐실질세포들에 손상을 일으켜 폐기능을 악화시키는 증상을 일으키는 데 이러한 증상은 지방흡입후 24시간 내지 48시간정도에 발생한다. 이들의 증상은 단순히 호흡이 곤란한 것부터 심한호흡기 장애증상등 다양한

데 respiratory distress, cerebral dysfunction, petechial rash 등 특징적인 세 가지 증상의 발현이 있다. fat embolism syndrome에 대한 치료는 폐기능을 보존하고 보조하여 주는 치료를 시행하고 다른 순환기계증상이 없는 지 확인해야하며 수액요법을 유지해야하는데 필요한 경우 대용량 corticosteroids 사용이 필요하기도 하다.

2) 저체온증

저체온증은 순환계의 심각한 장애와 창상치유를 저하시키기 때문에 지방흡입술을 시행할 때 이를 미연에 방지하는것이중요하다. 저체온증은 체온이 36.5° C 아래로 저하되는 것을 이야기 한다. 지방흡입하면서 여러 가지 원인과 요인들로 인하여 체온이 점차 저하하게 되는데 가장 주된 요인이 피하지방에 주입하는 차가운 튜메슨트용액인데 대부분 수술실 온도와 같은 온도가 대부분이다. 지방흡입을 하면서 신체의 넓은 부분이 노출되어있고 또한 외부에서 신체의 온도보다 낮은 온도의 용액들을 주입한 후 수술하기 때문에 저체온증에 빠질 위험이 크고 특히 5,000 cc 이상을 뽑는 대용량 지방흡입술을 시행할 때 적어도 5,000 cc의 용액을 주입하기 때문에 그 위험성은 더욱 증가 된다. 이와 같이 지방흡입중 낮은 수술방온도,차가운 수액제제, 차가운 투메슨트용액 등으로 저체온증이 유발되고 이들은 체내의 catecholamine의 분비를 촉진시키며 과다한 catecholamine 으로 인하여 심실의 불안정성이 초래되고 심장세동 arrhythmias 심지어는 심정지를 일으켜 생명을 위협하게 된다.

또한 저체온증은 체내의 응고기전이나 면역체계를 변화시키거나 저하시킬수 있기 때문에 그 위험성이 더욱 커지게 된다. 따라서 수술중 저 체온증에 대한 주의가 요구되며 가능한 한 체열이 소실되지 않는 여러 가지 주의가 필요하다. 이러한 합병증의 발생 부분에 저체온증이 선행된 역할을 할 것으로 추정되고 이러한 합병증을 방지하기 위해 저체온증을 예방하는 것이 중요하다. 수술실의 온도를 높여 28℃(82°F)이상으로 유지하고 수술실의 온도를 최적화시켜 체열소실을 막아주고 수술부위가 아닌 곳을 따뜻하게 해주는 기구들을 사용하고 37도 정도 데워진 수액제를 사용하더라도 수술 중이나 수술 후에 신체에 영향을 별로 끼치지 않는다고 보고되어 있기 때문에 수술에 사용되는 수액들을 따뜻하게 해서 사용해야 한다. 수액제를 데우는 것에는 전자레인지microwave를 이용하는 방법이 쉽고 빨라서 소개된 적도 있지만 이를 사용할 때 발생할 수 있는 환경호르몬의 영향을 배제할 수 없기 때문에 사용하기 수 시간 전에 온장고에 보관하여 적당한 온도로 데우는 것이 좋다. 하지만 온장고의 설정이 너무 높이 되어있으면 심부 화상의 위험성이 있기 때문에 37도 정도 이상 넘어가지 않게 한다. 더불어 수술 중에 수액제를 감싸 수액의 온도를 유지하는 기구의 사용도 도움된다. 수술직후나 회복실에서 추위로 인하여 몸을 떨 때에는 빨리 환자의 체온을 높이고 수술 후 회복실 온도도 적절히 유지하여 이때 저체온증에 빠지지 않게 해야 한다.

지방흡입과 관련된 사망원인 중 인한 28.5%는 원인을 알 수 없는 것이지만 5.4%는 심폐기관의 기능 상실로 인한 것이다. 저체온증을 방지하기 위해서는 정확한 체온을 측정하는 것이 중요한데 core temperature를 측정하면 좋겠지만 임상적으로 pulmonary venous catheter를 사용하여 측정하는 번거로움과 어려움으로 인하여 다른 대안이 필요한데 digital infrared tympanic thermometer측정한 수치가 core temperature와 유사하기 때문에 간편한 이러한 장비를 이용하여 정확한 체온을 측정하는 것이 중요하다.

3) Lidocaine 독성

지방흡입시 작은 부위 흡입시는 다른 마취가 필요

하지 않게 통증차단효과가 확실하게 충분한 국소마취제를 사용한다. 국소마취제로 가장 흔히 쓰이는 약으로는 marcaine (bupivacaine)과 lidoclidoc 등이 있는데 marcaine (bupivacaine)은 부작용이 많고 천천히 대사되며 독성이 생기면 해독할 수가 없기 때문에 사용에 주의 해야한다. Lidocaine은 marcaine (bupivacaine)과 달리 안전한 사용영역이 넓고 과 달리 lidocaine은 쉽게 reverse되며 희석시키지 않은 상태로 epinephrie 과 함께 피하에 주입할 때 7 mg/kg까지 사용이 가능하며 epinephrine 병용없이 독자적으로 사용할때는 4-5 mg/kg까지 사용할 수 있다.

또한 지방층에 주입시 혈관의 분포도가 낮아 흡수가 더욱 느리고 epinephrine의 혈관수축작용으로 흡수가 지연되며 흡입시 lipoaspirate와 함께 일부 제거가 되기 때문에 전신적인 독성에 대해서는 큰 걱정을 하지 않아도 된다. tumescent 용액으로 lidocaine을희석하여 사용할 때는 55 mg/kg까지 사용이 가능하다.

일반적으로 지방흡입시 tumescent 용액으로 사용할 시 에는 35 mg/kg 정도로 사용하는게 안전하다고 여겨지고 보편적으로 사용된다.

넓은 부위를 흡입할 때 lidocaine을 많은 양으로 여러 곳을 한꺼번에 주면 전신독성의 위험성이 커진다. lidocaine 부작용을 방지하기 위해서는 가능한 최대 사용량을 35 mg/kg이하로 유지하는 것이 좋으며 수술 전에 항상 총 몸무게에 대해 쓸 수 있는 lidocaine의 최대용량을 계산해 놓고 수술하는 것이 좋다. 혈중단백질농도가 낮거나 다른 전신적 질환이 있는 사람은 lidocaine 대사의 장애를 초래할 수 있기 때문에 최대용량을 줄여서 사용하도록 한다. 수술전 계산한 lidocaine 양을 가지고 어떻게 배분해서 쓸지 미리 정해놓고 수술을 시작하는 것이 부작용을 방지할 수 있는 좋은 방법이다.

하지만 지방흡입과 관련한 사망에 있어서 lidocaine toxicity가 연관이 있는 가능성이 있고, lidocaine을 안전용량내에서 사용하더라도 간의 약물대사장애나 항우울제인 sertraline (Zoloft), flurazepam 같은 다른 마취 약물이나 erythromycin , ketoconazole, B- bloker (propranolol)과 혼용하였을 때 cytochrome P450 3A4 (CYP3A4)라는 효소의 작용을 방해하여 약물대사가 늦어져 심혈관계나 신경계 증상이 나타날 수 있기 때문에 lidocaine독성을 나타내는 증상에 대해서 잘 알고 있어야 하며 이에 대한 주의를 빠트릴 수가 없다.

Lidocaine 은 간에서 대사되어 체내에서 빨리 제거가 되기 때문에 수술전 간질환의 유무를 파악해야한다. 매 순간 간문맥으로 들어온 lidocaine의 70% 정도를 간에서 대사한다. 즉 1 L 의 혈액이 간으로 들어갔다면 그 중 700 ml 혈액내의 lidocaine은 완전히 대사되고 없다는 뜻이다. 이와 같을 때 lidocaine 에 대한 hepatic extraction ratio 는 0.7 이라고 하며 이는 lidocaine 대사속도는 간혈류의 속도에 의존적인 것을 이야기 한다. 이와 같이 CYP 3A4 같은 효소를 방해하거나 간의 혈류를 저하시키는 만성심장질환, shock 등의 경우 lidocaine 의 대사가 늦어져 독성이 일어날 수 있다. 이러한 경우 lidocaine 사용량의 권장량의 30-40% 정도를 써야 한다. 남자의 경우 여자에 비하여 체지방량이 10-20% 적기 때문에 lidocaine 사용량도10-20% 정도 적게 사용해야 한다. 더욱이 lidocaine 혈중농도는 epinephrine과 함께 사용했을 때 Tumescent 용액을 주입한 후 10-12 시간이 지나야 혈중최고치에 도달하기 때문에 더욱 주의를 기울여야 한다.

이때 나타나는 lidocaine 독성증상은 증상들은 야간 창백하면서 nausea, vomiting, confusion, dysarthria, 가벼운 두통, 어지럼증, 조급함 agitation restlessness, 느린 반응 lethargy, 늘어짐 drowsiness, 단기기억력상실, 이명, 금속맛, slurred speech, 혀와 입주변부의 감각이상 등이며 이러한 증상들은 lidocaine 의 혈중농도가 3 - 6 μg/ml. 정도에 나타나는 증상이다. 혈중농도가 5 to 9 μg/ml 정도가 되면 오한, 근육경련, 진탕 등의 증상이 생기며 10 μg/ml이상이 되면 convulsions, 중추신경계 억제, coma등이 나타나 위험하게 되며 이 이상 높아질 경우 호흡억제 및 사망에 이르기 된다.

약물의 흡수속도, 약물상호작용, 정맥주사용액양, 그리고 쓰여진 tumescent sol의 양등과 같이 lidocaine toxicity에 영향을 미치는 여러 가지 요인들이 작용하지만, 특히 대용량 흡입에서는 독성작용을 줄이기 위해서 고려해야 할 점들이 있다. 국소통증을 없애는 정도 내에서 가능하면 사용하는 용액의 lidocaine의 농도를 낮추는 것과, 많은 용액이 주입되는 대용량지방흡입의 경우는 tumescent technique보다 적은 용액을 사용할수 있는 superwet technique을 사용하는 것이 좋다.만일 전신마취나 척추마취 같은 것을 병행을 한다면 lidocaine을 정량사용하는 것보다 lidocaine 양을 현저히 낮추거나 아예 안 쓰고 희석된 epinepine 만 사용하는 것도 한 방법이다. 수술하는 범위가 많아 많은 양의 lidocaine을 사용해야 할 경우 하루에 모든 범위를 다 수술하는 것 보다 일주일 정도의 시간차이를 두고 나누어서 시술하는 것이 좋다.

뚱뚱한 사람보다 야윈사람에 있어서 독성이 쉽게 나타나기 때문에 야윈 사람들에게는 양을 줄여서 써야 한다. 나이가 든 사람은 어린 사람보다 양을 줄여야 하고, 과거에 lidocaine 독성을 경험한 환자들에게 있어서는 사용량을 줄여서야 한다. 또한 lidocaine의 대사를 방해하는 약을 복용하고 있으면 수술전 2주 전에 그 약의 사용을 중지하는 것이 좋다.

4) Epinephrine

Epinephrine 효과도 합병증을 유발할 수 있는 요소 이기 때문에 수술전에 심장질환의 유무를 파악하고 필요하다면 문진이나 검진, 여러가지 검사를 통하여 심장의 기증을 평가해 두는 것이 좋다. Epinephrine은 혈관수축작용으로 수술부위의 출혈을 억제하고 lidocaine 같은 국소마취제의 흡수를 지연시켜 그 작용시간을 늘린다. 또한 사용되는 국소마취제의 양을 줄이면서 국소마취제의 독성을 줄여주는 등 지방흡입시 사용되는 용액의 조성에 있어서 없어서는 안 되는 요소이다. 사용되는 epinephrine의 용량도 사용되어지는 장소와 범위에 따라 1:100,000 to 1:1,000,000로 다양하게 사용되어지고 있다. 안전하게 사용할수 있는 epinephrine용량이 10 mg/kg정도가 되지만 지방흡입술에 사용시에 일반적 최대 0.07 mg/kg이하로 사용하는 것이 바람직하다. 너무 많은 epinephrine 양을 사용하면 전신적으로 흡수되어 hepatic blood flow를 저하시켜 lidocaine 이나 bupivacaine같은 약제의 대사를 느리게 하여 독성의 위험성을 높일 수가 있다. 또한 여러 부위를 수술할 때에는 한꺼번에 용액을 주입하는 것보다 순차적으로 수술하면서 용액을 주입하는 것이 약물의 안전영역을 넓히기 때문에 좋다.

Epinephrine은 pheochromocytoma, hyperthyroidism, severe hypertension, cardiac disease, or peripheral vascular disease의 경우에 사용을 피하는 것이 좋다. Halothane 마취를 하거나 선행요인 이 있는 사람에게서 cardiac arrhythmias이 발생할 수 있으며 hyperthyroid 환자에게서 심근수축력의 변화나 cardiac irritability, hypertension 등이 발생할 수가 있다. 수술전 이러한 요인들을 살펴 위험한 사람에게서 epinephrine의 사용을 줄이거나 피해야 할 것이다.

넓은 수술부위를 마취할 때는 한꺼번에 다 주입하는 것 보다 순차적으로 나누어 주입하는 것이 안전하다. 수술의 가장 큰 목적은 환자를 안전하게 부작용 없이 수술하는 것이다. 이를 위하여 환자의 상담시점부터 수술전 검사, 수술준비, 수술중과정, 수술후 처치 모든 과정에 있어서 적절한 일련의 과정이 행해지고 있는지 모니터링하고 끊임없이 개선해 나가야 할 것이다. 만일 환자의 안전에 위배되는 어떠한 사항이 발견될 시에는 즉시 그 모든 과정을 중지하고 환자의 안전한 회복에 힘써야 하며 그 어떤 수술의 완성보다 환자의 안전이 최우선 되어야 할 것이다.

5) 전신마취

지방흡입에 있어서 전신마취의 필요성과 안전성은 의사들마다 의견이 분분하지만 전신마취가 외래수술 환자에 있어서도 마취와 관련하여 수술중이나 수술후의 사망이나 후유증에 대해서 국소마취와 별 반 차이 없이 효과적이고 안전한 마취방법이라고 여겨지고 있다. 전신마취는 복잡하고 긴 수술일 경우 환자의 수면 상태를 유지하는 충분한 마취효과로 인하여 의사가 환자에게 집중할 수 있게 해주고 환자의 반응에 따른 시간의 소비를 줄여주어 수술시간을 단축시켜주는 역활을 한다. 또한 수술 중에 환자의 기도를 확실하게 확보하여 환자의 안전성을 높일 수가 있다.

척추강마취 epidural Anesthesia는 수술 중 환자를 수술부위의 통증없이 편안하게 할 수 있으며 대사가 빠르고 전신독성이 적은 Chloroprocaine 많이 사용되고 있다. 하지만 척추강마취는 혈관확장에 따른 저혈압을 야기하고 이에 따른 수액요법이 필요하기 때문에 fluid overload의 위험성을 조심해야 한다.

정맥마취는 중등도의 진정 마취효과를 얻을 수 있어 외래에서 점차 많이 쓰여지고 있는 마취제이다. 하지만 안전한 영역에서 사용되어 질 수 있도록 조심해서 사용해야 한다.

6) 수액조절

대용량지방흡입술이 많아지면서 수술 전부터 수술 중 그리고 수술 후에 수액조절을 철저히 하여전신적인 혈액공급이 원할하게 유지하면서 심폐혈관계의 합병증이나 사망에 이르게 하는 부분을 방지를 하여야 한다. 지방의 흡입량도 한번의수술에 있어서 5 L이하로 제한하여 수술후 생길수 있는 급격한 third spacing loss와 이에 대한 보상적인 체액이동과 이로인한 심혈계의 이상을 방지하여야 한다. 수술시 체중의 5% 이내 정도로 흡입하고 체표면적의 30% 이내로 수술을 제한하는 것이 좋다.

7) 감염

감염은 지방흡입 후 생길 수 있는 흔한 합병증이지만 때로는 생명을 위협할 정도로 심각한문제를 야기하기도 한다. 수술부위주변의 국소적인 창상의 감염은 제대로 처치가 이루어지지 않으면 순식간에 전신적인 감염으로 진행되고 때로는 폐혈증으로 발전하여 생명을 위태롭게 할수도 있다. 또한 toxic shock syndrome이나 necrotizing fasciitis 등과 같은 합병증을 유발하기도 한다.

따라서 국소감염이 발견되는 즉시 적극적인 치료를 해야 나중에 보다 심각한 합병증으로 가는 것을 방지 할 수가 있다. 술자는 환자의 상태를 면밀히 파악하여 수술 전에 예방적 항생제를 쓸 것인가를 결정해야 한다. 수술 시 철저한 소독 후 수술준비를 해야 하는 것은 물론이고 수술 중에도 수술부위를 항상 중간중간 betadine solution으로 소독하면서 수술하는 습관을 들여야 감염이란 합병증을 예방할 수 있다. 수술 후에도 어떠한 조그마한 창상의 감염도 놓치지 말고 반드시 파악해서 치료를 해야 한다. 감염, 장액종, DVT, 내부장기손상 등의 합병증이 생기면 입원기간이 늘어나고 환자의 상태가 나빠질 수가 있다.

다른 부위나 일반적인 증상으로 보기 힘든 작은 발적이나 붓기, 상처로부터 나오는 discharge 등을 절대로 가볍게 넘기지 말고 정상적인 부분의 연장인지 아니면 병적ㅇ니 감염의 증상인지 구분해야 한다. 이러한 부분이 제대로 치료받지 못하고 진행되게 되면 좀 더 넓은 부위로 감염이 확산되거나 괴사성근막염

necrotizing fasciitis, 폐혈증 같은 전신적인 증상으로 발전할 가능성이 많다. 수술부위에 대한 적절한 소독과 더불어 수술기구에 대한 소독도 소홀히 하면 안된다. 특히 흡입용관이나 수액주입용관 내의 청소와 소독을 소홀히 한 경우 이내부에 형성된 biofilm이 떨어져 나와 수술부위에 감염을 일으키는 경우가 생기며 이 경우는 피부표면에 존재하는 일반적인 세균이 아니라 항생제내성을 가진 세균이나 비특이성결핵균과 같은 심각한 균주들에 의한 감염이 생길수가 있다. 지방흡입수술은 그다지 aseptic 한 수술이 아니기 때문에 수술시간이 길어질 경우 중간중간에 betadine 용액으로 소독하여 주는 것이 좋으며 수술전과 수술후 광범위한 영역을 가진 항생제를 예방적으로 꼭 사용하는 것이 바람직하다.

8) 내부장기의 손상

별다른 감염증상이나 합병증이 없는데도 전신적인 증상을 호소한다면 밝혀지지 않은 내부장기의 손상을 의심해 보아야 한다. 이러한 합병증은 지방흡입이 익숙한 술자에서도 생길 수 있지만, 해부학적 지식이 없고 숙련되지 않은 술자에 의해 연부조직에 대한 수술이 익숙지 않은 상태에서 수술했을 때에 특히 이러한 합병증이 생길 수 있다. 내부장기의 손상을 간과하고 적절한 치료가 늦어졌을 경우 이로 인한 합병증이 더욱 커지게 되고 심하면 목숨까지 잃게 되는 경우가 있기 때문에 지방흡입 수술후 수술한 부위의 창상에 아무런 이상이 없고 정상적으로 보이는 경우에서 심혈관계증상이나 폐기능이상, 폐혈증의 증상등 심각한 전신증상을 보이는 경우 즉시 적극적으로 접근하여 손상된부위에 대한 치료가 이루어져야 한다. 특히 술자의 주의가 소홀해 지기 쉬운 power assisted liposuction system나 초음파, laser를 이용한 기구를 사용한 경우 사용자가 모르는 사이에 내부장기의 손상을 동반할수 있어 특별한 주의가 요구된다. 이러한 기구들을 사용할 때는 일반적인 흡입관을 사용할 때 보다 조직의 저항성이 달라질 수 있어 복벽에 대한 저항을 느끼지 못하고 복벽을 뚫어 내부장기의 손상을 일으킬 수 있다.

수술시의 환자의 자세에 따라 복벽의 손상이 달라질 수 있는데 해부학적구조를 잘 생각하면서 돌려진 환자의 위치에 따라 복벽의 손상을 최소화해야 하고, 사용되는 흡입관도 가능한 끝이 뾰족하지 않고 뭉텅한 것을 사용하여 뚫어지는 위험성을 줄여야 한다.

9) 출혈과 혈종 및 장액종

Klein's tumescent solution을 사용한 후부터 지방흡입과 관련된 출혈이 급격히 줄어들었다. 하지만여전히 출혈로 인한 합병증이 존재하는데 지방흡입술 도중이나 수술 후에 생기는 출혈은 수술중 술기의 잘못된 조작으로 발생할 수도 있지만 환자의 병인적인 요인이나 다른 원인으로 인하여 출혈의 가능성이 증대될 수 있기 때문에 수술 전에 사용하고 있는 약물의 종류를 파악하여 출혈의 가능성을 증대시키는 약물의 사용을 금지시키고 병적인 요인들을 치료하여 사전에 방지하도록 해야한다.

지방흡입 수술후 생기는 장액종은 과다한 지방흡입후 잘못된 수술후 관리 때문에 생기는 경우가 많다. 압박복을 입히면 수술부위를 골고루 압박하여 환자의 안정성을 높일 수가 있고 유리된 수액들이 모여있는 공간을 줄여줘 장액종을 줄여줄 수가 있다. 수술직후 수술대위에서 체내에 존재하는 수액들을 가능한 많이 압출해내고 난 뒤 음압흡입관을 사용하여 남은 체액들이 빠져나오게 해주거나 하루 동안 창상을 봉합하지 않고 열어두고 압박붕대로 드레싱을 해서 많은 수액들이 흘러 나온 후 다음날 봉합하면 빠른 회복을 기대할 수 있다.

10) 피부표면의 손상 및 굴곡

지방흡이후 생기는 피부의 굴곡은 피부 직하부에 위치한 지방에 대한 과다한 손상이나 일정하지않는 지방흡입 등 대부분 술자의 술기가 미숙해서 생기는 부분이다. 지방을 흡입할 때 흡입관의 위치와 방향과 더불어 지방을 흡입하는 층에 대한 개념이 미숙한 경우 잘 생긴다. 이러한 피부굴곡이 생기고 나면 교정하기가 아주 어렵고 여러 번의 지방흡입과 지방이식술을 병행해야 어느 정도 교정할 수 있지만 완전히 매끈하게 하는 것은 어렵다. 또한 술 전에 cellulite가 있는 것을 확인하고 이러한 것은 단순한 지방흡입만으로 교정이 힘들다는 것을 주지시킨 후 수술해야 한다. 이러한 표면의 굴곡을 방지하기 위하여 수술 중 계속하여 손가락으로 집어서 피부의 두께를 확인하고 흡입관을 들어올려 복벽의 피부가 일정하게 되었는지 확인하면서 수술해야 한다. 지방을 덜 뽑아 생기는 합병증도 신경써야 하지만 너무 많이 뽑아 생기는 굴곡도 신경써야 한다. 그리고 수술 후 압박복을 입히는 때에 압박복이 접혀 피부의 굴곡을 만들 수 있기 때문에 접힌 곳 없이 잘 펴지게 입히는 것이 중요하다. 또한 수술 후 너무 과다한 압력으로 압박을 시행할 경우 피부손상 및 괴사가 발생할 수 있어 주의를 해야 하며, 피부표면을 고르게 하기 위해서 붙이는 의료용스폰지의 접착력이 너무 강하여 피부표면의 손상이 생기거나 피부가 괴사되는 것을 방지해야 한다. 지방흡입술시 흡입관이 피하층에만 머물지 않고 진피하 혈관총에 손상을 주는 경우 피부의 손상 및 괴사가 생길 수 있는데 최근에는 고주파, 초음파나 laser를 이용하여 지방흡입을 하는 경우 흡입관 끝에서 발생한 열로 인한 화상이 발생하여 피부의 괴사를 유발하는 경우도 있다. 이러한 경우 화상의 정도는 피부표면에 처음 나타난 증상보다 더 심할 수 있고 시간이 지날수록 심부 깊이 위치한 화상이 점차 드러나면서 화상의 정도가 심해지거나 피부괴사를 초래하는 경우도 있기 때문에 이러한 기구를 사용한 경우 특별한 주의를 기울여야 한다.

11) 피부 과색소침착

지방흡입 후 생길 수 있는 피부의 착색은 흡입 시 과다한 피부의 자극과 손상으로 인하여 피부의 색소세포가 자극을 받거나 수술 후 과다한 압박으로 인한 피부의 손상 후 과색소 침착이 생긴 것이 대부분이다. 이러한 경우 시간이 지나면 호전이 되지만 수개월이 지나도 소실되지 않는 것들은 여러 가지 laser를 이용하여 과색소침착을 치료해 주어야 할 경우도 있다. 하지만 과다한 출혈후 치유과정에서 발생된 hemosiderin이 대식세포에 탐식되어 남아있는 dermatosiderosis의 경우 시간이 지나도 호전되지 않는 경우가 있다. 이런 경우도 이에 적합한 laser를 이용하여 치료해야 한다.

12) 피부의 감각이상 혹은 감각소실

지방흡입술 후 수술부위의 표재성 감각신경이 손상되기 때문에 수술부위의 감각이상은 일시적으로 존재한다. 하지만 대부분 감각의 저하나 paresthesia, hyperesthesia, dysesthesia 정도이며 대부분수 개월 정도의 시간이 지나면서 회복되게 된다. 하지만 지속적인 감각의 소실이 있거나 시간이 지나면서 생기는 국소적인 통증이나 압통을 동반한 것은 표재신경의 영구손상을 의심할 수 있다. 특히 주된 분지가 표재성으로 존재한 감각신경의 분지인 경우 이런 합병증이 생기는데 anterolanteral cutaneous thigh, sural nerve 등의 신경에 대한 손상이 잘 일어나기 때문에 이 근처 수술할 때 특별한 주의가 요구된다.

2. 합병증의 예방

120년전 지방흡입술이 시작된 후 정체기를 걸어오다 지난 수 십 년간 지방이식은 괄목할 만한 발전을 이루었다. 또한 최근 20년간은 고식적인 지방흡입에서 새로운 기계와 기술을 이용한 지방흡입술의 발전이 있어오면서 어떻게 하면 많은 지방을 뽑아낼 것인 가에 대한 관심이 높아져 왔다. 하지만 앞으로는 어떤 효과적인 방법을 사용하더라도 환자의안전이 최우선시 되는 방향으로 발전되어져 가고 있다. 효과적인 방법과 더불어 합병증을 미연에 방지하고 최소화하는 방법들이 소개되면서 환자의 회복도 빨라지고 입원기간이 줄어들고 보다 좋은 결과를 얻을 수 있다. 또한 합병증이 생기더라도 빨리 발견하고 처치하여 영구적이고 치명적인 합병증이 적도록 발전되어져 갈 것이다. 이러한 합병증을 방지하는 노력은 합병증을 줄이는 효과 뿐 아니라 추후 법적인 면에 있어서도 보호받게 된다.

참·고·문·헌

1. (AACS) TAAOCS: 2006 Guidelines for Liposuction Surgery. In: 2006: A joint Ad Hoc Committee of the American Society of Lipo-Suction Surgery (ASLSS) and the American Academy of Cosmetic Surgery 2006.
2. 2014 Plastic Surgery Statistics Report : 2014 Top 5 Cosmetic Surgical Procedures. http://www.plasticsurgery.org/Documents/news-resources/statistics/2014-statistics/plastic-surgery-statsitics-full-report.pdf
3. Agu O, Hamilton G, Baker D. Graduated compression stockings in the prevention of venous thromboembolism. Br J Surg 1999;86:992- 1004.
4. Ahmad J, Eaves FF, Rohrich RJ, Kenkel JM: The American Society for Aesthetic Plastic Surgery (ASAPS) survey: current trends in liposuction. Aesthet Surg J 2011, 31(2):214-224.
5. Bitar, G., Mullis, W., Jacobs, W., et al. Safety and efficacy of office-based surgery with monitored anesthesia care/sedation in 4778 consecutive plastic surgery procedures. Plast. Reconstr. Surg. 111: 150, 2003.
6. Cardenas-Camarena, L. Lipoaspiration and its complications: A safe operation. Plast. Reconstr. Surg . 112: 1435, 2003.
7. Chone LJ, De Vane CL. Clinical implications of antidepressant pharmacokinetics and pharmacogenetics. Ann Pharmacother 30: 1471-1480, 1996
8. Coleman WP III: The history of liposuction and fat transplantation in America. Dermatol Clin 17:723-727, 1999
9. Davison, S. P., Venturi, M. L., Attinger, C. E., Baker, S. B., and Spear, S. L. Prevention of venous thromboembolism in the plastic surgery patient. Plast. Reconstr. Surg. 114: 43e, 2004
10. de Jong RH: Mega-dose lidocaine dangers seen in "tumescent" liposuction. J Clin Monit Comput 2000, 16(1):77-79.
11. de Jong, RH., and Grazer, FM. Perioperative management of cosmetic liposuction. Plast. Reconstr. Surg. 107: 1039, 2001.
12. Erickson, R. S. The continuing question of how best to measure body temperature. Crit. Care Med. 27: 2307, 1999.
13. Erickson, R. S., and Meyer, L. T. Accuracy of infrared ear thermometry and other temperature methods in adults. Am. J. Crit. Care. 3: 40, 1994.
14. Fischer A, Fischer G: First surgical treatment for molding body's cellulite with three 5 mm incisions. Bull Int Acad Cosmet Surg 3:35, 1976
15. Flynn TC, Coleman WP II, Field LM, et al: History of

liposuction. Dermatol Surg 24:515-520, 2001

16. Fodor PB, Watson JP: Wetting solutions in ultrasound-assisted lipoplasty. Clin Plast Surg 1999, 26(2):289-293; ix.
17. Fogarty, B. J., Khan, K., Ashall, G., and Leonard, A. G. Complications of long operations: A prospective study of morbidity associated with prolonged operative time (6 h). Br. J. Plast. Surg. 52: 33, 1999.
18. Food and Drug Administration. Liposuction Information. Available at www.fda.gov/cdrh/liposuction. Accessed January 30, 2003.
19. Geerts WH, Pineo GF, Heit JA, Bergqvist D, Lassen MR, Colwell CW, et al. Prevention of venous thromboembolism: the Seventh ACCP Conference on Antithrombotic and Thrombolytic Therapy. Chest 2004;126(3 Suppl):338S-400S.
20. Gingrass, M. K. Lipoplasty complications and their prevention. Clin. Plast. Surg. 26: 341, 199
21. Gingrass, M. K. Lipoplasty complications and their prevention. Clin. Plast. Surg. 26: 341, 1999.
22. Giuliano, K. K., Scott, S. S., Elliot, S., and Giuliano, A. J. Temperature measurement in critically ill orally intubated adults: A comparison of pulmonary artery core, tympanic and oral methods. Crit. Care Med. 27: 2188, 1999
23. Gold, B. S., Kitz, D. S., Lecky, J. H., and Neuhaus, J. M. Unanticipated admission to the hospital following ambulatory surgery. J.A.M.A. 262: 3008, 1989.
24. Grazer, F. M., and de Jong, R. H. Fatal outcomes from liposuction: Census survey of cosmetic surgeons. Plast. Reconstr. Surg. 105: 436, 2000.
25. Grazer, FM., and Meister, FL. Complications of the tumescent formula for liposuction. Plast. Reconstr. Surg. 100: 1893, 1997.
26. Haeck PC, Swanson JA, Gutowski KA, Basu CB, Wandel AG, Damitz LA, Reisman NR, Baker SB: the ASPS Patient Safety Committee. Evidence based patients safety advisory : Liposuction. Plast. Reconstr. Surg. 124:28S-44S, 2009.
27. Hanania, N. A., and Zimmerman, J. L. Accidental hypothermia. Crit. Care Clin. 15: 235, 1999.
28. Hughes, C. E. I. Reduction of lipoplasty risks and mortality: An ASAPS survey. Aesthetic Surg. J. 21: 120, 2001.
29. Igra H, Satur NM: Tumescent liposuction versus internal ultrasonicassisted tumescent liposuction: A side by side comparison. Dermatol Surg 23:1231-1238, 1997
30. Iverson, R. E., and Lynch, D. J. Patient safety in office-based surgery facilities: II. Patient selection. Plast. Reconstr. Surg. 110: 1785; discussion 1791, 2002.
31. Iverson, R. E., and the ASPS Task Force on Patient Safety in Office-Based Surgery Facilities. Patient safety in office-based surgery facilities: I. Procedures in the office-based surgery setting. Plast. Reconstr. Surg. 110: 1337, 2002.
32. Kaplan, B., and Moy, R. L. Comparison of room temperature and warmed local anesthetic solution for tumescent liposuction: A randomized double-blind study. Dermatol Surg. 22: 707, 1996.
33. Kim KH, Geronemus RG: Laser lipolysis using a novel 1064 nm diode laser. Dermatol Surg 32:241-248, 2006
34. Klein JA, Kassarjdian N. Lidocaine toxicity with tumescent liposuction. Dermatol Surg 23: 1169-1174, 1997
35. Klein JA: The tumescent technique for liposuction surgery. Amer J Cosm Surg: 4:263-267, 1987
36. Klein JA: Tumescent liposuction and improved post operative care using tumescent liposuction garments. Dermatolo Clin 13:329-338, 1995
37. Knize, D. M., and Fishell, R. Use of perioperative subcutaneous "wetting solution" and epidural block anesthesia for liposuction in the office-based surgical suite. Plast.

Reconstr. Surg. 100: 1867, 1997.
38. Lehnhardt M, Homann HH, Druecke D, Steinstraesser L, Steinau HU: No problem with liposuction?. Chirurg 2003, 74(9):808-814.
39. Lehnhardt M., Homann HH, Daigeler A, Hauser J, Palka P, Steinau H: Major and Lethal Complications of Liposuction: A Review of 72 Cases in Germany between 1998 and 2002. PRS 121:396-403, 2008.
40. Levine MN, Raskob G, Beyth RJ, Kearon C, Schulman S. Hemorrhagic complications of anticoagulant treatment. The Seventh ACCP Conference on Antithrombotic and Thrombolytic Therapy. Chest 2004;126(3 Suppl):287S-310S.
41. Mader, T. J., Playe, S. J., and Garb, J. L. Reducing the pain of local anesthetic infiltration: Warming and buffering have a synergistic effect. Ann. Emerg. Med. 23: 550, 1994.
42. Marcus, J. R., Tyrone, J. W., Few, J. W., Fine, N. A., and Mustoe, T. A. Optimization of conscious sedation in plastic surgery. Plast. Reconstr. Surg. 104: 1338, 1999.
43. Matarasso, A. The tumescent technique: The effect of high tissue pressure and dilute epinephrine on absorption of lidocaine. Plast. Reconstr. Surg. 103: 997, 1999.
44. Maxwell GP, Gingrass MK: Ultrasound–assisted lipoplasty: A clinical study of 250 consecutive patients. Plast recon Surg 101:189-204, 1998
45. McDevitt, N. B., and the American Society of Plastic Surgeons. Deep vein thrombosis prophylaxis. Plast. Reconstr. Surg. 104: 1923, 1999.
46. Meister, F. Possible association between tumescent technique and life-threatening pulmonary complications. Clin. Plast. Surg. 23: 642, 1996.
47. Mingus, M. L., Bodian, C. A., Bradford, C. N., and Eisenkraft, J. B. Prolonged surgery increases the likelihood of admission of scheduled ambulatory surgery patients. J. Clin. Anesth. 9: 446, 1997
48. Ostad A, Kageyama N, Moy RL, et al: Tumescent anesthesia with a dose of 55 mg/kg is safe for liposuction. Dermatol Surg 22:921-927, 1996 55 70
49. Paul M, Mulholland RS : A New Approach for Adipose Tissue Treatment and Body Contouring Using Radiofrequency-Assisted Liposuction. Aesthetic Plastic Surgery 33: 687-694, 2009
50. Perry, A. W., Petti, C., and Rankin, M. Lidocaine is not necessary in liposuction. Plast. Reconstr. Surg. 104: 1900, 1999
51. Platt, M. S., Kohler, L. J., Ruiz, R., Cohle, S. D., and Ravichandran, P. Deaths associated with liposuction: Case reports and review of the literature. J. Forensic Sci. 47: 205, 2002.
52. Platt, M. S., Kohler, L. J., Ruiz, R., Cohle, S. D., and Ravichandran, P. Deaths associated with liposuction: Case reports and review of the literature. J. Forensic Sci. 47: 205, 2002.
53. Prado A, Andrades P, Danilla S, et al: A prospective, randomized, double-blind controlled clinical trial comparing laser assisted lipoplasty with suction assisted lipoplasty. Plast Recons Surg 118:1032-1045, 2006
54. Rao, R. B., Ely, S. F., and Hoffman, R. S. Deaths related to liposuction. N. Engl. J. Med. 340: 1471, 1999.
55. Robles-Cervantes JA, Martı ′ nez-Molina R, Ca ′ rdenas-Camarena L. Heating Infiltration Solutions Used in Tumescent Liposuction: Minimizing Surgical Risk. Plast. Reconstr. Surg. 116: 1077, 2005.
56. Rohrich RJ, Beran SJ, Fodor PB: The role of subcutaneous infiltration in suction-assisted lipoplasty: a review. Plast Reconstr Surg 1997, 99(2):514-519; discussion 520-516.

57. Rohrich RJ, Muzaffar AR: Fatal outcomes from liposuction: census survey of cosmetic surgeons. Plast Reconstr Surg 2000, 105(1):436-446; discussion 447-438.
58. Rohrich, R. J., and Janis, J. E. Lidocaine dosing duality in liposuction: "Safe" only when highly diluted. (Reply) Plast. Reconstr. Surg. 113: 1514, 2004.
59. Rohrich, R. J., and Rios, J. L. Venous thromboembolism in cosmetic plastic surgery: Maximizing patient safety. Plast. Reconstr. Surg. 112: 871, 2003.
60. Ronald E. Iverson, M.D., Dennis J. Lynch, M.D., and the ASPS Committee on Patient Safety Practice Advisory on Liposuction. Plast. Reconstr. Surg. 113: 1478, 2004.
61. Ronald E. Iverson, M.D., Dennis J. Lynch, M.D., and the ASPS Committee on Patient Safety Practice Advisory on Liposuction. Plast. Reconstr. Surg. 113: 1478, 2004.
62. Ross, R. M., and Johnson, G. W. Fat embolism after liposuction. Chest 93: 1294, 1988.
63. Rubenstein, E. H. An anesthesiologist's perspective of lipoplasty. Clin. Plast. Surg. 26: 423, 199
64. Rubin JP, Bierman C, Rosow CE, Arthur GR, Chang Y, Courtiss EH, May JW, Jr.: The tumescent technique: the effect of high tissue pressure and dilute epinephrine on absorption of lidocaine. Plast Reconstr Surg 1999, 103(3):990-996; discussion 997- 1002.
65. Toledo Luis, S. Liposuction: Problems and techniques. Perpect Plast. Surg. 7: 72, 1993.
66. Troilius C: Ultrasound-assisted lipoplasty: Is it really safe? Aesthet Plast Surg 23:307-311, 1999
67. Trott, SA., Beran, SJ., Rohrich, RJ., Kenkel, JM., Adams, WP., Jr., and Klein, KW. Safety considerations and fluid resuscitation in liposuction: An analysis of 53 consecutive patients. Plast. Reconstr. Surg. 102: 2220, 1998.
68. Ueng YF, Kuwabara T, Chun YJ, Guengerich FP. Dooperativity in oxygenations catalyzed by cytochrome P450 3A4. Biochemistry 36: 370-381, 1997.
69. Urbankova J, Quiroz R, Kucher N, Goldhaber SZ. Intermittent pneumatic compression and deep vein thrombosis prevention. A metaanalysis in postoperative patients. Thromb Haemost 2005;94:1181-1185.
70. Young VL, Watson ME : The Need for Venous Thromboembolism (VTE) Prophylaxis in Plastic Surgery. Aesthetic Surg J 26: 157-175, 2006
71. Zocchi M: Ultrasonic liposculpturing. Aesth Plas Surg 16:287-298, 1992

지방이식 »

지방이식 총론

Introduction to fat transplantation

| 김성기 |

지방을 채취, 정제, 이식할 때에는 콜만 구조적 지방이식(COLEMAN Structural Fat Graft)이 표준화 되어있으며 가장 선호하는 방법이다. 범위나 깊이를 고려하는 경우에는 구획국한지방이식(Compartment Specific Fat Graft)이 최근 선호되므로 본 장에서는 이 두 가지 방법을 중심으로 기술할 것이다.

1. 지방이식

지방이식은 최근 그 적용 범위가 재건, 미용분야에서 점점 확대 되고 있다.

누구나 알고 있는 파종이나 묘목이식의 기본을 적용한다면 쉽게 좋은 결과를 얻을 수 있을 것이다.

좋은 씨나 묘목만을 골라 좋은 땅에 고르게 심고 뿌리가 내릴 때까지 고정시킨다면 이식이 성공 할 것이다. 주변과 조화를 이루도록 한곳을 편애하지 않은 날갯짓(feathering)도 잊지 말아야 한다.

노화뿐만 아니라, 다이어트(체중조절), 얼굴 뼈 수술, 치아교정 및 치아 이식술 후에도 지방위축은 초래된다.

안면거상을 하는 동안 지방이식을 병행하는 경우가 미국성형외과학회(ASPS)회원의 85% 정도라 한다.

2. 수술 전 상담

진찰 시 조명은 머리 위에서 비치도록 하여 얼굴의 언덕과 계곡(hill and valley)이 잘 보이도록 한다. 지방을 얻고자 하는 아랫배, 옆구리, 사타구니, 허벅지를 손가락으로 집어보아 피하지방의 양을 짐작한다. 환자들은 피하지방이 없는데도 내장지방이나 근육을 피하지방으로 오인하는 경우도 있다.

진찰 시에는 앞에서 기술한 지방위축의 원인을 물어보고 필러나 이물주사, 복용중인 약물, 헤르페스, 과거력, 건강식품, 다른 병원에서 지방이식술을 받았는지 물어본다.

생착률은 1년 이내에 대개 50-75% 정도, 2년이 지나면 25-50%라고 알려져 있으나1, 환자의 술 후 건강상태에 따라 차이가 날 수 있으므로, 수술을 두 번 할 수도 있다고 알려주어야 한다. 좌우 치아상태가 같지 않음으로 비대칭이 올 수도 있고 주변조직이 꺼지는 경우나 지방을 채취 해온 곳의 지방이 축척 될 때는 이식된 지방이 나와 보일 수도 있다(doner dependent)고 알려 준다.

3. 수술 전 처치

수술 전에는 평소 먹고 있는 홍삼, 양파 즙 등 건강식품과 혈액응고 방해하는 소염 진통제등을 수술 전 10일 내지 14일 전에 끊도록 권하지만 수술을 빨리 해야 하는 경우에는 어려운 일이다.

정상인의 약 30%에서도 콧속에 황색포도알균이 상주하므로, 수술당일 세수시키고 콧속에 뮤피로신(mupirocin) 연고를 도포하며 수술 두 시간 전에(병원 도착즉시) 예방적 항생제를 투여한다. 수술 후 붓거나 멍이 들기 때문에 과거 자신의 얼굴과 많이 다를 수도 있다고 다시 한번 알려준다.

4. 디자인(Design)

수술 전 환자가 앉은 상태에서 조명이 머리 위에서 비치도록 하고 표정을 지어보도록 하고 말을 시켜보면서 꺼진 계곡을 표시하여 디자인한다.

우리나라 사람들은 서양인과 달리 옆 광대가 나오면 드세 보이고 얼굴이 커져 보인다고 하니 큰광대근(Z. major)의 가쪽과 광대돌기(zygomatic prominence)에는 이식을 피한다.

또한 얼굴이 쳐져 보이는 것도 싫어하므로 귀구슬(tragus)과 입꼬리를 연결하는 교합면(occlusial plane)보다 아래로 내려오지 않도록 디자인 한다.

환자들은 코입술주름의 배모양오목(pyriform aperture) 주위가 꺼진 경우에 그 자체가 주름이 아닌데도 "팔자주름"이라고 인식하여 몹시 싫어한다.

가장 역점을 두어야 할 부위로 Ozee라인상의 가장 튀어나와야 할 앞광대(anterior malar)를 표시 한다. 이

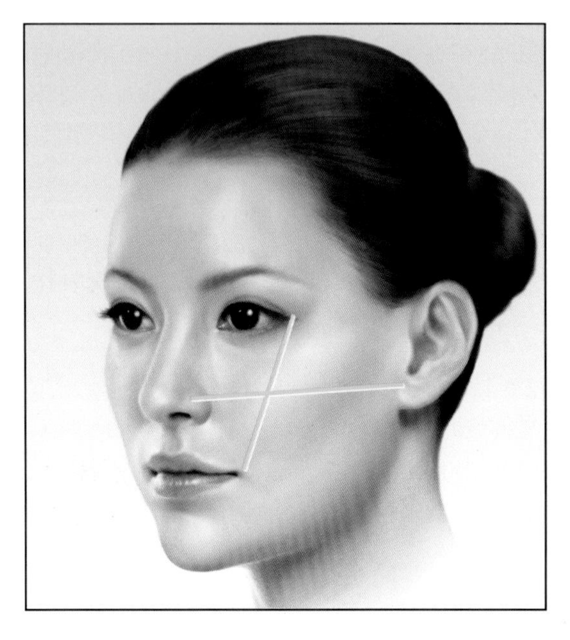

그림 1 Ozee line 그림

부위는 코뿌리가 안쪽 눈구석에 닿는 3/4 촬영(view) 에서 코끝이 멀리 보이는, 뺨에 가리지 않는 점(입꼬리–가쪽눈구석 연결선)이기도 하다. 또한 이곳은 여자들이 화장할 때 볼 터치를 하는 부위로 이곳이 도드라지면 생기 있어 보이며 예뻐 보이며 친근감을 준다(**그림 1**).

지방이나 필러로 앞광대 부위를 돋아주는 것이 중요하기는 하지만, 세 가지 조심할 점이 있다.

첫째, 인접부위는 넣지 않고 앞광대에만 넣는 경우에는 부자연스럽게 보인다. 특히 동양인은 원래 있던 배모양오목(pyriform aperture)이 더 깊어져 술 후에 불만족하기도 한다.

둘째, 과도한 양을 넣은 경우, 웃을 때 앞광대가 심하게 튀어나와 보인다(look too cheeky).

셋째, 표정근보다 깊게 골막 위에 넣어야 한다.

꺼진곳(valley)을 표시하고, 자신의 경험과 다른 저자들이 경험에 비추어 넣는 양을 표시한다. 경험이 쌓여 자신감이 생길 때 까지는 윗눈꺼풀, 아랫눈꺼풀, 아랫눈꺼풀-볼 경계, 눈물고랑에는 이식하지 않는 것이 좋다.

Lam에 따르면 안쪽눈확아래모서리 1 cc, 가쪽눈확아래모서리 1 cc, 코볼주름 1 cc, 볼 2 cc, 앞광대 3 cc, 눈확위모서리 1 cc, 가쪽눈구석 0.5 cc, 군턱앞고랑(prejowl sulcus) 3 cc 가 기본(volumetric foundation)이라고 한다. 숙달 된 후 각 부위에 추가하려면, 눈물고랑에 0.5-1 cc, 가쪽볼 1-3 cc, 앞광대 1-2 cc, 볼 1-5 cc, 송곳니앞오목(precanine fossa) 1-2 cc, 코볼주름 1-2 cc, 꼭두각시선 1-2 cc, 턱입술고랑 1-2 cc, 눈확위모서리의 아래쪽 끝에는 0.5-0.75 cc, 윗눈꺼풀중앙부위 0.3-0.5 cc 관자부위 2 cc를 넣는 것을 권한다.

펜은 수술 중 지워지지 않는 'Sharpie Permanent marker'가 좋으나 냄새가 좋지 않다고 환자에게 미리 알려주어야 한다. 얼굴에 표시된 디자인 그림은 사진으로 찍어 화면에 띄워놓고 수술 시 지워지는 경우 참고한다(**그림 2**).

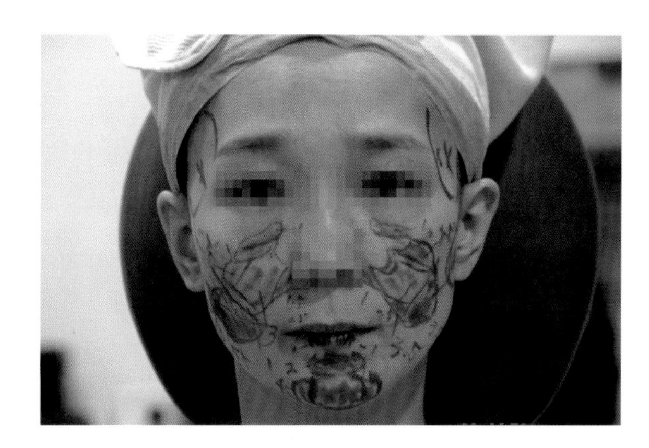

그림 2 디자인 그림

5. 이식할 지방양의 산출

넣을 전체 량을 계산하여 산출률을 50-60%로 예상하고 뽑을 양을 미리 생각해둔다. 즉, 20 cc정도를 주사할 예정 이면 40-50 cc정도를 채취 한다.

채취도관(harvesting cannula)의 바깥구멍크기(outer hole)가 1 mm정도로 작은 경우에는 지방이 파괴기 쉬우므로, 바깥구멍크기가 작을수록 더 많은 양을 뽑아야 한다.

6. 도관(cannula)의 선택

채취도관의 바깥구멍크기와 주입도관(injection cannula)의 내경(inner diameter)이 비슷한, 끝무딘 도관(blunt cannula)를 사용해야 부드럽게 들어가고 지방세포의 손상도 줄일 수 있다.

지방입자의 크기가 1 mm 정도면 가장 생착률이 좋다고 한다.

피부가 얇은 부위에 이식하면 부드럽게 들어가 울퉁불퉁 하지 않아 좋다. 피부가 두꺼워 많은 양을 이식하는 부위에는 더 굵은 입자(3 mm)도 권장된다. 그러한 경우 바깥구멍크기가 큰(2x3 mm) 채취도관을 선택한다. 주입도관은 9 mm, 12 mm가 많이 사용되며 뽑을 때는 10 cc주사기에 채취도관을 부착하여 Jonie Lock이나 수건집게로 고정하여 사용 할 수도 있으나 손가락으로 압력을 순간순간 변화시키는 방법이 순발력이 있어 더 좋다.

7. 주는부위(doner site)의 선택

아랫배, 옆구리, 사타구니, 엉덩이등 어느 부위나 피하지방이 많은 수술하기 편한 부위를 선택하면 된다. 배부위가 수술 중 체위를 바꾸는 번거로움이 없어 가장 흔히 사용된다.

8. 지방흡입

10 cc 루어잠김주사기(Luer Lock syringe)에 도관을 연결시킨 후, 빼기 위해 플런저(plunger)를 1 cc 정도를 뒤로 빼면서 전후로 이동하는 동작으로 낮은 압력으로 지방을 흡입하여 손상을 줄인다. 한곳을 여러 번 통과하여 흡입하면 함몰이 생길 수 있으므로 삼가야 한다.

흡입부위에는 Restone (3M)을 붙이고 Elastoplast로 가볍게 감아준다.

9. 지방의 정제(Fat Processing)

분당 3000회, 3분으로 선호되는 원심분리 방법이 가장 많이 사용된다, 그 외에 TELFA로 걸러 내는 방법, 침강(sedimentation) 또는 통옮김법(decanting canisters)도 유방, 엉덩이 의 대량 지방이식에서는 사용된다.

어느 지방정제 방법이든 체외산소결핍시간(extracorporeal anoxia time)을 줄이고 공기노출을 피하는 것이 이식된 지방의 생착에 중요하다는 것을 염두에 두어야 할 것이다.

10. 주입 방법

정제된 지방을 무산소이동(anaerobic transfer)를 이용하여 여러 개의 1 cc 루어잠김 주사기에 옮겨 세워두거나 따뜻한 물이든 용기에 담가 두고 수시로 적외선 온도계로 물의 온도를 체온 정도로 맞추어 준다.7 이렇게 하면 지방이 오디(mullberry)처럼 뭉치지 않고 도관의 내면 사이에 미끄러짐이 좋아(전단응력이 작아) 주입 시 부드럽게 들어간다.

1 cc 주사기를 사용할 경우 지방의 한 번 주입(volume injected per pass)량은 보통 0.1 cc 이내이나 눈 주위에서는 0.01-0.03 cc가 바람직하다.

도관을 뒤로 빼면서(retrograde injection), 찔끔찔끔(fractionated incremental injection) 낮은 압력으로 주입하면 덩어리짐 이나 혈관 내 주입을 피할 수 있을 것이다. 또한 혈관의 주행 방향을 숙지하여 혈류에 역행하여 지방이 주입 될 수 있는 위험부위를 손가락으로 세게 눌러준다. 이는 얼굴의 위험부위들 특히 눈 주위에 주입할 때 염두 해 두어야 할 것이다.

수술 전 디자인 할 때 표시해둔 계곡부위가 어떤 구획인지 염두 해 두고 깊이와 범위를 고려하여 주입한다(Compartment Specific Fat Graft). 깊은 지방 구획(deep fat compartment)에서는 도관이 뼈나 골막에 닿는 느낌으로, 도관의 구멍도 뼈쪽을 향하도록 주입하고, .얕은 지방 구획에 주입할 때는 주입도관의 구멍이 피부쪽을 향하도록 하고, 과량을 주입하면 원하지 않은 곳으로 이동할 수 있으므로 과량을 주입하지 않아야겠다. 주변 경계부위에도 날개짓(feathering)을 하여 표나지 않게 한다.

11. 주입량

정해진 공간 내 에서 한정된 영양분을 섭취하기 위한 약육강식, 적자생존의 원리가 적용되는 자연계의 현상이 지방이식에도 적용된다.

따라서 손상된 지방이나 불순물은 정제로 걸러버리고 과잉교정을 피하며 적당량만 주입하는 것이 바람직하다. 과잉 교정하면 한정된 공간에 이식된 많은 지방세포가 산소와 영양공급에 장애를 받아 오히려 적당량 이식한 것 보다 지방의 생착이 적을 수 도 있다.

환자들은 수술 후 너무나 달라진 자기의 얼굴에 놀랄 수도 있고 과다하게 주입한 부위를 교정하는 것보다 부족한 것을 보충해 주는 것이 훨씬 쉽다. 주변부가 위축되어 이식된 지방이 표시 나는 경우도 나이든 사람에서는 흔하다. 구획을 가르는 사이막이 나이 들면 유연해지므로(elastic and pliable perhaps because of deflation) 소량을 이식해 주는 것이 바람직하다.

12. 수술 후 처치

지방주입 부위에 접은 거즈를 덮고 손으로 가볍게 몇 분간 눌러주고 주입구는 한 바늘 정도 봉합하거나 습윤드레싱을 하고, 3-5일간 작은 구멍 테이프를 붙여 놓는다.

항생제는 피부상주균(S. epidermidis, P. acnes.)이나 비정형미코박테리움(atypical microbacterium)에 대항하는 제3세대 세팔로스포린과 마크로라이드계항생제를 사용 한다. 수술 후 멍이 많이 들었다면 스트렙토키나제를 복용시키고 연고를 처방한다. 창상치유의 염증기와 증식기(성숙기 일부)에 해당하는 최소 2주 정도는 심하게 만지거나 비비지 말라고 당부하여야 한다.

13. 냉동지방

냉동지방은 생착이 의심스럽다. 이식했던 부위에서 이동하여 하방으로 흘러기도 하고, 해동 시 균의 기하급수적인 증가로 만성염증(생물막형성)을 일으킬 수 있으므로 사용하지 않는 것이 좋다.

14. 도관 구입과 관리의 중요성

아무리 훌륭한 군인이라 하더라도 다양한 고성능 무기가 없다면 승리를 쟁취하기 불가능할 것 이다. 다양한 굵기, 길이뿐 아니라 구멍의 크기와 내경도 고려하여 정품을 구입해야 한다.

사용한 도관은 즉시 따뜻한 물을 큰 주사기에 채워 센 힘으로 세척한 후 세척용 솔로 닦고 Persafe®에 10분 정도 담가서 고압멸균 소독을 한다. 사용 전 생리식염수로 세척하면 안심이 된다. 지방이식에 사용했던 도관 세척이 지체되거나 다음 날 세척하는 경우 술 후 합병증의 원인이 될 수도 있다.

참·고·문·헌

1. Eto, Hitomi M.D.; Kato, Harunosuke M.D.; Suga, Hirotaka M.D.; Aoi, Noriyuki M.D.; Doi, Kentaro M.D.; Kuno, Shinichiro M.D.; Yoshimura, Kotaro M.D. The Fate of Adipocytes after Nonvascularized Fat Grafting: Evidence of Early Death and Replacement of Adipocytes. Plast. Reconstr. Surg. 2012 May;129(5):1081-92.
2. Kim SK, Hwang K, Huan F, Hwang SH. Particle size, temperature, and released amount of fat for safe periorbital fat grafts. J Craniofac Surg. 2013;24(5):1819-22.
3. Kim SK, Kim HJ, Hwang K. Mixed infection of an atypical Mycobacterium and Aspergillus following a

cryopreserved fat graft to a face. J Craniofac Surg. 2013 Sep;24(5):1676-8.

4. Kim, SK, Hwang, K. Anatomical Basis for "Superficial Flow Volumetry" and "Deep Support Volumetry" Kim, Seong Kee; Hwang, Kun Less. Plast. Reconstr. Surg Global Open. 12;4(9):e860, Sep 2016.
5. Lam SM, Glasgold R, Glasgold M. Analysis of Facial Aesthetics as Applied to Injectables. Plast. Reconstr. Surg. 2015 Nov;136(5 Suppl):11S-21S
6. Lam SM, Glasgold R. Complementary fat grafting. Philadelphia, Lippincott Williams & Wilkins, 2007:60.
7. Little J W. Volumetric perceptions in midfacial aging with altered priorities for rejuvenation. Plast. Reconstr. Surg. 2000 Jan;105(1):252-66; discussion 286-9.
8. Ramanadham, Smita R. MD; Rohrich, Rod J. MD. Newer Understanding of Specific Anatomic Targets in the Aging Face as Applied to Injectables: Superficial and Deep Facial Fat Compartments An Evolving Target for Site-Specific Facial Augmentation. Plast. Reconstr. Surg: 2015 Nov;136(5 Suppl):49S-55S
9. Rohrich RJ, Ghavami A. Lift-and-Fill : Integrating the fat compartments. Plast.Reconstr.Surg.133:756e,2014
10. Saththianathan, Mayuran; Johani, Khalid; Taylor, Alaina; More. The Role of Bacterial Biofilm in Adverse Soft-Tissue Filler Reactions : A Combined Laboratory and Clinacal Study. Saththianathan, Mayuran; Johani, Khalid; Taylor, Alaina; Hu, Hongua; Vickery, Karen; Callan, Peter; Deva, Anand K. Less. Plast Reconstr Surg. 2017 Mar;139(3):613-621.
11. Scheuer, Jack F. III M.D.; Sieber, David A. M.D.; Pezeshk, Ronnie A. M.D.; Campbell, Carey F. M.D.; Gassman, Andrew A. M.D.; Rohrich, Rod J. M.D. Anatomy of the Facial Danger Zones: Maximizing Safety during Soft-Tissue Filler Injections. Plast. Reconstr. Surg : 2017 Jan;139(1):50e-58e.
12. Sinno S. Stuzin JM. Current trends in facial rejuvenation : an assessment of ASPS members, use of fat grafting during face lifting. Plast.Reconstr.Surg. 2015 Jul;136(1):20e-30e
13. Sundaram H, Fagien S. Cohesive polydensified matrix hyaluronic acid for fine lines. Plast.Reconstr.Surg : 2015;136:149S–163S.
14. Trautmann M, Stecher J, Hemmer W, Luz K, Panknin HT. Intranasal mupirocin prophylaxis in elective surgery. A review of published studies. Chemotherapy. 2008;54(1):9-16

지방이식 »

지방이식과 관련된 해부학

Anatomy related to fat transplantation

| 박재희 |

어떠한 수술이나 마찬가지겠지만 지방이식도 정확한 해부학적 지식을 가져야만 수술의 위험성과 장점을 판단하여 올바른 수술 전 계획을 수립할 수 있고, 수술 후 부작용을 예방할 수 있다.

지방이식의 발달은 얼굴해부학 연구에 대해 새로운 관심을 가지게 했다. 얼굴의 노화 과정에 대한 평가를 위해서는 표피, 진피 및 피하 조직의 구성에 대한 이해가 필요하다. 또한 얼굴의 뼈와 근육, 혈관, 감각 및 운동 신경 분포, 얼굴의 림프의 구조에 대한 이해가 필수적 이다.

1. 피부해부학

- 표피는 4 개의 명료한 층으로 구성되어 있다. 1) stratum corneum (keratinized), 액체를 포함한 불 침투성층. 2) stratum granulosum. 3) stratum spinosum: 피부모세혈관에 의해 영양공급. 4) stratum basale: melanocytes, Langerhans 세포 (면역 반응을 유발)와 Merkel 세포 (감각 신경 말단에 연결).
- 진피는 cellular 및 acellular 요소로 구성 되어 교원질 및 주름 형성에 연관된 탄력섬유를 포함. 따라서 질기고 단단하며 잘 늘어나지 않아 바늘을 찌를 때 저항을 일으키게 된다. 진피는 혈관과 신경의 말단이 분포되어 진피내 주입이 피부의 다른 층 보다 고통스럽게 느끼는 원인이 된다.
- 에크린샘(sweat gland)은 손바닥, 발바닥, 두피 등의 외피에 존재하는 샘으로 내층(secretory)과 외층(myoepithelial 세포)으로 구성되어 있다.
- 아포크린샘은 액와부, 서혜부, 항문주위에 주로 분포하는 샘으로 hypodermis에 위치한다.
- 피하층은 진피 바로 아래에 위치하고 이것의 두께, 배열 등은 얼굴 노화 과정을 분석하는데 매우 중요한 역할을 한다.

1) 진피 및 피하층

- 표피와 진피는 얼굴 아래 부위보다 이마 부위에서 더 두껍다. 피하층 아래의 galea aponeurotica (SMAS)는 성긴 결합조직으로 이마 부위에 너무 많은 양의 지방이식은 만족할만한 결과를 얻지 못한다.
- 측두 부위 피부는 많은 양의 치밀한 결합조직과 눈에 보이는 얕은관자혈관(superficial temporal vessel)

이 있는 곳으로 지방이식시 혈관 손상과 울퉁불퉁 해지지 않도록 세심한 주의가 필요한 곳이다.

- 측두 부위와 눈 주위의 깊은 지방층은 치밀한 곳으로 Bichat지방층의 측두 확장부위가 이곳에서 발견된다.
- 이마, 미간, 측두 부위의 지방층이 적지만 섬유격막 때문에 치밀한 조직 양상을 보인다. supercilii 위쪽의 미간 부위는 galeal adipose pad라 불리 운다.
- supercilii는 이마, 미간, 눈 주위에 지방이식 계획 시 정상적인 위치를 제공하는 역할을 한다. supercilii는 헤어라인에서 5-6 cm 아래에 위치하고 내측 부위는 alae nasi의 외측부와 일치하고 안구의 내측 모서리에서 1 cm위에 위치한다. supercilii의 외측부는 코의 비익연골과 외안각의 연장선에 위치한다. supercilii의 내측과 외측부는 같은 수준에 있다.
- 눈둘레근아래지방(SOOF)은 광대뼈의 가장 낮은 부위의 상단에 위치하며 안륜근 아래에 있으며 얇은 격막에 의해 눈 주위지방과 분리 되어 있다. 안와 경계보다 아래 위치한 malar fat pad는 SOOF의 하수(ptosis)에 의해 발생할 수 있다. 따라서 nasojugal fold나 외측에 지방이식 시행 시 내측과 외측의 눈확 인대(palpebral ligament)에 주의하여야 한다. 외측인대는 이식한 지방이 확산되는 것을 막는 장벽 역할을 한다.
- 근육피부 천공혈관(perforating musculocutaneous vessel)은 malar prominence에 위치하고 있다. 뺨지방(malar fat)은 코입술 주름(nasolabial fold)을 따라 위치하며 눈둘레근아래지방(SOOF)과 안와지방의 하수나 거짓탈출(pseudoherniation)은 노화의 과정에 따라 발생하게 된다. 뺨의 내측 부위의 쳐짐은 앞쪽과 아래쪽의 지방의 축적과 외측과 위쪽의 지방의 감소를 초래한다. 이러한 해부학적 변화는 깊은 코입술 주름과 웃을 때 뺨에 생기는 여러 개의 주름의 원인이 된다. 또한 얼굴을 아래로 당기는 힘은 뺨 부위의 야윈 모습을 만들어 이 부위에 지방이식이 필요하게 된다.
- 뺨과 코입술 주름, 턱 부위의 지방은 치밀하다. 뺨 부위의 malar fat pad는 관골부위와 하악부위로 나뉘어 진다. 깊은 부분은 근막사이에 위치하게 된다.
- 귀밑샘깨물근부위(parotideomasseteric region)는 피부가 입꼬리당김근(risorius)과 협근(platysma) 근섬유에 단단히 붙어있다. 얼굴신경과 귀밑샘관은 표재성근건막계(SMAS) 뒤쪽과 저작근과 뺨지방의 앞쪽에 위치하게 된다. 귀밑샘관은 입꼬리와 이주(tragus)를 잇는 선 아래에 위치한다.
- 코는 결합조직과 인대에 의해 연결되는 피부, 연골, 뼈로 구성되어 있다. 아래 1/3부위의 피부는 두껍고 단단하며 위쪽 2/3 부위의 피부는 얇고 잘 움직이므로 지방이식시 비교적 저항 없이 주입이 가능하다.
- 입술부위의 피부는 근육층에 나란히 위치된 두꺼운 부분과 피부와 점막사이의 이행상피로 구성된 얇고 섬세한 붉은부분(vermilion)으로 되어있다.
- 입꼬리의 내림근과 협근(platysma)이 위치한 턱 부위의 피부는 얇다. 턱끝부위(menton)에서는 표재성근건막계(SMAS)의 표층지방조직은 섬유격막을 통해 진피층에 단단히 붙어있다. 이부위의 단단한 부착으로 인해 이식한 지방이 마사지를 통해 몰딩이 쉽지 않다. 따라서 턱과 하악 부위의 지방이식은 골막위로 이식하는 것이 좋은 선택이다.

2. 안면부 근육(Description of the main muscles of the face)

안면근육에 대한 정확한 이해는 지방이식 후 생착과 이동을 예측하는데 중요하다.

- 전두근(frontalis muscle)은 전두와 후두 부분으로 구성되어 있고 만나서 머리덮개널힘줄(galea aponeurotica)을 형성한다. 앞쪽으로는 얕은 근막에 연결되어 두 개로 분리 되어 있다. 이마의 중간이나 헤어라인 넘어서 이 두 개가 연결되어 있으므로 전두부의 주름은 개인별로 차이가 있다. 전두근의 기능은 supercilii를 올리고 이마의 항진된 주름을 만드는 역할을 하기 때문에 눈썹의 모양과 위치에 영향을 미치게 된다.
- 눈썹주름근(corrugator muscle)은 상내측 안와경계의 안쪽과 앞쪽부위의 코에서 기시하여 전두근과 눈썹부위의 피부와 합류하고 수축 시 supercilii를 당기면서 근접시켜 미간에 주름을 형성하게 된다. 따라서 안검 검거근과 더불어 안와격막과 밀접하게 연결되어 있다.
- 눈살근(procerus muscle)은 미간 부위의 비골에서 기시하여 이마 부위의 피부에 닿게 된다. 눈살근은 supercilii의 안쪽 부분을 아래로 당기며 따라서 미간 부분의 가로 주름에 영향을 미친다. 눈살근이 길어지거나 비대해지면 코의 가로 주름에 기여하게 된다.
- 눈둘레근(orbicularis oculi muscle)은 안검인대에서 기시하여 코근(nasalis muscle)의 가로부분과 합쳐지게 된다. 눈둘레근은 조임근으로 작용하는 둥근 근육으로 이것의 바깥 부분은 눈썹을 당기는 역할을 한다.
- 눈꺼풀올림근(levator palpebrae muscle)은 나비뼈의 작은 날개(lesser wing of sphenoid)에서 기시하여 앞쪽으로 시신경관을 지나 안검의 피부와 검판, 안와벽에 닿게 되며 눈돌림신경(oculomotor nerve)의 지배를 받는다.
- 측두근(temporal muscle)은 저작근의 한 부분으로 하악을 올리고 오므리게 하는 역할을 한다. 저작근은 두 개의 다발로 되어 있는데 측두와(temporal fossa)와 근막에서 기시하는 얕은 다발과 나비융기(sphenoidal tubercle)에서 기시하는 깊은 다발이 있다. 하악의 근육돌기(coronoid process)와 관자능선(temporal crest)에 닿게 되는데 깨물근(masseter muscle)이 발달하면 측두근도 같이 비대한 경우가 많다.
- 광대 아래의 위치한 근육 중 입술을 올리는 근육은 안쪽에서 바깥쪽 순서로 위입술콧방울올림근(levator labii superioris alaque nasi muscle), 위입술올림근(levator labii superioris muscle), 작은광대근(zygomaticus minor muscle), 큰광대근(zygomaticus major muscle), 입꼬리당김근(risorius muscle)이고 내리는 근육은 아랫입술내림근(depressor labii inferioris), 입꼬리내림근(depressor anguli oris muscle), 턱끝근(mentalis muscle)이 있다.
- 마리오테라인(marionette lines)은 입꼬리 내림근과 협근(platysma)에 의해 형성되고 노인에서 SMAS가 약화되면서 더욱 두드러지는 것이다.

3. 안면부의 감각신경(Sensory innervation of the face)

뺨이나 코, 이마 등 안면부에서 지방 이식하는 부위의 국소마취를 위해서 안면부 감감신경을 이해하는 것은 매우 중요하다.

1) 이마(Forehead)

- 두피의 전두부의 감각은 도르래위신경(supratrochlear nerve)과 눈확위신경(supraorbital nerve)에 의해 지배된다.
- 눈확위신경은 이마와 두피의 전외측 부위의 감각을 담당하고 상안와의 내측 1/3지점에서 나와서 전

두근과 머리덮개(galea) 내측 표면에서 상외측으로 진행한다.

2) 안검(Eyelids)

- 상안검과 결막은 눈신경(ophthalmic nerve)에 의해 지배를 받고 각막, 안구는 섬모체신경(ciliary nerve)에 의해 전두동(frontal sinus), 접형동(sphenoid sinus), 사골동(ethmoid sinus)은 눈확위신경(supraorbital nerve)과 사골신경(ethmoidal nerve)에 의해 눈물샘은 눈물샘신경(lacrimal nerve)에 의해 지배를 받는다. 눈물샘신경의 안검가지(palpebral branch)는 바깥안와의 위쪽 부분을 담당한다.
- 하안검의 바깥부분과 결막, 코는 상악가지(maxillary branch)에 의해 지배된다.
- 하안검과 피부는 눈확아래신경(infraorbital nerve)에 의해 지배된다.

3) 코(Nose)

- 코 부위는 특히 코 부분만 시행 할 때는 별도로 분석해야 한다. 콧등부분(nasal dorsum)은 도르래아래신경(infratrochlear nerve), 콧등신경(dorsal nasal nerve), 눈확위신경(supraorbital nerve), 전사골신경(anterior ethmoidal nerve)에 지배된다.
- 삼차신경(trigeminal nerve)의 분지인 도르래위신경(supratrochlear nerve)은 내측 상안와의 골막과 안와격막사이에서 나와 비근부와 전두부의 내측과 중앙부의 감각을 지배한다. 반면 코섬모체신경(nasociliary nerve)의 분지인 도르래아래신경(infratrochlear nerve)은 비근부의 감각을 담당한다. 전사골신경의 분지인 바깥코신경(external nasal nerve)은 콧등과 코끝과 콧날개 부위를 담당한다.

4) 귀, 관자, 뺨, 하악, 상악(Auriculotemporal region, Cheeks, Mandible and Maxilla)

- 귀, 관자, 하악, 상악 부분의 감각을 담당하는 귓바퀴관자신경(auriculotemporal nerve)은 삼차신경의 하악 가지로 중간뇌막동맥(middle meningeal artery)을 둘러싸고 뒤쪽으로 진행한다. 이후 턱관절(TM joint)을 지나 위쪽으로 관자 부위에 이른다.
- 안면신경(facial nerve)의 분지인 뒤귓바퀴신경(posterior auricular nerve)은 외이도피부와 귓바퀴의 감각을 지배한다.
- 큰귓바퀴신경(great auricular nerve)은 귀밑샘부위의 감각을 담당한다. 삼차신경의 분지인 광대얼굴신경(zygomaticofacial nerve)은 바위고실틈새(petrotympanic fissure)에서 나와서 광대부위 감각을 지배한다.
- 마지막으로 안면신경의 하악분지는 하악각에 위치하여 하악의 앞쪽에서 내측으로 진행한다.

5) 협부(Buccal region)

협부와 협부주위 뺨의 감각에 대한 이해뿐만 아니라 입과 치조(alveolus)의 감각의 이해 또한 중요하다.

- 볼신경(buccal nerve)은 삼차신경 하악가지의 분지로 협부지방(buccal fat pad)을 지나간다. 이는 뺨 점막 부위와 피부의 감각을 담당한다.
- 눈확아래신경(infraorbital nerve)의 윗입술 가지는 윗입술의 피부와 점막의 감각을 담당하고 두 번째 하악소구치 아래의 턱끝구멍(mental foramen)에서 나오는 턱끝신경(mental nerve)은 아래 입술의 피부와 점막, 턱끝 전체의 감각을 지배한다.
- 아랫입술의 점막과 피부, 턱끝, 혀의 앞쪽, 구강의 바닥 부위는 혀신경(lingual nerve)과 턱끝신경(mental nerve)의 지배를 받는다.

- 협부의 점막과 피부는 볼신경(buccal nerve)와 귓바퀴관자신경(auriculotemporal nerve)의 지배를 받게 된다.

4. 운동신경(Facial nerve)

- 지방이식을 시행 할 때 손상이나 파열 등을 피하기 위해 안면부의 운동신경에 대한 이해가 필요하다.
- 관자가지(temporal nerve)는 귀밑샘에서 나와 관골궁(zygomatic arch)의 가운데 부위를 지나는데 이 부위에서 피부표면에 가깝게 된다. SMAS를 따라서 피하층에서 매우 얇아질 때 작은 시술에도 손상을 받을 가능성이 크다. 관자가지는 눈썹, 이마, 안검부위와 앞,위 귀근육, 전두근의 운동을 지배한다. 침습적 수술시 피하층이나 깊은관자근막(deep temporal fascia)층으로 박리하면 안전하다. 전두가지(frontal branch)는 관골궁의 가운데 부위에서 관자두정근막(temporoparietal fascia)내에 위치하며 전두근을 지배하게 된다. 전두가지는 전두근(frontalis muscle), 눈썹주름근(corrugator), 눈살근(procerus), 눈둘레근(orbicularis oculi muscle)의 두측부의 운동지배를 한다.
- 광대가지(zygomatic branch)와 협부가지(buccal branch)는 뺨의 내측에서 보다 얕은 층에 위치하고 있다. 광대가지는 눈둘레근의 아래 부위를 협부가지는 코주위의 윗입술과 콧날개 올림근, 눈살근(procerus), 입꼬리당김근(risorius), 볼근(buccinator), 입둘레근(orbicularis oris)의 위쪽, 코근(nasalis)을 지배한다.
- 귀밑샘저작근부위(parotideomasseteric region)의 운동신경은 안면신경의 말단가지로서 귀밑샘속신경얼기(intraparotid plexus)로부터 나온다.
- 협부가지는 윗입술근육의 운동신경이고 모서리아래턱가지(marginal mandibular branch)는 아래입술근육의 운동신경이다. 이 두 개의 신경은 특히 마른 환자에서 손상 받기 쉬운 신경에 해당된다. 따라서 입꼬리 바깥쪽 2 cm정도 되는 부위는 손상에 쉽게 노출된 곳으로 수술시 주의를 기울어야한다.
- 모서리아래턱가지(marginal mandibular nerve)는 협근(platysma) 깊이 위치해 있으며 하악 아래 경계에서 최대 4 cm 밑에 위치해 있다.

5. 안면부 혈관(Facial blood supply)

최근 들어 지방이식시 동맥폐색(arterial occlusion)으로 심각한 부작용을 일으키는 경우가 보고되고 있다. 따라서 지방이식시 근육뿐만 아니라 혈관구조에 대한 이해 역시 중요하다 하겠다.

- 바깥목동맥(external carotid artery)은 안면부에 혈액을 공급하는 동맥으로 주된 분지는 갑상(thyroid), 혀(lingual), 얼굴(facial), 뒤통수(occipital), 뒤귓바퀴(posterior auricular), 위턱(maxillary), 얕은관자동맥(superficial temporal artery) 등이 있다.
- 얼굴동맥(facial artery)과 이것의 분지가 가장 연구가 많이 되어있으나 다른 분지도 역시 중요하다. 얼굴동맥은 하악의 바깥표면을 따라서 협근(platysma) 밑에서 부터 눈의 내측 모서리까지 진행한다. 볼근(buccinator)과 상악을 지나 큰광대근(zygomatic major muscle)과 윗입술 올림근 속으로 진행한다. 얼굴동맥은 입술과 콧날개에 가지를 낸다.
- 눈구석동맥(angular artery)은 얼굴동맥의 분지로 코를 따라 안와의 내안각 쪽으로 진행하여 안검에 이르게 된다.
- 위턱동맥(maxillary artery)은 바깥목동맥의 가장 큰 분지로 외이도에 공급되는 깊은 귓바퀴영역(deep

auricular section), 고막에 공급되는 고막영역(tympanic section), 뇌막영역(meningeal artery), 잇몸과 치아에 공급되는 치조영역(alveolar artery)으로 나뉘어 진다.

- 얕은관자동맥(superficial temporal artery)은 바깥목동맥의 마지막 분지로 귀밑샘부위에서 나와 얕은 층에서 측두 부위를 향해 진행한다. 마지막 분지가 관골궁 2-3 cm 위에서 나온다. 얕은관자동맥은 관자부(temporal), 전두부(frontal), 두정부(parietal)를 공급한다. 같은 부위를 배출되는 정맥은 얕은관자정맥(superficial temporal vein)이다.
- 바깥과 안쪽 날개근(lateral and medial pterygoid muscle)은 깊은뒤관자동맥(posterior deep temporal vein)에 의해 공급된다. 이 부위의 주된 정맥은 귀밑샘아래쪽으로 내려와 하악체(mandibular body)에 가깝게 위치한 후하악정맥(retromandibular vein)이다.
- 귀앞쪽에 지방이식시 너무 많은 양이 주입되면 얕은관자동맥이 눌리거나 손상되면 심각한 문제가 생길 수 있으므로 섬세하고 천천히 시술해야 한다.
- 눈확아래동맥(infraorbital artery)은 날개위턱틈새(pterygomaxillary fissure)에서 기시하여 안와를 관통 한 뒤 눈확아래구멍(infraorbital foramen)을 통해 나오게 된다. 눈확아래동맥은 중안면부, 하안검, 코와 윗입술을 공급한다.
- 볼동맥(buccal artery)은 깊은앞관자동맥(anterior deep temporal artery) 가까이에서 나와 광대 부위에서 외하방으로 진행하여 뺨과 볼근(buccinator muscle)을 공급한다.
- 위, 아랫입술의 입술동맥(labial artery)은 습윤 점막부와 건조 점막 라인 사이의 내부부분에 위치하여 지방이식이나 필러를 주입하는 공간과 정확하게 배치된다.
- 눈확위동맥(supraorbital artery)은 속목동맥(internal carotid artery)에서 기시한 눈동맥(ophthalmic artery)의 분지다.
- 눈확 아래, 광대, 뺨 부위는 눈물샘동맥(lacrimal artery)의 분지가 안와 외측 밖에서 얕은관자동맥의 분지인 가로얼굴동맥(transverse facial artery)과 문합(anastomosis)을 이루게 된다.
- 가로얼굴동맥(transverse facial artery)은 귀밑샘에서 얕은관자동맥이 나오기 전에 분지해서 안면부 표면을 지나 저작근에 이르게 된다. 이후 몇 개의 가지로 나뉘어 귀밑샘, 저작근, 안면부 피부를 공급한다.
- 입술과 코는 주로 얼굴동맥(facial artery)에 의해 공급 받는다. 얼굴동맥은 매우 구불구불해서 입술확대를 위해 여러 층과 방향으로 시술하게 되면 필연적으로 혈종과 반상출혈이 생길 가능성이 높다.
- 눈구석동맥(angular artery)은 얼굴동맥의 말단 분지로 비근(nasal root) 부근의 콧등의 바깥쪽을 공급하고 윗입술 올림근과 콧날개 부위까지 이르게 된다. 눈구석동맥의 이러한 특성 때문에 지방주입이나 압박 등으로 인한 동맥 폐색 시 눈구석동맥의 담당 구역의 괴사나 허혈, 반흔 등의 결과를 초래 할 수 있다.
- 비주동맥(columella artery)과 바깥코동맥(lateral nasal artery)의 분지는 콧날개, 콧등, 코끝을 공급한다.
- 콧등동맥(dorsal nasal artery)은 비근과 콧등을 공급하고 이의 분지가 비근부에서 눈구석동맥과 합쳐지고 다른 분지는 아래로 내려와 눈확아래동맥의 분지인 바깥코동맥(external nasal artery)과 문합을 이룬다.
- 입술은 얼굴동맥의 분지인 위, 아래 입술동맥(superior and inferior labial artery)에 의해 공급 받으며 반대쪽 안면부와 문합을 이루며 동맥환(arterial circle)을 이루게 된다.

- 턱끝부위는 턱끝밑동맥(submental artery)과 턱끝동맥(mental artery)이 중요하다.
- 턱끝밑동맥은 하악아래 부위에서 얼굴동맥에서 기시하여 하악 바닥에서 턱끝을 지나서 턱끝부위의 근육에 공급된다.
- 턱끝은 턱끝동맥에 의해서도 공급되는데 턱끝동맥은 아래치조동맥(inferior alveolar artery)의 분지로 턱끝구멍(mental foramen)에서 나오게 된다.

망막의 혈액공급(Blood supply of the retina)

망막중심동맥(central retinal artery)은 속목동맥(internal carotid artery)에서 나온 눈동맥(ophthalmic artery)의 분지이다. 망막중심동맥은 시신경을 지나 몇 개의 분지로 나뉘게 된다. 망막중심동맥의 분지들은 다른 어떠한 혈관들과 문합을 이루지 않는 기능적으로 종말동맥(terminal artery)에 해당한다. 따라서 망막중심동맥의 폐색은 실명을 초래한다. 최근 들어 미간부위나 이마, 팔자 부위 등의 지방이식시 속목동맥이나 바깥목동맥의 문합을 통해 지방색전이 역류하여 망막중심동맥의 폐색을 일으키는 사례가 보고되고 있다.

6. 림프조직(Lymphatic system)

안면부의 림프순환은 후방과 하방으로 이루어진다. 입술을 포함한 내측부에서 턱끝부위(submental node)나 턱밑부위(submandibular node)로 배출된다.

안면부 외측부, 두피, 전두부는 귀밑샘림프절(parotid node)로 대각선으로 배출되어 진다.

눈 주위의 지방이식 후 오래 지속되는 부종을 호소하는 환자들이 종종 있다.

사실, 눈꺼풀 주위의 림프시스템은 매우 섬세하고 외상이나 시술에 대한 준비가 되어 있지 않다. 이러한 눈 주위의 림프순환에는 근육의 역할이 중요하다. 따라서 지방이식 시 보톨리움 톡신 등을 눈 주위에 같이 사용하면 부종이 한동안 지속될 수 있음을 유의하여야 한다. 또한 너무 과량의 이식을 시행하여 림프관이 막히게 되면 역시 부종이 오래 지속 될 수 있다. 이러한 눈 주위의 부종을 해결하는 방법으로 손이나 기구 등을 이용하여 안쪽에서 바깥쪽으로 마사지를 하는 것이 도움될 수 있다.

참·고·문·헌

1. Altruda Filho L,Cândido PL,Larosa PRR,Cardoso EA.Anatomia topográfica da cabeça e do pescoço. Barueri,São Paulo:Manole;2005.
2. De Figueiredo JC,Naufal RR,Zampar AG,Mélega JM.Expanded median forehead flap and Abbé flap for nasal and upper lip reconstruction after complications of polymethylmethacrylate. Aesthetic Plast Surg; 2010;34(3):385-7.
3. Gardner E,Gray DJ,O ′ Rahilly R.Anatomia.4.ed.Rio de Janeiro: Guanabara Koogan;1978.
4. Haddock NT, Saadeh PB, Boutros S, Thorne CH. The tear trough and lid/cheek junction: anatomy and implications for surgical correction. Plast Reconstr Surg.2009;123(4):1332-40;discussion 1341-2.
5. Haddock NT, Saadeh PB, Boutros S, Thorne CH. The tear trough and lid/cheek junction:anatomy and implications for surgical correction. Plast Reconstr Surg.2009;123(4):1332-40;discussion 1341-2.
6. Hirsch RJ,Stier M.Complications of soft tissue augmentation.J Drugs Dermatol.2008;7(9):841-5.
7. Hirsch RJ,Stier M.Complications of soft tissue augmentation.J Drugs Dermatol.2008;7(9):841-5.
8. Sobotta J, Becher H. Atlas de Anatomia Humana. 17ª

edição. Rio de Janeiro:Guanabara Koogan;1977.

9. Sobotta J,Becher H.Atlas de Anatomia Humana.17. Ed.Rio de Janeiro: Guanabara Koogan;1977.

Chapter 48

지방이식 » 얼굴지방이식 »

이마, 관자놀이

Forehead, Temple Fatgraft

| 김기태 |

이마와 관자놀이는 얼굴의 상부 1/3을 차지하며, 함몰이 없이 매끈한 윤곽선의 이마와 관자놀이는 부드러운 인상과 함께 젊어보이게 하며, 중안면부로 이어지면서 zygomatic arch와 자연스럽게 이어지면 얼굴의 크기도 작아보이게 된다. 나이가 들어감에 따라 이마와 관자놀이의 연부조직은 그 볼륨이 줄어들어 점차적으로 얼굴뼈의 윤곽이 들어나게 된다. 이마는 frontalis muscle과 procerus muscle.그리고 corrugator muscle의 영향으로 이마주름이 깊어지고, 미간주름 등이 깊어지게 된다. 또한 관자놀이는 피부와 피하조직이 줄어들면서 정맥이 두드러지게 보이고, 옆 광대뼈의 윤곽선이 들어나면서 나이들어 보이게 된다. 이런 이마와 관자놀이를 돋우는 방법들은 과거에는 실리콘 보형물이나 본시멘트 등을 사용하는 수술들을 많이 하였지만 최근에는 지방이식술이 많이 시행되고 있다.

1. 이마

1) 이마의 해부학적 특징

이마는 위아래로는 hair line부터 눈썹까지 좌우로는 양쪽 관자놀이와의 경계인 temple crest까지이다. 둥글고 굴곡이 없는 봉긋한 이마의 윤곽선은 젊음의 상징이기도 하다. 얼굴의 상부을 주로 이루고 있으며, 전두골의 해부학적 특징으로 supraorbital ridge과 양측으로 이마뼈융기(frontal eminence)가 나타난다.이 두 부분사이에는 자연적으로 가로로 긴 오목한 부분(concavity)이 나타난다. 하지만 개인적인 차이에 의해 그 높이의 차이가 심하지 않은 경우도 있으며, 골격의 높이차이를 전두근과 근막, 피하지방의 두께에 의해 매끈하게 이어진 경우 아름다운 이마라고 할 수 있다. 이마부위는 연조직의 두께가 얇고 넓은 부위로 선천적또는 후천적으로 fat atrophy가 있으면 뼈의 모양이 드러나게 되어 나이들어 보인다**(그림 1, 2)**.

이마, 특히 미간의 상부는 볼록한 것이 젊어보이게 한다. 눈썹위의 돌출은 해부학적으로 정상적이지만 그 돌출의 정도가 심한 경우에는 강한 인상을 주게 된다. 남성의 경우에는 눈썹의 돌출부 상부의 이마 중간위치의 함몰은 남성적인 인상을 주는 좋은 결과도 있지만, 여성의 경우 이 부위의 함몰은 남성적인 느낌을 주는 나쁜 결과를 초래하게 된다. 눈썹 돌출부 상부에서 부터**(그림 3)** 헤어라인 시작부위까지 자연스러운 곡선의 경사면을 이루는 것은 아름다운 여성성을 만드는 데

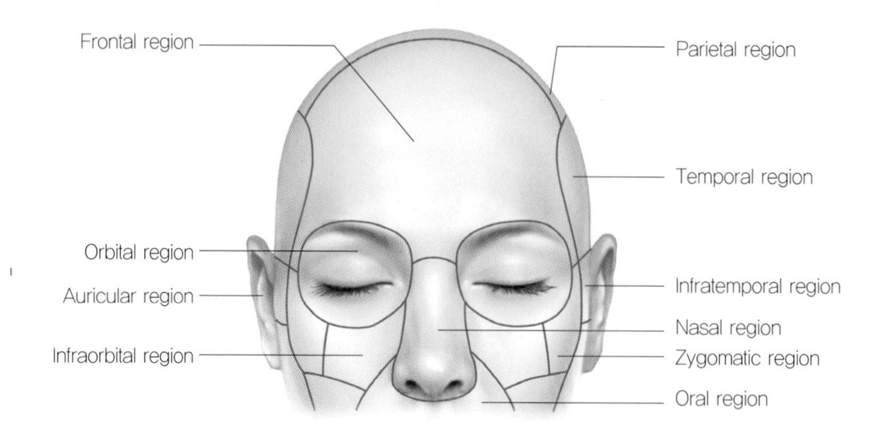

그림 1 이마부위의 해부학적 도식

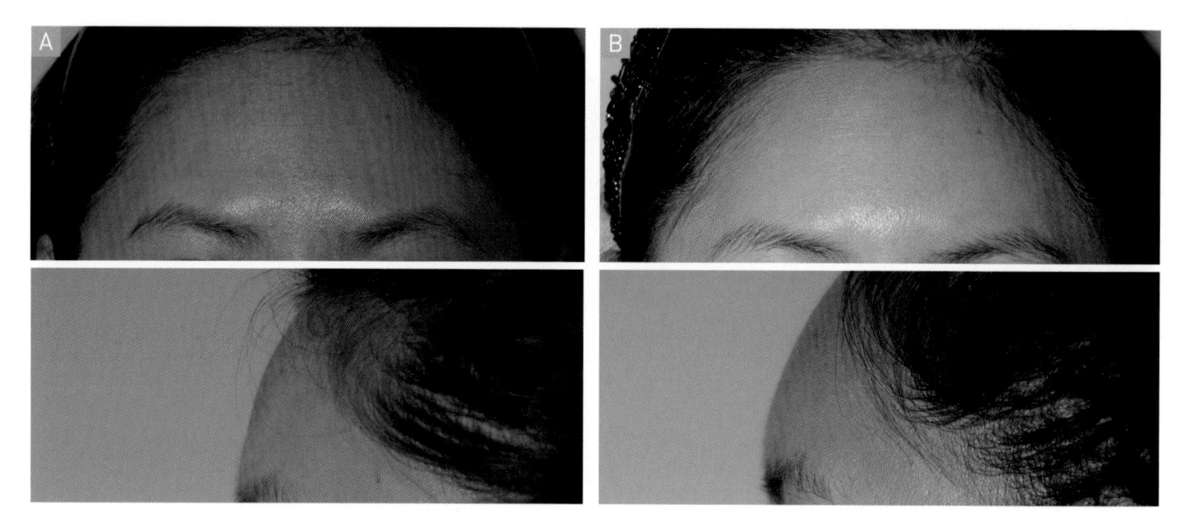

그림 2 이마지방이식, 좌측(A) 이식전, 우측(B) 이식후, 좀 더 부드러운 이마윤곽선을 보여준다.

도움을 준다.

서양인은 앞뒤가 길고 좁은 형태의 머리뼈 형태(dolichocephalic type)이지만, 동양인은 폭이 넓고 앞뒤가 짧은 형태(brachycephalic type)의 머리뼈를 가진다. 이러한 해부학적 특징으로 인해 이마의 볼륨을 더하여 서양인과 비슷한 형태로 변화시키면 좀 더 얼굴이 작아보이게 되는 효과를 가지게 된다. 이마의 중앙부인 미간은 반복적인 근육의 움직임으로 인하여 주름이 형성되고, 연부조직이 줄어들면 나이가 들어보이게 된다.

2) 이마 지방이식술의 디자인

(1) 이마의 정밀한 측정

이마의 전체적인 모양을 확인한다. 이마의 굴곡된 부위를 정면과 측면, 그리고 고개를 숙인 상태에서 모두 확인하고, 관자놀이부위의 함몰정도를 확인하여야 한다. 관자놀이부위가 튀어오른 경우에는 지방이식의 범위를 temporal crest의 내측으로만 한정하여야 자연스러운 이마의 모습이 된다. 눈썹위의 supraorbiatl ridge과 frontal eminence를 확인하고, 이마뼈 융기를

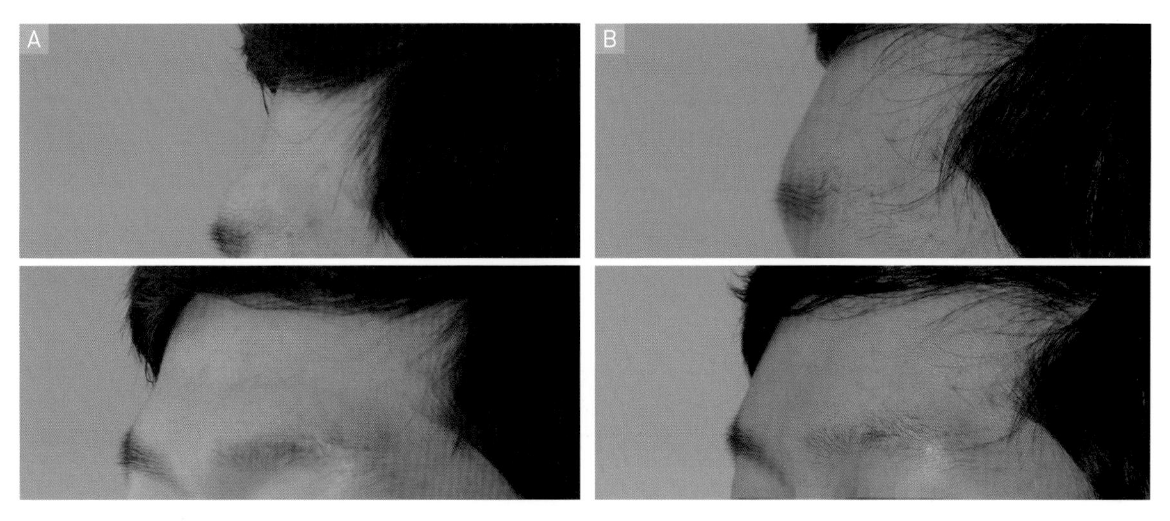

그림 3 남성의 이마모습. 이마지방이식 전(A)과 후(B), 지방이식으로 좀 더 부드러운 이마를 만들 수 있다.

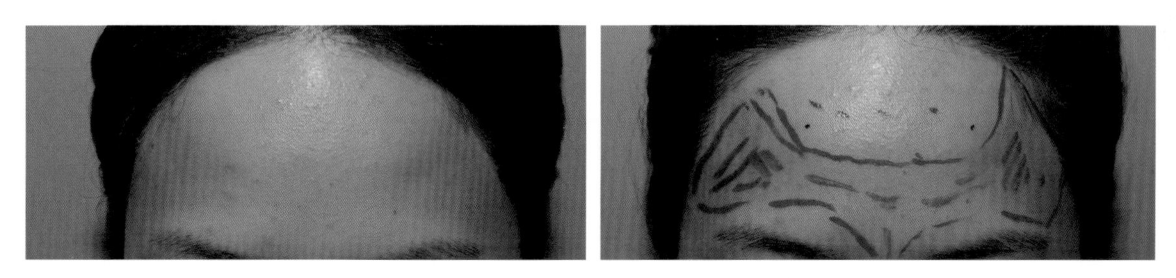

그림 4 관자놀이 부위의 함몰이 있는 경우 이마지방이식디자인

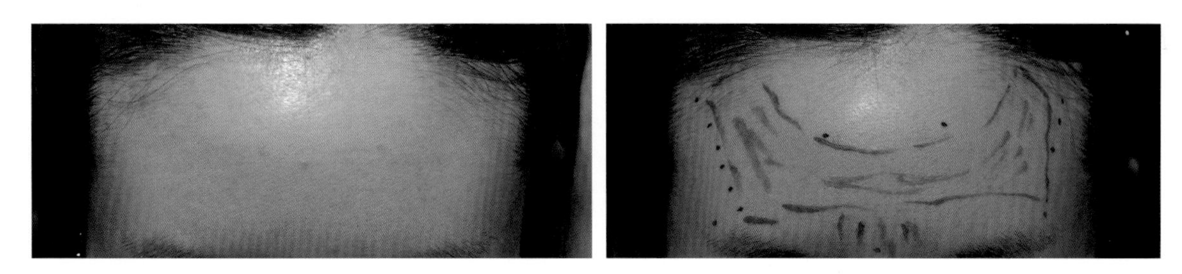

그림 5 관자놀이 부위의 비대가 있는 경우 이마지방이식디자인

표시한다. 이마뼈 융기와 눈썹할을 이은 선이 자연스러운 경사도를 이루는 것이 자연스러운 이마의 윤곽선에 가깝다. 지방이식이 필요한 부위의 경계선을 붉은 색으로 표시하고 함몰된 정도에 따라 이식할 부위에 녹색으로 표시한다. 전두근 등의 움직임 정도를 같이 확인하여야 한다. 안검하수 등이 있는 경우 전두근의 긴장도가 높고, 표정을 지을 때 frontalis, procerus, corrugator 근육에 의해 운동성이 과도한 경우는 지방이식수술전 1-2주 전에 보툴리움 톡신을 사용하여 근육의 움직임을 줄인 후 지방이식을 시행하는 것이 좋다**(그림 4, 5)**.

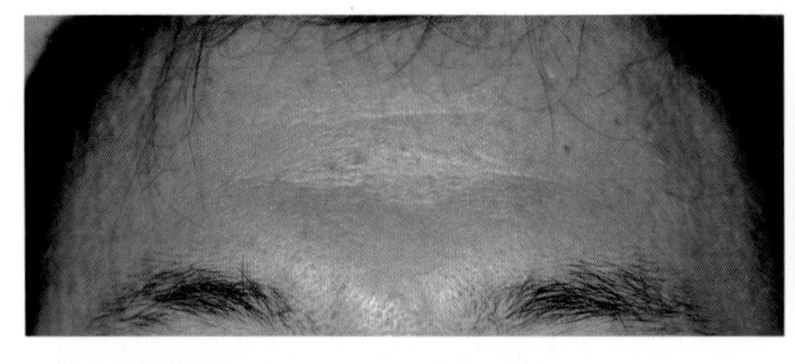
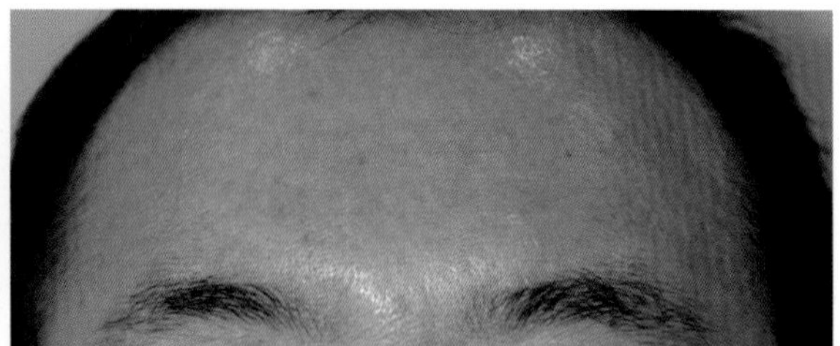

그림 6 이마주름이 있는 경우 이마지방이식술

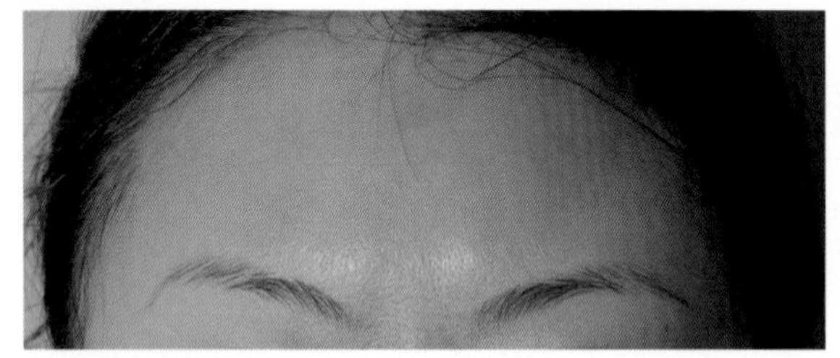
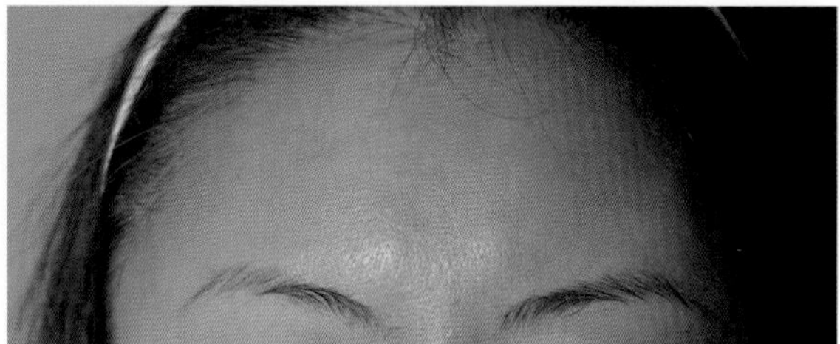

그림 7 미간주름이 있는 경우 이마지방이식술

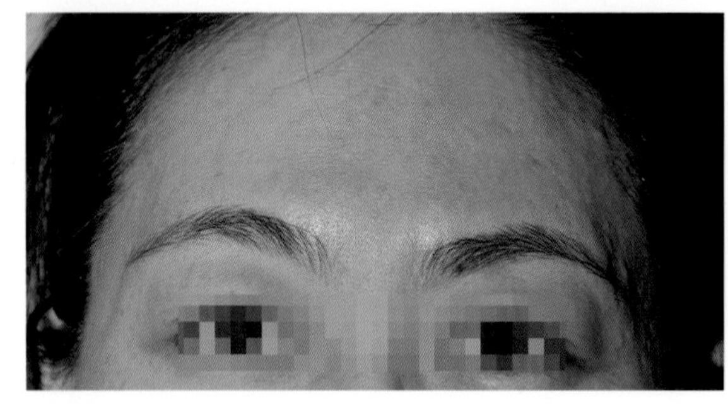
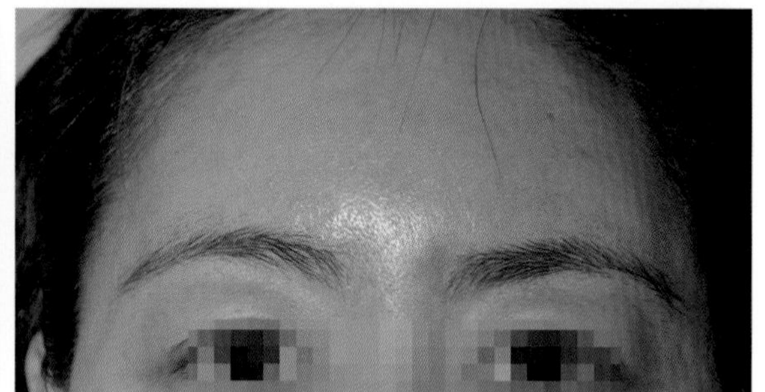

그림 8 관자놀이의 함몰을 동반한 경우 이마지방이식술

(2) 이마주름의 유무

나이가 든 환자나 젊더라도 이마의 주름이 있다면 일반적인 이마의 지방이식술의 방법을 사용하여 전체적인 이마의 부드러운 윤곽선을 만들고 추가적으로 이마주름에 좀 더 피하에 가깝게 얇은 부위의 지방이식이 필요할 수 있다. 전체적인 함몰을 지방이식으로 채우더라도 남는 깊은 주름인 경우 V-dissetor cannula나 subcision knife 등으로 단단히 고정되어 있는 피하조직을 박리하고 이식하여야 한다(**그림 6**).

(3) 미간주름의 유무확인.

미간주름이 심한 경우 미간주름의 함몰을 정확히 기록하고, 표정을 지을 때 생기는 함몰의 정도를 고려하여 추가적인 지방이식이 필요하다. 이마전체의 지방이식시 마지막으로 미간부위의 지방이식을 시행하는 것이 좋으며, 과도한 양의 지방이식은 오히려 튀어나온 혹처럼 보이게 되지만 미간주름이 덮어질 정도의 양은 필요하며 적당한 볼륨이 유지되어 nasal root와 자연스러운 곡선을 이루게 하는 것이 중요하다(**그림 7**).

(4) 관자놀이 함몰의 유무확인.

외측으로 이마의 경계선인 Superolateral fusion (temple crest)에서 갑자기 볼륨이 부족하면 자연스럽지 못하고 이런 경우 이마부위만 지방이식이 된 경우에는 오히려 어색한 이마중앙만 튀어나온 모습이 된다. 나이가 많은 환자나 수술전 진찰 시 관자놀이 함몰이 있는 환자는 이마의 지방이식과 함께 관자놀이의 지방이식을 같이 계획하여야 한다(**그림 8**).

3) 이마지방이식술의 마취.

(1) 마취방법

supratrochelar nerve와 supraorbital nerve를 regional nerve block시키는 것이 중요하다. 이마는 통증에 민감하므로 반드시 신경차단을 하는 것이 필요하다. 이마의 외측, 관자놀이까지 수술하는 경우에는 광대관자신경(zygomaticotemporal nerve)의 마취가 필요한 경우도 있으나 마취가 잘 되지 않는 경우가 많으므로 국소마취가 필요하다.

지방을 이식할 이마부위를 마취하기 위해서는 부위마취를 한 후 지방이 들어가는 공간에 직접 튜메선트 용액을 주입하는 것이 필요하다. 이는 마취의 효과와 함께 박리의 효과(hydrodissection)를 얻기 위함이다. 또한 수술전 수여부의 수술 후 윤곽선을 시뮬레이션해 보는 효과도 있다.

4) 지방의 채취

이마의 지방이식을 위한 지방의 채취는 일반적인 지방이식에서의 방법에 준하여 시행하면 된다.

5) 수술방법

(1) 절개선의 위치

절개선의 위치를 정하는 데 있어서 중요한 신경과 동맥이 주행하는 부위를 피하여야 한다. 미간부위에는 supratrocheal nerve, artery가 위치하며, 피부표면에서의 지표로는 Corrugator crease 아래에 있다. 미간부위의 절개선은 midline forehead crease 주위에 한 지점을 정하는 것이 안전하다.

이마부위의 바깥쪽 절개선은 눈썹의 가장 외측 부위에 결정하는 것이 좋다. 이 부위는 supraorbital nerve의 deep branch의 주행보다는 외측이고 관자놀이쪽의 superficial temporal artery의 frontal branch가 눈썹의 2cm상방을 지나가므로 동맥의 주행을 피할 수 있다.

(2) 이마부위의 마취 및 박리

지방이식이 필요한 부위를 튜메선트 용액으로 hydrodissection하는 것이 혹시라도 생길 수 있는 혈종을 예방할 수 있으며, 여러층을 나누어 지방이식을 시행하기에도 도움을 준다. 튜메선트 용액은 30게이지 니들을 이용하여 피부에서 직접 찔러 주입하거나, 절개선을 통해 끝이 무딘 케뉼라를 이용하여 주입할 수도 있다. 튜메선트 용액의 양은 계획된 지방이식양의 1/2 정도이다. 이마와 관자놀이에서는 대략 8cc에서 10cc 정도 주입하게 된다. 수술 후 부종을 줄이기 위해서

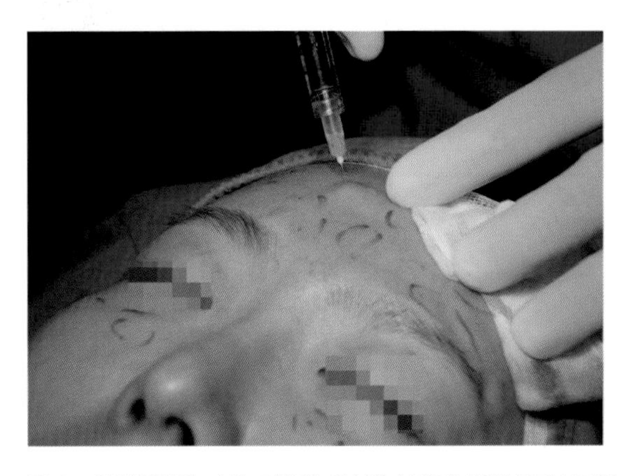

그림 9 이식부위의 마취, 지방을 이식할 부위에 직접 튜메선트용액을 주입한다.

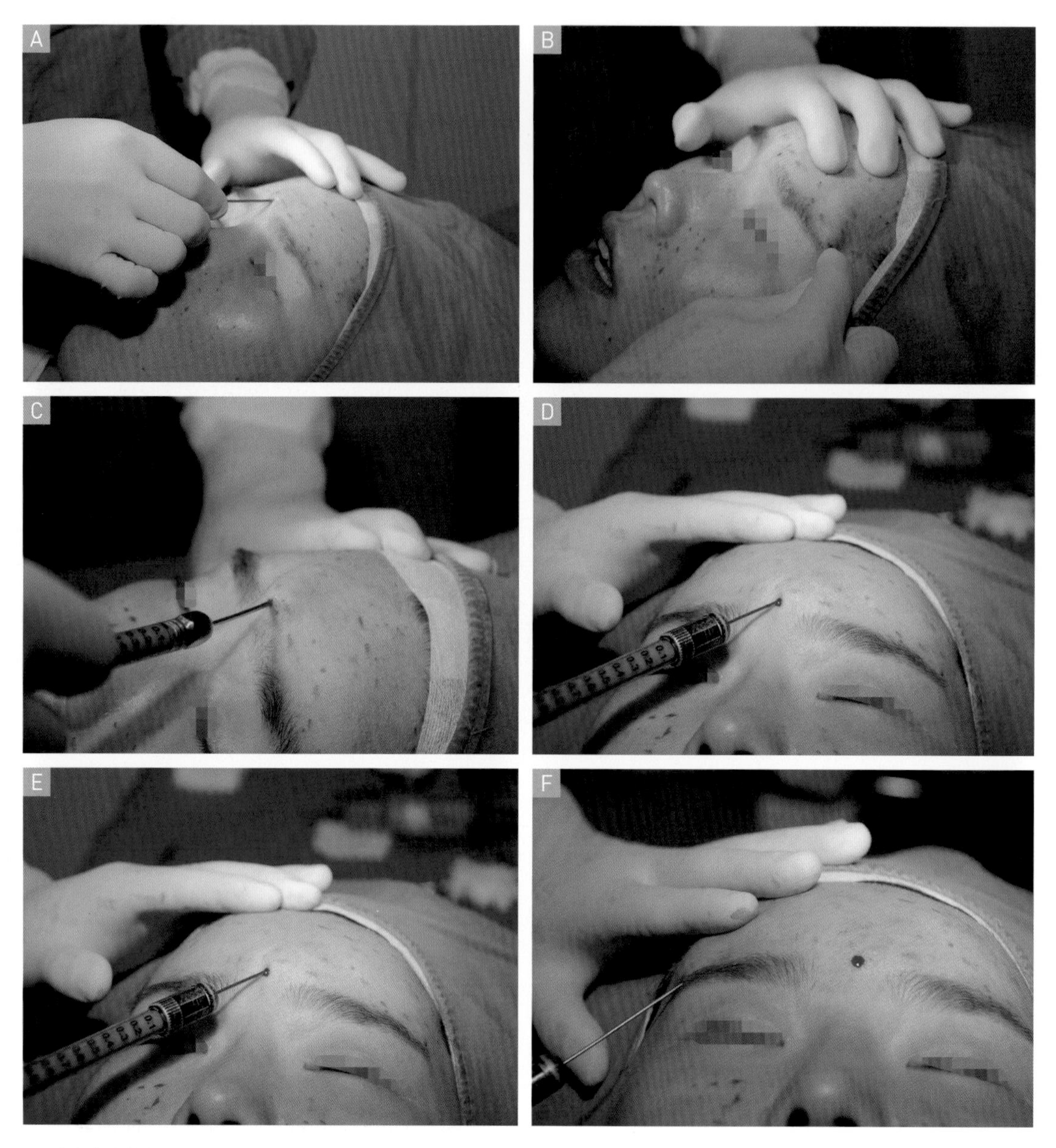

그림 10 이마지방이식술 수술술기

는 얇은 바늘을 이용하여 피부에서 직접 주입하는 것이 유리하고, subcision이나 V-dissector 등을 사용하여야 하는 경우에는 케뉼라를 통해 용액을 주입하는 것이 좋다. 용액이 주입되고 흡수되는 시간이 필요하므로 이마부위의 박리는 공여부의 튜메센트를 주입하고 바로 시행하는 것이 좋고, 너무 오랜 시간이 경과 후 지방이식이 시행될 상황(지방세포유래 줄기세포 추출이 필요한 경우 등)에는 이식을 시행하기 전에 주입하기도 한다(**그림 9**).

(3) 지방이식방법(그림 10)

이마의 지방이식술에서 가장 중요한 점은 많은 양

의 지방이 위치하게 되는 layer인 loose areolar layer를 찾는 일이다. 먼저 미간부위의 절개선을 통해 coleman type I cannular(또는 type II)를 사용하여 절개선에서 수직으로 캐뉼라를 넣고 근육을 아래쪽 전두근의 periosteum을 느끼며, periosteum위 loose areolar layer를 들어올리며 박리한다는 느낌으로 dissection을 한다(**그림 10A**). dissection의 범위는 디자인 된 부위까지이며, 경계부위에서는 tapering한다는 느낌으로 dissection의 정도를 줄이게 된다. dissection은 먼저 미간쪽 절개선을 통해 lateral 쪽으로 시행하게 되며, 과도한 힘을 주지않고 loose areloar layer를 든다는 느낌으로 조금씩 밀어서 박리범위를 늘여간다. lateral쪽에서 반드시 lateral fusion line을 만나게 되고 이 부위를 끊어낸다는 느낌으로 박리한다(**그림 10B**). 미간쪽에서 양측 lateral fusion line까지 박리하게 되면, lateral쪽 절개선에서 coleman type II cannula를 이용하여 medial쪽으로 박리를 시작하며, 이 역시 캐뉼라를 깊숙히 넣어 periosteum에 닿는 느낌을 확인하고 천천히 박리한다. lateral fusion line에서 내측에서 박리한 공간과 연결되면, 지방을 이식하기 시작한다. 지방이식은 dissection한 캐뉼라를 그대로 사용하게 되며, 이마 중앙부위에서 부터 부채꼴 모양으로 이식한다(**그림 10C**). 반드시 소량의 지방을 조금씩 넣게 되며, 이식될 공간이 박리된 상태이므로 주의하지 않으면 많은 양의 지방이 한꺼번에 주입될 수 있다.

이 경우에는 반드시 지방이 이식된 부위를 바로 눌러 지방이 뭉쳐서 위치하지 않도록 한다. 되도록 이면 지방이식술의 술기는 후퇴하면서 지방이 최소의 단위로 나누어져 위치하도록 하여야 한다. 미간절개선을 통해 일정량의 지방을 이식하면 양측 lateral 절개선을 통해서도 부채꼴 모양으로 이식한다. supraorbital ridge 위의 함몰부위는 단단하게 부착되어 있으므로 위쪽 지방이식이 끝난 후 미간절개선에서 lateral쪽으로 조심스럽게 박리하면서 이식한다(**그림 10D**). periosteum 주위의 지방이식이 이루어져 전체적인 볼륨이 생겨나면 다시 캐뉼라를 좀 더 얇은 18G-19G로 바꾸고 주입하는 층도 좀 더 얇은 피하조직층으로 접근하여 이식을 시행한다(**그림 10E**). 얇은 층의 지방이식을 시행하며 전체적인 윤곽선의 모양을 확인하면서 이식하고, 양측 외측절개선을 통해 lateral fusion line을 넘어서면서 함몰되는 부위가 없이 골고루 이식되는 것을 확인한다(**그림 10F**).

이마의 경우 central area, lateral area, glabella, suprabrow로 구역을 나누어 한 부위씩 지방이식을 시행하고, 다른 층으로 지방을 이식할 때에도 같은 방식으로 구역별로 지방이식을 시행하면서 전체적인 윤곽선이 부드럽게 형성되는 것을 확인하는 것이 필요하다. 이마 전체의 지방이식량도 중요하지만 구역별로 지방이식량도 측정하여 이식된 지방양을 기억하고 있는 것이 추후 본인의 지방이식술기에 따른 지방생착율과 사전 디자인하는 지방의 양을 가늠할 수 있게 된다

이런 작업들이 수술의 횟수가 많아질수록 과교정의 가능성을 줄이고, 계획한 높이와 일치하는 결과를 만들 수 있게 한다.

6) 이식 시 고려해야 할 점

이마부위의 지방이식에서 많은 양의 지방이식은 어색하고 인위적인 느낌의 이마모양을 만들게 된다. 특히 이마 중앙부위의 과도한 지방이식은 마치 뿔이 난 듯한 모양의 이상한 모양의 이마가 될 수 있다. 지방이식의 양은 모자란 듯 이식하는 것이 중요하다. 동양인들과는 달리 서양인들의 경우에는 이마 중앙부에 지방이식을 시행하는 경우는 많지 않다. 이는 해부학적인 특징 뿐 아니라 이마가 둥글게 튀어나온 것에 대한 미적 욕구가 차이나기 때문이라고 할 수 있다.

이마에 어느 정도 지방을 이식할 것인가에 대한 문제는 매우 어려운 문제이다. 하지만 수술자에 따라 생

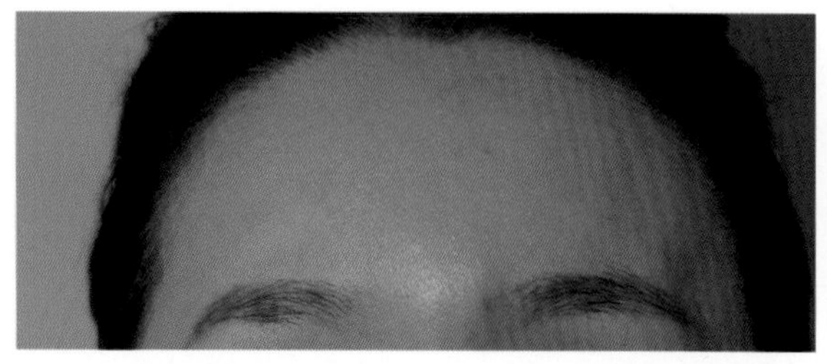
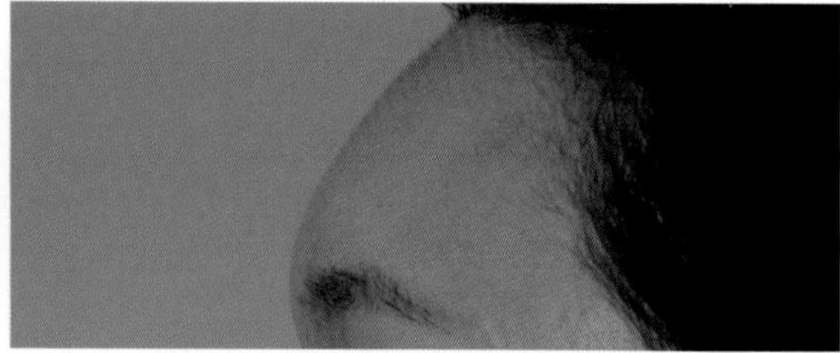

그림 11 과도한 지방이식. 미간부위의 과도한 지방이식으로 어색한 모습의 이마가 되었다.

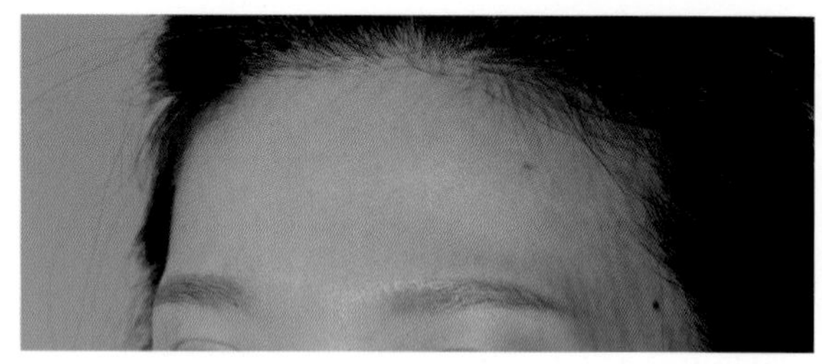
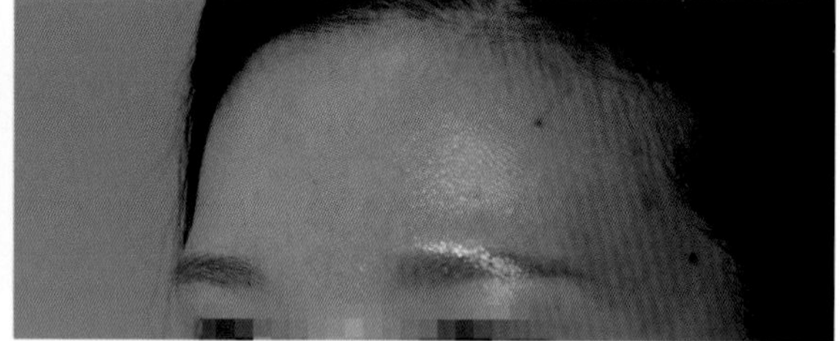

그림 12 이마지방이식. 이마가 넓은 경우에는 적절한 양의 지방이식이 더 자연스러운 결과를 나타낸다.

착율의 차이가 있을 수 있으므로 본인의 수술방법에 따른 생착량을 스스로 판단하는 것이 더 중요하겠다. 하지만 무엇보다 이마지방이식에서 overcorrection은 미용적으로 좋지 못하며, 이를 해결하기는 undercorrection보다 훨씬 힘들다. 환자의 요구가 있더라도 이마의 지방이식은 좀 더 보수적으로 적은 양을 이식하는 것이 더 좋다(**그림 11, 12**).

supracillary arch 위로 이마와 윗눈꺼풀의 경계가 되는 Orbicularis retaining ligament를 다치지 않는 것이 중요하다 이 구조물을 다치면 이마쪽에 이식한 지방이 윗눈꺼풀 쪽으로 흘러 지속적인 눈꺼풀 부종과 심하면 blepharoptosis의 증상을 일으킬 수 도 있다.

2. 관자놀이

관자놀이는 이마의 lateral 부위이면서 나이가 들어감에 따라 연부조직들이 위축되면 함몰되어 보이고 zygomatic arch 등의 윤곽이 들어나 보이면 나이들어 보이고 강한 인상을 주게 되므로 지방이식으로 함몰된 느낌을 없애주면 젊어보이고 활기차 보이게 된다(**그림 13, 14**).

1) 관자놀이의 해부학적 특징

관자놀이와의 경계라고 할 수 있는 lateral fusion은 전두근의 lateral margin이며, periosteum이 견고하게 전두골에 붙어있는 지점이라고 할 수 있다. 관자놀이는 lateral fusion에서 부터 외측,하방으로 zygomatic arch의 상부까지를 의미하며, 어느 정도 오목한 모양이 정상적이지만, 지나치게 함몰된 경우는 나이들어 보이고 골격의 윤곽이 심하게 나타나게 되어 강한 인상을 주게 된다.

우묵한 temporal fossa에는 측두근(temporalis muscle)이 위치하며, 이 근육의 표면에는 두 층의 근막층이 존재한다. temporoparietal fascia (TPF)는 관자부위 피부 밑에 위치하는 얇은 근막층으로 superficial temporal a. and v.을 둘러싸고, 아래쪽으로는 SMAS로

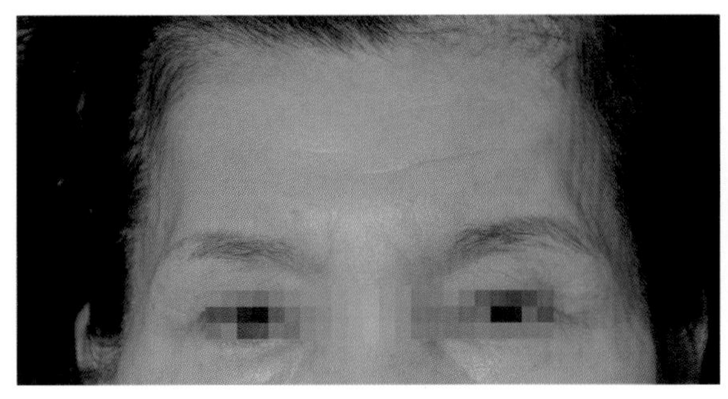
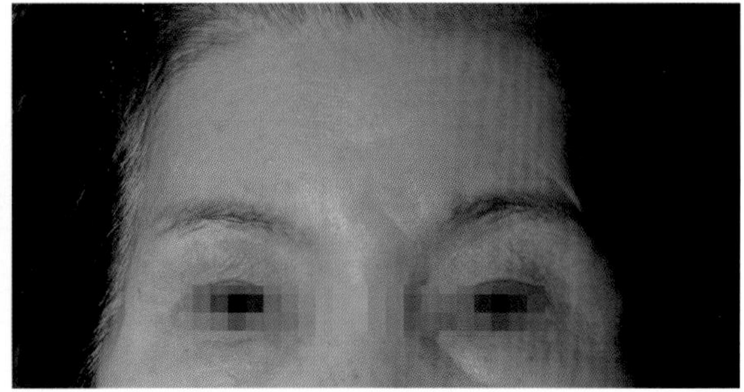

그림 13 관자놀이지방이식술. 고령의 환자. 관자놀이의 함몰이 심하지만 지방이식술 후 많이 호전되었다.

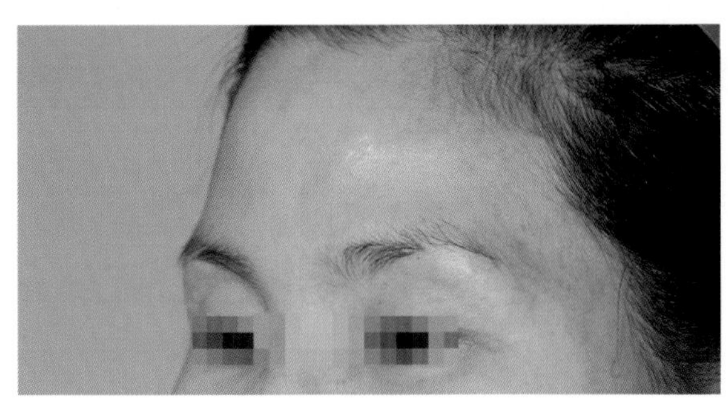
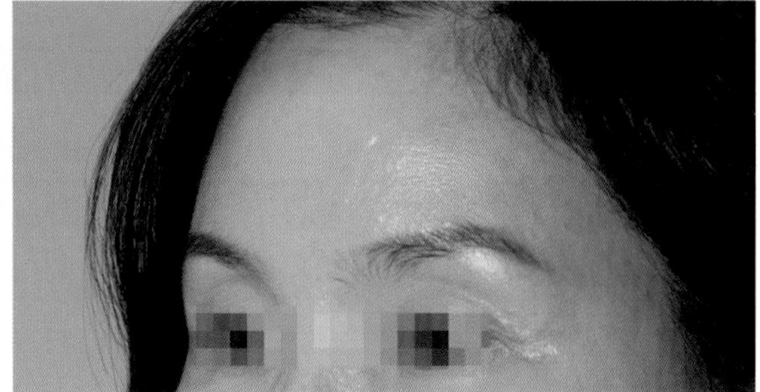

그림 14 이마와 관자놀이 지방이식술. 이마와 이어지는 관자놀이의 지방이식이 동시에 이루어지면 전체적으로 부드러운 인상을 만든다.

이어진다.

이 보다 깊은 곳에는 조금 더 질긴 Deep temporal fascia (DTF)또는(temporalis fascia, temporalis muscle fascia)이 위치하며, Superior temporal septum에서 시작하여 아래로 내려오면서 두층으로 나뉜다(super˝cial and deep layer of DTF). 나뉜 두 층은 zygomatic arch 상방 1-2cm정도에서 다시 합쳐져 arch를 감싸게 된다. 깊은 관자근막이 두 층(superficial and deep layer of deep temporal fascia)으로 나뉘어 형성된 공간에는 약간의 지방조직과 middle temporal v.이 있다.

superficial temporal artery의 frontal branch의 주행 경로는 이마쪽으로 가는 신경의 주행을 예측하는 데 유용하므로 반드시 숙지하여야 한다. Frontal branch는 zygomatic arch위를 통과하면서 DTF를 뚫고 STF의 undersurface를 따라 진행한다. 보통 zygomatic arch의 upper border에서 1.5-3 cm 상방, lateral orbital rim에서 0.9-1.4 cm 정도 바깥쪽에 위치하는 부위에서 STF바로 밑으로 주행하므로 주의하여야 한다. 이마로 가는 신경들과 주요한 혈관들은 대부분 피부에서 얇은 부위에 위치하고 있음을 유념하고 있어야 한다(**그림 15**).

2) 관자놀이의 지방이식 디자인

관자놀이의 함몰된 정도를 확인한다. 눈썹의 외측 경계선에서 부터 외측 헤어라인까지 관자놀이 함몰된 정도를 정면과 측면, worm's eyes view로 보면서 확인한다. 보통의 경우 이마의 지방이식과 함께 디자인을 하게 되지만 관자놀이의 함몰이 심한 경우에는 이마지방이식을 동시에 하지 않더라도 관자놀이부위만 지방이식이 필요한 경우도 있다. 관자놀이부위의 관찰시 측두부의 골격이 너무 크고 넓다면 관자놀이의 지방이식은 얼굴을 더 크게 보이게 함으로 금하는 것이 좋다.

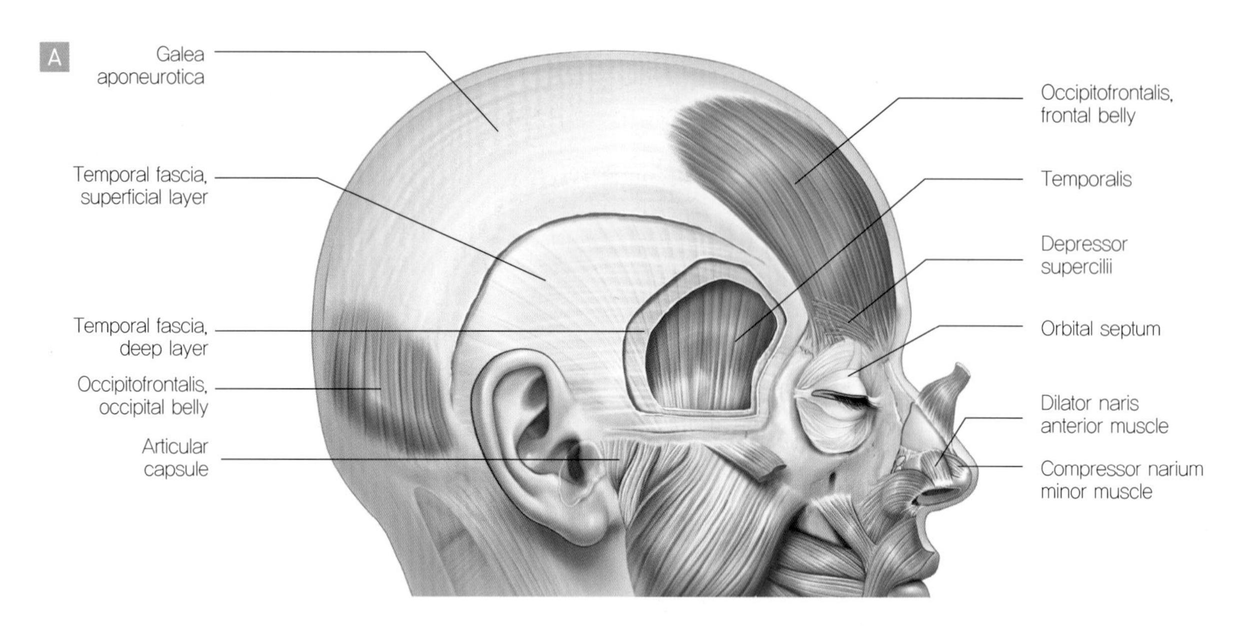

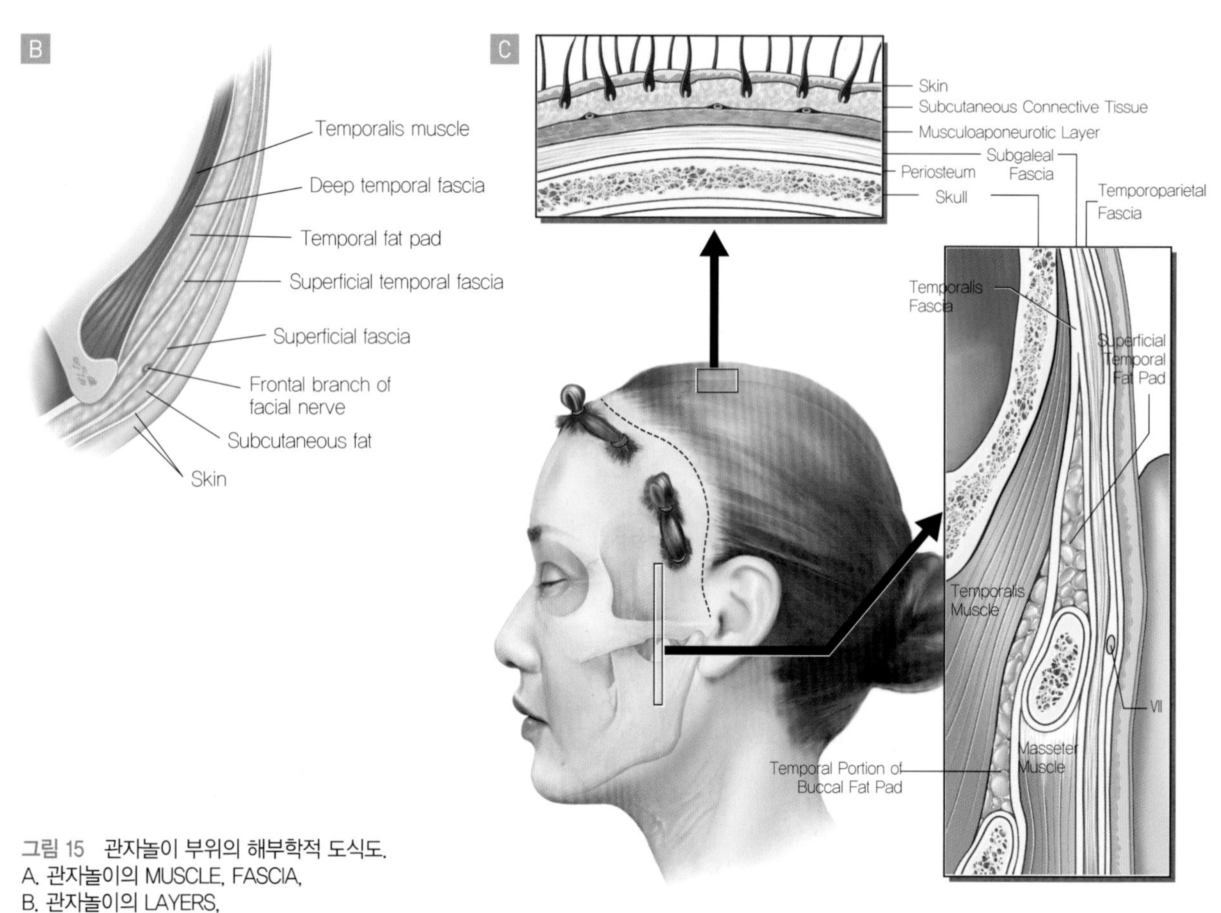

그림 15 관자놀이 부위의 해부학적 도식도.
A. 관자놀이의 MUSCLE, FASCIA.
B. 관자놀이의 LAYERS.
C. 이마와 관자놀이의 LAYER의 연관성.

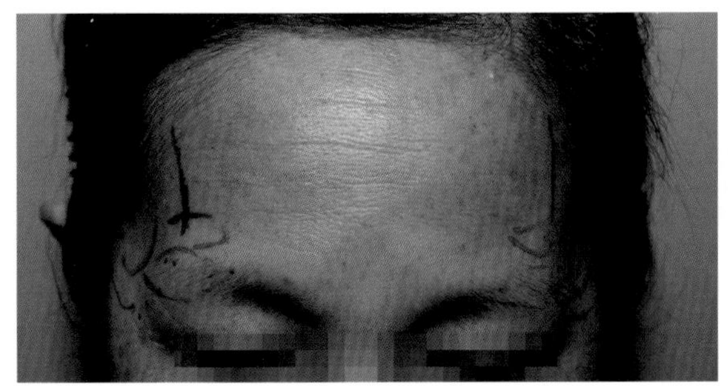
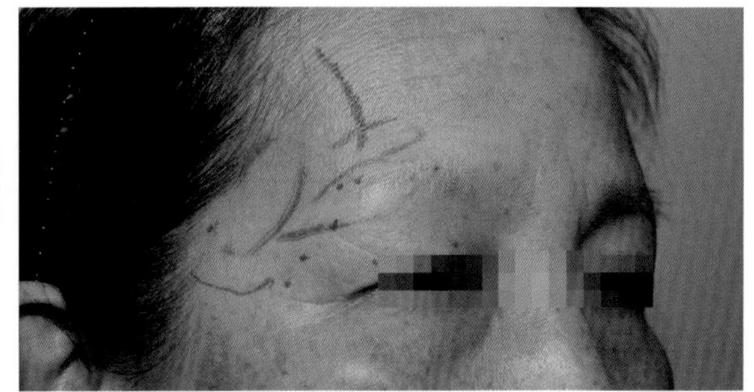

그림 16 관자놀이 지방이식디자인

또 zygomatic arch의 폭보다 temporal fossa의 폭이 넓은 경우에는 관자비대이므로 오히려 temporalis muscle을 보툴리움 톡신등으로 위축시키는 것이 필요하다(그림 16).

3) 관자놀이의 지방이식수술 방법

(1) 절개선의 위치

관자놀이의 지방이식 시 절개선은 그림과 같이 귀 앞쪽 zygomatic arch 상방 2 cm 정도, 이마지방이식 시 외측 절개선이 안전하다. 이마지방이식이 같이 시행하는 경우에는 눈썹 외측 절개선까지만으로 이마지방이식과 관자놀이 지방이식을 모두 사용하는 경우도 있지만, 귀 앞쪽 절개선에서 내측으로 지방이식을 시행하는 것이 필요하므로 보통 귀 앞쪽 절개선과 눈썹 외측 절개선을 모두 사용하는 것이 좋다.

(2).관자놀이 부위의 마취 및 박리

지방이식이 필요한 부위를 튜메선트 용액으로 hydrodissection하는 것이 혹시라도 생길 수 있는 혈종을 예방할 수 있으며, 여러층을 나누어 지방이식을 시행하기에도 도움을 준다. 튜메선트 용액은 30게이지 니들을 이용하여 피부에서 직접 찔러 주입하거나, 절개선을 통해 끝이 무딘 케뉼라를 이용하여 주입할 수도 있다.

(3) 지방이식방법

관자놀이의 지방이식술에서 제일 먼저 할 일은 deep temporal fascia의 deep layer까지 캐뉼라를 위치시킨 것이다. coleman type I cannula(또는 type II)을 사용하여 절개선에서 30도 정도 각도로 캐뉼라를 넣고 측두근까지 밀어넣는다는 느낌으로 진입하면 단단한 fascia에 도달한다. 의도하는 layer는 superficial temporal fascia와 deep temporal fascia의 사이인 temporal fat pad layer이다. 이 layer에서 천천히 전진하면서 박리를 진행한다. dissection은 먼저 헤어라인쪽 절개선을 통해 medial 쪽으로 시행하게 되며, 과도한 힘을 주지않고 조금씩 밀어서 박리범위를 늘여간다. medial 쪽에서 반

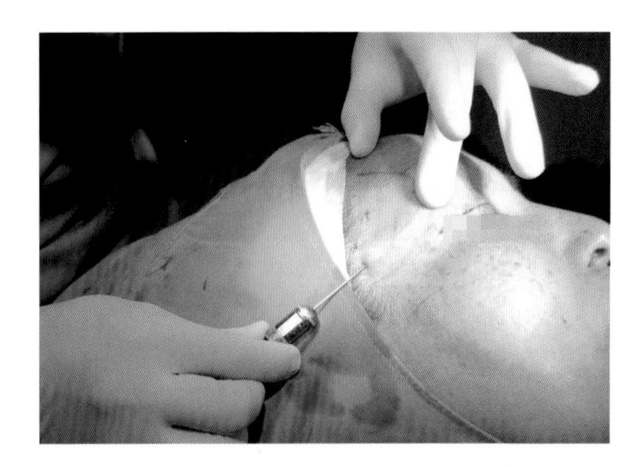

그림 17 관자놀이 지방이식술. ZYGOMATIC ARCH위의 헤어라인쪽 절개선으로 진입하여 지방이식을 시행하고 있다.

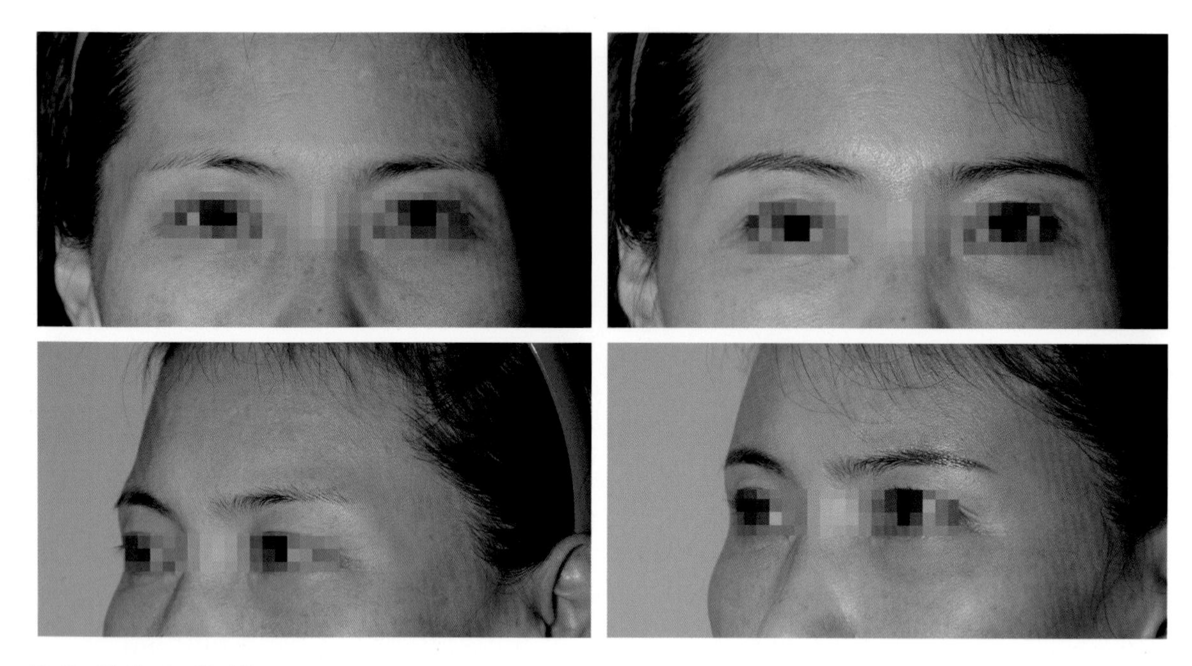

그림 18 관자놀이 지방이식

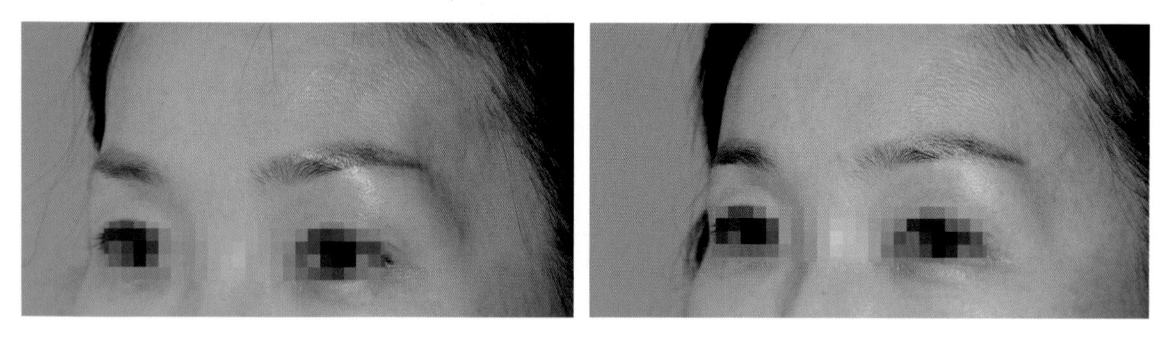

그림 19 관자놀이 지방이식

드시 lateral fusion line을 만나게 되고 이 부위를 살짝 들어 tapering하는 방식으로 마무리하면 된다. 이마의 지방이식과 함께 관자놀이의 지방이식을 시행하는 경우에는 눈썹 외측 절개선을 통해 같은 방식으로 lateral 쪽으로 박리를 진행하여 귀앞 헤어라인까지 진행하면 된다. 박리가 완전히 이루어지면 같은 캐뉼라를 통해 지방이식을 시작하게 된다. 천천히 캐뉼라를 후퇴시키는 방식으로 미세한 양의 지방이 골고루 이식되도록 한다. 어느 정도 지방이 위치하게 되어 함몰된 부위가 튀어오르게 되면 좀 더 가는 케뉼라로 바꾸어 좀 더 얇은 layer (STF과 DTF 사이의 공간, 또는 더 얇은 STF와 Skin사이의 공간)에 지방을 위치시킨다는 느낌으로 이식을 시행한다(**그림 17**).

4) 관자놀이이식 시 고려해야 할 점

관자놀이 부위에는 신경과 동맥, 정맥 등 주의하여야 할 구조물들이 많이 존재한다. 주요 정맥인 sentinel vein과 middle temporal vein은 얼굴에 있는 가장 큰 정맥들 중 하나로 혈관내에 지방이 잘못 들어가면 venous drainage를 통해 cavernous sinus thrombosis나 pulmonary embolism증상들이 나타날 수 있다**(그림 18, 19)**.

참 · 고 · 문 · 헌

1. Atlas of facial implants. Michael J. Yarenchuk, p 55-77,Sauders, 2007.
2. Carruthers JD. Carters A. Facial sculpting and tissue augmentation. Dermatol Surg 2005;31(11pt2):1604-1612
3. Clinical Anatomy of the face. Joel E. Pessa, Rod J. Rohrich, p14-45. QMP, 2012.
4. Complementary fat grafting. Samuel M. Lam, Mark J. Glasgold, Robert A. Glasgold, p78-82 Wolters Kluwer, 2006
5. Contouring of Forehead and Temple area with Auto-Fat injection. Jae Hoon Kang, Seung Won Jung, Yong Hae Lee, Kwang Sik Kook, J Korean Soc Plast Reconstr Surg 2011;38(2):166-172
6. Cosmetic Surgery of the Asian Face. John A. McCurdy, Jr. Samuel M. Lam, p187-188, Theime, 2005.
7. Esthetic Rejuvenation of the temple. Amy E.Rose, Doris Day, Clin Plastic Surg 40 (2013) 77-89
8. Fabio Meneghini, Clinical Facial Analysis. 임상얼굴분석, p 59-69 엠디월드.
9. Fat injection from filling to regeneration. Sydney R. Coleman, Riccardo F. Mazzola, p272-320 QMP,2006.
10. Filler injection for Lateral Brow Lift. Theda C.Kontis, Victor G. Lacombe. Cosmetic Injection Techniques, p134-136, Thieme, 2012.
11. Filler injection for Sunken Temples. Theda C.Kontis, Victor G. Lacombe. Cosmetic Injection Techniques, p137-139, Thieme, 2012.
12. Fitzgerald R, Vleggaar D. Facial volume restoration of the aging face with poly-l-lactic acid. Dermal There 2011;24:2-27
13. Forehead augmentation with a Methyl Methacrylate Onlay Implant Using an injection-molding technique. Dong Kwon Park, Ingook Song, Jin Hyo Lee, Young June You. Arch Plast Surg 2013;40:597-602
14. Lambros V. A technique for filling the temples with highly diluted hyaluronic acid: the "dilution solution". Aesthete Surg J 2011;31:89-94
15. Ocular swelling after Forehead Fat Graft. Jae Woo Park, Arch Aesthetic Plast Surg 2014;20(2):85-91
16. Ralf J. Radlanski, Karl H. Wesker, The face pictorial altas of clinical anatomy. Quintessence, 2012
17. Soft tissue Augmentation of the Temporal Brow in brow lifting Surgery. David E,E. Hock, Jill A. Foster, Manuel A. Lopez, Kevin A. Kalwerisky. Pearls and Pitfalls in Cosmetic Oculoplastic Surgery, p331-333, Springer, 2015.
18. Surgical approaches to the facial skeleton. Edward Ellis III, Michael F.Zide, P65-93, Lippincott williams & wilkins, 1995.
19. The Forehead and Temporal fossa, David M. Knize. P102-132. Lippincott williams & wilkins, 2001.
20. Tridimensional brow, glabella, and temple enhancement with micro fat injection during endoscopic forehead rejuvenation. Oscar M. Ramirez and Umfan lleri, Pearls and Pitfalls in Cosmetic Oculoplastic Surgery, p313-316, Springer, 2015.
21. 보툴리눔,필러 임상해부학. 김희진,서구일,이홍기,김지수. p144-179,한미의학, 2015.

Chapter 49

지방이식 » 얼굴지방이식 »

눈 부위 지방이식

Periorbital fat grafting

| 신종인 |

1. 눈밑 부위 지방이식

1) 해부학적 구조

아래 눈주변에는 여러가지 해부학적 구조가 있지만 지방이식과 관련지어 본다면 눈물고랑의 구조 이해가 가장 중요하다고 할 수 있다. 아래 눈주변에 지방이식을 하고자 할 때 눈물고랑이 얼마나 개선되어 보이는가는 아래눈주변의 지방이식 결과의 좋고 나쁨을 평가하는 직접적인 척도가 된다. 눈밑의 볼륨이 충분히 보충이 되었다고 하더라도 눈물고랑이 남아 있다면 눈밑의 다크써클이나 노화 양상이 호전되지 않은 것으로 느껴진다. 따라서 눈물고랑 주변의 해부학적 구조를 정확히 이해하고 지방이식을 어느 부위에 어떻게 할 것인지를 생각하여야 한다.

(1) 표면적 지표

시각적으로 인지되는 표면적 경계에 따라서 Goldberg 등은 septal confluence hollow, orbital rim hollow, zygomatic hollow의 3가지 지표를 제시하였다. Septal confluence hollow는 orbicularis oculi m.의 pretarsal portion과 preseptal portion의 경계로 흔히 말하는 애교살의 윤곽이 된다. Orbital rim hollow는 구조적으로 내측으로는 tear trough ligament, 외측으로는 orbicularis retaining ligament의 위치와 일치하며 lid-cheek junction을 이루게 된다.

(2) 피하지방층의 분포

Orbital rim hollow를 경계로 위쪽으로는 피하지방층이 거의 존재하지 않으며 아래쪽으로는 두툼한 피하지방층이 존재한다. 피하지방층이 거의 존재하지 않는 이 부위를 Rohrich가 분류한 facial fat compartment에 따라 분류하면 subcutaneous fat compartment인 orbital fat compartment에 해당하는 부위이다. Orbital rim hollow 상방의 안검 부위는 안륜근이 피부 바로 아래에 위치하여 표정이 잘 나타나는 구조를 가지게 되지만 주름이 생기기 쉽고 가림막 역할을 하는 피하지방층이 없으므로 혈관이나 근육층이 비치는 증상으로 울긋불긋한 색조가 보일 수 있다. Orbital rim hollow를 경계로 한 피하지방층의 존재여부의 차이는 조직의 두께차이 및 피부결의 차이를 생기게 하여 시각적인 눈물고랑의 경계부위를 형성한다(**그림 1**).

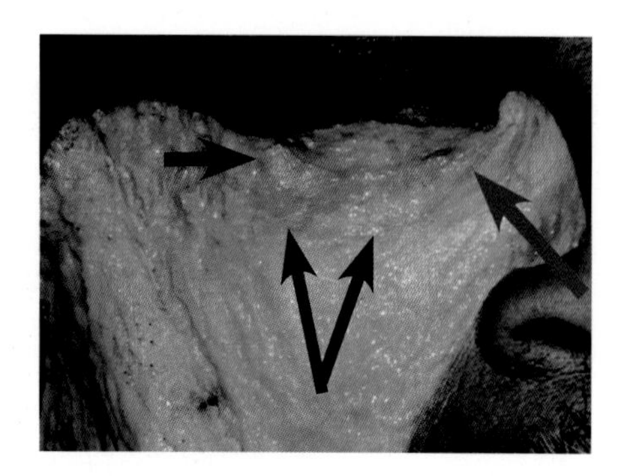
그림 1 눈물고랑의 경계부위

(3) 근육층

가장 표면에 존재하는 안륜근은 orbital rim hollow의 하방까지 연장되어 있으며 orbital part와 palpebral part의 경계가 orbital rim hollow와 일치한다. Orbital rim hollow 하방으로 안륜근보다 심부에서는 levator labi superioris, zygomaticus minor, zygomaticus major가 뼈에서 기시한다.

(4) 근육하지방(SubOrbicularis Oculi Fat, SOOF)

Rohrich가 분류한 facial fat compartment에 따라 분류하면 deep fat compartment로 분류되며 med.과 lat. 두 구획으로 나뉘어진다.

(5) 안와격막

안와격막은 안와지방을 둘러싸고 있는 일차적 지지구조이다. 상안검거근의 유사구조라 할 수 있는 capsulopalpebral fascia는 안와격막과 합쳐져서 질긴 조직을 형성하면서 검판에 붙게 된다. 일반적인 수술시야에서는 안와격막보다 전방으로 접근하는 경우가 대부분인데 이런 수술적 시야에서는 capsulopalpebral fascia를 따로 구분하여 확인하기가 어렵다. 따라서 검판 직하방에 있는 capsulopalpebral fascia와 혼재되어 강화되어 있는 격막(reinforced septum)과 orbital septum만으로 지지되는 강화되어 있지 않은 격막(unreinforced septum)으로 구분하는 것이 더 쉽고 실용적이다. Unreinforced septum은 눈밑지방의 불룩함(bulging)이 생기는 일차적 부위이다.

(6) 안와지방

눈밑부위에는 내측, 중간, 외측의 3개의 안와지방 구획이 존재한다. 내측안와지방과 중간안와지방의 사이로 inf. oblique m.이 위치한다. 내측지방은 지방의 색깔이 비교적 하얀 빛깔을 보여서 다른 지방구획과는 구분이 된다.

Pretarsal Fat Pad

검판의 전면, 외측으로 서양배 모양으로 생긴 안와지방과는 다른 별도의 지방이 존재하며 흔히 애교살이라고 표현하는 pretarsal fullness의 볼륨을 형성한다.

(7) 신경

아래눈꺼풀 부위의 감각은 infraorbital n.와 zygomaticofacial n.가 주로 담당한다. 비교적 regional block을 하기에 수월한 부위이다.

(8) 눈물고랑

눈물고랑은 안쪽눈꼬리에서 안와연을 따라서 꺼져 있는 골을 지칭한다. 주로 내측 안와연에 존재하지만 경우에 따라서는 외측의 lid-cheek junction까지 연결되어 연장되는 경우도 종종 있다. 눈물고랑이 생기게 되는 원인은 눈물고랑인대의 존재, 피부조직의 두께와 결의 차이가 복합적으로 작용하며, 눈밑안와지방의 돌출은 이러한 양상을 심화시킨다. 눈물고랑의 구조는 Mendelson의 연구로 이해할 수 있다. 안와연의 내측에는 true osteocutaneous ligament인 tear trough ligament가 존재하며 안륜근의 orbital part와 palpebral part의 사이의 뼈에서 기시하여 진피층으로 가서 붙게 된다. 안와연의 외측에는 orbicularis retaining ligament가 존

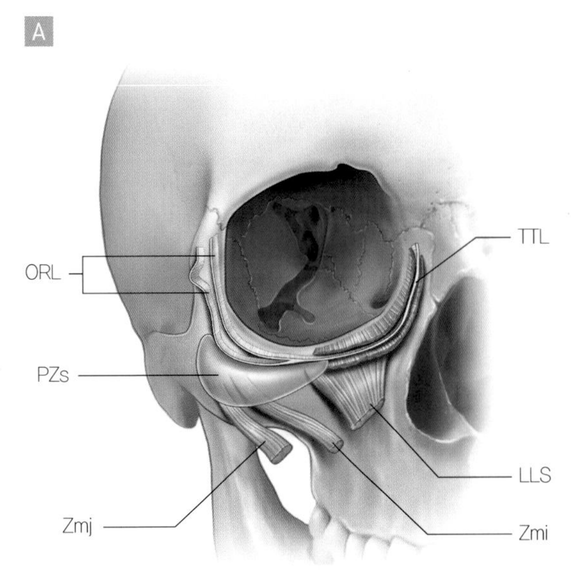

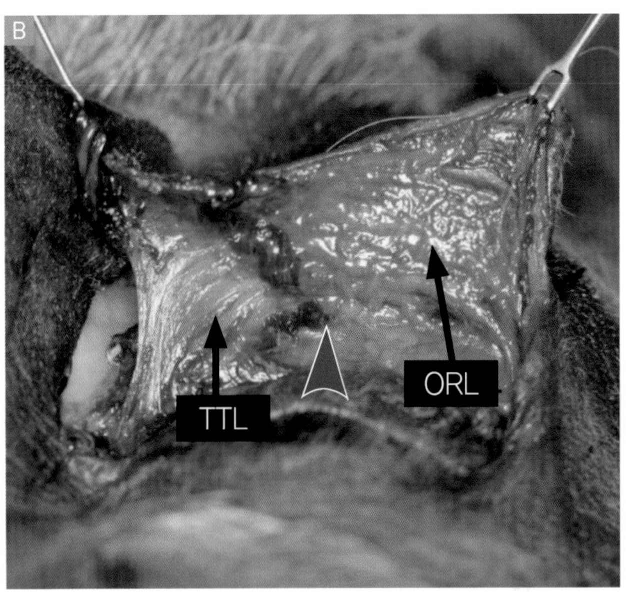

그림 2 눈물고랑과 주변구조. ORL; Orbicularis retaining ligament, PZs; Prezygomatic space, Zmj; Zygomaticus major, Zmi; Zygomaticus minor, LLS; Levator labi superioris, TTL; Tear trough ligament

재하며 upper와 lower lamella의 두겹으로 되어 있다(**그림 2**).

2) 아래 눈주변 지방이식의 적응증

1. 눈밑꺼짐의 교정
2. 피부색조의 개선
3. 느슨한 아래눈꺼풀의 지지력 보강

3) 아래 눈주변 지방이식의 술기

(1) 공여부의 선택

피하지방이 존재하는 어느 부위나 공여부가 될 수는 있지만 일반적으로 지방의 소엽단위의 크기가 작고 지방조직 주변의 섬유조직이 적은 허벅지 부위가 눈주변 이식 시의 공여부로 가장 선호되는 편이다.

(2) 지방채취 시 주의점

조직이 얇은 눈밑부위에 이식하기 위한 작은 크기의 지방이식편을 얻기 위해서는 채취단계에서부터 작은 직경의 지방채취용 캐뉼라를 이용하여 지방의 손상 없이 채취하는 것이 좋다. 보통 1-2 mm 정도 직경의 캐뉼라를 많이 이용한다.

(3) 지방이식 시 주의점

Osteocutaneous ligament가 지방이식시 표면적인 모양 변화에 미치는 영향

안면부의 고랑(groove)으로 표현되는 부위에는 대부분 osteocutaneous ligament가 존재하는 경우가 많다. 안면부 골격구조를 덮고 있는 연조직을 유지하기 위한 지지구조로 유지인대가 존재한다. 크게 둥근 기둥 형태의 질긴 true ligament, 벽 형태로 긴 평면을 형성하는 septum, 넓은 면의 형태로 저밀도로 형성된 adhesion의 3가지 형태로 구분하며 true ligament만이 SMAS층을 통과하여 진피층으로 직접 붙게되고 나머지 두개의 형태는 진피층이 아닌 얕은근막에 부착한다. 고정된 형태를 쉽게 이해하면 true ligament는 점의 형태, septum은 점과 점을 이은 선의 형태, adhesion은 선과 선으로 형성되는 면의 형태로 볼 수 있다. 이렇게 구분된 유지인대는 그 형태에 따라서 고정된 연조직의 움직임에 차이가 생기게 된다. True ligament는 안면부에서 가장 질긴 조직 형태를 보이지만 지지점을 기준으로의 움직임은 최대의 방향범위를 가진다. 그에 비해 septum은 선으로 붙어있는 부위의 직각방향으로의 움직임이 있는 반면 평행한 움직임을 제한하며 adhesion은 면으로 붙어 있기 때문에 모든 방향으로의 움직임이 제한된다. 하지만 septum과 adhesion은 얕은 근막층에 부착하기 때문에 얕은 근막층보다 표면을 덮고 있는 피부 및 지방층 조직은 상당히 움직임이 있게 된다.

이와 같은 특징을 가진 유지인대의 구조와 연관지어 생기는 연조직의 특징적인 노화 양상을 관찰할 수 있다. 유지인대가 있는 부위는 중력방향의 처짐에 저항하는 힘이 강하기 때문에 원래의 위치에서 이동이 잘 생기지 않으며 유지인대의 상방에 위치하면서 가동성이 있는 조직은 유지인대의 위로 덮여내려오는 hooding 양상을 보이게 된다. Hooding된 조직의 아래쪽으로 유지인대가 붙어있는 부위는 주로 고랑을 형성하게 된다. Adhesion 양상의 유지인대가 있는 부위는 면의 형태로 지지력을 받기 때문에 이러한 고랑의 형성이 뚜렷하지 않은 경향이며 주로 true ligament, septum 형태의 유지인대 부위에서 고랑의 형성이 뚜렷하다.

이러한 유지인대의 특성에 따라서 지방이식시의 연조직 변화 양상을 예측해볼 수 있다.

1) 유지인대는 다른 연조직에 비해서는 질기기 때문에 잘 늘어나지 않는다. 따라서 지방이식을 하더라도 유지인대는 조직노화로 인하여 이완되어 있는 정도 내에서만 늘어나게 되지 외과적 절제를 동반하지 않는 이상 늘어날 수 있는 폭은 제한적이다. 따라서 유지인대가 늘어날 수 있는 정도를 넘어선 볼륨을 주입하더라도 실제로 유지인대 부위가 융기되고 펴지는 효과는 미미하며 주입된 볼륨은 유지인대 주변의 성긴 조직쪽으로 채워지면서 주변부위가 융기되어 유지인대 부위와의 경계차이는 없어지지 않고 오히려 심화될 수 있다. 따라서 유지인대가 늘어날 수 있는 정도가 이식할 수 있는 지방이식의 최대량을 결정하는 대략적인 지표가 될 수 있다.

2) 1번과 같은 양상은 진피층으로 직접 붙는 true ligament의 경우가 가장 확연하며 septum이나 adhesion의 경우 인대가 붙은 얕은 근막층과 피부조직 사이에 성긴 조직들이 있기 때문에 1번과 같은 양상이 심하지 않다. 따라서 인대조직의 영향을 덜 받는 피하층에 지방이식을 하면 인대 부위의 표면적인 융기효과를 얻는데에 효과적이다.

3) 유지인대 주변에 이식된 지방은 조직노화로 인하여 느슨하게 이완되어 있는 유지인대를 팽팽하게 펼치고 지지하는 효과가 있게 된다. 지지인대보다 표면적으로 지방을 이식하게 되면 지지인대가 중력방향으로 받는 무게가 늘어나는 상태가 되므로 표면적인 이식은 지지력 보강에는 크게 도움이 되지 않는다. 따라서 지지력 보강을 위해서는 심부조직에 지방이 이식되어야 한다.

4) 지지인대의 상부에 이식된 지방은 조직의 hooding 양상을 악화시킬 수 있다. 이는 중력방향으로의 처짐 때문이기도 하고 지지인대 하부의 비어있는 느낌으로 인해서 표면적인 굴곡이 자연스럽게 연결되지 않아서 생기는 시각적인 문제이기도 하다. 따라서 지지인대의 하부에 충분한 지방이 이식되어서 지지력이 보강된 상태에서 자연스럽게 상부로 이어질 수 있도록 상하부의 이식량을 조절하여야 한다.

5) 유지인대는 혈액순환이 좋지 못한 부위이다. 따라서 이식된 지방이 생착되기에 좋지 않은 환경이며 이는 결국 지방괴사로 진행될 소지가 있다. 따라서 지방이식시의 가장 좋은 목표부위는 인대 자체가 아니라 인대조직 주변의 혈액순환이 좋은 조직이다.

눈밑에도 안면부의 유지인대처럼 뚜렷하고 질긴 조직은 아니지만 osteocutaneous ligament가 존재한다. 눈밑에 지방이식을 할 때는 눈물고랑과 midcheek groove를 채워서 교정하는 것이 주요 목표인데 눈물고랑 부위에 tear trough ligament가 존재하고 midcheek groove 부위에 zygomatic ligament가 존재한다. 위에서 설명한 지방이식시의 연조직 변화양상은 눈밑부위에서도 비슷한 변화를 일으킬 것이므로 눈밑부위의 지방이식에 대한 전략수립에 대한 여러가지 고려를 할 수 있다.

1) Tear trough ligament를 기준으로 상하부의 구조를 정확히 이해하고 이식기법을 달리 하여야 한다. Tear trough ligament보다 상부는 눈꺼풀 부위로서 피하지방층이 거의 존재하지 않고 피부 바로 아래에 안륜근이 있으며 안륜근 후방으로도 지방조직이 거의 없이 성긴조직으로 채워져 있으며 안와격막과 맞닿아 있다. 안와연 정도에서는 이러한 성긴 조직에 공간이 있

지만 검판으로 가까워질수록 각 조직층간에 공간이 없이 치밀하게 붙어있게 된다. 따라서 안와연 정도에서는 안륜근보다 후방, 안륜근 사이, 안륜근 전방의 피하층에 이식을 하는 것이 가능하지만 검판에 가까워질수록 안륜근의 후방으로는 공간이 없으며 근육사이나 피하층에만 이식할 공간이 있다. Tear trough ligament보다 하방으로는 피부조직의 두께 자체가 두껍고 피하지방층 또한 두툼하게 존재하기 때문에 피하층부터 심부까지 지방을 이식할 수 있는 공간이 충분하다. 따라서 tear trough ligament를 기준으로 상부의 눈꺼풀 부위에는 표면적인 이식을 시행할 수 밖에 없는 구조이며 하부에는 심부부터 표면까지 이식이 가능한 부위이다.

2) Tear trough ligament보다 상부의 눈꺼풀 부위는 신체에서 피부조직이 가장 얇은 부위이기 때문에 지방이식시에 가장 세심한 주의가 필요한 부위이다. 조직이 매우 얇으므로 이식된 지방의 양이 조금만 과하더라도 불룩해 보일 수 있으며 고르게 이식되지 못할 경우 표면적으로 울퉁불퉁해 보이는 불규칙한 모양을 보이기 때문이다. 따라서 초심자의 경우 이 부위의 피하층에 표면적인 이식을 하는 것을 권장하지 않으며 상당히 긴 learning curve를 가지게 되는 부위이다. 하지만 그럼에도 불구하고 눈물고랑 주변의 지방이식 후 좋은 결과를 얻으려면 이 부위에 표면적인 지방이식을 해주어야 한다. 이 부위에는 피하지방층이 없기 때문에 지방이식을 하여 피하지방층을 형성하여 주면 꺼짐의 개선, 피부결이나 색의 개선 등을 얻을 수 있기 때문이다. 따라서 숙련도를 높이는 것과 함께 매우 주의깊은 시술을 요하는 부위이다.

3) 위와 같은 눈밑 조직의 특성과 유지인대 주위의 피부변화 양상을 종합적으로 고려하여 눈밑 지방이식을 하여야 한다.

① 눈물고랑인대보다 하부에만 이식하면 두꺼운 조직이 더 두꺼워지게 되어서 상부의 얇은 조직과의 대비가 두드러지게 되어 오히려 눈물고랑이 강조되므로 눈물고랑을 기준으로 상부에는 표면적인 지방이식을 하여 하부의 두꺼운 조직과의 두께차이를 없애주어야 한다. 다만, 표면적인 이식의 숙련도를 높이기 위한 훈련이 필요하며 숙련되기 전까지는 안와격막 앞쪽의 비교적 심부에 이식하는 단계부터 차근차근 표면적인 이식으로 난이도를 높여가야 한다.

② 눈물고랑 부위는 osteocutaneous ligament로 인하여 실제로 늘어날 수 있는 정도는 그리 크지 않다. 그렇기 때문에 눈물고랑부위가 더 이상 늘어나지 않는다는 느낌이 드는 시점을 파악하여 지방이식의 endpoint를 정하는 데에 참고하여야 한다. 이미 눈물고랑인대가 최대한 늘어나 있는 상태에서 추가적으로 이식된 지방은 비교적 조직이 느슨한 눈물고랑의 상부로 이동될 가능성이 많으며 그렇게 되면 불룩한 모양이 나타날 수 있으므로 주의하여야 한다. 눈물고랑 인대보다 하부에서는 심부에 이식하여 눈물고랑인대의 지지력을 높이고 상대적으로 눈물고랑 상부보다 약간 볼록한 모양을 만들어주는 것이 좀 더 자연스러운 모양을 만들어주게 된다.

③ 눈물고랑 부위가 가장 많이 꺼져 있기 때문에 이 부위에 이식을 집중하는 경우가 많다. 하지만 눈물고랑 인대는 섬유성 조직으로 상대적으로 혈액순환이 좋지 않은 부위이며 움직임이 제한되어 고정되어 있는 부위이다. 이 부위에 지방이식이 과하게 되면 혈액순환장애로 인한 지방괴사의 가능성이 높으며 생착이 잘 되었다고 하더라도 표정을 지을 때 자연스러운 움직임이 없이 고정된 언덕 모양의 불룩함을 보일 수 있다. 따라서 실제로 이식이 많이 필요한 부위는 눈물고랑 주변의 조직이며 눈물고랑인대 부위에는 소량의 이식만이 필요하다.

이외의 일반적인 주의할 고려사항은 다음과 같다.

④ 다른 부위도 마찬가지이지만 특히 눈주변은 소

량씩 나누어서 큰 덩어리로 들어가지 않도록 주의하는 것은 아무리 강조해도 지나치지 않다. Coleman은 1/30 cc만으로도 lump가 발생할 수 있다고 하였다. 따라서 보통 이용하는 지방이식용 1 cc 주사기를 이용한다고 하였을 때 30-50번에 나누어서 넣을 수 있는 술기를 확보하여야 한다. 이식지방은 작고 부드러운 성상을 가진 지방들로 정제하여야 하며 섬유질 조직과 free oil은 포함되지 않도록 한다. 지방채취 후 다른 술기 등으로 인하여 이식까지의 시간이 지체되는 경우 상온에서 굳어진 free oil 성분으로 인해 주사기가 뻑뻑해지면 이식하는 양을 조절하기 어려워지므로 채취후 이식까지의 시간을 최소화하고 체온 정도로 채취지방을 유지하는 것이 좋다. 이식을 할 때에는 전혀 저항이 느껴지지 않는 상태에서 조그만 이식편을 원하는 위치에 두고 나온다는 느낌으로 이식되어야 한다.

⑤ 이식을 할 때 한 곳으로 몰려들어가지 않게 하는 방법으로 이식하는 주사기를 매우 빠르게 움직이게 하여 이식지방이 산발적으로 자리잡게 하는 경우가 있는데 표면적 이식을 할 때는 피하혈관의 손상이 심하여 붓기와 멍이 오래 지속되어 회복기간이 오래 걸리게 된다. 또 눈밑은 조직층이 너무 얇아서 주변구조물의 우발적인 손상가능성이 높다. 따라서 이식 시 주사기 움직임은 천천히 움직이도록 하는 것이 더 안전하다.

⑥ 이식지방을 이식할 때에는 눈물고랑을 따라서 선상으로 위치시키는 경우가 많은데 이렇게 선상으로 자리잡은 이식지방들이 너무 가까이 위치하면 표면적으로 선모양으로 경계가 보이는 느낌을 줄 수 있다. 따라서 선으로 연결시킨다기보다는 점처럼 띄엄띄엄 위치시키고 이러한 점으로 넓은 면을 채운다는 느낌으로 이식하여 주면 좀 더 안전하다. 이식하는 부위는 꼭 필요한 부위보다는 좀 더 넓게 주변부위까지 포함하여 층이 지지 않도록 연결시켜주는 것이 좋다.

⑦ 눈밑조직의 탄력이 떨어져 있는 경우에는 이식된 지방의 무게만으로도 불룩하게 처져보일 수 있다. 따라서 처진 조직의 suspension을 적극적으로 고려하는 것이 좋으며 눈밑지방의 불룩함이 있는 경우에도 동시에 교정하는 것을 적극적으로 고려하는 것이 더 자연스러운 모양을 얻을 수 있다.

⑧ 안와격막의 전방은 이식하기에 안전한 부위이다. 반면 안와격막 안쪽은 inf. oblique m. 등의 구조물에 예상치 못한 영향을 끼칠 소지가 있으므로 절개수술을 동반하지 않고 puncture만을 하여 이식하는 경우 안와격막 안쪽으로의 이식은 권장하지 않는다.

⑨ 이식 시에는 sharp needle보다는 캐뉼라를 이용하는 것이 안전하며 다른 부위에 비해서는 직경이 작은 캐뉼라의 이용을 고려할 수 있다. 진피하층 정도에 이식하려면 22-25G 정도의 직경이 작은 캐뉼라를 이용할 수 있지만 일반적인 지방이식기법으로는 지방이식편이 이렇게 가느다란 캐뉼라를 통과하지 못한다. 따라서 18-20G 정도의 캐뉼라가 가장 많이 이용된다. 18-20G 정도의 캐뉼라를 이용하면 표면적으로 이식한다고 하더라도 진피하층보다는 근육층 상부 정도에 생착되는 경우가 많다. 22-25G의 가는 캐뉼라를 이용하는 경우 지방을 기계적으로 분쇄하거나 collagenase 효소로 지방이식편을 더 작게 만들어서 이식하는 방법들이 보고되고 있다.

4) 부작용

(1) 멍과 붓기

혈관이 풍부하고 조직이 얇은 부위라서 멍과 부기가 생기기 쉽다. 이식시의 캐뉼라 운동을 최대한 천천히 부드럽게 하여 혈관층의 손상을 피하는 것이 중요하다.

(2) 과교정

아래눈꺼풀 주변은 이식된 지방의 생착률 자체는 좋은 편이어서 이식후의 볼륨이 예상보다 부족하지 않은 경우가 대부분이다. 이식된 지방의 볼륨이 과도한 경우 시일이 지나면서 감소하는 경향을 보이기는 하지만 시일이 오래 걸리는 경우가 많고 과교정 양상을 해결하기가 간단하지는 않다. 레이저를 이용한 지방분해술을 이용하거나 가느다란 캐뉼라를 이용하여 흡입하는 방법, 지방용해 약제를 주사하는 방법 등을 이용하여 과도한 볼륨은 줄이려는 치료가 이루어지고 있다. 하지만 지방이 고르게 감소되지 않으면 표면적으로 불규칙한 모양을 또다시 유발할 수 있으므로 되도록이면 과교정되지 않도록 주의하고 모자라면 보충이식을 하는 방법이 안전하다.

(3) 이식지방의 덩어리짐

이식된 지방이 석회화되어 딱딱하게 덩어리지는 경우가 있으며, 석회화되지 않고 부드러운 상태라고 하더라도 눈꺼풀 부위는 조직이 너무 얇기 때문에 덩어리처럼 보일 수 있다. 표면적으로 덩어리가 불규칙하게 보이는 경우는 이식지방이 표면쪽에 위치하고 있는 것이므로 지방분해를 위한 주사요법이나 흡입 등으로는 오히려 표면적인 굴곡을 심화시킬 수 있고 제거도 잘 되지 않는다. 따라서 결막절개나 피부절개를 이용하여 이식지방편의 수술적 제거를 고려하는 것이 좋다. 표면적으로 보이지는 않는데 심부에서 조그만 알갱이처럼 만져지는 경우는 포커싱이 가능한 경우 triamcinolone 주사를 국소적으로 시도해볼 수 있으며 여의치 않을 때는 역시 수술적제거를 고려한다.

(4) 원인불명의 반복적인 부종

수술자체로 인한 부기가 빠지고 난 이후 별다른 증상이 없다가 갑자기 이식부위가 부어오르는 경우가 있다. 이러한 부종은 부었다 빠졌다 하면서 반복적인 양상을 보인다. 이러한 경우 수술부위를 exploration하여 보면 지방세포에서 새어나오거나 흡수되지 못한 oil 성분이 낭종을 형성하거나 necrotic fat tissue가 섬유질 조직 사이에 존재하는 것으로 발견할 수 있으며 무균성 염증을 일으키는 것으로 보인다. 이러한 염증 양상이 지속되면 결국에는 주변조직이 딱딱하게 굳어지는 석회화로 진행되므로 증상이 있는 즉시 치료하는 것이 좋다. 부종의 원인 부위가 예측가능하다면 그 부위에 가느다란 캐뉼라를 이용하여 oil 성분을 흡입하여 원인물질을 줄여서 염증반응을 줄여주는 시도를 할 수 있다. 하지만 수술직후가 아니라면 대부분은 oil 성분을 완전히 제거하는 것이 어렵기 때문에 수술적인 제거가 근본적인 치료법이 된다. 염증반응을 줄여주기 위한 약물치료를 병행하는 것이 도움이 된다.

(5) 감각이상

대부분의 경우에는 일시적이며 자연회복되는 경우가 많다.

(6) 실명

지방이식후 생길 수 있는 부작용 중 가장 심각한 합병증이다. 불행하게도 아직까지는 뚜렷한 치료방안이 없는 상태여서 발생한 경우 집도의에게는 재앙과도 같기 때문에 예방하는 것이 필수라고 하겠다. 지방이식 후 실명이 발생하는 이유는 central retinal a.가 막혀서 망막으로의 혈액공급이 차단되기 때문이다. 안구주변에는 많은 혈관이 존재하는데 안구 자체에는 ophthalmic a.가 혈액순환을 담당하며 Ophthamic a.는 동안근, 눈물샘 등에 분지를 내고 안구 바깥쪽으로 진행하여 supraorbital a., aupratrochlear a., dorsal nasal a., palpebral a. 등을 형성한다. 안구 바깥쪽에서는 angular a., superficial temporal a. 등과 풍부한 문합을 형성한다. Ophthalmic a.의 분지인 central retinal a.는 직경이 매우 작은 가는 혈관으로 망막에 혈액을 공급하는 end artery이며 대부분 단독으로 존재하는 경우가 많다. 안구 바깥쪽에 있는 연부조직에 지방이식을 하였는데도 central retinal a.가 막히는 것은 색전증 때문으로 추정되며 눈주변의 동맥혈관으로 들어간 지방성분(지방이식편은 대부분 lobule 단위이기 때문에 혈관내에서 이동하기는 어려우며 free oil 성분이 이동되는 것으로 예상됨)이 주입하는 압력으로 ophthalmic a.의 근위부까지 역류하였다가 end artery인 central retinal a.로 흘러 들어가서 혈액순환을 차단하는 것으로 보인다.

이렇게 central retinal a.가 막히는 경우 환자는 안구의 심한 통증과 함께 거의 즉각적인 시야와 시력의 변동을 보인다. 이러한 경우 지체없이 상급병원으로의 전원을 고려하여야 한다.

예방을 위해서는 첫번째, 눈주변의 동맥혈관에 주입되지 않도록 하여야 하므로 정확한 해부학적 지식을 바탕으로 혈관부위를 주의하며 혈관의 주행방향에 평행한 것보다는 가로지르는 방향의 이식이 적절하다. 끝이 뾰족한 주사기바늘보다는 캐뉼라를 이용하는 것이 당연히 더 안전하다. 이식시에는 retrograde injection하여 혈관의 손상여부를 확인하면서 이식하여야 한다. Vasoconstrictor를 이용하여 혈관이 손상될 수 있는 확률을 줄여주는 것이 좋다. 두번째 역류를 방지하기 위해서 이식시의 압력을 낮추어야 하므로 매우 소량씩 느린 속도로 이식하는 것이 좋다. 주입시 압력 조절이 용이한 작은 주사기(보통 1 cc 주사기)를 이용하는 것이 안전하다. 세번째, 색전증의 원인으로 추정되는 free oil을 줄여야 하므로 지방의 정제과정에서 oil 성분을 제거하는 데에 노력을 기울여야 한다(그림 3).

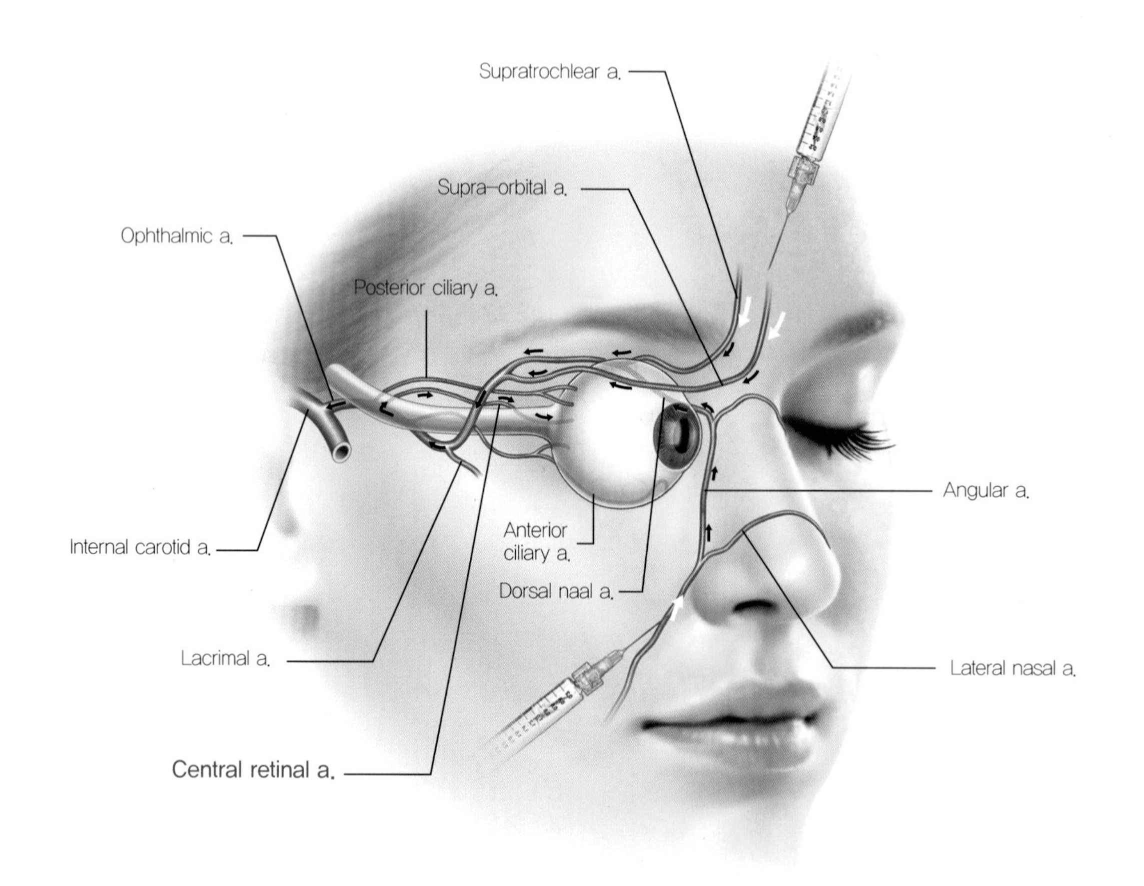

그림 3 해부학을 고려한 주입

2. 눈위 지방이식

1) 해부학적 구조

(1) 표면적 지표

하안검의 septal confluence hollow에 대응하는 구조가 쌍꺼풀 라인을 형성하고 전두부와 안구사이의 공간에 orbital rim hollow가 형성되어 있다. 눈두덩이 조직이 비교적 두툼하고 안와지방이 많은 동양인의 경우에는 쌍꺼풀 라인과 orbital rim hollow가 뚜렷하지 않은 경우가 많다.

(2) 피하지방층의 분포

아래눈꺼풀과 마찬가지로 피하지방층이 얇은 편이지만 하안검에 비해서는 상안검 부위 피하지방층의 분포는 개인차가 심한 편이다.

(3) 근육 층

표재성 근육으로는 안륜근 하나만으로 이루어져 있는 부위이다. 안륜근은 눈썹이 있는 전두부까지 넓게 감싸고 있다.

(4) 근육하지방(RetroOrbicularis Oculi Fat, ROOF)

하안검 부위의 SOOF에 해당한다.

(5) 안와격막

안와지방을 감싸는 주머니 역할을 하며 상안검의 gliding movement의 윤활층 역할을 한다.

(6) 안와지방

눈위에는 중간, 외측의 2개의 안와지방구획이 존재한다.

(7) 상안검거근 복합체

상안검거근과 뮬러근으로 이루어져 눈을 뜨는 작용을 한다.

(8) 신경

안와연에 supraorbital n., supratrochlear n.가 존재한다.

2) 눈위 지방이식의 적응증

- 눈두덩이 꺼짐의 교정
- 여러겹 쌍꺼풀의 개선

3) 아래 눈주변 지방이식의 술기

일반적인 술기면에 있어서는 눈밑지방이식과 비슷하다고 할 수 있다. 단 하안검에 비해서는 좀 더 동적인 구조이기 때문에 고려하여야 할 점들이 있다.

(1) 지방이식시의 주의점

① 지방이식의 목표부위는 피하, 근육층, 근육하 안와격막 전방이라고 할 수 있다. 눈위 꺼짐을 교정하기 위한 가장 효과적이면서 해부학적 구조에 부합하는 방법은 안와격막 안쪽에 지방을 이식하는 것이지만 안와격막 안쪽에 이식하는 것은 몇가지 위험성을 가지고 있다. 첫째, 상안검거근에 영향을 줄 가능성이다. 특히 약한 정도라도 안검하수 증상이 있는 경우 안검하수 증상이 심해질 수 있다. 만의 하나 이식된 지방의 석회화가 일어날 경우 상안검거근 주변의 유착을 유발하여 증상이 없던 안검하수를 생기게 할 수도 있다. 두번째, 시야가 확보되지 않은 상태에서 상안검거근이나 안구, 동안근 등에 기계적 손상을 줄 가능성이다. 따라서 안와격막 안쪽보다는 전방에 이식할 것을 권장한다.

② 쌍꺼풀선 위의 조직은 매우 얇은데 이 부위에 지방이식을 하면 쌍꺼풀 라인이 두툼해 보일 수 있으며

눈을 떴을 때에는 안보이더라도 눈을 감으면 지방이식편이 느껴지는 경우가 있다. 따라서 여러겹 쌍꺼풀이나 수술후 유착과 같은 경우가 아닌 일반적인 경우에는 쌍꺼풀 라인 바로 위쪽은 이식하지 않는 것이 안전하다.

③ 눈위꺼짐의 효과적인 교정을 위해서는 바깥눈썹이라고 느껴지는 부위의 심부에 이식을 하여주는 것이 필요하다. 이 부위는 안륜근, 근육하지방층 등이 존재하는 부위인데 이러한 조직의 심부에 지방이식을 하면 윗눈꺼풀의 조직 전체가 받쳐지면서 올라오는 효과가 있다. 이부위의 이식시에 신경손상에 대해서는 주의한다.

④ 눈위꺼짐이 있으면 오목한 부위로 피부조직이 숨기 때문에 보기보다 많은 양의 피부가 존재한다. 지방이식으로 꺼짐을 교정하면 이렇게 숨어 있던 피부가 앞쪽으로 펼쳐져 나오면서 쌍꺼풀선에 변화를 일으킨다. 주로 쌍꺼풀 라인이 작아지는 변화를 보이며 여러겹 쌍꺼풀은 줄어드는 양상을 보인다. 따라서 피부늘어짐이 많은 경우에는 늘어짐의 교정을 같이 고려하는 것이 좋다.

참 · 고 · 문 · 헌

1. Coleman SR, Mazzola RF. Fat injection from filling to regenration. St. Louis, Missouri: Quality Medical Publishing Inc.; 2009
2. Coleman SR. Structural fat grafting. St. Louis, Missouri: Quality Medical Publishing Inc.; 2004
3. Goldberg RA. The three periorbital hollows: a paradigm for periorbital rejuvenation. Plast Reconstr Surg 116(6); 1796-1804, 2005
4. Haddock NT, Saadeh PB, Boutros S, Thorne CH. The tear trough and lid/cheek junction: anatomy and implications for surgical correction. Plast Reconstr Surg 123(4): 1332-1340, 2009
5. Hwang K, Joong Kim D, Chung RS. Pretarsal fat compartment in the lower eyelid. Clin Anat 14(3); 179-183, 2001
6. Hwang K. Surgical anatomy of the lower eyelid relating to lower blepharoplasty. Anat Cell Biol 43(1); 15-24, 2010
7. Lazzeri D, Agostini T, Figus M, Nardi M, Pantaloni M, Lazzeri S. Blindness following cosmetic injections of the face. Plast Reconstr Surg 129(4); 995-1012, 2012
8. Moss CJ, Mendelson BC, Taylor GI. Surgical anatomy of the ligamentous attachments in the temple and periorbital regions. Plast Reconstr Surg 105(4); 1475-1490, 2000
9. Pessa JE, Rorich RJ. Clinical anatomy of the face. St. Louis, Missouri: Quality Medical Publishing Inc.; 2012
10. Wong C, Hsieh MK, Mendelson B. The tear trough ligament: anatomical basis for the tear trough deformity Plast Reconstr Surg 129(6); 1392-1402, 2012
11. Youn S, Shin JI, Kim JD, Kim JT, Kim YH. Correction of infraorbital dark circles using collagenase-digested fat cell grafts. Dermatol Surg 39(5); 766-772, 2013

팔자주름과 입술 지방이식

Fat injection of nasolabial fold and lips

| 조수영 |

1. 팔자주름

1) 수술 전 고려사항

팔자주름은 얼굴에서 다양한 표정을 지을 때 표출되는 부위이며, 노화 시에도 두드러지게 나타나는 얼굴 변화 부위 중의 한 부위이다.

팔자주름이 깊어진다는 것은 웃는다든지 기쁜 표정을 지을 때도 나타나지만 무시하는 듯한 표정이나 화난 표정을 지을 때도 나타난다**(그림 1)**.

2) 수술 전 적응증

젊었을 때의 사진과 비교하여 팔자주름에 주름이 없었던 사람은 지방주입의 좋은 적응증이다.

상악골발육부전(premaxillary deciency)이 있는 사람은 수술 후 결과가 좋을 것이라 기대하기는 힘들다.

나이가 들어 팔자주름이 깊어지면 가만히 있을 때 냉소를 짓는 듯한 표정이 되는데 이런 표정이 웃을 때 사라진다면 지반주입의 일차적인 표적이 될 수 있다.

팔자주름은 누구나 가지고 있는 얼굴 표정 시에 나타나는 정상적인 구조이므로, 팔자주름 자체가 문제가 되는 것이 아니라 주름의 명확성과 깊이가 문제이며, 이로 인한 얼굴 표정이 노화나 냉소와 같은 안 좋은 표정 변화 방향으로 갈 때 수술의 적응이 된다.

3) 수술 방법

팔자주름은 주위의 조직인 볼, 입술, 턱에 의해서 많은 영향을 받게 된다.

주름을 개선시키는 지방주입의 방향은 주름선에만 국한된 것이 아니라, 서로 다른 방향으로 2 layer의 깊이를 달리해서 주름선을 포함한 주변 부위까지 지탱해주는 복합적 조직 보강의 개념으로 생각해야 한다.

(1) 절개창

- middle malar
- oral commissure
- lateral chin or mandibular border
- nasolabial fold

(2) Cannulas(주입관)

Round tip 16-18 gauge cannulas

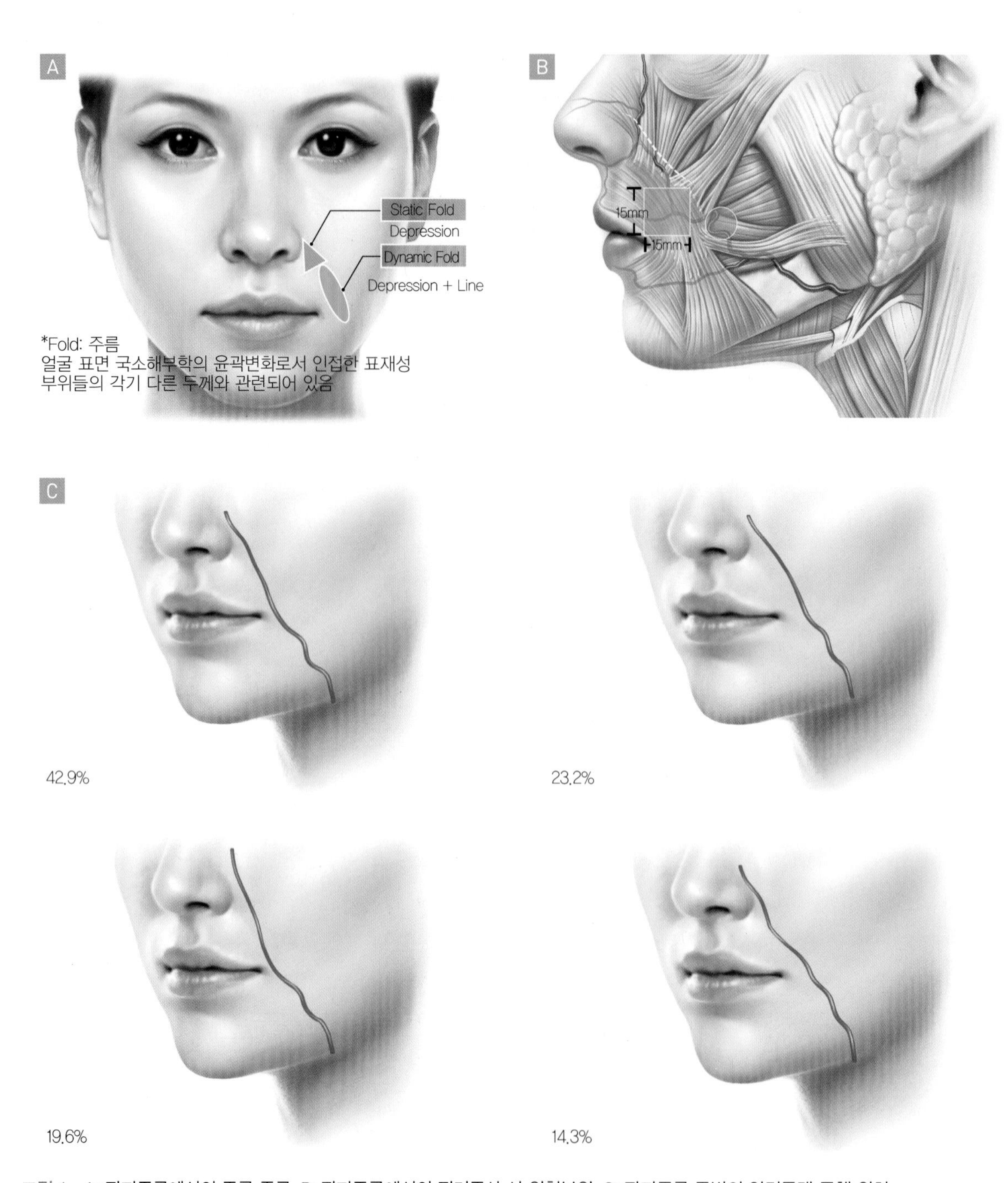

그림 1 A: 팔자주름에서의 주름 종류, B: 팔자주름에서의 필러주사 시 위험부위, C: 팔자주름 주변의 안면동맥 주행 위치

(3) Level:

Cutaneous subdermal(표피 진피하)

(4) Volume

보통 약 2 cc 정도이며, Premaxillary deficiency의 경우는 약 10-11 cc 정도이다.

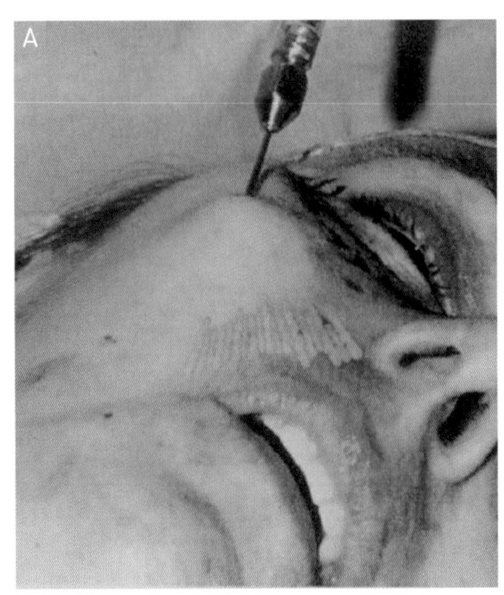

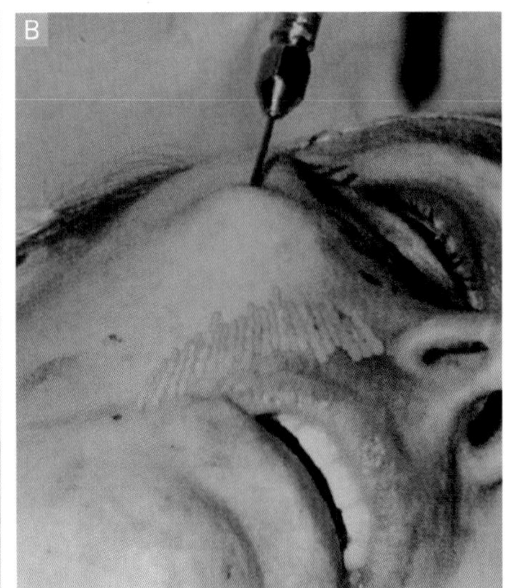

그림 2 팔자주름 부위에 지방이식 시 주입 방향 및 방법

(5) 수술 시 주의점

라인에만 지방을 주입하지 말고 주변 조직으로 지방을 퍼지게 분포시키듯 지방을 주입하여야 주름이 튀어 나와 보이는 것을 막을 수 있으며, 근육의 움직임에 따라 지방 덩어리만 따로 돌아다니는 현상도 막을 수 있다.

주입 방향도 주름 방향에 수직으로 지방을 넣어 줌으로서 주름이 표정을 지을 때, 근육 움직임에 제한을 가하는 쇄기모양의 장벽을 만들어서, 주름이 깊어지거나 재발되는 확률도 줄일 수 있다(**그림 2**).

대부분의 팔자주름은 바깥쪽이 이미 지방이 충분히 있는 상태이므로, 주름의 바깥쪽은 지방이 되도록 적게 주입하고 안쪽에 지방이 주로 위치하게 주입하여야만 한다.

하지만 주름의 꼬리(caudal) 쪽은 양측의 조직이 같고 피부도 얇으므로 새로운 주름이 형성되지 않게 각별한 주의를 쏟아야 한다.

주입 시 입안의 점막을 뚫어서 감염이 되지 않도록 해야 한다.

주름 방향에 수직으로 지방을 주입한 후에 주름의 방향과 평행하게 주름선 바로 밑의 주름선을 따라 길게 지방을 주입함으로써, 주름을 더 세밀하게 개선시킬 수가 있다.

이때 주입관을 길게 찔러 넣은 후에 주입관을 뒤로 후퇴시키면서 적은 양의 지방을 떨구어 주듯이 주입하며 주름의 정도에 따라 주입 위치는 얇게 또는 깊게 주입하며 약간의 피부창백(blanching)은 있을 수 있다.

만약 주변에 또 다른 가는 주름이 있는 경우에는, 큰 주름이 개선되면 가는 주름이 더 부각될 수 있으므로 주의를 한다.

주입 후 마무리 단계에서 손가락으로 주입 부위에 압박을 가해 보아서 지방의 움직임이 없이 고정되어 있으면서 주름이 펴진 상태라면 좋은 결과를 기대해 볼 수 있다.

입 주위의 근육이 합쳐져서 불룩한 볼굴대(modiolus) 부위에 지방 주입은 피해야 주입 후 입가의 주름이 불룩해 지는 것은 막을 수 있다.

술전에 지방 주입에 대한 과도한 기대치를 하지 않

게 한계성에 대해 설명해야 하며 2차적 주입의 가능성을 미리 환자에게 고지하는 것이 좋다.

4) 수술 후 고려사항

(1) Dressing

1 inch Microform tape 1장 또는 종이 테이프

(2) Massage

필요 없음

(3) 회복

다른 부위보다 회복이 빠른 편이며 멍이나 붓기도 적다.

5) 수술 후 부작용

가장 많은 부작용으로는 주름 안쪽과 끝쪽에 새로운 주름이 형성되는 것이므로 주위 조직에 지방을 퍼지듯이 주입하여야 한다.

2. 입술

1) 수술 전 고려사항

입술은 얼굴에서 유일하게 점막이 노출되는 부위이며, 젊고 건강한 입술과 그렇지 않은 입술과는 확연한 차이를 보이기 때문에 동양에서는 관상학적으로 중요한 부위이며, 감성적인 면에 있어서도 성적인 표현의 한 부위로도 여겨져서 이에 대한 관심도가 높은 부위이다(**그림 3**).

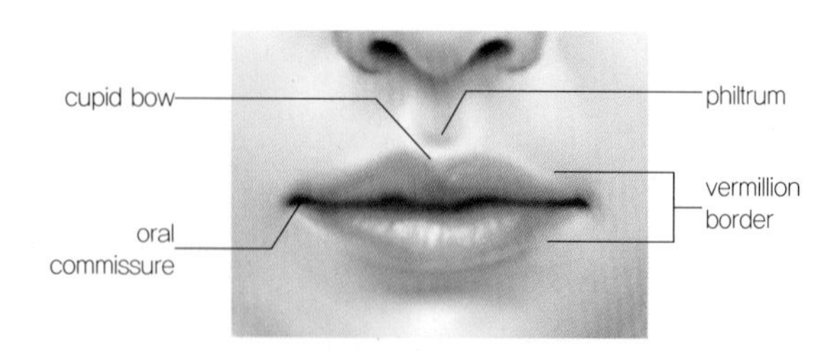

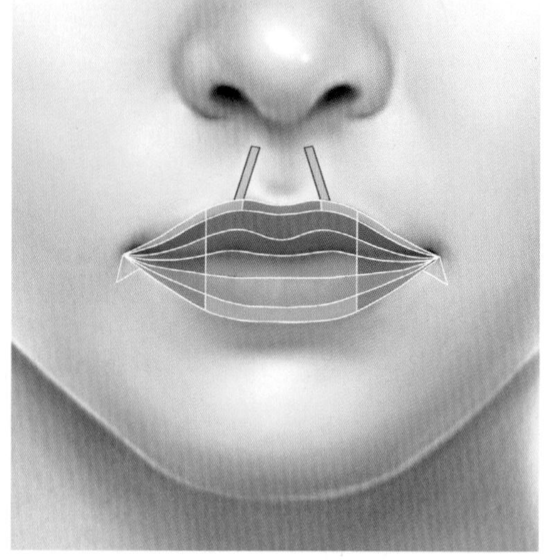

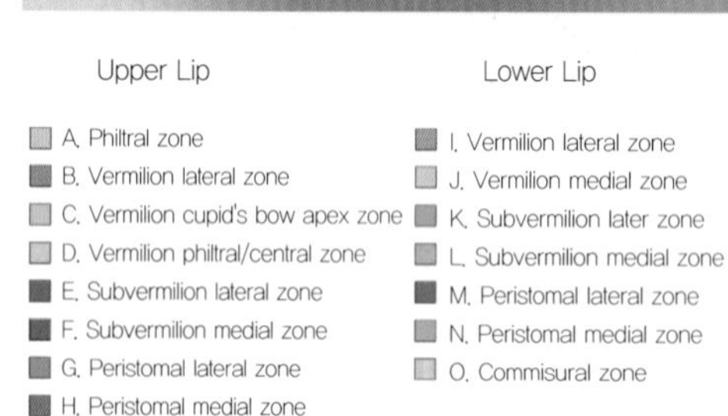

그림 3 입술의 세부모양과 명칭

(1) Upper lip

특징적으로 윗입술 피부와의 살짝 움푹한 모양의 경계면인 white roll이 입술 가운데에서 돌출된 vermilion 상부에 위치하며, 양측으로 갈며 얇아지는 Cupid's bow를 형성한다

가운데의 돌출된 vermilion과 그보다는 약하지만 양측의 vermilion 사이에는 함몰된 굴곡면이 존재한다

(2) Lower lip

윗입술과 같이 명확한 white roll은 없으나, 윗입술의 특징적인 가운데 vermilion이 맞닿는 아랫입술의 vermilion은 함몰되어 있으며 양쪽으로 튀어나온 vermilion은 윗입술의 함몰된 굴곡면과 요철 모양을 이룬다.

젊은 아랫입술의 vermilion이 대체적으로 윗입술보다 볼륨이 더 풍부하다.

입술 지방 주입 시 가장 고려해야할 사항은 가능한 최소의 지방 주입 양으로 약간 바깥으로 뒤집힌 매력적인 입술 vermilion을 만드는 것이다.

입술의 입주위근(orbicularis oculi muscle) 같이 깊은 곳에 주사를 하게 되면 붓기도 오래가고 붓기가 빠져도 바깥으로 돌출되지 않을 뿐만 아니라 항구적인 입술의 두께만 두꺼워지는 결과를 초래한다.

입술 피부에 주입하는 것도 입술 피부의 주름을 펼 수는 있으나 입술이 안쪽으로 말려들어가고 입술을 작게 보이게 만든다.

2) 수술 전 적응증

지방을 이용한 입술 확대술의 가장 큰 이유는 노화이며 이로 인해 변형된 얼굴과 입술의 비율을 조화 있게 함이다.

노화에 의한 윗입술의 변화를 보면 가운데 융기된 vermilion 부피의 감소로 입술이 안쪽으로 말려들고 떨어지게 되어 길이가 길어지고, 양측의 융기된 vermilion이 얇아짐으로써 상악골의 견치(incisor)가 보이게 되며 윗입술 피부의 주름은 더욱 악화 된다.

아랫입술도 얇아짐으로써 양측의 융기된 vermilion은 가라앉고 가운데 함몰 부위는 융기하게 되고 아랫입술의 길이의 단축으로 하악골의 견치는 더욱 노출되게 된다(**그림 4**).

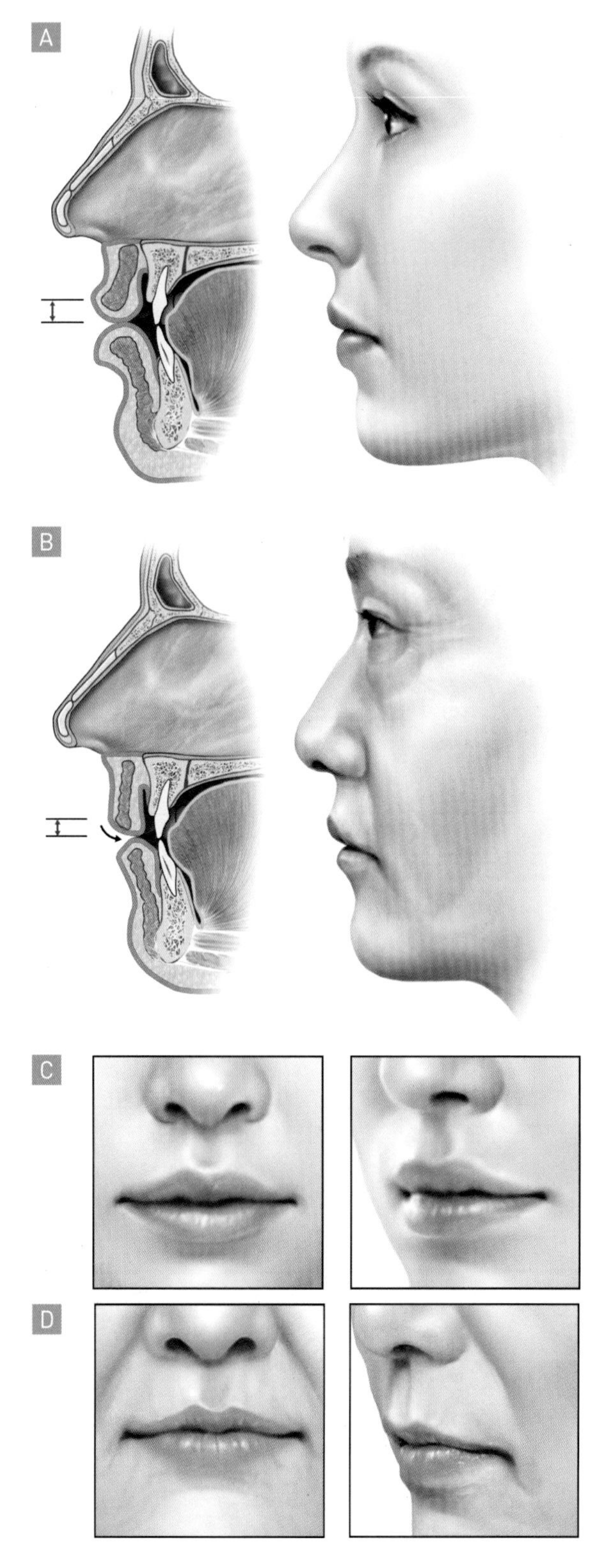

그림 4 노화에 따른 입술변화

3) 수술 방법

마취는 주로 infraorbital nerve, mental nerve를 마취하게 된다,

윗입술의 가운데 부위는 추가적인 마취가 필요할 수 있다.

(1) 주입관(Cannulas)

Round tip 16-18 gauge cannulas

(2) Level

Most superficial level로써 vermilion과 mucosa의 직하방

(3) Volume

- White roll:0.75-1.25 cc
- Lower lip rim:0.75-1.25 cc
- Body of upper lip:1.5-4 cc
- Body of lower lip:upper lip의 2배 정도(그림 5)

(4) 수술 시 주의점

지방 주입은 입술의 skin에 넣지 않고 white roll의 subcutaneous level에 넣어야 대부분의 사람들이 매력적이라고 생각하는 치밀하고 부드럽고 연속적인 입술라인이 형성된다

(5) White roll

입술 양측 commissure에서 주입관을 반대쪽 commisure 4 mm 전까지만 주입 시키고, 깊이는 vermilion과 orbicularis oris muscle 사이를 목표로 하고, 주입관을 빼면서 지방을 얇게 주입한다(그림 6).

(6) Lower lip

윗입술과 같은 명확한 white roll이 없지만 비슷한 개념으로 지방을 주입하는 것이 좋다.

피부 바로 위쪽의 vermilion에 지방을 주입하며, 윗입술과 달리 아랫입술은 입술 양측 끝까지 주입하며, 깊이는 subdermal level로 얇게 주입하여 vermilion이 바깥으로 더 노출되도록 한다.

가운데 부위에 살짝 함몰이 있으면서 양측으로는

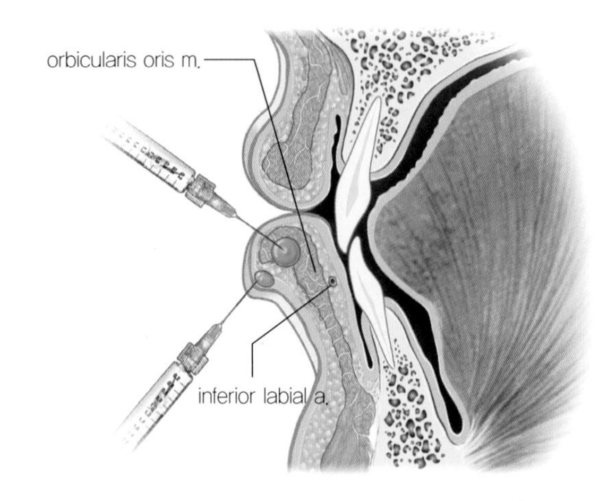

그림 5 입술 볼륨과 모양을 위한 지방과 필러 주입 기술

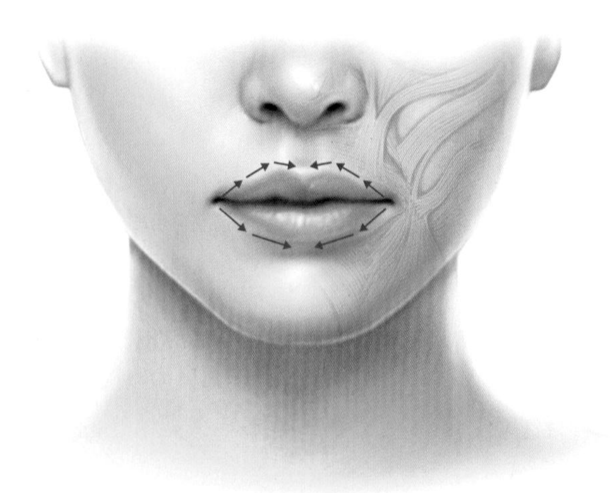

그림 6 입술라인을 강조하기 위한 지방 및 필러 주입술

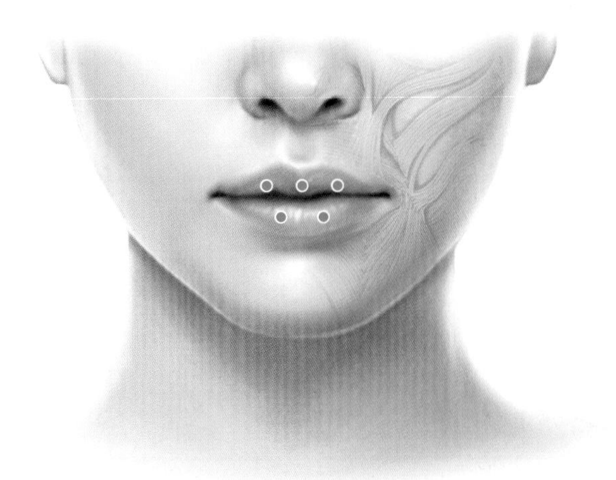

그림 7 입술 볼륨을 강조하기 위한 지방 및 필러 주입술

길죽한 공모양의 돌출된 모양을 만들도록 한다(**그림 7**).

(7) Upper lip

입술 가운데 1/4 지점 먼저 지방을 아랫 입술과 같은 깊이로 얇게 주입하여 볼륨을 증대시켜 vermilion이 바깥으로 노출되도록 한다.

그다음으로 양측 1/5 지점에 지방을 주입하며 commissure 끝까지 지방이 주입되어서 이상한 모양이 안 되도록 한다(**그림 8**).

4) 수술 후 고려사항

(1) Dressing

드레싱은 필요 없으나 바깥으로 새로 노출되는 vermilion 점막층의 각질화를 막기 위해서 수분공급과 보습이 필요할 수 있다.

(2) Massage

필요 없으나 lymphatic drainage는 고려할 수 있다.

(3) 회복

움직이는 부위이며 점막 밑으로 얇게 주입하며 고정된 부위도 아니며 고정을 시키기도 어려운 예민하고 까다로운 부위이며, 붓기나 멍은 상대적으로 오래 가며 약 4주가 걸린다.

5) 수술 후 부작용

과도한 지방 주입 시에, 아랫 입술에서 점막이 찢어지는 경우가 발생할 수 있다.

(1) 드문 부작용

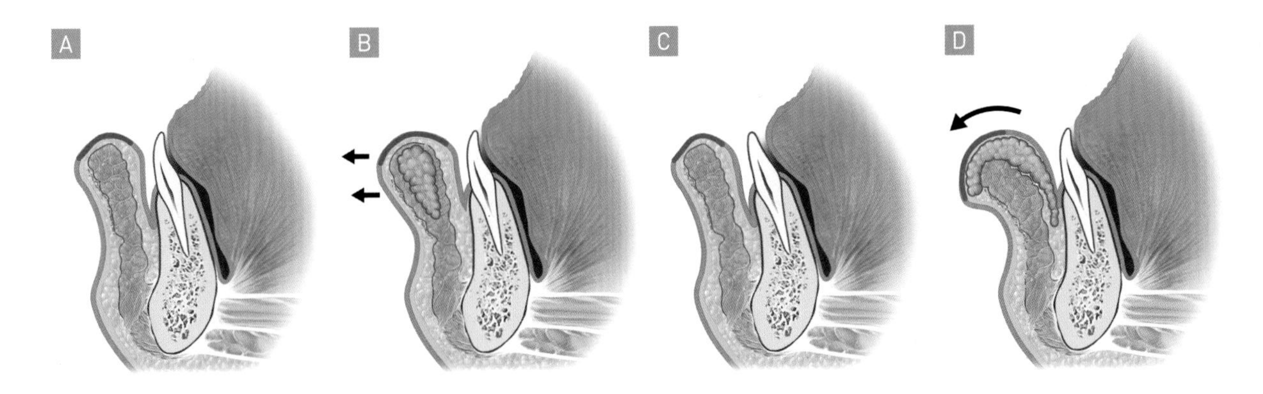

그림 8 입술 지방 주입 시 깊이에 따른 모양변화

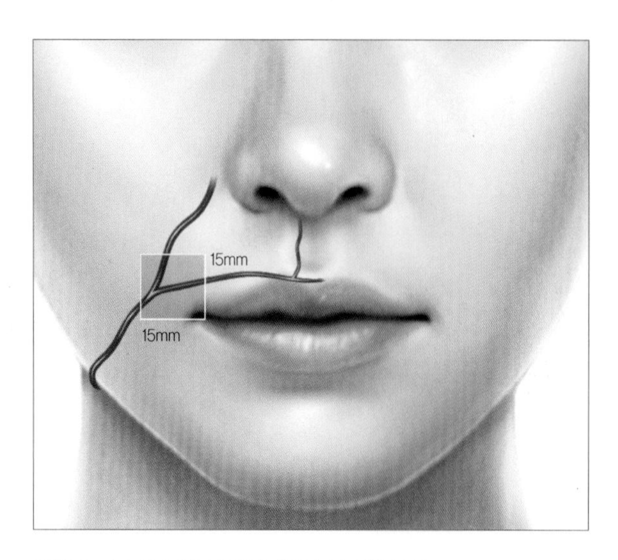

그림 9 팔자주름에서의 필러주사 시 위험부위

- 흉터
- 염증성 육아종
- 입술 괴사(**그림 9**)

입술은 오염이 쉽게 되는 부위이므로 수술 전, 후 cefa 계통의 항생제를 고려하여야 하며, 수술 후 가글을 시키는 것이 좋다.

참·고·문·헌

1. A New Classification of Lip Zones to Customize Injectable Lip Augmentation Arch Facial Plast Surg. 2008;10(1):25-29. doi:10.1001/archfaci.10.1.25

Chapter 51

턱끝과 턱선 지방이식

Fat graft on the chin and mandibular line

| 박재우 |

얼굴의 모양을 이야기 하는데 있어서 하안부의 모양이 중요하고 특히 입술과 턱끝의 위치와 모양에 따라 얼굴의 전체적인 모양과 비율이 달라지게 되기 때문에 중세 르네상스 시절뿐만 아니라, 현대의 미용적인 분야에 있어서도 중요한 부분을 차지하고 있다. 안면부의 조화롭고 아름다운 비율을 구하기 위하여 대부분의 저자들은 cephalograms이나 임상 사진을 이용하여 안면골의 기울기와 연부조직의 비율을 이야기 하고 평균적인 기울기와 수직 및 수평 비율을 구하여 얼굴 각 부분의 상관관계를 분석하고 아름다운 얼굴을 가지기 위한 최적의 비율을 이야기 하고 있다.

얼굴에 있어서 하안면부는 코끝의(Ant. Nasal Spine, ANS) 이하 부위를 말하는데 상악골 하악골과 더불어 이 위에 위치하는 근육과 연부조직들을 이야기 한다. 이들은 안면부의 구성에 있어서 중요한 부분을 차지 하는데 특히 턱끝의 위치와 양쪽 하악각의 위치가 얼굴의 모양을 결정짓는데 큰 영향을 준다. ANS 와 턱끝의 위치는 콧등의 위치와 밀접한 관련이 있는데 정위치에서 콧등(nasion)과의 관계가(SNA, SNB) 안면부의 측면의 모양을 결정한다고 봐도 되겠다. 정면을 바라볼 때 안면부는 양쪽 관자부위와 광대부위, 하악각의 돌출 정도에 따라 전체적인 모양이 결정되는데 이러한 부위의 상대적인 폭에 의해서 얼굴의 형태가 결정된다. 하악골은 체부와 양측 가지로 형성되어 있으며 턱끝과 하악각을 연결하는 선에 의해 얼굴의 하부경계가 이루어진다.

얼굴의 하방에 있어서 뚜렷한 피하지방의 구획이 존재하고 하악골하연 위쪽의 상하부로 나뉘어진 두개의 피하지방구획이 jowl fat을 형성한다. 하지만 심부볼지방(buccal fat)은 뺨의 피하지방(jowl fat)과는 다른 조직으로 jawl 의 형성에 관여하지 않으며, 하악골 하부의 지방구획은 얼굴의 피하지방과 연결되지 않고 하악골에 붙어져 있는 격막에 의해 분리되어 따로 존재한다. 이러한 격막은 platysma 근육섬유와 같이 섞여져 하악골의 전면부에 부착되어 있다. depressor anguli oris (DAO) muscle 뒤쪽으로 mandibular ligament가 피부를 잡고 있어 jowl fat 이아래로 이동하는 것을 방지하여 입꼬리에서 mandibular ligament방향으로 mandibular or marionette line이 형성된다.

턱끝 부분은 DAO muscle, depressor labii inferioris (DLI) muscle, mental muscle 3개의 근육으로 구성되어져 있는데, 각각의 아래쪽 부분은 platysma와 붙어 있다.

노화가 진행되면서 피부의 노화 뿐만 아니라 연부

조직 및 안면골의 흡수로 인한 부피의 감소로 안면부의 처짐이 심해지는데 특히 nasolabial fold, labiomental creases, 상하순, 하악연 등의 굴곡변화가 심하다. 하안면부가 위축되고 처지는 것이 상안이나 중안면부의 노화보다 더욱 심하게 나이가 들어보이게 된다.

하악골주변의 노화현상은, 하악골 주변에 위치한 상하하악지방구획(superior and inferior mandibular fat compartments)의 위축으로 발생하며 특히 하악아래부위(submandibular compartment)의 위축이 주된 역활을 한다. 그와 더불어 하악골격막의 이완으로 인하여 하악골 주변부의 지방구획들이 처지게 되며 하악골 자체의 흡수, 피부의 탄력소실등의 원인도 관여하게 된다. 하안면부의 모양에 있어서 입술의 모양과 돌출정도도 중요한데 특히 필러와 지방이식을 이용하여 입술의 모양을 보다 젊고 매력적으로 만들고자 할 때 이들에 대한 해부학적 지식이 중요하다.

피부와 입주변근육 사이의 피하지방층이 존재하지만 입주변근육의 깊은 위치에도 지방구획이 존재하며 mentalis 심부에도 독자적인 지방구획이 존재하여 입술과 턱의 돌출에 영향을 주게 된다. 입술의 wet-dry border가 근육하층의 지방과 앞쪽의 피하지방의 경계부위가 되며 mentalis 근육을 양쪽으로 나눠어져 심부와 천부근육으로 구분된다. 하지만 mentalis 아래 지방구획은 양쪽으로 분리되어있고 중앙이 연결되어있지 않아 나이가 들수록 턱끝이 갈라져 보인다. 안면부의 얕은 지방과 깊은 지방의 구획들을 보다 정확히 이해하고 각각의 부위에 맞게 이식하면 더 좋은 결과를 얻을 수가 있다.

노화는 단순한 피부의 처짐이 아니기 때문에 안면부의 회춘술은 한 가지 방법보다 늘어진 피부와 심부조직을 당겨주고 위축된 부피를 채워주고 변위된 부분의 부피를 줄여주고 피부를 재생시켜 줌으로써 좋은 결과를 얻을 수가 있다. 그 중에 하안면부의 위축된 부피를 보충시켜주는 것이 아주 중요한 요소이다. 자가지방이식은 쉽게 얻을 수 있고 오래가고 자연스러우면서 다른 면역 반응을 일으키지 않기 때문에 이상적인 소재이다. 또한 지방 속에 포함되어있는 자가줄기세포가 피부와 주변조직을 재생시키기 때문에 안면거상술과 같이 시술할 때에 함몰되어 있는 nasolabial folds, marionette Lines, prejowl sulcus, 입술 하악연, 턱끝등에 이식하면 더욱 좋은 결과를 얻을 수 있다.

자가지방이식은 1839년 동물의 장간막지방을 이식하는 것이 처음 보고되었고, 1893년 Neuber가 결핵으로 생긴 얼굴의 함몰변형을 가진 환자를 교정하기 위하여 팔의 지방을 이식한 것이 사람에게서 최초의 지방이식이라고 하겠다. 주사기와 바늘을 이용하여 지방을 이식한 현대적인 지방이식의 개념은 1908년 Hollander의해 소개 되었다.

속이 빈 금속관을 이용한 지방이식은 1926년 Miller에 의해 소개 되었고, 이후 20세기 초반 지속적으로 시행되다가 1950년 Peer가 이식된 지방의 1년 후 생존율이 50% 정도된다고 보고한 이후 이후 지방이식과 인공물질의 피하삽입에 대한 시술이 점차 보편적인 시술의 하나가 되게 된다.

1980년 Ellenbogen이 안면부에 유리자가지방이식을 다시 소개하고, Illouz 이후 지방흡입이 발달되면서 흡입된 많은 지방을 다시 이식하는 시술들이 점차 널리 시행되게 되었지만 여전한 많은 흡수와 지속성의 결여로 인하여 지방이식의 효용성에 대하여 많은 의문이 있어 아직까지 모든 성형외과 의사들에 있어서 보편적인 수술이 되지는 못하였다. 이후 점차 지방이식 시술에 대한 기술이 발달하면서 보다 만족할 만한 결과를 가지게 되면서 시술의 빈도가 늘어나고 3차원적인 지방이식에 대한 부분이 소개되면서 안면부에 대한 자가지방이식이 보편적으로 확산되었다. 하안면부의 지방이식은 지속기간이 짧은 단점이 있으나 비교적 합병증도 작고 2-3회 반복 시술시 만족할 만한 결과를 얻을 수 가있어 점차 시술빈도가 늘어나고 있다. 이러한 부위에 지방이식을 시행하게 되면 좋은 결과를 얻을 수가 있으나 지속기간이 짧아 좀더 좋은 결과를 얻기 위해서는 지방세포에 대한 손상없이 정밀한 시술이 요구된다.

1. 해부학적 소견

1) Orbicularis Oris Muscle

Orbicularis Oris는 안와근처럼 단순한 구상의 sphincter이 아니라 4개의 다른 근육 구획들이 서로 얽히고 연결되면서 입술과 그 주변부에 둥근 형태를 가지며, 입주변부를 둘러싸고 있는 여러 겹의 근육섬유들로 구성되어 있지만 여러 가지 다른 방향으로 배열되어있다. 이들은 입술 자체의 근육뿐만 아니라 buccinator등 다른 안면 근육들로부터 기시되어 입술방향으로 주행하여 입술의 깊은 층을 형성하거나 일부는 입술자체 내에 존재한다. Buccinator는 교차없이 상하 각각 윗, 아랫입술로 지나가게 되나, 일부 buccinator fibers는 입꼬리 근처에서 교차하여 아래 하악쪽에서 온 섬유는 상구순쪽으로, 윗쪽 상악쪽에서 기시한 섬유는 아랫 입술쪽으로 향하며 근육층의 중앙층을 차지하게 되며 buccinator의 최상부나 최하부의 근육은 교차하지 않고 입술근육의 일부를 형성한다. 상악쪽에서 온 LAO 근육섬유와 하악쪽에서 온 DAO 근육섬유가 입꼬리 주변에서 만나 입꼬리부위에서 합쳐지고 서로 교차하여 부근육처럼 입주변 의 여러가지 근육들이 입술이나 그 가까이 모여 여러 가지 기능을 하게 된다. LAO에서 온 근섬유는 아랫입술로, DAO에서 온 근육들은 윗입술로 가면서 얼굴중앙선을 넘고 각각 반대편의 윗,아래 입술의 피부쪽에 부착하게 된다. 그 외 quadratus labii superioris, the zygomaticus, the quadratus labii inferioris들이 비스듬하게 입술근육에 합쳐지게 된다. 이러한 근육들이 합쳐져 피부에서 점막 사이의 입술의 근육을 형성하게 된다. Orbicularis Oris Muscle 자체는 피부와 점막사이의 입술전체두께를 차지 하며 상하악근육이나 코근육과 일부 합쳐져 입술을 다물거나 앞으로 내미는 작용을 한다. 또한 나이가 들면서 입술 주변부의 세로 주름이 생기는 원인이 되기도 한다.

2) Depressor Labii Inferioris Muscle

하악골 하연근처 oblique line에서 기시하여 외측에서 내측으로 비스듬히 올라가 입술근육일부를 형성하고 아랫입술 피부에 부착되어 입술을 아래로 바깥으로 당기는 역할을 한다.

3) Depressor Anguli Oris Muscle (Triangularis)

하악골 하연근처 Depressor Labii Inferioris Muscle 직하부의 oblique line 에서 넓게 기시하여 가면서 좁아지며 삼각형의 모양을 형성하고 입꼬리 쪽 orbicularis oris 와 risorius 에 부착하거나 일부는 LAO에 연결되기도 한다. 기시부에서 platysma와 연결되어있으며 가끔은 반대쪽 근육과도 연결되어 transversus menti를 형성하기도 한다. 얼굴을 찡그릴 때 입꼬리를 내리는 역할을 한다. DLL 외측에 바로 위치하는 삼각형의 근육으로 하악골의 하연에서 넓게 기시하며 platysma가 일부 덮여있다. 입꼬리 쪽에가서 orbicularis oris 와 risorius 에 붙어 입꼬리를 아래로 내리는 역할을 한다.

4) Mentalis Muscle

Mentalis는 턱끝 중앙 양쪽에 위치하며 하악하연부위 mentum에서 기시하여 입술아래의 피부와 연부조직에 부착한다. 주된 작용은 수축하여 턱끝연부조직을 위로 안으로 밀어올려 입술 중앙을 올리거나 Orbicularis oris와 같이 작용하면 입술을 앞으로 삐죽 내미는 역할을 한다. 역할을 하며 이완상태에서 윗아랫입술이 완전히 안 닿을 때 mentalis를 수축하면 입을 완전히 닫을 수가 있다. 또한 수축할 때 턱끝피부를 잡아당겨 턱끝 피부에 주름을 만들거나 함몰을 만든다. 너무 비후해 있으면 턱끝부위의 깊은 주름을 만들어 좋은 인상을 남기지 못한다. 태생적으로 geniospasm가진 경우 턱끝의 주름과 입술내밈이 항상 존재한다.

5) Masseter

사각형모양의 교근은 superficial과 deep부분으로 나뉘어진다. 천부교근은 상악골의 zygomatic process와 관골궁의 앞 2/3 정도에서 기시하여 하악각과 하악골의 하연에 부착하게 된다. 심부교근은 관골궁의 후 1/3 정도에서 기시하여 mandibular ramus의 위쪽 반 정도에 붙게된다. 후연은 침샘에 의해 덮여있으며 앞쪽은 buccinator 가까이 위치한다. 침샘관이 교근위로 주행하여 buccinator를 뚫고 상측 제2대구치위치에서 입안으로 들어가게 된다.

6) 혈관계

하악각에서 3 cm 전방이 되는 하악연의 중간정도에서 안면동맥이 하악연을 통과하여 입가주름 쪽으로 주행을 하면서 아랫 윗 입술과 비익과 콧등에 가지를 내고 angular a. 로 코옆을 따라 주행하면서 눈 주변에서 internal carotid a. 의 분지인 supratrochlear a. 와 연결되어지는 경우가 있으며 그 주행경로와 분지형태와 끝나거나 연결되는 부분은 매우 다양하다.

7) 신경

삼차신경의 하악분지가 하악골 내로 주행하다가 제2소구치정도에서 하악골의 중앙으로 빠져나와 턱끝 주변부의 감각을 담당한다. Buccal branches과 marginal mandibular branch가 이 부분의 운동근육들을 주관한다.

8) Melomental Folds / Marionette line

지방이식뿐 아니라 어떤 생체적합물질을 주입함에 있어서 이식하고자 하는 부위에 대한 피부, 혈관, 신경, 및 근육의 위치와 기능에 대한 전반적인 해부학적인 지식이 필요하다. 전체적인 지방이식 전에 환자 개개인의 특성에 맞는 미용적인 분석이 필요하고 이 분석을 바탕으로 미용적 개선이 이루어지게 치료계획을 세워야 한다. 입꼬리 주름은 여러 가지 원인들에 의해 생기게 되며 나이가 들어감에 따라 더욱 뚜렷해지는데 입꼬리 주변으로 부피가 감소되면서 나타나며 지방이식으로 호전될 수 있는 부분이다. Melomental folds는 입가에서 하악연까지 이르는 얼굴선을 이야기 하는데 입가꼬리와 뺨의 경계에 해당하는 부분으로 상층부부터 피부, 천층지방, platysma muscle, 심부지방, 입꼬리내림근육 depressor anguli oris (DAO), 그리고 골막과 뼈 순으로 구별지워 진다. 이는 아랫입술과 뺨을 구분하는 선이기도 하지만 턱과 뺨의 구획을 구분짓는 경계선으로 marionette인형의 입가의 모양을 닮았다고 하여 marionette lines, puppet lines이라고도 한다. Melomental Folds는 지속적인 근육의 움직임과 얼굴의 노화로 인하여 턱끝 연부조직의 위축뿐만 아니라 하악골의 위축, 중력의 작용, 중안면부의 연부조직소실 및 탄력의 저하로 인한 처짐 등이 원인이 된다. 이러한 변형은 입꼬리가 아래로 처져 자신뿐만 아니라 다른 이들로 하여금 더욱 나이가 들어 보일 뿐 아니라 화나거나 슬픈 표정을 짓는 것처럼 보여 이 주름에 대해 신경쓰는 사람들이 많다

이를 없애기 위하여 안면거상, 입술거상, 안면박피, 화학적 또는 레이져 박피술등을 시행하거나 botulinum toxin을 입꼬리내림근육 depressor anguli oris에 주입하여 이를 완화시킬 수는 있었지만 완전히 없애는 것은 힘들다. 아무리 안면거상을 한다고 하더라도 melomental fold를 교정하기 위해서는 필러나 지방이식을 이용하여 이 부분을 올려주어야 좀 더 좋은 결과를 얻을 수가 있다. 입가꼬리의 부피감소로 입가의 주름이 더욱 깊어지고 이를 치료하기 위해서는 depressor labii와 입꼬리 앞쪽 내측에 지방이식을 함으로 주름을 개선할 수가 있는데, 피하지방층에도 채워주어야 하지만 피부 주름은 그 부위를 직접 채워줘 입꼬리부분의 구조적인 지지대를 만들어 주어야 하며melomental fold 부위의 부피감소를 파악하여 길이방향으로 이식하는 것보다 직각방향으로 이식하는것이 pencil like deformity 를 방지하면서 적절한 볼륨을 이식하여 입꼬리를 받쳐줄 수 있어 좋다. 깊어져 있는 입가주름을 채우는 것도 중요하지만 아래로 쳐진 입꼬리를 올리는 것도 중요하다. 이러한 양상을 띠는 것은 DAO muscles의 영향이 있기 때문이며 이 근육을 약화시킴으로 좀더 호전시킬 수 있다. 입꼬리내림근육 depressor anguli oris가 입꼬리를 아래로 작용으로 생기는 초기의 주름은 botox로 어느 정도 해결할 수가 있다. 주변 근육을 약화시킬 때 DLI muscle을 같이 약화시켜 입술이 움직이지 않거나 음식물을 먹을 때 흘러내리게 된다. 따라서 DAO만을 정확히 약화시켜야 하는데 DAO의 중앙부위를 겨냥하기 위해서는 입꼬리에서 하악연으로 수직선을 내리고 그 중앙선의 외측 1 cm 정도에 2.5U 를 주입하기도 하고, DAO muscle이 붙는 하악연을 따라서 근육에 두 세군데 주입하여 입꼬리 처짐을 완화하면서 근육의 움직임을 줄여줄 수 있다.

하지만 melomental folds을 단순히 채우고 근육을 약화시킨다고 해서 완전히 없어지지는 않는다. 부피를 채우더라도 아래측 외곽으로 흘러내리는 듯한 모양은 완전히 지울 수 없는 부분이며 이를 없애기 위해서는 직접적인 지방흡입이 필요하다. 또한 하안부의 피부처짐은 단순히 하안부의 문제가 아니라 중안면부나 상안면부의 부피나 탄력이 부족하여 흘러내림이 하안면부의 처짐을 유발할 수가 있다. 이러한 경우 하안면부만 이식을 하게 되면 많은 볼륨이 필요할 뿐만 아니라 이식 후 더욱 쳐져보이게 되는 경우가 많다. 하안면부를 이식하기 전 상안면부와 중안면부의 이식을 먼저 해서 이들의 처짐으로 인한 하안면부의 처짐현상을 제거하고 난 뒤 하안변부 이식을 시행하여야 작은 부피의 이식으로 처짐없고 적절한 이식을 시행할 수 있다.

9) Jawline and prejowl sulcus

얼굴의 노화는 부피의 감소 뿐만 아니라 탄력의 저하, 중력의 작용등에 의하여 이마와 눈썹이 쳐질 뿐 만 아니라 중안면부 하안면부를 비롯하여 목까지 늘어지고 쳐지게 된다. 하안면부를 이야기할 때 뚜렷한 턱선이 강조되는데 귀부터 턱끝까지 부피가 있고 곧은 턱선을 가져야 한다. 하지만 나이가 들어감에 따라 볼의 처짐이 시작되고 mandibular ligament가 부착되는 부위 앞쪽으로 밑쪽으로 피부가 쳐지면서 marionette line이 생기고 prejowl notch 또는 sulcus 가 생기고 점점 심해지게 된다. 이러한 변형은 연부조직의 위축 뿐 만아니라 mental foramen 아래의 앞 쪽의 하악골이 위축되면서 함몰변형이 생겨 prejowl sulcus를 만드는 것이다. prejowl sulcus는 턱끝과 jowl사이에 mandibular ligament바로 앞쪽에 위치하며 피부, 천부지방, platysma muscle, Depressor Angular Oris (DAO), 심부지방, 뼈 순으로 위치한다.

이러한 prejowl sulcus 또는 antigonion notch는 선천적 혹은 어릴 적부터 하악골의 위축이 있는경우에도 가지고 있을 수 있다. 하지만 대개 일반적으로 나이가 들수록 연부조직의 위축이 점점 진행되면서 더욱 심해지며 따라서 뺨의 처짐(jowling)이 더욱 뚜렷해지게 되는 것이다. 이러한 뺨의 쳐짐현상이 나이든 환자들에게 서 가장 흔한 불만이 되며, 볼살 처짐 jowling과 함께 prejowl notch가 심해지면서 젊을 때 둥글던 얼굴이 나이가 들면서 점점 사각형의 얼굴이 되어가는 것이다. 이 부분을 교정하지 않고는 지방흡입을 포함한 SMAS, deep plane, composite 등 같은 어떠한 방법의 안면거상수술을 하더라도 만족할 만한 매끈한 턱선을 가지기 힘들다.

이 부분에 지방을 이식하여 턱끝과 뺨에 이르는 턱선을 회복시켜줌에 따라 턱 끝과 뺨의 노화로 인한 변형을 줄여줄 수가 있다. 그 중에서 지방이식으로 prejowl sulcus를 메워 주는 것이 아주 중요한 요소이며, 근육과 골막사이에 지방을 이식해 줌으로서 prejowl sulcus를 교정할 수 있다. 안면거상술과 함께 쳐진 뺨의 지방을 흡입하고 피부탄력을 회복시키고 함몰된 부분을 채워줌으로서 하악연의 모양을 개선시킬 수 있다.

10) 턱끝(chin)

턱끝은 하악골 정중앙의 위치에 위치하며 피부 천부지방, mental muscle, 심부지방, 뼈의 순으로 위치한다. 하안부의 지방이식, 특히 턱끝의 지방이식은 얼굴의 전반적인 모양을 결정하는 것에 있어서 아주 중요한 부분이다. 나이가 들어감에 따라 연부조직이 감소하고 턱끝뼈의 흡수로 인하여 턱끝이 아래로 떨어지게 되는데 이 부분의 모양이 얼굴 전체와의 조화에 있어서 아주 긴밀한 관계를 가지며, 왜소한 턱끝은 턱끝뼈의 발달이 적고 근육과 턱끝 연부조직이 상대적으로 적어져 전반적인 보강이 필요하다. 이 부위에 자가지방을 이식하면 턱끝의 부피를 회복하고 턱끝을 앞으로 더 나오게 할 수 있는데, 이식할 때 하악연에 가까운 DAO, depressor inferioris labii, mentalis 부위에 보톡스를 먼저 주사한 후 지방이식이나 필러를 주입하면 좋다. 하지만 턱끝 부위에 이식할 때 대부분 mentalis, superficial fat compartment에 주입하게 되는데 mentalis 보다 깊은 deep fat compartment나 bone 위에 주입하는 것이 작은 양으로 돌출효과를 극대화할 수 있고 오래 유지 될 수 있으며 또한 피부직하부나 근육사이에 들어가서 피부와 근육이 늘어져 아래로 처지는 부작용을 방지할 수가 있다. 이러한 지방이식은 턱끝보형물의 삽입후 보강하거나 아예 턱끝보형물을 하지 않고도 충분한 결과를 얻을 수가 있으며, 턱끝 뿐만 아니라 prejowl sulcus도 같이 주입해 주는 것이 좋다.

미용적인 턱끝은 단순히 해부학적인 턱끝이 아니라 양쪽 mandibular ligament가 붙는 사이의 하악연을 포함하여 입꼬리 까지의 영역을 이야기하는 것이다. 앞쪽에서 봤을 때 전체적으로 처지지 않고 하악각에서 턱끝까지 부드럽게 연결된 하악연을 가지면서 입가쪽으로 전반적으로 굴곡없이 꺼지지 않고 충분한 부피를 가져 젊다는 인상을 주는 것이 중요하다. 대부분 턱끝이 작을 때 턱끝을 이식하게 되는데 이 때에는 턱끝이 앞으로 돌출되는 것도 중요하지만 앞쪽에서 봤을 때 꺼져있는 양쪽 prejowl sulcus 를 채워주고 양쪽 입꼬리 까지 채워주는 것도 중요하다. 이때 턱끝과 prejowl sulcus에는 근육위쪽으로 이식하게 되면 날씬한 하악연을 구성할 수가 없고 시간이 지남에 따라 쳐져 witch's chin같은 모양을 가지게 된다. 또한 한곳에 뭉쳐서 이식하는 것으로는 턱끝의 모양을 바로 잡을 수가 없다. Pre jowl sulcus 부위와 턱끝 부위에는 골막하부나 골막 바로 위에 지방이식을 하는 것이 작은 양으로도 굴곡이 있는 하악연 의 경계를 하나의 선으로 만들어 교정하기 쉬우며 턱끝의 돌출도 용이 하게 얻을 수가 있다. 이렇게 하악연이 보강되면 윗쪽의 근육들과 연부조직들을 위로 밀어 올려 처진 입꼬리를 더 올리고 marionette lines의 굴곡도 줄여 여기에 필요한 이식양도 줄일 수가 있다. 하악연이 교정되고 나면 위쪽으로 mental crease, 아랫입술의 vermilion 아래, 입꼬리 주변부나 melomental fold 자체의 피하층에 이식을 하는 것이 좋다. 턱끝에 지방이나 필러를 이용하여 부피를 채워줄 때 mental crease (labiomental sulcus), chin apex, anterior chin (soft tissue pogonion), submentum (soft tissue menton), lateral lower chin, prejowl sulcus 부위에 골고루 이식하여 주어야 한다. 하악연을 따라 mentalis와 platysma아래 지방이식을 하면 옆모습이 개선된 좀 더 강하고 뚜렷한 턱선을 만들 수 있으며 위치에 따라 얼굴길이를 짧거나 길게 보이게 만들수 있다.

이식 후에는 환자가 움직여보고 웃어봐서 가만 있을 때와 움직일 때의 부피와 모양을 파악하면서 이식하는 것이 좋다. 안면근육을 움직일 때 선이나 굴곡이 없으면 좋겠지만 너무 많이 넣어서 안면근육의 마비가 오거나 근육의 운동이 방해가 되면 안 된다. 턱끝이 갈라져있는 경우 피하층에 넣어서는 이 부분을 교정할 수 없고 더욱 심화시킬 수가 있다. 이 경우 주입관을 이용하여 골막하나 직상부에 이식하여 주는 것이 근육과 조직을 이완시키기에 좋다. 하지만 너무 과하게 넣을 경우 정중앙부보다 옆쪽으로 들어갈 수가 있어 골이 더 깊어질 수 있기 때문에 수개월 간격으로 조금씩 여러 차례 나누어 넣는 것이 좋다.

턱끝의 지방이식에 대한 의견이 분분한데 Butterwick은 경부의 지방이 많아 턱선이 불분명할 때 경부 지방흡입을 한 후 턱끝 지방이식을 하면 하안부의 모양을 개선 시킬 수 있다고 하였다.

또한 Metzinger 등은 지방이식으로 labiomental crease를 개선시킬수 있다. 30명의 환자를 추적한 결과 6-12개월후 3명에서만 추가적인 지방이식이 필요하였다고 하였으며, sliding genioplasty같은 안면골수술로 턱끝의 돌출을 더 개선시킬 수 있다고 하나 지방이식만으로 턱끝의 모양을 어느 정도 개선시킬 수 있다고 하였다.

Chajchir 등은 빈약한 턱끝의 정상모양 이상으로 교정하기 위해서는 지방이식만으로는 보형물로 얻을 수 있는 결과에 미치지는 못하지만 질병이나 손상으로 인한 턱끝의 결손은 지방이식으로 어느정도 좋은 결과를 할 수 있다고 하였다.

11) Nasolabial Folds

팔자주름에 대한 지방이식이 쉽고 안전하기나 하나 그 지속적인 효과에 대해서는 회의적이다. 깊은 팔자주름을 없애기 위하여 지방이식이 많이 쓰이고 있지만 그 결과는 다양하며, 팔자의 모양이 일시적으로 개선되기는 하나 그 지속성에는 여전히 의문이 많다. Eremia와 Newman은 3-4개월은 그 결과가 양호하나 점차 재발하고 여러 번의 이식으로도 흡족할 만한 결과를 얻을 수가 없다고 하고 고작 1년 정도 결과를 유지한다고 하였다. Pinski나 Roenigk도 지방이식한 43명의 환자를 추적한 결과 3-4% 정도에서만 비슷한 임상결과를 가진다고 하였다. 지방이식후 추적한 결과 3개월뒤 30%를 소실하였고 6개월에 35%, 9개월에 45%, 12개월엔 70% 정도 그 결과를 소실한다고 하였다. 그래서 어떤 이들은 합성 fillers를 선호하기도 한다. 하지만 여러 번에 나누어서 지방이식을 할 때 어느 정도 개선되는 효과가 있어 조심스럽게 사용된다.

나이가 들어감에 따라 nasolabial fold가 늘어지고 쳐진 피하지방이 많아 깊어진 경우에는 nasolabial fold의 피하지방을 lipoplastic laser를 이용하여 피부의 탄력을 높이고 늘어난 피하지방을 직접 제거해 줌으로 좋은 결과를 얻을 수가 있다.

12) Philtrum & Lips

입술은 vermilion의 wet/dry 부위를 경계로 외측의 피부와 내측의 점막으로 구성되어 지고 그사이에 혈관과 근육들이 채워져 있다. 입술근육 orbicularis oris muscle 은 vermilion 과 점막 사이에 부착되고 2개의 지방구획으로 이루어져 vermilion과 입술근육 사이의 superficial fat compartment와 입술근육과 점막사이의

deep fat compartment가 존재하며 나이가 들어감에 따라 지방구획들이 점차 얇아지게 된다. 나이가 들어감에 따라 부피가 줄어든 입술을 회복시켜주기 위해서는 필러나 지방이식이 필요하게 되는데 해부학적인 회복이 중요하다. 지방이식시 입술의 피부와 점막의 경계부위를 따라 이식을 하면 입술의 윤곽을 뚜렷이 할 뿐만 아니라 입술주변의 수직주름을 완화 시킬 수 있다. 또한 입술의 돌출을 위해서는 입술의 wet-dry border를 경계로 점막아래 근육하층의 지방구획에 지방이식을 하게 되면 효과적인 입술돌출을 얻을 수 있다. 턱끝사이의 꺼진 부분을 올릴 경우 피부와 근육사이에도 지방이식을 하고 mentalis아래에 지방이식하면 그 꺼진 정도를 줄일 수 있다. 노화가 됨에 따라 턱끝의 돌출이 줄어들고 턱끝이 낮아져 길어 보이게 되는데 이때는 mentalis가 기시하는 턱끝 부위에 근육의 기시부와 골막사이에 지방 이식을 해주게 되면 위축된 하악골 끝을 회복시켜주는 효과로 인하여 턱끝의 돌출도가 증가하게 되며 턱선을 보다 젊고 뚜렷하게 만들 수 있다.

노화로 인하거나 선천적으로 경계가 불분명하고 얇아진 입술의 지방이식은 전체적인 부피감뿐만 아니라 입술 각 부위의 해부학적 특징을 바탕으로 입술 각 부위의 경계부위나 각각 부위의 특성을 살려 subunit에 맞는 이식을 하여야 한다. 입술은 작지만 많은 subunit으로 나뉘어져 있으며 각각의 특징을 잘 살려주는 이식을 해야 할 뿐 아니라 강조해야 하는 부분도 있다. 미용적으로 입술에 지방을 주입할 때는 위, 아래 입술의 부피와 돌출, 균형 뿐 아니라 입꼬리, white roll, Cupid's bow, Cupid's peak, philtral columns, philtral groove, tubercles 등 아주 미묘한 입술의 각 landmarks를 재건해 주어야 한다. 입술의 각부위의 특색을 살리기 위해서는 입술의 심부와 점막하 깊은 곳에서부터 주입하여 입술자체가 외측으로 외반되게 하여주고 vermilion 부위따라 주입하여 피부의 주름을 감소시키면서 피부와 점막의 경계가 뚜렷하게 해 주어야 한다. 이때 주입한 부위와 주입하지 않은 부위의 경계가 지지 않도록 작게 골고루 넣어 덩어리 지지 않게 해주어야 하고 전체적인 대칭과 균형을 잘 맞추어주어야 한다. 또한 나이가 들어감에 따라 상악골이 위축되고 피하지방 및 심부지방이 소실되고 피부가 탄력을 소실함에 따라 입은 돌출되어 보이고 윗입술은 길어지고 얇아지게 된다. 이러한 경우 piriform aperture 주변에 지방을 깊게 이식함으로서 입주변부의 굴곡을 줄이고 인중주변 경계부위따라 피하에 주입하여 코밑부위는 좁게 입술부분은 조금 넓은 형식으로 인중의 모양이 뚜렷하게 해주면 입모양이 좋아진다. 좀 더 매력적이고 어린 입술모양을 갖기 위해서는 윗입술에 있어서 philtral columns과 더불어 white Roll의 재건이 중요하다. 또한 입술자체만을 이식하는 것보다 입술주변의 턱끝이나 팔자주름 인중 입가주름 등에 대하여 전반적인 이식을 하는 것이 좋은 결과를 얻을 수 있다. 이때 한곳만 과도한 것보다 전체적인 얼굴에 맞춰 자연스럽고 환자의 나이에 맞는 주입이 되도록 노력한다. 입술전체를 다 넣고 나서 단순한 모양의 입술이 되는 것을 방지하기 위하여 윗 아래 입술의 tubercles 부위에 보강하여 좀 더 강조시켜준다. 일반적으로 아랫입술의 경우 정중앙을 기준으로 정중앙을 피해서 양쪽으로 넣게 되며 안쪽 2/3부위가 강조되고 가쪽으로 갈수록 서서히 줄어드는 형식으로 넣는 것이 좋다. 윗입술은 중간의 tubercle을 일부 채운 후 양쪽으로 중간부터 가쪽으로 서서히 얇아지게 채운다. 전체적인 부피는 인종에 따라 얼굴형태에 따라 사람마다 다 다를 수 있으나 원하는 부피의 두 배정도 넣는 것이 좋다. 하지만 너무 과하게 넣는 것 보다 단계적으로 넣는 것이 좀 더 바람직하다. 하안부의 중심이 되는 입주변부는 근육의 움직임이 많은 부위라 입 주변의 근육들에 대해 보톡스를 소량 주입해서 입꼬리내림근육들을 조금 약화시킨 후 이식을 하게 되면 전체적으로 쳐져보이는 것을 개선할 수 있다.

고전적인 안면거상은 입가주름을 개선시키지 못하며, 노화된 입술을 개선하기 위해서는 점막과 입술근육사이에 지방이식을 하고 입술경계선을 따라 지방이식을 하여야 부피를 개선하고 입술 홍순을 따른 주름을 개선시킬 수가 있다. 그 이식하는 지방양은 다양한데 Gatti는 윗입술에 3 mL 아랫입술에 4 mL 정도 이식하여야 한다고 하였으며, 이보다 더 많은 양의 이식이 필요하다 하는 보고도 있다. 장기적인 결과에 있어서는 입술의 움직임과 긴장도에 의하여 그 결과가 다양하고 예측불가능 하다고 이야기 하기도 한다. Eremia와 Newman은 입술이식 수술직후 수일간 통증은 있었지만 비교적 장기적인 결과는 좋다고 하였다. Perkins 등은 지방이식자체로는 효과가 미미하나 필러와 같이 사용하면 그 결과가 더 좋아진다고 하였다. Colic 등은 입술 지방이식을 할 때 orbicularis oris muscle뿐 아니라 그 주변부 buccinator, zygomaticus major, depressor labii inferioris muscles 등에 지방이식을 같이 하는 게 더 좋다고 이야기 하였으며 하안부의 천층지방흡입을 병행할 시에는 75% 정도의 환자에게서 그 결과를 더욱 좋게 할 수 있었다고 한다. 입술의 지방이식후 장기적인 결과는 다양한데 Eremia와 Newman은 8 내지 9개월 후에도 지방이식이 더 필요없을 만큼의 결과를 얻었다고 하며 만일 필요하다면 3내지 6개월 간격으로 시술하여야 한다고 하였다. Churukian 는 만족할 만한 장기적인 결과를 얻기 위해서는 적어도 5회 이상의 지방이식을 하여야 한다고 하였다. 반면에 Colic은 자기 환자를 3년 정도 추적한 결과 20-30%종도만 흡수 되었다고 하였다. 50세 이상의 70% 환자에서 30%이상의 흡수가 되었으나 25세 이하의 환자 60%에서 흡수가 없었다고 하여 나이가 많은 사람에서 보다 많이 흡수가 되었으며, 지방이식의 흡수가 입술에서 좀 더 흔하다고 하였다. Metzinger는 입술에서 만족할 만한 결과를 얻기 위해서는 적어도 3회이상의 지방이식이 필요하며 3개월 정도의 간격으로 시행하는 것이 좋으나 반드시 필요한 것은 아니다고 하였다. 비록 여러 번 이식한다고 하여도 만족할 만큼의 결과를 얻기는 항상 부족하였다고 하였다.

입술 지방이식 시 합병증을 주의해야 하는데 이때 가장 심각한 합병증은 혈관폐색으로 인한 조직의 괴사이다. 혈관자체가 깊이 있고 우회동맥으로 인하여 합병증 발생률이 낮고 안전하다고 여겨지지만 이러한 합병증을 방지하는 것이 가장 중요하다. 혈관으로 주입하는 것을 방지하기 위하여 일반주사바늘을 사용하는 것 보다 가는 cannula를 이용하여 여러 방향에서 주입해 주는 것이 좋으며 출혈이나 semimucosal area 와 mucosal area 경계부위아래 labial a. 의 위치를 염두에 두고 이에 대한 손상이 없이 주입될 수 있도록 한다. 각 입술에는 vermilion경계부위 근처에 2–4 septae가 존재하기 때문에 강한 압력으로 지방을 주입하는 것을 피해야 한다. 대개 지방을 근육층보다 피하층이나 점막층 또는 vermilion 아래 이식하는 것이 좋다. 이식한 지방의 지속유무는 처음 이식한 정도와 더불어 환자의 나이, 흡연유무, 입술의 운동정도, 입술에 대한 지속적인 압력유무 등이 관여를 한다.

13) 뺨과 귀앞 (medial cheek to preauricular areas)

이 곳은 섬유조직이 많은 부위여서 생각보다 지방이식으로 잘 올라오지 않는다. 심부의 조직과 피부가 SMAS와 인대 등으로 단단히 연결된 부위여서 지방이식을 하더라도 이 부위보다 다른곳으로 더 잘 들어가 이곳의 함몰변형이 더 심하게 되어 보이는 경우가 많다. 이러한 경우 V-dissector를 이용하여 피하조직을 조금씩 분리시켜 이완하면서 이식하면 좀 더 좋은 결과를 얻을 수 있으나 이 부분에 혈관이 많고 안면신경도 얕게 분포하기 때문에 너무 과하지 않게 깊지 않게 이식하는 것이 좋으며 필요한 경우 수개월 후 재시술 하는 것이 좋다. 또한 섬유조직이 많은 부위는 주입 시 압력이 높고 잘 안 들어가 과다한 압력으로 이식하게 되는 경우가 있는데 이 경우 손상된 혈관 내로 들어가 혈관폐색의 위험성이 높아지게 된다. 지방을 주입할 때는 반드시 낮은 압력으로 뒤로 빼면서 천천히 주입하는 것이 좋으며 한 번의 주입으로 많은 양을 주입하는 것보다 여러 방향에서 부채모양으로 조금씩 나누어 넣는 것이 바람직하다. 어느 정도 이상 더 들어가지 않고 함몰된 부위가 올라오지 않으면 멈추고 수 개월 후 재시술하는 것이 좋다.

14) 하악연, 하악각 Mandibular Ramus/Angle

나이가 들수록 시계방향으로 회전을 하게되어 이마는 돌출되고, 얼굴중앙부는 꺼지며 얼굴은 길어지고 하안면부의 처짐과 더불어 굴곡진 하악연을 가지게 된다. Prejowl sulcus 아래 하악골 하연에 심각한 함몰이 있는 경우 빰쳐짐이 더 심해져 보인다. Prejowl sulcus 뿐 아니라 하악골의 흡수도 빰쳐짐의 원인이 되는데 하악골 체부의 위축으로 하악연이 뚜렷하지 못하고 위의 연부조직을 받쳐주지 못하여 피부가 쳐지게 되고 울퉁불퉁한 굴곡진 하악연을 가지게 된다. 안면거상으로 해결되지 않는 부피감의 감소나 지속적인 빰쳐짐의 교정에 지방이식이 도움되며 prejowl sulcus와 하악골연을 따라 이식함으로서 매끈한 턱선을 만들수가 있다.

턱끝에서 하악각에 이르는 하악연이 처짐이 없으며 부드럽고 굴곡없는 모양을 가질 때 얼굴이 전반적으로 작아 보이면서 올라간 모습을 가질 수가 있다. 하악연을 이식하는 데 있어서 턱끝부터 하악각까지 굴곡없이 부드럽게 연결되는 것이 중요하다.

지방이식을 하는 방법은 위치에 따라 달라지는데 prejowl sulcus 아래 하악골 하연에 심각한 함몰이 있는 경우, 굴곡없는 하악골 하연을 만들기 위해서는 이 부분의 지방이식을 시행하여 턱끝과 jowl을 부드럽게 이어주는 것이 꼭 필요하다. pre jowl sulcus 부위에 골막 바로 위 DAO 기시부와 platysma가 붙는 하악연 하부에 지방이식을 하여 하악골하연의 경계를 하나의 선으로 만들어 주고, 입꼬리 주변부나 melomental fold 자체의 피하층에 이식을 하는 것이 좋다. 입꼬리주변부 melomental fold의 이식은 경우에 따라 이식 후에도 부피가 부족한 것 같은 좋지 못한 결과를 가질 수 있는데 prejowl sulcus부터 턱 끝에 이르는 하악골 하연을 따라 골위축이 있는 경우가 결과가 나쁘다. 이런 경우 jowl 앞뒤로 뚜렷한 함몰변형이 있는 경우가 많은데 빰쳐진 부위의 피하지방은 직접 제거하여 주고 안으로 들어간 이 부분의 함몰변형된 부위는 지방이식이 중요하다. 이와 같이 뼈의 함몰이 있어 굴곡이 있는 경우는 피하지방이식으로 굴곡을 교정하는 것 보다 골막 가까이 지방을 넣어 주는 것이 전체적인 형태를 만들기 좋다.

골막 바로 위 근육기시부 바로 밑에 이식할때는 턱끝 양쪽에 작은 바늘구멍을 뚫고 이를 통하여 안쪽에서 바깥쪽으로 이식관을 넣어 국소마취용액을 넣어 hydrodissection을 시해한 후 다시 관을 넣어 빼면서 지방을 이식하는 것이 좋다. 이렇게 prejowl sulcus를 채워 보강하게 되면 하악연이 반듯해지면서 조직들을 위로 밀어 올려 입꼬리가 더 올라가는 것이 용이하며 marionette lines의 굴곡도 줄여 여기에 필요한 이식양도 줄일 수가 있으며 전반적인 턱선을 개선시킬 수가 있다. 하안면부의 조직이 너무 쳐진 경우 지방이식으로 턱주변의 굴곡을 교정하려고 하면 턱주변부가 너무 커져 얼굴전체가 커져 보이고 비율적으로 아래가 크고 위가 작아 전체적으로 쳐진 얼굴형태를 가지게 된다. 이러한 경우는 쳐진 피부밑의 지방을 녹여주고 피부탄력을 높여주어 부피감소와 더불어 리프팅을 시킨 후 지방이식을 시행하는 것이 좋다. Jowl 부터 귀쪽의 뒤쪽 하악연은 아주 말라서 아래의 굴곡이 보이는 정도 이외에는 지방이식하는 경우가 드문데 오히려 이쪽은 처진 jowl의 지방으로 인하여 턱이 많이 진경우 이 처진 지방을 직접 뽑아주어 sulcus의 높이를 낮추어주고 prejowl sulcus를 이식하는 것이 좋다. 이때 일반적인 지방흡입은 피부의 굴곡을 심하게 하거나 피부처짐 현상을 유발할 수가 있기 때문에 lipoplastic laser를 이용하여 지방을 녹이고 피부의 탄력을 높이면서 시술하면 더욱 좋은 결과를 얻는다.

또한 지방의 분포가 많지는 않지만 수술적인 방법은 싫어하는 사람에게서 피부의 처짐이 심하여 단순한 지방이식만으로 하안부의 처짐을 해결할 수 없는 경우 피부의 탄력을 증대할 수 있는 초음파나 고주파, 레이저 등을 병행하면 더욱 좋은 결과를 얻을 수도 있다. 이러한 시술은 따로 나누어 시술할 수도 있지만 수술의 효과를 높이기 위하여 병행치료를 같이 시술한 후 추후 재시술하는 것이 효과가 좋다. 너무 야위어 피부가 얇은 사람들에 있어서는 한번에 많은 양을 넣어 이식하는 것 보다 적당한 양을 넣어 이식한 후 6-12개월이 경과한 후 재이식하는 것이 더 좋은 결과를 얻을 수가 있다.

하악각의 돌출은 얼굴을 사각형으로 만들고 앞에서 볼 때 얼굴의 폭을 증가시켜 이에 맞는 미율로 지방이식을 시행하고자 할 때 지방이식을 할 양을 늘이기 때문에 비후된 교근부위에 보톡스 등을 주사하여 그 부피를 줄인 후 이식하는 것이 좋다. 교근과형성증의 경우 교근의 비후 뿐만 아니라 하악각의 외측으로의 돌출로 인하여 정면에서 봤을 때 하안면부의 폭이 증대되어져 있다. 보톡스와 같은 neuromodulator를 주기적으로 사용하면 근육이 위축될 뿐만 아니라 하악골 외연에 가해지던 인장력이 감소함으로서 piezoelectric effect에 의하여 양전하가 유발되고 이에 따른 Ca++의 방출과 osteoclast의 역할로 하악골 외연의 부피가 감소하고 내측의 하악골을 늘어나 하악각이 내측으로 이동하게 된다. 3-6개월 간격으로 neuromodulator를 주사하면 하악각 축소술을 시행하지 않고도 경우에 따라서 충분한 하악각 축소효과를 얻을 수 있으며 이러한 상태에서 이식을 하면 더 작은 지방의 양으로 더 좋은 효과를 얻을 수가 있다. 더욱이 지방이식을 했음에도 불구하고 전체적인 얼굴모양은 작고 올라간 형태의 얼굴모양을 가진 결과를 얻을 수 있다.

2. 합병증

피부나 각부위의 굴곡이나 원하지 않는 곳의 이식, 혈종이나 부종, 감염 등이 생길 수 있다. 빠르게 이식하는 것보다 천천히 골고루 이식하는 것이 중요하다. 이식 후 굴곡이 있으면 약간의 마사지가 도움되기도 한다. 혈관의 위치와 경로 등에 대한 해부학적인 지식을 바탕으로 시술하여 혈관 내 주입으로 인한 혈관폐색과 조직괴사 등의 합병증을 막아야 한다. 또한 주입 시 주사기의 plunger를 뒤로 당겨보고 피가 당겨나오는지 확인하고 난 후 주입하는 것이 안전하다. 지방주입 시 극심한 통증이나 주변부의 피부색이 하얗게 변하는 것은 혈관의 폐색이나 혈전증의 전구증상이기 때문에 이러한 증상을 호소할 때는 이식을 즉시 멈추고 따뜻한 마사지를 시행하고, 국소 nitroglycerin, aspirin 등을 투여하면서, 고압산소치료, low-molecular-weight heparin 등을 사용하는 것도 좋다.

하악연을 따라 지방이식을 할 때 하악연 중간쯤 뼈가까이 안면동맥이 가로질러 올라가는 부위에서는 지방이식을 골막가까이 시행하려다 보면 동맥손상과 더불어 혈관내로 지방이 주입되어 혈관폐색이나 조직괴사를 초래할 수 있을 뿐 아니라 실명과 급성뇌경색을 야기할 수가 있다. 하악연을 따라 이식할 때 안면동맥이 통과하는 부위에서 하악각까지는 피하층으로 이식하는 것이 혈관손상을 막을 수 있는 방법이다. 또한 귀앞쪽부위도 혈관(superficial temporal vessels)이나 이하선이 존재하는 부위이며 교근위로 안면신경의 하악분지가 지나가기 때문에 피하층에 국한되어 이식하는 것이 좋다.

입주위에 이식함에 있어서 감염에 대한 부분을 주의해야 하는데 수술전 구강청결상태를 파악하여 충치가 많거나 치주염등 입안의 염증이 있는 경우 입안 점막을 통한 절개를 피하는 것이 좋다. 또한 수술 전후 약 2주 정도는 구강치료를 하지 않는 것이 좋으며 입안을 항상 청결하게 세척하고 소독하는 것이 좋다. 이전에 herpes virus 감염의 기왕력이 있는 환자에 있어서는 항바이러스제를 처방하여 수술전 후에 복용시키는 것이 좋다.

1) Accusculpt 와 지방이식을 이용한 턱끝교정술

코끝아래 팔자주름부터 턱끝과 하막각을 이르는 하안면부의 지방이식의 목표는 굴곡없는 대칭적인 모양을 가지는 것인데 이를 위해서는 여러 부분의 고려점이 필요하다.

효과적인 턱끝이식으로 전체적인 얼굴의 비율을 맞추는 것이 중요한데 이때 전체층에 이식하는것이 일반적으로 중요하지만 골막 가까이 많이 이식해주어야 덜렁거리지 않고 안정된 돌출을 얻을 수가 있다. 수술 2주 전에 neuromodulator를 주입하여 mentalis 근육을 약간 이완시켜놓고 하면 좀더 손쉽게 이식할 수가 있다. 특히 작은 턱을 가지고 있으면서 나이들어 mandibular ligament위로 조직이 쳐져있는 경우 처진 굴곡에 맞춰 피부밑에만 지방이식을 하여 굴곡을 교정하면 굴곡을 더욱 악화시킬 수가 있다. 또한 젊은 환자라 하더라도 작고 뒤로 위치한 retrogenia를 가지고 있지만 안면골에 대한 수술을 원하지 않는 경우 lipoplastic laser를 이용하여 턱밑지방을 녹여주고 피부의 탄력을 높이면서 턱끝 골막위에 지방이식하면 더욱 좋은 결과를 얻을 수가 있다.

경부는 안면부와 면해있는 부위로 그 형태에 따라 안면부의 모양에도 영향을 주기 때문에 안면부의 지방이식이나 항노화수술을 시행할 때 경부에 대한 수술이나 시술이 필요한지 반드시 고려해야하는 부분이다.

젊은 얼굴모양을 가지기 위해서는 목의 형태나 선이 젊어져야 한다. 젊은 목의 형태는 1980년 Ellenbogen과 Karlin이 기술한 바와 같이 뚜렷한 턱선을 가지는 것 이외에도 갑상샘의 윤곽과 sternocleidomastoid muscle의 경계를 보이면서, 설골 아래 함몰(subhyoid depression)이 있어 턱끝과 경부가 이루는 각이(cervicomental angle) 105-120도 정도를 이루고 있어야 한다.

또한 턱끝의 위치도 매우 중요한데 Byrd와 Burt는 턱끝이 코끝과 입술을 이은 선 noselip-chin plane.에서 후방으로 약 3 mm정도에 위치해야 매력적이라고 하였다.

이러한 원칙들을 고려하지 않더라도 날씬하고 가늘고 뚜렷한 목선을 가지고 있어야 젊고 이쁜 목이라 할 수 있겠다.

해부학적으로 경부는 여러 가지 부분으로 나뉘어 질 수 있는데 경부의 피부와 피하지방뿐 아니라 주변의 jowl과 platysma muscle 형태에 따라 큰 영향을 받는다.

근치 수술적인 경부거상수술 neck-lift procedure이외에 경우에 따라서는 최소침습적인 방법으로도 뚜렷한 경부윤곽을 얻을 수 있다.

하악골 하연 상부의 피하지방은 상하부 두 개의 구획으로 구성되어 있는데 이들이 jowl fat을 형성한다. 하안면부의 연부조직이 아래로 처질 때 피하지방층이 턱끝을 향해 쳐지면서 아래로 처지지만 턱선아래로 내려와 경부의 피하지방과는 뒤섞이지는 않는데 이는 하악체부 하연 앞면을 따라 존재하는 하악골의 격막 때문이다.

또한 하악골 하연 아래의 피하지방도 따로 존재하

며, Jowl fat은 턱밑지방submandibular fat과는 platysma와 같이 섞여 하악체부에 붙어있는 격막 septum에 의해 분리가 되며 하안면부 지방이 처지면 턱아래 지방위로 올라앉는 형태로 된다. 심부의 buccal fat은 따로 존재하며 jowl 형성과는 상관없이 존재한다.

요즘 많은 사람들이 안면골 성형술에 관심이 많고 턱이나 광대축소술은 물론이고 양악수술까지 보편화된 시대에 살고 있다. 하지만 안면부의 구성은 안면골뿐만 아니라 그 위의 혈관과 신경, 근육과 피하지방 등이 안면부의 볼륨을 형성하고 있다. 요즘 많은 환자들이 안면골 성형술 후 더욱 심해진 안면부 비대칭이나 안면부 연부조직이 처지는 등 안면골 성형술 이후에도 호전되지 않은 얼굴 모양 때문에 고생하는 경우도 많다.

안면부의 기형이나 미학적으로 매력적이지 않은 얼굴 모양은 대부분 안면 구조물들 간이나 얼굴 형태의 비율적인 부분에 있어서 부조화가 많은 원인이 되는 경우가 많다. 과거 이러한 부분들을 안면골의 수술로 교정하기를 힘써 왔으나 안면골 수술 후 골계측학적으로 완벽한 비율과 대칭성을 확보하고 있더라도 환자의 외형은 여전히 비대칭인 경우가 많고 근육이 움직일 때나 웃을 때 그 비대칭성이 더욱 심해지는 경우가 많다.

이러한 것은 안면골을 일반인의 평균치에 맞게 교정했지만 환자 개개인의 근육과 연부 조직의 양에 차이가 있고 특히 근육의 긴장성이 변화됨으로서 항상 정적인 상태가 아닌 움직이는 안면 모양을 대칭적이고 비율적인 부분을 유지할 수 없는 결과에 기인한다고 할 것이다. 또한 안면골 수술을 시행한 많은 환자들은 안면부의 연부조직이 아래로 처져 입 주변부에 모여 얼굴 모양이 유인원처럼 보이는 것을 호소하는 경우가 많다.

이것은 과도한 안면골축소술 후 줄여지지 않은 안면부 연부조직이 아래로 처지고 안면골에서 인위적으로 떨어진 근육들이 다시 안면골에 붙으면서 원래 있던 위치보다 아래쪽에 다시 붙게 되어 입 주변부로 연부조직이 몰려 생기는 수술 후 변형이라고 하겠다. 이러한 부분을 막기 위하여 요즘 많은 양의 안면골을 축소할 경우 안면거상술을 같이 시행하는 경우가 점차 늘어나고 있는 추세이다.

과연 안면부의 비대칭이나 부조화가 있을 때 반드시 안면골 성형술이 필요한 것일까? 안면 비대칭이 있어도 교합면의 기울기가 심하지 않은 경우 보톡스를 이용하여 교근의 비대칭을 완화한 후에 늘어진 턱밑살과 볼살을 아큐스컬프를 이용하여 지방일부를 제거하면서 늘어진 피부를 수축시켜 올려준 후 양쪽 비대칭을 지방이식을 이용하여 교정하면 큰 수술 없이 안면 비대칭을 교정할 수 있다. 이 경우 지방의 흡수에 의하여 다시 비대칭이 재발할수 있지만 처음의 상태보다 호전된 상태에 있는 경우가 많아 환자의 만족도가 비교적 높다.

이와 같은 교정법은 골격의 변화가 없기 때문에 골막박리후 생길 수 있는 연부조직의 처짐을 방지할 수 있으며 연부조직의 볼륨이 비슷해지면 양쪽 근육의 긴장도가 비슷해져 움직임도 호전된다. 시간이 지나면서 지방이 일부 흡수되면 다시 지방이식을 한 두번 더 해주면 좀 더 좋은 결과를 얻을 수 있다.

턱 아래 살들이 많아 목이 늘어지게 되면 외형적으로 볼 때 목이 짧아 보일 뿐 아니라 턱이 짧아 보이는 경우가 많다. 이 경우 상대적으로 입이 튀어나와 보여 양악돌출입같은 변형처럼 보이게 된다. 이 경우 턱살과 목살을 Pulsed 1444 nm Nd:YAG Laser로 제거하고 수축해 올려주면 무거운 지방에 의해 아래로 처져있던 hyoid bone이 자유로워지고 suprahyoid muscles이 수축하면서 hyoid bone이 올라가 목의 각도가 좀더 날카롭게 보이게 된다. 또한 턱이 앞으로 나온 것처럼 보여 짧은 턱 변형이 개선되는 것을 볼 수 있다.

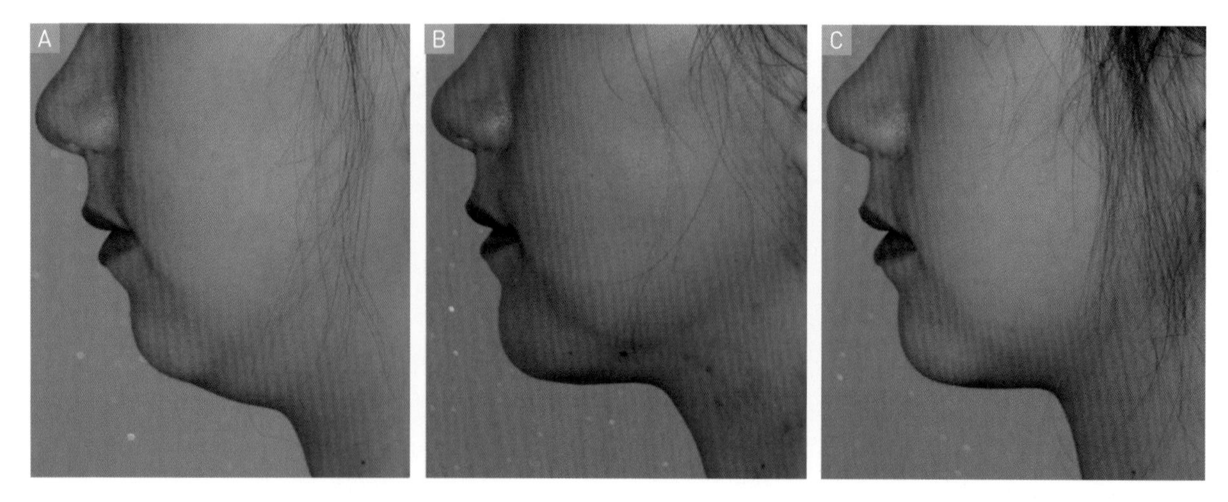

그림 1 턱밑 처진 살로 인해 짧아 보이는 턱을 Pulsed 1444 nm Nd:YAG Laser로 교정한 모습(A. 술 전, B. 수술 직후, C. 수술 후 6개월).

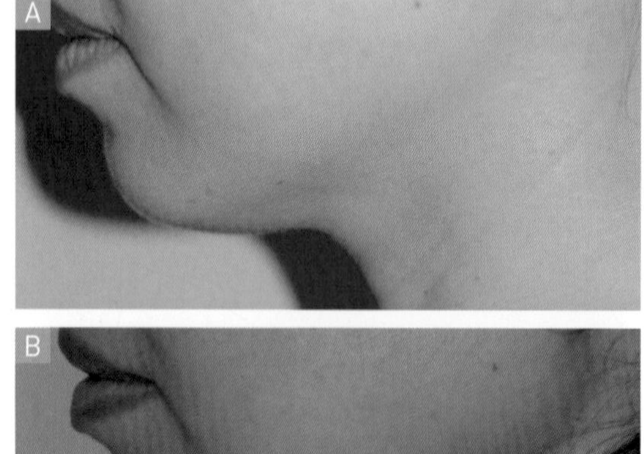

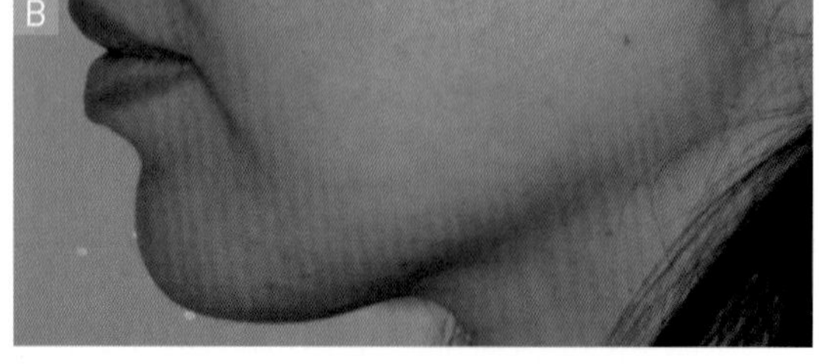

그림 2 짧은 턱 Pulsed 1444 nm Nd:YAG Laser 교정술. A: 수술 전, B: 수술 2년 후

이러한 경우 경부에서 뽑은 지방을 여러 번 생리식염수에 세척하면 터진 지방세포에서 유리된 유리지방은 제거가 되고 터진 세포들이 남게 되는데, 이를 짧은 턱 끝에 이식하면 좋은 보충재가 된다.

Pulsed 1444 nm Nd:YAG Laser로 터트린 지방세포는 세포막이 터져 있어 지방세포로서의 기능을 하기가 어렵다. 하지만 터트린 후에도 세포의 핵과 이를 둘러싸고 있는 세포질의 일부가 있기 때문에 이식했을 때 이식된 부위에 오랫동안 잘 살아 있고 볼륨의 변화도 크지 않는 것을 볼 수 있다.

이를 이용하면 턱 아래와 목의 지방을 제거해 경부 각도를 호전한 후 뽑아낸 지방세포 세포질성분을 이식하면 양악수술 없이 교정할 수 있다. 또한 수술 후 경과를 보면 이식된 지방세포들로 턱 끝 모양이 호전이 되면 그 부피감으로 인해 mentalis muscle을 안정화해 입술이 아래로 당기는 모양이 호전되며 입술이 안정된 위치에서 유지하는 것을 볼 수가 있다**(그림 1)**. 또한 이와 같은 방법으로 짧은 턱을 교정한 후 1년 이상 관측 시에도 교정된 모습이 잘 유지되는 것을 발견할 수가 있다**(그림 2)**.

하지만 이와 같은 경우 코가 낮거나 이마의 후변위가 동반되어 있는 경우가 많고 이로 인해 입이 더 튀어나와 보일수가 있고 Pulsed 1444 nm Nd:YAG Laser 시술 후에도 구강돌출이 된 것처럼 보일 수 있어 이마와 코에 대한 교정이 동시에 필요하다. 보형물을 이용하거나 자기 연골을 이용하여 코끝 교정을 시행한 후 이마에 지방이식을 시행한다면 전체적인 균형

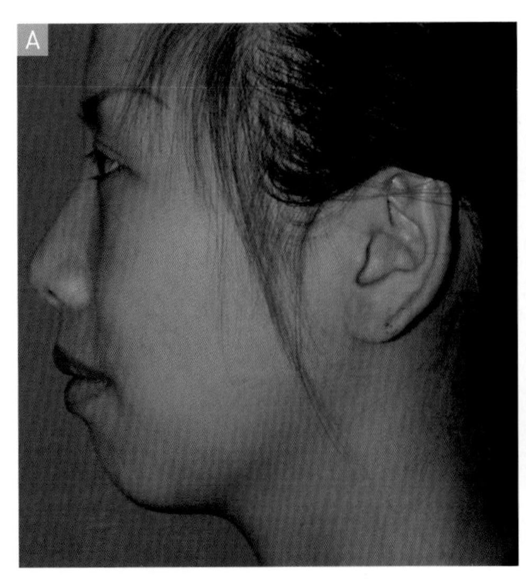

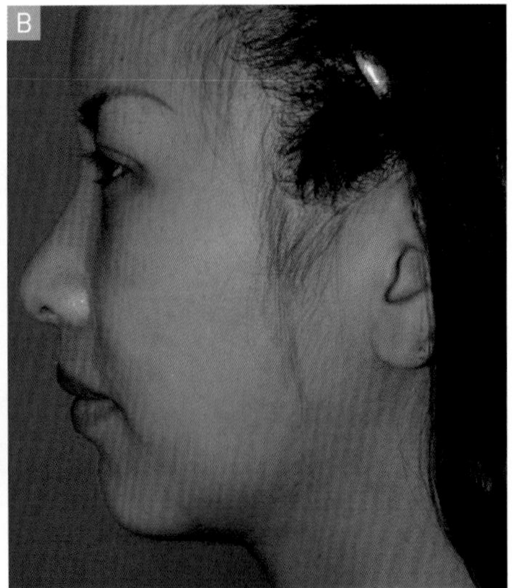

그림 3 지방이식, 코끝 교정, 짧은 턱 Pulsed 1444 nm Nd:YAG Laser 교정 술 전 술 후 1주.

을 이룰 수 있고 양악수술 없이 양악돌출을 교정할 수 있다(**그림 3**).

참·고·문·헌

1. 57 Yoon SS, Chang DI, Chung KC. Acute fatal stroke immediately following autologous fat injection into the face. Neurology 2003;61:1151–1152
2. Alsarraf R, Johnson CM. Face lift: technical considerations. Facial Plast Surg 2000;16:231–8.
3. Braz A, Humphrey S, Weinkle S, Yee GJ, Remington BK, Lorenc ZP, Yoelin S, Waldorf HA, Azizzadeh B, Butterwick KJ, de Maio M, Sadick N, Trevidic P, Criollo-Lamilla G, Garcia P. Lower Face: Clinical Anatomy and Regional Approaches with Injectable Fillers. Plast Reconst Surg 136:235S–257S, 2015
4. Braz AV, Mukamal LV. Lip filling with microcannulas. Surg Cosmet Dermatol. 2011;3:257–260
5. Butterwick KJ. Enhancement of the results of neck liposuction with the FAMI technique. J Drugs Dermatol 2003;2:487–493
6. Byrd HS, Burt JD. Dimensional approach to rhinoplasty: Perfecting the aesthetic balance between the nose and chin. In: Gunter J, Rohrich RJ, Adams WP, eds. Dallas Rhinoplasty: Nasal Surgery by the Masters. St. Louis: Quality Medical; 2002:117–131.
7. Carruthers A, Carruthers J, Hardas B, Kaur M, Goertelmeyer R, Jones D, et al: A validated grading scale for marionette lines. Dermatol Surg. 2008;34Suppl 2:S167-72
8. Carruthers J, Carruthers A. A prospective, randomized, parallel group study analyzing the effect of BTX-A (Botox) and nonanimal sourced hyaluronic acid (NASHA, Restylane) in combination compared with NASHA (Restylane) alone in severe glabellar rhytides in adult female subjects: treatment of severe glabellar rhytides with a hyaluronic acid derivative compared with the derivative and BTX-A. Dermatol Surg. 2003;29:802–809
9. Chajchir A, Benzaquen I, Wexler E, Arellano AH. Fat injection. Aesthetic Plast Surg 1990;14:127–136

10. Choi YJ, Kim JS, Gil YC, et al. Anatomical considerations regarding the location and boundary of the depressor anguli oris muscle with reference to botulinum toxin injection. Plast Reconstr Surg. 2014;134:917–921
11. Churukian M. Red lip augmentation using fat injections. Facial Plast Surg Clin North Am 1977;5:61–64
12. Coleman SR. Avoidance of arterial occlusion from injection of soft tissue fillers. Aesthet Surg J 2002;22:555–557
13. Coleman SR. Long-term survival of fat transplants: controlled demonstrations. Aesthetic Plast Surg 1995;19:421–425
14. Colic MM. Lip and perioral enhancement by direct intramuscular fat autografting. Aesthetic Plast Surg 1999;23:36–40
15. Dallara JM, Baspeyras M, Bui P, et al. Calcium hydroxylapatite for jawline rejuvenation: consensus recommendations. J Cosmet Dermatol. 2014;13:3–14
16. De Maio M, Rzany BDe Maio M, Rzany B. Jawline and chin reshaping. In: Injectable Fillers in Aesthetic Medicine. 2nd ed Berling Heidelberg Springer-Verlag:125–129, 2014
17. Dessy LA, Mazzocchi M, Fioramonti P, Scuderi N. Conservative management of local Mycobacterium chelonae infection after combined liposuction and lipofilling. Aesthetic Plast Surg 2006;30:717–722
18. Ellenbogen R, Karlin JV. Visual criteria for success in restoring the youthful neck. Plast Reconstr Surg. 1980;66:826–837.
19. Eremia S, Newman N. Long-term follow-up after autologous fat grafting: analysis of results from 116 patients followed at least 12 months after receiving the last of a minimum of two treatments. Dermatol Surg 2000;26:1150–1158
20. Ersek RA. Transplantation of purified autologous fat: a 3-year follow-up is disappointing. Plast Reconstr Surg 1991;87:219–227; discussion 228
21. Farkas LG., Katie MJ, Hreczko TA, Deutsch C, Munro IR. Anthropomeric proportions in the upper lip-lower lip-chin area of lower face in young white adults. Am J Otrthod 86: 52-60, 1984
22. Field LM. Re: Microliposuction and autologous fat transplantation for aesthetic enhancement of the aging face. J Dermatol Surg Oncol 1991;17:914–915
23. Fournier PF. Facial recontouring with fat grafting. Dermatol Clin 1990;8:523–537
24. Fulton JE, Parastouk N. Fat grafting. Facial Plast Surg Clin North Am 2008;16:459–465, vii
25. Gardner E, Gray DJ, O'Rahilly R. Anatomy; a regional study of human structure. 4th edition. Philadelphia: WB Saunders; 1975. p. 576–7.
26. Gatti JE. Permanent lip augmentation with serial fat grafting. Ann Plast Surg 1999;42:376–380
27. Glasgold M, Lam SM, Glasgold R. Autologous fat grafting for cosmetic enhancement of the perioral region. Facial Plast Surg Clin North Am 2007;15:461–470
28. Glasgold R, Glasgold J, Lam S. Complications following fat transfer. Oral Maxillofac Surg Clin North Am 2009;21:53–58
29. Gormley DE, Eremia S. Quantitative assessment of augmentation therapy. J Dermatol Surg Oncol 1990;16:1147–1151
30. Haack J, Friedman O. Facial liposculpture. Facial Plast Surg 2006;22:147–153
31. Hamra ST. The deep plane rhytidectomy. Plast Reconstr Surg 1990;86:53.
32. Hollander E. Plastik und medizin. Stuttgart, Germany-Ferinand Enke1912
33. Hussain G, Manktelow RT, Tomat LR. Depressor labii

inferioris resection: an effective treatment for marginal mandibular nerve paralysis. Br J Plast Surg. 2004;57:502–510

34. Illouz YG. The fat cell "graft": a new technique to fill depressions. Plast Reconstr Surg 1986;78:122–123
35. Kaya B, Apaydin N, Loukas M, et al. The topographic anatomy of the masseteric nerve: A cadaveric study with an emphasis on the effective zone of botulinum toxin A injections in masseter. J Plast Reconstr Aesthet Surg. 2014;67:1663–1668
36. Lam SM. A new paradigm for the aging face. Facial Plast Surg Clin North Am 2010;18:1–6
37. Lee DH, Yang HN, Kim JC, Shyn KH. Sudden unilateral visual loss and brain infarction after autologous fat injection into nasolabial groove. Br J Ophthalmol 1996;80:1026–1027A Braz, S Humphrey, S Weinkle, GJ Yee, BK Remington, ZP Lorenc, S Yoelin, HA Waldorf, B Azizzadeh, KJ Butterwick, M de Maio, N Sadick, P Trevidic, G Criollo-Lamilla, P Garcia. Lower Face: Clinical Anatomy and Regional Approaches with Injectable Fillers. Plast Reconst Surg 136:235S–257S, 2015
38. Lee JY, Kim JN, Yoo JY, et al. Topographic anatomy of the masseter muscle focusing on the tendinous digitation. Clin Anat. 2012;25:889–892
39. Lorenc ZP, Kenkel JM, Fagien S, et al. Incobotulinumtoxin A (Xeomin): background, mechanism of action, and manufacturing. Aesthetic Surg J. 2013;33:18S–22S
40. Markey AC, Glogau RG. Autologous fat grafting: comparison of techniques. Dermatol Surg 2000;26:1135–1139
41. Marur T, Tuna Y, Demirci S. Facial anatomy. Clin Dermatol. 2014;32:14–23
42. Metzinger S, Parrish J, Guerra A, Zeph R. Autologous Fat Grafting to the Lower One-Third of the Face. Facial Plast Surg 2012;28:21–33
43. Miller CC. Cannula implants and review of implantation techniques in esthetic surgery. Chicago, ILThe Oak Press1926
44. Mittelman H. The anatomy of the aging mandible and its importance to facelift surgery. Facial Plast Surg Clin North Am 2: 301–9. 1994;
45. Narasimhan K, Stuzin JM, Rohrich RJ. Five-Step Neck Lift: Integrating Anatomy with Clinical Practice to Optimize Results. Plast. Reconstr. Surg. 132: 339, 2013.
46. Narins RS, Carruthers J, Flynn TC, et al. Validated assessment scales for the lower face. Dermatol Surg. 2012;38(2 Spec No):333–342
47. Narurkar V, Shamban A, Sissins P, et al. Facial treatment preferences in aesthetically aware women. Dermatol Surg. 2015;41(Suppl 1):S153–S160
48. Narurkar V, Shamban A, Sissins P, et al. Facial treatment preferences in aesthetically aware women. Dermatol Surg. 2015;41(Suppl 1):S153–S160
49. Neuber F. Fat transplantation. Chir Kongr Verhandl Dsch Gesellch Chir 1893;20:66
50. Newman J, Ftaiha Z. The biographical history of fat transplantation surgery. Am J Cosmet Surg 1987;4:85
51. Peer LA. Loss of weight and volume in human fat grafts: with postulation of a "cell survival theory.". Plast Reconstr Surg 1950;5:217
52. Perkins NW, Smith SP Jr, Williams EF III. Perioral rejuvenation: complementary techniques and procedures. Facial Plast Surg Clin North Am 2007;15:423–432
53. Pessa JE : An Algorithm of Facial Aging: Verification of Lambros's Theory by Three-Dimensional Stereolithography, with Reference to the Pathogenesis of Midfacial Aging, Scleral Show, and the Lateral Suborbital Trough Deformity. Plast. Reconstr. Surg. 106: 479-488, 2000.

54. Pessa JE, Rohrich RJ. The cheek. In: Facial Topography, Clinical Anatomy of the Face. 2012 Missouri Quality Medical Publishing:47–93
55. Pessa JE, Rohrich RJ. The lips and chin. In: Facial Topography, Clinical Anatomy of the Face. 2012 Missouri Quality Medical Publishing:251–291
56. Pilsl U, Anderhuber F, Rzany B. Anatomy of the cheek: implications for soft tissue augmentation. Dermatol Surg. 2012;38(7 Pt 2):1254–1262
57. Pinski KS, Roenigk HH Jr. Autologous fat transplantation. Longterm follow-up. J Dermatol Surg Oncol 1992;18:179–184
58. Radlanski RJ, Wesker KH. The facial skeleton. In: Radlanski RJ, Wesker KH, eds. The Face, Pictorial Atlas of Clinical Anatomy. United Kingdom: Quintessence Publishing; 2012:148–161.
59. Ramirez OM. Full face rejuvenation in three dimensions: a "facelifting" for the new millennium. Aesthetic Plast Surg 2001; 25:152–164
60. Reece EM, Pessa JE, Rohrich RJ. The mandibular septum: anatomical observations of the jowls in aging-implications for facial rejuvenation. Plast Reconstr Surg. 2008;121:1414–1420
61. Reece EM, Rohrich RJ. The aesthetic jaw line: management of the aging jowl. Aesthet Surg J. 2008;28:668–674
62. Rees RD. Aesthetic plastic surgery. Philadelphia: WB Saunders Co.; 1980. p. 600–727.
63. Rohrich RJ, Pessa JE. The Anatomy and Clinical Implications of Perioral Submuscular Fat. Plast. Reconstr. Surg. 124: 266, 2009.)
64. Shire JR. The Importance of the Prejowl Notch in Face Lifting: The Prejowl Implant. Facial Plast Surg Clin N Am 16 : 87–97, 2008.
65. Zocchi ML, Zuliani F. Bicompartmental breast lipostructuring. Aesthetic Plast Surg 2008;32:313–328

지방이식 »

지방이식을 이용한 유방확대술

Breast Augmentation with fat graft

| 박재우 |

보형물을 이용한 유방확대술은 보편적이기 하지만 그 합병증이 적지 않고, 10여년의 기간이 지나고 나면 다시 보형물을 교체해줘야 하며, 임파암의 연관성 때문에 많은 이들이 보형물을 이용한 유방확대술을 주저하고 있어 자가지방을 이용한 유방확대술을 고려하는 환자들이 점점 늘어나고 있는 추세이다. 하지만 유방확대술을 목적으로 일정한 양의 지방을 이식하였을 때 사람마다 잔존하는 양이 달라 예측할 수 있는 결과가 일정하지 않고, 지방이식을 한 후 지방괴사나 석회화 등으로 유방암 진단에 혼란을 초래할 수 있는 등의 안전성의 문제로 지방을 이용한 유방확대술을 꺼려하거나 금지되어져 왔다.

하지만 지방을 이용한 유방확대술이 다른 유방수술에 비하여 덜 안전하거나 효과가 없다고 말하기는 어려우며 특히 보형물에 대한 혐오성을 가진 사람들에 대한 부분이나, 유방암수술 후 손상된 유방변형을 재건하기 위하여 최근 관심이 늘어나고 있으며 그 수술 횟수도 증가하고 있다. 또한 보형물을 이용한 유방확대술후 얇은 흉곽피부로 인하여 보형물이 비쳐보일 때 이를 교정하기 위하여 단계적으로 수술하거나 보형물 삽입시 같이 시행하는 경우가 늘어나고 있다.

1. 유방에 대한 지방이식

유방을 확대하거나 모양을 개선시키기 위해 시행한 유방에 대한 자가지방이식의 역사는 생각했던 것보다 오래되어 백 년이 넘는 역사를 가지고 있다.

문헌에 처음 보고된 것은 1895년 Czerny는 유방의 결손을 채워주기 위하여 옆구리의 지방종을 유방에 이식하여 재건한 것이었다.

1900년대초 Lexer 등이 유방에 지방이식을 한 후 좋은 결과를 보았다고 보고하였으나, 20세기에는 지방흡입에 대한 기술이 발달하지 않고 전신마취에 대한 부담 등으로 결과에 비해 복잡하고 위험한 유방에 대한 지방이식이 그리 활발하지 않았다.

1980년대 초반 지방흡입의 기술이 발달하면서 지방흡입으로 확보된 지방들을 이용한 지방이식이식이 따라서 발달하게 되었다.

1985년 Mel Bircoll이 흡입한 자가지방이식을 이용한 유방확대술을 보고한 이후 유방에 대한 지방이식의 안전성에 대하여 미국에서 많은 논란을 일으켰고 1987년 미국성형외과학회특별위원회에서 '유방에 많은 지방을 이식하였을 때 완전히 생착할 수가 없어 지방괴사를 초래하고 이에 따른 흉터, 종괴와 석회화를 피할 수가 없다. 이러한 석회화는 유방암의 조기발견을 방해하여 환자를 위험하게 할 가능성이 있다.' 라는 의견을 만장일치로 채택하여 유방에 대한 지방이식을 규탄하는 결론을 발표하여 이 후로 유방에 대한 지방이식은 금기시 되어져 왔으며, 이러한 합병증은 의사의 과실로 여겨져 왔다.

유방암과의 연관성이나 유방암발생시 진단의 어려움 증가 등으로 1987년 미국성형외과학회에서는 지방이식을 이용한 유방확대술이나 유방에 대한 지방이식을 금지하여왔으나 2009년 미국성형외과학회전담반(Task Force Team)에서 시행한 연구결과에서 많은 문헌고찰을 통한 지방이식의 합병증이나 안전성 유방암과의 관련성 및 진단의 모호성, 효용성 등에서 별다른 문제점을 찾지 못하였고 앞으로 유방에 지방이식을 시행하면서 더 연구가 필요한 부분이라고 정의하였다.

이전에 2007년 SR Coleman등이 연구한 보고에 따르면 왜소유방, 보형물확대술후변형, tube형유방, 폴란드증후군, 유방절제술후 변형 등에 대해 그의 방식대로 시행한 지방이식술이 모든 경우에서 유방의 크기나 모양의 호전을 보였다고 하였으며 자연스러운 모양과 감촉뿐 아니라 수술후 방사선촬영에서도 별다른 문제점을 확인하지 못하였다고 하며 이러한 지방이식을 이용한 유방확대술이 보형물을 이용한 유방확대술이나 피판을 이용한 유방재건술에 대한 다른 대안이 될 수 있다고 이야기 하였다.

유방축소술이나 유방절제술, 실리콘보형물 이용한 유방확대술 등 다른 종류의 유방수술후에도 지방이식 후와 마찬가지로 지방괴사나 종괴, 석회화 등이 발생할 수 있는데 1987년 Brown등에 의하면 유방축소수술 후 2년 정도 경과한후 유방조형술을 실시한 결과 50% 정도에서 석회화를 발견할 수 있었지만 유방암으로 인한 석회화변형과는 충분히 감별할 수 있었다고 한다. 현재 방사선과학의 발달로 일반 방사선과의사들이 이러한 지방이식술 이후에 생긴 유방조형술에서 나타나는 유방변형소견은 유방암에 관련된 석회화 변형과 충분히 감별해 낼 수 있다.

2. 수술적응증 및 환자의 선택

유방의 크기와 모양을 개선시킬 목적으로 유방에 지방이식을 하는 경우가 많지만, 점차 유방절제술 후 재건을 목적으로 지방이식을 시행하는 경우가 많아지고 있으며 특히 유방암절제수술후 방사선 치료를 시행한 경우에 있어서 재건과 개선을 위하여 시행하고 있다. 그 외에 폴란드증후군과 같이 선천적으로 유방의 기형이나 비대칭이 있는 경우나 감염이나 사고로 인한 후유증으로 발생한 유방의 변형의 치료에도 이용되고 있다. 요즘은 흉곽의 피부가 얇고 유방조직이 충분하지 못한경우에 시행한 보형물을 이용한 유방확대술후 보형울이 만져지거나 비쳐져보이는 경우가 있을때 보형물을 삽입할 경우나 혹은 보형물을 넣고나서 일정기간이 경과한 후 보형물 주변 피하층에 지방이식을 시행하여 보형물이 비쳐보이거나 만져지는 것을 줄이고자 시행하는 경우도 있다.

최근에는 유방보형물을 이용한 유방확대술 후 통증, 구형구축이나 비대칭, 보형물의 변위 등에 대한 합병증이 발생할 경우나, 보형물을 삽입한지 10년 이상이 경과하여 보형물의 교체를 해주어야 하는 경우, 보형물에 대한 공포감등으로 인하여 보형물을 제거하고 자가지방이식을 이용한 유방확대술을 시행하는 경우가 늘어나고 있다.

지방이식을 이용한 유방확대술이나 재건술은 자가지방을 채취할 부위가 충분해야하기 때문에 수술전에 공여부를 확인하여 충분한양의 지방을 확보할 수 있는지 확인 한 후 시행하여야 한다. 또한 경우에 따라서 한번의 이식으로 불충분하고 두 세 차례의 지방이식이 필요함을 술 전에 고지하고 이에 대하여 이해하고 승

낙한 사람만을 대상으로 시행하여야 한다. 특히 줄기세포를 이용한 지방이식을 계획하는 경우 이식할 지방 이외에 줄기세포를 채취할 지방의 양이 추가로 필요하기 때문에 이에 대한 고려가 반드시 필요하다.

3. 수술방법

유방의 지방이식은 지방흡입부터 시작이 된다. 지방의 공여부는 이식 후 잔존량이 많은 하복부나 허벅지안쪽을 선택할 수 있으나 공여부에 따른 잔조량에 대한 의견이 분분하기 때문에 공여부의 후유증을 남기지 않고 채취할 수 있는 곳이면 어느 곳이나 가능하다.

대부분의 경우 허벅지 안쪽이나 바깥쪽, 복부나 옆구리 등에서 채취를 하고 부족한 경우 상완부나 종아리에서 추출하는 경우도 있다. 여러 차례에 걸쳐 지방이식을 고려하고 있다면 처음부터 공여부를 나누어 각 단계에 맞추어 공여부를 나누어 쓸 수 있게 계획하는 것이 좋다. 체형에 따라 지방의 양의 분포가 다를 수 있으나 일반적으로 처음에는 지방양이 상대적으로 많은 허벅지, 그 다음은 허리와 복부, 마지막에는 상완과 종아리 등으로 나누어 진행하는 것이 좋다.

지방의 채취는 정맥마취를 동반한 국소마취를 이용하여 일반적으로 Klein's tumescent solution을 이용한 방법을 쓰지만, 국소마취제의 지방에 대한 독성이 염려되는 경우 전신마취 하에서 국소마취제를 사용하지 않고 지방을 채취하는 경우도 있다. 하지만 필자는 정맥마취하에서 저용량의 국소마취제를 혼합한 Tumescent solution을 주입하여 마취한 뒤 지방을 채취하고 있다.

지방을 채취할 때 쓰는 기구는 two-hole Coleman harvesting cannula를 10 cc 주사기에 연결하여 손으로 지방을 채취하여 지방채취시 지방세포에 대한 손상을 최소화하려고 하고 있다. 최근에는 물을 이용하여 지방을 뽑는 Harvest-jet을 사용하여 지방을 채취할 경우 많은 양을 손쉽게 뽑을 수가 있으며 초음파를 이용한 지방채취를 하는 경우 지방의 입자가 작고 또한 줄기세포를 자극하여 지방이식후 잔존율이 높다는 보고가 있어 이에 대한 이용도 많이 늘어나는 추세이다.

순수 지방과 혈액, 주입한 용액, 유리된 기름 등을 분리하기 위하여 채취한 지방을 원심분리하는 것이 보편적이다 하지만 채취시 필터가 달린 용기를 이용하거나 필터가 달린 백을 이용하여 중력으로 불순물을 제거하는 효과적인 방법도 이용되고 있으나 여전히 세워두거나 손으로 망에 걸러 사용하는 경우도 많다. 어느 방법이 다른 방법보다 더욱 효과적이라는 정확한 연구결과가 없기 때문에 현재는 여러 방법이 다 쓰여지고 있으며 필자는 원심분리하는 방법을 선호하고 있다. 원심분리나 처리과정을 거친 지방을 경험과 선호도에 따라 1-10 cc 이식용 주사기에 옮겨 주입하는데 1회 주입한 지방의 양이 0.1-0.2 cc 정도되게 나누어 넣는 것이 좋다. 이를 위해서는 가능한 한 작은 주사기를 사용한 것이 유리하나 이식할 때의 시간이 너무 많이 걸려 곤란한 점이 있다. 이러한 경우 10 cc주사기를 사용하면서 주사기 앞에 지방을 작게 넣어주는 기구들을 사용하여 1회 주입양이 0.2 cc를 넘지 않게 주입할 수 있다. 주입시 혈관손상의 위험과 혈관내 주입의 위험성을 줄이기 위하여 Sharp cutting needle을 사용하지 않고 Blunt infiltration cannulas를 사용하는 것이 좋은데, 15-20 cm길이를 가진 16 G 정도의 일회용 Blunt cannulas를 사용하고 있다. 절개부위를 유륜의 외하측부위와 겨드랑이 부위에 1-2 mm의 절개를 가하고 대흉근 근육 밑, 근육사이, 근육위 근막층 및 유방조직 하부, 피하층 등에 골고루 이식이 될 수 있게 한다. 이 때 유선조직내 주입시 이식된 지방이 잘 생착하지 않고, 지방의 괴사나 흡수등으로 유선조직에 흉터를 남기거나 석회화를 초래할 수가 있기 때문에 유선조직내에는 주입되지 않도록 조심하여야 한다.

가슴근육 밑에서부터 피하지방층까지 여러 층에 지방을 이식함으로서 유방의 모양을 자연스럽고 원하는 모양으로 만들 수가 있는데 어느 정도의 피부여유를 가지고 있지만 비교적 피부가 단단하여 피부가 잘 늘어나지 않거나 피하지방층의 격막이 단단하여 지방을 주입한 경우 함몰이 생기는 경우는 18 G Sharp needle이나 small dissector를 이용하여 많은 피하절개를 가하여 공간을 만든 후 이식을 하면 더욱 좋은 모양을 얻을 수 있고 이식을 쉽게 할 수 있다.

유방의 크기도 작고 피부가 아주 단단하고 늘어나지 않는 경우 지방이식을 하게 되면 모양도 좋지않고 지방이식을 하더라도 별로 커지지 않아 결과가 나쁠 수 밖에 없다고 예측되는 경우 지방이식 한 두 달 전에 Brava device (a bra-like vacuum-based external tissue expander)를 착용하여 피부를 늘인 후 지방이식을 시행하면 삼차원적인 유방을 만들 수 있다.

지방이식의 효과를 극대화하기 위해서는 지방이식의 술기가 중요한데 지방을 채취하고 처리할 때부터 지방세포에 대한 손상을 최소화하고 지방을 이식할 때 가능한 적은 알갱이로 넣어질 수 있게 하여 생착률을 높이는 것이 중요하다.

한번 주입할 때의 양이 작으면 작을수록 이식된 지방과 주변조직과 접촉면이 넓어져 생존할 확률이 높아지게 되는 것이다. 혈관에 접하는 면적이 많을수록 생존확률은 높아지고 반면에 괴사되거나 석회화될 가능성은 줄어들게 된다.

반면에 이식한 지방의 크기가 큰 경우 이식한 지방의 바깥 쪽은 주변조직과 접하여 생존이 가능하지만 중심부 쪽은 혈행공급이 어려워져 괴사가 이루어지고 추후 덩어리를 만들거나 괴사된 농포를 형성하게 되고 나중에 석회화를 야기하게 된다.

많은 양의 지방을 채취하고 이식하는데 긴 수술시간이 걸리는데 정교한 지방이식작업을 수행하기 힘들고 이로 인하여 합병증이 증가할 수 있다.

지방을 추출하고 조작한 후 이식하는 과정의 수술시간이 오래 걸리기 때문에 어느 정도 지방을 뽑고 정제한 후 가급적 2시간 이내에 이식하고, 더 필요한 경우 다른 부위 지방을 다시 뽑아서 넣는 것이 좋다. 만일 수술 팀이 2팀이면 한쪽에서 지방을 뽑고 다른 쪽이 지방을 처리하고 이식하는 것이 수술시간도 단축시키고 지방의 생착률도 높일 수 있어 좋다.

유륜아래에는 이식하지 않는 것이 좋다. 주변의 피부가 늘어나고 유륜은 그대로 유지시켜 적당한 유륜을 가진 유방을 만드는게 자연스럽고 좋다

보형물을 이용해 유방확대를 시행한 경우 만일 보형물을 덮는 연부조직의 양이 부족하면 보형물이 비쳐 보이거나 만져질 수 있는데 이 때 보형물 위의 피하조직에 지방이식을 시행하면 보형물을 덮는 피하지방층의 연부조직의 두께를 늘려 보형물의 경계부위나 물결모양의 변형을 덜 보이게 할 수 있으며 만졌을 때 아래에 놓인 보형물에 대한 만져짐을 줄일수 있다.

또한 보형물 주변에 지방을 이식할 경우 보형물 주변에 생기는 피막을 부드럽게 할 수 있다.

보형물을 이용한 유방재건의 경우나 유방확대를 시행한 후 보형물에 의한 구형구축의 발생 시 구축된 보형물을 제거하고 피하지방층이나 근육층에 지방이식을 시행하여 재건하는 수술이 많이 늘어나고 있는 추세이다. 이러한 경우 보형물에 의하여 가슴피부가 충분히 늘어나 있는 상태이기 때문에 지방이식을 시행하였을 때 긴장이 없이 지방이식이 안착할 수 있어 자연스럽고 좋은 결과를 얻을 수 있다.

3. 합병증

유방에 지방이식후 발생하는 지방괴사, 종괴형성, 지방낭종, 석회화등의 합병증들로 인하여 유방에 대한 지방이식이 금기 시 되어 왔다.

이러한 합병증은 일반적인 유방수술 후에도 발생할 수 있는 합병증들로 지방이식만의 합병증이라고 말하기가 어렵다.

오히려 지방이식은 작은 바늘구멍크기의 절개창을 통하여 끝이 막힌 관을 이용하여 이식하기 때문에 유방의 구조물에 대한 손상을 최소화 할 수 있고 그 주변의 신경이나 혈관등에 대한 손상을 최소화하여 오히려 일반적인 수술합병증을 최소화할 수 있고 회복을 빠르게 할 수 있는 장점이 있다.

단단한 피부에 과도한 힘으로 너무 큰 알갱이로 지방이식을 하였을 때 지방낭종이나 석회화의 가능성이 높아지기 때문에 최근 지방이식술의 발달로 지방을 빠른 지방채취와 최소한 조작을 가한 후 지방이식을 시행할 때 가능한 작은 알갱이로 주입하여 생착률을 최대한 높이고 지방이식이 힘든 단단한 피부들은 Brava나 피부확장기를 사용한 후 피부를 늘인 후 지방 이식을 시행하여 좋은 결과를 얻고 있다.

4. 유방보형물과의 비교

보형물이 터지거나 구축이 오고 변위가 오는 등의 보형물과 관련된 합병증은 없지만 지방을 이용한 유방확대술은 몇 가지의 제한점이 있다. 한곳에 집중된 확장효과를 가진 보형물과 달리 지방이식은 유방전반에 걸쳐 골고루 이식하여 생착률을 높이면서 유방전체를 확대하여야 하기 때문에 보형물과 같은 양의 지방을 이식하더라도 지방이식으로 인한 유방확대의 효과는 떨어질 수 있다.

또한 긴 수술시간에 비하여 지방이식으로 얻을 수 있는 유방확대의 효과는 한번의 수술로 브라컵 크기를 한 단계정도 늘일 수 있기 때문에 보형물을 이용한 정도의 확대효과를 얻으려면 여러 번의 시술이 필요하다. 따라서 지방이식을 이용한 유방확대술이나 재건술을 시행할 경우 지방공여부가 충분히 확보되어져 있어야 한다. 과다한 지방의 분포로 체형의 교정이 필요한 경우는 지방흡입으로 공여부를 개선시키면서 충분한 지방을 얻어 전체적인 체형교정 효과를 거둘 수 있지만, 동양인의 경우 충분한 지방량을 확보를 하지 못할 정도인 경우가 많다. 특히 유방이 왜소한 경우 전체적인 체형도 왜소한 경우가 많은데 이러한 경우에 가능한 많은 양의 지방을 채취하려 애쓰다 보면은 공여부의 심각한 변형을 초래하는 경우가 많다.

이렇게 지방의 공여부가 부족한 경우 보형물과 지방이식을 이용하여 한꺼번에 시행함으로써 공여부의 합병증을 최소화하고 보형물로 인한 문제점도 줄일 수 있게 되었다.

5. 유방암과의 연관성

한국에서 한 해에 발생하는 유방암에 대한 단독연구결과는 없지만 1999년 1월 1일부터 2012년 12월 31일 동안 진단 받고 2013년 1월 1일 까지 살아있었던 사람은 대한민국 인구전체 중에서 131,581명 정도된다고 보고하였다.

미국에서 2013년 한 해에 발생한 유방암(invasive breast cancer)은 232,340명 정도되며 모든 여성이 일생을 살아가면서 유방암에 걸릴 확률이 여성인구 중 8명당 1명 정도라고 한다

과거에 아무런 과학적인 근거나 후향적, 전향적 조사가 없이 일반적인 이론으로 유방에 많은 지방을 이식하였을 때 완전히 생착할 수가 없어 지방괴사를 초래하고 이에 따른 흉터, 종괴와 석회화를 피할 수가 없으며, 이러한 석회화는 유방암의 조기발견을 방해하여 환자를 위험하게 할 가능성이 있다라는 논란이 있은 후 유방에 대한 지방이식은 금기시 되어 왔으며, 이러한 논란으로 인하여 유방에 대한 지방이식이 수 십년

동안 금기 시 되어 왔다.

하지만 지방이식과 유방암과의 관계에 대하여 전향적인 조사들을 시행한 연구결과를 보면 유방에 지방이식을 하는 것은 안전하고 합병증이 적은 수술이라는 것이 보고되고 있고, 또한 유방암의 재발에 관련이 없다고 보고하였다. 이렇게 유방암이 증대되고 있는 가운데 유방암의 조기 발견과 조기 치료가 중요한 요소가 되고 있다.

또한 유방을 절제한 후 지방이식으로 재건한 경우의 환자들을 추적해 보았을 때 지방이식이 국소재발이나 전신적재발, 그리고 이차적인 유방암의 발병을 증가시키지 않는다는 것을 보고하였다.

유방축소술이나 유방확대 등의 모든 종류의 유방수술로 이와 같은 증상이 발병할 수 있고 또한 지방 이식으로 인한 괴사나 종괴나 석회화 등이 발생하더라도 유방암 소견과는 구분이 확연하기 때문에 유방에 대한 지방이식을 그다지 어려워하지 않아도 되게 되었다.

하지만 다른 유방수술과 마찬가지로 유방에 대한 지방이식을 시행하기 전에 유방조영술, 초음파검사, MRI 등과 같은 유방에 대한 검진을 먼저 시행하여 유방의 이상소견을 배제한 후 지방이식을 시행하는 것이 바람직하다.

이러한 사전검사에서 이상소견이 발견되면 반드시 조직검사를 시행하여 유방암과 구분한 후 지방이식을 진행하여야 한다.

유방암수술후 재건에 있어서 지방이식의 유용성은 날로 확대되어 가고 있다. 일반적인 재건술인 보형물의 사용시 미용적인 결과가 부족할 뿐 아니라, 유방암 수술후 방사선 치료는 필수적이지만 보형물을 이용한 재건수술후 방사선 치료를 병행했을 때 보형물의 구형구축이나 감염, 보형물의 노출, 좋지 않은 미용적인 결과 등으로 인하여 보형물을 이용한 재건이 제한 적인 경우가 많이 있다. 피판술과 보형물을 같이 써 재건한 경우도 제한점은 마찬가지이다. 이러한 경우 지방이식을 병행하였을 때 보형물을 덮고있는 연부조직을 두텁게 하여 보형물로 인한 합병증을 줄일 수 있기 때문에 지방이식을 이용한 재건술이 점차 늘어나고 있으며, 부분절제술이나 전절제술후 자가조직을 이용한 재건술이후 부족한 모양과 부피를 채워주기 위하여 지방이식이 사용됨으로써 더 좋은 결과를 얻을 수가 있다.

참·고·문·헌

1. A Scalise, E Bolletta, M Gioacchini, M Bottoni, G Benedetto Fat Transfer in Periprosthetic Capsule Contracture in Breast Reconstruction. Breast Reconstruction 1311-1323, 2016 Springer
2. AL Strong, PS Cederna, JP Rubin, SR Coleman B Levi The Current State of Fat Grafting: A Review of Harvesting, Processing, and Injection Techniques. Plast Reconstr Surg. 136: 897–912, 2015
3. AM. Paik, LN. Daniali, ES. Lee, HC. Hsia Local Anesthetic Use in Tumescent Liposuction: An American Society of Plastic Surgeons (ASPS) Survey. Plast Reconstr Surg 132 : 74, 2013
4. AM. Paik, LN. Daniali, ES. Lee, HC. Hsia Local Anesthetics in Liposuction: Considerations for New Practice Advisory Guidelines to Improve Patient Safety. Plast Reconstr Surg 133 :66-67, 2014
5. ASPRS Ad-Hoc Committee on New Procedures. Report on autologous fat transplantation, September 30, 1987.
6. CD Santis, J Ma, L Bryan, A Jemal Breast cancer statistics, 2013 Cancer J Clin 64:52–62. 2014
7. CL Miller, SA Feig, JWT Fox, Mammographic changes after reduction mammaplasty. A.J.R. Am. J. Roentgenol. 149: 35, 1987.
8. DH Reddy, EB Mendelson, Incorporating new imaging models in breast cancer management. Curr. Treat. Op-

tions Oncol. 6: 135, 2005

9. E Auclair, P Blondeel, DA Del Vecchio Composite Breast Augmentation: Soft-Tissue Planning Using Implants and Fat. Plast Reconstr Surg 132 : 558–568, 2013
10. E Auclair, P Blondeel, DA Del Vecchio Composite Breast Augmentation: Soft-Tissue Planning Using Implants and Fat. Plast Reconstr Surg 132: 558–568, 2013
11. E Vandeweyer, R Deraemaecker, Radiation therapy after immediate breast reconstruction with implants. Plast. Reconstr. Surg. 106: 56, 2000.
12. F Brenelli, M Rietjens, F De Lorenzi, A Pinto-Neto, F Rossetto, S Martella, J R.P. Rodrigues, D Barbalho Oncological Safety of Autologous Fat Grafting after Breast Conservative Treatment: A Prospective Evaluation Breast J 1: 1–7. 2014
13. FE Brown, SK Sargent, SR Cohen, et al. Mammographic changes following reduction mammaplasty. Plast. Reconstr. Surg. 80: 691, 1987.
14. G Rigotti, A Marchi, M Galie`, Clinical treatment of radiotherapy tissue damages by lipoaspirates transplant: A healing process mediated by adipose derived stem cells (ASCS). Plast. Reconstr. Surg. 119: 1409, 2007.
15. GB Roça, R Graf, RS Freitas, G Salles, JC Francisco, L Noronha, I Maluf. Autologous Fat Grafting for Treatment of Breast Implant Capsular Contracture: A Study in Pigs. Aesthe Surg J 34:769–775 2014
16. GF Maillard Liponecrotic cysts after augmentation mammaplasty with fat injections. Aesthetic Plast. Surg. 18: 405, 1994.
17. H Massiha Scar tissue flaps for the correction of postimplant breast rippling. Ann. Plast. Surg. 48: 505, 2002.
18. H Mizuno, H Hyakusoku Fat grafting to the breast and adipose-derived stem cells: Recent scientific consensus and controversy. Aesthet Surg J 30:381–387, 2010.
19. J Rehman, D Traktuev, J Li, et al. Secretion of angiogenic and antiapoptotic factors by human adipose stromal cells. Circulation 109: 1292, 2004.
20. JCS Goes, AM Munhoz, , R Gemperli The Subfascial Approach to Primary and Secondary Breast Augmentation with Autologous Fat Grafting and Form-Stable Implants. Clin Plastic Surg 42 (2015) 551–564
21. JR Castello, J Barros, R Vazquez, Giant liponecrotic pseudocyst after breast augmentation by fat injection. Plast. Reconstr. Surg. 103: 291, 1999.
22. JS Mitnick, DF Roses, MN Harris, et al. Calcifications of the breast after reduction mammaplasty. Surg. Gynecol. Obstet. 171: 409, 1990.
23. JY Kwak, SH Lee, HL Park, et al. Sonographic findings in complications of cosmetic breast augmentation with autologous fat obtained by liposuction. J. Clin. Ultrasound 32: 299, 2004.
24. K Holli, R Saaristo, J Isola, et al. Lumpectomy with or without postoperative radiotherapy for breast cancer with favourable prognostic features: Results of a randomized study. Br. J. Cancer 84: 164, 2001.
25. K Yoshimura, D Matsumoto, KA Gonda Clinical trial of soft tissue augmentation by lipoinjection with adiposederived stromal cells (ASCS). Presented at the International Fat Applied Technology Society Third Annual Meeting, Charlottesville, Virginia, September 11–14, 2005.
26. K Yoshimura, K Sato, N Aoi et al Cell-assisted lipotransfer for facial lipoatrophy: efficacy of clinical use of adiposederived stem cells. Dermatol Surg 34:1178–1185, 2008.
27. KA Gutowski ASPS Fat Graft Task Force. Current Applications and Safety of Autologous Fat Grafts: A Report of the ASPS Fat Graft Task Force. Plast. Reconstr. Surg. 124:

272, 2009.

28. KW Jung, YJ Won, HJ Kong, CM Oh, HS Cho, DH Lee, and KH Lee, Cancer Statistics in Korea: Incidence, Mortality, Survival, and Prevalence in 2012 Cancer Res Treat. 47: 127–141. 2015
29. LF Chala, N De Barros, P De Camargo Moraes, et al. Fat necrosis of the breast: Mammographic, sonographic, computed tomography, and magnetic resonance imaging findings. Curr. Probl. Diagn. Radiol. 33: 106, 2004.
30. M Bircoll, Cosmetic breast augmentation utilizing autologous fat and liposuction techniques. Plast. Reconstr. Surg. 79: 267, 1987.
31. M Ohashi, M Yamakawa, A Chiba, H Nagano, H Nakai Our Experience with 131 Cases of Simultaneous Breast Implant Exhange with Fat (SIEF) Plast Reconstr Surg Glob Open 2016;4:e691
32. M Zhu, SR. Cohen, KC. Hicok, RK. Shanahan, BM. Strem, JC. Yu, DM. Arm, JK. Fraser Comparison of Three Different Fat Graft Preparation Methods: Gravity Separation, Centrifugation, and Simultaneous Washing with Filtration in a Closed System Plast. Reconstr. Surg. 131: 873, 2013
33. MA Ganott, KM Harris, ZS Ilkhanipour, et al. Augmentation mammaplasty: Normal and abnormal findings with mammography and US. Radiographics 12: 281, 1992.
34. ML Zocchi, F Zuliani, M Nava, Bicompartmental breast lipostructuring. Presented at the 7th International Congress of Aesthetic Medicine, Milan, Italy, October 13-15, 2005.
35. PF Fournier The breast fill. In Liposculpture: The Syringe Technique. Paris: Arnette-Blackwell, 1991. Pp. 357–367.
36. PJ Kneeshaw, M Lowry, D Manton, et al. Differentiation of benign from malignant breast disease associated with screening detected microcalcifications using dynamic contrast enhanced magnetic resonance imaging. Breast 15: 29, 2006.
37. PK Matsudo, LS Toledo Experience of injected fat grafting. Aesthetic Plast. Surg. 12: 35, 1988.
38. RE Fine, ED Staren Updates in breast ultrasound. Surg. Clin. North Am. 84: 1001, 2004. 63. Chen, S. C., Cheung, Y. C., Su, C. H., et al. Analysis of sonographic features for the differentiation of benign and malignant breast tumors of different sizes. Ultrasound Obstet. Gynecol. 23: 188, 2004.
39. RJ. Rohrich, ES. Sorokin, SA. Brown In Search of Improved Fat Transfer Viability: A Quantitative Analysis of the Role of Centrifugation and Harvest Site. Plast Reconst Surg 113 : 391-395, 2004
40. RK Khouri, JM Smit, E Cardoso, N Pallua, L Lantieri, IMJ. Mathijssen, RK. Khouri, G Rigotti Percutaneous Aponeurotomy and Lipofilling: A Regenerative Alternative to Flap Reconstruction? Plast. Reconstr. Surg. 132: 1280, 2013.
41. RK Khouri, M Eisenmann-Klein,. E Cardoso, BC. Cooley, D Kacher, E Gombos, TJ. Baker Brava and Autologous Fat Transfer Is a Safe and Effective Breast Augmentation Alternative: Results of a 6-Year, 81-Patient, Prospective Multicenter Study. Plast. Reconstr. Surg. 129: 1173, 2012.
42. RK Khouri, RE Khouri, JR Lujan-Hernandez, KR Khouri, L Lancerotto, DP Orgill Diffusion and Perfusion: The Keys to Fat Grafting. Plast Reconstr Surg Glob Open 2014;2:e220
43. S Rafii, D Lyden Therapeutic stem and progenitor cell transplantation for organ vascularization and regeneration, Nat. Med. 9: 702, 2003
44. SJ Kronowitz, CC Mandujano, J Liu, HM. Kuerer, B

Smith, P Garvey, R Jagsi, L Hsu, S Hanson, V Valero Lipofilling of the Breast Does Not Increase the Risk of Recurrence of Breast Cancer: A Matched Controlled Study. Plast. Reconstr. Surg. 137: 385, 2016.

45. SL Spear, C Onyewu, Staged breast reconstruction with saline-filled implants in the irradiated breast: Recent trends and therapeutic implications. Plast. Reconstr. Surg. 105: 930, 2000.
46. SL Spear, HB Wilson, MD Lockwood Fat injection to correct contour deformities in the reconstructed breast. Plast. Reconstr. Surg. 116: 1300, 2005.
47. SR Coleman Avoidance of arterial occlusion from injection of soft tissue fillers. Aesthetic Surg. J. 22: 555, 2002.
48. SR Coleman Hand rejuvenation with structural fat grafting. Plast. Reconstr. Surg. 110: 1731, 2002.
49. SR. Coleman, AP. Saboeiro Fat Grafting to the Breast Revisited: Safety and Efficacy Plast. Reconstr. Surg. 119: 775, 2007.
50. T Mashiko, K Yoshimura How Does Fat Survive and Remodel After Grafting? Clin Plastic Surg 42: 181–190, 2015
51. UT Hinderer, J Del Rio, L. Erich Lexer's mammaplasty. Aesthetic Plast. Surg. 16: 101, 1992.
52. V Czerny,. Plastischer Ersatz der Brustdruse durch ein Lipom. Zentralbl. Chir. 27: 72, 1895.
53. WN Andrade, JL Semple Patient self-assessment of the cosmetic results of breast reconstruction. Plast. Reconstr. Surg. 117: 44, 2006. 77. Uroskie, T. W., and Colen, L. B. History of breast reconstruction. Semin. Plast. Surg. 18: 65, 2004.
54. Y Asano, K Yoshimura Clinical experience of cell-assisted lipotransfer (CAL) for breast implant replacement. J Jpn Soc Aesthetic Surg. 2010;47:78–83.
55. Y Jiang, CE Metz, RM Nishikawa, Comparison of independent double readings and computer-aided diagnosis (CAD) for the diagnosis of breast calcifications. Acad. Radiol. 13: 84, 2006.

지방이식 »

기타 지방이식

Other sites Fatgraft

| 김기태 |

지방이식술은 우리몸 어느 부위든 연부조직의 볼륨이 줄어든 상황에서 위축된 조직을 보충할 수 있는 가장 훌륭한 filler이다. 이는 흔히 지방이식술이 시행되는 얼굴뿐 아니라, 가슴, 엉덩이 그리고 볼륨이 필요한 어느 부위에서도 지방이식술은 좋은 해결책이 될 수 있다.

볼륨이 필요한 우리 인체의 어느 부위라도 지방이식을 시행할 수 있고, 지방이식술의 기본적인 원칙을 지킨다면 좋은 결과를 얻을 수 있다. 또한 다른 수술적 방법을 대치할 수도 있으며, 보조적인 수술적 방법으로 좀 더 나은 미용 또는 재건의 결과를 얻을 수 있다. 수술의 구체적인 방법은 수술자의 창조적인 생각과 계

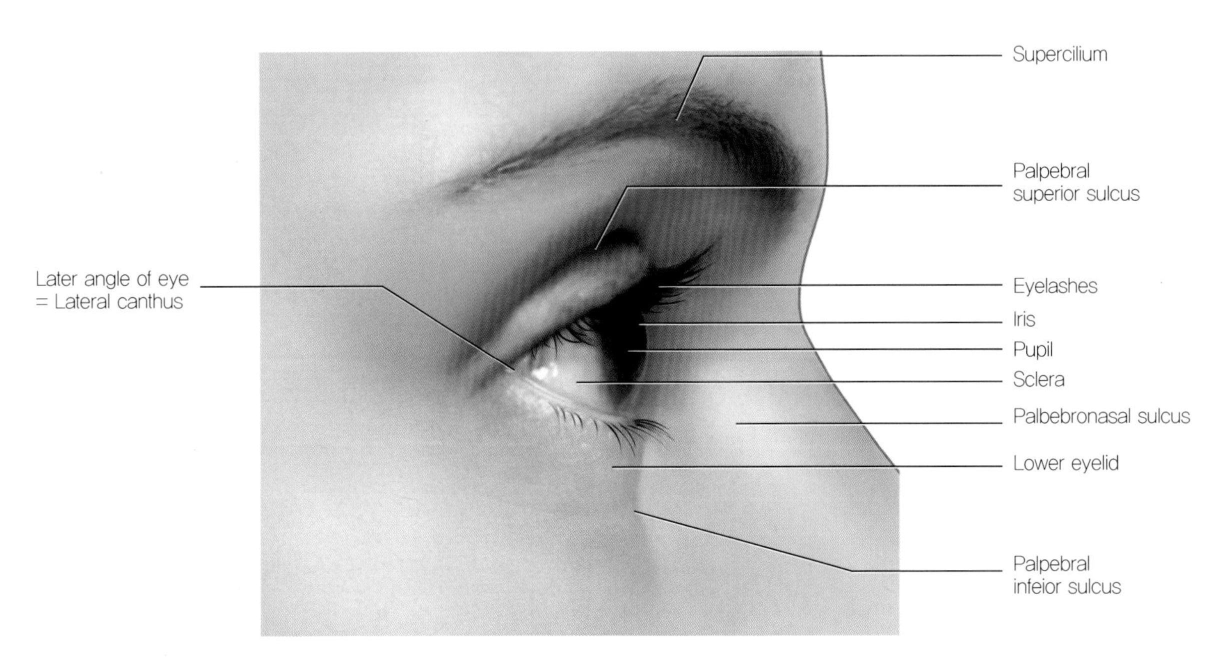

그림 1 눈썹부위의 해부학적 도식도.

획에 의해 달라질 수 있을 것이다. 또한 단순한 지방이식술 뿐 아니라 줄기세포를 첨가하거나, 프락셔널 레이저, 프락셔널 고주파장비 등 다양한 시술과 조합하여 원하는 결과를 내기 위해 수술방법을 만들 수 있을 것이다.

1. 눈썹 밑

눈썹이 처진 경우 눈썹밑 부위를 superficial하게 지방이식하는 것은 이마지방이식과는 달리 눈썹을 상방으로 올려주는 효과가 있어 suprabrow lift나 forehead lift를 시행하지 않더라도 나이들어 보이고 우울해 보이는 인상을 밝은 인상으로 바꾸어 준다. 이 부위의 지방이식은 나이가 든 환자에게서 이마 전체의 지방이식을 하는 것보다 오히려 미용적으로 좋은 결과를 줄 수 있다(**그림 1**).

1) 수술디자인

눈썹 밑의 함몰된 부위를 표시하고, 눈썹의 외측 끝부분에 절개선을 만든다. 관자놀이의 함몰이 심한 경우에는 관자놀이 부위의 지방이식을 동시에 시행하는 것이 더 좋은 결과를 만든다.

2) 마취 및 박리

절개선과 지방이식을 위한 부위에 1:20만 epinephrine이 섞인 lidocaine을 주사하고, 19 G의 blunt cannula로 orbicularis oculi muscle의 윗쪽, 피하조직을 조심스럽게 박리한다.

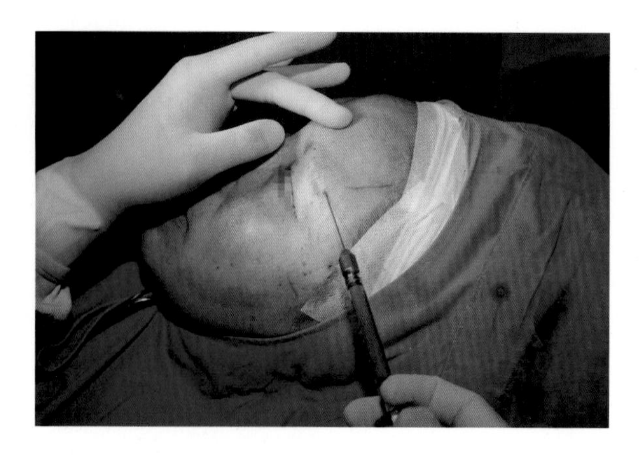

그림 2 눈썹아래 지방이식술 모습. 외측 절개선에서 조심스럽게 접근한다.

3) 수술방법

눈썹 외측 절개선을 통해 coleman type I의 18 G 정도의 cannula을 가지고 아주 조금씩 이식을 한다. 이식시 캐뉼라를 천천히 후퇴하면서 소량의 지방이 균일하게 위치하도록 노력한다. 눈썹의 이상적인 모습은 외측 2/3 지점이 가장 상방에 있는 것이므로 눈썹의 모습을 고려하면서 이식하면 된다. 지방의 이식량은 젊은 사람이나 남성의 경우에는 1 cc 정도로도 충분하기도 하지만, 주된 수술의 적응증인 50대 이상의 여성에서는 2.5-3 cc 정도의 지방이 필요한 경우가 대부분이다. 눈썹이 많이 쳐져 보이고, 눈썹 주위의 골격이 많이 보이는 경우에는 5 cc 이상의 지방이 필요한 경우도 있지만, 과도한 지방이식보다는 일차 지방이식에서는 4 cc 정도 이상은 이식하지 않는 것이 좋고, 충분한 시간을 경과하여 생착의 결과를 확인하고 추가적인 지방이식을 고려하는 것이 안전하다(**그림 2**).

2. 콧대 밑 코끝

코 부위의 지방이식은 실리콘 보형물 등을 사용하

는 기존의 코성형수술과는 다른 수술적 방법으로 성형외과의사에게는 코성형의 새로운 도구라고 할 수 있다. 잘 이식된 지방조직은 자연스러운 코의 볼륨을 유지해 주며, 구조적인 보강을 해준다. 기본적으로 지방이식만으로 연골의 조작과 이식등을 시행하는 코성형 수술법을 대치할 수는 없지만, 피부의 불규칙한 면이나 함몰 등을 교정할 수 있으며, spreader graft과 같은 역할을 할 수도 있다.

1) 수술디자인

코의 지방이식에서 기본적인 목표는 콧대를 높이는 것과 코끝의 projection을 좋게 하는 것이다. 또한 콧대 및 코끝의 피부조직이 울퉁불퉁하지 않고 매끈하게 하는 것이다. 정교하게 환자의 콧대에 디자인을 하고, 지방이식할 부위를 표시한다.

절개선은 콧대의 지방이식을 위해서는 glabella 부위만 만들어도 무방하다. 하지만 코볼의 지방이식이 필요하면 코끝이나 양측 alar base에 절개선을 만든다. 추가적인 절개선을 만들 수도 있지만 기본적으로는 두 절개선으로 가능하다(**그림 3**).

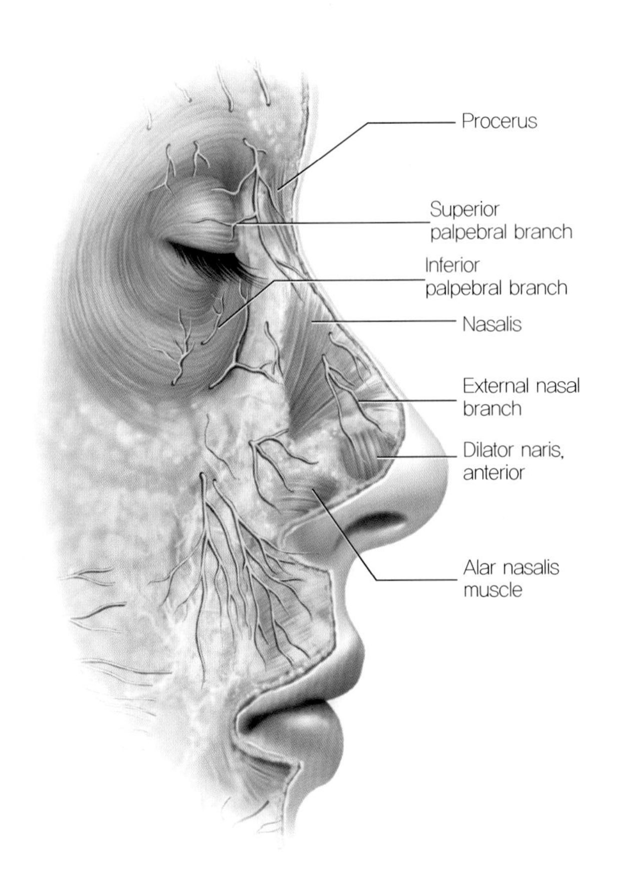

그림 3 코부위의 해부학적 도식도.

2) 마취 및 박리

코 부위의 지방이식은 주로 subcutaneous layer에 시행하게 되므로 마취액으로 충분히 박리하는 것이 중요하다. 하지만 기본적으로 이식되는 부위의 범위가 넓지 않으므로 너무 많은 마취액을 사용하면 과도한 붓기와 정확한 지방이식의 위치를 찾기가 힘들어 진다.

3) 수술방법

glabella에서 코끝 부위까지 피하로 진행하여 이식할 부위를 터널링한다. 캐뉼라를 후퇴하면서 천천히 지방을 이식한다. 지방이 정확히 디자인된 위치에 위치하도록 유의하면서 이식한다. 피하조직에 지방이식을 끝내고 나면 조금 더 깊은 층으로 캐뉼라를 진입하여 터널링한다. 이식한 부위를 박리하고 나면 다시 코끝까지 캐뉼라를 위치시킨 후 천천히 후퇴하면서 지방이식을 시행한다. 이때 캐뉼라의 끝은 콧대의 aponeurosis에 닿는다는 느낌으로 아래쪽으로 밀면서 이식하게 된다.

코끝을 높이기 위해서는 코끝부위에서 캐뉼라를 아래쪽으로 밀고 다른 손으로 코끝을 들어 캐뉼라가 septal cartilage을 거쳐 collumelar base까지 도달하게 한다. 캐뉼라의 끝이 collumelar base에서 촉지되면 지방을 층층이 쌓는다는 느낌으로 이식한다. 지방을 이식

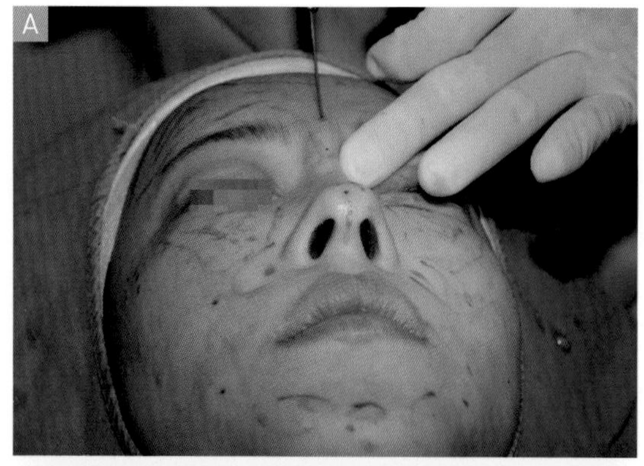

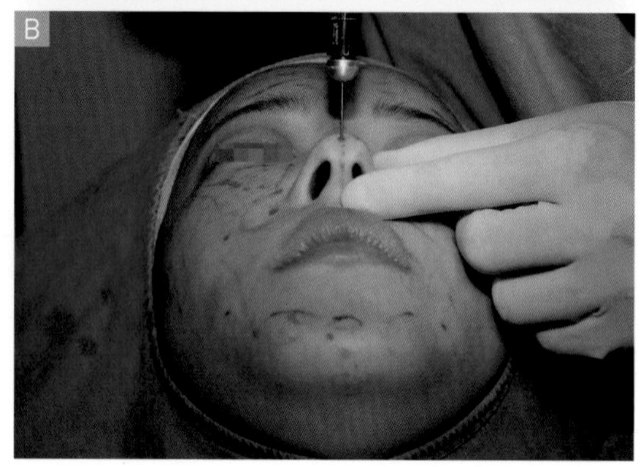

그림 4 코 지방이식술시 절개선. A: Glabella, B: nasal tip.

함에 따라 코끝이 cephalic rotation하게 되고 지방이 anterior nasal spine 쪽에 위치함을 확인한다.

전체적인 콧대의 윤곽선을 확인하고 추가적으로 alar base쪽에서 intradermal 또는 subcutaneous layer로 캐뉼라를 넣어 함몰된 부위들을 풀어준다는 느낌으로 이식하게 된다.

콧대에 주입하게 되는 지방의 양은 대략 3 cc 정도이며, 너무 많은 양을 이식하면 콧대의 붓기가 오래가며 환자가 그 붓기를 견디기 힘들다. 그보다는 생착이 완전히 된 후 평가하여 다시 추가적인 지방이식을 시행하는 것이 좋다(**그림 4**).

3. 귓볼

동양인에게서 도톰한 귓볼은 좋은 인상을 좌우하는 주요한 부위이며, 관상학의 관점으로도 중요한 의미를 가진다고 한다. 너무 얇은 귓볼은 칼귀와 같은 날까로운 인상을 주므로 귓볼을 도톰하게 하려는 욕구가 많다. 흔히 필러시술을 통해 귓볼의 볼륨을 증가시키지만 지방이식술로 도톰한 귓볼을 만드는 것이 훨씬 좋은 결과를 만든다.

1) 수술디자인

귓볼의 볼륨을 증가시키기 위해서는 귓볼에서 어느 정도 떨어진 위치에 절개선을 위치시키고 지방을 이식하여야 한다. 귓바퀴 뒤쪽에 절개선(**그림 5**)을 만들고, 귓볼이나 귓바퀴에 귀걸이나 피어싱이 있는 지를 확인하고 표시하여야 한다. 종종 피어싱 등에 의해 피부조직이 약해져 있거나, 흉터조직이 있는 경우도 있으므로 확인하여야 한다.

2) 마취와 박리

이식의 범위가 넓지 않으므로 국소마취로도 충분하다. 절개선에서 얇은 캐뉼라를 가지고 박리할 수도 있다.

3) 수술방법

귓볼에 지방이식은 많은 양의 지방이 필요하지 않다. 귓볼을 반대편 손가락으로 잡고 캐뉼라를 천천히 진입하여 피하에 공간을 만든다는 느낌으로 이식한다. 모양이 둥글게 만들어지도록 하면서 조금씩 이식한다. 대략 1-2 cc 정도 이식하게 된다. 이식한 공간이 넓지 않아 곧 충만감이 들지만 조금 더 이식하여도 큰 무리는 없다.

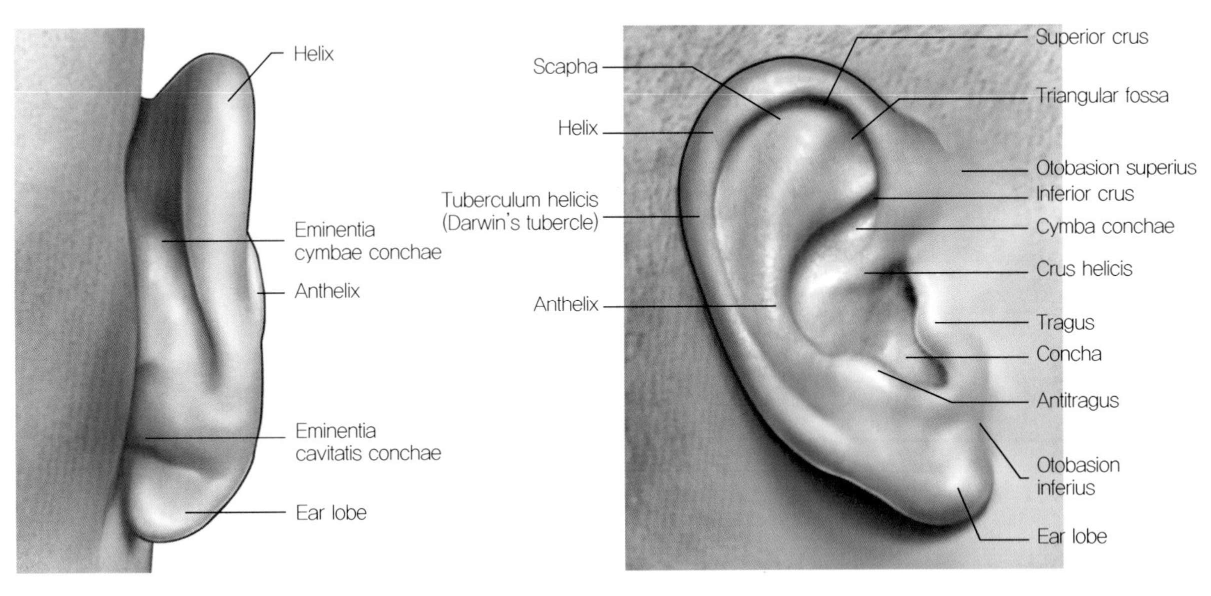

그림 5 귀의 표면 해부도.

4. 입술

아름다운 입술은 젊음의 상징이기도 하며, 밝은 인상을 주는데 중요한 역할을 한다. 나이가 들어감에 따라 입술의 위축도 일어나게 되는 데 입술이 얇아지며 white roll이 구강쪽으로 들어가는 모습을 보이게 된다. 이런 경우 입술의 해부학적 특성에 맞춘 적절한 지방이식은 아름다운 입술의 모양을 유지하는 데 도움을 준다. 입술의 지방이식술은 수술 후 과도한 붓기 등의 불안감으로 얼굴전체 지방이식시 생략하는 경우도 종종 있지만 적절한 양의 지방이식과 세심한 수술술기를 사용한다면 좀 더 젊어보이는 모습을 만들 수 있어 환자의 만족도를 높일 수 있다(**그림 6**).

1) 수술디자인

입술의 지방이식은 입술의 white roll을 따라 입술의 윤곽을 잡아주고 전체적인 입술을 앞쪽으로 밀어주는 작업과 입술의 양측에 ball이라 부르는 protuberances를 만들어 주는 것이다. 아래 입술에서는 ball위주로 아래쪽 입술을 조금 더 크게 윗 입술은 ball보다는 외측으로 약간의 볼륨을 만들어 주는 것이 필요하다(**그림 7**). 입술부위의 지방이식은 절대 과하지 않게 시행하여야 하며 과도한 지방이식은 마치 오리주둥이와 같다는 불평을 들을 수 있다. 절개선은 양측 commissure에 만든다.

2) 마취와 박리

마취의 양을 최소화하고 blunt cannula로 white roll를 따라 지방이식을 할 부위까지를 터널링한다. 입술 전체를 마취하게 되면 정교한 지방이식이 힘들어지므로 절개선부위만을 마취하는 것이 더 이상적이다.

3) 수술방법

아래 위 입술의 지방이식이 모두 필요하다면 먼저 윗 입술의 white roll을 만들어 주는 작업부터 시작한다. 반대편 엄지와 검지를 이용하여 입술을 외번시킨

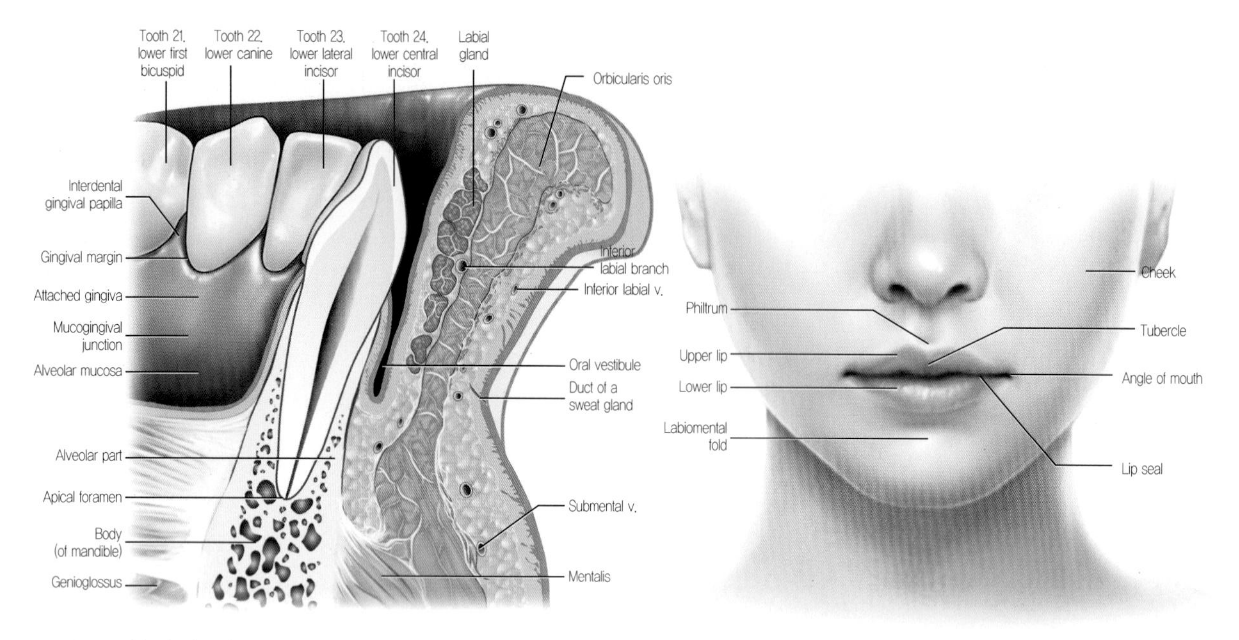

그림 6 입술의 해부학적 도식도.

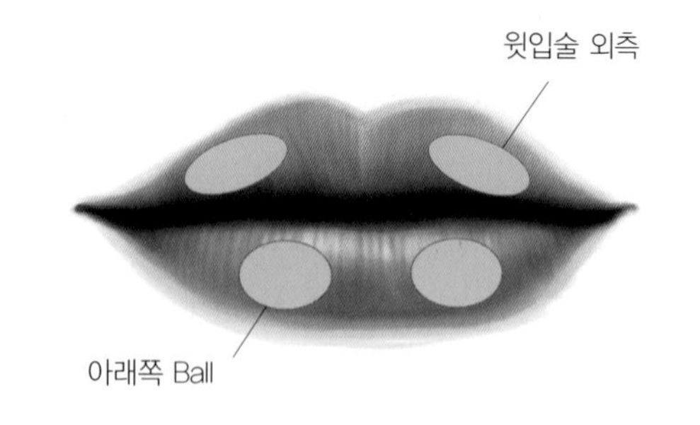

그림 7 입술의 지방이식 디자인

후 입술의 중앙까지 캐뉼라로 조심스럽게 박리한다. 이때 입술을 외번시킨 손을 정확히 유지하여 정확한 박리가 되도록 하여야 한다. 똑같이 반대쪽 commissure절개선에서 진입하여 똑같이 박리한다. 아래쪽 입술도 같은 방식으로 입술을 외번시킨 후 박리한다. 아래 윗쪽 입술 모두 박리가 끝나면 다시 윗 입술부터 지방이식을 시행한다. 중앙부위까지 캐뉼라를 위치시킨 후 매우 조심스럽게 후퇴하면서 지방을 위치시킨다. 볼륨이 더해야 하는 정도에 따라 한줄 또는 두줄의 지방을 선상으로 위치시킨다.

같은 방식으로 아랫쪽 입술도 지방이식을 하고 입술의 모양을 확인한다.

아래 입술의 양측에 protuberances을 만들기 위해 다시 캐뉼라를 진입하고 white roll을 만들 때 보다 좀 더 깊은 층에서 지방을 위치시킨다. 전체적인 볼륨을 확인하고 다시 윗입술로 캐뉼라를 넣어 protruberances을 만든다. 윗입술은 아래 입술보다는 작은 둔턱을 만들고 가능하면 외측으로 이어지는 라인의 입술 볼륨을 만들어 주는 것이 좀 더 아름다운 입술의 모양을 만들 수 있다.

5. 손등

손등에 적절한 볼륨이 유지되고 정맥의 모습이 두드러지게 보이지 않는 것이 젊은 손등의 모습이다. 하지만 나이가 들어감에 따라 피부와 피하 연부조직들의 위축으로 정맥들과 인대들이 눈에 띄게 된다. 나이가 든 손등에 적절한 지방이식으로 얇아진 피부를 두껍게 하고 젊어보이는 적절한 볼륨을 주는 것이 중요하다.

1) 수술디자인

손등에는 정맥과 extensor tendon들이 많이 위치하고 있고 이 조직들을 피해서 지방이식이 되어야 함으로 수술전 눈에 보이는 정맥과 인대의 주행을 표시하여야 한다. 지방이 이식되는 전체 범위를 표시하고, 손가락을 움직여 보아서 정맥과 인대가 없는 위치들도 표시하여야 한다. 지방의 이식은 손목에서 시작하여 손가락의 시작부위인 metacarpophalangeal (MCP) joint까지 하는 것이 좋다. 절개선은 손가락사이의 web space와 손목부위에 하나씩 만들게 되고 손등의 굴곡을 넘어가지 않고 지방이식이 용이하다면 추가적으로 만들어서 캐뉼라를 넣으면 된다.

보통의 경우 ring finger와 middle finger의 web space과 midwrist에 절개선을 만든다(그림 8).

2) 마취와 박리

손목부위에서 손목마취를 시행하고 손등부위에서는 투메션트를 넣지 않고 절개선 부위에만 국소마취를 시행하기도 하지만, 절개선을 통해 캐뉼라를 통해 튜메션트용액을 넣으면서 subdermal layer을 박리하는 것이 좀 더 안전하다. 절개선마다 대략 1 cc 정도의 튜메션트 용액을 주입하면서 박리하면 지방이식시 정맥이나 인대를 다치지 않고 이식하는 데 도움을 준다.

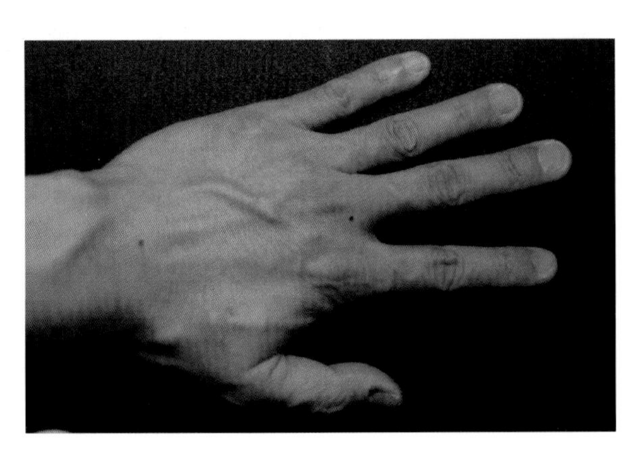

그림 8 손등 지방이식의 절개선

3) 수술방법

손등부위의 지방이식은 얇은 피부와 정맥, extensor tendon와 상층인 subdermal layer에만 지방을 이식하게 된다. 그래서 coleman type I의 cannula로 피부를 들어 피부밑에 지방을 위치시킨다는 느낌으로 이식하는 것이 중요하다. 앞에서 설명한 절개선마다 정맥과 인대를 건들이지 않으면서 작은 양의 지방을 이식하는 방식으로 조금씩 이식하여야 한다. 이식은 손가락쪽 절개선부터 시행하는 것이 좋고, 부채꼴모양으로 조금 이식하고 조금씩 옆으로 이행하면서 먼저 시행한 부위의 경계까지 중첩하면서 피하를 박리하여 펴준다는 생각으로 이식하는 것이 안전하다. 손가락쪽에서 손목쪽으로 공간을 만들면서 이식하게 되고, 어느 정도 볼륨이 채워지면 midwrist에서 손등전체를 균등하게 이식하는 형식으로 시행한다.

6. 함몰흉터

흉터를 교정하기 위한 방법들이 존재하며, 이에는 z성형술, W성형술, 타원절제술 등이 있다. 최근에는 dermabrasion, fractional laser 등을 사용하여 피부면을 균일하게 만들어 흉터를 호전시키기도 한다. 하지만 흉터가 함몰되어 있고, 근막에 유착이 되어 있는 경우에는 피부면만을 치료하는 방법들로는 좋은 결과를 얻을 수 없다. 이런 함몰흉터를 교정하기 위해서 과거에는 진피-지방이식술, 국소피판술, 유리피판술 등이 많이 사용되었지만, 지방이식술을 이용한 함몰흉터 교정은 비교적 간단하고 좋은 결과를 얻을 수 있다.

1) 수술 디자인

함몰된 흉터는 대부분의 경우 피부의 변형, 거칠어진 피부결, 근막 등에 유착 등이 같이 동반하게 된다. 함몰흉터의 흉터를 개선하기 위해 지방이식술과 함께 피부에 대한 프락셔널레이저치료, 프락셔널 고주파치료 등이 필요한 경우 많다. 함몰흉터의 유착을 제거하기 위해 단계적으로 유착된 조직을 박리하기 위해 interstitial laser, 이산화탄소주입, 고압공기주입 등의 부가적인 치료를 사용하기도 한다.

함몰된 흉터의 경계선을 정확히 그리고, 대칭인 조직이라면 반대측의 볼륨을 확인하여야 한다. 함몰된 흉터에서 특히 유착되어 함몰된 부위가 있다면 표시해서 박리의 과정에서 v-dissector를 이용하여 최대한 조직간의 연결을 끊어야 한다.

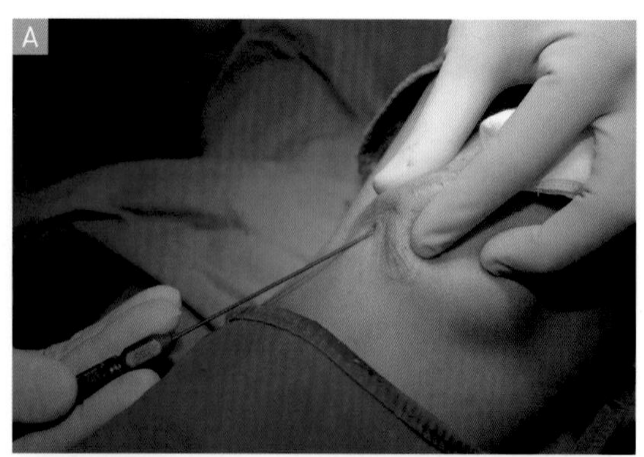

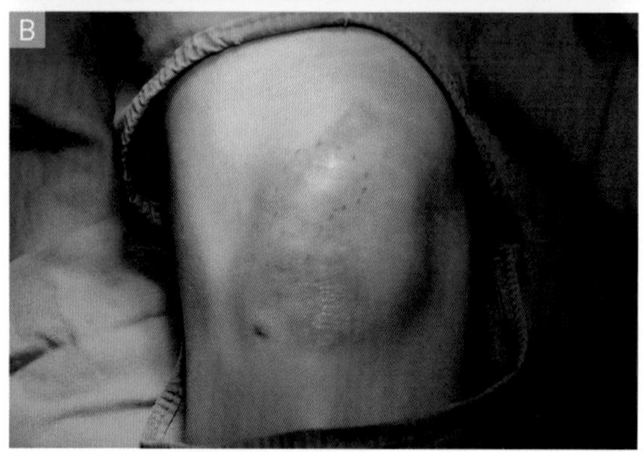

그림 9 무릎의 함몰흉터 지방이식술.
A: 수술 중, B: 수술 직후

2) 마취와 박리

흉터부위를 국소마취하고, 캐뉼라가 충분히 자유롭게 움직일 수 있는 거리에 절개선을 만든다. 유착된 흉터조직이 있어 박리가 필요하면 절개선을 통해 먼저 충분한 양의 튜메션트용액을 주입한다. 주입하는 용액의 양는 함몰된 흉터조직이 정상조직의 높이까지 올라오는 정도이다. 이 용액의 양을 지방이식시 이식하는 지방의 양의 기준으로 삼으면 도움이 된다. 흉터부위에 마취를 마치고, 수혜부에 지방채취를 위한 마취를 시행한다. 대략 수혜부에 마취를 마치고 다시 흉터부위의 박리를 시작한다. 조직의 유착된 정도에 따라 V-dissector나 interstitial laser를 이용하여 유착을 박리한다.

3) 수술방법

절개선을 통해 끝이 뭉뚝한 캐뉼라를 깊숙히 밀어넣어 흉터의 하부의 단단한 조직까지 닿게 한 다음 천천히 박리한다. 이미 마취용액을 주입하면서 날까로운 dissector나 interstitial laser를 이용하여 박리한 상태이므로 크게 걸리는 부분이 없지만, 캐뉼라를 가지고 다시 한번 지방이 주입된 층을 만들어야 한다. 함몰된 부위를 채우고 충만감을 회복하기 위해서는 되도록 골막 또는 근육과 fascia층 처럼 깊은 층에 충분한 양의 지방이 이식되어야 한다. 캐뉼라를 천천히 움직이면서 충분한 양의 지방을 채운다. 깊은 층에 지방이 차면 유착된 부위가 다시 도드라져 보이게 된다. 그러면 V-dissector cannula을 이용하여 피하층으로 유착된 부위를 끊으면서 소량씩 지방을 이식한다. 피부 바로 밑에 이식한 지방은 겉으로 보아도 노란색을 띠며 충만한 느낌이 들 정도로 이식하는 것이 좋다.

함몰된 흉터에 이식하는 지방의 양은 마취시 측정한 지방의 양의 150% 정도 이식한다**(그림 9)**.

참·고·문·헌

1. 보툴리눔,필러 임상해부학. 김희진,서구일,이홍기,김지수. p144-179,한미의학, 2015.
2. 흉터성형, 박대환, 장충현. p159-168.군자출판사.2012.
3. A new classification of lip zones to customize injectable lip augmentation. Andrew A.Jacono. Arch Facial Plast Surg. 2008;10(1):25-29.
4. Aesthetic surgery of the facial mosaic. Dimitrije E. Panfilov. p442-473. Springer,2007.
5. Autologous fat for liposuction defects. Pierre F. Fournier. p301-302. Autologous fat transfer. Melvin A. Shiffman. Springer,2010.
6. Carruthers JD. Carters A. Facial sculpting and tissue augmentation. Dermatol Surg 2005;31(11pt2):1604-1612
7. Clinical Anatomy of the face. Joel E. Pessa, Rod J. Rohrich, p14-45. QMP, 2012.
8. Complementary fat grafting. Samuel M. Lam, Mark J. Glasgold, Robert A. Glasgold, p78 Wolters Kluwer, 2006
9. Eyebrow lift with Fat transfer. Giorgio Fischer. p153-154. Autologous fat transfer. Melvin A. Shiffman. Springer,2010.
10. Fabio Meneghini, Clinical Facial Analysis. 임상얼굴분석, p 59-69 엠디월드.
11. Fat injection from filling to regeneration. Sydney R. Coleman, Riccardo F. Mazzola, p425-446 QMP,2006.
12. Fat transfer to the hand for rejuvenation. Pierre F. Fournier. p273-280. Autologous fat transfer. Melvin A. Shiffman. Springer,2010.
13. Filler injection for Lateral Brow Lift. Theda C.Kontis, Victor G. Lacombe. Cosmetic Injection Techniques, p134-136, Thieme, 2012.
14. Lip rejuvenation. James E. Fulton, Jr. Dermatol Surg 2000;26:470-475.
15. Ralf J. Radlanski, Karl H. Wesker, The face pictorial altas of clinical anatomy. Quintessence, 2012
16. Surgical approaches to the facial skeleton. Edward Ellis III, Michael F.Zide, P65-93, Lippincott williams & wilkins, 1995.

지방이식 »

지방이식 합병증

Complications of fat graft

| 박재우 |

자가지방이식은 자기 몸에서 채취한 지방세포를 다른 부위에 이식함으로써 조직적합성이 완벽하고 생착이 이상적으로 진행되며, 이식 후 결과도 영구적이라 할 수 있다. 더욱이 지방은 대부분의 경우 개인의 몸에서 충분히 뽑을 수 있고 지방을 뽑은 부위의 체형을 개선 할 수 있기 때문에 현재 아주 보편적인 성형수술의 하나가 되었다. 이러한 지방이식술은 지방이식 자체로도 행하여 지지만 다른 수술과 더불어 같이 하는 보조적인 수술로도 많이 활용되고 있다. 지방이식에 대한 첫 기록으로 1912년 독일의 Eugene Hollander라는 의사가 지방을 얼굴에 주입하고 그 변화를 사진으로 남겼다.

1926년 Charles Conrad Miller가 cannula를 이용하여 얼굴과 목의 흉터 구축이 있는 36예에서 지방을 주입하는 경험에 대한 기록을 남겼는데, 지방 주입 후 입과 코의 모양이 호전되었다고 하였으나 그의 방법이 정확히 기술되지 않고 알려지지 않아 널리 사용되진 않았다.

1980년대 이후 지방흡입이 급속히 발전을 하면서 그 부산물인 흡입된 지방이 이식에 대한 관심이 고조되었으며 이들을 가는 주입관을 통하여 이식하는 기술들이 점차 발전되어왔다. 하지만 그 효과에 있어서 만족하지 못하여 지방이식의 범위가 제한적이고 기회도 적었다. 1990년대 S Coleman에 의해 structural fat graft의 개념이 도입되고 난 후 지방이식의 장기적인 결과에 대해 좀 더 확신을 가질 수 있게 되었고,4 줄기세포와 PRP등의 복합시술로 더욱 좋은 결과를 가지게 됨으로서 지방이식술은 현대의 성형외과 영역의 한 부분을 차지하게 되었다.

하지만 지방이식의 수술건수가 늘어나고 보편적인 수술이 됨에 따라 그에 따른 부작용도 점차 늘어나고 있는데 일반적인 수술의 합병증인 출혈과 감염 외에도 이식 후 피부의 굴곡, 종괴의 발생, 칼슘의 침착, 혈관 폐색으로 인한 실명 및 뇌경색 등 지방이식과 밀접한 합병증들이 늘어나고 있다. 지방이식과 연관된 합병증 이외에도 감염증이 점차 늘어나고 있는데 이런 감염들은 생체막 형성과 밀접한 관련이 있으며 또한 최근 비정형결핵균의 감염이 늘어나고 있어 이들에 대한 고찰도 필요하다.

1. 합병증

마취와 연관된 합병증은 흔하지 않지만 가끔 발생

하고 있고 발생 시 그 심각성 때문에 이에대한 사전지식과 그 처치 방법에 대해 충분히 숙지하고 있어야 한다. 전신마취와 연관된 합병증 외에도 국소마취나 수면진정마취와 연관된 합병증도 그 심각성이 점차 커지고 있다. 특히 지방이식을 대용량지방이식과 같이 병행하거나 엎드려 있는 상태에서 지방을 채취할 때 전신적인 수액전해질 불균형을 초래하거나 기도가 막혀 심각한 부작용을 초래할 수 있기 때문에 전문적인 마취관리가 필요하다. 최근에는 안면거상술이나 눈성형술, 코성형술과 같이 다른 수술과 병행하는 경우 그 마취시간이 늘어남에 따라 마취에 대한 부작용이 증가할 수 있기 때문에 좀 더 주의를 기울여야 한다.

지방이식에 대한 이해가 늘어나고 기술이 발달함에 따라 지방이식 후 환자의 만족도나 장기적인 생착 결과는 최근에 신뢰할 만한 수준에 다다랐다. 하지만 수술 후 평가에 대한 보편적인 측정 기준이 부족하기 때문에 기대치나 결과치에 대한 의사와 환자의 수준이 다르기 때문에 지방이식 후 발생하는 가장 흔한 불만족과 합병증 중 하나이다. 가끔 지방이식 후 빠른 흡수로 인한 기대치에 비하여 불충분한 결과를 가지게 되는 경우가 있으며 이러한 불충분한 임상결과가 지방이식보다 필러를 선호하는 경우도 있으며 빠른 지방의 흡수를 고려하여 기대치보다 30% 내외로 더 넣는 것을 선호하고 있다. 하지만 한번에 많은 양을 주입할 때 부자연스럽거나 피부가 얇은 부분이 돌출되거나 울퉁불퉁해지는 경우가 많으며 유방에 많은 양의 지방을 주입했을 시 만져지거나 방사선검사상으로 관찰되는 종괴가 형성되는 경우가 많다. 이런 경우를 피하기 위해서는 두 세 차례 나누어서 적절한 이식을 시행하면 충분한 볼륨을 자연스럽게 이식할 수가 있다.

이식된 지방의 과다한 흡수도 문제가 되지만 최근에 들어서 과다하게 주입된 지방이 그대로 존속하거나 부풀어 부피가 커지는 부작용도 있다. 이식된 지방은 그 부피가 항상 일정한 것이 아니다. 처음에 이식한 지방은 생착 후에도 부종의 흡수와 혈관의 부재 등에 의한 국소적인 지방괴사로 인하여 그 부피가 감소하나, 드물게는 수 년이 흘러 기초대사량이 감소하거나 체중이 늘어남에 따라 이식된 지방의 부피가 더 늘어나는 경우도 있다. 이식된 지방이 커지거나 잔존하여 표정이나 얼굴의 형태가 부자연스러운 경우 레이져를 이용한 지방성형을 시행하면 좋은 결과를 얻을 수 있고 반복적으로 부어 오르는 심부 종괴는 만성감염을 의심해야 하며 항생제로 반응이 없는 경우 직접적인 절제술이 필요할 경우도 있다.

유방에 지방이식을 하는 것은 잠재적으로 유방암의 발생시 암의 검진에 대한 확진하는데 있어서 어려움을 야기할 수 있는 가능성이 있다. 지방이식 후 가끔씩 덩어리나 종괴를 형성하는 경우가 있는데 방사선소견으로 지방낭종 등의 형태로 존재하거나 단순한 덩어리로 보일수 있으며 칼슘이 침착된 경우도 가끔 관찰할 수 있다. 유방에 지방이식을 시행한 이후 이러한 덩어리들이 생긴 경우 유방암과 혼동할 수 있고 이로 인하여 감별진단이 요구된다. 칼슘이 침착된 종괴가 유방암 발생부위주변에 존재하게 되면 유방암의 진단에 부정적인 영향을 줄 수도 있다. 이러한 병변을 확인하여 유방암과 구분짓기 위해서는 유방초음파검진이나 유방조형술, MRI 등의 방사선 검사가 필요하며 확진을 위해서는 의심부위의 조직생검검사가 필요하다.

지방이식한 부위의 과다한 출혈로 인하여 혈종이 고일 경우 전신적인 영향은 미미하지만 혈종이 고여있으면서 이차적인 감염이 일어나 농포를 형성하거나 혈종이 흡수되면서 반흔을 형성하여 종괴를 형성하거나 함몰변형을 일으키는 경우가 있다. 지방이식만을 위한 지방채취 시 발생하는 출혈은 그 정도가 미미하여 간과하여도 되지만 대용량지방흡입과 이식시 출혈이 심각한 경우가 드물지 않고 이로 인하여 생명의 위협을 가져올 수 있는 경우가 있기 때문에 주의를 기울여야 한다. 특히 대용량지방흡입술을 병행한 경우 수술직후나 수 일 이내 급격한 빈혈증상이나 저체온증이 있는 경우 과다한 출혈을 의심해 봐야하며, 과다한 출혈과 더불어 전신적인 폐혈증이 속발할 수 있기 때문에 유의하여야 한다.

수술 후 여러 가지 균에 의해 감염이 되는 경우가 많은데 붓기와 압통, 통증, 열감 등을 동반한 급격한 감염 이 외에 지속적인 부종과 염증반응이 있을 때 감염을 의심해야 한다. 급성감염은 피부상주균에 의하여 기회감염되는 경우가 대부분이나 기구의 소독이 불완전하거나 이물질이 끼어져 있는 경우 녹농균에 의한 감염도 발생할 수가 있기 때문에 수술부위의 술전 소독 뿐만 아니라 기구의 소독을 철저히 하여야 한다. 대부분의 감염은 정확한 항생제를 이용하면 다 치료가 가능하다. 최근들어 비정형결핵균에 의한 감염에 대한 보고가 점차 늘어나고 있는데 수개월 동안 지속되는 부종과 피부종괴 냉결절 등이 있을 때 이에 대한 의심을 가지고 균도말검사와 조직생검을 통한 반복된 균검사를 실시하여 균을 동정하고 이에 맞는 항생제를 사용하는 것이 바람직하다. 지방흡입범위가 많고 환자의 면역력이 떨어진 경우 폐혈증과 같은 전신적인 감염증상이 일어날 수 있기 때문에 너무 광범위한 범위를 많이 흡입하면서 여러 가지 수술을 병행하여 오랜 시간 수술하는 것은 피하는 것이 좋다.

지방이식 후 발생되는 감염은 수술기구의 소독이나 청결 상태와 관련된 부분이 많은데 특히 재사용되는 작은 캐뉼라를 세척, 소독하는데 주의를 기울여야 한다. 저자는 캐뉼라와 관련된 감염을 줄이고자 다음과 같은 방법을 사용하고 있다.

1) 모든 캐뉼라는 수술직후 바로 세척하여야 한다.
2) 세척 시 뜨거운 물로 높은 압력으로 여러 번 세척해낸다.
3) 세척후 알코올로 2-3회 세척하거나 알코올속에 10분정도 담궈둔다.
4) 세척된 캐뉼라를 초음파세척기로 다시 한번 세척한다.
5) 수술 당일 autoclave로 소독한다.
6) 1-2달의 오랜 보관을 위해서 autoclave후 gas소독을 병행한다.
7) 3개월 마다 모든 캐뉼라를 점검하고 상태가 불량하면 교환한다.
8) 가급적 가는 굵기의 캐뉼라는 일회용을 사용한다.

지방이식의 술기는 지방을 흡입하여 작은 바늘을 이용하여 비침습적인 방법으로 보이지 않는 곳에 상대적이 크기가 큰 지방알갱이를 주입하는 것이기 때문에 혈관을 뚫어 혈관내로 주입할 수가 있고 이로 인하여 혈관내로 유입된 지방덩어리들이 말초혈관을 막아 혈관폐색이 일어나게 되는데 이는 예측할 수 없는 상황에서 발생되고, 발생 시 실명이나 뇌경색 등 일반적인 합병증 이외 심각한 합병증이 일어날 수 있으며 호흡중추에 뇌경색이 발생하거나 폐동맥에 색전증이 일어나면 생명을 위협할 수도 있다. 그 외에도 지방뇌막염, 폐혈증 등의 심각한 합병증도 발생할 수 있다.

지방이식은 일반적으로 안전하다고 여겨지는 수술이고 지방이식과 연관된 합병증은 대부분 사소한 것들이 많은데 심각한 합병증은 그다지 높지는 않지만 생기면 생명을 위협하거나 치료가 어려운 부분들이 있다. 감염과 관련된 합병증들이 가장 잘 일어날 수 있기 때문에 이에 대한 주의를 더욱 기울여야 한다. 이러한 합병증들은 술 전에 환자에게 충분히 설명되어져야 하고 문서상으로 남겨 기록, 보전하여야 한다.

2. 생체막(Biofilms)

지방이식 후 생기는 감염증을 이야기 할 때 피부에 항상 존재하는 정상균주들의 기회감염이 많은 원인이 되기도 하지만 기구들에 부착되어있다가 지방이식시 인체 내로 유입되어 감염을 일으키는 경우가 점차 늘어나고 있다. 이러한 기구에 의한 감염을 설명할 때에 생체막 Biofilms의 개념을 이해해야 한다. 생체막 이란 어떤 물질의 표면에 형성된 미생물들의 집단체 communities를 의미한다. 병원미생물들은 독립적인 개체로 존재하다가 감염을 일으키게 되는데 이러한 독립적인 존재로 있을 때 물속이나 다른 매질 속에서 플랑크톤과 같이 자유유영을 형태를 가진다. 하지만 주변의 환경이 바뀌거나 나빠지게 되면 여러 개의 미생물들이 응집하여 복잡한 표면에 부착한 세포군집들을 만들게 되며 이 때의 형상은 개별적으로 있을 때와 외형상 다른 모습을 가지며 주변의 여러 가지 신호들에 대하여 집단적으로 반응하게 된다. 플랑크톤운동을 하던 개별미생물들이 처음에 물체의 표면들과 반응을 하고 서로 응집하여 군집을 형성한 생체막을 만들고 이러한 생체막이 점점 커지면서 숙성되고 어느 시점에 다시 분리되어 플랑크톤 운동을 하는 개별미생물들로 돌아가게 된다. 이러한 일련의 과정들은 아주 복잡하지만 어느 정도의 조정되는 일련의 과정을 가진다.

생체막은 인류가 생기기 전부터 존재하여왔으나 이들의 존재와 의의는 1970년대 상수도관에서 관표면에 두껍게 달라붙은 미생물들을 연구하다 이러한 미생물들이 물속에 떠다니다 서로 응집하여 생체막을 형성한다는 것을 밝혀내었다. 물질 표면에 부착된 미생물들에 대한 기술은 그보다 훨씬 오래 전인 1933년 Henrici가 하였지만 현대적인 생체막에 대한 개념과 같은 부분이 아니라 물속에 사는 박테리아들은 부유해서는 생존할 수 없고 표면에 부착되어 살아간다고 생각하였다. 이러한 생체막은 하나의 미생물 혹은 여러 개의 미생물로 구성될 수 있으며, 살아있는 부분과 죽어있는 부분으로 혼합되어 있다. 대부분의 일반적인 자연환경에서는 여러 종의 미생물이 섞인 생체막을 형성하지만, 병원 감염이 있는 부위나 의료용기구의 표면에는 하나의 종으로 형성된 생체막이 형성되는 경우가 많다. 생체막을 형성하는 세균들은 그램음성균주들 중에서 Pseudomonas aeruginosa나 E coli, Vibrio cholerae 등이 형성을 잘하고 그램양성균주 중에서는 Staphylococcus epidermidis, S. aureus, Enterococci 등이 잘 형성한다.

미생물들의 생체막형성은 initiation, maturation, maintenance, dissolution 등의 일련의 생물학적 순환과정을 거치는데, 유리미생물들이 플랑크톤처럼 각각 떠다니다가 어떤 물체의 표면에 닿을 때나 부착되어있는 미생물에 접촉될 때 서로 모여 microcolonies들을 형성한 후 점점 커지게 되어 여러 층의 구조물들을 형성하게 된다. 이러한 생체막내에 존재하던 세포의 일부는 다시 detachment signal에 의해 다시 플랑크톤처럼 부유하면서 존재하게 된다. 과거엔 세균들의 표면 전하량이나 혐수성특성으로 인하여 서로 응집되고 colony를 형성한다고도 생각했지만, 대부분의 그램음성세균들은 다양한 외부적 환경 특히 영양분의 유무에 따른 자극에 따라 생체막을 만드는 작업을 시작하게 된다. 하지만 이러한 생체막은 영양분이 존재하는 동안 표면에 붙어있다가 표면의 영양분이 고갈되면 다시 떨어져 플랑크톤처럼 독자생존을 하게 된다. 이러한 유리상태의 미생물들이 기아상태에 빠지게 되는 경우 세포들은 새로운 영양분을 찾게 되고 표면에 응집하게 된다.

세균이 표면에 부착하게 되면 세균들이 증식하면서 표면을 따라 움직여 세포들끼리 서로 당겨 응집하게 되고 세포 주변으로 다당류들을 만들어 삼차원적인 구조를 만들면서 성장하면서 여러 층을 가진 성숙된 생체막을 형성하면서 fluid-filled channels에 의해 서로 연결되어져 있어서 세포간에 정보를 공유하게 되어져 있다. 이러한 삼차원적인 다당류 구조물 내에 세균들이 서로 위치하면서 세포의 외부를 싸고 있는 다당류에 의해 세균이 보호되고 항생제에 대해 저항성을 가지게 되는 것이다. 자유유영단독세포형태로 존재하다가 표면에 부착되어 복제단계로 전환하게 되면서 생체막줄기를 형성하면서 성장하게 되고, 단일세포가 주변의 세포들과 밀접한 상호신호를 주고 받아 군집을 형성하며 그 세포들의 기능에 있어서도 주변환경에 저항하는 등 단일세포로 존재할 때와 다른 양상을 보인다. 이러한 세포의 변화를 유발하기 위해서는 주변환경의 신호가 중요한 역할을 한다.

P. aeruginosa의 생체막 형성은 무생물 표면에 부착한지 30분 이내에 표면 전체를 완전히 덮어버리게 되면서 한 층의 세포층을 형성한 후 3–4시간이 지나면 이러한 세포층이 점상의 microcolonies를 만들게 된다. 8시간이 지나면 이러한 microcolonies들이 점차 많아지고 그 크기가 커지면서 뚜렷하게 된다. P. aeruginosa가 자유롭게 유영하다가 일단 무생물 표면에 접하게 되면 헤엄치는 것보다 프라젤라가 움직이는 것 같이 twitching motility형태로 천천히 서로 당기듯이 움직여 한 층의 세포로 그 표면을 덮어 안착하게 된다 이러한 서로 잡아당기는 듯한 twitching motility는 pili에 의해 이루어지며 이런 pili를 늘이거나 줄임으로 해서 세포자신이 표면 위를 당기거나 밀듯이 움직일 수 있다. 이러한 운동은 세포 혼자 존재할 때 보다 다른 세포들과 접해 있을 때 집단행동 처럼 일어난다.

세포가 표면에 붙게 되면 biofilm형태로 살아가기 위하여 세포외로 다당류들의 생성을 증가시키고, 항생제에 대한 내성을 만들어 좀 더 환경에 대해 방어를 하게 되고 이러한 부분이 임상적으로 치료가 어려운 부분을 야기하게 된다. 또한 세포막 내의 세균들은 자외선에도 잘 견뎌내고, 유전자 변이도 더욱 잘 일어나며, 생분해성 능력도 증가하며 이차대사생성물들도 더 많이 만들어낸다. 세균 등이 이와 같이 형태를 바꿈으로서 항생제를 사용해도 균들이 서서히 자라고, 다재항생제내성을 가지고, 항생제를 분해하는 효소들을 만들고 항생제의의 약효를 바꾸는 등의 antibiotic resistance를 가지게 한다. 세포막 biofilm을 형성하는 세포외다당류 중의 일부인 Alginate 생성을 조절하는 자들이 있는데 세균들이 무생물표면에 접하면 Alginate생성이 증대된다. 이러한 alginate생성을 억제하면 약제내성을 줄일 수 있을 것이다. 오래된 세포막 내의 P. aeruginosa는 영양상태가 나빠지게 되면 alginate lyase을 과도하게 만들어 세포막을 형성하는 다당류를 녹인후 일부 세균들이 세포막에서 이탈되게 한다.

3. 비정형결핵균(Atypical mycobacteria)

성형수술은 대개 응급수술이 아닌 준비된 정규수술로 감염이 거의 일어나지 않고 그 감염율이 1-5% 정도로 아주 낮으며, 대부분 피부의 정상세균들인 Staphylococcus aureus.에 의해 감염되는 경우가 많다. 하지만 최근들어 좀더 치명적인 비정형결핵균 atypical mycobacteria에 의한 감염이 좀더 늘어나고 있다. 일반적으로 비정형결핵균에 의한 감염은 대부분 피부와 연부조직에 일어나지만 유방확대술이나 관상동맥우회술과 같은 보형물이 사용되는 수술에서 심부감염이 일어나기도 한다. 심지어는 단순마취주사나 영양주사 등을 피하에 주사하고 난 뒤에도 발생하는 보고가 있다. 특히 면역이 저하된 사람이거나 장기간 입원한 환자, 만성질환자, 암발생자, 장기이식후, 스테로이드 치료자 등에서 잘 일어난다.

비정형결핵균감염은 이와 같이 일반적인 수술 후 생길 뿐 아니라 일반적인 손상후 창상감염, 근육주사, 표피손상등으로도 발생하는데 그 원인적인 요소들로 이미 비정형결핵균이 오염되어 있는 상수도시설, 싱크대, 멸균제 등에 의해 발생하는 경우이다.

일반적인 성형수술 후 생기는 비정형결핵균의 감염의 원인으로 여러 가지 원인이 있는데, 재사용해서 사용하는 젠티안바이올렛 용액이 비정형결핵균의 감염원인 경우가 보고되고 있고 그 외 반창고나 수술 용도안펜 등도 감염원이 되는 경우가 있다. 이러한 비정형결핵균은 한번 발생하면 그 발생원이 없어질 때까지 이어서 계속 발생하는 경우가 있는데 수 년 동안 수 십 명의 환자가 발생하는 경우도 보고되고 있다.

특히 오래된 캐뉼라 내부에 말라 붙어있는 조직들이 있는 경우 일반적인 세척으로 이를 완전히 제거 할 수 없고 이러한 부분에 비정형결핵균의 감염이 있는 경우가 많다. 소독된 캐뉼라를 사용한 지방흡입 후 발생한 경우 피부와 연부조직 손상 후 이차적인 감염이 일어날 수도 있지만 오염된 수술기구와 수액제들에 의해 일어나는 경우도 있다.

비정형결핵균균주들은 10% povidoneiodine, 2% aqueous formaldehyde, 2% alkaline glutaraldehyde 같은 여러 멸균제에 대해서도 없어지지 않고 생존하는데 특히 소독이 불충분한 눈, 코, 귀 등의 수술 후 많이 생긴다.58 특히 소독력이 낮은 Widex 같은 4가 암모니아 복합체에 시술한 소독기구나 지방수술용 캐뉼라 등을 수 시간 담구었다 사용하는 경우가 있는데 이러한 부분이 감염의 위험도를 더욱 높이고 있다.

1) 진단

(1) Ziehl-Neelsen 염색법

과거에 AFB 균주를 직접 검사하기 위해 사용한 염색방법이다.

(2) 비정형결핵균의 배양

비정형결핵균에 의한 감염이 발생하면 계속해서 속발하는 경우가 많은데 이미 이 균에 의해 오염된 수술실이나 기구들이 주변에 존재하기 때문에 이에 대한 적절한 처리를 하지 않고는 재발되는 환자들을 막을 수 없다. 비정형 결핵균의 감염이 의심되면 수술실바닥과 수술침대, 개수대 및 수도 꼭지, 수술용기구, 소독액 등에 대한 균검사를 위해 샘플을 검사실로 보내 비정형결핵균의 유무를 확인해야 한다. 특히 오래된 캐뉼라 내부와 젠티안바이올렛 용액, 소독해서 재사용하는 수술용도안펜, 반창고 등이 비정형결핵균의 감염원인 경우가 있기 때문에 샘플을 수거해 균검사를 실시하여야 한다.

치료를 시작함에 있어서 비정형결핵균에 대한 정확한 진단이 중요한데 Acid-fast smears에 나타나긴 하지만 모두 나타나는 것은 아니며, blood agar, MacConkey agar, primary isolating Mycobacteria medium (Lowenstein-Jensen)이 들어있는 특수 배지에서 5 to 7 days일간 배양해야 균주를 동정할 수가 있다. M chelonae같은 일부 균주는 비교적 낮은 온도에서 incubation 해야 자라기 때문에 35°C to 37°C뿐 아니라 28°C to 30°C정도에서 같이 배양해야 세균배양확율을 더 높일 수가 있다. 어떤 균주는 수 주간의 incubation을 해야 자라기 때문에 배양이 어려우며 배양이 되지않으면 여러 번 배양을 해서 원인균주를 찾을 때까지 배양해야 하며, 균주의 동정과 항생제 감수성에 대한 검사도 같이 시행하여야 한다.

1979년 Wolinsky는 비정형결핵균주를 다음과 같이 4가지로 분류하였다.

- Slowly growing nonpathogens: M. gordonae, M. gastri, M. terral complex, M. flavescens
- Slowly growing potential pathogens: M. avium-intracellulare, M. scrofulaceum, M. kansasii, M. ulcerans, M. m arianum, M. xenopi, M. szulgai, M. simiae, M. smegmatis, M. vaccae
- Rapidly growing nonpathogens Parafortuitum complex
- Rapidly growing potential pathogens (fortuitum complex): M. fortuitum, M. chelonei

최근에는 1999년 소개된 Runyon's classification을

표 1 Runyon's Classification

Group	Pigment	Growth Rate	Organism(ex.)
Slow Growers			
I II III IV	Photochromogen	2–3 weeks	M. marinum
II	Scotochromogen	2–3 weeks	M. scrofulaceum
III	Nonchromogen	2–3 weeks	M. avium
Rapid Growers			
IV	None	3–7 weeks	*M. chelonae, M. fortuitum, M. abscessus*

Kullaveanijaya P.[2] Atypical mycobacterial cutaneous infection. *Clin Dermatol* 1999; 17:153–8

사용하는 경우가 많다(**표 1**).

(3) 임상증상

비정형결핵균에 감염되면 증상이 수주에서 수개월 후에 일어나는데, 그 증상이 발열, 오한 통증 등의 일반적인 감염증상과 달리 국소부위 발적, 경화, microabscesses, 과다한 삼출물 등을 들 수 있다. 일반적인 피부 감염균인 staphylococci, streptococci에 대한 항생제에는 별 반응이 없고 일반적인 세균배양검사에서도 자라지 않는다. 비정형결핵균의 배양은 수 주 간의 시간이 필요하고 한 두 번 만에 균을 동정하기 어렵기 때문에 병력과 임상적인 증상을 가지고 배양되기 전 감염초기에 진단하여 항결핵균약제 치료를 시작하는 경우가 많다.

(4) 비정형결핵균의 치료

미용목적으로 지방흡입이나 지방성형술 후 10명의 환자가 rapidly growing mycobacteria 피부와 연부조직 감염을 일으켰다. 한 도시에서 떨어진 곳에 8명이 발생했으며, 2년 동안 성형수술 후 rapidly growing mycobacteria 발생하여 8명은 상처의 삼출물과 조직에서 Mycobacterium fortuitum (3 cases)과 Mycobacterium abscessus (5 cases) 균주를 확진, 2명은 의증 Acid-fast bacilli Ziehl-Neelsen– stained 로 균주확인한다. 수술실에도 별다른 감염이 일어날 만한 환경을 찾기 어렵다. 복부나 대퇴부 흡입이나 지방이식후 2년 내에 임상적 감염증상, microabscesses, 과다한 삼출물로 인하여 치료한다.

치료방법으로 수술적 배농과 변연절제술 surgical drainage, debridement, clarithromycin을 포함한 장기간 항결핵균제투여(3개월) amikacin sulfate, ciprofloxacin hydrochloride, sulfamethoxazole-trimethoprim, and tetracycline hydrochloride.

이러한 치료로 9명이 완치되었으며 12개월간 재발의 흔적이 없다.

모든 원발성병변이 없어지고 난 뒤 적어도 12개월 추적하여 재발이 없는 경우 완치되었다고 판정한다.

배양되기 전 비정형결핵균의 치료는 다른 감염치료와 마찬가지로 임상증상과 더불어 항생제 적합성을 가지고 치료해야 하며 알려진 항생제 감수성패턴을 가지고 시작한다. 아주 심한 감염은 처음부터 대부분의 비정형결핵균 균주에 적합성을 가진 cefoxitin 과 amikacin을 주사한다. 2-4주 치료 후 임상증상의 호전이 있으면 경구용약으로 대치하는데 methylated carbon을 가진 macrolide계열인 Clarithromycin은 대부분의 비정형결핵균 균주에 반응을 하기 때문에 가장 먼저 사용해야 하는 약이며 주사제를 대체할 수 있는 약이다.

clarithromycin이 drug of choice이긴 하지만 모든 감염에 다 반응하는 것은 아니다. Wallace 등은 clarithromycin단독사용은 효과적이고 안전하며 약 4달 반정도 사용 가능하다고 한다. antimycobacterial 항생제의 단독사용과 복합사용의 효용에 대해서는 의견이 분분하지만 단독사용 시 생기는 약제내성 때문에 대부분 복합사용을 한다. 단독사용 시 ciprofloxacin에 대한 내성은 많지만 doxycycline, sulfamethoxazole, or clarithromycin 에 대한 내성은 잘 일어나지 않는다. 이러한 보고를 볼 때 경도내지 중등도의 감염시 두 세개의 약제를 복합사용하는 것이 바람직하다. 대부분 3개월 이상의 항생제를 사용해야 하며 임상적증상을 보고 판단한다. 항생제의 치료와 더불어 모든 괴사조직의 외과적 제거, 삼출불의 배농 등과 병행하면 모든 비정형결핵균 감염은 치료될 수 있다.

수술적 치료도 중요한 부분을 차지하는데 기본적으로 농포의 배농과 괴사조직의 절제가 중요하다. 고름이 고여 다시 draining fistula 등을 만드는 것을 방지하기 위하여 창상은 반드시 열어놓고 봉합하지 않는다. 증상이 나타나면 빠른 진단과 함께 즉시 항생제 치료를 하면서 외과적인 변연제거술과 배농술을 시행하고 균을 동정하여 적합한 항생제를 사용한다.

이러한 치료과정은 오랜 시간과 환자의 협조가 필요하기 때문에 중 피부의 병변으로 인한 고통뿐 아니라 이로 인한 두려움과 공포, 분노와 우울증에 대한 치료도 병행해나가야 한다. 비정형결핵균에 의한 감염은 점차 늘어나고 있기 때문에 이제부터 성형수술 후 생기는 감염에 있어서 반드시 고려해야 하는 부분이다. 수술시 수술부위의 소독뿐 만 아니라 재사용하는 가위나 도안용액, 반창고 등을 포함한 모든 수술기구, 의료소모품뿐만 아니라 개수대까지 모든 부분의 청렬과 소독에도 한결 주의를 기울여야 한다.

참·고·문·헌

1. Brown BA, Wallace RJ Jr, Onyi GO, De Rosas V, Wallace RJ III. Activities of four macrolides, including clarithromycin, against Mycobacterium fortuitum, Mycobacterium chelonae, M. chelonae–like organisms. Antimicrob Agents Chemother. 1992;36:180-184.
2. Clegg HW, Bertagnoll P, Hightower AW, Baine WB. Mammoplasty-associated mycobacterial infection: a survey of plastic surgeons. Plast Reconstr Surg. 1983; 72:165-169.
3. Clegg HW, Foster MT, Sanders WE Jr, Baine WB. Infection due to organisms of the Mycobacterium fortuitum complex after augmentation mammoplasty: clinical and epidemiological features. J Infect Dis. 1983;147:427-433.
4. Coleman SR Structural fat grafts: the ideal filler? Clinics in Plastic Surgery 28:111-119, 2001.
5. Coleman SR, Saboeiro AP. Fat grafting to the breast revisited: Safety and efficacy. Plast Reconstr Surg. 2007;119:775.
6. Coleman SR. Lower lid deformity secondary to autogenous fat transfer: A cautionary tale. Aesthet Plast Surg. 2008; 32: 415.
7. Coleman SR: Structural Fat Grafting: More Than a Permanent Filler. Plast. Reconstr. Surg. 118 (Suppl.): 108S, 2006.
8. Dickinson M, Bisno AL. 1993. Infections associated with prosthetic devices: clinical considerations. Int. J. Artif. Organs 16:749–54.
9. Ellenbogen R, Youn A, Yamini D, et al. The volumetric face lift. Aesthet Surg J. 2004;24:514.
10. Feinendegen DL, Baumgartner RW, Schroth G, et al. Middle cerebral artery occlusion and ocular fat embolism after autologous fat injection in the face. J Neurol. 1998;245:53.

11. Fletcher M, Pringle JH. 1986. Influence of substratum hydration and absorbed macromolecules on bacterial attachment to surfaces. Appl. Environ. Microbiol. 51(6):1321–25.
12. Foster T.E., Puskas B.L., Mandelbaum B.R., Gerhardt M.B., and Rodeo S.A. Platelet-rich plasma: from basic science to clinical applications. Am J Sports Med 37,2259, 2009.
13. G O'Toole, HB. Kaplan, R Kolter: BIOFILM FORMATION AS MICROBIAL DEVELOPMENT. Annu. Rev. Microbiol. 2000. 54:49–79.
14. Gacesa P. 1998. Bacterial alginate biosynthesis: recent progress and future prospects. Microbiology 144:1133–43.
15. Galil KK, Miller LA, Yakrus MA, et al. Abscesses due to Mycobacterium abscessus linked to injection of unapproved alternative medication. Emerg Infect Dis. 1999;5:681-687.
16. Geesey GG, Richardson WT, Yeomans HG, Irvin RT, Costerton JW. 1977. Microscopic examination of natural sessile bacterial populations from an alpine stream. Can. J. Microbiol. 23(12):1733–36.
17. Grazer FM, de Jong R. Fatal Outcomes from Liposuction: Census Survey of Cosmetic Surgeons. Plast. Reconstr. Surg. 105: 436, 2000.
18. Guerrerosantos J. Simultaneous rhytidoplasty and lipoinjection: A comprehensive aesthetic surgical strategy. Plast Reconstr Surg. 1998;102:191.
19. Hang-Fu L, Marmolya G, Feiglin DH. Liposuction fat-fillant implant for breast augmentation and reconstruction. Aesthet Plast Surg. 1995;19:427.
20. Henrici AT. 1933. Studies of freshwater bacteria. I. A direct microscopic technique. J. Bacteriol. 25:277–87.
21. Hoffman PC, Fraser DW, Robiscek F, O'Bar PR, Mauney CV. Two outbreaks of sternal wound infections due to organisms of the Mycobacterium fortuitum complex. J Infect Dis. 1981;143:533-542.
22. Joseph, M. Handbuch der kosmetik. Leipzig: Veit & Co., 1912. Pp. 690–691
23. KA Gutowski, ASPS Fat Graft Task Force. Current Applications and Safety of Autologous Fat Grafts: A Report of the ASPS Fat Graft Task Force. Plast. Reconstr. Surg. 124: 272, 2009.
24. Karamanev DG, Chavarie C, Samson R. 1998. Soil immobilization: new concept for biotreatment of soil contaminants. Biotechnol. Bioeng. 57(4):471–76.
25. Kim SK, Kaiser D, Kuspa A. 1992. Control of cell density and pattern by intercellular signaling in Myxococcus development. Annu. Rev. Microbiol. 46:119– 39.
26. Kolter R, Siegele DA, Tormo A. 1993.The stationary phase of the bacterial life cycle. Annu. Rev. Microbiol. 47:855–74.
27. Kullavanijiaya P Atypical mycobacterial cutaneous infection. Clin Dermatol 17:153-8, 1999.
28. Kuran I, Tumerdem B. A new simple method used to prepare fat for injection. Aesthet Plast Surg. 2005;29:18.
29. Kuritsky JN, Bullen MG, Brome CV, Silcox BA, Good RC, Wallace RJ. Sternal wound infections and endocarditis due to organisms of the Mycobacterium fortuitum complex. Ann Intern Med. 1983;98:938-939.
30. Kwak JY, Lee SH, Park H, et al. Sonographic findings in complications of cosmetic breast augmentation with autologous fat obtained by liposuction. J Clin Ultrasound 2004; 32:299.
31. Larrabee WF Jr, Ridenour BD. Rhytidectomy: techniques and complications. Am J Otolaryngol. 1992;13:1-15.
32. Latoni JD, Marshall DM, Wolfe SA. Overgrowth of

fat autotransplanted for correction of localized steroid-induced atrophy. Plast Reconstr Surg. 2000;106:1566.

33. Lazzeri D, Agostini T, Figus M, Nardi M, Pantaloni M, Lazzeri S. Blindness following Cosmetic Injections of the Face. Plast. Reconstr. Surg. 129: 995, 2012.
34. Lehnhardt M, Homann HH, Daigeler A, Hauser J, Palka P, Steinau, HU. Major and Lethal Complications of Liposuction: A Review of 72 Cases in Germany between 1998 and 2002. Plast Reconst Surg 121 : 396e-403e, 2008.
35. Makin SA, Beveridge TJ. 1996. The influence of A-band and B-band lipopolysaccharide on the surface characteristics and adhesion of Pseudomonas aeruginosa to surfaces. Microbiology 142:299–307.
36. McFarland E, Kuritzkes D. Clinical features and treatment of infection due to Mycobacterium fortuitum-chelonae complex. Curr Clin Top Infect Dis. 1993;13: 188-202.
37. McFarland E, Kuritzkes D. Clinical features and treatment of infection due to Mycobacterium fortuitum-chelonae complex. Curr Clin Top Infect Dis. 1993;13: 188-202.
38. Miller JJ, Popp JC. Fat hypertrophy after autologous fat transfer. Ophthal Plast Reconstr Surg. 2002;18:228.
39. Miller, C. Cannula Implants and Review of Implantation Techniques in Esthetic Surgery . Chicago: The Oak Press, 1926.
40. Murillo J, Torres J, Bofill L, Ri'os-Fabra A, Irausquin E, Istu'riz R, Guzma'n Ma, Castro J, Rubino L, Cordido M. Skin and Wound Infection by Rapidly Growing Mycobacteria. An Unexpected Complication of Liposuction and Liposculpture. Arch Dermatol. 2000;136:1347-1352.
41. Niechajev I. Lip enhancement: Surgical alternatives and histologic aspects. Plast Reconstr Surg. 2000;105:1173.
42. Oh D.S., Cheon Y.W., Jeon Y.R., and Lew D.H. Activated platelet-rich plasma improves fat graft survival in nude mice: a pilot study. Dermatol Surg 37,619, 2011.
43. Pierrefeu-Lagrange AC, Delay E, Guerin N, et al. [Radiological evaluation of breasts reconstructed with lipomodeling.] Ann Chir Plast Esthet. 2006;51:18.
44. Pulagam SR, Poulton T, Mamounas EP. Long-term clinical and radiologic results with autologous fat transplantation for breast augmentation: Case reports and review of the literature. Breast J. 2006;12:63.
45. Restrepo JCC, Ahmed JAM. Large-volume lipoinjection for gluteal augmentation. Aesthet Surg J. 2002;22:33.
46. Ricaurte JC, Murali R, Mandell W. Uncomplicated post-operative lipoid meningitis secondary to autologous fat graft necrosis. Clin Infect Dis. 2000;30:613.
47. Roberts TL, Toledo LS, Badin AZ. Augmentation of the buttocks by micro fat grafting. Aesthet Surg J. 2001;21:311.
48. Rutala WA, Shafer K. Cleaning, disinfection and sterilization. In: Olmsted RJ, ed. APIC Infection Control and Applied Epidemiology: Principles and Practice. St Louis, Mo: Mosby–Year Book Inc; 1996:15-17.
49. Safranek TJ, Jarvis WR, Carson LA, et al. Mycobacterium chelonae wound infections after plastic surgery employing contaminated gentian violet skin marking solution. N Engl J Med. 1987;317:197-201.
50. Safranek TJ, Jarvis WR, Carson LA, et al. Mycobacterium chelonae wound infections after plastic surgery employing contaminated gentian violet skinmarking solution. N Engl J Med. 1987;317:197-201.
51. Safranek TJ, Jarvis WR, Carson LA, et al. Mycobacterium chelonae wound infections after plastic surgery employing contaminated gentian violet skinmarking solution. N Engl J Med. 1987;317:197-201.

52. Soto LE, Bobadilla M, Villalobos Y, et al. Post-surgical nasal cellulitis outbreak due to Mycobacterium chelonae. J Hosp Infect. 1991;19:99-106.
53. Subbarao KE, Tarpay MM, Marks MI. Soft tissue infections caused by Mycobacterium fortuitum complex following penetrating injury. AJDC. 1987;141:1018- 1020
54. SW Park, SJ Woo, KH Park, JW Huh, CK Jung, OK Kwon. Iatrogenic Retinal Artery Occlusion Caused by Cosmetic Facial Filler Injections. Am J Ophthalmol 2012;154:653– 662.
55. Swenson JM, Thornsberry C, Silcox VA. Rapidly growing mycobacteria: testing of susceptibility to 34 antimicrobial agents by broth microdilution. Antimicrob Agents Chemother. 1982;22:186-192.
56. Toranto IR, Mallow JB. Atypical mycobacteria periprosthetic infections, diagnosis and treatment. Plast Reconstr Surg. 1980;66:226-228.
57. Torres JR, Rios-Fabra A, Murillo J, Montecinos E, Caceres AM. Injection site abscess due to the Mycobacterium fortuitum-chelonae complex in the immunocompetent host. Infect Dis Clin Pract. 1998;7:56-60.
58. Tsukamura M, Nakamura E, Kurita I, Nakamura T. Isolation of Mycobacterium chelonei subspecies chelonei (Mycobacterium borstelense) from pulmonary lesions of 9 patients. Am Rev Respir Dis. 1973;108:683-685.
59. Valdatta L, Thione A, Buoro M, et al. A case of life-threatening sepsis after breast augmentation by fat injection. Aesthet Plast Surg. 2001;25:347.
60. Wallace R Jr, Brown BA, Onyi GO. Skin, soft tissue and bone infections due to Mycobacterium chelonae: importance of prior corticosteroid therapy, frequency of disseminated infections, and resistance to oral antimicrobials other than clarithromycin. J Infect Dis. 1992;166:405-412.
61. Wallace R Jr, Swenson JM, Silcox VA, Good RC, Tschen JA, Stone MS. Spectrum of disease due to rapidly growing mycobacteria. Rev Infect Dis. 1983;5: 657-679.
62. Wallace R Jr. The clinical presentation, diagnosis and therapy of cutaneous and pulmonary infections due to rapidly growing mycobacteria, M. fortuitum and M. chelonae. Clin Chest Med. 1989;10:419-429.
63. Wallace RJ Jr, Swenson JM, Silcox VA, Bullen MG. Treatment of nonpulmonary infections due to Mycobacterium fortuitum and Mycobacterium chelonei on the basis of in vitro susceptibilities. J Infect Dis. 1985;152:500-514.
64. Wallace RJ Jr, Swenson JM, Silcox VA, Bullen MG. Treatment of nonpulmonary infections due to Mycobacterium fortuitum and Mycobacterium chelonei on the basis of in vitro susceptibilities. J Infect Dis. 1985;152:500-514.
65. Wallace RJ Jr, Tanner D, Brennan P, Brown B. Clinical trial of clarithromycin for cutaneous (disseminated) infection due to Mycobacterium chelonae. Ann Intern Med. 1993;119:482-486.
66. Wolinsky E: Nontuberculous mycobacteria and associated diseases. Am Rev Respir Dis 1191107, 1979.
67. Yoon SS, Chang DI, Chung KC. Acute fatal stroke immediately following autologous fat injection into the face. Neurology 2003;61:1151.
68. Yoshimura K, Sato K, Aoi N, Kurita M, Hirohi T, Harii K. Cell-Assisted Lipotransfer for Cosmetic Breast Augmentation: Supportive Use of Adipose-Derived Stem/Stromal Cells. Aesthetic Plastic Surgery 32: 48-55, 2008.
69. Zakine G, Baruch J, Dardour JC, Flageul G. Perforation of Viscera, a Dramatic Complication of Liposuction: A Review of 19 Cases Evaluated by Experts in France between 2000 and 2012. Plast Reconst Surg 135 : 743–750, 2015.

지방이식 »

지방이식의 합병증과 이의 예방법

The Complication of Fat Graft and It's Preventive Measures

| 김성민 |

지방이식은 근자에 미용 성형수술 중에 없어서는 안 될 중요한 수술 중에 하나가 되었고 얼굴을 포함한 인체의 연부조직의 볼륨의 증강을 위한 충진제의 역할 뿐 만아니라 지방줄기세포(ADSC)의 적용으로 피부재생의 효과를 유도하여 미용성형 분야에서 항노화 시술의 한 분야로 중요한 위치를 차지하게 되었다. 실제로 콜만 박사의 구조적 지방이식(structural fat graft) 방식이 임상적으로 널리 보급되고 이 술기가 보편화된 2000년대 이후에는 매우 많은 지방이식술이 임상적으로 시행되고 있다. 지방이식은 비교적 간편하고 안전한 수술이지만 임상적으로 쉬운 술기로 인식되어 기본적인 원칙과 개념을 무시하고 무분별하게 시술될 경우 예기치 못한 문제점이나 합병증에 직면할 수 있다.

이미 문헌상으로 지방이식 이후 출현할 수 있는 수많은 문제점이나 합병증들이 보고되었지만 본 장에서는 성형외과 의사가 실제 지방이식술을 시행하면서 임상적으로 비교적 흔히 직면할 수 있는 문제점과 합병증 위주로 경증부터 매우 심각한 치명적인 합병증에 이르기까지 자세히 기술하고 이러한 합병증을 예방 할 수 있는 방법들을 기술하려 한다.

저자는 지방이식의 합병증을 합병증 정도의 심각성에 따라 다음의 4가지 영역으로 분류 하였다. 첫째 임상적으로 충분히 쉽게 해결 가능한 경증의 합병증(Mild complications) 둘째, 주의를 기울인다면 후유증 없이 해결할 수 있는 중등도의 합병증(Moderate complications) 셋째, 치료는 가능하지만 후유증이 남을 수도 있는 중증의 합병증(Severe complications), 넷째 치료를 하더라도 심각한 후유증을 남기는 치명적인 합병증(Fatal complications)이다.

1. 지방이식의 경미한 합병증 (Mild complications)

이것은 합병증이라기보다는 지방이식 후 생길 수 있는 문제점이라고 할 수도 있으며 충분히 해결 가능한 합병증이며 여기에는 부종 및 멍(edema and Bruising), 과다 흡수에 의한 저교정(under-correction), 비대칭윤곽(asymmetry), 여드름 및 피부 트러블의 악화(exacerbation of acne and skin troubles), 두통 및 두피의 이상감각(headache and scalp dysesthesia) 등이다.

1) 부종 및 멍(Edema and Bruising)

이것은 합병증이라고 말하기는 어렵지만 너무 오

래 지속되는 부종은 환자에게 일상으로의 복귀를 지연시키는 큰 요인이 된다. 지방이식 후 부종은 필연적인 현상이나 생착률을 높이기 위해 너무 많은 양의 지방이 이식되어 생기는 부종은 기술적으로 이식되는 양을 효율적으로 조절하여 부종이 과하지 않도록 조정하여야 한다. 보통 전통적인 콜만방식의 지방이식 방법을 따르면 수술 초기에는 '몬스터 페이스(Monster face)'를 하고 있으며 보통 한 달이 경과하여도 부종으로 인해 부자연스러운 얼굴 윤곽을 보여 사회생활에 지장을 받게 된다. 요즘 성형의 트랜드는 비침습적이고 다운타임(down-time)이 빠르면서 효과가 우수한 최소침습적인 술기(minimal invasive procedure)가 선호되며 한국에서는 더욱 그러하다. 그러므로 이를 만족시키는 지방이식 방법은 생착률을 극대화하여 적은 양의 지방이식으로 부종과 멍을 최소로 하여 회복시간을 단축시키면서 원하는 볼륨과 윤곽을 유지시키는 것이다. 실제로 수혜부의 지방수용 범위를 벗어난 이식된 지방은 이식 된 지방조직끼리 중첩되면서 혈류공급을 효율적으로 받지 못하고 결국 괴사되거나 흡수되어 소실되기 때문에 원하는 볼륨감은 만들지 못하게 된다. 또한 이러한 흡수가 일어나는 기간 동안 연부조직에 가해진 무게 효과(weight bearing effect)로 조직의 처짐 현상(tissue drooping)이 유발될 수 있다. 이렇듯 결과적으로 달성하지 못할 볼륨감을 위해서 과정상 많은 양의 지방이 이식되면 지방주입 과정에서 행해지는 케뉼레이션(passing-cannulation)에 의한 기계적인 자극과 이식된 지방 양 자체에 의해 붓기와 멍은 심화된다. 그러므로 지방이식에 있어서 생착 가능한 양의 지방만을 효율적으로 이식하는 것이 원하는 결과는 달성하면서 부종이나 멍을 최소로 하는 방법이라 할 수 있다. 이를 위해서는 수혜부에 효율적인 이식이 되도록 반드시 최소량씩 여러 층에 효과적으로 지방이 이식이 되어야 하고 지방이식의 엔드 포인트(end-point)를 정할 수 있어야 하는데 안면부의 경우에는 일정량을 이식하고 환자를 sitting position에서 수차례 체크해 보면서 원하는 볼륨은 확대되면서 무게에 의한 처짐 현상은 발생하지 않을 시점까지 지방을 이식하면 볼륨적 혹은 윤곽적 결과는 달성하면서 부종을 최소로 하는 비교적 안전한 엔드 포인트라고 할 수 있다.

2) 저교정(Under correction)

구조적 지방이식의 기본원리인 혈류공급이 원활한 수혜부에 최소 크기의 입자가 다층으로 촘촘히 이식되어야 흡수를 줄일 수 있다. 지방의 흡수가 많으면 필연적으로 저교정을 유발하게 된다. 채취 시 외상(trauma)이 많아 손상된 지방을 사용한 경우, 혈액이 과다 섞인 지방조직을 이식한 경우 흡수가 촉진되며, 수술 후 근육의 움직임이 많은 부위, 연부조직의 두께가 얇은 부위, 외상으로 손상 받은 부위에서는 지방의 흡수가 많고 생착률이 떨어진다. 흡수를 줄이기 위해서는 생착률을 높이는 기본 원리가 적용되어야 하는데 이는 지방의 채취, 정제 과정도 중요하지만 무엇보다도 주입과정에서 지방이 원활한 혈류공급을 받을 수 있는 생존 가능한 크기(survival zone)로 지방입자가 이식되어야 한다는 것이 생착률에 가장 중요한 요소라 하겠다. 일반적으로 입자 크기가 반경 0.3 mm 이하인 입자는 입자 중심까지 혈류공급을 받을 수 있고 안정적인 생착이 가능하므로 최대한 작게 입자를 주입하는 술기가 중요하다 하겠다. 저교정이 발생했을 때는 1차 지방이식의 생착이 완성되는 8주 이후 적절한 시점에 2차 주입을 시행하여 교정하면 된다.

3) 비대칭(Asymmetry)

비대칭이 없는 정상적인 안면부에서 시술 전에 정확한 평가와 분석을 하여 지방이식을 하여도 부위마다 생착률에 차이가 있을 수 있다. 연부조직의 밀도나 탄력의 차이, 표정근의 수축력 차이로 인한 안면부 움직임의 차이로 생착률의 차이가 생겨 비대칭이 유발될 수 있다. 특히 이마에서는 약간의 볼륨 차이에도 윤곽적인 비대칭이 유발될 수 있으므로 이식 시 좌우 동일한 양의 지방이 같은 층에 주입되도록 각별히 신경을 써야 한다. 그러므로 이식하는 부위에 국소마취나 혈종으로 인한 부종으로 윤곽 비대칭이 시술 중에 발생한 상태에서도 육안적으로 대칭의 유무를 평가하여 시술을 마치지 말고 이식한 양을 좌, 우 정량적으로 체크하면서 같은 양을 주입하여야 최종 결과에서 윤곽적인 비대칭을 피할 수 있다.

4) 여드름 및 피부 트러블의 악화(Exacerbation of acne and skin troubles)

지방이식 후 갑자기 여드름이 심해지는 환자들을 가끔 접하게 된다. 저자가 1261례의 지방이식 후 발생한 합병증을 분석한 바에 따르면 지방이식 후 약 1.1% 환자에서 출현하는데 그 정도가 환자가 겪었던 일반

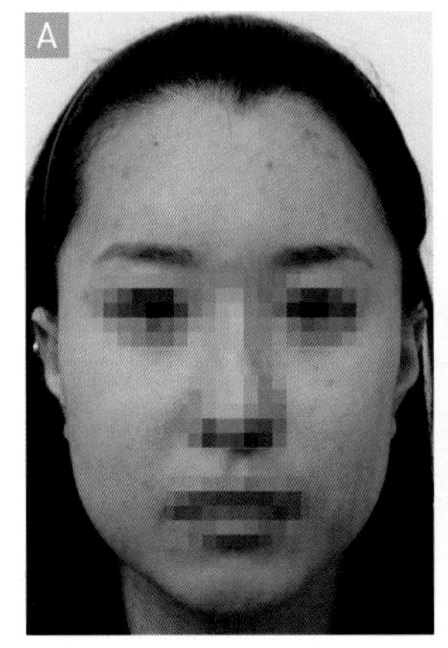

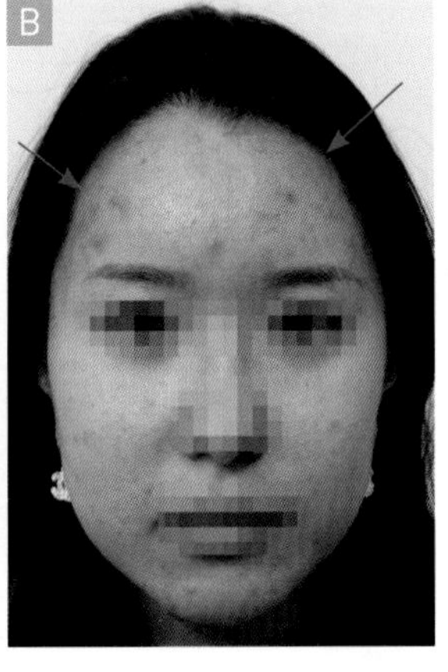

그림 1 지방이식 후 여드름이 악화된 모습-수술 전(A) 예전에 여드름이 있었던 부위 뿐 만 아니라 새로운 부위에도 여드름이 발생하였고 기존의 여드름 부위는 더 악화되었다.(B) 대부분 호전은 되나 적극적인 여드름 치료가 필요하고 보통 6개월 이상 치료기간이 소요된다.

여드름보다 훨씬 더 심하게 나타나게 된다(Kim 등 2012)(**그림 1**). 과거력 상 피부 트러블이나 여드름이 생겼던 얼굴에서 더 많이 출현하는 경향이 있다. 발생기전으로는 지방이식 후 특히 지성피부의 경우 원활한 세안이나 얼굴 크렌징이 이루어지지 않아 모공이 막혀서 발생할 수 있고 안면부에 이식한 지방이 모공에 볼륨적 압박을 주어 모공을 좁게 만들어 피지의 배출이 원활하지 않아 발생할 수 있음을 추측할 수 있다. 또 다른 측면으로는 이식된 지방 조직 내에 함유되어 있는 전구세포(progenitoer cell)인 지방줄기세포(ADSC)가 피지선을 활성화시켜 피지의 분비를 촉진시켜 여드름을 악화시킬 수 있는 가능성도 추측해 볼 수 있다. 지방이식 후 생긴 여드름은 호발 연령 없이 다양한 연령층에서 생기며 보존적 요법으로 치료는 되나 비교적 6개월 이상의 긴 시간에 걸쳐 호전된다. 치료는 안면부 클렌징을 세심하게 하면서 일반 여드름 치료와 마찬가지로 erythromycine이나 tetracycline 계통의 항생제나 로아큐탄(roaccutane)을 복용하면서 동시에 여드름 치료 외용제인 디페린 겔(differine gel 0.1%) 연고를 바르게 하여 치료한다. 경우에 따라서는 폴라리스(polaris) 양극성 고주파 발생기로 피지선을 위축시키는 시술이 도움을 주기도 한다. 예방책으로는 지방이식 시술 전에 여드름이 현재 진행 중인 환자는 여드름 치료가 완료된 후 시술하고 여드름의 과거력이 있던 환자는 시술 후 여드름의 가능성을 반드시 설명하고 시술 후 모공 관리 및 안면 크렌징에 각별히 신경을 쓰도록 해야 한다.

5) 두피의 이상감각 및 두통(Headache and scalp dysesthesia)

이마 지방이식 후 환자가 주관적으로 호소하는 증상으로 나타나게 된다. 육안적 소견상 지방이식 부위에 특별한 이상 징후는 없으나 감각적으로 자신의 피부 느낌이 아닌 이상감각을 호소하기도 하거나 혹은

머리가 쬐는 통증을 호소하기도 하고 편두통과 같은 일반적인 두통의 증상을 호소하기도 한다. 저자의 통계에 의하면 약 1% 정도에서 이마지방이식 이후 이러한 증상을 호소한다(Kim 등 2012). 주로 수술 후 1개월 이상이 경과하면서 이러한 증상을 호소하며 대부분 6개월 내에 두통에 대한 대증적 요법을 시행하면 시간이 경과하면서 거의 대부분 호전되고 만성적으로 진행되는 경우는 거의 없다. 발생기전은 이마에 분포해 있는 감각신경에 손상을 유발하기 보다는 자극이나 통증에 대한 역치(threshold)가 낮은 사람에게서 이마에 이식된 지방이 전두근이나 측두근을 압박하거나 지방이 생착되면서 유발되는 경미한 섬유화(fibrosis)나 흉조직(scarring)이 근막을 자극하면서 이러한 이상감각이나 두통을 유발하는 것으로 사료된다. 치료는 증상을 호소하는 환자들은 상당히 불안감을 느끼므로 두통에 대한 대증적인 치료를 하면서 반드시 호전된다고 심리적으로 안심을 시켜주는 것이 무엇보다도 중요하다.

2. 지방이식의 중등도 합병증 (Moderate complications)

이것은 발생했을 때 주의 깊은 처치로 후유증 없이 치료 가능한 합병증이라 할 수 있다. 여기에는 지방조직의 덩어리(lump)와 경화 및 석회화(calcification), 불규칙 윤곽(contour irregularity), 안면 연부조직 처짐(drooping) 등이 있다.

1) 지방조직의 덩어리와 경화 및 석회화(Lump and hardness, calcification)

지방이식 후 지방의 뭉친 덩어리(lump)가 생기는 합병증은 술기가 부족했을 때 발생하는 지방이식 합병증의 대표적인 예라 할 수 있다. 이러한 지방이식 합병증은 주입 시 한꺼번에 많은 양의 지방조직이 수혜부의 수용범위를 벗어나 연부조직의 두께가 얇은 경우 한 층에 뭉쳐서 주입되면서 발생하는 경우가 대부분이다. 앞에서도 언급했듯이 가장 작은 크기의 지방입자가 생착 될 수 있는 매우 작은 크기로 이식되면 이러한 합병증은 발생하지 않는다. 이식된 지방조직이 생존영역(survival zone)을 벗어나 수혜부의 혈류공급을 원활히 받지 못하는 영역이 있을 때 그 부위의 지방은 서서히 괴사되고 괴사된 조직은 수혜부의 대식세포에 의해 탐식되면서 흡수되는데 이 대식세포의 탐식범위를

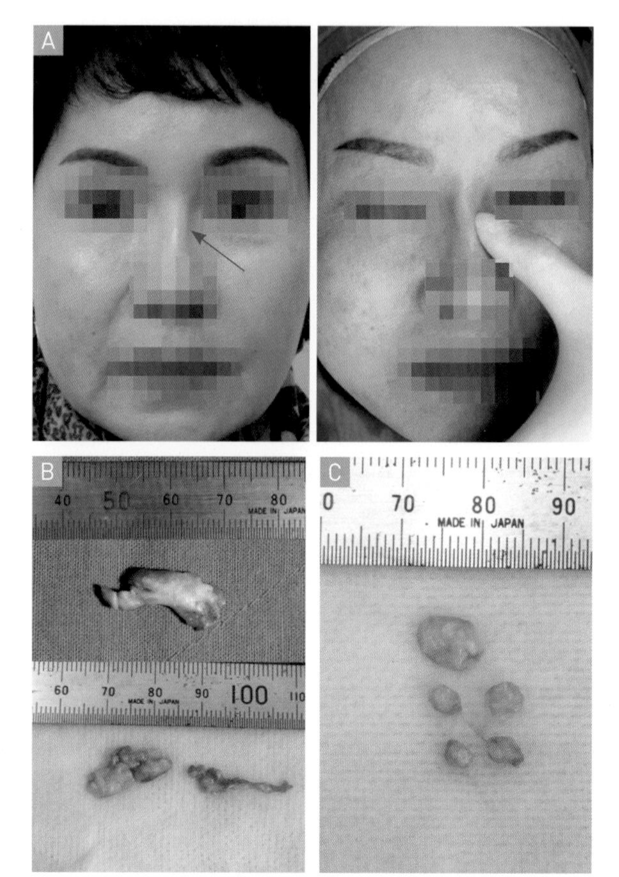

그림 2 연부조직이 얇은 콧등에 이식된 지방이 괴사되어 경화된 lump와 석회화를 형성한 모습–콧등 피부가 얇으므로 육안으로도 식별이 되고 촉지하면 경계가 명확한 덩어리가 형성되어 있다(A). 수술적으로 lump를 제거한 모습(B)과 경화된 섬유성 조직을 제거한 후 석회화된 덩어리만 선택적으로 분리한 근접 모습(C).

넘어선 괴사된 지방조직은 수혜부에서 흡수되지 못하고 섬유화 과정(fibrogenesis)이 진행되면서 단단하게 경화된 덩어리(cicatrization)를 만들게 되고 경우에 따라서는 괴사된 지방세포에서 유리된 지방산(fatty acid)이 수혜부 조직에 있는 칼슘과 결합하면서 석회화되면 더 단단한 덩어리를 만들게 된다(Kato, 2014). 특히 피부가 얇은 얼굴부위, 예를 들면 눈꺼풀이나 눈밑 피부 혹은 콧등에서 생긴 경화 덩어리나 석회화는 촉지하지 않아도 육안적으로도 그 형태가 바로 투영되므로 더 문제가 되는 합병증이라 할 수 있다(**그림 2**). 치료는 석회화가 진행되기 전의 경화된 덩어리의 경우는 생리식염수로 희석된 트리암시노론(1:2 비율)을 1-2개월 간격으로 2-3회 주사함으로서 경화된 단단한 덩어리를 유화시키면서 동시에 섬유화 조직을 위축시켜 그 크기를 감소시킬 수 있으나 이로도 호전되지 않은 섬유화 덩어리(fibrotic lump)나 매우 단단한 석회화 덩어리(calcification mass)는 수술적으로 제거해야 한다. 이러한 합병증은 지방주입의 술기를 더 정교하고 세심하게 시행하는데 주위를 기울여 지방조직을 최소 두 층 이상에 나누어 주입하며 1 cc의 지방을 10-20회에 나누어 주입하는 극 최소량의 지방 주입법(high minimum amount fat injection technique)을 철저하게 시행함으로써 어느 정도 예방할 수 있다.

2) 불규칙 윤곽(Contour irregularity)

이는 비대칭 윤곽과는 약간은 다른 개념으로 지방이식 후 얼굴의 전반적인 윤곽에 불규칙성이 더 부각되는 경우이다. 얼굴의 특정 부위에 굴곡(groove)이 더 부각되어 보이거나 얼굴 선(facial line)이 부드럽지 못하고 불규칙 라인을 가져 미적으로 문제가 되는 경우이다.

대체로 안면 근육의 움직임이 많이 있는 부위에서 또는 유지 인대(retaining ligament)가 강하게 결합되어

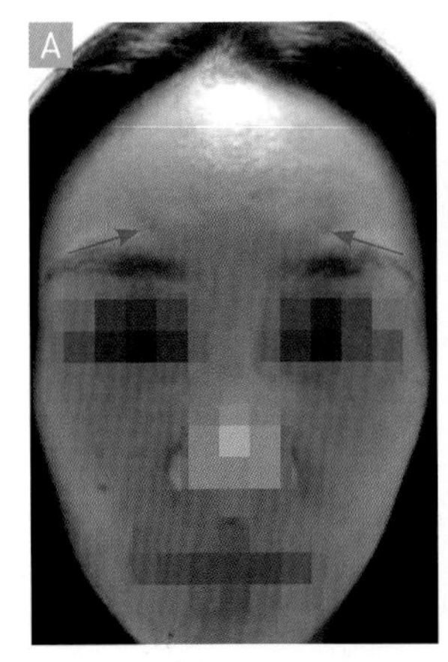

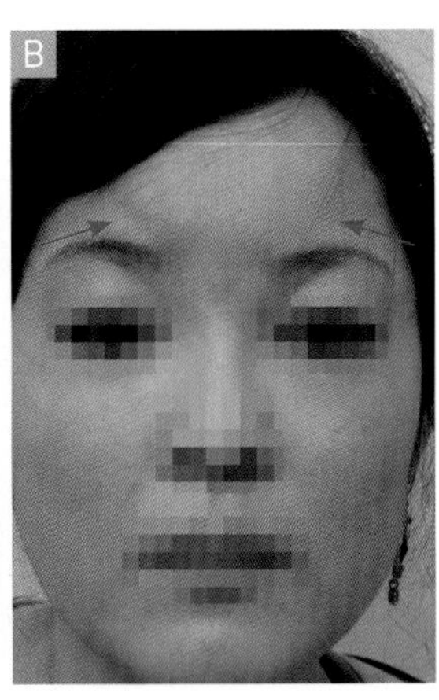

그림 3 이마 지방이식 후 추미근(corrugater muscle)을 경계로 그 하방은 지방의 생착률이 저하되어 부채꼴 모양으로 중앙 이마의 볼륨감이 과도하게 부각되어 전형적인 지방이식 받은 표시가 나는 불규칙 이마 윤곽을 보이는 경우로 백열등과 같은 조명 아래에서 더 뚜렷하게 표현된다(A). 특히 이마 근육을 사용하는 표정을 짓는 동적인 상태에서 더 잘 나타나게 된다(B).

있는 부위에서 많이 발생한다. 대표적인 경우가 이마 지방이식 후 중앙이마의 입체감 및 볼륨감은 안정적으로 유지되는 반면 상안와연(supraorbital ridge) 상방의 사선 방향의 추미근(corrugator muscle)을 경계로 그 하부는 지방의 흡수가 많이 되어 상대적으로 이마가 꺼져 보이는 현상이 출현하여 부채꼴 모양의 이마 윤곽을 보여 전반적인 이마의 윤곽이 불규칙하게 보이는 경우이다(**그림 3**). 이러한 이마 불규칙성은 경험이 부족한 술자가 시술하거나 추미근의 기능이 항진된 사람의 이마 지방이식 후 흔히 출현하며 일반인들도 그러한 이마 모양을 보면 전형적인 지방이 주입된 이마(fat-injected looking forehead appearance)로 인지하게 된다. 이러한 이마 불규칙성은 예방이 더 중요한데 기술적인 측면에서 전두근이 발달된 중앙 이마의 윤곽을 보존적으로 증대시키고 추미근 하방 및 상안와연 상부 부위에 더욱 정교한 밀도 있는 구조적 지방이식이 시행되어야 한다. 그러므로 이 부위에 혈소판 풍부혈장(PRP)이나 지방줄기세포(ADSC)가 혼합된 지방조직을 선택적으로 이식하여 생착률을 극대화시키고 지방이식

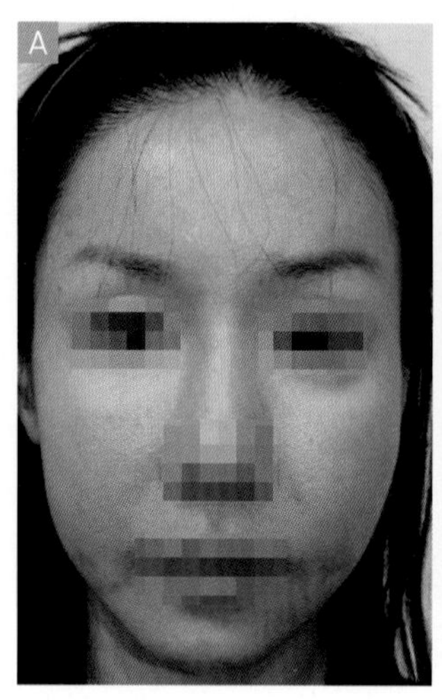

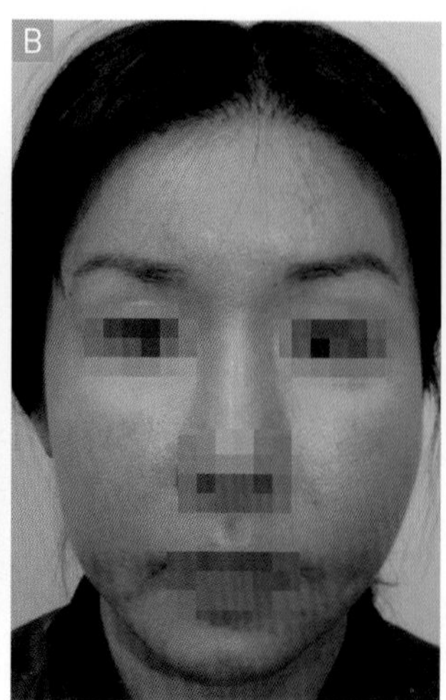

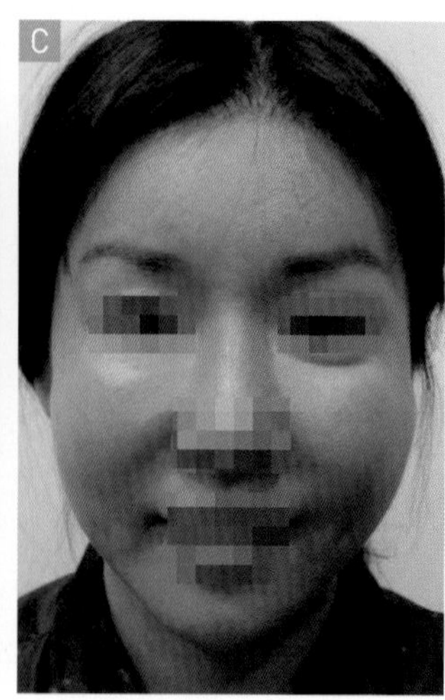

그림 4 Malar eminence부위에 지방이식이 과도하면 웃는 표정을 지을 때와 같은 동적인 상태(dynamic expression)에서 부자연스러운 중안면부의 윤곽이 출혈할 가능성이 있다. 이러한 문제점을 예방하기 위해서는 수술 전 얼굴의 동적인 상태에서 관골 주변의 표정근 수축 정도를 반드시 체크하고 지방이식의 양을 보존적으로 하는 것이 중요하다. 수술 전(A), 수술 후 6개월 시점의 정적인 모습(B), 수술 후 표정 짓는 동적인 상태의 부자연스러운 모습(C)

이전에 보툴리늄 톡신을 이용하여 추미근과 전두근의 움직임을 억제시킨 후 지방이식을 하면 이러한 불규칙성을 어느 정도 예방할 수 있다. 하지만 무엇보다도 중요한 것은 전두근이 발달되고 중앙 이마의 연부조직이 두꺼운 경우는 중앙이마 부위에 최대한 보존적으로 지방이식을 시행하여 추미근 부위와 자연스럽게 윤곽이 이어지게 하는 것이 자연스럽고 부드러운 이마 윤곽을 만드는데 필수적이다. 예방조치를 시행하였음에도 불구하고 이러한 불규칙 윤곽이 출현하면 추미근 부위의 함몰된 부위만 선택적으로 추가이식을 하여 이마의 모양을 맞춰나가야 하며 동시에 보튤리늄 톡신을 주사하여 추미근과 전두근을 억제시켜 비교적 불규칙성이 적은 이마 모양을 보이게 하여야 한다.

또한 중안면부에서도 이러한 부자연스러운 윤곽이 출현할 수 있는데 바로 관골 돌출부(malar eminence)이다. 이 부위는 생동감있는 이미지를 만들기 위하여 입체적 윤곽이 잘 표현되어야 하는 부위인데 정적인 상태와 표정을 짓는 동적인 상태(dynamic animation)를 잘 고려하여 입체적 윤곽을 만들어야 한다. 대체로 관골에 부착되어 있는 표정근은 웃는 표정 시 근육이 수축하면서 볼륨의 증대가 이루어진다. 그러므로 특히 이러한 표정근이 발달된 사람에게 정적인 상태를 기준으로 관골 돌출부를 충분히 표현하게 되면 웃는 표정 시 관골주변 근육 볼륨의 확대와 더불어 이식된 지방조직의 볼륨이 합쳐져서 상당히 어색하고 부자연스러운 중안면부의 윤곽이 출현하고 실제로 안면부 지방이식 후 이러한 점을 불평하는 환자들이 상당히 많다(**그림 4**). 그러므로 수술 전 반드시 중안면부의 동적인 상태에서의 관골돌출 윤곽을 평가하고 이를 고려하여 정적인 상태의 관골 돌출부의 볼륨감을 적절히 표현하는 지방이식이 이루어져야 수술 후 자연스러운 얼굴표정의 윤곽을 만들 수 있다. 그러므로 수술 전 반드시 얼굴디자인에서 애니메이션을 수차례 시켜서 동적인 상태에서도 자연스러운 관골 돌출부가 표현되는 중안면부가 나타나도록 수술 전 디자인에 각별히 신경을 쓰는 것이 중요하다.

지방이식 후 불규칙 윤곽이 호발하는 또 다른 부위는 유지인대(retaining ligament)가 부착 되어있는 곳

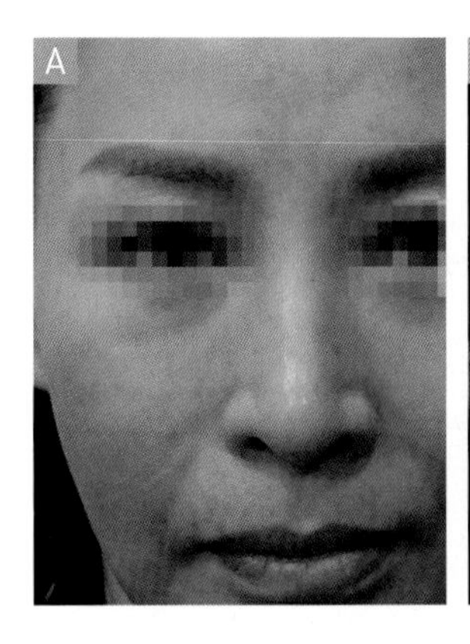
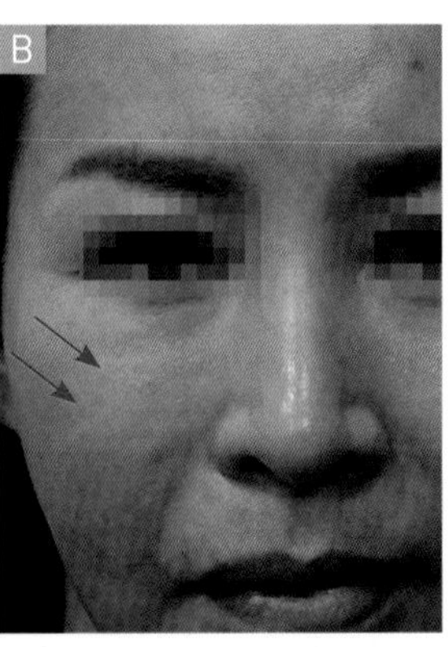

그림 5 안면부의 유지인대(retaining ligament)가 부착되어 있는 주름(crease)이나 굴곡(groove)은 지방이식 시 더 세심한 주의를 기울여야 한다. 위의 사진은 지방이식 후 소위 '인디안 밴드'라고 불리우는 Mid-cheek groove가 더 부각되어 나타나는 경우이다.(B, 화살표 부위)

이다, 특히 눈물도랑(tear-trough deformity)과 인디안 주름(indian band)이라고 알려져 있는 중앙협부 주름(mid-cheek groove)부위이다. 이 부위는 안와 유지 인대(orbital retaining ligament)에서 유래된 눈물도랑 인대(tear-trough ligament)와 관골 유지인대(zygomatic cutaneous ligament)가 피부 층을 지지하면서 피부와 단단히 부착되어 있어 표면 해부학상 안면부에서 함몰되어 있는 골(groove)이나 주름(crease)으로 보이게 된다. 이러한 부위를 교정하기 위하여 지방이식을 시행할 수 있는데 시술 후 오히려 이러한 골이나 주름이 더 부각되어 오히려 얼굴윤곽이 더 불규칙하게 보이는 경우가 있다**(그림 5)**. 이러한 합병증이 발생하는 원인은 실제로 눈물도랑이나 중앙협부 주름의 내부는 매우 타이트한 조직으로 지방이 효과적으로 이식될만한 공간이 확보되어 있지 않다. 유지인대의 부착부위를 충분히 해리하여 공간을 확보하지 않고 이식되면 목표로 하는 유지 인대 함몰 부위는 지방이 이식되지 않고 오히려 지방은 유착이 더 느슨한 공간으로 이동되면서 주입된다. 그렇게 되면 골은 더 깊어지면서 부각되어 보이게 된다. 실제로 인디안 주름을 교정하기 위하여 약간만 과주입 되어도 타이트한 유착을 이루고 있는 관골유지인대 부위에는 거의 이식되지 않고 오히려 유착이 느슨한 인디안 주름상부의 관골전방 공간(prezygomatic space)으로 이동되어 이식되므로 인디안 밴드는 더 부각되게 된다. 이를 예방하기 위해서는 유지인대 부위에서 유지인대를 완전히 해리하여 공간을 확보하기는 매우 어려운 일이지만 일단은 충분히 해리하도록 노력하고 골이나 주름의 주변부를 대칭압박(counter compression)하면서 이식되는 지방이 다른 부위로 이동되는 것을 막으면서 최소입자 크기로 소량씩 보존적으로 이식하여 윤곽을 맞춰나간다. 필요에 따라서는 굴곡을 해결하기 위해서 정교한 표층이식이 필요할 수도 있다. 절대로 과교정은 금물이고 이식 후 충분한 몰딩과정을 통해서 표면 불규칙성을 어느 정도 예방 할 수 있다.

3) 안면 연부조직 처짐(drooping)

이는 이식된 지방의 양이 과할 때 연부조직에 무게효과가 가해지면서 발생한다. 피부가 얇거나 탄력이 저하된 중년여성에서 출현할 가능성이 많다. 중안면부 특히 협부에서 잘 출현하는데 수술 전 피부탄력이 부족하거나 피부가 얇은 경우에는 절대로 과교정을 하지 말고 수술 중에 수시로 환자를 앉혀서 체크해 가면서 지방이식 양의 엔드 포인트(end point)를 잘 정하는 것이 중요하다. 또한 동양인에서는 교근 발달로 인한 사각턱의 경우 보톡스 시술을 받는 경우가 많은데 이를 고려하지 않고 협부 쪽에 지방이식이 되면 추후 보톡스 시술 효과가 사라지는 시점에 다시 비대해진 교근과 이식된 협부의 지방볼륨이 합쳐지면서 얼굴이 더 커 보이거나 볼 살이 처져 보이는 현상을 유발하는 경우도 있다. 그러므로 수술 전 보톡스 시술 여부를 반드시 문진하는 것이 이러한 합병증을 예방하는데 도움이 된다.

3. 지방이식의 중증의 합병증
(Severe complications)

이것은 발생했을 때 적절한 처치를 하여 해결 하여도 후유증이 남을 수도 있는 합병증이다. 실재로 성형외과의사로서 긴 기간 동안 많은 케이스의 지방이식술을 한다면 한번쯤은 반드시 겪게 되는 합병증으로 지방이식을 하는 성형외과의사라면 반드시 숙지하고 있어야 하는 합병증이다. 그래야 이러한 합병증을 직면했을 때 당황하지 않고 단계적인 조치를 취할 수 있다, 여기에는 주로 이식된 지방조직 내 존재하는 프리-오일(free-oil)이나 이것이 흡수되지 않고 비정상적으로 형성된 안와 기름 육아종(periorbital lipogranuloma)이 원인이 되어 유발되는 안와부위 만성부종(chronic periorbital edema), 거대 지방 괴사성 낭종(mega fat necrotic cyst), 이식부위의 국소감염, 신경의 손상 등이 있다.

1) 안와부 만성부종(chronic periorbital edema)

이 합병증은 지방이식 후 눈 주위가 비교적 오랜 기간 동안 만성적으로 홍반을 동반하면서 반복적으로 붓는 증상을 보인다. 경우에 따라서 눈꺼풀에 심한 부종이 있을 때는 눈이 떠지지 않을 정도로 심하게 붓는 경우도 있다. 주로 이마 지방이식 후 발생하는데 수술 직후 보다는 지방이식 후 1-2개월 경과한 후에 발생하는 경우가 많다. 경우에 따라서는 1년이 넘어서도 발생되는 경우도 있다. 호전 없이 계속해서 안와 주위에 홍반을 동반한 만성 부종을 나타내는 경우도 있지만 대부분 호전과 악화를 반복하는 경향이 있다. 주로 편측으로 상안검에 발생하나 하안검에도 발생하기도 하고 때로는 상하안검 동시에 발생하기도 한다. 주로 냉동 보관지방 이식 후 발생하는 것으로 알려져 있으나 신선지방(fresh fat)을 사용하는 경우도 발생한다. 저자의 1261명 지방이식 통계에 의하면 약 1% 미만으로 9명 정도에서 이마 지방이식 이후 이러한 합병증이 발생 하였다(Kim 등 2012). 발생기전은 주로 이마에 다량으로 이식되었던 지방조직에서 유출된 프리-오일이 이마 부위의 여러 조직층에서 안정되게 정상적으로 흡수되지 못하고 중력에 의해 하방으로 이동하여 상안검의 안와격막 외부나 경우에 따라서는 격막 내부에 고여서 조직반응을 일으키면서 발생된다. 정상적인 면역기전을 가진 신체 상태에서는 고여 있는 프리오일은 특별한 조직반응 없이 자연스럽게 흡수되나 전신 컨디

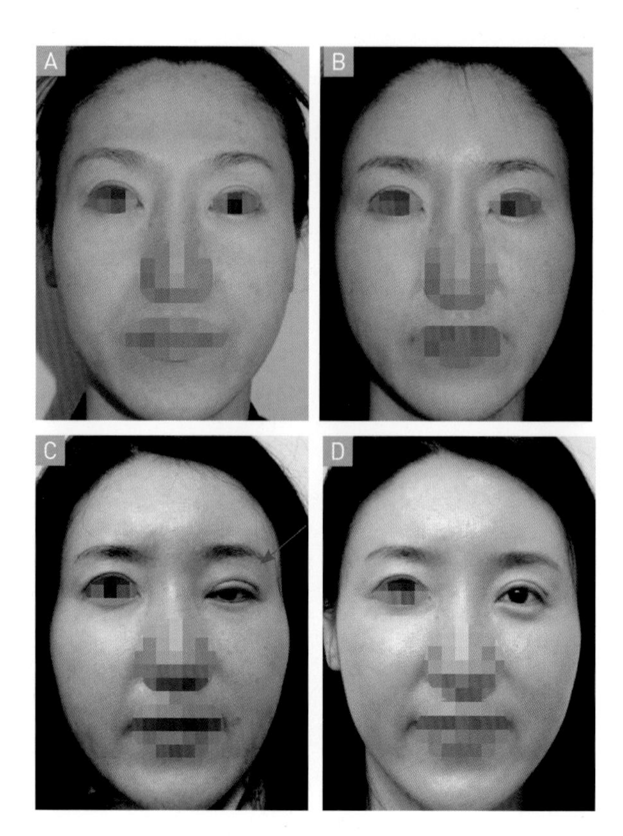

그림 6 이마를 포함한 안면부 전체 지방이식 후 출현한 안와부 만성부종(chronic periorbital edema)의 증례-수술 전(A), 2회의 지방이식 후 18개월 경과한 모습으로 이때 새로이 채취한 지방을 이용하여 3차 지방이식을 시행하였다(B). 3차 지방이식 후 2개월 경과한 시점부터 호전과 악화를 반복하는 안와부 만성부종이 상,하안검에 출현한 모습으로 이학적 검사 상 뚜렷한 기름 육아종(lipo-granuloma)은 발견되지 않았다(C). 외과적 처치 없이 6개월 간 보존적 치료를 시행한 후 후유증 없이 안와부 만성 부종이 깨끗하게 호전된 모습이다.(D).

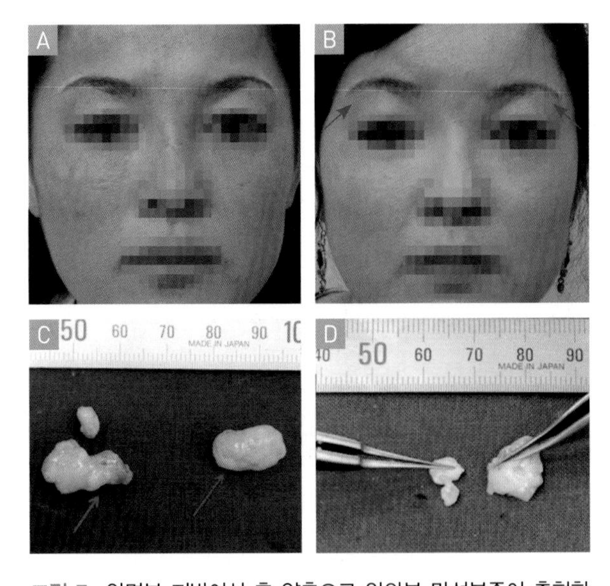

그림 7 안면부 지방이식 후 양측으로 안와부 만성부종이 출현한 모습-수술전(A), 보존적 치료에도 반응하지 않고 호전되는 기미 없이 만성적으로 부종이 계속되는 경우는 외과적 처치를 고려해야 한다(B, 호살표 부위). 특히 기름 육아종(lipogranuloma)이 이학적 검사 상 촉지 되면 되도록 일찍 제거하는 것이 안와부 만성부종을 치료하는데 도움이 된다. 수술적으로 안와지방(orbital fat)과 함께 안와지방에 섞여서 퍼져있는 기름 육아종을 제거한 모습(C,화살표)과 뭉쳐있는 기름 육아종을 분리한 후 확대한 모습(D).

션이 떨어져 면역기능이 저하된 경우 이 축적된 프리-오일은 상황에 따라서 반응성 염증(reactive inflammation)을 발생시켜 그 증상으로 홍반을 동반한 부종이 반복적으로 생기게 된다. 그러므로 대부분 긴 기간 동안 호전과 악화를 반복하는 임상 양상을 보이게 된다. 이러한 부종이 호전되지 않고 점점 악화되는 기전은 보존적인 치료에 반응하지 않고 더 이상 체내에서 흡수될 수 없는 기름 육아종(lipogranuloma)을 형성하여 지속적인 육아종성 염증반응(granulomatous inflammation)을 일으키기 때문이다. 대부분은 6개월 정도 소염제 및 예방적 항생제와 부종감소를 위한 이뇨제(laxis) 및 스테로이드(dexamethasone) 투여 같은 보존적 치료로 좋은 경과를 보이며 별 문제 없이 호전되므로 상태가 심하지 않은 경우는 성급한 외과적 처치보다는 일단은 경과를 지켜 볼 것을 추천한다**(그림 6)**. 하지만 보존적 치료에도 반응하지 않고 6개월 이상, 호전되는 기미 없이 만성적으로 부종이 계속해서 지속되거나 이학적 검사 상 뚜렷한 기름 육아종이 형성되어 있을 경우는 6개월 이전이라도 수술적으로 이를 제거해 주는 처치가 진행되어야 만성 부종의 호전이 가능하다**(그림 7)**. 이를 예방하는 방법은 원심분리를 포함한 지방 정제과정에서 충분하고 철저한 오일의 제거가 이루어져야 하며 지방 주입 시에도 최대한의 비외상성(atraumatic) 테크닉을 적용시켜 지방파괴로 인한 오일의 유출을 최소로 해야 한다. 또한 2차 지방 이식시 냉동 보관지방을 사용할 경우는 해동된 지방을 바로 사용하지 말고 반드시 원심분리를 재차 시행하여 보관중에 파괴된 지방세포에서 유출된 프리오일을 확실히 제거한 재정제 된 지방을 사용하여 이식하여야 이러한 합병증을 최소로 할 수 있다.

2) 거대 지방 괴사성 낭종(Mega fat necrotic cyst)

근자에는 지방이식의 술기가 발전하고 정교해져서 대체로 성형외과 의사들이 지방을 주입할 때 매우 소량씩 주입하는 이식 테크닉을 사용하므로 안면부에서는 작은 덩어리(lump)나 미세 석회화를 유발하는 경우는 간혹 있으나 거대 지방 괴사성 낭종이 발생하는 경우는 드물다 이 합병증은 주로 대량의 지방이식이 시행되는 유방확대 지방이식에서 잘 생기게 된다. 뭉쳐서 주입된 대량의 지방입자는 혈류공급이 원활하지 못한 영역에서는 필연적으로 지방 괴사가 일어나게 되는데 괴사성 낭종이 발생되는 기전을 살펴보면 괴사된 지방조직을 흡수하기 위하여 M1 대식세포가 괴사조직을 둘러싸서 탐식작용을 시도하지만 괴사된 조직의 양이 많고 범위가 크면 M1 대식세포가 이를 흡수하지 못한다. 이후 과정으로 이 괴사조직을 M2 대식세포가 다시 둘러싸면서 탐식을 시도해 보지만 내부의 큰 괴사조직은 역시 흡수되지 못하고 그대로 유지된 채 이 주위로 섬유화가 진행되면서 낭종 벽(cyst wall)을 형성하고 결국 지방이 괴사되어 생긴 오일 성분으로 가득 차 있는 지방 괴사성 낭종을 형성하게 된다(Kato, 2014). 비교적 얕은 연부조직 층에서 발생된 지방 괴사성 낭종은 육안적으로도 확인이 되나 깊은 층애서 발생한 괴사성 낭종은 육안적으로는 나타나지 않고 촉진하여야 발견할 수 있다. 임상적 소견은 대체로 낭종의 멍울만 나타나고 별다른 증상은 없으나 낭종 주위로 염증반응이나 유착이 나타나면 통증과 함께 불편감을 호소하는 경우도 있다. 별다른 증상이 없는 직경 1 cm 이하의 작은 낭종은 육안적으로 유방의 변형을 유발할 정도가 아니므로 그대로 지켜보거나 초음파 가이드 하에 바늘로 오일을 흡입(aspiration)하여 크기를 줄일 수 있다. 임상적으로 통증이나 불편 감을 나타내는 직경 1 cm 이상의 큰 낭종은 바늘로 흡입을 시도 할 수도 있으나 재발의 가능성이 있으면 낭종의 캡슐을 포함하여 외과적으로 제거하는 것이 좋다. 이러한 괴사성 낭종을 예방하기 위해서는 여러 층에 최소량씩 이식해야하는 지방이식의 기본원칙을 반드시 잘 따라야 한다. 즉 유방처럼 대량의 지방이 이식되는 부위라도 한번 슈팅으로 이식되는 지방의 양이 0.1 cc를 넘기지 않도록 한다. 즉 시간이 많이 소요되더라도 3 cc 나 1 cc의 작은 실린지를 이용하거나 실린지를 사용하지 않을 경우는 지방의 주입되는 양이 한번 passing시 0.1 cc 이하로 조정되는 지방주입 디바이스(device)를 사용할 것을 권장한다.

3) 이식부위 국소감염(Infection of fat graft)

시술받은 환자가 특별한 질환을 가지고 있지 않고 건강하다면 지방이식은 자가 조직이기 때문에 무균적 수술원칙을 잘 따르고 수술 후 예방적 광범위 항생제를 투여한다면 특별한 감염의 가능성은 적다. 하지만 구강점막이나 비강 점막에 천공이 되면서 세균에 오염

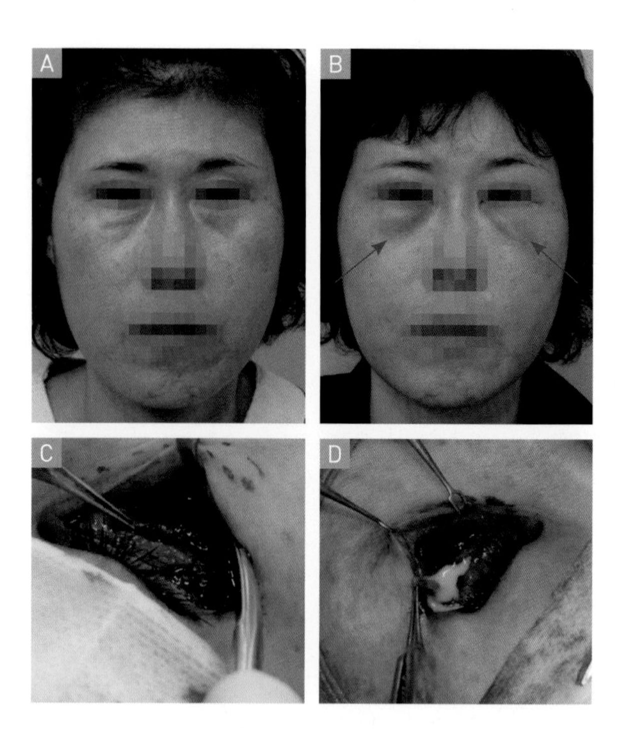

그림 8 20년 이상 장기적으로 스테로이드를 복용하여 면역기능이 저하된 환자에서 지방이식 후 5개월 후에 양측 하안검에 열감과 발적을 그리고 통증을 동반한 급성 염증 소견을 보인 경우(A,B)로 광범위 항생제 치료에도 반응을 보이지 않아 수술적 처치를 시행한 모습으로 감염된 기름 낭종(infected oil-cyst)이 주변 조직과 유착이 되어 있는 염증소견을 보이며(C) 기름 낭종 피막이 손상되면서 액화괴사(liquefaction necrosis) 된 지방조직이 유출되는 모습이다.(D)

이 된 케뉼라를 다른 부위에 사용되면서 감염이 진행될 수도 있다. 그러므로 얼굴 지방이식에서 입술 부위는 제일 나중에 이식하는 것이 안전하고 혹 케뉼라가 점막에 노출되었다면 교체하여 시술해야 한다. 드문 경우이지만 대부분 지방 괴사성 낭종은 특별한 문제를 일으키지 않지만 지방 괴사성 낭종이 피막을 안정되게 형성시켰다 할지라도 면역기능이 저하되거나 전신 컨디션이 안 좋은 환자에서 낭종 내부에서 액화괴사(liquefaction necrosis)된 지방조직이 감염을 일으켜 염증이 출현하면 임상적으로 발적과 열감을 동반하면서 통증을 나타내는 감염성 기름 낭종(infected oil-cyst)으로 되는 수도 있다. 이러한 국소감염은 지방이식 후 수개월이 경과 한 후 출현할 수도 있으므로 스테로이드

나 면역 억제제를 장기적으로 복용하는 환자나 결핵이 나 당뇨병을 앓고 있는 환자는 장기적으로 추적 검사를 하여 지방이식 후 감염에 대하여 더 세심한 주의를 기울여야 한다(**그림 8**).

4) 신경의 손상(Nerve injury)

근자에는 지방이식에 대한 많은 교육으로 시술의 안전성을 위하여 지방주입 시 니들을 사용하지 않고 끝이 뭉뚝한 케뉼라를 사용하므로 신경의 손상빈도는 매우 적다. 니들을 이용하여 지방이식을 시행한 경우 안면신경의 협부 분지(buccal branch)나 변연 하악 가지(marginal mandibular branch)가 손상되어 일시적인 안면운동에 장애가 초래된 적이 있으나 대부분 2-3개월이 경과하면서 호전되었다는 보고가 있다(Coleman, 2004). 지방이식 시술에서 끝이 무딘 케뉼라를 보편적으로 사용한 이후에는 신경손상의 빈도는 매우 드므나 비교적 팁이 날카로운 콜만식 type-III 케뉼라를 사용할 때는 경미한 신경 손상(neuropraxia)의 가능성이 있으므로 항시 주의를 해야 한다.

4. 지방이식의 치명적 합병증(Fatal complication)

이것은 환자를 위해서는 임상적으로 발생하지 말아야 하는 합병증이지만 간혹 발생되는 경우가 보고되고 있으며 적절한 처치를 하여도 심각한 후유증을 남길 수 있는 합병증으로서 여기에는 피부괴사, 실명, 뇌경색 등이 있다.

1) 피부괴사(Skin necrosis)

필러와 마찬가지로 지방이식 후에 피부괴사의 가능성은 항시 존재한다. 주로 동맥 내 주입(intra-arterial injection)으로 인한 혈관 색전증(vascular embolism)의 결과로 나타난다.

코, 팔자 주름, 미간부위에서 호발하고 입술에서도 간혹 출현한다. 지방이식 시 한번 슈팅으로 주입량이 0.1 cc 미만으로 작은 양(small bolus)이 혈관으로 주입되는 경우는 주사 부분(original injection entry site)을 기준으로 근위부에서 혈관 색전증이 출현하여 피부괴사가 국소적으로 발생 할 가능성이 높지만 일회 슈팅으로 0.1 cc가 넘는 비교적 많은 양(large bolus)이 주사될 경우는 작은 또는 중간 크기의 혈관(small or medium sized vessel)에 일단 색전증을 일으키고 이미 막혀버린 작은 크기의 혈관으로는 더 이상 남은 지방 입자들이 진행이 안 되고 결과적으로 갈 곳이 없는 남은 입자들은 역류하여 더 큰 혈관으로 진입하고 큰 혈관으로 이동 된 지방입자가 다시 역류하면서 예기치 않은 지류 혈관(tributary)으로 유입되면 결과적으로 이러한

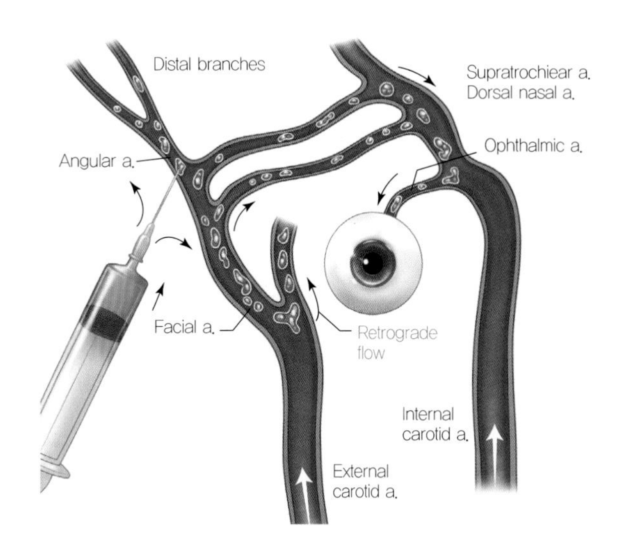

그림 9 역설적 근위부 색전증(paradoxical proximal emboli)을 설명하는 모식도-어떠한 경로이든 손상된 혈관을 타고 들어간 지방입자로 유발되는 색전증은 지방주사 부위의 가까운 근위부에서 발생할 뿐 만 아니라 상대적으로 먼 부위의 혈관에서도 언제든지 발생할 가능성이 있다. 즉 지방 주사 부위는 팔자 주름인데 손상되는 부위는 주입한 부위에서는 상대적으로 매우 멀리 떨어져 있는 원위부의 중심망막동맥(central retinal artery)에 색전증이 일어나 실명까지 발생할 수 있는 병태생리학을 설명하는 기전이 된다.

특이한 경로로 먼 위치의 혈관까지 이동하여 거기서 혈관 색전증을 일으켜 조직 손상을 주게 된다. 이를 '역설적 근위부 색전증(paradoxical proximal emboli)' 이라하는데 후술하겠지만 지방 주사 부위는 팔자 주름인데 손상되는 부위는 주입한 부위에서는 상대적으로 매우 멀리 떨어져 있는 원위부의 중심망막동맥(central retinal artery)에 색전증이 일어나 실명까지 발생할 수 있는 병태생리학을 설명하는 기전이 된다(DeLorenzi, 2014)(**그림 9**). 이러한 합병증을 막기 위해서는 무엇보다도 예방이 중요한데 지방이식 과정 동안 혈관의 손상을 최소로 해야 한다. 즉 동맥혈관의 손상이 아니어도 어떠한 경로이든 혈관을 타고 동맥으로 진입한 지방입자가 이러한 색전증을 유발하여 피부의 괴사를 일으키게 된다. 시술 시 반드시 니들이 아닌 끝이 뭉뚝한 케뉼라를 사용해야하며 마취 시 혈관수축제를 사용하여 국소 마취하는 것이 도움이 된다. 임상적으로 끝이 뭉뚝한 케뉼라가 혈관벽을 관통하거나 혈관을 손상시켜 찢기게 하는 경우는 매우 드물다. 하지만 문제는 어떠한 원인으로든 시술 중 혈관손상이 있었다면 그 부위에 지방입자가 유입될 가능성을 예상하여야 한다. 물론 출혈이 되어 임상적으로 멍이든 부위가 보이면 이 부위는 압박한 이후에 시간적 여유를 갖고 나중에 지방주입을 하는 것이 좋다. 하지만 미세한 혈관손상은 멍으로 출현하지 않을 수 있으며 임상적으로 알기가 어렵다. 그러므로 임상적으로 혈관손상이나 피부괴사가 호발하는 부위 즉, 팔자주름, 미간, 코 부위 등을 시술할 때는 각별한 주의를 기울어야 한다. 이 부위에서는 케뉼라 주입 후 흡입(aspiration)을 통하여 혈관손상 유무를 확인하고 반드시 후퇴하면서 주입(retrograde injection)하고 한번 슈팅에 가장 최소량의 지방이 주입되도록 극 최소량 지방 주입법(High minimum amount fat injection technique-지방 0.1 cc 를 10-20회 나누어 주입하는 방법)을 이용한다. 이러한 극 최소량 지방 주입법을 위해서는 채취되는 지방입자 크기가 매우 작도록 지방 채취관 팁의 구멍(hole)이 1 mm 이하가 되는 특수한 채취관을 이용하고 오일이 굳어서 주입 주사기 피스톤 압이 뻑뻑해지는 현상을 막기 위해 공기 중에 오래 방치하지 말고 비교적 빠른 시간에 주입하는 것이 좋다. 혹시 주입 중에 약간이라도 저항이 느껴지는 압력이 발생하면 케뉼라를 빼고 다시 주사기와 케뉼라를 정검 한 후 부드러운 주사기 피스톤의 움직임을 가능하게 한 후 주사한다. 특히 이 위험 부위는 이식되는 지방의 양이 많아도 손상된 혈관을 따라 압력에 의한 지방입자의 유입이 가능하므로 이식되는 지방의 양을 보존적으로 하는 것이 좋다.

피부괴사 합병증이 생기는 또 하나의 유형은 대량 지방이식으로 인해 수혜부 조직 내 압력증가로 혈류공급의 장애를 받을 경우 발생할 수도 있다. 특히 부행혈관(collateral vessel)이 발달하지 못한 부위에서 더 발생할 가능성이 높다. 대량 지방이식은 수혜부의 공간적인 지방 수용영역의 한계로 지방의 생착률도 저하되지만 이러한 압력에 의한 혈류장애까지 발생하면 합병증으로 피부괴사의 가능성이 있음을 염두 하여야 한다. 특히 지방이식을 통한 유방확대를 시행할 경우 동양인의 경우는 서양인보다 유방의 용적이 작으므로 한 쪽당 250 cc 이상의 지방을 이식할 경우는 이러한 압력증가에 의한 피부괴사의 가능성을 염두하고 시술하는 것이 좋다.

2) 실명(Blindness)

이 합병증은 발생되면 호전이 되기는 어렵고 치명적인 후유증을 남기므로 발생되지 말아야 하는 합병증이지만 임상적으로 필러 시술이나 지방이식 후 드물지 않게 발생한다. 지방이식후 안구에 갑작스러운 통증과 더불어 동시에 시야가 좁아지고 어두워지는 급격한 시력저하 증상이 발현하면 바로 의심하여야 한다. 원인은 어떠한 상황이든 손상된 혈관을 통해서 이동된 지방입자가 안동맥(ophthalmic artery)으로 유입되고 이것이 역류하면서 중심망막동맥(central retinal artery)에 색전증을 일으켜 시력을 상실하게 만든다. 임상적으로 안동맥까지 지방입자를 유입되게 하는 손상 혈관은 미간 부위 시술에서 주로 손상이 유발되는 상도르레 동맥(supratrochlear artery), 상안와 동맥(supraorbital artery)이지만 역설적 근위부 색전증(paradoxical proximal emboli)에서 보듯이 팔자주름이나 코, 입술 부위를 시술하다가도 지방입자는 얼마든지 안동맥, 중심망막동맥에 유입되어 색전증에 의한 실명을 일으킬 수 있다(**그림 10**). 일단 중심망막동맥에 색전증이 발생하면 최근에는 색전용해술(thromboembolysis)을 포함한 다양한 치료방법을 시도해 보지만 임상적으로 실명을 개선시키기는 매우 어려우므로 이러한 합병증이 발생되지 않도록 예방하는 것이 무엇보다도 중요하다. 이에 Lazzeri 등은 안면부 주사 시술(facial cosmetic injection)시 이러한 실명을 예방하기 위한 시술 시 주의 점을 제시하였는데 여기에는 1) 외측에 구멍을 가진 무딘 케뉼라의 사용(Blunt cannulas with lateral hole), 2) 작은 실린지의 사용(1-3 ml 크기), 3) 최대한 부드러운 터널링(Extensive gentle pretunneling), 4) 미간이나 이마 부위에서는 주사방향의 움직임이 주름 방향보다는

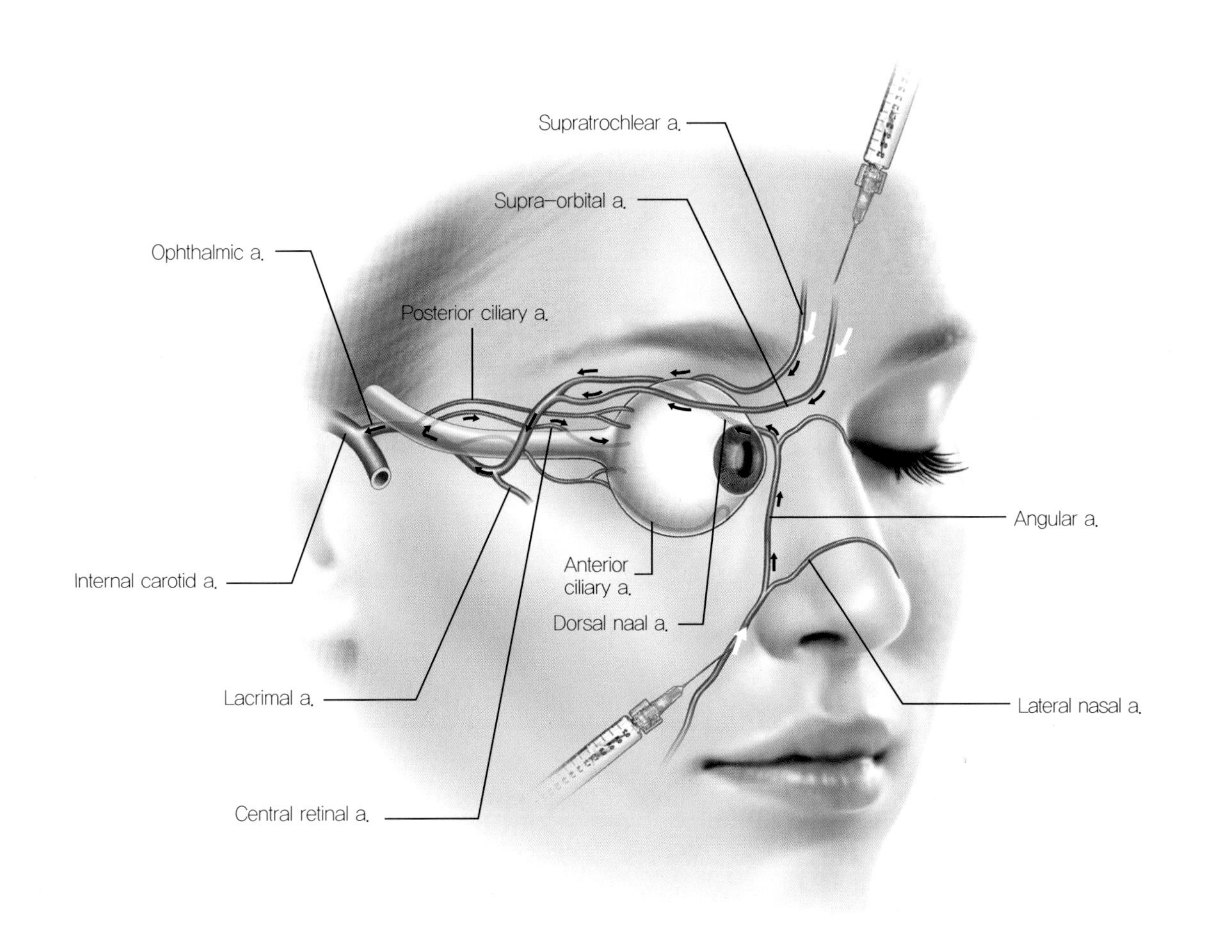

그림 10 지방이식 후 실명이 발생될 수 있는 가능성을 설명하는 혈관의 모식도-주로 미간 부위의 시술에서 상도르레 동맥(supratrochlear artery)이나 상안와 동맥(supraorbital artery)으로의 지방입자 유입을 주의하고 팔자주름 부위에서는 안각동맥(angular atery)으로의 지방입자 유입을 주의하여 시술하여야 한다.

주름를 가로지르는 방향으로 할 것(movement across lines rather than along lines), 5) 주사 직전 흡입(aspiration prior injection), 6) 혈관 수축제의 사용, 7) 매우 낮은 압력으로 주사(very low pressure injection), 8) 저항 증가 시 바로 주사중단(stop injection when resistance is increased), 9) 후퇴하면서 주사(retrograde injection), 10) 주사되는 전체 지방 양의 제한(limited total volume of substance injected during the entire treatment session), 11) 한번 슈팅 시 0.1 cc 이하의 적은 양 주사(Insetting of small volume[<0.1 cc] per pass), 12) 덩어리 이식을 피하기 위한 분할 증가 방식의 주사(Fractionated incremental injections avoiding bolus injections)이다(Lazzeri, 2012). 지방이식 시술 중에 위의 모든 사항을 기억하고 실제 시술에 적용하기 어려울 경우에는 이 중 저자가 제일 중요하게 강조하고 싶은 사항은 이전에 기술한 혈관 손상에 의한 피부괴사 예방에서도 언급했듯이 "최소의 실린지 압력으로 주입될 때는 반드시 케뉼라를 후퇴시키면서 극 최소량(0.01 cc 이하)의 지방조직을 이식하는 것"을 습관화하면 이러한 합병증을 어느 정도 예방 할 수 있으므로 무엇보다도 중요하다고 사료된다.

3) 뇌경색(Cerebral infarction)

실명과 마찬가지로 심각하고 치명적인 합병증이다. 매우 드물 긴하지만 보고된 사례들이 있으며 주로 미간 부위에서 지방이식을 한 후 실명과 함께 동반되어 나타나는 경우가 주로 보고되고 있다(Thaunat, 2004),(Yoon, 2003). 하지만 우측 코끝에 지방 이식을 시행한 후 편측 실명과 함께 뇌경색을 일으킨 보고도 있었다(Shiffman, 2010). 즉 앞서 언급한 역설적 근위부 색전증(paradoxical proximal emboli)에서 보듯이 지방 주입부위와는 상관없이 어떠한 원인으로이든 내경동맥(internal carotid artery)으로 역류하여 유입된 지방입자가 뇌혈관으로 유입되면 뇌동맥 색전증 유발 범위에 따라 다양한 뇌경색 및 뇌손상의 증상을 나타나게 한다. 매우 드문 합병증이기는 하나 매우 치명적인 합병증이므로 예방이 무엇보다 중요하며 예방법은 실명 합병증을 예방하는 방법과 동일하게 시술 시 최대한 주의를 기울어야 한다.

참 · 고 · 문 · 헌

1. Coleman SR. Structural fat grafting. St Louis: Quality Medical Publishing, 2004, pp 76-102.
2. DeLorenzi C. Complication of injectable fillers, part 2: Vascular complications. Aesthetic Surg J. 2014;34:584-600.
3. Eto H, Kato H, Suga H, et al. The fate of adipocytes after nonvascularized fat grafting: Evidence of early death and replacement of adipocytes. Plast Reconstr Surg. 2012;129:1081-1091.
4. Kato H, Mineda K, Eto H, et al. Degeneration, regeneration, and cicatrization after fat grafting: Dynamic total tissue remodeling during the first 3months. Plast Reconstr Surg. 2014;133:303e-313e.
5. Kim SM, Kim YS, Hong JW, et al. An analysis of experiences of 62 patients with moderate complications after full-face fat injection for augmentation. Plast Reconstr Surg. 2012;129:1359-67.
6. Lazzeri D, Agostini T, Figus M, et al. Blindness following cosmetic injections of the face. Plast Reconstr Surg. 2012;129:995-1010.
7. Park JW. Ocular swelling after forehead fat graft. Arch Aesthetic Plast Surg. 2014;20(2):85-91.
8. Park SH, Sun HJ, CHoi KS. Sudden unilateral visual loss after autologous fat injection into nasolabial fold. Clin Ophthalmol. 2008;2:679-683.

9. Sa HS, Woo KI, Suh YL, et al. Periorbital lipogranuloma: a previously unknown complication of autologous fat injections for facial augmentation. Br J Ophthalmol. 2011;95(9):1259-1263.
10. Shiffman MA. Autologous fat transfer; Art, science, and clinical practice. New York: Springer, 2010, pp 397-404.
11. Thaunat O, Thaler F, Loirat P, et al. Cerebral fat embolism induced by facial fat injection. Plast Reconstr Surg. 2004;113(7):2235-2236.
12. Yoon SS, Chang DI, Chung KC. Acute fatal stroke immediately following autologous fat injections into the face. Neurology 2003;61(8): 1151-1152.

Chapter 56

줄기세포 »

지방줄기세포 개론

Adipose stem cells

| 정재호 |

20세기가 저물어가는 끝자락에 성형외과의사들에 의해서 발견된 지방줄기세포는, 최근 성형외과뿐만 아니라 신장내과나 일반외과 등의 다른 임상분과에서도 점차 활발하게 적용되면서 그 영역을 넓히고 있다. 성형외과의사들이 주축이 된 국제적인 학회도 결성되어 국내외적으로 연구가 집중되고 있다.

지방줄기세포에 관한 세계 최초의 논문이 발표되기도 이전인 1999년부터 대한성형외과학회 및 대한미용성형외과학회에서는 지방줄기세포에 관한 발표가 꾸준히 있었고, 이제는 한국의 성형외과회원들은 지방줄기세포의 다양한 임상적용에 대해 기본적인 이해를 가지게 되었다. 지난 15년 이상의 오랜 시간동안 국내외 많은 과학자들의 지방줄기세포 관련 논문들과 국내에서의 임상적용경험을 통하여 과학적, 임상적 효과가 검증된 새로운 사실들이 아주 많으므로, 바야흐로 이를 정리하여 교과서에 싣게 되었다.

지방줄기세포의 발견: 1997년 미국 피츠버그대학 성형외과학교실에서 William Futrell 교수의 책임 하에서 진행된, 흡인지방조직에 대한 연구과정에서 collagenase에 의해 조직분해된 세포부유액에서 독특한 종류의 세포가 많이 발견되었다. 다양한 실험결과 이 세포는 뼈조직, 연골조직 및 근육조직 등으로 분화가 가능할 뿐만 아니라 산소분압이 낮은 상태에서 신속하게 혈관조직으로 분화되는 특성을 가지고 있는 새로운 종류의 성체줄기세포라는 것이 밝혀졌다. 이 세포는 지방줄기세포(adipose stem cells, ASC) 또는 지방유래줄기세포(adipose derived stem cells, ADSC) 등의 다양한 이름으로 불리고 있다.

1. 지방줄기세포의 특징

'줄기세포'라는 이름을 얻기 위해서는 (1) self-renewing cell division, (2) cellular plasticity, (3) homimg effect 등의 세 가지 특징을 지녀야만 한다. 첫째로, Self-renewing cell division은 세포분열을 통하여 자신과 똑같은 능력을 가진 daughter cell을 하나 이상 생성하는 능력이다. 이를 통하여 세포분열이 계속 되어도 그 stem cell pool은 줄기세포로서의 기능이 유지되게 된다. 둘째로, cellular plasticity는 줄기세포가 'commitment'와 'differentiation'이라는 과정을 거쳐서 뼈나 연골, 근육 등의 다양한 lineage의 세포를 생성할 수 있는 능력을 말한다. 일반적으로 Stem cell은 pluripotent(전능) 하다고 알려져 있으며, 성체줄기세포는 이보다는

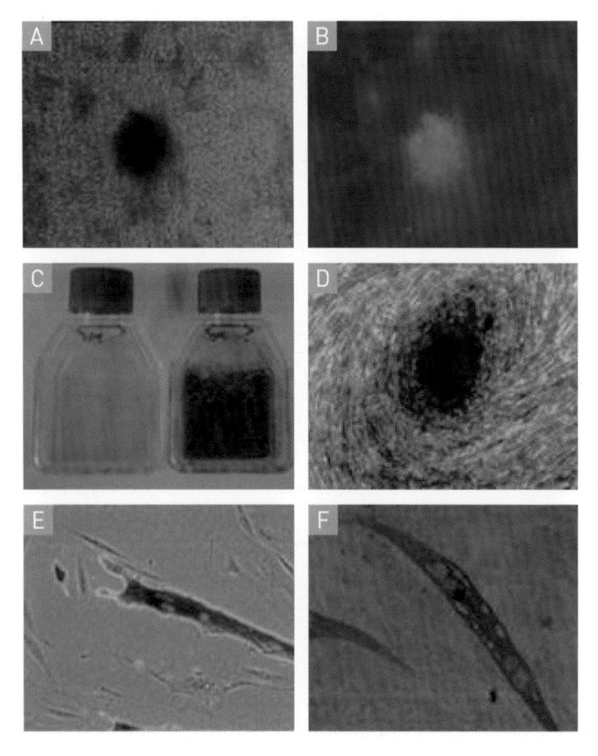

그림 1 Multipotent capability of adipose stem cells showing osteogenic, chondrogenic, and myogenmic potential (in vitro study). Upper: Adipose stem cells prepared as high-density micromass technique. Chondrogenic induction and differentiation in chondrogenic media resulted in positive reaction at immunoflurorescent study for type II collagen specific for cartilage tissue. Middle: Adipose stem cells induced and differentiated in osteogenic media. Black color of the flask represents positive von Kossa staining from bone minerals. Lower: Asipose stem cells induced and differentiated in myogenic medium shows positive immunohistochemistry for myosin heavy chain and reveals typical multi-nucleated skeletal muscle phenotype.

조금 낮은 multipotent 한 능력을 보여준다고 알려져 있다. 성체줄기세포의 일종인 지방줄기세포는 대부분의 중배엽 조직세포(mesenchymal tissue cells)를 생성할 수 있을 뿐 아니라, 신경세포 등의 neuroectodermal tissue와 hepatocyte 등의 endodermal tissue도 만들 수 있는 것으로 보고되고 있다. 셋째로, Homing effect는 줄기세포가 생체 내에서 필요한 조직을 생성하기 위해서 특정한 장기 또는 위치로 이동하는 현상을 말한다. 예를 들면, 근육손상으로 재생이 필요한 상황에서 줄기세포는 손상된 근육부위로 이동하여 근육세포로 분화되어 손상부위가 재생되게 한다. Homing effect는 생체 내의 조직손상을 치료하기 위하여 줄기세포를 생체 내에 주입하였을 때 조직재생이 필요한 곳으로 스스로 이동하는 중요한 특성이며, 앞으로 줄기세포가 어떤 기전으로 목표를 찾아가는 지에 대한 깊이 있는 연구가 요구된다(**그림 1**).

이러한 기본적인 특성 외에도 지방줄기세포는 면역적인 특권과 강력한 혈관생성기능을 가진다. 지방줄기세포는 면역반응을 유발하는 major histocompatibility complex (MHC) 등의 유전자가 부분적으로 결여되어 있으며 여러 가지 조직으로 분화한 이후에도 이러한 면역유발인자가 나타나지 않는다고 밝혀졌다. 또한 지방줄기세포는 다른 사람의 림프구와 같이 배양했을 때 림프구의 증식이 억제되며, 그 억제되는 정도는 지방줄기세포의 수가 많아질수록, 지방줄기세포와의 접촉시간이 길수록 더 증가하는 것으로 보고되었다. 최근에는 지방줄기세포가 자가면역질환 및 여러 면역염증관련 난치성 질환에서 염증반응억제 및 재생촉진효과가 확인되었다. 일반적인 세포이식치료와는 달리, 이러한 질환에서 지방줄기세포의 치료효과는 투여된 줄기세포에 기인한 paracrine effect와 면역억제에 의한 것으로 알려져 있다. 이들 질환에 관한 여러 preclinical test에서 지방줄기세포는 염증반응을 억제하는 세포로 분화하거나 자체에서 IL-10과 같은 염증억제인자를 분비하여 항염증효과를 보였고, 여러 성장인자를 분비하여 손상된 소화관 상피세포의 복구를 촉진하거나 혈관생성도 촉진시키는 것으로 보고되었다.

지방줄기세포는 산소분압이 낮은 상태에서 신속하게 혈관조직으로 분화하는 특성을 가지고 있다. 지방줄기세포는 인체 내에서 허혈상태에 노출되면 짧은 시간 내에 혈관조직으로 분화하여 강력한 혈류개선효과를 기대할 수 있다. 이러한 혈관신생기능을 이용하

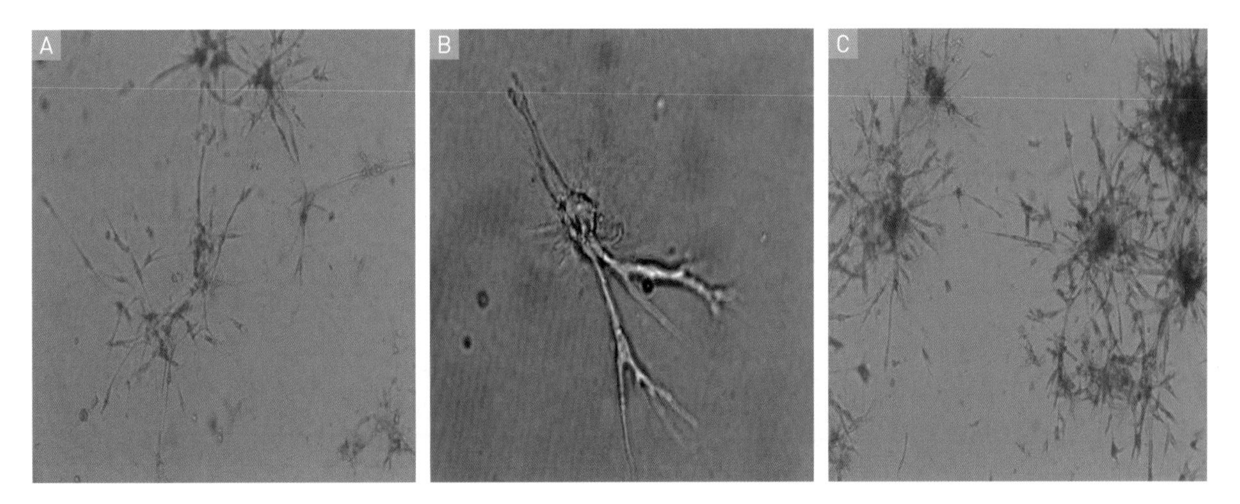

그림 2 Angiogenic differentiation of adipose stem cells in ischemic condition. Left: Adipose stem cells differentiates into microtubular structure within 24 hours in ischemic culture condition (high magnification, x400). Middle: Differentiation of adipose stem cells into microvessels in ischemic culture condition. Photograph taken at 24 hours after exposure to ischemia (low magnification, x100). Right: Photograph taken at 3 days after exposure to ischemia (low magnification, x100).

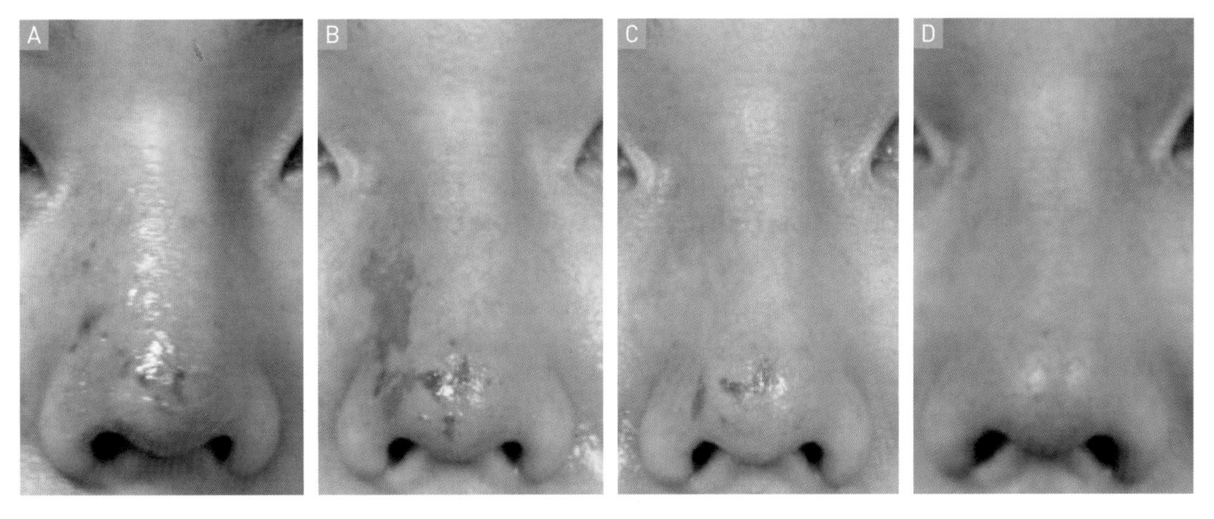

그림 3 A: 코에 filler 시술 후 하루 경과. 혈류가 차단된 pale area 주변에는 erythema가 관찰되고, 한가운데에 brownish dark spot이 나타나는 전형적인 소견을 보인다. 혈류개선을 위하여 약 3 x 10^6의 지방줄기세포를 병변부위의 피하에 주입하고, 조직건조를 막기 위해 상처에 연고를 도포하였다. B: 줄기세포치료 후 4일째, 병변의 경계가 명확해지고 얇은 eschar가 형성되었다. C: 줄기세포 치료 후 8일째, 병변의 가장자리에서부터 혈류가 개선되면서 eschar가 줄어들고 있다. D: 줄기세포 시술 후 12일째, 병변이 거의 치유되어 pink color의 재생된 피부로 덮여있다. 혈류손상이 발생한 이후 늦어도 5일 이전에 줄기세포 치료를 하여야 한다.

여 조직의 혈류량에 민감한 성형외과의 각종 피판술에서 줄기세포를 술 전 또는 술 후에 혈류개선을 위한 세포치료제로 이용할 수 있다. 특히, filler 주입 후 발생한 국소혈류장애나 수술로 생긴 피판의 허혈상태를 보이는 환자에서, 병변부위에 주입된 지방줄기세포는 단시간에 혈관을 생성하여 피부괴사를 방지하는 효과를 보인다. 이 경우에 세포치료는 가능하면 3-5일 이내의 빠른 시기에 줄기세포치료를 시작하여야 충분한 효과를 기대할 수 있으며, 허혈발생 5-7일이 지난 후에는 줄기세포 치료를 하여도 피부괴사를 피하기 어렵다. 그러

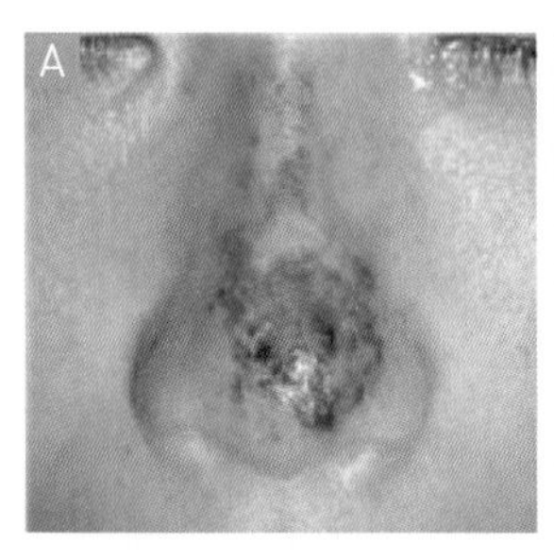

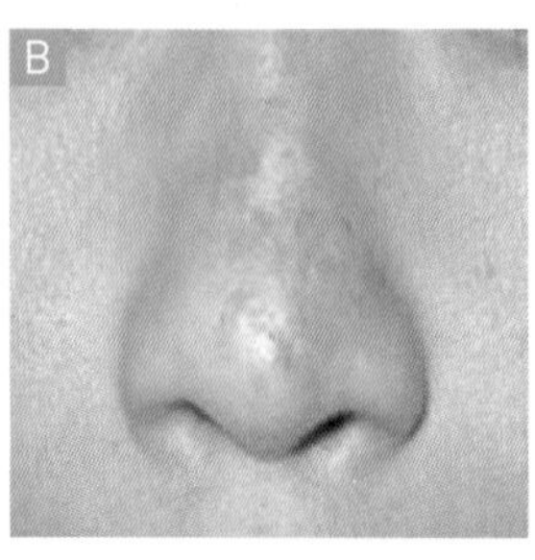

그림 4 A: 줄기세포치료 전. 코에 filler 시술 후 7일째 피부괴사가 진행되고 있는 모습으로서 약 4 x 10^6의 지방줄기세포를 병변부위의 피하에 주입하고, 연고치료를 하였다. B : 줄기세포 치료 후 3주가 경과하여 치유된 모습. 적절한 줄기세포치료가 조기에 시행되지 못하면 치유가 되더라도 피부에 흉터가 남게 된다.

나 시간이 경과하여 피부괴사가 이미 진행되고 있는 경우에도 조직괴사의 범위를 줄이고 재생을 촉진하기 위하여 줄기세포치료를 하는 것이 도움될 수 있다. 이외에도 이미 진행된 광범위한 피부조직손상을 치료하는 데에도 지방줄기세포를 이용하는 것도 효과적이라는 보고가 많다.

지방줄기세포는 기존의 혈류개선에 도움이 된다고 알려진 platelet rich plasma (PRP)나 여러 약제들보다 월등히 강력한 혈류개선효과를 보여줄 뿐 아니라, 술 전에 혈류개선을 위해 시행하는 외과적 delay procedure를 대체할 수 있는 방법으로 사용될 수 도 있다. 실제로 delay를 시행한 local fat flap 내에서 지방줄기세포가 증가한다는 보고도 있으므로, 줄기세포와 외과적 delay procedure의 관계에 대한 깊이 있는 연구가 필요할 것으로 생각된다(**그림 2, 3, 4**).

2. 지방조직의 분해 및 지방줄기세포의 추출방법

실험실에서 지방줄기세포를 추출하는 과정은 비교적 간단하다. 지방조직을 분해하는 collagenase 용액(2 mg/ml)에 넣고 37℃의 수조에서 약 30분간 진탕하면 호박죽같은 cell suspension을 얻게 되는데, 이것을 10분 이상 가만히 세워두면 노랗게 보이는 위쪽의 지방세포층과 아래쪽의 stromal vascular fraction (SVF)이라는 액체층으로 구분된다. Collagenase는 인체에 유해하므로 serum으로 중화시키고, phosphate buffer solution (PBS)으로 두어 번 세척하여 사용한다. Erythrocyte lysis buffer (ELB)를 이용하면 적혈구를 제거하여 사용할 수도 있다. Stromal vascular fraction에는 지방줄기세포 이외에도 다량의 적혈구, 백혈구 등이 섞여 있는데, 이런 방법으로 얻어진 지방줄기세포를 다량 포함한 cell mixture를 'SVF cell'이라고 부른다. 전문적인 실험을 위해서는 순수한 지방줄기세포만을 분리하는 것이 가능하지만, 임상에서는 SVF cell을 이용하여 줄기세포치료를 시행하는 것이 훨씬 용이하다.

이러한 세포추출과정을 수술실 옆에 연결된 실험실에서 진행하면 좋지만, 현실적으로 어려운 경우에는 수술실 내에서 사용하도록 개발된 지방줄기세포추출장비를 이용할 수 있다. 고가의 자동화된 장비 또는 반자동화 장비들이 이미 상품으로 개발되어 있고, 저렴한 manual kit 형태의 제품도 판매되고 있다. 줄기세포의 시술에서 가장 중요한 것은 값비싼 추출장비가 아니라, 추출과정 이후에 세포의 수를 확인하는 것이다. 실험실에서 간단한 염색과 현미경 관찰을 통하여 세포의 수를 측정하는 방법이 있으나, 임상에서는 쉽게 측정할 수 있는 cell counter를 이용하는 것이 좋다. 어떤 세포추출방법을 이용하더라도 마지막 단계에서 순간적인 오류로 줄기세포를 모두 잃어버리는 일이 있을 수 있기 때문에, 의사는 줄기세포시술을 시행하기 전에 추출된 세포의 수를 확인하는 것이 중요하고, 치료에 사용된 세포의 수를 기록으로 남겨야 한다(**그림 5, 6**).

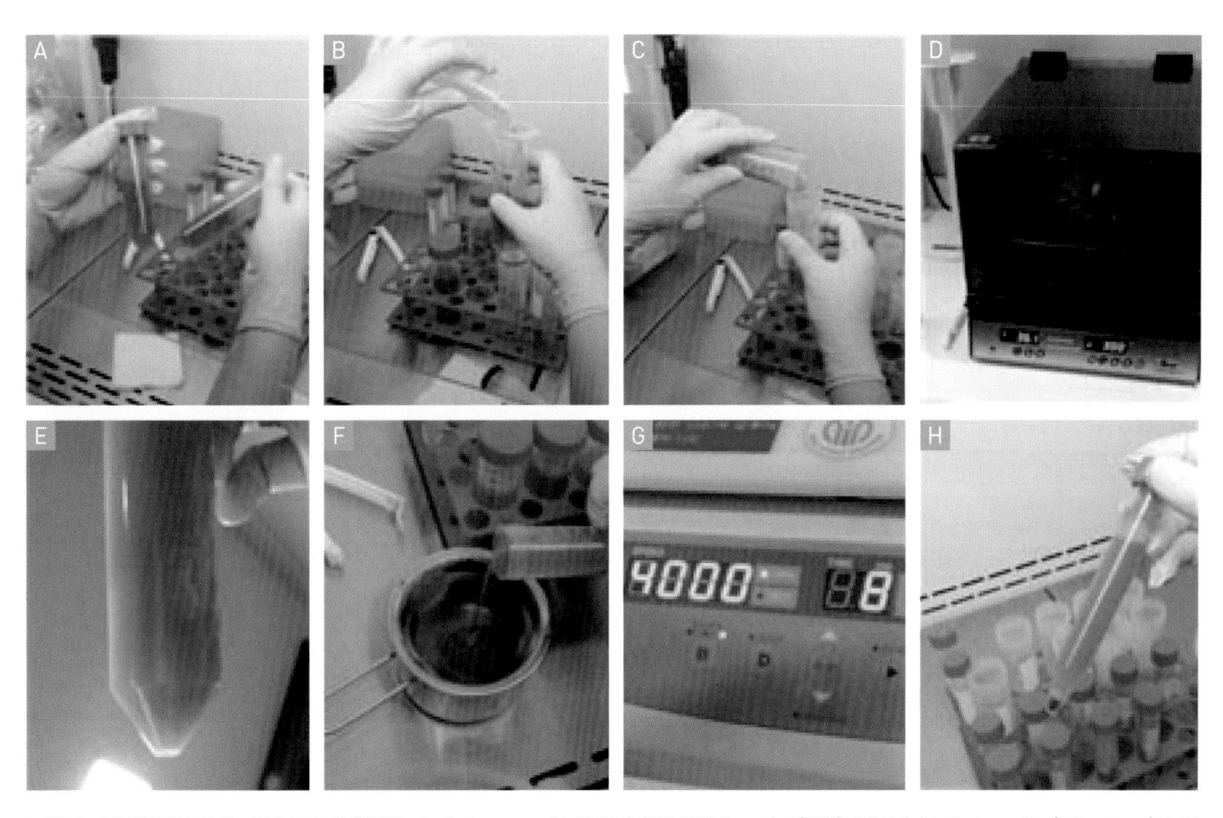

그림 5 지방조직분해 및 줄기세포 추출과정. A. Collagenase를 PBS에 희석하여 2 mg/ml용액을 만든다. B. Syringe filter(0.2 micron)를 이용하여 collagen 용액을 무균상태로 만든다. C. collagen 용액과 동량의 지방조직을 혼합한다. D. 37℃의 shaking incubator에서 30분간 진탕한다. E. 호박죽처럼 분해된 지방조직에는 fibrous tissue 같은 extracellular matrix가 포함되어 있다. F. 걸름망(cell strainer)으로 fibrous tissue를 제거한다. G. 원심분리하여 세포성분을 가라앉힌다. H. 원심분리후 시험관 밑에 가라앉은 cell pellet (적혈구가 많이 포함되어 검붉게 보인다)

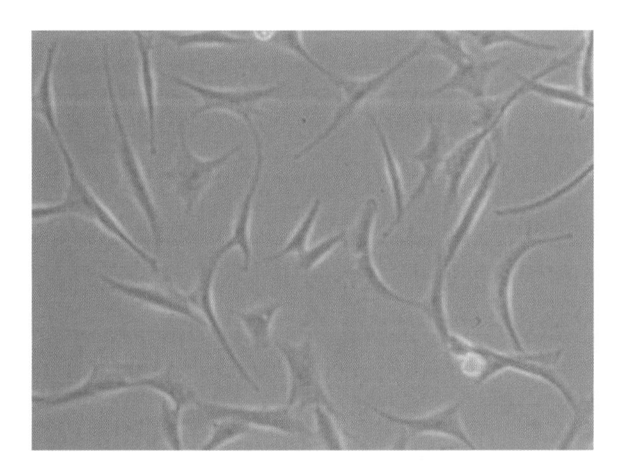

그림 6 지방조직을 분해하여 얻어진 adipose stem cells. Fibroblast와 유사하게 세포질이 적고 방추형으로 생긴 특징을 보여주고 있다.

3. 줄기세포-지방이식술

Sydney Coleman은 1990년대에 발표된 현대적 개념의 새로운 지방이식술 방법을 소개하였다. Coleman technique으로 명명된 그의 지방이식방법은, 기존의 방법에 비해서 작은 구경의 cannula로 지방조직을 흡입하고, 흡입된 지방을 원심분리하여 수분과 oil 성분을 제거하여 농축시키는 과정을 거친 다음에 더욱 작은 구경의 cannula를 이용하여 조직 내에 아주 작은 덩어리로 조금씩 균일하게 이식하는 정교한 방법이다. Coleman technique이 널리 보급된 이후에 지방이식술의 결과는 과거에 비하여 획기적으로 향상되었다. 비록 그가 지방줄기세포에 대한 지식이 없던 상태에서 개발한 방법이지만, 지방줄기세포가 발견되고 지방이식의 새로운 생착기전이 밝혀지고 있는 오늘날에 돌이켜 생각해보아도 Coleman technique은 이식된 지방조직 내에 포함된 지방줄기세포가 그 기능을 잘 발휘할 수 있는 아주 합리적이고 과학적인 지방이식방법으로 인정할 수 있다.

줄기세포-지방이식술을 설명하기 위해서는 이식지방의 생착기전에 대한 설명을 하지 않을 수가 없다. 이식지방의 생존에 관한 기존의 가설로는, cell survival theory와 host cell replacement theory 등이 있었으나, 이들 가설을 검증하는 실험들은 대부분 이식된 지방세포의 생사가 갈라지는 첫 일주일 이내의 중요한 시기를 간과함으로 인하여 치명적인 약점을 가지게 되었다. Kotaro Yoshimura 등은 최근에 'early death and replacement of adipocytes' 라는 새로운 가설을 제시하였다. 이들은 이식된 지방의 생착기전에 관한 논문에서 이식된 지방조직에서는 이식된 지방덩어리의 표면에서 300 μm 이내에 존재하는 일부를 제외한 대부분의 지방세포가 24시간 이내에 죽으며, 이식된 지방덩어리의 표면에서 300 μm 보다 깊은 곳에서는 지방세포는 모두 죽고 지방줄기세포만 생존한다는 사실이 밝혀졌다. 또한, 지방이식 후 5-7일 사이에 살아남은 지방줄기세포로부터 지방세포의 재생이 일어나 지방세포의 수가 다시 증가한다고 보고하였다. 이러한 사실을 통하여, 지방이식을 할 때에는 직경 1 mm 미만의 아주 작은 덩어리로 이식하여야 지방의 생착율을 높일 수 있으며, 지방줄기세포를 보강하는 줄기세포-지방이식술(CAL technique)이 지방이식에서 좋은 결과를 얻는데 도움이 된다는 사실을 알 수 있게 되었다.

줄기세포-지방이식술은 지방이식술을 시행할 때에 동량의 지방조직으로부터 adipose stem cell을 추출하여 이식할 지방에 보태주는 방법으로서, cell-assisted lipotransfer (CAL) technique라는 이름으로 잘 알려져 있다. 이 방법이, 이식지방의 생착에 있어서 기존의 Coleman technique을 이용한 방법에 비해서 유의한 효과가 있는 지에 대해서 그동안 많은 비판적 논란이 있었지만, 최근의 몇몇 prospective clinical study 에서 나타난 실험결과는 CAL technique이 명백한 우위에 있음을 증명하였다.

이 방법은 기존의 지방이식술에 비하여 이식지방의 생착율을 높일 수 있는 좋은 방법이지만, 조직분해에 필요한 collagenase 사용의 안전성에 대한 염려와 줄기세포를 얻기 위한 실험실 공간이나 추출장비가 필요하며, 줄기세포를 얻기 위해서 많은 양의 지방채취와 추가시간이 필요하므로 아직까지는 제한적으로 사용되고 있다. 또한, 2017년 현재에는 식약청의 규제로 인하여 배양증식을 하지 않은 지방줄기세포만을 합법적으로 인체에 사용할 수 있기 때문에 충분한 수의 줄기세포를 임상에서 사용하기가 어려운 현실이다. 실제로, 줄기세포-지방이식술에서 얼마나 많은 지방줄기세포를 섞는 것이 효과적인가에 대한 과학적인 정보도 부족하므로 앞으로 이 분야에 대한 체계적이고 지속적인 연구가 필요할 것이다. 하지만 유방확대 등의 목적으로 대량지방이식을 할 경우에는, 지방괴사나 oil cyst formation 등의 합병증을 줄이고 이식지방의 생착률을 높이기 위해서 많은 의사들이 줄기세포-지방이식술 방법을 적용하고 있다.

지방줄기세포는 체외증식이 용이하고, 체내 주입시 면역거부반응이 거의 없으므로 동종줄기세포의 이용으로 발전하게 될 가능성이 크다. 향후의 연구성과에 따라 줄기세포치료의 안전성이 확보되고 정부규제가 완화된다면, 배양하거나 냉동보관 한 동종의 지방줄기세포를 합법적으로 이용할 수 있게 될 것이다. 건강인에서 추출된 동종의 지방줄기세포를 이용하여 지방이식술 이외의 다양한 임상분야에서 줄기세포치료 기술이 이용될 전망이다.

참 · 고 · 문 · 헌

1. Bertheuil N, Chaput B, Ménard C, Varin A, Garrido I, Grolleau JL, Sensébé L, Watier E, Tarte K. Adipose-derived stromal cells: history, isolation, immunomodulatory properties and clinical perspectives. Ann Chir Plast Esthet. 2015 Apr;60(2):94-102.
2. Eto H1, Kato H, Suga H, Aoi N, Doi K, Kuno S, Yoshimura K. The fate of adipocytes after nonvascularized fat grafting: evidence of early death and replacement of adipocytes. Plast Reconstr Surg. 2012 May;129(5):1081-92.
3. Hoogduijn MJ, Roemeling-van Rhijn M, Korevaar SS, Engela AU, Weimar W, Baan CC. Immunological aspects of allogeneic and autologous mesenchymal stem cell therapies. Hum Gene Ther. 2011 Dec;22(12):1587-91.
4. Jeong JH. Adipose stem cells and skin repair. Curr Stem Cell Res Ther. 2010 Jun;5(2):137-40.
5. JH Jeong 2000
6. Kim I, Bang SI, Lee SK, Park SY, Kim M, Ha H. Clinical implication of allogenic implantation of adipogenic differentiated adipose-derived stem cells. Stem Cells Transl Med. 2014 Nov;3(11):1312-21.
7. Kim YJ, Jeong JH. Clinical application of adipose stem cells in plastic surgery. J Korean Med Sci. 2014 Apr;29(4):462-7.
8. Maria AT, Maumus M, Le Quellec A, Jorgensen C, Noël D, Guilpain P. Adipose-Derived Mesenchymal Stem Cells in Autoimmune Disorders: State of the Art and Perspectives for Systemic Sclerosis. Clin Rev Allergy Immunol. 2016 May 20. [Epub ahead of print]
9. Niemeyer P, Kornacker M, Mehlhorn A, Seckinger A, Vohrer J, Schmal H, Kasten P, Eckstein V, Südkamp NP, Krause U. Comparison of immunological properties of bone marrow stromal cells and adipose tissue-derived stem cells before and after osteogenic differentiation in vitro. Tissue Eng. 2007 Jan;13(1):111-21.
10. Park MJ, Kwok SK, Lee SH, Kim EK, Park SH, Cho ML. Adipose tissue-derived mesenchymal stem cells induce expansion of interleukin-10-producing regulatory B cells and ameliorate autoimmunity in a murine model of systemic lupus erythematosus. Cell Transplant. 2015;24(11):2367-77.
11. Schendel SA. Enriched autologous facial fat grafts in aesthetic surgery: 3D volumetric results. Aesthet Surg J. 2015 Nov;35(8):913-9.
12. Strong AL, Bowles AC, MacCrimmon CP, Frazier TP, Lee SJ, Wu X, Katz AJ, Gawronska-Kozak B, Bunnell BA, Gimble JM. Adipose stromal cells repair pressure ulcers in both young and elderly mice: potential role of adipogenesis in skin repair. Stem Cells Transl Med. 2015 Jun;4(6):632-42.
13. Suga H, Eto H, Aoi N, Kato H, Araki J, Doi K, Higashino T, Yoshimura K. Adipose tissue remodeling under ischemia: death of adipocytes and activation of stem/progenitor cells. Plast Reconstr Surg. 2010 Dec;126(6):1911-23.
14. Thangarajah H, Vial IN, Chang E, El-Ftesi S, Januszyk M, Chang EI, Paterno J, Neofytou E, Longaker MT, Gurtner GC. Adipose stromal cells adopt a proangiogenic phenotype under the influence of hypoxia. Stem Cells. 2009 Jan;27(1):266-74.
15. Zuk PA, Zhu M, Mizuno H, Huang J, Futrell JW, Katz AJ, Benhaim P, Lorenz HP, Hedrick MH. Multilineage cells from human adipose tissue: implications for cell-based therapies. Tissue Eng. 2001 Apr;7(2):211-28.

체형교정술 총론

Body contouring introduction

| 김잉곤 |

예로부터 동양에는 미인을 일컫는 "팔등신"이라는 말이 있다. 몸매가 아름다운 미인은 몸길이 즉 키가 얼굴 길이의 여덟배가 되어야 한다는 것이다.

신기하게 서양에서도 Leonardo의 미학에서 보는 것처럼 똑같은 기준을 가지고 있었다.

바꾸어 말하면 아무리 얼굴이 아름다워도 몸매가 아름답지 않으면 '미인'이라고 할 수 없다는 뜻이기도 하다. 근대에 들어서면서부터는 이렇게 몸길이뿐만 아니라 신체 각부분의 비율과 길이에 대한 굵기, 각도, 형태 등이 이상적으로 구성되어야 비로소 참다운 '미인' 이라고 한다.

그렇지만 몸매는 다른 부위와는 달리 길이를 마음대로 조절할 수가 없기에 대신 굵기나 형태, 각도를 달리하여 미인이 되려는 목적을 달성할 수밖에 없다. Richer나 Lanteri 처럼 입체적인 부피 단위로의 일정 비율이나 계측학적으로 황금률이 등장하였다.

한편 이러한 미인을 만드는 몸매의 요소 중 가장 큰 영향을 미치는 부위가 복부와 엉덩이 그리고 종아리이고 현재 미용성형외과적으로 접근을 가장 많이 하고 있는 부위이기도 하다. 이들 부위의 아름다움에 대하여는 아주 오래 전부터 강조되어 문헌상으론 적어도 B.C 30000년 경부터 비롯되었다고 하며 고대에는 문신이나 흉터를 만들거나 띠로 단단히 조여매기도 하였다. 중세, 근세에는 동서양을 막론하고 몸매를 드러내지 않고 감추는 시대였으므로 옷과 장신구들을 이용하여 몸매의 굴곡과 윤곽을 은근히 표현하곤 하였다.

19세기 후반에 들어서야 복부에서 맨처음 외과적 수술이 등장하여 지방과 피부를 함께 절제하는 방법이 도입되었으며, 1960년대에 들어서 처음으로 큐렛(curett)을 지방층에 삽입하여 음압으로 지방을 흡인해내는 1세대 지방흡입술(suction-assisted lipectomy, SAL)이 개발되었다. 그러나 지방흡입으로 엉덩이, 종아리 등 몸매 전체에 대한 본격적인 시술이 시행된 것은 큐렛대신 캐뉼라를 사용, 더 효과적으로 지방을 흡입해내는 제 2세대 흡입술이 개발된 1970년대 들어서다.

피부지방절제술은 수술이 크고 통증이 심한 편이며 회복이 더디고 수술 흉터가 남는 단점이 있었으나 심한 복벽 조직 이완이 있는 경우에는 보다 완벽한 수술효과를 얻을 수 있었다.

지방흡입술은 수술이 간단하고 통증이 비교적 적고 회복이 빠르며 흉터를 남기지 않는 장점이 있으나 복벽 이완이 심한 경우에는 그 효과가 상대적으로 낮다.

따라서 두꺼운 지방층과 함께 복벽 이완이 심한 경우에는 피부지방절제술과 지방흡입술을 동시에 하기도 한다. 그후 지방흡입은 저장성 용액(hypertonic solution)을 미리 지방층에 주입하고 지방을 흡입해내는 습식흡입(wet technique) 등과 소위 tumescent technique이 등장하여 조직 손상을 적게하면서 출혈을 최소한으로 줄이는 방향으로 발전하였다.

한편으로는 수술장비나 기구의 발전이 이루어졌다. 흡입캐눌라에 전동장치를 하여 보다 적은 힘으로 캐뉼라의 전진및 회전 운동을 할 수 있게 하였으며 (Power-assisted lipectomy, PAL) 캐눌라에서 초음파를 발생하게 하여 지방조직만을 선택적으로 파괴시키고 혈관이나 신경 손상을 줄임으로서 보다 효과적 지방흡입을 하게 하는 ultrasonic assisted liposuction (UAL)이 등장하였다.

초음파대신 레이저를 이용하여 지방세포만을 선택적으로 파괴한다는 laser assisted liposuction (LAL)도 비슷한 원리다. 각각의 장비나 기구들은 각각의 장점과 단점이 있어서 우열을 가리기보다는 흡입하려는 부위별 또는 상태에 따라 선택하기도 한다. 일반적으로 음압이 클수록 캐눌라가 굵을수록 지방의 흡입이 용이하나 출혈양이 많아지며 섬유성격막(fibrous septum)의 손상이 심해지고, 반대로 음압이 낮을수록 또 캐눌라가 가늘수록 흡입이 더디지만 출혈양이나 격막 등의 손상은 적어지므로 이러한 점들을 고려하여 지방흡입할 부위나 상태에 따라 압력 또는 캐눌라의 긁기를 결정한다. 최근에 수술과는 별도로 비침습적인 방법으로서 기기를 몸통 겉피부에 단순히 부착만 하여 선택적으로 지방세포만을 분해시킨다는 냉동지방분해술(cryolipolysis)이 개발되었으나 아직 그 효과가 크지 않고 장비가 고가인 것이 단점이다.

현대의 미적 관점은 가슴과 엉덩이는 가급적 커야하고 그 중간에 위치한 복부와 옆구리는 가늘수록 아름다운 몸매로 여긴다. 가슴과 엉덩이가 클수록 복부와 옆구리는 가늘게 보이며, 반대로 복부와 옆구리가 가늘수록 가슴과 엉덩이가 커 보이는 효과를 가져오기 때문에 복부와 옆구리는 다른 부위와는 달리 확대성형하는 경우는 거의 없으며 복부나 옆구리확대성형수술은 따로 존재하지 않는다. 굵은 복부와 옆구리는 아름답지 않을 뿐더러 오히려 늙음을 나타내며, 가느다랗고 날씬하여야 아름답고 젊어보인다. 따라서 복부나 옆구리의 성형수술이라 함은 복부나 옆구리의 피부지방조직을 최소로 하여 복부와 옆구리의 굵기를 최소화시키는 수술이라 할 수 있다.

지방흡입이 신체 부위 중 복부와 옆구리에서 가장 많이 시행되는 것은 복부와 옆구리에 지방이 많이 축적되어 있기도 하지만 복부나 옆구리가 가늘수록 날씬한 몸매로 보이는 효과가 가장 크기때문이다. 복부와 옆구리에 있어서는 피부의 늘어진 정도와 지방 상태에 따라 단순 지방흡입만으로도 그 목적을 달성할 수 있기도 하고, 복부는 일부 하복부의 피부지방만을 절제하는 미니복부성형수술(miniabdominoplasty)을 하기도 하며, 늘어진 정도가 심한 경우는 전체복부성형수술을 해야 하는데 이때 늘어진 복벽을 접어 줄여주는 수술(plication)도 추가해야 한다.

복부피부지방절제술은 1890년 Demars와 Marx가 심한 배꼽허니아를 수술하면서 최초로 시행했다고 하며, 그후 Desjardins(1911)는 수직 타원형의 절개선을 통하여 복부피부와 지방을 22.4 kg이나 절제하였으며 같은 해 Morenstin이 복부피부와 지방층을 횡절개 타원형으로 동시에 단순 절제하여 봉합한 5예를 발표하였다. 이 시기의 고전적 절개방법을 크게 분류하면 1) 수직정중 절제술(vertical midline resection), 2)횡절제술(transverse resection), 3)수직 및 횡 절제술(a combination of the vertical resection)로 나눌 수 있다.

이후 Castanares 와 Goethel은 고전적인 수직절제와 횡절제를 합하여 변형시키고 피하박리를 거의 하지 않으므로서 수술시간을 대폭 감소하였으며, Grazer는 수직절개는 배꼽까지만 하고 하방횡절개를 권하였다. 현재는 복벽피판을 치골부에서 검상돌기까지 광범위하게 박리하여 하방으로 당겨 여유분의 피부지방을 절제하고 봉합하고 있다.

미니복부성형(피부지방절제)술은 하복부만 피부지방절제를 하는 것으로, 하복벽이 주로 늘어져 있으면서 이 부위에 지방축적이 심한 경우 시행하며, 임신전엔 없던 이 현상이 출산 후 많이 나타나는 동양 여성에서 시행하기 좋은 수술이다. 물론 수술후 반흔도 현저히 줄일 수가 있다.

복부피부지방절제술은 절개선이 비교적 길고, 봉합부에 미치는 장력이 큰 편이어서 수술후 나타날 반흔에 세심한 주의를 기울여야 한다. 이러한 반흔을 가급적 눈에 덜 띄게 하기 위한 방법으로 절개선에 따라서 몇가지로 나눌 수가 있는데 피부주름선절개(skin line incision), 갈매기날개모양절개(gull wing incision), 또는 W-자형절개(W-plasty incision) 등이 있다. 절개선의 선택은 각 개인의 몸매나 피부의 질 또는 환자의 선택에 따라 정하도록 한다.

엉덩이는 너무 큰 경우 대개 지방흡입만으로도 해결할 수가 있다. 그렇지만 엉덩이가 물렁물렁하고 피부조직이 많이 늘어지고 처진 경우는 피부지방절제술(buttockplasty)을 해주기도 하는데 주로 엉덩이 밑주름선(gluteal crease)에서 절제해준다. 지방흡입을 하든 피부지방절제술을 하든 엉덩이 밑주름선은 가급적 없어야 하고 있더라도 깊지 않고 엉덩이 중앙선을 넘어 외측으로 연장되지 않아야 한다. 엉덩이 한가운데 또는 바로 위쪽이 돌출되도록 하여야 젊어보이는 엉덩이가 될 수가 있고, 한편 대전자(trochanter)부위는 함몰되거나 돌출되지 않아야 젊고 날씬한 모양의 엉덩이가 될 수 있다.

단순히 처지기만 한 경우에는 엉덩이를 올려주는 수술도 염두에 두어야 한다. 엉덩이(buttock lift)를 올려주는 방법에는 아주 굵은 실이나 가느다란 실리콘 고무줄을 사용하여 두꺼운 피하조직층을 plication하여 대둔근근막 상부에 고정시켜주는 방법이 있다. 하지만 엉덩이는 체중을 비롯한 많은 무게를 감당해야 하기때문에 이런 수술의 효과는 크지 않거나 오래가지 못하는 경우가 있다. 또한 나이가 들면서 엉덩이의 피부는 늘어지고 그 하부의 지방층은 점차 얇아지면서 엉덩이 자체가 작아지고 처지게 된다.

이렇게 작아진 부피를 다시 늘리고 늘어진 피부도 탱탱하게 하는 방법으로서 지방이식이 등장하였다. 1980년대 후반과 90년대에 걸쳐 Ellenbogen, Coleman, Toledo 등이 여러부위의 체형교정에 지방이식을 시행하고 그 결과들의 발표에 힘입어 Pereira, Cardenas 등이 엉덩이에도 지방이식을 시행하였다. Guerrerosantos는 엉덩이의 대둔근내에 지방을 이식하여 40 예를 발표하기도 하였다. 허나 이식된 지방의 생존율이 높은 편이 아니고 아주 크게 확대하기가 어려워 아직 숙제로 남아있지만 향후 발전을 기대해 볼만하다.

한편 보형물을 이용한 엉덩이확대술은 1969년 개발되어 엉덩이의 재건을 시행하였다. 가슴확대에 사용하는 것과 유사한 보형물을 대둔근과 피하층 사이에 삽입하였으나 부작용으로 구축, 좌우비대칭 및 보형물의 이동 등이 발생하여 그다지 활성화되지 못하였다. 이러한 단점을 극복하고자 1996년 Vergara와 Marcos가 보형물을 대둔근 사이에 삽입하는 방법을 발표하면서 보형물을 이용한 엉덩이 확대술이 증가하였다.

서양 여성에 비하여 상대적으로 엉덩이가 작은 한국 여성은 어떤 의미에서 엉덩이확대술이 더 요구된다고 볼 수 있으나 오히려 그 수요가 많지 않았고 따라서 시작이 늦었다. 2011년에 박이 엘라스토머 보형물를 사용한 엉덩이확대성형술을 발표하면서 관심이 확대되고 있다. 그는 한국인의 체형을 고려하면서 엉덩이 사이절개선(intergluteal incision)을 통하여 대둔근 사이에 보형물을 삽입한다. 하지만 아직 부작용이 적지 않아 만성통증, 좌골신경손상, 비대칭, 보형물이 만져기거나 구축 등이 발생할 수 있어서 이러한 부작용을 줄이기 위해서는 엉덩이의 완전한 해부학적 지식과 세심한 술기가 필요로 한다.

아름다운 다리에 대한 구체적인 인체계측학적(anthropometric) 정의는 현재 없고, 다만 추상적으로 늘씬하고 매끈한 다리라고 표현하고 있을 뿐이다.

과거 동서양의 예술작품이나 현대의 작품에서 나타난 미인들의 다리는 역시 한결같이 늘씬하고 긴 다리이다. 짧고 굵은 다리는 길고 가느다란 다리보다 매력적이지 못 한 것이 사실이다. 불행하게도 서양인에 비해 동양인의 다리는 유난히 짧으며 굵다. 최근 서 등에 의하면 한국 여성 50명을 계측한 결과 평균 키 161 cm, 몸무게 55.3 kg이며 종아리 길이 41.5 cm, 종아리 굵기는 34.6 cm라고 한다.

다리를 길게 보이려면 다리연장술이 필요하겠으나 이 수술은 현재 미용성형수술로서는 적절치 않다. 대신 짧은 다리를 길게 보이게 하기 위해서는 굵은 다리를 가늘게 만드는 수밖에 없다. 이렇게 종아리를 가늘게 하는 방법으로는 크게 몇가지로 나눌 수가 있다.

지방흡입, 장딴지근육절제술, 장딴지근육을 선택적 신경차단하는 근육퇴축술, 저주파나 고주파를 이용한 신경용해술, 그리고 보톡스 주사 방법 등이다.

지방흡입은 일찌기 1920년대부터 시도되었으나 거듭된 실패와 많은 부작용이 발생하였다.

1983년에 이르러서야 Illouz가 발목과 종아리 지방흡입을 발표한 이래 Reed(1989), Watanabe, Mladick(1990) 등이 발전시켰고, 이후 tumescent technique의 등장으로 조직손상과 출혈이 적고 더 간단한 국소마취로 전환되었으며, Rohrich, Toledo가 오늘날의 발목과 종아리의 지방흡입술로 발전시켜왔다.

그러나 종아리는 신체 다른 부위와는 달리 지방이 많이 축적되는 부위가 아니며 또 지방으로 인하여 그 굵기가 크게 좌우되지 않고 주로 근육들에 의하여 그 굵기가 좌우되고 있기 때문에 지방흡입만으로는 만족스런 결과를 얻기가 어렵다. 특히 종아리의 피하지방은 복부나 대퇴부와는 달리 두껍지 않을 뿐만이 아니라 단층으로 되어 있고, 지방조직이 작고 단단하며 질긴 격막이 촘촘히 싸고 있기 때문에 지방흡입이 용이하지 않을 뿐더러 과도하게 흡입할 경우 울퉁불퉁한 피부가 되기 쉽고 별로 가늘어지지도 않는다. 더구나 지방흡입으로 얇아진 피부때문에 종아리근육의 윤곽이 드러나게 되어 매끈하고 가느다란 종아리의 아름다움을 기대하기 어렵게 된다.

굵은 종아리는 피하지방 때문이라기 보다는 대개 비정상적으로 비대해진 종아리근육들 때문이다. 동양 여성에서 특히 더 그러하다. 그 중에서도 장딴지근육(gastrocnemius muscle)이 비대하면 종아리가 굵게 보임은 물론 근육 윤곽이 두드러져 근육질의 종아리처럼 보이게 된다. 따라서 보다 이상적이고 근본적인 종아리 축소는 이 비대해진 종아리근육을 기능에 영향이 없도록 또는 그 영향을 최소화하면서 그 부피를 줄여주는 수술이라 하겠다.

김수홍은 1993년 근육을 절제하여 종아리 알통제거를 시도하였고, 이후 1994년 김잉곤이 이를 보완하고 내시경을 이용하여 종아리근육절제술을 개발하였으며, 장딴지근육을 부분적으로 절제하여도 다리 운동에 지장이 없음을 밝혀내어 안전한 수술임을 입증하고 1998년 국내에서, 2000년에는 국제학술지에 발표하였다. 그에 의하면 한쪽 종아리에서 90-180 g 절제하여 술후 12-39개월 관찰한 결과 평균 4 cm까지 굵기를 감소시켰다. 이 수술의 단점이라면 보다 radical한 수술이어서 회복이 더딘 점이었다. Lemperle도 1998년 장딴지근육절제술을 발표하였으나 김잉곤과는 달리 오금에 긴 절개를 함으로서 보기 싫은 흉터를 피할 수가 없었다.

한편 근육절제술보다 덜 침습적인 방법으로 1994년 서인석은 종아리 알통제거를 위하여 내측 장딴지근육의 선택적 신경차단술(근육퇴축술)을 고안, 발표하였다. 오금에 약 2 cm 정도의 절개를 통하여 내측 장딴지근육으로 가는 운동신경만을 부분적으로 절제하여 내측 장딴지근육의 퇴축을 유도하는 수술이다. 수술이 간단하여 국소마취하에서도 가능하고 수술시간이 짧고, 회복 또한 엄청 빨라서 수일내로 보행에 지장이 없게되는 많은 장점이 있다. 다만 내측 장딴지근육만을 퇴축시키기때문에 양측이 발달하여 비대한 종아리보다는 주로 내측 장딴지근육이 비대하게 발달된 경우에 한해 더 효과적이라는 한계가 있고, 양측 장딴지근육이 아닌 내측만 퇴축시키므로 양측 종아리근육절제술보다는 아무래도 덜 가늘어질 수밖에 없다.

근육절제술의 변형된 최소 침습방법으로 2004년 박영진 등이 고주파를 이용한 근육절제술을 보고하여 흉터가 없고 내외 양측 종아리 근육을 감소시킬 수 있다는 장점으로 소개되었으나, 재발이 빈번하여 재수술이 요구되고 지속적인 종아리 근육의 손상으로 근육의 섬유화 및 심한 반흔 형성 등으로 근육들이 당기는 현상이 지속되어 정상적으로 걷지 못하고 까치발 등의 심각한 부작용이 나타났다. 신경절제에 의한 근육퇴축술의 변형된 방법으로 알코올이나 페놀 등을 이용한 신경용해술이 2005년 김준형 등에 의하여 소개되었으나 이 방법도 신경 뿐만이 아니라 주위 혈관, 근육 조직까지 손상되거나 재수술의 빈도가 높게 보고되었다. 이후 좀더 안전하고 쉽게 시술이 가능한 고주파신경용해술이 소개되어 보편화가 되었으나 단점으로는 재발이 빈번하여 재수술이 많이 요구된다.

가장 간단한 방법으로는 보톡스를 종아리 근육에 직접 주사하는 방법으로 안기영 성낙관 등이 보톡스에 의한 근육퇴축술을 소개하였다. 가장 간단하면서도 안전하고 비용도 가장 저렴하며 쉬운 시술이면서도 그 효과는 다른 방법들에 비하여 크게 뒤지지 않은 것으로 나타났다. 다만 효과가 한정적이어서 6-12개월마다 반복하여 주사를 맞아야 한다는 단점이 있다.

이상과 같이 종아리축소 시술 방법은 여러가지가 있으나 환자의 상태나 요구에 따라 가장 알맞은 방법을 선택하여 부작용은 최소로 하면서도 효과는 최대가 될 수 있도록 향후의 발전이 기대된다.

참·고·문·헌

1. 김잉곤: 7. 내시경을 이용한 미용성형술. 미용성형외과학, 서울, 군자출판사. p325, 1998
2. 박봉권: 엘라스토어 임플란트를 사용한 엉덩이 확대 성형수술,대한성형외과학회지. Vol 38, No 2 182-188, 2011
3. 서인석 등: 종아리 성형술, 서울, 군자출판사. p43-46, 2011
4. 서인석: 종아리 성형술, 서울, 군자출판사. p2, 2011
5. Aston AJ: Abdominoplasty, in Rees T (ed): Aesthetic Plastic Suegery. Philadelphia, WB Saunders Co.p 1007, 1980
6. Cardenas L: Combind gluteoplasty: Liposuction and lipoinjection. Plast Reconstr Surg 104:1524-1530, 1999
7. Castanares S and Goethel JA: Abdominal lipectomy: A modification in technique. Plast Reconstr Surg 40:379, 1967
8. Christine CD, Jean-michel M, Mila S, et al.: Safety, tolerance, and patient satisfaction with noninvasive cryolipolysis.Dermatol Surg 39(8), August 2013
9. Coleman SR: Long-term survival of fat transplants: Controlled demonstrations. Aesth Plast Surg 19:421-425, 1995
10. Ellenbogen R: Invite comment on autolous fat injection.

Ann Plast Surg 24:297, 1990
11. Gonzalez-Ulloa M: Gluteoplasty: A ten-year report. Aesth Plast Surg 15: 85-91, 1991
12. Grazer FM and Davis TS: Body contouring and abdominal lipectomy.Baltimore,Williams & Willkins Company, 1987
13. Grazer FM and Klingbeil JR: Body Image: A Surgical Perspectives. St. Louis, C. V. Mosby Company, 1980.
14. Grazer FM: Abdominoplasty. Plast Reconstr Surg 51:617, 1973
15. Guerrerosantos J, Pere'n PA, Go'mez JB, et al.: Gluteus augmentation with fat grafting. Aesth Plast Surg 24:412-417,2000
16. Hwang SH, Kim IG, Uhm KI, Suh IS: General concept of women`s beautiful calves in Korea. J Korea Soc Aesth Plast Surg 4:31, 1998
17. Illouz YG: Body contouring by lipolysis: A 5-years experience with dver 3,000 cases. Plast Reconstr Surg 72: 591,1983
18. Kesserling K: Body contouring with suction lipectomy. Clin Plast Surg 11: 393, 1984
19. Kim IG, Hwang SH, Lew JM, Lee HY: Endoscope-assisted calf reduction in Orientals. Plast Reconstr Surg 106:713, 2000
20. Klein JA: Tumescent technique for local anesthesia improves safety inlarge-volume liposuction. Plast Reconstr Surg 92:1085, 1993
21. Lemperle G,Exner K: The resection of gastrocnemius muscles in aesthetically disturbing calf hypertropy. Plast Reconstr Surg 102:2230, 1998
22. Mendieta CG: Gluteoplasty. Aesth Surg J 23: 441-455, 2003
23. Mladick RA: Lipoplasty of the calves and ankles. Plast Reconstr Surg 86:84, 1990
24. Pereira LH: Fat grafting of the buttocks and lower limbs. Aesth Plast Surg 20:409-416, 1996
25. Reed LS: Lipoplasty of the calves and ankles. Clin Plast Surg 16:365, 1989
26. Richer P: Morphologie de la Femme. Plon-Nourrit et Cie, 1920.
27. Rohrich RJ: Advances in liposuction contouring of calves and ankles(Discussion). Plast Reconstr Surg 104:832, 1999
28. Suh IS: Neurectomy of nerve branch to medial gastrocnemius muscle for calf reduction. J Korean Soc Aesthetic Plast Surg 13:95, 2007
29. Toledo L: Mamoplastia using liposuction and the periareolar incision. Aesth Plast Surg 13:9-13, 1989
30. Toledo LS: Refinements in facial and body contouring. Philadelphia, Lippincott-Raven 165-167, 1999
31. Tsai CC, Lai CS, Lin SD, Lin TM:Aesthetic analysis of the ideal female leg. Aesthetic Plast Surg 24:303, 2000
32. Watanabe K: Circumferencial liposuction of calves and ankles. Aesth Plast Surg 14:259-269, 1990

Zocchi M: Ultrasonic liposculpturing. Aesth Plast Surg 16: 287, 1992

Chapter 58

복부 성형술

Abdominoplasty

서성익

복부는 유방 하부에서 시작되어 옆구리 라인을 형성하면서 symphysis pubis까지 이르는 영역으로, 여성에 있어 호르몬과 나이에 가장 민감하게 영향을 받는 부위이다. 중년을 지난 여성은 대개 아랫배에 지방조직에 변형이 발생하고, 이는 주로 배꼽 상방, 배꼽 하방 또는 허리의 잘록한 곳에 집중돼 있다. 특히 출산의 과정을 거치면서 신체 다른 부위보다 변화가 심하며, 따라서 자신의 신체상을 형성하는데, 중요한 부위로 작용하며, 우선적으로 교정의 가능성을 고려해 보는 부위이기도 하다. 중증도 이상의 비만의 경우이거나 피부 처짐이 현저히 나타나게 되면, 일반적인 지방 흡입만으로는 체형의 교정이 용이하지 않은 경우가 많아진다.

이러한 복부의 변형은 몸매뿐만 아니라, 기능상의 문제점도 내포하게 된다. 복부의 무게 때문에 척추의 변형을 유발할 수도 있고, 이에 따른 자세의 변화 때문에 다른 부위의 통증으로까지 연결되어지기도 한다. 또한 출산 과정의 산물이라고도 볼 수 있는 튼살의 존재나, 제왕 절개술로 생긴 흉터의 상태가 심할 경우 복부 성형술을 통하여 개선할 수 있다. 역시 출산 후 호발하는 증상으로 하복부만의 국소적인 비만 상태나, 숙인 자세에서 더욱 심해지는 하복부 팽창 증상은 복직근의 이완 해리에 따른 증상으로 복부 성형술을 통하여 교정이 가능하다.

따라서 이러한 체형적인 외관의 모습뿐만 아니라 기능적인 부분의 교정까지 고려한다면, 복부 성형술은 좋은 대안이 될 수 있을 것이다. 다만 흉터라는 것에 대한 부정적인 인식이 강한 한국에서는 쉽게 환자들에게 권하기 어려운 것도 사실이다. 성형외과적 수술 중에 중등도 이상의 난이도를 필요로 하고, 다른 여타 수술들에 비해 환자의 전신적인 점검과 고려가 꼭 필요하며, 술자가 반드시 숙지하고 예방해야 하는 발생 가능한 합병증들이 많은 점도 사실이다. 이러한 몇 가지 이유로 말미암아 현재까지 많이 시행되고 있다고는 볼 수 없지만, 체형의 서구화로 비만의 정도가 심해지고 미니 복부 성형술의 빈도가 증가하고 있는 것으로 미루어 볼 때, 향후 복부 성형술의 대중화도 멀지 않으리라 사료된다.

1. 역사

역사적으로는 1890년에 Demars와 Marx가 심한 배꼽 허니아를 수술한 것이 복부 성형술의 최초라고 본다. 1911년에 Desjardins와 Morestin이 각각 피부와 피부밑 지방층을 절제했다고 한다. 그러나 이들은 flap의 개념으로까지 확장하지는 못했고, 단순 절제만을 시행한 것으로 보인다. 그 후부터는 복부 피부와 지방 피판을 symphysis pubis에서 명치부(xiphoid process)까지 복부 근막으로부터 광범위하게 일으킨 다음, 잉여 부분을 절제하고, 봉합하는 방법들이 시도 되었다. 잉여 피부를 절제하고 봉합을 하는 과정에서 여러 가지의 디자인들이 시도되었다. 다양한 시도들 중에서 효과와 흉터의 노출 등의 여러 결과들이 비교 되었고, 그 중에서 2-3가지의 디자인들이 현재까지 통용되고 있다.

1980년 대에 접어들면서 부터는 지방 흡인술이 개발되어, 복부성형술을 시행할 때 같이 이용하는 것이 정설로 자리잡게 되었다. 지방흡입을 이용하게 되면 복부 성형술의 박리 범위를 줄여주어 수술 시간과 회복 시간을 단축 시켜주었고, 이에 따른 다른 합병증들의 발생 가능성도 낮추어 줄 수 있게 되었다.

2. 해부학적 고려사항

복부 성형술을 시행하는데 필요한 해부학적인 사항들도 점검이 필요하다. 기본적으로 피하 지방의 분포 상태를 숙지하여야 하고, 위치에 따른 복벽의 구조적 차이점을 알고, 기본적인 혈관계와 신경계의 분포와 주행 상황을 점검해야 한다. 이외에도 복부 성형술에서 특징적으로 파악해야 하는 해부학적 부분은 Scarpa's fascia, 림프관의 주행, 상부 피판의 혈행을 담당하는 perforating arteries의 존재 위치와 이동성에 주의 하여야 하고, rectus muscle의 internal border 위치를 잘 파악하여야 한다. Alexandre Munhoz등이 mapping

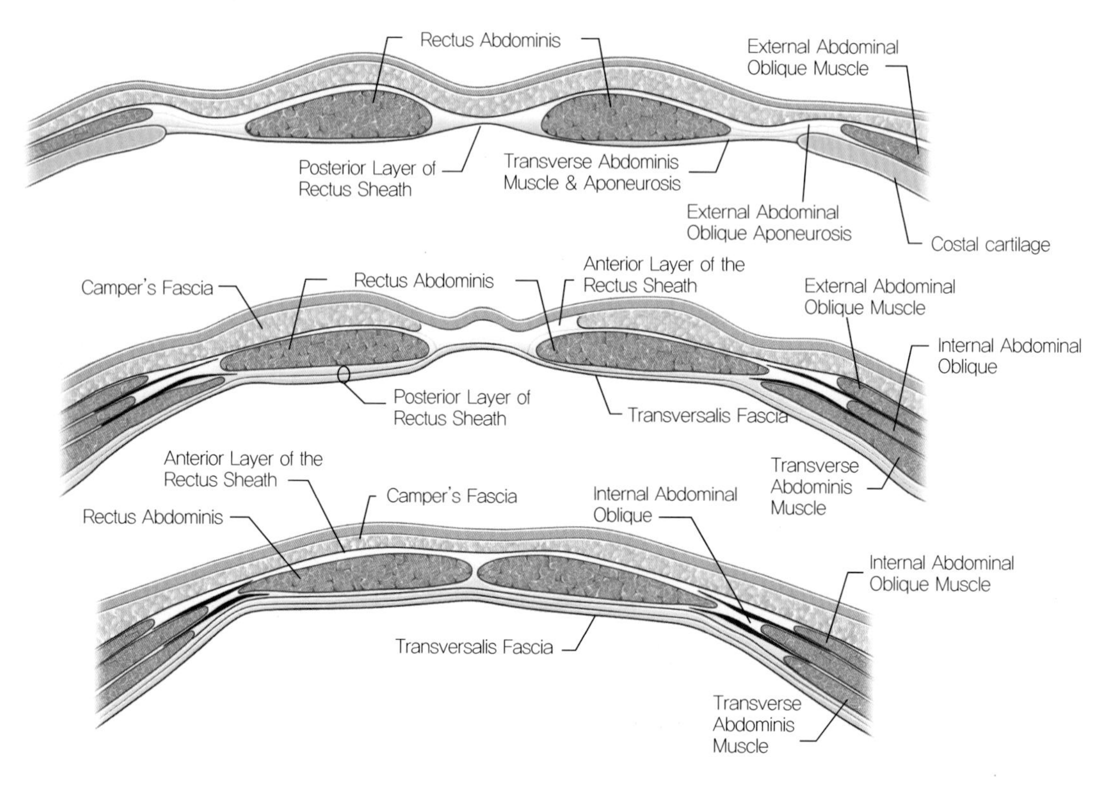

그림 1 Pattern of lamination of the rectus sheath

하여 비교한 논문에 의하면, 수술 전후로 약 80% 정도의 perforating arteries, veins, lymphatic, nerve가 보존된다고 하였다. 이러한 결과는 Munhoz가 doppler ultrasound study를 통하여서도 81.21%의 보존율을 발표한 것으로, 많은 사람들이 걱정하는 flap ischemia에 대한 학문적 논거로 작용한다.

rectus abdominal muscle과 복벽 피부는 6th-12th intercostal nerve의 anterior branch가 담당하는 것으로 되어 있는데, 이 신경은 abdominal perforating vessel과 같이 존재한다고 알려져 있다. 따라서 혈행을 보존하려는 노력은 flap의 생존을 위해서 뿐만 아니라 감각 신경들의 유지에도 중요한 역할을 하므로, 박리시 항상

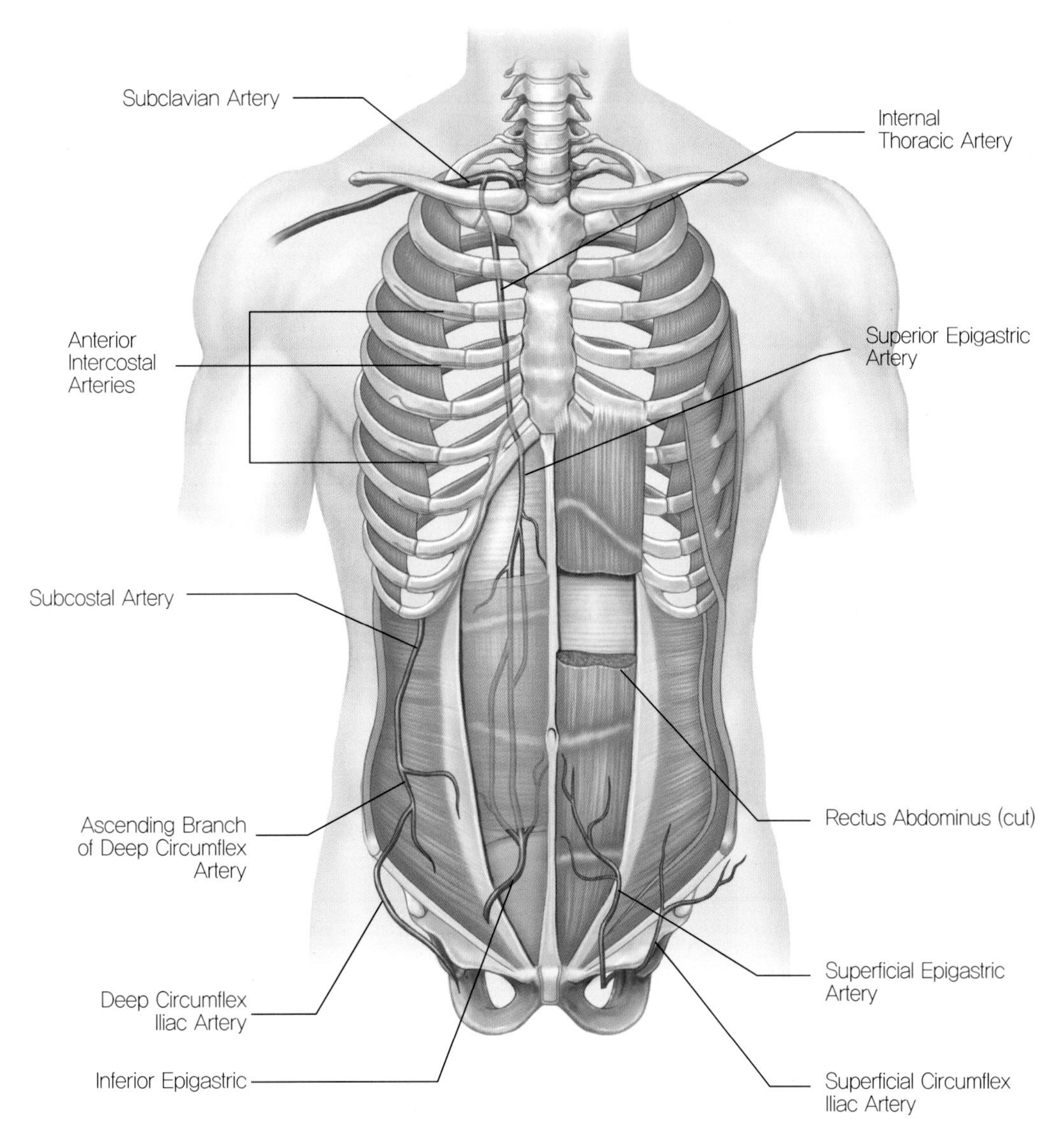

그림 2 Arterial supply to the abdomen

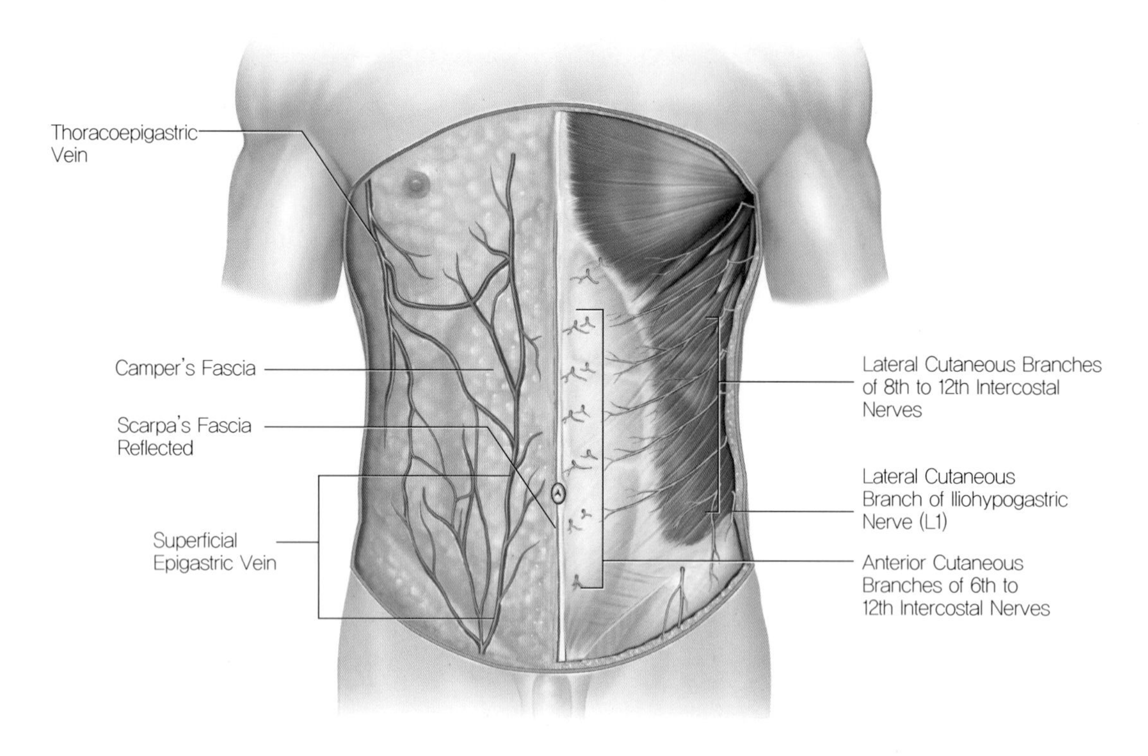

그림 3 Venous drainage and cutaneous innervation of the abdominal wall

이점을 염두에 두어야 한다(**그림 1,2,3**).

3. 환자

(1) 적용증

① 피부가 지나치게 늘어져 있고 피부에 튼선(stria)들이 있는 경우

② 개복술 (laparotomy)로 인한 경우.

③ 체중을 많이 줄인 후에 피부에 여유가 많아진 경우.

④ 다산(多産), 노쇠, 수술, 외상 등으로 인하여 양쪽 rectus abdominis muscle사이가 먼 경우.

⑤ musculoaponeurotic system이 약해져서 배벽이 늘어져 있는 경우.

⑥ 옆배벽, 배꼽 주위, 아랫배벽에 지방이 과다하게 축적돼 있고 피부가 늘어져 있는 경우.

⑦ 복부 비만으로 척추에 hyperlordosis가 있는 경우.

(2) 금기

① 출산 예정이 완료되지 않은 상태(향후 임신을 원하는 경우)

② 내장 지방의 비율이 상대적으로 높은 경우(특히 남자의 경우)

③ 비대흉터가 생기기 쉬운 환자

④ 고도 비만으로 정도가 심한 경우

⑤ Heavy smoker

⑥ 기관지 확장증, 만성기관지염 같은 폐질환을 가진 환자

a. 폐활량 (vital capacity)이 2.5 L 미만이면 위험하고 1.0 L 미만이면 금기이다.

b. 동맥혈가스분석 상 PaO2가 55 mmHg 미만이 거나 PaCO2가 45 mmHg 이상이면 위험하다.
c. 가슴방사선사진상 급성질환이 있으면 위험하다

4. 술기

1) Design

훌륭한 수술 결과를 위해서는 수술 계획을 잘 세워야 한다. 수술 계획은 정확한 술 전 환자 평가에 의해 가능하며, 이는 디자인을 통해 표현된다. 따라서 수술 디자인은 아주 중요한 부분이다.

환자의 복부 상태와 수술 계획에 따라 디자인은 다소 달라 질 수 있다. 특수한 경우를 제외하고 일반적으로 통용되는 절개 디자인은 넓은 컵 케이크 모양이다 symphysis pubis에서 6 cm 미만의 높이에서 symphysis pubis에 평행한 base line을, 중심선을 기준으로 12–14 cm 길이로 작성하고, 옆구리 쪽의 조절 정도에 따라 좌 우측 사선 연장선을 7–8 cm되게 디자인 한다. 이 길이는 다소 변화를 줄 수 있는데, 여기에 따라 base line과 이루는 각도를 달리 하여 전체적인 조화와 양 끝단의 견이 발생 가능성을 미연에 조절할 수 있다. 일반적으로 iliac crest를 넘어가지 않으며, 견이 발생에 따른 back-cut도 가능하다.

추가적으로 지방 흡입의 계획 디자인도 포함시키고, 이외에도 중요한 해부학적 지표들을 보완하여 표시한다. 경우에 따라서는 도플러를 이용하여 perforating artery들을 표시하기도 하는데, 이러한 경우는 특히 배꼽 주변과 상복부에서 유용하다(**그림 4, 5**).

2) Infiltration

wet 또는 superwet technique이 이용된다. tumescent 용액을 이용하여 시행하며, 보통 1-2 L 정도 사용한다. 실제 절개 부위는 지방흡입 계획여부에 따라 달라지는데, 초심자가 지방흡입을 시행하지 않는 경우에는 상복부 피판의 인장 정도를 가름하여 절개선을 술 중에 조절하는 것이 여의치 않으므로 다소 위험할 수도 있다.

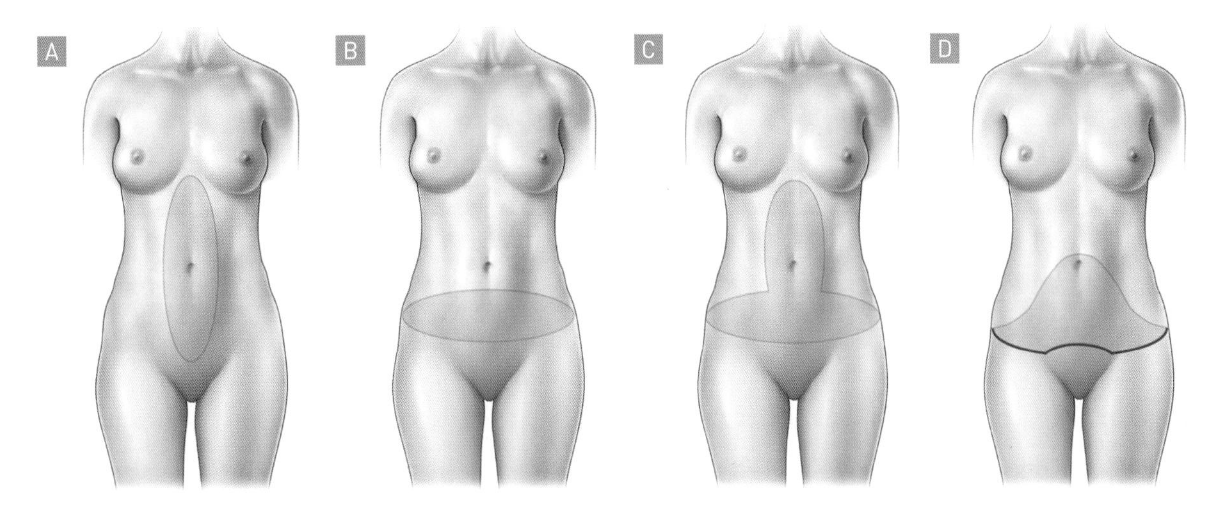

그림 4 Various design pattern of abdominoplasty

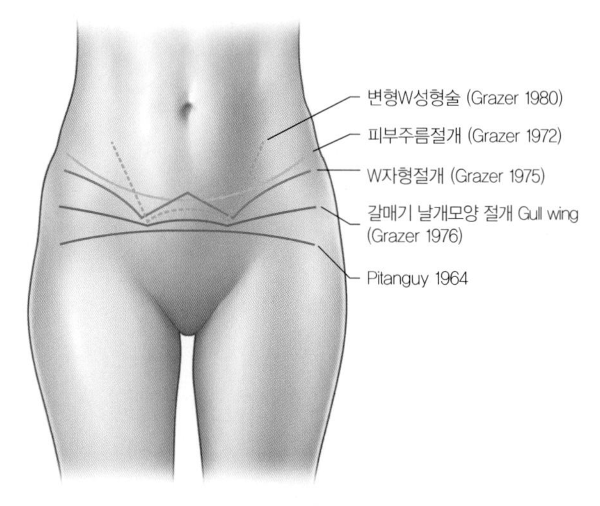

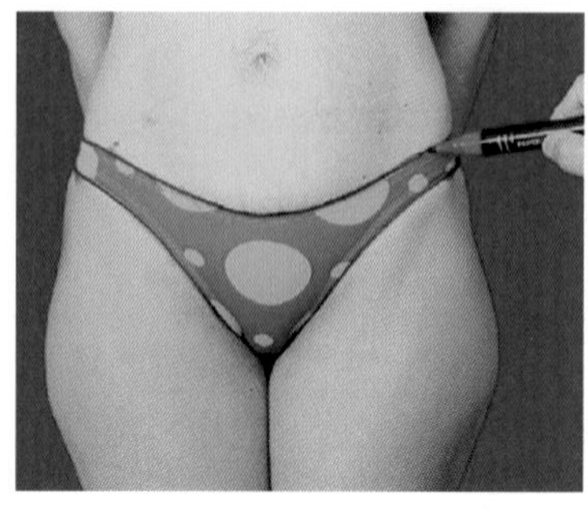

그림 5 Final suture line to hide the scar according to Incisional variation

3) Liposuction

지방 흡입은 앞쪽 단원에서 자세히 언급되어 있으므로, 일반론적인 설명은 생략하기로 한다. 단지 전체 복부 성형술과 병행하는 경우에 고려하여야 하는 사항들만 간단히 생각해 보기로 한다.

우선 그 목적에 있어, 광범위한 피하 박리의 필요성을 줄여 주기 위한 것으로 생각한다면, 지방흡입의 양을 조정할 필요가 있다. 이는 상부 피판이 인장됨에 따라 경미한 지방층의 굴곡도 일반적인 지방흡입의 경우보다 뚜렷하게 contour deformity로 나타날 수 있기 때문이다. 같은 맥락으로 피판의 혈행 관계에 있어서도 더욱 더 주의를 기울여야만 한다. 아울러 상부 피판의 perforating artery 주위 영역에서의 지방 흡입의 강도에도 변화를 주는 것이 현명할 것이다. 유동성이냐 안전성이냐의 문제를 기준으로 상황에 따라 판단하면 될 것이다.

피부 절개 예정 부위의 주변부에서 과도한 지방흡입의 부작용 중에 하나인 혈종이 발생하게 되면, 치명적인 결과를 초래하게 되므로 주의하여야 한다. 지방흡입 단독인 경우에 비하여 scarpa's fascia의 보존이 더욱 중요한 사항이므로, 이 점에도 유의하여야 한다.

드물긴 하지만 전체 복부 성형술을 시행함에 있어 발생 가능한 fat embolism이나, seroma의 발생과 이로 인한 치유 지연 현상들도 지방 흡입에 따라 발생 가능성이 증가할 수 있으므로 주의 하여야 한다.

(1) Lower abdomen

하복부 피부를 절제해 내기 전에 다시 Scarpa's fascia를 확인 하는 과정이 필요하다. 이는 flap의 mobility를 줄이기 위해 필요하며, 전체적인 flap의 circulation을 확인한 후 잉여 피부의 절개와 umbilicus의 분리를 시행한다. 아래로 이동하는 상복부의 피부의 이동량을 증가 시키기 위하여 술 중에 조금 더 지방 흡입이 필요한 경우도 있다. 이때는 가능하면 Scarpa's fascia 아래의 심부 지방을 흡입하여 줌으로써, flap의 혈행을 유지 시키면서 이동량도 증가시키고, 술 후 새롭게 형성되는 하복부의 질감도 균일하고도 매끄럽게 유지할 수 있게 되는 것이다.

(2) Selective undermining

일반적으로 배꼽을 중심으로 하는 가운데 부분은 xiphoid process까지 박리를 하게 되는데 이때 좌우측에 perforationg vessel들이 손상 되지 않도록 주의해야 한다. perforationg vessel들은 rectus abdominal muscle의 중간 부위에서 나오므로 박리의 범위는 rectus abdominal muscle의 내측 경계를 확인하고 1-2 cm 정도까지만 확장하도록 한다. 굳이 perforationg vessel을 확

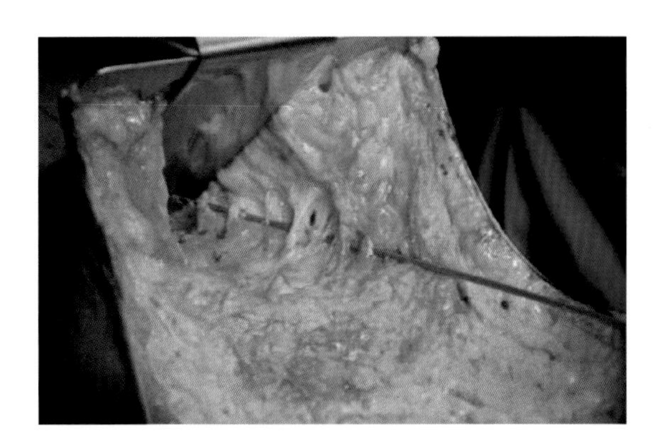

그림 6 Preservation of perforated vessles

인 할 필요는 없고, 혹 박리 과정중 perforationg vessel이 손상되었다고 생각되면, 철저히 지혈한 다음 그 지점을 기준점으로 하여 주의하면서 박리를 진행하면 된다. 출산 경험이 있는 경우는 대부분 rectus abdominal muscle의 diastasis가 존재하게 되므로 중앙부의 박리 범위는 넓어지게 된다(**그림 6**).

(3) Preservation of Scarpa's fascia

Scarpa's fascia를 보존해야 하는 중요한 이유들은 다음과 같다. 첫째 하복부 하단에서 inferior perforating vessel을 보존하므로 상대적으로 출혈의 가능성을 줄여줄 수 있다. 둘째, 상복부 피판에서 Scarpa's fascia는 flap의 균일성을 보장해 주고 하복부 쪽으로 연장 이동하여 봉합할 때 적절한 접촉 여건을 형성하여 줌으로써 wound healing과정을 촉진시켜 줄 수 있다. 셋째, 회복과정에서 수축 작용이 일어나 외부적인 흉터를 다소나마 줄여주는 효과를 얻을 수 있다(**그림 7**).

(4) Resection of the infraumbilical tissue and rectus muscle plication

Infraumbilical midline 영역에서, rectus abdominis muscle의 medial edge를 명확하게 구분하기 위하여 지방과 주변 조직들을 조금씩 제거 하는 것이 도움이 된다. 출산 경험 후 대부분 나타나는 rectus abdominal

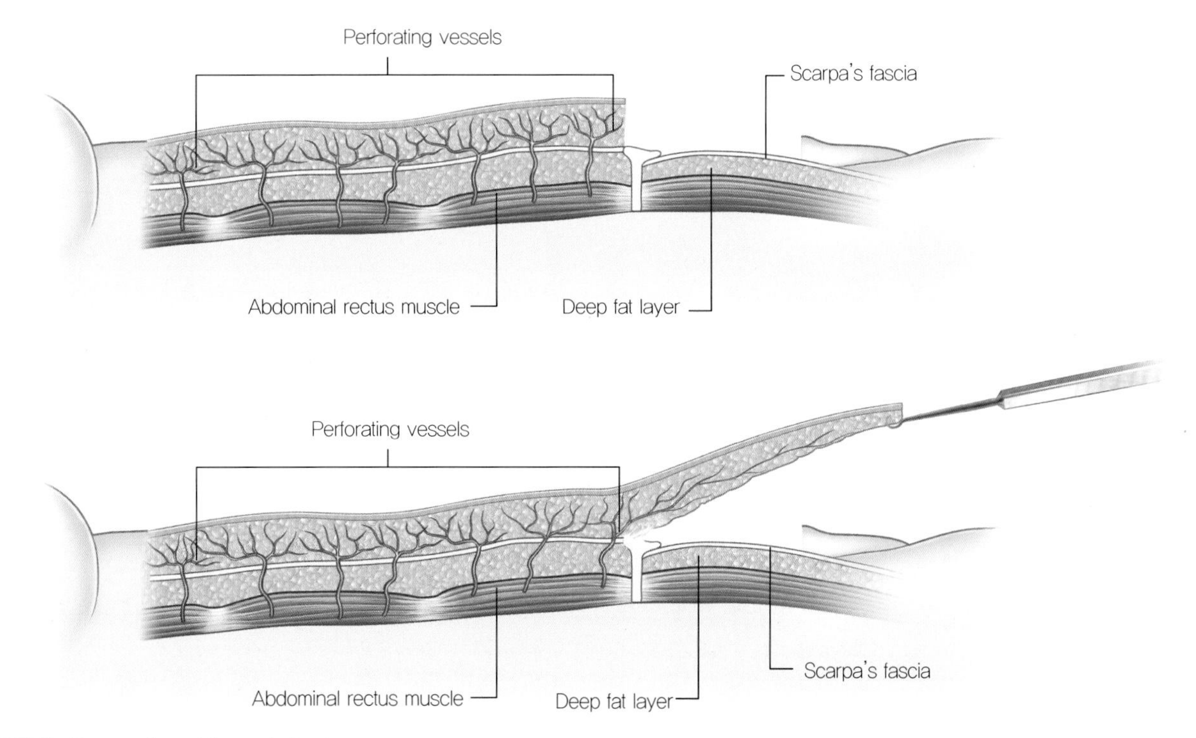

그림 7 Preservation of Scarpa's fascia

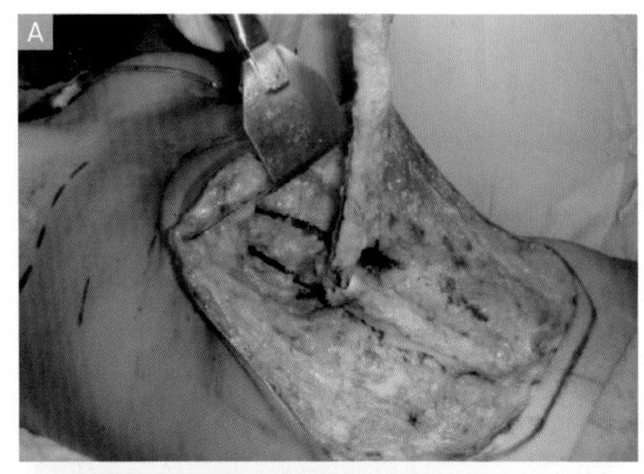

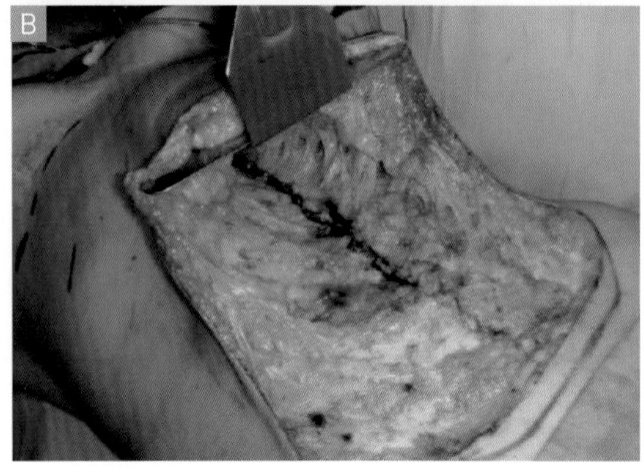

그림 8 Rectus muscle plication

muscle의 diastasis를 해결하기 위하여 양측의 rectus abdominal muscle을 묶어 가운데로 위치시키는 작업이 필요하다(**그림 8**).

(5) Umbilicoplasty

잉여 피부를 절단하고 상부 피판을 아래로 움직여 symphysis pubis 부위에 한 점 또는 두 점 봉합을 시행한다. 분리된 배꼽의 위치를 파악하고 새롭게 위치할 배꼽의 위치를 결정한다. 명치 부위와 양측 iliac crest등을 기준점으로 하여 정 중앙에 위치하도록 하여야 한다. 술자에 따라 여러가지 기준을 정해두는 것이 도움이 되는데, 저자의 경우 상기 기준점들을 이용하여 기준선(midline)을 설정하고 symphysis pubis에서 15-17 cm 정도의 높이에서 기존 배꼽의 위치를 감안하여 설정한다.

위치가 정해지고 나면, 피판에 절개창을 만들어 주는데 보통 1-1.5 cm 정도 일자 절개를 하고, 위쪽 절개 경계부위에서 10시 2시 방향으로 0.4 cm 정도 절개를 더하여 긴 "Y"자 형의 절개창을 만든다. 만들어진 절개창을 통하여 배꼽 주변 조직에 창의 모습을 간단히 marking하여 둔다.

symphysis pubis 부위에 한 점 또는 두 점 봉합을 시행한 부분을 풀고 피판을 뒤집은 상태에서 기존의 배꼽에 tagging suture를 시행한다. tagging suture는 10시, 2시, 6시 방향으로 세 부분 정도 시행하고 marking된 부분을 기준으로 하여 새롭게 배꼽의 모양을 잡기 위해서 3시, 6시, 9시 방향에 anchoring suture를 먼저 하여 배꼽의 입체적인 모양을 만들어 준다. 세 군데 중 6시 방향의 anchoring suture를 제일 먼저 시행 하는데, 원하는 배꼽의 길이와 위치를 고려하여 시행하면 된다. 세 군데의 anchoring suture는 배꼽 줄기의 1/2-2/3 지점을 바닥의 rectus abdominal muscle 근막에 고정하여 전체적인 높이를 낮추어 준다. 12시 방향은 free하게 두고 위쪽 피부판을 접어 연결하면 입체적이면서 자연스러운 배꼽 모양을 갖출 수 있다.

tagging suture를 새로운 위치의 절개창을 통해 바깥

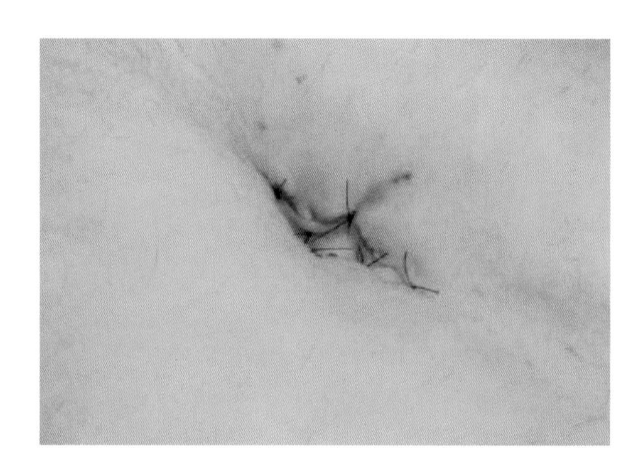

그림 9 Umbilicoplasty

으로 뺀 다음 symphysis pubis 부위에 한 점 또는 두 점 봉합을 시행하여 우선 고정하고 외부에서 배꼽의 연결 부위들을 봉합하여 주면 된다. 하복부 부위의 봉합을 먼저 하는 경우도 있고, 우선 고정만 먼저 하고 umbilicoplasty를 먼저 하는 경우도 있다. 설혹 후자의 경우라고 하더라도, 술 후 배꼽 부위의 긴장도 증가로 인하여 모양이나 위치가 달라지는 등의 경우를 예방하기 위하여 배꼽 주변으로 tension releasing anchoring suture를 두 곳 정도 해주는 과정을 선행하게 된다면, 보다 안정적으로 배꼽의 위치와 모양을 잡을 수 있을 것이다.

배꼽 재건의 경우에 있어서도 마찬가지긴 하지만 술자나 환자가 선호하는 배꼽의 길이나 모양이 다소 상이할 수 있으므로, 술전에 환자와 상의 후 그에 맞는 모양을 만들어 나간다면 보다 좋은 결과를 얻을 수 있을 것이다(**그림 9**).

(6) Suture of the layers and drain

마지막 봉합은 일반적으로 2-3층으로 나누어서 각각 시행하는 것이 좋다. 봉합의 방향성은 '견이' 파트에서 언급한대로 시행하면 될 것이다. 하복부에 이르러, 특히 양쪽 허리 라인을 교정하기 위해서는 tension releasing quilting suture를 여러 번 시행하여 안정성을 확보할 수 있다. 봉합면의 바닥과 피판의 두께 차이를 해결하여 주면 보다 좋은 결과를 얻을 수 있다.

봉합을 마무리 하기 전에 드레인을 삽입하여 위치를 고정하고, 필요하다면 마무리 지방흡입을 추가적으로 시행하여 미세한 부분을 완성한 다음 봉합을 마무리한다. 봉합면의 긴장도에 따라 봉합시 환자의 자세

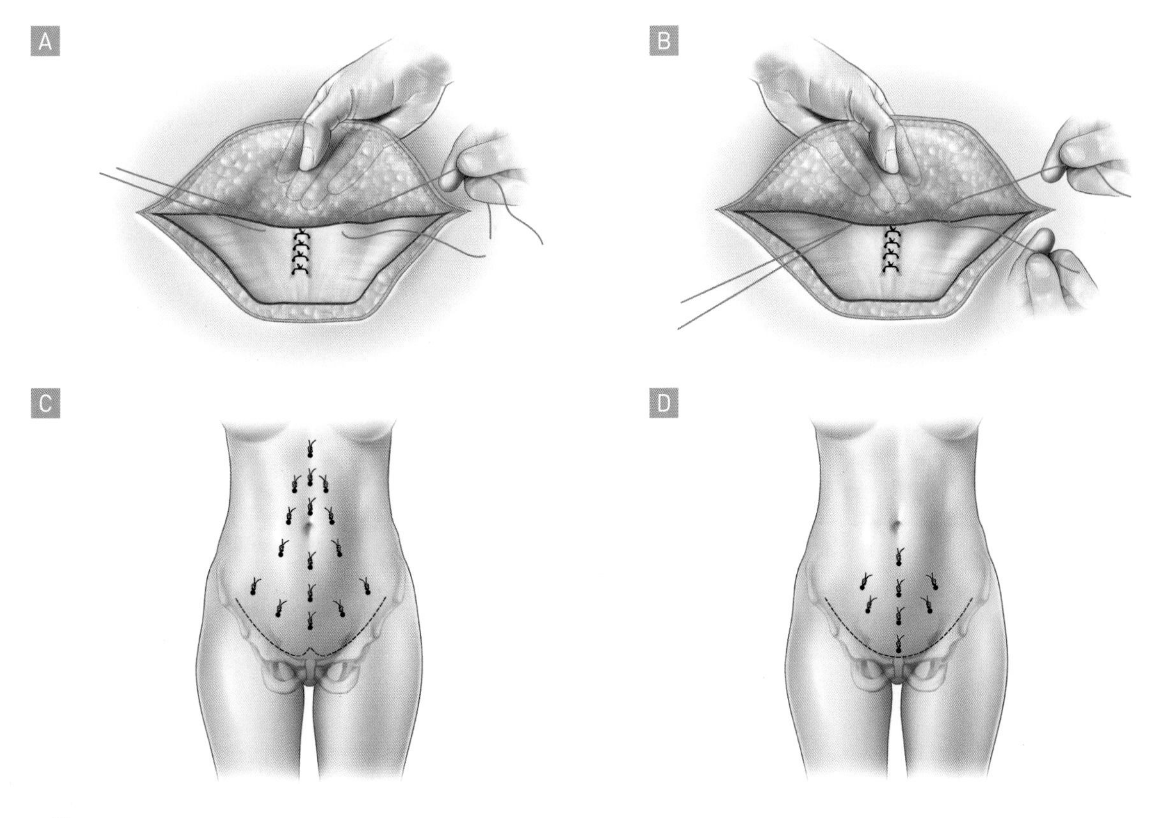

그림 10 Tension releasing quilting suture

에 변화를 줄 수도 있지만, 저자의 경우에는 선호하지는 않는 방식이다(**그림 10**).

5. 드레싱

봉합부는 소독후 깨끗한 거즈를 이용하여 우선 간단히 tapping을 시행한다. 박리 등의 수술이 이루어진 복부 전체 영역을 micropore와 garment등을 이용하여 중등도로 압박 드레싱을 시행한다. 피판의 혈행이 의심스러운 경우는 작은 window를 2-3 부위 정도 만들어 외부에서 관찰이 가능하도록 만들어주면, 별다른 걱정없이 2-3일 간 초기 드레싱을 유지할 수 있다. 2-3일 후 최초 드레싱을 시행하고, 특별한 이상이 없을 경우에는 간단한 드레싱으로 교체한다.

6. 술후 관리

dressing은 2-3일 간격으로 3-4회 정도 시행하면서 봉합 부위와 수술 부위의 경과를 관찰한다. 2-3일째 초기 드레싱에서 피판의 혈행 유지가 봉합의 긴장도에 의해 저해된다고 판단되면 과감하게 부분 발사를 시행하는 것이 현명하다. 봉합사는 7일에서 12일 사이에 2-3회에 걸쳐 나누어 발사하는 것이 안전하다. 상처 부위의 상태에 따라서는, 발사와 재봉합이 1-2회 정도 반복되어질 수도 있다. 이런 경우도 환자에게 미리 고지되어 있어야 한다. Umbilicus 주변부는 다소 늦게 발사를 시행하는 것이 더욱 안전하다. 초기부터 early ambulation을 강조하되, 3-5일 경과시까지는 허리를 너무 곧곧하게 펴지 않도록 주의 시켜야 한다.

7. 부작용

1) 서론

abdominoplasty 후 부작용은 언제든지 발생할 수 있으므로, 술자는 항상 이러한 부작용을 예방하고, 빠른 대처를 하기 위하여 최선의 노력을 하여야 한다.

(1) 비대칭

비대칭 문제는 크게 디자인과 관련된 피부 외적인 요소에서 기인하는 비대칭과 내적 과정의 결과로 초래되는 비대칭으로 나누어 볼 수 있다.

비대칭을 예방하기 위하여 디자인 과정에서부터 많은 주의를 기울여야 한다. 환자의 자세, 환자의 체형 내에서의 중심선과 해부학적 기준점 표시, 절개 예정선의 길이 비교 등을 염두에 두고 디자인하여야 한다.

내적 과정의 결과로 초래되는 비대칭을 예방하기 위하여 수술 과정 중의 지방흡입이나 박리의 범위 등에서도 대칭성을 고려하여야 하며, 복직근이나 외사근을 이용한 술식을 시행할 때 특히 대칭성을 염두에 두고 주의하여야 한다. 배꼽의 위치를 새로이 잡는 경우에도 중심선과 상하의 위치 관계를 고려하여야 하고 배꼽 좌우 피부의 긴장성도 최종적인 배꼽 모양의 비대칭성을 야기할 수 있으므로 주의하여야 한다.

그러나 마지막 순간에 제일 중요한 요소로 작용하는 것은 기존에 존재하는, 미처 인식하지 못한 환자 자체의 비대칭성이다. 이러한 요소를 주의 깊게 관찰하여 미리 인지하고 있어야 환자에게 교정의 한계를 미리 설명할 수도 있고, 가능하다면 기존에 존재하는 비대칭의 정도를 줄여줄 수 있는 수술 방법을 계획할 수도 있는 것이다.

(2) 출혈 (멍, 혈종)

멍이나 출혈은 그 정도가 심하지 않다면, 수술 후

나타날 수 있는 당연한 결과로 여겨질 수 도 있다. 그러나 수술 직후나 치료 과정 중에 특정 부위에 일정 정도 이상의 swelling이 관찰 된다면 집도의는 중대한 결정을 해야만 한다. 즉시 드레인 과정을 시행할것인지, 아니면 압박 드레싱으로 조금 더 경과 관찰의 시간을 가질 것인지에 대하여 신중하게 판단하여야 한다. 일반적으로 동맥 손상에 의한 출혈은 20-30분 내에 현저한 크기의 변화와 함께 전신적인 증상(혈압의 변화, 의식 상태의 변화)을 동반하므로 구분이 어렵지 않으나, 정맥 출혈이나 미세 혈관 손상 등에 의한 경우는 시간에 따른 변화량이 크지 않은 경우가 많으므로 판단이 용이하지 않다. 따라서 저자의 경우에는 수술 후반부 부터는, 중간 중간에 전체 수술 범위에서 롤링 방법을 통하여 열려있는 절개 부위로 기계적인 드레인을 시도한다. 전체적인 부기와 혈종의 감소도 얻을 수가 있고, 배출되는 양을 보고 시간에 따른 특이 사항의 발생 여부를 체크해 볼 수 있기 때문에 유용한 방법으로 사료된다.

혈종의 발생률은 9% 정도 된다고 보고되고 있다. 때때로 compression dressings, bed rest, ice pack을 적용하는 것이 도움이 되긴 하지만, 수술 종료 후 혈압이 상승하거나 거동이 시작되면서 정도가 심해질것이 예상되므로 판단과 처치에 더욱 신중해야 한다. 술전 검사상의 혈액 응고 부분 검사 결과도 체크해 보는 것이 좋다.

만약 persistent active bleeding이 의심된다면, 그 상황에서 바로 surgical exploration을 주저없이 시행하는 것이 좋다. Hematoma bleeding 포커스를 찾고 ligation 이나 electrocoagulation을 시행한다.

Drain은 3일 정도 유지하고 나오는 양을 고려하여 제거하도록 한다. 술 후에 환자의 상태를 체크해 보고, 필요하다면 hemoglobin (Hgb), hematocrit (HCT)을 체크해 보는것도 좋다.

(3) 상처 열개 (Dehiscence)

대개는 상처 봉합 부위의 긴장도와 연관된다. 피부 긴장에 의한 주변 혈관들의 spasm이나 혈전등에 의한 혈관 폐색이 원인으로 생각된다. 특히 smoking, diabetes mellitus, underlying hematoma, seroma가 존재하는 경우에 발생 빈도가 높아진다.

술 후 드레싱 과정에서 봉합 부위의 긴장도와 인접 피부의 상태를 잘 살피면 열개나 피부 괴사를 미연에 예방할 수 있다. 특히 5-7일간은 피부 긴장도 감소를 위해 허리를 너무 꼿꼿이 펴는 자세를 취하지 않도록 교육하는 것도 중요하다.

상처 열개가 발생하거나, 예방적으로 봉합 부위를 풀어서 긴장도를 낮춘 경우, conservative 하게 대응하는 것이 필요하다. 일주일 정도 경과된 후 상처를 다시 봉합하게 되는데, 이 기간 동안 특히 감염 가능성에 대해 신경을 많이 써야 한다. 상처 변연의 상태를 고려할 때 추가적인 debridement이 필요한 경우가 많고, 이들 주변으로 다소의 조직 수축이 동반되고, 주변 조직이 완전히 안정화 되지 않은 상태이므로, 재 봉합시에는 일반적으로 초기상황보다 긴장도의 발생 가능성이 훨씬 높아지게 된다. 주변 상황상 충분히 여유가 있을 경우에만 direct closure를 시도할 수 있고, 그렇지 못한 경우거나 3차 이상의 시도인 경우 flap coverage를 고려하여야 한다.

저자의 경우 일반적으로 Romboid flap coverage를 선호하는 편이다. Flap 거상은 일반적으로 최초 절개 라인 하부의 intact한 조직에서 시행하는 것이 성공 확률이 높은 편이고, flap design은 각도와 길이의 정확도가 필요한 작업이다. 경험상 최고 장축의 경우 길이를 20% 정도 여유 있게 하면 좋다. Flap coverage가 실패하는 경우 치료 기간이 많이 길어지게 되므로, 신중을 기하여야 한다. 아울러 환자에게 치료 기간이 길어질 수도 있다는 사실에 대하여 충분한 주의를 미리 주는 것이 많은 도움이 된다.

(4) Seroma

Drain은 일반적으로 혈종을 예방해 주기는 하지만, seroma 형성까지 예방해 주지는 못한다. 낭종의 경우 수술 영역 내부의 공간 형성에 의해 발생하는 주변 조직들의 serous fluid의 생성과 축적에 의해 발생하고, 단기적인 배출에도 불구 하고 잦은 재발을 그 특징으로 한다.

이런 과정이 2-3번 반복되는 동안 내부 공간에는 얇은 생체막이 형성되게 되고, 이후에는 지속적으로 존재하면서 문제를 야기하게 된다. 따라서 초기에 aspiration이나 drainage를 시행하고 강한 압박 드레싱을 시행하여야 하며, 이후 2-3회 재발 되는 양상을 보인다면 근본적으로 내부 생체막을 제거하고 공간내부의 위 아래쪽 면이 같이 healing 되도록 조치를 해 주어야 한다. 화학적으로든 물리적으로든 pseudocyst의 양쪽 막을 파괴하고 압박하여 정상적인 healing 과정을 유도하여야 한다.

저자의 경우 수술 후반부에 마무리를 하면서, 미리 중간 중간에 tension releasing quilting suture를 여러 번 하여, 술 후 내부 공간이 생성될 가능성을 미연에 차단하는 방법을 이용하는데, 이것이 가장 좋은 예방 방법으로 사료된다.

(5) 견이 (Dog-ears)

봉합부의 양쪽 끝 단에서 주로 발생하게 되고, 근본적인 이유는 상 하 변연의 길이 차이이며, 기술적인 이유로는 대개의 경우 중앙 부분부터 선 봉합하고 양측으로 봉합을 연장하기 때문이다.

예방책으로는 중앙부의 선 봉합은 피할수 없다 하더라도 그 다음 봉합 순서를 양 끝 단에서 시작하여 중앙으로 연장하게 되면 많은 경우 견이를 피할 수 있다. 그러나 앞서 언급했듯이 상 하 변연의 길이 차이가 일정 한도 이상이라면 봉합면을 일치시키는 것이 상당히 어려울 수 있다. 이러 경우가 예상이 된다면 처음부터 양쪽 끝단에서 back-cut을 넣어 조절할 수도 있고, 보다 근본적으로는 디자인 단계에서부터 미리 조절하는 것이 필요하다. 작게는 쌍꺼풀 디자인에서부터 유륜 축소술, 유방 축소술 등의 경우에서 공통적으로 통용되는 문제 해결 방식으로, 각각 나름대로 가지고 있는 해결 방법을 총동원하여 해결한다면 좋은 결과를 예상할 수 있을 것이다.

심하지 않은 경우 6개월 이상 경과 관찰을 하면서 그 정도가 호전 되는 양상을 관찰하고, 6개월여 이상의 시점에서 남아 있는 견이 부분은 revision을 통하여 해결해 주면 될 것이다.

(6) 혈전증 (Thromboembolism)

Thromboembolism은 산부인과적, 정형외과적 수술에서 호발하지만, 성형외과 영역에서도 지방 흡입 수술과 복부 성형술 후에 나타날 수 있는 합병증이다. 특히 복부 성형술 후 발생 가능성이 상대적으로 높기 때문에 술전에 가족력이나 기 발생 history 등을 잘 체크해 보아야 한다. 특히 40대 이상의 여성에 있어서 평소 estrogen을 이용한 치료를 하고 있는 경우 반드시 술 전후에 일정기간 치료를 멈추어야만 한다.

증상으로는 술후 1-3일경 나타나는 갑작스러운 호흡 곤란증과 pleuritic chest pain, cough, hemoptysis, tachycardia, cyanosis, fever를 보이며, anxiety와 심할 경우에는 syncope증상까지 동반할 수 있다. 원인에 따라서는 DVT증상(lower-extremity swelling, warmth, tenderness)을 보이기도 한다 앞가슴쪽의 reddish purpura등의 관찰로 진단되어질 수 있으며, 진단이 되고 나면 별다른 치료 방법 없이 계속 진행되어 치명적인 결과에 이를 수 있다.

Pulmonary angiography, Arterial blood gas analysis, Enzyme-linked immunoassay (ELISA) for D-dimer등을 이용하여 확진할 수 있으며, 치료 방법으로 Anticoagulant medications, Thrombolytic options, Surgical intervention으로 thrombectomy, embolectomy, venous interruption, 고압 산소 요법등을 시행해 보기도 하지만, 아직까지는 특별한 치료방법이 수립되어 있질 않아, 예방만이 최선의 대응책인 합병증이다. 따라서 복부 성형술을 시행함에 있어 반드시 고려하여야 하고 환자의 교육에도 최선을 다하여 예방에 노력하여야 한다.

예방책으로 지금까지 가장 효과 있다고 알려진 방법으로는 "early ambulation"이 유일하다. 따라서 저자의 경우 수술 후 3시간 정도 경과한 시점부터 가볍게 ambulation을 30분 간격으로 2회 정도 시행하고, 교육 시킨 후 퇴원시키며, 퇴원 후에도 정확한 자세를 유지하는 한도 내에서 최대한 많이 움직이도록 하고 있다. 이와 더불어 술 중에서도 elastic bandage를 이용하여 하지의 external compression을 시행 하고 knee flextion자세를 유지하여 DVT를 미연에 방지함으로서, thromboembolism을 예방하기 위하여 노력하고 있다.

(7) 감염, 패혈증 (Infection, Sepsis)

Wound infection은 흔히 발생하지는 않지만, 만약 발생하게 된다면 초기 대응 시점과 대응 방법이 최종 결과에 중요한 영향을 끼치게 된다. 외래 베이스의 경우 1%, 병원 베이스의 경우 3% 정도의 발생률이 보고되고 있다.

초기 증상으로는 erythema, tenderness, 상처 주변부의 통증, 전신적인 열감 등을 호소하게 된다. 항생제의 변경이나 양의 증감부터 시작하지만, 필요하다면 wound swap, blood culture, 균 검사, 항생제 내성 테스트 등의 검사를 시행하고 IV antibiotics injection, 입원 필요성이나 전원 가능성 등에 대해서도 신중히 고려하여야 한다.

감염은 일반적으로 국소적에서 전신적 상황으로 넘어 가게 되고, 국소적인 상황에서는 수술 영역 내부의 문제나 수술 봉합 부분의 문제에 한정되지만, 전신적 상황으로 파급되는 경우에는 necrotizing fasciitis, toxic shock syndrome, generalized Sepsis 등의 아주 중대하고도 위중한 상황을 초래하게 된다. 감염 등의 상황을 인지하고 3일 정도 노력하여도 증상의 호전이 없거나, 증상이 악화 된다면, 전신적 감염의 가능성을 염두에 두어야 하고, 전신적 증상이 발현한다면 병원급의 2-3차 기관으로의 전원을 통한 치료여부를 결정하여야 한다. 따라서 인지 후 3일이 지난 시점부터는 CBC 등의 lab을 시행하고 그 결과를 계속 추적 관찰하여, 명확한 전신 증상이나 앞서 언급한 여러 전신 증상 질환의 단서가 발견된다면 즉각적인 전원 등의 추가적인 대처에 대하여 신중하고도 과감한 결정을 시도하는 것이 바람직하다.

(8) 피부 괴사(Skin necrosis)

상처 변연부의 necrosis가 가장 많고, 드물게 수술 영역중의 일부분에 한정되는 국소적인 necrosis가 관찰될 수 있다. 괴사는 혈행의 장애가 직접적인 원인이므로 smoking, liposuction의 영향, 당뇨의 존재등과 밀접한 관계를 가지고 있다. 이 외에도 tight wound closure, underlying hematoma, seroma, infection, 기존의 복부 흉터(cholecystectomy, gastrectomy, splenectomy) 등이 원인으로 고려되어질 수 있다.

만약 피부 괴사가 발생하였다면, debridement을 시행하고 충분히 기다린 후에 secondary healing을 고려할 것인지, flap coverage를 이용한 치료를 할 것인지를 결정하여야 한다. 그러나 피부 괴사의 영역이 one palm area보다 넓다면 차선책으로 피부이식도 고려할 수 있다. 이때는 wound base가 충분히 granulation tissue로 coverage되어 피부 이식이 가능할 때까지 기다려야만 한다. 이때는 추가적인 감염 가능성과 wound contraction 등의 복잡한 요인이 서로 상충되게 작용하므로 지속적으로 잘 관리하여야 한다. 일반적으로 잘 관리된 상태에서 secondary wound contraction이 일어나면, 초기 소실에 의하여 복구하여야 할 영역이 상당히 감소하는 것으로 되어져 있으므로, 환자에게 잘 설명하고 충분히 안심시켜 주는 것이 필요하다.

(9) 괴사성 근막염 (Necrotizing Fasciitis)

Necrotizing fasciitis는 피부에 존재하는 Streptococcus 계열이나 anaerobic organism이 포함된 mixed infection에 의한 감염으로 발생한다. 병리 기전으로는 감염에 의한 thrombosis가 subcutaneous vessels에 전파되어 fascia와 근육에 영향을 끼치는데, 감염의 전파가 fascia를 통하기 때문에 전신으로의 확장속도가 빨라지는 경우에는 심각한 상황을 초래할 수도 있으므로 초기 대처가 아주 중요하다.

적절한 항생제 IV와 함께 선제적 debridement이 필요하고, 조직 검사 결과 질병의 진행을 야기하는 organism이 더 이상 검출 되지 않는다면, 추가적인 보존적 치료를 통하여 healthy한 granulation 조직이 채워지기를 기다려 피부 이식 등을 고려할 수 있다.

(10) Toxic Shock Syndrome

Toxic shock syndrome은 Streptococcus나 Staphylococcus 등에서 유래된 exotoxin에 의하여 유발되며, 증상으로는 fever나 blood pressure감소등이 나타나며, 진행되면 결국 multiple organ Failure를 야기하는 무서운 합병증이다.

일단 발병하게 되면, 진행 속도가 빠르므로 항상 주의를 기울이고 적절하고도 빠른 판단으로 대처해야만 한다.

(11) Umbilicus 관련 문제점들 (Umbilical Stenosis, Umbilical Off Center or Umbilical Loss)

전체적인 복부 성형술의 경우 새로운 Umbilicus를 만들어 주게 되는데, 축적된 경험이 많지 않은 경우 여러 가지 문제들을 야기할 수 있다. 모양이 자연스럽지 못하거나 아름답지 않다든지, 정 중앙부에 존재하지 않고 한쪽으로 편위 되었다든지 하는 가벼운 문제점에서부터 umbilical stenosis, 심한 경우에는 umbilical Loss의 문제점까지 직면하게 된다.

Umbilicus의 문제점들은 umbilicus 주변부의 긴장도 등에 의한 혈행 장애와 물리적인 압박등에 의해 나타나게 되며, 대부분 umbilicus의 만성 염증성 소견이나 피부 괴사등의 형태로 표출된다

만약 수술적 치료가 필요하다고 판단되면, umbilicus 주변부의 긴장 해소, 필요시 전면부 복부 피부를 이용한 umbilical reconstruction을 시행하여야 한다. 어떠한 경우든 새롭게 긴장도가 증가될 수 밖에 없는 상황에 직면하게 되므로, 이의 해소를 위하여 폭 넓은 박리와 함께 주변부의 긴장도를 분산시켜 줄 수 있는 tension releasing quilting suture를 여러 번 시행하는 과정이 필수적이라 할 것이다.

(12) Scarring (Widened, Thickened, Hypertrophic, Keloid)

어느 정도의 흉터는 존재하게 되고 1-3년이 경과하면서 많이 호전되는 양상을 보인다. 디자인이나 절제, 긴장도 관리, 봉합시의 특별한 문제점등에 의한 요소를 제외하고는 환자의 체질적인 요소로 흉터의 성상이 결정되어 진다고 볼 수 있다. 흉터가 생기는 대신 복부의 피부와 지방 분포가 조정되고 복부 전체적인 라인의 개선을 얻을 수 있었다는 사실을 잘 설명하여 이해시키는 것이 중요하다.

관리 기간 동안 흉터 연고와 필요한 경우 경구 투약제재 등을 병용하여 사용할 수도 있다. Hypertrophic scar나 keloid scar인 경우 수술적 방법을 통한 치료보다는 트리암 등의 희석액을 이용한 보존적인 치료를 하는 것이 더욱 도움을 줄 수 있다. 특히 keloid scar의 경우 기왕력 등에서 수술 전에 미리 인지할 수 있으므로, 환자에게 미리 설명하여 주고, 후 처치를 잘 해준다고

하더라도 가능하면 절개의 범위를 축소하여 효과를 볼 수 있도록 디자인을 초기에 다소 변화시키고 수술 직후부터 keloid scar에 대한 치료를 바로 시행하는 등의 적극적인 대처가 필요하다. 흉터 부분의 색상 차이가 일정 정도 이상으로, 치료가 필요하다고 판단되면, 경우에 따라서는 탈 색소 연고를 처방하는 경우도 있다.

흉터 자체가 넓어져 있거나 함몰이 심한 경우는 재수술을 통하여 반흔 성형술을 하게 되면 좋은 결과를 얻을수 있는데, 이는 보통 6-8개월이 경과한 시점에서 고려한다. 통상 성형외과 영역에서 재수술의 적정 시기를 6개월 전후로 보는데, 흉터의 경우 초기 6개월 보다. 6-12개월 사이에 호전되는 정도가 더 큰 편이므로, 저자의 경우 반흔 제거술 등의 후 처치는 일반적으로 1년 이상 경과한 경우에 시행하고 있다. 하지만 이를 위하여서는 술전에 환자에게 충분히 설명하고 동의를 구하는 과정이 필수적이라고 할 수 있다.

(13) Sensory Loss

sensory change는 일반적으로 일시적인 현상으로 별다른 치료 없이도 2-3개월 후에는 호전되는 양상을 보인다. 그러나 lateral femoral cutaneous nerve가 손상되는 경우에는 증상이 영구적으로 가는 경우도 있다고 보고 되고 있다. 치료는 수술적으로 손상된 신경을 연결하는 것으로 되어져 있으나, 성공률이 높지는 않을 것으로 생각되어진다.

2) 결론

복부 성형술을 시행할 때 박리 범위 등을 줄여줄 목적으로 지방 흡입 등을 같이 시행하는 경우 여러 가지 합병증의 발현 빈도가 증가하게 된다. fat embolismsyndrome, thromboembolism, necrosis 등이 호발할 수 있는데 이는 모두 cutaneous vascular system이 손상되는 과정의 결과로 발생한다. Wallach and Matarasso 등은 liposuction과 복부 성형술을 동시에 시행하는 것에 대하여 우려를 표명한 바 있다.

또한, 일반적으로 복부 성형술을 시행 하는 환자의 대다수가 비만하기 때문에 이로 인한 합병증의 유발 가능성이 증가 하기도 한다.

그러나 합병증에 비교적 많은 지면을 할애하여 길게 설명한 이유는 초심자로 하여금 수술 자체에 두려움을 가지도록 의도한 바는 아님을 인지할 필요가 있다. 상기한 합병증 중의 대부분의 경우에는 시술의 여러 단계에서 미리 예방할 수 있을 뿐 아니라, 설혹 불가피한 경우가 존재하기는 하지만 이러한 경우라도 미리 환자에게 충분히 설명하여 주는 것이 무엇보다 중요해지는 시점이기 때문으로 받아 들여 준다면, 실제 임상에서 많은 도움이 될 것으로 믿는 바이다.

참·고·문·헌

1. Boyd JB, Taylor CI, Corlett R. The vascular territories of the superior epigastric and the deep inferior epigastric systems. Plast Reconstr Surg. 1984;73:1.16.
2. El-Mrakby HH, Milner RH. The vascular anatomy of the lower anterior abdominal wall: A microdissection study on the deep inferior epigastric vessels and the perforator branches. Plast Reconstr Surg. 2002;109:539-543; discussion 544.547.
3. Fenn CH, Butler PE Abdominoplasty wound-healing complications: assisted closure using foam suction dressing. Br J Plast Surg 54:348–351 2001
4. Hafezi F, Nouhi AH Abdominoplasty and seroma. Ann Plast Surg 48:109–110 2002
5. Illouz YG. A new safe and aesthetic approach to suction abdominoplasty. Aesthet Plast Surg 1992;16(3):237–245.
6. Lockwood T. High-lateral-tension abdominoplasty with superficial fascial system suspension. Plast Reconstr Surg

1995;1996(3):603–615.

7. Mohammad JA, Warnke PH, Stavraky W Ultrasound in the diagnosis andmanagement of fluid collection complications following abdominoplasty. Ann Plast Surg 41:498–502 (1998)
8. Munhoz AM, Ishida LH, Sturtz G, et al. Importance of the lateral row perforator vessels in deep inferior epigastric perforator flap harvesting. Plast Reconstr Surg. 2004;113:517.524
9. Pollock H, Pollock T Progressive tension sutures: a technique to reduce local complications in abdominoplasty. Plast Reconstr Surg 105:2583–2586 2000
10. Regnault Abdominal dermolipectomies. Clin Plast Surg 2: 411, 1975
11. Shiffman MA The complicated abdominoplasty: Upper abdominal scars. Am J Cosmet Surg 11:43–46 1994
12. Van Uchelen JH,Werker PM, KonM Complications in abdominoplasty in 86 patients. Plast Reconstr Surg 107:1869–1873 2001
13. Zecha PJ, Missotten FE Pseudocyst formation after abdominoplasty – extravasation of Morel-Lavalee. Br J Plast Surg 52:500–502 1999

Chapter 59

체형교정술 » 복부성형

미니복부성형

Miniabdominoplasty

박재우

약 120년 전부터 복부성형술에 대한 기록이 있지만 그 동안 단순한 절제 및 봉합수준에 머물다가 1970년대 후반부터 복부성형술에 대한 여러 가지 방법들이 소개되면서 점차 확립이 되어왔고 그 방법도 수직절개나 높은 횡절개를 이용한 방법에서 박리의 개념이 도입되면서 점차 낮은 횡절개를 사용하여 배꼽 이하의 피부와 피하조직을 제거하고 늑연골경계부에 이르는 넓은 박리 후 배꼽을 새로운 위치에 옮기고 봉합하여 흉터를 숨기고자 하는 많은 방법들이 소개되었다. 하지만 1980년대 이후 흡입을 이용한 지방성형술이 점차 발전하고 지방흡입 후 피부의 탄력회복애 대한 이해도가 높아짐에 따라 과거에 광범위한 절개와 박리를 통해야만 교정이 가능하였던 환자들에 대해서도 과다한 지방으로 인한 추형은 지방흡입술로 교정하고 나머지 심부근육 변형과 과다한 피부쳐짐에 대한 교정은 복부성형술로 하는 것이 점차 보편화 되고 있는 추세이다. 또한 지방흡입을 병행함에 있어서 과다한 박리가 점차 근육을 교정할 부위에 국한된 박리만 이루어지고 나머지는 심부격막을 남겨두어 신경과 혈관을 최대한 보존함으로써 합병증을 줄이고 회복을 빨리 할 수 있게 수술방법이 개선되고 있다. 지방흡입술의 병행으로 인하여 좀 더 적은 흉터를 남겨서 많은 체형의 변형들을 교정할 수가 있게 되었으며 또한 하복부에 국한된 피부처짐과 근육변형이 있는 경우 최소한의 절개를 이용하여 교정할 수가 있게 되었고 내시경을 이용함으로서 배꼽을 옮기지 않고도 배꼽상부의 근육변형을 교정하면서 최소절개 복부성형술을 시행 할 수 있게 되었다. 이러한 개념을 바탕으로 복부성형술에 대한 분류와 치료방법들이 제시되기도 했으며 점차 최소한의 절개를 통하여 복부근육에 대한 교정을 실시하고 나머지 변형은 지방흡입으로 교정하는 경향으로 발전되었고 내시경을 이용하여 수술하는 경우도 늘어나고 있다.

하지만 복부성형술의 기술이 발달과 더불어 합병증과 회복기간이 줄어들고, 또한 전신적인 질환에 대한 치료가 발달함에 따라 복부성형술이 필요한 환자군이 늘어나 아직까지 복부성형술이 중요한 부분을 차지하고 있다. 특히 복부성형술은 늘어난 피부로 인하여 지방흡입으로 만 교정을 할 수 없는 복부피부를 절제하고 복직근의 벌어짐과 외횡복근의 교정이 필요한 경우에 꼭 필요한 수술이다. 이러한 수술이 복잡하고 위험도가 있기는 하지만 복부변형에 대한 보다 침습적이고 근치적인 수술이기 때문에 이에 대한 필요성이 계속 존재하며 이에 대한 충분한 지식을 가지고 있어야 한다.

1. 역사

지난 수 십년 동안 몸매에 대한 관심이 증대되면서 지방흡입뿐만 아니라 체형교정에 대한 관심이 점점 더 증대되고 있다. 특이 중년여성에 있어서 다이어트나 운동으로도 해결되지 않는 복부처짐을 동반한 복부비만에 대한 불만이 증대되었다. 이를 해결하고자 많은 수술적인 방법이 제안되었고, 이러한 수술 방법들은 어떻게 하면 작은 흉터로 더 좋은 몸매를 만들까 하는 것에 주안점을 두고 여러 가지 방법들이 소개되었다.

복부성형술에 대한 기록은 약 120년 이상의 기록을 가지고 있는데 1890년 프랑스의 Demars와 Marx가 심한 배꼽탈장을 수술하면서 제한된 피부피하지방절제를 시행하여 보고한 것이 최초의 문헌보고이지만 그 이전부터 복벽피부 일부를 잘라내는 방법들이 시행되어져 왔다. 1899년 산부인과 의사인 Kelly가 배꼽을 중심으로 양쪽 옆구리까지 연장된 방추상 횡절개를 통하여 탈장을 교정한 후 늘어진 피부를 잘라내고 주변으로 더 이상의 박리 없이 봉합수술을 시행하였고 이를 "transverse abdominal lipectomy"라 불렀지만 그는 배꼽을 같이 잘라내어 배꼽이 없어지게 되었다. 그 이후 1905년 프랑스의 Gaudet 과 Morestin 은 같은 수술을 시행하면서 배꼽을 보존하여 남기는 수술을 최초로 보고를 하였다. 1909년 Weinhold는 세잎클로버잎 모양의 절개(cloverleaf incision)로 배꼽아래에서 외측으로 횡방향의 절개를 가하고 배꼽아래에서 수직방향으로 절개하여 늘어진 복벽을 잘라내어 좀 더 좋은 모양을 만들고자 하였다. 1911년 Desjardin은 수직절제를 통한 피부와 피하지방을 제거하고 복부성형술을 시행하였다. 1911년 Jolly은 보다 낮은 횡절개를 통한 복부절제술을 시행하였느나, 이때까지의 방법은 피부와 피하지방의 복합절제 후 주변으로 피판을 박리하지 않고 그냥 단순봉합하는 형식으로 수술을 시행하였다.

절개선을 넘어 주변으로 박리한 피판개념의 수술은 1916년 Babcock에 의해 소개 되었는데, 그는 수직의 방추상절제를 가하고 넓은 박리를 시행한 복부성형술을 처음으로 보고하였으며 늘어진 피부를 silver chain technique이라는 심부봉합을 통하여 교정하고자 하였다. 1924년 Thorek 은 배꼽아래에 위치하는 횡절개를 가하여 주변으로 박리 없이 쐐기모양으로 피부와 피하지방을 아래 근막에 이르는 부분까지 절제하고 plastic adipectomy이라 불렀으며, 그는 필요하다면 배꼽을 같이 제거해내고 수술 마지막 무렵에 적당한 위치에 composite graft 형식으로 배꼽을 이식하여 재건하였다. 1957년 Vernon는 낮은 횡절개를 가하고 주변으로 넓은 박리를 시행하고 배꼽을 옮기는 등 현대와 비슷한 개념의 복부성형술을 시행하였다.

1960년 Gonzalez-Ulloa는 circular abdominoplasty를 보고하였고, 1965년 Spadafora는 Vernon과 비슷한 방법으로 수술했지만 절개부위 하연은 좀 더 보이지 않게 아래로 내려 mons pubis 직상부에서 시작하여 돌아내려와 서혜부굴곡을 따라 anterior superior iliac spine쪽으로 향하게 디자인한 후 수술하였다. 1967년 Callia는 Spadafora보다 더 낮은 위치인 서혜부굴곡 아래에 절개선을 두어 흉터가 잘 안보이게 할 뿐 아니라 외측 대퇴부를 당겨 올리는 효과를 가질 수 있게 되었다. 그 이후 많은 술자들이 흉터를 감추고자 Callia의 방법을 변형하여 사용하였다. 1967년 Pitanguy는 낮은 복부와 서혜부의 횡절개를 가하고, 늑골연 넘어까지 이르는 광범위한 박리를 시행한 복직근을 묶고, 압박드레싱을 시행하는 등의 방법으로 좋은 결과를 얻었다.

1972년 Regnault 는 낮은 "W" 형절개를 소개하였는데 음모내 1–3 cm 정도 떨어져 시작하여 mons pubis를 돌아 서혜부를 따라 외상방으로 향하는 절개를 가하여 과도하게 mons pubis가 위로 당겨지거나 흉터가 보이는 것을 최소화하였다. 1973년 Grazer는 mons pubis위에서 피부선을 따라 낮은 횡절개를 시작하여 가쪽으로 비스듬이 올라가게 따라가 원래 있던 배꼽위치까지 올라가 피부를 잘라내어 흉터가 비키니를 입을 때 가려지게 하였다. 1977년 Baker, Gordon, Mosienko 등은 template을 이용한 abdominoplasty를 소개하였으며, 1978는 Planas 윗절개선을 배꼽에서 시작하여 외측아래로 비스듬히 내려가 아래쪽 낮은 절개선과 만나게 하는 "vest over pants" technique을 이야기 하였는데 상복부판을 박리하고 아래로 당겨 조끼를 입는 것 같이봉합하였다.

과다하게 복부와 옆구리 살의 처짐이 많을 때 절개선이 뒷쪽으로 연장되어 허리띠같이 피부를 잘라내는 수술이 1940년 Somalo의해 소개되었고, 1959년 Gonzalez-Ulloa에 의해 널리 알려졌다. 하지만 Illouz이후 지방흡입술의 발달이 급격히 이루어지면서 1980년대 지방흡입술을 동반한 복부성형술이 보편화되고 난 후 circular dermolipectomy의 적응증이 점차 적어졌다. 2006년 Saldanha에 의하여 광범위한 지방흡입술을 시행한 후 피판의 거상은 복직근상부에만 시행하여 이를 재건하는 정도로만 최소화하여 복벽피부판에 가는 혈관을 최대한 보존하여 수술함으로써 복벽피부의 괴사를 방지하고 빠른 회복을 얻을 수 있었다. 이후 최근에는 지방흡입술을 동반한 복부성형술이 보편화가 되었고 복부성형술은 아래의 복직근을 묶어주기 위한 술식으로 나머지 체형교정은 지방흡입으로 이루어지는 것이 보편적인 추세이다.

1985년 Jeffery Klein이 희석된 lidocaine과 epinephrine 용액을 사용한 이후, 지방흡입술이 급격하게 발달되었고 이로 인하여 Lipoabdominoplasty뿐 만 아니라 mini-abdominoplasty의 발달도 같이 이루어져 왔다. 초기의 mini-abdominoplasty는 아랫배에 국한된 피부와 지방을 교정하는 정도의 수술이었다. Mini-abdominoplasty는 1971년 Elbaz and Flageul에 의해 소개되었고, 1985년 Hakme는 복부와 옆구리 의 지방흡입과 배꼽아래의 복직근의 교정과 배꼽의 위치를 변화시키지 않고 둔부위의 피부를 방추상 절개를 하는 현대적인 miniabdominoplasty 을 소개하였다. 1986년 Wilkinson와 Swartz는 배꼽아래 피부와 지방이 많은 환자들을 대상으로 제한된 복부성형술을 시행하였다. 지방 흡입을 하고 짧은 위로 휘어진 절개를 통하여 피부를 자르고 복직근을교정함에 있어서 배꼽을 분리했다가 다시 정위치 시키는 방법을 소개하였다. 1987년 Greminger는 고식적인 복부성형술을 하기에는 너무 변형이 작고 지방흡입만을 하기에는 교정이 어려운 하복부에 국한된 지방과 복근변형을 교정하였는데 그는 semicircular line아래에는 복직근은 뒤쪽의 근막이 없음으로 인하여 약하다는 하나의 절개선을 통하여 배꼽아래까지박리후 복직근을 교정하였다. Gradel은 하복부에 국한된 피부의 처짐과 복벽의 늘어짐을 교정하기 위하여 둔부위에 12–16 cm 정도의 절개를 가하고 배꼽의 pedicle을 잘라 근육의 교정과 피판의 이동을 손쉽게 하였다.

Wilkinson은 미니복부성형술의 적응증과 수술방법에 있어서 개선법을 제시하였다. 과거에 배꼽을 옮기고 고식적인 복부성형술이 필요한 정도의 환자에 대하여 근막위로 박리하여 배꼽이 2 cm 정도 아래로 움직이게 하여 상복부의 피부이완을 좀더 개선시키고자 하였다. 하지만 음모가 있는 부위와 배꼽이 너무 가까워 보기가 어색하기 쉬운 경우는 음모부위에 절개를 넣어 이를 방지하였다.

전반적인 또는 부분적인 복부성형술은 다양한 경로를 통하여 발달되었으며 앞으로도 체형교정술에 있어서 없어서는 안될 분야로 보다 안전하고 쉬우며 출혈이나 심부정맥혈전증 등과 같은 합병증이 적은 새로운 방법들이 계속해서 발전해 나갈 것이다. 또한 지방흡입술의 발전으로 인하여 상대적으로 미니복부성형술의 적응증이 적어져 그 대상이 적지만 하부복직근의 벌어짐을 해결하기 위해서는 절개가 불가피하다.

2. 술전진단

단순한 부분적인 복부비만이 아닌 복부성형술의 대상이 되는 복부의 변형은 반복적인 체중의 증감에 따른 복부피부의 탄력저하로 인한 과도한 피부의 처짐, 노화로 인한 복벽의 약화와 피부의노화현상, 임신 후 벌어진 복직근과 늘어난 복부피부 등에 의해 초래된다. 다이어트나 운동프로그램에도 반응이 없는 이와 같은 변형이 있을 때 수술의 적응증이 되는지, 적응증의 된다면 어떤 수술이 적합한지 등에 대해 고려해야 한다. 수술 전에 환자의 피부상태, 피하지방의 정도, 복직근의 벌어짐 등을 기초하여 환자들을 분류하고 이에 적절하게 단순한 지방흡입으로 치료할 것인지, 미니복부성형술이 적합한지, 복부성형술만 해도 좋은 지 아니면 광범위한 지방흡입술 후 복부성형술을 할 것인지 정하고 시술해야 한다. 1991년 A Matarasso는 복부성형술에 있어서 피부, 지방과 근육근막형태에 따른 4가지의 분류법을 소개하였는데 1형은 피부처짐이 적고 복직근의 벌어짐이 미미한 경우 지방흡입만으로 치료하기를 권하였고, 2형은 작은 정도의 피부처짐과 복직근의 변형이 있는 경우 미니복부성형술, 3형은 어느 정도의 피부처짐과 상하복직근의 변형은 개선된 복부성형술을 4형인 심한 피부처짐과 상하복직근의 변형은 지방흡입술을 동반한 고식적인 복부성형술을 권하고 있다.

복부성형술은 지방흡입으로 피하지방을 줄이고 아래의 복직근과 외복근을 강화한 후 남는 여분의 복부피부를 잘라내어 외형적으로 아름다운 체형을 만드는 것에 목적을 두고 있다. 이와 더불어 새로운 배꼽의 위치를 정하고 남는 흉터의 위치를 고려하여 수술해야 한다. 이러한 모든 부분을 수술 전에 환자와 상의하여 어떤 형태의 수술을 할 것인지, 수술 후 흉터는 어떻게 남길 것인지 등에 대하여 상의하여 수술방법을 결정해야 한다. 편평하고 날씬한 배의 모양은 피하지방의 유무와 아래의 근육의 형태에 따라 달라진다. 정상적으로도 arcuate line 아래의 후방복직근의 근막이 없는 것과 여성에 있어서 하복부의 지방의 양이 상대적으로 많아 하복부가 약간 튀어나온 것처럼 보일 수 있다. 아랫배의 과다한 돌출이 있는 복부변형은 국소적인 지방의 축적으로 인한 경우도 있지만 더불어 복직근 자체가 벌어져 생기는 경우이다. 이런 경우 전체적인 복부성형술보다 전체적인 복부 피하지방을 흡입하고 난 뒤 배꼽아래에 있는 벌어진 복직근을 배꼽부터 mons pubis까지 교정을 한 후 최소한의 흉터를 남기면서 남는 피부를 절제해 내는 미니복부성형술이 적합하다. Greminger는 상체의 골격구조와 골반의 모양에 따라 짧거나 긴 허리가 된다고 이야기 하였다. 또한 배꼽의 위치에 따라 미니복부성형술의 여부가 결정이 되는데 배꼽이 허리중앙의 상부에 위치한 경우는 미니복부성형술을해도 배꼽의 위치에 별다른 영향을 주지 않지만 배꼽이 허리중앙의 하부에 위치한 경우 배꼽의 위치를 새로이 옮기지 않고 하복부피부를 절제하고 나면 배꼽의 위치가 너무 낮아져 매력적이지 않는 이상한 복부 모양이 된다.

수술 전 환자의 복부를 진찰하는데 있어서 정위치로 서 있는 상태로 검진하는 것도 중요하지만 앞으로 반정도 숙였을 때, 앉아있을 때와 누웠을 때 모양을 정면과 사면, 측면에서 살펴보아 피하지방의 양의 정도와 어느 정도의 피부여유가 있는 지, 근육의 상태는 어떤 지 등을 파악해야 한다. 또한 신체균형이나 골격구조, 배꼽의 모양, 탈장여부, 복부의 흉터나 다른 복벽질환이나 종양 등이 있는지 살펴보아야 한다.

하지만 A Matarasso가 이야기 한 바와 같이 작은 복부피부 처짐과 복직근의 변형이 있으면서 복부 지방이 있는 경우 미니복부성형술을 시행하는 것이 좋은데 그는 최소침습을 통한 복부성형술을 또다시 분류하여 피부처짐과 복직근변형이 최소한이면서 피하지방만 늘어난 1a형의 경우는 광범위한 지방흡입만으로 치료를 하고, 어느 정도의 피부처짐과 복직근의 변형이 있는 2a경우는 개방형미니복부성형술을 시행하며, 피부의 처짐이 적으면서 상하복부의 근육변형이 있는 3a경우는 내시경을 이용한 근육복원을 할 것을 이야기 하였다. 이러한 분류를 통하여 술전에 정확한 진단과 수술을 용이하게 하여 보다 적은 흉터를 남기는 수술이 되도록 노력해야 한다.

3. 환자의 선택

복부성형술은 과다한 비만이나 당뇨병이나 고혈압 등의 전신적인 질환을 가진 사람들에게 있어서는 절대적인 적응증이 되지는 못하며 가진 질환의 증상 정도에 따라 적응증을 고려해야 할 것이다. 특히 만성폐쇄성 폐질환으로 폐용량이 줄어들어 있는 경우는 벌어진 복직근을 교정수술 후 복압의 증가로 심각한 호흡곤란 증상을 가질 수 있기 때문에 철저한 검사 후 내과 담당의와 상의한 후 결정하는 것이 좋다. 이러한 경우는 복직근을 그냥 두고 지방흡입 후 처진 피부만 절제해내는 것이 바람직하다. 향후 임신을 하기를 원하는 환자들에게 있어서도 피부절제나 복직근 교정을 하지 않고 단순한 지방흡입만 시행하는 것이 좋다. 또한 환자가 비현실적인 기대를 가지고 있으며 수술 후 흉터에 대하여 이해가 되지 않거나 받아들이지 못하는 환자들은 수술을 피하는 것이 좋다. 호르몬, 스테로이드, 혈전방지제등을 복용한 환자들에 있어서 장시간의 수술로 인한 감염, 출혈, 혈전증 등의 위험을 고려하여 수술여부를 결정해야 하며 담배를 피우는 흡연자들도 피부괴사의 위험성을 높이기 때문에 피해야 하는 것이 좋다.

이와 같이 전신적인 질환이나 폐질환, 약물복용자 등 고식적인 복부성형술을 시행하기 어려운 환자등에게 있어서 미니 복부 성형술은 전신적인 합병증이나 수술의 위험성을 줄이면서 어느정도의 증상을 완화시킬 수 있기 때문에 적응증을 가려서 시술하면 좋은 결과를 얻을 수가 있다.

4. 해부학적인 고려

지방흡입을 동반한 고식적인 복부성형술을 위해서는 복부의 해부학적인 이해가 필요한데 특히 복벽에 공급하는 혈관들에 대하여 많은 이해가 필요하다. 복벽의 혈류공급은 부위에 따라 주된 공급이 다른데 복벽의 중앙부위는 deep epigastric a가, 하복부는 external iliac a, 그리고 옆구리부분은 intercostal a, subcostal a, lumbar a 등이 담당하게 된다. 복벽을 광범위하게 거상한 후에는 복벽에 대한 혈류의 공급이 손상되며 특히 지방흡입 후 에는 거상된 중앙부위는 심각한 혈행의 장애를 가지게 되는데 수술 후 새로운 배꼽의 아래 위치하게 되어 더 많은 긴장으로 인하여 더욱 혈행의 장애가 심각해지며 피판의 괴사 위험성이 증대 된다. 이러한 심각한 합병증을 방지하기 위해서는 정중앙 부위의 지방흡입을 가능한 피하거나 줄여야 하며 이 부위의 지방양이 많아 줄여야 하는 경우는 피부 가까운 부위의 지방흡입은 피하고 심부층만 지방흡입을 하거나 피판거상 후 심부지방을 일부 잘라내는 방법이 오히려 안전하다. 또한 지방흡입 후 피판의 거상 후에는 옆구리 부분에서 오는 intercostal a, subcostal a, lumbar a 등이 거상된 복벽의 전체 혈행을 담당하게 되기 때문에 이 부위의 지방흡입을 가능한 심하지 않게 보존적으로 하는 것이 좋다. 넓은 박리가 필요한 고식적인 복부성형술보다 광범위한 지방흡입술과 최소한의 박리를 시행하는 최근의 수술방법인 lipoabdominoplasty를 시행하면 복벽으로 가는 혈관들을 최대한 보존할 수 있기 때문에 충분한 지방흡입과 피부절제를 동시에 하면서도 합병증을 줄여줄 수가 있다.

미니복부성형술에 있어서는 복벽의 거상이 하복부

에 제한되거나 상복부의 박리도 교정하고자 하는 복직근의 상부에만 제한되기 때문에 지방흡입을 많이 하더라도 수술 후 복벽에 대한 혈행을 보존 할 수 있어 별다른 큰 합병증이나 문제없이 수술할 수 있다.

5. Scarpa fascia

복부성형술 중 Scarpa fascia를 남기는 것이 수술후 합병증을 줄일수 잇지 않을 까 하고 많은 들이 생각을 하고 Scarpa fascia를 남기고 수술했지만 이에 대한 객관적인 증거가 없었다. 고식적인 복부성형술을 시행하면서 배꼽아래의 scarpa fascia를 보존하는 것이 합병증을 줄일 수 있는 것인가에 대해 이야기 하기 위해 A Costa-Ferreira 등은 2005년 11월부터 2007년 11월까지 배꼽을 옮기는 고식적인 복부성형술을 시행한 총 208명의 환자 중에서 Scarpa fascia를 보존하지않은 143명의 환자군과 배꼽아래의 Scarpa fascia를 보존한 65명의 환자군으로 나누어 전향적인 조사를 시행한 결과, 복부성형술을 시행할 때 Scarpa fascia를 보존하면 환자의 회복에 도움되고 음압흡입관을 50% 줄일 수가 있고 평균 2일 정도 일찍 뽑을 수 있었으며 1.9정도의 재원기간을 줄일 수가 있다는 것을 보고하였다.

또한 그는 고식적인 복부성형술을 시행하면서 2009년 8월부터 2011년 2월까지 한곳 의 수술병원에서 고식적인 복부성형술을 시행한 80명의 환자군과 같은 수술을 시행할 때 배꼽아래의 Scarpa fascia와 심부지방부위 를 보존한 80명의 환자군을 나누어 전향적인 불선택적인 연구를 시행하여 보았을 때 장액종의 차이를 제외한 다른 일반적인 성상이나 수술결과나 합병증에는 차이가 없었다. 하지만 The Scarpa fascia 보존한 군에서 음압흡입관 삽입을 65.5% 정도 줄일 수 있었고 음압관의 제거도 3일 정도 줄일 수가 있었으며 특히 장액종의 빈도를 86.7% 정도 줄일 수가 있었다.

이와 같이 아랫배의 Scarpa fascia를 보존하는 것이 복부성형술 후 생기는 장액종을 줄일 수 있다는 보고는 있지만, 임파액 유입이 Scarpa fascia와 연관이 있는지 객관적으로 밝혀줄 해부학적 연구가 불분명하였다. 2015년 Ian Taylor가 하복부의 임파액의 유입이 되는 임파관들이 Scarpa fascia이나 이보다 아래로 주행한다면 복부성형술 때 Scarpa fascia를 보존하면 장액종과 같은 합병증이 줄어들 것이라는 가정하에 4구의 사체에서 8쪽의 하복부를 대상으로 임파액의 유입(superficial lymphatic drainage)을 조사해보았다 이 연구에 따르면 배꼽과 복벽의 정중앙 부위로부터 각각의 임파액의 유입이 시작되며 진피층의 임파액이 precollectors를 거쳐 피하층으로 유입되어 통합된다. 아랫배에서는 배꼽에서 서혜부쪽으로 가면서 점점 깊어져 Scarpa fascia를 뚫고 이보다 깊은 곳에 위치한 얕은 서혜부임파절(superficial inguinal nodes)로 최종 유입되게 된다. 이러한 Scarpa fascia윗쪽에서 아랫쪽으로 임파관이 이행되는 부위는 약 95% 정도에서 서혜부인대의 상부 2~3 cm 정도에 위치하게 되며 복부성형술을 시행할 때 Scarpa fascia를 남겨두는 것이 임파관들을 보존하여 장액종 등의 합병증을 방지할 수 있다고 이야기 하였다.

1) 술전준비

환자의 모든 병력과 복용하고 있는 약들을 파악하고 혈전용해제나 혈전증을 유발할 수 있는 여성호르몬제제나 경구용피임제 등을 복용중단하고, 흡연은 술전후 최소 2주 전후로 금지 하도록 지도해야 한다. 환자의 검진 후 수술 전에 수술부위에 대한 사진촬영술을 시행하고 정면과 사면 측면 후면의 사진을 똑 바로 서서 정위치에서 찍는 것과 더불어 수영선수가 입수하기 전과 같이 앞으로 45도 정도 기울여 촬영하여 피부의 처진 정도를 파악하여 찍어야 한다. 수술의 디자인에 있어서도 서있을 때와 앉았을 때, 기울였을 때 남는 피부를 파악하여 어느 정도의 피부를 잘라낼 것인지 수술 전 결정하는 것이 도움된다. 일반적인 미니복부성형술은 하복부에 국한된 방추상의 절개를 통하여 수술을 하지만 허리부분의 경계가 명확하지 않은 경우는 모서리가 둥근 직사각형의 절개를 이용한 디자인을 하는 것이 옆구리의 피부를 아래 중앙으로 당겨 옆구리선을 명확하게 하기 때문에 좋다.

2) 수술방법의 선택

고식적인 복부성형술이 아직 필요하긴 하지만 최근에는 가능한 좀 더 작은 흉터를 남기면서 회복이 빠른 장점으로 인하여 최소한의 침습을 통하여 수술을 하는 것이 추세이다. 최소한의 침습을 통한 복부성형술은 그 정도에 따라 여러 가지 방법들이 선택 되어진다. 수술 전에 정확한 검진과 더불어 혼자들의 요구를 충분히 반영하여 수술방법을 선택하는 것이 바람직하다.

피부의 탄력이 좋지만 피하지방이 많아 피부처짐이 있는 것 처럼 보이는 환자에게 있어서는 광범위한 지방흡입술을 통하여 교정하는 것이 좋다. 단순한 복벽의 피하지방 증가만 있고 피부탄력의 저하가 없고 복직근의 벌어짐이 없는 경우는 지방흡입만으로 교정하는 것이 좋으며 단순한 지방흡입만으로도 수술 후 피부탄력을 증대시킬 수 있기 때문에 좋은 결과를 얻을 수 있다. 만일 복벽피부의 탄력저하가 염려되는 경우는 고주파, 레이져를 이용한 지방흡입을 시행하면 더 좋은 피부탄력의 회복을 기대할 수 있다.

복직근의 변형이 배꼽아래위로 다 있지만 피부의 처짐이 심하지 않고 탄력이 좋은 경우는 광범위한 지방흡입술과 함께 내시경을 이용하여 복직근의 변형을 교정하는 것이 좋다.

미니복부성형술의 적합한 적응증은 피부와 복직근의 변형이 배꼽아래 하복부에 국한된 경우이며 이러한 경우 하복부의 돌출은 주로 복직근의 이완에 따른 변형이 많은 원인을 차지하기 때문에 단순한 지방흡입술만으로는 교정할 수가 없고 정확한 복직근의 교정이 요구된다. 술전에 이러한 복직근의 변형을 진단하여야 하는데 하복직근의 벌어짐으로 인한 변형과 단순한 지방축적으로 인한 하복부돌출과 구분하는 방법은 상체를 앞으로 기울였을 때 돌출의 정도가 더 심화되면 복직근의 변형을 의심해 보아야 한다.

고식적인 복부성형술의 대상이 되지는 않지만 하복부의 근육이 벌어지고 피부의 처짐이 하복부에 국한된 경우는 전반적인 지방흡입술과 하복직근의 교정과 하복부 피부 일부를 잘라내고 교정하는 미니복부성형술이 좋으며, 만일 상복부의 피부처짐은 없으나 복직근이 조금 늘어나 있는 경우는 배꼽위 일부의 복직근을 교정하고 상복부 일부를 박리하는 개선된 복부성형술이 바람직하다. 만일 상복부의 피부처짐은 없으나 복직근의 변형이 많은 경우는 내시경을 이용하여 상부복직근의 변형을 교정하고 하복부의 피부만 절제해 내는 수술이 필요할 수도 있다.

복직근의 변형이 배꼽상부까지 존재하지만 피부의 늘어짐이 심하지 않아 고식적인 복부성형술을 시행하였을 때 배꼽아래의 피부를 완전히 절제할 수 없어 수직반흔 형태로 배꼽의 흔적이 남거나 복부반흔이 너무 위로 남게 될 위험이 있는 사람들, 수술후 과도한 흉터를 싫어하는 사람들은 고식적인 복부성형술보다 배꼽의 위까지 박리하여 상부복직근 일부를 교정하는 개선된 복부성형술을 시행하는 것이 좋다.

수직의 하복부반흔이 있는 경우 이를 통하여 늘어진 하복직근을 교정하고 늘어진 피부를 잘라내고 교정하는 것도 한 방법이다.

고식적인 복부성형술이 필요한 환자라도 전신적인

질환으로 인하여 수술로 인한 위험성이 높아질때 고식적인 복부성형술보다 좀 더 쉬운 수술을 선택하는 것이 좋다. 이러한 미니복부성형술이나 개선된 복부성형술 등의 수술방법의 선택은 장시간의 수술로 인한 심부정맥혈전증과 혈관폐색증, 피판의 괴사, 장액종, 폐용량감소 등의 합병증을 줄여주면서 환자의 복부변형으로 인한 척추굴곡의 심화, 관절들에 대한 하중 들을 줄여주어 전신적인 증상이 좋아지게 할 수 있다.

최근들어 여러 가지 수술을 한꺼번에 시행하는 경우가 늘어나고 있는데 너무 광범위한 수술을 같이 시행하다 보면 전체적인 수술의 위험도가 증대되어 환자의 안전이 위협받는 경우가 많다. 이러한 경우 고식적인 복부성형술보다 좀더 비침습적인 미니복부성형술을 시행하면 환자의 안전과 더불어 좀 더 좋은 결과를 얻을 수가 있다.

Ramirez는 복부성형술의 목표를 아래와 같이 기술하였는데 1) 절개선을 비키니선위에 위치시키고(place the incisions within the bikini line) 2) 복부의 피부트임선을 줄이거나 제거하고(reduce or eliminate striae) 3) 복부를 편평하게 하거나 단단히 조여주고(flatten and tighten the abdomen) 4) 허리의 둘레를 줄여주고 (decrease the size of the waistline) 5) 복부와 허리, 서혜부의 피하지방의 두께를 줄여주고(decrease the thickness of the subcutaneous fat throughout the abdomen, flanks, and iliac areas) 6) 둔부의 모양을 삼각형에서 타원형의 젊은 형태로 바꾸어주고(rejuvenate the pubis from a triangular senescent to an oval youthful form) 7) 앞측과 외측의 늘어진 허벅지 피부를 서혜부쪽 이나 골반쪽으로 당겨올리고 (lift the lax anterolateral thigh skin near the groin crease and iliac areas) 8) 명치에서 배꼽에 이르는 들어간 부위를 뚜렷히 하고(create a well-defined xiphoumbilical depression) 9) 건강한 복부의 모습으로 보이게 하고(give an illusion of an athletic abdomen) 10) 체형을 교정하고(change body posture) 11) 탈장을 교정하며(correct any hernia) 12) 복부근육의 이완과 연관된 허리통증을 완하시키는 것에 있다. (relieve back pain if this is related to muscle laxity of the abdomen)

고식적인 복부성형술이 처진 여분의 피부와 지방을 잘라내고, 벌어진 복직근의 사이를 모아주고, 배꼽을 복벽의 새로운 위치로 옮겨주는 것 이라면, 최근의 경향은 지방흡입을 통하여 피하지방을 제거하고, fascial suspension을 통하여 high lateral tension closure를 시행하고, 작은 허리를 만들기 위하여 external oblique fascial advancement를 시행하는 등 단순한 지방과 피부를 잘라내는 것에서 보다 작은 흉터를 남기면서 매력적인 몸매를 만들기 위해 애쓰고 있다.

3) 수술의 준비

미니복부성형술은 그 적용에 있어서 하복부에 피부의 처짐과 복직근의 벌어짐이 국한된 경우이면서, 배꼽의 위치가 늑연골하연과 골반뼈상부의 중앙이거나 이보다 위쪽에 위치한 경우 가장 좋은 결과를 얻을 수 있기 때문에 이러한 환자를 대상으로 수술하는 것이 좋다. 또한 이전의 제왕절개로 인하여 하복부의 흉터가 이미 있는 경우 더욱 적극적으로 적용할 수가 있다. 수술 전에 앞서 똑바로 서 있을 때와 상체를 앞으로 숙였을 때, 앉았을 때 피부의 처짐을 파악하여 잘라낼 정도의 피부를 둔부 직상부의 피부선에 맞게 디자인하고 지방흡입할 부위를 전반적으로 표시해둔다. 허리에 지방이 뭉쳐져 있는 경우 이 부위도 지방흡입을 해 주어야 좋은 결과를 가질 수가 있다.

술 전 사전검사를 하여 전신적인 건강상의 문제가 없는 경우 수술을 진행해야 하며 전신마취나 척수마취이외에도 수면마취와 국소마취를 이용하여 수술할 수 있다. 수술 중 벌어진 복직근근막을 당겨서 봉합하였을 때 복압이 상승하여 후복벽에 위치한 구조물들이 눌리게 되는데 그 중에 inferior vena cava가 쉽게 잘 눌린다. 이로 인하여 하지로부터 유입되는 정맥혈류의 정체가 초래되며 결과적으로 심부혈관혈전증이 생기고 떨어진 혈전이 혈류 내로 유영하다가 폐동맥을 막는 합병증이 생길 수 있기 때문에 하지에 압박스타킹을 착용한다거나 Intermittent compression devices를 착용시켜야 한다. 복부내의 장기가 팽창하면 이러한 현상이 더욱 심해지기 때문에 수술 전에 intestinal preparation을 시행하면 심부정맥혈전증을 막는데 도움된다.

4) 수술방법

미니복부성형술에 있어서 허리에 대한 지방흡입이 따라주어야 전반적인 복부형태가 좋아지기 때문에 가장 먼저 해야 하는 부분이 복부에 대한 전반적인 지방흡입이다. 환자를 서있는 상태에서 베타딘으로 소독한 후 수술 침대 위에 엎드리게 해서 소독된 포를 덮어 수술을 준비한다. 절개는 필요한 부분에 천골주변부에 약 3-5 mm의 절개창을 두 곳 정도 내고 뽑아낼 양만큼의 투메슨트 용액을 넣어준다. 용액이 지방조직내에 골고루 침윤되고 수술부위의 작은 혈관들이 수축되게 약 10분 정도 기다린 후 1기압 이하의 압력으로 지방을 흡입해 낸다. 이때 지방을 먼저 녹여 좀더 쉽게 뽑고 뽑은 후 피부의 탄력을 회복시키기 위하여 레이저나 고주파, 초음파를 이용한 기기들을 사용하면 수술 후 좀더 좋은 결과를 얻을 수 있다고 이야기 한다. 허리주변부의 지방과 후체벽 아랫부분까지 같이 흡입하여 어깨부터 골반부에 이르는 뒷라인이 연결되도록 충분히 흡입한다. 허리쪽 지방흡입이 완료되고 나면 환자를 위를 보게 똑바로 눕혀 다시 소독하고 포를 덮어 준비한다. 술 전에 디자인 된 선들을 누운 상태에서 다시 한번 점검하고 교정하고 난 뒤 절개선에 혈관수축제가 함유된 국소마취제를 주사한 뒤 잘려나갈 방추상의 피부부위의 양쪽에 작은 절재창을 내고 지방흡입할 전반적인 부위에 투메슨트용액을 주입하고 10분 정도 기다린다. 후배부와 같이 같은 방법으로 피하의 지방을 충분히 흡입하여 낸 후 전체적인 피부두께가 고른지 확인하고 굴곡지거나 미흡한 부위를 좀 더 교정하고 지방흡입을 마무리 한다. 수술 전 그려진 선대로 음모가 있는 둔덕부위 직상부에 피부선을 따라 10-15 cm의 절개를 하고 피부의 여유를 고려하여 남는 여분의 피부를 방추상으로 먼제 절제한다. 이때 피부와 피하지방을 제거하지만 아래의 Scarpa's fascia는 보존하여 복벽 임파액의 흐름을 방해하지 않도록 한다. 지방흡입과 피부절제가 끝나고 나면 남겨진 Scarpa's fascia의 중앙부를 수직으로 열어 아래의 복직근막이 있는 부위까지 박리한 후 주변으로 당겨질 복직근외연까지 위로는 배꼽이나 이보다 직상부까지 아래는 치골부위까지 복직근막 위로 박리한다. 배꼽아래부터 치골까지 벌어진 복직근을 교정하기 위하여 복직근의 외연근막에 2–0 prolene 같은 안 녹는 실을 걸어 중앙으로 당겨 봉합한다. 봉합은 하나씩 분리해서 하거나 전체과정을 한 실로 연결하여 연속봉합을 해도 된다. 한번 봉합한 이음새 위에 더 보강하기 위하여 보강하고자 하는 부위에 하나씩 더하여 봉합하는 것이 좋은데 이때 봉합 후 매듭이 안쪽으로 향하게 하는 것이 복벽에 대한 자극을 줄여 합병증을 박는데 좋다. 상복부의 피부이완은 없으나 복직근의 벌어짐이 심한 경우는 내시경을 이용하여 상부복직근위를 노출해야 하며 이 경우 내시경이 없거나 내시경으로 하기 힘든 경우는 배꼽을 분리하여 배꼽절개를 통하여 상부복직근을 노출시키고 벌어진 복직근의 근막을 당겨 중앙으로 모아서 안 녹는 굵은 봉합사로 묶어야 한다. 배꼽 상부의 복직근과 하부의 복직근을 한꺼번에 연결된 봉합으로 교정할 수도 있지만 대부분 상하부분을 나누어서 교정하는 부분이 많다. 명치부위에서 배꼽까지, 배꼽부터 치골상부까지 각각의 복직근을 중앙으로 봉합한 후 중간중간에 보강하는 봉합을 하는 것이 좋다. 복직근막을 당겼을 때 아래의 복직근의 부피 때문에 잘 당겨져 오지 않으면 복직근의 외측 1/3지점에 근막을 열어 봉합하면 근육부피에 의해 생긴 긴장감을 풀어줘 봉합이 더욱 용이 하게 된다. 철저한 지혈을 시행한 후 깨끗한 식염수로 수술부위를 세척한 후 음압흡입관을 넣어 위치시킨다. 아래의 복직근과 피부와 직접적인 반흔의 형성으로 흉터부위가 아래로 당기는 변형을 방지하기 위하여 남아있는 Scarpa's fascia로 개방된 복직근위를 덮고 흡수성 봉합사로 서로 봉합하여 복직근과 피부판 사이를 격리시켜 위치시킨다. 이렇게 남겨진 Scarpa's fascia는 이전에 기술한 대로 복벽의 임파액의 흐름을 유지시켜 수술 후 부종이 빨리 빠지게 하고 회복을 촉진시키는 효과가 있다. 피부절개선을 봉합할 때 적절한 피부의 절개가 되었는지 확인이 중요한데 환자의 상체를 약간 올려 세워 피부의 여유분이 남는지 파악한다. 적절한 긴장이 있는 정도로 피부를 절제한 뒤 피하층을 흡수성 봉합사로 봉합하고 피부를 봉합한다. 가벼운 압박 드레싱으로 마무리 하고 복대는 2주 정도 착용하게 한다. 수술 후 상체를 세운상태에서 회복하게 하고 2주간 상체를 약간 굽힌 상태로 걷게 한다. 수술 후 정상적인 활동은 한달 이후에 권장하고 운동은 약 2달 이후에 시작하도록 지도한다.

참·고·문·헌

1. A Costa-Ferreira, M Rebelo, A Silva, LO Va ′ sconez, J Amarante. Scarpa Fascia Preservation during Abdominoplasty: Randomized Clinical Study of Efficacy and Safety. Plast Reconstr Surg 131: 644, 2013.
2. A Costa-Ferreira, M Rebelo, LO Va ′ sconez, J Amarante. Scarpa Fascia Preservation during Abdominoplasty: A Prospective Study. Plast. Reconstr. Surg. 125: 1232, 2010.
3. A Matarasso, RW Swift, M Rankin. Abdominoplasty and Abdominal Contour Surgery: A National Plastic Surgery Survey. Plast. Reconstr. Surg. 117: 1797, 2006.
4. A Matarasso. Abdominoplasty: A system of classification and treatment for combined abdominoplasty and suction-assisted lipectomy. Aesth Plast Surg 15: 111-121,1991.
5. A Prado, P Andrades, S Danilla, P Leniz, P Castillo, F Gaete.A Prospective, Randomized, Double-Blind, Controlled Clinical Trial Comparing Laser-Assisted Lipoplasty with Suction-Assisted Lipoplasty. Plast. Reconstr. Surg. 118: 1032, 2006
6. Babcock W (1916) The correction of the obese and relaxed abdominal wall with special reference to the use of buried silver chain. Phila Obstet Soc May 14, 1916
7. Baker TJ, Gordon HL, Mosienko P (1977) A template (pattern) method of abdominal lipectomy. Aesthet Plast Surg 1:167
8. Borman H (2002) Pregnancy in the early period after abdominoplasty (letter). Plast Reconstr Surg 109:396
9. Callia W (1967) Uma plastica para um cirurgiao geral. Med Hosp 1:40
10. Desjardins P (1911) Resection de la couche adi d'obesite extreme (lipectomie). Rapport par Dartigues. Paris Chi 3:466 7. Jolly R (1911) Abdominoplasty. Berl Klin Wochenschr 48:1317
11. Elbaz JS, Flageul G (1971) Chirurgie plastique de l'abdomen. Masson, Paris
12. Gaudet F, Morestin H French Congress of Surgeons, Paris, 1905.
13. Gonzalez-Ulloa M (1960) Belt lipectomy. Br J Plast Surg 13:179
14. Gradel J: Umbilical technical maneuvers to facilitate abdominoplasty with limited incisions. Aesthetic Plast Surg

15:251, 1991.
15. Greminger RF (1987) The mini-abdominoplasty. Plast Reconstr Surg 79:356
16. Greminger RF The mini-abdominoplasty. Plast Reconstr Surg 79:356, 1987
17. Hakme F. Technical details in the lipoaspiration associate with liposuction. Rev Bras Cir 1985; 75(5):331–7.
18. Huger WE Jr (1979) The anatomic rationale for abdominal lipectomy. Am Surg 45:612
19. Jewell, M. L. Prevention of deep-vein thrombosis in aesthetic surgery patients. Aesthetic Surg. J. 20: 161, 2001.
20. Jolly R (1911) Abdominoplasty. Berl Klin Wochenschr 48:1317
21. Kelly HA Report of gynecological cases. Johns Hopkins Med J 10:197, 1899
22. Klein JA: Tumescent liposuction and improved post operative care using tumescent liposuction garments. Dermatolo Clin 13:329-338, 1995
23. Lewis CM (1987) Early experience of aspirative lipoplasty of the abdomen. Aesth Plast Surg 11:33
24. M Iglesias, L Bravo, C Chavez-Mun˜oz, A Barajas-Olivas. Endoscopic Abdominoplasty An Alternative Approach., Ann Plast Surg 2006;57: 489 – 494
25. M Iglesias, L Bravo, C Chavez-Mun˜oz, and A Barajas-Olivas. Endoscopic Abdominoplasty An Alternative Approach. Ann Plast Surg 2006;57: 489 – 494.
26. Matarasso A (1991) Abdominoplasty: A system of classification and treatment for combined abdominoplasty and suction-assisted lipectomy. Aesthetic Plast Surg 15:111
27. Matarasso A (1995) Minimal-access variations in abdominoplasty. Ann Plast Surg 34:255
28. OM Ramirez. Abdominoplasty and Abdominal Wall Rehabilitation: A Comprehensive Approach. Plast. Reconstr. Surg. 105: 425, 2000.
29. OR Saldanha, S Azevedo, P Delboni, OR Saldanha Filho, CB Saldanha, LH Uribe. Lipoabdominoplasty:The Saldanha Technique. Clin Plastic Surg 37:469–481, 2010
30. Pitanguy I (1967) Abdominal lipectomy: an approach to it through an analysis of 300 consecutive cases. Plast Reconstr Surg 40:384
31. Pitanguy I (1975) Abdominal lipectomy. Clin Plast Surg 2:401
32. Planas J (1978) The "vest over pants abdominoplasty". Plast Reconstr Surg 61:694
33. Regnault P (1972) Abdominal lipectomy, a low "W" incision. Internal microfilm. Aesthet Plast Surg
34. Regnault P (1975) Abdominoplasty by the "W" technique. Plast Reconstr Surg 55:265
35. S Mirrafati. Abdominoplasty History and Techniques. Aesthetic Surgery of the Abdominal Wall, p62-66, 2005. Springer
36. Saldanha OR. Lipoabdominoplasty. 1st edition. Riode Janeiro (Brazil): Di-Livros; 2006.
37. SG Wallach, A Matarasso. Abdominolipoplasty: Classification and Patient Selection. Aesthetic Surgery of the Abdominal Wall, p70-86, 2005. Springer
38. Somalo M (1940) Circular dermolipectomy of the trunk. Semin Med 1:1435 29. Gonzalez-Ulloa M (1959) Circular lipectomy with transposition of the umbilicus and aponeurolytic technique. Cirurgia 27:394
39. Spadafora A (1965) Abdomen adiposa y pendulo-dermolipectomia iliaco-inguino-pubiana. Prensa Universitaria (Buenos Aires) 114:1839
40. SS Tourani, GI Taylor, MW Ashton. Scarpa Fascia Preservation in Abdominoplasty: Does It Preserve the Lymphatics? Plast Reconst Surg 136:258–262, 2015
41. Thorek M (1924) Plastic surgery of the breast and ab-

dominal wall. Charles C. Thomas, Springfield, IL
42. Vernon S (1957) Umbilical transplantation upward and abdominal contouring in lipectomy. Am J Surg 94:490–492
43. Voloir P (1960) Operations plastiques sous-aponeurotiques sur la paroi abdominale anterieure. Thesis, Paris
44. Voloir P (1960) Operations plastiques sous-aponeurotiques sur la paroi abdominale anterieure. Thesis, Paris
45. Wallach SG (2002) Pregnancy after abdominoplasty. Plast Reconstr Surg 110:1805 (letter)
46. Weinhold S Bauchdeckenplastik. Zentralbl F Gynak 38:1332, 1909.
47. Wilkerson, T. S. Limited abdominoplasty techniques applied to complete abdominal repair. Aesthetic Plast. Surg. 18: 49, 1994.
48. Wilkinson T (1990) Open abdominoplasty (letter). Plast Reconstr Surg 86:1037
49. Wilkinson TS, Swartz BE (1986) Individual modifications in body contour surgery. Plast Reconstr Surg 77:779–784
50. Wilkinson TS, Swartz BS Individual modifications in body contour surgery: The limited abdominoplasty. Plast Reconstr Surg 77:779, 1986.
51. Wilkinson TS: Limited abdominoplasty techniques applied to complete abdominal repair. Aesthetic Plast Surg 18:49, 1994.

Chapter 60

체형교정술 »

엉덩이성형

Buttock augmentation

| 박봉권 |

1. 엉덩이의 역사

엉덩이는 아주 오래전부터 여성에게 있어 중요한 신체부위였다. 특히 가임여성의 엉덩이에 대한 중요성은 III millenium B.C. Babilonia의 La dea Ishtar에서 드러난다. 그림을 보면 엉덩이의 크기가 체형의 크기와 비슷하여 엉덩이의 볼륨이 중요성을 알 수 있다**(그림 1)**.

B.C.200년경의 Callepygian Venus를 보면 허리에서부터 곡선이 봉긋한 엉덩이에 초점을 뒀으며, 엉덩이에 대한 아름다움을 보여주는 최고의 작품으로 아직 남아 있다. 1520년 Portrait of dame 작품을 보면 가슴의 노출은 수유나 모성애를 표현하는 반면, 1745년 Bunette Odalisque 작품을 보면 묘한 여성의 아름다움이 잘 표현되어 있으며, 엉덩이가 성적인 근본적인 모습이며, 좀 더 본능적 모습을 주는 것을 보여준다**(그림 2)**.

파리 현대국제 박물관에 있는 Man Ray의 1924년 작품 "Violon d'Ingres"에서 허리선과 힙라인의 선을 바이올린몸체와 같은 곡선에 비유해서 만든 멋진 작품을 볼 수 있다. 게다가 신체가 아닌 옷에서도 허리선과 엉덩이에 대한 중요성은 예외가 아니었다. 영국 여성들의 경우 도덕과 종교적으로 몸의 노출을 제한하였으나, 이에 반해 허리선과 함께 엉덩이의 선에 대해서선 좀 더 성적이 호감이 가도록 신경을 많이 쓴 것이 보인다. 이렇듯 과거 작품과 의복에서도 엉덩이는 여성의 아름다움을 표현하는데 가장 중요한 소재였음을 알 수 있다.

그림 1 A. La dea Ishtar, B. Callepygian Venus

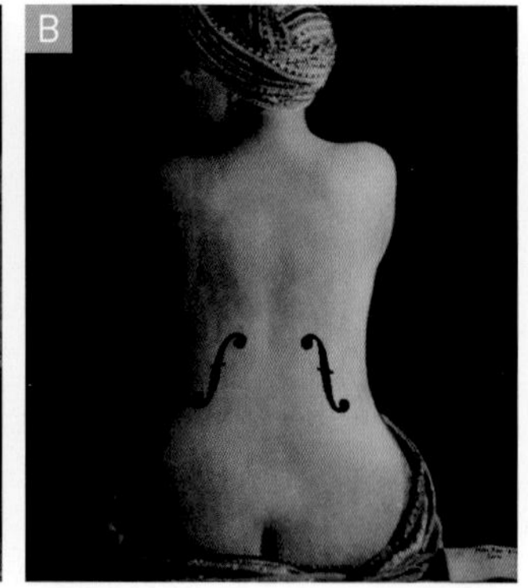

그림 2 A. Bunette Odalisque, B. Violon d'Ingres, C. 영국복식

예뻐지고 싶은 인간의 요구는 미용성형으로 발전하게 된다. 1961년 Schrudde가 처음으로 지방을 음압을 이용하여 흡입하였으며, 희랍어로 지방제거란 뜻을 가진 lipexeresis라 불렀다. 이후 1970년도 중반에 스위스의 Kesserling과 Fischer가 피하지방을 고르게 잘라 빨아내는 방법을 고안하였으며, 이는 추후 프랑스의 Illuouz가 저장성 용액을 섞어서 지방세포를 파괴하여 흡입하면서 지방흡입 수술은 많이 발전하게 되었다.

이렇게 지방흡입을 통한 체형의 발전과 함께 아름다운 엉덩이에 대한 관심도 많아지게 되었다. 보형물을 이용한 엉덩이 융기술은 1969년 처음으로 시행되었으나 이때는 미용적 목적보다는 엉덩이의 재건을 위해서 시행 되었다. 그 당시 사용된 매끈한 타입(smooth type)의 보형물은 대둔근 위의 피하층에 넣어졌고 비대칭, 보형물 구축, 보형물의 이동과 같은 문제점이 많이 생겼다. 계속된 문제점이 생긴 이후 보형물을 이용한 엉덩이 수술은 해서는 안 되는 수술로 여겨지게 되어 지방 주입술이 시행되었으나 이는 제한적이었다.

1984년 Robles에 의해 대둔근 아래공간에 천골에 수직 절개를 하고 시행하였다. 그의 박리는 피라미드 근육의 하부로는 박리를 할 수 없었으며, 신경에 문제가 생기는 너무 높은 상태의 보형물 주입으로 인해 결과에 대한 만족이 적었다. 1996년 Vergara와 Marcos가 대둔근 사이에 보형물 넣는 것을 보고하면서 엉덩이 성형술을 많이 시작하게 되었다. 보형물 힙업 수술의 경우 대둔근의 정확한 박리가 없다면 수술적으로 문제가 많이 생긴다는 것이 알려지면서 대둔근의 두께를 측정한 다음, 해부학적 위치에 대한 정확한 부위를 결정하는 포인트 XYZ의 위치를 중요시하였다 이 수술적 접근법이 바로 현재 많이 사용되는 수술법이다.

2. 엉덩이의 해부학적 이해 (그림 3)

엉덩이에 있는 근육인 대둔근의 사이즈는 보통 24 cm x 24 cm이고, 두께는 3-4 cm이다. 이 근육은 dual supply의 혈행성을 가지는 type III의 근육이다. 혈액공급(blood supply)은 내장근동맥(internal iliac a.)이 이상근(piriformis m.) 상방으로 주행한다. 내측에서 상둔동맥(sup. gluteal a.)와 하둔동맥(inf gluteal a.)로 분리되어 져서 상둔동맥(sup. gluteal a.)의 위쪽은 중대둔근과 소대둔근으로 가면서 대퇴근막장근(tensor fascia late)와 전상장골극(ASIS)쪽으로 진행을 하고, 아래쪽은 대퇴골의 대전자(greater trochanter of the femur)로 가서 대둔근과 힙조인트에 혈행 순환을 한다. 하둔동맥(inf. gluteal a.)은 이상근(piriformis m.) 아래쪽으로 주행하

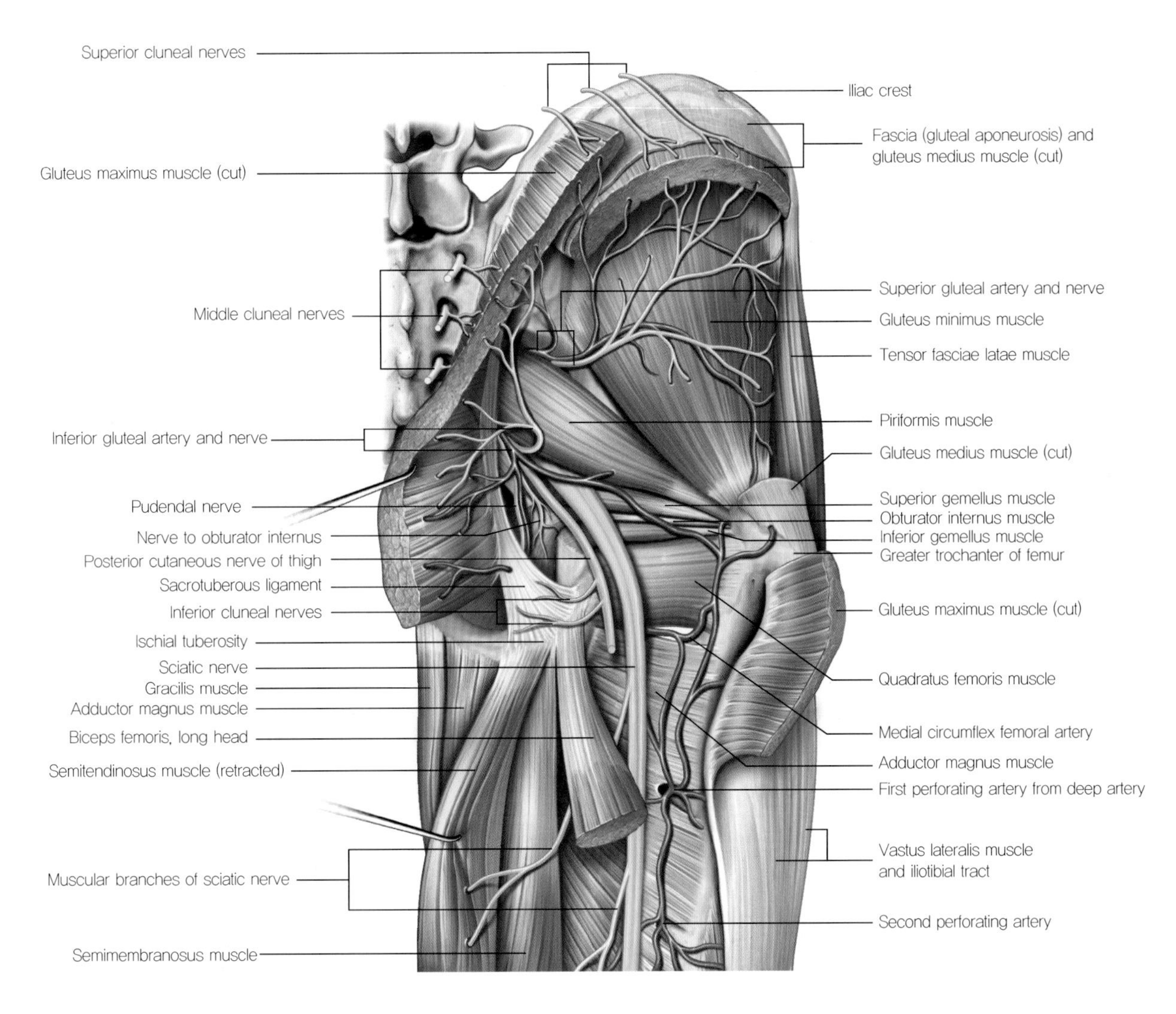

그림 3 Deep dissection

면서 대둔근과 궁둥뼈(ischial tuberosity)로부터 기원되는 근육으로 주행한다. 하둔동맥(inf gluteal a.)은 길고 얇으며, 넓적다리(thigh)의 하부 쪽으로 주행하며, 하지의 혈행 공급을 하는 주요 혈관이다. 대둔근에 분포하는 신경은 하둔신경(inferior gluteal n.)으로 L5,S1,S2로부터 나오며, 분포하는 신경은 허리에서 세 번째 엉치신경(sacral n.)의 요천(lumbosacral) 총에서부터 기원하는 피부신경(cutaneous n.)이다. 특히 보형물 힙업 수술 후 붓기가 생길 경우 상기의 신경의 압박으로 인한 통증이 기원하는 부위이다.

힙업 성형에 있어 정확한 해부와 확실한 수술과정이 중요하다. 근육과 근육 사이에 보형물이 너무 위쪽으로 향할 경우 골반이 눌리거나 골반으로부터 내려오는 피부신경의 눌림현상에 심한 통증을 유발하고, 두 개의 엉덩이(double buttock) 형태가 나타날 수 있다. 또한 추상근(pyramidal m)하부로 너무 내려 갈 경우에는 좌골 신경(sciatic n.)과 하둔동맥(inf. gluteal a)에 제한을 받고 손상을 받을 수 있다.

때문에 대둔근을 절반으로 박리하여 안전하게 보형물을 넣는 것이 중요하다. 이를 위해서 대둔근에 대한 정확한 해부학적 이해와 대둔근 분리를 위한 확실한 가이드가 필요하다. 그러나 정확한 박리와 원하는 공간을 통한 근육사이의 박리를 체계적으로 하지 못할 경우 만족할 공간을 만들기 어려울 뿐 아니라 많은 출혈과 양쪽 엉덩이의 비대칭을 만들어 만족하지 못할 결과가 나올 수 있다. 엉덩이 사이의 시작점의 근육은 두꺼운 반면 고관절로 이행되는 부분의 대둔근은 생각보다 얇아 박리에 있어 경험과 세심한 관찰이 필요하다.

※ 시체해부를 통한 엉덩이 성형술의 포인트

보형물 힙업 수술을 하기 위해서 제일 중요한 것은 다음과 같다. 장골능선(iliac crest)이 어떤 반경으로 진행되고 있으며, landmark라고 하는 후상장골극(PSIS)의 위치와 위도 한계(lat. limit)가 어느 정도인지, 또한 수술시 조심해야 할 부위가 있는지를 동양인 시체를 통해서 확인했다.

(1) 한국인 카데바를 통한 힙의 형태와 특징

① 미골(coccyx)에서 후상장골극(PSIS)까지의 대둔근의 골반에 붙어 있는 근육의 정도가 1 cm정도의 두께밖에 붙어 있지 않았다. 따라서 보형물 박리가 정확하지 않을 경우 공간을 압박할 수 있는 근육이 적어 과도한 운동을 할 경우 보형물 상부의 근육의 힘이 약화되어 수액종이 발생하기 쉬운 타입의 형태였다**(그림 4)**.

② 사체를 해부했다는 전제가 있지만 좌골 신경(sciatic n.)가 나오는 곳까지의 근육 박리 두께는 겨우 1 cm 밖에는 되지 않았다. 결론적으로 대둔근의 분리시 세심한 작업이 필요하다.

③ 외국인의 경우에 근막이나 피하 쪽으로 보형물을 삽입하는 경우가 있는데, 한국인의 신체적 특징에서는 어떻게 파악해야 하는가? 사체의 해부에서 보듯이 한국인의 체형에는 강도가 센 운동과 직업적인 원인으로 인해 지방 축적이 되지 않는 경우가 많다. 따라서 보형물 삽입을 근육위로 한다면 형태적 불만족이 생긴다는 것을 알 수 있었다. 외국인에 비해서 작은 골반과 적은 지방층 때문에 근육사이에 보형물을 삽입한다 하더라도 보형물이 비칠 가능성이 있다는 것을 파악할 수 있었다.

④ 동양인의 형태가 짧고 좁은 엉덩이 형태는 보형물의 크기가 과연 어느 정도까지 삽입이 가능할 것인가?

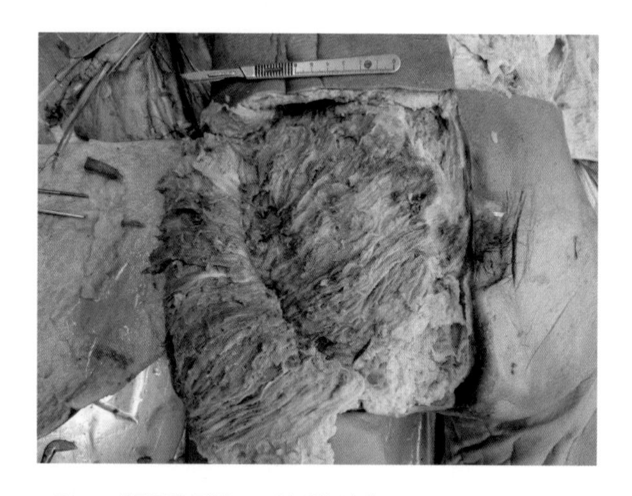

그림 4 대둔근을 절반으로 분리한 상태

그림 5 대둔근 분리에 보형물을 삽입할 경우 공간 크기

근육사이의 주입과 근육밑 주입을 비교해 볼 때, 사체해부라는 단점이 있기는 하지만 멘토 코젤 12.2 cm 225 cc 보형물의 경우 고관절 부위의 측면까지 보형물이 삽입 되는 것을 볼 수 있으며, 대둔근의 상부까지 보형물이 끝선까지 가는 것을 볼 수 있다.

결론적으로 대둔근의 크기가 작은 한국인에게서 백사이즈가 12 cm를 넘는 경우에는 대둔근의 범위를 넘어서 보형물이 채워져야 하기에 동양인의 경우에는 대둔근의 크기에 대한 정확한 체크 후 안전하게 보형물을 넣는 것이 중요하다.

특히 골반의 높이(후상장골근에서 엉덩이 밑주름선)와 넓이(볼기사이틈새에서 고관절관절)의 비교에서 서양인의 경우 높이와 넓이의 비율이 0.71인 반면 한국인의 경우 0.62까지 떨어진다. 이는 한쪽 엉덩이의 대둔근 공간의 형태가 사각형의 형태를 띤다 할 수 있으며, 타원형의 보형물보다는 둥근형태의 보형물이 한국인의 체형에는 맞다 하겠다.

⑤ 사체의 대둔근 해부 결과 대둔근의 근육형태가 마름모꼴의 형태이며, 대둔근의 마진의 두께가 생각보다 많이 얇기에 보형물이라는 이물질이 대둔근의 새로운 공간에 적응을 하기 위해서는 대둔근의 크기를 정확히 측정해서 디자인 하는 것과 체형에 맞는 보형물을 넣는 것이 중요하다(**그림 5**).

사체를 통한 엉덩이 성형술을 통해 한국인에 맞는 보형물 삽입은 근육의 두께와 골반 뼈와 연결되는 부위의 근육양이 적기에 보형물의 볼륨으로 인한 근육의 허탈현상과 함께 압박하는 힘이 적어 정확한 박리와 해부학적 경계를 정확히 잡지 않는다면 부작용이나 합병증이 잘 생길 수 있는 엉덩이인 것을 확인할 수 있었다.

3. 엉덩이의 미학적 관점

엉덩이는 가슴에 대적하는 여성스러움의 상징이면

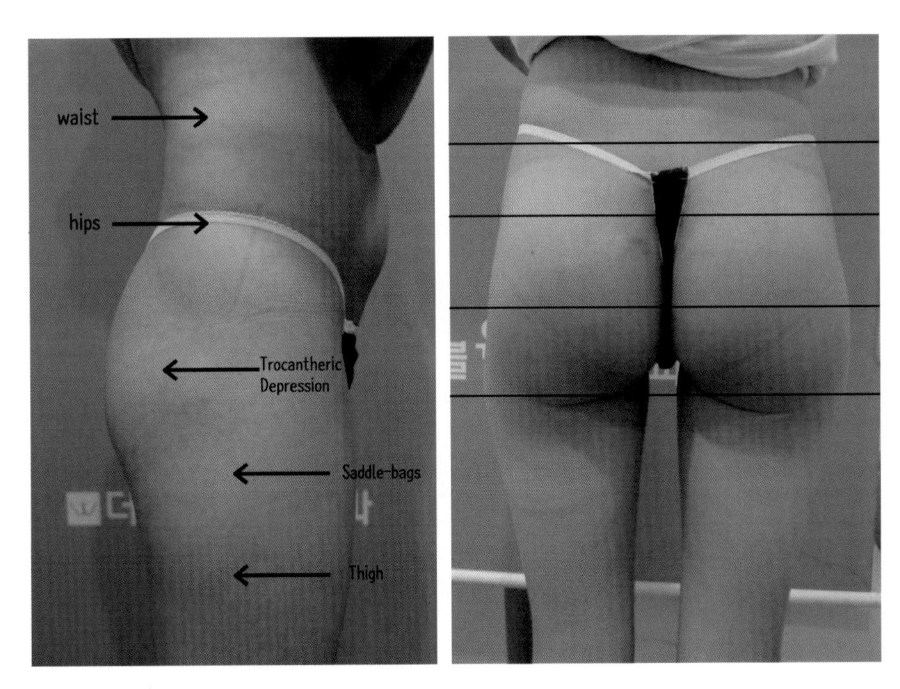

그림 6 아름다운 엉덩이의 특징

서, 아름다운 몸매의 곡선과 우아함을 드러내 주는 가장 중요한 부분이다. 아름다운 엉덩이는 위치나 각에 관계없이 둥글고 탄력이 있어야한다. 이런 형태를 유지하기 위해서는 필요한 특징이 있는데 돌출정도, 엉덩이 주름, 전자함몰, 견고한 조직, 결함 없는 피부에 있다.

이렇게 힙의 5가지의 특징이 잘 조화되어야 아름다운 힙이라 할 수 있다(**그림 6**).

아름다운 엉덩이의 특징
1. 돌출 정도(Gluteal projection)
2. 엉덩이 주름선(The gluteal crease)
3. 전자 함몰(The trochanteric depression)
4. 피하조직의 견고함
5. 근육 견고함과 긴장성

첫 번째로 돌출정도(gluteal projection)이다. 엉덩이에서 돌출되는 부위의 꼭지점은 골반의 최상위와 엉덩이 주름선을 3등분했을 때 2/3 지점이거나 정중앙에 위치해야 한다. 또한 1/3지점에서 이루어지는 엉덩이와 대퇴부의 연결이 자연스러워야 한다. 동양인의 힙은 돌출 부위가 엉덩이 주름 선에 가까이 있으며 엉덩이와 대퇴부의 연결 부위의 함몰과 돌출의 형태로 다리가 짧아 보인다.

두 번째는 엉덩이 주름선(the gluteal crease)이다. 선명하고 긴 주름은 엉덩이에 처짐 현상이 있을 때 나타난다. 결국 엉덩이에 주름선은 없어야 하고, 많이 있더라도 thigh의 중앙선을 넘어서는 안 된다. 엉덩이의 주름선은 결국 엉덩이의 탄력 정도에 의해서 결정된다.

세 번째는 전자함몰(the trochanteric depression)이다. 함몰의 심한 경우 엉덩이가 측외방으로 갈라져 보이며 연속성을 잃게 된다. 힙과 허벅지의 살이 자연스러운 라인에서 벗어나 나와 있을수록 문제점이 확연하게 나타난다.

네 번째는 피하조직의 견고함이다. 엉덩이의 조직은 많은 부분이 피하지방으로 구성되어 있다. 피하지방이 치밀하게 결합되어 있으면 견고하다. 그러나 결합 조직망을 채울 지방이 부족할 경우 피하층이 느슨해져 처짐 현상이 오기 쉽다.

다섯 번째는 근육의 견고함과 긴장성이다. 이는 대둔근을 자극하는 운동으로 변화시킬 수 있다.

결국 아름다운 힙은 엉덩이 라인과 돌출 정도의 조화에 있다고 볼 수 있다. 지방흡입과 이식을 통한 힙업수술, 보형물 힙업 수술을 통해서 앞서 설명한 5가지 요소를 충족시킬 수 있다. 이렇게 아름다운 힙을 가지지 못한 경우 엉덩이 수술을 고려할 수 있다.

4. 힙업수술

엉덩이 수술이란 납작하거나 처진 엉덩이에 보형물, 지방이식, 레이저, 필러 등의 수술 및 시술을 통해 탄력있고 아름다운 엉덩이로 만드는 수술을 말한다. 다양한 엉덩이 수술 방식이 있지만, 수술 방식을 선택하기 전에 고려해야하는 것은 바로 엉덩이의 모양이다. 엉덩이의 모양에 따라 수술법이 달라지기 때문이다.

힙업 수술은 허벅지와 엉덩이는 밀접한 연관이 있으며, 신체 라인의 아름다운 측면에서 중요하다는 것을 알 수 있었다. 한국 여성들의 엉덩이는 허리에서 엉덩이로 가는 옆 라인에 굴곡이 없고 일자로 내려가는 형태가 많으며, 엉덩이 밑선과 허벅지에 지방이 축적되어 처져 보이기 쉽다. 전체적으로 밋밋하고 다리가 짧아 보이는 체형이 대다수를 이룬다.

특히 한국인 여성의 힙의 특징인 볼륨이 부족하고 엉덩이 밑살이 처진 경우가 많아서 다리의 길이가 짧은 신체적 특징은 동양인이 지닌 특성이다. 신체에서도 서구화가 진행되고 있다고 하지만 여전히 동양인 특유의 신체적 특징이 한국 여성에게 존재하고 있음을 알 수 있다.

한국인의 힙의 단점을 보완할 수 있는 안전한 방법으로 현재 사용되고 있는 방법은 보형물 힙업과 지방 힙업이라 할 수 있으며, 이는 옆구리나 허벅지의 주변 형태와 크게 연관성이 있기에 따로 힙만을 구분한다기보다는 옆구리와 허벅지까지의 뒷태에 대해서 전체적으로 만족도를 줄 수 있는 방법을 생각해 봐야 할 것이다.

1) 보형물 힙업수술

보형물 힙업 수술의 경우 수술 전 엉덩이의 형태와 수술 후 원하는 엉덩이 모양, 힙업이 될 위치의 상담이 선행되어야 한다. 한국 여성의 경우 좌, 우 엉덩이 형태가 같은 경우는 거의 없으며, 힙의 크기 또한 다른 경우가 대부분이다. 보형물 수술에서 중요한 것은 평평한 엉덩이에 어느 정도의 볼륨감을 줄 것인가, 엉덩이의 돌출점을 어디에 위치시킬 것인가를 결정해야 한다.

특히 현재까지 보형물 힙업 수술은 재수술이 어려운 수술로 여겨지고 있기에 수술후 발생할 수 있는 통증이나 수액종 그리고 형태적 불만족까지 생각하고 신중히 수술을 해야 하는 그러한 수술이라 할 수 있다.

(1) 수술과정

브라질 라울 곤잘레스 박사의 XYZ 과정을 통한 엉덩이 성형술이 지금까지 논문과 학회의 발표를 통해 정례화되어 있다. 곤잘레스 박사의 XYZ 과정은 보형물 힙업수술에 있어 가장 보편적인 방법이다. 때문에 이 방법을 중심으로 수술과정을 설명하기로 한다.

수술 전 보형물 삽입 위치를 정할 때, 기립 상태에서 이학적 검사를 통해 엉덩이에 수술적 문제가 없는지 체크하는 것이 중요하다**(그림 7)**.

수술 당일에는 체형에 맞는 보형물을 선택하고, 전체적 디자인을 한다. 수술 직전에는 엉덩이에 통증을 없앨 수 있는 격막외강 마취를 시행한다. 수술 후 2일간은 유지된 격막외강을 통해 통증을 조절해야 한다.

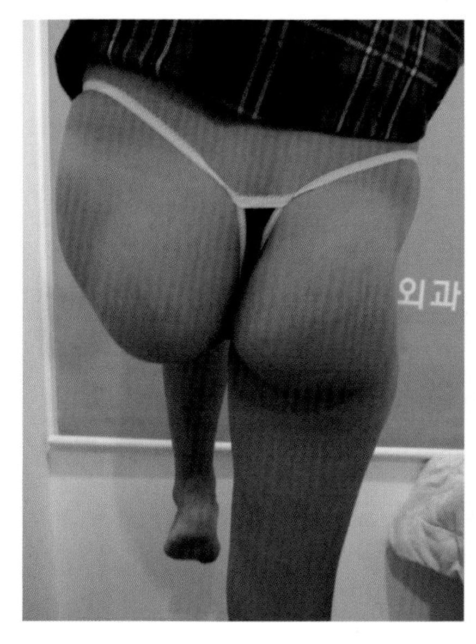

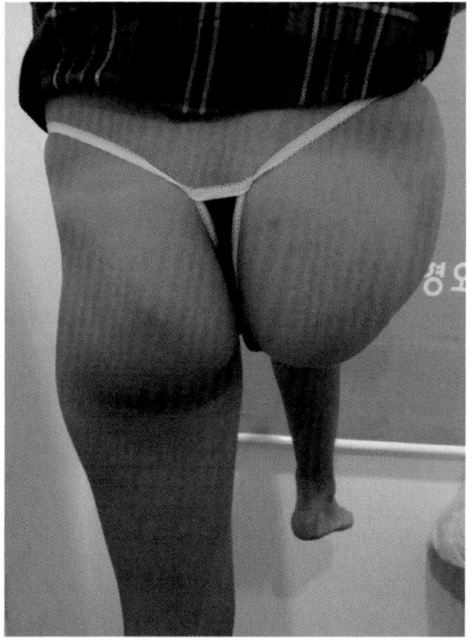

그림 7 대둔근의 근육양과 근육내 섬유화 반응 검사

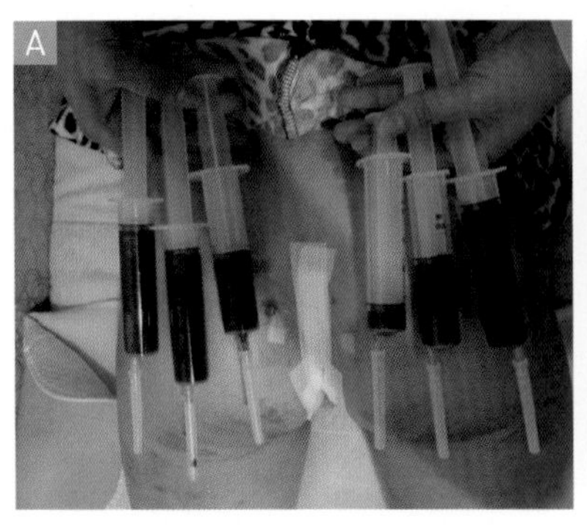

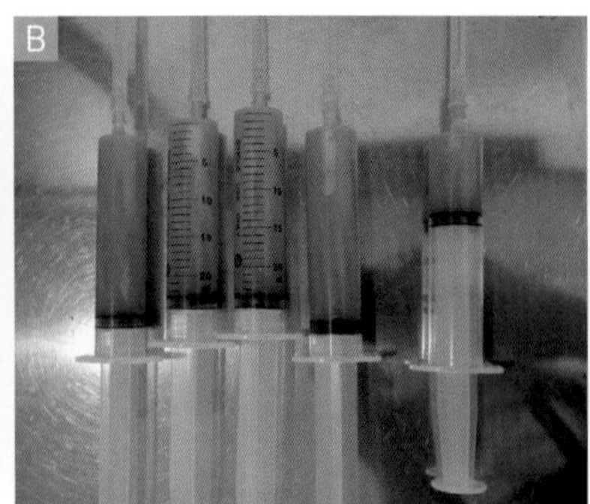

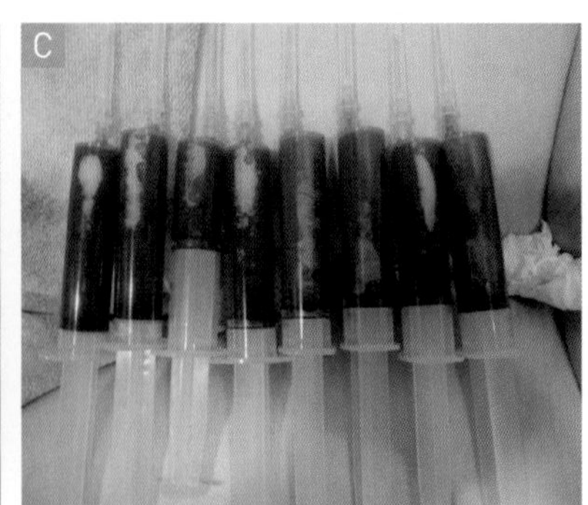

그림 8 A. 혈종, B. 수액종, C. 장액종

수술 당일은 절대 안정을 위해 움직이지 않도록 하고, 수술 다음날부터 간단한 보행과 화장실 이용이 가능하다. 편안한 보행까지는 7-10일 정도 소요된다. 특히 자리 잡지 않은 대둔근의 많은 운동은 출혈이나 수액종을 유발할 수 있으므로 주의해야한다(**그림 8**).

상기 수술법에는 수술을 편하게 하기 위한 기구들이 필요하였는데, 10 cm와 12 cm 길이의 견인기 2개로 박리할 부분을 당겨 주었고, 2 cm 와 2.5 cm 긴 박리기로 삼각형의 공간 확보를 하고, 특수 고안된 기구(duck's bill)로 보형물의 형태와 같은 원형의 원하는 공간을 만들고 수술할 대둔근을 세점(X,Y,Z)과 가상선 G로 측정하여 정확한 박리와 원하는 포인트에 보형물을 삽입하였다(**그림 9**).

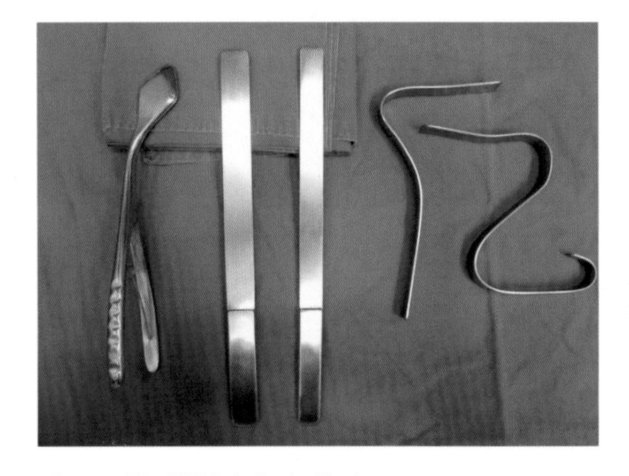

그림 9 보형물 힙업수술에 필요한 기구

(2) 수술의 전문 방식

절개라인은 환자가 서 있는 상태에서 엉덩이 사이에 절개선 7.5 cm로 디자인하는데, 누웠을 때 체크할 수 없는 위치를 확실히 표시해두어야 한다. 경막외강 마취가 되면, 엎드린 자세에서 항문 주변부터 깨끗이 소독하여 감염이 생기지 않도록 해야한다. 1:150000의 국소마취제를 수술 부위에 주입한다. 피부의 절개는 엉치 피부 인대(sacrocutaneous ligament)를 보존한 상태에서 45도 경사지게 대둔근이 보일 때까지 박리한다. 엉치피부인대는 볼기사이틈새(intergluteal crease)를 형성하는 중요 구조이며, 상처의 벌어짐을 막기 위한 봉합의 중요 구조이다. 대둔근이 보일 경우 뒤집어진 하트(inverted heart) 모양의 디자인 형태대로 근육 위층을 박리한다. 엉덩이의 윗층으로 박리가 많을 경우 상체의 공간이 많아지기에 장액종(seroma)이 발생할 수 있어 주의를 요한다.

원하는 대둔근의 박리가 끝나면 대둔근 사이의 박리로 포인트 X-점을 찾는 것이 중요하다. 해부학적으로 박리를 위한 3점(X,Y,Z)중 X-점은 대둔근 박리를 할 수 있는 기준점이 되며, 대둔근을 절제한 지점에서 대둔근의 두께의 2/3 정도 들어간 지점으로 최소한 1.5 cm 이상의 깊이에 존재한다. 한국인의 대둔근의 특징

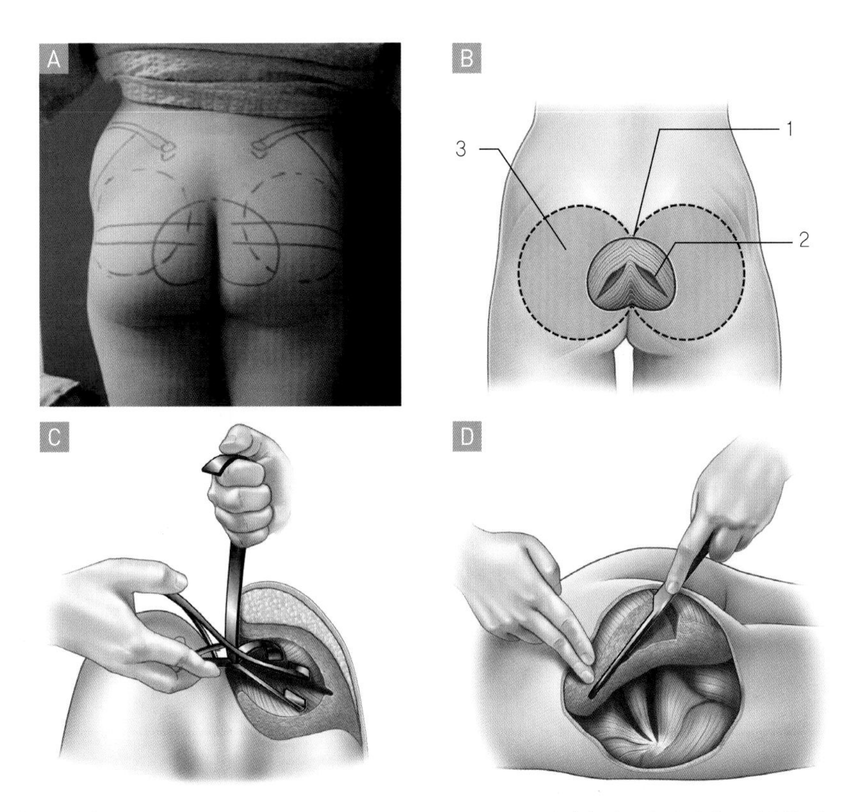

그림 10 (A) 술전 디자인 (B) 1–힙업의 시작점, 2–대둔근 절개 위치, 3–대둔근 박리. (C) 덕스빌 박리기를 이용한 필요공간 확보 (D) 대둔근의 근육내 박리와 두께 측정

은 근육의 두께가 평균적으로 2.5 cm 정도로 보통의 힙업 수술을 하는 엉덩이 근육의 크기에 비해서 상대적으로 얇은 형태를 가지고 있기에 박리에 신중을 기해야 할 것이다. 이 X-점은 Y-점, 즉 대둔근의 측면 경계선 까지 갈 수 있는 시작점이 된다. 시작점 X로부터 장골 능선(iliac crest)을 따라 대둔근이 끝나는 점을 체크한다. 이곳과 고관절관절과 연결한 선까지를 가상선 G(imaginary line G)로 생각한다. 장골 능선(iliac crest)과 G line만나는 곳을 Y-점으로 하며 이는 상후장골극(posterior superior iliac spine)에서 장골 능선을 따라서 4-5 cm 정도 진행한 곳에서 대둔근의 측면 경계선이 된다. X-점에서 Y-점까지 2 cm의 박리기로 섬세한 박리를 하여 대둔근을 분리한다. 이때 분리는 박리기의 면에 접하게 박리하면서 근육섬유가 되도록 손상 당하지 않도록 부드럽고 평행하게 한다.

고관절 내측 지점을 Z-점이라 하고 Y에서 Z까지 평행하게 그러나 엉덩이 곡선에 따라 내려서 박리를 한다고 생각한다. 즉 XYZ의 보형물을 넣을 삼각형을 만드는 것이 엉덩이 성형술의 제일 중요한 과정이다. 광섬유 견인기로 견인하면서 근육 사이에 위아래로 연결된 근막을 2.5 cm 박리기로 박리를 하여 원하는 삼각형 모양의 공간을 위아래 똑같은 양으로 확실히 만든다. 삼각형 이외의 보형물이 차지할 공간은 duck's bill 박리기로 원형으로 만들어 준다. 만일 타원형의 보형물을 주입할 경우 윗면과 아랫면의 위치에 따라 좀 더 깊게 박리하여 공간을 만들어 준다. 대부분의 경우 Z-점 박리 부분에서 깊은 박리의 경우 출혈이 있기에 조심해야 하며, 엉덩이 성형술은 확실한 지혈로 혈종이 생기지 않도록 하는 것이 중요하다.

헤모백(hemovac) 삽입 시 대부분은 대둔근의 절개 라인과 너무 가까워 치밀한 근육 봉합을 하기가 어렵기에 이에 조심한다. 헤모백은 24-48시간 동안 출혈이 있는 지 관찰한 후 출혈이 없으면 제거하도록 한다. 보형물 삽입 후 공간이 크다면 추후 보형물의 위치 변형과 장액종 발생이 많기에 좀 더 큰 보형물을 삽입하여 공간이 남지 않도록 하는 것이 좋다(**그림 10**).

만일 공간이 작다면 2 cm 박리기로 필요한 부분을 조금씩 박리를 더해서 딱 맞는 방을 만드는 것이 좋다(**그림 11**).

근육의 봉합은 서로 다른 공간이 서로 교통되지 않도록 해야 하며 그렇지 아니할 경우 장액종의 원인이 된다. 천골피부인대와 피하 조직과의 확실한 봉합이

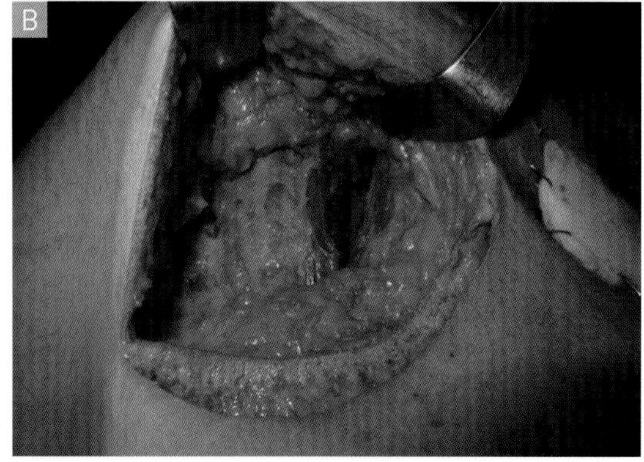

그림 11 A. 근육두께의 측정, B. 보형물 삽입 후 대둔근의 상태

없으면 수술 후 누공으로 인해 서로간의 분리가 발생할 수 있기에 확실한 봉합을 한다. 수술 후 보형물이 들어간 공간에 대한 압박은 혈종이 생기지 않게 하는데 중요하기에 압박복이나 탄력붕대로 수술부위를 눌러주는 것이 좋다. 수술 후 최소 2일까지 심한 통증이 있어 외강 마취를 수술 후에도 최소한 2일 정도까지는 유지하도록 한다. 수술 후 첫날은 엎드려 자는 것이 중요하며 수술하고 2일째부터 측면앙와자세로 해도 무방하다.

(3) 보형물 힙업 수술 시 주의사항

① 동양인의 경우 우측 엉덩이가 더 발달해 있지만, 힙의 전체 볼륨의 크기는 거의 같다. 발달한 우측이 외형상 낮아 보인다. 대신 작은 왼쪽의 경우 볼륨감이 있기 때문에 보형물을 삽입할 때 좌, 우측의 높낮이를 정확히 맞춰서 수술해야 한다. 특히 왼쪽 엉덩이의 경우 오른쪽 엉덩이보다 고관절이 더 벌어져있기에 수술에 어려움이 있으며 고관절 측면의 지혈에 주의해야 한다.

② 힙의 돌출 부위를 결정할 때 엉덩이의 형태가 3 모양이 되거나, 골반 위쪽의 신경을 눌러 통증이 발생하지 않도록 해야 한다.

③ 처진 엉덩이 특히 팬티라인 측면으로 처진 경우 보형물 힙업을 통해 보완이 가능하다. 골반 내 엉덩이 근육 크기가 처진 경우 보형물을 통해 근육을 업시킬 수 있으며, 이를 통해 다리를 길어보이게 할 수 있다.

④ 고관절 꺼짐 현상은 보형물 힙업을 통해 보완해야한다. 보형물 힙업 수술 시 근육의 측면으로 깊숙이 접근한다면 측면 대둔근이 고관절 부위를 커버하여 고관절 부위에 볼륨감을 준다.

⑤ 힙이 평평한 경우 엉덩이 근육이 밑으로 처지는 현상이 생길 수밖에 없다. 이 때 엉덩이의 중앙 윗부분이 꺼진 것처럼 보이는데, 지방이식으로 꺼진 부분의 볼륨감을 채워줄 수 있지만 근육의 처짐은 해결하지 못한다.

2) 자가 지방 이식 힙업 수술

자가지방 이식을 이용한 힙업성형은 본인의 지방조직을 사용하므로 부작용 위험이나 부담이 적다. 그러나 지방이 없는 마른 체형에게는 부적합하다. 허벅지나 복부, 옆구리에 군살이 있으면서 엉덩이의 볼륨이 부족한 분에게 효과적이다.

(1) 수술전 준비 과정

혈액응고에 지장이 있는지 선별출혈시간(bleeding time)에 나타나며, 빈혈 검사 및 수술 전 필요한 검사는 꼭 하고 수술하는 것이 필수적이다.

수술전 디자인은 세운자세에서 피하지방조직의 두께를 확인하면서 얼마만큼의 지방을 흡입할 것인지, 측적된 지방 정도가 어느 정도인지 등고선의 지도처럼 피부에 표시해 둔다.

수술에 필요한 사진은 찍어서 환자와 상의하는 것도 중요한 과정이다

모든 체형은 좌우에 차이가 있으며, 수술 후 형태 변화에 대해 수술 전에 설명하고 이를 수용하도록 하는 것도 중요하다.

(2) 지방 흡입 전 장비

지방힙업을 위해는 우선적으로 지방흡입이 필요하며, 이에 필요한 기본적인 장비를 살펴보면, 지방흡입을 할 수 있는 기압조절이 가능한 진공펌프, 실리콘 튜브, 캐뉼라가 필요하겠다.

특히 중요한 것이 기압 조절이 가능한 진공펌프이며, 이는 1기압인 760 mmgHg에서 이것보다 압력은 낮춘상태로 술자에 따라서 케뉼라 움직이는 정도와 속도에 따라서 압력을 조절해서 사용하는 것이 좋다. 술자의 경우에는 300 mmHg정도의 압력에 초당 1회의 움직임을 기준으로 하고 있다.

케뉼라의 경우에는 굵기가 굵을수록 많은 양의 지방의 채취가 가능하지만 섬유성 격막(fibrous septum)을 많이 파과하기에 형태적 불균형과 색소침착이 얇은 케뉼라에 비해서 많이 올수 있기에 환자의 선택이 중요하다 할 수 있겠다.

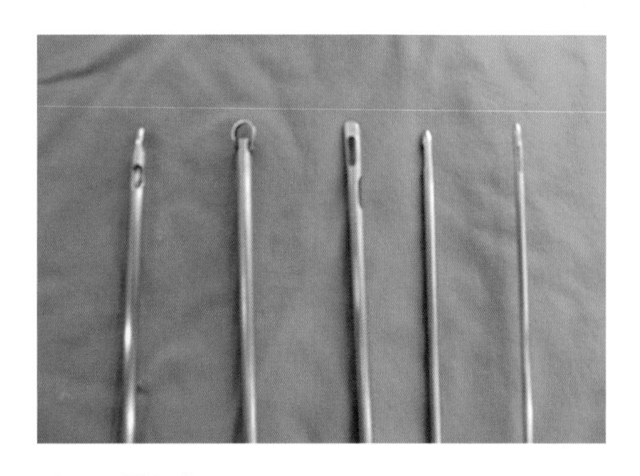

그림 12 좌측부터 pinto, ring, flat, slit, mercedes cannulae

요즈음 많이 사용하는 캐뉼라의 굵기는 3-4 mm정도의 것이면 지방흡입에 충분히 문제가 없으며 안전하다 할 수 있다. 캐뉼라 끝의 형태도 경험의 정도에 따라 여러 가지를 사용할 수 있으며, 이는 각자의 경험에 따라서 사용할 수 있다 하겠다(그림 12).

(3) 마취용액 주입

마취용액은 희석, 혈관 수축, 그리고 마취효과를 고려하여 정량을 넣어줘야 한다.

- 용해제(Diluent) :많이 사용하는 것이 실온상태의 isotonic Saline solution 0.09%나 Ringer Lactate Solution을 사용할 수 있다.
- 마취제(Analgesic) : 혈관 수축제가 들어 있지 않는 2% 리도카인 용액이다.
- 사용량은 500 ml 용액에 리도카인 20 mL를 사용한다.(총 용해는 0.77%)
- 만일 혈관수축없이 마취시간을 연장할 경우에는 0.5% 부피바케인 10 mL를 추가할 수도 있다.

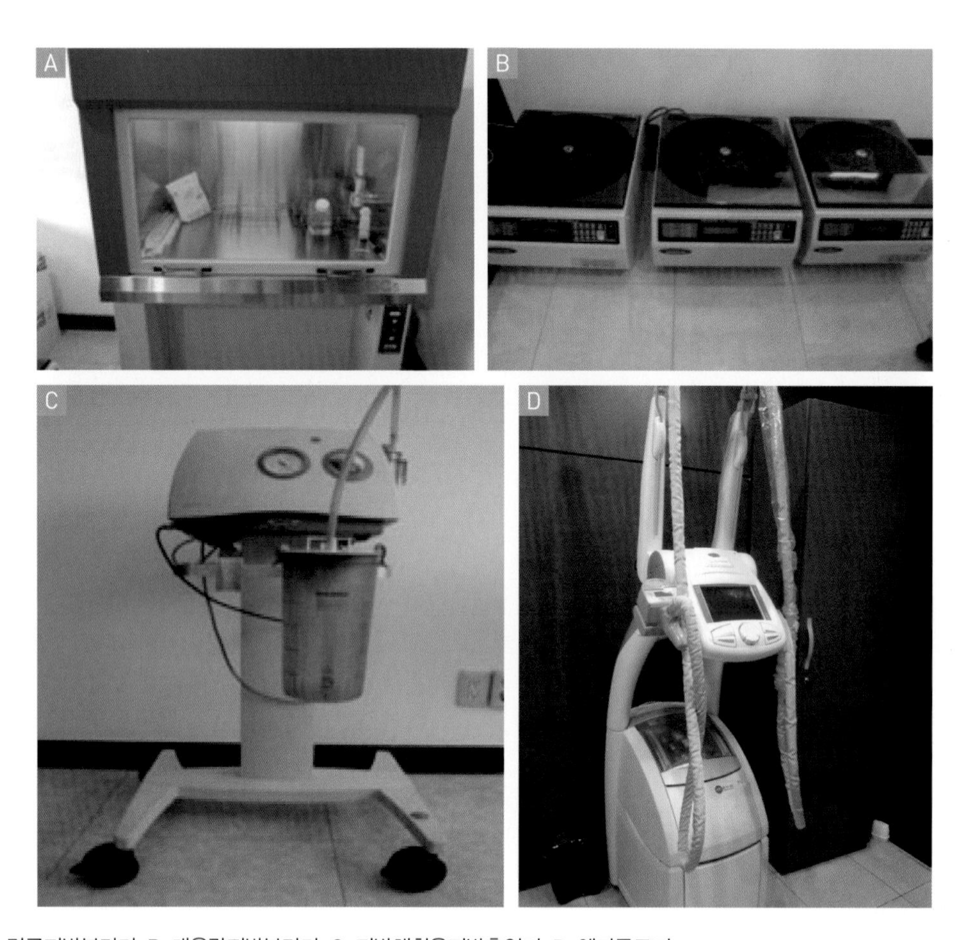

그림 13 A. 멸균지방분리기, B. 대용량지방분리기, C. 지방채취용지방흡입기, D. 엔더몰로지

- 혈관수축제(Vasoconstrictor) : 각 용해제 500 mL 당 1:500,000의 희석이 적당하여, 이는 1앰플 당 1: 1000인 경우 1 mL를 넣어주면 된다.
- 에피네프린의 효과는 혈관의 수축과 함께 tumescent soln의 혈관에 대한 외부압박(extrinsic compression)으로 인한 국소적 출혈예방, 국소마취 시간의 연장 그리고 마취약의 혈관내로의 흡수를 감소시카는 역할을 하고 있다.
- 알칼리화(Alkalizing) : 8.4% sodium bicarbonate 용액은 500 ml 당 3 ml를 사용할 수 있으며,
- 주요기능은 신경계의 자극 감소와 산성매체에 의한 통증 자극을 감소시기기위한 알칼리화이다.

(4) 수술 방법

지방이식힙업수술의 경우 상완부, 복부, 옆구리, 허벅지 등 지방채취가 가능한 부위에서 지방을 안전하게 채취하는 것에서부터 시작된다. 수술 전 지방을 주입할 위치와 지방을 흡입할 부위를 환자가 기립한 상태에서 세심하게 디자인해야한다. 수술은 수면마취를 통해 진행된다.

지방흡입을 위한 국소마취(Tumescent soln.)은 Hartman's soln.에 리도카이과 비본 그리고 에피네프린을 섞어서 35%의 농축정도를 만들어 흡입이 필요한 부위에 균등하게 빠짐이 없이 용액을 주입한다. 뽑는 양에 2배정도의 양을 주입하고 손가락 마사지와 초

음파 마사지를 통해서 흡입할 부위가 지방을 뽑을 수 있는 상태로 만든후 지방이 손상이나 출혈 없이 자연스럽게 뽑힐 수 있도록 관리해야 한다.

특히 케뉼라의 입구에서 45도 정도로 처음에 들어가야 하며, 아닐 경우 입구의 꺼짐 현상이나 단계가 생길 수 있기에 주의해야 한다.

색소침착이나 셀룰라이트 없이 지방흡입을 위해서는 우선적으로 Pinch test, Pizzaiolo test, Refinement test를 하는 것도 좋은 방법이라 생각한다.

이렇게 채취한 지방은 특수분리통과 대용량 원심분리기, 멸균시스템으로 무균상태로 저자의 경우 지방의 정도를 흘러내리지 않도록 4000 rpm에서 7분간 원심분리하여 dense한 상태로 필요한 지방으로 분리한다. 분리한 지방세포는 디자인에 맞춰 10 cc주사기를 이용해 엉덩이에 층별로 주입한다. 보통 만족스러운 엉덩이의 볼륨은 위해서는 한번에 200-250 cc를 이식한다. 지방 주입 후 흡입한 부위의 출혈이나 멍을 감소시키기 위해 압박드레싱이 필요하며, 흡입한 부위에 문제가 없다면 수술 다음날부터 보정속옷으로 체형을 잡는 것이 중요하다. 특히 수술 후 1주일 후부터 셀룰라이트와 색소침착을 없애기 위해 지방흡입한 부위에 엔더몰로지 관리를 해주는 것이 수술 결과의 만족도에 영향을 끼친다(그림 13).

(5) 자가 지방 이식 힙업 수술 시 주의사항

① 옆구리 라인의 위치가 골반보다 들어가도록 디자인해야 한다. 그러나 너무 많은 옆구리의 지방제거는 색소침착이 올 수 있으므로 주의해야 한다. 특히 골반의 형태와 허리, 뒤태의 라인을 보고 형태에 맞춰 옆구리 라인을 교정해야한다.

② 지방이식 힙업 수술에서 가장 중요한 것은 바로 생존율이 좋은 지방을 추출하고 정리하여 생착을 시키는가에 있다. 지방의 생존율을 고려하여 힙의 형태와 크기를 비교하여 교정하는 것이 중요하다. 특히 안정성에 조심하여 힙에 볼륨감을 만들어야 한다.

③ 고관절의 측면도 한국인의 체형에서는 꼭 지방주입을 통해서 만족도를 줘야만 하며, 힙의 중심부에만 지방 주입을 할 경우 측면에 불만족이 커질 수 있기에 주의해야 한다(그림 14).

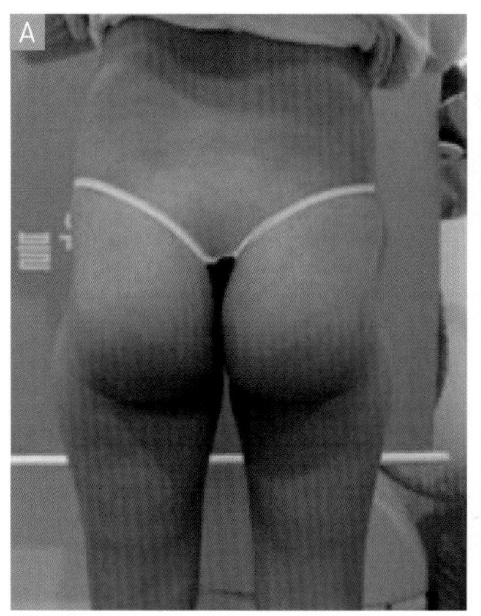

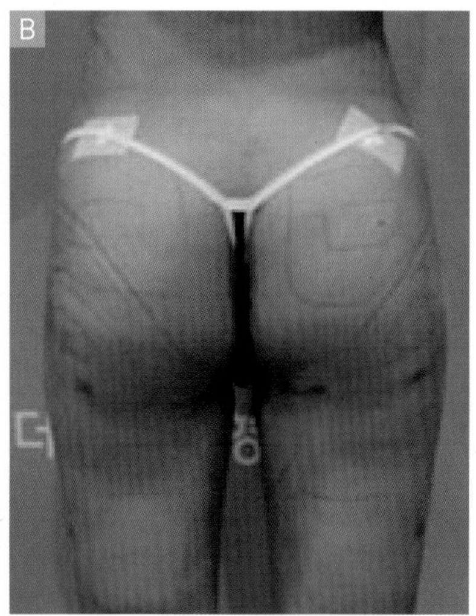

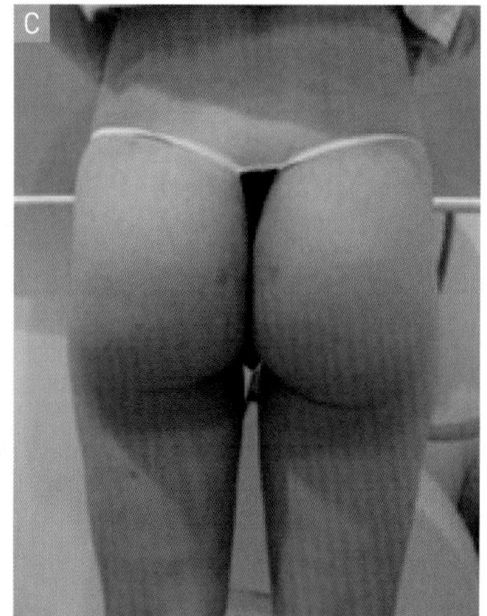

그림 14 A. 수술 전 형태, B. 수술 다음 날, C. 양쪽 200 cc 지방힙업 후 3개월

5. 보형물 힙업수술에서 발생할 수 있는 문제점과 원인(그림 15)

- 통증 : 삽입 공간의 작은 박리와 큰 보형물의 주입이나 너무 깊은 층으로 보형물을 삽입한 경우
- 비대칭 : 정확한 위치에 보형물은 넣지 못한 경우나 수술 전에 엉덩이의 형태에 대한 정확한 진단이 되지 않는 경우에 발생함.
- 혈종과 수액종 : 보형물 공간의 넓은 박리, 일정한 근육 층에 대한 박리가 되지 않는 경우 또는 주변의 혈관에 대한 정확한 처치를 하지 않은 경우
- 상처의 벌어짐 : 엉덩이 내측 인대에 대한 확실한 봉합을 하지 않는 경우와 피하층의 필요한 공간이 없는 경우로 제일 많은 문제점 중에 하나임.
- 감염 : 보형물의 멸균 능력이 떨어지거나 수술 시 멸균에 대한 전문성이 없는 경우로 수술 후 가장 위험한 경우로 바로 보형물 제거가 필요함.
- 특히 미세한 오염이 되는 경우 지속적은 염증성 체액이 상처부위로 배액되면서 누공(fistula)을 만들 수 도 있기에 위생적인 치료가 중요한 부분이다.
- 보형물 주변의 구축 : 일정한 층의 박리가 아닌 여러 층으로 박리되고 보형물이 삽입 된 경우에 발생한다.
- 기타 : 엉덩이의 불편함, 튼살이 여러 갈래로 보임 수술 후 즉시 생기는 문제점으로 통증, 벌어짐, 장

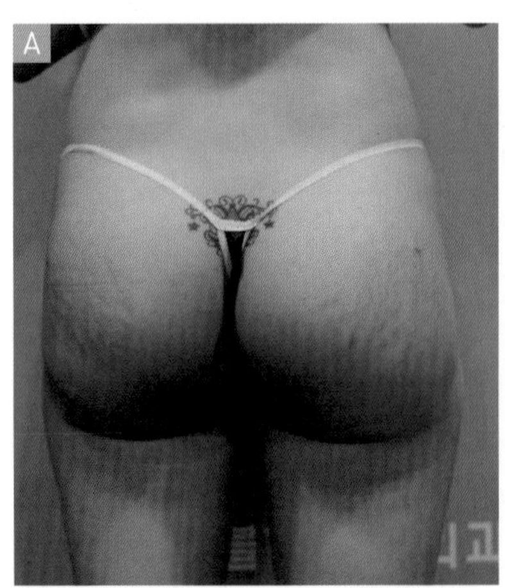
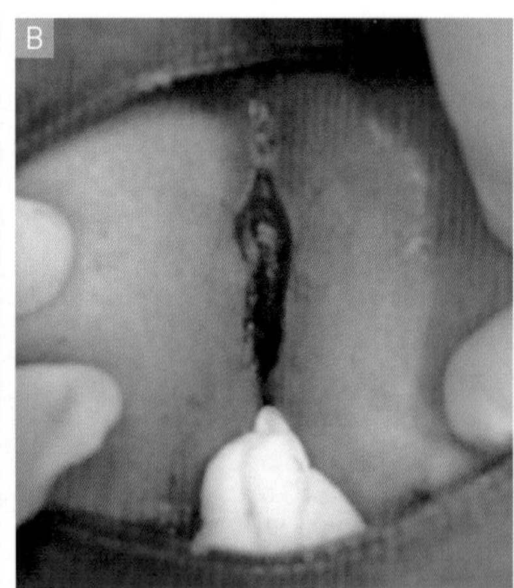
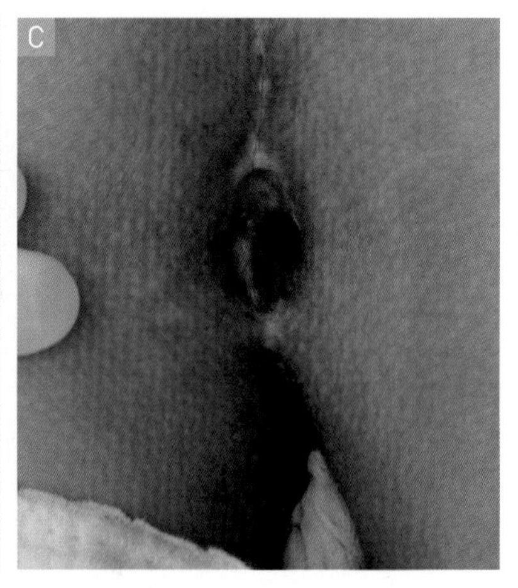

그림 15 A. 비대칭과 튼살, B. 상처의 벌어짐, C. 누공

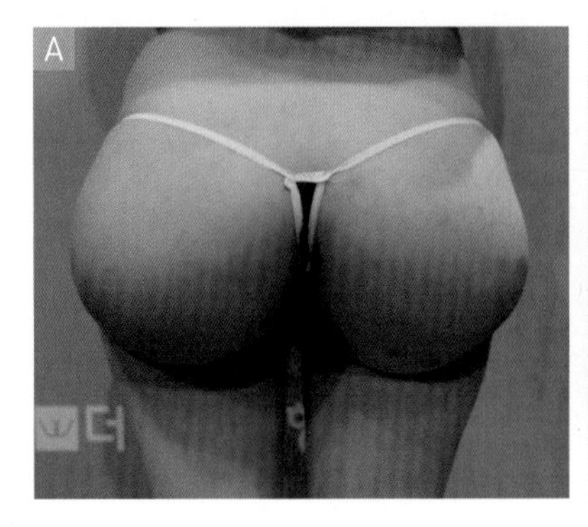

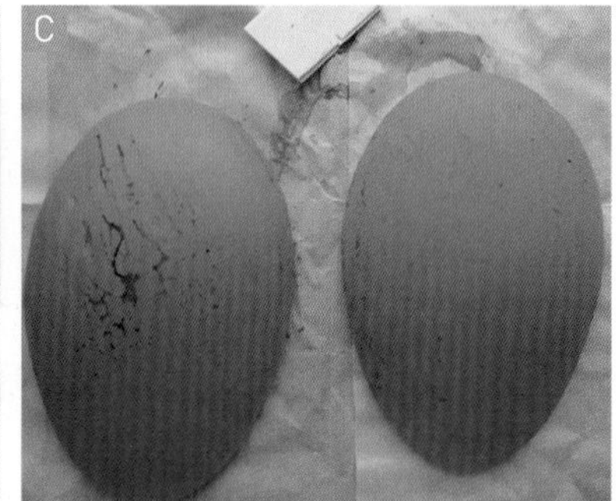

그림 16 A. 수술 5년 후 발생, 염증성 수액종, B. 총 2000 cc의 염증성 수액종, C. 삽입되었던 보형물

액종과 감염이 있으며, 수술 후기에 생길 수 있는 문제점은 근육양이 적을 경우 비대칭, 근육손상, 보형물이 만져지거나 비침 등의 현상이 나타날 수 있고 보형물의 압력과 근육을 통한 전기적 자극의 감소로 탈전극으로 인한 괴사가 올 수 있다(**그림 16**).

오랜 시간이 지난 후 나타날 수 있는 문제점은 엉덩이의 보형물의 처짐과 함께 신경의 눌림에 의한 통증의 위험성과 보형물은 얕게 넣어서 보형물이 어느 기간이 지나고 나서 만져지거나 보형물의 공간이 넓어지면서 수액종이 차는 경우가 많이 있다.

※ 보형물 힙업 수술 결과에 따른 MRI 사진

(1) 근육 위에 보형물이 삽입된 경우(그림 17)

이 경우 보형물이 외부로 비치는 현상이 나타날 수 있으며, 형태적으로 비대칭이 있을 수 있다. 또한 통증

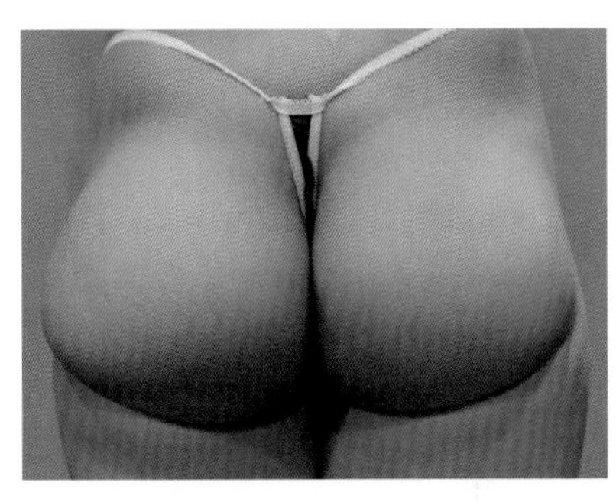
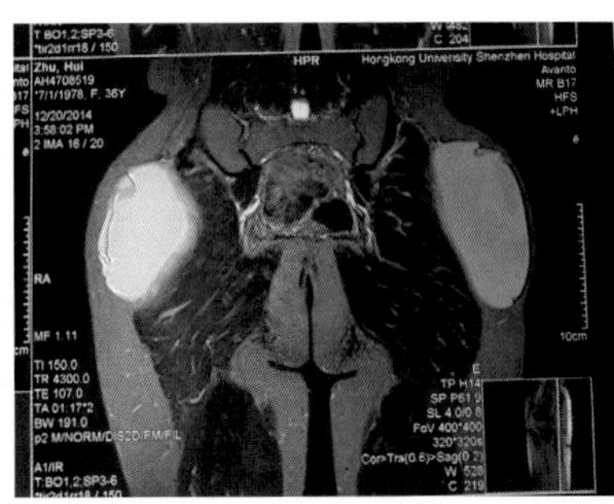
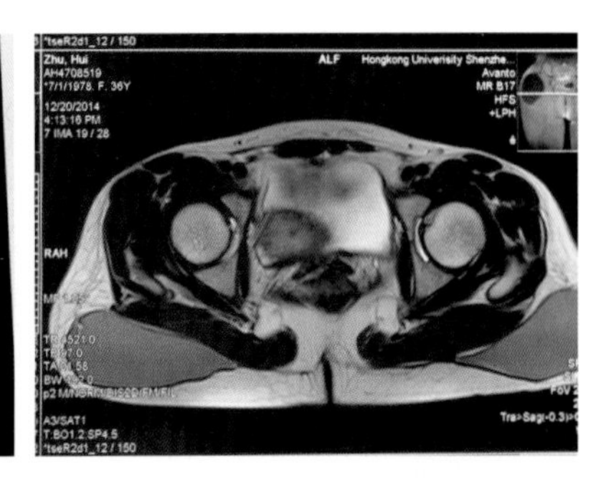

그림 17 근육위로 보형물 삽입된 상태의 뒷태와 MRI 사진

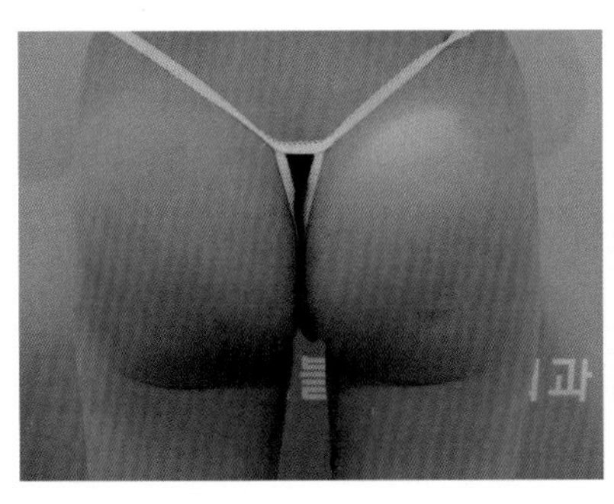
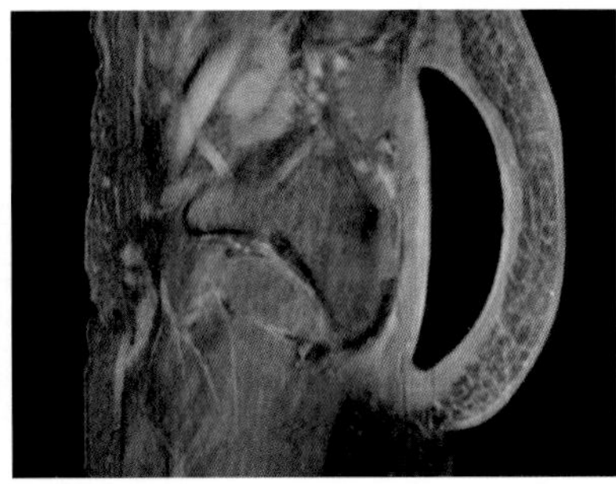
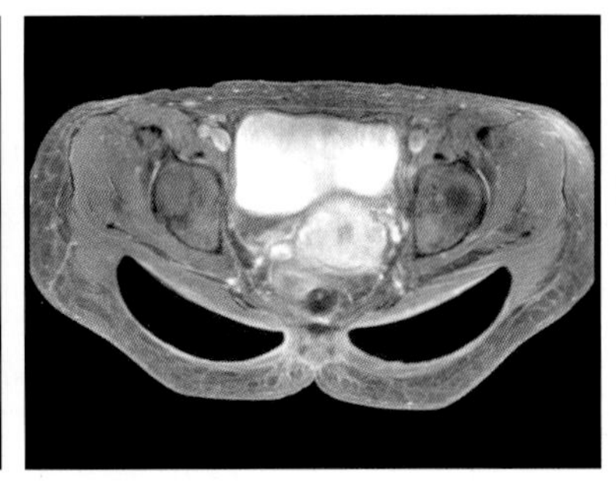

그림 18 대둔근 사이에 보형물 삽입 상태의 뒷태와 MRI 사진

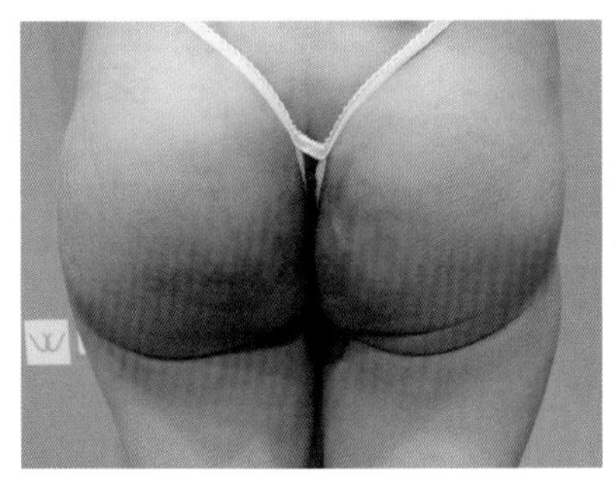
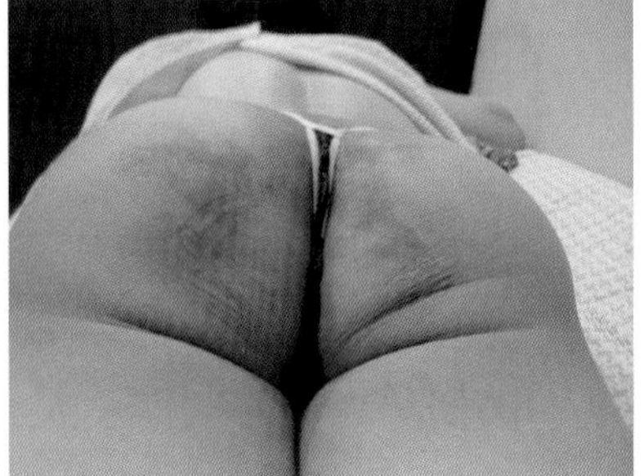
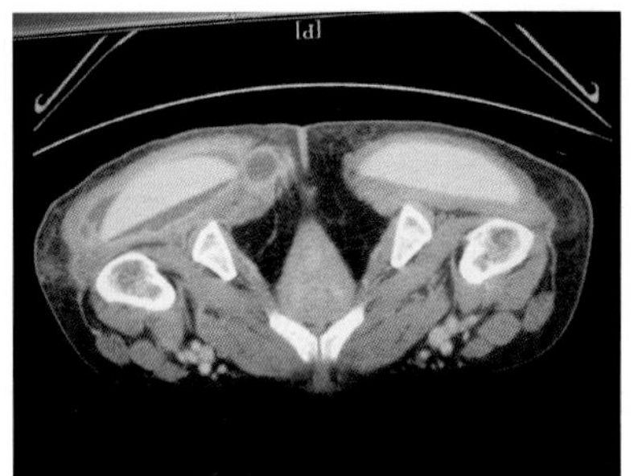

그림 19 보형물 주변으로 수액종이 찬 상태의 뒷태와 MRI 사진

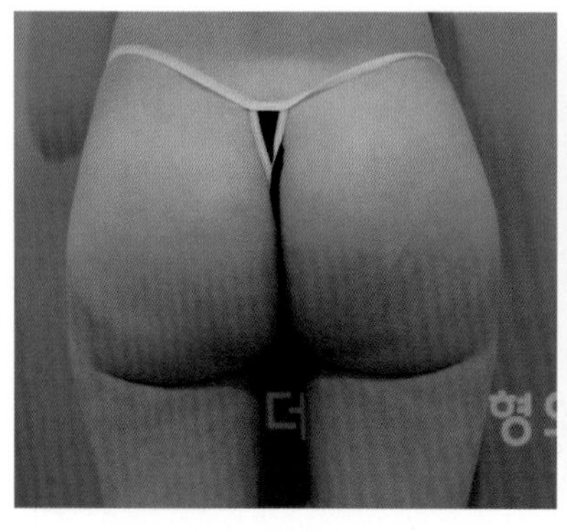
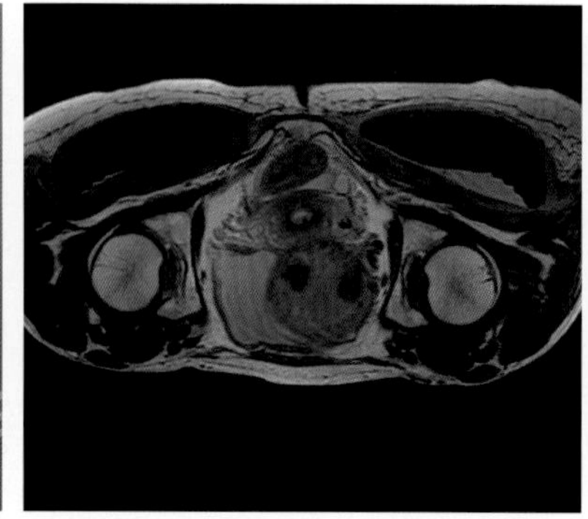
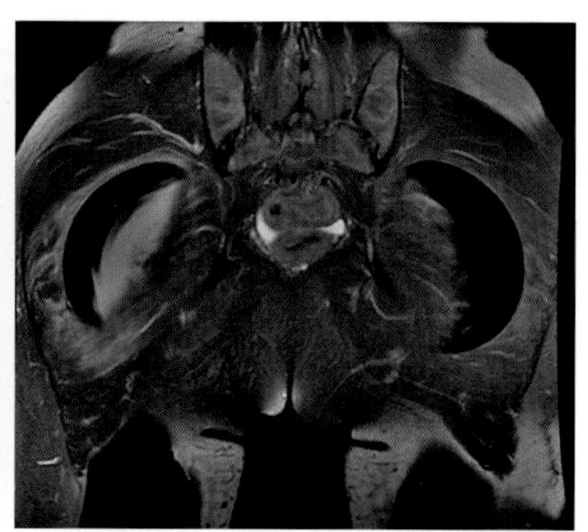

그림 20 보형물이 접힌 공간으로 수액종이 찬 상태의 뒷태와 MRI 사진

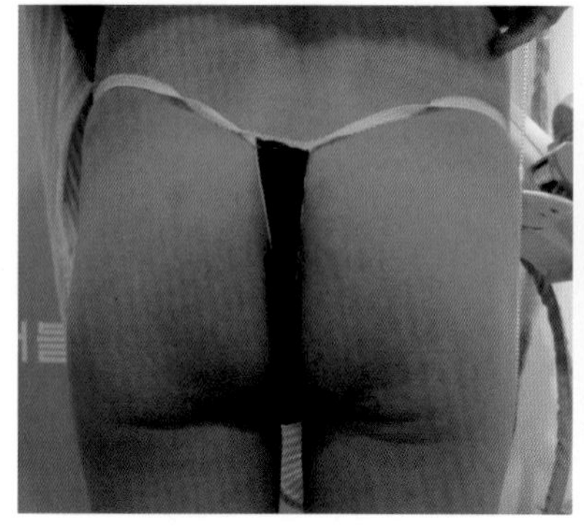
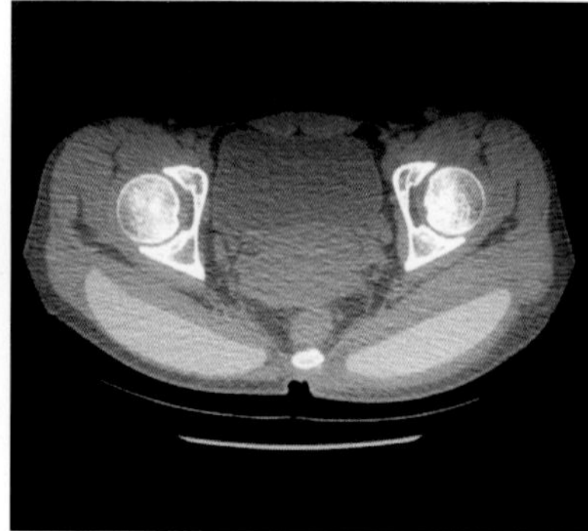
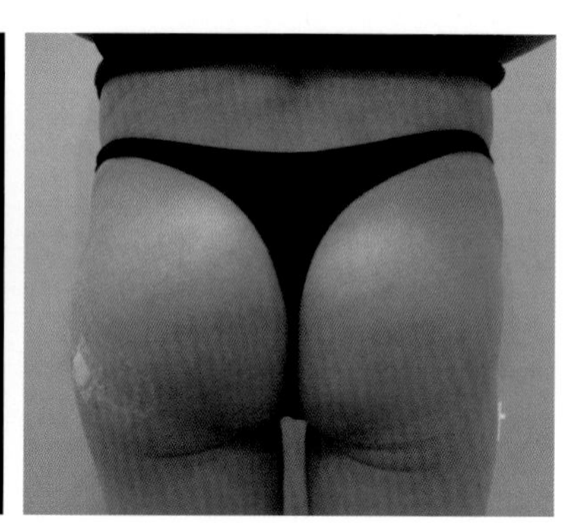

그림 21 보형물 삽입의 위치가 다른 경우의 뒷태와 MRI 사진

이 상당하기에 접근해서는 안 되는 방법이다.

(2) 대둔근 내 보형물 삽입된 경우(그림 18)

대둔근 내에 보형물을 삽입하는 것은 가장 안전한 힙업수술 방식이다. 수술 후 자리가 잡힌다면 무리한 운동이나 출산에 문제가 없다.

(3) 보형물 삽입 후 공간이 넓어서 수액종이 넓게 퍼진 경우(그림 19)

보형물 힙업수술의 경우 수술 후에 공간이 넓으면 그 공간을 채우기 위해 체액이 차오른다. 따라서 정확한 박리가 중요하다.

(4) 보형물 삽입 후 공간이 작아 수액종이 차 있고, 통증이 있는 경우(그림 20)

보형물이 삽입되는 공간이 작은 경우, 보형물이 자리를 잡지 못해 꺾이게 된다. 이렇게 되면 빈 공간에 체액이 차면서 통증을 유발할 수 있다.

(5)보형물의 위치가 다른 경우(그림 21)

보형물 힙업수술에서 제일 많이 나타나는 문제점 중에 하나이다. 양측 보형물의 높이차이가 보이며, 낮은 경우 신경통증과 높은 경우 골반통증이 올 수 있다.

6. 결론

이제 엉덩이의 아름다움도 주목을 받는 시대가 되었다. 보형물을 이용한 엉덩이 성형술이 한국에 보급된 것은 채 10년이 되지 않았다. 정확한 해부를 이해하고 원칙에 입각한 수술을 시행하는 것이 둔부 융기술의 성공의 열쇠이다.

근육사이에 보형물이 너무 위로 올라갈 경우 골반의 눌림에 의해 심한 통증을 느끼며, 이중 윤곽으로 엉덩이 형태가 나올 수 있으며, 추체근(pyramidal m.) 하부로 너무 내려 갈 경우에는 좌골신경(sciatic n.) 와 하둔동맥(inferior gluteal a.)에 손상을 받을 수 있다. 보형물을 덮은 근육양이 적을 경우 비대칭, 근육손상, 보형물이 만져지거나 비침 등의 현상이 나타날 수 있고 보형물의 압력과 근육을 통한 전기적 자극의 감소로 탈전극으로 인한 괴사가 올 수 있다.

그렇기에 대둔근을 정확히 절반으로 박리하여 안전하게 보형물을 넣는 것이 중요하게 되었다. 이를 위해서는 대둔근에 대한 정확한 해부학적 이해와 대둔근 분리를 위한 확실한 가이드가 필요하다. 그러나 원하는 공간을 위한 근육사이의 박리를 체계적으로 하지 못할 경우에는 만족할만한 공간을 만들기 어려울 뿐 아니라 과다출혈, 양쪽 엉덩이 비대칭이라는 불만족스러운 결과를 낼 수도 있다.

수술 시 주의해야할 사항들을 살펴보면, 수술시의 확실한 지혈이 수술 후 경과에 중요하며, 수술 후 압박으로 출혈을 방지하는 것이 추후 혈종을 예방하는데 도움이 된다. 대둔근의 깊은 박리는 신경과 혈관에 대한 손상과 문제점을 해결하기에 정확한 박리 깊이를 확인해서 수술하는 것과, 너무 깊은 경우에는 좀 더 박리를 얕게 하여 혈관과 신경을 보전하는 것이 중요하다. 엉덩이의 형태가 타원형으로 되어 있거나 고관절 부위의 근육이 약할 경우 보형물 이 피부 쪽에 가까워질 경우 상부 대둔근의 두께가 얇아서 형태적 변형과 함께 다른 문제점이 발생할 수 있다는 사실 역시 고려해야 한다. 결론적으로 대둔근 박리는 근육 두께를 확인한 후 근육 자체의 압박으로 보형물이 눌릴 수 있는 정도까지의 박리를 하는 것이 보형물 힙업 수술에서 제일 중요하다.

사체 해부를 통해서 보았을 때, 엉덩이 사이의 시작점의 근육은 두꺼운 반면 고관절로 이행되는 부분의 대둔근은 생각보다 얇아 박리에 있어 경험과 세심한 관찰이 필요하다. 보형물을 이용하는 수술은 엉덩이 주위 해부학에 대한 정확한 이해와 접근이 되지 않는다면 보형물이 뜨거나 추후 보형물이 만져질 수 있는 문제가 발생할 수 있다.

이에 XY간의 박리를 통한 대둔근의 두께를 정하고 원하는 두께의 박리를 대둔근의 절반 정도 박리(sandwich method) 할 것이라 생각하고 기준을 잡을 수 있다면 보다 안전하고 만족한 결과의 엉덩이 성형술이 될 것이라 생각한다. 이 방법이 중요하나 어려운 이유는 근육의 분리 시 깊이를 알기가 어렵고, 엎드린 상태에서 피부의 변화가 있으며, 해부학상 박리 기준면이 없다. XYZ의 방법으로 정확한 수술법을 계속적으로 시행하여 박리하는 근육의 두께를 직접 확인하여 문제를 없앤다면 보형물을 이용한 힙업 성형술은 충분히 안전하고 만족스러운 수술이다.

참·고·문·헌

1. 강진성 최신성형외과학 2권 1986 2001-2043
2. 박봉권, 엘라스토머 임플란트를 사용한 엉덩이 확대 성형술. 대한 성형외과학회지 Vol 38, No 2 182-188, 2011
3. Akita K, Sakamoto H, Sato T: Arrangement and innervation of the glutei medius, minimus, and piriform: A morphological analysis. Anat Rec 238: 125-30, 1994
4. Centeno RF: Gluteal aesthetic unit classification: A tool to improve outcomes in body contouring. Aesthet Surg J

26: 200-8, 2006

5. Frederick M. Grazer Clinics in Plastic Surgery Body contouring superficial liposuction 529-548, October, 1996
6. Gonzalez R: Augmentation gluteoplasty: the XYZ method. Aesthetic Plast Surg 28: 417-425, 2004
7. Gonzalez R: Buttocks reshaping : The Buttocks: 23-30,2006
8. Gonzalez R: Buttocks reshaping : The Buttocks: 33-43,2006
9. Gonzalez R: Gluteal implants: The "XYZ" intramuscular method Aesthet Surg J 30:256-64, 2010
10. Gonzalez-Ulloa M: Gluteoplasty: A ten-year report. Aesthetic Plast Surg 15: 85-91, 1991
11. Jacobs LG, Buxton RA: The course of the superior gluteal nerve in the lateral approach to hip. J Bone Joint Surg Am 71:1239-43, 1989
12. Mathes & Nahai. Clincal Application for Muscle and Musculocutonaous Flap , 460-465, 1982
13. Mendieta CG: Gluteoplasty. Aesthet Surg J 23: 441-455, 2003
14. Peren PA, Gomez JB, Guerrerosantos J, Salazar CA:Gluteus augmentation with fat grafting. Aesthetic Plast Surg 24: 412-7, 2000
15. Stephen J, mathes, Foad Nahai : Clinical applications for muscle and musculocutaneous flaps, , 12page, 460page
16. The civa collection of medical illustrations, vol 8, musculoskeletal sys. page 78
17. The civa collection of medical illustrations, vol 8, musculoskeletal sys. 85page, 91page,

Chapter 61

종아리성형

Calf-Plasty

백인구

종아리 성형은 볼륨확대와 볼륨축소로 나누어 생각할 수 있는데 서양에서는 빈약한 종아리에 보형물을 삽입하는 수술이 주로 발전되어 왔으며 Lemperle와 Exner에 의해서 비대한 종아리의 볼륨을 감소시키기 위해서 gastrocnemius muscle을 수술적으로 제거하는 방법이 보고되었다. 우리나라 여성들은 서양인들을 비롯한 다른 나라 여성들에 비해 gastrocnemius의 발달이 많은 편이어서 효과적인 종아리 성형에 많은 관심을 가지게 되었고 1990년대에 Gastrocnemius로 가는 motor nerve branch를 수술적으로 절제해줌으로써 자연스럽게 근육의 퇴축을 유도하는 신경절제 종아리 퇴축술이 미용적인 목적으로 시도되면서 종아리성형의 새 장을 열었다고 보여진다. 하지만 미용적인 목적으로 적용되기에는 몇가지 문제점이 있었는데 우선 medial Gastrocnemius로 가는 main nerve branch를 절제하기 때문에 줄어드는 근육의 양을 조절할 수가 없었고 다소 과도한 양의 근육 퇴축으로 인해 다른 근육의 보상성 발달을 막기가 힘들었으며 노출되는 부위에 흉터를 남긴다는 점들이 이후 널리 퍼지는 수술로 자리잡지 못한 이유가 되었다. 2000년대 초에 신경탐색 장비를 이용하여 근육내에 있는 신경분지들을 정확하게 찾아내고 차단하는 선택적 신경차단술이 개발되면서 수술적인 신경절제술이 가지고 있던 단점들을 대부분 해결하는 계기가 되었다. 하지만 종아리 성형은 근육의 볼륨을 줄여준다고 해서 완성되는 것이 아니라 무릎에서 발목에 이르는 전체적인 라인을 부드럽고 예쁘게 만들어주어야 하는 관계로 근육퇴축술과 함께 지

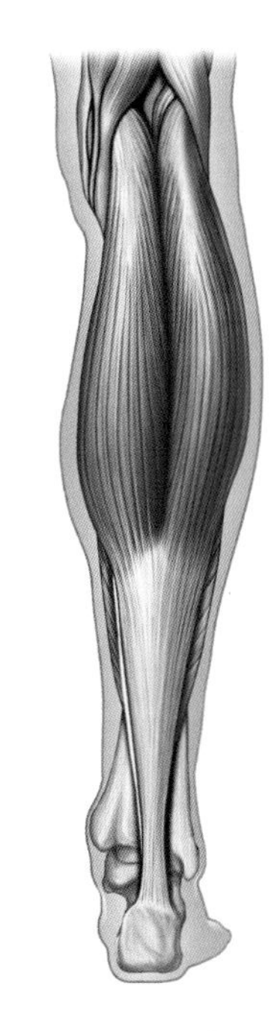
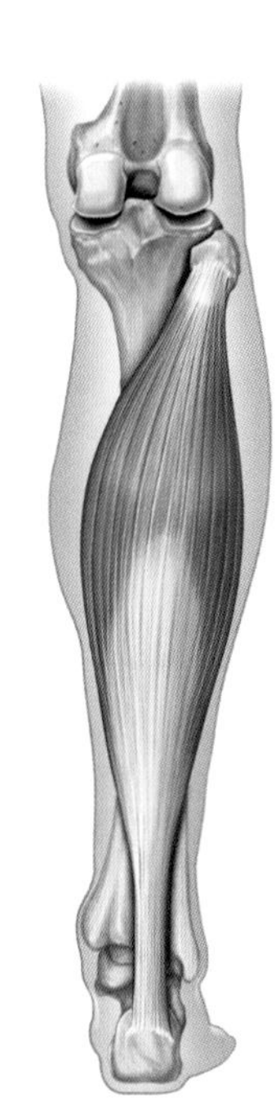

그림1 종아리의 근육

방흡입이나 이식 등의 수술법이 복합적으로 적용되어야 좋은 결과를 얻을 수 있다.

1. 종아리의 해부 (그림 1)

종아리는 무릎아래 하지의 뒷 부분으로 medial, lateral Gastrocnemius muscle과 그 아래 soleus muscle이 대부분의 구조물을 형성하고 있다. 이 세 개의 근육은 일차적으로 ankle을 extension시키는 역할을 수행하며 직립자세나 보행에 필수적인 근육이다. Popliteal fossa 에서 tibial nerve는 4개를 분지를 내는데 위로부터 medial sural cutaneous nerve, Nerve to medial gastrocnemius, Nerve to lateral gastrocnemius, nerve to soleus순으로 분지가 된다. 이 4개의 신경은 각각 독립된 신경으로 분지되는 경우가 가장 많지만 각각의 신경이 common trunk를 형성하는 경우도 많다.1) 종아리의 근육은 tibial artery의 근육분지에 의해서 혈행을 공급받고 신경과 비슷한 경로를 가진다.

2. 보행과 종아리 근육의 관계

종아리에 있는 gastrocnemius와 soleus는 ankle의 extensor로 보행과 밀접한 관계를 가진다. 정상적인 보행은 크게 2단계로 나뉘는데 발이 땅에 닿아있는 stance phase와 땅에서 떨어져 있는 swing phase이다. 보행단계의 시작은 뒷꿈치가 땅에 닿는 순간(heel strike)에 시작을 해서 발이 땅에 완전히 닿는 시기(foot flat), 지지하는 다리에 체중이 완전히 놓이는 시기(midstance), 뒷꿈치가 떨어지는 시기(heel off), 발가락이 떨어지는 시기(toe off) 까지가 stance phase이고 이후 발이 땅에서 떨어져서 전진후 다시 뒷꿈치가 땅에 닿을 때 까지를 swing phase라고 한다. 종아리 근육은 이 중 stance phase에서 중요한 역할을 하게 되는데 Soleus는 foot flat stage 에서 heel off stage 까지 주로 수축을 하게 되

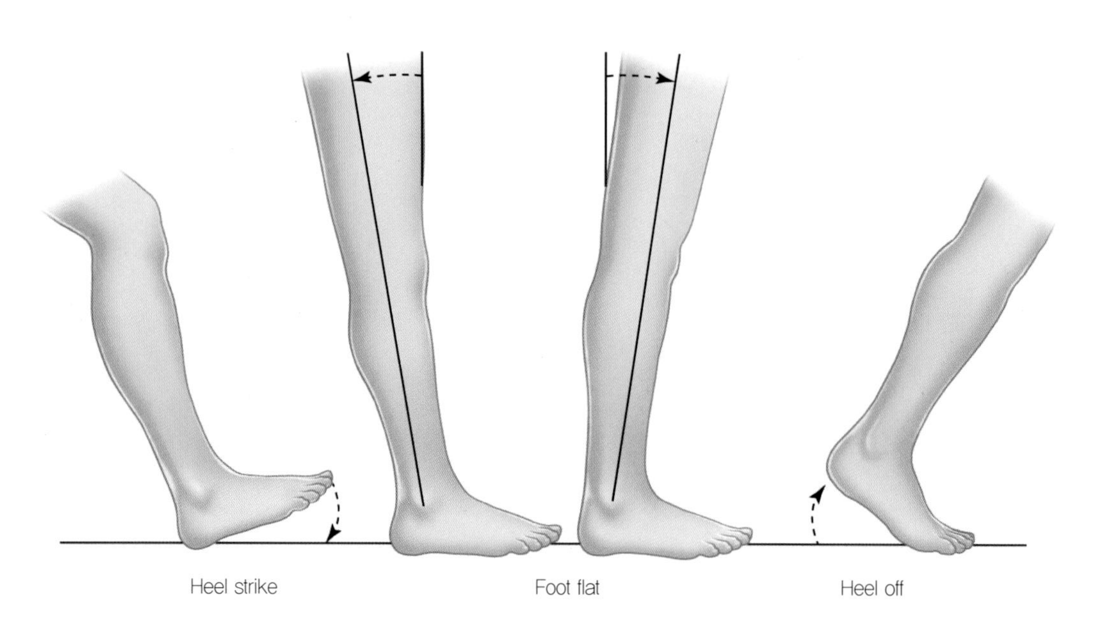

그림2 보행과 종아리 근육의 관계. Soleus는 Foot flat 시기에 수축하여 tibia를 앞으로 전진시키는 역할을 하고 Gastrocnemius는 Heel off 시기에 뒷꿈치를 들어주는 역할을 주로 수행한다.

는데 이때의 역할은 발이 땅에 붙은채로 ankle을 dorsiflexion하여 tibia를 앞으로 밀어내게 하며 이때 근육의 길이는 길어져서 eccentric contraction을 하게 된다(**그림 2**). Gastrocnemius는 heel off stage에서 toe off stage까지 주로 수축하여 ankle을 plantar flexion 하는 역할을 수행한다. 또 Gastrocnemius는 femur의 condyle에서 calcaneus까지 연결되어 있는 이중관절 근육으로 ankle을 extension시킴과 동시에 knee joint를 flexion시키는 역할을 동시에 수행하므로 Soleus와는 다소 다른 기능을 수행하고 있다.

3. 종아리 성형 수술

질환이나 사고로 인해 종아리가 지나치게 얇아진 경우에 지방이식이나 실리콘 보형물을 이용하여 볼륨을 증대시킬수 있으나 흔히 시행되는 수술은 아니다. 종아리 지방이식의 경우 수술후 보행시의 근육 움직임에 의해 흡수되는 지방량이 다소 많은 편이어서 과교정을 하거나 시술횟수를 늘일 필요가 있다. 우리나라에서는 주로 볼륨을 축소시키는 방법의 종아리 성형이 시행되고 있는데 크게 근육의 볼륨을 축소하는 수술과 지방흡입의 두가지 방법이 있다. 단일 시술로는 근육 볼륨 축소의 효과가 더 큰 편이다. 근육 볼륨축소에는 수술적으로 근육의 일부를 제거하는 방법, 고주파 근육 소작법, 보톡스 주사법, 신경차단을 이용하여 근육 퇴축을 유도하는 방법등이 있고 이중 신경차단법이 최근에 가장 널리 쓰이는 일반적인 방법이다.

과거에는 gastrocnemius의 전부혹은 일부를 수술적으로 절제하는 방법이 쓰였으나 너무 침습적이고 회복기간이 오래 걸린다는 문제점이 있어 요즘은 거의 쓰이지 않는다. 또 절개 흉터가 남게되고 감각신경을 포함한 다른 조직 손상의 위험성도 큰 편이다. 고주파나 중주파 장비를 이용하여 근육을 소작하는 방법도 한때 쓰였는데 역시 수술후 통증이나 붓기등으로부터 회복되는 기간이 긴 편이고 큰 효과를 기대하기 어렵다. 보톡스를 이용하여 종아리 근육 볼륨을 줄여주는 시술은 비교적 안전하기는 하나 효과가 크지 않고 반복시술의 번거로움이 있어 수술을 기피하는 환자들이나 근육 발달의 정도가 심하지 않은 경우에 쓰인다. 신경차단술을 통한 근육퇴축 유도법은 신경조직만을 손상시키기 때문에 회복기간이 빠르고 효과도 큰 편이다. 수술하는 부위에 따라 근육외 신경차단, 근육내 신경차단으로 나눌수 있고 신경탐색 장비를 이용하여 특정 신경을 찾은후 알코올이나 페놀등의 약물을 이용하여 차단하는 방법을 신경용해술이라 하고 고주파 장비를 이용하여 차단하는 방법을 신경응고술이라고 일반적으로 부른다.

4. 신경차단법을 이용한 종아리 퇴축술(증례 1)

1) 수술의 원리

신경의 지배로부터 차단을 받으면 근육조직은 섬유화의 과정을 거쳐 볼륨이 감소하게 된다. 이를 immobilization atrophy라고 하는데 보통 1년 정도의 과정을 거쳐 진행이 되고 섬유화된 근육조직은 다시 기능을 회복할 수 없기 때문에 그 효과는 영구적이라고 할수 있다. 신경차단법은 근육을 제거하거나 소작하는 방법에 비해서 조직의 손상이 적은 편이기 때문에 회복기간이 거의 필요 없이 바로 일상생활을 할 수 있다는 장점이 있다.

2) 수술장비

종아리 신경차단 수술을 위해서는 신경을 찾을 수 있는 신경탐색 장비와 찾아낸 신경을 응고시킬수 있는 RF 장비가 필요하고 시중에 나와있는 장비들은 이 두 가지가 일체형으로 되어있다. 각각의 장비들은, 조작법이나 인터페이스는 다소 달라도 작동원리나 효과적인 측면에서 보면 거의 유사한 편이다. 모든 장비는 electrode 혹은 thermocouple probe라고 불리는 특수한 바늘을 통하여 전기자극을 가해서 신경을 찾아내고 최대한 근접시킨 후 RF전류를 흘려 주위에서 열을 발생시켜 신경조직을 응고시킨다. 이때 발생되는 열은 바늘의 옆 부위에서 가장 높으며 온도가 44도 이하인 경우 영구적인 신경조직 손상을 줄수가 없기 때문에 44도 이상으로 유지해야 하고 온도가 높을수록 만들어지는 lesion의 크기는 커지는데 85도 이상이 되면 조직이 끓거나 건조되어 병소의 크기를 오히려 줄일 수 있기 때문에 85도의 온도를 유지하는 것이 가장 큰 효과를 얻을수 있다.

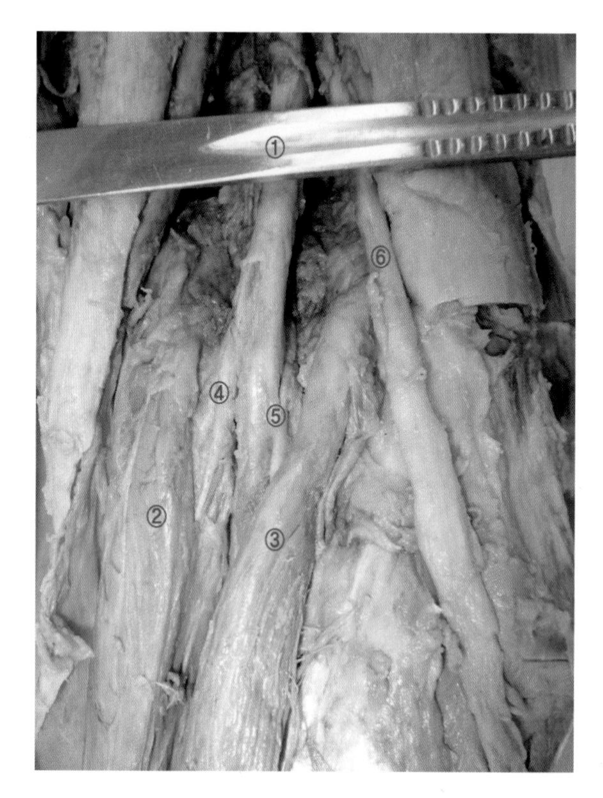

그림 3 종아리 주요부위의 실제해부
① Epicondylar line ② Medial Gastrocnemius
③ Lateral Gastrocnemius ④ Nerve to MG muscle
⑤ Nerve to LG muscle ⑥ Peroneal nerve

3) 신경차단술을 위한 종아리 해부 (그림 3)

무릎부위에서 가장 중요한 해부학적 지표는 Femur의 내외측 epicondyle을 연결한 선으로 epiconlylar line 혹은 level zero라고 부른다. 이 선과 종아리의 midline이 만나는 지점과 종아리 근육으로 가는 신경이 분지되는 지점은 아주 밀접한 관계가 있다. Lateral gastrocnemius로 가는 신경이 이 지점에서 분지되어 외하방으로 주행하여 분지점으로부터 약 35 mm 내외 지점에서 근육으로 들어간다. Medial gastrocnemius로 가는 신경은 보통 이 지점보다 7 mm 상방에서 분지되어 내하방으로 주행하며 분지점으로부터 약 40 mm 내외 지점에서 근육으로 들어간다. Soleus로 가는 신경은 약 70%의 경우에서는 독립적으로 분지되지만 30%의 경우에는 lateral Gastrocnemius로 가는 신경과 같은 trunk로 분지된후 각각의 근육으로 갈라진다. Gastrocnemius로 가는 운동신경은 분지가 하나인 경우가 많지만 2개이상의 분지가 근육내로 들어가는 경우도 상당수 있다는 사실을 명심해야 한다. 종아리 근육과 지배신경에 대한 논문은 많은 편이나 그 데이터는 다양하고 편차가 심한 편이어서 수술 시에 참고만 하는 것이 좋다.

4) 마취방법

신경조직에 열을 가해서 응고시킬 때의 통증은 심한 편이다. 하지만 응고시키고자 하는 신경조직을 포함한 주위근육을 일반적인 국소마취제로 마취할 경우 신경탐색에 지장을 주기 때문에 수술부위를 직접적으로 마취를 할 수가 없다. 그래서 보통 수면마취나 부위마취를 통해서 수술을 하게 되는데 수면마취의 경우

수술내내 깊은 수면을 유지해야 하기 때문에 주로 프로포폴을 연속주입하는 방법을 써야 하고 이 경우에는 환자의 호흡이나 필수징후를 유심히 관찰해야 한다. 프로포폴은 alkylphenol 유도체로 뇌의 GABA 활성도를 촉진해 진정 및 수면효과를 가져오는 약물로 다량 주입시 환자의 호흡을 억제하는 기능이 있으며 쉽게 변질되는 특성이 있어 사용상 주의를 요한다. 부위마취는 tibial nerve에서 gastrocnemius로 가는 신경이 분지되는 상부에 국소마취제를 주입하여 그 이하 부위를 마취하는 방법으로 비교적 간단하면서 효과적이고 수면유도가 필요없기 때문에 마취로 인한 부작용이 크게 없는 편이다. 보통 한 쪽 종아리에 15 cc 정도의 1% 리도카인을 주입하여 2시간정도 마취가 유지되는 효과를 얻을수 있다. Epicondylar line 과 종아리의 midline을 연결한 지점보다 1cm정도 상방에 18G 바늘로 천공을 하고 electrode를 삽입한 후 전기자극을 주어 tibial nerve를 찾은 후 electrode를 제거하고 캐뉼라를 통해 리도카인을 주입하면 된다. 이 때 비복근과 가자미근 모두 수축반응이 일어나는 지점을 찾아야 정확하게 마취된다. 너무 상부에서 마취된 경우 Peroneal nerve가 같이 마취되어 수술후 완전히 회복될때까지 보행이 어려운 경우도 있다.

5) 수술방법

Epicondylar line을 기준으로 각 신경이 분지되어 근육으로 들어가는 가상경로를 디자인하고 각각의 근육으로 들어가는 지점을 18 G needle로 puncture한다. Medial gastrocnemius의 경우 puncture point보다 아래쪽에 하나 더 puncture하는 경우가 많다. Electrode를 근육내로 삽입하고 전기자극을 주어 근육내 신경분지를 찾아낸다. 전기자극의 정도를 낮추어 가며 electrode의 끝을 신경에 근접시키고 RF전류를 흘려 신경조직을 응고시킨다. Medial gastrocnemius의 경우 근육내로 들어온 신경이 3개 정도로 분지하는 경우가 가장 많다. 전류를 흘리면 주위조직에서 열이 발생하면서 lesion이 만들어지고 신경이 응고된다. 신경이 응고되면서 denervation 이 진행되고 응고되는 신경이 지배하는 근육조직의 불수의적인 불규칙 수축인 즉 fasciculation과 fibrillation이 나타나는데 이러한 수축이 종료될 때까지 계속 전류를 흘려주고 그 부위를 다시 탐색하여 수축반응이 없으면 성공적으로 그 부위가 차단된 것으로 보면 된다. 같은 방식으로 비교적 큰 수축반응이 나타나는 부위의 신경분지를 차단하는데 medial gastrocnemius의 경우 근육내에서 2-3개의 주 신경분지를 가지기 때문에 이들을 반드시 찾아서 한 신경분지에 2 포인트 이상 반복 차단을 하고 그 아래부위를 추가적으로 차단하는 다중 차단법이 재발율을 낮출수 있는 효과적인 방법이다. Lateral gastrocnemius의 경우는 근육내 주 신경분지 1-2개 정도 차단하는 정도로 비교적 충분하다. 수술전에 soleus가 많이 발달한 경우는 부분적인 신경차단이 유효한데 근육상부의 주 신경분지는 피하는 것이 좋고 gastrocnemius 윤곽 아래에 근육이 돌출된 최소한의 부위만 시술하는 것이 원칙이다. 한때 gastrocnemius의 주 운동신경을 근육 외부에서 차단하는 방법이 쓰여지기도 했지만 과도한 볼륨축소로 인한 함몰변형과 다른 감각신경등의 손상위험, 근육의 퇴축으로 인한 까치발 변형, 보행장애의 가능성 등의 문제로 요즘은 거의 쓰여지지 않는다.

6) 수술후 관리

하지로 흘러간 혈액은 중력을 이기고 심장으로 돌아오기 힘들어 하지에 저류된다. 이때 종아리 근육이 혈액을 펌핑 해주는 역할을 하는데 일반적인 보행시에 근육수축이 일어나고 근육내에 있는 정맥혈관을 짜 줌으로써 그 기능을 수행하여 제2의 심장이라고 불린다. 종아리 근육퇴축술 후에 근육의 기능이 약화되기 때문에 좀 더 많은 양의 혈액이 하지에 저류가 되어 수술 후 붓기의 원인이 된다. 보통 1-2개월 이내에 어느정도의 혈액순환이 회복되어 심한 붓기는 소실되지만 수술전과 같은 상태로 회복되는데는 6개월에서 1년정도의 시간이 걸리는 경우도 있다. 수술직후부터 압박스타킹을 착용하는데 붓기를 방지하고 혈액순환을 돕는 효과가 있다. 보통 수술후 4개월 정도까지 착용하는 것을 권장하고 있으나 개개인의 혈액순환장애 정도에 따라서 착용기간을 조절하면 된다. 수술후 마비된 근육조직의 fibrosis가 일어나면서 미세하게 근육의 길이도 짧아지게 되는데 발목관절이 dorsiflexion되도록 스트레칭을 하루 10분 이상 하는 것이 많은 도움이 되고 처음에는 당기는 증상이 있어 굽 높은 신발은 신으면 편하지만 근육조직의 구축을 촉진시킬 수 있기 때문에 되도록 편한 신발을 신는 것이 좋다.

어떠한 방법으로 수술을 하든지 수술후 근육의 볼륨이 감소되고 수술전에 비해 근육이 모자라는 상황이 되면 재발이 되거나 다른근육의 볼륨이 커지는 보상발달을 피하기 어렵다. 그래서 수술후에 적어진 근육량에 맞추어 생활하도록 해야하는데 근육 사용량을 줄여서 생활한다는 것은 현실적으로 어렵다. 우리나라 여성들은 비복근이 발달한 경우가 많은 편이고 상대적으로 서양이나 동남아시아에서는 그 빈도가 낮은 편이다. 그 이유는 정확히 밝혀지지 않았지만 유전적인 성향이나 비교적 단신인 체형 등의 요인이 크게 작용을 하고 우리나라의 생활문화와 관련된 보행자세가 후천적인 원인으로 대표적이다. 종아리 근육은 보행기능이 가장 중요한 역할이기 때문에 되도록 안정적인 보행자세를 유지하는 것이 수술후 줄어든 근육량에 대응하는 중요한 방법이다. 보행시에는 한발을 들고 다른발로 뒷꿈치를 들어올리는 과정이 포함되고 이때 뒷꿈치를 들어올리는 발은 몸의 중심에 가까이 있는 것이 안정적이고 근육량을 적게 필요로 하기 때문에 두 발 사이의 간격이 되도록 좁혀진 상태에서 일 자로 걷는 것이 안정적인 보행자세의 기본이다.

7) 부작용

근육내 신경차단법이 주로 시술되면서 다른 신경이나 조직의 손상 위험성은 크게 없는 편이다. 더우기 신경탐색 장비가 자극하는 신경의 지배근육을 정확하게 알려주기 때문에 기능적인 부작용의 가능성은 아주 낮다. 가장 흔히 발생하는 부작용은 재발인데, 재발이 되는 경우는 신경의 불완전 차단, 근육내 주 신경분지를 남겨둔 경우, 차단된 신경의 재생 등으로 나눌수 있고 하나의 신경분지를 다중으로 차단하는 방법과 찾아내지 못한 신경분지가 없는지 꼼꼼하게 확인하는 것으로 그 빈도를 낮출 수 있지만 수술 후 줄어든 근육볼륨에 적응하는 생활패턴이나 자세의 변화가 없이는 필요한 만큼의 근육이 모자라는 상황이 되고 차단된 신경의 재생으로 이어질 가능성이 크다. 근육외에서 신경을 차단하는 경우에는 인접한 감각신경 또는 상부에 위치한 Peroneal nerve의 손상 가능성이 있고 근육을 공급하는 동맥혈관의 손상이 동반될 경우 심각한 부작용을 초래할수 있다. 감각신경이 손상된 경우는 6개월에서 1년 정도의 경과를 거쳐 회복되는 것이 대부분이다. Peroneal nerve가 손상된 경우는 영구적인 기능장애를 남길수도 있기 때문에 빠른 시기에 정확한 신경학적인 검사와 조치가 필요하다. 근육기능의 20-30% 정도는 보존한다는 개념으로 수술을 하게되면 구축으로 인한 까치발의 가능성은 아주 낮은 편이다. 까치발이 생긴 경우에는 되도록 빠른 치료를 요한다. 조기에 발견한 경우 일반적인 물리치료로 대부분 회복이 되지만 치료가 늦어질 경우 구축지점에 18 G needle을 이용하여 다중으로 puncture 해주거나 스테로이드 국소 주입 등의 치료가 도움이 되고 호전이 없는 경우는 tendon lengthening등의 수술이 필요한 경우도 있다. 수술후 하지에 혈액이 저류되면서 정맥류가 발생하거나 악화

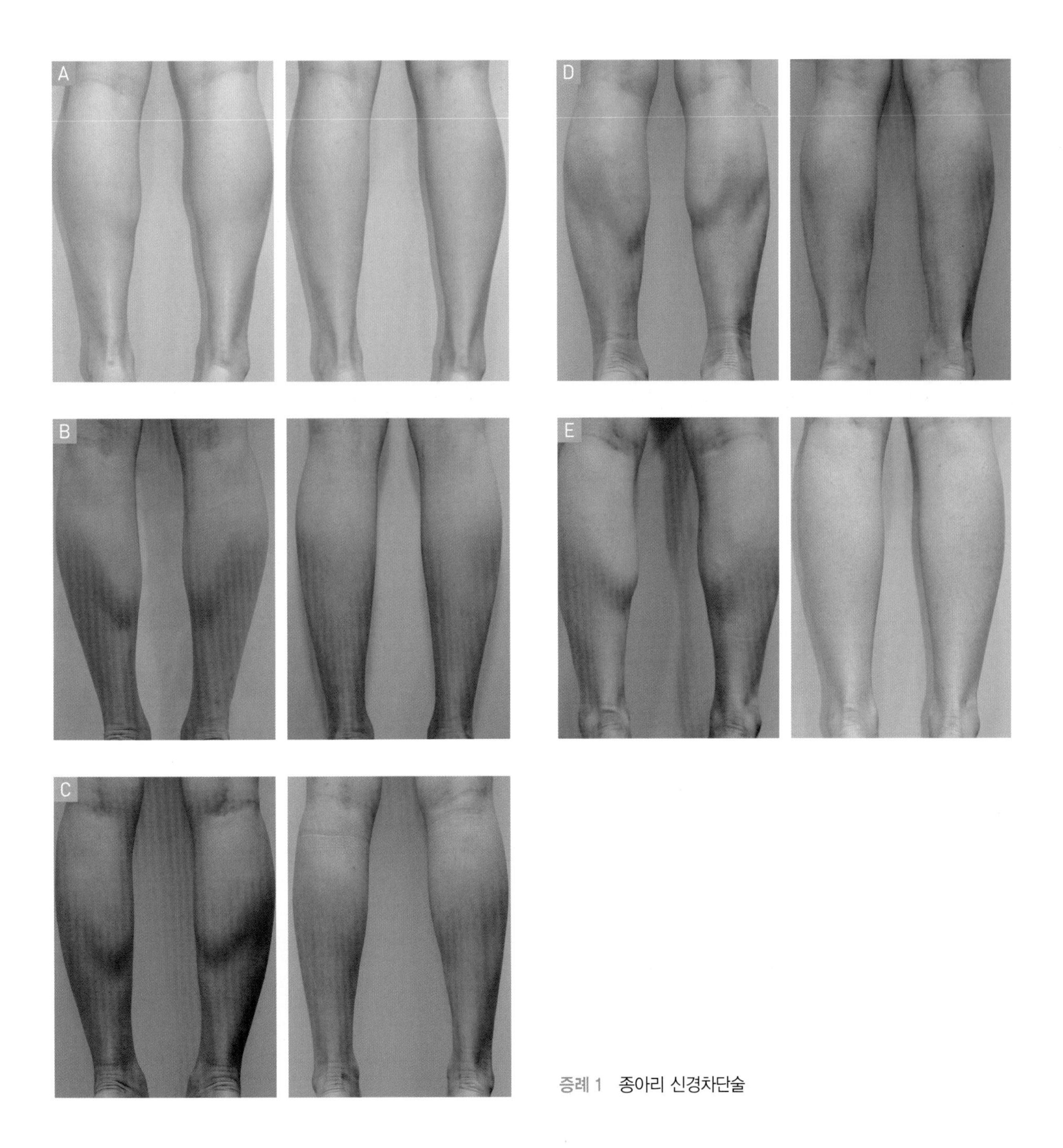

증례 1 종아리 신경차단술

될 여지가 있긴 하지만 실제로는 거의 없는 편이다. 수술후 압박스타킹을 착용하는 것이 정맥류의 예방법이자 치료법이기 때문에 반드시 권하는 것이 좋다.

5. 종아리 지방흡입술 (증례 2)

종아리는 지방이 잘 축적되지 않는 부위이지만 비복근이 위치한 종아리 상부보다는 achilles tendon이 위치한 아래부위에 더 많이 축적되는 편이다. 종아리 신경차단술을 시행하면 비복근의 볼륨이 줄어들어 상부는 둘레가 감소되고 하부는 아무런 변화가 없기 때문에 상대적으로 일자 형태로 비교적 예쁘지 않은 결과를 가져오게 된다. 이때 종아리 아래부위를 위주로 지방흡입을 같이 시행하여 좀 더 예쁜 종아리 라인을 만들어 줄수가 있다.

1) 수술장비

종아리에서는 보통 300-1000 cc정도의 지방을 제거할수 있다. 다른 부위에 비해서 양이 많지 않기 때문에 수동으로 제거해도 되고, 초음파, PAL, 레이저장비 등을 모두 사용할 수 있지만 항상 심부지방을 위주로 제거하고 표면지방은 되도록 보존하는 것이 수술후 울퉁불퉁 해지는 것을 막는 방법이다. 종아리는 쉽게 노출되는 부위이기 때문에 절개 상처가 남기게 될 흉터에 대해서도 신경을 써야 한다. 실리콘 캡을 이용해서 절개부위를 캐뉼라의 왕복운동으로 인한 조직손상으로부터 보호해야 하고 수술후 다층봉합을 통해 흉터를 최소화한다. 절개부위는 popliteal crease나 종아리의 옆면에 남기는 것이 미용적인 측면에서 좋다.

2) 마취방법

수면마취 유도하에 tumescent 용액을 주입하여 마취한다. 용액의 농도는 다른부위 지방흡입 수술시와 동일하게 하면 된다. 수술전 흡입할 지방예상량을 측정하고 그보다 200cc 정도 더 많이 주입하는 것이 좋다.

3) 수술방법

환자에 따라 다르겠지만 일반적으로 종아리 아랫부위에 지방이 많은 편이다. 수술전에 손가락으로 피부를 집어보아서 많이 축적된 부위를 디자인하고 수술하는 것이 좋다. 어떠한 방식으로 수술을 하든지 한 부위에서 집중적으로 제거하는 것은 반드시 피해야 한다. 캐뉼라를 계속 움직이면서 수술해야 국소부위의 함몰을 피할수 있다. 종아리 지방흡입은 gastrocnemius 신경차단술과 동반되는 경우가 많기 때문에, 추가적인 둘레감소에 일차적인 목적을 두지 말고 아랫부위를 위주로 제거하여 수술후 좀 더 향상된 라인을 만들어 주는데 중점을 두어야 한다.

4) 수술후 관리

수술 후 며칠 이내에 일상생활이 가능하다. Jobster나 압박 스타킹을 착용하게 하는 것이 좋고 절개상처는 3M 종이 테이프나 선크림으로 자외선을 차단해 주어야 색소침착을 방지하는데 도움이 된다..

5) 부작용

가장 흔한 부작용은 피부가 울퉁불퉁해지는 것이다. 정도가 심하지 않은 경우는 6개월 정도 지나면서 상태가 호전되는 경우도 많으나 심한 경우는 지방이식 등으로 교정해주어야 한다. 절개부위에 생기는 흉터도 가끔 문제가 된다. 색소침착은 1년 이상 기다리면 호전되는 경우가 많고 흰색으로 흉터가 남은 경우는 프렉셔널 레이저가 도움이 된다. Hypertrophic scar가 형성된 경우는 scar revision이 필요한 경우도 있다(증례 2).

6. 성형에 대한 고찰

우리나라 여성은 비교적 단신이고 Gastrocnemius의 발달이 많은 편이다. 다른 나라 여성에 비해서 근육발달이 흔한 이유를 단적으로 말하기는 어렵지만 점점

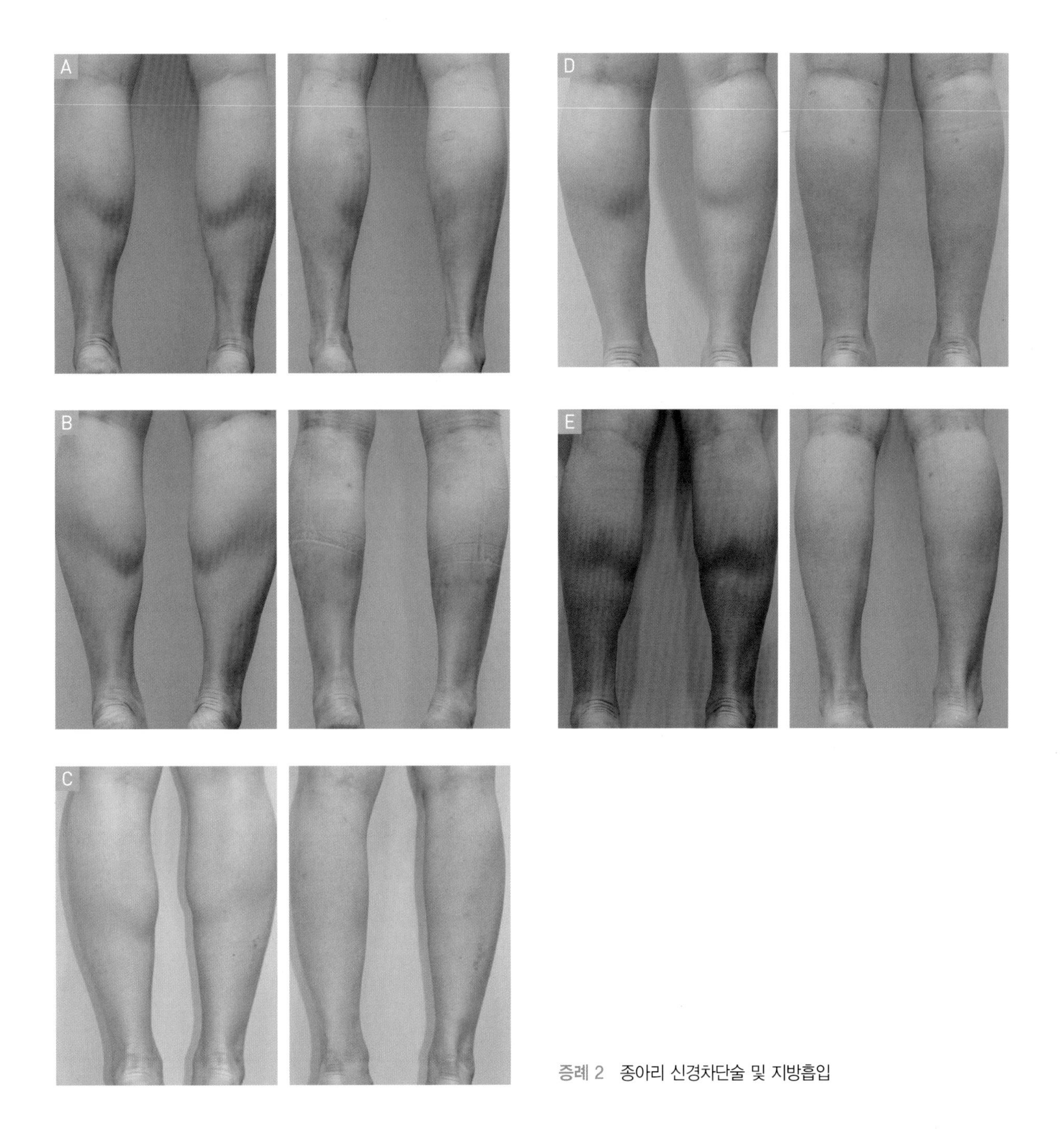

증례 2 종아리 신경차단술 및 지방흡입

노출이 많아지는 현대사회의 특성상 종아리 성형은 앞으로 계속 연구되고 개선되어야 한 분야라고 생각된다. 먼저 gastrocnemius muscle의 발달이 비교적 흔한 원인과 메커니즘을 밝히는 것이 우선되어야 하고 근육 볼륨을 축소시킨 후 그 원인을 제거하는 방법을 찾아야 할 것으로 본다. 환자와의 상담시에 종아리 성형이 가지고 있는 제한점과 수술 후 예상되는 결과에 대해 충분히 설명하고 상의하는 것이 수술후 생길 수 있는 환자와의 갈등을 최소화 할 수 있는 방법일 것이다.

참 · 고 · 문 · 헌

1. Anatomic study of gastrocnemius muscle for calf reduction : Journal of Plastic, Reconstructive & Aesthetic Surgery (2013) 66, e162-e165
2. Ankle Plantar-Flexion Contracture Complication After Aesthetic Calf Volume Reduction Procedure Annals of Plastic Surg. 75(1):19-23, july 2015;
3. Botulinum Toxin A for Aesthetic Contouring of Enlarged Medial Gastrocnemius Muscle. Dermatol Surg 30:6: June 2004
4. Innervation of Calf Muscles in Relation to Calf Reduction : Annals of Plastic Surgery Vol.50/No.5/ May 2003
5. Intramuscular distribution of nerves in the human triceps surae muscle : Surg Radiol Anat(2002) 24:91-96
6. Radiofrequency Volume Reduction of Gastrocnemius Muscle Hypertrophy for Cosmetic Purposes. Aesth. Plast. Surg. 31:53-61, 2007
7. Soleus Neurotomy : Neurosurgery, Vol.47, No. 5, Novemver 2000
8. Subtotal Resection of Gastrocnemius Muscles for Hypertrophic Muscular Calves in Asians. Plast. Reconstr. Surg. Vol.118, Number 6, November, 2006
9. The Resection of gastrocnemius muscles in aesthetically disturbing calf hypertrophy. Plast. Reconstr. Surg. 102:2230, 1998

PART 03

모발이식

Hair transplantation

모발이식의 이론

모발이식의 실제

03

Chapter 62

모발이식의 이론 »

모발이식의 역사

History of hair transplantation

| 정재헌 |

유사이래로 질환이나 흉터, 대머리로 인한 모발의 소실은 인류에게 심대한 스트레스를 가져 온 듯 하다. 기원전 1500년 전에 이집트의 파피루스에서도 탈모에 대한 처방이 발견되기도 하고, 히포크라테스조차 비둘기의 배설물을 자신의 머리에 발랐다는 일화도 전해 내려오고 있다.

현대의 모발이식은 일본인 의사들에 의해 시작되었다고 볼 수 있는데, 1939년 Shoji okuda (1886~1962)는 「일본 피부과 저널」에 5편의 논문인 "Okuda Paper"로 발표하였는데, 두피흉터, 눈썹, 음부, 수염 부위에 모발이 부족한 200명의 환자에서 다양한 공여부 -두피, 액와부, 음부, 눈썹- 의 모발을 1-5 mm 직경의 다양한 펀치와 같은 도구를 이용하여 이식하였고, 그 중 scalp가 가장 좋은 공여부라고 주장하였다. 또한 이식된 모발이 20-30일에 일시적으로 빠졌다가 80~90일 후에 자라는 것과 모발의 이종이식(heterogeneous transplant)이 불가능하다는 것을 보고하였다.

비슷한 시기에 Hajime Tamura(1897-1977)는 136명의 환자를 대상으로 두피에서 절편(Stripe)을 떼어 모두 단일모로 만들고, 수혜부는 1 mm punch로 틈을 만든 후에 이식하는 단일모 이식(single hair graft)을 시행한 논문을 발표하면서 공여부의 이식 편은 작을수록 자연스런 결과를 얻을 수 있음을 보고하였다.

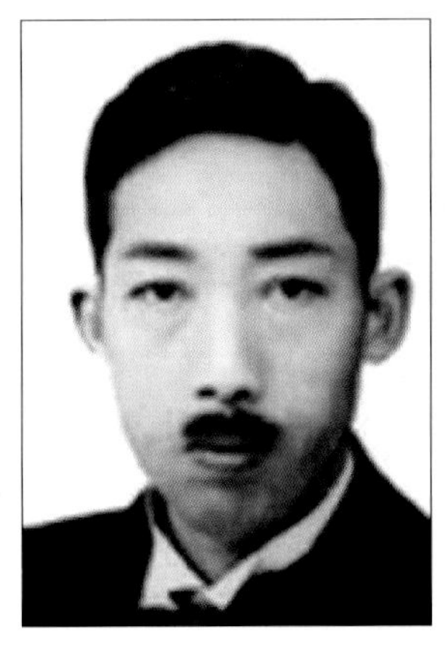

그림 1 (좌) Shoji Okuda, (우) Hajime Tamura

그러나 안타깝게도 이들의 논문은 2차대전의 와중에 서방에 알려지지 않고 사장되어 짐으로서 30년 동안 punch grafting이 모발이식 분야의 주류로 자리잡게 되는 우를 범하게 되었다**(그림 1)**.

서양에서는 1959년 미국의 Norman Orentreich가 4 mm punch를 이용한 punch grafting을 함으로서 처음으로 모발이식을 남성형 탈모 환자에서 적용하게 되었고, 이후 공여부 우성설(donor dominance theory)-

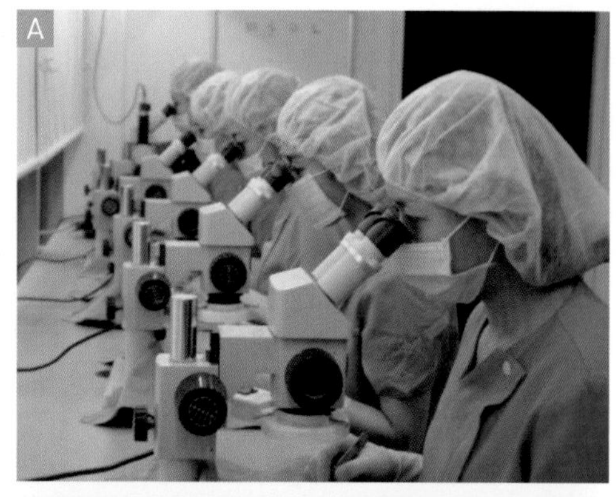
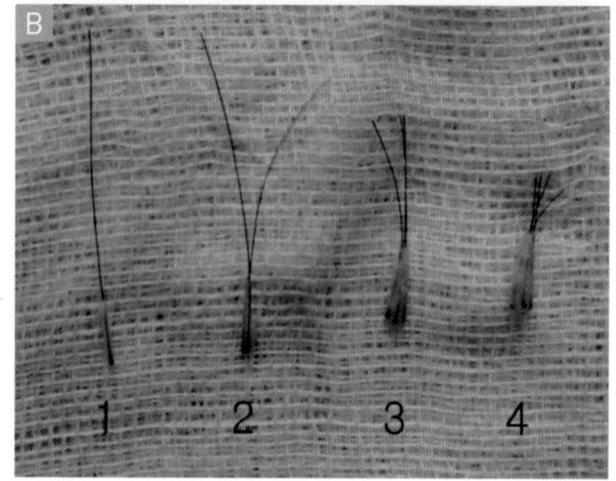

그림 2 A. 현미경을 이용한 모낭분리 모습, B. 모발을 모낭단위로 분리

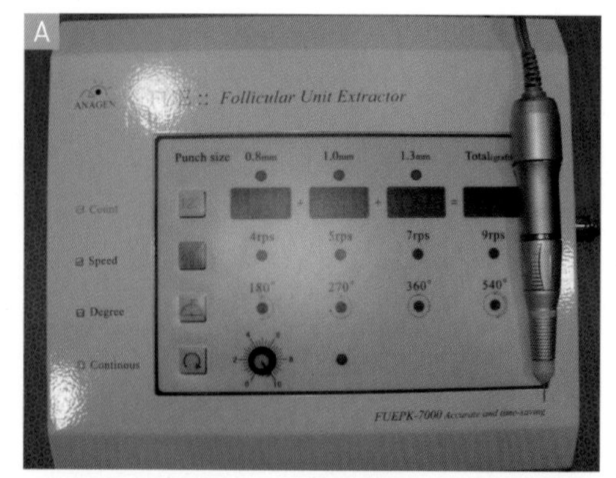

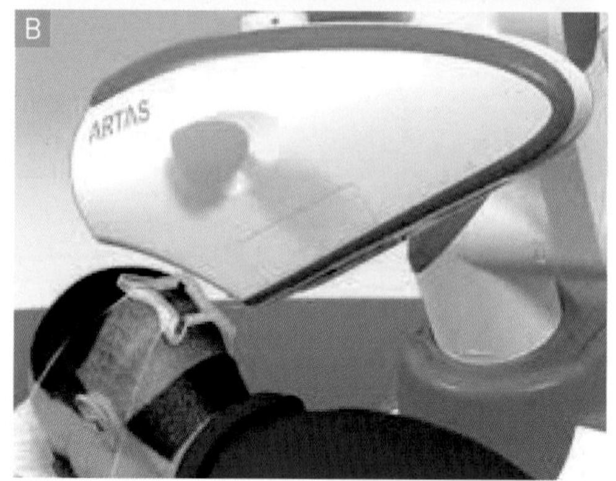

그림 3 A. Motorized punch, B. Robotic punch

이식된 모발은 원래의 성질 즉 성장속도, 모낭주기, 질감, 색깔 등을 그대로 유지한다 - 를 발표하게 되었다.

이후 30여 년간 여러 개의 모발은 한 묶음으로 이식하는 punch grafting 방식이 주로 시행되어왔으나 인형 머리 모양의 부자연스런 결과를 초래하게 되었고, 이를 극복하고자 1990년대에 들어서며 이식편을 작게 나누어 이식하는 것이 생존율을 높이고, 자연스런 결과를 얻을 수 있다는 인식이 확산되면서 micrograft (1-2개의 모낭을 포함), minigraft (4-6개의 모낭을 포함)의 방법으로 모발이식이 시행되었다.

1988년 미국의 Bobby Limmer는 현미경을 이용한 모낭 분리법을, 1995년 Rassman & Bernstein 등이 모낭단위 이식(follicular unit transplantation, FUT)의 개념을 발표하였고, 1996년 Dr Seagal 등이 한 번에 많은 양을 이식하는 megasession을, 이란의 Abbasi는 수혜부의 부기를 줄이는 Abbasi 용액을, 후두부의 흉을 적게 보이게 하는 trichchophytic closure 방식 등이 지속적으로 발표되면서 현재까지 지속적으로 발전되어 오고 있다(**그림 2**).

2002년 후두부의 절편을 채취하는 FUT(절편식) 방식과 달리, 0.8-1.2 mm의 펀치를 사용하여 모낭단위로 하나씩 추출하는 FUE (follicular unit extraction, 펀치식) 방식이 소개된 이후, sharp punch와 blunt punch를 동시에 이용하는 Harris의 2 step technique, punch의 깊이를 조절하는 Follicular Isolation Technique 등

이 발표되었고, 전기를 이용한 motorized punch를 거쳐 근래에는 로봇 펀치까지 빠르게 변하고 있다. 2014년 통계에 따르면 모발이식을 하는 의사의 약 30%가 펀치식으로 모낭을 채취하여 수술을 하고 있는 것으로 알려졌다(**그림 3**).

한국에서의 모발이식은 1960년대 소록도에서 medical assistant였던 백정기가 눈썹이 없는 환자들에게 눈썹이식을 한 것이 시초라 할 수 있다.

처음에는 stripe graft를 하였으나 좋은 결과를 얻지 못하여 각각의 모낭을 이식하게 되었고, 1969년부터는 직접 개발한 단일모 이식기를 사용하여 single hair graft를 시행하기 시작하여 약 25년 동안 대구 카톨릭 나병원에서 3000예의 수술을 하였다고 밝힌 바 있다(**그림 4**).

그 후 1990년대 중반에 외과의사인 최영철은 백정기의 기구를 보완하여 Choi 식모기를 제작하여 탈모 환자의 수술에 적용하였고, 김정철 등과 함께 식모기를 이용한 모발이식에 대한 논문을 공동 발표하였다.

그림 4 (위) 백정기 선생, (아래) 백정기가 사용한 식모기의 원형 기구

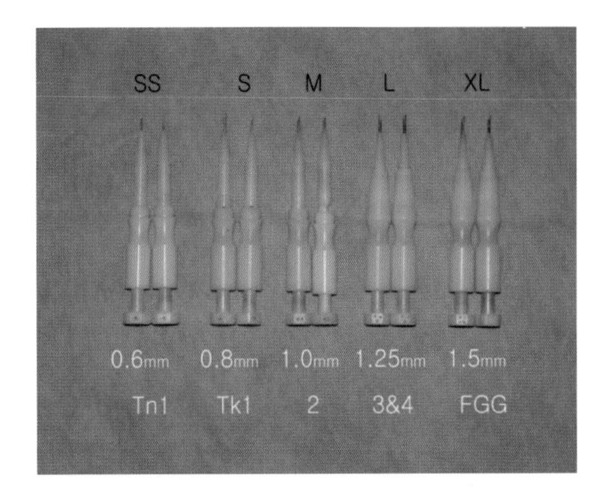

그림 5 다양한 크기의 식모기

한국은 이런 배경으로 인해 독자적으로 서양의 슬릿 방식이 아닌 식모기를 이용한 방법이 사용되면서 발전되어 왔고, 최근에는 외국에서도 새로이 식모기의 우수성이 인식되면서 사용이 증가하고 있는 상황이다(**그림 5**).

1993년 창립된 국제모발이식학회(ISHRS)에서 두 번째로 많은 회원 수를 차지하고 있는 우리나라는 2011년 성형외과, 피부과 전문의들이 주축이 되어 대

그림 6 대한 모발이식학회 창립

한모발이식학회(KSHRS)를 창립하였으며 2017년 현재 250여명의 회원이 참여하여 모발이식의 학문적 교류와 발전에 활발한 활동을 하고 있다(**그림 6**).

참·고·문·헌

1. Ahn SY (2000) we salute you, Ms Paek. Hair Transplant Int 10: 151
2. Choi YC, Kim JC. (1992) Single hair transplantation using the Choi Hair Transplanter. DermatoSurg Oncol 18:945-948
3. Norwood O, Shiell RC(1984) Hair transplant surgery. Thomas, Springfield
4. Norwood OT. Predicting hair growth for hair transplantation. J Dermato-Surg Oncol 1981;7: 477-80
5. Okuda S. The study of clinical experiments of hair transplantation. Jpn J DermatoUro 1939;46:135
6. Orentreich N (1959) Autografts in alopecia and other selected dermatological conditions,Ann N Y Acad Sci 83:463-479
7. Orentreich N, Durr NP. Biology of scalp hair growth. Clin Plast Surg 1982;9:197-205
8. Orentreich N. Autografts in alopecias and other selected dermatologic conditions. Ann N Y Acad Sci 1959;83:463-79
9. Shiell RC Tamura, Sasakawa and Fujita. now translated, Hair Transplant Forum Int 12:41-46
10. Shiell RC. The Okuda papers. Hair Transplant Forum Int 14:1-6

모발이식의 이론 »

한국인 두피와 모발의 특성

Characteristics of Korean hair and scalp

| 정재헌 |

1. 두개의 모양과 헤어라인

서양인과 비교한 동양인의 두개의 특징은 앞뒤 길이가 짧으며 옆길이가 넓은 brachycephalic contour를 갖는다는 것으로, 위에서 보았을 때 서양인의 oval shape이 아닌 round shape을 갖게 된다. 따라서 남성의 헤어라인의 모양도 차이가 나게 되는데 서양인의 경우 양쪽 fronto temporal recess가 심하게 위로 후퇴됨으로써 종모양(bell shape)을 갖는 반면, 한국인은 편평하거나 낮은 경사도의 헤어라인을 갖게 된다. Fronto-temporal angle 역시 둔각이거나 직각인 경우가 많고, 서양인은 예각을 이루는 경우가 많다(**그림 1**).

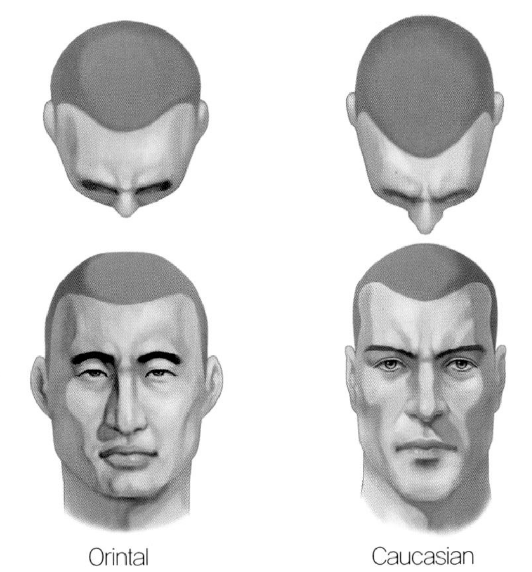

그림 1　두개의 모양과 헤어라인

2. 두피의 특성

서양인에 비해 두피탄력이 낮은 경우가 많으며, 수술 후 공여부의 흉터도 상대적으로 눈에 띄고, 비후성 반흔의 가능성도 높다. 두피내의 모낭의 길이는 서양인(4-4.5 mm)에 비해 5-6 mm로 조금 더 길기 때문에 FUE시 모낭의 transection의 가능성이 좀 더 높다고 볼 수 있다.

일반적으로 두피의 면적은 516 cm^2이며, 각각의 부위별 면적은 전두부가 약 70 cm^2, midscalp가 60 cm^2, 두정부는 100 cm^2 정도로 측정 되어진다(**그림 2**).

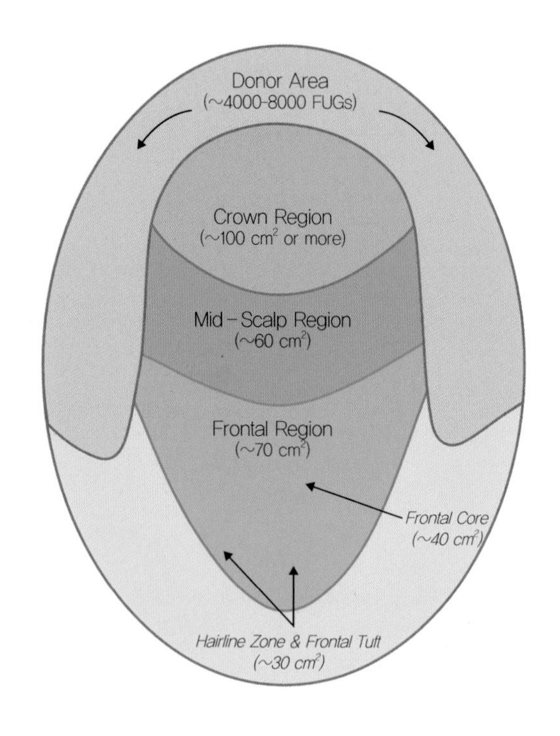

그림 2 두피의 특성

3. 모발의 특성

한국인의 모발은 서양인에 비해 모발의 수는 작으나 상대적으로 모발의 직경이 굵기 때문에 전체적인 볼륨을 상쇄하고 있다. 탈모환자에서의 모발이식의 기본 개념은 효과적인 camouflage effect(위장 효과)를 만드는 것이므로 수술 후 충분한 모발의 볼륨을 만드는데 있어서 모발의 굵기는 매우 중요하다.

$$V = \pi\gamma 2 \times \ell \times n$$

(γ : 모발의 직경, ℓ : 모발의 길이, n : 모발의 수)

에서 볼 수 있듯이 모발의 직경이 두 배일 때 볼륨은 4배로 증가됨을 알 수 있다.

한국인의 후두부 모발의 평균적인 굵기는 70-80 ㎛ (서양인 50-60 ㎛)으로 알려져 있으나, 일부 저자에 따라 80-120 ㎛ (서양인 50-90 ㎛), 89 ㎛ (서양인 67-83 ㎛) 등으로 다양하게 보고되고 있으나 공통적으로 서양인에 비해 굵은 것을 볼 수 있다.

모발의 밀도는 후두부나 두정부는 비슷하고 측두부는 낮은 밀도를 보고하고 있으며, 후두부의 밀도는 135hairs/cm^2 (일부 저자는 155.8, 130.3, 167hairs/cm^2 등을 보고) 정도이고, 서양인은 200-250hairs/cm^{2}로 보고하고 있다.

모낭단위 밀도(follicular unit density)는 서양인의 경우 100FU/인 반면, 한국인은 70-75FU/으로 보고 있으며, 모낭단위 당 모발의 수(calculation density)도 평균적으로 서양인은 2.3개, 동양인은 1.7개(일부 보고는 1.8개)로 보고 되고 있다.

모낭단위의 구성은 서양인은 3개, 4개의 모발로 된 것인 29%정도 차지하는데, 한국인은 19%정도로 그 비율이 적은 대신 단일모(1 hairF.U)의 비율이 높은 것을 볼 수 있다**(그림 3)**.

Rassman과 Bernstein 등의 연구에 따르면 두피 모발 가운데 안전 공여부(Safe Donor Area)의 면적을 25%로 보고, 그것의 반 정도만 이식 가능한 모발로 볼 때, 12,500개의 모발이 이식 가능한 최대치로 산정한 바 있다. 이것을 기준으로 볼 때 한국인의 평균 이식 가능한 개수는 7000-8000개(모낭단위로는 4100-4700개)정도로 추정되나, 개인 별 밀도와 두피의 면적 등의 차이에 따라 달라질 수 있다.

최근 펀치채취술(FUE) 시행 시 평균적인 calculation density를 2.3 정도로 보고 있는데, 이를 근거로 펀치채취술로 안전공여부에서 얻을 수 있는 모낭단위의 수는 3000- 3500개 정도로 보는 것이 타당하다.

하루에 정상적으로 빠지는 모발의 수는 서양인의

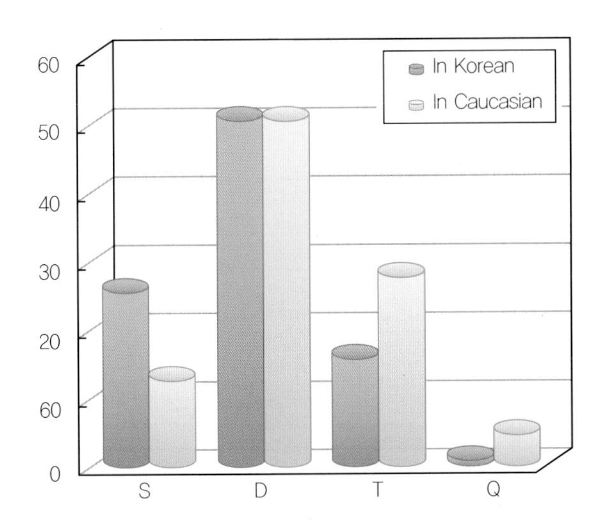

1	S	D	T	Q
In Korean	27	52	17	2
In Caucacian	14	52	29	6

S : 1 hair F.U., D : 2 hair F.U., T : 3 hair F.U., D ; 4 hair F.U.

그림 3 단일모의 비율

경우 하루에 100개 정도로 보지만, 한국인의 경우 전체적인 모발의 숫자가 적으므로 60개 정도로 보면 타당할 것으로 보인다.

모발의 구성은 성모(직경이 60㎛ 이상), 중간모(30-60 ㎛), 연모(30 ㎛ 이하)의 비율이 86.5%, 8.8%, 4.7%를 보고 한 바 있으며, 성장기 대비 퇴행기와 휴지기를 합한 비율이 89.6%, 10.4%로 서양인과 차이가 거의 없다.

서양인의 모발의 단면은 타원형으로 직모가 많은 반면, 한국인은 둥근 모발단면으로 직모와 반곱슬(wavy)한 형이 주를 이룬다.

참·고·문·헌

1. Park YT, Yoo JH, Park TH, Kim KJ. Comparative evaluation of hair density and grouped hair unit pattern between androgenetic alopecia and normal scalp, Ann Dermatol 2004;16:1-8
2. Ruthton DH, De Brower B, De Coster W, Van Neste D. Comparative evaluation od scalp hair by phototrichogram and unit area trichogram analysis within the same subjects, Acta Derm Venereol 1993;73:150-153
3. Saito M, Uzuka M ,Sakamoto H, Human hair cycle, J Invest Dermatol 1970;54:65-81
4. Salasche SJ. Surgical pearl; tips for scalp surgery J Am Acad Dermatol 1994;31;791-792
5. Seery GE. Surgical Anatomy of the Scalp ,Dermato Surgery 2002;28:581-587
6. Sperling LC Hair anatomy for the clinician. J Am Acad Dermatol 1991;25: 1-17
7. Stenn KS, Paus R, Control of hair follicle cycling. Physiol REV 2001;81:449-494
8. Tremolada C, Candiani P, Signorini M, Vigano M. The surgical anatomy of the subcutaneous fascial system of the scalp. Ann Plast Surg 1994;32: 8-14
9. Unger WP, Shapiro R, Unger M. Hair Transplantation 5th ed. NY: informa healthcare, 2011:1-17
10. Yoo JH. Analysis of hair characteristics in Korean using phototrichograms,In: Unger WP, Shapiro R. Hair transplantation , 4th ed. NY:Dekkor,2004:892-897

모발이식의 이론 »

수술 결과에 영향을 주는 인자들

Factors affecting graft survival

| 김진오 |

수술 디자인이나 모발의 배치 방법 등도 수술 결과에 영향을 주는 중요한 인자들이지만, 다른 장(chapter)과 겹치는 이야기이므로 여기에서는 주로 생착률을 높이는 방법에 대해서 다룰 예정이다.

모발이식은 이식한 모발이 의도한대로 모두 생존했을 때 최고의 결과를 보인다고 할 수 있다. 이식한 모발이 전부 생존할 수 있도록 만드는 것이 모발이식을 하는 의사가 풀어야 할 가장 중요한 과제 중에 하나이다. 실제 모낭의 채취와 이식에서의 기술적인 부분과 더불어 채취된 모낭을 잘 보관하고 손상을 줄이는 시스템의 구축이 필요하다.

1. 수술 전 확인해야 할 사항

1) 환자의 전신적 건강 상태

혈관 질환, 면역 질환, 영양 결핍 등은 상처 치유를 지연시킬 수 있는 요소이기 때문에 수술 전 확인이 필요하다. 전신 건강이 떨어질 경우 이식모의 생존에 위협이 될 수 있다. 흡연의 경우, 말초 혈액순환을 9-55%까지 감소시킬 수 있고, 조직의 산소결핍을 유발하기 때문에 이식모의 성장을 저해한다. 수술 2주 정도 전부터 금연할 것을 권장한다.

2) 조직의 상태

흉터(scar) 혹은 두피가 섬유화된 경우 이식모 생착이 저해될 수 있다. 이전의 모발이식을 받았던 경우 섬유조직의 축적으로 인한 생착률 저하가 보고된 바 있다.

2. 수술 중 생착률을 높이기 위해 주의할 사항

1) 채취

Strip 방식의 모발 채취 시 모낭의 절단을 줄이기 위해 모발의 방향에 맞춰 절개를 해야 절개면에서의 모낭 절단이 되는 비율을 줄일 수 있다 절개각이 두피-모발각보다 클 경우 줄여주고(**그림 1.A**), 절개각이 두피-모발각보다 작을 경우 각도를 높여준다(**그림 1.B**)

Strip 채취 절개 시 절개의 깊이가 깊어질수록 단면에서 모낭이 절단될 확률은 높아지게 되는데, 절

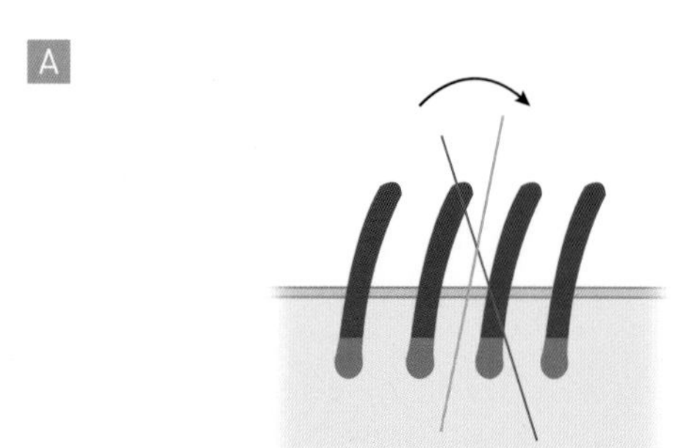

그림 1 녹색선이 이상적인 각도. A)의 경우 두피–모발각도보다 절개각이 큰 경우로 각을 모발의 방향에 맞춰준다. B)의 경우 절개각이 작은 경우로 각도를 높여준다.

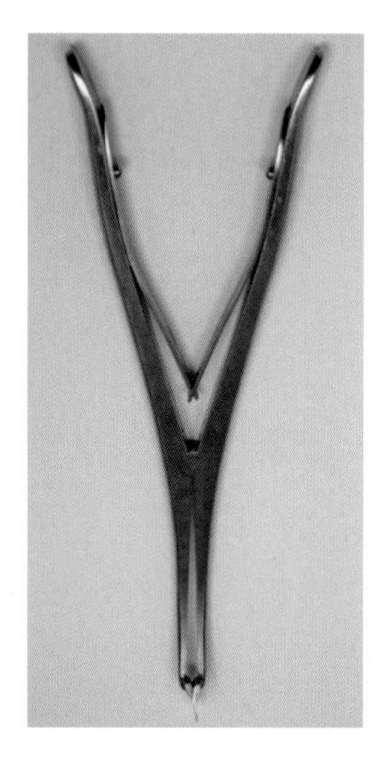

그림 2 Haber Spreader.

개를 1-2 mm 정도로 얕게하면서 박리(dissection)을 용이하게 하기 위해 도구를 사용하기도 한다. Haber spreader(**그림 2**)가 잘 알려져 있으며, 얕은 절개 후 skin hook으로 절개창을 벌려서 모낭의 상태를 직접 확인하면서 분리하는 skin hook technique 방법도 있다.

FUE (follicular unit extraction) 채취 시에도 strip 방식과 같은 개념으로 생각하면 된다. 펀치의 깊이가 깊어질수록 모낭이 절단될 확률은 올라가지만, extraction 시 좀 더 모낭을 편하게 획득하게 되므로 모낭의 crush injury 혹은 perifollicular tissue의 부족으로 인한 손상의 가능성을 줄일 수 있다는 장점이 있다. 따라서 절단율과 손상율의 적절한 지점을 찾아 깊이 조절을 하는 것이 중요하다.

2) 모낭의 분리 및 보관

(1) 현미경

Strip에서 모낭단위(follicular units)로 모낭을 분리할 때 육안으로 분리하는 것보다 양안 현미경으로 분리 시 절단율을 줄일 수 있다(**그림 3, 4**). 맨 눈으로 분리할 때에 비해 현미경을 사용할 때 20% 이상 더 많은 모발을 획득할 수 있기 때문에 모발이식을 전문적으로 할 의사라면 반드시 양안 현미경을 사용할 것을 권한다. 현미경 대신 확대경(loupes)으로 대체할 수도 있으나 현미경이 확대경보다 17% 더 많은 모발이 획득되었다는 논문도 있으므로 가능하면 현미경을 사용하는 것이 좋다.

(2) 건조(dehydration)

모낭이 마르는 것은 모발이식에 있어 가장 큰 적(enemy)이자 위협요소로 꼽힌다. 2000년 Gandelman

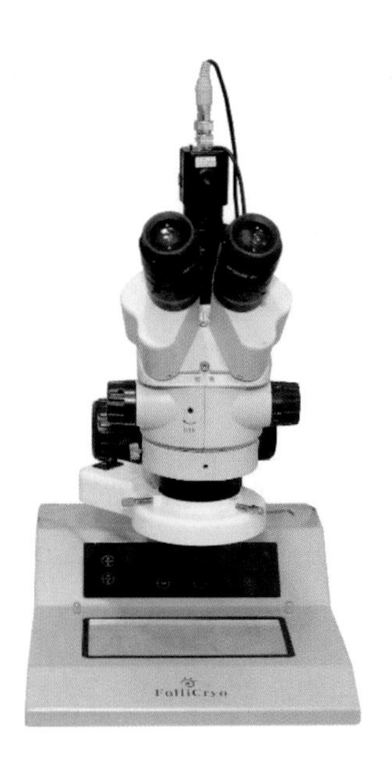

그림 3 양안 현미경.

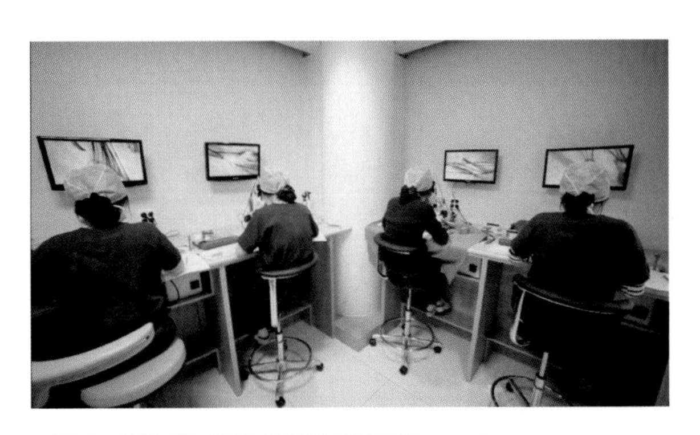

그림 4 양안 현미경을 이용한 모낭분리.

등은 모발이식 수술 중 글러브를 착용하고 손 등에 3분 정도 모낭을 올려놓아 공기 중 노출시켜 건조시킨 후 이식을 시행하여 12-24개월 후 모낭이 하나도 자라지 않았다는 것을 발표하였고, 2002년 Hwang 등은 모낭이 건조되는 시간이 길어질수록 모낭의 배양(culture)해서 얻은 survival rate 측정 결과가 점점 떨어지는 것을 발표하였다(**표 1**). 또, 2010년 Beehner는 16분간 공기 중에 노출되어 건조된 모낭을 이식하여 생착률이 떨어지는 것을 보고한 바 있다(**표 2**). 가장 흔하게 건조가 일어나는 부분이 식모기에 장착하거나 slit

표 1 Hwang 등이 발표한 건조 시간에 따른 survival rate 상관 관계

Time	Survival Rate
5 minutes	94%
10 minutes	94%
20 minutes	83%
30 minutes	68%
Contol Group	96%

The follicles were transected below the sebaceous gland and allowed to dry on gauze. Then the follicles were cultured and their survival measured by in vitro hair shaft

표 2 Beehner가 발표한 대조군과 건조된 1모 모낭, 2모 모낭의 생착율 비교.

	Survival Rate
1 – Hair grafts	60%
2 – Hair grafts	82%
Control group	112%

0 1–hair grafts and 50 2–hair grafts were allowed to dry on a Telfa pad for 16 minutes.

에 insertion 하기 전 과정이다. 보통 이식자의 손등이나 거즈 위에 모낭을 쌓아놓는데, 이 과정에서 효율을 높이기 위해 모낭을 많이 쌓아놓기를 원하는 경향이 있으나, 많이 가져다가 쌓아놓을수록 용액 내에서 저장할 때보다 건조가 되고 모낭의 온도가 올라가는 단점이 있다.

(3) 온도

모낭을 저장하는 용액의 온도에 따른 생착률에 대한 연구 역시 많이 이루어졌다. 온도를 10도 아래로 낮추어 장기를 보관할수록 metabolic rate를 절반 가까이 줄일 수 있다. Hwang 등은 모낭의 보관 시간이 늘어날수록 저온으로 보관하였을 때와 상온에서 보관하여 배양했을 때 결과 차이가 커짐을 발표하였다. 또한 2007

그림 5 얼음용기(cooler).

그림 6 냉매(ice pack)

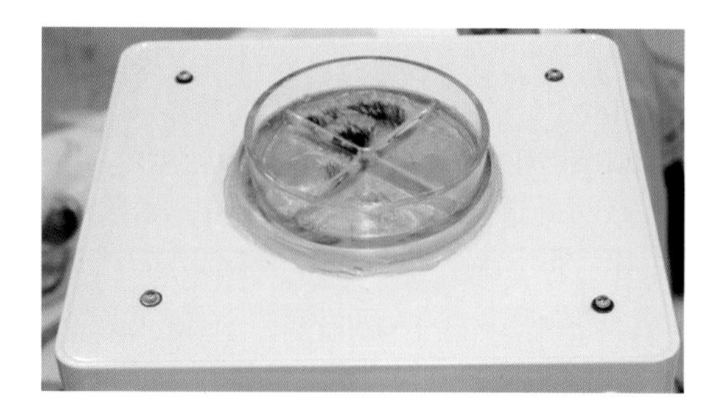

그림 7 저온유지장치

년 Beehner는 2007년 ISHRS (International Society of Hair Restoration Surgery)에서 저온으로 보존한 모낭과 상온에서 보관한 모낭을 실제 환자에게 이식하여 생착률을 비교한 결과 저온 보존한 모낭의 생착률이 높음을 발표하기도 하였다.

실제 모발이식에서 모낭의 보관을 찬 곳에 하기 위

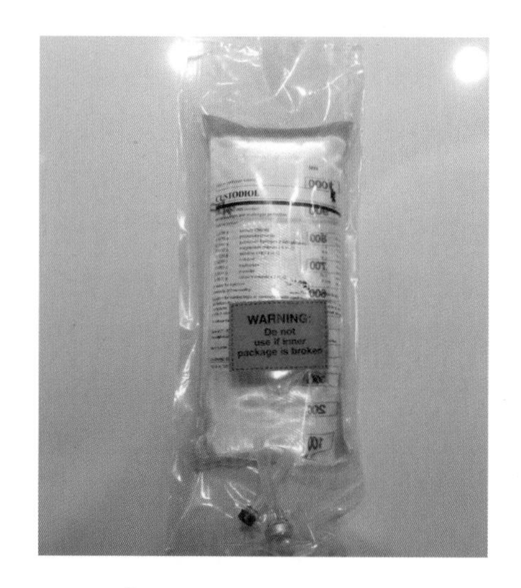

그림8 Custodiol® 저장액

해 얼음을 이용한 용기, **(그림 5)** 혹은 냉매**(그림 6)** 위에 모낭을 담은 petri-dish를 올려놓거나, 냉장고나 저온유지장치**(그림 7)** 등을 사용한다.

(4) 저장액(holding solution)

전통적으로 생리식염수(normal saline)를 채취한 모낭을 보관하는 저장액으로 많이 사용한다. 수술 시간이 짧을 경우에는 생리식염수을 저장액으로 사용해도 좋지만 수술 시간이 길어지거나 생화학적 손상으로 인한 생존률이 떨어질 것으로 판단되는 경우 최근에는 저장용액으로 hypothermosol® 혹은 Custodiol®**(그림 8)**과 같은 세포내액 유사용액(intracellular-like solution)을 사용하는 의사들이 늘고 있는 추세이다.

Beehner는 96시간 동안 2-24시간 간격으로 식염수와 hypothermosol®에 보관된 모낭을 이식하여 얼마나 이식된 모발 중에 생착이 일어났는지 비교하였는데, 전 시간대에서 hypothermosol에 보관한 모낭의 생착률이 높았고, 특히 6시간이 지나면서 생착률의 차이가 커지기 시작했다. 또 세포내액 유사용액은 조직의 이식 시 발생하는 허혈-재관류 손상(ischemic-reperfusion injury)의 주원인인 reactive oxygen species (ROS)의 발생을 47% 감소시킨다는 연구결과도 있다.

(5) 모낭주위조직(Peri-follicular tissue)

모발을 분리하거나 채취 시, 가능하면 모발을 "통통한(chubby)" 상태로 모낭주위조직(perfollicular tissue)를 많이 붙여서 이식하는 것이 생착률을 높여준다. Seager는 두껍게 분리한 163개 머리카락에서 113%의 생착률, 얇게 분리한 89%에서 89%의 생착률을 얻었음을 발표하였다. Beehner 역시 두 차례 비슷한 내용의 실험을 진행해서 통통한 모낭에서 더 높은 생착률을 얻어내었다.

3) 모낭의 이식

모발이식도 성형외과 수술이므로, 성형외과의 기본 5A(Aseptic surgery, Atraumatic technique, Accurate approximation, Absence of tension, Avoidance of raw surface)를 충실히 지키면서 수술하는 것이 생착률, 즉 결과와 직결된다. 이 중 특히 유의해야 할 것은 atraumatic technique이다. 이식부위 이식 시 최대한 손상을 줄이는 것이 생착률을 높이는데 기여한다. 슬릿 방식으로 이식 시 premade incision을 만들 때 조금의 저항이나 blade의 날이 무뎌졌음이 느껴진다면 즉시 교체한다. 식모기 방식으로 이식 시에도 마찬가지이다. 재활용하거나 날을 갈아 쓰지 말고, 저항감이 느껴질 시 즉시 식모기 침을 교체하여 사용해야 두피 손상을 최소화할 수 있다**(그림 9)**.

(1) 깊이(depth)

모낭의 깊이에 맞게 이식하는 것이 필요하다. 모낭보다 얕게 이식될 경우 모낭의 일부가 노출되어 건조되어 생착하지 않을 수 있으며, 생착하게 되더라도 닭살(goose skin)이라고 불리는 융기(tenting) 현상이 생길 수 있다. 모낭의 깊이가 깊게 이식될 경우 inclusion

그림 9 슬릿 블레이드(좌)와 식모기(우).

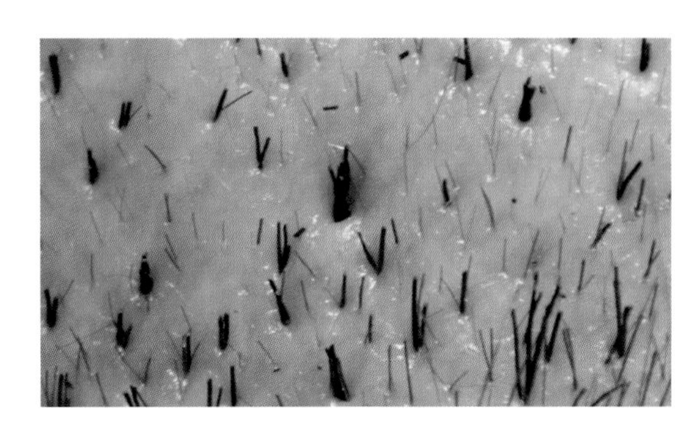

그림 10 함몰흉터(pitting scar)

cyst를 형성하거나, 모낭염 발생이 호발하여 역시 생착에 영향을 준다. 또한 함몰흉터(pitting scar)**(그림 10)**가 생길 수 있으므로 주의한다.

(2) 밀도(density)

이식 밀도가 낮을수록 생착률은 높아지고, 이식 밀도를 높게 할수록 생착률이 떨어질 가능성이 커진다는 것이 학계에서 대체적으로 인정받고 있는 정설이다. Mayer는 10FU/cm^2 (1제곱센티미터 단위 면적 당 10개의 모낭단위. FU: Follicualr Units)에서 97%, 20FU/cm^{2}에서 92%, 30FU/cm^{2}에서 70%, 40FU/cm^{2}에서 79%의 생착률을 보고하였다.

하지만 Beehner나 Nakatsui의 연구에서는 높은 밀도에서도 좋은 생착률을 가질 수 있다는 결과를 보였고, Tsilosani는 100 FU/cm^{2}의 밀도의 이식에서도

92%, 96%의 생착률을 보고하였다. 즉, 낮은 밀도일수록 안전한 생착률을 보장하지만, 환자의 만족도를 위해서 밀도를 높여야 할 필요성이 있으므로 최대한 atraumatic technique을 써서 이식한다면 높은 밀도로 이식이 가능할 수 있다는 것을 시사한다.

모발이식 경험이 많지 않은 경우 고밀도의 이식은 생착률이 떨어질 수 있으니 유의하여야 한다.

3. 결론

생존율에 대한 연구는 객관화시키기 매우 힘든 작업이다. 이런 이유로 이식모 생존에 대한 가설은 많으나 확실하게 인정받고 있는 것은 일부에 그치고 있다. 현재 비교적 확실한 것으로 인정받고 있는 것은 모낭주위조직의 크기, 모낭 절단, 압박 손상, 건조, 이식밀도, 모낭의 체외 체류시간, 온도 등이다. 앞으로 많은 연구가 이루어져서 생착률을 높이는데 기여하는데 도움이 되었으면 하는 바램이다.

참·고·문·헌

1. Balaji SM. Tobacco smoking and surgical healing of oral tissues: a review. Indian J Dent Res 2008; 19(4): 344–8.
2. Beehner M. 96-hour study of FU graft "out-of-body" survival comparing saline to Hypothermosol/ATP solution. Hair Transpl Forum Int 2011; 21(2): 33,37
3. Beehner M. A comparison of hair growth between follicular unit grafts trimmed "skinny" vs "chubby." Hair Transpl Forum Int 1999; 9: 16.
4. Beehner M. Beehner's study of FU vs 1.3mm minigrafts after one to three sessions; graft survival, growth, and healing studies. In Unger WP, Shapiro R, eds. Hair Transplantation, 4 th edn. New York: Marcel Dekker, 2004: 270–2.
5. Beehner M. Comparison of survival of FU grafts trimmed chubby, medium, and skeletonized. Hair Transpl Forum Int 2010; 20(1): 1,6.
6. Beehner M. Comparison of survival of FU grafts trimmed chubby, medium, and skeletonized. Hair Transpl Forum Int 2010; 20(1): 1,6.
7. Beehner M. Studying the effect of FU planting density on hair survival. Hair Transpl Forum Int 2006; 16(1): 247–8.
8. Belzer F, Southard J. Principles of solid-organ preservation by cold storage. Transplantation1988; 45(4): 673-6
9. Bernstein RM, Rassman WR. Dissecting microscope versus magnifying loupes with transillumination in the preparation of follicular unit grafts. A bilateral controlled study. Drmatol Surg 1998. 24(8):875-80
10. Gandelman M, Mota A, Abrahamsohn P, et al. Light and electron microscopic analysis of controlled injury to follicular unit grafts. Dermatol Surg 2000; 26: 25–31.
11. Hwang SJ, Lee JJ, Oh BM, et al. The effects of dehydration, preservation temperature and time, and hydrogen peroxide on hair grafts. Annals of Dermatology 2002; 14: 149–52.
12. Jensen JA, Goodson WH, Hopf HW, et al. Cigarette smoking decreases tissue oxygen. Arch Surg 1991; 126: 1131–4
13. Knobloch K, Gohritz A, Reuss E. Nicotine in plastic surgery. Chirug 2008; 79(10): 956–62.
14. Mathew AJ. A review of cellular biopreservation considering during hair transplantation. Hair Transpl Forum Int 2013; 23(1): 1,7-11.
15. Mayer M, Keene S, Perez-Meza D. Comparing FU growth with different planting densities. In: Unger WP, Shapiro R, eds. Hair Transplantation, 4th edn. New York:

Marcel Dekker; 2004:285–7.

16. Momeni A, Heier M, Bannash H. Complications in abdominoplasty: a risk factor analysis. J Plastic Reconstr Aesthetic Surg 2008.
17. Nakatsui T, Wong J, Croot D. Survival of density packed follicular unit grafts using the lateral slit technique. Dermatol Surg 2008; 34: 1016–22.
18. Pathomvanich D. Donor harvesting; a new approach to minimize transection of hair follicles. Dermatol Surg 2000; 26: 345–8.
19. Petschke F, Engelhardt T, Ulmer H, Piza-Katzer H. Effects of cigarette smoking on skin perfusion of the hand. Chirug 2006; 77(11): 1022–6.
20. Rogliani M, Labardi L, Silvi E, et al. Smokers: risks and complications in abdominal dermolipectomy. Aesthetic Plast Surg 2006;30(4): 422–4.
21. Seager D. Binocular Stereoscopic Dissecting Microscopes: Sholud We all Be Using Them? Hair Transplant Forum International. Vol 6 No 4:2-5, 1996
22. Seager D. Micrograft size and subsequent survival. Dermatol Surg 1997; 23(9): 757–61.
23. Silverstein P. Smoking and wound healing. Am J Med 1992; 93(1A): 225–45.
24. Tsilosani A. One hundred follicular units transplanted into 1cm^2 can achieve a survival rate greater than 90%. Hair Transplant Forum Int 2009; 19(1): 1,6,7.

수술 전 준비과정 및 환자상담

Preoperative planning and patient consultation

| 류희중 |

1. 환자상담

불과 십 년 전만해도 모발이식은 꽤 특별한 사람들만 받는 수술이었고 그 효과에 대해서도 의문을 가지는 경우가 많았다. 하지만 모발이식수술의 기술적 발전과 함께 탈모를 해결할 수 있는 확실하고 효과적인 수단임이 널리 알려지면서 수술을 받는 환자들과 모발이식병원들이 점점 늘어나게 되었고, 탈모뿐만이 아니라 헤어라인 교정이나 눈썹, 구레나룻, 수염 이식 등 보다 미용적인 목적의 모발이식들도 늘어나고 있는 추세이다. 이러한 환자들은 일반적인 미용성형수술 환자들과 크게 다르지 않을 것이므로 성형외과 의사로서 이런 환자들을 대하는데 특별히 고려해야 할 점들은 없을 지도 모른다. 하지만 여전히 모발이식의 가장 주요한 대상은 주로 탈모 환자들이며 이들은 계속 진행되고 있는 탈모로 인하여 많은 스트레스를 받고 있는 환자들이기 때문에 일반 미용 수술 환자들과는 그 성격이 조금 다른 부분이 있을 수 있다. 따라서 이러한 탈모 환자들과의 상담에 앞서서 우선적으로 탈모라는 질환에 대한 기본 지식과 그로 인해 환자들이 겪는 여러 가지 스트레스들에 대해 잘 이해하는 것이 좋을 것이다. 탈모는 계속해서 진행하는 특성을 가지기 때문에 한번의 모발이식수술로 탈모가 완전히 해결되는 것이 아니며 지속적인 치료와 관리가 필요하다. 그리고 시간이 지나 탈모가 더 진행되는 경우 추가적인 수술이 필요한 경우도 많다. 또 적어도 수 주 이내에 효과가 나타나는 다른 성형 수술에 비해 모발 이식은 그 결과가 완성되기까지 대략 1년 정도의 긴 시간이 걸린다. 따라서 탈모환자에게 모발이식 수술을 하는 경우에는 이러한 내용들에 대하여 충분한 설명을 해주어야 하며 장기적인 환자 경과 관찰의 계획도 필요할 것이다

모발이식에 있어서 환자 상담의 목표는 환자와 의사 사이에 적절한 관계를 형성하고 환자에게 정확한 정보를 제공하며, 수술에 대한 현실적이고 올바른 목표를 설정하는 것이다.

1) 좋은 의사-환자 관계의 형성

성공적인 환자 상담의 기본은 좋은 의사-환자 관계를 만드는 것이다. 한번 형성된 좋은 관계는 상담과 수술, 경과 관찰의 모든 과정을 유쾌하고 수월하게 만들어 줄 뿐만 아니라 수술결과가 다소 만족스럽지 않거나 의도하지 않은 문제점이 발생하는 경우에도 이를

합리적으로 잘 해결할 수 있도록 해줄 것이다.

첫 만남은 물론 따뜻하고 밝은 태도로 시작해야 할 것이며 환자의 이야기를 잘 듣고 환자의 이야기에 공감하고 있음을 표현하는 것이 좋다. 탈모 환자들은 심리적으로 위축되어 있기 쉽고 자신에 대한 이야기를 하는데 소극적인 경향이 있으므로 환자와의 원활한 의사소통을 위해서는 편안한 분위기를 만들 필요가 있다. 환자의 긴장을 풀어주기 위해서 수술에 관한 이야기 외에 환자의 직업이나 여가 생활, 취미 등에 대해 물어봄으로써 상담 분위기를 부드럽게 만들 수 있으며 동시에 환자와 수술에 연관된 여러가지 정보를 얻어낼 수도 있다.

기본적으로 환자의 고민에 귀를 기울이고 최선의 방법을 찾아 도와주려는 자세를 보인다면 환자는 언제나 마음을 열 것이며 좋은 의사-환자 관계를 만들 수 있을 것이다.

2) 환자에게 정확한 정보를 제공

환자에게 정확한 정보를 제공하기 위해서는 우선 환자의 상태를 잘 파악해야 한다.

먼저 수술과 관련된 일반적인 환자의 병력과 복용약물, 특이 약물 반응 등을 체크하고, 탈모 환자의 경우라면 환자의 탈모 상태에 대한 세밀한 진찰이 필요하다. 탈모의 시작과 진행 속도, 그리고 현재 탈모상태에 대해 자세히 살펴보고 정확한 진단을 내려야 한다. 수술을 하면 안 되는 다른 탈모 질환과의 감별은 매우 중요하다. 탈모의 가족력을 물어보는 것은 앞으로 진행될 탈모를 예측하는데 도움이 될 수 있으며 환자의 직업과 취미, 여가 및 운동 습관에 대한 정보들도 수술 계획을 수립하는 데에 도움이 된다.

환자의 진찰은 우선 밝은 빛 아래서 여러 방향으로 빗질을 하면서 육안으로 탈모의 상태와 범위를 파악하는 것으로 시작하는데 필요한 경우 머리카락을 물로 적셔 봄으로써 모발이 가늘어진 부위를 더 정확하게 알 수 있다.

두피경을 사용하여 공여부의 두피와 모발의 상태를 살펴보고 이식에 사용될 후두부 모발의 밀도와 굵기, 곱슬 정도를 파악한다. 이는 수술의 효과를 예측하고 수술에 필요한 모발의 양을 결정하는 데 중요하다. 흰 머리가 많은 경우에는 모낭 분리가 어려우므로 수술 전에 염색을 해야 하는데, 염색을 해도 모낭 부위는 잘 보이지 않으므로 수술 결과에 부정적인 영향을 끼칠 수 있음을 염두에 두어야 한다.

공여부 두피탄력도(laxity) 검사는 채취할 수 있는 모발의 양을 결정하는 중요한 인자이므로 상담시에 이를 꼭 미리 확인하도록 한다. Laxometer를 사용할 수도 있으며, 없는 경우에는 후두부 두피를 손가락으로 누르고 위아래로 움직여봄으로써 대략적인 파악이 가능하다. 공여부 두피탄력을 확인하는 작업은 봉합시에 발생할 수 있는 심각한 후유증을 예방하는데 매우 중요하므로 꼭 이를 기억하고 꼼꼼하게 체크해야 한다.

이러한 진찰로 얻어진 정보들을 바탕으로 환자의 상태가 어떠하며 수술을 어떤 방식으로 어떻게 진행하게 될 것인지에 대하여 설명하게 된다.

수술 후의 경과에 대해서도 미리 자세히 알려주어야 한다. 대략적으로 수술 후 다음날부터 전용 샴푸로 가볍게 머리를 감을 수 있고 약 2-3주 가량은 이식부위에 강한 자극을 주지 않아야 하며 한달 이후에는 완벽하게 일상생활로 돌아갈 수 있음을 설명한다. 이식된 모발은 약 2주 정도 지나면 조금씩 빠지기 시작하여 1개월 이후까지 계속해서 줄어들게 되며 빠진 모발들은 생착된 모낭에서 다시 모발을 만들어내기 시작하여 3-4개월 후에 다시 새로 자라나오기 시작한다. 최소 6개월이 지나야 대부분의 모발들이 자라나오게 되므로 그 전에는 결과를 확인하는 것이 큰 의미가 없으며 최종 결과는 적어도 1년여의 시간이 지난 후에 판단할 수 있음을 설명해야 한다. 수술 후 모발이 한번 빠지고 다시 나오는 것에 대해서 환자들에게 미리 이야기 했음에도 불구하고 환자들은 모발이 빠지고 없어지는 것에 대해 두려움을 갖는 경우가 많으므로 이에 대해 환자를 잘 안심시킬 필요가 있다.

수술 전 준비와 수술의 경과, 수술 후 관리 등 수술 전반에 관하여 환자에게 설명할 때는 브로슈어나 책자 등을 준비하여 환자들이 들은 정보들을 잘 기억하고 수시로 찾아볼 수 있도록 하는 것이 좋다. 이는 환자들이 잊기 쉬운 세세한 부분들을 기억시킬 수 있을 뿐만 아니라 병원의 신뢰도를 높여주고 상담시간을 줄여줄 수 있다.

수술 후에 발생할 수 있는 부작용과 합병증에 대해서는 환자가 알아야 할 권리가 있으며 설명해야 하는 의무도 있다. 물론 수술을 정상적인 절차대로 완벽하게 진행하는 경우 이러한 일이 일어날 가능성은 지극히 적으며 건강을 해치는 심각한 합병증은 거의 일어나지 않는다는 점을 덧붙여 설명해야 할 것이다.

3) 수술목표의 설정

어떤 환자들은 모발이식의 효과에 대해 의구심을 가지기도 하고 또 어떤 환자들은 모발이식이 자신의 고민을 완전히 해결해 줄 것으로 기대하기도 한다. 따라서 각 환자에 맞는 적절한 기대치를 설정하고 그 효과와 한계에 대해 명확하게 설명을 주는 것은 매우 중요하다.

환자의 나이, 탈모의 범위와 진행 속도, 가족력, 후두부 모발의 굵기와 밀도, 후두부 두피의 긴장도 등을 모두 고려하여 합리적인 수술 목표를 정하고 이에 대해 환자에게 설명하고 환자의 동의를 얻어내는 과정이 필요하다. 어떤 정도의 효과를 얻게 될 것인지를 말로 설명하는 것 보다는 다른 환자의 사진을 예를 들어 설명하는 것이 환자의 이해를 돕는데 도움이 될 것이다. 또 새로 만들어질 헤어라인을 대략적으로 그려서 보여주며 환자의 동의를 얻고 그 높이와 폭을 결정하여 기록해 놓는다.

탈모는 수술의 여부와는 관계없이 아마도 계속 진행하게 될 것이므로 기존의 모발들을 지키기 위한 치료가 필요하며 치료를 하지 않는다면 나중에 이식한 모발만 남게 될 것이다. 따라서 남성 탈모의 경우 욕심을 내어 헤어라인을 너무 낮게 잡거나 M자 부위를 너무 많이 채우게 되면 이후에 탈모가 많이 진행될 경우 추가적인 수술로도 해결할 수 없는 한계가 있으며, 결국 나이와는 어울리지 않는 부자연스러운 모습이 될 수 밖에 없음을 환자에게 잘 이해시켜야 한다. 특히 젊은 남자 환자들의 경우 외모에 대한 높은 관심으로 과도한 수술을 원하는 경우가 종종 있으므로 이들에게 정확한 내용을 설명하고 이러한 욕심이 이후에 야기하게 될 문제점들에 대해서 충분히 알려줄 필요가 있다. 수술하는 의사 또한 좀 더 큰 효과를 얻고자 하는 마음에 과한 수술을 진행하고 싶은 유혹에 빠지기도 하는데 이는 여러 가지 문제를 야기할 수 있으므로 적정 수준 이상의 욕심을 내지 않도록 주의해야 한다.

2. 수술계획

환자 상담 후에 환자가 모발이식 수술을 받는 것이 적절하다고 판단된 경우에는 그 환자에게 알맞은 수술계획을 세워야 할 것이다. 수술을 계획하는데 고려해야 할 주요 인자들은 다음과 같다.

1. 나이
2. 탈모의 진행 정도와 공여부의 상태
3. 모발과 두피의 특성
4. 환자의 기대치

1) 나이

탈모는 평생에 걸쳐 진행되기 때문에 환자의 나이는 모발이식 수술에 있어서 매우 중요한 고려사항이 된다. 탈모가 어느 정도까지 진행될지 정확히 예측할 수 있는 방법이 없는데다 나이가 어릴수록 이를 예측하기가 더 어렵고 어릴 때 시작된 탈모는 더 많이 진행하는 경향을 가지므로 젊은 환자일수록 많은 주의를 기울일 필요가 있다. 가장 안전한 방법은 모든 환자들이 아주 심한 정도까지 진행할 것이라는 가정하에 수술 계획을 세우는 것이겠지만 이러한 시도는 대부분의 환자들에게 받아들여지지 않을 것이다. 특히 나이가 어린 탈모 초기의 환자일수록 외모에 대한 관심과 결과에 대한 기대치가 높기 때문에 이마선을 많이 낮추고 M자 부위를 동그랗게 채우고 싶어하는 경향이 강하다. 하지만 젊은 환자가 당장의 결과에 너무 욕심을 내어 무리한 수술을 하면 나이가 들고 탈모가 많이 진행되는 경우 추가적인 수술로도 완전히 교정할 수 없는 어색한 모습이 될 것이다. 따라서 이러한 젊은 환자들에게 앞으로 일어날 수 있는 탈모의 가능성과 무리한 수술로 인해 발생할 수 있는 문제점에 대하여 충분히 설명하고 이해시킨 후에 적절한 수술 계획을 수립해야 할 것이다.

환자의 나이가 중 장년 층으로 갈수록 탈모의 진행 정도를 예측하기 쉬울 뿐만 아니라 환자들이 적절한 목표치에 대해 잘 수긍하게 되므로 수술 계획 수립에 어려움이 덜할 것이다. 나이가 많다고 해서 수술의 결과가 더 떨어진다고 보기는 어려우며 공여부의 모발상태가 좋다면 70세 이상의 고령에서도 젊은 환자와 다름없이 좋은 결과를 얻을 수 있다.

탈모의 가족력은 앞으로 환자에게 일어날 탈모의 정도를 예측하는 데 도움을 줄 수 있으므로 이에 대해 조사하는 것이 필요하다. 하지만 이를 환자 탈모 진행의 절대적인 기준으로 삼는 것은 위험하며 예외적인 상황도 적지 않음을 염두에 두어야 한다.

2) 탈모의 진행 정도와 공여부의 상태

탈모는 시간이 지날 수록 더 진행하게 되며 약물 복용이나 어떤 치료로도 100% 예방할 수는 없다. 따라서 모발 이식은 한정된 공여부의 모발을 가지고 나중에 더 필요할 수도 있는 이식량까지 고려하여 균형을 맞추어야 하는 작업이다. 따라서 정확한 수술 계획을 세우기 위해서는 현재의 탈모 상태를 정확하게 파악하고 어느 정도까지 이를 회복시킬지를 결정해야 할 것이다. 현재의 탈모 범위를 정확하게 파악하기 위해서 모발을 물로 적셔볼 수 있으며 이로써 모발이 약간 가늘어진 부분까지 더 정확하게 알 수 있다. 이런 작업은 환자에게 정확한 탈모의 상태를 알려주어 보다 현실적인 수술 목표를 세우는 데 도움이 된다.

이렇게 현재의 탈모 상태를 파악하는 것 이상으로 나중에 탈모가 일어날 수 있는 범위를 가늠하는 것 또한 매우 중요하다. 현재 상태만 생각하고 욕심을 내어 낮은 헤어라인과 동그랗게 채워진 M자 부위를 만들어 놓으면 나이가 들었을 때 그 자체로도 어색하게 보일 수 있으며 나중에 탈모가 더 많이 진행된 경우에 이를 커버하기에는 모발의 양이 턱없이 부족하여 매우 어색한 모습이 되고 말 것이다. 따라서 심한 탈모로의 진행 가능성이 있는 경우라면 적당히 높은 헤어라인과 성숙한 남성의 M자형 헤어라인의 모양으로 디자인 하여야 나이가 들고 탈모가 더 진행되었을 때도 자연스러운 모습을 유지할 수 있을 것이다.

채취가 가능한 모발의 총량은 정해져 있으므로 이를 대략적으로 파악하는 것이 필요하다. 두피경으로 후두부와 두정부 safe donor area의 모발의 밀도를 측정하고 이렇게 측정한 모발의 밀도와 두피탄력 그리고 절편채취술에 추가로 펀치 채취술을 혼합하는 경우까지 모두 고려하여 채취할 수 있는 모발의 총량을 가늠한다. 이렇게 하여 이식에 필요한 모발의 총량과 채취할 수 있는 모발의 총량을 대략 비교해볼 수 있으며 비로소 현재 수술에 어느 정도의 모발을 이용하여 어느 범위까지 이식을 하는 것이 적당한 지를 결정할 수 있을 것이다.

3) 모발과 두피의 특성

모발의 굵기와 색, 곱슬기는 수술 결과에 큰 영향을 미치는 요소들이므로 미리 공여부 모발의 특성을 파악하는 것이 수술 계획을 세우는 데 도움이 될 것이다.

모발의 굵기는 수술의 결과에 큰 영향을 미친다. 굵은 모발은 가는 모발에 비해 훨씬 더 큰 부피감을 주게 되므로 모발의 굵기가 굵을수록 수술의 효과가 커짐은 당연할 것이다. 반면 모발의 굵기가 60 ㎛ 이하인 경우에는 수술의 효과가 많이 떨어지게 되므로 수술을 진행하는데 있어 신중해야 한다. 또 공여부 모발들 중 가늘어진 모발의 비율이 높다면 공여부에도 탈모가 진행되고 있을 가능성이 있으므로 수술의 효과가 떨어지거나 수술 후 이식된 모발에서도 탈모가 일어날 수 있음을 주의해야 한다.

곱슬머리의 경우 직모에 비하여 더욱 풍성한 느낌을 주게 되므로 같은 양을 이식해도 그 효과가 더 크다. 따라서 굵고 곱슬인 모발인 경우라면 수술 후에 더욱 좋은 결과를 기대할 수 있을 것이다.

흰머리의 경우에는 모낭이 피하조직과 구별이 되지 않아 모낭 분리 시에 모낭에 손상을 줄 가능성이 있다. 따라서 흰머리가 많은 경우에는 수술의 결과에 영향을 미칠 수 있음을 알아 두어야 한다.

두피탄력은 절개방식의 수술 시에 채취할 수 있는 모발의 양을 결정하는데 매우 중요한 인자이다. 두피탄력이 낮은 경우에는 넓은 폭의 strip을 얻을 수 있어 보다 많은 양을 이식할 수 있다. 수술 전에 두피탄력을 꼼꼼하게 체크하여 문제 없이 봉합할 수 있는 적당한 폭을 결정하는 것은 매우 중요하다. 과도하게 넓게 절제하고 억지로 봉합을 하는 경우 봉합 부위 주변으로 허혈성 두피 괴사가 일어나서 매우 넓은 반흔과 탈모가 생기는 경우를 종종 보게 되는데 이는 모발이식으로 발생할 수 있는 가장 심각한 후유증 중의 하나이므로 꼭 주의하도록 한다.

4) 환자의 기대치

환자가 수술의 결과에 대해 어느 정도의 기대를 가지고 있는지를 파악하는 것은 수술을 진행하는데 있어서 매우 중요하다. 수술을 받고 나면 탈모가 일어나기 전의 완벽한 모습으로 돌아갈 수 있을 것이라 기대하는 환자들에게 적절한 기대치에 대하여 미리 설명하지 않으면 낭패를 볼 수도 있을 것이다. 특히 탈모 초기의 젊은 환자들은 탈모 이전의 완벽한 밀도를 기대하는 경우가 많은데, 수술로써 만들어지는 모발의 밀도에는 한계가 있으며 무조건 고밀도로 이식을 하는 것이 중요한 것이 아니라 이식할 수 있는 모발의 양은 한정되어 있고 탈모의 진행에 따라 이식할 범위는 계속 늘어날 수 있으므로 이를 균형 있게 배치하는 것이 중요함을 설명해야 한다.

헤어라인의 경우 주로 환자들은 그 높이를 낮게 만들고 싶어할 것이다. 물론 지금 당장으로서는 그것이 더 큰 만족을 줄 것은 분명하다. 하지만 헤어라인을 낮게 만들어주게 되면 추후에 이식해야 할 부위가 더 많아질 뿐만 아니라, 추가적인 수술을 한다고 해도 한정된공여부 모발로 인해서 결국 낮은 헤어라인에 전체적으로는 머리숱이 적은 어색한 모양이 될 수 있다. 이러한 사실을 환자에게 이해시키는 것이 항상 쉽지만은 않으며 환자가 자신의 생각을 계속 고집하는 경우는 수술을 진행하지 않는 편이 나을 수도 있다.

다시 한번 강조하지만 탈모는 수술과 상관없이 계속 진행함을 고려하여 적절한 수술의 범위를 결정해야 한다. 또한 이식 후에 진행되는 탈모를 최대한 지연시키고 수술의 효과를 극대화시키기 위해서 필요한 경우 약물 치료를 권하는 것이 바람직하다.

수술의 범위와 이식량이 결정되었다면 어떤 방법으로 수술을 진행할 것인지를 결정해야 할 것이다. 이는 우선적으로 환자가 원하는 방식을 고려해야 하겠지만, 환자의 상태나 의사의 숙련도에 따라서 의사가 가장 적합한 방법을 권할 수도 있다. 수술 방법은 모발의 채취방식에 따라 절개방식과 펀치채취방식, 그리고 이식방법에 따라 식모기를 이용하거나 슬릿 방식을 사용할 수 있으며 상황에 따라서 이들을 적절히 조합하여 수술할 수도 있다.

3. 수술 전 준비과정

건강한 사람이라면 모발이식 수술을 받기 위해 별다른 준비가 필요하지는 않다. 하지만 원활한 수술의 진행과 더 좋은 결과를 위해서, 그리고 환자의 불편과 부작용을 최소화 하기 위해서는 환자의 상태를 세세하게 체크하여야 하며 또 미리 환자가 준비해야 할 것들과 수술 후에 주의해야 할 점들에 대해서도 꼼꼼히 알려주도록 한다.

1) 수술 전 체크 리스트

(1) 병력과 복용하고 있는 약물 및 약물 알러지 확인

모발이식 수술 자체는 환자의 건강에 큰 무리가 된다고 볼 수 없으나 수술에 쓰이는 마취제와 에피네프린의 용량이 적지 않으므로 이에 대한 주의가 필요하다. 따라서 간과 신장, 심장에 질환이 있는 경우 이들의 사용과 그 용량에 주의를 기울여야 할 것이다.

(2) 수술 전 금지 약물

일반적으로 항응고제나 혈전 용해제와 같이 출혈 경향을 일으키는 약물들은 금하는 것이 좋다. 모발이식 수술은 큰 출혈이나 출혈로 인한 심각한 부작용이 일어날 가능성은 적은 편이지만 수술 결과에 영향을 미칠 수 있으므로 술이나 NSAIDs, 일부 비타민 제제, 한약 등도 가능한 금하는 것이 좋을 것이다.

β-blocker의 경우 에피네프린과의 상호작용으로 심장 문제를 일으킬 가능성이 있으므로 일주일 정도 금하도록 하며 진정제, 항히스타민제, MAO억제제 같은 경우도 약물 상호작용을 일으킬 수 있으니 금하는 것이 좋다. 바르는 미녹시딜제제의 경우 출혈 경향을 증가시킬 수 있으므로 수술 일주일 전부터는 중단한다.

(3) 검사실 검사

피검사는 수술 자체를 위해서 꼭 필요하지는 않으나 의료진의 건강을 위하여 환자가 말하지 않은 감염성 질환에 대한 스크리닝 차원에서의 혈액검사가 필요할 수 있으며 환자의 기본적인 건강 상태와 알려지지 않은 출혈성 질환 등을 알기 위해 기본적인 혈액 검사를 시행할 수 있을 것이다.

(4) 모발/두피 상태 확인

환자의 두피에 지루성 피부염 등의 피부 질환이 있는 경우라면 이를 먼저 치료하고 나서 수술을 시행해야 할 것이다. 흰머리가 많은 경우 모낭 분리와 이식 시에 잘 보이지 않아 수술에 지장을 줄 수 있으므로 수술 하루 이틀 전에 염색을 하도록 한다. 염색은 뿌리까지 꼼꼼하게 하도록 하며, 기존에 사용하여 문제가 없었던 염색 약을 사용하도록 한다.

수술 후 약 1개월 동안은 머리를 자르거나 염색, 퍼머를 하기 어려우므로 필요한 경우 수술 전에미리 하도록 한다.

환자의 두피가 많이 tight하여 절개시에 제한이 많이 있을 경우 해당 부위 두피를 늘려주는 마사지를 하도록 교육을 시키는 것이 좋다. 2주 정도 마사지를 하는 것으로도 두피의 laxity가 어느 정도 좋아질 수 있다.

2) 환자가 알아두어야 할 정보의 제공

(1) 헤어스타일

수술 후에는 바로 머리를 자르거나 펌, 염색 등을

할 수 없으므로 필요한 경우라면 수술 전에 미리 하는 것이 좋다. 수술 후에는 기존의 머리를 스타일링 하는 것은 크게 상관이 없지만, 이식한 부분에는 자극을 주지 말아야 한다. 이발은 약 3주 후, 펌이나 염색은 최소한 한달 정도 이후에 하는 것이 좋다.

수술 후에 수술 부위를 가리기 위한 헤어스타일을 미리 생각해두는 것이 도움이 될 것이다. 탈모의 경우라면 이식 부위를 가리기 어려운 경우가 많지만, 헤어라인 교정의 경우라면 가르마를 바꾸거나 앞머리를 자르는 등 이식 부위가 잘 가려질 수 있는 헤어스타일을 찾을 수 있을 것이다. 후두부는 모발의 길이가 2 cm 이상만 되면 봉합사나 흉터가 보이지 않게 가려질 수 있다.

(2) 수술 후 관리

수술 후 첫 샴푸는 1-2일 이후면 가능하고, triamcinolone 성분을 포함하는 Abbassi Solution 을 사용한다면 얼굴로 붓기가 거의 내려오지 않으므로 수술로 인한 일상생활의 지장은 그리 크지 않다. 따라서 보통

표 1 모발이식 후의 경과

이식 부위의 상태	시기	후처치 가이드 라인
붉은 기운과 약간의 딱지가 있을 수 있습니다.	수술당일	Low Level Laser Tx. 로 붓기와 붉은 기를 가라앉힙니다. 솔루션을 수시로 충분히 뿌려주어 촉촉한 상태를 유지함으로써 두피를 진정시키고 과도한 딱지를 예방합니다.
붉은 기운이 약간 나타날 수 있습니다. 두피의 감각이 둔해질 수 있으나 수개월 내로 회복됨.	수술후 1일	내원하여 **첫 샴푸**를 하고 전용 샴푸를 이용한 샴푸 방법을 배웁니다. **솔루션**을 수시로 뿌려줍니다.
붉은 기운이 점차 사라지며 아주 드물게 약간의 붓기가 내려올 수 있습니다.	2~5일	솔루션 사용횟수를 적절하게 줄여줍니다. 전용샴푸를 이용하여 이식부위에 최소한의 자극을 주어 **부드럽게 샴푸합니다.**
붓기와 붉은기는 사라지며 각질이 생기기 시작합니다.	6~10일	**샴푸의 강도를 살짝 올립니다.** 각질을 떼려다가 이식모가 빠질 수 있으므로 평상시에는 건드리지 말고 **샴푸시에 부드럽게 녹아 떨어지게 하는 것이 좋습니다.**
이식된 모낭의 생착이 거의 끝나갑니다.	11~14일	샴푸시 부드럽게 문질러서 각질을 조금씩 제거합니다. 후두부의 **봉합사를 제거**합니다. 이제 일반샴푸나 두피 진정용 샴푸를 사용하시면 됩니다.
이식된 모발의 생착이 거의 끝나고 서서히 빠집니다.	1개월	수술 한달 후 **두피 스케일링**을 받고 상태를 점검합니다. 퍼머나 염색도 가능하며 더 이상 수술부위를 조심할 필요는 없으므로 피지와 각질이 쌓여 모낭염이 생기지 않도록 **깨끗이 샴푸합니다.**
이식된 모낭에서 가는 솜털이 올라오기 시작합니다. 약간의 모낭염이 생길 수 있습니다.	3~5개월	의사의 처방에 따라 의약품 및 유지요법을 병행합니다.
모발이 점점 굵게 자라납니다. 처음 자라나오는 모발은 다소 곱슬거리는 경향을 가지기고 합니다.	6~9개월	
모발이 길게 자라면서 질감이 정상적으로 돌아옵니다.	1~2년	모발이식 결과를 확인합니다.

수술 후 2-3일이면 무리 없이 일상생활로 복귀가 가능하다. 이식된 모발은 대략 2주 후부터 빠지기 시작하여 한달 정도에 걸쳐서 상당수가 빠지게 되며, 3-4개월이 지나면 조금씩 자라나오게 됨을 환자에게 잘 설명해 주고 중요한 스케줄을 잡는데 참고하도록 하는 것이 좋다.

수술 후 한 달이 지나면 더 이상 주의할 필요가 없으므로 원하는 운동과 여가생활, 헤어스타일링 등에 아무런 제한을 두지 않아도 된다.

(표 1)은 저자의 병원에서 환자들에게 제공하는 자료이다.

참 · 고 · 문 · 헌

1. American Psychiatric Association. Diagnostic and Statistical Manual of Mental Disorders(DSM-IV), 4th edn. Washington, DC : America Psychiatric Association, 1994
2. Baran CN, Sensoz O, Ulusoy MG. Prophylactic antibiotics in plastic and reconstructive surgery. Plast Reconstr Surg 2000;105:815-816
3. Bernstein RM, Rassman WR. Follicular unit transplantation:2005. Dermatol Clin 2005;23(3):393-414
4. Buchness MR. Alternative medicine and dermatology. Semin Cutan Med Surg 1998;17:284-290
5. Cash T. The psychological effects of androgenetic alopecia. J Am Acad Dermatol 1992;2:926-31
6. Cassileth BR, Zupkis RV, Sutton-Smith K, March V. Informed consent-why are its goals imperfectly realized? N Engl J Med 1980;302:896-902
7. Chang LK, Whitaker DC. The impact of herbal medicines on dermatologic surgery. Dermatol Surg 2001;27:759-763
8. Cotterill JA, Cunliffe WJ. Suicide in dermatological patients. Br J Dermatol 1997; 137:246-50
9. Devine J, Howard P. Classification of donor hair in MPB and operations for each type. Fac Plast Surg 1985;2:189-91
10. Dufresne RG, Phillips KA, Vittorio CC, Wilkel CS. A screening questionnaire for body dysmorphic disorder in a cosmetic dermatologic surgery practice. Dermatol Surg 2001;27(5):457-62
11. Heck AM, DeWitt BA, Lukes AL. Potential interactions between alternative therapies and warfarin. Am J Health Syst Pharm 2000;57:1221-1227;quiz 1228-1230
12. Kiesewetter H, Jung F, Jung EM, Mroweitz C, Koscielny J, Wenzel E. Effect of garlic on platelet aggregation in patients with increased risk do juvenile ischaemic attack. Eur J Clin Pharmacol 1993;45:333-336
13. Makheja AN, Bailey JM. Antiplatelet constituents of garlic and onion. Agents Actions 1990;29:360-363
14. Norred CL, Finlayson CA. Hemorrhage after the preoperative use of complementary and alternative medicines. AANA J 2000;68:217-220
15. Tsilosani A, gugava M. Is there a rationale for use of antibiotics in hair transplantation surgery? Georgian Med News 2005;122:7-10
16. Unger WP(2004) the initial interview. 6A. My personal approach to the interview. In: Hair Transplantation, 4th edn. Dekker, New York, pp166-169
17. Unger WP, Unger RH. Hail transplanting: an important but ofter forgotten treatment for female pattern hair loss. J Am Acad Dermatol 2003;29(5):853-60
18. Unger WP. Surgical approach to hair loss. In: Olsen E, ed. Disorders of Hair Growth. Mew York: McGraw Hill, 1994:353-74

마취

Anesthesia in hair transplantation

| 류희중 |

보통 모발이식수술은 많이 아프다고 알려져 있다. 그리고 그 통증이 두려워서 수술을 결심하지 못한다는 환자들을 상당히 많이 보아왔다. 하지만 이러한 이야기들은 수술 시에 마취를 제대로 하지 않았기 때문에 생긴 것이며 이러한 성의 없는 마취는 많은 환자들을 모발이식 수술에서 점점 멀어지게 할 뿐이다. 정확하고 세심한 마취로 수술 중에 환자들이 통증을 느끼지 않도록 하고 수술 후 통증 관리에도 조금만 더 신경을 쓴다면 보다 많은 환자들이 모발 이식의 좋은 효과를 누릴 수 있을 것이라고 생각한다.

모발이식에서 마취에 관해 특별히 고려할 점은 다음과 같다.

- 모발이식은 다른 수술에 비해 많은 양의 마취제를 필요로 하므로 주사하는 마취제의 총량을 잘 체크하여 적정량을 넘지 않도록 한다.
- 넓은 부위를 마취해야 하므로 마취시의 통증이 적지 않다. 따라서 주사시의 통증을 줄일 수 있는 방법이 필요하다.
- 수술 시간이 길기 때문에 마취도 오래 지속되어야 한다. 지속시간이 긴 약물을 이용하거나 에피네프린을 적절히 섞어 마취시간을 늘려주어야 하며, 먼저 nerve block 이나 ring block을 하고 추가적으로 수술 부위에 tumescent 마취를 하는 방식을 사용하는 것이 좋다.
- 마취 시간을 늘리고 출혈을 줄이기 위해 에피네프린을 적절하게 섞되, 혈액순환을 너무 저해하지는 않도록 해야 하며, 수술 후 얼굴로 내려오는 심한 붓기를 줄이기 위해 트리암시놀론을 소량 섞어서 이용하는 것이 도움이 된다.

1. 모발이식 수술에서의 국소 마취

1) 마취제

일반적으로 리도케인이 주로 사용되는 편이며 수술 시간이 긴 만큼 작용 시간이 더 긴 부피바케인 등을 사용하는 것도 도움이 될 수 있을 것이다.

모발이식은 다량의 마취제를 사용하며 추가적으로 계속 마취를 하게 되는 경우가 많으므로 항상 그 사용량을 체크할 필요가 있다. 리도케인의 경우 단독 사용시에는 4.5 mg/kg(최대 300 mg)을 넘지 않도록 하며 에피네프린 혼합 사용시에는 7 mg/kg(최대 500 mg)을 넘지 않도록 한다. 모발이식수술은 시간이 오래 걸리고 마취 또한 오랜 시간에 걸쳐 이루어지므로 한번에 다량을 주사하는 경우에 비해 독성 반응은 덜한 편이지만, 수술 범위가 넓고 수술이 길어져 추가적인 마취가 많이 필요한 경우에는 역시 주의하는 것이 좋다.

2) 에피네프린

에피네프린은 혈관을 수축시켜 마취시간을 늘려주고 출혈을 감소시켜 수술 시야를 깨끗하게 유지시켜주며 hematoma와 이식모가 튀어나오는 현상을 줄여주는 장점이 있다. 하지만, 적정량 이상을 사용하면 혈액순환에 지장을 주어 이식된 모낭의 생착에 방해가 될 수도 있으며, 넓은 부위에 많은 양을 사용하는 경우 모발이 이식된 두피가 허혈성 괴사를 일으키는 경우도 있다. 따라서 수술에 도움이 되는 범위 내에서 그 용량을 최소화하는 쪽으로 적절히 사용하는 것이 좋을 것이다.

3) 트리암시놀론

트리암시놀론은 수술 후에 발생하는 붓기를 막아주는 역할을 한다. 예전의 모발이식은 tumescent 마취에 의해서 수술 후 얼굴에 심한 붓기가 내려올 수 밖에 없었으나 Dr. Abbasi가 tumescent 용액에 트리암시놀론을 소량 사용하면서부터 수술 후의 붓기가 획기적으로 줄어들게 되었다. 두피는 혈액순환이 좋고 상처의 치유가 매우 잘 되므로 스테로이드에 의한 상처 치유 지연은 크게 문제되지 않는다.

4) 다른 주의사항

마취제를 혈관이 발달 되어 있는 두피에 다량 주사하게 되므로 마취제가 혈관 내에 주입되는 경우가 발생할 수 있다. 리도케인이나 에피네프린이 직접 혈관내로 들어가 tachycardia, 답답함, 손발 저림, 어지러움 등을 호소하는 경우가 있으므로 주사 시에 이를 주의해야 한다. 마취 중에 환자에게 이상반응이 나타나는 경우, 마취제의 독성반응 혹은 마취제의 intravasation, vasovagal reflex, 과호흡 증후군 등을 감별하여 적절한 조치를 취해야 한다.

5) 마취시의 통증을 줄이기 위한 방법

모발이식은 넓은 부위를 마취해야 하므로 마취의 통증을 줄이기 위한 방법들을 다양하게 이용하는 것이 좋다. 마취제의 온도와 pH 조절, 진동 자극을 주거나 국소냉각을 이용하는 방법 등이 도움이 될 수 있을 것이다. 가장 손쉬운 방법으로 저자는 주사속도를 최대한 천천히 하려고 노력하며 또한 마취된 부위 주변으로 점진적 마취를 진행해 나가는 방식을 이용한다. 그 밖에 주사바늘이 들어갈 때나 약물이 들어갈 때 주변 피부를 꼬집어 주거나 들어 올리는 등 여러 가지 자극을 주는 것도 상당히 효과적이다.

2. 공여부 마취

공여부에 분포하는 신경은 upper cervical nerve 중 greater occipital nerve와 third occipital nerve, 그리고 lesser occipital nerve, great auricular nerve이다. 공여부 마취는 비교적 간단하여 특별한 방법이 필요하지는 않으나 저자의 경우 마취하고자 하는 부위의 0.5 cm 하단 부위를 2% 덴탈 리도케인(1:100,000 에피네프린)으로 먼저 마취한 후 조금 기다렸다가 위쪽을 마취하는 방식을 사용한다. 후두부의 신경 주행이 아래에서부터 위로 올라오기 때문에 아래쪽이 마취가 되면 그 위쪽의 마취는 별 통증이 없이 진행할 수 있기 때문이다. 위쪽 부위는 0.5% 리도케인(1:300,000 에피네프린)을 사용하여 tumescent 마취를 하는데 이렇게 함으로써 두피 조직의 강도를 증가시키고 모낭 사이 간격을 늘려주어 절개시에 모낭의 손상을 줄일 수 있으며 피하지방층 아래 위치한 주요 혈관과 신경의 손상을 줄여줄 수 있다.

3. 수여부 마취

수여부에 분포하는 신경은 trigeminal nerve중 supraorbital, supratrochlear, zygomaticotemporal, auriculotemporal nerve이다. 모발이식은 시간이 오래 걸리는 수술이므로 마취가 오래 지속되어야 한다. 따라서 long acting drug을 쓰거나 에피네프린을 적절히 섞어서 쓰고 범위가 넓은 경우 단계를 잘 나누어 마취를 하는 것이 좋다. 기본적으로 supraorbital nerve와 supratrochlear nerve에 nerve block을 하거나 헤어라인 아래쪽으로 ring block을 먼저 시행한 뒤 2차적으로 이식 부위에 tumescent 마취를 하는 방식이 필요하다. 이식부위에만 마취를 하면 수술 중에 마취가 깨기 쉬우며 환자가 통증을 호소하면 수술의 집중도가 떨어질 뿐 아니라 이식하고 있는 부위에 다시 마취제를 주사하다가 이미 이식한 모발들이 튀어나올 수 있으므로 미리 확실하게 마취를 하는 것이 중요하다.

1) 신경마취(Nerve Block)

신경마취는 한번의 적은 양의 주사로 넓은 부위를 마취할 수 있어 마취제의 양과 주사의 통증을 줄여주는 효과가 있다. Suprarobital/supratrochlear nerve block을 이용하여 수여부의 상당부분을 마취할 수 있다. 저자의 경우 2% 덴탈 리도케인(1:100,000 에피네프린) 한 앰플(1.8mL)을 한쪽 신경 마취에 이용하는데, 눈썹 아래쪽의 supraorbital notch를 찾은 뒤 보다 확실한 마취를 위해 한 포인트에 다 주사하지 않고 주사바늘을 완전히 빼지 않은 채로 5 mm 내측과 외측으로 0.5 mL 정도씩 주사하여 내측에 위치한 supratrochlear nerve를 포함한 보다 넓은 범위를 마취한다. 주사 시에는 마취제가 혈관 내로 들어가지 않도록 aspiration으로 확인하고 주사 부위가 팽창되는지 확인하면서 주사한다. 주사 후에는 주사 부위에서 출혈이 멈출 때까지 압박해주어 멍이 들지 않도록 한다.

2) Tumescent anesthesia

Nerve block 혹은 ring block이 끝나면 수여부에 직접 마취를 시행한다. Nerve Block 후 수 분 정도가 지나면 눈썹 상부의 부위에서는 이미 통증을 느끼지 못할 것이다. 수여부 마취에는 tumescent anesthesia를 사용하게 되며 모발이식에서 tumescent anesthesia의 사용은 다음과 같은 장점을 갖는다.

① 이식 부위의 조직압을 높여 혈관을 수축시키게 되므로 수술 시 출혈을 줄여줄 수 있다.
② 주요 혈관과 신경들이 위치하는 supra-galea level로부터 피부표면까지의 거리를 늘려줌으로써 이식시에 식모기나 슬릿 바늘에 의한 혈관 및 신경 손상의 가능성을 줄여준다.
③ 피부를 팽팽하게 하고 조직을 단단하게 만들어 식모기나 슬릿 바늘의 조작을 더 정확하고 용이하게 만들어 준다.
④ 조직 팽윤으로 인하여 피부의 표면적이 늘어나므로 더 조밀한 이식을 하는 데 도움이 된다.

Tumescent 용액은 희석된 리도케인(1% 이하)과 소량의 에피네프린(1:200,000 이하)을 사용하게 되며, 여기에 소량의 트리암시놀론을 섞어줌으로써 수술 후 붓기를 줄일 수 있다. 트리암시놀론을 섞어서 주사하지 않고 수술 후 프레드니솔론을 복용하도록 하는 경우도 있으나, 저자의 경우 트리암시놀론의 국소적인 사용이 더 효과적이고 안전하다고 생각한다.

참·고·문·헌

1. Barusco MN, Leavitt HL, Kirk R. The use of a computerized anesthesia injection system to minimize pain during hair transplant surgery. Hair Transplant Forum Int 2001;4:107-8
2. Fosco SW, Gibney MD, Harrison B. Repetitive pinching of the skin during lidocaine infiltration reduces patient discomfort. J Am Acad Dermatol 1998;39:74-80
3. Kanto J, Jalonen J, Laurikainen E, et al. Plasma concentrations of lidocaine (lignocaine) after cranial subcutaneous injection during neurosurgical operations. Acta Anaesthesiol Scand 1980;24:178-80
4. Khan SH, Khan S. Nerve block and local anesthesia. In: Haber RS, Stough DB, editors. Hair transplantation. Philadelphia: Elsevier Saunders, 2006:73-81
5. Maloney JM, Lertora JJ, Yarborough J, et al. Plasma concentrations of lidocaine during hair transplantation. J Dermatol Surg Oncol 1982;8:950-4
6. Nusbaum BP. Techniques to reduce pain associated with hair transplantation: optimizing anesthesia and analgesia. Am J Clin Dermatol 2004;5:9-15
7. Seager DJ, Simmons C. Local anesthesia in hair transplantation. Dermatol Surg 2002;28:320-89
8. Stough DB, Haber RS. Anesthesia. In:Stough DB, Haber RS, editors. Hair replacement surgical and medical. St Louis(MO); Mosby, 1996:81-110
9. True RH, Elliott RM. Microprocessor-controlled local anesthesia versus the conventional syringe technique in hair transplantation. Dermatol Surg 2002;28:463-8
10. Unger WP, Shapiro R. Anesthesia. In: Unger WP, Shapiro R editor. Hair Transplantation. 4th ed. New York(NY);Marcel Dekker, 2004: 225-59
11. Yang JJ, Cheng HL, Shang RJ, et al. Hemodynamic changes due to infiltration of the scalp with epinephrine-containing lidocaine solution: a hypotensive episode before craniotomy. J Neurosurg Anesthesiol 2007;19:31-7

절편 채취술

FUSS

| 김대용 |

1. 공여부 채취(A practical approach of the Donor area)

1) 안전한 공여부의 위치(Safe donor area)

Unger는 1994년에 65세 이상의 남성형 탈모 환자 325명을 관찰한 후 80세까지의 환자 80%는 탈모의 가장 심한 단계인 Norwood 7 단계 MPB (Male-Pattern Baldness) 까지는 가지 않는다 하였고 남성형 탈모 분류 Norwood 7단계에서도 모발이 남아있는 부위를 안전한 공여부(safe donor area)라고 정의했다. 이 부위의 모발은 이식 후 일생 동안 이식된 부위에서 계속 자라며 만약 이 부위 위쪽에서 공여부 모발을 채취를 할 경우 Norwood 7단계까지 탈모가 진행되면 공여부 흉터가 노출 되며 이때는 여기서 이식된 모발도 탈모가 된다. 공여부 채취시 이 부위를 안전한 공여부로 생각할 수 있겠으나 환자의 가족력, 탈모 진행 정도, 공여부 모발의 위치별 밀도 등을 파악한 후 환자의 상태에 맞게 조절할 필요가 있다.

공여부 절편(donor strip)을 채취하기 위한 공여부의 범위에는 posterior occipital, parietal과 supra-auricular zone이 포함된다. 주의할 점은 공여부의 측면으로 갈수록 모발의 밀도는 감소하며, mastoid 부위에서는 두피탄력도(scalp laxity)가 감소하므로 공여부 절편(strip)의 폭(width)을 줄여야 한다. 절편(strip)의 최대 길이(horizontal length)는 환자들의 머리둘레에 따라 다르지만 통상적으로 25~32 cm 이다.

2) 공여부의 모발 밀도와 굵기(Hair density and diameter)

공여부의 모발 밀도와 모발의 굵기는 모발이식에서 미용적인 수술결과를 결정하는 중요한 요소이다. 공여부의 모발이 두꺼울수록 이식모의 부피감이 증가되므로 풍성해 보이는 결과가 나오고, 가는 이식모발은 부피감이 적어서 두피를 가려주는 효과가 떨어지므로 탈모환자의 모발이식 시 미용적인 효과를 얻기가 어렵다.

모발의 밀도는 평균적으로 귀 주변의 측면에서는 낮은 반면, occipital area 에서는 높다. 한국인의 후두부 모발의 수는 평균적으로 1 cm^2 당 130개 전후이며 그 중 90%가 성모(terminal hair)이다. 모발의 수가 이보다 더 많으면 밀도가 높은 편이라고 할 수 있는데, 밀도가 높을수록 2-, 3-hair follicular unit (FU)의 빈도가 높

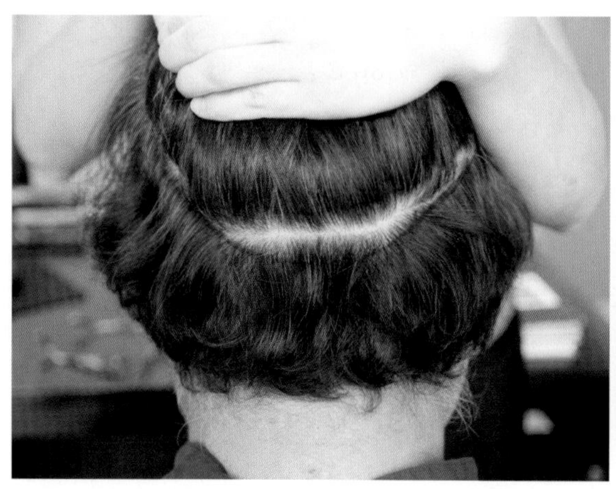
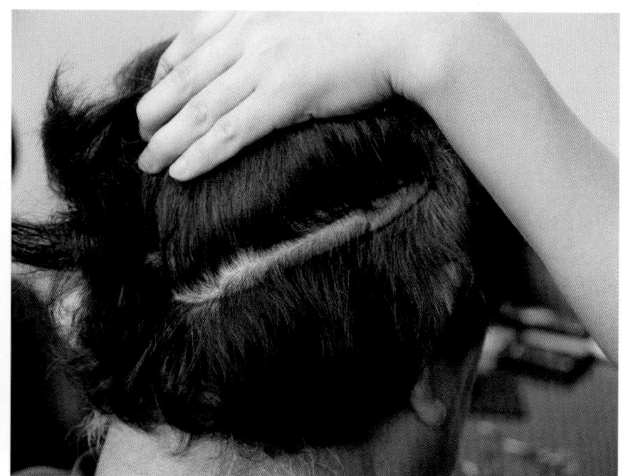

그림 1 필자의 남성형탈모 3000 모낭단위 이식 공여부 작도, Mastoid 부위의 이완도가 적어 수술 후 흉이 넓어지는 것을 예방하기 위해 공여부 작도 후 다시 한번 mastoid 부위의 작도선 내측에 사인펜으로 덧칠을 한 후 작도선 안쪽을 따라 피판의 폭을 좁게 절개하며 이때 손실될 모발량에 대한 보상으로 양측 측두부에서 피판의 길이를 각각 1 cm 길게 작도하여 이식할 모낭의 수를 맞추고 있다.

은 경향을 보인다.

3) 공여부의 작도(Design of donor strip)

채취할 공여부 절편(donor strip)의 크기를 결정하려면 공여부의 모발 밀도를 파악하고 이식할 모발 양과 밀도를 결정해야 한다. 남성형 탈모 수술 시 공여부 절편(donor strip)의 폭은 평균적으로 1.5 cm로 결정되므로 필요한 공여부의 채취면적은 좌우 길이를 조절하면 된다. 필자의 경우, 두피탄력(laxity)이 적은 mastoid area 에서는 절편의 폭을 1.2 cm 이하로 상당히 줄여서 채취하여 공여부 흉터를 최소화하고 있다. 만약 이식할 부위에 3,000모가 필요하다면, 환자의 공여부 평균 밀도가 120모/cm^2 라고 가정했을 때 채취할 공여부의 면적은 3,000모 ÷ 120모/cm^2 = 25 cm^{2}가 된다. 이때, 절편(strip)의 폭을 1 cm로 떼어낸다면 좌우길이는 25 cm가 필요하며, 폭을 1.5 cm로 떼어낸다면 17 cm의 길이만큼 채취하면 된다(**그림 1**).

2. 두피 탄력의 측정(Evaluation of scalp laxity)

1) 공여부 폭과 두피의 탄력(Width of donor strip and scalp laxity)

한국인의 공여부 조사에 의하면, 약 74 FU/cm^2 의 밀도와 머리카락/모낭단위(follicular unit)의 비율은 1.63 이다. 만약 낮은 공여부 밀도를 가진 경우라면, 필요한 만큼의 모낭을 얻기 위해 후두부 중간 부위에서 최고 2.5 cm 폭 너비의 절편조직이 필요할 때도 있다. 최근의 모발이식 수술의 동향은, 환자의 요구와 수술 결과의 기대치가 지속적으로 증가해서 한번의 시술로 만족스런 결과를 얻고자 하는 경향이 있다. 이에 3,000 모낭단위(FU) 이상의 모발이식술을 하기 위해서 더 넓고, 더 길게 공여부 절편(strip)을 채취하게 된다. 이 경우 두피의 탄력성이 적은 경우에는 공여부 흉터가 넓어질 가능성이 높기 때문에 적절히 폭을 줄이고 길이를 늘려야 한다.

그림2 Mohebi's laxometer (2nd generation)

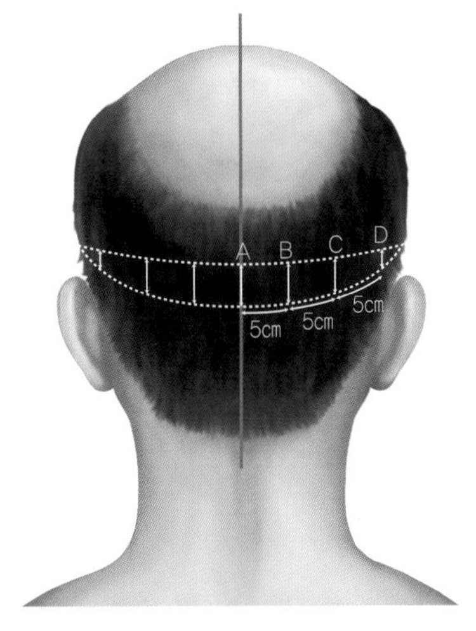

그림3 Measurement points of laxometer, A: central occipital area, B: lateral occipital area, C: mastoid area, D: temporal area

2) 두피탄력의 측정(Measurement of scalp laxity by laxometer)

과거에는 두피탄력(laxity) 측정을 할때 의사가 공여부의 두피 혹은 머리카락을 잡고 위아래로 움직여보고 얼마나 이완도가 좋은지를 주관적으로 측정하였으나 최근에는 Mohebi가 개발한 'laxometer'라는 측정도구를 사용하여 객관적인 수치로 두피의 탄력 측정이 가능하게 되었다.

필자는 두피탄력 측정기(laxometer)를 이용한 두피탄력도(scalp laxity)의 측정을 공여부 총 7지점을 지정하여 시행하고 있다. 이 지점들은 central occipital area, both lateral occipital area, both mastoid area, both temple area이고, 각 측정부위들은 5 cm의 간격을 둔다. 필자가 총 68명의 한국인 환자를 대상으로 검사한 결과 각 부위별 두피탄력(laxity) 평균 값은 central occipital area가 1.9 cm, lateral occipital area가 1.6 cm mastoid area가 1.3 cm, temple area가 1.1 cm 이었다. 3000모 전후의 통상적인 채취가 이루어지는 경우, 이 이완도(laxity) 범위 안에서 절개를 하면 수술 후 당김 증상이나 공여부 흉터를 최소화 할 수 있었다. 두피탄력(laxity)이 떨어지는 경우인데도 대량모발이식이 필요할 때는, 수술 전 충분한 두피탄력운동을 통해 두피탄력(scalp laxity)을 증가시킨 후 이식절편 채취를 시행하도록 한다**(그림 2, 3)**.

3) 수술 전 두피탄력운동(Scalp laxity exercise)

모발이식 수술 시 수술 전 단계에서 공여부 흉터가 넓어지는 것을 효과적으로 예방할 수 있는 방법으로는 수술 전 두피탄력운동(scalp laxity exercise)을 환자가 충분히 하도록 교육하여 공여부의 상하 탄력을 높이는 것이 있다. 이 운동은 양손을 손 깍지를 한 채 뒷머리에 대고 두피를 상하로 움직여주는 것으로서 혼자서 어디에서든지 쉽게 할 수 있다.

Wong은 두피탄력이 적은 환자에게 4~6주간의 두피탄력운동을 시행하게 함으로서 공여부 두피의 이완을 유도할 수 있었을 뿐만 아니라, 충분한 두피탄력운동을 통해 최대 1500~1800 모낭(FU)을 추가적으로 채취할 수 있다고 보고 하였다. 그러나, Wong이 제안한 적절한 두피탄력운동의 기간인 4~6주는 임상에서 실질적으로 적용하기에는 너무 긴 시간이다. 필자는 두피탄력측정기(laxometer)를 사용한 연구를 통해 2주 정도의 두피탄력운동만으로도 각 부위에서 2 mm 이상의 탄력 증가를 확인할 수 있었다.

3. 공여부 마취

국소마취제를 공여부의 1 cm 하단 부위를 중심으로 좌우 양측에 적당한 간격을 유지하면서 needle을 최대한 눕힌 상태로 진피 상부에 주사한다. 진피 상부에 주사하게 되면 진피하부나 피하지방층에 주사할 때보다 마취효과가 빠르게 나타나고 좀 더 오래 지속된다. 필자는 3000모 이식수술의 경우, 스테로이드(40 mg dexamethasone)를 100 ml 생리식염수에 희석한 투메센트 용액(modified Abbasi solution) 을 만들어서 피하지방층에 20 ml 투메센트 주사도 같이 시행한다. 투메센트(tumescent) 주사의 장점은 공여부 피하 혈관 및 신경의 간격을 벌려 주어 최소한의 손상으로 채취부의 조직을 얻을 수 있으며, 공여부 조직의 강도를 증가시켜 조직 절제가 용이하고, 또한 모낭 손상이나 출혈도 감소하게 된다.

4. 모낭손상을 최소화하는 채취방법들 (Minimizing follicular trauma during harvesting)

공여부 피판의 절개(incision) 시 모낭을 손상시키지 않는 것은 중요하다. 공여부 모발의 방향과 평행으로 절개하면 모낭손상을 최소화 할 수 있지만 좀 더 정확한 절개방법으로는 Pathomvanich가 제안한 skin hook technique과 Haber가 개발한 spreader를 이용한 방법이 있다. Frechet는 모발이식술의 성공 여부에 있어서 공여부 피판 박리가 매우 중요한 부분이라고 강조하였다.

1) Skin hook technique

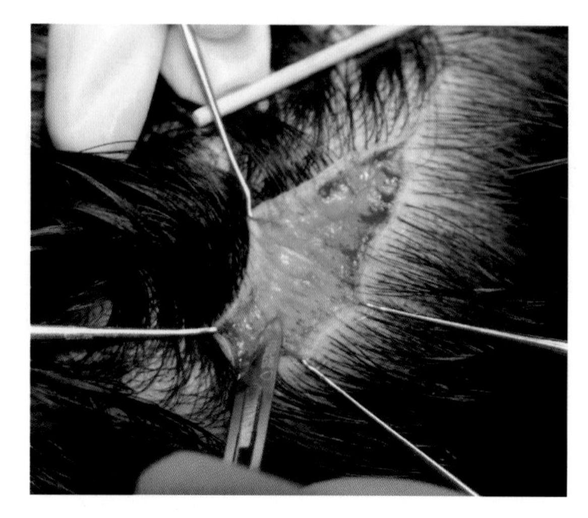

그림 4 Pathomvanich's open technique

네 개의 skin hook을 사용하여 모낭을 직접 확인해 가면서 절개함으로써 모낭의 절단(transection)을 피할 수 있다(**그림 4**).

2) Spreader technique

15번 blade를 사용하여 donor strip의 design을 따라 2 mm 내외로 scoring incision을 시행한다. 이후 Haber spreader를 이용하여 공여부 피판을 박리한다. 경계면의 조직 손상을 최소화하면서 박리가 가능하고 동시에 상, 하 양쪽으로 피하층 박리도 자동적으로 되므로 봉합할 때 공여부 조직에 가해지는 긴장(tension)을 감소시킨다(**그림 5, 6**).

5. 공여부 흉터를 적게 남기기 위한 방법들 (Minimizing donor scar)

아시아인은 일반적으로 검은색의 직모, 중간 톤의 두꺼운 피부, 멜라닌세포가 많은 것이 특징이다. 과다

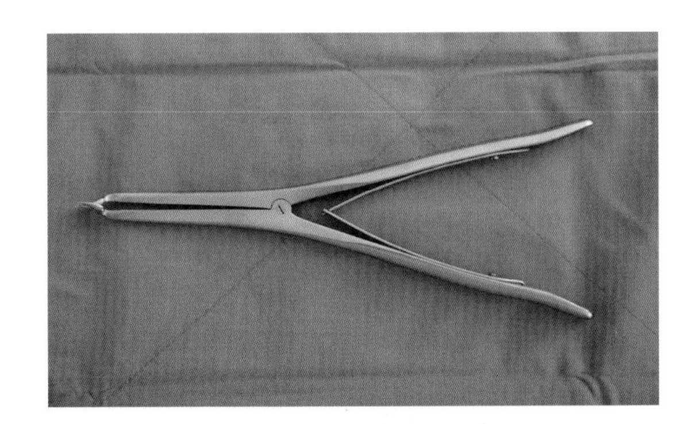

그림5 Haber spreader

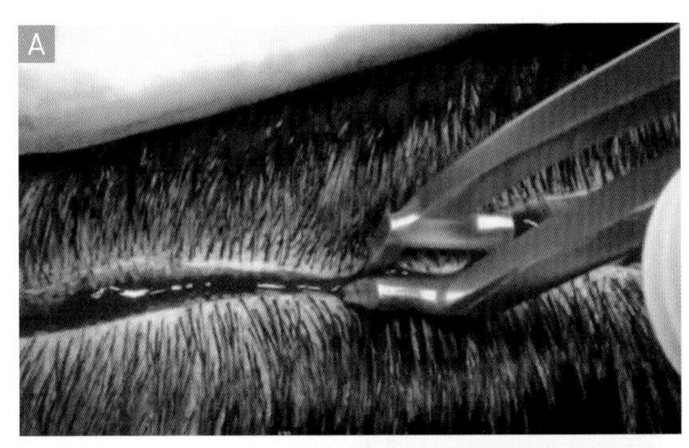

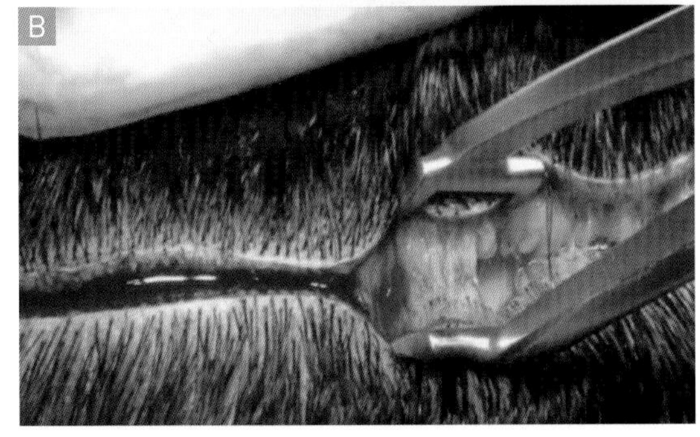

그림6 Strip dissection using Haber spreader along the scoring incision

한 섬유세포 및 콜라겐 분비 등으로 인해 아시아인의 피부는 흉터가 잘 생기므로 trichophytic 봉합의 필요성은 매우 높다고 할 수 있다. 일부에서는 trichophytic 봉합술을 시행하여도 추가적인 이득이 없다는 반론도 있지만, 필자가 trichophytic 봉합으로 4년간 400예가 넘는 시술을 시행한 결과, 수술 후 약 1년 이상이 경과하였을 시점에 공여부 흉터가 많이 감소하는 결과를

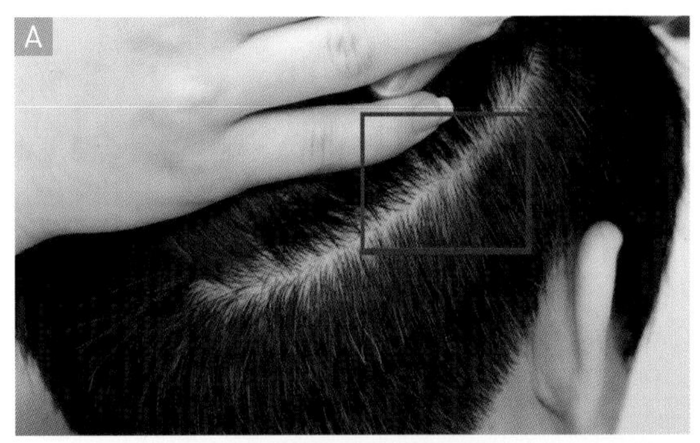

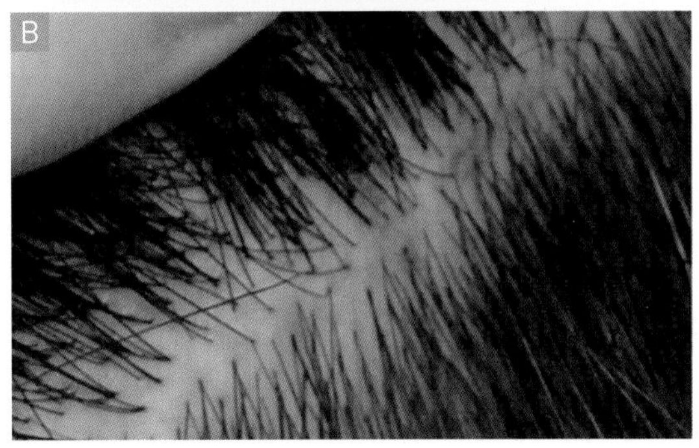

그림7 필자에게 약 3000 모낭단위 이식 수술을 받은 환자의 trichophytic 봉합 1년 후 공여부 흉터사진. (B)는 흉터 우측 끝 부분 사각형 부위를 4 배 확대한 사진으로, 흉을 뚫고 나온 trichophytic 모발로 인해 공여부 수술 흉터가 위장(camouflage)되여 육안 배율인 좌측사진에서는 명확히 보이지 않는다. (B)의 파란 선은 공여부 옆 정상 두피(vergin scalp)이다.

확인하였다**(그림 7)**.

1) Trichophytic 봉합술

필자의 보다 쉽고 빠른 trichophytic 봉합술을 위하여, 매우 얇은 trichophytic 띠(strip)를 벗길 수 있는 기구 제작을 간단히 소개하고자 한다. Autoclave 소독이 가능한 티타늄으로 만든 PVC 파이프 절단기를 사용하여 5 cc 주사기의 목 부위를 절단하여 손잡이로 사용할 수 있도록 하였다. 그리고, 면도날을 반으로 접어 자른 후 굽어진 상태에서 목을 잘라낸 주사기 안으로 밀어 넣은 후 주사기의 안쪽 벽에 고정시킨다**(그림 8)**.

Trichophytic 띠 벗기기를 할 때, skin hook을 사용하여 피부를 끌어 잡아당기는데, 이 때 조수(assist)

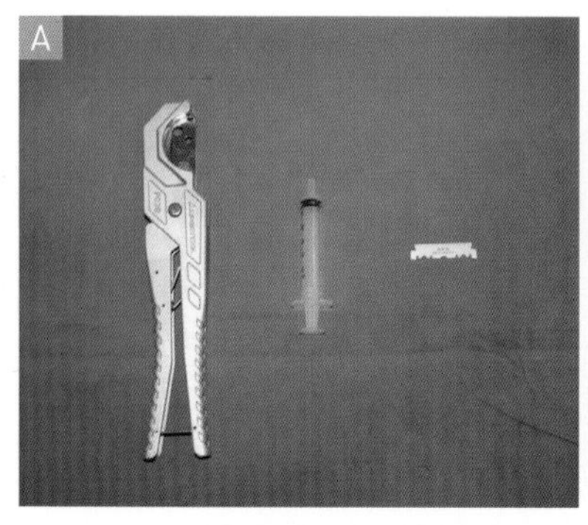

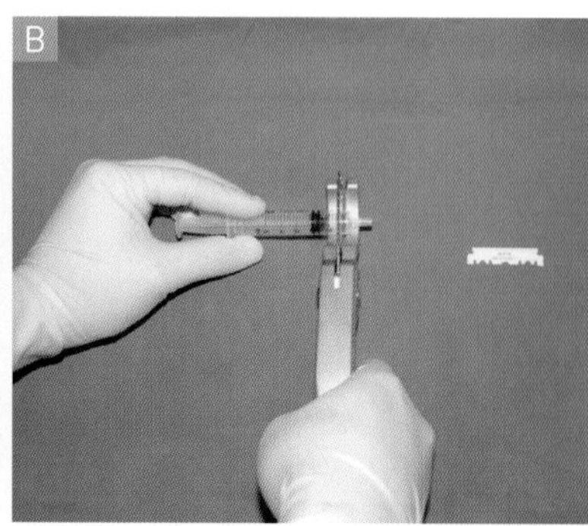

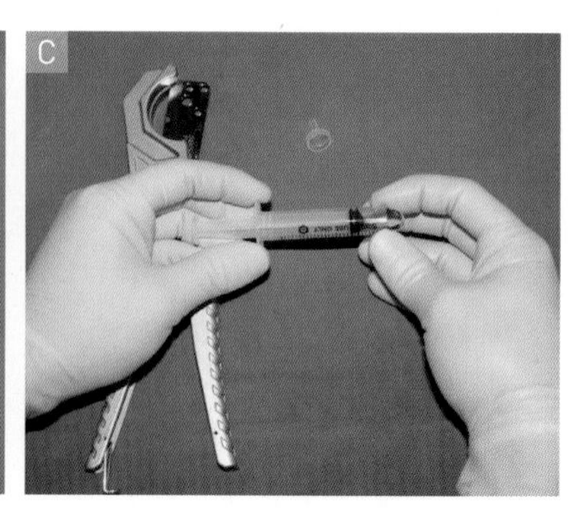

그림8 고압증기 멸균소독이 가능한 파이프 절단기와 trichophytic strip 절제 도구 제작과정, 면도날을 반으로 잘라 목을 잘라낸 주사기 안으로 밀어 넣은 후 주사기의 안쪽 벽에 고정한다.

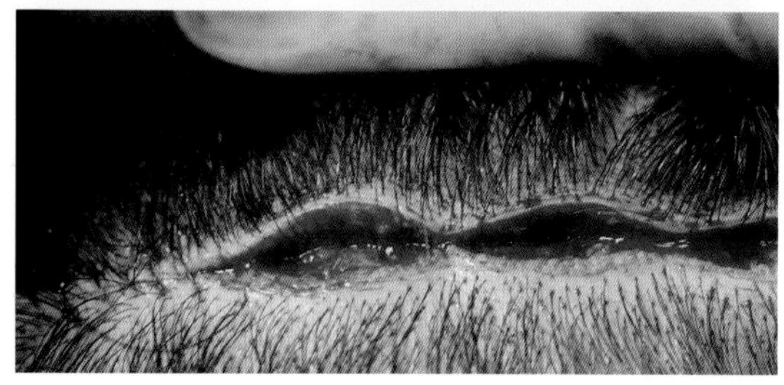

그림 9 필자가 시행하는 trichophytic 봉합술에는 만족스러운 결과를 위한 조건이 있는데, 그것은 바이크릴 4-0으로 진피 및 피하지방 전 층을 포함하는 봉합을 일차 시행한 후 나일론 4-0을 이용한 피부 봉합 즉 이중 봉합을 하는 것이다. Trichophytic 봉합 시에는 이전의 전통적인 봉합술에 비하여 봉합사이의 간격을 2-3 mm로 좁혀 봉합한다. 봉합할 때에는 공여부 상처 윗면과 표피를 절단한 공여부 상처 아랫면의 경계가 잘 맞았는지 계속 확인하면서 봉합한다.

도 skin hook을 반대방향으로 당기도록 한다. Trichophytic 띠를 벗길 부위에 장력(tension)을 줘야 더 얇은 trichophytic 띠를 확실히 벗길 수 있기 때문에 필자는 공여부 상처의 아래 부위 경계 에서 skin hook를 이용하여 잡아당기는 구간을 3-4부위로 나눈. 이렇게 장력(tension)을 주면서 trichophytic 도구를 이용하면, 얇게 strip을 벗겨서 공여부 조직의 추가 손상을 줄일 수 있다. 또한, 필자는 trichophytic 띠를 벗겨낼 때 깊이를 0.5 mm 이내로 유지하여 피지샘을 자르지 않고 보존하여 피지의 배액이 차단되는 것을 막아서 심각한 염증, 농포, 낭포 등의 trichophytic 봉합술 후 생길 수 있는 문제를 예방할 수 있었다**(그림 9)**.

2) 비대칭 진피-진피하 봉합술(Asymetric dermal-subdermal suture)

공여부 흉터를 최소화하기 위해 이중봉합법을 사용하는데 진피를 포함한 피하지방의 봉합 시 공여부 상처의 아래쪽과 위쪽의 바늘이 삽입되는 깊이를 달리 함으로써 마치 단층을 이루는 듯한 엇갈린 피하조직 봉합을 의도적으로 시행한다**(그림 10)**. 이는 위쪽 경계면을 아래쪽보다 약 2 mm 정도 높여주게 되어 그만큼의 여유로운 피부조직을 확보하게 되어 상피조직이 당겨지는 힘(tension)의 근원이 된다고 여겨지는 galea 면의 되돌아가려는 스프링과 같은 장력(stretch-back)을 피하지방 봉합의 매듭(knot)에 고정하는 효과와 더불어, 긴장도가 없는 피부 연속 봉합이 가능하게 되어, trichophytic 봉합술의 결과를 극대화 할 수 있다.

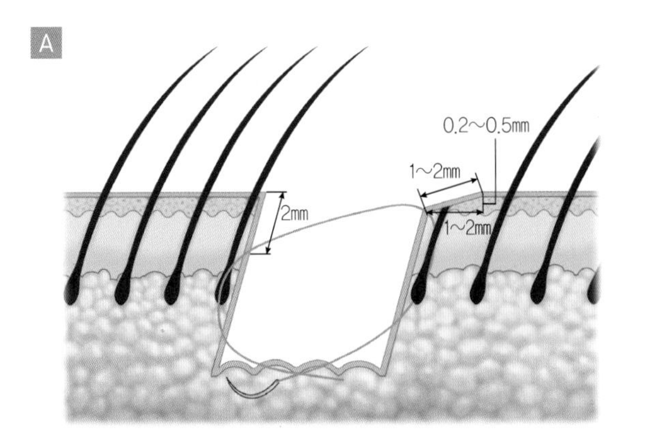

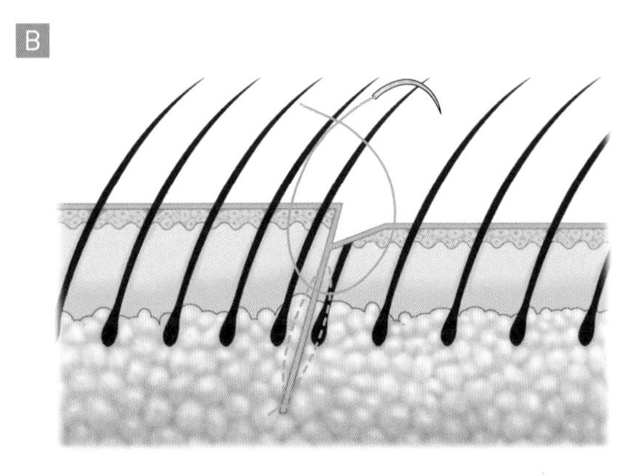

그림10 (좌) 양쪽의 진피를 비대칭적으로 포함하여 공여부의 위, 아래 양 경계 면의 위치를 어긋나게 하는 피하조직 봉합법의 술기. (우) Galea면의 잡아당김을 피하지방 봉합의 매듭(knot)에 잡아두고, 긴장도 없는 상피 봉합술이 가능하여 trichophytic 봉합술의 결과가 증대된다.

참·고·문·헌

1. Bernstain R, Rassman W. Follicular transplantation: patient evaluation and surgical planning, Dermatol Surg 1997;23:771-787
2. Dae-young Kim. Planning off the inferior edge in the Freshet and Rose trichophytic closures, Hair Transplantation Forum International, 2008;18(6):211
3. Frechet. Donor harvesting with invisible scar, Hair Transplantation Forum International, 2005;15(4):119
4. Kim DY. Asymmetric Dermal–Subdermal Suture in Trichophytic Closure for Wide Hair Transplantation Donor Wound, Dermatol Surg 2013;39(7):1124-1127
5. Kim DY. Hair Transplantation 5th edition, Trichophytic Closure in Asians, Informa Healthcare, 2011;284-288
6. Marzola M. Hair Transplantation, Single-scar Harvesting Technique, Elsevier Saunders, 2006;83-87
7. Marzola M. Trichophytic closure of the donor area, Hair Transplantation Forum International, 2005;15(4):113
8. Mohebi P. Laxometer II: instruction to use, Hair Transplantation Forum International, 2014;24(3):114
9. Pathomvanich D. Donor harvesting; a new approach to minimize transection of hair follicles, Dermatol Surg 2000;26:345-348
10. Pathomvanich D. Hair Restoration Surgery in Asians, Donor Harvesting, Springer, 2010;97-140
11. Rose P. "ledge" closure utilizing de-epithelialization of the inferior border, Hair Transplantation Forum International, 2005;15(4):120
12. Unger W, Solish N, Giguere D et al. Delineating the "safe" donor area for hair transplanting, Am J Cosm Surg 1994;11:239-243

펀치채취술

FUE

박재현

1. 역사 및 개요

편치채취술(Follicular unit extraction, FUE)은 직경 0.8-1.2 mm의 펀치를 이용하여 단일모낭단위(individual follicular unit)로 이식편(graft)을 채취하는 방법을 말한다.

1990년대 후반 호주의 Dr. Woods가 처음 시행했다고 알려져 있으며, 2002년 미국의 Rassman 등이 "FOX ProcedureTM", "FUE: Follicular Unit Extraction"으로 명명한 펀치채취술 시술법을 발표하면서 널리 알려지게 되었다.

그 이후 전 세계적으로 점점 펀치채취술이 시행되는 비중이 높아지면서 최근에는 전 세계적으로 시행되는 모발이식 수술의 약 30%에 이를 정도가 되었다. 2011년에는 미국의 Restoration Robotics사에서 개발한 ARTAS라는 펀치채취술 로봇이 미국 식약청(FDA)의 승인을 받았고 2012년에는 한국식약처(KFDA)의 승인을 받아 보급되고 있기도 하다.

펀치채취술은 덜 침습적이며, 선상의 공여부 절개 흉터를 남기지 않아 흉터가 덜 눈에 띄고, 수술 후 통증이 적고, 회복이 빠르다는 장점이 있다. 반면에 펀치를 이용해 채취를 하기 위해서는 전체적으로 삭발을 짧게 해야 한다는 점 등이 단점으로 꼽힌다. 최근에는 삭발을 해야 하는 단점을 보완한 무삭발 펀치채취술(non-Shaven FUE)등이 관심을 받고 있다.

2. 펀치채취술(FUE)의 장단점 및 절편채취술(FUSS)과의 비교

1) 장점

- 후두부 공여부에 선상의 절개 흉터가 남지 않음
- 통증이 거의 없거나 적음
- 후두부 두피탄력이 떨어지는 경우에도 시행이 가능함
- 체모이식(body hair graft)이나 잘못이식되거나 원치않는 이식모의 제거에 적용 가능함

2) 단점

- 수술시간이 오래걸림
- 상대적으로 고가의 수술비
- 공여부 삭발로 인한 사회생활 및 일상 복귀의 제약

표 1 편치채취술과 절편채취술의 장단점 비교

	펀치채취술(FUE)	절편채취술(FUSS)	비고
공여부 흉터	작은 점 형태로 분산되어 잘 보이지 않음	가늘고 긴 선상의 흉터	
수술 후 가능한 뒷머리 길이	스포츠 형태의 짧은 머리스타일도 가능	뒷머리 길이가 최소 1 cm 이상은 되어야 함	
수술 후 통증	거의 없음	두피탄력에 따라 1–2일간 통증 있을 수 있음	
삭발	필요	불필요	무삭발 펀치채취술은 예외로 함
체모이식	가능	불가능	
수술시간	상대적으로 수술시간이 오래걸림	상대적으로 수술 시간 짧음	
수술비용	상대적으로 고비용	상대적으로 저비용	
습득기간(Learning Curve)	상대적으로 오래걸림	상대적으로 짧게 걸림	

(무삭발 방식의 경우는 예외로 함)

- 모발이 매우 짧게 채취되므로(약 1 mm) 모발의 curl을 보기 어려움
- 절편채취술(FUSS)에 비해 얇게 모낭주변 조직이 채취되므로 생착률 저하의 우려

3. 펀치채취술의 적응증 및 금기증

1) 펀치채취술의 적응증

- 선상의 후두부 흉터를 원하지 않는 경우
- 탈모진행이 많이 되어 대량이식이 필요한 경우(절편채취술과 병용하여 동시에 시행도 가능)
- 선천적으로 또는 기존의 여러 차례의 절편채취술 시행으로 인해 후두부 두피탄력이 매우 낮아서 절편채취술 시행이 어려운 경우
- 잘못 이식되었거나 원치 않는 위치나 방향으로 이식된 모낭의 제거
- 체모이식

2) 펀치채취술의 절대 금기증

- 공여부 삭발이 불가능한 경우(무삭발 펀치 채취술은 예외임)
- 수술효과에 대한 기대가 비정상적으로 큰 경우
- 신체이형질환(body dysmorphic disorder, BDD)

3) 펀치채취술의 상대적 금기증

- 후두부 공여부 모발이 매우 얇은 경우
- 백발에 가깝도록 흰머리가 매우 많은 경우

4. 펀치채취술에 필요한 모낭 해부학(Follicular Anatomy applied to FUE Technique)

1) 모낭단위(Follicular Unit)

펀치채취술을 이해하기 위해서는 먼저 모낭단위(follicular unit)에 대한 이해가 필요하다. 펀치채취술은

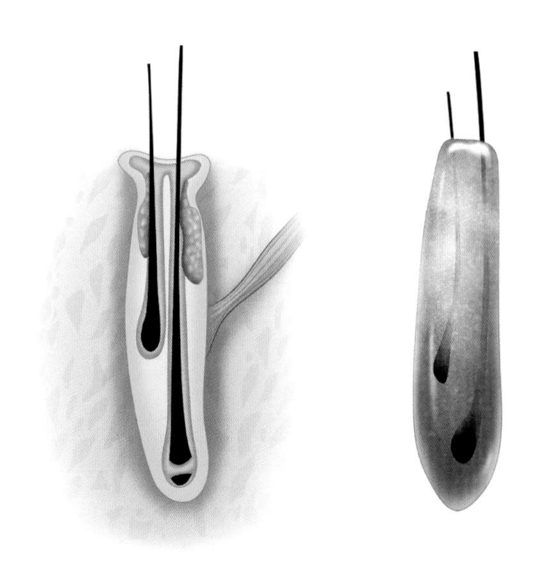

그림 1 모낭단위

모낭단위로 채취하는 follicular unit extraction (FUE)으로 흔히 불리우고 이해가 되고 있다. 모낭단위는 1984년 Headington에 의해 제시된 조직학적인 용어이며, 모낭단위는

- 1개에서 4개까지의 머리카락(terminal hair)
- 피지선(sebaceous gland)
- 모립근(errector pilli muscle)
- 모낭주변 혈관조직과 신경조직
- 모낭주변조직

으로 이루어진 조직단위를 일컫는 조직학적인 용어이다. 하지만 1회의 펀칭당 반드시 1개의 모낭단위가 채취되어 이식되는 것은 아니다. 따라서 최근에는 FIT (Follicular Isolation Technique), 또는 FUSE (Follicular Seperation Extraction)등의 다른 용어가 더 적절하다는 의견도 있다. 하지만 오랜기간 FUE로 전 세계적으로 명명이 되어왔으므로 대부분 FUE로 부르고 있으며, 2015년 대한모발이식학회에서 이를 '펀치채취술'로 공식적인 한글 명칭을 정한바 있다**(그림 1)**.

2) 모발의 특성

서양인의 평균 모발 두께는 약 50-60 micron 정도이다. 70 micron이 넘으면 매우 두꺼운 모발이라 한다. 하지만 한국인을 포함한 동아시아인의 평균적인 모발 두께는 대부분 70 micron이 넘는다. 일반적으로 얇은 모발은 모낭추출(extraction) 시에 굵은 모발보다 더 섬세하고 조심스럽게 다루지 않으면 모두분리(Capping : 모낭추출시에 펀칭된 부위의 표피만 나오고 실제 모낭은 추출되지 못하는 현상)현상이 일어나기 쉽다. 반면 굵은 모발은 일반적으로 모낭이 더 깊고 길며, 모낭도 더 두꺼워서 모낭절단율(transection rate, TR)이 올라가기 더 쉬워 주의를 요한다.

일반적으로 모발의 두께와 모낭의 두께가 비례하므로 모발이 두꺼울수록 더 직경이 큰 펀치를 사용해야 한다. Lorenzo는 0.75, 0.80, 0.85, 0.90 mm 외경을 가지는 펀치를 모발의 두께에 따라 사용한다고 하였다. 하지만 동아시아인의 모발의 경우 모발이 두꺼운 사람은 80-90 micron을 넘는 경우도 많아 1.0 mm 펀치가 가장 많이 사용되고 있다. 수술 케이스에 따라, 의사의 선호도에 따라 0.80, 0.90, 1.0, 1.1 mm 직경의 펀치가 흔히 사용된다.

모발의 색깔도 영향을 미칠 수 있다. 흰머리가 많은 경우 밝은 색의 두피와 대조되어 눈에 띄지 않으므로 수술 2-3일전 미리 꼼꼼하게 짙은색으로 염색을 하도록 하는 것이 좋다.

일반적으로 곱슬이 심할수록 모낭도 구부러져 있게 되어 모낭절단율이 상승할 수 있다.

3) 피부의 특성

피부의 특성도 결과에 영향을 미친다. 피부가 질기고 빽빽한(rubbery skin) 경우 펀치시에 축방향력(axial force)과 접선력(tangential force), 피부마찰력이 더 크

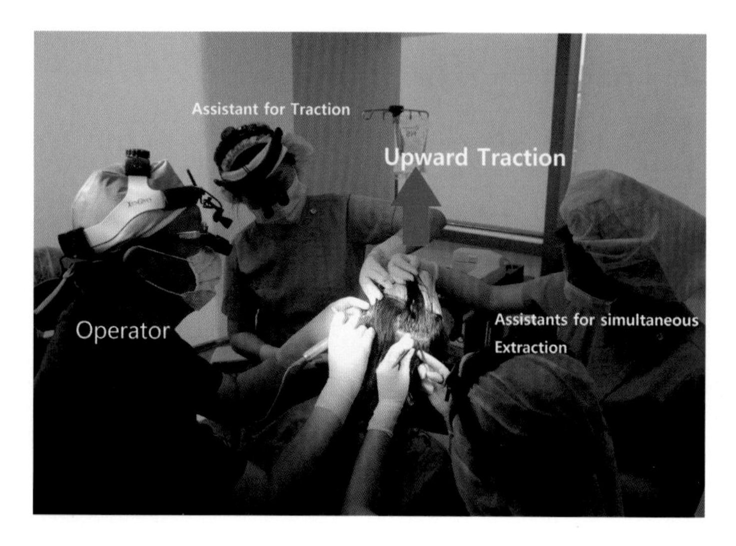

그림 2 상방견인

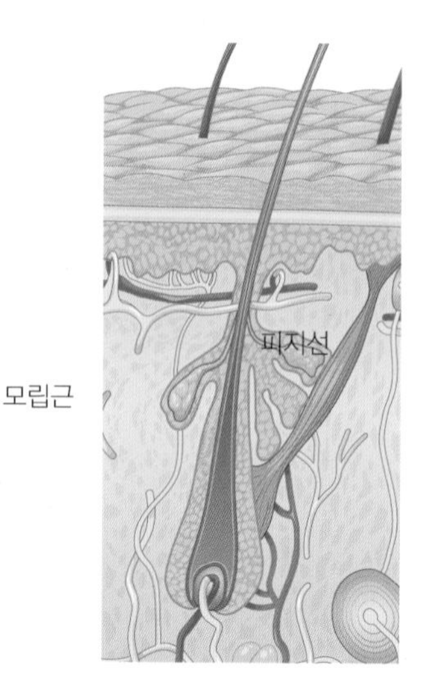

그림 3 모발의 접착(adherence)에는 피지선과 모립근이 중요한 역할을 한다.

고, 펀치날이 빨리 무뎌진다. 이러한 경우 펀치날의 회전속도(RPM)를 올리는 것이 도움이 되기도 한다.

4) 펀치 삽입 각도와 방향

펀칭을 가하는 깊이가 깊을수록, 각도가 더 예각일수록 연조직 손상도 더 많고, 채취도 어려워진다. 국소팽창마취용액(tumescence)을 주사하거나 위쪽으로 후두부 두피를 약간 견인(traction)해 주는 것이 모낭을 더 둔각으로 세워주는데 도움이 되기도 한다**(그림 2)**.

5) 모낭의 접착력(Follicular adhesion)

모낭을 추출하게 될 때 가장 중요한 요소가 된다. 펀치채취술에 의해 모낭을 추출할 때 모낭을 피지선이나 주변 조직과 결합하여 지지하고 있는 주요 구조물(anchoring system of hair unit)을 파악하고 이를 절단하여 주면 모낭추출이 쉽게 이루어진다.

모낭에 결합하여 지지하고 있는 가장 중요한 구조는 피지선(sebaceous gland)이며, 다음으로는 모립근(errector pilli muscle)이다**(그림 3)**.

따라서 피지선의 하방 깊이정도까지 펀칭이 이루어지면 쉽게 모낭의 추출이 가능하다. 일반적으로 모발의 생리주기(physiologic cycle)에 피지선이 중요한 역할을 하지만, 모낭상층부 일부 피지선의 절단의 경우 모발의 생착유무에 결정적인 역할을 하지는 않는 것으로 일반적으로 알려져 있다.

이 깊이보다 더 깊어지면 모낭절단율이 올라갈 수 있고 모낭의 생착에 결정적인 역할을 하는 구조가 하층에는 없어서 모립근 위치 하방까지 깊이 펀치하는 것은 불필요하다는 것이 일반적인 견해이다.

하지만, 모낭을 성공적으로 추출하기 위한 펀칭의 깊이에 대해서는 수술자에 따라, 혹은 숙련도나 펀칭 방식에 따른 이견이 있다. 하지만, 가장 일반적으로 받아들여지고 있는 견해는 피지선 하방의 모립근을 분리시키는 깊이까지가 가장 좋다는 것이다.

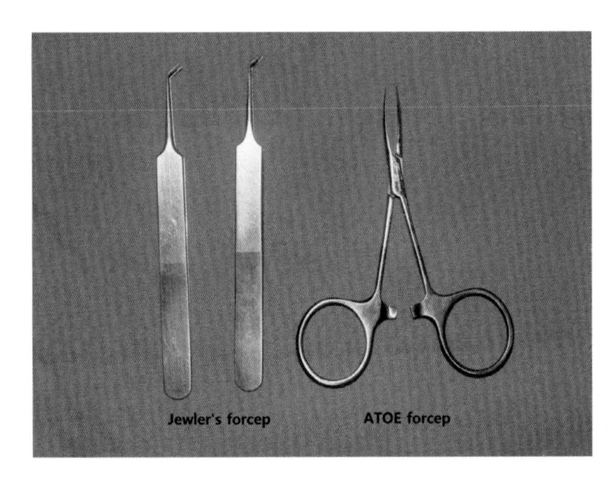

그림 4 모낭 추출에 사용되는 ATOE 포셉과 jewler's 포셉

5. 펀치채취술에 필요한 장비(Instruments required for FUE technique)

1) 펀치

펀치채취술에 사용되는 펀치는 회전방식에 따라 크게 수동식펀치(manual punch)와 전동식펀치(motorized punch)로 나눌 수 있다. 펀치날의 종류에 따라서는 크게 날카로운 펀치(sharp punch)와 뭉툭한 펀치(blunt punch)로 나눌 수 있다. 전 세계적으로 다양한 형태의 제품군들이 소개되고 있으며 각자에 맞는 펀치를 사용하는 것이 가장 좋을 것이다.

대표적인 날카로운 펀치로는 Dr. Cole의 PCID와 Folligraft (Lead M Corporation, Korea), Neograft 등이 있고 뭉툭한 펀치로는 Dr. Harris의 SAFE System이 대표적이다.

또한 2011년 미국 FDA승인을 받은 펀치채취술 로봇인 ARTASTM도 있다. 아타스 로봇은 DR. Harris의 SAFE System을 기반으로 한 펀치채취술 모발이식용 로봇으로써 펀칭만 로봇이 하며, 추출 및 이식은 의료진이 직접 해야 한다.

2) 추출기구(Extraction device)

펀칭된 모낭을 추출하는 방식은 크게 일반적인 포셉을 이용한 방식과 아토포셉(ATOE forcep)을 이용한 방식으로 나눌 수 있다.

포셉을 이용한 방식은 술자에 따라 다양한 변형이 존재한다(**그림 4**).

6. 시술과정(FUE Procedure)

1) 공여부 삭발(Shaving)

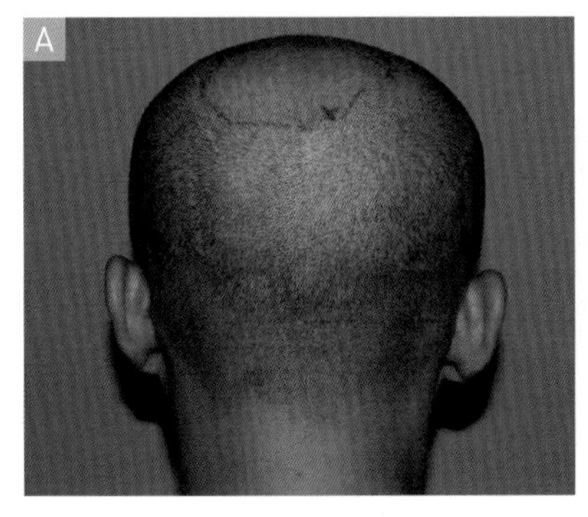

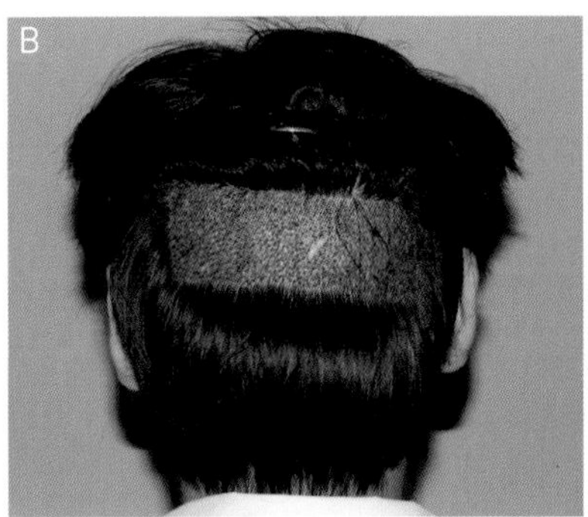

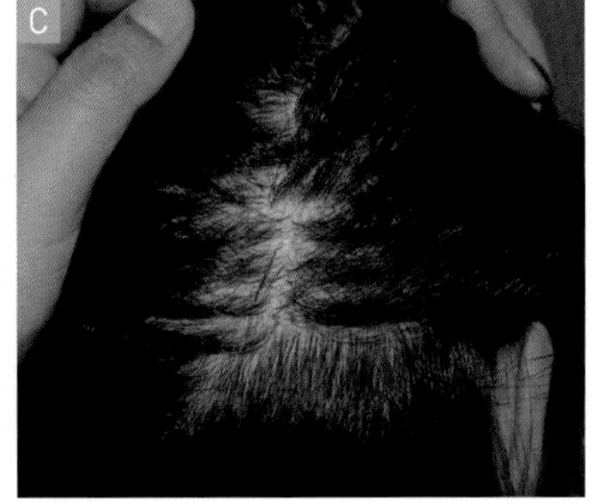

그림 5 다양한 삭발 방식들
A. 전체 삭발, B. 부분 삭발, C. 줄 삭발 : 줄 삭발 방식은 400-600모낭 이상 채취 시에 여러개의 절개 흉터처럼 보일 수 있다.

펀치채취술 시 대부분 공여부의 삭발을 요한다.

삭발 패턴에 따라 전체삭발, 부분삭발, 줄삭발, 무삭발로 구분할 수 있다(그림 5).

(1) 전체삭발(Total Shaving)

펀치채취술의 가장 큰 장점 중 하나는 많은 채취모낭을 무작위로(random) 넓은 공여부에 분산시킨다는 점이다. 따라서 환자가 삭발을 할 수 있다면 전체삭발 후 수술을 하는 것이 가장 좋다.

(2) 부분삭발(Partial Shaving)

일정부분을 삭발하고 그 윗부분의 머리로 덮어서 가리는 방법이다. 특정 부위의 밀도가 집중적으로 저하될 수 있음에 유의해야 한다.

(3) 줄삭발(Micro-strip shaving)

줄삭발 혹은 띠삭발로 불린다. 1-3줄 가량의 모발을 여러개의 줄 형태로 삭발하는 것을 말한다. 아주 소량의 채취에서는 문제가 되지 않으나 400-500모낭 이상 채취하게 되면 여러개의 선상의 절개흉터처럼 보일 수 있어 바람직하지 않은 방법으로 최근에는 잘 시행되지 않는 방법이다.

(4) 무삭발 펀치채취술(Non-Shaven FUE)

전혀 삭발을 하지 않은채로 펀치채취술이 진행된다. 시행방법에 따라 크게 두 가지의 패턴으로 구분이 가능하다.

(a) Pre-trimming (2-STEP 방식)

이 방식은 엄밀히 말하자면 무삭발 펀치채취술이 아니라고 할 수도 있다. 펀치를 할 모발을 수술전에 미리 선택적으로 컷트를 해두고 컷트 되어있는 모낭을 펀치하는 방식이다.

(b) 다이렉트 방식(Direct Non-shaven FUE, 1-STEP)

회전하는 펀치를 이용해서 모발의 컷트와 펀치를 동시에 수행하는 방식이다.

2) 환자의 자세

펀치채취술 시 펀칭을 시행하는 환자의 자세는 엎드린 자세와 앉은 자세의 두 가지로 나눌 수 있다. 수술자의 선호도와 숙련도에 따라 익숙한 방법으로 시행하면 된다.

(1) 엎드린 자세(Prone position)

환자의 머리를 고정되고 안정되게 유지할 수 있지만 장시간 엎드리는 경우 환자가 힘들어 할 수 있으며 측두부(temporal area)의 펀칭시에는 환자의 어깨에 펀치가 걸려서 불편할 수 있다.

(2) 앉은 자세(Sitting Position)

펀칭시에 중심점잡기(centering, Bull's Eye)가 더 수월하다는 장점이 있다. 무삭발 펀치채취술에 더 유리한 점이 있다.

3) 모낭 펀칭 및 추출 과정

(1) 목표 모낭 설정(Targeting)

특수한 경우가 아니면 대부분 2모, 3모 이상의 다모낭단위(multi-F.U.)를 주로 타겟으로 펀칭하여 모낭획득율을 높이도록 노력한다. 모낭절단율을 낮게 유지하면서 최대한 이식편당 온전모낭채취율(Calculated follicles per graft achieved)을 높게 얻기 위해 모낭이 벌어진 경우(splay), 너무 인접한 두 모낭을 한꺼번에 펀치하는 경우 등은 피하도록 목표 모낭을 설정해야 한다.

(2) 펀칭(Punching)

모발이 얇고, 모낭이 얕게 위치하면서 피부가 매우 부드러운 서양인의 경우 동양인에 비해 더 얕은 깊이

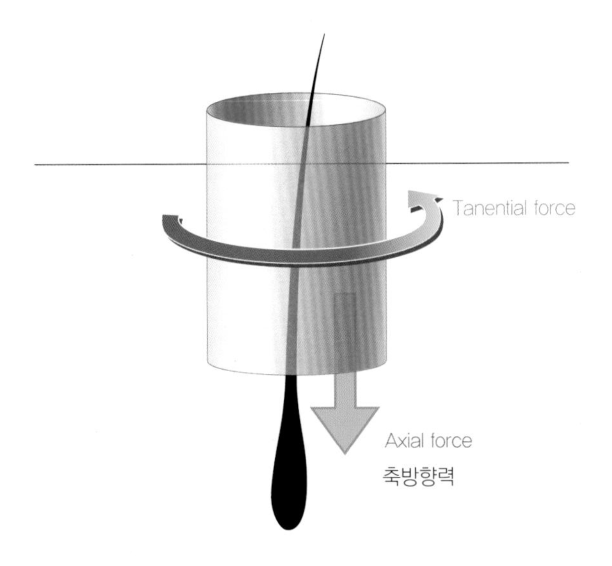

그림 6 축방향력과 접선력, 모낭 뒤틀림은 모낭절단율을 증가시키는 원인이 된다.

의 펀칭으로도 모낭을 쉽게 추출할 수 있다. 하지만 동양인의 경우 더 큰 직경의 펀치로 더 깊은 깊이로 펀칭을 해야 한다.

(a) 펀치

기본적으로 모발의 두께에 따라 다른 직경의 펀치를 필요로 한다. 펀치날은 무뎌졌다고 느껴지면 지체없이 교체하도록 한다. 끝이 무뎌지면 축방향력(axial force)이 증가하고 모낭의 뒤틀림(graft distorsion)이 증가하여 모낭절단율을 증가시키는 원인이 된다(**그림 6**).

(b) 각도

모발이 두피와 이루는 각도를 정확히 파악하는 것이 중요하다. 반드시 고배율 확대경(Highly magnifying loupe)을 착용해야 한다. 모발의 발모 각도는 대체적으로 측두부 및 후두부에서 아래쪽으로 갈수록 더 예각을 이룬다. 특히 뒤통수융기(occipital protuberance) 하방에서는 훨씬 더 예각으로 바뀌므로 주의해야 한다. 발모각도는 부위별로 모두 같은 각도를 보이는 것이 아니라 각 모발마다 다 다르므로 각 펀치마다 조금씩 다르게 적용해야 한다.

모발을 더 둔각으로 세우게 되면 펀치가 피부를 절개하는 면적도 더 작아지게 되고, 모낭손상도 더 줄일 수 있어 장점이 있다. 그렇게 하기 위해 국소침윤마취(tumescence)를 사용하거나 상방향으로 두피를 약간 견인(traction)해주는 방법을 사용하기도 한다.

(c) 펀칭 깊이

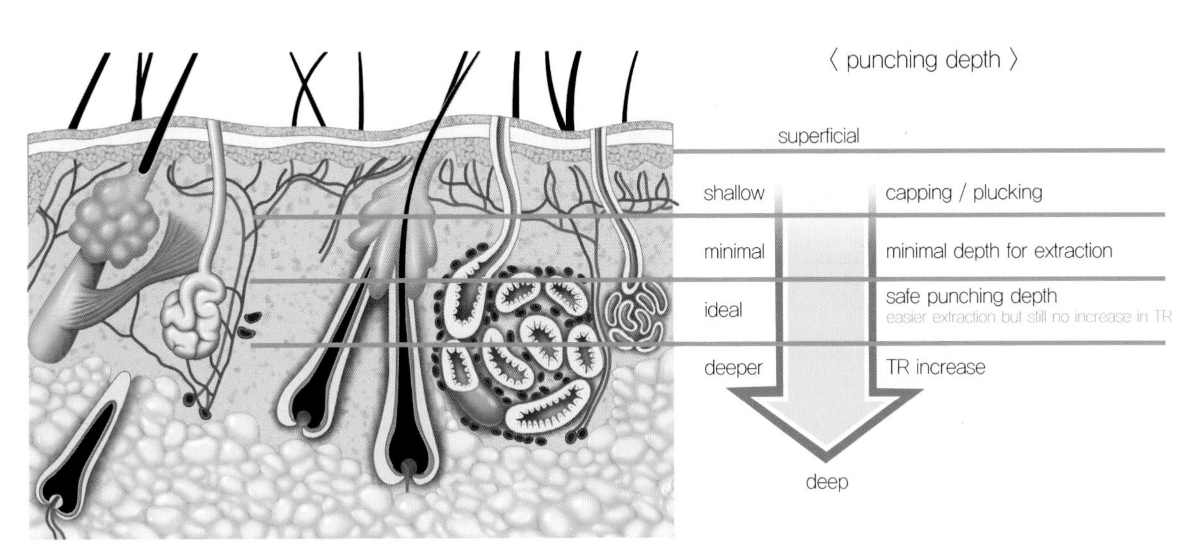

그림 7 이상적인 펀칭 깊이

기본적으로 펀칭깊이는 모낭의 접착구조물(follicular adherence structure)의 위치에 따라 결정된다. 앞에서도 설명한 바와 같이 모낭을 주변 조직에 단단히 연결해주고 지지하고 있는 접착구조물은 피지선이 가장 중요한 역할을 하고 있다. 따라서 피지선 하방 깊이정도가 펀칭깊이의 기본적인 목표가 된다.

이보다 더 깊이 펀칭을 하면 모낭손상율은 점점 더 상승할 수 밖에 없다. 반면에 너무 얕게 펀칭이 이루어지면 모두분리(capping) 현상이 일어나 모낭을 성공적으로 추출할 수 없게 된다.

수술자의 숙련도, 경험, 선호도 및 펀치의 종류 등에 따라 펀칭깊이를 다르게 한다. Dr. Cole은 모낭의 추출이 가능한 가장 최소한의 깊이만 펀칭해야 한다고 한다. 반면 Dr. Harris의 SAFE system은 이보다 훨씬 더 깊이 4 mm 깊이로 펀칭하도록 고안되어져 있다.

필자는 모낭추출이 가능한 가장 최소한의 깊이보다는 약간 더 깊으면서 모낭손상률이 증가하지 않는 깊이까지 펀칭하는 것이 더 유리하다고 생각한다. 모낭 추출이 더 쉽고, 모낭 추출 시 모낭 손상도 더 적기 때문이다. 이를 "Safe Punching Depth"라고 한다. 이보다 더 깊어지면 모낭 손상이 증가하게 된다(unsafe punching depth). 안전한 펀칭 깊이(safe punching depth)는 부위별, 환자별, 의사의 숙련도별로 다 다르다(**그림 7**).

부위별로, 모낭별로 모낭추출이 되는 깊이는 다 다르다. 따라서 수술 중 모낭추출을 수술자가 직접 해보면서 모낭손상유무, 모낭손상방향, 깊이, 추출여부, 모낭추출시 저항의 정도 등을 확인하고 느껴야 한다. 특히 한 부위의 펀칭을 마치고 다른 부위로 이동 시에는 반드시 직접 모낭추출을 3-5개 정도 해보고 확인하는 것이 좋다.

(3) 중앙점 잡기(Centering)

펀치채취술은 기본적으로 두피하방의 모낭을 보지 않고 두피밖의 모발이 발모되는 각도와 방향만으로 시행하는 수술이다(blind procedure).

따라서 항상 펀치의 정중앙에 모발이 오도록 영점 조절을 잘 하는 것이 매우 중요하다(centering, Bull's eye).

하지만 숙련도가 쌓이게 되면 일부러 중앙점 잡기를 약간 어긋나게 해야 모낭손상률이 낮아지는 경우도 드물게 있다는 것을 알 수 있다. 예를 들어 낮은 회전속도의 단방향 회전 펀치이면서 피부가 빽빽한 경우(ruberry skin) 처음 펀치가 회전을 시작하면서 피부가 미세하게 회전방향을 따라 밀리게 되는 것을 느낄 수 있다. 이러한 경우 일부러 중앙점을 회전방향의 반대방향으로 약간 옮겨서 잡기도 하고 펀치날의 회전속도를 올리거나 양방향 회전으로 바꾸기도 한다. 이러한 해결책은 수술자의 많은 경험과 노하우를 요한다.

(4) 국소침윤팽창액(Tumescence)

국소침윤팽창액은 수술자나 수술방법에 따라 사용하기도 하고 하지 않기도 한다. Dr. Harris의 SAFE System은 끝이 뭉툭한 펀치를 사용하므로 국소침윤팽창액을 사용하면 오히려 조직의 저항이 증가하여 축방향력(axial force)가 증가하면서 모낭손상이 증가할 수 있다. 날카로운 펀치를 사용하는 의사들의 경우 대체로 국소침윤팽창액을 사용하는 의사가 더 많지만 꼭 사용해야만 하는 것은 아니며, 수술자의 개인적인 선호에 따라 결정하도록 한다.

(5) 펀치날의 회전속도와 회전방향(Rotating Speed, Rotational direction)

펀치날의 회전속도도 매우 중요하다. 낮은 회전속도일 경우 축방향력(axial force)과 접선력(tangential force)이 증가하여 모낭의 뒤틀림이나 펀칭시에 두피조직이 밀리는 현상등이 발생하여 모낭절단율이 증가할 수 있다. 물론 이러한 현상은 두피조직의 타입에 따라 다르다.

일반적으로 두피가 두껍거나 두피탄성력이 매우 크면(hyperelastic) 펀칭 시에 두피 조직이 밀리는 현상이나 모낭 뒤틀림이 증가할 수 있다. 반대로 두피탄성력이 낮고 두피조직이 탄탄하면 이러한 현상이 줄어든다. 최근에는 단방향 회전인 경우 고속회전속도를 선호하는 경향이 있으나 절대적이지는 않으며 수술자의 선호도에 따르는 것이 좋다.

양방향펀치(Oscillating punch)의 경우에는 고속으로 양방향으로 펀치날이 움직이기 어려우므로 저속으로 손끝에 두피와 모낭의 감각을 느끼면서 하는 장점이 있다. 하지만 축방향력이 증가할 수 있으므로 주의해야 한다.

(6) 모낭 추출(Extraction)

모낭이 추출은 크게 두 가지 방식으로 나뉜다. 일반적인 포셉을 이용한 방식과 모낭추출을 위해 특별히 고안된 ATOE 포셉을 이용한 방식이다.

일반적인 포셉을 이용한 방식은 시술자에 따라 많은 변형이 존재한다. 가장 흔한 방식은 2단계 추출법 혹은 3단계 추출법이다.

(a) 포셉을 이용한 추출법

수술자의 개인적인 선호도에 따라 1개의 포셉을 이용하기도 하고 2개의 포셉을 이용하기도 한다. 1개의 포셉만으로 추출하기 위해서는 최소한 4-5 mm 이상 매우 깊게 펀치를 하여 펀칭만으로 모낭을 완전히 주변조직에서 분리시켜야 한다. 이 방법은 모낭추출은 쉬우나 펀칭과정에서 모낭 손상이 증가하는 단점이 있다.

2개의 포셉을 이용하는 방법은 하나의 포셉으로 먼저 표피층을 잡고 가볍게 견인을 하여 피지선 주변을 노출시킨 다음 다른 손에 쥔 두 번째 포셉으로 피지선 혹은 피지선 직하방을 잡아 추출한다.

(b) AT를 이용한 추출법

미국의 Dr. Cole이 모낭추출을 위해 고안한 기구로써 빠르게 많은 수의 모낭을 추출할 수 있는 편리한 기구이다.

4) 모낭 손질 및 보존(Trimming & Graft Preservation)

펀치채취술로 채취된 모낭은 다듬는 과정이 필요없이 바로 이식하기도 하고 모낭의 생존에 불필요한 표피층을 일부 다듬어서 제거하여 이식하기도 한다.

표피층을 일부 다듬는 경우는 주로 식모기 방식을 이용해 이식하는 경우이며, 식모기 이식침안으로 모낭을 삽입하기 용이하게 하기 위해 표피층을 일부 다듬기도 한다.

또한 여성헤어라인교정이나 측면헤어라인부위에 이식을 하는 경우는 예리하게 예각으로 최대한 피부면에 붙여서 이식이 돼야 한다. 하지만 표피층이 온전히 붙어있으면 인접부위에 모낭을 예각으로 이식할 때 걸려서 장애가 되기도 한다. 이러한 경우 일부러 표피를 다듬어서 제거한다음 이식하기도 한다.

채취된 모낭을 적절한 환경에서 보존하는 것은 매우 중요하다(모낭보존 챕터참조).

Limmer 등의 연구에 의하면 모낭 채취 후 2시간까지는 생존율이 약 95%를 보였고, 약 1시간마다 약 1% 정도의 생착율이 하락된다고 하였다. 따라서 모낭의 체외체류시간을 줄이는 노력이 매우 중요하다. 따라서 술자에 따라서는 대량이식인 경우 500-1500모낭 단위로, 혹은 채취 1시간 후 이식을 하고, 다시 채취를 하는 방식 등으로 1회의 수술을 여러 차례의 반복시술 단위로 나누어 여러 차례 채취와 이식을 나누어 하기도 한다.

5) 이식

펀치채취술로 채취된 모낭을 이식하는 방법은 슬

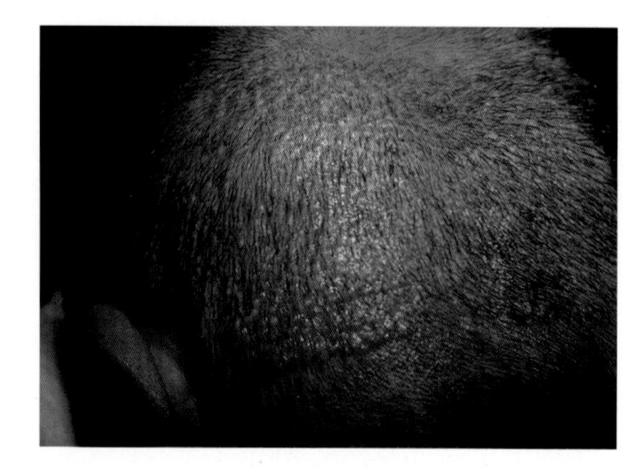
그림 8 공여부 펀치 부위에 발생한 염증

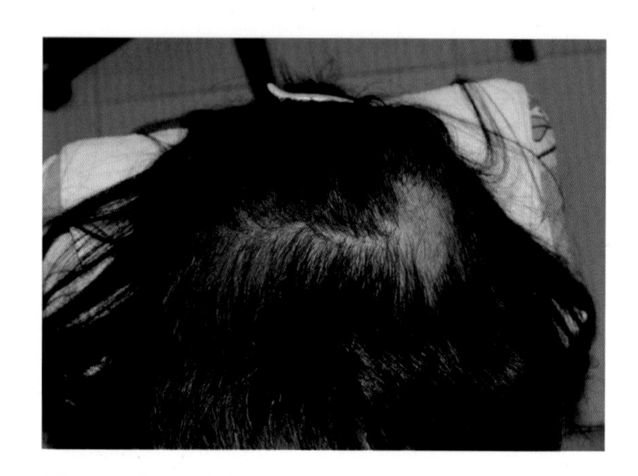
그림 9 공여부 동반탈락

릿(slit)방식이나 식모기(implanter)방식 어느 쪽으로도 가능하다.

7. 펀치채취술의 부작용과 단점

1) 펀치채취술의 부작용

(1) 창상감염, 봉와직염

대개 수술 후 7일 이내에 발생하며, 항생제와 국소 드레싱만으로 대부분 호전된다(**그림 8**).

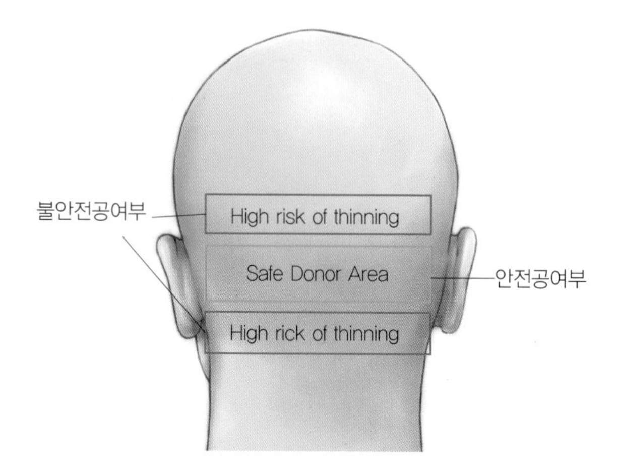

그림 10 안전한 공여부와 불안전한 공여부

(2) 공여부 동반탈락(Telogen effluvium of donor area)

펀치채취술에서는 매우 드물다. 3000모낭 이상의 대량이식이나 펀칭깊이를 깊게, 많이 한 경우 더 잘 발생한다. 대개 수술 후 3-4주 경에 전형적으로 발생하며, 4개월 이내에 저절로 호전된다(**그림 9**).

(3) 흰색반점흉터(White dot scar)

더 큰 직경의 펀치일수록 더 큰 흰색반점의 반흔을 남기는 경향이 있다.

(4) 공여부 고갈(donor depletion)

공여부의 고갈은 탈모환자의 모발이식 수술에서 언제나 가장 중요한 고려사항이다.

(5) 불안전공여부에서의 채취(over harvesting from unsafe zone)

대량이식을 할 때 불안전공여부(unsafe donor area)로부터 모낭을 채취하게 될 가능성이 있다. 불안전공여부로부터 채취된 모발은 추후 이식부위에서 빠질 수 있고, 불안전 공여부까지 탈모가 진행하게 되면 채취

흉터가 노출될 수 있다(**그림 10**).

2) 펀치채취술의 단점

(1) 모낭손상률

논란이 있지만 일반적으로 펀치채취술에 매우 능숙한 의사가 아니라면 절편채취술에 비해 모낭손상률이 더 높을 수 있다.

(2) 모낭주변 조직

일반적으로 모낭주변조직이 더 적게 나오게 된다. 특히 모낭아래쪽의 모구(毛球, hair bulb)주변의 조직이 매우 얇게 채취된다. 이렇게 얇게 채취된 모낭은 그 자체로 더 취약할 뿐 아니라 포셉을 이용해 슬릿삽입 시에는 포셉으로 쥘 조직이 없어 모구손상이 일어날 수 있다. 따라서 능숙하고 빠른 이식과 이상적인 모낭 보존환경이 뒷받침되어야 한다.

(3) 장시간 수술

일반적으로 절편채취술에 비해 수술 시간이 오래 걸린다.

(4) 삭발

무삭발 방식을 제외한 일반적인 펀치채취술은 삭발이 필요하다.

(5) 숙련도

일반적으로 숙련기간(learning curve)이 매우 길다.

8. 동아시아인의 펀치채취술에서 고려할 사항들

동아시아인의 펀치채취술은 아래의 몇 가지의 점에서 매우 어렵고 특별하다.

1) 얼굴형에 따른 디자인

광대가 발달하고 얼굴이 좌우로 넓고 편평한 얼굴형(brachycephalic type face)을 가지고 있다. 따라서 헤어라인 디자인이 서양인과는 많이 다르다.

환자에 따라 다르지만 타원형(oval shape)보다는 편평하고 낮은 헤어라인 디자인을 선호하게 된다. 일반적으로 편평하고 낮은 헤어라인은 타원형 디자인보다 조금 더 많은 양의 모발을 필요로 한다.

또한 Norwood 단계 Ⅱ-Ⅲ 정도의 약간의 전측두후퇴부(엠자부위, frontotemporal recess)가 서양인에게는 자연스러운 모양이다. 하지만, 동아시아인에서는 상당한 M자 형태의 탈모로 인식이 되어 젊은 나이의 남성 탈모 환자들도 모발이식 수술을 받게 되는 중요한 이유 중 하나가 되고 있다.

2) 모발의 특성

모낭이 굵고, 깊고, 모발의 색깔이 검다. 피부는 아시아인중 가장 밝은색깔을 가진다. 따라서 피부와 모발간에 색깔의 대조현상이 가장 크게 나타난다. 그리고 밀도가 매우 낮다. ㎠당 190-200개의 모발을 가지는 서양인에 비해 남성탈모를 가진 동아시아인의 경우 보통 ㎠당 약 120-130개 정도의 모발만을 가지고 있다. 모발숫자만 가지고 보았을때는 약 60% 정도 밖에 되지 않는다.

또한 이식부위에 이식을 하였을때는 서양인의 경우와 비슷한 밀도의 모발이 이식이 되어야 두피투시현상를 막을 수 있다. 즉, 공여부의 모발숫자는 상대적으로 적은데 이식부위에 필요로하는 모발의 숫자는 크게 차이가 나지 않는다.

모낭이 굵으므로 더 큰 직경의 펀치를 필요로 한다. 예를들어 한국인에서는 0.8 mm punch로는 아예 2,3 모낭단위의 모낭 채취가 매우 어려운 경우(특히 남성 환자)가 많다.

3) 두피의 특성

특발성 후두부 섬유증(idiopathic occipital brosis, IOF)이 동양인에서 훨씬 더 많다. 동아시아인의 경우 후두부 공여부의 두피가 훨씬 더 단단하고 피하조직과 모낭과의 결합이 더 강력하며, 혹은 섬유화가 더 심하다. 이로인해 펀치채취술시에 모낭주변조직이 거의 없이 채취되는 경우가 많다. 이는 낮은 모낭생존율로 이어질 수 있다. 결국 이는 궁극적으로 공여부 고갈(donor depletion)로 이어진다.

또한 동양인 중에서는 검은 모발에 가장 밝은 피부색을 가지지만 서양인에 비해서는 상대적으로 짙은 피부색이므로 흰색 점 형태의 펀치채취술 흉터가 더 잘 보인다.

두피탄력도 더 낮아서 절편채취술(FUSS)로 채취 가능한 모발의 개수도 더 적다.

4) 결론

종합하자면 동아시아인의 경우 펀치채취술 채취가 어렵고, 더 적은 공여부 모발을 가지고 있고, 더 많은 양의 모발이 필요하다. 따라서 동아시아인의 경우에는 좀 더 조심스러운 수술적응증의 선택, 약물치료에 대한 강력한 관리, 매우 숙련된 수술 스킬과 수술팀이 꼭 필요하다.

9. 펀치채취술의 안전한 공여부

최근 많은 논란이 되고 있는 부분이다. 펀치채취술은 필연적으로 절편채취술에 비해 더 넓은 공여부를 필요로 한다. Unger나 Cole 등에 따르면 일반적으로 안전한 공여부의 면적은 약 203 ㎠이다. 직경 1 mm의 펀치를 이용할 경우 1 ㎠당 12-15개 이상 펀치를 하기 쉽지 않다. 최대 15개의 펀치를 한다고 가정할 경우 고식적인 안전한 공여부에서 채취 가능한 모낭수는 이론적으로 약 3000모낭 정도가 가능하다. 공여부의 밀도가 낮거나 공여부가 좁은 경우에는 최대로 펀치가 가능한 모낭수는 더 줄어들 것이다.

따라서 대략 2500-3000모낭 이상 펀치를 하는 경우 동아시아인에서는 보수적인 안전한 공여부를 벗어나서 채취를 하게 될 가능성이 높다. 우리는 이 부위를 불안전공여부(unsafe donor area)라고 부른다. 지금은 성장기의 두꺼운 모발이 자라지만 추후 탈모가 진행될

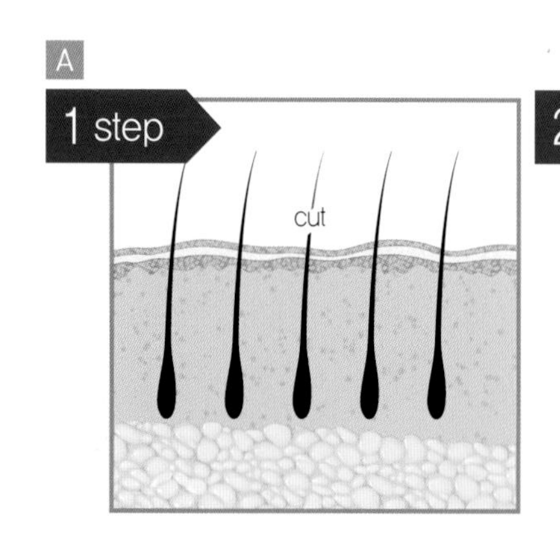

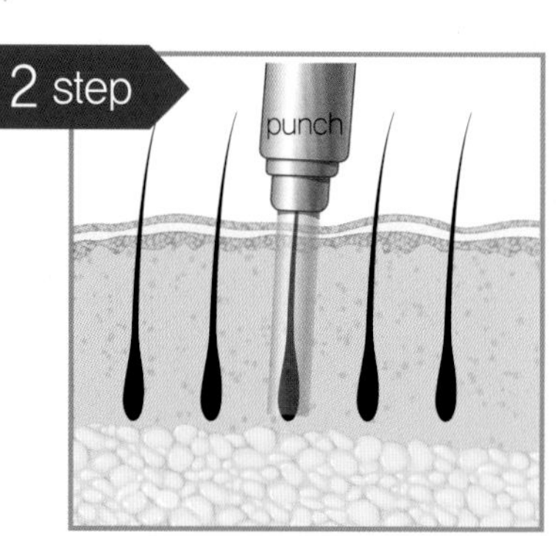

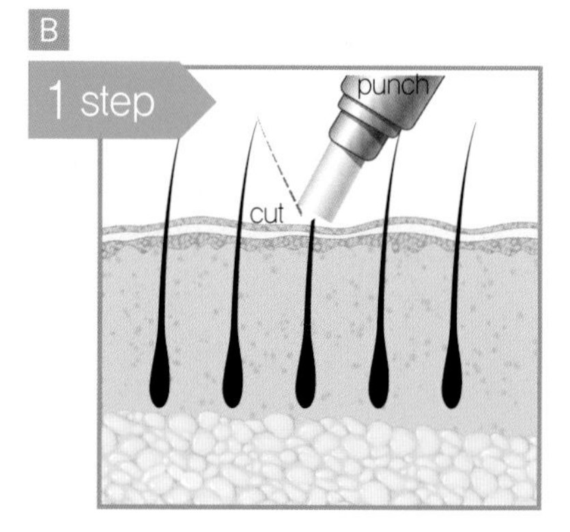

그림 11 미리 다듬는 방식(A)과 다이렉트 무삭발 펀치 채취술(B)

가능성이 있는 부위를 말한다.

이 부위에서 채취된 모발은 추후 탈모가 되어 없어질 가능성이 있고, 추후 탈모가 이 부위까지 진행되게 되면 채취 흉터가 노출될 수 있다는 점에서 불안전공여부에서 채취하는 것은 신중해야 하며, 가급적 피하는 것이 좋다.

10. 무삭발 펀치채취술

펀치채취술은 절편채취술에 비해 장점도 많지만 단점도 가지고 있다. 여러 단점 중 가장 대표적인 것이 공여부 삭발 문제이다. 삭발을 하지 않고 긴 머리카락들 사이에서 목표 모낭을 펀치하고 추출하여 이식하는 것이 무삭발 펀치채취술이다.

여기에는 크게 두 가지 방식이 있다.

1) 미리 다듬는 방식(Pre-Trimming method)

미국의 Dr. Cole로 대표되는 방식이다. 수술 전 공여부에 약속된 구역을 펜으로 미리 그린 다음 각 구역마다 필요한 개수의 모낭만큼을 미리 선별적으로 커트하고, 수술 시에는 미리 커트되어진 모발을 일일이 찾아 펀치하는 방식이다.

(1) 장점

- 다이렉트 방식에 비해 짧은 숙련기간
- 펀치날의 수명이 더 길다.
- 모발의 길이를 조금 더 길게 얻을 수 있다.

(2) 단점

- 수술시간이 오래걸린다.
- 의사와 환자의 피로도가 매우 심하다.

2) 다이렉트 방식

가장 최근에 Park이 발표한 방식이다. 미리 모발을 전혀 컷트하지 않고 펀치를 가하면서 회전하는 펀치날을 이용해서 모발을 커트하면서 펀칭을 동시에 시행하는 방식이다.

(1) 장점

- 수술 속도가 빠르다.
- 의사가 펀칭할 모낭의 선별을 직접 한다.

(2) 단점

- 펀치날이 더 빨리 무뎌질 수 있다.
- 채취된 모발이 조금 더 짧다. 따라서 눈썹이식, 음모 이식 등에서는 주의해야 한다.
- 모발의 발모 각도 파악이 더 어려워 숙련기간이 오래걸린다(**그림 11**).

참·고·문·헌

1. Cole JP. An analysis of follicular punches, mechanics, and dynamics in follicular unit extraction. Facial Plast Surg Clin North Am. 2013 Aug;21(3):437-47.
2. Cole JP. State of the art FUE: Advanced non-shaven technique. Hair Transplant Forum Int'l 2014;24:161-169
3. Dua A, Dua K. Follicular unit extraction hair transplant. J Cutan Aesthet Surg. 2010;3(2):76-81. doi: 10.4103/0974-2077.69015.
4. Harris JA. Follicular unit extraction. Facial Plast Surg Clin North Am. 2013;21(3):375-84
5. Harris JA. New methodology and instrumentation for follicular unit extraction: lower follicle transection rates and expanded patient candidacy. 2006;32:56-62
6. Ors S, Ozkose M, Ors S. Follicular Unit Extraction Hair

Transplantation with Micromotor: Eight Years Experience. Aesthetic Plast Surg. 2015 Aug;39(4):589-96. doi: 10.1007/s00266-015-0494-8. Epub 2015 May 7.

7. Park JH, You SH. Pre-Trimmed Versus Direct Non-Shaven Follicular Unit Extraction. Plast Reconstr Surg Glob Open 2017;5:e1261; doi: 10.1097/GOX.0000000000001261; Published online 16 March 2017
8. Park JH, You SH. Various Types of Minor Trauma to Hair Follicles During Follicular Unit Extraction for Hair Transplantation. Plast Reconstr Surg Glob Open 2017;5:e1260; doi: 10.1097/GOX.0000000000001260; Published online 16 March 2017
9. Park JH. Direct non-shaven FUE technique. Hair Transplant Forum Int'l 2014;24:103-104
10. Park JH. FUE Round Table Questions and Answers. Hair Transplant Forum Int'l 2016;26:139-140
11. Park JH. Re: "State-of-the-Art FUE: Non-Shaven Technique" Hair Transplant Forum Int'l 2015;25:82-83
12. Park JH. Re: FUE and donor depletion. Hair Transplant Forum Int'l 2013;23(6):227-228
13. Parsley WM, Perez-Meza DJ. Review of factors affecting the growth and survival of follicular grafts. Cutan Aesthet Surg. 2010;3(2):69-75. doi: 10.4103/0974-2077.69014.
14. Rassman WR, Bernstein RM. Follicular unit extraction: minimally invasive surgery for hair transplantation. Dermatol Surg. 2002;28(8):720-727
15. Shin JW, Kwon SH, Kim SA, Kim JY, Na JI, Park KC, Huh CH. Characteristics of robotically harvested hair follicles in Koreans. J Am Acad Dermatol. 2015;72(1):146-50. doi: 10.1016/j.jaad.2014.07.058. Epub 2014 Sep 16.

모발이식의 이론 »

모낭의 분리와 보관, 생존

Graft preparation, storage and survival

| 황정욱 |

1. 모낭의 분리 (Graft preparation)

모발이식술에서 가장 기본이 되고 중요한 단계가 모낭 분리이다.

모낭채취와 이식이 잘 이루어진다 하더라도 기본 토대인 모낭분리가 제대로 되지 않는다면 모발이 자라나지 않고 원하는 결과가 나오지 않는다. 특히 모발이식영역에서 모낭의 준비는 많은 경우 모낭분리사란 테크니션에 의해 이루어짐으로 모발이식을 담당하는 의사는 직접 모낭분리를 하지 않더라도 모낭분리의 이론과 실제를 이해하고 모낭분리사가 모낭분리를 제대로 시행할수 있게 지도감독해야 한다.

모낭군 분리는 미국에서는 백인들의 경우 모낭이 가늘어서 현미경이 필요하지만**(그림 1)** 한국에서는 모낭이 검고 굵어서 육안으로도 분리가 가능하다**(그림 2)**.

동양인의 경우에도 흰머리가 많은 경우에는 모낭도 흰색이기 때문에 모낭분리시 진피와 구분이 쉽지 않아 손상가능성이 크다. 이런 경우 수술 1-2일 전 염색을 하게 하면 모낭분리에 도움이 된다.

한국에서 주로 이용하는 방법은 박달 나무 토막위에 두피 조각을 얹은 후 외과용 20번 메스를 이용하여 모낭을 분리한다**(그림 3)**. 숙련된 모낭분리사가 여러명 참가해 모낭이 손상받지 않도록 주의하면서 신속하게 분리해야 한다.

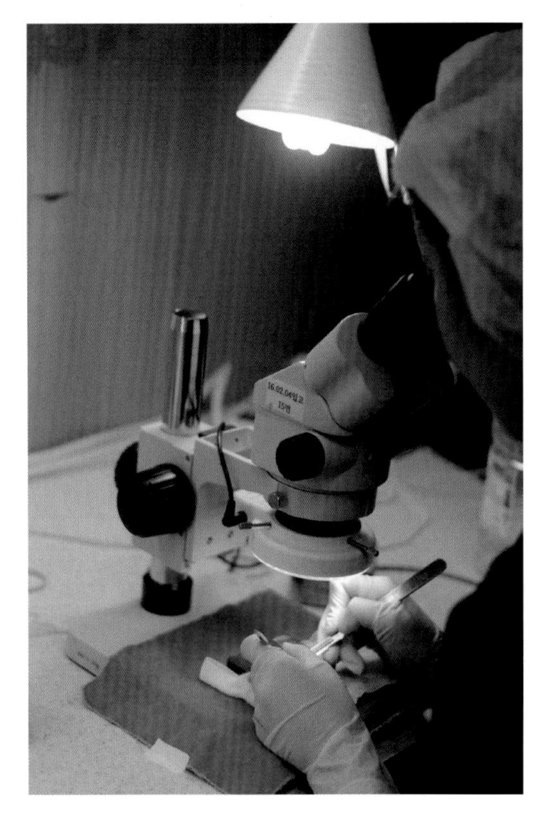

그림 1 현미경 모낭분리

그림 2 동양인의 두피확대경 사진

그림 3 육안 모낭분리

2. 모낭의 보관 (Graft storage)

모발이식에서 대량이식이 보편적으로 시행됨에 따라 모낭을 채취하여 분리하는 시간과 이식을 기다리는 시간이 많이 걸리게 되었다.

Limmer나 Kim/Hwang의 연구에 의하면 모낭의 생착률이 모낭채취 후 8시간 이후 급속히 떨어지는 것으로 나타난다. 그래서 기존의 식염수에 모낭을 보관하는 방식에서 벗어나 다양한 보존 용액을 사용하여 생존 시간을 늘이려는 시도가 시행되고 있다. 다만 어느 용액이 최적의 보존 용액인지에 대해서는 의견이 분분하며, 보편적으로는 식염수를 보관용액으로 사용하고 6-8시간 내에 수술을 끝내는 방식을 권유한다.

그때 보관 용액의 온도는 4℃에 맞춰 차갑게 유지하는 것이 좋다.

그리고 분리한 모낭은 생리 식염수에 푹 담그는 것 보단 생리 식염수를 적신 거즈위에 두는 것이 모낭이 부풀어 오르는 것을 막을수 있다.

3. 생착률 (Graft survival)

모발이식의 생착률은 환자의 인종 ,나이 ,탈모 유형,수술방식, 수술 시간, 수술 스태프 등 여러 변수가 존재한다.

일반적으로 생착률에 영향을 미치는 조건을 알고 대응하는 것이 좋다.

생착률을 떨어뜨리는 수술 전 요인으로는 혈관 질환, 면역 저하, 영양 실조, 흡연 등의 전신적 질환이 관여하고 흉터 조직에 이식하는 경우 생착률이 떨어진다.

그리고 수술 중 요인으로는 모낭의 삽입을 용이하게 하기위해 모낭의 분리를 너무 얇게 한 경우 생존률이 떨어지고 모낭을 식모기나 슬릿에 넣을 때 포셉으로 모낭을 집는 경우 압박 손상을 주어도 생착률이 떨어지므로 모낭을 직접 포셉으로 만지거나 삽입할 때 모낭에 손상을 주지 않아야 한다. 모낭은 건조에 민감하므로 모낭 분리 보관시 항상 수분이 유지되게 주의하여야 한다. 특히 도마위에서 모낭을 분리할 때 수시로 식염수를 적셔 주도록 한다.

보통 모발이식은 간호사가 손등위에 모낭을 올리고 식모기에 넣은 방식으로 작업하는 경우가 많은데 이때도 건조되지 않게 주의해야 한다. 의사가 이식에 집중하다보면 이식은 제대로 이루어지더라도 모낭이 건조되버리면 수술 후 모발생착률은 급격히 떨어질 수 있으므로 수술 전 과정에 걸쳐 모낭 건조 및 온도 유지에 주의해야 한다.

저장 용액의 온도는 4℃를 유지하고 수술시간이 6-8시간 사이에 이루어 지도록 노력한다.

수혜부에 이식하는 일반적으로 밀도를 높일 수록 환자의 만족도는 높아진다. 고밀도 이식을 위해서는 cm^2당 50-60개까지의 모발을 이식할 수 있지만, 이보다 고밀도로 이식하는 경우 오히려 생착률이 감소할 수 있다. 화상 반흔 같은 흉터 부위는 정상피부보다 혈류가 적어 고밀도가 혈류를 파괴해 더 생착률이 떨어지므로 흉터상태에 따라 혈류가 유지될수 있게 밀도를 잘 조절해야 한다. Abassi는 triamcinole acetate를 식염수와 에피네프린을 믹스해 수혜부에 투머선트 방식으로 주사해 혈류 파괴를 막고 부종도 줄이며 이식밀도를 높일 수 있다고 보고 하고 있다.

이식 깊이와 이식모의 방향도 생착률에 영향을 줄 수 있다.

수술 후 이식부위에 과산화 수소를 사용하면 모낭에 손상을 주어 좋지 않다는 보고가 있다. 수술후 미녹시딜 사용은 모발의 성장기를 연장해 주고 모발 성정을 촉진하며 동반탈락을 줄 수 있다.

참·고·문·헌

1. Abbasi G. Hair growth outcome and survival after using abassi's solution in recipient area.Presented to 13th Annual Meeting of the ISHRS. Sydney, Australia: ISHRS, Aug 24-28, 2005
2. Avram et al. The potential role of minoxidil in the hair transplantation setting. Dermatol Surg 2002;28:894-900
3. Beehner M. A comparison of hair growth between follicular- unit grafts trimmed skinny vs chubby. Hair Transplant Forum Int 1996:Jan-Feb:12-13
4. Cooley J. Ischemia-reperfusion injury and graft storage solutions:Hair Transplant Forum INT:2004:13(4):121
5. Gandelman M. Light and electron microscopic analysis of controlled injury to follicular unit grafts,Dermatol Surg 2000:26(1): 25-31
6. Kim JC, Hwang S. The effects of dehydration, preservation temperature and time, and hydrogen peroxide on hair grafts.In Unger WP, Shapiro R, eds.Hair Transplantation 4th edn, New York: Marcel Dekker,2004:85-6
7. Lee SJ, Lee WJ, Na G, et al. Evaluation of Survival rate after hair follicular unit transplantation with a hair transplant implanter.Dermatol Surg 2001:27:716-729+6
8. Limmer R. Micrograft survival.In: Stough D, ed.Hair Replacement.St.Louis,Missouri:Mosby PRESS,199:147-9
9. Seager D.Classic microscopedissection of follicular units. In Unger WP, Shapiro R, eds.Hair Transplantation 4th edn, New York: Marcel Dekker,2004:361
10. Unger W. Hair counts: ascientific pproach to the evaluation of various factors in survival of hair transplants, IN:Unger W.Hair transplantation. Marcel Dekker,1979 p203-210

모발이식의 이론 »

Chapter 70

모낭의 이식

Graft Placement

| 박재현 |

최근 모발이식 수술 시 편치채취술 혹은 절편채취술, 즉 채취과정에만 주로 집중을 하고 정작 모발을 이식하는 과정은 소홀히 하는 경우가 많다. 하지만 모발이식 수술에서 가장 중요한 것은 채취된 모발을 이식하는 과정에 있다. 이식과정에서 모발의 분포(distribution), 밀도(density), 각도(angle), 방향(direction), 생착률(survival rate)등이 결정되므로 이식과정의 중요성은 아무리 강조해도 절대 지나치지 않는다고 할 수 있다.

모발을 이식하는 방법은 크게 슬릿 방식과 식모기 방식으로 나눌 수 있고 다시 여러 가지 삽입방식에 따라 다양한 변형방식이 존재한다.

슬릿방식은 절개(incision)과 모낭삽입(insertion)이 따로 이루어지는 2단계 방식이며, 식모기 방식은 모낭을 삽입하는 수술기구인 식모기를 이용해서 절개와 동시에 모낭삽입이 이루어지는 1단계 방식이다.

슬릿 방식은 삽입 패턴에 따라 다시 stick and place (S&P) 방식과 make incision first (MIF) 또는 graft insertion into premade incision (GIPI)의 두 가지 방식으로 구분할 수 있다. S&P와 MIF 방식은 다시 모낭 삽입패턴에 따라 몇 가지의 subtype이 존재한다(**표 1**).

표 1 슬릿(Slit)방식의 다양한 변형적용

S&P (Stick & Place) : 슬릿동시삽입술	MIF (Make Incision First) GIPI(Graft Insertion into Premade Incision) : 슬릿후삽입술
S&P with Forcep	GIPI with Forcep
S&P with implanter	GIPI with Implanter

※ 슬릿, 식모기 방식의 장단점 비교

① 슬릿방식의 장점
- 상대적으로 고밀도이식이 쉬움
- 의사가 편함

② 슬릿방식의 단점
- 간호사, 테크니션이 모낭 이식 담당하는 경우 윤리적 문제 대두
- 수술시간이 오래 걸림
- 모발의 방향성, 반곱슬의 컬(curl)을 맞추기 어려움

③ 식모기 방식의 장점
- 모발의 방향성 우수, 반곱슬의 컬(curl)을 맞추기 쉬움

- 빠른 수술 시간
- 삽입 시 모낭에 물리적 손상이 가해지지 않음
- 의사가 100% 집도로 인한 수술 결과의 높은 책임감 구현

④ 식모기 방식의 단점

- 출혈성 또는 단단한 피부에서 모낭의 팝업현상 발생 또는 고밀도 이식이 어려울 수 있음
- 숙련자가 되기 위해서는 긴 습득기간이 필요함 (long learning curve to be expert)
- 인건비, 재료비가 비쌈
- 의사가 전 과정을 집도(intensive labor of physician)

슬릿과 식모기 방식은 채취된 모낭을 이식하는 대표적인 두 가지의 방법이다. 두 가지 방법은 각기 다른 다양한 장단점을 가지고 있으며 특별한 우열이 있지 않다. 여러 가지의 장단점을 나열하였으나 이는 일반적인 내용일 뿐, 수술 방법의 선택에 있어 가장 중요한 것은 수술집도의의 숙련도와 경험이라 할 수 있다.

오히려 다양한 수술방식을 상황에 맞게 적용하는 것이 가장 우수한 방법이라 할 수 있다.

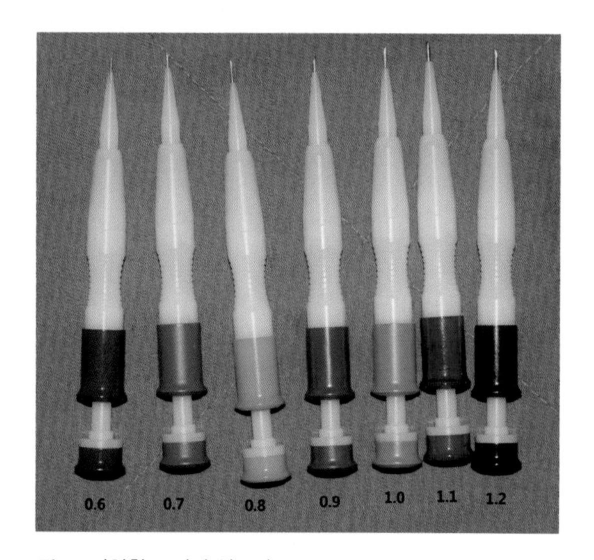

그림 1 다양한 크기의 식모기

표 2 식모기의 크기별 분류와 사용법

식모기 외경	사용법
0.60–0.64 mm	가는 1모낭군 이식 눈썹, 속눈썹, 헤아라인 시술에 주로 사용
0.80 mm	1모낭군 이식
1.00 mm	2모낭군 이식
1.20 mm	3모낭군 이식

1. 식모기를 이용한 모발이식

식모기를 이용한 이식방법은 모낭 손상이 적고 수술 시간이 짧으면서 모발의 방향, 각도, curl을 맞추기가 용이하여 국내에서 가장 많이 사용하는 이식방법이다. 식모기를 이용하여 이식을 하는 것은 모낭을 삽입할 슬릿구멍을 미리 낸 후 심지 않고, 절개를 가하면서 동시에 모낭을 삽입하게 되며, 반드시 의사가 모든 과정을 직접 집도해야 한다. 식모기는 모낭의 이식을 위해 고안된 매우 편리한 기구로써, 모발이식 수술에 대한 접근을 쉽게 해주는 좋은 기구이다. 하지만, 고도의 숙련도를 가지고 조직손상을 줄이고, 높은 생착률을 유지하면서 자연스럽게 이식을 하기 위해서는 오랜시간의 숙련기간과 특별한 수술적인 테크닉과 노하우가 필요하다.

1) 식모기의 종류와 구조

다양한 식모기가 판매되고 있다. 제조회사별로 약간씩 다르지만 대부분 외경 0.6-0.64 mm 정도의 SS형 식모기(super single implanter, 주로 눈썹, 속눈썹, 헤어라인 부위시술에 사용된다), 0.80 mm, 1.00 mm, 1.20 mm의

4가지 크기의 식모기가 주를 이룬다**(그림 1)(표 2)**

2) 식모기를 이용한 이식과정

모낭분리사가 분리된 모낭을 꼭 맞는 크기의 식모기 이식침에 장착하면(graft loading), 수술자의 옆에서 식모기를 전달하고 순환시키는 역할의 간호사가(Passer) 수술자의 손에 이식이 끝난 식모기를 가져가면서 다시 새로 모낭이 장착된 식모기를 전달하여 주게 된다.

(1) 식모기 이식침에 모낭 장착시 주의점

- 모낭이 식모기 바늘에 완전히 들어가게 장착이 되어야 하는데, 모낭 일부가 바늘 바깥으로 돌출되어 삐져나오게 되면 식모기 바늘이 피부를 뚫고 들어가 이식을 할때 모낭이 꺾이거나 부러지게 되어 모낭 생착이 잘 되지 않거나 모발이 꼬여서 자랄 수 있다**(그림 2)**.
- 모낭을 이식할 때 가급적 식모기의 내경과 꼭 맞는 크기로 분리 및 장착이 이루어져야 한다. 만약 장착하게 될 식모기의 내경보다 너무 얇게 분리하거나, 혹은 분리된 모낭을 너무 큰 식모기에 장착한 경우는 팝업현상도 잘 생기고, 이식초기에 모낭과 주변 피부와의 밀착현상(snug-fit)이 제대로 이루어지지 않아 생착률이 저하될 수 있다.
- 모낭의 길이에 맞게 식모기 이식침의 길이를 잘 조절해야 한다.
- 식모기 이식침이 너무 짧으면 모낭이 꺾이거나 마르게 되고, 너무 길면 모낭이 너무 깊게 심어져서 모낭염이 생기거나 심한 곱슬로 자랄 수 있다. 식모기 장착 시 모낭이 절대 마르지 않아야 한다. 여러 연구에 의하면 모낭생착에 가장 나쁜 영향을 미치는 수술적 인자는 모낭의 건조현상이었다. 식모기에 모낭 장착 시에 손등에 너무 많은 모낭을 올려놓아 모낭이 마르게 되는 일이 절대로 없도록 해야 한

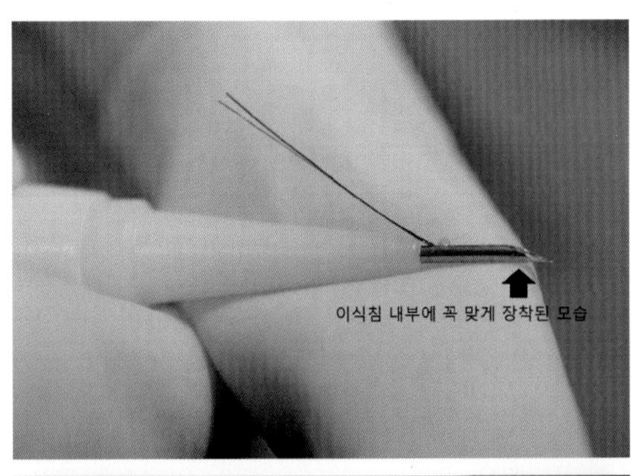

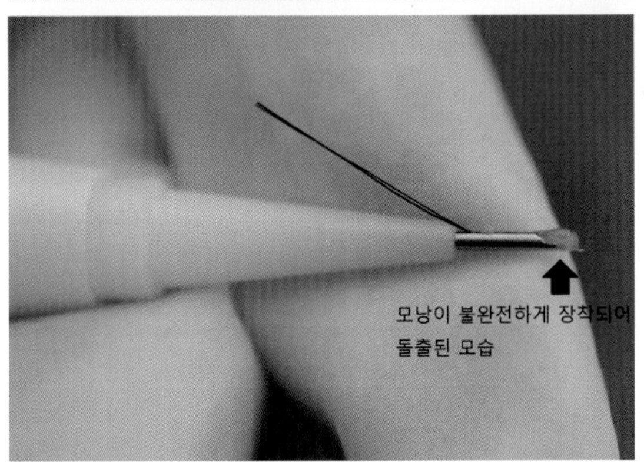

그림 2 식모기 이식침에 모낭 장착 요령
A. 식모기 이식침에 모낭 장착 시 이식침 내부에 꼭 맞게 완전히 장착되어야 한다.
B. 식모기 이식침 끝쪽으로 모낭이 불완전하게 장착된 모습.

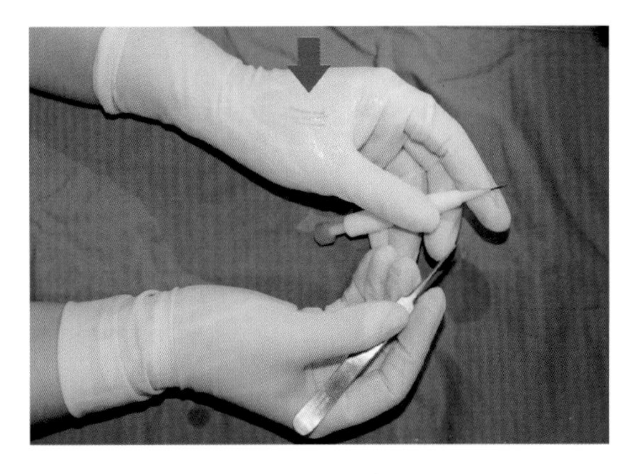

그림 3 모낭 장착 시 손등에 모낭을 올려 놓을 때 건조 현상이 잘 발생한다.

다(그림 3).

- 모낭분리사가 모낭을 장착하여 수술자에게 전달하면 의사가 모낭을 이식하게 된다.

식모기는 이식에 편리하도록 고안된 기구이므로 쉽게 수술을 시작할 수 있게 해주는 매우 편리한 도구이다. 하지만 식모기를 이용하여 우수한 수술 결과를 만들어내는데에는 오랜 숙련기관과 노하우가 필요하다. 그렇지 않으면 심한 출혈, 흉터생성, 팝업현상, 심한 곱슬현상 등이 발생하기 쉽다.

이식 시 다음에 유의하도록 한다.

(2) 올바른 식모기 이식을 위한 기본 원칙

① 수술팀의 구성(2(3)-1-1 시스템)

집도의 1명, 식모기에 장착하는 간호사 2-3명, 집도의에게 모낭이 장착된 식모기를 순환시키는 간호사 1명, 이렇게 총 4명 혹은 5명이 한팀을 이루도록 한다.

예전에는 수술 테이블 위에 모낭이 장착된 식모기를 올려놓으면 집도의가 집어서 이식을 하는 방식으로 하였으나, 식모기를 순환시키는 간호사를 두는 방식으로 수술하는 것이 훨씬 편리하다(그림 4).

② 비외상성 식모기 조작(Atraumatic implanter technique)

모발이식은 식모기를 이용해서 적게는 수 백번에서 많게는 수 천번 두피에 상처를 내서 찌르는 동작을 반복하는 수술이다. 따라서 얼마나 두피에 상처를 최소화하면서 모낭을 삽입할 수 있는지에 따라 매우 큰 결과의 편차를 보인다.

비외상성 식모기 조작을 위해서는 첫째, 식모기의 길이 조절을 잘 해야 하며 둘째, 식모기를 너무 세게 쥐지 않고 가볍게 쥐도록 하고 셋째, 식모기 바늘은 항상 날카로움을 잘 유지하도록 해주어야 하며, 넷째, 빠르고 정확한 손놀림이 중요하다.

③ 식모기 이식침의 직선 운동(Rectilinear movement of implanter tip)

식모기 이식침은 피부를 찌르고 들어가서 모낭을 이식하고 다시 나오게 되는 동작을 반복하게 되는데,

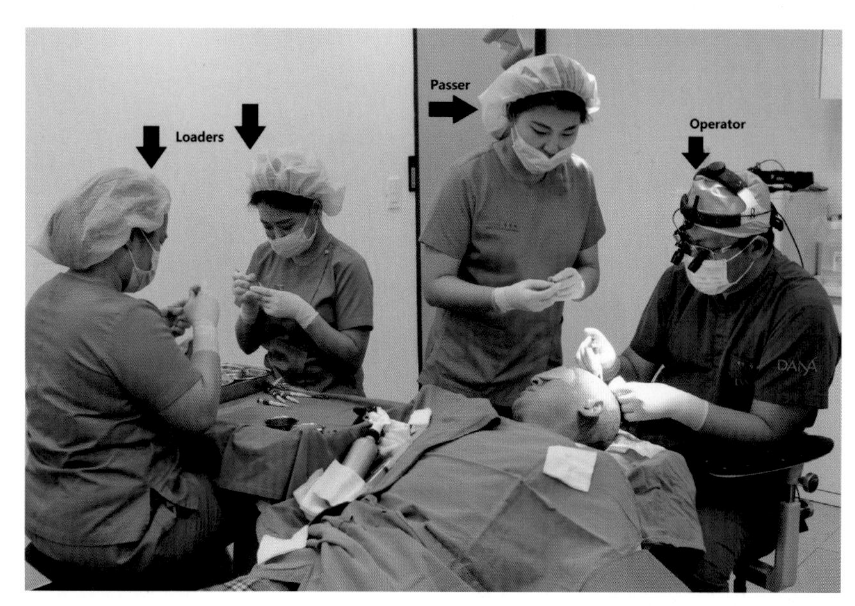

그림 4 2(3)-1-1 시스템. 2-3명의 loader, 1명의 passer, 1명의 operator 시스템을 이용해 빠르고 정확한 이식이 가능하다.

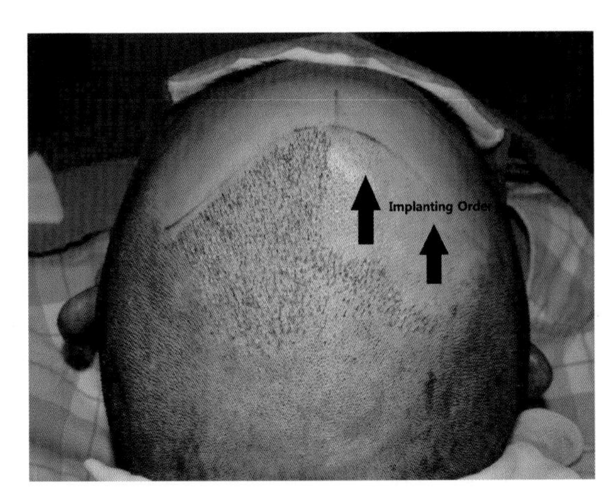

그림 5 이식은 뒤쪽에서 앞쪽 순서로 해야 모낭의 팝업 현상이 줄어들고 수술 시야확보가 용이하다.

이때 식모기 바늘이 정확하게 직선으로 왕복운동을 해야 주변 모낭을 밀어내는 방향으로 힘의 벡터가 적게 생성되어 모낭팝업현상이 잘 일어나지 않고, 보다 더 작고 깨끗한 상처를 남기게 되어 상처 회복이 빠르고 과도한 흉조직화가 예방되며, 국소혈액순환회복이 빠르게 되어 생착율을 높일 수 있다.

④ 이식순서

이식순서는 반드시 뒤쪽에서 앞쪽으로 하도록 한다. 부위별로 각도의 크기는 조금씩 다르지만 모낭은 앞쪽으로 누운 각도로 이식이 되므로 뒤에서 앞쪽으로 이동하면서 이식을 해야 모낭을 밀어내는 힘의 벡터가 분산이 되어 모낭팝업현상이 잘 일어나지 않고, 출혈이 아래방향으로 흐르므로 시야확보에도 도움이 된다(**그림 5**).

⑤ 단계적 국소마취

혈관수축제인 에피네프린을 혼합한 국소마취제를 사용하게 되는데, 장시간 소요되는 모발이식수술에서 넓은 면적에 국소마취를 한꺼번에 다 해버리고 이식을 하게 되면, 에피테프린의 혈관수축효과가 소멸된 후에는 출혈이 많이 발생할 수 있다. 단계적으로 국소마취를 해나가면서 이식을 점진적으로 해나가는 것이 좋다.

⑥ 점진적인 이식 각도와 방향의 전환 기법

급작스럽게 이식 각도나 방향을 바꾸게 되면 모낭 팝업 현상이 잘 발생하고, 인접한 모낭을 물리적으로 손상시킬 가능성도 높아지게 되고, 생착 후에도 두피 투시현상이 많이 생길 수 있으므로 점진적으로 각도와 방향을 전환하는 기법은 매우 중요하다.

⑦ 모낭의 분포 조절

적절한 모낭사이의 간격, 각도, 방향 조절은 모낭의 팝업 현상도 예방하고, 더 우수한 생착률을 만들 수 있어 매우 중요한 요소이다. 또한 같은 이식밀도라도 모낭의 분포를 잘 조절한다면 더 촘촘하게 보이고, 자연스럽게 보이게 된다.

⑧ 이식침을 항상 날카롭게 유지

가장 기본적으로 꼭 지켜야 할 부분이다. 이식침이 무뎌졌다고 느끼면 지체하지 말고 새로운 이식침으로 교환하도록 한다.

⑨ 식모기 이식침의 사면(bevel)을 앞쪽으로

모낭을 이식하는 각도가 앞쪽으로 기울어져 있게 되므로 이식침의 사면을 앞쪽으로 향하도록 하면 피부 손상을 더 줄일 수 있고, 골막에 이식침이 닿아서 무뎌지는 현상도 예방할 수 있다.

3) 모낭의 팝업 현상(Graft popping phenomenon)

직선 형태의 슬릿칼 또는 피하주사침(hypodermic needle)을 이용하는 슬릿방식과 달리 반원형에 가까운 (semi-circular) 식모기는 피부를 침투할 때 이식하는 방

표 3 모낭 팝업에 관여하는 인자들

1. 조직인자 (Tissue factor)	조직의 질감(skin texture : soft 〈–〉 hard)
	탄성력(Elasticity : elastic 〈–〉 rigid)
	마찰력(Friction force : rubbery 〈–〉 smooth, tender)
	피부의 두께(Thickness of skin : thin 〈–〉 thick)
2. 집도의 및 기계적 인자 (Human & mechanical Factor)	식모기 이식침의 상태(Implanter tip condition :sharpeness, size)
	식모기 조작 숙련도(implanter handling skill)
	수술팀의 숙련도(skill level of Op. team)
3. 환경요인 (Environmental Factor)	출혈성 경향(bleeding tendency)
	흉조직화경향
	이식부위
	기존모발의 형태(pattern of preexisting hairs)
4. 기타	질병력(Pt's medical Hx : liver dis. CV disease. Soft tissue disease,,etc)
	약물 복용력(PO med. Hx : aspirin, heparin, wafarin etc)
	수술소요시간
	성별(gender)

향의 축을 따라 피부안쪽으로 축방향력(axial force)이 더 크게 발생하게 된다. 따라서 피부타입에 따라 심한 모낭 팝업 현상을 보이는 경우가 있어 초보자의 경우 당황하거나 매우 실망스러운 수술 결과를 얻을 수 있다.

(1) 모낭의 팝업 현상에 관여하는 인자들 (표 3)

(2) 팝업 현상의 예방

이식한 모낭이 계속 다시 팝업되어 튀어나오면 모낭이 건조하게 되고, 물리적 손상도 많이 받게 되며, 수술 시간도 길어지고, 피부 손상도 심해져서 수술 결과가 나빠지게 된다.

팝업 현상을 예방하기 위해서는 **(표 3)**에서 제시된 요소들을 수술 케이스별로 잘 파악하여 대처해야 한다. 올바른 식모기 이식을 위한 기본원칙 10가지를 잘 지킨다면 심한 모낭팝업은 잘 발생하지 않는다. 만일 모낭 팝업이 지속될때에는 지혈이 되고 충분한 혈액응고가 이루어질때까지(15-20분 이상) 반대편 부위를 이식하다가 다시 돌아와서 이식을 하면 도움이 되기도 한다.

2. 슬릿방식을 이용한 모발이식

1) 모낭을 삽입할 슬릿 생성과정

(1) 밀도

모발이식 수술 후 가장 흔한 불만족의 원인은 낮은 밀도이다. 절대적인 밀도도 물론 중요하지만, 모낭의 배치(distribution)도 이에 못지 않게 중요하다. 같은 수의 모낭을 이식해도 더 풍성하게 보이는 이식방법이 중요하다.

먼저 이식 밀도는 정상부위의 밀도, 공여부의 상태, 모발의 두께, 곱슬의 정도 등에 따라 다르다. 대부분 모발선에서 가장 앞쪽의 약 1 cm 정도의 이행부(transition zone)에서는 단일모낭단위만 이식을 하며, ㎠당 30-50개 이상으로 촘촘하게 이식하는 경향이 있다.

(2) 시상절개(sagittal incision)와 관상절개(coronal incision)

시상절개는 1) 예각으로 이식하고자 할때 2) 큰 혈관이나 신경 주변일때 3) 환자가 수술 후 올백 스타일의 헤어스타일을 유지하고자 할때 유용하며 주로 헤어라인 앞쪽의 이행부쪽에 모발의 방향성이나 밀도를 높이는데 사용하는 방법이다.

관상절개는 1) 고밀도 이식, 2) 기존에 존재하는 모발이 많을때 유용한 방법으로 2모낭단위 모발이 정면에서 보았을때 좌우로 펼쳐져서 이식이 되어 두피비침 현상을 더 줄일 수 있고 더 풍성해 보이는 효과를 줄 수 있어 이행부 뒤쪽에 이식할 때 주로 사용한다(**그림 6**).

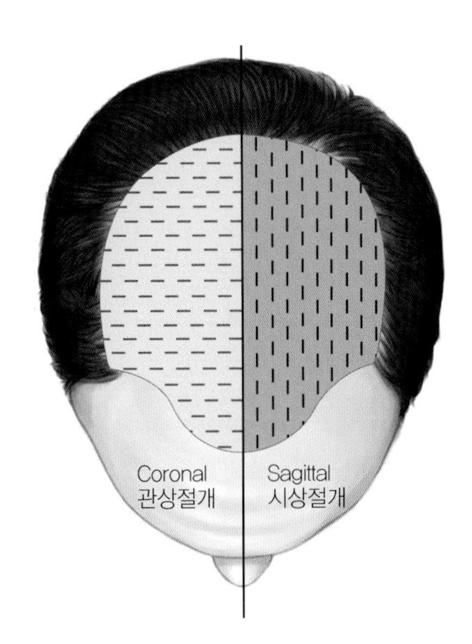

그림 6 시상절개와 관상절개

(3) 슬릿 각도와 방향

자연스러운 모발의 흐름을 따르면서 인접한 기존 모발의 각도와 방향을 기본적으로 따르도록 한다. 대부분은 얇아진 모발들이 이식부위에 흩어져 존재하므로 가이드 역할을 할 수 있으며, 이러한 모발이 전혀 없는 경우는 수술자의 경험등에 의해 자연스럽고 풍성해 보일 수 있는 각도와 방향으로 이식을 한다.

슬릿생성시에 두피하방의 기존 모발의 모낭을 손상시키면 일시적 혹은 영구적인 동반탈락을 야기할 수 있어 주의해야 한다. 이를 피하기 위해서는 기존 모발과 슬릿절개가 너무 가깝지 않아야 하고 이식각도와 방향이 기존 모발과 최대한 평행하도록 해야한다.

(4) 슬릿 기구

흔히 슬릿창을 내는데 사용되는 기구는 피하이식침(hypodermic needle)이나 블레이드가 사용된다(**그림 7**).

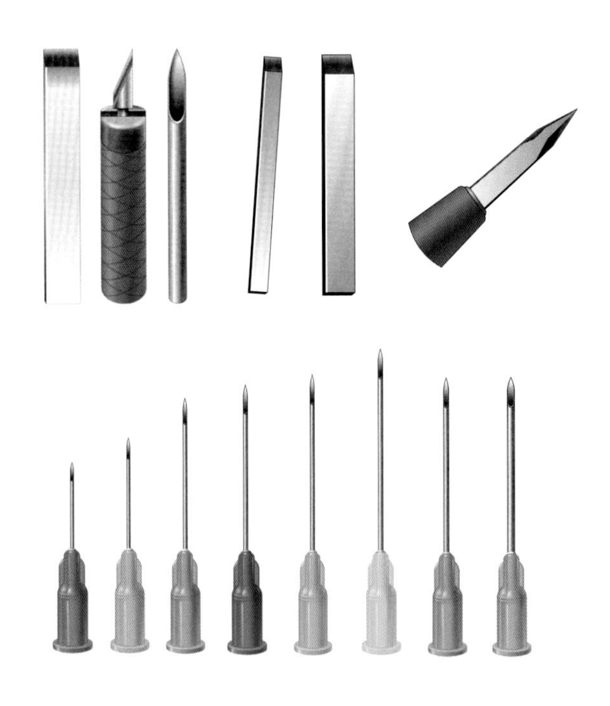

그림 7 다양한 크기와 형태의 슬릿 기구들

표 4 모낭단위별 블레이드와 피하이식침의 크기 선택

모낭단위	블레이드	피하이식침
1모낭단위	0.7–0.9 mm blade	18–19 G
2모낭단위	0.9–1.1 mm blade	20–21 G
3,4모낭단위	1.1–1.3 mm blade	22–23 G

표 5 블레이드 크기별 안전한 단위면적당 절개 밀도

Blade width	0.7 mm	0.8 mm	1.0 mm	1.2 mm	1.5 mm
Sites/㎠	50	44	35	29	23

모낭단위가 커질수록 블레이드나 피하이식침도 같이 큰 크기를 맞추어 선택하도록 한다.

슬릿구멍이 너무 작으면 모낭삽입이 어렵고 삽입 시 물리적 손상도 많이 일어나고 모낭이 솟아오르게 되어 건조되거나 생착하지 못하는 현상이 발생할 수 있다. 반대로 슬릿 구멍이 모낭크기에 비해 너무 크면 모낭이 너무 깊게 심어지거나 이식 후 주변 조직과 밀착이 잘 이루어지지 못해 혈관재생이 떨어지게 될 수 있다. 따라서 모낭크기에 꼭 맞는 슬릿크기의 선택이 매우 중요하다(**표 4, 5**).

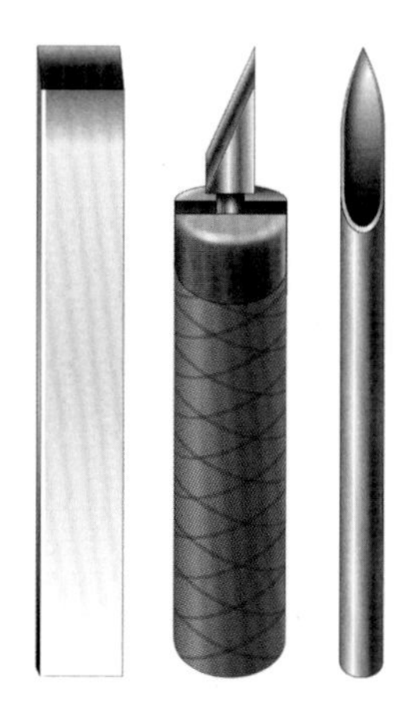

그림 8 Chiesel 모양의 블레이드와 뾰족한 블레이드, 피하이식침

(5) 슬릿 깊이

두피에 혈액공급을 담당하는 동맥은 주로 피하 지방층에 존재한다. 이러한 주요혈관의 손상을 피하는데 중요할 뿐 아니라 모낭을 이식하는데 꼭 맞게 필요한 이상의 깊이는 모낭이 깊이 심어질 가능성을 높일 뿐 아니라 조직손상도 불필요하게 더 초래하게 되므로 바람직하지 않다. 일반적으로는 끝이 뾰족한 블레이드 형태나 피하이식침보다 끝이 뭉뚝한 chisel 모양의 블레이드를 사용하는 것이 유리하다고 하나 수술자의 경험이나 선호도 등에 따라 변수가 존재한다(**그림 8**).

2) 모낭 삽입 과정

(1) 모낭팝업과 모낭손상

모낭팝업에 관여하는 인자들(식모기 파트 표, 그림, 설명 인용)과 영향은 식모기와 비슷하다.

모낭의 팝업으로 인해 혹은 미숙한 이식테크닉으로 인해 모낭삽입과정에서 모낭삽입이 한 번에 이루어지지 못하고 여러차례 반복되면서 입게되는 물리적 손상을 반복삽입손상(repetitive placement trauma, RPT)이라고 하며, 생착율을 저하시키는 가장 주요한 원인이 된다. 이를 최소화하기 위해서 적절한 슬릿생

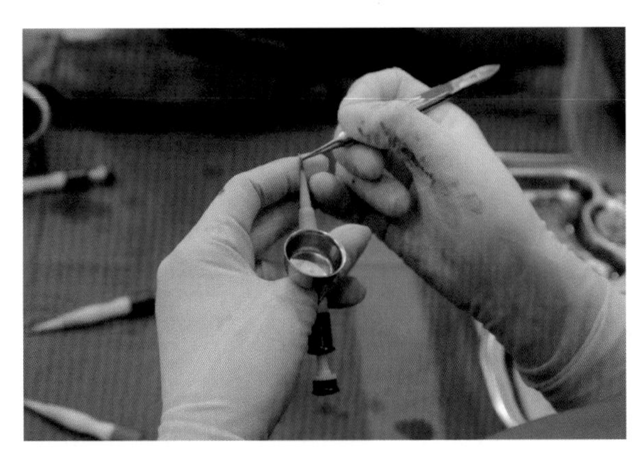
그림 9 모낭삽입 시 모낭보존용 용기를 이용하여 모낭건조를 예방하는 것이 좋다.

성, 숙련된 의사와 스태프들의 스킬, 집중력의 유지등이 중요하다.

(2) 모낭삽입

① 모낭의 보존

수술자에 따라 손가락에 거는 모낭보존용 용기를 사용하거나 삽입하지 않는 손의 2번째 손가락 측면부에 식염수를 촉촉이 묻히고 올려놓는 방식으로 한다. 모낭이 건조될 수 있으므로 한 번에 10개 이상의 모낭을 올리지 않도록 한다(**그림 9**).

② 삽입

모구(hair bulb) 하방의 지방조직부위를 잡아 모구 손상이 일어나지 않도록 해주어야 한다. 모낭의 표피층이 두피의 표피층보다 약 0.5 mm 정도 약간 올라오도록 해주면 함몰반흔을 예방할 수 있다. 이보다 너무 많이 올라오면 모낭이 건조되거나 융기반흔(cobble stone appearance)이 될 수 있으므로 유의한다. 약간 융기되어 이식된 표피는 수술 후 약 7-10일경에 자연스럽게 얇은 딱지처럼 떨어진다.

③ 슬릿방식 이식시에 발생가능한 문제들은 아래와 같다.

- 부적절한 슬릿 방향, 각도
- 너무 얕거나 너무 깊은 슬릿 깊이
- 너무 크거나 너무 작은 슬릿 크기
- 너무 얇거나 너무 두껍게 분리된 모낭
- 모낭의 건조
- 모낭의 이식이나 보존, 분리단계에서 발생하는 물리적 손상
- 함몰반흔(pitting scar), 과섬유화 흉터(hyperfbrotic scar), 융기성 흉터(cobble stone scar)
- 한 슬릿창에 모낭삽입 후 그 위에 다시 모낭을 삽입하는 것
- 모낭 이식 깊이 조절의 실패(너무 얕게 심어지거나 너무 깊게 심어짐)
- 모발의 컬(curl)을 맞추지 못함
- 슬릿창을 빠뜨리고 모낭을 삽입하지 않는 경우

참·고·문·헌

1. Bernstein RM, Rassman WR. The logic of follicular unit transplantation. Dermatol Clin 1999;7(2);277-296
2. Choi YC, Kim JC. Single hair transplantation using the Choi hair transplanter. J Dermatol Surg Oncol. 1992;18(11):945-948.
3. Harris JA. Follicular unit transplantation: dissecting and planting techniques. Facial Plast Surg Clin North Am. 2004 May;12(2):225-32.
4. Hwang ST, Cotterill PC. Intra-patient graft length differenced influencing depth controlled incisions. Hair Transplant Forum Int'l 2012;22:117,122-123
5. Knudsen R. Controversies: Forceps vs. Implanters. Hair Transplant Forum Int'l 2014;24:57
6. Konstantinos JM, Shapiro R. The No-Touch technique.

4th Ed. Hair Transplantation, Chapter16. Marcel Decker. 2006;657-662

7. Lee SJ, Lee HJ, Hwang SJ, Kim DW, Jun JB, Chung SL, Kim JC. Evaluation of survival rate after follicular unit transplantation using KNU implanter. Dermatol Surg. 2001;27(8):716-720.
8. Lorenzo J, Vila X. Introduction to the use of implanters. Part Ⅰ, Ⅱ. Hair
9. Na YC, Park R, Jeong HS, Park JH. Epinephrine vasoconstriction time in the scalp differs according to injection site and concentrations. Dermatol Surg. 2016 Sep;42(9):1054-60. doi: 10.1097/DSS.0000000000000845.
10. Speranzini M. FUE graft placement with dull needle implanters into premade sites. Hair Transplant Forum Int'l 2016;26:49,54-56
11. Transplant Forum Int'l 2011;4:121-122, 2011;5:170-171
12. Wolf BR. Cyberspace chat: Post-operative inflammation: An interesting discussion about possible causes(incision and graft size, J hairs, placing techniques, implanters). Hair Transplant Forum Int'l 2016;26:106-109
13. Wolf BR. The art and craft of recipient site creation and graft placement. Hair Transplant Forum Int'l 2014;24:41,46-49

수술 후 관리 및 부작용

Postoperative management and Complications

| 최종필 |

1. 수술 후 관리(Postoperative Management)

1) 서론

모발이식을 받은 환자에게 효과적인 수술 후 관리와 교육은 시술에 있어서 필수적이다. 본 장에서는 모발이식 후 정상적인 자연경과, 수술 후 관리 및 일반적인 처치 등에 대해 다루어질 것이다.

2) 모발이식 후 자연경과

간혹 일부 이식모는 술 후 빠지지 않고 바로 성장하기도 하지만, 대부분의 경우 술 후 3-4주 경 이식편이 빠지기 시작하여 3-4개월경부터 다시 자라기 시작한다. 이때 기존 자연모발 또한 모낭손상, 혈관 손상, 부종 등의 이유로 비슷한 시기에 동반탈락을 겪게 되는데 대부분의 경우 2-3개월후 다시 자라므로 불안해 하는 환자를 안심 시켜야 한다. 이식된 모낭은 성장 시 모낭염을 동반할 수 있고 처음에 솜털과 유사하게 가늘고 짧게 보이나 12개월 이상 지나면서 성모와 같이 굵어지고 길어지게 되어 미용적인 효과를 볼 수 있다. (1) 이식모는 한번 성장하면 정상적인 주기를 시작하지만, 동시다발적으로 성장하기에 모든 주기가 보이게 된다.

3) 수술 후 관리 및 처치

(1) 수술 후 관리

① 일상 복귀

환자의 개인취향, 직업의 종류나 수술의 범위에 따라 결정해야 하나 통상적으로 술 후 3-4일쯤 복귀 가능하다. 간혹 안면부종이 있거나 힘든 일을 하는 경우에는 7-10일까지 일하지 않게끔 교육한다.

② 샴푸와 목욕

샴푸는 이식모 주변 딱지형성 예방에 좋은 방법이나 이식모의 탈락이 가능한 첫 48시간은 피하는 것이 좋다(**그림 1**). 그러나 환자가 불편해 할 경우 조심스럽게 한다면 24시간 이후에도 가능하다. 샤워는 5-7일경 시작하는 것이 이식모의 탈락을 예방할 수 있다.

③ 운동

일반적인 운동은 술 후 7일부터 가능하며 강도는 단계적으로 증가시킨다. 수영, 사우나 및 과격한 운동은 한달 경부터 가능하나 가능한 머리에 충격은 삼가

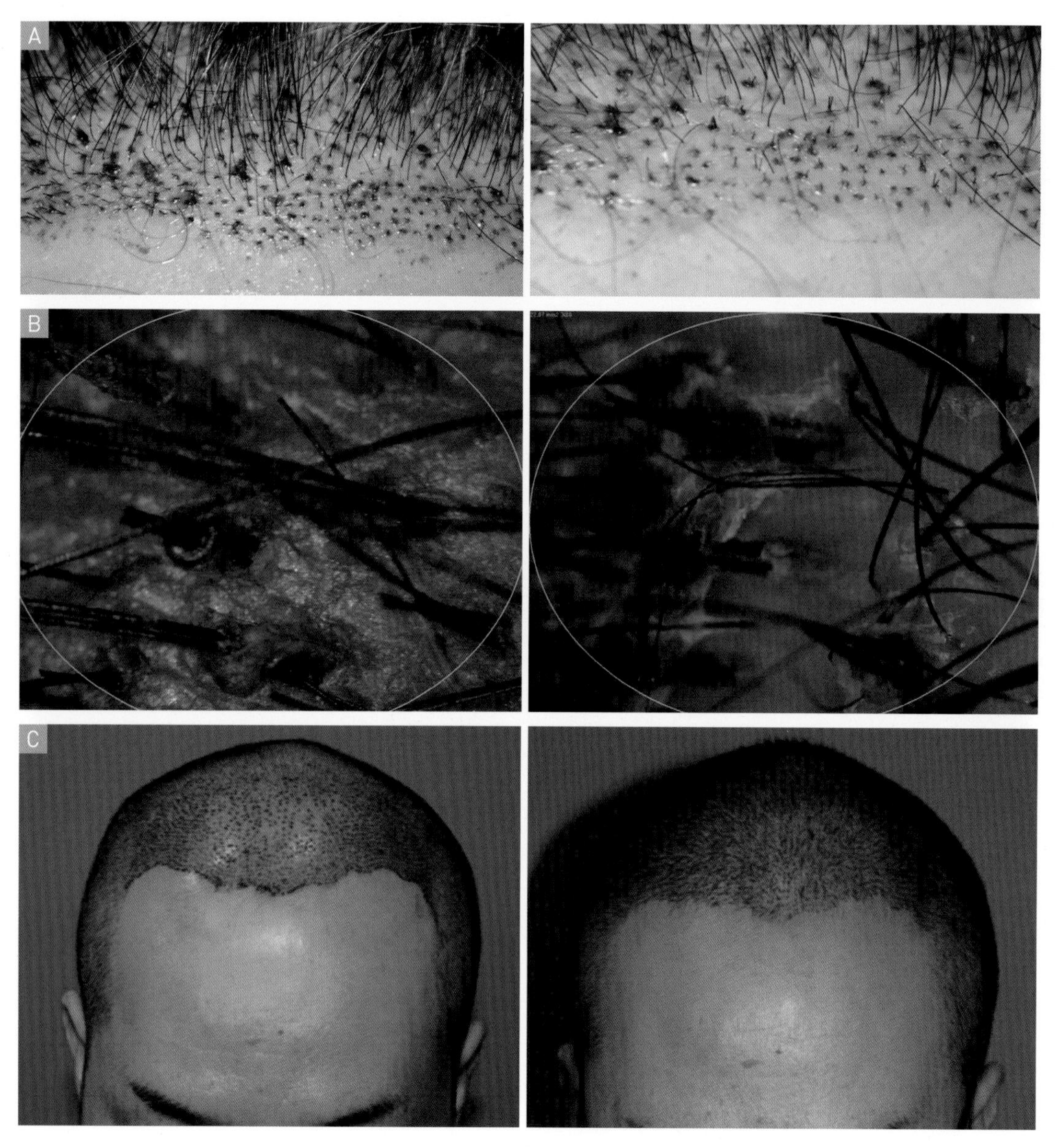

그림 1 A. 수술 후 피딱지 형성 및 샴푸 후 제거, B. 수술 후 10일경 이식모 주변으로 딱지형성
C. 수술 직후(점상출혈, 피딱지) 및 수술 후 10일경(적절한 두피관리는 딱지형성을 예방할 수 있음) 사진

하도록 한다. 생착이 결정되는 첫 2주 동안은 운동 후 피지축적 예방을 위해 두피를 깨끗이 씻어 내야 한다.

④ 미녹시딜의 사용

약리기전상 혈관 확장으로 상처 치유력을 높인다고 알려져 있으며 술 후 5-7일부터 사용하도록 한다. 다만 두피 자극, 모낭염 및 알레르기 반응의 증상이 발생되면 일시적으로 사용을 중단한다.

⑤ 가발

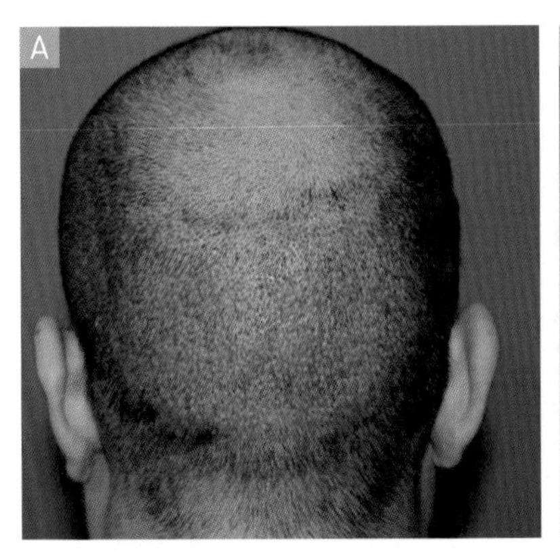

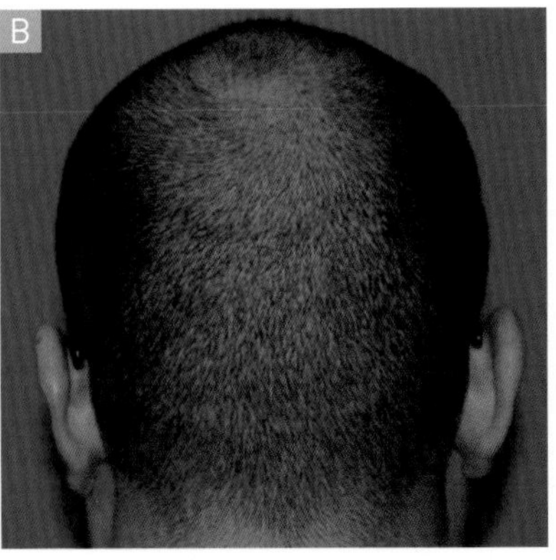

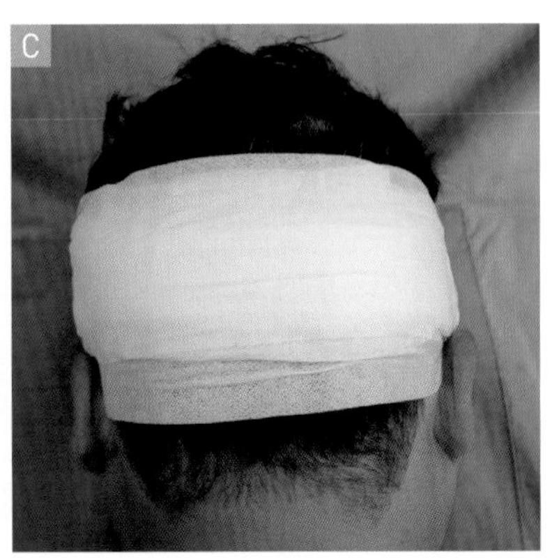

그림 2 비절개 체취 후 공여부: 수술 직후 (A), 일주일 후 (B) 및 거즈를 이용한 공여부 드레싱 (C)

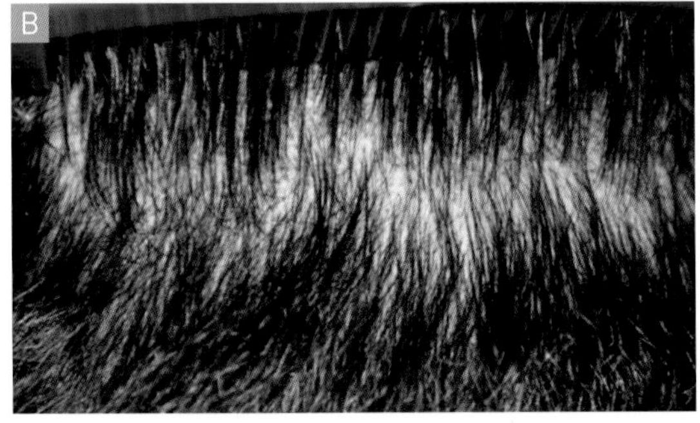

그림 3 절개 체취 후 공여부: 수술 직후 (A) 및 1년 뒤 (B)

고정을 위한 테이프나 클립을 사용하지 않는다면 3일경부터 시작할 수 있으나 가급적 1-2주후 사용하는 것을 권장한다. 또한 첫 2주 동안 사용시 하루 12시간 이상씩 착용하지 않도록 조심한다.

(2) 수술 후 처치

① 상처 처치

공여부의 경우 일반적으로 감염 및 출혈방지 목적으로 거즈를 1-2일 동안 덮어 두는 것만으로도 충분하다. **(그림 2)** 이식부위의 경우 수술 직후부터 청결하게 유지하여 피딱지 형성을 예방하고 적당한 보습을 유지해주는 것이 중요하다. 딱지 형성이 최소화 될 수 있도록 첫 3-4일 동안 따뜻한 습포 소독(warm wet compression)이 추천된다.

② 봉합사의 제거

통상적으로 두피의 발사는 10일경 시행하나 상처의 회복 정도, 조직의 긴장도 및 환자의 상태 등을 고려하여 결정한다**(그림 3)**.

③ 수술 후 기존 모발의 탈락

모발이식술 후 2-4주경 기존 모발의 탈락이 발생할 수 있는데 이는 휴지기 탈모일 가능성이 높다. 생장기 탈모의 경우 수술 중 모낭절단, 혈관 손상, 부종 등의 원인으로 발생하며 대부분의 경우 2-3개월쯤 다시 자란다. 심한 경우 국소 미녹시딜을 도포해주면 도움이 된다.

2. 수술 후 합병증(Postoperative Complication)

1) 서론

모발이식에서의 합병증은 술 전, 후 요소들의 산물로 의료진의 미숙한 수술적 기술 및 지나치게 공격적인 계획, 예측할 수 없는 유전성 탈모의 진행여부 등이 원인이 되어 발생할 수 있다. 본 장에서 모발이식술 후 합병증을 편의상 크게 공여부와 수혜부로 분류하였고, 세부적으로 의학적인 것과 미용적인 것으로 다시 나누어 설명할 것이다.

2) 공여부위 합병증

(1) 의학적 합병증

① 상처 열개(Dehiscence)

공여부의 띠절제(strip excision) 폭이 크거나 긴장도가 높은 경우, 봉합 후 주변 혈류장애가 발생하고 드물게는 상처 열개나 심하게는 조직 괴사까지 나타날 수 있다. 주로 봉합사를 제거할 때 발생하나 이후에 발생하기도 한다. 당뇨, 장기간 스테로이드의 사용 등 전신적인 문제가 있는 환자의 경우 상기 위험도는 올라간다. 이를 예방하기 위해서는 보존적으로 절제 폭을 정해야 하는데 통상적으로 1-1.5 cm 정도가 적당하다고 알려져 있다(**그림 4**). 적당한 폭임에도 불구하고 긴장도가 증가된 경우 적절한 박리, 이중 봉합 등의 방법을 이용하여 피부 긴장도를 낮추어 주어야 한다. 또한 혈관 절단으로 인한 혈류장애를 방지하기 위해 술 전 충분한 튜메센트(tumescent solution: 식염수+트리암시놀론+에피네프린) 용액을 피하 주입하면 모낭을 신경혈관(neurovascular plexus) 층에서 일정 높이까지 들어 올려 절제 시 손상을 최소화 할 수도 있다.

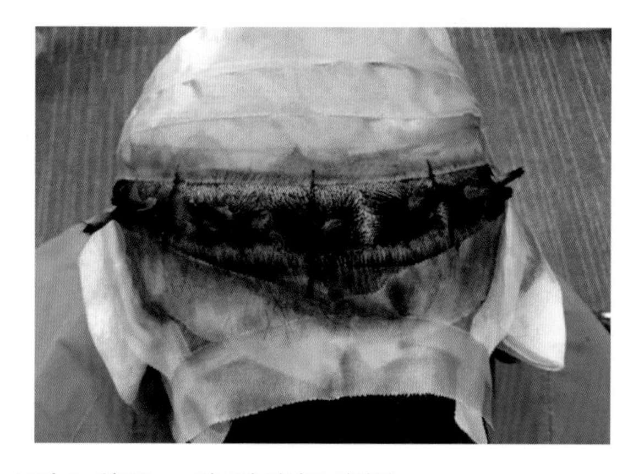

그림 4 약 1.5 cm 정도의 절제폭 디자인

② 통증, 감각이상, 신경 통증 및 신경종

통증은 공여부 채취 시에 말초 신경이 절단될 경우 감각 전달에 영향을 주어 발생된다. 수술 당일 저녁부터 발생하며 1-2일 지나면 둔화된다. 일반적으로 수술 후 ketorolac 30 mg 근육주사 혹은 경구 아세타아미노펜을 복용하면 완화된다. 주요 신경이 완전 혹은 부분 절단 시 감각 저하가 올 수 있는데 수개월에서 1-2년 내로 회복되기 때문에 환자를 정신적으로 안심시키고 진정시키는 게 중요하다. 드물게 신경 절단 후 비정상적인 치유과정으로 인해 신경종 및 국소적인 신경통이 발생할 수 있는데 이는 10 mg/ml 트리암시놀론(triamcinolone)과 2% 리도카인을 2:1로 희석하여 국소 주입하면 도움이 될 수도 있다.

③ 출혈

드물지만 아스피린 및 비타민E와 같이 지혈을 방해하는 약물을 복용하는 경우 출혈 가능성이 있으므로 수술 1-2주 전 중단시켜야 한다. 또한 술 후 압박붕대를 적절히 사용한다면 혹시나 있을 출혈의 예방에 도움이 된다.

④ 감염

모발이식술 후 감염은 드물다고 알려져 있지만 면

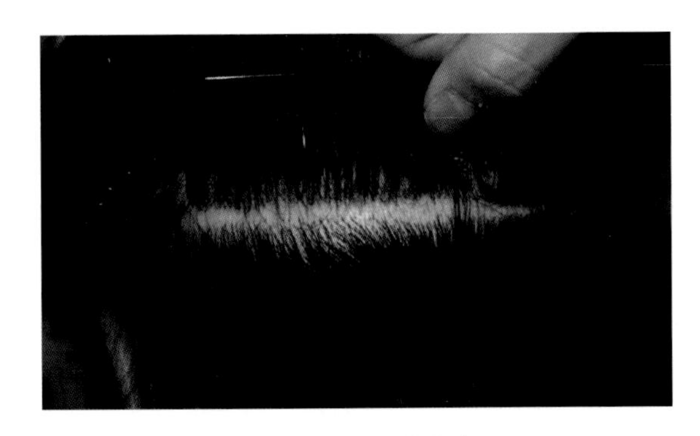

그림 5 FUSS 모발이식술 후 공여부위 흉터

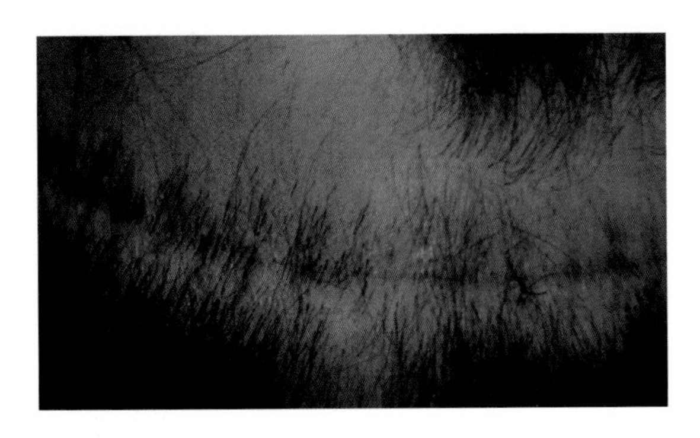

그림 6 FUSS 모발이식술 후 공여부위 일시적 탈모

역체계가 떨어진 환자의 경우 가능하기에 주의를 요한다. 특히 당뇨, 이식환자, 스테로이드 장기 복용자와 같은 경우 술 전 수술 기구의 철저한 소독 및 무균적인 수술과정이 반드시 필요하다.

⑤ 동정맥루

매우 드물게 맥박성 느낌의 국소적인 피하 덩어리가 촉지 될 수 있다. 보통 수개월 이내 사라지며 필요시 수술적으로 치료 가능하다.

(2) 미용적 합병증

① 흉터

가시적인 흉터는 가장 일반적으로 환자가 호소하는 모발이식술의 합병증이다**(그림 5)**. 긴장이 거의 없는 정확한 창상의 접근과 봉합과 관련된 외과적인 원칙을 지킨다면 충분히 예방할 수 있다. 공여부 절제 폭을 줄이고 이중봉합과 트리코파이틱 봉합을 병행하는 것이 도움이 될 수 있다. 술 전 비대 흉터 혹은 켈로이드 체질일 경우 흉터가 잘 발생할 수 있으므로 주의가 필요하다. 이러한 가시적인 흉터의 치료로는 국소적인 스테로이드 주입, 수술적인 제거, 흉터 내 모낭단위 모발이식술을 시행될 수 있다.

② 공여부 탈모

수혜부 탈모에 비해 드물게 생기며 절개 선 위, 아래를 따라 일시적인 탈모가 일어난다**(그림 6)**. 일반적으로 성장기 탈모가 일어나게 되며 혈액 순환 부전이 원인이기에 봉합 시 긴장도를 줄이는 게 중요하다. 환자에게는 3-4개월 후에 완화되고 거의 회복될 것임을 알려주어 안심시키고 미녹시딜을 사용하면 도움이 된다.

3) 수혜부위 합병증

(1) 의학적 합병증

① 모낭염

1-20% 빈도로 발생하며 다양한 양상으로 나타난다. 주로 하나의 이식모 위에 다른 이식모가 삽입, 깊게 이식모가 삽입될 경우 자주 발생하고 이식 후 피지분비 증가 및 부적절한 두피세척이 원인이 되기도 한다. 술 후 적절한 두피 세척이 중요하며 국소 스테로이드제제의 도포가 증상완화에 도움이 된다. 감염이 의심되는 경우**(그림 7)** 온열 압박, 국고 항생연고, 절개 및 배농, 항생제 투여 등을 고려해야 한다. 만약 미녹시딜 사용과 관련이 있다면 사용을 중단해야 한다.

② 안면부종

수술에 의한 염증반응과 이로 인해 증가된 림프액이 원인이며 흔하게 발생하는 합병증으로 이마, 안와

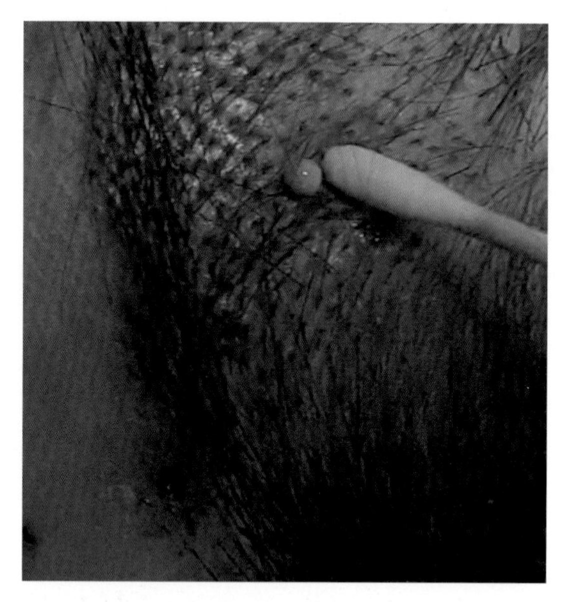

그림 7 모발이식술 후 발생한 국소 감염 (하단: 배농술 시행)

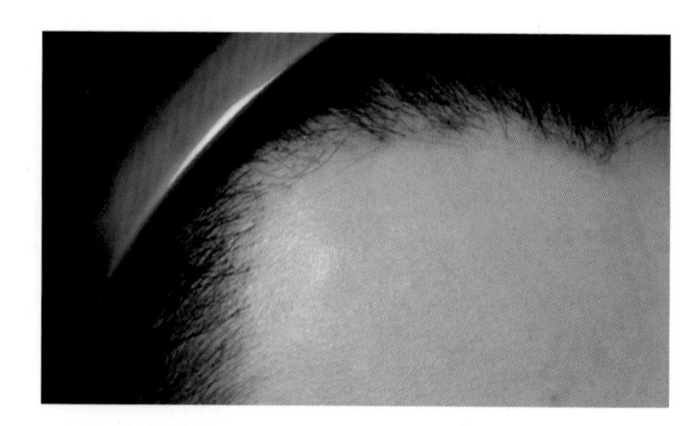

그림 8 부적절하게 깊은 이식 후 발생한 pitting 현상

주위를 따라 3-5일간 지속된다. 이는 외관적으로 사회생활에 지장을 줄 수 있기에 적절한 예방과 치료가 필요하다. 수혜부 마취 시 트리암시놀론이 섞인 튜메센트 용액을 사용하여 약물적으로 부종을 최소화하고 중력자세(gravity position)를 취함으로써 예방할 수 있다.

③ 외과적 탈락(Surgical effluvium)

술 후 2-4주경 탈락이 발생할 수 있는데 이는 휴지기 탈모일 가능성이 높다. 생장기 탈모의 경우 수술 중 모낭절단, 혈관 손상, 부종 등의 원인으로 발생하며 대부분의 경우 2-3개월쯤 다시 자란다. 심한 경우 국소 미녹시딜을 도포해주도록 한다.

(2) 미용적 합병증

① 부자연스러운 이식모의 모습

모발이 있는 두피에서 표피가 구멍모양(pitting)으로 들어가 있거나 텐트 모양(tenting)으로 솟아 있을 수 있다. 즉 이식모가 너무 깊으면 구멍 모양으로 보이고, 너무 얕으면 텐트 모양으로 보인다(**그림 8**). 또한 이식모는 초반엔 두껍고 곱슬거리거나 윤기가 없는데 이는 12-18개월에 거쳐 성장하면서 대부분 정상화된다.

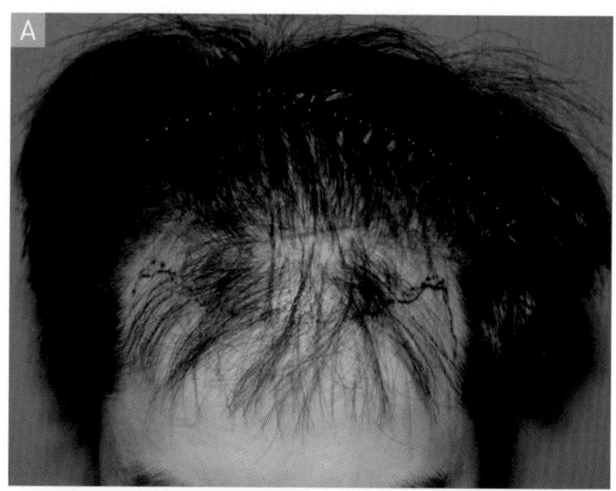

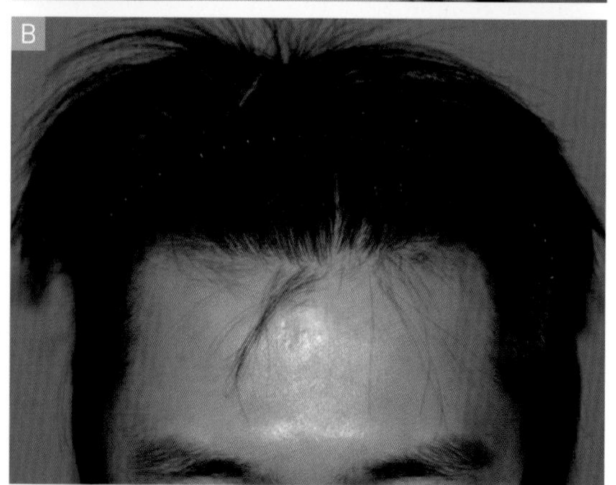

그림 9 낮은 생착률로 인한 밀도저하 (A) & 이차 이식으로 밀도 보완 (B)

② 부자연스러운 헤어라인

자연스럽지 못한 인위적인 헤어 라인은 실패한 시술이다. 비적절한 이식모의 배치, 불규칙성을 무시하고 일직선으로 심은 경우 등에서 발생하고 1차 시술 시 단일모를 이용하여 지그재그패턴으로 자연스러운 라인을 만드는 것이 좋은 예방법이다.

③ 낮은 생착률 혹은 밀도

일반적으로 경험이 있는 모발이식 전문의사에 의한 시술의 경우 90% 이상의 생착률을 보인다(**그림 9**). 숙련되지 않은 공여부 채취기술, 넓은 수혜부위 및 높은 밀도, 큰 이식편 및 수술 중 비적절한 관리, 긴 이식시간, 수술 후 비적절한 처치 등이 낮은 생착률에 영향을 미친다. 이러한 경우 신중하게 이식 순서 각 단계들을 재평가하는 것이 중요하다.

낮은 밀도는 주관적인 환자의 기대일 수도 있고 객관적인 문제일 수도 있다. 술 전 비현실적인 환자의 기대와 예상되는 결과를 파악하고 설명해주어야 하며 이식편 사이의 적절한 공간 배치 및 적절한 크기의 이식편 배치 등을 생각하면서 시술을 시행해야 한다.

참·고·문·헌

1. Bernard P Nusbaum and Aron G Nusbaum. Recipient Area Complications In: Walter P Unger, Ronald Shapiro, Robin Unber, Mark Unger, editors. Hair Transplantation. 5th ed. New York; Informa Healthcar, 2011:422-424
2. Hwang, S. Gravity position to prevent facial edema in hair transplantation. Hair Tanspl Forum Int 2009; 19(3): 80
3. Kassimir JJ. Use of topical minoxidil as a possible adjunct to hair transplant surgery. A pilot study. J Am Acad Dermatol. 1987 Mar;16(3 Pt 2):685-7.
4. Kim CK, Kim DY, Kim JY. Asymmetric Dermal–Subdermal Suture in Trichophytic Closure for Wide Hair Transplantation Donor Wound Dermatol Surg. 2013 Jul;39(7):1124-7
5. Kulaylat MN, Dayton MT. Surgical Complication In: Townsend CM, Beauchamp CR, Evers MB, Mattox KL, eds. Sabiston Textbook of Surgery, 18th edn. Philadelphia, PA: Elsevir Sanuders, 2008: 1589-1623
6. Michael L. Beehner, MD Saratoga Springs, New York Comparison of survival of FU grafts trimmed chubby, medium, and skeletonized Hair Transplant Forum Int 2010; 20(1):6
7. Nelson BR, Griffiths CE, Stough DB, Stough DB 3rd, Tschen JA, Cartwright J, Johnson TM. Curly Lusterless Hair: Anatomic Surface Changes on Transplanted Hair Shafts J Dermatol Surg Oncol. 1993 Dec;19(12):1129-30.
8. Russell G Knudsen and Mark Unger. Donor Area Complications In: Walter P Unger, Ronald Shapiro, Robin Unber, Mark Unger, editors. Hair Transplantation. 5th ed. New York; Informa Healthcar, 2011:419-422
9. Seager DJ. Pain control and management of postoperative period. In Stough DB, ed. Hair replacement. St. Louis, MO: Mosby, 1996:105-10.
10. William M Parsely and Mark A Waldman. Management of Postoperative Period In: Walter P Unger, Ronald Shapiro, Robin Unber, Mark Unger, editors. Hair Transplantation. 5th ed. New York; Informa Healthcar, 2011:416-419
11. Zhou Y. Principle of Pain Management In.: Bradely WG, Daroff RB, Fenichel GM, Jankovic J, eds. Neurology in Clinical Pratice, 5th edn. Philadephia, PA: Butterworth Heinemann Elsevier, 2008:293-325

남성형 탈모

Male Pattern Baldness

| 김대용 |

남성형 탈모 증상은 성장기 이후에 발생하므로 20대 초반이라도 탈모가 진행되면 모발이식을 원하는 경우가 있다. 젊은 나이라도 탈모가 많이 진행된 경우라면 모발이식이 필요 할 수 있지만, 탈모진행이 경미한 경우에는 가급적 모발이식의 시기를 늦추는 것이 좋으며, 모발이식을 하더라도 추후 탈모의 진행을 대비해 공여부의 모발채취 양을 최소화 하여야 한다. 일반적으로 20-30대의 젊은 남성형 탈모증 환자의 경우는 40-50대 중년층보다는 모발이식 수술의 결과의 기대치가 상대적으로 높아서 수술 후 만족도가 떨어지는 경우가 많으므로 수술을 결정하기 앞서 비슷한 탈모상태의 환자들의 시술 전 후 사진을 보여주어 수술 결과에 대한 기대치를 현실에 맞게 낮추어야만 한다. 만약 기대치가 너무 높다고 판단될 때에는 수술을 보류하는 것이 필요하다. 또한 상대적으로 신진대사가 왕성한 젊은 층에서는 중년층에 비해 공여부 흉터가 더 넓어지는 경향이 있으므로, 공여부 흉터에 대한 설명을 하는 것이 필요하며 공여부 채취 시 절개 폭을 줄이거나 피하봉합을 병행하는 등의 추가적인 사항이 고려되어야 한다. 하지만 40-50대 이상의 중년층이나 노년층의 경우는 공여부 흉터가 가늘게 생기고 모발이식수술 결과에 대한 기대치가 낮은 편이므로 오히려 젊은 층보다 만족도가 높다.

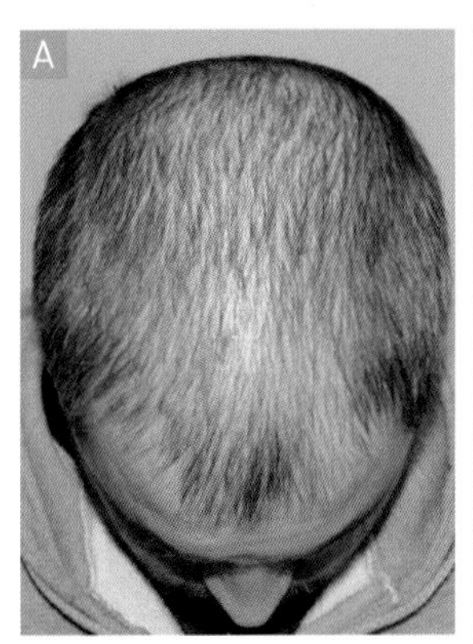

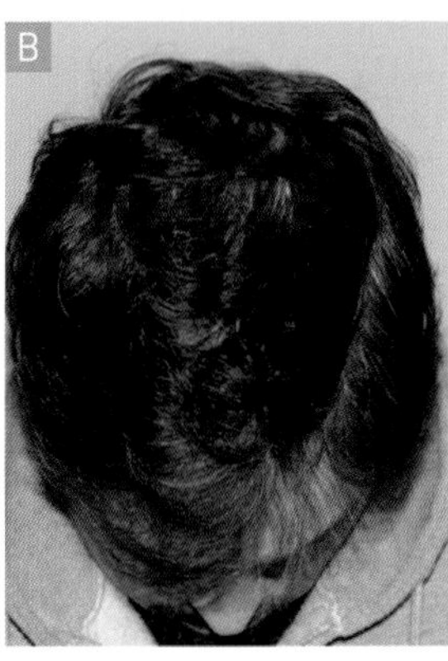

그림 1 (좌) 남성형 탈모 수술 전, (우) 4000 모낭단위 이식 1년 후 경과 사진

모발이식 후 시간이 경과하면 이식한 모발은 지속적으로 자라나나, 기존 모발은 탈모유전에 의해 탈모가 계속 진행되어 미용적으로 만족스럽지 못한 결과를 초래할 수도 있으므로 약물치료의 병행에 대한 설명이 필요하다. 따라서, 모발이식 수술 후 만족스런 결과를 오래 유지하려면 유전에 의한 탈모진행의 예방 목적으로 피나스테라이드(finasteride)를 매일 복용하고, 미녹시딜(minoxidil)을 하루 2회 도포하는 것이 반드시 필요하다**(그림 1)**.

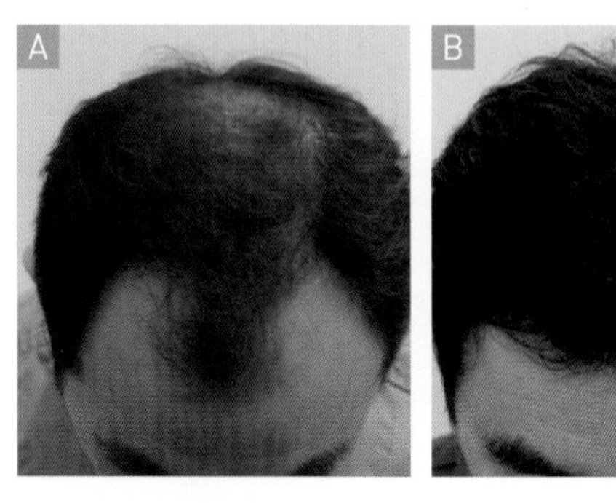

그림 2 M자형 탈모(Norwood 5 단계) 약 3500 모낭단위 이식 후 1년 후 경과사진

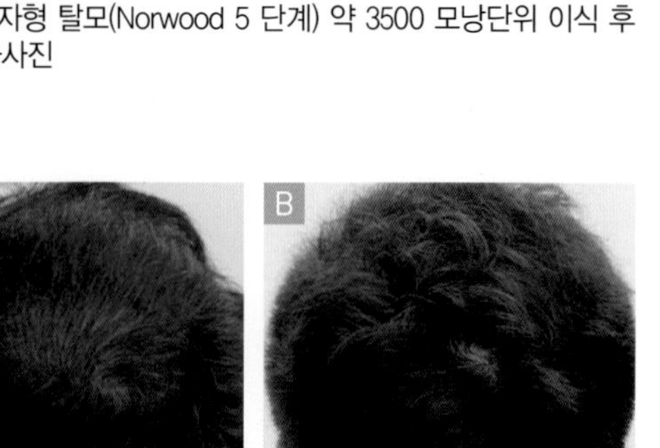

그림 3 정수리탈모 약 3500 모낭단위 이식 후 1년 후 경과사진

남성형 탈모형태 중 엠자형 탈모에 대한 모발이식 시에는 엠자형태로 파여진 이마 헤어라인을 정상적인 남성 헤어라인으로 복원하는 동시에 탈모가 진행된 부위와 앞으로 진행될 부위까지 충분히 이식을 해주는 재건수술계획이 필요하다. 간혹 엠자형 탈모를 가진 젊은 환자들은 헤어라인을 아래로 내려달라고 하는 경우가 많다. 이 때에는 앞머리에 탈모가 있다면 앞으로 이마가 더 넓어질 것이고 헤어라인을 많이 내리면 어색할 뿐만 아니라 밀도도 떨어져 보일 수 있음을 충분히 설명하여야 한다. 임상적으로 얼굴 비율보다 2-4 cm 높게 헤어라인을 설정하는 것이 바람직하다 **(그림 2)**.

여성형 탈모증처럼 정수리부위의 탈모인 경우에는

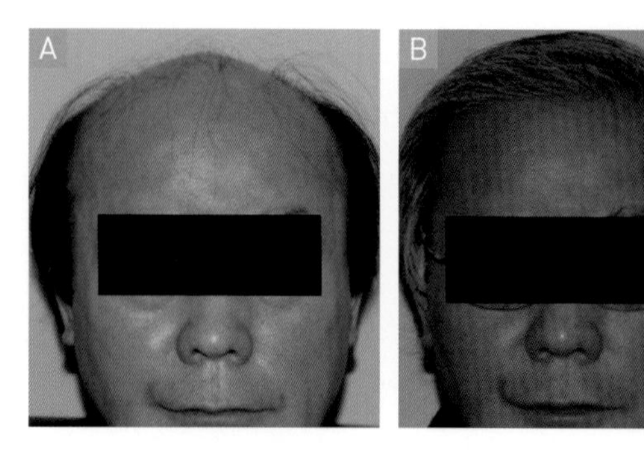

그림 4 광범위탈모에 있어 약 3500 모낭단위 이식 후 6개월 경과 사진

탈모가 많이 진행이 되지 않은 상태라면 이식효과가 떨어진다. 엠자형 탈모보다 수술여부에 대해 신중하게 고려할 필요가 있으며 이식 시에는 주변 모발의 손상을 최소화 하기 위해서 가마 및 가르마의 방향과 기존 모발의 각도와 방향에 따라 이식모를 이식하는 것이 중요하다. 모발이식 시 일시적인 동반탈락이나 공여부 모발이 가는 경우 만족스럽지 못한 수술결과를 예측할 수 있으므로, 정수리 모발이식 수술 전 수술결과에 관하여 환자와의 충분한 상담과 설명이 필요하다**(그림 3)**.

최근에는 한번의 수술만으로도 만족스러운 결과를 얻기 위해 6000-8000모 전후의 대량 모발이식도 많이 이루어지고 있다. 주로 앞머리부터 정수리까지 광범위하게 탈모가 진행된 경우나 높은 만족도를 원하는 사람이 대상이며, 대량모발이식을 위해서는 능숙한 모낭분리시스템과 빠르고 정확한 이식기술이 필요하다. 필자의 경우, 다량의 식모기를 사용하고 5명의 technician과 같이 팀을 이루어 시간당 1500모낭 이식이 가능하도록 시스템화하였으며, 이를 통해 6 시간 내에 모든 대량모발이식(3000-4000모낭)을 시행하고 있다 **(그림 4)**.

참·고·문·헌

1. Bernstein RM, Rassman WR, Follicular unit transplantation, Dermatol Clin 2005;23(3):393-414
2. Cohen IS, Guideline for hair transplantation in the young patient, Hair Transplant Forum international 2001;11:131-133
3. Marritt E, Leonard L, A redefinition of male pattern baldness and its treatment implications, Dermatol Surg 1995;21:123-135
4. Norwood OT, Patient selection, hair transplant design, and hairstyle, J Dermatol Surg 1992;18:363-394

여성형 탈모

Female Pattern hair Loss

| 황정욱 |

서구화된 환경변화로 여성형 탈모가 증가하고 외모에 대한 관심이 커져 가며 여성탈모의 모발이식 요구가 증가하고 있고 모발이식술의 발전으로 많은 량의 모발을 무리없이 채취해 여성탈모에도 적극적인 치료가 가능하게 되었다.

다만 수술 전 정확한 진단과 검사로 두피 주사치료, 약물치료, 문신등 보존적 요법으로 치료할지 모발이식으로 효과를 볼수 있을지 정확한 구분이 중요하다.

1. 수술 전 상담(Preoperative consultation)

여성형 탈모를 모발이식수술로 치료하려고 할때 환자의 기대치를 듣고 수술로 가능한 결과치를 정확히 이해시키는 것이 중요하다.

남성의 경우 적은 모발과 부분적인 이식으로 어느 정도 가르마나 헤어라인을 만들어 주어도 만족할 수 있지만 여성의 경우 전체적으로 풍성한 머리숱을 기대하는 경우가 많다. 그러나 실제로 모발이식은 제한된 모발을 재배치해 전체 머리숱을 증가시키거나 풍성하게 하는 것이 아니라 미용적으로 중요한 특정한 부위에 밀도를 증가시키고 그 특정한 부위를 위주로 한 고정된 머리 스타일을 해서 한정적인 결과를 얻는다는 것을 이해 시켜야 한다. 실제로 수술 후 가르마 부위의 모발 사이로 두피가 비쳐 보인다고 불평하는 경우가 많고 2차 3차 추가 수술로도 정상이 될수 없음을 인지 시켜야 한다. 수술은 고정된 머리스타일로 연출해 어느 정도 떨어진 거리에서 숱이 없어 보이지 않게 하는 효과를 가짐을 이해 시킨다.

그리고 수술 후 2-3개월 동안 일시적이지만 휴지기 탈모증의 동반 확률이 높다는 것을 인지 시켜야 한다.

여성의 경우 생리 기간에는 지혈효과가 떨어지는 현상을 보이기도 하니 고려하면 도움이 된다.

2. 수술 전 고려사항 (Preoperative consideration)

여성형 탈모는 크게 세가지 형태로 분류를 하는데 Ludwig가 기술한 caudal and centrifugal pattern, Hamillton이 분류한 male pattern of frontoparietal loss, Olsen이 기술한 Christmas tree pattern이다.

여성형 탈모와 감별할 질환들로는 가장 흔한 것이 휴지기 탈모증으로 수술, 고열, 출산 등으로 인한 전신

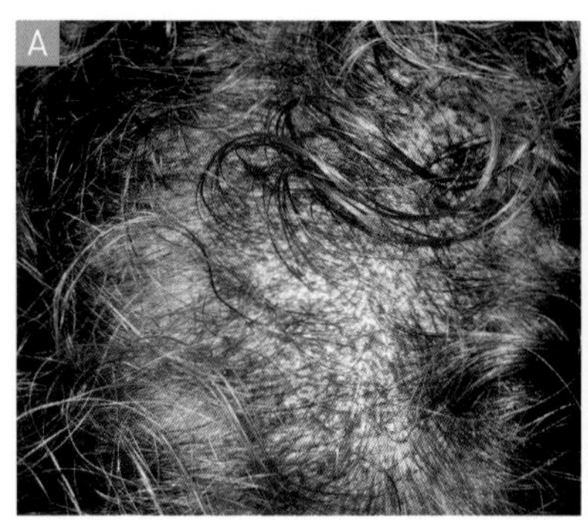

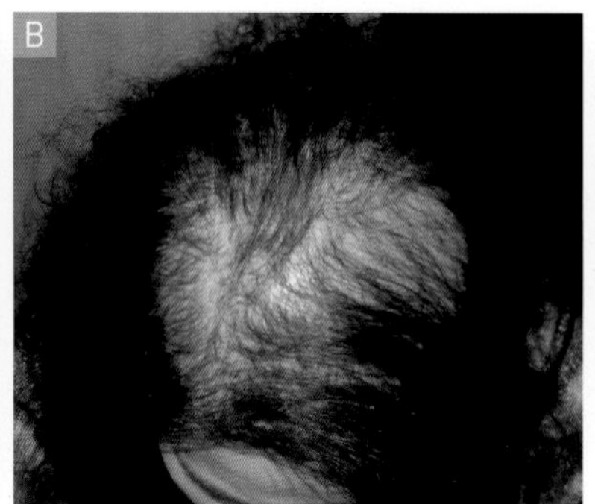

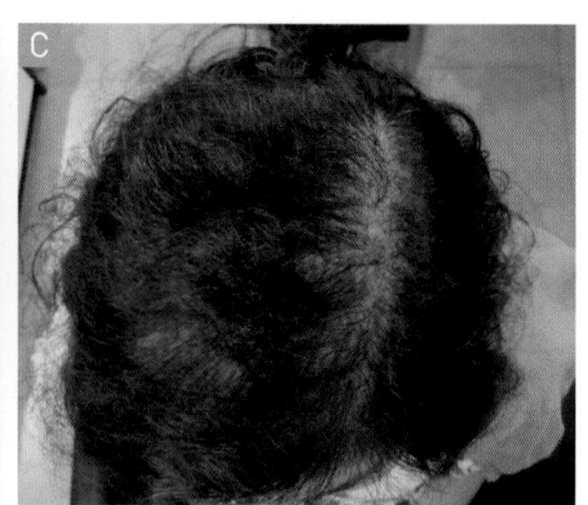

그림 1 A. 수술 전 여성탈모, B. 수술 후, C. 수술 후 1년

증상과 다이어트 약물 과다 복용 등으로 생긴다. 이런 현상은 원인이 제거되고 시간이 지나면 개선이 되니 수술을 바로 시행하면 안된다. 그리고 원형 탈모증, 전두부 섬유화 탈모증의 경우도 모발이식을 시행하면 안 된다.

발모벽이나 견인성 탈모의 경우엔 머리를 뽑는 습관을 없애거나 머리가 당기는 스타일 피하면 회복이 되나 탈모가 오래 지속되어 계속 모발이 회복되지 않는 경우엔 이식이 도움이 된다.

그리고 여성형 탈모의 경우 측두부와 후두부까지 모발이 연모화된 경우가 많아 남성환자에 비해 총 이식모가 적게 얻어지는 경향이 있고 공여부의 연모화 비율이 20% 이하인 경우가 향후 결과가 좋다. 그래서 세심하게 가족력과 이학적 검사를 하는 것이 필요하다. 공여부의 밀도가 낮고 연모화가 많은 경우엔 수술을 포기하거나 수술결과가 미흡함을 설명해야 한다(**그림 1**).

3. 모발이식의 시행(operative procedure)

수술과정은 남성의 수술과정과 동일하다. 다만 여성탈모 모발이식술에서 몇 가지 고려할 점들이 있는데 여성탈모의 수술후 동반탈락 빈도가 25-50%로 높게 보고가 되고 있다.

그래서 기존 모발과 동일한 각도와 방향으로 이식해 기존 모발의 손상을 줄이고 리도카인 마취시 에피네프린의 농도를 줄이는 것이 동반탈락예방에 도움이 된다.

그리고 전체 두피에 이식할 만큼 공여부 모발이 충분한 것이 아니기 때문에 앞으로 주로 사용할 머리 스타일을 연출하고 미용적으로 중요한 특정부위에 정확하게 디자인을 하고 환자와 수술부위를 협의 후 수술을 시행해야 한다. 그후 이 특정부위에 집중적으로 모낭을 이식하는 것이 좋은데 보통 가르마 부위나 두정부 부위에 집중적으로 심고 이 부위엔 주로 2,3모 짜리 모낭을 이식하고 주변부에 1모짜리 모낭을 이식하는 것이 더 좋은 결과를 얻을 수 있다.

이렇게 이식함으로서 이식모가 새로 자라나게 되면 풍성해진 이식한 부위의 모발을 이식하지 않은 숱이 적은 부위로 빗어 덮음으로써 전체적으로 숱을 많아 보이게 연출할수 있다.

4. 수술 후 관리(postoperative care)

수술 후 관리도 남성에 비해 세심한 배려가 필요하다. 수술전 상담에서 전체적으로 풍성하거나 두피가 안 보일정도로 빽빽하게 만들 수 없다는 사실을 알려 주었더라도 많은 환자들이 수술 후 바로 머리가 잘 자랄것을 기대한다. 그런데 오히려 이식 후 이식한 모발 뿐 아니라 기존 모발의 동반탈락도 25-50% 사이에서 일어날수 있으므로 환자의 불안을 잘 상담해주어야 한다, 또한 동반탈락과 더불어 기존 모발의 탈모도 진행됨으로 미녹시딜을 사용하거나 두피 메조 치료 등을 해주면 동반탈락 회복과 탈모진행 방지에 도움이 된다.

보통 이식 3-4개월 후부터 모발이 자라나기 시작하고 완전한 결과가 나오기까지 10개월 이상 걸린다, 그 외에 수술 후 나타날수 있는 공여부나 수혜부의 일시적인 감각이상, 이식모의 모낭염, 부종 등도 미리 설명해 주는 것이 좋다. 무엇보다도 환자와 정서적인 유대감을 형성해 가능한 결과를 설명하며 정서적 지지를 해주는 것이 중요하다.

참·고·문·헌

1. Hamilton JB. Patterned loss of hair in man:types and incidence.Ann NY Acad Sci 1951:53:708-28
2. Ludwig E. Classification of the types of androgenicalopecia (common baldness)occurring in the female sex. Br J Dermatol 1977:97:247-54
3. Norwood OT. Male pattern baldness:classification and incidence.South Med J 1975:68:1359-65
4. Pathomvanich D, Bunagan MUK. Hairtransplantation in Asian women: a retrospective review of common indications, procedural techniques and post- operative outcomes. Poster presentation, Annual Scientific meeting, ISHRS, 2008
5. Rogers NE, Avram MR. Medical treatment for male and female pattern hair loss. J Am Acad Dermatol 2008;59(4):547-66
6. Unger WP, Unger RH. Hair trandplanting: an important but often forgotten treatment for female pattern hair loss. J Am Acad Dermatol 2003:49:853-60

여성 헤어라인 교정

Female hairline correction surgery

| 정재헌 |

1. 여성 헤어라인 교정

헤어라인 교정이란 모발이식 수술을 이용하여 이마의 면적을 줄이거나 모발선을 변형시키는 미용수술의 한 분야이다.

교정수술을 통해 넓거나 높은 이마의 면적을 줄임으로써 전체 얼굴의 크기를 감소시키고, 남성의 전형적인 모발선인 엠자나 사각형태의 모발선을 여성에서만 볼 수 있는 둥근 모발선으로 바꾸어 여성적인 이미지를 갖도록 하고, 하측두부나 구레나룻를 같이 교정

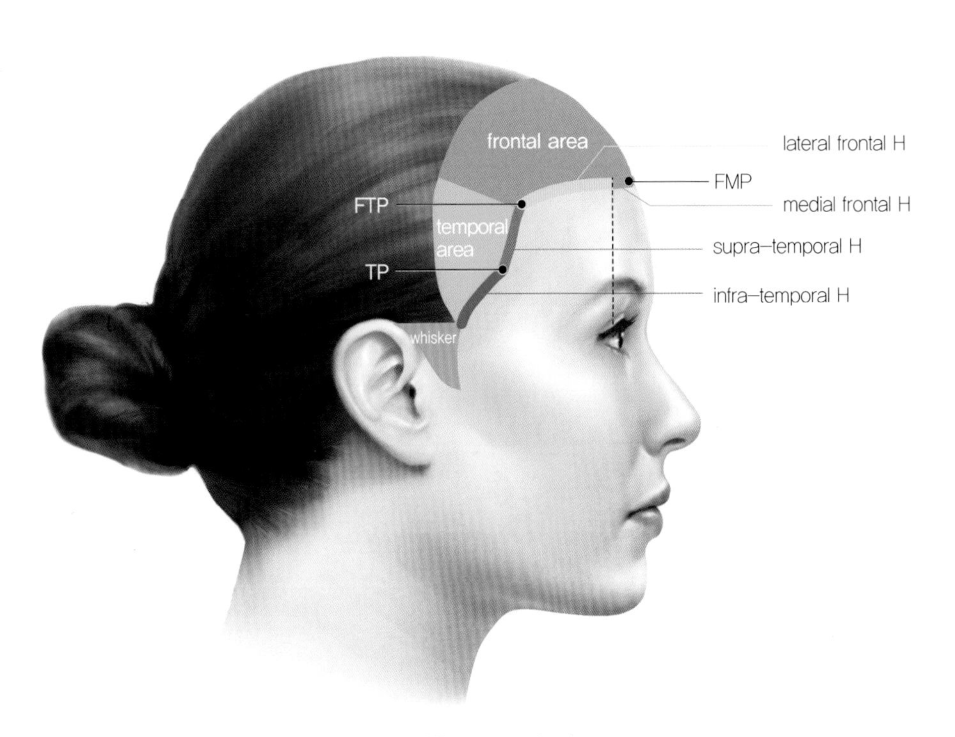

그림 1 FMP ; frotal midpoint FTP ; fronto–temporal point TP ; temporal point

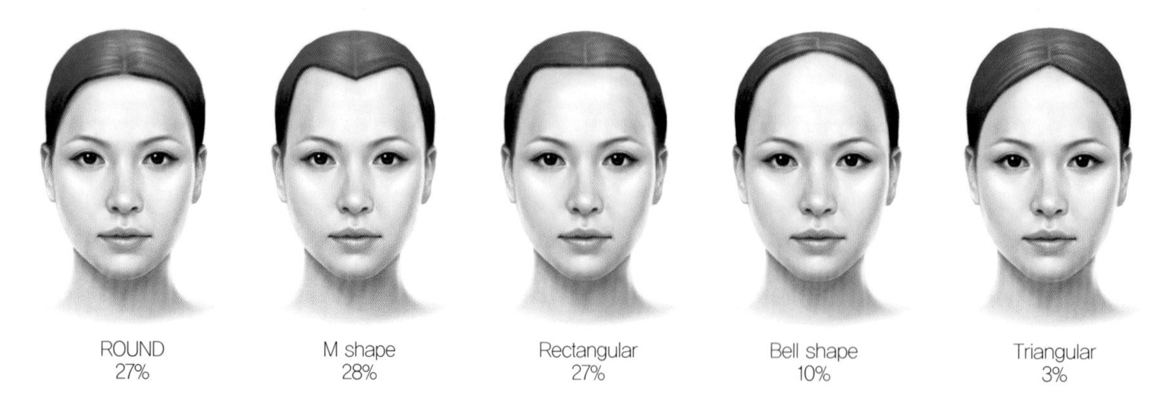

그림 2 헤어라인의 모양

함으로써 갸름한 얼굴 윤곽선을 갖도록 하는데 그 목적이 있다.

1) 헤어라인의 Nomenclature

모발선은 크게 전두부 모발선과 측두부 모발선으로 대별할 수 있는데, 전두부는 midpupillary line을 기준으로 내측과 외측, 측두부 모발선은 측두점으로 기준으로 상부와 하부로 분류할 수 있다(**그림 1**).

2) 헤어라인의 모양

(1) 엠자 모양(M shape)

Frontotemporal recess가 진행되어 있고, frontotemporal angle이 90도 이내이며, supratemporal line의 위쪽 부분이 뒤쪽으로 기울어져 있는 경우를 말한다.

(2) 사각 모양(rectangular shape)

Frontotemporal recess가 거의 없으며 fronto-temporal angle 90도이거나 그보다 크고, supratemporal line이 거의 수직이거나 앞으로 기울어져 있는 경우를 말한다.

(3) 둥근 모양(round type)

fronto-temporal line이 둥근 형태를 보이는 경우로서 여성에서만 주로 나타난다.

(4) 종 모양(Bell shape)

이마의 폭은 정상적인 길이이지만 midfrontal point가 높이가 정상보다 2 cm 이상 높은 경우를 말한다.

(5) 삼각 모양(triangular shape)

이마의 중앙에서 temporal point까지 거의 직선으로 연결되는 경우로써 주로 잔머리(vellus hair)가 발달되어 있다.

한국여성의 경우 둥근이마(27%), M자이마(28%), 사각이마(27%)가 주된 이마의 모양으로 보여진다. Nusbaum이 보고한 서양여성의 이마 모양인 M자이마와 사각이마(61%), 둥근이마(26%)와도 비슷한 비율을 보이고 있다(**그림 2**).

저자의 통계에 의한 한국여성의 평균적인 이마의 계측치는 다음과 같다(**그림 3**).

- 이마의 높이(mideyebrow-base of widow peak) : 6.38 cm

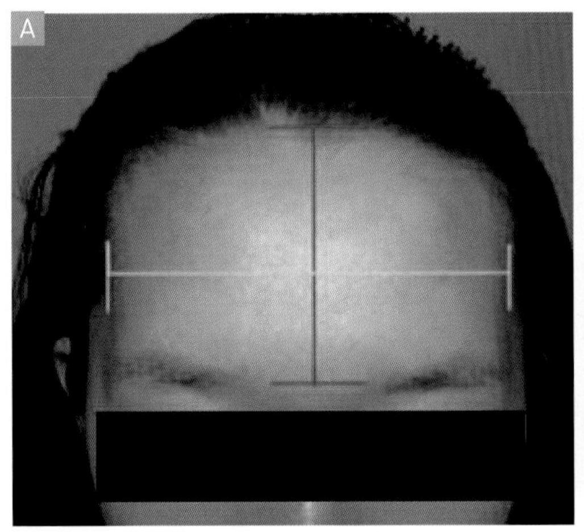

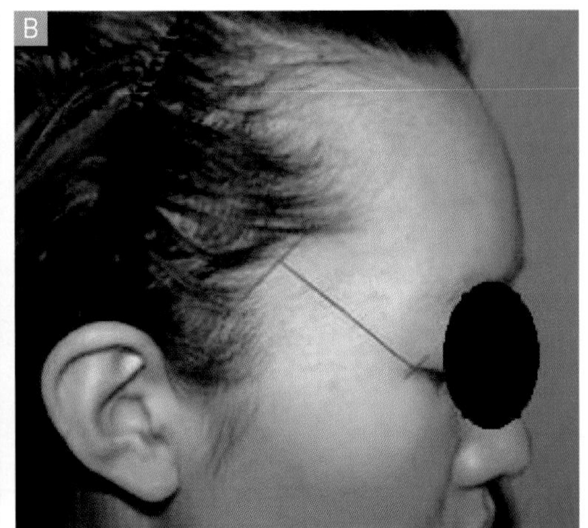

그림 3 한국여성의 평균적인 이마의 계측

- 이마의 넓이(양쪽 temporal point 거리) : 14.3 cm
- 하측두부의 깊이(infratemporal apex-lateral canthus): 4.29 cm
- Fronto-temporal recess 깊이 : 3.5 cm
- Temporal point 사이의 헤어라인 길이 : 17.2 cm

2. 디자인에 따른 교정술

1) 전체교정술(total correction)

이마의 높이와 폭, M자 부분, 하측두부(infratemporal area) 구레나룻 부분까지 전체적으로 균형에 맞추어 동시에 교정하는 경우를 말한다.

이마의 높이를 결정할 때 새로운 frontal midpoint가 얼굴의 하부 1/3보다도 5 mm 정도높게 정하는 것이 좋고, 이식 부위의 밀도가 상대적으로 떨어지는 것을 고려하여 교정의 높이도 1-1.5 cm로 넘지 않는 것이 자연스런 결과를 얻을 수 있다.

이마의 폭은 안와연(orbital rim)의 바깥 경계를 수직으로 올린 선사이의 거리를 이마의 폭으로 정하는 것이 일반적이며, temporal point는 눈썹의 바깥 끝부분에서 2 cm 이상 떨어지도록 위치하는 것이 바람직하다.

하측두부(infra-temporal area)는 측두점(temporal point)에서 안와연(orbital rim)의 굴곡에 맞추어 둥글게 디자인하는 것이 일반적이지만 범위가 넓거나 과감한 교정이 요구될 때에는 거의 직선 형태로 교정할 수도 있다.

구레나룻: 하측두선(infratemporal line)과 연결해서 자연스럽게 디자인하는데 아랫쪽 경계는 너무 길게 하지 않고 관골궁(zygomatic arch)의 하연까지만 이식을 하는 것이 자연스럽다.

기존 안면 윤곽술로 교정이 어려운 돌출된 옆 광대의 경우에도 폭이 넓은 구레나룻를 만들어 줌으로서 돌출된 옆얼굴을 감추면서 갸름한 얼굴선을 만들 수 있다(**그림 4**).

2) 엠자 교정술(M correction)

이마의 높이나 폭을 교정하지 않고 M자 부분(fronto-temporal recess)만을 교정하는 경우로써 이 부

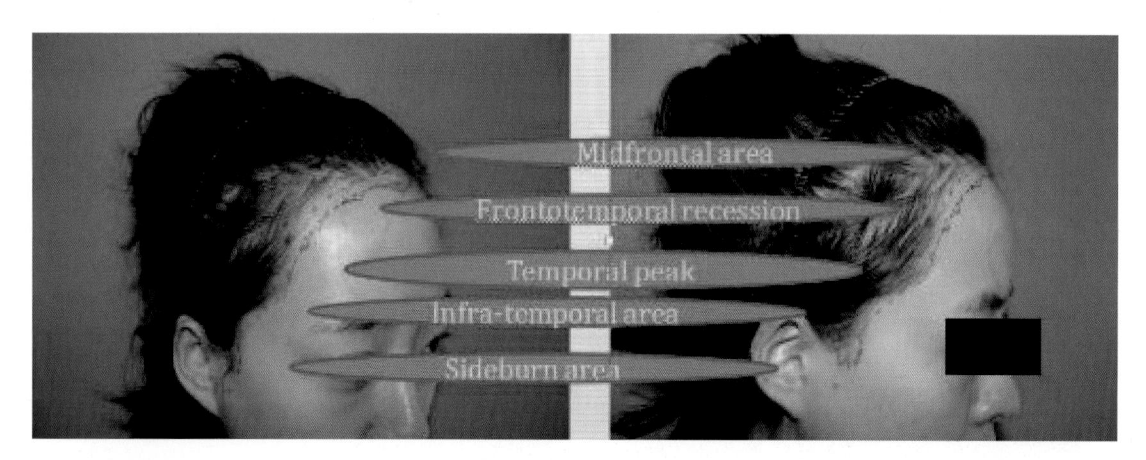

그림 4 전체교정술 (total correction)

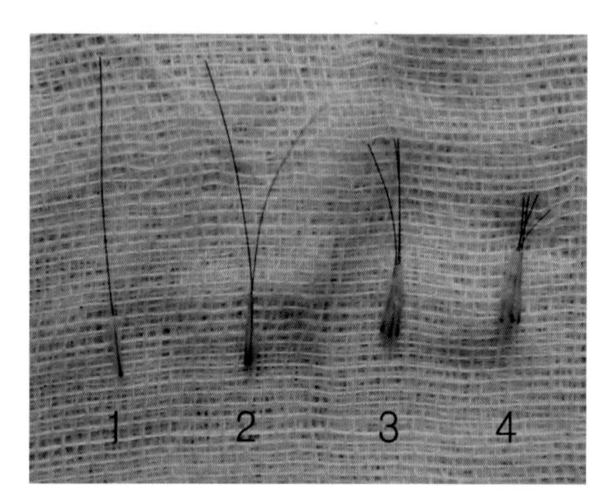

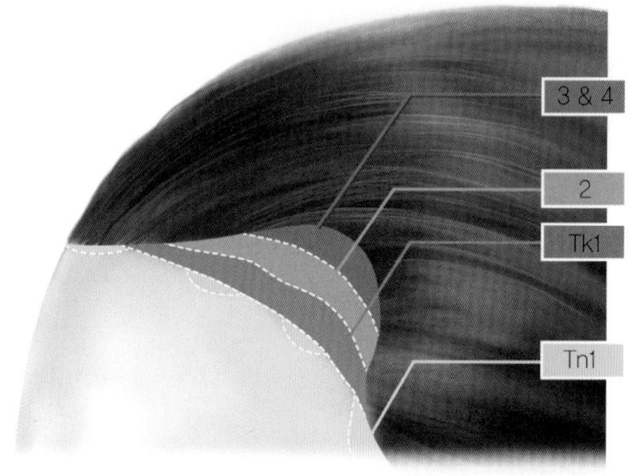

그림 5 엠자 교정술(M correction)

분을 가장 앞 쪽에 transition zone, 중간의 mid zone, 뒤쪽의 apex zone의 3 zone으로 분류하여 이식하게 된다(저자에 따라 transition zone과 defined zone의 2 zone으로 구분하기도 함). 밀도를 높이고 자연스런 방향과 각도를 얻기 위하여 1 hair F.U를, midzone 에는 F.U 중 가장 많은 비율의 2 hair F.U.를, apex zone에는 전체 볼륨을 증가 시키기 위하여 3&4 hair F.U를 주로 이식하게 된다(**그림 5**).

3) 부분 교정술(partial correction)

모발선 주위의 필요한 부분만 극소적으로 교정하는 방식으로서 widow peak의 양 옆이 함몰된 부분을 교정하거나, 하측두부(infratemporal area)를 교정하여 옆 얼굴을 줄이고자 할 때, 또는 제모 레이져 시술 후에 일직선으로 된 모발선을 교정하고자 하는 경우에 해당된다(**그림 6**).

4) 교정에 필요한 양 측정

이식 시 필요한 모발의 양을 알기 위해서는 우선 이식하는 수혜부의 면적을 알아야 하는데 삼각형의 면적으로 구하는 방식을 이용하여

A선을 midfrontal point에서 temporal point까지의

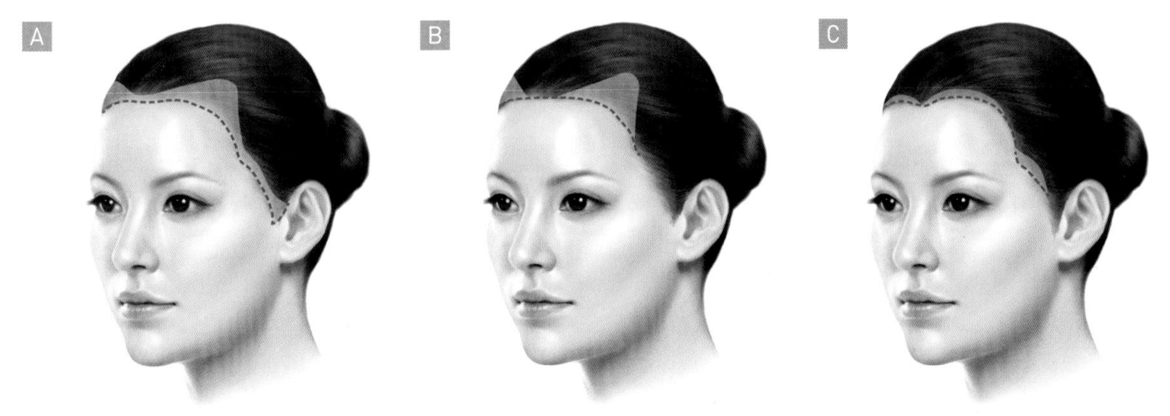

그림 6 A.전체 교정술, B. 엠 자 교정술, C. 부분교정술

거리, B선을 fronto-temporal apex에서 A선의 중간점으로 하였을 때 한쪽의 삼각형의 면적은 A x B / 2 이므로 양쪽은 A x B가 이식의 fronto-temporal area 의 면적이 된다.

필자가 연구한 결과에 따르면 한국 여성 환자의 평균 A선은 8.6 cm, B선은 3.5 cm 으로 평균 30.1 cm 의 면적이며, 이식하고자 하는 모발의 밀도를 평균 70 hairs/cm^2로 하고자 한다면 2107개의 모발이 필요하게 된다. 교정 시 새로운 midfrontal point의 위치, infrapemporal area나 구레나룻 교정 여부에 따라 필요한 양을 추가한다면 대략적인 이식 시 필요한 양을 추정할 수 있다(**그림 7**).

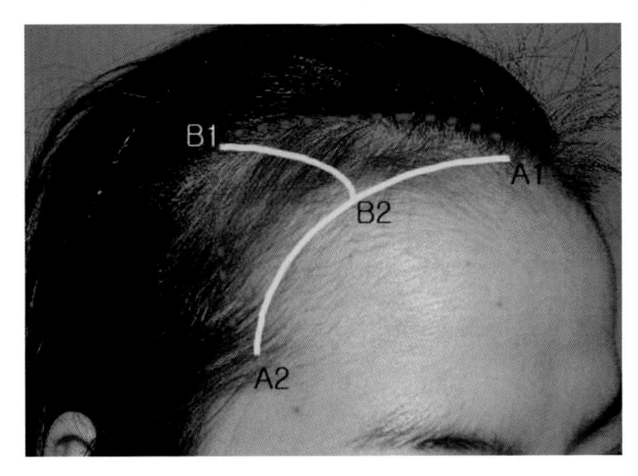

그림 7 교정에 필요한 양 측정

5) 이식 시 고려해야 할 사항

(1) FU에 따른 이식부위의 차별화

이식부분을 3가지의 zone으로 분류하는데, 가장 앞쪽의 1 cm 폭의 transition zone에는

1 hair F.U으로 주로 이식함으로써 조밀한 밀도(50-60 F.U/㎠)를 얻을 수 있고, 변화 되어지는 모발 방향과 각도를 세밀하게 만들 수 있다. 또한 1 hair FU은 다시 thin과 thick으로 구분하여 15% 정도의 thin 1 hair FU는 가장 앞쪽 줄과 돌출부를 만들 때에 주로 사용하게 된다.

중간 부분인 mid-zone에는 모낭단위 중 가장 많은 비율을 차지하는 2 hair F.U을 주로 이식함으로써 다른 경계 부분과 자연스럽게 동화되면서 밀도를 높일 수 있다.

가장 뒤쪽인 apex zone은 모발의 볼륨을 높이기 위하여 3&4 hair FU를 주로 이식하게 되며, 그 사이에 1-2 hair FU를 추가적으로 보충함으로써 모낭의 밀도를 높이게 된다(**그림 8**).

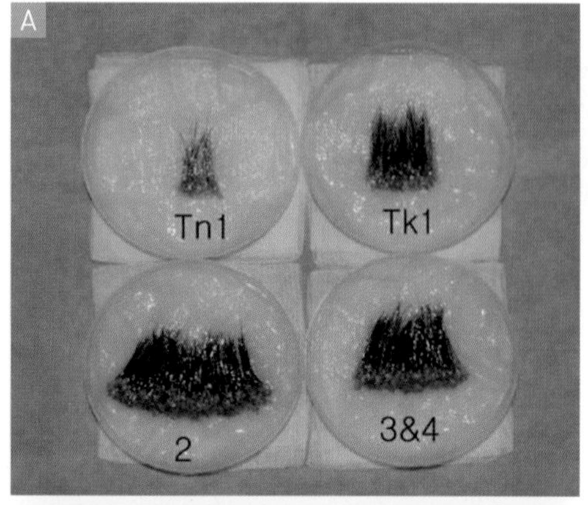

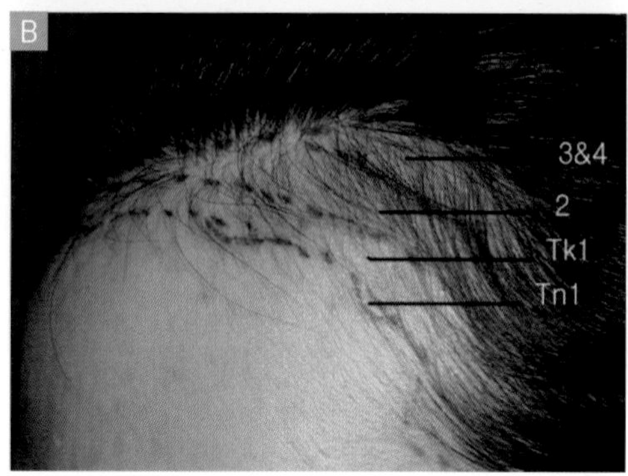

그림 8 FU에 따른 이식부위의 차별화

(2) hair의 방향과 각도

방향과 각도를 결정하는 기본 원칙은 기존의 남아 있는 연모의 방향과 각도를 따르는 것이다.

가르마를 경계로 양쪽의 모발의 방향과 각도의 차이가 생기게 되는데 그 변화되는 차이를 충분히 이해하고 그 차이에 맞추어 점진적으로 이식하는 것이 자연스럽다.

일반적인 모발의 방향은 측두부에서는 하후방(infero-posterial direction)에서 점차로 옆 방향으로 바뀌다가 전두 모발선 부터는 앞 방향(anterior direction)으로 바뀌게 된다.

모발의 각도는 구레나룻에서 가르마로 갈수록 점차 커지는데, 구레나룻부터 측두점까지는 15-20°를 유지다가 점차 커지면서 가르마 부근에서는 60-90° 정도

그림 9 hair의 방향과 각도

의 각도로 나오게 된다(그림 9).

(3) 모발의 밀도

헤어라인 교정 시 고밀도로 이식을 하는 것이 매우 중요한데, 일반적으로 생존율이 가장 좋은 평균적인 모낭의 밀도를 25-30 FU/㎠라고 볼 수 있지만, 90% 이상의 생존율을 유지하면서 50 FU/㎠ 정도의 고밀도 이식이 되어야만 비추어 보이는 현상(see-through phenomenon)을 줄이면서 보다 자연스런 결과를 얻을 수 있다(그림 10).

이런 고밀도 이식을 위해서는 섬세한 모낭 분리와 처치, 효과적인 보관 용액의 사용, 세밀한 이식방법 등 이식 전반에 걸친 잘 갖춰진 시스템이 필요하다.

(4) 가르마

가르마는 헤어라인에서 모발의 방향이 나누어지는 지점으로서 46%에서 오른쪽, 14% 왼쪽, 20% 가운데, 20%는 양쪽에 있는 것으로 보고 있다,

M자 모양의 모발선에서는 frontotemporal recess의 안쪽에 있는 경우에는 잘 노출되지 않으나 수술 후에 앞쪽으로 새로운 모발선이 생기면서 가르마가 좀 더

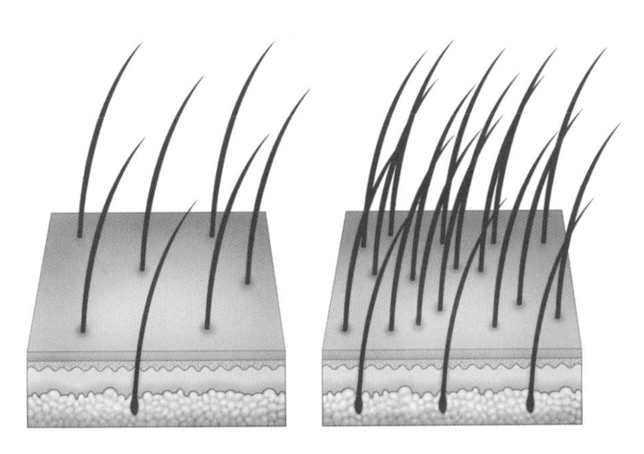

그림 10 모발의 밀도

뚜렷이 나타나게 되고, 모발이 방사형으로 갈라지므로 두피가 쉽게 노출되기 때문에 상대적으로 밀도가 떨어져 보이게 된다.

이런 현상을 감소시키기 위해서는 모발의 각도를 좀 더 세워서 모낭이 좀 더 깊숙이 위치하도록 하면서 밀도를 높이거나, 가르마가 정면에서 보았을 때 사선으로 놓이도록 가르마 방향을 바꾸는 것이 도움이 될 수 있다.

술자의 경험에 의하면 midfrontal에 가르마가 있을 때는 이마 중앙에서 교정의 폭을 1 cm 이내로 줄여서 하는 것이 좋고, lateral에 있다면 1.5 cm까지는 내려도 외측으로 향하는 모발의 중첩 효과로 인해 낮은 밀도를 충분히 감출 수 있다.

가르마가 양쪽에 있는 경우 약한 쪽의 가르마는 묵살하고 가능한 강한 쪽의 가르마로 일치시켜서 하나의 가르마로 하는 것이 좋으나, 양쪽이 모두 강한 흐름인 경우에는 원래의 형태로 따라 하는 것이 자연스럽다.

(5) Cowlick이 있는 경우

Cowlick은 가르마의 한 형태로서 모발의 방향이 윗쪽으로 향하여 있는 것으로서 주로 헤어라인의 왼쪽에서 볼 수 있다. 모발의 방향이 윗쪽으로 향하기 때문에 모발이 서로 중첩되는 효과(shivering effect)가 적고, 이식 밀도가 그대로 노출되므로 충분히 ㎠당 최소 50개까지 밀도를 세밀하게 높이고, 교정 부위의 폭을 1 cm

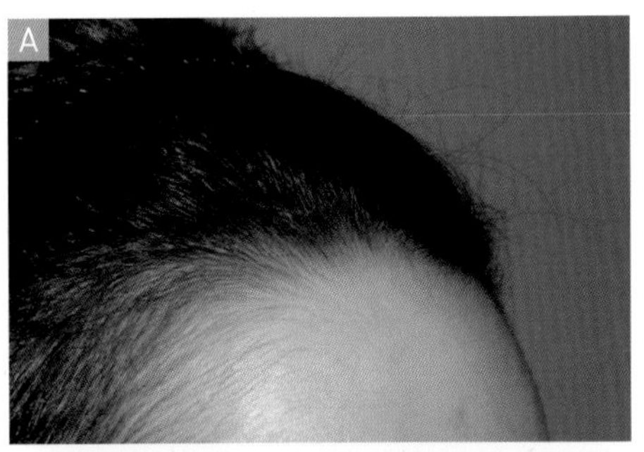
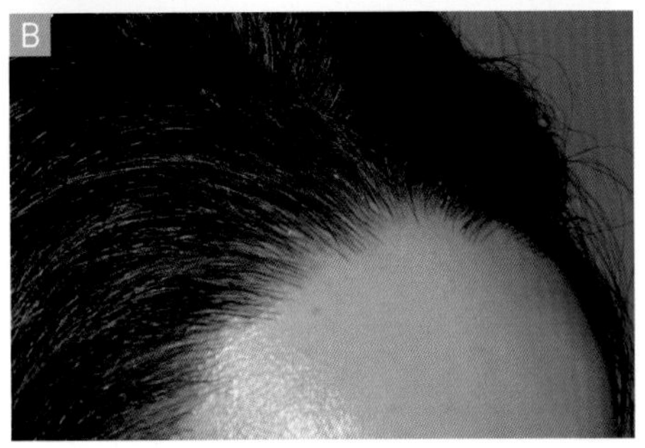

그림 11 A. 수술전 cowlick 모습, B. 수술후 1 cm교정한 모습

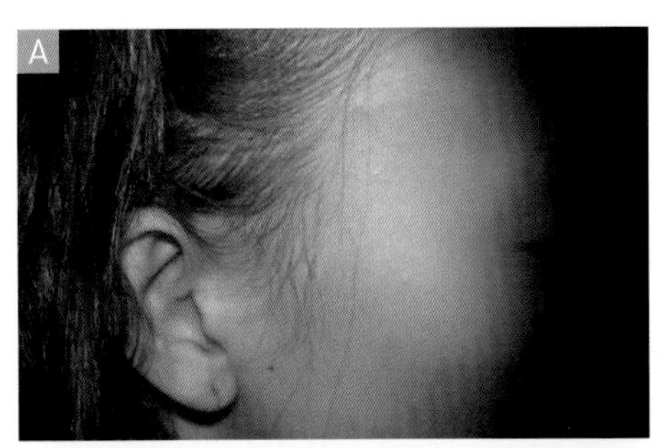
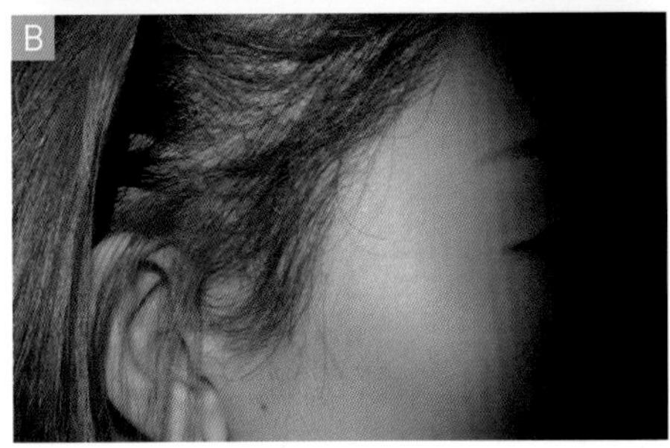

그림 12 옆 광대가 돌출되어 얼굴이 넓어 보이는 경우

이내로 줄이는 것이 좋다(**그림 11**).

(6) 옆 광대가 돌출되어 얼굴이 넓어 보이는 경우

얼굴의 윤곽선을 갸름하게 교정하고, 크기를 줄이는 방법으로서 헤어라인 교정술은 매우 유용하다. 특히 광대뼈 축소술로 교정이 어려운 관골 궁의 중간부분과 뒷부분이 돌출된 옆 광대의 경우에 모발이식을 통해 효과적으로 교정이 가능하다,

수술은 하측두부(infratemporal area)와 구레나룻을 이식함으로써 교정이 가능한데, 가능한 15° 이내의 예각으로 이식하고, 단일 모를 사용하여 밀도는 25-30 FU/㎠로 하며, 구레나룻은 남성과는 달리 관골 궁의 하연까지만 이식하는 것이 자연스럽다(**그림 12**).

참·고·문·헌

1. Jung JH, Rah DK, Yun IS. Classification of the female hairline and refined hairline correction technique for Asian women, Dermatologic Surgery 2011;37:495-500
2. Nusbaum BP, Naturally occurring female hairline patterns, Dermatol Surg 2009;35:907-13
3. A.Erian and M.A. Shiffman (eds.), Advanced Surgical Facial Rejuvenation 15-16p, Springer 2012
4. Jung JH, Yun IS. Total hairline correction in female patient, Archives of Aesthetic Plastic surgery 2014;20(1);44-51
5. Ramirez AL, Ende KH, Kabaker SS. Correction of the high female hairline. Arch Facial Plastic Surgery 2009;11:84-90
6. Beehner M. Hairline design in hair replacement surgery, Facial Plast Surg 2008;24: 389-403
7. Marten TJ. Hairline lowering during foreheadplasty. Plast Reconstr Surg. 1999;103:224-236
8. Shapiro R. Principles and techniques used to create a natural hairline in surgical hair restoration, Facial Plast Surg Clin North Am 2004;12:201-217

남성 헤어라인 교정

Male hairline correction

| 박재현 |

1. 서론

남성환자의 헤어라인 교정 수술 시 가장 중요한 고려사항 하나는 반드시 추후 탈모 진행 가능성을 염두에 두어야 한다는 점이다. 젊은 환자일수록 수술 여부 결정에 신중해야 한다. 지금 당장 탈모가 보이지 않는다고 미래에 탈모가 발현되지 않는다는 보장은 없다.

이마 높이를 너무 많이 내리지 않아야 하며, 환자의 나이, 얼굴 형태, 모발의 특성, 공여부 밀도 및 모발의 두께, 선호하는 헤어스타일 및 직업 등을 종합적으로 판단하여 헤어라인을 디자인해야 한다. 또한 추후 탈모가 진행하게 되면 finasteride나 dutasteride와 같은 탈모 예방약을 복용하여야 하며, 미래에 추가적인 이식 가능성도 있음을 반드시 설명하고 수술해야 한다.

2. 남성헤어라인 수술시 고려사항

(1) 나이

남자의 경우 나이가 들면서 점차적으로 헤어라인이 위로 조금씩 올라가거나 약간씩 자연스럽게 M자가 되는 경향이 있다. 너무 어린 나이에 이식을 한 후 앞머리에 탈모가 발생하게 되면 공여부에서 채취하여 이식한 모발은 영구적으로 탈모가 되지 않으므로 이식한 모발만 섬(island)모양으로 남을 수 있다.

최근에는 남성탈모가 시작되는 나이가 많이 낮아지는 경향이 있으나, 30-40대 이후에도 탈모가 되는 경우가 매우 많다. 따라서 젊은 환자들에게는 이러한 부분에 대한 충분한 설명과 이해가 반드시 요구된다.

나이를 먹으면서 지금의 헤어라인이 그대로 유지되지 않을 수 있으며, 추후 탈모 예방을 위해 finasteride 혹은 dutasteride 등의 탈모방지약을 지속적으로 복용

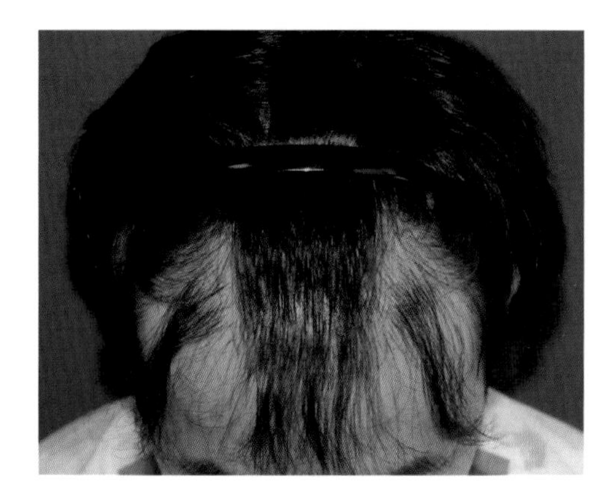

그림 1 어린 나이에 전두부 헤어라인을 교정수술 후 탈모가 진행하면 이식된 모발만 섬(island)

할 수 있고, 이러한 약을 복용하더라도 탈모가 진행할 수 있으며, 추후 추가적인 모발이식 수술이 필요할 수도 있음을 환자가 인지해야 한다(**그림 1**).

(2) 얼굴 형태 및 이마모양

동아시아인은 좌우폭이 넓고 앞뒤로는 짧으면서 옆으로 편평해보이는 얼굴형 및 두상을 가진다(brachycephalic facial skeleton). 반면에 서양인은 좌우폭이 좁고 위아래로 길면서 앞뒤로 돌출된 얼굴형 및 두상을 가진다(dolicocephalic facial skeleton)(**그림 2**).

따라서 서양인과 동아시아인의 경우 헤어라인의 디자인이 완전히 다르다. 서양인은 헤어라인의 중앙부는 돌출되어 있고 양측 M자 부위 라인은 뒤로 후퇴해 있는 라인이 잘 어울린다.

하지만 동아시아인의 경우 서양인보다 더 낮고 완만한 형태의 헤어라인을 선호한다. 동아시아인의 경우 서양인에서 주로 시술하는 형태의 헤어라인 모양을 노우드 2단계나 3단계 초반의 탈모형태로 여길 정도로 낮고 완만한 헤어라인을 선호한다.

(3) 탈모 여부

지금 당장 탈모가 없더라도 앞으로 탈모가 진행할지, 진행한다면 얼마나 빨리, 얼마나 심하게 진행하게 될 지 과학적으로 예측할 수 있는 방법이 없다.

(4) 환자의 직업

너무 어린 나이에 헤어라인 교정을 원한다면 신중하게 결정하도록 해야 한다. 의사에 따라 그 기준을

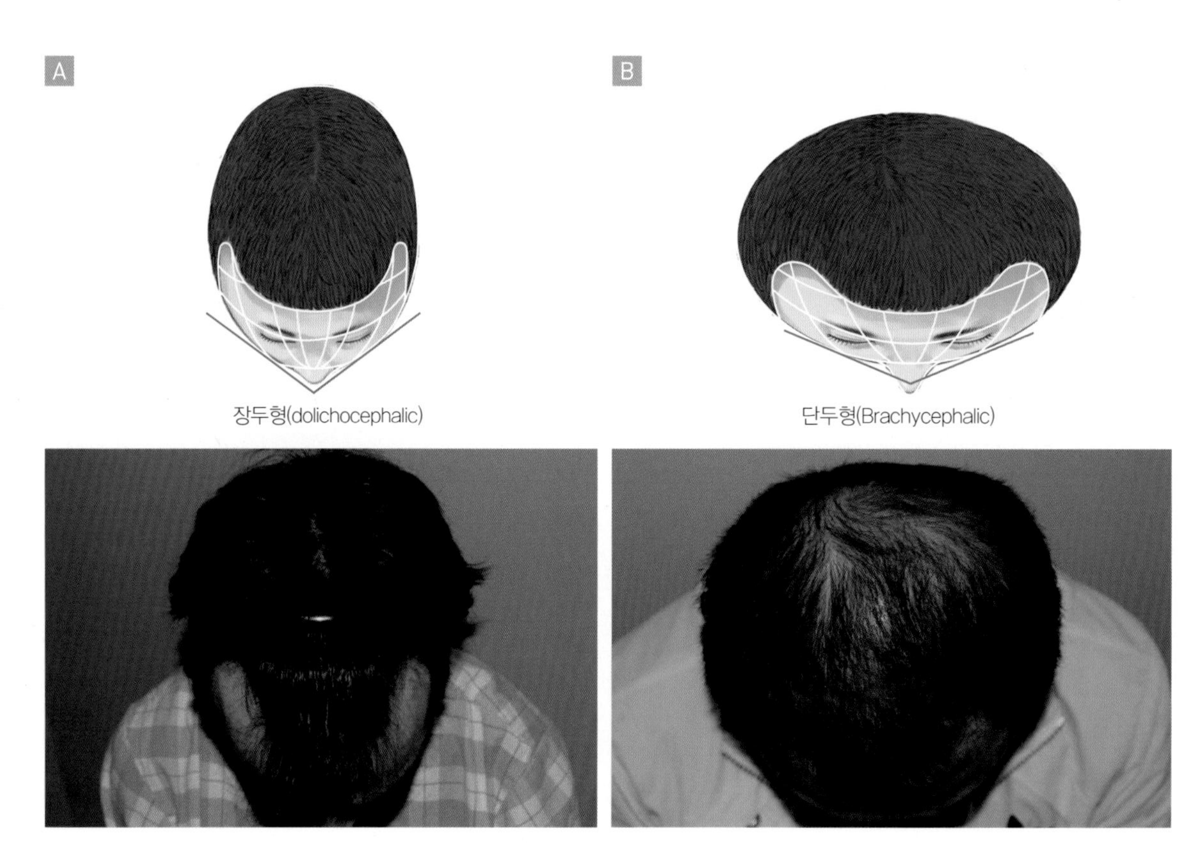

그림 2 단두형과 장두형 비교

30-35세 내외로 잡는 경우가 많다. 단, 어린 나이에도 수술을 결정하는 경우는 환자의 직업등의 이유로 헤어라인을 교정 할 필요가 있는 경우도 있으므로 참고하는 것이 좋다.

(5) 환자의 요구

환자가 요구하는 라인을 무조건 따라가서는 안된다. 환자의 직업, 가족력, 선호도, 전체적인 얼굴형 등을 고려하면서 환자의 요구사항과 적절히 절충하는 것이 좋다.

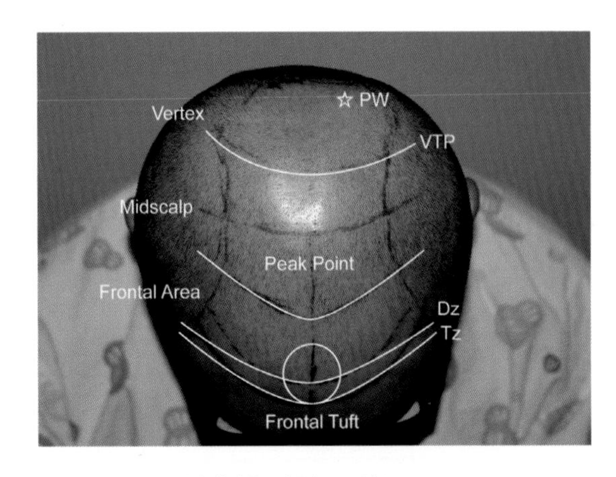

그림 3 전두부 헤어라인을 이루는 구성요소
TZ: Transition zone(이행부), DZ: Defined zone(밀집부), VTP: Vertex transition point(정수리 이행부), PW: Parietal whorl(뒷가마)

3. 남성헤어라인의 주요 구성 요소

남성헤어라인은 대략 이마선에서부터 뒤쪽으로 약 2-3 cm 정도에 해당하는 부위를 말하며, 주로 이행부(transition zone), 밀집부(defined zone)와 전두부 중앙 밀집부(frontal tuft), 전측두후퇴부, 측두모발선으로 이루어진 부위를 말한다.

(1) 전두부 모발선(Frontal hairline) - 안면부의 상부 윤곽선을 이루는 모발선

① 전두부 중앙점(Mid-frontal point, MFP)

중앙선에서 전두부 모발선의 가장 앞쪽 지점

② 이행부(Transition zone, TZ)

헤어라인의 가장 앞쪽 0.5-1.0 cm 부위를 말한다. 불규칙적이면서 단일모로 높은 밀도로 이식이 이루어지는 부위이다. 뒤쪽으로 가면서 밀집부로 이행하게 된다. 규칙성을 가지지 않는 불규칙성(irregulary irregular)을 보이는 패턴으로 헤어라인을 만들어주어야 어색하지 않게 된다.

③ 밀집부(Defined zone, DZ)

이행부의 뒤쪽을 가리키며, 두피투시현상(see through appearance)을 막기 위해 비교적 높은 밀도로 이식을 하는 부위이다. 주로 2모낭단위 모발을 이식하게 된다.

④ 전두부중앙밀집부(Frontal tuft area, FTA)

밀집부의 중앙부에 위치하는 타원형의 부위를 말한다. 이 부위의 밀도가 양옆의 밀집부보다 더 높고 풍성한 느낌을 주는 것이 좋다(**그림 3**).

(2) 전측두후퇴부, 엠자부위(Fronto-temporal recess, FTR)

한국인의 얼굴형태적인 특성상 환자들이 서양인보다 더 낮은 헤어라인을 갖기 원한다. 한국인은 수평선상에서 보았을때 거의 일자로 편평한 형태의 모발선을 만들기를 원하는 경향이 있다(**그림 4**).

(3) 측두모발선(Temporal hairline)

얼굴의 측면라인을 이루고 있으며, 서양인에 비해 얼굴이 좌우로 넓고 편평하고 입체감이 떨어지는 한국인의 경우 측두모발선을 잘 만들어주면 전두부 모발선을 많이 내리지 않고 더 적은 숫자의 모발로 훨씬 더 만족스러운 미용적 효과를 만들 수 있는 경우가 있다.

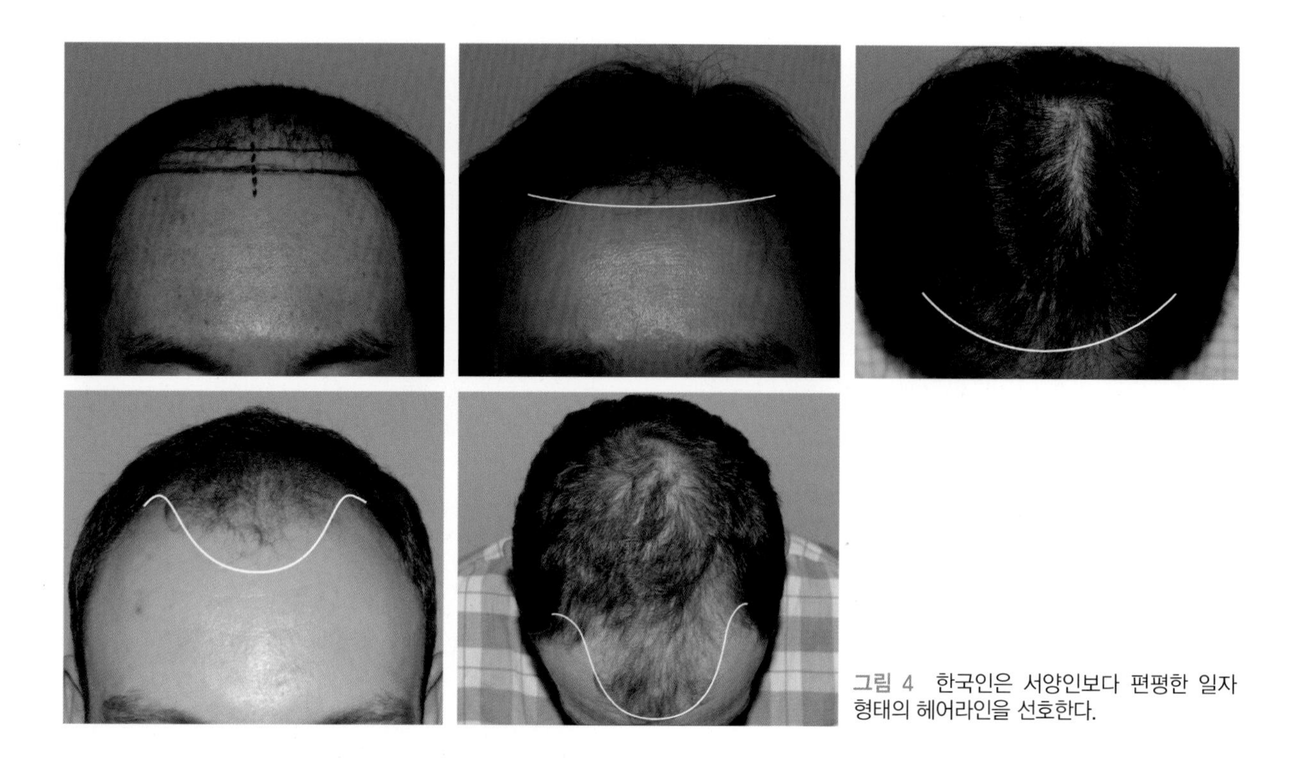
그림 4 한국인은 서양인보다 편평한 일자 형태의 헤어라인을 선호한다.

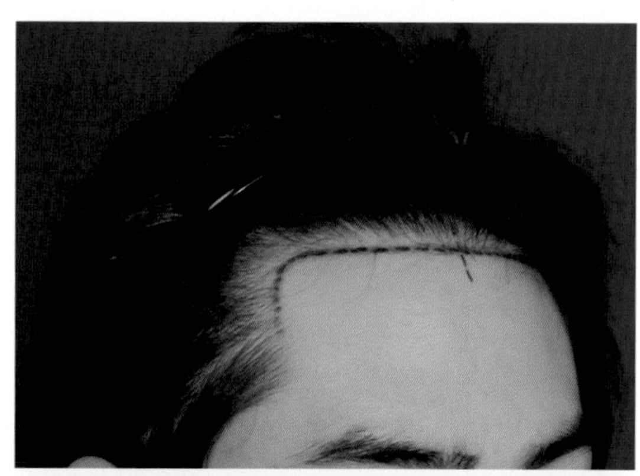
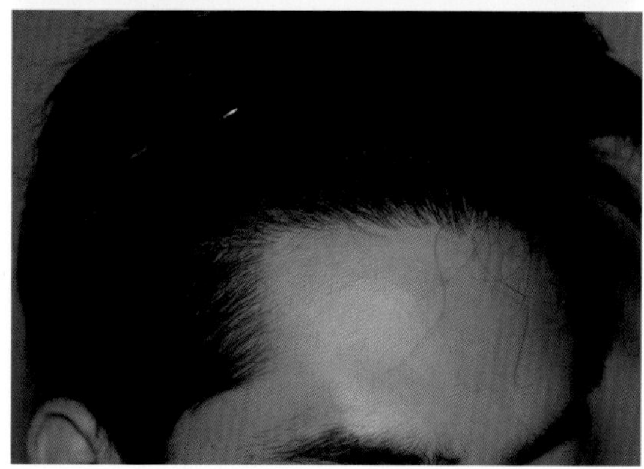
그림 5 자연스러운 고밀도 이식 결과

(4) 측두첨(Temporal peak point, TPP)

측두삼각(temporal apex)의 가장 앞쪽 지점을 말하며, 측두첨이 너무 뒤로 후퇴하면 얼굴이 넙대대하게 보일 수 있어 앞쪽으로 옮겨서 만들어주기도 한다.

4. 자연스러운 남성 헤어라인의 특징

(1) 밀도

흔히 ㎠당 25-35개의 모낭단위 정도가 이식된다. ㎠당 30-35모낭단위 이상 이식하는 경우를 고밀도 이식이라 할 수 있다. 너무 밀도가 높아지면 생착율이 저하될 수 있으며, 이상적인 밀도와 생착율간에는 여전히 논란이 있다. 하지만 최근에는 숙련된 수술팀의 경우 ㎠당 40-50모낭단위 이상으로 고밀도 이식해도 생착율에 크게 문제가 없이 좋은 결과를 만들어내는 경우가 흔하다**(그림 5)**.

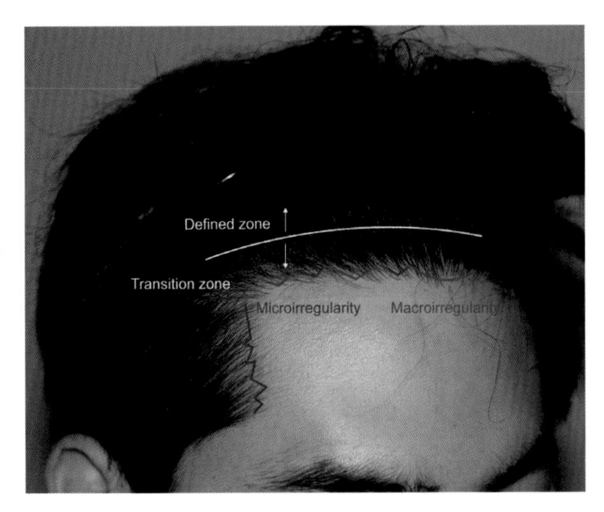

그림 6 자연스러운 헤어라인은 불규칙성이 잘 구현되어야 한다.

(2) 불규칙성

헤어라인이 너무 반듯하게 되면 인위적이고 심은 티가 너무 많이 나게 된다. 이를 위해 반드시 라인에 불규칙성을 주어야 한다. 불규칙성은 거시불규칙성(macro-irregularity)과 미시불규칙성(micro-irregularity)이 모두 잘 표현되어야 한다.

이 불규칙성들은 일정한 크기나 패턴이 아닌 불규칙적인 불규칙성으로(irregulary irregular) 표현되어야 한다(**그림 6**).

① 거시불규칙성(macro-irregularity)

멀리서 바라보았을때 직선보다는 약간 웨이브진 느낌의 라인이 자연스럽다. 이를 'snail- tracking'이라 표현하기도 한다.

② 미시불규칙성(micro-irregularity)

이행부를 가까이에서 보았을때 다양한 크기의 삼각형 형태의 돌출부들이 존재하면 자연스럽게 보일 수 있다.

(3) 이식 각도와 방향

① 각도

일반적으로 중두부에서는 모발이 약 30-45도 각도로 앞쪽을 향해 발모된다. 전두부 헤어라인에 가까워질수록 15-20도 정도로 더 예각에 가까워진다. 앞쪽 헤어라인의 중앙부에서 약 15-20도 정도인 각도는 측면쪽으로 갈수록 점점 예각에 가까워져 전측두이행부(Frontotemporal angle, FTA)에 이르러서는 10-15도 정도가 된다. 측면의 측두부에서는 5-10도 정도로 매우 예각으로 각도가 이루어진다.

② 방향

방향은 전체적으로 앞쪽을 향하면서 전측두후퇴부 앞쪽에서는 점점 측면방향으로 전환을 하게 되어 측두부의 모발과 자연스럽게 이어져야 한다.

③ 모낭단위의 분포

이행부의 앞쪽은 단일모낭단위만 이식이 되어야 부드럽고 자연스러운 느낌을 준다. 이행부의 뒤쪽부터 혹은 밀집부부터는 2모낭 단위로 주로 이식한다.

5. 남성 헤어라인 디자인

남성의 헤어라인 수술에서 가장 중요한 원칙은 환자의 요구 및 환자의 스트레스나 콤플렉스의 정도등을 고려해서 가능하면 환자와 의사가 모두 만족하는 가장 최소한의 이식범위와 디자인을 결정하는 것이다. 이를 잊어서는 안된다.

디자인 시에는 제일 먼저 헤어라인의 가운데 높이를 정한다. 대개 7 cm 내외를 선호하지만 얼굴형, 환자의 요구 등에 따라 달라질 수 있다. 대부분은 6.5-8 cm 정도 범위에서 결정한다. 헤어라인에서 미간, 미간에서 코끝, 코끝에서 턱끝까지의 비율이 1:1:1이 좋다는 의견도 있다.

측두삼각에서 관자놀이쪽의 라인을 앞으로 전진하

기 원하는 경우도 있다. 측면라인의 경우 헤어라인 중앙부위보다 약 절반정도의 밀도로 이식하므로 더 적은 양의 모발로 더 높은 미용적 만족도를 보일 수 있어서 필요한 경우 이식이 가능하다. 때로는 측면라인을 교정해서 얼굴 폭을 줄여줌으로써 가운데 헤어라인을 덜 내려도 전체적인 비율이 오히려 더 좋아보이기도 한다. 이러한 경우는 이식할 모발의 양도 줄일 수 있고 환자의 만족도도 높일 수 있다. 단, 측두삼각(temporal peak area)부위의 경우 추가적인 탈모 진행시 앞에 이식한 모발만 삼각형 형태의 섬(island)처럼 남을 수 있으므로 신중히 결정해야 한다(**그림 9**).

가운데 높이를 정한 다음 환자의 이마의 윤곽을 따라 자연스럽게 양쪽으로 라인을 그린다. 양쪽 라인을 그리는 요령은 가운데 높이를 정한 점을 찍은 상태에서 점과 평행한 높이에서 시술자가 바라보았을때 좌우로 평행한 라인을 그리면 좋다. 약간 위로 양측면이 올라간 라인을 원하는 경우는 이 라인에서 약간 위로 올려서 그리면 된다.

6. 고밀도 이식(Dense Packing)

남성의 헤어라인 수술 후 불만족의 가장 흔한 원인은 이식부위의 낮은 밀도이다. 따라서 고밀도 이식을 위한 기술적 노하우가 필수적이다. 무조건적인 고밀도 이식은 바람직하지 않으며 적절한 적응증과 수술적인 술기가 뒷받침되었을때 시행해야 한다. 고밀도 이식이란 대개 ㎠당 30개 이상의 모낭을 이식하는 경우를 말한다. 최근에는 ㎠당 40-50모낭 이상을 이식하는 경우도 흔하다. 숙련된 의사라면 슬릿방식이나 식모기 방식 모두에서 방법에 상관없이 어렵지 않게 촘촘하게 고밀도로 이식을 할 수 있다. 고밀도 이식을 위해서는 모낭 팝업 현상이나 출혈 현상을 예방하고 피부 손상을 최소화하는 방식으로 촘촘하게 이식하면서도 모낭의 생착율을 높게 유지하는 노하우가 필수적이다.(식모기 이식편의 10가지 이식 노하우 참조)

슬릿방식으로 이식 시에는 1모낭단위 이식에는 0.6 mm 또는 0.7 mm 블레이드나 22 G 또는 21 G 바늘이 사용된다. 2모낭 단위 이식에는 0.8 mm 또는 0.9 mm 블레이드나 20 G 바늘이 사용된다. 3모낭 단위 이식에는 1.0-1.2 mm 블레이드나 19 G 또는 18 G 바늘이 사용된다.

참·고·문·헌

1. Bernstein RM, Rassman WR. The logic of follicular unit transplantation. Dermatol Clin.1999;7;277-296.
2. Farjo B, Farjo N. Dense packing: surgical indications and technical considerations. Facial Plast Surg Clin North Am. 2013 Aug;21(3):431-6. doi: 10.1016/j.fsc.2013.06.004. Review.
3. Lee IJ, Jung JH, Lee YR, Kim JC, Hwang ST. Guidelines on Hair Restoration for East Asian Patients. Dermatol Surg. 2016 Jul;42(7):883-92. doi: 10.1097/DSS.0000000000000773.
4. Park JH. Novel Principles and Techniques to Create a Natural Design in Female Hairline Correction Surgery. Plast Reconstr Surg Glob Open. 2016 Jan 7;3(12):e589. doi: 10.1097/GOX.0000000000000548.
5. Rose PT. Hair restoration surgery: challenges and solutions. Clin Cosmet Investig Dermatol. 2015 Jul 15;8:361-70. doi: 10.2147/CCID.S53980. eCollection 2015.
6. Shapiro R, Shapiro P. Hairline design and frontal hairline restoration. Facial Plast Surg Clin North Am. 2013 Aug;21(3):351-62. doi: 10.1016/j.fsc.2013.06.001. Review.

Chapter 76

눈썹 및 속눈썹이식

Eyebrow & Eyelash Graft

| 홍성철 |

눈썹이식과 속눈썹이식은 자가모발이식수술 중에 가장 예민한 부위 중 하나로, 수술 후 부자연스러운 결과에 대한 불만이 가장 많은 부위이다. 그래서 이식수술 전에 수술 후 생길 수 있는 부작용이나 수술 후 관리 등에 대해 환자에게 자세한 설명와 상담이 필요하며, 수술시간을 충분히 가져 꼼꼼한 시술이 되도록 노력하는게 중요하다.

1. 눈썹이식

1970-80년에만 해도 눈썹을 재건하는 수술은 화상이나 사고로 인해 눈썹이 일부 혹은 전부 결손된 경우에서 temporal island flap이나 free strip graft를 시행하였다. 그러나 그런 수술법들로 재건된 눈썹이 방향이나 각도가 맞지 않거나 너무 숱이 몰려 있어 부자연스러웠다. 그래서 미니펀치를 이용한 눈썹이식을 시도하였는데, 한번에 4-5개씩 털을 이식하다보니 자연스럽지 못하고 어색한 결과를 가져 왔다. 그래서 1990년도에 들어와서 모낭단위로 이식하는 방법을 시도하게 되는데, 이 방법도 한번에 2-3개씩 이식하다보니 원래 눈썹같은 자연스러움을 얻을 수 없었다.

그래서 1990년 중반부터는 털을 하나씩 이식하는 단일모 방식을 채택하게 되었고, 단일모 중에서도 가느다란 모발을 골라서 눈썹 앞머리에 이식하는 방법이 주로 이용되고 있다. 단일모이식을 했을때 털의 방향과 각도를 가장 자연스럽게 심을 수 있다.

보통 한쪽에 200-300 모를 이식하며, 수술 도중이나 직후에 양쪽 눈썹모양을 비교하여 대칭이 되도록 세밀히 수정하는게 중요하다. 섬세하게 이식이 되지 않는다면, 생착률이 낮거나 이식한 자리에 작은 구멍(pitting scar)이 생기거나 이식한 눈썹이 너무 뜨는 부자연스런 눈썹모양이 만들어 질 수 있다.

눈썹이식에 필요한 모낭을 채취하는 방법으로, 뒷머리의 두피를 띠모양(scalp strip)으로 채취한 다음에 모근을 하나씩 분리하는 방법인 띠모양채취법(strip harvest)과 두피절개없이 모낭단위(follicular unit)로 하나씩 채취하는 펀치채취법(follicular unit extraction, FUE)이 있다.

펀치채취법을 이용할때는 일반적으로 2 mm정도의 털길이로 채취하는 기존방식보다는, 가급적이면 털의 길이를 1 cm 정도는 유지하여 채취하도록 한다. 그래야만 눈썹이식을 할 때 털의 방향과 각도를 정확하게 맞출 수 있고 최종적으로 어떤 모양의 눈썹이 나올 수 있을지 수술 당시에 예측이 가능하다.

현재 눈썹이식을 받는 분의 성비는 6:4로 남성이 좀 더 많다. 여성에서는 눈썹을 그리기도 하고 반영구문신을 쉽게 할 수 있기 때문이다.

눈썹이 선천적으로 전체적으로 없는 경우에 보통 한쪽 눈썹에 200-300모 정도를, 원래 눈썹 결에 따라 기존의 눈썹 사이사이에 하나씩 심는다. 간혹 눈썹이 앞부분만 있다가 뒤로 희미한 반쪽 눈썹이나 눈썹 앞머리부분이 유난히 적은 경우에서는 부분적으로 눈썹이식을 하기도 한다. 때로는 눈썹이 심하게 처진 경우에 눈썹모양을 수정하여 교정하기도 하며, 화상이나 교통사고 등으로 인해 눈썹이 소실된 경우에 그 흉터 부위에도 이식이 가능하다.

1) 눈썹이식의 적응증

- 선천적으로 눈썹이 전체적으로 빈약한 경우 **(그림 1)**
- 눈썹 앞부분은 있는데 뒷부분이 없는 경우 **(그림 2)**
- 눈썹이 아래로 처진 경우 **(그림 3)**
- 팔자눈썹 **(그림 4)**
- 눈썹 앞부분 숱이 적은 경우
- 눈썹 흉터

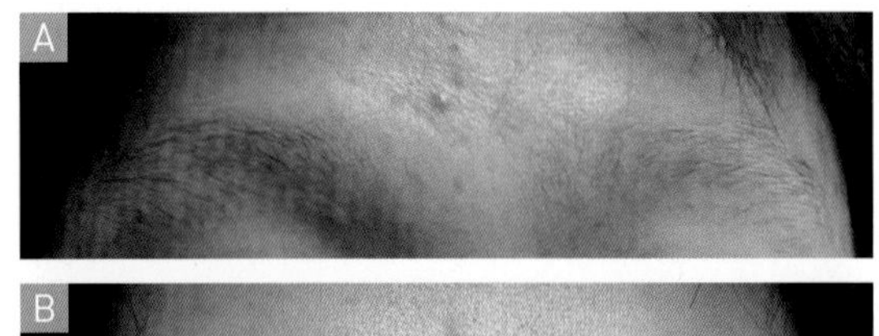

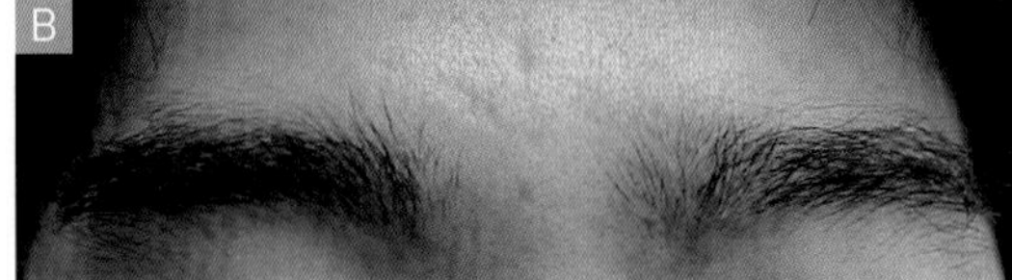

그림 1 선천적으로 눈썹이 전체적으로 빈약한 경우 전후 사진

2) 자연스런 눈썹이식을 위한 전략

- 수술 전 세심한 눈썹디자인
- 이식 마무리단계에서의 여러 번 세심한 교정
- 눈썹 결을 맞춰서 입체적인 눈썹이식
- 자연스럽도록 하나짜리 털로만 이식

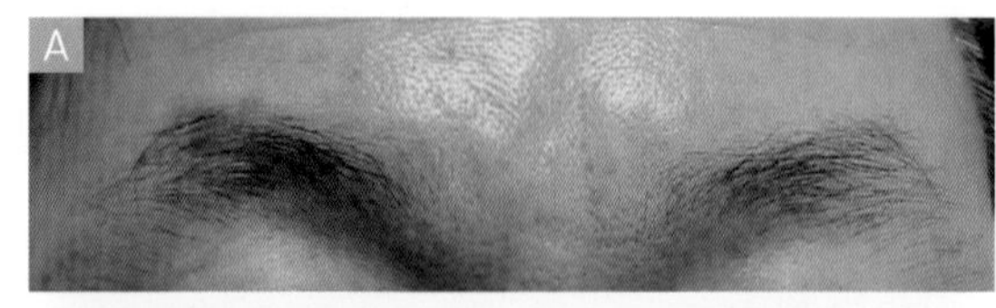

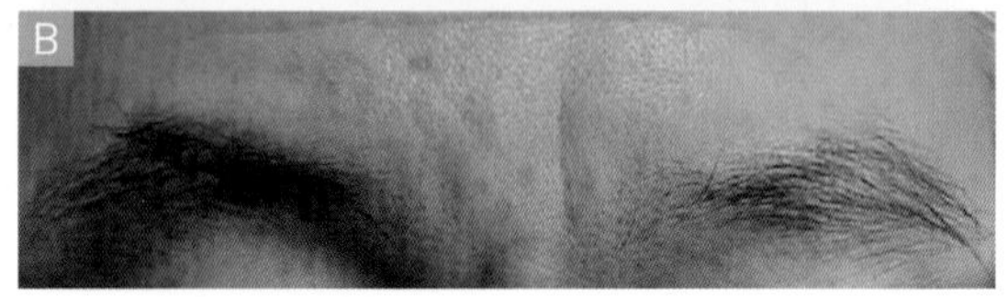

그림 2 눈썹 앞부분은 있는데 뒷부분이 없는 경우 전후 사진

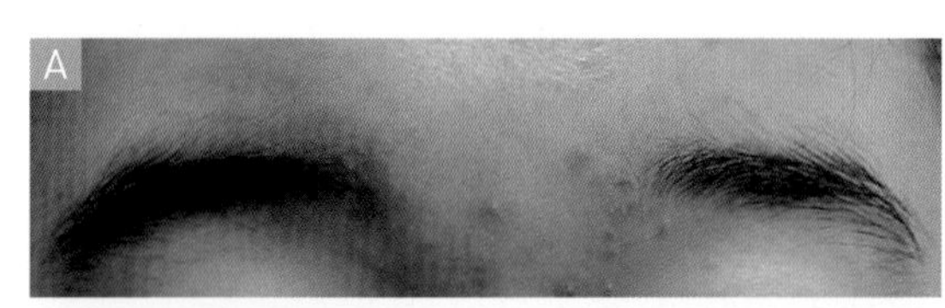

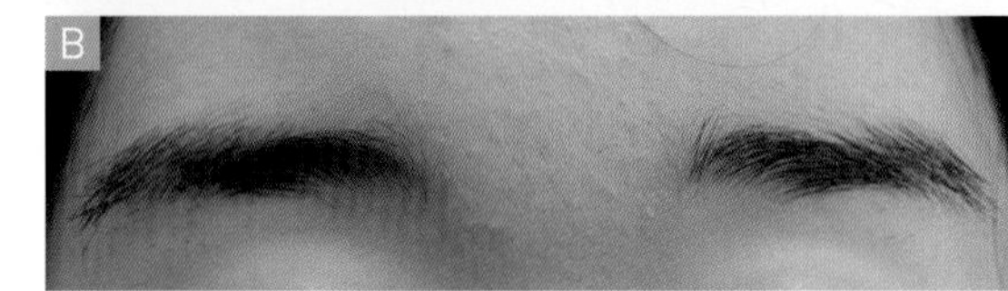

그림 3 눈썹이 아래로 처진 경우 전후 사진

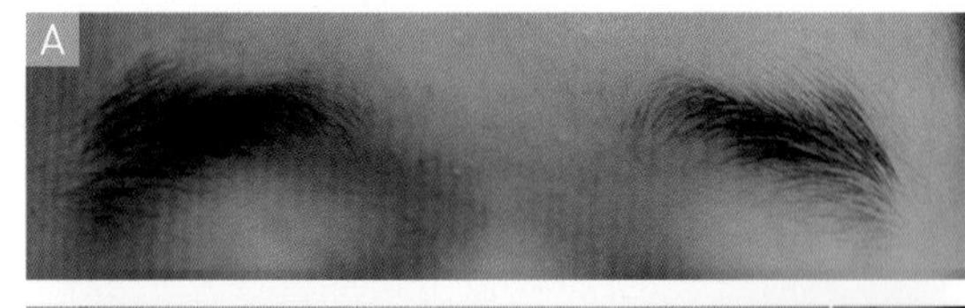

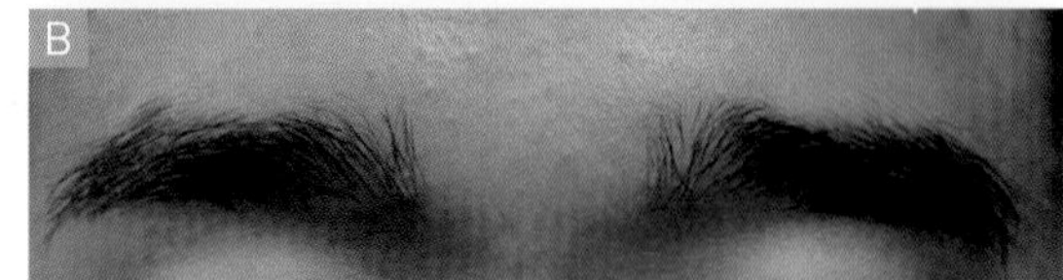

그림 4 팔자눈썹 전후 사진

- 눈썹 앞머리는 가느다란 털을 골라서 위를 향하도록 이식
- 한쪽에 200-300 개 정도를 최대한 눕혀서 이식
- 반쪽눈썹에서는 눈썹중간부터 연결하여 뒷부분까지 이식

3) 눈썹에 흉터가 있을때 눈썹이식으로 교정 시 주의할 사항(그림 5)

- 아주 큰 눈썹흉터가 아니라면 흉터축소 성형술보다는 눈썹이식이 더 효과적인 경우가 많다.
- 주변의 기존 눈썹에 잘 어울리도록 방향과 각도를 맞춰 심는다.
- 흉터에 이식 시에는 털을 삽입(implantation)전에 미리 needling을 하여 이식되는 모근이 안정되게 안착되도록 하는게 생착률을 높일 수 있다.

2. 속눈썹이식

속눈썹이식은 눈썹이식과 마찬가지로 단일모 이식을 하며, 한쪽에 40-60 모를 기존의 속눈썹 사이사이에 심는다. 필요한 모발보다 20-30% 정도를 넉넉히 분리하여, 그 중에 곱슬하면서 방향이 일정하고 굵지 않은 모발을 골라서 위쪽을 향하도록 이식한다. 공여부 머리카락이 가늘고 곱슬한 경우에서 모발이 굵고 뻣뻣한 경우보다 수술 후 만족도가 높다. 속눈썹부위는 이식된 털이 안착할 공간이 충분치 않으므로 털이 밖으로 올라와서 나중에 돌출된 융기모양을 남길 수 있으므로 주의해야 한다. 속눈썹이식에서는 낮은 생착률, 기존 속눈썹보다 너무 위로 이식된 경우와 털의 방향이 너무 아래로 처지는 부작용이 생길 수 있다. 이식한 속눈썹은 아무리 위를 향하도록 이식하여도 아래로 처지는 경향이 있다. 그러므로 뷰러(eyelash curler)나 속눈썹고데기 등을 이용해서 지속적인 관리가 필요하다.

부족한 속눈썹을 보완하는 방법으로 strip composite sideburn graft french needle technique, nokor needle slit방식 등이 있으나 미리 슬릿을 하고 식모기를 이용해서 삽입하는 방법이 가장 효과적이다. 속눈썹이식시 사용되는 기구로는 eyelid holder, tacking suture, castroviejo forceps, jeweller's forceps, hair implanter, corneal protector, Loupe 등이 있다.

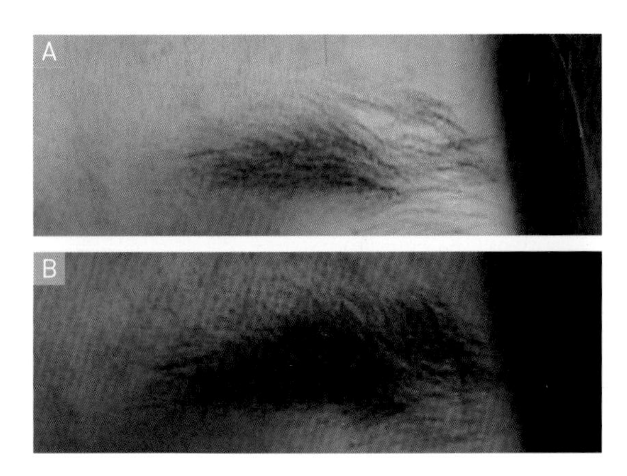

그림 5 눈썹흉터에 비절개 눈썹이식 전후 사진

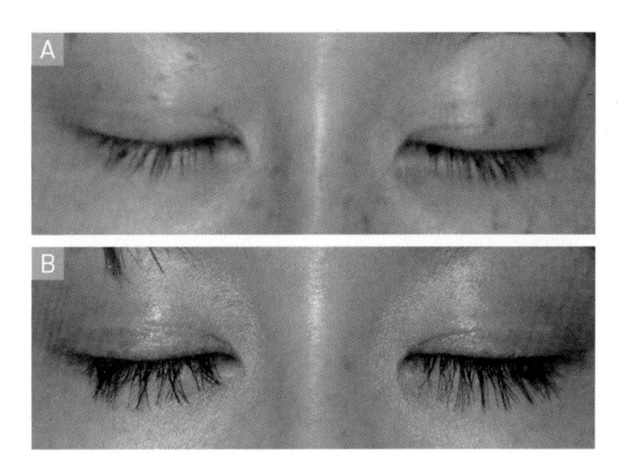

그림 6 속눈썹이식 전후 사진

1) 속눈썹이식의 적응증

- 선천적으로 속눈썹이 전체적으로 빈약한 경우
- 사고로 인한 눈꺼풀피부를 포함한 속눈썹의 부분 결손
- 다래끼 등의 속눈썹 흉터

2) 속눈썹이식을 할 때 주의할 사항들(그림 6)

- 기존 속눈썹보다 너무 위쪽 눈꺼풀에 이식을 하면 부자연스럽다
- 원래 속눈썹이 있는 위치에 사이사이에 촘촘히 이식해야 한다
- 곱슬한 털이 위를 향하도록 섬세하게 이식해야 한다
- 속눈썹이식은 모발이 가늘고 곱슬할수록 수술결과가 자연스럽다.
- 공여부 모발이 굵고 빳빳하다면 관리의 어려움으로 만족도가 떨어질 수 있다.
- 속눈썹시술 후 주기적으로 다듬거나 뷰러를 사용하는 등의 지속적인 관리가 필요하다.
- 아래 속눈썹이식은 안정적인 결과를 얻기 어려워서 거의 시행하지 않는다

참·고·문·헌

1. Caputy GG, Flowers RS. The "pluck and sew" technique of individual hair follicle placement. Plast Reconstr Surg 1994;93:615
2. Choi YC, Kim JC. Eyebrow, eyelash, mustache, and pubic area hair transplantation. In: Unger WP, Shapiro R. ed. Hair transplantation. 4th ed. New york, NY, Marcel Dekker, Inc, 2004:579-584
3. Choi YC, Kim JC. Eyebrow, eyelash, mustache, and pubic area hair transplantation. In: Unger WP, Shapiro R. ed. Hair transplantation. 4th ed. New york, NY, Marcel Dekker, ind, 2004:579-584
4. Choi YC, Kim JC. Single hair transplantation using the Choi hair transplanter. J Dermatol Surg Oncol 1992;18:945
5. Epstein J. Eyebrow Transplantation. In: Unger WP, Shapiro R, Unger R, eds. Hair transplantation. 5th eds, London: Informa Healthcare, 2011:460-463
6. Gandelman M, Epstein JS. Hair transplantation to the eyebrow, eyelashes, and other parts or the body. Facial Olast Surg C0lin N Am 2004, 12,253-261
7. Hata T, Matsuka K. Eyelash reconstruction by means of strip skin grafting with vibrissae. Br J Plast Surg 1992;45:163
8. Hernandez-Zendejas G, Guerrerosantos J, Gandelman M, et al. Eyelash reconstruction and aesthetic augmentation. In: Barrera a, ed. Hair Transplantation: The art of micrografting and minigrafting. St Louis, Missourl: Quality Medical Publishing, INC, 2002:168
9. Hernandez-Zendejas G, Guerrerosantos J. Strip composite sideburn grafts. In: Barrera a, ed. Hair Transplantation: The art of micrografting and minigrafting.St Louis, Missouri: Quality Medical Publishing, INC, 2002:170-7
10. Kim JC, Choi YC. Hair transplantation of eyelashes and eyebrows. In: Stough DB, Haber RS, editors. Hair replacement surgical and medical. St. Louis, MO: Mosby; 1996:261-8
11. Laorwong K, Pathomvanich D, Bunagan K. Eyebrow transplantation in Asians. Dermatol Surg 2009;35:496-504
12. Lee YR. Cosmetic .and reconstructive eyelash transplantation. In: Unger WP, Shapiro R, Unger R, eds. Hair transplantation. 5th eds, London: Informa Healthcare,

2011;453-455
13. Marriott E. Transplantation of single hairs from the scalp as eyelashes: Review of the ilterature and a case report. J Dermatol Surg oncol 1980;6(4):271-3
14. Toscani M, Fioramonti P, Ciotti M ,et al. Single follicular unit hair transplantation to restore eyebrows. Dermatol Surg 2011;37:1153-1158
15. Tyers AG, Collin JRO. Anesthesia. In: Tyers AG, Collin JRO. Eds. Color atlas of ophthalmic plastic surgery. 3rd ed. London, Elsevier, 2008:79-81
16. Tyers AG, Collin JRO. Eyelids of Asian. In: Tyers AG, Collin JRO. ed. Color atlas of ophthalmic plastic surgery. 3rd ed. London, Elsevier, 2008:25-6
17. Tyers AG, Collin JRO. Preoperative evaluation. in: Tyers AF, Collin JRO. Eds. Color atlas of ophthalmic plastic surgery. 3rd ed. London, Elsevier, 2008;61-78
18. 황성주. 모발이식술 패러다임의 변천. 대한피구과의사회지. 2011;4825-27

Chapter 77

수염 및 구레나룻 이식

Beard and sideburn reconstruction

| 류희중 |

모발이식 수술이 늘어나면서 최근에는 탈모뿐만 아니라 다른 분야의 모발이식도 점차 많아지고 있다. 헤어라인이나 눈썹, 구레나룻, 수염 등과 같이 예전에는 크게 관심을 두지 않았거나 이식을 한다는 개념이 별로 없었던 분야들이 모발이식의 한 부분으로 자리를 잡아가고 있는 것이다.

한국인과 같은 동아시아인들은 다른 인종에 비해 체모가 발달하지 않은 편으로 수염이나 구레나룻 또한 상대적으로 빈약하다. 또 근대에 들어 수염이나 구레나룻을 짧게 자르는 것이 보편화 되면서 이를 기르는 사람은 조금 특별하게 보는 경향이 많았다. 하지만 남성들도 외모에 대한 관심이 높아지고 구레나룻이나 수염을 기르는 것이 남성 스타일링의 한 부분이 되면서 이를 이식하여 보다 남성적이고 개성 있는 외모를 가지고 싶어하는 남성들이 늘어나고 있다.

1. 수염이식

수염은 남성성, 지혜, 사회적 지위 등을 상징하기도 하지만, 한편으로는 야만적이고 지저분한 느낌을 주기도 한다. 이렇게 수염은 다듬기에 따라, 또 그 사람이 가진 전체적인 분위기에 따라 다양한 느낌을 주게 된다. 우리나라에서는 남성들이 매일 깨끗하게 면도를 하는 것이 일반적이므로 수염을 기르는 일은 독특한 개성의 표출로 볼 수 있으며 수염을 기르는 남성들은 대체로 개성적인 스타일을 가지고 있는 경우가 많다.

1) 수염의 특징

수염은 사춘기에 굵어지기 시작하여 30대 이후까지 그 숫자가 증가한다. 수염의 성장에는 안드로겐이 작용하는데 머리카락에서와는 반대로 수염의 성장을 촉진시킨다. 수염의 굵기는 일반적으로 머리카락 보다 더 굵으며 단일모로 자란다. 수염의 성장기는 4주에서 14주 정도이고 휴지기는 10-18주 정도로 알려져 있다.

수염은 크게 콧수염과 턱수염으로 구분하는데 이외에도 콧수염과 턱수염이 만나는 입 주위 수염과 아랫입술 바로 밑 수염, 그리고 턱수염과 구레나룻 사이의 수염 등으로 세분화 할 수 있다. 이들의 조합에 따라 수염의 모양이 다양해지며 기본적인 형태를 대략 **(그림 1)**과 같이 분류해볼 수 있다.

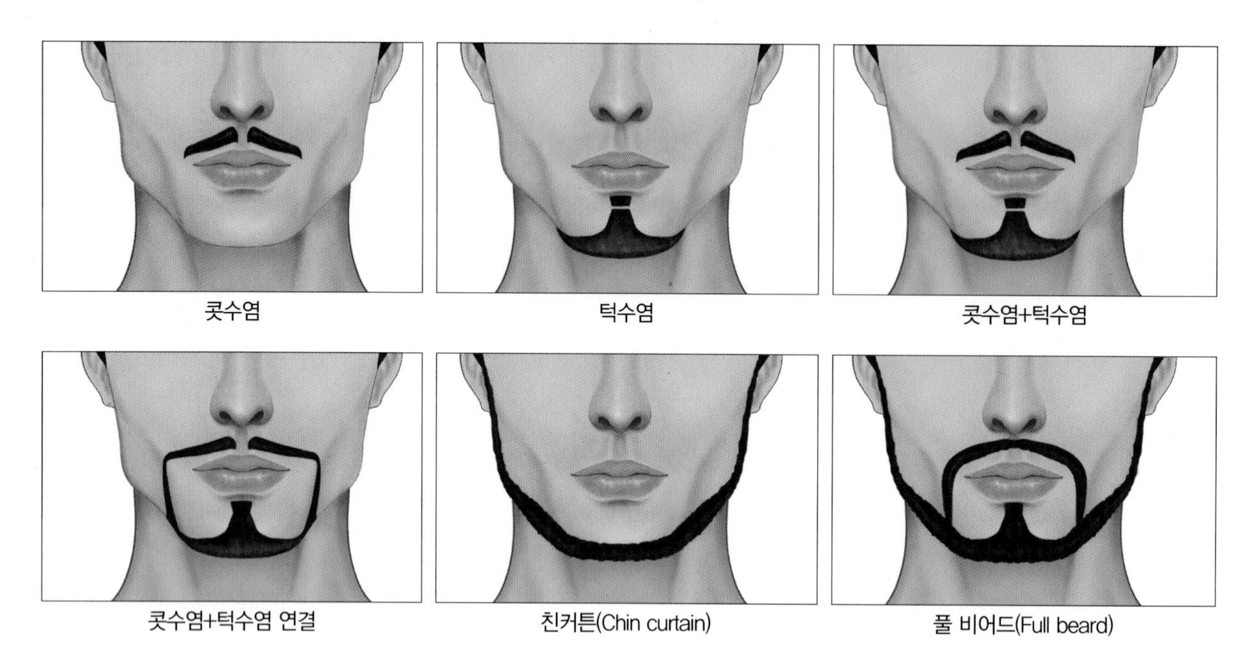

그림 1 수염의 모양

2) 수염이식의 적응증

수염을 기르고 싶은데 원하는 부위에 수염이 없거나, 있더라도 밀도가 부족하고 군데군데 빈 곳이 있어 모양이 만족스럽지 못한 경우가 수염이식 환자의 대부분을 차지한다. 또 화상이나 사고, 수술 등으로 인한 흉터 부위에 수염이 나지 않아 흉터가 더 눈에 띄는 경우에도 수염을 이식함으로써 흉터를 효과적으로 가려줄 수 있다.

대체로 머리카락은 수염보다 가늘기 때문에 모발이 너무 가는 경우에는 효과가 떨어지거나 약간 어색해 보일 수 있으며 모발이 굵고 곱슬인 경우 더 좋은 효과를 얻을 수 있다.

3) 수염 이식시의 디자인

수염이식을 원하는 환자들은 대체로 본인이 원하는 스타일이 분명한 경우가 많으므로 환자의 의견을 충분히 수렴하되, 얼굴의 생김새와 인상 등도 고려해야 할 것이다. 특이한 모양의 수염을 원하는 환자들이 가끔 있는데 이때는 환자가 원하는 모양 그대로 이식하기보다는 이를 포함하는 보다 보편적인 모양으로 이식하고 이후에 환자가 원하는 모양으로 다듬도록 하는 것이 더 자연스러움을 이해시켜야 한다. 수술 당일에는 수염을 3 mm 정도 길러서 오도록 하여 디자인 시에 이를 포함하도록 한다.

자연스러운 수염을 디자인하기 위해서는 많은 사람들의 수염의 모습을 많이 관찰해 두었다가 디자인 시에 이를 최대한 모방하는 것이 좋다. 머릿속으로 대체적인 모양을 떠올려서 디자인하게 되면 생각보다 부자연스러운 결과가 되기 쉽다. 실제 수염의 모양은 일반적으로 상상하는 것보다 훨씬 불규칙한 형태를 가지고 있으며 이를 염두에 두어야 한다. 따라서 디자인은 선보다는 점으로 하되 점을 최대한 불규칙하게 찍어서 이식 범위를 표시하는 것이 좋다. 선으로 디자인하면 아무래도 선을 따라 이식하려는 경향을 버리기 어려우며 결국은 단조롭고 인위적인 경계선을 만들기 쉽다.

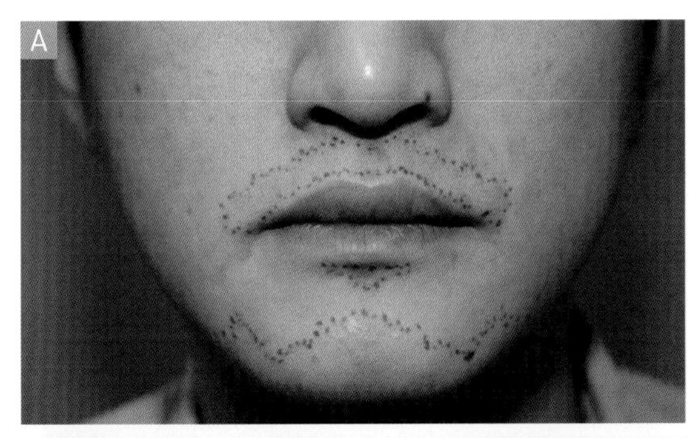

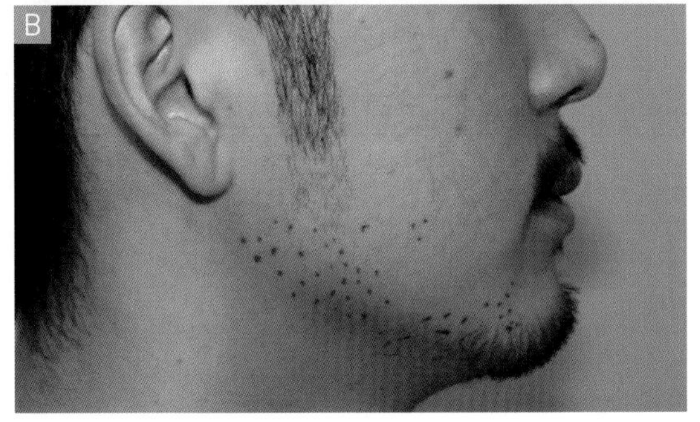

그림 2 수염의 디자인 : 불규칙한 라인을 만들기 위한 노력이 필요하다.

헤어라인 디자인 시에 강조되는 "Irregularly irregular"의 원칙은 수염이식에서 더욱 중요하다(**그림 2**).

4) 모발 채취

이식량은 수술 디자인에 따라 정하는데, 대략 1 cm^2 당 40~50모 정도로 계산하면 충분할 것으로 생각된다. 펀치 채취술이나 절개방식 모두 이용할 수 있으며 펀치 채취술시에는 보다 두꺼운 모발을 선택하여 뽑는 것이 좋고 절개의 경우에도 모발이 더 굵은 부위를 찾도록 한다.

채취한 모발의 길이는 3-5 mm 정도로 하는 것이 좋은데 이렇게 함으로써 이식한 모발들이 이루는 방향과 각도를 직접 보고 조절하면서 이식할 수 있다. 따라서 펀치 채취술의 경우 모발을 가능한 한 길게 채취하는 것이 좋다.

5) 마취

입 주변은 감각이 아주 예민하기 때문에 마취 시에 통증이 심하다. 따라서 이식 부위에 따라 infraorbital nerve나 mental nerve를 block하는 방법을 고려해 볼 수 있으며 직접 마취를 하는 경우에는 통증을 줄일 수 있는 여러 방법들을 동원할 필요가 있다. 저자의 경우는 가능한 작은 gauge의 바늘을 사용하며 주사 전에 아이스 팩 등으로 주사부위를 냉각시키고 마취를 시행한다. 또한 몇 포인트를 먼저 아주 천천히 주사하고 어느 정도 기다린 후에 그 근방에 다음 마취를 시행하는 점진적 방법으로 통증을 줄이려 노력한다.

입 주변은 혈액 순환이 좋아 마취가 상당히 빨리 깨므로 에피네프린을 적절히 섞어주는 것이 마취를 오래 유지시키고 출혈을 줄이는데 도움이 된다. 마취가 중간에 깨지 않도록 충분히 마취를 해주는 것이 좋다.

6) 이식

수염은 모두 단일모로 이식하는 것을 원칙으로 한다. 따라서 채취한 모발은 모두 단일모로 모낭분리를 해야 한다. 이식된 수염은 밀도가 높을 수록 더 자연스럽게 보이므로 가능한 한 높은 밀도로 이식하되 생착이 잘 될 수 있을 정도의 밀도를 유지해야 할 것이다. 수염의 변연부는 불규칙하게 밀도를 떨어트리고 중심부에는 밀도를 높여서 이식하는데 저자의 경우는 1 ㎠ 당 대략 40~50모 정도를 이식한다.

이식 시에는 이식모의 방향과 각도의 조절이 중요하다. 콧수염과 턱수염 모두 부위에 따라 고유한 방향성과 각도를 가지므로 이를 잘 관찰하여 이에 따라 이식해야 한다. 기존 수염이 어느 정도 있는 경우 이를 참고로 할 수 있으며, 수염이 거의 없는 경우에는 미리 방향성에 대한 계획을 세운 후에 이식을 진행하도록 한다. 입 주변의 피부는 두피에 비해 얇고 피하 조직이 지

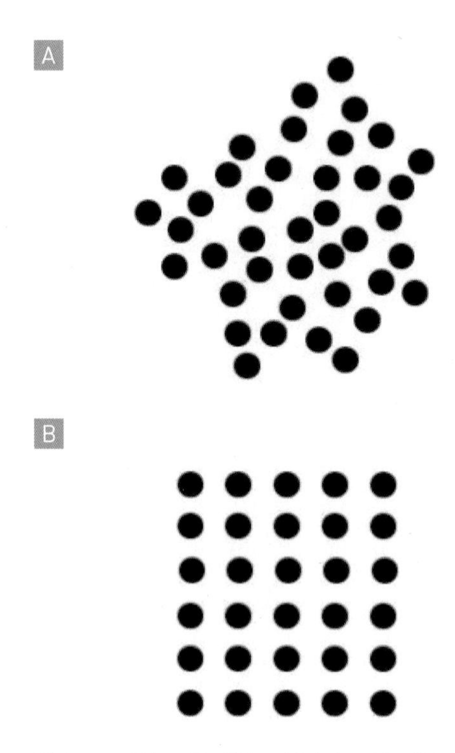

그림 3 A. 자연스러운 배치 B. 부자연스러운 배치

방과 근육 등의 부드럽고 푹신한 조직으로 되어 있기 때문에 이식 시에 방향의 조절이 더 어렵다. 따라서 희석한 마취제를 골고루 주사하여 skin turgor를 증가시키고 이식 시에 피부를 견인하여 팽팽하게 만들어 주면 이식모의 방향과 각도의 조절이 더 용이해진다. 다만 피부를 견인함에 따라 이식모의 각도가 달라지게 되는 점은 주의해야 한다.

이식 시에 주의해야 할 또 다른 점은 이식모의 배치이다. 수염은 얼굴 정면에 위치하고 있으며, 보통 그 길이를 짧게 유지하기 때문에 배치된 모양이 바로 눈에 띄게 된다. 따라서 두피에 이식되는 모발과는 달리 수염 이식은 모발의 배치 또한 중요한 부분이 된다. 그러므로 이식하기 전에 다른 수염들의 방향성과 배열된 패턴들을 충분히 관찰하고 이를 참고하는 것이 좋다. 이를 염두에 두지 않고 이식하다 보면 결국 규칙적인 패턴을 만들어내려는 경향을 피하기 어려우며 이렇게 만들어진 규칙성이나 단조로운 패턴들은 부자연스러운 느낌을 주게 된다. 이는 단조로운 경계선과 함께 어색한 결과를 만드는 가장 주요한 요인이 된다. 따라서 수염이식 시에는 불규칙한 라인뿐만 아니라 그 안쪽에서 불규칙한 배열까지 만들어주어야 보다 자연스러운 결과를 만들 수 있다**(그림 3)**.

마지막으로 주의할 점은 모낭의 깊이 조절이다. 푹신한 조직 때문에 이식된 모낭의 깊이를 조절하기가 더 어렵고 이식된 모낭들이 움직이기도 쉽다. 모낭이 깊게 이식되면 피부 속으로 들어간 표피 세포에 의해 모낭염이나 표피 낭종 등의 문제를 일으킬 수 있으므로 깊이의 조절에 신경을 써야 한다. 따라서 이식 중간이나 이식이 끝난 후에 깊이 위치한 모낭이 없는지 꼼꼼히 확인하는 작업이 필요하다. 이식 중에 거즈로 출혈을 닦는 작업으로 모낭들이 더 깊이 박히거나 혹은 빠질 수 있으므로 저자의 경우 모낭의 깊이 조절이 다 끝난 후에는 거즈로 수술 부위를 누르거나 닦지 않고 식염수를 주사기에 넣어 분사함으로써 수술부위를 씻어내는 방법을 이용한다.

7) 이식 후 관리

저자의 경우 수술 후 드레싱은 따로 하지 않는다. 입 주변은 움직임이 많은 부위이고 음식을 섭취할 때 오히려 더 지저분해질 수 있어 그냥 두는 편이 낫다. 또 거즈를 덮어 놓음으로써 오히려 이식모의 이동을 유발할 수도 있다. 수술 후 당일에는 입을 많이 움직이지 않도록 하고 음식물 섭취 시에 입을 너무 크게 벌리거나 수술 부위에 음식물을 흘리지 않도록 주의시킨다.

수술 다음날 내원하여 이식 부위를 가볍게 소독해 준다. 수술 후 24시간이 지나면 물이 닿아도 되므로 세안이 가능하나 이식 부위를 손으로 건드리지는 않도록 한다. 수술 3일후부터는 부드러운 비누 거품으로 부드럽게 씻어주는 것이 과도한 딱지나 각질의 발생을 막

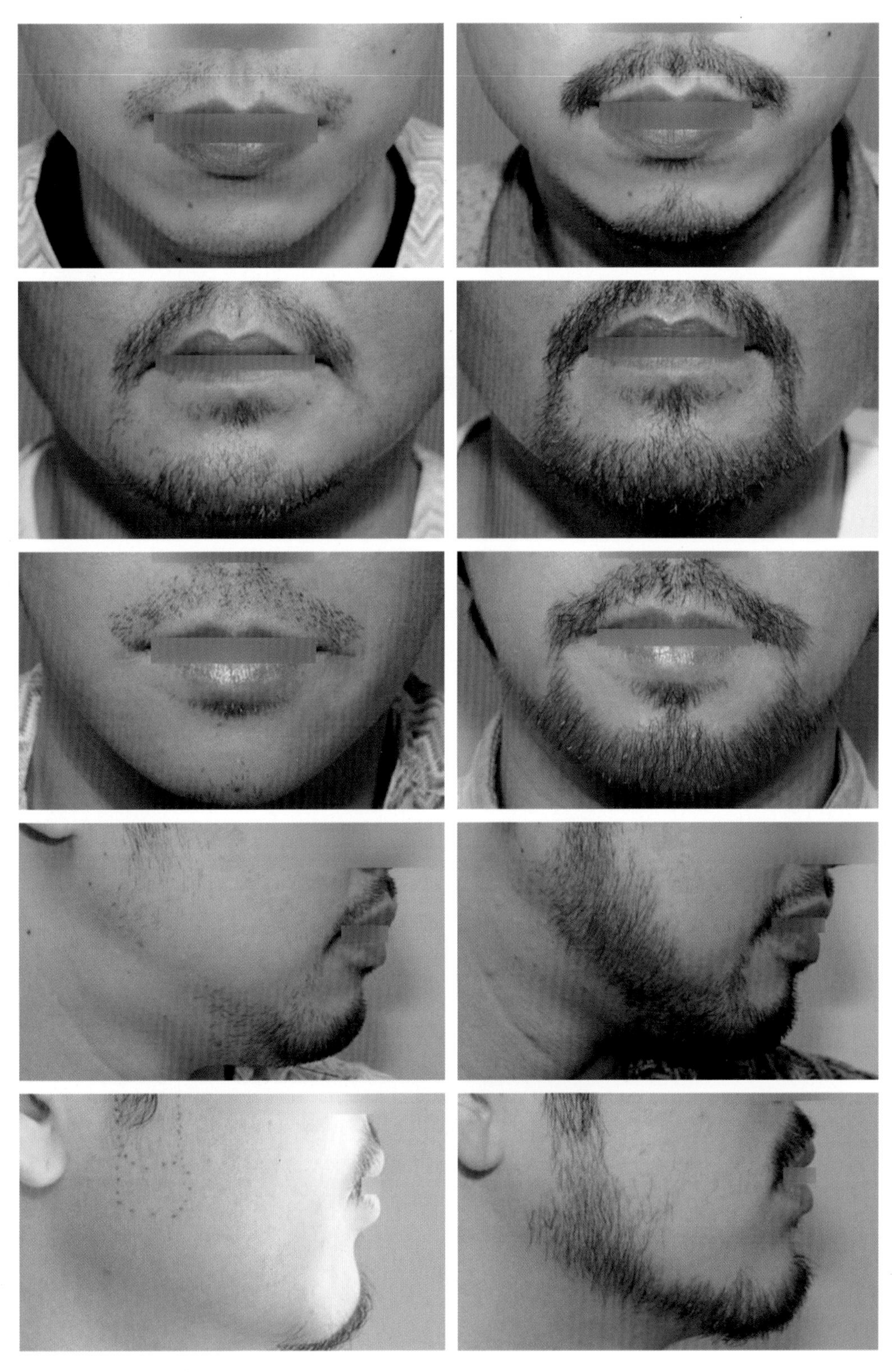

그림 4 수염 이식 수술 전후 사진

고 상처부위의 청결을 위해 더 좋다. 이식된 모발들도 자라게 되므로 너무 길어지는 경우 작은 가위로 조심해서 다듬도록 하며 면도기의 사용은 최소 2주 정도 지난 후에 조심스럽게 사용하도록 한다(**그림 4**).

2. 구레나룻 이식

구레나룻은 남성을 보다 성숙하고 남성적으로 보이게 하며, 보다 짜임새 있고 균형 있는 얼굴을 만들어 준다. 구레나룻은 남성의 헤어스타일에 중요한 부분을 차지하여 이를 기르거나 짧게 자르는 등 다양한 스타일을 연출하게 된다. 남성들이 외모에 대한 관심이 높아지면서 구레나룻에 대한 관심도 증가하여 이식을 고려하는 남성들의 숫자도 점차 늘어나고 있다.

1) 구레나룻의 디자인

대부분의 남성들은 약간의 구레나룻을 가지고 있으므로 기존의 구레나룻을 자연스럽게 연장한다는 느낌으로 디자인하면 된다. 일반적인 구레나룻의 폭은 약 1.5-1.8 cm 정도이며 길이는 tragus level 정도가 가장 일반적이라고 할 수 있다. 구레나룻 이식을 고려하는 환자들은 대부분 원하는 스타일이 분명한 편이므로 이러한 환자의 요구와 환자의 얼굴과의 조화를 고려하여 그 폭과 길이를 결정하면 될 것이다. 다만 환자가 원하는 정도의 구레나룻이 실제로 어떻게 보이는지 환자 자신이 잘 모르는 경우가 있으므로 원하는 모양의 사진을 가져오게 하거나 예시의 사진을 보여주는 것이 올바른 결정을 내리는데 도움이 된다. 실제 구레나룻의 길이는 모발을 기르는 정도에 따라서 디자인보다 더 길어질 수 있음을 환자에게 설명해 주도록 한다. 디자인 시에는 구레나룻과 귀와의 간격을 잘 고려하여 전체적인 축이 앞이나 뒤로 쏠리지 않도록 주의한다. 구레나룻 후연과 tragal margin의 간격은 대략 2 cm정도에서 크게 벗어나지 않는다.

이식할 부위는 그림에서와 같이 central zone, peripheral zone, scattering zone으로 나누어 모발의 굵기와 밀도를 구분하여 이식한다. 구레나룻이 끝나는 부위는 적당히 좁아지면서 tapering하는 것이 일반적이지만 실제로는 blunt end로 끝나거나 일정한 형태가 없이 불규칙하게 끝나는 경우도 많이 있으므로 환자들이 선택하도록 한다. 길이가 earlobe level보다 아래로 길어지는 경우에는 가지런하게 끝나는 것 보다는 불규칙한 remnant를 남기는 것이 더 자연스러울 수 있는데 이렇게 구레나룻이 긴 경우는 보통 하악각 부근의 수염과 연결되며 그 경계가 불분명한 경우가 많기 때문이다(**그림 5**).

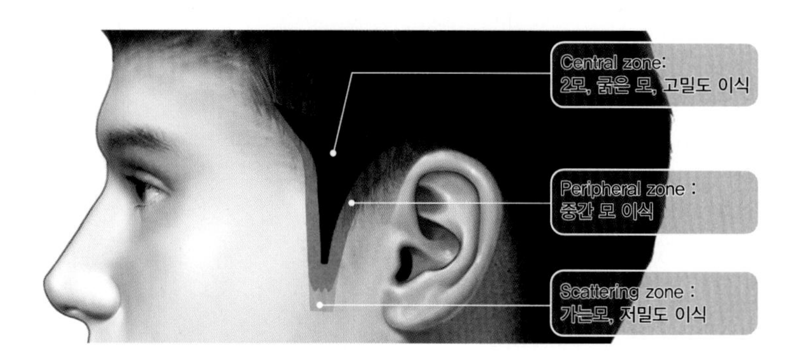

그림 5 부위에 따른 이식모

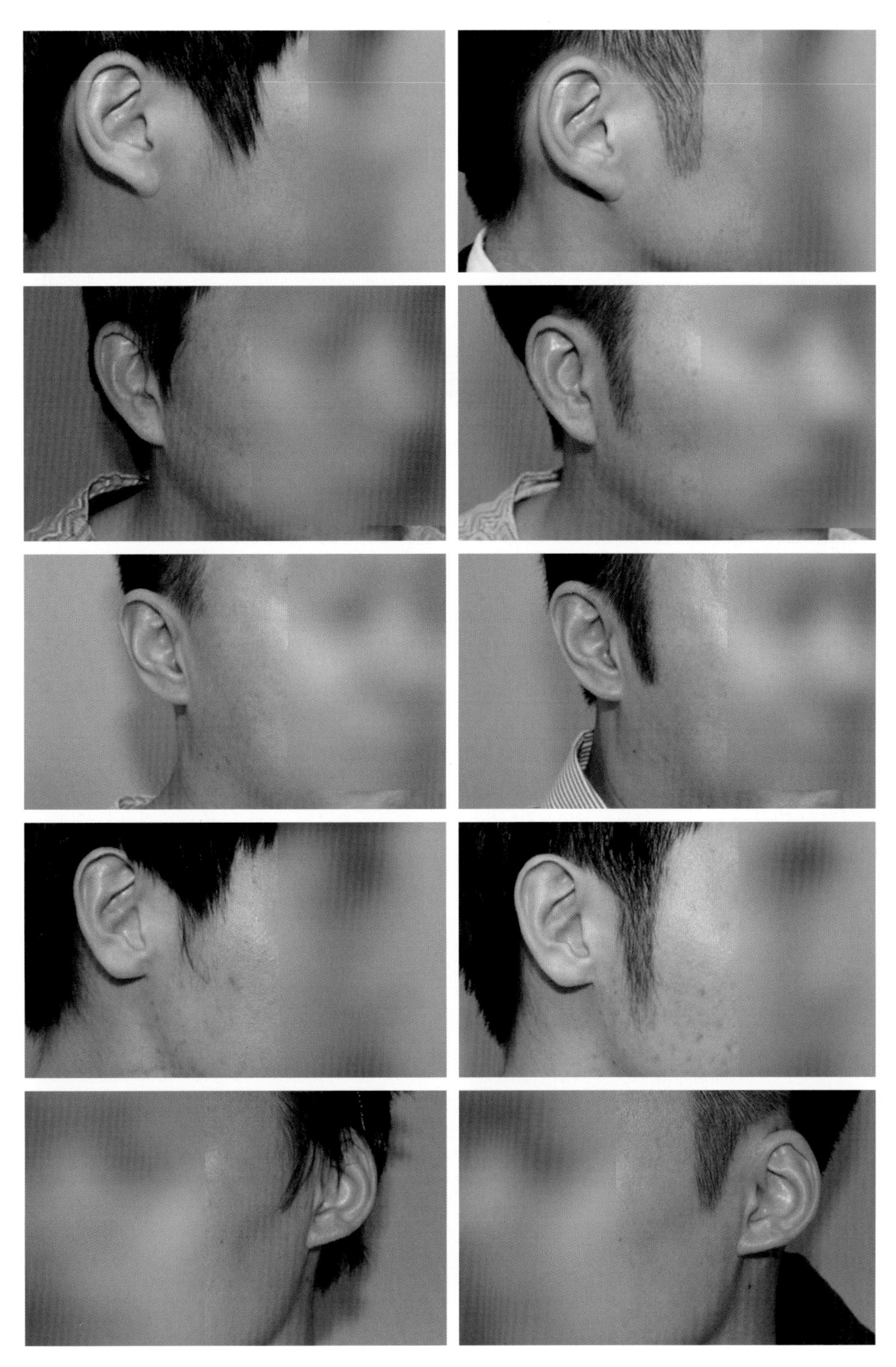

그림 6 구레나룻 이식 수술 전후 사진

2) 모발 채취

디자인에 따라서 필요한 모발의 양을 계산하여 모발을 채취한다. 역시 1 cm^2 당 40~50모 정도로 계산하면 적당할 것으로 생각된다. 모낭은 대체로 단일모를 사용하며 central zone에 2모-모낭을 적당히 섞어줄 수도 있다. 채취 방법은 펀치 채취술이나 절개방식 중 어느 것을 사용해도 무방하다.

3) 마취

구레나룻 부위도 마취 시에 통증을 많이 호소하는 부위이다. 환자의 통증을 덜어주기 위해서 아래쪽부터 점진적으로 마취를 하는 것이 도움이 될 수 있을 것이다. 저자의 경우 이식을 아래쪽에서부터 시작하므로 아래쪽부터 마취를 하여 우선 마취된 부분에 먼저 이식을 하고 위쪽으로 서서히 마취를 더 해가면서 수술을 진행하는데, 이렇게 함으로써 환자의 통증을 줄이고 이식 시에 그 부위의 팽륜 상태를 더 잘 유지할 수 있다.

4) 이식

구레나룻 이식에 있어서 가장 주의할 점은 이식모의 각도이다. 환자들의 불만 중에 가장 흔하고 해결이 어려운 점이 모발이 옆으로 떠서 자라는 경우이다. 따라서 이식 시에는 모발이 최대한 얼굴에 붙어서 자랄 수 있도록 만드는 것이 중요한데 저자의 경우는 최대한 예각을 만들기 위해서 팽륜마취를 시행하고 위쪽으로 피부를 견인한 상태에서 식모기나 슬릿 바늘의 각도를 최대한 예각으로 눕혀서 이식을 한다. 수술 후에 피부의 팽륜이 줄어들면서 모발과 피부가 이루는 각도가 감소하게 되며 견인한 상태를 원위치로 하면 또한 모발의 각도가 더 줄어들게 된다.

모발을 최대한 예각으로 이식하기 때문에 이식의 순서는 아래쪽에서부터 올라오는 편이 쉽다. 각 zone에 따라서 central zone에는 2모-모낭과 굵은 1모-모낭을 조밀하게 이식하고, peripheral zone에는 1모 모낭을 적당한 밀도로 이식해준다. Scattering zone은 가는 1모-모낭을 이용하여 부드럽게 tapering해줌으로써 가장자리와 아래쪽으로 갈수록 부드럽게 열어지는 gradation을 만들어주는 것이 자연스럽다. 기존의 구레나룻이 끝나는 부위는 모발의 밀도가 떨어져 있으므로 central zone과 같은 높은 밀도로 안쪽까지 보충해주어야 이식된 구레나룻과 자연스럽게 연결될 수 있다.

5) 이식 후 관리

이식 후 첫날은 잘 때 베개와의 마찰에 의해 이식모가 빠질 위험이 있으므로 간단한 드레싱으로 덮어주는 것이 안전하다. 수술 24시간 이후부터는 이식부위를 최대한 건드리지 않도록 주의하며 가볍게 샴푸하도록 한다(**그림 6**).

참·고·문·헌

1. Gandleman M, Epstein J (2004) Hair transplantation to eyebrow, eyelash and other part of the body, Facial Plast Clin N Am 12: 253-261
2. Nordstrom REA (1991) Sideburn reconstruction. Plastic Surgery 88: 1107
3. Pathomvanich D. Hair Restoration Surgery in Asians 2010 Springer:227-234p
4. Unger WP. Mustache and Beard hair transplantation. In: Unger WP, Shapiro R, Unger R. Unger M. Hair transplantation 5th ed. New York: Informa healthcare, 2011:464-466
5. Wolf BR Beard and W hair transplantation 2003 Hair Transplant Forum 13 (6)

음모이식

Hair transplantation in pubic area

| 최종필 |

음부의 무모증 혹은 빈모증은 정확한 원인은 없으나 일부에서 상염색체 우성으로 유전되는 질환으로 인종적인 성향이 있어 주로는 몽골계 여성들에게 흔하다. 대한민국 여성에서 무모증 4.4%, 빈모증 8.2%의 빈도를 보인다. 무빈모증은 미용적 문제뿐만 아니라 자신감 결여, 사회적 위축과 같은 정신적인 문제를 일으킨다. 더욱이 대중 목욕탕 이용이나 전통 사회의 편견 같은 문화적 특이성을 가진 대한민국의 경우 이 질환의 유용하고 최종적인 치료방법인 음모이식술이 증가하고 있는 추세이다.

사춘기 동안 부신 피질 및 난소의 안드로겐에 의해 음모 모낭은 연모에서 성모로 전환된다. 무모증과 빈모증의 원인은 정확히 알려져 있지 않으나 드물게 유전적 연관성이 있는 것으로 알려져 있다. 즉, 무빈모증은 특발성 단일 질환 혹은 다른 이상과 동반되어서 나타나는 경우다. 후자의 경우 우성유전 드물게는 열성유전으로도 전달되는데 예로는 터너증후군(염색체 이상), 뇌하수체 기능 부전(호르몬이상), 안드로겐 무감성 증후군(호르몬 수용체에 대한 저항성) 등이 있다. 또한 가족력이 있는 것으로 추정되며 혈중 안드로겐의 수치에는 큰이가 없는 것으로 알려져 있다.

이 장에서는 저자의 경험과 식모기를 이용한 음모이식술에 대하여 알아보자고 한다.

1. 임상적 고려사항

무빈모증은 주로 이차적인 질환을 동반하므로 이에 따른 추가적인 선별검사가 필요 할 수도 있다. 음모의 상태는 Tanner' scale에 의해 사춘기 전 상태(PH1)부터 전형적인 성인여성음모(PH5)까지 분류한다**(그림 1)**. 음모 이식술의 술 전 임상적 고려사항, 적응증 및 금기증은 일반적인 모발이식술과 동일하다.

2. 수술 테크닉

전체적인 수술 테크닉은 식모기를 이용한 단일모낭 이식술과 유사하다. 자연스러운 결과를 내기 위해서는 모발 형태, 밀도와 분포, 방향과 각도를 잘 고려해야 한다.

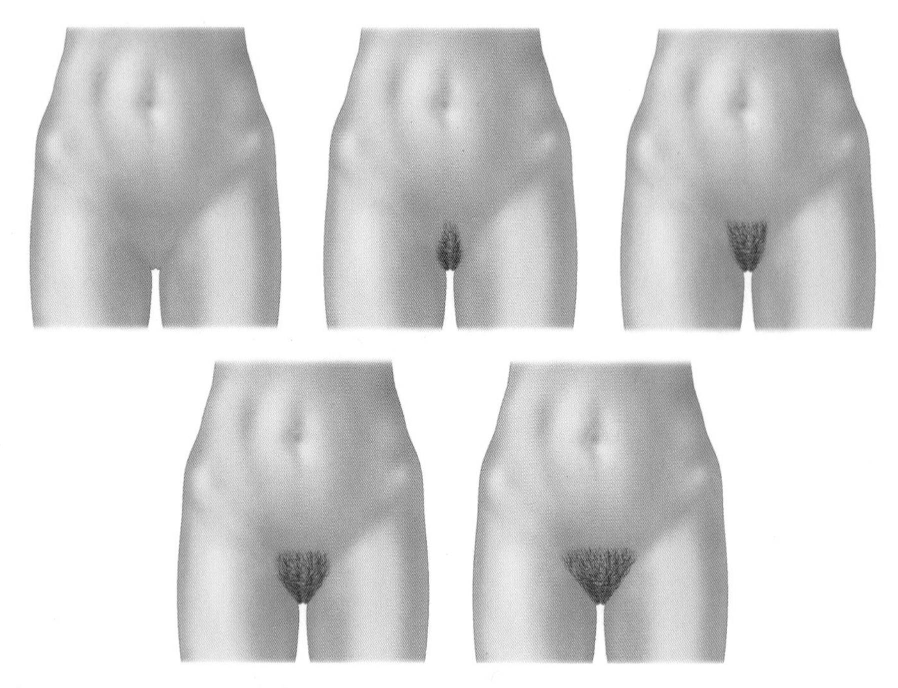

그림 1 Tanner' scale in female pubic hair (PH)

1) 음부 디자인

(1) 모발 형태

수정된 수평 패턴은 여성의 자연스러운 음모형태다. 음부고랑 위 1~2 cm 및 서혜부 영역에서 2~3 cm를 확장하여, 음부구역을 통해 자연스러운 곡선이 계속되게 하는 것이 좋다. 기타 패턴 유형은 마름모꼴을 포함한 조전적인 수평형 및 확산 패턴이 있다(**그림 2**).

(2) 밀도와 분포

이식된 모발의 밀도와 일관성 및 자연스러운 분포를 유지하기 위해 음부구역을 중심, 중간, 주변의 세 구역으로 나누고 중간은 15~20 hairs/cm^2, 중심과 주변은 10~15 hairs/cm^{2}의 밀도로 한다.

(3) 방향과 각도

자연 음모의 방향과 흐름은 대음순의 위쪽 기둥으로 향하는 Langer's lines과 거의 일치한다. 중심은 40도, 중간은 20~40도, 주변은 20도 각도로 하여 심는다.

2) 이식모 삽입

18, 19, 21게이지 니들을 이용하여 슬릿을 낸 후 식모기로 이식모를 삽입한다. 스킨 텍스처나 긴장도와 같은 국소적 특성 때문에 음모이식술에서 슬릿을 만드는 것이 정확한 각도와 방향을 형성할 수 있다(**그림 2**).

4. 수술 후 과정

1) 수술 후 경과 및 관리

수술 후 경과 및 공여부에 대한 처치는 기존 모발이식술과 동일하다. 이식 모발은 기존 음모보다 길게 자

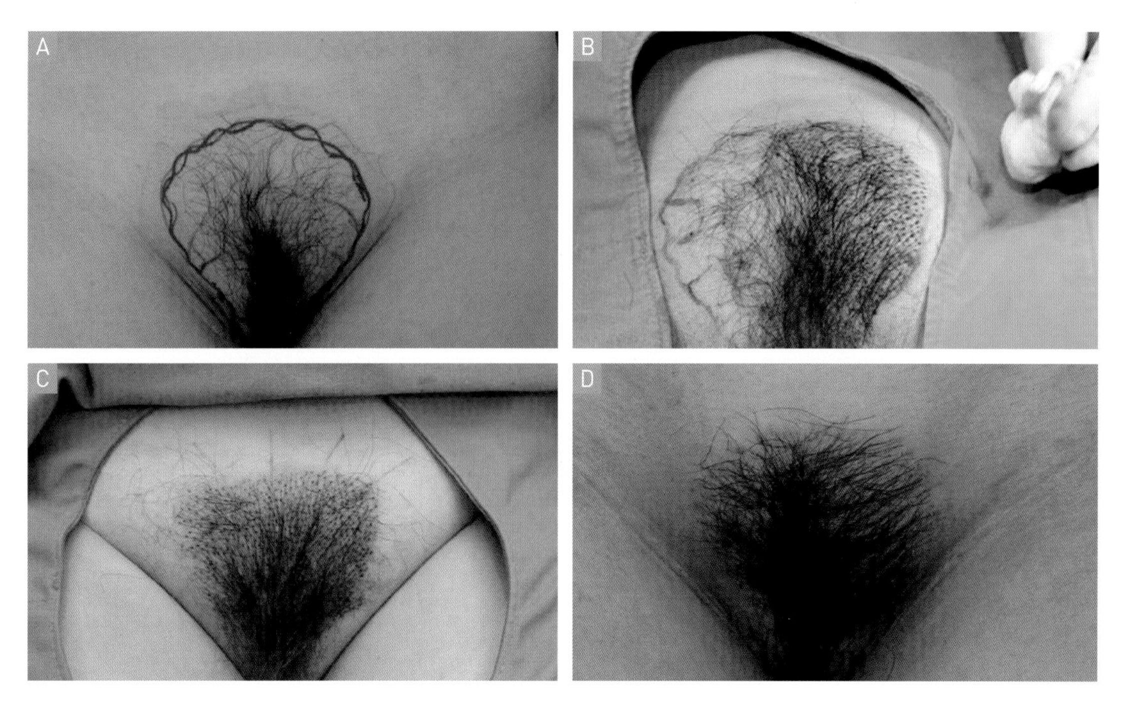

그림 2 음부 디자인 및 수술 중(A~C) 수술 후 1년경과(D)

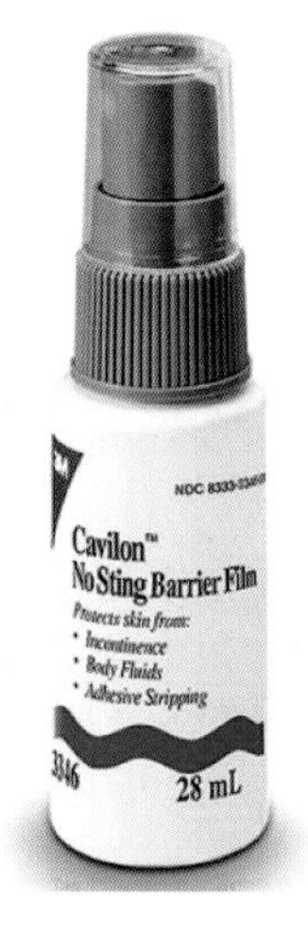

그림 3 Cavilon 3M® (spray type)

라므로 1~2개월 간격으로 잘라야 한다. 이식부위 자체가 고정이 용이하지 않기 때문에 밀봉 드레싱이 필요할 수 있다. 수술 후 환자의 움직임 및 음부의 피하지방층이 매우 두터워서 이식된 모낭이 고정되지 못하고 지방층으로 미끄러져 내려간다면 생착률이 떨어지거나 모낭염과 같은 합병증이 나타날 수 있다. 이를 예방하기 위해서 접착용 스프레이(Cavilon 3M®)가 도움이 될 수 있다(**그림 3**).

2) 부작용

모발이식술의 그것과 유사하나 음모이식술의 경우 모낭염이나 표피 낭종의 발생 가능성이 높으며, 생착률은 비슷하거나 더 낮다.

5. 논의

정상적인 여성 음모 패턴은 수평형, 시상면형, 분산형이 있으며 젊은 여성의 경우 역삼각형모양의 수평적 유형이 가장 많은 것(90%)으로 알려져 있다. 한국 여성의 경우도 수평형(40.1%)이 가장 많다고 알려져 있다. 음모 모발의 특성은 휘어져 있거나 뒤틀려 있으며 길이는 평균 6 cm으로 얇고 저색소성이다. 밀도는 7~30 모발수/cm^{2}이고 나이가 들어감에 따라 0.31모발수/cm^{2}가 감소하게 된다. 크게 중심, 중앙, 주변의 세 구역으로 나누어 중간 부위의 경우 15~20, 중심과 주변부위는 10~15 모발수/cm^{2}를 보인다. 모발의 각도는 중심부위 40~60도, 중간 및 주변부위는 좀더 예각이다.

단일모 이식에 비해 단일모와 이중모를 섞어서 이식하는 경우 생착률은 높아진다. 이는 분리과정에서의 모낭 손상, 주변보호조직이 적어 손상 및 탈수에 취약한 것으로 생각 된다. 이식모의 성장 및 생착률은 주로 수용부의 영향을 받게 되는데 두피에 비하여 낮은 이유는 혈류, 혈관계, 피부 두께, 피부 텍스처와 같은 환경적인 차이에 있다고 알려져 있다.

6. 결론

음부의 빈모와 무모증의 원인은 다양하고 정확히 알려져 있지 않다. 이런 환자들의 미용적 정서적, 정신적 스트레스를 덜어 줄 수 있는 해결책으로 정확한 음모의 형태와 생리적 특성을 이해하고, 단일모 혹은 단일모-이중모 병행 음모 이식술은 최선의 결과를 낼 수 있는 바람직한 선택이 될 수 있을 것이다.

참·고·문·헌

1. Camacho F, Montagna W. Some aspects of the physiology of the hair follicle. In: Camacho F, Montagna W, editors. Trichology. Madrid: Aula Medica Group, 1997:31–46.
2. Dupertuis CW, Atkinson WB, Elftman H. Sex differences in pubic hair distribution. Hum Biol 1945;17:137.
3. Hwang SJ, Kim JC, Ryu HS, et al. Does the recipient site influence the hair growth characteristics in hair transplantation? Dermatol Surg 2002;28:795–9.
4. Ignacio PL, Vicente P, Esteban GP. The normal trichogram of pubic hairs. Br J Dermatol 1979;101:441–4.
5. Jeon JY, Jeon IG (1982) The distribution of the patterns of pubic hair and axillary hair. J Korea Dermatol 20:231–237
6. Lee YR, Lee SJ, Kim JC, et al (2006) Hair restoration surgery in patients with pubic atrichosis or hypotrichosis: review of technique and clinical consideration of 507 cases. Dermatol Surg 32:1327–1335
7. Marshall WA, Tanner JM (1969) Variations in pattern of pubertal change in girls. Arch Dis Child 44:291–303
8. P Rodien, F Mebarki, I Mowszowicz, J L Chaussain, J Young, Y Morel, and G Schaison Different phenotypes in a family with androgen insensitivity caused by the same M780I point mutation in the androgen receptor gene. J Clin Endocrinol Metab. 1996 Aug;81(8):2994-8
9. Treatment of atrichia pubis in adolescent girls with pituitary dwarfism. Dacou-Voutetakis C, Kakourou T. J Pediatr. 1996 Feb;128(2):284-5

흉터 모발이식

Hair transplantation into scars

| 김진오 |

두피에 흉터가 생겼을 때 3가지 방법을 고려해볼 수 있다.

1) 흉터제거술(scar revision): 흉터를 절제하고 봉합하는 방법으로, 성형외과 영역에서 가장 일반적으로 생각할 수 있는 방법이다.
2) 흉터 모발이식: 모발을 채취한 후, 모발이 없는 흉터 위로 모낭을 이식하는 방법이다(**그림 1**).
3) 두피문신: 흉터 위에 미세한 dot을 밀집하게 만들어 머리카락처럼 보이게 시술하는 방법이다.

흉터의 폭이 넓은 경우 수술로써 흉터의 폭을 줄일 수 있는 가능성이 높다면, 우선적으로 흉터제거술을 먼저 시행하는 것이 좋다. 하지만, 흉터의 폭이 넓지 않아 흉터제거술을 해도 비슷한 흉터가 생길 가능성이 크거나, 두피의 유연성이 부족해 흉터가 절제되고 난 후 장력이 커질 것 같은 경우에는 흉터 내 모발이식을 택하는 것이 더 낫다고 볼 수 있다. 외과적 수술을 원하지 않는 경우, 혹은 수술 후 보완을 위해서는 두피문신도 고려해볼 만 하다.

1. 탈모의 평가

우선 모발이식이 가능한 상태인지 탈모에 대한 진단이 중요하다. 외상이나 화상에 의한 흉터라면 모발

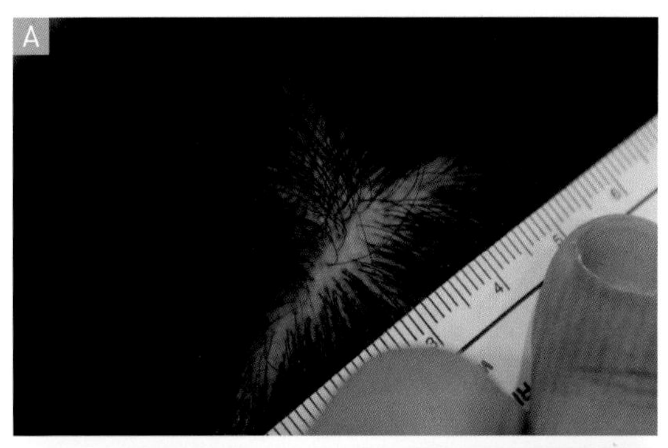

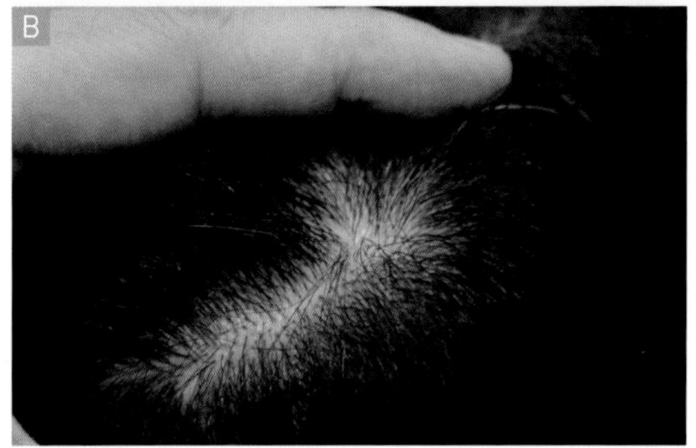

그림 1 두피 흉터 모발이식 전(A)과 수술 후 1년(B).

표 1 Causes of Stable and Unstable Cicatricial Alopecia

Stable cicatricial alopecia(SCA)	Unstable cicatricial alopecia (UCA)
Trauma	*Lymphocytic*
Burns cutaneous	Discoid lupus erythematosus
Radiation-induced alopecia	Classic lichen planopilaris
Prior hair transplantation	Frontal fibrosing alopecia
Prior rhytidectomies and brow lifts	Graham-Little syndrome
Traction alopecia	Classic pseudopelade (Brocq)
Trichotillomania	Alopecia mucinosa
Pressure alopecia	Keratosis follicularis spinulosa decalvans
Congenital	*Neutrophilic*
Aplasia cutis congenital	Folliculitis decalvans
Lymphocytic	Dissecting folliculitis
Central centrifugal cicatricial alopecia	*Congenital*
	Conradi-Hunermann chondrodysplasia punctata
	Incontinentia pigmenti
	Ankyloblepharon
	Hallermann-Streif syndrome
	Generalized atrophic benign epidermolysis bullosa
	Other
	Acne keloidalis/Acne necrotica
	Erosive pustular dermatosis
	Infection (deep fungal infections, zoster, massive bacterial folliculitis, tinea capitis with keratosis)
	Metastatic/primary neoplasm
	Graft vs. host disease

이식에 크게 제약이 없으나 반흔성 탈모(cicatrical alopecia)에서의 모발이식은 신중하여야 한다(**표 1**). 불안정한 반흔성 탈모의 경우 모발이식 시 탈모가 공여부와 이식부위 모두에서 새로 생길 수 있다. 따라서 최소한 1년 이상의 안정된 상태를 확인 후 수술을 결정하는 것이 좋다(**그림 2**).

2. 수술 시 주의사항

일반적으로 행하는 모발이식과 크게 다른 점은 없다. 다른 두피 영역에서 모발을 채취하고, 채취한 모발을 결손부위에 이식하는 원리는 동일하다. 다만 일반조직과는 다른 흉터조직(scar tissue)이므로 주의해야 할 사항들이 몇 가지 있다.

(1) 혈액순환이 좋지 못한 부위이므로 평소보다 밀도를 다소 떨어뜨려 이식하는 것이 안전하다(**그림 3**). 슬릿 블레이드의 크기나 식모기의 구경도 가능한 작은 것을 써서 흉터의 2차 섬유화 혹은 위축으로 인한 혈행 장애를 최소화시키는 것에 집중한다. 환자에게는 생착률이 일반적인 모발이식보다 떨어질 수 있다는

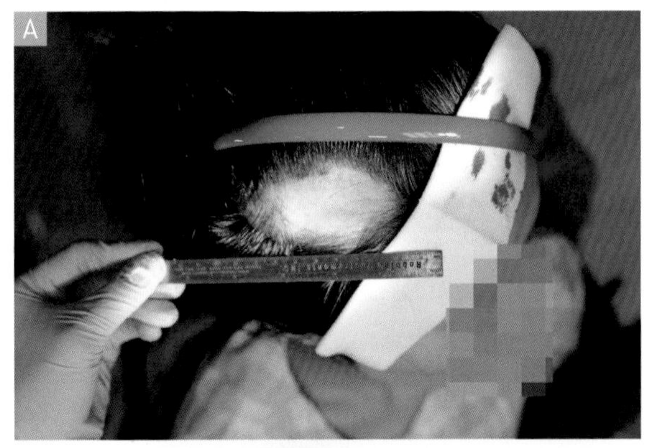

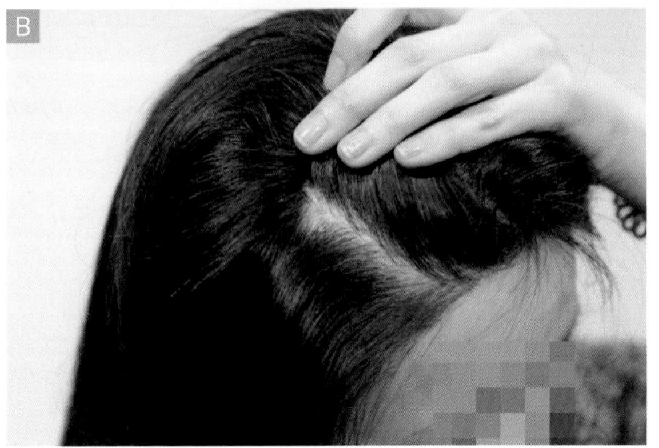

그림 2 모발이식 전(A) 및 모발이식 1년 후(B) 사진.

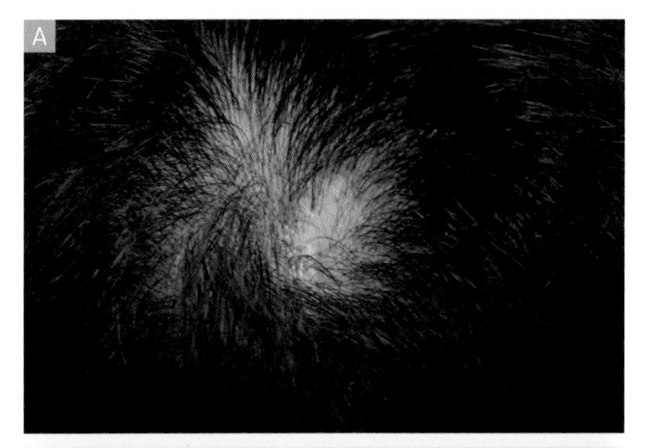

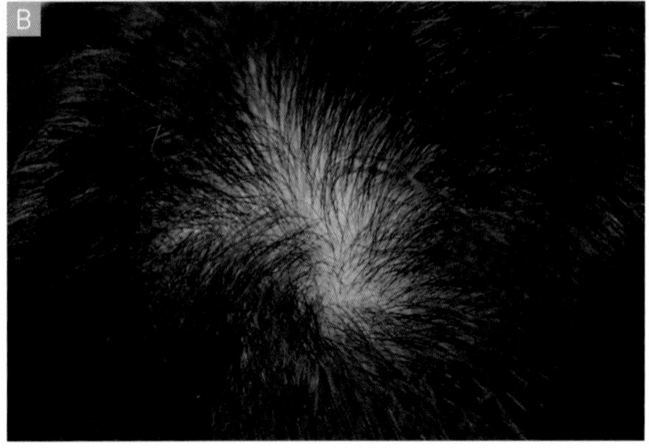

그림 3 흉터가 딱딱하고, 피하조직이 많지 않아 밀도를 의도적으로 떨어뜨려서 모발이식. 수술 전(A) 및 수술 6개월 후(B) 모습.

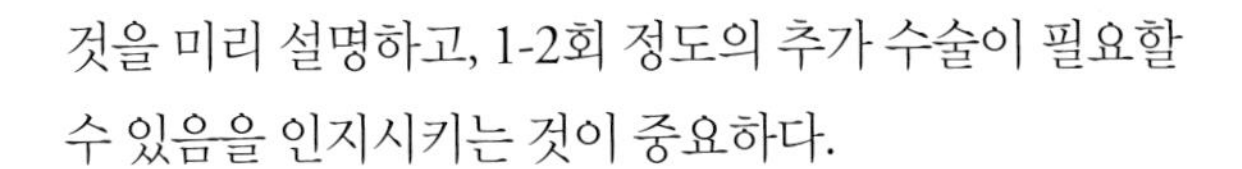

것을 미리 설명하고, 1-2회 정도의 추가 수술이 필요할 수 있음을 인지시키는 것이 중요하다.

(2) 피하조직이 흉터로 인해 위축이 있을 경우, 기존모의 방향대로 이식하면 모낭의 상부가 노출될 수 있다. 이 경우 이식각도를 기존의 머리카락보다 더 눕혀서 모낭이 노출되지 않도록 하는 것이 좋다. 모낭이 노출될 경우 건조되어 생착이 되지 않을 가능성이 높아진다. 눕히는 것만으로도 모낭이 노출되는 것이 해결되지 않을 때는 모발의 방향이 다소 바뀌더라도 모근이 가능한 조직의 양이 풍부하고 혈행이 좋은 부위에 위치시키는 것도 고려해볼 수 있다.

(3) 조직 유연성: 흉터조직이 일반조직보다 딱딱한 경우가 많아 이식 시 압력으로 앞서 이식한 모발이 튀어나오는 현상(popping)이 잘 생긴다. Popping을 줄이기 위해 밀도를 평소보다 조금 떨어뜨려서 이식하고, 날이 조금이라도 무뎌져서 두피에 압력이 가해진다는 느낌이 들면 슬릿 블레이드나 식모기를 교체한다.

(4) 모낭주위조직을 평소보다 조금 덜 많이 남겨서 분리한다. 이식할 모발을 절개법이 아닌 비절개 방식(follicular unit extraction, FUE)의 채취 시에는 평소보다 구경이 조금 작은 펀치를 사용하기도 한다(**그림 4**). 통통한 모낭이 생착률 증대에 도움이 되는 것으로 알려져 있으나, popping을 줄이고, 삽입 후 모낭에 가해지는 압력(pressure)으로 인한 손상의 줄이기 위해 흉터이식에서는 얇은 모낭을 선호한다.

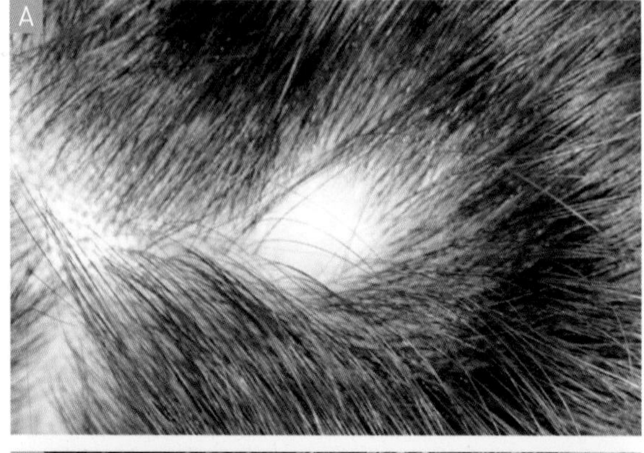

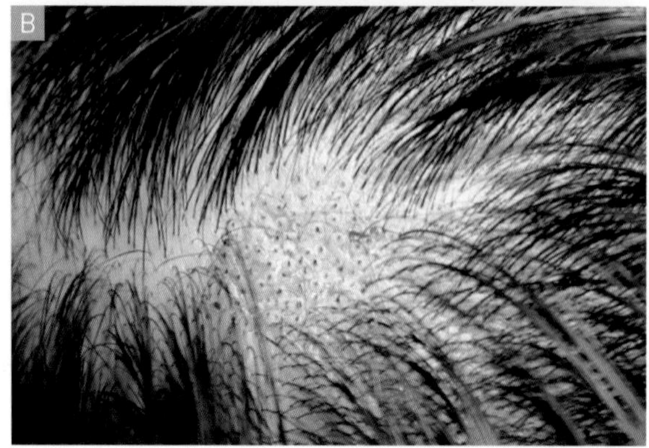

그림 4 비절개 방식으로 채취한 모낭 이식 전(A) 및 이식 직후(B) 모습.

(5) 식모기 방식의 이식을 할 때, 미리 20-22 G 주사침으로 표피층을 열어준 후 이식하면 popping을 줄이는데 도움이 된다.

(6) 2013년 세계모발이식학회에서 Martinick은 FUE 때 사용하는 punch를 사용하여 흉터부위에 slit을 만들면 debulking의 의미가 있어 흉터 내 압력이 줄어들어 모발의 생착률이 높아지는데 도움이 된다고 주장하기도 하였다.

참·고·문·헌

1. Beehner M. A comparison of hair growth between follicular unit grafts trimmed “skinny” vs “chubby.” Hair Transpl Forum Int 1999; 9: 16.
2. Beehner M. Comparison of survival of FU grafts trimmed chubby, medium, and skeletonized. Hair Transpl Forum Int 2010; 20(1): 1,6.
3. Jung S, Oh SJ, Hoon Koh S. Hair follicle transplantation on scar tissue. J Craniofac Surg. 2013 Jul;24(4):1239-41.
4. Rassman WR, Pak JP, Kim J. Scalp micropigmenation: a useful treatment for hair loss. Facial Plast Surg Clin North Am. 2013 Aug;21(3):497-503.
5. Rose P, Shapiro R. Transplanting into scar tissue and areas of cicatricial alopecia. In: Unger WP, Shapiro R, eds. Hair Transplantation, 4th edn. New York: Marcel Dekker, 2004: 606–609
6. Seager D. Micrograft size and subsequent survival. Dermatol Surg 1997; 23(9): 757–61.
7. Unger W, Unger R, Wesley C. The surgical treatment of cicatricial alopecia. Dermatol Therapy. 2008: 21: 295–311.

Index

한글

영어

A ◇◇◇◇◇◇◇◇◇◇◇◇◇◇

B ◇◇◇◇◇◇◇◇◇◇◇◇◇◇

C ◇◇◇◇◇◇◇◇◇◇◇◇◇◇

D ◇◇◇◇◇◇◇◇◇◇◇◇◇

E ◇◇◇◇◇◇◇◇◇◇◇◇◇

F ◇◇◇◇◇◇◇◇◇◇◇◇◇

V

W